DIANA GABALDON

Ein Hauch von Schnee und Asche

Buch

Man schreibt das Jahr 1772, und die Vorzeichen der Rebellion häufen sich. In Boston wird der Tee knapp, und im dünn besiedelten North Carolina gehen abgelegene Blockhäuser in Flammen auf. Dank seiner geliebten Frau Claire Randall, einer Zeitreisenden aus dem 20. Jahrhundert, weiß Jamie Fraser, dass es nur noch drei Jahre sind, bis ein verheerender Krieg losbricht – an dessen Ende die Unabhängigkeit stehen wird. Und als der besorgte Gouverneur ihn bittet, das Hinterland für König und Vaterland zu einen, droht sich die Geschichte für Jamie zu wiederholen: Wie schon in seiner schottischen Heimat scheint es auch diesmal wieder sein Schicksal zu sein, auf der Verliererseite eines Konflikts zu stehen.
Über all dem jedoch lastet die Drohung eines winzigen Zeitungsausschnitts aus dem Jahr 1776, der von der Zerstörung des Hauses auf Fraser's Ridge berichtet – und vom Feuertod eines gewissen James Fraser sowie seiner gesamten Familie. Jamie hofft, dass sich seine Frau ausnahmsweise mit ihrer Vorhersage irrt – doch das kann nur die Zukunft entscheiden …

Autorin

Bereits Diana Gabaldons erster Roman »Feuer und Stein« wurde international zu einem riesigen Erfolg und führte dazu, dass Millionen von Lesern zu begeisterten Fans der Highland-Saga wurden. »Ein Hauch von Schnee und Asche« stand vier Monate lang in den Top Ten der Spiegel-Bestsellerliste! In der Zwischenzeit liegt die Gesamtauflage ihrer Bücher bei über sieben Millionen Exemplaren. Diana Gabaldon lebt in Scotsdale, Arizona.
www.dianagabaldon.com

Liste der lieferbaren Titel

Die Highland-Saga:
Feuer und Stein (Roman 1; HC 0155, TB 36105) · Die geliehene Zeit (Roman 2; HC 0702, TB 36106) · Ferne Ufer (Roman 3; HC 0727, TB 36107) · Der Ruf der Trommeln (Roman 4; HC 0046, TB 36108) · Das flammende Kreuz (Roman 5; HC 0056, TB 36059) · Ein Hauch von Schnee und Asche (Roman 6; HC 0057, TB 36731)
Der magische Steinkreis. Das große Kompendium zur Highland-Saga (HC 0102; TB 35180)

Die Lord-John-Grey-Saga:
Das Meer der Lügen. Ein Lord-John-Roman (TB 36264) · Die Hand des Teufels. Drei Lord-John-Kurzromane (TB 36561)

Diana Gabaldon

Ein Hauch von Schnee und Asche

Roman

Deutsch von Barbara Schnell

blanvalet

Die Originalausgabe erschien unter dem Titel
»A Breath of Snow and Ashes«
bei Delacorte Press, Random House, Inc., New York.

Verlagsgruppe Random House FSC-DEU-0100
Das für dieses Buch verwendete FSC-zertifizierte Papier
München Super liefert Mochenwangen.

1. Auflage
Taschenbuchausgabe Mai 2007 bei Blanvalet,
einem Unternehmen der Verlagsgruppe
Random House GmbH, München.

Umschlaggestaltung: Design Team München
Lektorat: Silvia Kuttny
UH · Herstellung: H. Nawrot
Satz: Uhl + Massopust, Aalen
Druck und Einband: GGP Media GmbH, Pößneck
Printed in Germany
ISBN 978-3-442-36731-3

www.blanvalet-verlag.de

Dieses Buch ist
Charles Dickens,
Robert Louis Stevenson,
Dorothy L. Sayers,
John D. MacDonald
und
P. G. Wodehouse
gewidmet.

PROLOG

Die Zeit hat viele Eigenschaften, die man auch Gott nachsagt.
Da ist die Tatsache, dass sie schon immer existiert hat und nie ein Ende nimmt. Da ist die Vorstellung der Allmacht – denn gegen die Zeit hat schließlich nichts Bestand, oder?
Kein Berg, keine Armee.
Und dann heilt die Zeit natürlich alle Wunden.
Lässt man einer Sache nur *genug* Zeit, so erledigt sich jedes Problem;
jeder Schmerz lässt nach, jede Strapaze findet ein Ende, jeder Verlust Linderung.
Asche zu Asche, Staub zu Staub. Bedenke, Mensch, dass du aus Staub bist und wieder zu Staub werden wirst.
Und wenn die Zeit Gott ähnlich ist, muss die Erinnerung wohl der Teufel sein.

ERSTER TEIL

Kriegsgrollen

1

Zwiegespräch mit Unterbrechungen

Der Hund witterte sie zuerst. Da es so dunkel war, spürte Ian Murray nur, wie Rollo neben seinem Oberschenkel plötzlich den Kopf hob und die Ohren spitzte. Er legte dem Hund die Hand auf den Hals und fühlte seine warnend gesträubten Haare.

Sie waren so gut aufeinander eingespielt, dass er gar nicht bewusst »Menschen« dachte, sondern gleich die andere Hand an sein Messer legte und reglos dalag. Atmete. Lauschte.

Im Wald war kein Laut zu hören. Bis zur Dämmerung waren es noch Stunden, und die Luft war so still wie in einer Kirche, während Nebel wie Weihrauch langsam vom Boden aufstieg. Er hatte sich zum Ausruhen auf den umgestürzten Stamm eines riesigen Tulpenbaums gelegt, denn er wurde lieber von Waldläusen gekitzelt als von Feuchtigkeit durchdrungen. Er ließ die Hand auf dem Hund liegen und wartete.

Rollo knurrte, ein leises, unablässiges Grollen, das Ian kaum hören, aber gut spüren konnte, weil sein Arm die Vibrationen weiterleitete und jeden Nerv seines Körpers in Alarmbereitschaft versetzte. Er hatte nicht geschlafen – er schlief kaum noch des Nachts –, doch er hatte geruht, zum Himmel aufgesehen und war in seine übliche Diskussion mit Gott vertieft gewesen. Die Ruhe war mit Rollos Bewegung dahin. Ian setzte sich behutsam auf und schwang die Beine seitlich über den halb verwesten Baumstamm. Sein Herz schlug jetzt schnell.

Rollos Ausdruck blieb unverändert warnend, doch sein großer Kopf wanderte jetzt und folgte etwas Unsichtbarem. Es war eine mondlose Nacht; Ian konnte die schwachen Umrisse der Bäume und die beweglichen Schatten der Nacht sehen, sonst aber nichts.

Dann hörte er sie. Etwas Lebendiges zog vorüber. Ein gutes Stück entfernt, aber es kam mit jeder Sekunde näher. Er stand auf und trat leise in die Schwärze am Fuß einer Kastanie. Ein Schnalzen mit der Zunge, und Rollo stellte das Knurren ein und folgte ihm, lautlos wie der Wolf, der sein Vater gewesen war.

Ians Ruheplatz überblickte einen Wildwechsel. Die Männer, die dem Pfad folgten, waren nicht auf der Jagd.

Weiße. Das war allerdings seltsam, sehr seltsam. Er konnte sie nicht sehen, doch das brauchte er nicht; der Lärm, den sie machten, ließ keine Verwechslung zu. Auch Indianer bewegten sich nicht unbedingt lautlos, und viele der Highlander, unter denen er gelebt hatte, konnten sich wie Geister im Wald bewegen – doch er hatte nicht den geringsten Zweifel. Metall, das war es. Er hörte Zaumzeug klingeln, Knöpfe und Schnallen klirren – und Gewehrläufe.

Eine ganze Menge. Sie waren jetzt so nah, dass er sie zu riechen begann. Er beugte sich ein wenig vor und schloss die Augen, um so viele Anhaltspunkte zu erschnüffeln, wie er konnte.

Sie transportierten Pelze; jetzt fing er den Geruch von getrocknetem Blut und kaltem Fell auf, der Rollo wahrscheinlich geweckt hatte... Aber keine Fallensteller, bestimmt nicht. Fallensteller reisten einzeln oder zu zweit.

Arme Männer, und schmutzig dazu. Keine Fallensteller und keine Jäger. Um diese Jahreszeit war Wild leicht zu finden; fast bei jedem Schritt sprang ein Kaninchen vom Boden auf, und in den Flüssen wimmelte es von Fischen – doch diese Männer rochen nach Hunger. Und dem Schweiß der Trunksucht.

Dicht bei ihm jetzt, vielleicht drei Meter von der Stelle entfernt, an der er stand. Rollo prustete leise, und Ian krallte ihm erneut die Hand in den Nacken, doch die Männer machten zu viel Lärm, um es zu hören. Er zählte die vorüberziehenden Schritte, die rumpelnden Wasserflaschen und Patronendosen, die Grunzlaute der Fußlahmen und die Seufzer der Erschöpften.

Er kam auf dreiundzwanzig Männer, und sie hatten ein Maultier – nein, zwei Maultiere dabei; er konnte das Ächzen voll bepackter Satteltaschen und das nörgelnde, schwere Atmen hören, das typisch für ein beladenes Maultier war, stets am Rand des Jammerns.

Die Männer hätten sie niemals entdeckt, aber ein verirrter Luftzug trug Rollos Geruch zu den Maultieren hinüber. Ohrenbetäubendes Quieken erschütterte die Dunkelheit, und vor ihm explodierte der Wald in einem Durcheinander aus rumpelnden Geräuschen und Schreckensrufen. Ian rannte schon, als hinter ihm Pistolenschüsse krachten.

»*A Dhia!*« Etwas traf ihn am Kopf, und er fiel der Länge nach hin. War er tot?

Nein. Rollo schob ihm besorgt seine feuchte Nase ins Ohr. Sein Kopf summte wie ein Bienenstock, und Ian sah gleißende Lichtblitze vor seinen Augen.

»*Ruith*«, keuchte er und schubste den Hund an. »Lauf weg! Los!« Der Hund zögerte und winselte tief in seiner Kehle. Ian konnte ihn nicht sehen, doch er spürte, wie das große Tier einen Satz machte und sich umdrehte, sich wieder drehte, unentschlossen.

»*Ruith!*« Er rappelte sich auf alle viere auf und drängte Rollo. Schließlich gehorchte der Hund und lief davon, so wie es ihm beigebracht worden war.

Ihm selbst blieb keine Zeit zum Weglaufen, selbst wenn er auf die Beine gekommen wäre. Er ließ sich auf den Bauch fallen, drückte Hände und Füße fest in das verrottende Laub und wand sich wie verrückt, um sich einzugraben.

Ein Fuß traf ihn zwischen den Schulterblättern, doch das Keuchen, mit dem ihm der Atem verging, wurde von den feuchten Blättern erstickt. Es spielte keine Rolle, sie machten solchen Lärm. Wer auch immer auf ihn getreten war, bemerkte ihn gar nicht; er bekam noch einen betäubenden Hieb versetzt, als der Mann in Panik über ihn hinwegrannte – sicher hielt er ihn für einen umgestürzten Baumstamm.

Die Schüsse verstummten. Die Rufe nicht, doch er verstand sie nicht. Er wusste, dass er flach auf dem Gesicht lag, kalte Nässe im Gesicht und den Geruch abgestorbenen Laubes in der Nase – doch er hatte das Gefühl, aufrecht zu stehen, aber ziemlich betrunken zu sein, während sich die Welt langsam um ihn drehte. Nachdem der erste, akute Schmerz vergangen war, tat sein Kopf nicht mehr sehr weh, doch er schien ihn nicht heben zu können.

Ihm kam dumpf der Gedanke, dass niemand davon erfahren würde, wenn er jetzt hier starb. Es würde seiner Mutter Kummer bereiten, dachte er, nicht zu wissen, was aus ihm geworden war.

Die Geräusche wurden leiser, geordneter jetzt. Eine Stimme brüllte nach wie vor, doch es klang, als erteilte sie Befehle. Sie entfernten sich. Ihm kam der vage Gedanke, dass er rufen könnte. Wenn sie sahen, dass er weiß war, halfen sie ihm ja vielleicht. Vielleicht aber auch nicht.

Er blieb still. Entweder lag er im Sterben oder nicht. Wenn es so war, gab es keine Hilfe. Wenn nicht, brauchte er keine.

Nun ja, ich habe ja darum gebeten, nicht wahr?, dachte er und nahm sein Zwiegespräch mit Gott wieder auf, seelenruhig, als läge er noch auf dem Stamm des Tulpenbaums und blickte in die Tiefen des Frühlingshimmels. *Ein Zeichen, habe ich gesagt. Ich hatte allerdings nicht damit gerechnet, dass du es so prompt schicken würdest.*

2

Die Hütte der Holländer

März 1773

Niemand hatte von der Existenz der Blockhütte gewusst, bis Kenny Lindsay, der am Fluss unterwegs war, die Flammen gesehen hatte.

»Es wäre mir gar nicht aufgefallen«, sagte er zum zirka sechsten Mal. »Wenn es nicht dunkel geworden wäre. Wäre es heller Tag gewesen, hätte ich nichts davon gemerkt, nichts.« Er wischte sich mit zitternder Hand über das Gesicht, unfähig, den Blick von den Leichen abzuwenden, die am Waldrand aufgereiht lagen. »Sind das Wilde gewesen, *Mac Dubh*? Sie sind nicht skalpiert worden, aber vielleicht –«

»Nein.« Jamie legte das rußverschmierte Taschentuch sanft wieder auf das blaue Gesicht eines kleinen Mädchens, das zu ihm aufstarrte. »Keiner von ihnen ist verletzt. Das musst du doch gesehen haben, als du sie ins Freie gebracht hast?«

Lindsay schüttelte mit geschlossenen Augen den Kopf und erschauerte heftig. Es war später Nachmittag und ein kühler Frühlingstag, doch die Männer schwitzten alle.

»Ich habe nicht hingesehen«, sagte er schlicht.

Meine eigenen Hände waren wie Eis, so taub und gefühllos wie die gummiartige Haut der toten Frau, die ich gerade untersuchte. Sie waren bereits über einen Tag tot; die Totenstarre war schon vorbei, und sie waren jetzt schlaff und kühl, doch das kalte Wetter des Gebirgsfrühlings hatte sie bis jetzt vor den entwürdigenden Widerwärtigkeiten der Verwesung bewahrt.

Dennoch atmete ich flach; die Luft war bitter vom Brandgeruch. Hier und dort stieg eine Rauchsäule von der verkohlten Ruine der winzigen Hütte auf. Aus dem Augenwinkel sah ich, wie Roger gegen einen Baumstamm trat und sich dann bückte, um darunter etwas vom Boden aufzuheben.

Kenny hatte lange vor Tagesanbruch an unsere Tür gehämmert und uns aus unseren warmen Betten geholt. Wir waren in aller Eile hergekommen, obwohl wir wussten, dass wir für jede Hilfe zu spät kamen. Einige der Pächter von den Siedlungsstätten in Fraser's Ridge hatten uns begleitet; Kennys Bruder Evan stand mit Fergus und Ronnie Sinclair unter den Bäumen zusammen, wo sie sich leise auf Gälisch unterhielten.

»Weißt du, was sie erwischt hat, Sassenach?« Jamie hockte sich mit sorgenvollem Gesicht neben mich. »Zumindest die Toten unter den Bäumen.« Er wies kopfnickend auf die Leiche vor mir. »Was die arme Frau hier umgebracht hat, weiß ich selbst.«

Der lange Rock der Frau regte sich im Wind und gab ihre langen, schlanken Füße preis, die in Lederpantoletten steckten. Ebenso schlanke Hände lagen reglos an ihren Seiten. Sie war hoch gewachsen gewesen – wenn auch nicht so groß wie Brianna, dachte ich und sah mich automatisch nach dem leuchtenden Haar meiner Tochter um, das sich am anderen Ende der Lichtung zwischen dem Geäst bewegte.

Ich hatte die Schürze der Frau hochgeschlagen, um ihren Kopf und ihren Oberkörper zu bedecken. Ihre Hände waren rot, die Fingerknöchel von der Arbeit rau, die Handflächen voller Schwielen, doch aus ihren festen Oberschenkeln und ihrem schlanken Körperbau schloss ich, dass sie nicht älter als dreißig war – wahrscheinlich viel jünger. Niemand konnte sagen, ob sie hübsch gewesen war. Ich schüttelte den Kopf als Antwort auf seine Bemerkung.

»Ich glaube nicht, dass sie durch das Feuer gestorben ist«, sagte ich. »Da, ihre Beine und Füße sind unversehrt. Sie muss in das Herdfeuer gefallen sein. Ihr Haar hat Feuer gefangen, das dann auf die Schultern ihres Kleides übergesprungen ist. Sie muss so dicht an der Wand oder am Kaminabzug gelegen haben, dass die Flammen übergesprungen sind, und dann ist das ganze, verfluchte Haus in Flammen aufgegangen.«

Jamie nickte bedächtig, die Augen auf die Tote gerichtet.

»Aye, das klingt plausibel. Aber was ist es gewesen, das sie umgebracht hat, Sassenach? Die anderen sind ein wenig angesengt, aber keiner von ihnen ist so verbrannt. Doch sie müssen schon tot gewesen sein, als das Haus Feuer gefangen hat, weil keiner von ihnen hinausgelaufen ist. Eine tödliche Krankheit womöglich?«

»Das glaube ich nicht. Sie sehen nicht... Ich weiß es nicht. Lass mich noch einen Blick auf die anderen werfen.«

Ich schritt langsam an der Reihe regloser Körper entlang, deren Gesichter mit Tüchern zugedeckt waren, und beugte mich einzeln darüber, um erneut unter die improvisierten Leichentücher zu spähen. Es gab unzählige Krankheiten, die in dieser Zeit rasch zum Tode führen konnten – da es keine Antibiotika gab und keine Möglichkeit der Flüssigkeitszufuhr außer durch Mund und Rektum, konnte ein simpler Durchfall einen Menschen innerhalb von vierundzwanzig Stunden umbringen.

Ich bekam solche Dinge oft genug zu Gesicht, um sie zu erkennen, genau wie jeder andere Arzt, und ich war seit über zwanzig Jahren Ärztin. Dann und wann sah ich in diesem Jahrhundert Dinge, die mir in meinem eigenen nicht begegnet waren – vor allem grauenvolle Parasitenerkrankungen, die mit dem Sklavenhandel aus den Tropen kamen –, doch es war kein Parasit, der diese armen Seelen auf dem Gewissen hatte, und keine mir bekannte Krankheit hinterließ solche Spuren bei ihren Opfern.

Sämtliche Leichen – die Frau mit den Verbrennungen, eine viel ältere Frau und drei Kinder – waren innerhalb der Wände des brennenden Hauses gefunden worden. Kenny hatte sie gerade rechtzeitig ins Freie gezogen, bevor das Dach einstürzte, und war dann losgeritten, um Hilfe zu holen. Alle tot, bevor das Feuer ausbrach; daher mussten sie auch buchstäblich alle gleichzeitig gestorben sein, denn das Feuer hatte doch gewiss schnell zu schwelen begonnen, nachdem die Frau tot auf ihren Herd gefallen war?

Die Opfer lagen ordentlich unter den Zweigen einer riesigen Rotfichte aufgereiht, während die Männer daneben ein Grab auszuheben begannen. Brianna stand mit gesenktem Kopf neben dem kleinsten Mädchen. Ich kniete mich neben die winzige Leiche, und sie kniete sich mir gegenüber hin.

»Was ist es gewesen?«, fragte sie leise. »Gift?«

Ich sah überrascht zu ihr auf.

»Ich glaube schon. Wie bist du darauf gekommen?«

Sie warf einen Blick auf das blau angelaufene Gesicht unter uns. Sie hatte versucht, dem Mädchen die Augen zu schließen, doch sie quollen unter den Lidern hervor und verliehen dem Kind einen Ausdruck verblüfften Grauens. Ihre kleinen, groben Gesichtszüge waren, vor Qual verzerrt, erstarrt, und sie hatte Spuren von Erbrochenem in den Mundwinkeln.

»Pfadfinderhandbuch«, sagte Brianna. Sie sah sich nach den Männern um, doch keiner von ihnen war nah genug, um uns zu hören. Ihr Mund zuckte, und sie wandte den Blick von der Leiche ab und hielt mir ihre geöffnete Hand entgegen. »›Iss niemals einen Pilz, den du nicht kennst‹«, zitierte sie. »›Es gibt viele giftige Sorten, und sie zu unterscheiden, ist Aufgabe der Experten‹. Roger hat sie gefunden. Sie wachsen in einem Ring da drüben neben dem Baumstamm.«

Feuchte, fleischige Hütchen, blassbraun mit weißen, warzenartigen Flecken, die offenen Lamellen und schlanken Stiele so hell, dass sie im Schatten der Fichte beinahe zu phosphoreszieren schienen. Sie hatten ein hübsches, erdiges Aussehen, das ihre Tödlichkeit Lügen strafte.

»Krötenschwämme«, sagte ich halb zu mir selbst und nahm ihr mit spitzen Fingern einen der Pilze aus der Hand. »*Agaricus pantherinus* – so *wird* man sie zumindest nennen, sobald jemand dazu kommt, sie ordentlich zu benennen. *Pantherinus*, weil sie so schnell tödlich wirken – wie eine Raubkatze.«

Ich konnte sehen, wie sich Briannas Unterarm mit Gänsehaut überzog und sich ihre weichen, rotgoldenen Härchen aufstellten. Sie ließ ihre Hand kippen und warf die übrigen tödlichen Pilze auf den Boden.

»Welcher denkende Mensch isst denn Giftpilze?«, fragte sie und wischte sich mit einem leichten Schauder die Hand am Rock ab.

»Ein Mensch, der es nicht besser weiß. Vielleicht ein Mensch, der Hunger hat«, antwortete ich leise. Ich hob die Hand des kleinen Mädchens auf und zeichnete die zarten Knochen ihres Unterarms nach. Ihr Bäuchlein war leicht aufgetrieben, ob durch Unterernährung oder postmortale Veränderungen, konnte ich nicht sagen – doch ihre Schlüsselbeine waren so scharf wie Sensenklingen. Die Leichen waren alle dünn, wenn auch nicht total ausgehungert.

Ich blickte in die tiefblauen Schatten des Berghangs oberhalb der Hütte. Es war noch zu früh im Jahr, um auf Erntezüge zu gehen, doch im Wald gab es Nahrung im Überfluss – für jene, die sie erkennen konnten.

Jamie trat neben mich, kniete sich hin und legte mir seine kräftige Hand leicht auf den Rücken. Trotz der Kälte zog sich ein Schweißrinnsal über seinen Hals, und sein dichtes, rotes Haar war an den Schläfen dunkel.

»Das Grab ist fertig«, sagte er mit leiser Stimme, als könnte er das Kind erschrecken. »Ist es das, was das Kind umgebracht hat?« Er wies nickend auf die verstreuten Pilze.

»Ich glaube schon – und die anderen auch. Habt ihr euch hier umgesehen? Weiß irgendjemand, wer sie waren?«

Er schüttelte den Kopf.

»Keine Engländer; die Kleider sind falsch. Deutsche wären sicher nach Salem gegangen; sie lassen sich am liebsten bei ihresgleichen nieder. Vielleicht sind es Holländer gewesen.« Er deutete auf die Holzpantinen an den Füßen der alten Frau, die vom langen Tragen fleckig und rissig geworden waren. »Es sind keine Bücher oder Schriftstücke übrig geblieben, falls es je welche gegeben hat. Nichts, was uns ihren Namen verraten würde. Aber –«

»Sie waren noch nicht lange hier.« Eine leise, gebrochene Stimme ließ mich aufblicken. Roger war zu uns gekommen; er hockte an Briannas Seite und wies mit dem Kinn auf die schwelenden Überreste der Blockhütte. Daneben war ein kleiner Garten in die Erde gescharrt worden, doch die wenigen Pflanzen, die dort zu sehen waren, sprossen gerade erst aus dem Boden, und ihre zarten Blätter hingen schlaff und vom Frost geschwärzt herunter. Es gab keine Nebengebäude, keine Spur von Vieh, kein Maultier oder Schwein.

»Frisch emigriert«, sagte Roger leise. »Keine Leibeigenen; das hier war eine Familie. Sie waren es nicht gewohnt, im Freien zu arbeiten; die Hände der Frauen sind voller Blasen und frischer Narben.« Er rieb sich selbst unbewusst mit der Hand über das leinenbekleidete Knie; seine Handflächen waren inzwischen genauso mit glatten Schwielen überzogen wie Jamies, doch er war einmal ein dünnhäutiger Gelehrter gewesen; er erinnerte sich noch gut an die Schmerzen seiner Einarbeitung.

»Ich frage mich, ob sie Verwandte hinterlassen – in Europa«, murmelte Brianna. Sie strich dem kleinen Mädchen das blonde Haar aus der Stirn und legte ihm das Taschentuch wieder über das Gesicht. Ich sah, wie sich ihre Kehle bewegte, als sie schluckte. »Sie werden nie erfahren, was aus ihnen geworden ist.«

»Nein«, sagte Jamie abrupt. »Man sagt zwar, dass Gott die Narren beschützt – aber selbst der Allmächtige verliert wohl dann und wann die Geduld.« Er wandte sich ab und winkte Lindsay und Sinclair.

»Sucht nach dem Mann«, sagte er zu Lindsay. Alle Köpfe fuhren zu ihm auf.

»Mann?«, sagte Roger und richtete die Augen dann allmählich auf die verbrannten Überreste der Hütte, während es ihm dämmerte. »Aye – wer hat ihnen die Hütte gebaut?«

»Es könnten doch die Frauen gewesen sein«, sagte Brianna und hob das Kinn.

»*Du* hättest es gekonnt, aye«, sagte er, und sein Mund zuckte, als er seiner Frau einen Seitenblick zuwarf. Brianna sah Jamie nicht nur an Haut und Haaren ähnlich; sie war barfuß einen Meter achtzig groß und besaß den klaren, kraftvollen Körperbau ihres Vaters.

»Möglich, dass sie es gekonnt hätten, aber sie waren es nicht«, sagte Jamie knapp. Er zeigte auf das Skelett der Hütte, in deren Innerem ein paar Möbelstücke ihre zerbrechliche Form behalten hatten. Während ich hinsah, erhob sich der Abendwind, und der Schatten eines Hockers fiel lautlos zu Asche zusammen, und Ruß und Asche wirbelten wie Gespenster über den Boden.

»Wie meinst du das?« Ich stand auf und trat an seine Seite, um in das Haus zu blicken. Es war buchstäblich nichts daringeblieben, obwohl der Schornstein noch stand und ein paar kantige Reste der Wände übrig geblieben waren, während die restlichen Stämme wie Mikadostäbchen eingestürzt waren.

»Hier ist kein Metall«, sagte er und machte auf den geschwärzten Herd aufmerksam, in denen die Reste eines Kessels lagen, der durch die Hitze in zwei Hälften gesprungen war, während sein Inhalt verdampft war. »Keine Töpfe bis auf den Kessel – und der ist zu schwer, um ihn fortzuschleppen. Keine Werkzeuge. Kein Messer, keine Axt – und man sieht ja, dass wer immer die Hütte gebaut hat, solche Werkzeuge hatte.«

Das stimmte; die Baumstämme waren zwar nicht entrindet, doch die Kerben und Enden trugen deutliche Spuren einer Axt.

Roger griff stirnrunzelnd nach einem langen Kiefernzweig und begann, in den Geröll- und Aschebergen umherzustochern, um sich zu vergewissern. Kenny Lindsay und Sinclair gaben sich gar nicht erst damit ab: Jamie hatte ihnen aufgetragen, nach einem Mann zu suchen, und sie machten sich prompt daran, genau das zu tun, und verschwanden im Wald. Fergus ging mit ihnen; Evan Lindsay, sein Bruder Murdo und die McGillivrays begannen damit, Steine für einen Grabhügel zusammenzutragen.

»Wenn es einen Mann *gegeben* hat – hat er sie allein gelassen?«, murmelte Brianna mir zu und ließ den Blick von ihrem Vater zu den aufgereihten Leichen wandern. »Hat die Frau vielleicht geglaubt, sie könnte allein überleben?«

Und sich und ihren Kindern dann das Leben genommen, um einen langsamen Tod durch Kälte und Hunger zu verhindern?

»Sie verlassen und alle Werkzeuge mitgenommen? Gott, ich hoffe nicht.« Ich bekreuzigte mich bei diesem Gedanken, obwohl mir im selben Moment Zweifel daran kamen. »Hätten sie sich nicht aufgemacht, um Hilfe zu suchen? Selbst mit den Kindern… Der Schnee ist fast völlig geschmolzen.« Nur die höchsten Bergpässe waren immer noch zugeschneit, und die Wege und Hänge waren zwar nass und schlammig vom Schmelzwasser, doch sie waren schon seit mindestens einem Monat passierbar.

»Ich habe den Mann gefunden«, sagte Roger und unterbrach meine Gedankengänge. »Hier – genau hier.«

Das Tageslicht verblasste allmählich, doch ich konnte sehen, dass er bleich geworden war. Kein Wunder; die verkrümmte Gestalt, die er unter den verkohlten Balken einer eingestürzten Wand ausgegraben hatte, sah so grauenerregend aus, dass sich jeder erschrocken hätte. Kohlschwarz, die Hände in der Boxerhaltung erhoben, die man bei Brandopfern häufig findet, so dass man sich kaum sicher sein konnte, dass es überhaupt ein Mann *war* – obwohl ich es glaubte, zumindest nach dem, was ich erkennen konnte.

Jegliche Spekulation über diesen neuen Leichenfund wurde durch einen Ruf vom Waldrand unterbrochen.

»Wir haben sie gefunden, Milord!«

Alle wandten die Köpfe und sahen Fergus am Rand der Lichtung winken.

»Sie«, in der Tat. Zwei Männer diesmal. Beide lagen im Schatten der Bäume auf dem Boden, nicht direkt beieinander, aber auch nicht weit voneinander, ein kurzes Stück vom Haus entfernt. Und beide, soweit ich das sagen konnte, durch eine Pilzvergiftung gestorben.

»*Das* ist aber kein Holländer«, sagte Sinclair zum etwa vierten Mal und schüttelte den Kopf, während er über einer der Leichen stand.

»Vielleicht ja doch«, sagte Fergus skeptisch. Er kratzte sich mit der Spitze des Hakens, die er als Ersatz für seine linke Hand trug, an der Nase. »Von den Westindischen Inseln, *non*?«

Eine der namenlosen Leichen war tatsächlich die eines Schwarzen. Die andere war weiß, und beide trugen eine schlichte, abgetragene Kluft aus handgesponnenem Leinen – Hemden und Kniehosen, keine Röcke trotz des kalten Wetters. Und beide waren barfuß.

»Nein.« Jamie schüttelte den Kopf und rieb sich unbewusst über seine eigene Kniehose, als wollte er sich von der Berührung der Toten reinigen. »Die Holländer auf Barbuda halten Sklaven, aye – aber diese Männer hier sind besser genährt als die Bewohner der Hütte.« Er nickte in Richtung der stummen Reihe Frauen und Kinder. »Sie haben nicht hier gelebt. Außerdem…« Ich sah, wie sich sein Blick auf die Füße der Toten heftete.

Die Füße waren schmutzig an den Knöcheln und von dicken Schwielen überzogen, aber mehr oder weniger sauber. Die Fußsohlen des Schwarzen hatten eine rosa-gelbliche Farbe ohne jede Spur von Schmutz oder zwischen den Zehen klemmenden Blättern. Diese Männer waren nicht barfuß im Wald unterwegs gewesen, das stand fest.

»Also sind möglicherweise noch mehr Männer hier gewesen? Und als die beiden hier gestorben sind, haben ihre Begleiter ihnen die Schuhe abgenommen – und alle anderen wertvollen Gegenstände«, fügte Fergus praktisch denkend hinzu und wies von der abgebrannten Hütte auf die halb entkleideten Leichen, »und sind geflohen.«

»Aye, möglich.« Jamie spitzte die Lippen und ließ den Blick langsam über den Boden des Hofes wandern – doch die Erde war von Fußtritten umgepflügt, ganze Grasbüschel waren entwurzelt, und der Hof war mit Asche und verkohlten Holzstückchen übersät. Es sah aus, als sei die Lichtung von einer Herde wild gewordener Flusspferde heimgesucht worden.

»Ich wünschte, Ian wäre hier. Er ist unser bester Spurenleser; er könnte vielleicht wenigstens erkennen, was hier geschehen ist.« Er deutete in den Wald, wo die Männer gefunden worden waren. »Wie viele es waren und in welche Richtung sie verschwunden sind.«

Jamie war selbst kein übler Spurenleser. Aber das Licht ließ jetzt rapide nach; auch auf der Lichtung, auf der die abgebrannte Hütte stand, erhob sich die Dunkelheit, sammelte sich unter den Bäumen und kroch wie Öl über die aufgerissene Erde.

Sein Blick glitt prüfend zum Horizont, wo die Wolkenstreifen rosa und golden zu glühen begannen, während die Sonne hinter ihnen versank, und er schüttelte den Kopf.

»Begrabt sie. Dann gehen wir.«

Eine grauenvolle Entdeckung stand uns noch bevor. Der verbrannte Mann war als einziger der Toten nicht durch Gift oder Feuer umgekommen. Als sie seine verkohlte Leiche aus der Asche hoben, um sie zu ihrem Grab zu tragen, löste sich etwas von seinem Körper und landete mit einem leisen Plumps schwer auf dem Boden. Brianna hob es auf und rieb mit der Ecke ihrer Schürze darüber.

»Ich nehme an, das hier haben sie übersehen«, sagte sie ein wenig trostlos und hielt es uns hin. Es war ein Messer oder zumindest eine Messerklinge. Der hölzerne Schaft war vollständig verbrannt, und die Klinge selbst war von der Hitze verbogen.

Ich machte mich auf den durchdringenden Gestank verbrannten Fettes und Fleisches gefasst, beugte mich über die Leiche und betastete vorsichtig ihren Bauch. Feuer zerstört vieles, konserviert aber gleichzeitig die seltsamsten Dinge. Die dreieckige Wunde war ganz deutlich zu sehen, eingesengt in die Höhlung unter seinen Rippen.

»Sie haben ihn erstochen«, sagte ich und wischte mir ebenfalls die verschwitzten Hände an meiner Schürze ab.

»Sie haben ihn umgebracht«, sagte Brianna, die mein Gesicht beobachtete. »Und seine Frau –« Sie blickte zu der jungen Frau auf dem Boden, deren Kopf unter ihrer Schürze verborgen war. »Sie hat Pilzeintopf gekocht, und sie haben ihn alle gegessen. Auch die Kinder.«

Auf der Lichtung war es still, abgesehen von den entfernten Rufen der Vögel auf dem Berg. Ich konnte mein eigenes Herz schmerzhaft in meiner Brust schlagen hören. Rache? Oder simple Verzweiflung?

»Aye, vielleicht«, sagte Jamie leise. Er bückte sich, um die Kante des Leinentuchs zu ergreifen, auf das sie den Toten gelegt hatten. »Nennen wir es einen Unfall.«

Der Holländer wurde zusammen mit seiner Familie in ein Grab gelegt, die beiden Fremden in ein anderes.

Ein kalter Wind hatte sich erhoben, als die Sonne unterging; die Schürze flatterte aus dem Gesicht der Frau, als sie sie aufhoben. Sinclair stieß einen erstickten Schreckensschrei aus und hätte sie beinahe fallen gelassen.

Sie hatte kein Gesicht und keine Haare mehr; ihre schlanke Taille ging abrupt in verkohlte Zerstörung über. Die Haut ihres Kopfes war vollständig verbrannt und hatte einen seltsam winzigen, geschwärzten Schädel zurückgelassen, aus dem uns ihre Zähne mit bestürzender Leichtfertigkeit entgegengrinsten.

Sie senkten sie hastig in das flache Grab, legten ihre Kinder neben sie und überließen es Brianna und mir, nach alter schottischer Sitte einen kleinen Grabhügel über ihnen zu errichten, um ihren Ruheplatz zu markieren und vor wilden Tieren zu schützen. Währenddessen wurde ein simpleres Grab für die beiden barfüßigen Männer gegraben.

Als die Arbeit schließlich getan war, sammelten sich alle schweigend und mit weißen Gesichtern um die frischen Erhebungen. Ich sah Roger dicht neben Brianna stehen, den Arm schützend um ihre Taille gelegt. Ein leiser Schauer durchlief sie, und ich glaubte nicht, dass er von der Kälte herrührte. Ihr Kind, Jemmy, war etwa ein Jahr jünger als das kleinste der Mädchen.

»Wirst du etwas sagen, *Mac Dubh*?« Kenny Lindsay sah Jamie fragend an und zog sich seine Strickmütze zum Schutz vor der wachsenden Kälte tief ins Gesicht.

Es war beinahe dunkel, und keiner von uns wollte sich hier noch länger aufhalten. Wir würden im Freien übernachten müssen, irgendwo weit weg vom Brandgestank, und es würde schwierig werden, im Dunklen ein Lager aufzuschlagen. Doch Kenny hatte Recht; wir konnten nicht aufbrechen, ohne zumindest den Ansatz einer Zeremonie vollzogen zu haben, einen Abschied für die Fremden.

Jamie schüttelte den Kopf.

»Nein, lasst Roger Mac sprechen. Wenn diese Leute Holländer waren, waren sie wahrscheinlich Protestanten.«

Trotz des gedämpften Lichtes sah ich, wie Brianna ihrem Vater einen scharfen Blick zuwarf. Es stimmte, dass Roger Presbyterianer war, genau wie Tom Christie, ein viel älterer Mann, dessen säuerliche Miene widerspiegelte, was er von all dem hielt. Doch die Frage der Religion war nicht mehr als ein Vorwand, und das wussten alle, Roger eingeschlossen.

Roger räusperte sich, ein Geräusch wie reißender Kalikostoff. Seine Stimme klang immer schmerzerfüllt, aber jetzt lag zusätzlich Wut darin. Er erhob jedoch keinen Einwand und sah Jamie direkt in die Augen, als er seine Position am Kopf des Grabes einnahm.

Ich hatte gedacht, er würde einfach nur das Vaterunser sprechen oder eventuell einen der tröstenderen Psalmen. Aber ihm kamen andere Worte in den Sinn.

»Siehe, ob ich schon schreie über Frevel, so werde ich doch nicht erhört; ich rufe, und ist kein Recht da. Er hat meinen Weg verzäunt, dass ich nicht kann hinübergehen, und hat Finsternis auf meinen Steig gestellt.«

Seine Stimme war einmal kraftvoll und klangvoll gewesen. Jetzt war sie erstickt, nicht mehr als ein raspelnder Schatten ihrer früheren Schönheit – aber es lag so viel Kraft in der Leidenschaft, mit der er sprach, dass alle, die ihn hörten, die Köpfe senkten und ihre Gesichter im Schatten verbargen.

»Er hat meine Ehre mir ausgezogen und die Krone von meinem Haupt genommen. Er hat mich zerbrochen um und um und lässt mich gehen und hat ausgerissen meine Hoffnung wie einen Baum.« Sein Gesicht war gefasst, sein Blick ruhte jedoch eine trostlose Sekunde lang auf dem verkohlten Stumpf, der der holländischen Familie als Hackklotz gedient hatte.

»Er hat meine Brüder fern von mir getan, und meine Verwandten sind mir fremd geworden. Meine Nächsten haben sich entzogen, und meine Freunde haben mein vergessen.« Ich sah, wie die drei Lindsay-Brüder Blicke wechselten, und alle rückten zum Schutz gegen den stärker werdenden Wind ein Stück dichter zusammen.

»Erbarmet euch mein, erbarmet euch mein, ihr meine Freunde!«, sagte er, und seine Stimme wurde sanfter, so dass es schwer war, ihn im Seufzen der Bäume zu verstehen. *»Denn die Hand Gottes hat mich getroffen.«*

Brianna bewegte sich schwach an seiner Seite, und er räusperte sich erneut, diesmal explosiv, und reckte den Hals, so dass ich die Stricknarbe sah, die ihn entstellte.

»Ach, dass meine Reden geschrieben würden! Ach, dass sie in ein Buch gestellt würden! Mit einem eisernen Griffel auf Blei und zu ewigem Gedächtnis in einen Fels gehauen würden!«

Er blickte langsam von einem Gesicht zum nächsten, seine eigene Miene ausdruckslos, dann holte er tief Luft, um fortzufahren, und seine Stimme brach über den Worten.

»Aber ich weiß, dass mein Erlöser lebt, und er wird mich hernach aus der Erde aufwecken. Und nachdem diese meine Haut zerschlagen ist –« Brianna erschauerte heftig und wandte den Blick von dem frischen Erdhügel ab. *»– werde ich in meinem Fleisch Gott sehen. Denselben werde ich vor mir sehen, und meine Augen werden ihn schauen.«*

Er hielt inne, und es ertönte ein kollektiver Seufzer, als alle gemeinsam die Luft ausatmeten, die sie angehalten hatten. Doch er war noch nicht ganz fertig. Er hatte halb bewusst nach Briannas Hand gegriffen und hielt sie fest gedrückt. Er sprach die letzten Worte beinahe zu sich selbst, merkte ich, und dachte dabei kaum an seine Zuhörer.

»So fürchtet euch vor dem Schwert, denn das Schwert ist der Zorn über die Missetaten, auf dass ihr wisset, dass ein Gericht sei.«

Ich erschauerte, und Jamies Hand schloss sich um die meine, kalt, aber kraftvoll. Er sah zu mir herunter, und ich erwiderte seinen Blick. Ich wusste, was er dachte.

Genau wie ich dachte er nicht an die Gegenwart, sondern an die Zukunft. An eine kleine Notiz, die in drei Jahren auf den Seiten der *Wilmington Gazette* erscheinen würde.

»Mit Trauer nehmen wir die Nachricht vom Tod James MacKenzie Frasers und seiner Gattin Claire Fraser bei einer Feuersbrunst zur Kenntnis, die in der Nacht des 21sten Januar 1776 ihr Haus in der Siedlung Fraser's Ridge zerstörte. Mr. Fraser, ein Neffe des verstorbenen Hector Cameron, Besitzer der Plantage River Run, wurde in Broch Tuarach in Schottland geboren. Er war in der Kolonie gut bekannt und hoch angesehen; er hinterlässt keine Kinder.«

Bis jetzt war es uns leicht gefallen, uns keine großen Gedanken darum zu machen. So fern in der Zukunft, einer Zukunft, die gewiss nicht unabänderlich war – vorgewarnt war schließlich gut gewappnet, nicht wahr?

Ich richtete meinen Blick auf den flachen Grabhügel, und mich durchfuhr ein noch kälterer Schauer. Ich trat dichter an Jamie heran und legte meine andere Hand auf seinen Arm. Er bedeckte sie mit der seinen und drückte sie beruhigend. Nein, sagte er wortlos. Nein, ich werde es nicht geschehen lassen.

Doch als wir die trostlose Lichtung hinter uns ließen, konnte ich ein lebhaftes Bild nicht abschütteln. Nicht die abgebrannte Hütte, die bedauernswerten Toten, den erbärmlichen Garten. Das Bild, das mich nicht losließ, war eines, das ich Jahre zuvor gesehen hatte – ein Grabstein in den Ruinen der Abtei von Beauly tief in den schottischen Highlands.

Es war der Grabstein einer feinen Dame, über deren Name ein grinsender Totenschädel eingemeißelt war – ganz wie der Schädel unter der Schürze der Holländerin. Unter dem Schädel stand ihr Motto:

Hodie mihi cras tibi – Sic transit gloria mundi. »Heute ich, morgen du. So vergeht der Glanz der Welt.«

3

Halte deine Freunde dicht bei dir

Wir kamen am nächsten Tag kurz vor Sonnenuntergang wieder in Fraser's Ridge an und stellten fest, dass uns ein Besucher erwartete. Major Donald MacDonald, bis vor kurzem Offizier der Armee Seiner Majestät und bis vor noch kürzerem Mitglied der persönlichen Reitergarde Gouverneur Tryons, saß auf der Eingangstreppe, meine Katze auf dem Schoß und einen Krug Bier an seiner Seite.

»Mrs. Fraser! Stets zu Diensten, Ma'am«, rief er herzlich, als er mich kommen sah. Er versuchte aufzustehen, keuchte dann aber auf, weil Adso dem Major aus Protest gegen den Verlust seines gemütlichen Nestes seine Krallen in die Oberschenkel schlug.

»Bleibt sitzen, Major«, sagte ich mit einer hastigen Geste. Er ließ sich mit einer Grimasse wieder nieder, sah jedoch großmütig davon ab, Adso ins Gebüsch zu schleudern. Ich trat auf die Treppe und setzte mich mit einem Seufzer der Erleichterung neben ihn.

»Mein Mann versorgt nur eben die Pferde; er wird gleich da sein. Ich sehe, dass sich schon jemand um Euch gekümmert hat?« Ich wies lächelnd auf das Bier, das er mir prompt mit einer galanten Geste anbot, nachdem er den Rand des Kruges an seinem Ärmel abgewischt hatte.

»O ja, Ma'am«, versicherte er mir. »Mrs. Bug hat sich peinlichst um mein Wohlergehen bemüht.«

Um nicht unhöflich zu erscheinen, nahm ich das Bier entgegen, das offen gestanden eine Wohltat war. Jamie hatte es eilig gehabt, heimzukommen, und wir hatten seit der Morgendämmerung im Sattel gesessen und nur gegen Mittag eine kurze Erfrischungspause eingelegt.

»Es ist ein ganz exzellentes Gebräu«, sagte der Major und schmunzelte, als ich nach dem Trinken mit halb geschlossenen Augen ausatmete. »Womöglich Eure eigene Herstellung?«

Ich schüttelte den Kopf und trank noch einen Schluck, bevor ich ihm den Krug zurückreichte. »Nein, Lizzies. Lizzie Wemyss.«

»Oh, Eure Leibeigene; ja, natürlich. Werdet Ihr mein Lob an sie weiterreichen?«

»Ist sie denn nicht hier?« Ich blickte überrascht zur Tür hinter ihm. Um diese Tageszeit hätte ich Lizzie in der Küche bei der Zubereitung des Abendessens erwartet, doch sicher hatte sie von unserem Eintreffen gehört und war draußen. Jetzt, da ich darauf achtete, bemerkte ich auch keine Kochgerüche. Natürlich hatte sie nicht wissen können, wann mit uns zu rechnen war, aber …

»Mm, nein. Sie ist …« Der Major runzelte angestrengt die Stirn, als er sich zu erinnern versuchte, und ich fragte mich, wie voll der Krug gewesen war, bevor er sich darüber hermachte; jetzt waren nur noch ein paar Zentimeter darin. »Ah, ja. Sie ist mit ihrem Vater zu den McGillivrays gegangen, hat Mrs. Bug gesagt. Um ihren Verlobten zu besuchen, glaube ich?«

»Ja, sie ist mit Manfred McGillivray verlobt. Aber Mrs. Bug –«

»– ist im Kühlhaus«, sagte er und deutete zu dem kleinen Schuppen hinauf. »Es ging um Käse, hat sie, glaube ich, gesagt. Mir wurde höchst großzügig ein Omelett zum Abendessen vorgeschlagen.«

»Ah.« Ich entspannte mich jetzt ein bisschen mehr, und der Staub des Rittes setzte sich, gemeinsam mit dem Bier. Es war wunderbar, nach Hause zu kommen, obwohl das Gefühl des Friedens etwas Beklommenes an sich hatte, da es von der Erinnerung an die niedergebrannte Hütte beeinträchtigt wurde.

Ich ging davon aus, dass Mrs. Bug ihm erzählt hatte, wieso wir unterwegs waren, doch er erwähnte den Grund mit keinem Wort – genauso wenig wie den seiner Anwesenheit in Fraser's Ridge. Natürlich; wie es sich geziemte, würde alles Geschäftliche auf Jamie warten. Mir als Frau würden in der Zwischenzeit makellose Höflichkeit und Neuigkeiten aus der Gesellschaft zuteil werden.

Ich konnte Konversation betreiben, aber ich musste darauf vorbereitet sein; es war kein angeborenes Talent.

»Äh … Eure Beziehungen zu meiner Katze scheinen sich verbessert zu haben«, unternahm ich einen Versuch. Ich richtete meinen Blick unwillkürlich auf seinen Kopf, aber seine Perücke war kunstvoll repariert worden.

»Es ist ein verbreitetes politisches Prinzip, denke ich«, sagte er und fuhr mit den Fingern durch den dichten Silberpelz auf Adsos Bauch. »Halte deine Freunde dicht bei dir – deine Feinde aber noch dichter.«

»Sehr vernünftig«, sagte ich und lächelte. »Äh … Ich hoffe, Ihr musstet nicht lange warten?«

Er zuckte mit den Schultern, um anzudeuten, dass es keine Rolle spielte –

und so war es eigentlich auch. Die Berge hatten ihren eigenen Rhythmus, und ein kluger Mann versuchte nicht, sich unter Zeitdruck zu setzen. MacDonald war ein erfahrener Soldat und weit gereist – aber er stammte aus Pitlochry, nah genug an den Gipfeln der Highlands, um ihren Charakter zu kennen.

»Ich bin heute Morgen angekommen«, sagte er. »Aus New Bern.«

Leise Alarmglocken schlugen in meinem Hinterkopf. Er musste gut zehn Tage für die Reise von New Bern nach hier gebraucht haben, wenn er den direkten Weg genommen hatte – und der Zustand seiner zerknitterten, mit Schlamm bespritzten Uniform ließ darauf schließen.

New Bern war der Ort, an dem der neue Königliche Gouverneur der Kolonie, Josiah Martin, sein Quartier aufgeschlagen hatte. Und da MacDonald »aus New Bern« gesagt hatte, ohne einen weiteren Haltepunkt seiner Reise zu erwähnen, war mir damit hinreichend klar, dass der Grund für seine Reise, was auch immer es war, seinen Ursprung *in* New Bern hatte. Ich war Gouverneuren gegenüber misstrauisch.

Ich warf einen Blick in Richtung des Pfades, der zur Koppel führte, doch Jamie war noch nicht zu sehen. Mrs. Bug dagegen schon. Sie kam gerade aus dem Kühlhaus. Ich winkte ihr zu, und sie gestikulierte wild zu meiner Begrüßung, wenn auch gebremst durch einen Topf mit Milch in der einen Hand, einen Eimer mit Eiern in der anderen, ein Buttergefäß, das unter ihrem Arm steckte, und ein großes Stück Käse, das sie sich fest unter das Kinn geklemmt hatte. Sie brachte den steilen Abstieg erfolgreich hinter sich und verschwand an der Rückseite des Hauses in Richtung der Küche.

»Omeletts für alle, wie es aussieht«, merkte ich an und wandte mich erneut dem Major zu. »Seid Ihr zufällig durch Cross Creek gekommen?«

»In der Tat, Ma'am. Die Tante Eures Gatten übersendet Euch ihre Grüße – und eine Anzahl Bücher und Zeitungen, die ich mitgebracht habe.«

Auch Zeitungen gegenüber war ich in diesen Tagen misstrauisch – wenn auch die Ereignisse, von denen sie berichteten, zweifellos Wochen oder gar Monate zurücklagen. Doch ich stieß ein erfreutes Geräusch aus und wünschte mir, Jamie würde sich beeilen, damit ich mich entschuldigen konnte. In meinem Haar hing Brandgeruch, und meine Hände erinnerten mich daran, wie es sich anfühlte, kalte Haut zu berühren; ich hätte mich furchtbar gern gewaschen.

»Verzeihung?« Ich hatte etwas überhört, was MacDonald sagte. Er beugte sich höflich zu mir herüber, um es zu wiederholen, dann fuhr er plötzlich mit aufgerissenen Augen zurück.

»Verdammte Katze!«

Adso, der bis jetzt sehr überzeugend den schlaffen Wischlappen gegeben hatte, war auf dem Schoß des Majors aufgesprungen. Seine Augen glühten, sein Schwanz sah aus wie eine Flaschenbürste, und er zischte wie ein Teekessel, während er dem Major die Krallen in die Beine bohrte. Ich kam gar nicht dazu zu reagieren, denn schon sprang er über die Schulter des Majors hinweg durch das offene Sprechzimmerfenster in unserem Rücken, wobei er den Rüschenkragen des Majors zerriss und ihm die Perücke verzog.

MacDonald fluchte heftig, aber ich hatte keine Aufmerksamkeit für ihn übrig. Rollo kam den Pfad zum Haus entlang, unheimlich wie ein Wolf im Zwielicht, doch er benahm sich so merkwürdig, dass ich auf den Beinen war, bevor mich ein bewusster Gedanke aufstehen ließ.

Der Hund rannte immer wieder ein paar Schritte auf das Haus zu, lief ein- oder zweimal im Kreis, als könnte er sich nicht entscheiden, was er als Nächstes tun sollte, dann lief er zurück zum Wald, machte kehrt und rannte wieder auf das Haus zu. Dabei jaulte er aufgeregt und hielt die wedelnde Rute gesenkt.

»Ach, du lieber Himmel«, sagte ich. »Der verflixte Timmy ist in den Brunnen gefallen!« Ich stürzte die Stufen hinunter und rannte den Pfad entlang. Den erschrockenen Fluch des Majors hinter mir bekam ich kaum mit.

Ich fand Ian ein paar hundert Meter weiter, bei Bewusstsein, aber benommen. Er saß mit geschlossenen Augen auf dem Boden und hielt sich mit beiden Händen den Kopf, als wollte er verhindern, dass die Knochen seines Schädels auseinander fielen. Er öffnete die Augen, als ich neben ihm auf die Knie sank, und lächelte mich verschwommen an.

»Tante Claire«, sagte er heiser. Er schien noch etwas sagen zu wollen, schien sich aber nicht entscheiden zu können, was: Sein Mund öffnete sich, blieb dann aber einfach so, während sich seine Zunge nachdenklich hin und her bewegte.

»Sieh mich an, Ian«, sagte ich so ruhig wie möglich. Das tat er – gut so. Es war zwar zu dunkel, um sehen zu können, ob seine Pupillen unnatürlich erweitert waren, doch selbst im abendlichen Schatten der Kiefern am Wegrand konnte ich seine blasse Gesichtsfarbe und die dunkle Blutspur sehen, die sich über sein Hemd zog.

Eilige Schritte kamen hinter mir den Pfad entlang; Jamie, dicht gefolgt von MacDonald.

»Wie geht's dir, Junge?«

Jamie fasste ihn am Arm, und Ian schwankte sacht auf ihn zu. Dann ließ er die Hände sinken, schloss die Augen und ließ sich mit einem Seufzer in Jamies Arme fallen.

»Ist es schlimm?«, fragte Jamie angstvoll über Ians Schulter hinweg, während er ihn aufrecht hielt, damit ich ihn hastig untersuchen konnte. Der Rücken seines Hemdes war mit getrocknetem Blut durchtränkt – aber es *war* getrocknet. Sein Pferdeschwanz war ebenfalls ganz steif davon, und ich fand die Kopfverletzung schnell.

»Ich glaube nicht. Irgendetwas hat ihn heftig am Kopf getroffen und ihm ein Stück Kopfhaut entfernt, aber –«

»Ein Tomahawk vielleicht?«

MacDonald beugte sich gebannt über uns.

»Nein«, sagte Ian schläfrig, das Gesicht gegen Jamies Hemd gedrückt. »Eine Kugel.«

»Fort mit dir, Hund«, sagte Jamie knapp zu Rollo, der Ian die Nase ins Ohr gesteckt hatte, was ein unterdrücktes Quietschen des Patienten und eine unwillkürliche Bewegung seiner Schultern zur Folge hatte.

»Ich werde es mir bei Licht betrachten, aber wahrscheinlich ist es nicht so schlimm«, sagte ich, als ich das sah. »Er ist schließlich ein ganzes Stück gelaufen. Lasst ihn uns zum Haus schaffen.«

Die Männer legten Ians Arme über ihre Schultern, um ihn den Weg entlangzubefördern, und innerhalb weniger Minuten lag er mit dem Gesicht nach unten auf dem Tisch in meinem Sprechzimmer. Hier erzählte er uns seine Abenteuer, unterbrochen von leisen Schmerzenslauten, weil ich dabei die Wunde reinigte, verklumpte Haare wegschnitt und ihm mit fünf oder sechs Stichen die Kopfhaut nähte.

»Ich dachte schon, ich wäre tot«, sagte Ian und sog die Luft durch die Zähne ein, als ich den groben Faden durch die unregelmäßigen Wundränder zog. »Himmel, Tante Claire! Aber am Morgen bin ich aufgewacht und war doch nicht tot – obwohl ich das Gefühl hatte, mein Kopf wäre gespalten und das Hirn liefe mir über den Hals.«

»Es hat auch nicht viel gefehlt«, murmelte ich und konzentrierte mich auf meine Arbeit. »Ich glaube aber nicht, dass es eine Kugel war.«

Damit war mir die Aufmerksamkeit aller gewiss.

»Ich bin nicht angeschossen?« Ian klang schwach entrüstet. Er hob seine kräftige Hand, die auf seinen Hinterkopf zuwanderte, und ich schlug sie sacht beiseite.

»Halt still. Nein, du bist nicht angeschossen – nicht, dass du etwas dazu könntest. Es war einiges an Schmutz in der Wunde und Holz- und Rindensplitter. Wenn ich raten müsste, würde ich sagen, einer der Schüsse hat einen abgestorbenen Ast von einem Baum gelöst, und der hat dich im Fallen am Kopf getroffen.«

»Und Ihr seid Euch ganz sicher, dass es kein Tomahawk gewesen ist?« Auch der Major schien enttäuscht zu sein.

Ich zog den letzten Knoten zu, schnitt das Fadenende ab und schüttelte den Kopf.

»Ich habe, glaube ich, noch nie eine Tomahawkwunde gesehen, aber ich glaube es nicht. Seht Ihr, wie gezackt die Wundränder sind? Und die Kopfhaut ist zwar weit aufgerissen, aber ich glaube nicht, dass der Knochen gebrochen ist.«

»Es war stockfinster, hat der Junge gesagt«, warf Jamie in aller Logik ein. »Kein vernünftiger Mensch würde in einem dunklen Wald einen Tomahawk auf etwas werfen, das er nicht sehen kann.« Er hielt mir die Alkohollampe, damit ich in ihrem Schein arbeiten konnte; er hielt sie dichter an Ians Kopf, so dass wir nicht nur die gezackte Naht sehen konnten, sondern ebenso den blauen Fleck, der sich um sie herum ausbreitete und jetzt klar zu erkennen war, weil ich dort die Haare abgeschnitten hatte.

»Aye, seht Ihr?« Jamies Finger bog die verbleibenden Stoppeln sanft zur Seite und zeichnete einige tiefe Kratzer nach, die die blaue Fläche durchschnitten. »Deine Tante hat Recht, Ian; du bist von einem Baum attackiert worden.«

Ian öffnete ein Auge einen Spaltbreit.

»Hat dir schon einmal jemand gesagt, was für ein Scherzbold du bist, Onkel Jamie?«

»Nein.«

Ian schloss das Auge wieder.

»Macht nichts, denn es stimmt auch nicht.«

Jamie lächelte und drückte Ian die Schulter.

»Dann geht es dir ein bisschen besser?«

»Nein.«

»Nun, die Sache ist doch so«, unterbrach Major MacDonald, »dass der Junge auf irgendwelche Banditen gestoßen ist, nicht wahr? Hatte er Grund zu der Annahme, dass es Indianer waren?«

»Nein«, wiederholte Ian, doch diesmal öffnete er das Auge ganz. Es war blutunterlaufen. »Es waren keine Indianer.«

Diese Antwort schien MacDonald nicht zu gefallen.

»Wie könnt Ihr Euch da so sicher sein, Junge«, fragte er scharf. »Wenn es doch dunkel war, wie Ihr sagt.«

Ich sah, wie Jamie dem Major einen fragenden Blick zuwarf, doch er unterbrach ihn nicht. Ian stöhnte leise, dann seufzte er auf und antwortete.

»Ich habe sie gerochen«, sagte er und fügte hastig hinzu: »Ich glaube, ich muss mich übergeben.«

Er stützte sich auf einen Ellbogen und setzte die Worte prompt in die Tat um. Dies bereitete allen weiteren Fragen ein Ende, und Jamie führte Major MacDonald in die Küche und überließ es mir, Ian zu waschen und es ihm so bequem wie möglich zu machen.

»Kannst du beide Augen öffnen?«, fragte ich, als er wieder sauber war und auf der Seite lag, ein Kissen unter dem Kopf.

Er tat es und blinzelte ein wenig im Licht. Die kleine blaue Flamme der Alkohollampe spiegelte sich zweimal im Dunkel seiner Augen, doch die Pupillen verengten sich sofort – und gleichzeitig.

»Das ist gut«, sagte ich und stellte die Lampe auf den Tisch. »Lass das, Hund«, sagte ich zu Rollo, der an der fremd riechenden Lampe schnüffelte – sie brannte mit einer Mischung aus verdünntem Brandy und Terpentin. »Nimm meine Finger, Ian.«

Ich hielt ihm meine Zeigefinger hin, und er umschlang sie langsam mit seinen großen, knochigen Händen. Ich überprüfte ihn auf die übliche Weise auf neurologische Schäden, indem ich ihn zudrücken, ziehen und schieben ließ und hörte abschließend sein Herz ab, das beruhigend vor sich hin klopfte.

»Leichte Concussio«, verkündete ich. Ich richtete mich auf und lächelte ihn an.

»Oh, aye?«, fragte er und sah zwinkernd zu mir auf.

»Es bedeutet, dass du Kopfschmerzen hast und dir schlecht ist. In ein paar Tagen geht es dir besser.«

»Das hätte ich dir gleich sagen können«, murmelte er und legte sich zurück.

»Das stimmt«, pflichtete ich ihm bei. »Aber Concussio klingt doch sehr viel wichtiger als angeknackster Kopf, oder?«

Er lachte nicht, lächelte aber schwach als Erwiderung. »Kannst du Rollo etwas zu fressen geben, Tante Claire? Er ist unterwegs nicht von meiner Seite gewichen; er hat bestimmt Hunger.«

Beim Klang seines Namens stellte Rollo die Ohren auf, schob die Nase in Ians suchende Hand und jaulte leise.

»Er hat nichts«, sagte ich zu dem Hund. »Keine Sorge. Und ja«, fügte ich an Ian gerichtet hinzu, »ich bringe ihm etwas. Meinst du, du bekommst ein bisschen Brot und Milch hinunter?«

»Nein«, sagte er entschlossen. »Einen Schluck Whisky vielleicht.«

»Nein«, sagte ich ebenso entschlossen und pustete die Lampe aus.

»Tante Claire«, sagte er, als ich mich der Tür zuwandte.

»Ja?« Ich hatte ihm eine einzelne Kerze als Licht dagelassen, und in ihrem flackernden, gelben Schein sah er sehr jung und blass aus.

»Warum, glaubst du, hätte Major MacDonald gern, dass ich im Wald auf Indianer gestoßen wäre?«

»Ich weiß es nicht. Aber ich nehme an, Jamie weiß es. Oder hat es inzwischen herausgefunden.«

4

Eine Schlange in Eden

Brianna drückte die Tür der Hütte auf und lauschte dann argwöhnisch auf das Trippeln von Nagerfüßen oder das trockene Wispern von Schuppen auf dem Boden. Sie hatte schon einmal den Fuß in die Dunkelheit gesetzt und wäre um ein Haar auf eine kleine Klapperschlange getreten; zwar war die Schlange, fast genauso erschrocken wie sie selbst, hastig zwischen den Kaminsteinen davongeglitten, doch sie hatte ihre Lektion gelernt.

Diesmal hörte sie keine flüchtenden Mäuse, aber etwas Größeres war hier gewesen und wieder gegangen, nachdem es sich durch die Ölhaut geschoben hatte, die vor das Fenster genagelt war. Die Sonne ging gerade unter, und es war noch hell genug, um zu erkennen, dass der geflochtene Graskorb, in dem sie die gerösteten Erdnüsse aufbewahrte, von seinem Bord auf den Boden gestürzt war, sein Inhalt geknackt und gefressen war und die Schalen auf dem Boden verstreut lagen.

Lautes Rascheln ließ sie einen Moment erstarren, während sie lauschte. Da war es wieder, gefolgt von einem heftigen Scheppern, als auf der anderen Seite der Rückwand etwas zu Boden fiel.

»Du kleiner *Schurke*!«, zischte sie. »Du bist in meiner Vorratskammer!«

Rechtschaffen entrüstet, griff sie nach dem Besen und stürzte unter Mordsgeheul in den Schuppen. Ein enormer Waschbär, der friedlich auf einer Räucherforelle herumkaute, ließ bei ihrem Anblick seine Beute fallen, schoss zwischen ihren Beinen hindurch und machte sich unter lauten, surrenden Alarmgeräuschen davon wie ein fetter Bankier auf der Flucht vor seinen Gläubigern.

Während das Adrenalin noch ihre Nervenbahnen durchpulste, stellte sie den Besen beiseite und bückte sich, um leise fluchend aus dem Durcheinander zu retten, was sie konnte. Waschbären waren zwar weniger zerstörerisch als Eichhörnchen, die achtlos alles zerkauten und zerkleinerten – aber ihr Appetit war größer.

Weiß Gott, wie lange er schon hier gewesen ist, dachte sie. Lange genug, um die komplette Butter aus ihrer Form zu lecken und ein Bündel geräucherter Fische vom Dachbalken hinunterzuzerren. Wie ein so fettes Tier die dazu nötige Turnübung fertig brachte… Zum Glück hatte sie ihre Honigwaben in drei einzelnen Gefäßen untergebracht, und es war nur eins vernichtet worden. Aber das Wurzelgemüse lag auf dem Boden, und der kostbare Krug mit dem Ahornsirup war umgestürzt, und dieser sickerte als klebrige Pfütze in den Staub. Der Anblick dieses Verlustes versetzte sie erneut in Wut, und sie drückte die Kartoffel, die sie gerade aufgehoben hatte, so fest, dass sich ihre Nägel in die Schale bohrten.

»Dummes, dummes, gemeines, böses *Mistvieh*!«

»Wer?«, sagte eine Stimme hinter ihr. Erschrocken fuhr sie herum und feuerte mit der Kartoffel auf den Eindringling, der sich als Roger entpuppte. Sie traf ihn mitten auf die Stirn, und er klammerte sich stolpernd an den Türrahmen.

»Au! Himmel! Au! Was zum Teufel ist denn hier los?«

»Waschbär«, antwortete sie knapp und trat einen Schritt zurück, so dass das schwindende Licht von der Tür her den Schaden beleuchten konnte.

»Er hat sich den Ahornsirup geschnappt? So ein Ärger! Hast du den Schuft erwischt?« Eine Hand an seine Stirn gepresst, betrat Roger gebückt den Vorratsschuppen und sah sich nach pelzigen Tierleichen um.

Es tröstete sie ein wenig zu sehen, dass ihr Mann sowohl dieselben Prioritäten hatte wie sie als auch die gleiche Entrüstung an den Tag legte.

»Nein«, sagte sie. »Er hat die Flucht ergriffen. Blutest du? Und wo ist Jem?«

»Ich glaube nicht«, sagte er. Er zog vorsichtig die Hand von seiner Stirn und sah sie an. »Au. Du hast 'ne ordentliche Vorhand, Kleine. Jem ist bei den McGillivrays. Lizzie und Mr. Wemyss haben ihn zu Sengas Verlobungsfeier mitgenommen.«

»Wirklich? Wen hat sie denn ausgewählt?« Ihre Entrüstung und ihr Bedauern wichen spontan der Neugier. Mit deutscher Gründlichkeit hatte Ute McGillivray die Lebenspartner ihres Sohnes und ihrer drei Töchter sorgsam nach ihren eigenen Kriterien ausgesucht – wobei Land, Geld und Respektabilität am meisten zählten und Alter, Aussehen und Charme ziemlich am Ende der Liste standen. Es war kaum überraschend, dass ihre Kinder andere Pläne hatten – doch Utes Charakter war eine solche Naturgewalt, dass sowohl Inge als auch Hilde Männer geheiratet hatten, die ihren Vorstellungen entsprachen.

Senga jedoch war die Tochter ihrer Mutter – was bedeutete, dass sie ähnlich feste Überzeugungen besaß und einen ähnlichen Mangel an Zurückhaltung, wenn es darum ging, diese auszudrücken. Seit Monaten schwankte sie schon zwischen zwei Freiern: Heinrich Strasse, einem schneidigen, aber armen jungen Mann – und dazu Lutheraner! – aus Bethania, und Ronnie Sinclair, dem Küfer. Ein wohlhabender Mann, gemessen am Standard von Fraser's Ridge, und für Ute stellte die Tatsache, dass er dreißig Jahre älter war als Senga, kein Hindernis dar.

Senga McGillivrays Eheschließung war in den letzten Monaten Gegenstand heftigster Spekulationen in Fraser's Ridge gewesen, und Brianna wusste von mehreren substantiellen Wetten, die auf ihren Ausgang abgeschlossen worden waren.

»Also, wer ist der Glückliche?«, wiederholte sie.

»Mrs. Bug weiß es nicht, und es treibt sie zum Wahnsinn«, erwiderte Roger und grinste breit. »Manfred McGillivray hat sie gestern Morgen abgeholt, aber Mrs. Bug war noch nicht im Haus, also hat Lizzie eine Notiz an die Hintertür geheftet, auf der stand, wohin sie gegangen waren – aber sie hat nicht daran gedacht zu erwähnen, wer der glückliche Bräutigam ist.«

Brianna warf einen Blick auf die sinkende Sonne, deren Scheibe selbst bereits aus dem Sichtfeld gesunken war, wenn auch die Strahlen, die zwischen den Kastanien hindurchfielen, den Hof noch erleuchteten und das Frühlingsgras wie dicken, weichen Smaragdsamt wirken ließen.

»Dann müssen wir wohl bis morgen warten, bevor wir es herausfinden«, sagte sie bedauernd. Bis zu den McGillivrays waren es gut fünf Meilen; es würde lange dunkel sein, bevor sie dort ankamen, und selbst nach der Schneeschmelze wanderte man nachts nicht ohne guten Grund in den Bergen umher – oder zumindest nicht, wenn man keinen besseren Grund hatte als bloße Neugier.

»Aye. Möchtest du im Haupthaus zu Abend essen? Major MacDonald ist da.«

»Oh, der.« Sie überlegte einen Moment. Sie hätte gern gehört, was für Neuigkeiten der Major mitbrachte – und es hatte seinen Reiz, wenn Mrs. Bug das Essen machte. Andererseits war ihr nach zwei trostlosen Tagen, einem langen Ritt und dem Überfall auf ihre Vorratskammer nicht nach Geselligkeit zumute.

Ihr wurde bewusst, dass Roger es sorgfältig vermied, seine eigene Meinung beizusteuern. Mit einem Arm gegen das Regal gelehnt, auf dem der schrumpfende Vorrat an Winteräpfeln ausgebreitet lag, liebkoste er beiläufig eine der Früchte und strich ihr mit dem Zeigefinger langsam über die runde gelbe Wange. Er sandte schwache, vertraute Vibrationen aus, die lautlos andeuteten, dass ein Abend zu Hause seine Vorteile haben könnte, ohne Eltern, Bekannte – oder das Baby.

Sie lächelte Roger an.

»Was macht dein armer Kopf?«

Er musterte sie kurz, und die verblassenden Sonnenstrahlen vergoldeten seinen Nasenrücken und ließen seine Augen grün aufblitzen. Er räusperte sich.

»Du könntest ihn vielleicht küssen«, schlug er zögerlich vor. »Wenn dir danach wäre.«

Sie stellte sich gehorsam auf die Zehenspitzen, strich ihm das dichte, schwarze Haar aus der Stirn und küsste sie sanft. Er hatte eine merkliche Beule, auch wenn sie sich noch nicht verfärbte.

»Ist es so besser?«

»Noch nicht. Versuch's besser noch einmal. Vielleicht etwas tiefer?«

Seine Hände ließen sich auf der Rundung ihrer Hüften nieder, und er zog sie an sich. Sie war fast genauso groß wie er; ihr war schon öfter aufgefallen, wie gut sie zueinander passten, aber jetzt kam ihr diese Erkenntnis erneut mit Nachdruck. Sie wand sich sacht vor Vergnügen, und Roger holte tief und rasselnd Luft.

»Nicht ganz so tief«, sagte er. »Jedenfalls noch nicht.«

»Ganz schön wählerisch«, sagte sie geduldig und küsste ihn auf den Mund. Seine Lippen waren warm, doch der Geruch bitterer Asche und feuchter Erde haftete an ihm – genau wie an ihr –, und sie erschauerte ein wenig und wich zurück.

Er ließ seine Hand leicht auf ihrem Rücken liegen, langte mit der anderen an ihr vorbei und fuhr mit dem Finger über die Kante des Bordes, auf dem der Ahornsirup umgekippt war. Er strich ihr sacht mit dem Finger über die Unterlippe, dann sich selbst. Er beugte sich erneut vor, um sie zu küssen, und Süße stieg zwischen ihnen auf.

»Ich weiß gar nicht mehr, wann ich dich das letzte Mal nackt gesehen habe.«

Sie kniff ein Auge zu und sah ihn skeptisch an.

»Vor ungefähr drei Tagen. War wohl keine bleibende Erinnerung.« Es war eine große Erleichterung gewesen, die Kleider abzulegen, die sie während der letzten drei Tage und Nächte getragen hatte. Doch selbst nackt und nach einer hastigen Wäsche roch sie noch Staub in ihrem Haar und spürte den Schmutz der Reise zwischen ihren Zehen.

»Oh, nun ja, aye. Das meine ich aber nicht – ich meine, es ist lange her, dass wir bei Tageslicht miteinander geschlafen haben.« Er lag ihr zugewandt auf der Seite und lächelte, während er mit der Hand sacht über die Rundungen ihre Taille und Hüfte fuhr. »Du hast ja keine Ahnung, wie schön du so aussiehst, splitternackt mit der Sonne im Rücken. Pures Gold, als hätte man dich hineingetaucht.«

Er zwinkerte mit einem Auge, als ob ihn der Anblick benommen machte. Sie bewegte sich, und die Sonne schien ihm ins Gesicht und ließ sein offenes Auge wie einen Smaragd glitzern, bevor er es den Bruchteil einer Sekunde später zukniff.

»Mmm.« Sie streckte gemächlich die Hand aus und zog seinen Kopf an sich, um ihn zu küssen.

Sie wusste, was er meinte. Es war ein merkwürdiges Gefühl – beinahe verrucht, auf eine angenehme Art und Weise. Meistens liebten sie sich nachts, wenn Jemmy schlief, und flüsterten in den Schatten des Kaminfeuers miteinander, suchten einander unter den raschelnden, verborgenen Lagen der Quilts und ihrer Nachtwäsche. Und Jemmy schlief zwar normalerweise, als hätte man ihn mit der Axt betäubt, doch sie waren sich des kleinen, tief atmenden Hügelchens unter der Decke seines Rollbetts stets bewusst.

Merkwürdigerweise war sie sich Jemmys jetzt, da er nicht da war, genauso bewusst. Es war ein seltsames Gefühl, von ihm getrennt zu sein; nicht ständig genau zu wissen, wo er war, ihn nicht als kleine, äußerst bewegliche Erweiterung ihres Körpers zu spüren. Diese Freiheit versetzte sie in ein Hochgefühl, auf das Beklommenheit folgte, als hätte sie etwas Kostbares verlegt.

Sie hatten die Tür offen gelassen, um die Flut aus Licht und Luft auf ihrer Haut zu genießen. Doch die Sonne war jetzt fast untergegangen, und die Luft glomm zwar noch wie Honig, doch es lag ein kühler Schatten darin.

Ein plötzlicher Windstoß schüttelte die Ölhaut, die vor das Fenster genagelt war, wehte durch das Zimmer und knallte dann die Tür zu, so dass sie sich abrupt im Dunkeln wiederfanden.

Brianna schnappte nach Luft. Roger grunzte überrascht und schwang sich aus dem Bett, um die Tür zu öffnen. Er stieß sie weit auf, und Brianna schluckte die Frische der Luft und des Sonnenscheins. Erst jetzt wurde ihr bewusst, dass sie den Atem angehalten hatte, als die Tür zuschlug, und sich einen Moment lang gefühlt hatte wie in einer Gruft.

Roger schien das Gleiche zu empfinden. Er stand in der Tür, an den Rahmen gelehnt, und ließ den Wind durch seine dunklen, gelockten Körperhaare fahren. Sein Haar war nach wie vor zu einem Pferdeschwanz zusammengebunden; er hatte sich nicht die Mühe gemacht, es zu lösen, und sie verspürte das plötzliche Verlangen, hinter ihn zu treten, das Lederband aufzuknoten und ihre Finger durch die weiche, glänzende Schwärze gleiten zu lassen, das Erbe eines Spaniers, der vor langer Zeit bei den Kelten Schiffbruch erlitten hatte.

Sie war auf den Beinen und tat es, noch bevor sie sich bewusst dazu entschlossen hatte, und kämmte ihm mit den Fingern winzige gelbe Weidenkätzchen und Zweige aus den Locken. Er erschauerte, unter ihrer Berührung oder der des Windes, doch sein Körper war warm.

»Du bist gebräunt wie ein Bauer«, sagte sie. Sie hob ihm das Haar aus dem Nacken und küsste ihn auf den Knochen in seinem Genick.

»Ach was. Bin ich denn kein Bauer?« Seine Haut zuckte unter ihren Lippen wie das Fell eines Pferdes. Sein Gesicht, sein Hals und seine Unterarme waren den Winter über blasser geworden, waren aber immer noch dunkler als die Haut auf Rücken und Schultern – und rings um seine Taille war eine schwache Linie zu sehen, die die Grenze zwischen der sanften Lederfarbe seines Oberkörpers und der überraschenden Blässe seines Hinterteils markierte.

Sie nahm genüsslich seine runden, festen Pobacken in die Hände, und er atmete tief durch und lehnte sich rückwärts an sie, so dass sich ihre Brüste an seinen Rücken drückten, ihr Kinn auf seiner Schulter ruhte und sie an ihm vorbeisehen konnte.

Es herrschte immer noch eine Spur von Tageslicht. Die letzten langen Lichtschäfte der sinkenden Sonne fielen zwischen den Kastanien hindurch, deren zartes Frühlingsgrün von kaltem Feuer entflammt wurde und hoch über den länger werdenden Schatten leuchtete. Der Abend war nah, aber es war Frühling; die Vögel plapperten und flirteten noch. Eine Nachtigall sang in der Nähe im Wald, ein Medley aus Trillerlauten, fließenden Melodien und komischen Jaulgeräuschen, die sie von Claires Kater gelernt haben musste, dachte Brianna.

Die Luft wurde jetzt frisch, und Gänsehaut überzog ihre Arme und Oberschenkel, doch Rogers Körper lehnte warm an ihr. Sie schlang die Arme um seine Taille und ließ die Finger einer Hand beiläufig mit seinen kurzen Locken spielen.

»Was siehst du da?«, fragte sie leise, denn er hatte den Blick auf das gegenüberliegende Ende des Hofes gerichtet, wo der Weg aus dem Wald kam. Die Mündung des Weges lag kaum sichtbar im Schatten der dunklen Kiefern – doch sie war leer.

»Ich halte Ausschau nach einer Schlange, die uns Äpfel bringt«, sagte er und lachte, dann räusperte er sich. »Hast du Hunger, Eva?« Er ließ die Hand sinken, um sie mit der ihren zu verschränken.

»Ich arbeite daran. Und du?« Er musste am Verhungern sein; sie hatten mittags nur eilig eine Kleinigkeit gegessen.

»Aye, habe ich, aber –« Er brach zögernd ab, und seine Finger hielten die ihren fester. »Du hältst mich bestimmt für verrückt, aber – würde es dir etwas ausmachen, wenn ich Jem heute Abend noch hole, anstatt bis morgen zu warten? Ich würde mich einfach wohler fühlen, wenn wir ihn zurückhätten.«

Sie drückte ihm zur Erwiderung die Hand, und ihr Herz wurde leichter. »Wir gehen zusammen. Es ist eine tolle Idee.«

»Das mag sein, aber es sind fast fünf Meilen bis zu den McGillivrays. Es wird stockdunkel sein, wenn wir dort ankommen.« Doch er lächelte, und sein Körper streifte ihre Brüste, als er sich zu ihr umdrehte.

Vor ihrem Gesicht bewegte sich etwas, und sie fuhr heftig zurück. Eine winzige Raupe, leuchtend grün wie die Blätter, von denen sie sich ernährte, richtete sich vor Rogers dunklen Haaren s-förmig auf und sah sich vergeblich nach einer Zuflucht um.

»Was?« Roger ließ den Blick seitwärts schweifen und versuchte zu sehen, was sie sah.

»Hab deine Schlange gefunden. Ich vermute, sie ist ebenfalls auf der Suche nach einem Apfel.« Sie beförderte den kleinen Wurm auf ihren Finger, trat ins Freie und hockte sich hin, um ihn auf einen Grashalm kriechen zu lassen, der genauso knallgrün gefärbt war. Doch das Gras lag im Schatten. Innerhalb eines einzigen Augenblicks war die Sonne untergegangen, hatte der Wald seine lebendige Farbe verloren.

Eine Rauchspur traf ihre Nase; Schornsteinrauch aus dem Haupthaus, doch der Brandgeruch schnürte ihr die Kehle zu. Plötzlich wuchs ihre Beklommenheit. Das Licht verblasste, die Nacht war im Anmarsch. Die Nachtigall war verstummt, und der Wald schien voller Rätsel und Bedrohungen zu sein.

Sie erhob sich und schob eine Hand durch ihr Haar.

»Dann lass uns gehen.«

»Willst du nicht erst etwas essen?« Roger sah sie fragend an, die Kniehose in der Hand.

Sie schüttelte den Kopf, und die Kühle begann, ihr an den Beinen emporzukriechen.

»Nein. Lass uns einfach gehen.« Das Einzige, was eine Rolle zu spielen schien war, Jemmy zu holen und wieder als Familie zusammen zu sein.

»In Ordnung«, sagte Roger geduldig und betrachtete sie. »Ich halte es allerdings für besser, wenn du zuerst dein Feigenblatt anziehst. Nur für den Fall, dass wir einem Engel mit einem Flammenschwert begegnen.«

5

Die Schatten, die das Feuer wirft

Ich überließ Ian und Rollo der Obhut von Mrs. Bug, die sie wie eine Dampfwalze mit ihrer Zuwendung überrollte – sollte Ian *ihr* doch sagen, dass er keine Lust auf Brot und Milch hatte –, und setzte mich mit Verspätung nieder, um selbst zu Abend zu essen, ein heißes, frisches Omelett, das nicht nur mit Käse belegt war, sondern dazu mit salzigen Schinkenstückchen, Spargel und wilden Pilzen, gewürzt mit Frühlingszwiebeln.

Jamie und der Major hatten bereits zu Ende gegessen und saßen am Feuer unter einer gemütlichen Nebelwolke aus der tönernen Tabakspfeife des Majors. Offenbar hatte Jamie Major MacDonald gerade von der grauenvollen Tragödie erzählt, denn MacDonald runzelte die Stirn und schüttelte mitfühlend den Kopf.

»Die Ärmsten!«, sagte er. »Glaubt Ihr, es waren vielleicht dieselben *Banditti*, die Euren Neffen überfallen haben?«

»Ja«, erwiderte Jamie. »Daran, dass sich zwei solcher Banden in den Bergen herumtreiben, darf ich gar nicht denken.« Er blickte zum Fenster, dessen Läden für die Nacht geschlossen waren, und mir fiel plötzlich auf, dass er seine Vogelflinte von ihrem Platz über dem Kamin genommen hatte und geistesabwesend mit einem Öltuch über ihren fleckenlosen Lauf rieb. »Kann ich davon ausgehen, *a charaid*, dass Ihr von weiteren ähnlichen Vorfällen gehört habt?«

»Drei weitere. Mindestens.« Die Pfeife des Majors drohte auszugehen, und er zog kräftig daran, so dass der Tabak im Pfeifenkopf rot aufglühte und knisterte.

Eine dumpfe Vorahnung ließ mich innehalten, ein Stück warmen Pilz im Mund. Die Möglichkeit, dass eine mysteriöse Bande Bewaffneter ihr Unwesen trieb und wahllos Siedlungsstellen angriff, war mir bis zu diesem Moment gar nicht in den Sinn gekommen.

Jamie war sie offensichtlich in den Sinn gekommen; er erhob sich, hob die Vogelflinte wieder auf ihre Haken und ging dann zur Anrichte, wo er seine Vorderlader und das Kistchen mit den beiden eleganten Duellierpistolen aufbewahrte.

MacDonald sah ihm beifällig zu und paffte blaue Rauchwölkchen vor sich hin, während Jamie systematisch Pistolen, Patronenhülsen, Kugelgießformen, Leinenpflaster, Ladestöcke und das restliche Zubehör seiner persönlichen Waffenkammer vor sich ausbreitete.

»Mmpfm«, sagte MacDonald. »Das ist aber ein schönes Stück, Oberst.« Er wies kopfnickend auf eine der Vorderladerpistolen, eine elegante Waffe mit einem langen Lauf, einem schneckenförmig geschwungenen Kolben und versilberten Beschlägen.

Beim Klang des Wortes »Oberst« sah Jamie MacDonald scharf an, doch er antwortete ganz ruhig.

»Aye, hübsch ist sie. Allerdings kann man höchstens zwei Schritte weit damit zielen. Hab sie beim Pferderennen gewonnen«, fügte er mit einer kleinen, entschuldigenden Geste in Richtung der Pistole hinzu, für den Fall, dass MacDonald ihn für so dumm hielt, gutes Geld dafür bezahlt zu haben.

Dennoch überprüfte er das Steinschloss, schloss es wieder und legte die Pistole beiseite.

»Wo?«, fragte er beiläufig und streckte die Hand nach der Kugelgießform aus.

Ich kaute jetzt wieder, sah den Major aber meinerseits fragend an.

»Ich weiß es allerdings auch nur vom Hörensagen«, warnte MacDonald. Er nahm die Pfeife kurz aus dem Mund, dann steckte er sie hastig wieder hinein, um daran zu ziehen. »Eine Ansiedlung in der Gegend von Salem, niedergebrannt. Leute namens Zinzer – Deutsche.« Er zog so fest an seiner Pfeife, dass seine Wangen hohl wurden.

»Das war im Februar, gegen Ende des Monats. Dann drei Wochen später, eine Fähre am Yadkin nördlich von Woram's Landing – das Haus ausgeraubt, der Fährmann umgebracht. Das dritte –« Hier brach er ab, zog heftig an seiner Pfeife, richtete den Blick auf mich, dann wieder auf Jamie.

»Sprecht nur, Freund«, sagte Jamie mit resigniertem Gesichtsausdruck auf Gälisch. »Sie hat mit Sicherheit schon schlimmere Dinge gesehen als Ihr.«

Ich nickte dazu, schob mir mit der Gabel einen Bissen Ei in den Mund, und der Major hustete.

»Aye. Nun, bitte um Verzeihung, Ma'am – ich befand mich zufällig in einem, äh, Etablissement in Edenton...«

»Ein Bordell?«, warf ich ein. »Ah, verstehe. Fahrt fort, Major.«

Das tat er mit großer Eile, und sein Gesicht lief unter seiner Perücke dunkelrot an.

»Äh... genauso ist es. Nun, seht Ihr, es war eine der, äh, Damen dort. Sie hat erzählt, sie sei von Gesetzlosen entführt worden, die eines Tages ohne Warnung ihr Zuhause überfallen hätten. Sie hätte nur mit ihrer alten Großmutter zusammengelebt, und sie sagt, die Männer hätten die Alte umgebracht und das Haus über ihr angezündet.«

»Und wer, sagt sie, soll das getan haben?« Jamie hatte seinen Hocker zum Kamin gedreht und schmolz in einem Gießtiegel Bleireste für die Kugelform.

»Ah, mmpfm.« MacDonald wurde noch röter, und der Rauch quoll in solchen Massen aus seiner Pfeife auf, dass ich seine Gesichtszüge in den Kringelwolken kaum noch erkennen konnte.

Unter heftigem Husten und zahlreichen Ausflüchten kam schließlich heraus, dass der Major dem Mädchen damals eigentlich nicht geglaubt hatte

– oder zu sehr daran interessiert gewesen war, sich an ihren Vorzügen zu weiden, um ihr große Aufmerksamkeit zu schenken. Er hatte die Geschichte einfach für eines jener Märchen gehalten, die Huren oft erzählten, um Mitleid zu erwecken und den einen oder anderen Genever spendiert zu bekommen, daher hatte er sich nicht die Mühe gemacht, nach weiteren Details zu fragen.

»Aber als ich später durch Zufall von den anderen Bränden erfuhr ... nun ja, seht Ihr, ich habe das Glück gehabt, vom Gouverneur damit beauftragt zu werden, sozusagen ein Ohr am Boden zu haben und im Hinterland auf Anzeichen von Unruhen zu achten. Und allmählich dachte ich, dass dieser spezielle Fall von ›Unruhe‹ vielleicht weniger zufällig war, als es zunächst den Anschein hatte.«

Bei diesen Worten wechselte ich einen Blick mit Jamie. In seinem lag Belustigung, in meinem Resignation. Er hatte mit mir gewettet, dass MacDonald – ein auf halbe Bezahlung gesetzter Kavallerieoffizier, der davon lebte, dass er gegen Geld seine Dienste anbot – nicht nur Gouverneur Tryons Abdankung überleben würde, sondern es ihm auch gelingen würde, sich prompt eine Anstellung bei der neuen Verwaltung zu erschleichen, jetzt da Tryon abgereist war, um den bedeutenderen Posten des Gouverneurs von New York zu beziehen. *»Er ist ein Glücksritter, unser Donald«*, hatte er gesagt.

Der militante Geruch heißen Bleis begann, den Raum zu durchziehen; im Wettstreit mit dem Pfeifenrauch des Majors überwältigte er die angenehm heimelige Atmosphäre aus aufgehendem Brot, Kochgerüchen, getrockneten Kräutern, Putzbinsen und Seife, die normalerweise die Küche erfüllte.

Blei schmilzt ganz plötzlich; in einer Sekunde liegen eine deformierte Kugel oder ein verbogener Knopf vollständig und deutlich erkennbar in der Pfanne; in der nächsten sind sie fort, und eine winzige, dumpf schimmernde Metallpfütze ist an ihre Stelle getreten. Jamie goss das geschmolzene Blei vorsichtig in die Form.

»Warum Indianer?«

»Ah. Nun, das war es, was die Hure in Edenton gesagt hat. Sie meinte, ein paar der Männer, die ihr Haus abgebrannt und sie entführt hätten, wären Indianer. Aber wie gesagt, damals habe ich ihrer Geschichte wenig Beachtung geschenkt.«

Jamie machte ein schottisches Geräusch, um anzudeuten, dass er verstand, wenn auch nicht ohne Skepsis.

»Und wann seid Ihr diesem Mädchen begegnet, Donald, und habt ihre Geschichte gehört?«

»Um Weihnachten herum.« Der Major stocherte mit seinem verfärbten Zeigefinger im Kopf seiner Pfeife herum, ohne aufzublicken. »Ihr meint, wann ist ihr Haus überfallen worden? Das hat sie nicht gesagt, aber ich denke ... wohl nicht allzu lange vorher. Sie war noch ... ziemlich ... frisch.«

Er hustete, fing meinen Blick auf, hielt den Atem an und hustete erneut, so heftig, dass sein Gesicht erneut rot anlief.

Jamie presste den Mund fest zusammen, und er senkte den Blick, um die Gießform aufzuklappen und eine neue Kugel in die Kaminasche fallen zu lassen.

Ich ließ meine Gabel sinken, denn mir war jeder Appetit vergangen.

»Wie?«, wollte ich wissen. »Wie kam es, dass diese junge Frau im Bordell gelandet ist?«

»Nun, sie haben sie verkauft, Ma'am.« MacDonalds Wangen waren zwar noch gerötet, aber er hatte genug von seiner Fassung zurückerlangt, um mich anzusehen. »Die Banditen. Sie haben sie an einen Händler auf einem Flussboot verkauft, sagt sie, ein paar Tage nach der Entführung. Er hat sie eine Zeit lang bei sich auf dem Boot behalten, aber dann kam eines Abends ein Mann, um einen Handel abzuschließen, warf ein Auge auf sie und hat sie gekauft. Er nahm sie mit bis zur Küste, aber ich nehme an, dann hatte er genug von ihr ...« Er verstummte, steckte die Pfeife wieder in den Mund und sog fest daran.

»Verstehe.« So war es, und das halbe Omelett, das ich gegessen hatte, lag als kleine, harte Kugel in meiner Magengrube.

Noch ziemlich frisch. Wie lange dauerte es wohl, fragte ich mich. Wie lange überlebte eine Frau, die beiläufig von Hand zu Hand wechselte, von den splitterigen Planken eines Bootsdecks auf die zerschlissene Matratze eines gemieteten Zimmers, und nur das Nötigste zu essen bekam? Es war mehr als gut möglich, dass ihr das Bordell in Edenton wie eine Zuflucht erschienen war, als sie dort ankam. Dieser Gedanke ließ mich jedoch MacDonald gegenüber nicht freundschaftlicher empfinden.

»Wisst Ihr wenigstens noch, wie sie hieß, Major?«, fragte ich mit eisiger Höflichkeit.

Ich hatte das Gefühl, aus dem Augenwinkel Jamies Mundwinkel zucken zu sehen, hielt den Blick jedoch fest auf MacDonald gerichtet.

Er nahm die Pfeife aus dem Mund, ließ den Rauch ausströmen, dann fixierte er mich und sah mich mit seinen blassblauen Augen sehr direkt an.

»Um ehrlich zu sein, Ma'am«, sagte er, »nenne ich sie alle Polly. Das spart Ärger, versteht Ihr?«

Mir blieb eine Antwort – oder Schlimmeres – erspart, weil Mrs. Bug mit einer leeren Schüssel in der Hand zurückkam.

»Der Junge hat etwas gegessen, und jetzt wird er schlafen«, verkündete sie. Ihr scharfer Blick huschte von meinem Gesicht zu meinem halb vollen Teller. Sie öffnete stirnrunzelnd den Mund, doch dann sah sie Jamie an und schien einen unausgesprochenen Befehl von ihm zu empfangen. Sie schloss den Mund wieder und räumte den Teller mit einem kurzen »Hmp!« ab.

»Mrs. Bug«, sagte Jamie leise. »Würdet Ihr Arch bitten, zu mir zu kommen? Und wenn es nicht zu viel verlangt ist, Roger Mac auch?«

Ihre kleinen schwarzen Augen wurden rund, dann kniff sie sie zusammen und richtete den Blick auf MacDonald. Wenn es Ärger gab, so hatte sie ihn offensichtlich im Verdacht, dahinterzustecken.

»Ja«, sagte sie und tadelte mich mit einem Kopfschütteln für meine Appetitlosigkeit. Dann stellte sie das Geschirr ab und ging, ohne die Tür zu verriegeln.

»Woram's Landing«, sagte Jamie zu MacDonald und nahm ihre Unterhaltung wieder auf, als wäre sie nie unterbrochen worden. »Und Salem. Und wenn es dieselben Männer sind, ist Ian ihnen im Wald begegnet, einen Tagesmarsch westlich von hier. Nah genug.«

»Nah genug, dass es dieselben Männer sein könnten? Aye, das stimmt.«

»Es wird gerade erst Frühling.« Bei diesen Worten blickte Jamie zum Fenster; es war inzwischen dunkel, und die Läden waren geschlossen, doch ein kühler Windhauch schlich sich zu uns herein und ließ die Fäden schwanken, an denen ich Pilze zum Trocknen aufgehängt hatte, dunkle, verschrumpelte Umrisse, die sich wie winzige, erstarrte Tänzer vor dem hellen Holz bewegten.

Ich wusste, was er damit meinte. Der Boden in den Bergen war im Winter unpassierbar; die hoch gelegenen Pässe waren noch verschneit, und auf den tiefer gelegenen Hängen begann es erst seit ein paar Wochen zu grünen und zu blühen. Wenn es eine Bande organisierter Marodeure gab, war es möglich, dass sie sich den Winter über im Vorgebirge versteckt gehalten hatten und erst jetzt ins Hinterland vorstießen.

»Das stimmt«, pflichtete ihm MacDonald bei. »Hoffentlich früh genug, um die Leute zur Wachsamkeit zu mahnen. Doch ehe Eure Männer da sind, Sir – sollten wir vielleicht über den Grund meines Kommens sprechen?«

»Aye?«, sagte Jamie und goss vorsichtig blinzelnd einen weiteren glänzenden Bleistrom in die Form. »Natürlich, Donald. Ich hätte wissen müssen, dass es keine Kleinigkeit ist, die Euch so weit geführt hat. Worum geht es?«

MacDonald lächelte wie ein Haifisch; jetzt ging es zur Sache.

»Ihr habt Eure Sache hier in Fraser's Ridge gut gemacht, Oberst. Wie viele Familien habt Ihr jetzt auf Eurem Land?«

»Vierunddreißig«, sagte Jamie. Er blickte nicht auf, sondern kippte die nächste Kugel in die Asche.

»Dann habt Ihr eventuell noch Platz für ein paar mehr?« MacDonald lächelte unentwegt. Wir waren von Wildnis umgeben, die sich Tausende Meilen weit erstreckte; die Hand voll Siedlungsplätze von Fraser's Ridge kratzte kaum daran – und konnte sich in Luft auflösen. Ich dachte eine Sekunde an die Hütte der Holländer und erschauerte. Ich konnte den bitteren, widerlichen Geruch verbrannten Fleisches nach wie vor in meiner Kehle schmecken, wo er unter den leichteren Aromen des Omeletts lauerte.

»Möglicherweise«, erwiderte Jamie gleichmütig. »Geht es um die neuen schottischen Emigranten? Aus Thurso?«

Major MacDonald und ich starrten ihn an.

»Woher zum Teufel wisst Ihr das?«, wollte MacDonald wissen. »Ich habe es selbst erst vor zehn Tagen gehört!«

»Habe gestern in der Mühle einen Mann getroffen«, erwiderte Jamie und griff wieder nach der Gießpfanne. »Ein Herr aus Philadelphia, der zum Pflanzensammeln in den Bergen unterwegs ist. Er war durch Cross Creek gekommen und hatte sie gesehen.« Neben seinem Mund zuckte ein Muskel. »Offenbar haben sie in Brunswick für einigen Aufruhr gesorgt und fühlten sich dort nicht so recht willkommen, deshalb sind sie auf Flachbooten den Fluss hinaufgefahren.«

»Einigen Aufruhr? Was haben sie denn getan?«, fragte ich.

»Nun, seht Ihr, Ma'am«, erklärte der Major, »es strömen heutzutage Massen von Menschen von den Schiffen, direkt aus den Highlands. Ganze Dörfer werden in die Eingeweide eines Schiffes gepackt – und beim Ausschiffen sehen sie dann auch aus wie ausgeschissen. An der Küste ist für sie jedoch nichts zu holen, und die Städter neigen dazu, mit dem Finger auf sie zu zeigen und sie auszulachen, wenn sie sie in ihren ungewohnten Kleidern sehen. Also steigen die meisten direkt auf den nächsten Lastkahn oder das nächste Flachboot und fahren den Cape Fear hinauf. In Campbelton und Cross Creek gibt es wenigstens Menschen, mit denen sie sich verständigen können.«

Er grinste mich an und wischte sich eine Schmutzspur von den Rockschößen seiner Uniform.

»Die Leute in Brunswick sind an solche wilden Highlander nicht gewöhnt, da sie nur zivilisierte Schotten wie Euren Mann oder Eure Tante kennen.«

Er nickte Jamie zu, der sich wiederum leicht und ironisch vor ihm verneigte.

»Nun ja, relativ zivilisiert«, murmelte ich. Ich war nicht bereit, MacDonald die Sache mit der Hure in Edenton zu verzeihen. »Aber –«

»Nach dem, was ich gehört habe, sprechen sie kein Wort Englisch«, fuhr MacDonald eilig fort. »Farquard Campbell ist hingefahren, um mit ihnen zu reden, und hat sie nach Campbelton geholt, sonst würden sie zweifellos heute noch im Land umherirren, ohne die geringste Vorstellung zu haben, wohin sie gehen oder was sie als Nächstes tun sollen.«

»Was hat Campbell mit ihnen gemacht?«, erkundigte sich Jamie.

»Oh, er hat sie auf seine Bekannten in Campbelton verteilt, aber das wird natürlich nicht lange gut gehen, das ist klar.« MacDonald zuckte mit den Achseln. Campbelton war eine kleine Ansiedlung in der Nähe von Cross Creek, die sich um Farquards erfolgreichen Handelsposten gruppierte, und das angrenzende Land war vollständig besiedelt – zum Großteil von Campbells. Farquard hatte acht Kinder, von denen die meisten ebenfalls verheiratet waren und sich als genauso fruchtbar wie ihr Vater erwiesen.

»Natürlich«, echote Jamie mit argwöhnischer Miene. »Aber sie sind von der Nordküste. Sie sind doch mit Sicherheit Fischer, Donald, keine Bauern.«

»Aye, aber sie sind bereit, sich zu ändern, nicht wahr?« MacDonald wies auf die Tür und den Wald, der dahinter lag. »In Schottland gibt es nichts mehr für sie. Sie sind hierher gekommen, und jetzt müssen sie das Beste daraus machen. Ein Mann kann doch wohl lernen, wie man Bauer wird?«

Jamie machte ein skeptisches Gesicht, aber MacDonalds Enthusiasmus hatte seinen Höhepunkt erreicht.

»Ich habe schon viele Fischerjungen und Pflugarbeiter Soldaten werden sehen, Mann, und Ihr ebenso, darauf wette ich. Land zu bestellen kann doch nicht schwieriger sein als das Soldatendasein, oder?«

Jetzt lächelte Jamie schwach; er hatte den elterlichen Hof mit neunzehn verlassen und mehrere Jahre als Söldner in Frankreich gekämpft, bevor er nach Schottland zurückkehrte.

»Aye, nun ja, das mag stimmen, Donald. Aber die Sache mit dem Soldatendasein ist die, dass einem jemand sagt, was man tun soll, von dem Moment, in dem man aufsteht, bis man abends umfällt. Wer soll diesen armen Schweinen beibringen, welches Ende der Kuh sie melken sollen?«

»Das dürftest wohl du sein«, sagte ich. Ich räkelte mich, um meinen Rücken zu dehnen, der vom Reiten steif war, und schielte zu MacDonald hinüber. »Zumindest vermute ich, dass Ihr darauf hinauswollt, nicht wahr, Major?«

»Euer Charme wird nur noch von der Schärfe Eures Verstandes übertroffen, Ma'am«, sagte MacDonald und verbeugte sich elegant in meine Richtung. »Aye, im Großen und Ganzen ist es das. Eure Siedler sind alle Highlander, Sir, und außerdem Bauern; sie können mit diesen Neulingen in ihrer eigenen Sprache sprechen, ihnen zeigen, was sie wissen müssen – ihnen helfen, sich zurechtzufinden.«

»Es gibt noch eine Menge anderer Leute in der Kolonie, die Gälisch sprechen«, wandte Jamie ein. »Und die meisten von ihnen sind von Campbelton aus viel leichter zu erreichen.«

»Aye, aber ihr habt brachliegendes Land, das gerodet werden muss, und sie nicht.« Jetzt hatte MacDonald offenbar das Gefühl, die Diskussion gewonnen zu haben. Er lehnte sich zurück und griff nach seinem vernachlässigten Bierkrug.

Jamie sah mich an und zog eine Augenbraue hoch. Es stimmte natürlich, dass wir Brachland hatten; zehntausend Acres, aber kaum zwanzig davon wurden bebaut. Außerdem stimmte es, dass in der gesamten Kolonie Mangel an Arbeitskräften herrschte – noch mehr jedoch in den Bergen, wo sich das Land nicht für den Anbau von Tabak oder Reis eignete, von Saaten also, die sich gut mit Hilfe von Sklaven anbauen ließen.

Gleichzeitig jedoch –

»Das Problem ist, Donald, wie ich sie ansiedeln soll.« Jamie beugte sich vor, um eine weitere Kugel in die Asche fallen zu lassen. Dann richtete er sich auf und strich sich eine lose Haarsträhne hinter das Ohr. »Ich habe Land, aye, aber nicht viel mehr. Man kann die Leute nicht direkt aus Schottland auf die Wildnis loslassen und erwarten, dass sie sich ihren Lebensunterhalt zusammenkratzen. Ich könnte ihnen ja nicht einmal die Schuhe und Kleider geben, die einem Leibeigenen zustehen, von Werkzeugen ganz zu schweigen. Und sie und all ihre Frauen und Kinder den Winter über durchfüttern? Ihnen Schutz bieten?« Er hob zur Illustration seine Gießpfanne, dann schüttelte er den Kopf und warf einen neuen Bleiklumpen hinein.

»Ah, Schutz. Nun, da Ihr davon sprecht, lasst mich noch auf eine andere kleine Angelegenheit von Interesse zu sprechen kommen.« MacDonald beugte sich vor und senkte geheimnisvoll die Stimme, obwohl niemand da war, der ihn hätte hören können.

»Ich habe doch gesagt, dass ich für den Gouverneur arbeite, aye? Er hat mich beauftragt, im Westen der Kolonie umherzureisen und ein Ohr am Boden zu haben. Es gibt immer noch unbegnadigte Regulatoren und...«, er blickte argwöhnisch hin und her, als erwarte er, dass eine solche Person aus dem Kamin spränge, »... und Ihr habt doch sicher von den Sicherheitskomitees gehört?«

»Wenig.«

»Dann ist hier im Hinterland noch keines aufgestellt worden?«

»Nicht, dass ich wüsste, nein.« Jamie war das Blei zum Schmelzen ausgegangen, und er beugte sich jetzt vor, um die frisch gegossenen Kugeln aus der Asche zu seinen Füßen zu holen. Das warme Licht des Feuers glühte rot auf seinem Scheitel. Ich setzte mich neben ihn auf die Kaminbank, nahm den Munitionsbeutel vom Tisch und hielt ihn für ihn auf.

»Ah«, sagte MacDonald mit zufriedener Miene. »Wie ich sehe, komme ich also gerade rechtzeitig.«

In der Folge der Unruhen, die den Krieg der Regulatoren im vergangenen Jahr begleiteten, war eine ganze Reihe solch inoffizieller Bürgertruppen entstanden, die dem Beispiel anderer Gruppen in den anderen Kolonien folgten. Wenn die Krone nicht länger in der Lage war, die Sicherheit der Kolonisten zu gewährleisten, so ihre Argumentation, dann mussten sie die Sache selbst in die Hand nehmen.

Man konnte nicht länger darauf vertrauen, dass die Sheriffs die Ordnung wahrten; dafür hatten die Skandale gesorgt, die die Regulatorenbewegung ins Leben gerufen hatten. Das Problem war natürlich, dass die Komitees selbst ernannt waren und es daher keinen Grund gab, ihnen mehr zu trauen als den Sheriffs.

Es gab noch andere Komitees. Die Korrespondenzkomitees, lose Zusammenschlüsse von Männern, die sich gegenseitig Briefe schrieben und Nachrichten und Gerüchte in den Kolonien verbreiteten. Und es waren diese verschiedenen Komitees, aus denen die Saat der Rebellion entspringen würde – jetzt schon heranreifte, irgendwo dort draußen in der kalten Frühlingsnacht.

Wie ich es hin und wieder tat – inzwischen sehr viel öfter –, rechnete ich mir aus, wie viel Zeit noch blieb. Es war fast April 1773. Und am achtzehnten im April fünfundsiebzig … wie Longfellow es so altertümlich nett formulierte …

Zwei Jahre. Aber der Krieg hat eine lange Zündschnur, die nur schwierig Feuer fängt. Diese hier war in Alamance angezündet worden, und die leuchtende Glut des schleichenden Feuers in North Carolina war bereits sichtbar – wenn man wusste, wohin man schauen musste.

Die Bleikugeln rollten klackernd in dem Munitionsbeutel in meinen Händen umher; meine Finger umklammerten das Leder. Jamie sah das und berührte zur Beruhigung rasch und sacht mein Knie, dann nahm er den Beutel, rollte ihn zusammen und verstaute ihn in der Patronendose.

»Rechtzeitig«, wiederholte er und sah MacDonald an. »Was meint Ihr damit, Donald?«

»Nun, wer sonst sollte ein solches Komitee anführen als Ihr selbst, Major? Genau das hatte ich dem Gouverneur vorgeschlagen.« MacDonald bemühte sich um eine bescheidene Miene, die er jedoch nicht zuwege brachte.

»Sehr freundlich von Euch, Major«, sagte Jamie trocken. Er sah mich an und zog eine Augenbraue hoch. Die Kolonialregierung musste in einem schlimmeren Zustand sein als selbst er es vermutet hatte, wenn Gouverneur Martin die Existenz der Komitees nicht nur duldete – sondern sie insgeheim billigte.

Das lang gezogene Jaulen eines gähnendes Hundes drang aus dem Flur schwach an mein Ohr, und ich entschuldigte mich, um nach Ian zu sehen.

Ich fragte mich, ob Gouverneur Martin die geringste Idee hatte, was er da entfesselte. Ich traute ihm zu, dass er das Beste aus einer verfahrenen Situation machte, indem er dafür zu sorgen versuchte, dass zumindest einige der Sicherheitskomitees von Männern angeführt wurden, die während der Regulatorenkriege auf der Seite der Krone gestanden hatten. Das änderte nichts daran, dass er nicht viele dieser Komitees kontrollieren – oder auch nur von ihnen wissen – konnte. Doch die Kolonie begann allmählich wie ein kochender Teekessel zu sieden und rumpeln, und Martin hatte keine offiziellen Truppen zu seiner Verfügung – nur irreguläre Soldaten wie MacDonald … und die Miliz.

Was natürlich der Grund dafür war, dass MacDonald Jamie »Oberst« nannte. Der Vorgänger des Gouverneurs, William Tryon, hatte Jamie – völlig gegen dessen Willen – zum Oberst der Miliz für das Hinterland oberhalb des Yadkin ernannt.

»Hmpf«, sagte ich zu mir selbst. Weder MacDonald noch Martin waren Dummköpfe. Jamie um die Einrichtung eines Sicherheitskomitees zu bitten bedeutete, dass er die Männer einberufen würde, die unter ihm in der Miliz gedient hatten – die Regierung jedoch zu nichts verpflichten konnte, was ihre Bezahlung oder Ausrüstung anging, und der Gouverneur von jeder Verantwortung bezüglich ihrer Handlungen frei sein würde, da ein Komitee für die Sicherheit keine offizielle Einrichtung war.

Doch wenn Jamie auf einen solchen Vorschlag einging, war die Gefahr für ihn – und uns alle – beträchtlich.

Es war dunkel im Flur, da Licht allein hinter mir aus der Küche und von der schwach leuchtenden Kerze im Sprechzimmer kam. Ian schlief, war aber unruhig, und leises Unwohlsein legte die Haut zwischen seinen Augenbrauen in Falten. Rollo hob den Kopf, und seine buschige Rute wedelte auf dem Boden grüßend hin und her.

Ian antwortete weder, als ich seinen Namen sagte, noch als ich ihm die Hand auf die Schulter legte. Ich schüttelte ihn erst sanft, dann fester. Ich konnte ihn kämpfen sehen, irgendwo unter den Schichten der Bewusstlosigkeit, wie einen Mann, der unter Wasser in der Strömung dahintreibt, sich den lockenden Tiefen hingibt, als ihn ein unerwarteter Angelhaken zurückreißt, ein schmerzender Stich in der von der Kälte betäubten Haut.

Seine Augen öffneten sich plötzlich, dunkel und verloren, und er starrte mich verständnislos an.

»Hallo, du«, sagte ich leise, erleichtert, ihn aufwachen zu sehen. »Wie heißt du?«

Ich konnte sehen, dass er die Frage zunächst nicht verstand, und wiederholte sie geduldig. Irgendwo in den Tiefen seiner geweiteten Pupillen regte sich das Bewusstsein.

»Wer ich bin?«, fragte er auf Gälisch. Er sagte noch etwas Unverständliches auf Mohawk, und seine Augenlider schlossen sich flatternd.

»Wach auf, Ian«, sagte ich bestimmt und schüttelte ihn wieder. »Sag mir, wer du bist.«

Seine Augen öffneten sich erneut, und er blinzelte mich verwirrt an.

»Versuch's mit etwas Einfacherem«, schlug ich vor und hielt zwei Finger hoch. »Wie viele Finger siehst du hier?«

In seinen Augen flackerte Verständnis auf.

»Lass das nur nicht Arch Bug sehen, Tante Claire«, sagte er verschlafen, und der Hauch eines Lächelns überflog sein Gesicht. »Das ist wirklich unanständig, weißt du?«

Nun, zumindest hatte er mich erkannt und auch das »V«-Zeichen. Und er musste wissen, wer er war, da er mich Tante nannte.

»Wie ist dein voller Name?«, fragte ich erneut.

»Ian James Fitzgibbons Fraser Murray«, antwortete er ziemlich mürrisch. »Warum fragst du mich dauernd nach meinem Namen?«

»Fitzgibbons?«, sagte ich. »Wie in aller Welt bist du denn daran gekommen?«

Er stöhnte und legte zwei Finger auf seine Augenlider. Er zuckte zusammen, als er sacht zudrückte.

»Onkel Jamie hat ihn mir gegeben – seine Schuld«, sagte er. »Er ist für seinen alten Patenonkel, hat er gesagt. Murtagh Fitzgibbons Fraser hieß er, aber meine Mutter wollte nicht, dass ich Murtagh heiße. Ich glaube, ich muss mich wieder übergeben«, fügte er hinzu und zog seine Hand fort.

Er beugte sich würgend über die Schüssel, übergab sich aber dann doch nicht, was ein gutes Zeichen war. Ich ließ ihn wieder auf die Seite sinken, weiß und schweißklamm, und Rollo stellte sich auf die Hinterbeine, die Vorderpfoten auf den Tisch gestützt, um ihm das Gesicht zu lecken, so dass er beim Stöhnen kichern musste und schwach versuchte, den Hund fortzuschieben.

»*Theirig, dhachaigh, Okwaho*«, sagte er. *Theirig, dhachaigh* hieß »weg mit dir« auf Gälisch, und *Okwaho* war offensichtlich Rollos Mohawkname. Es schien Ian Schwierigkeiten zu bereiten, sich zwischen den drei Sprachen zu entscheiden, die er fließend sprach, doch trotzdem war er offensichtlich bei Sinnen. Nachdem ich ihm noch ein paar aufreizend sinnlose Fragen gestellt hatte, wischte ich ihm mit einem feuchten Tuch über das Gesicht, ließ ihn seinen Mund mit gut verdünntem Wein durchspülen und deckte ihn wieder zu.

»Tante Claire?«, fragte er schläfrig, als ich mich zur Tür wandte. »Glaubst du, ich werde meine Mutter je wiedersehen?«

Ich blieb stehen. Ich hatte keine Ahnung, was ich darauf antworten sollte. Doch das war auch nicht mehr nötig; er war mit der Plötzlichkeit, die Patienten mit Gehirnerschütterung oft an den Tag legten, wieder eingeschlafen und atmete tief, noch bevor ich irgendwelche Worte finden konnte.

6

Ein Hinterhalt

Ian erwachte abrupt, und seine Hand schloss sich um seinen Tomahawk. Oder vielmehr um die Stelle, wo sein Tomahawk hätte sein sollen, wo stattdessen aber nur der Stoff seiner Hose war. Im ersten Moment hatte er nicht die geringste Ahnung, wo er war, und setzte sich kerzengerade hin, während er versuchte, in der Dunkelheit irgendetwas zu erkennen.

Schmerzen durchfuhren seinen Kopf wie Blitzschläge, so dass er lautlos nach Luft schnappte und ihn mit den Händen packte. Irgendwo unter ihm im Dunkeln stieß Rollo ein leises, erschrockenes *Wuff?* aus.

Himmel. Die durchdringenden Gerüche des Sprechzimmers seiner Tante bissen ihm in der Nase, Alkohol und verbrannte Dochte, getrocknete Medizinblätter und das faulige Gebräu, das sie Penny-Syllin nannte. Er schloss die Augen, legte die Stirn auf seine hochgezogenen Knie und atmete langsam durch den Mund.

Was hatte er geträumt? Etwas, das mit Gefahr zu tun hatte und mit Gewalt – doch er konnte sich an kein einziges Bild erinnern, nur an das Gefühl, dass er beobachtet wurde, dass ihm etwas durch den Wald folgte.

Er musste dringend pinkeln. Er tastete nach der Kante des Tisches, auf dem er sich befand, und richtete sich langsam vollständig auf. Er kniff die Augen zu, weil sein Kopf so schmerzte.

Mrs. Bug hatte ihm ein Nachtgeschirr dagelassen; er erinnerte sich daran, dass sie das sagte, doch die Kerze war ausgegangen, und ihm war nicht danach, auf dem Boden herumzukriechen und danach zu suchen. Ein schwacher Lichtschein zeigte ihm, wo die Tür war; sie hatte sie einen Spaltbreit offen gelassen, und der Kamin in der Küche leuchtete durch den Flur bis hier. Nachdem er sich so orientiert hatte, tastete er sich zum Fenster, öffnete es, löste umständlich den Verschluss der Fensterläden und stand in der hereinflutenden Luft der kühlen Frühlingsnacht, die Augen erleichtert geschlossen, während sich seine Blase entleerte.

Das war besser, obwohl ihm mit der Erleichterung gleichzeitig seine Übelkeit und das Pulsieren in seinem Kopf wieder bewusst wurden. Er setzte sich, legte die Arme auf die Knie und den Kopf auf die Arme und wartete darauf, dass ihm besser wurde.

In der Küche erklangen Stimmen; jetzt, da er darauf achtete, konnte er sie deutlich hören.

Es waren Onkel Jamie und dieser MacDonald, und auch der alte Arch Bug, während Tante Claire dann und wann ein Wort einwarf. Ihre englische Stimme klang scharf im Kontrast zu dem schroffen Gebrummel auf Schottisch und Gälisch.

»Könntet Ihr Euch vielleicht vorstellen, Indianeragent zu werden?«, sagte MacDonald gerade.

Was war das?, fragte er sich, dann fiel es ihm ein. Aye, natürlich; die Krone bezahlte Männer dafür, dass sie die Stämme besuchten und ihnen Geschenke anboten, Tabak und Messer und Ähnliches. Ihnen dummes Zeug über König Geordie erzählten, als würde der sich beim nächsten Rabbit Moon mit ihnen ans Feuer setzen und wie ein Mann zu ihnen sprechen.

Er lächelte grimmig bei diesem Gedanken. Der Hintergedanke war völlig klar; den Indianern Honig ums Maul zu schmieren, damit sie auf der Seite der Engländer kämpften, wenn es zum Kampf kam. Doch warum sollten sie gerade jetzt denken, dass es zum Kampf kommen könnte? Die Franzosen hatten sich ergeben und sich nordwärts auf ihren Posten in Kanada zurückgezogen.

Oh. Erst jetzt erinnerte er sich, was Brianna ihm über die neuen, bevorstehenden Kämpfe erzählt hatte. Er hatte nicht gewusst, ob er ihr glauben sollte – vielleicht hatte sie ja Recht, obwohl er in diesem Fall … einfach nicht darüber nachdenken wollte. Und auch über nichts anderes.

Rollo tapste zu ihm herüber und lehnte sich mit seinem ganzen Gewicht an ihn. Er lehnte sich seinerseits an ihn und ließ seinen Kopf in dem dichten Pelz ruhen.

Als er noch in Snaketown gelebt hatte, war einmal ein Indianeragent zu Besuch gekommen. Ein fetter kleiner Kerl mit unruhigem Blick und zitternder Stimme. Er hatte den Eindruck, dass der Mann – Himmel, wie hieß er noch? Die Mohawk hatten ihn Übler Schweiß genannt, und das passte; er stank, als wäre er todkrank – er hatte den Eindruck, dass der Mann mit den Kahnyen'kehaka nicht vertraut war; er sprach ihre Sprache kaum und rechnete sichtlich jede Sekunde damit, von ihnen skalpiert zu werden, etwas, was sie zum Totlachen fanden – und ein oder zwei hätten es wahrscheinlich sogar versucht, hätte Tewaktenyonh nicht befohlen, ihn mit Respekt zu behandeln. Ian hatte sich gezwungen gesehen, für ihn zu übersetzen, wenn auch ohne große Freude. Er betrachtete sich lieber als Mohawk als eine Verwandtschaft mit Übler Schweiß anzuerkennen.

Onkel Jamie dagegen – er würde seine Sache viel besser machen. Würde er es tun? Ian lauschte den Stimmen mit vagem Interesse, doch es war klar, dass sich Onkel Jamie nicht zu einer Entscheidung drängen lassen würde. Wahrscheinlich würde MacDonald leichter einen Frosch im Brunnen fangen, dachte er, während er zuhörte, wie sich sein Onkel um jede Verpflichtung herumredete.

Er seufzte, legte den Arm um Rollo und stützte noch mehr von seinem Gewicht auf den Hund. Er fühlte sich schrecklich. Er wäre davon ausgegangen, dass er im Sterben lag, hätte ihm Tante Claire nicht gesagt, dass es ihm ein paar Tage so schlecht gehen würde. Er war sicher, dass sie bei ihm geblieben wäre, wenn er dem Tode nahe gewesen wäre, und ihn nicht in Rollos Gesellschaft allein gelassen hätte.

Die Fensterläden waren noch offen, und kalte Luft überströmte ihn, kühl und sanft zugleich, wie es für Frühlingsnächte typisch war. Er spürte, wie Rollo die Nase hob, schnupperte und ein leises, begieriges Jaulen ausstieß. Ein Opossum vielleicht oder ein Waschbär.

»Na, dann geh«, sagte er. Er richtete sich auf und schubste den Hund sacht an. »Mir fehlt nichts.«

Der Hund beschnupperte ihn argwöhnisch und versuchte, an der Naht an seinem Hinterkopf zu lecken, ließ aber davon ab, als Ian aufschrie und die Stelle mit den Händen bedeckte.

»Ab, habe ich gesagt.« Er versetzte dem Hund einen sanften Boxhieb, und Rollo prustete, drehte sich einmal um sich selbst, dann flog er über seinen Kopf hinweg zum Fenster hinaus und landete mit einem handfesten Plumpsgeräusch draußen auf dem Boden.

Erschrockene Stimmen kamen aus der Küche; er hörte Onkel Jamies Schritte im Flur, und eine Sekunde später öffnete sich die Sprechzimmertür.

»Ian?«, rief sein Onkel leise. »Wo bist du, Junge? Stimmt etwas nicht?«

Er stand auf, doch im Inneren seiner Augen wurde es blendend weiß, und er stolperte. Onkel Jamie erwischte ihn am Arm und half ihm, sich auf einen Hocker zu setzen.

»Was ist denn, Junge?« Als sich sein Blickfeld klärte, konnte er seinen Onkel im Licht der Tür sehen. Er hatte das Gewehr in einer Hand, und seine Miene war besorgt, ging aber in Belustigung über, als sein Blick zum geöffneten Fenster wanderte. Er schnüffelte ausgiebig. »Doch kein Stinktier, oder?«

»Aye, nun ja, möglicherweise«, sagte Ian und fasste sich vorsichtig an den Kopf. »Entweder ist Rollo hinter einem Stinker her, oder er hat Tante Claires Kater auf einen Baum gejagt.«

»Oh, aye. Mit dem Stinker hätte er wahrscheinlich mehr Glück.« Sein Onkel stellte das Gewehr ab und ging zum Fenster. »Soll ich den Fensterladen schließen, oder brauchst du die Luft, Junge? Du siehst etwas mitgenommen aus.«

»Ich fühle mich auch mitgenommen«, gab Ian zu. »Aye, lass es bitte auf, Onkel Jamie.«

»Kannst du schlafen, Ian?«

Er zögerte. Sein Magen schlingerte unangenehm, und eigentlich hätte er sich gern wieder hingelegt – doch im Sprechzimmer mit seinen kräftigen Gerüchen und dem Glitzern der Klingen und anderer rätselhafter und schmerzhafter Dinge wurde ihm beklommen zumute. Onkel Jamie schien zu erraten, wo die Schwierigkeit lag, denn er bückte sich und schob Ian eine Hand unter den Ellbogen.

»Komm mit, Junge. Du kannst oben in einem richtigen Bett schlafen, wenn es dich nicht stört, dass Major MacDonald das andere nimmt.«

»Es stört mich nicht«, sagte er, »Aber ich glaube, ich bleibe hier.« Er wies mit einer Geste zum Fenster, denn er wollte nicht nicken und seinen Kopf wieder in Aufruhr versetzen. »Rollo kommt bestimmt gleich zurück.«

Onkel Jamie diskutierte nicht mit ihm, und dafür war er dankbar. Frauen machten Theater. Männer kamen einfach zur Sache.

Sein Onkel hievte ihn ohne weitere Umstände in sein Bett zurück, deckte ihn zu und begann dann, auf der Suche nach dem Gewehr, das er abgelegt hatte, in der Dunkelheit herumzurascheln. Ian bekam das Gefühl, dass ein kleines bisschen Theater ihm eventuell doch gut täte.

»Könntest du mir einen Becher Wasser geben, Onkel Jamie?«

»Wie? Oh, aye?«

Tante Claire hatte einen Krug mit Wasser in seiner Nähe stehen gelassen. Er hörte das heimelige Geräusch glucksender Flüssigkeit, dann wurde ihm der Rand eines Keramikbechers an den Mund gehalten, während ihn sein

Onkel mit einer Hand im Rücken aufrecht hielt. Das war nicht nötig, aber er protestierte auch nicht; die Berührung war warm und tröstend. Er hatte gar nicht gemerkt, wie kalt ihm von der Nachtluft geworden war, und ein kurzer Schauer überlief ihn.

»Alles klar, Junge?«, murmelte Onkel Jamie und legte Ian die Hand auf die Schulter.

»Aye. Onkel Jamie?«

»Mpfm?«

»Hat Tante Claire dir erzählt von – von einem Krieg? Einem, der kommt, meine ich? Mit England.«

Ein paar Sekunden herrschte Schweigen, und die kräftige Gestalt seines Onkels erstarrte im Lichtschein der Tür.

»Ja, das hat sie«, sagte er und zog seine Hand fort. »Hat sie es dir erzählt?«

»Nein, Brianna hat es getan.« Er legte sich vorsichtig auf die Seite, um die empfindliche Stelle an seinem Kopf nicht zu berühren. »Glaubst du ihnen?«

Diesmal gab es kein Zögern.

»Aye, das tue ich.« Die Worte kamen im üblichen, sachlich-trockenen Tonfall seines Onkels, doch irgendetwas an ihnen ließ Ian die Nackenhaare zu Berge stehen.

»Oh. Nun denn.«

Das Gänsedaunenkissen unter seiner Wange war weich und duftete nach Lavendel. Die Hand seines Onkels berührte seinen Kopf und strich ihm die zerzausten Haare aus dem Gesicht.

»Mach dir deswegen keine Gedanken, Ian«, sagte er leise. »Bis dahin ist noch Zeit.«

Er nahm das Gewehr und ging. Von dort, wo er lag, konnte Ian über den Hof und über die Bäume hinwegsehen, die sich mit dem Berghang absenkten, vorbei am Kamm des Black Mountain und weiter in den schwarzen Himmel, an dem es vor Sternen wimmelte.

Er hörte, wie sich die Hintertür öffnete und Mrs. Bugs schrille Stimme die anderen übertönte.

»Sie sind nicht daheim, Sir«, berichtete sie atemlos. »Und im Haus ist es dunkel, kein Feuer im Kamin. Wo mögen sie hin sein um diese Zeit?«

Er fragte sich dumpf, wer wohl nicht da war, doch es schien keine große Rolle zu spielen. Wenn es Schwierigkeiten gab, würde sich Onkel Jamie darum kümmern. Dieser Gedanke war tröstlich; er fühlte sich wie ein kleiner Junge, sicher im Bett, und draußen hörte er die Stimme seines Vaters, der sich in der kalten Dunkelheit einer Highlanddämmerung mit einem Pächter unterhielt.

Unter dem Quilt breitete sich langsam Wärme über ihn, und er schlief ein.

Der Mond ging bereits auf, als sie aufbrachen, und das war gut so, dachte Brianna. Selbst unter der großen Goldsichel, die sich aus einer Wiege aus

Sternen erhob und ihren geborgten Schein am Himmel verbreitete, war der Weg unter ihren Füßen unsichtbar, genau wie ihre Füße, die in der absoluten Schwärze des nächtlichen Waldes versanken.

Schwarz, aber nicht still. Über ihnen rauschten die riesigen Bäume, kleine Tiere piepsten und raschelten in der Dunkelheit, und dann und wann flatterte eine Fledermaus lautlos so dicht an ihr vorüber, dass sie erschrak – als hätte sich plötzlich ein Teil der Nacht gelöst und vor ihrer Nase Flügel bekommen.

»Pastors Katze ist eine schreckhafte Katze?«, meinte Roger, als sie sich nach einer solchen Heimsuchung durch einen Lederflügler atemlos an ihn klammerte.

»Pastors Katze ist eine … Katze, die dein Verständnis zu schätzen weiß«, erwiderte sie und drückte ihm die Hand. »Danke.« Wahrscheinlich würden sie in ihre Umhänge gehüllt bei den McGillivrays am Feuer schlafen, anstatt gemütlich in ihren Betten zu liegen – aber wenigstens würden sie Jemmy bei sich haben.

Er erwiderte den Händedruck. Seine Hand war größer und kräftiger als ihre, sehr beruhigend in der Dunkelheit.

»Schon gut«, sagte er. »Ich habe ja auch Sehnsucht nach ihm. In einer Nacht wie dieser hat man seine Familie gern sicher an einem Ort beisammen.«

Sie stieß einen leisen Kehllaut aus, der seine Worte bestätigen und ihm erneut ihren Dank ausdrücken sollte, doch sie wollte das Gespräch in Gang halten, um das Gefühl der Verbundenheit mit ihm zu erhalten, aber genauso, um der Dunkelheit zu trotzen.

»Pastors Katze war eine sehr eloquente Katze«, sagte sie vorsichtig. »Bei der – der Beerdigung, meine ich. Dieser armen Teufel.«

Roger prustete; sie sah seinen weißen Atemkringel kurz in der Luft hängen.

»Pastors Katze war eine extrem verlegene Katze«, sagte er. »Dein Vater!«

Sie lächelte, denn er konnte sie ja nicht sehen.

»Du hast deine Sache wirklich gut gemacht«, sagte sie sanft.

»Mmpfm«, sagte er und prustete noch einmal kurz. »Und was die Eloquenz betrifft … so war es ja nicht einmal meine eigene. Alles, was ich getan habe war, ein paar Zeilen eines Psalms auszusuchen – ich könnte dir nicht einmal sagen, welcher es war.«

»Das war nicht wichtig. Aber warum hast du … das ausgesucht, was du gesagt hast?«, fragte sie neugierig. »Ich dachte, du würdest ein Vaterunser sprechen oder Psalm dreiundzwanzig – den kennt jeder.«

»Das dachte ich ebenfalls«, gab er zu. »Ich hatte es auch vor. Aber als es so weit war …« Er zögerte, und sie sah in Gedanken die frischen, kalten Erdhügel vor sich und erschauerte, weil sie Ruß roch. Er schloss seine Finger fester um ihre Hand und zog sie dichter an sich, um die Hand in seine Ellenbeuge zu legen.

»Ich weiß es nicht«, erklärte er schroff. »Es kam mir nur irgendwie – passender vor.«

»Das war es auch«, sagte sie leise, verfolgte das Thema aber nicht weiter, sondern brachte das Gespräch stattdessen lieber auf ihr jüngstes Konstruktionsvorhaben, eine Handpumpe, mit der sich Wasser aus dem Brunnen befördern ließ.

»Wenn ich etwas hätte, das man als Leitung benutzen könnte, könnte ich ganz einfach Wasser ins Haus befördern! Ich habe das Holz schon fast zusammen, das ich für eine schöne Zisterne brauche. Wenn ich Ronnie überreden kann, es für mich zu bearbeiten – dann können wir zumindest mit Regenwasser duschen. Aber Äste auszuhöhlen –«, das war die Methode, die sie für das kurze Rohr der Pumpe angewendet hatte, »– ich würde Monate brauchen, um genug für die Strecke vom Brunnen zum Haus zusammenzubekommen, vom Bach ganz zu schweigen. Und es gibt keine Chance, Kupferblech aufzutreiben. Selbst, wenn wir es uns leisten könnten, was wir nicht können – es aus Wilmington herzutransportieren, wäre –« Sie machte mit der freien Hand eine Geste der Frustration über den monumentalen Charakter des Unterfangens.

Er dachte eine Weile darüber nach, untermalt vom beruhigenden Rhythmus ihrer Schuhsohlen auf dem felsigen Pfad.

»Nun, die alten Römer haben Beton benutzt; das Rezept steht bei Plinius.«

»Ich weiß. Aber man braucht dazu eine bestimmte Sorte Sand, die wir nicht haben. Außerdem ungelöschten Kalk, den wir auch nicht haben. Und –«

»Aye, aber was ist mit Lehm?«, unterbrach er. »Hast du bei Hildes Hochzeit diesen Teller gesehen. Groß, Rot mit Braun und wunderschön gemustert?«

»Ja«, sagte sie. »Warum –?«

»Ute McGillivray hat gesagt, jemand aus Salem hätte ihn mitgebracht. Mit fällt der Name nicht mehr ein, aber sie hat gesagt, es wäre der letzte Schrei aus der Töpferei.«

»Ich wette mit dir, dass sie das nicht gesagt hat.«

»Na ja, aber so ähnlich.« Er fuhr unbeirrt fort. »Worauf es ankommt ist, dass er *hier* hergestellt worden ist; er ist nicht aus Deutschland. Also gibt es hier Lehm, den man brennen kann, aye?«

»Oh, ich verstehe. Hmm. Tja, das ist eine Idee, nicht wahr?«

So war es, und die Idee war so interessant, dass ihre Erörterung sie den Großteil des restlichen Weges beschäftigt hielt.

Sie hatten jetzt den Berghang hinter sich gelassen und befanden sich eine Viertelmeile von den McGillivrays entfernt, als sich plötzlich ein beklommenes Gefühl in ihrem Nacken regte. *Möglich*, dass sie es sich einbildete; nach dem Anblick auf der verlassenen Lichtung schienen überall im Wald

Bedrohungen in der Luft zu liegen, und sie hatte hinter jeder Wegbiegung mit einem Überfall gerechnet und sich ahnungsvoll angespannt.

Doch dann hörte sie zu ihrer Rechten ein Knacken zwischen den Bäumen, das weder Wind noch Tiere hervorgerufen haben konnten. Wirkliche Gefahr hatte ihren eigenen Geschmack, frisch wie Zitronensaft im Gegensatz zu der faden Limonade ihrer Fantasie.

Ihre Hand drückte warnend Rogers Arm, und er blieb ruckartig stehen.

»Was?«, flüsterte er und legte die Hand an sein Messer. »Wo?« Er hatte es nicht gehört.

Verdammt, warum hatte sie ihr Gewehr nicht dabei oder wenigstens ihren eigenen Dolch? Alles, was sie hatte, war das Schweizer Taschenmesser, das sie immer in der Tasche trug – und die Waffen, die die Umgebung ihr bot.

Sie lehnte sich an Roger und wies in die Richtung, aus der das Geräusch gekommen war, ihre Hand dicht an seinem Körper, um sicherzugehen, dass er der Richtung ihrer Geste folgte. Dann bückte sie sich und tastete in der Dunkelheit nach einem Stein oder einem Stock, den sie als Knüppel benutzen konnte.

»Sprich weiter«, flüsterte sie.

»Pastors Katze ist eine Angstkatze, wie?«, sagte er, und sein Tonfall hörte sich ziemlich überzeugend so an, als zöge er sie auf.

»Pastors Katze ist eine aggressive Katze«, erwiderte sie und versuchte, denselben Tonfall zu treffen, während sie mit einer Hand in ihrer Tasche herumfischte. Ihre andere Hand schloss sich um einen Stein, den sie aus dem festen Boden zog. Kalt und schwer lag er in ihrer Hand. Sie erhob sich, mit allen Sinnen auf die Dunkelheit zu ihrer Rechten konzentriert. »Sie reißt jedem die Eingeweide heraus, der –«

»Oh, Ihr seid es«, sagte eine Stimme hinter ihr im Wald.

Sie kreischte auf, und Roger zuckte automatisch zusammen und fuhr auf dem Absatz herum, um sich der Bedrohung zu stellen, und stieß Brianna hinter sich.

Der Schubser ließ sie rückwärts stolpern. Sie verfing sich mit dem Absatz in einer unsichtbaren Wurzel, fiel hin und landete mit Wucht auf ihrem Hintern. In dieser Lage hatte sie einen hervorragenden Blick auf Roger, der im Mondschein mit dem Messer in der Hand unter zusammenhanglosem Gebrüll in den Wald stürzte.

Erst jetzt registrierte sie, was die Stimme gesagt hatte und wie unmissverständlich enttäuscht ihr Tonfall gewesen war. Eine ganz ähnliche Stimme erhob sich jetzt laut und alarmiert rechts von ihr.

»Jo?«, sagte die Stimme. »Was? Jo, was?«

Links von ihr war heftiges Ringen und Brüllen zu hören. Roger hatte jemanden zwischen die Finger bekommen.

»Roger!«, rief sie. »Roger, hör auf! Es sind die Beardsleys!«

Bei ihrem Sturz hatte sie den Stein fallen gelassen, und jetzt stand sie auf und rieb sich die schmutzige Hand an ihrem Rock. Ihr Herz hämmerte, ihre linke Pobacke schmerzte, und ihr Bedürfnis zu lachen war mit dem kräftigen Verlangen versetzt, einen oder beide Beardsley-Zwillinge zu erwürgen.

»Kezzie Beardsley, komm da heraus!«, rief sie, dann wiederholte sie die Worte noch einmal lauter. Kezzie hörte zwar besser, seit ihre Mutter ihm die chronisch entzündeten Mandeln entfernt hatte, doch er war immer noch weitgehend taub.

Lautes Rascheln im Gebüsch brachte die schlanke Gestalt Keziah Beardsleys zum Vorschein, dunkelhaarig, bleich und mit einem großen Knüppel bewaffnet, den er bei ihrem Anblick verlegen zu verstecken versuchte.

Unterdessen verkündete noch lauteres Rascheln und reichhaltiges Fluchen in ihrem Rücken das Auftauchen Rogers, der Josiah Beardsley, Kezzies Zwillingsbruder, an seinem hageren Nacken gepackt hielt.

»Was in Gottes Namen glaubt ihr kleinen Schurken eigentlich, was ihr hier treibt?«, schimpfte Roger und schubste Jo neben seinen Bruder an eine monderhellte Stelle. »Ist dir klar, dass ich dich fast umgebracht hätte?«

Es war gerade hell genug, um den ausgesprochen zynischen Ausdruck zu erkennen, der Jos Gesicht bei diesen Worten überlief, bevor er einer aufrichtig entschuldigenden Miene wich.

»Es tut uns so Leid, Mr. Mac. Wir haben jemanden kommen hören und gedacht, es wären vielleicht Briganten.«

»Briganten«, wiederholte Brianna und spürte das Bedürfnis zu lachen in sich aufsteigen, unterdrückte es aber entschlossen. »Woher in aller Welt habt ihr denn dieses Wort?«

»Oh.« Jo blickte zu Boden und faltete die Hände in seinem Rücken. »Miss Lizzie hat uns aus diesem Buch vorgelesen, das Mr. Jamie mitgebracht hat. Darin hat es gestanden. Das mit den Briganten.«

»Ich verstehe.« Sie richtete den Blick auf Roger, der ihn erwiderte. Auch seine Verärgerung wich jetzt offensichtlich der Belustigung. *»Der Pirat«*, erklärte sie. »Defoe.«

»Oh, aye.« Roger steckte seinen Dolch in die Scheide. »Und warum genau habt ihr geglaubt, dass Briganten hier herumschleichen könnten?«

Kezzie, der nur dann und wann etwas hörte, fing diese Frage auf und beantwortete sie mit demselben Ernst wie sein Bruder, nur dass seine Stimme lauter und etwas flach klang, eine Folge seiner frühen Taubheit.

»Wir sind Mr. Lindsay begegnet, Sir, der auf dem Heimweg war, und er hat uns erzählt, was am Dutchman's Creek passiert ist. Ist es wahr, was er sagt? Dass sie alle zu Asche verbrannt sind?«

»Sie waren alle tot.« Rogers Stimme hatte jeden Hauch von Belustigung verloren. »Was hat das damit zu tun, dass ihr beide hier mit Knüppeln im Wald herumlungert?«

»Nun, seht Ihr, Sir, die McGillivrays haben ein schönes großes Haus, und dann ist da noch die Küferwerkstatt, und es liegt an einer Straße, und –

nun, wenn ich ein Brigant wäre, würde ich mir genau so eine Stelle aussuchen.«

»Und Miss Lizzie ist da mit ihrem Vater. Und Euer Sohn, Mr. Mac«, fügte Kezzie betont hinzu. »Wir wollen doch nicht, dass ihnen etwas zustößt.«

»Ich verstehe.« Roger lächelte ein wenig schief. »Nun, dann danke ich Euch für den fürsorglichen Gedanken. Aber ich bezweifle, dass sich Briganten in der Nähe aufhalten; Dutchman's Creek ist weit weg von hier.«

»Aye, Sir«, pflichtete Jo ihm bei. »Aber es könnten doch überall Briganten sein, nicht wahr?«

Das ließ sich nicht leugnen und entsprach so sehr der Wahrheit, dass das Kältegefühl in Briannas Magengrube zurückkehrte.

»Das ist möglich, aber es ist nicht so«, versicherte Roger ihnen. »Kommt doch mit uns zum Haus, aye? Wir wollen Jemmy holen. Ich bin mir sicher, dass Ute euch am Feuer schlafen lässt.«

Die Beardsleys wechselten einen unergründlichen Blick miteinander. Sie sahen beinahe gleich aus – klein und schmächtig mit dichtem, schwarzem Haar, unterscheidbar allein durch Kezzies Taubheit und die runde Narbe an Jos Daumen –, und es brachte den Betrachter ein wenig aus der Fassung, ihre beiden feinknochigen Gesichter mit exakt derselben Miene zu sehen.

Welche Information sie auch immer mit diesem Blick untereinander ausgetauscht hatten, die nötige Beratung war damit auf jeden Fall abgeschlossen, denn Kezzie nickte kaum merklich und überließ seinem Bruder das Wort.

»Ah, nein, Sir«, sagte Josiah höflich. »Ich glaube, wir bleiben lieber.« Und ohne ein weiteres Wort wandten sich die beiden ab und verschwanden in der Dunkelheit, wo ihre knirschenden Schritte Laub und Steine verstreuten.

»Jo! Wartet!«, rief Brianna ihnen nach, denn ihre Hand hatte ganz unten in ihrer Tasche noch etwas anderes gefunden.

»Aye, Ma'am?« Schon war Josiah wieder da und tauchte mit enervierender Plötzlichkeit neben ihr auf. Sein Zwillingsbruder beherrschte die Kunst des Anschleichens nicht, doch Josiah schon.

»Oh! Ich meine, oh, da bist du ja.« Sie holte tief Luft, um ihren Herzschlag zu beruhigen, und gab ihm die Pfeife, die sie für Germain geschnitzt hatte. »Hier. Wenn ihr Wache stehen wollt, könnte euch das helfen. Damit könnt ihr um Hilfe rufen, falls wirklich jemand kommt.«

Jo Beardsley hatte ganz offenbar noch nie im Leben eine Pfeife gesehen, wollte es aber nicht zugeben. Er drehte den kleinen Gegenstand in der Hand und gab sich Mühe, ihn nicht anzustarren.

Roger nahm ihm die Pfeife ab und blies einen kräftigen Ton, der die Nacht erschütterte. Aus dem Schlaf aufgescheuchte Vögel schossen ringsum kreischend aus den Bäumen, gefolgt von Kezzie Beardsley, der die Augen vor Erstaunen weit aufgerissen hatte.

»Puste an diesem Ende hinein«, sagte Roger und tippte mit dem Finger auf das richtige Ende der Pfeife, bevor er sie zurückgab. »Du musst die Lippen ein bisschen zusammendrücken.«

»Vielen Dank, Sir«, murmelte Jo. Seine übliche ungerührte Fassade war gemeinsam mit der Stille aus dem Lot geraten, und er nahm die Pfeife mit großen Augen entgegen wie ein Junge am Weihnachtsmorgen. Er wandte sich sofort seinem Zwillingsbruder zu, um ihm seine Errungenschaft zu zeigen. Brianna dämmerte ganz plötzlich, dass wohl keiner der Jungen je einen Weihnachtsmorgen erlebt – oder jemals sonst ein Geschenk erhalten hatte.

»Ich mache dir auch eine«, sagte sie zu Kezzie. »Dann könnt ihr euch gegenseitig Signale geben. Falls ihr Briganten seht«, fügte sie lächelnd hinzu.

»O ja, Ma'am. Das tun wir, ganz bestimmt!«, versicherte er ihr und sah sie dabei nur flüchtig an, so sehr brannte er darauf, die Pfeife zu untersuchen, die sein Bruder ihm in die Hand gegeben hatte.

»Blast sie dreimal, wenn ihr Hilfe braucht«, rief Roger ihnen nach und nahm Briannas Arm.

»Aye, Sir!«, kam es aus der Dunkelheit zurück, gefolgt von einem schwachen »Danke, Ma'am!« – dem wiederum eine Salve puffender Keuchtöne und atemloser Rasselgeräusche folgte, die dann und wann von einem kurzen, erfolgreichen Tuten unterbrochen wurde.

»Wie ich sehe, hat Lizzie ihnen ein paar Manieren beigebracht«, sagte Roger, »und nicht nur das Abc. Aber glaubst du, dass sie einmal wirklich zivilisiert sein werden?«

»Nein«, sagte sie mit einer Spur von Bedauern.

»Ehrlich?« Sie konnte sein Gesicht im Dunkeln nicht sehen, hörte aber die Überraschung in seiner Stimme. »Eigentlich habe ich die Frage gar nicht ernst gemeint. Glaubst du es tatsächlich nicht?«

»Nein – und wenn man bedenkt, wie sie aufgewachsen sind, ist es doch auch kein Wunder. Hast du gesehen, wie sie sich über die Pfeife gefreut haben? Ihnen hat noch nie jemand ein Geschenk gemacht oder ein Spielzeug gegeben.«

»Wohl nicht. Und du meinst, so etwas lässt Jungen zivilisiert werden? Wenn ja, dann wird unser Jem wohl Philosoph oder Künstler oder so etwas werden. Mrs. Bug verwöhnt ihn ja von morgens bis abends.«

»Ah, als ob du das nicht ebenfalls tust«, sagte sie geduldig. »Und Pa und Lizzie und Mama und wer immer sonst noch in Sichtweite ist.«

»Oh, nun gut«, sagte Roger, der sich durch diese Anschuldigung nicht in Verlegenheit bringen ließ. »Warte nur, bis er Konkurrenz bekommt. Germain ist nicht in Gefahr, verwöhnt zu werden, oder?« Germain, Fergus' und Marsalis Ältester, wurde von zwei kleinen Schwestern auf Trab gehalten, die allgemein als die Höllenkätzchen bekannt waren und ihren Bruder mit ihrem Nörgeln und Hänseln auf Schritt und Tritt verfolgten.

Sie lachte, verspürte jedoch eine leise Beklommenheit. Bei dem Gedanken an ein weiteres Baby bekam sie regelmäßig das Gefühl, atemlos und mit verkrampftem Bauch am höchsten Punkt einer Achterbahn zu schweben, hin und her gerissen zwischen freudiger Erregung und Schrecken. Vor allem jetzt, wo sich die Erinnerung an ihre Liebkosungen noch sanft und schwer wie Quecksilber in ihrem Bauch bewegte.

Roger schien ihre gemischten Gefühle zu spüren, denn er vertiefte das Thema nicht weiter, sondern griff nach ihrer Hand und hielt sie mit seinen großen warmen Fingern fest. Die Sonne war noch nicht lange verschwunden, doch die Luft war schon kalt, und in den Bodenmulden hingen die letzten Spuren der Winterkälte.

»Aber was ist dann mit Fergus?«, fragte er und nahm einen früheren Gesprächsfaden wieder auf. »Nach allem, was ich höre, hatte er auch keine schöne Kindheit, aber er kommt mir doch sehr zivilisiert vor.«

»Meine Tante Jenny hat ihn aufgezogen, seit er zehn war«, widersprach sie. »Du hast sie ja noch nicht kennen gelernt, aber glaube mir, sie hätte Adolf Hitler zivilisieren können, wenn sie es sich in den Kopf gesetzt hätte. Außerdem ist Fergus in Paris aufgewachsen, nicht im Hinterland – selbst *wenn* es ein Bordell war. Und nach dem, was Marsali mir erzählt, klingt es nach einem ziemlich erstklassigen Bordell.«

»Oh, aye? Was erzählt sie dir denn?«

»Oh, nur Geschichten, die er ihr im Lauf der Zeit erzählt hat. Über die Kunden und die H–, die Mädchen.«

»Kannst du etwa nicht ›Hure‹ sagen?«, fragte er belustigt. Sie spürte, wie ihr das Blut in die Wangen stieg, und war froh, dass es dunkel war; er zog sie nur noch mehr auf, wenn sie rot wurde.

»Ich kann doch nichts dafür, dass ich eine katholische Schule besucht habe«, verteidigte sie sich. »Frühe Konditionierung.« Er hatte Recht; sie konnte bestimmte Wörter einfach nicht sagen, es sei denn, Wut hatte sie gepackt oder sie hatte sich gedanklich darauf vorbereitet. »Aber warum kannst du es überhaupt? Man sollte doch glauben, dass ein Pastorjunge dasselbe Problem hat.«

Er lachte ein bisschen ironisch.

»Nicht ganz dasselbe Problem. Bei mir war es eher so, dass ich mich gezwungen gefühlt habe, vor meinen Freunden zu fluchen und mich danebenzubenehmen, um zu beweisen, dass ich es konnte.«

»Danebenbenehmen?«, fragte sie, weil sie eine Geschichte witterte. Er sprach nicht oft über seine Kindheit, die er als Adoptivsohn seines Onkels, eines Presbyterianerpastors, in Inverness verbracht hatte, doch sie liebte es, sich die Bröckchen anzuhören, die er manchmal fallen ließ.

»Och. Rauchen, Bier trinken, schmutzige Wörter an die Wände der Jungentoilette schmieren«, sagte er, und das Lächeln in seiner Stimme war deutlich zu hören. »Mülleimer umstoßen. Die Luft aus Autoreifen lassen. Bei der Post Süßigkeiten klauen. Eine Zeit lang war ich ein richtiger kleiner Krimineller.«

»Der Schrecken von Inverness, wie? Hattet ihr eine Gang?«, zog sie ihn auf.

»O ja«, sagte er und lachte. »Gerry MacMillan, Bobby Cawdor und Dougie Buchanan. Ich war der Außenseiter, nicht nur, weil ich der Pastorjunge war, sondern auch, weil ich einen englischen Vater und einen englischen Namen hatte. Also war ich dauernd darauf aus, ihnen zu zeigen, dass ich ein harter Kerl war. Was bedeutete, dass ich meistens derjenige war, der in den größten Schwierigkeiten steckte.«

»Ich hatte ja keine Ahnung, dass du einmal ein jugendlicher Delinquent warst«, sagte sie ganz verzaubert von dieser Vorstellung.

»Na ja, es hat auch nicht lange gedauert«, versicherte er ihr trocken. »In dem Sommer, als ich fünfzehn wurde, hat mich der Reverend auf einem Boot angeheuert und mich mit den Heringsfischern zur See geschickt. Ich weiß nicht, ob er es getan hat, um meinen Charakter zu verbessern, damit ich nicht im Gefängnis landete oder weil er mich einfach nicht länger in seinem Haus ertragen konnte. Aber es hat funktioniert. Wenn du einmal harte Kerle kennen lernen willst, fahr mit einem Haufen gälischer Fischer zur See.«

»Ich werde es mir merken«, sagte sie. Sie versuchte nicht zu kichern und stieß stattdessen eine Reihe leiser, feuchter Prustgeräusche aus. »Und sind deine Freunde im Gefängnis gelandet oder sind sie aufrechte Bürger geworden, als du nicht mehr da warst, um sie auf Abwege zu führen?«

»Dougie ist zur Armee gegangen«, sagte er mit einem Hauch von Wehmut in der Stimme. »Gerry hat den Laden seines Vaters übernommen – sein Vater war Tabakhändler. Bobby … aye. Na ja, Bobby ist tot. Ist noch im selben Sommer ertrunken, vor Oban beim Hummerfischen mit seinem Vetter.«

Sie lehnte sich dichter zu ihm hinüber, drückte seine Hand und strich ihm mitfühlend über die Schulter.

»Tut mir Leid«, sagte sie, dann hielt sie inne. »Obwohl … er ist gar nicht tot, nicht wahr? Noch nicht. Nicht in dieser Zeit.«

Roger schüttelte den Kopf und stieß einen schwachen Laut aus, in dem sich Humor und Bestürzung mischten.

»Ist das ein Trost?«, fragte sie. »Oder ist es eine schreckliche Vorstellung?«

Sie wollte, dass er weitersprach; so viel hatte er nicht mehr an einem Stück geredet, seit man ihn gehängt und ihm seine Singstimme geraubt hatte. Es machte ihn befangen, in der Öffentlichkeit zu sprechen, und schnürte ihm die Kehle zu. Seine Stimme war auch jetzt noch rau, doch so entspannt, wie er jetzt war, würgte und hustete er zumindest nicht.

»Beides«, sagte er und stieß den gleichen Laut noch einmal aus. »Ich werde ihn so oder so nie wiedersehen.« Er zuckte sacht mit den Achseln, wie um den Gedanken zu verdrängen. »Denkst du oft an deine alten Freunde?«

»Nein, nicht oft«, sagte sie leise. Der Pfad wurde hier schmaler, und sie hakte sich bei ihm ein und ging dicht neben ihm, während sie sich der letzten Wegbiegung näherten, die sie in Sichtweite der McGillivrays bringen würde. »Ich habe hier genug, was mich beschäftigt.« Sie wollte nicht über das sprechen, was sie hier *nicht* hatte.

»Meinst du, Jo und Kezzie spielen nur?«, fragte sie. »Oder führen sie etwas im Schilde?«

»Was sollten sie denn im Schilde führen?«, fragte er und akzeptierte ihren Themenwechsel kommentarlos. »Ich kann mir nicht vorstellen, dass sie auf der Lauer liegen, um einen Straßenraub zu begehen – nicht um diese Tageszeit.«

»Oh, ich glaube ihnen, dass sie Wache stehen«, sagte sie. »Sie würden alles tun, um Lizzie zu beschützen. Nur –« Sie hielt inne. Sie waren aus dem Wald auf die Wagenstraße getreten, die sich auf der anderen Seite in einer steilen Böschung absenkte. Bei Nacht sah diese aus wie ein bodenloser See aus schwarzem Samt – bei Tageslicht würde sie ein Durcheinander aus umgestürzten Baumstümpfen, Rhododendrengebüschen, Judasbäumen und Hartriegel sein, das mit den Ranken uralter Wein- und Kletterpflanzen überwuchert war. Ein Stück weiter machte die Straße eine Serpentinenkurve und kam dann dreißig Meter tiefer sanft vor dem Haus der McGillivrays aus.

Die kleine Ansammlung von Häusern – das alte Haus, das neue Haus, Ronnie Sinclairs Küferwerkstatt, Dai Jones' Schmiede und Blockhütte – war zum Großteil erleuchtet. Kerzen- und Laternenschein strömte durch offene Türen, und ein Lagerfeuer auf dem freien Platz zwischen den Häusern bildete eine leuchtende Insel in der Dunkelheit.

»Da unten wird jedenfalls gefeiert«, sagte sie. »*Sie* scheinen sich keine Sorgen wegen der Briganten zu machen.«

»Nicht heute Abend. Aber was wolltest du sagen, über die Beardsley-Jungs, die Lizzie beschützen?«

»Oh.« Sie stieß sich den Fuß an einem unsichtbaren Hindernis und klammerte sich an seinen Arm, um nicht hinzufallen. »Uff! Nur, dass ich mir nicht sicher bin, vor wem sie Lizzie zu beschützen glauben.«

Roger umklammerte ihren Arm automatisch fester.

»Und was in aller Welt meinst du damit?«

»Nur dass ich mir, wenn ich Manfred McGillivray wäre, alle erdenkliche Mühe geben würde, nett zu Lizzie zu sein.« Sie ließ den Blick von dem Freudenfeuer unter ihr zurück in den dunklen, schweigenden Wald wandern. »Mama sagt, die Beardsleys laufen ihr nach wie Hunde, aber das stimmt nicht. Sie laufen ihr nach wie zahme Wölfe.«

»Ich dachte, Ian hätte gesagt, man kann Wölfe nicht zähmen.«

»Genauso ist es«, sagte sie knapp. »Komm. Lass uns Jem suchen.«

Das große Blockhaus lief praktisch über vor Menschen. Licht fiel zur offenen Tür hinaus und glühte in der Reihe schmaler Schießschartenfenster, die sich über die Frontseite des Hauses erstreckte. Ein Lagerfeuer brannte auf dem Hof, und dunkle Gestalten schwankten aus seinem Schein ins Dunkle und zurück. Die Klänge einer Geige schwebten leise und süß durch die Dunkelheit zu ihnen herauf, zusammen mit dem Duft gebratenen Fleisches.

»Dann hat Senga also ihre Wahl getroffen«, sagte Roger und nahm sie für den abschließenden Abstieg zur Wegkreuzung beim Arm. »Was wettest du, wer es ist? Ronnie Sinclair oder der Deutsche?«

»Oh, eine Wette? Worum wetten wir denn? Hoppla!« Sie stolperte über einen Stein, der halb vergraben im Weg lag, doch Roger umklammerte sie fest und hielt sie aufrecht.

»Der Verlierer bringt die Vorratskammer in Ordnung«, schlug er vor.

»Abgemacht«, erwiderte sie prompt. »Ich glaube, sie hat Heinrich genommen.«

»Aye? Nun, vielleicht hast du Recht«, sagte er mit belustigter Stimme. »Aber ich muss dir sagen, meinen letzten Informationen nach stand es fünf zu drei für Ronnie. Man darf Utes Einfluss nicht unterschätzen.«

»Das stimmt«, räumte Brianna ein. »Und wenn es Hilde oder Inge wären, würde ich sagen, sie hatten keine Chance. Aber Senga hat den Charakter ihrer Mutter; *ihr* schreibt niemand etwas vor – nicht einmal Ute. Wie sind sie eigentlich auf Senga gekommen?«, fügte sie hinzu. »In Salem gibt es massenweise Inges und Hildes, aber ich habe noch nie von einer anderen Senga gehört.«

»Nun ja, das kannst du auch nicht – nicht in Salem. Es ist kein deutscher Name, weißt du – er ist schottisch.«

»*Schottisch?*«, sagte sie erstaunt.

»Oh, aye«, und sie konnte ihm anhören, dass er grinste. »Es ist Agnes, rückwärts buchstabiert. Ein Mädchen mit so einem Namen muss doch ein Querkopf werden, meinst du nicht?«

»Das meinst du nicht ernst! Agnes rückwärts buchstabiert?«

»Ich behaupte ja nicht, dass es ein verbreiteter Name ist, aber ich habe in Schottland bestimmt schon ein oder zwei Sengas getroffen.«

Sie lachte.

»Machen die Schotten das mit anderen Namen auch?«

»Sie rückwärts drehen?« Er überlegte. »Na ja, ich war mit einem Mädchen in der Schule, das Adnil hieß, und im Lebensmittelladen hat ein Junge gearbeitet, der für die alten Damen in der Nachbarschaft den Botenjungen gespielt hat – sein Name wird ›Kirry‹ ausgesprochen, aber ›C-i-r-e‹ buchstabiert.«

Sie sah ihn scharf an, für den Fall, dass er sie aufzog, doch das tat er nicht. Sie schüttelte den Kopf.

»Ich glaube, Mama hat Recht, was die Schotten angeht. Dein Name rückwärts wäre dann also –«

»Regor«, bestätigte er. »Klingt wie eine Kreatur aus einen Godzilla-Film, nicht wahr? Ein Riesenaal vielleicht, oder ein Käfer, aus dessen Augen Todesstrahlen leuchten.« Er schien seinen Spaß an dieser Vorstellung zu haben.

»Darüber hast du schon öfter nachgedacht, nicht wahr?«, sagte sie lachend. »Was wärst du denn lieber?«

»Tja, als Kind fand ich den Käfer mit den Todesaugen besser«, gab er zu. »Dann bin ich zur See gefahren und habe die eine oder andere Muräne in meinem Netz an Bord gehievt. So einem Kerl würde man nicht gern in einer dunklen Gasse begegnen, das kannst du mir glauben.«

»Auf jeden Fall sind sie beweglicher als Godzilla«, sagte sie und erschauerte sacht bei der Erinnerung an die einzige Muräne, der sie je persönlich begegnet war. Knapp anderthalb Meter Federstahl und Gummi, schnell wie der Blitz und mit einem ganzen Maul voller Rasierklingen ausgestattet, war sie aus dem Frachtraum eines Fischerbootes ans Tageslicht gekommen, dem sie in einer kleinen Hafenstadt namens MacDuff beim Entladen zugesehen hatte.

Sie hatte mit Roger, auf eine niedrige Steinmauer gestützt, am Hafen gestanden und träge die Möwen beobachtet, die sich vom Wind tragen ließen, als ein Alarmruf auf dem Fischerboot genau unter ihnen ihre Blicke gerade rechtzeitig auf sich zog, um zu sehen, wie die Fischer Hals über Kopf vor irgendetwas an Deck flüchteten.

Eine dunkle Sinuskurve war durch die silberne Fischmasse an Deck geschossen, unter der Reling hindurchgeflitzt und auf den nassen Steinen des Kais gelandet, wo sie eine ähnliche Panik unter den Fischern auslöste, die dort ihre Ausrüstung mit Wasser abspritzten. Die Muräne hatte sich gewunden und um sich geschlagen wie ein durchgedrehtes Hochspannungskabel, bis ein Mann in Gummistiefeln sich ein Herz gefasst und sie mit einem Tritt zurück ins Wasser befördert hatte.

»Na ja, eigentlich sind Muränen gar nicht so übel«, sagte Roger sachlich, während er sich offensichtlich an dieselbe Szene erinnerte. »Zumindest kann man ihnen keine Vorwürfe machen; wenn man ohne Warnung vom Meeresboden an die Luft geschleift wird – da würde doch jeder um sich schlagen.«

»Das stimmt«, sagte sie und dachte dabei an Roger und sich selbst. Sie nahm seine Hand, verschlang ihre Finger mit den seinen und fand Trost in seinem festen, kalten Griff.

Sie waren jetzt nah genug, um Gelächter und Gesprächsfetzen aufzufangen, die in die kalte Nacht aufstiegen wie der Rauch des Feuers. Kinder rannten herum; sie sah zwei kleine Gestalten zwischen den Beinen der Menge am Feuer umherflitzen, schwarz und dünn wie Kobolde zu Halloween.

Das war doch wohl nicht Jem? Nein, er war kleiner, und Lizzie würde doch sicher nicht –

»Mej«, sagte Roger.

»Was?«

»Jem rückwärts«, erklärte er. »Ich habe nur gerade daran gedacht, was für einen Spaß es machen würde, mit ihm zusammen Godzilla-Filme zu sehen. Vielleicht wäre er ja gern der Käfer mit den Todesstrahlen. Das wäre doch toll, aye?«

Er klang so sehnsüchtig, dass es ihr die Kehle zuschnürte, und sie drückte ihm fest die Hand und schluckte.

»Erzähl ihm doch Godzilla-Geschichten«, sagte sie bestimmt. »Es sind sowieso Märchen. Ich zeichne ihm Bilder.«

Da lachte er.

»Himmel, mach das, und sie werden dich steinigen, weil du mit dem Teufel unter einer Decke steckst, Brianna. Godzilla sieht so aus, als stammte er direkt aus der Johannes-Offenbarung – so hat man mich zumindest informiert.«

»Wer hat dir das gesagt?«

»Eigger.«

»Wer ... oh«, sagte sie und drehte das Wort in Gedanken um. »Reggie? Wer ist Reggie?«

»Der Reverend.« Sein Großonkel, sein Adoptivvater. In seiner Stimme lag immer noch ein Lächeln, doch jetzt war es mit nostalgischer Sehnsucht versetzt. »Als wir samstags zusammen in einem Monsterfilm waren. Eigger und Regor – und du hättest die Mienen des Pfarrdamenkränzchens sehen sollen, als Mrs. Graham sie ohne Ankündigung ins Haus gelassen hat und sie ins Studierzimmer des Reverends kamen, wo wir brüllend herumgestampft sind und unser Bauklotz- und Suppendosentokio zu Brei getrampelt haben.«

Sie lachte, spürte aber, wie ihr die Tränen in die Augen stiegen.

»Ich wünschte, ich hätte den Reverend gekannt«, sagte sie und drückte seine Hand.

»Das wünschte ich auch«, sagte er leise. »Er hätte dich so gemocht, Brianna.«

Für ein paar Sekunden waren der dunkle Wald und das lodernde Feuer zurückgewichen, während er redete; sie waren in Inverness und hatten es sich im Studierzimmer des Reverends gemütlich gemacht, während der Regen ans Fenster klopfte und der Verkehr über die Straße rauschte. Es geschah so oft, wenn sie sich derart unterhielten, nur sie beide. Dann zerstörte eine Kleinigkeit den Augenblick – diesmal war es ein Ruf am Feuer, wo die Leute jetzt zu klatschen und zu singen begannen –, und die Welt ihrer eigenen Zeit verschwand im Bruchteil einer Sekunde.

Was wäre, wenn er nicht mehr da wäre, dachte sie plötzlich. Könnte ich sie ganz allein zurückholen?

Einen Moment lang wurde sie bei diesem Gedanken von elementarer Panik geschüttelt. Ohne Roger als ihren Prüfstein, nur durch ihre eigenen Erinnerungen in der Zukunft verankert würde diese Zeit verschwinden. Sie würde sich in neblige Träume auflösen und verschwinden, und Brianna würde kein fester Boden der Realität bleiben, auf dem sie stehen konnte.

In tiefen Zügen atmete sie die kalte Nachtluft ein, bitter vom Holzrauch, und grub ihre Fußballen beim Gehen tief in den Boden, um etwas Handfestes zu spüren.

»MamaMamaMAMA!« Ein kleiner Klecks löste sich aus dem Gewimmel am Feuer und schoss auf sie zu. Er prallte so heftig gegen ihre Knie, dass sie sich an Rogers Arm festhielt.

»Jem! Da bist du ja!« Sie hob ihn auf und vergrub ihr Gesicht in seinem Haar, das angenehm nach Ziegen, Heu und herzhafter Wurst roch. Er war schwer und mehr als handfest.

Dann drehte sich Ute McGillivray um und sah sie. Ihr breites Gesicht war zu einem Stirnrunzeln verzogen, doch bei ihrem Anblick begann sie entzückt zu strahlen. Als sie ihnen einen Gruß zurief, drehten sich die Leute um, und sie wurden sofort von der Menge umringt, die sie mit Fragen überhäufte und freudige Überraschung über ihr Kommen ausdrückte.

Ein paar der Fragen betrafen die holländische Familie, doch Kenny Lindsay hatte die Nachricht von dem Brand schon überbracht; Brianna war froh darüber. Die Leute gaben Beileidsgeräusche von sich und schüttelten die Köpfe, doch inzwischen hatten sie den Großteil ihrer entsetzten Spekulationen durchdiskutiert und wandten sich anderen Dingen zu. Die Kälte der Gräber unter den Fichten lag ihr nach wie vor als kühler Hauch auf dem Herzen; sie hatte nicht den Wunsch, *diese* Erfahrung wieder greifbar zu machen, indem sie darüber redete.

Das frisch verlobte Paar saß gemeinsam auf einem Paar umgedrehter Eimer. Sie hielten Händchen, und ihre Gesichter strahlten selig im Schein des Lagerfeuers.

»Ich habe gewonnen«, sagte Brianna und lächelte bei ihrem Anblick. »Sehen sie nicht glücklich aus?«

»Das stimmt«, pflichtete Roger ihr bei. »Ich bezweifle aber, dass Ronnie Sinclair glücklich ist. Ist er hier?« Er sah sich um, doch der Küfer war nirgendwo in Sicht.

»Warte – er ist in seiner Werkstatt«, sagte sie und legte Roger eine Hand auf das Handgelenk, während sie kopfnickend zur anderen Straßenseite wies. Die Küferwerkstatt hatte auf dieser Seite keine Fenster, doch rings um die Ränder der geschlossenen Tür entwich ein schwaches Leuchten.

Roger ließ den Blick von der verdunkelten Werkstatt zu der feiernden Menge am Feuer wandern; viele von Utes Verwandten waren gemeinsam mit dem glücklichen Bräutigam und seinen Freunden aus Salem hergeritten, und sie hatten ein großes Fass Bier mitgebracht. Hefe und Hopfen schwängerten die Luft.

Im Gegensatz dazu hatte die Küferwerkstatt etwas Trostloses, Finsteres an sich. Sie fragte sich, ob Ronnie Sinclairs Abwesenheit schon irgendjemandem am Feuer aufgefallen war.

»Ich gehe zu ihm und unterhalte mich ein bisschen mit ihm, aye?« Roger berührte mit einer kurzen, liebevollen Geste ihren Rücken. »Vielleicht kann er ja ein mitfühlendes Ohr brauchen.«

»Das und etwas Hochprozentiges?« Sie deutete zum Haus, wo Robin McGillivray durch die geöffnete Tür zu sehen war. Er schenkte einem ausgewählten Freundeskreis etwas ein, was nach Whisky aussah.

»Das hat er sich bestimmt schon selbst besorgt«, erwiderte Roger trocken. Er ließ sie stehen und bahnte sich seinen Weg um die Feiernden am Feuer herum. Er verschwand in der Dunkelheit, doch dann sah sie, wie sich die Tür der Küferwerkstatt öffnete, Rogers Umriss kurz im Licht auftauchte, das von innen kam, und seine kräftige Gestalt das Licht blockierte, bevor er in der Werkstatt verschwand.

»Will trinken, Mama!« Jemmy zappelte wie eine Kaulquappe, um sich aus ihren Armen zu befreien. Sie setzte ihn auf den Boden, und er verschwand wie der Blitz, wobei er beinahe eine rundliche Dame mit einem Teller voll Maispfannkuchen zu Fall brachte.

Der Duft der dampfenden Küchlein erinnerte sie daran, dass sie noch nicht zu Abend gegessen hatte, und sie folgte Jemmy zu dem Tisch mit dem Essen, wo Lizzie ihr in ihrer Rolle als angehende Tochter des Hauses mit wichtiger Miene zu Sauerkraut, Würstchen, Eiern und einem Gericht verhalf, das Mais und Kürbis enthielt.

»Wo ist denn *dein* Liebster, Lizzie«, fragte sie scherzhaft. »Solltest du nicht mit ihm zusammen essen?«

»Oh, er?« Lizzie sah aus wie jemand, der sich an etwas erinnerte, das zwar generell von vagem Interesse, jedoch nicht von unmittelbarer Wichtigkeit war. »Manfred meinst du? Er ist … da drüben.« Sie kniff die Augen gegen den Schein des Feuers zu, dann deutete sie mit dem Löffel auf Manfred McGillivray. Ihr Verlobter war mit drei oder vier anderen jungen Männern zusammen, die einander untergehakt hatten und schunkelnd ein deutsches Lied sangen. Sie schienen Schwierigkeiten zu haben, sich an den Text zu erinnern, denn jede Zeile endete damit, dass sie sich kichernd und schubsend gegenseitig Vorwürfe machten.

»Hier, Schätzchen«, sagte Lizzie und beugte sich vor, um Jemmy ein Stück Wurst zu geben. Er schnappte den Leckerbissen auf wie eine hungrige Robbe und kaute emsig darauf herum, dann murmelte er: »Hill kinkeng« und spazierte in die Nacht davon.

»Jem!« Brianna machte Anstalten, ihm nachzugehen, wurde jedoch durch eine Gruppe von Leuten aufgehalten, die auf den Tisch zusteuerten.

»Keine Sorge seinetwegen«, beruhigte Lizzie sie. »Es weiß doch jeder, wer er ist; ihm wird schon nichts zustoßen.«

Vielleicht wäre sie ihm dennoch gefolgt, doch dann sah sie einen kleinen

Blondschopf neben ihm auftauchen. Germain, Fergus' und Marsalis Ältester – und Jems Busenfreund. Germain war zwei Jahre älter und verfügte über einiges mehr an Weltgewandtheit als ein durchschnittlicher Fünfjähriger, was er zum Großteil dem Vorbild seines Vaters verdankte. Sie hoffte nur, dass er sich in der Menge nicht als Taschendieb betätigte, und nahm sich im Geiste vor, ihn später nach Diebesgut zu durchsuchen.

Germain hielt Jem fest an der Hand, und so ließ sie sich überreden, sich mit Lizzie, Inge und Hilde auf den Strohballen niederzulassen, die ein Stück vom Feuer entfernt auf dem Boden lagen.

»Und wo ist *Euer* Liebster?«, scherzte Hilde. »Der hübsche schwarze Teufel?«

»Oh, er?«, ahmte Brianna Lizzie nach, und sie brachen alle in höchst undamenhaftes Gelächter aus; offenbar machte das Bier schon länger die Runde.

»Er tröstet Ronnie«, sagte sie und drehte den Kopf in Richtung der dunklen Küferwerkstatt. »Ist Eure Mutter bestürzt über Sengas Wahl?«

»Och, aye«, sagte Inge und rollte ausdrucksvoll mit den Augen. »Ihr hättet sie streiten hören sollen, sie und Senga. Sie sind mit Zähnen und Krallen aufeinander los. Pa ist Fischen gegangen und drei Tage fort geblieben.«

Brianna senkte den Kopf, um ihr Grinsen zu verbergen. Robin McGillivray wünschte sich ein friedliches Dasein; etwas, das ihm in Gesellschaft seiner Frau und seiner Töchter wohl nie vergönnt sein würde.

»Ah, nun ja«, sagte Hilde philosophisch und lehnte sich ein wenig zurück, um ihren Bauch zu entlasten. Ihre erste Schwangerschaft war schon weit fortgeschritten. »So viel konnte Mutter nun auch wieder nicht sagen. Heinrich ist schließlich der Sohn ihrer eigenen Cousine. Auch wenn er arm *ist*.«

»Aber jung«, fügte Inge praktisch denkend hinzu. »Pa sagt, Heinrich hat noch Zeit, reich zu werden.« Reich war Ronnie Sinclair nicht gerade – und er *war* dreißig Jahre älter als Senga. Andererseits gehörten ihm sowohl die Küferwerkstatt als auch die Hälfte des Hauses, in dem er und die McGillivrays lebten. Und nachdem Ute ihre beiden älteren Töchter mit wohlhabenden Männern verheiratet hatte, hatte sie offenbar die Vorteile einer Ehe zwischen Senga und Ronnie gesehen.

»Ich kann mir vorstellen, dass das ein bisschen peinlich wird«, sagte Brianna taktvoll. »Wenn Ronnie weiter mit Eurer Familie zusammenlebt, nachdem –« Sie wies kopfnickend auf das verlobte Paar, das sich gegenseitig mit Kuchenstückchen fütterte.

»Huh!«, rief Hilde aus und verdrehte die Augen. »Ich bin so froh, dass ich nicht hier wohne!«

Inge kicherte zustimmend, fügte aber hinzu: »Nun ja, Mutti jammert aber keinen Dingen nach, die nicht zu ändern sind. Sie hat schon die Fühler nach einer Frau für Ronnie ausgestreckt. Seht sie euch nur an.« Sie deutete auf den Essenstisch, wo Ute plaudernd und lächelnd in einer Gruppe deutscher Frauen stand.

»Was meinst du wohl, wen sie im Auge hat?«, fragte Inge ihre Schwester, während sie die Manöver ihrer Mutter mit zusammengekniffenen Augen beobachtete. »Unser kleines Gretchen? Oder die Cousine deines Archie vielleicht? Die mit den Schielaugen ... Seona?«

Hilde, die mit einem Schotten aus Surry County verheiratet war, schüttelte den Kopf.

»Sie will bestimmt ein deutsches Mädchen«, wandte sie ein. »Denn sie denkt sicher schon daran, was geschieht, wenn Ronnie stirbt und seine Frau noch einmal heiratet. Wenn es ein Mädchen aus Salem ist, kann Mama sie ja eventuell dazu bewegen, einen ihrer Neffen oder Vettern zu heiraten – den Besitz in der Familie halten, aye?«

Brianna hörte fasziniert zu, wie die Mädchen die Situation ganz und gar sachlich diskutierten – und fragte sich, ob Ronnie Sinclair nur die geringste Ahnung hatte, dass sein Schicksal hier auf diese pragmatische Art entschieden wurde. Doch er lebte schon seit über einem Jahr mit den McGillivrays zusammen, dachte sie; er musste eine gewisse Vorstellung von Utes Methoden bekommen haben.

Während sie Gott im Stillen dankte, dass sie nicht gezwungen war, in einem Haus mit der gefürchteten Frau McGillivray zu leben, sah sie sich nach Lizzie um und spürte einen Stich des Mitgefühls mit ihrer ehemaligen Leibeigenen. Lizzie *würde* mit Ute zusammenleben, wenn nächstes Jahr ihre Hochzeit mit Manfred stattfand.

Als sie den Namen »Wemyss« hörte, wandte sie sich wieder der Unterhaltung zu, um dann allerdings festzustellen, dass die Mädchen nicht über Lizzie sprachen, sondern über ihren Vater.

»Tante Gertrud«, erklärte Hilde und hielt sich leise rülpsend die Faust vor den Mund. »Sie ist selber Witwe, sie ist am besten für ihn.«

»Tante Gertrud würde den armen kleinen Mr. Wemyss in einem Jahr ins Grab bringen«, widersprach Inge lachend. »Sie ist doch doppelt so schwer wie er. Wenn sie ihn nicht zu Tode erschöpft, würde sie sich am Ende im Schlaf umdrehen und ihn platt drücken.«

Hilde schlug sich beide Hände vor den Mund, jedoch weniger, weil sie schockiert war, sondern vielmehr, um ihr Kichern zu ersticken. Brianna hatte den Eindruck, dass auch sie ihren Teil Bier getrunken hatte; ihre Haube saß schief, und selbst im Schein des Feuers sah ihr Gesicht errötet aus.

»Aye, nun ja, ich glaube, der Gedanke stört ihn nicht besonders. Seht ihr ihn?« Hilde wies an den Biertrinkern vorbei, und Brianna erkannte Mr. Wemyss' Kopf auf Anhieb, sein Haar hell und fein wie das seiner Tochter. Er unterhielt sich angeregt mit einer kräftigen Frau in Schürze und Haube, die ihn vertraulich in die Rippen stieß und lachte.

Doch während sie ihn beobachtete, kam Ute McGillivray auf die Gruppe zu, gefolgt von einer hoch gewachsenen, hellhaarigen Frau, die ein wenig zögerte und die Hände unter ihrer Schürze gefaltet hatte.

»Oh, wer ist das denn?« Inge reckte den Hals wie eine Gans, und ihre Schwester stieß sie schockiert mit dem Ellbogen an.

»Lass das, du alte Ziege! Mutti sieht in unsere Richtung!«

Lizzie war halb aufgestanden, um zu lauern.

»Wer –?«, sagte sie. Dann wurde sie vorerst durch Manfred abgelenkt, der sich neben ihr ins Stroh sinken ließ und freundlich grinste.

»Wie geht es denn, Herzchen?«, sagte er, legte ihr den Arm um die Taille und versuchte, sie zu küssen.

»Wer ist das, Freddie?«, sagte sie, während sie seiner Umarmung geschickt entwich und diskret auf die hellhaarige Frau zeigte, die schüchtern lächelte, während Ute sie Mr. Wemyss vorstellte.

Manfred blinzelte und schwankte ein wenig, antwortete jedoch prompt.

»Oh. Das ist Fräulein Berrisch. Pastor Berrischs Schwester.«

Inge und Hilde stießen leise, interessierte Gurrgeräusche aus; Lizzie runzelte ein wenig die Stirn, entspannte sich dann aber, als sie sah, wie ihr Vater den Kopf zurücklegte, um den Neuzugang zu begrüßen. Fräulein Berrisch war fast so groß wie Brianna.

Nun, das erklärt, warum sie immer noch Fräulein ist, dachte Brianna mitfühlend. Das Haar der Frau war dort, wo es unter ihrer Haube hervorlugte, von grauen Strähnen durchzogen, und sie hatte ein ziemlich gewöhnliches Gesicht, obwohl ihre Augen eine liebe Ruhe ausstrahlten.

»Oh, eine Protestantin also«, sagte Lizzie in einem Tonfall, der deutlich machte, dass das Fräulein wohl kaum als potentielle Partnerin für ihren Vater in Frage kam.

»Aye, aber sie ist trotzdem nett. Komm, wir tanzen, Elizabeth.« Manfred hatte sichtlich jedes Interesse an Mr. Wemyss und dem Fräulein verloren; er zog Lizzie trotz ihrer Proteste hoch und schob sie in den Kreis der Tänzer. Sie ging zwar widerstrebend mit, doch Brianna sah, dass Lizzie, als sie die Tanzfläche erreicht hatten, schon über etwas lachte, was Manfred gesagt hatte, und er zu ihr hinunterlächelte, während das Feuer sein wohlgeformtes Gesicht beleuchtete. Sie sind ein hübsches Paar, dachte sie, und passen besser zusammen als Senga und ihr Heinrich – der zwar hoch gewachsen, aber hager war und eine Hakennase hatte.

Inge und Hilde hatten angefangen, sich auf Deutsch zu streiten, was es Brianna ermöglichte, sich mit Leib und Seele dem Verzehr ihres exzellenten Abendessens zu widmen. Hungrig, wie sie war, hätte ihr beinahe alles geschmeckt, aber das herbe, saftige Sauerkraut und die Würstchen, die vor Saft und Würze platzten, waren ein seltener Genuss.

Erst als sie mit einem Stück Maisbrot die letzten Saft- und Fettreste von ihrem Holzteller wischte, warf sie einen Blick in Richtung der Küferwerkstatt und dachte schuldbewusst, dass sie Roger etwas hätte aufbewahren sollen. Es war so lieb von ihm, an Ronnies Gefühle zu denken. Stolz und Zuneigung durchströmten sie. Vielleicht sollte sie hinübergehen und ihn retten.

Sie hatte gerade ihren Teller abgestellt und war dabei, ihre Röcke und Unterröcke zu sortieren, um dann ihren Plan in die Tat umzusetzen, als ein Paar kleiner Gestalten, die aus der Dunkelheit torkelten, ihr zuvorkam.

»Jem?«, sagte sie aufgeschreckt. »Was ist denn los?«

Die Flammen ließen Jemmys Haar wie frisch geprägtes Kupfer glänzen, doch das Gesicht darunter war weiß, seine Augen riesige dunkle Kreise, die reglos vor sich hin starrten.

»Jemmy!«

Er wandte ihr verständnislos das Gesicht zu, sagte mit leiser, unsicherer Stimme »Mama?«, und dann setzte er sich plötzlich hin, weil seine Beine unter ihm nachgaben wie Gummibänder.

Sie war sich vage bewusst, dass Germain schwankte wie ein junger Baum im Sturm, doch sie hatte keine Aufmerksamkeit für ihn übrig. Sie packte Jemmy, hob seinen Kopf und rüttelte ihn sacht.

»Jemmy! Wach auf! Was ist denn los?«

»Der Kleine ist stockbesoffen, *a nighean*«, sagte eine belustigt klingende Stimme über ihr. »Was habt Ihr ihm nur gegeben?« Robin McGillivray, der selbst nicht mehr der Nüchternste war, beugte sich vor und stupste Jemmy leicht an, doch dieser stieß nur ein leises Gurgeln aus. Er hob einen von Jemmys Armen hoch und ließ ihn dann los; er sank schlaff zu Boden wie ein Bündel gekochte Spaghetti.

»Ich habe ihm gar nichts gegeben«, erwiderte sie, und ihre Panik verwandelte sich zunehmend in Verärgerung, als sie sah, dass Jemmy tatsächlich nur schlief und sich seine kleine Brust in beruhigendem Rhythmus hob und senkte. »Germain!«

Germain war zu einem kleinen Häufchen zusammengesunken und sang verträumt »Alouette« vor sich hin. Brianna hatte ihm dieses Lied beigebracht; es war sein absolutes Lieblingslied.

»Germain! Was hast du Jemmy zu trinken gegeben?«

»... j'te plumerai la tête ...«

»*Germain!*« Sie packte seinen Arm, und er hörte auf zu singen und schien überrascht, sie zu sehen.

»Was hast du Jemmy gegeben, Germain?«

»Er hatte Durst, M'dame«, sagte Germain mit einem unnachahmlich süßen Lächeln. »Er wollte etwas zu trinken.« Dann verdrehten sich seine Augen, und er kippte rückwärts um, schlaff wie ein toter Fisch.

»Oh, *Himmel, Arsch und Zwirn*!«

Inge und Hilde setzten schockierte Mienen auf, doch sie war nicht in der Stimmung, auf ihre Befindlichkeiten Rücksicht zu nehmen.

»Wo zum Teufel ist Marsali?«

»Sie ist nicht hier«, sagte Inge und beugte sich vor, um Germain zu untersuchen. »Sie ist mit den Mädchen zu Hause geblieben. Fergus ist…« Sie richtete sich auf und sah sich vage um. »Nun ja, vor kurzem habe ich ihn noch gesehen.«

»Was ist denn hier los?« Die heisere Stimme an ihrer Seite überraschte sie, und als sie sich umdrehte, sah sie Roger mit fragender Miene dastehen, sein Gesicht entspannt und nicht so ernst wie sonst.

»Dein Sohn ist ein Trunkenbold«, informierte sie ihn. Dann stieg ihr Rogers Atem in die Nase. »Auf den Spuren seines Vaters, wie ich merke«, fügte sie indigniert hinzu.

Ohne diese Worte zu beachten, setzte sich Roger neben sie und nahm Jemmy auf seinen Schoß. Er hielt den Kleinen gegen seine Knie gestützt und tätschelte ihm sanft, aber beharrlich die Wange.

»Hallo, kleiner Mej«, sagte er leise. »Hallo, du. Alles in Ordnung bei dir?«

Wie von Zauberhand schwebten Jemmys Augenlider in die Höhe. Er lächelte Roger verträumt an.

»Hallo, Papa.« Er lächelte weiter selig, während sich seine Augen schlossen und er sich völlig entspannte, bis seine Wange flach am Knie seines Vaters lag.

»Ihm fehlt nichts«, sagte Roger zu ihr.

»Nun gut«, sagte sie, nicht übermäßig besänftigt. »Was glaubst du, was sie getrunken haben? Bier?«

Roger beugte sich vor und roch an den rot gefleckten Lippen seines Sprösslings.

»Kirschlikör, wenn ich raten soll. Hinten an der Scheune steht ein Fass davon.«

»Gütiger Himmel!« Sie hatte noch nie Kirschlikör getrunken, aber Mrs. Bug hatte ihr gesagt, wie man ihn herstellte – *Man nehme den Saft eines Scheffels Kirschen, löse vierundzwanzig Pfund Zucker darin auf, gieße ihn in ein Vierzig-Gallonen-Fass und fülle dieses mit Whisky auf.*

»Ihm fehlt nichts.« Roger tätschelte ihren Arm. »Ist das Germain da drüben?«

»So ist es.« Sie beugte sich prüfend über ihn, doch Germain schlief friedlich und lächelte ebenfalls. »Dieser Kirschlikör muss es in sich haben.«

Roger lachte.

»Er ist schrecklich. Wie extra starker Hustensaft. Ich muss aber sagen, dass man davon sehr fröhlich wird.«

»Hast du ihn auch getrunken?« Sie musterte ihn scharf, doch seine Lippen schienen ihre normale Farbe zu haben.

»Natürlich nicht.« Er beugte sich zu ihr herüber und küsste sie zum Beweis. »Du glaubst doch wohl nicht, dass ein Schotte wie Ronnie seine Enttäuschung in Kirschlikör ertränken würde? Wenn es anständigen Whisky gibt?«

»Stimmt«, gab sie zu. Sie blickte zur Küferei hinüber. Der schwache Schein des Kaminfeuers war erloschen, und der Türumriss war verschwunden. Jetzt war das Gebäude nur noch ein schwarzes Rechteck vor der dunkleren Masse des dahinter liegenden Waldes. »Wie *kommt* Ronnie denn damit zurecht?« Sie sah sich um, doch Inge und Hilde hatten sich entfernt, um Ute zu helfen; sie wimmelten jetzt alle um den Essenstisch herum und räumten ihn ab.

»Oh, er wird's überleben, Ronnie.« Roger hob Jemmy von seinem Schoß, drehte ihn auf die Seite und legte ihn sanft neben Germain ins Stroh. »Er war ja schließlich nicht in Senga verliebt. Er leidet an sexueller Frustration, nicht an gebrochenem Herzen.«

»Oh, nun ja, wenn das alles ist«, meinte sie trocken. »Er wird nicht mehr lange leiden müssen; man hat mich unterrichtet, dass Ute die Sache schon in die Hand genommen hat.«

»Aye, sie hat ihm gesagt, dass sie ihm eine Frau suchen wird. Er steht der ganzen Angelegenheit mehr oder minder stoisch gegenüber. Obwohl er geradezu stinkt vor Lust«, fügte er hinzu und zog die Nase kraus.

»Igitt. Willst du etwas essen?« Mit einem Blick auf die Jungen schickte sie sich an aufzustehen. »Ich hole dir besser etwas, bevor Ute und die Mädchen alles abräumen.«

Plötzlich gähnte Roger heftig.

»Nein, es geht schon.« Er kniff die Augen zu und lächelte sie schläfrig an. »Ich gehe zu Fergus und sage ihm, wo Germain ist, vielleicht schnappe ich mir unterwegs einen Bissen.« Er tätschelte ihre Schulter, dann stand er auf und ging leicht schwankend auf das Feuer zu.

Sie sah noch einmal nach den Jungen; sie atmeten beide tief und regelmäßig und waren der Welt vollständig entrückt. Mit einem Seufzer kuschelte sie sie dicht aneinander, häufte Stroh rings um sie auf und deckte sie mit ihrem Umhang zu. Es wurde jetzt kälter, aber es lag kein Frost in der Luft.

Die Feier war immer noch im Gange, doch die Stimmung war jetzt gedämpfter. Der Tanz war beendet, und die Menge hatte sich in kleinere Grüppchen aufgeteilt, die Männer saßen am Feuer im Kreis und zündeten ihre Pfeifen an; die jüngeren Männer waren irgendwo verschwunden. Überall um sie herum ließen sich Familien für die Nacht nieder und bauten sich Nester im Heu. Einige waren im Haus, einige mehr in der Scheune; von irgendwo hinter dem Haus konnte sie die Klänge einer Gitarre hören und eine einzelne Stimme, die etwas Langsames, Wehmütiges sang. Plötzlich sehnte sie sich nach dem Klang von Rogers Stimme, die so voll und sanft gewesen war.

Doch bei diesem Gedanken fiel ihr etwas auf; seine Stimme hatte viel besser geklungen, als er von seinem Trostbesuch bei Ronnie zurückkehrte. Sie war immer noch heiser gewesen, und es hatte nur ein Hauch ihrer früheren Resonanz darin gelegen – doch sie hatte entspannt geklungen, ohne diesen erstickten Unterton. Möglicherweise entspannte Alkohol die Stimmbänder? Wahrscheinlicher, so dachte sie, dass er schlicht Roger entspannte; ihm einige seiner Hemmungen in Bezug darauf nahm, wie er sich anhörte. Das war gut zu wissen. Ihre Mutter war der Meinung, dass sich seine Stimme bessern würde, wenn er sie anstrengte, daran arbeitete – doch er scheute sich, sie zu benutzen, hatte Angst vor Schmerzen, ob es ihn nun tatsächlich beim Sprechen schmerzte oder ob er einfach den Vergleich zum früheren Klang seiner Stimme nicht ertragen konnte.

»Also mache ich ihm vielleicht ein wenig Kirschlikör«, sagte sie laut. Dann warf sie einen Blick auf die beiden schlummernden Gestalten im Heu und malte sich aus, wie es sein würde, am Morgen neben drei verkaterten Männern aufzuwachen. »Oder vielleicht auch lieber nicht.«

Sie häufte genug Heu für ein Kopfkissen auf, breitete ihr zusammengefaltetes Halstuch darüber – sie würden morgen den ganzen Tag Heu aus ihren Kleidern picken – und legte sich an Jemmy geschmiegt nieder. Wenn sich einer der Jungen im Schlaf rührte oder übergab, würde sie es merken und wach werden.

Das Lagerfeuer war jetzt niedergebrannt; es huschte nur noch ein flackernder Saum aus Feuer über die glühenden Kohlen, und die Laternen, die auf dem ganzen Hof standen, waren alle ausgegangen oder aus Sparsamkeit gelöscht worden. Gitarre und Sänger waren verstummt. Jetzt, da der Schutzwall aus Licht und Geräuschen fehlte, kam die Nacht heran und breitete Flügel aus kalter Stille über den Berg. Die Sterne über ihr brannten hell, doch sie waren nur Stecknadelköpfe, Jahrtausende entfernt. Sie schloss die Augen vor der Unendlichkeit der Nacht und beugte den Kopf vor, um ihre Lippen auf Jems Kopf zu drücken und seine Wärme festzuhalten.

Sie versuchte, ihre Gedanken für den Schlaf zu ordnen, doch jetzt, da sie nicht mehr durch Gesellschaft abgelenkt war und sie der kräftige Geruch brennenden Holzes umhüllte, stahl sich die Erinnerung zurück, und ihr normales segnendes Nachtgebet verwandelte sich in eine flehende Bitte um Gnade und Schutz.

»Er hat meine Brüder fern von mir getan, und meine Verwandten sind mir fremd geworden. Meine Nächsten haben sich entzogen, und meine Freunde haben mein vergessen.«

Ich werde euch nicht vergessen, sagte sie schweigend zu den Toten. Die Worte kamen ihr erbärmlich vor – so klein und vergeblich. Und doch das Einzige, was in ihrer Macht lag.

Sie erschauerte kurz und nahm Jemmy fester in den Arm.

Ein plötzliches Rascheln im Heu, und Roger legte sich neben sie. Er breitete umständlich seinen Mantel über sie, dann seufzte er erleichtert, legte ihr den Arm um die Taille, und sein Körper entspannte sich vollständig neben ihr.

»Das war ein verflucht langer Tag, nicht wahr?«

Sie pflichtete ihm leise stöhnend bei. Jetzt, da alles still war und es nicht mehr nötig war zu reden, zuzuhören und konzentriert zu sein, schien jede Faser ihrer Muskeln vor Erschöpfung kurz vor der Auflösung zu stehen. Es trennte sie nur eine dünne Lage Heu vom kalten, harten Boden, doch sie spürte, wie der Schlaf sie umspülte wie die Wellen der nahenden Flut, die tröstend und unausweichlich einen Sandstrand hinaufkriechen.

»Hast du etwas zu essen bekommen?« Sie legte ihm eine Hand aufs Bein, und sein Arm spannte sich automatisch an und hielt sie fest.

»Aye, wenn du Bier als Nahrungsmittel gelten lässt. Es gibt viele Leute, die das tun.« Er lachte, und ein warmer Hopfennebel lag in seinem Atem. »Mir fehlt nichts.« Seine Körperwärme kroch allmählich durch die Stoffschichten zwischen ihnen und vertrieb die Kühle der Nacht.

Jemmy strahlte beim Schlafen immer Hitze aus; ihn neben sich liegen zu haben war so, als hielte man ein Lehmöfchen fest. Doch Roger strahlte noch mehr Hitze aus. Nun, ihre Mutter sagte ja, dass eine Alkohollampe heißer brannte als Öl.

Sie seufzte und kuschelte sich mit dem Rücken an ihn. Sie fühlte sich warm und geschützt. Die kalte Unendlichkeit der Nacht bedrückte sie nicht mehr, jetzt, da sie ihre Familie in ihrer Nähe hatte, wieder zusammen und in Sicherheit.

Roger summte etwas. Es fiel ihr ganz plötzlich auf. Es war keine Melodie, doch sie spürte seine Brust an ihrem Rücken vibrieren. Sie wollte es nicht riskieren, ihn zu stören; das war doch bestimmt gut für seine Stimmbänder. Doch kurz darauf hörte er von selbst auf. In der Hoffnung, dass er wieder anfangen würde, streckte sie die Hand aus, um sein Bein zu streicheln und gab selbst ein leises, fragendes Summen von sich.

»Hmmm-mmmm?«

Seine Hände umfassten ihre Pobacken und umschlossen sie fest.

»Mmm-hmmm«, sagte er in einem Tonfall, der halb einladend, halb zufrieden klang.

Sie antwortete nicht, sondern machte eine kleine, protestierende Bewegung mit ihren Pobacken. Unter normalen Umständen hätte ihn dies dazu gebracht, sie loszulassen. Er ließ auch los, jedoch nur mit einer Hand, die er wiederum an ihrem Bein entlanggleiten ließ, offenbar um ihren Rock zu fassen zu bekommen und ihn hochzuschieben.

Sie griff hastig nach der wandernden Hand, zog sie an sich und legte sie auf ihre Brust, um anzudeuten, dass sie den Gedanken zu schätzen wusste und ihm den Gefallen unter anderen Umständen nur zu gern tun würde, sie aber nicht den Eindruck hatte, dass dieser Moment –

Normalerweise verstand Roger ihre Körpersprache sehr gut, doch offenbar hatte sich diese Fähigkeit im Whisky aufgelöst. Dies, oder – der Gedanke kam ihr ganz plötzlich – es *interessierte* ihn einfach nicht, ob sie Lust hatte –

»Roger!«, zischte sie.

Er *hatte* wieder angefangen zu summen, unterbrochen von leisen Rumpelgeräuschen, wie sie ein Teekessel kurz vor dem Kochen macht. Seine Hand war an ihrem Bein hinunter- und in ihrem Rock wieder hinaufgewandert, lag jetzt heiß auf der Haut ihres Oberschenkels und tastete sich rasch weiter aufwärts – und einwärts. Jemmy hustete und zuckte in ihren Armen, und sie versuchte, Roger vor das Schienbein zu treten, um ihn von seinem Vorhaben abzubringen.

»Gott, bist du schön«, murmelte er in ihren Nacken. »O Gott, so schön. So schön… so… hmmm.« Die nächsten Worte waren an ihre Haut gemurmelt, doch sie *meinte*, er hätte »schlüpfrig« gesagt. Seine Finger hatten ihr Ziel erreicht, und sie krümmte sich und versuchte, sich ihm zu entwinden.

»Roger«, sagte sie mit leiser Stimme. »Roger, hier sind überall *Leute*!« Und ein schnarchendes Kleinkind, das wie ein Türstopper vor ihr klemmte.

Er murmelte etwas, worin sie die Worte »dunkel« und »es sieht schon niemand« erkennen konnte, und dann zog sich die tastende Hand zurück – nur um nach einer Rockfalte zu greifen und sie aus dem Weg zu schieben.

Er hatte wieder zu summen begonnen und hielt kurz inne, um »Lieb dich, lieb dich so sehr…« zu murmeln.

»Ich liebe dich auch«, sagte sie und griff hinter sich, um seine Hand zu erwischen. »Roger, *hör auf damit.*«

Er hörte auf, legte aber augenblicklich den Arm um sie und packte ihre Schulter. Eine rasche Bewegung, und sie lag auf dem Rücken und blickte zu den fernen Sternen auf, die sofort von Rogers Kopf und Schultern ausgelöscht wurden, als er sich unter lautem Heu- und Kleiderrascheln auf sie wälzte.

»Jem –« Sie suchte tastend nach Jemmy, den das plötzliche Verschwinden seiner Rückenlehne nicht gestört zu haben schien, denn er lag nach wie vor im Heu zusammengerollt wie ein Igel im Winterschlaf.

Jetzt fing Roger auch noch an zu *singen*, wenn man es denn so nennen konnte. Zumindest intonierte er die Worte eines sehr obszönen schottischen Lieds über einen Müller, der von einer jungen Frau bedrängt wird, die möchte, dass er ihr Korn mahlt. Was er dann auch tut.

»Er warf sie auf die Säcke, dann kriegte sie ihr Korn gemahln, dann kriegte sie ihr Korn gemahln…« Roger sang ihr heiß ins Ohr und drückte sie mit seinem ganzen Gewicht zu Boden, während sich hoch oben die Sterne wie verrückt drehten.

Sie hatte gedacht, seine Beschreibung Ronnies, der »vor Lust stank«, sei nur eine Redewendung gewesen, doch das war offensichtlich nicht der Fall.

Nackte Haut traf auf nackte Haut, und es gab kein Halten mehr. Sie keuchte auf. Roger auch.

»O Gott«, sagte er. Er hielt inne und erstarrte für eine Sekunde vor dem Hintergrund des Himmels, dann seufzte er in seiner Ekstase aus Whiskydunst und begann, sich mit ihr zu bewegen, immer noch summend. Es *war* zum Glück dunkel, wenn auch nicht annähernd dunkel genug. Die Überbleibsel des Feuers überzogen sein Gesicht mit einem gespenstischen Leuchten, und ein paar Sekunden lang sah er aus wie der hübsche schwarze Teufel, als den Inge ihn bezeichnet hatte.

Leg dich zurück, und genieße es, dachte sie. Das Heu raschelte fürchterlich – doch es raschelte überall ringsum, und das Rauschen des Windes, der durch die Bäume im Wald fuhr, war beinahe laut genug, um alles andere zu übertönen.

Gerade war es ihr gelungen, ihre Verlegenheit zu unterdrücken, und sie begann tatsächlich, es zu genießen, als Roger die Hände unter sie schob und sie anhob.

»Schling deine Beine um mich«, flüsterte er und biss sie ins Ohrläppchen. »Schling sie um meinen Rücken, und drück deine Fersen in meinen Hintern.«

Teils, weil auch sie der Übermut packte, teils, weil sie das Bedürfnis verspürte, die Luft aus ihm herauszuquetschen wie aus einem Akkordeon, warf sie die Beine auseinander, hob sie an und klemmte sie wie eine Schere um seinen Rücken, der sich auf und ab bewegte. Der Übermut gewann die Oberhand; sie hatte fast vergessen, wo sie waren.

An ihn geklammert, als ginge es um ihr Leben, und von dem Erlebnis erregt, bäumte sie zuckend den Rücken auf und erschauerte unter seiner Hitze. Der kühle Nachtwind berührte elektrisierend ihre Oberschenkel und Pobacken, die in der Dunkelheit entblößt waren. Zitternd und stöhnend ließ sie sich wieder ins Heu sinken, die Beine immer noch fest um seine Hüften geschlungen. Völlig erschlafft ließ sie den Kopf zur Seite fallen und öffnete langsam und träge die Augen.

Es war jemand da; sie sah eine Bewegung in der Dunkelheit und erstarrte. Er war Fergus, der seinen Sohn holen wollte. Sie hörte das Gemurmel seiner Stimme, die auf Französisch mit Germain sprach, und das leise Rascheln seiner Schritte, die sich im Heu entfernten.

Mit hämmerndem Herzen lag sie still, während ihre Beine Roger weiter umklammerten. Unterdessen hatte Roger seine eigene Ruhe gefunden. Er ließ den Kopf hängen, so dass ihr sein langes Haar im Dunklen wie Spinnweben über das Gesicht strich, und murmelte: »Lieb dich ... Gott, ich liebe dich.« Dann ließ er sich langsam und sanft auf sie sinken. Er hauchte »Danke« in ihr Ohr, um dann schwer atmend halb in die Bewusstlosigkeit zu verfallen.

»Oh«, sagte sie und blickte zu den friedlichen Sternen auf. »Keine Ursache.« Sie streckte ihre steifen Beine und schaffte es unter Schwierigkeiten, sich von Roger zu lösen, sie beide mehr oder weniger zuzudecken und in ihrem heugefütterten Nest wieder in den Segen der Anonymität zu versinken, während Jemmy geborgen zwischen ihnen ruhte.

»Hey«, sagte sie plötzlich, und Roger regte sich.

»Mm?«

»Was für ein Monster war eigentlich Eigger?«

Er lachte, und seine Stimme war leise und klar.

»Oh, Eigger war ein riesiger Sandkuchen. Mit Schokoladenüberzug. Er fiel immer über die anderen Monster her und hat sie mit seiner Süße erstickt.« Er lachte noch einmal, diesmal hicksend, und sank tief ins Heu.

»Roger?«, sagte sie einen Moment darauf leise. Es kam keine Antwort, und sie streckte eine Hand über den schlummernden Körper ihres Sohnes, um sie sacht auf Rogers Arm zu legen.

»Sing für mich«, flüsterte sie, obwohl sie wusste, dass er schon schlief.

7

James Fraser, Indianeragent

»James Fraser, Indianeragent«, sagte ich und schloss die Augen, als läse ich die Worte von einem Bildschirm ab. »Klingt wie eine Wildwest-Serie im Fernsehen.«

Jamie, der gerade dabei war, sich die Strümpfe auszuziehen, hielt inne und betrachtete mich argwöhnisch.

»Ach ja? Ist das gut?«

»Insofern, als der Held einer Fernsehserie niemals stirbt, ja.«

»In diesem Fall bin ich absolut dafür«, sagte er und untersuchte den Strumpf, den er sich gerade ausgezogen hatte. Er schnüffelte argwöhnisch daran, rieb mit dem Daumen über eine dünne Stelle an der Ferse, schüttelte den Kopf und warf ihn in den Wäschekorb. Dann stand er auf und reckte sich stöhnend. Das Haus hatte zweieinhalb Meter hohe Zimmerdecken, damit er genug Platz hatte, doch er kam noch mit den Fingern an die Kiefernbalken. »Himmel, war das ein langer Tag!«

»Na, er ist ja fast vorbei«, sagte ich und schnüffelte meinerseits am Leibchen des Kleides, das ich gerade ausgezogen hatte. Es roch kräftig, wenn auch nicht unangenehm nach Pferd und Holzrauch. Lüften wir es ein wenig, beschloss ich, dann sehen wir ja, ob es noch eine Weile tragbar ist, ohne es zu waschen.

»Was *ist* eigentlich ein Indianeragent?«, erkundigte ich mich. »MacDonald schien ja den Eindruck zu haben, dass er dir einen gigantischen Gefallen getan hat, indem er dich dafür vorgeschlagen hat.«

Er zuckte mit den Achseln und schnallte seinen Kilt los.

»Das glaubt er zweifelsohne auch.« Er schüttelte das Kleidungsstück versuchsweise, und eine feine Schicht aus Staub und Pferdehaaren erschien darunter auf dem Boden. Er ging zum Fenster, öffnete die Läden, hielt den Kilt nach draußen und schüttelte ihn kräftiger.

»Es würde ja auch stimmen –«, seine Stimme erklang schwach aus der Nacht vor dem Fenster, dann wurde sie lauter, als er sich wieder umdrehte, »wenn da nicht diese Sache mit deinem Krieg wäre.«

»*Mein* Krieg?«, sagte ich entrüstet. »Du klingst ja so, als hätte ich vor, ihn höchstpersönlich anzufangen.«

Er tat meine Reaktion mit einer kleinen Geste ab.

»Du weißt genau, was ich meine. Ein Indianeragent, Sassenach, ist genau das, wonach es sich anhört – ein Mann, der zu den Indianern in seiner Nähe geht, mit ihnen Freundlichkeiten austauscht, ihnen Geschenke bringt und auf sie einredet, damit sie sich vielleicht hinter die Interessen der Krone stellen, ganz gleich, wie diese aussehen mögen.«

»Oh? Und was ist dieses Department des Südens, das MacDonald erwähnt hat?« Ich blickte unwillkürlich zur geschlossenen Tür unseres Zimmers, doch gedämpftes Schnarchen von der anderen Flurseite deutete darauf hin, dass unser Gast bereits in Morpheus' Arme gesunken war.

»Mmpfm. Es gibt ein Department des Südens und ein Department des Nordens zur Klärung der Angelegenheiten der Indianer in den Kolonien. Das Department des Südens untersteht John Stuart, der aus Inverness stammt. Dreh dich um, ich mache das.«

Ich drehte ihm dankbar den Rücken zu. Mit einer Fingerfertigkeit, die er jahrelanger Erfahrung verdankte, hatte er die Schnüre meiner Korsage in Sekundenschnelle gelöst. Ich seufzte tief, als sie sich lockerten, und er schob seine Hand unter das Kleidungsstück und massierte mir die Rippen, denn die Beinstangen hatten mir den feuchten Stoff meines Hemdes in die Haut gedrückt.

»Danke.« Ich seufzte selig und lehnte mich mit dem Rücken an ihn. »Und weil er aus Inverness stammt, glaubt MacDonald, dass dieser Stuart automatisch dazu neigt, andere Highlander zu beschäftigen?«

»Das könnte davon abhängen, ob dieser Stuart je einem meiner Verwandten begegnet ist«, sagte Jamie trocken. »Aber MacDonald geht davon aus, aye.« Er küsste mich geistesabwesend, aber liebevoll auf den Scheitel, dann zog er seine Hände zurück und begann, den Riemen aufzuknoten, mit dem seine Haare zusammengebunden waren.

»Setz dich«, sagte ich. »Ich mache das.«

Er setzte sich im Hemd auf den Hocker und schloss für einen Moment entspannt die Augen, während ich ihm die Haare entflocht. Er hatte sie zum

Reiten fest zusammengebunden gehabt und während der letzten drei Tage nicht gelöst; ich ließ meine Hände durch die warme, feurige Masse gleiten, die jetzt aus dem Zopf entwich und sich in Wellen aus Zimt, Gold und Silber im Feuerschein entfaltete, während ich ihm sanft mit den Fingerspitzen die Kopfhaut massierte.

»Geschenke, sagst du. Stellt die Krone diese Geschenke zur Verfügung?« Mir war aufgefallen, dass die Krone die schlechte Angewohnheit besaß, Männer von Einfluss mit Ämtern zu »ehren«, die es mit sich brachten, dass sie große Summen ihres eigenen Geldes zur Verfügung stellten.

»Theoretisch.« Er gähnte herzhaft und ließ entspannt die breiten Schultern hängen, während ich nach meiner Haarbürste griff und mich daran machte, seine Haare zu entwirren. »Oh, das ist schön. Das ist der Grund, warum MacDonald glaubt, er tut mir einen Gefallen; es besteht die Möglichkeit, gut Geschäfte zu machen.«

»Abgesehen von den allgemeinen hervorragenden Möglichkeiten der Korruption. Ja, ich verstehe.« Ich bürstete ihn ein paar Minuten, bevor ich fragte: »Wirst du es tun?«

»Ich weiß es nicht. Ich muss erst darüber nachdenken. Du hast vorhin den Wilden Westen erwähnt – Brianna hat mir auch schon davon erzählt und von Kuhhirten gesprochen –«

»Cowboys.«

Er tat meine Berichtigung mit einer Handbewegung ab. »Und den Indianern. Es stimmt, nicht wahr – was sie über die Indianer sagt?«

»Wenn sie sagt, dass sie im Lauf des nächsten Jahrhunderts oder so weitgehend ausgerottet werden – ja, da hat sie Recht.« Ich strich sein Haar glatt, dann setzte ich mich ihm gegenüber auf das Bett und begann, mir selbst das Haar zu bürsten. »Machst du dir deswegen Gedanken?«

Er runzelte ein wenig die Stirn, während er darüber nachdachte, und kratzte sich geistesabwesend an der Brust, deren gelockte, rotgoldene Haare aus seinem offenen Halsausschnitt lugten.

»Nein«, sagte er langsam. »Nicht genau deswegen. Es ist ja nicht so, dass ich sie mit meinen eigenen Händen ins Jenseits befördern würde. Aber ... allmählich ist es so weit, nicht wahr? Der Zeitpunkt, an dem ich vorsichtig vorgehen muss, wenn ich mich zwischen den Fronten bewegen will.«

»Ich fürchte, ja«, sagte ich, und eine beklommene Anspannung setzte sich zwischen meinen Schulterblättern fest. Ich verstand nur zu deutlich, was er meinte. Die Frontverläufe waren noch nicht klar – aber sie wurden bereits festgelegt. Im Auftrag der Krone Indianeragent zu werden, bedeutete, dem Anschein nach Loyalist zu sein – schön und gut für den Moment, da die Rebellenbewegung nicht mehr als eine radikale Randerscheinung war, die in Nestern der Unzufriedenheit auftrat. Doch sehr, sehr gefährlich, da wir uns dem Punkt näherten, an dem die Unzufriedenen die Macht an sich rissen und die Unabhängigkeit erklärten.

Da er wusste, wie die Sache ausgehen würde, durfte Jamie nicht zu lange damit warten, sich auf die Seite der Rebellen zu schlagen – doch wenn er es zu früh tat, riskierte er es, wegen Hochverrats festgenommen zu werden. Keine guten Aussichten für einen Mann, der bereits ein begnadigter Hochverräter war.

»Wenn du natürlich Indianeragent *würdest*«, sagte ich trotzig, »könntest du ja möglicherweise den einen oder anderen Stamm überreden, die amerikanische Seite zu unterstützen – oder sich zumindest neutral zu verhalten.«

»Das könnte ich vielleicht«, pflichtete er mir mit einem gewissen trostlosen Unterton bei. »Aber ganz abgesehen von der Frage nach der Ehrenhaftigkeit einer solchen Vorgehensweise – das würde doch mit dazu beitragen, sie dem Untergang zu weihen, oder? Glaubst du, ihnen würde das Gleiche bevorstehen, wenn die Engländer gewinnen würden?«

»Sie werden nicht gewinnen«, sagte ich mit leicht gereiztem Unterton.

Er sah mich scharf an.

»Ich glaube dir«, sagte er mit einem ähnlichen Unterton. »Ich habe allen Grund dazu, aye?«

Ich nickte mit zusammengepressten Lippen. Ich wollte nicht über den Aufstand in der Vergangenheit sprechen. Genauso wenig wollte ich über die bevorstehende Revolution sprechen, aber uns blieb kaum eine Wahl.

»Ich weiß es nicht«, antwortete ich und holte tief Luft. »Man kann es nicht sagen – da es ja nicht so gekommen ist –, aber wenn ich *raten* sollte … dann glaube ich, dass es den Indianern unter britischer Regierung sehr wahrscheinlich besser ergehen würde.« Ich lächelte ihn ein wenig reumütig an.

»Ob du es glaubst oder nicht, es ist dem britischen Empire im Großen und Ganzen gelungen – oder es wird ihm gelingen, sollte ich sagen –, seine Kolonien zu verwalten, ohne deren Eingeborene *vollständig* auszulöschen.«

»Die Menschen in den Highlands ausgenommen«, sagte er ausgesprochen trocken. »Aye, ich glaube es dir, Sassenach.«

Er stand auf, fuhr sich mit der Hand durchs Haar, und mir fiel die winzige weiße Strähne ins Auge, die es durchzog, eine bleibende Erinnerung an eine Schusswunde.

»Du solltest dich mit Roger darüber unterhalten«, sagte ich. »Er weiß eine Menge mehr als ich.«

Er nickte, erwiderte aber nichts, sondern zog nur eine kleine Grimasse.

»Apropos Roger, was glaubst du, wohin er mit Brianna gegangen ist?«

»Zu den McGillivrays, nehme ich an«, erwiderte er überrascht. »Um Jem zu holen.«

»Woher weißt du das?«, fragte ich, nicht minder überrascht.

»Wenn sich Unheil zusammenbraut, hat ein Mann seine Familie gern sicher im Blick, aye?« Er zog eine Augenbraue hoch und sah mich an, dann streckte er den Arm aus und holte sein Schwert vom Kleiderschrank. Er zog es halb aus der Scheide, dann schob er es wieder hinein und legte die Scheide mit gelockertem, greifbarem Schwert sacht wieder an ihren Platz.

Er hatte eine geladene Pistole mitgebracht; sie lag auf dem Waschtisch am Fenster. Auch Gewehr und Vogelflinte waren geladen und hingen an ihren Haken über dem Kamin. Und mit einer kleinen, ironischen Verneigung zog er den Dolch aus seinem Gürtel und steckte ihn zielsicher unter unser Kopfkissen.

»Manchmal vergesse ich das«, sagte ich etwas wehmütig, während ich ihn beobachtete. In unserer Hochzeitsnacht hatte ein Dolch unter unserem Kissen gelegen – und seitdem in vielen anderen Nächten auch.

»Ach ja?« Er lächelte über meine Worte, leicht schief zwar, doch er lächelte.

»Vergisst du es denn nie? Niemals?«

Er schüttelte den Kopf, nach wie vor lächelnd, wenn auch jetzt mit einem Hauch von Bedauern.

»Manchmal wünschte ich, ich könnte es.«

Dieses Zwiegespräch wurde durch lautstarkes Prusten von der anderen Flurseite unterbrochen, dem umgehend wildes Gewühl im Bett, heftiges Fluchen und ein dumpfer Knall folgten, als etwas – wie zum Beispiel ein Schuh – die Wand traf.

»Verfluchte Katze!«, brüllte Major MacDonald. Ich saß da und presste mir die Hände vor den Mund, als das Stampfen nackter Füße unsere Bodendielen vibrieren ließ, kurz darauf die Tür des Majors aufgestoßen wurde und sich dann mit einem Knall wieder schloss.

Auch Jamie hatte im ersten Moment erstarrt dagestanden. Jetzt bewegte er sich ganz vorsichtig und öffnete geräuschlos unsere Tür. Adso hatte den Schwanz zu einem arroganten S aufgestellt und schlenderte herein. Er ignorierte uns hochnäsig, durchquerte das Zimmer, sprang leichtfüßig auf den Waschtisch und setzte sich in die Schüssel, wo er ein Hinterbein ausstreckte und in aller Seelenruhe seine Hoden zu lecken begann.

»Ich habe in Paris einmal einen Mann gesehen, der das konnte«, merkte Jamie an, während er diese Vorstellung mit Interesse beobachtete.

»Gibt es denn Leute, die Geld dafür bezahlen, um sich so etwas anzusehen?« Ich ging davon aus, dass sich niemand nur zum Spaß in der Öffentlichkeit so aufführen würde. Zumindest nicht in Paris.

»Nun ja, es war weniger der Mann. Eher seine Begleiterin, die genauso biegsam war.« Er grinste mich an, und seine Augen glitzerten blau im Kerzenschein. »Als sähe man Würmern bei der Paarung zu, aye?«

»Wie faszinierend«, murmelte ich. Ich sah zum Waschtisch, wo Adso jetzt etwas noch Indiskreteres vollführte. »Du hast Glück, dass der Major nicht bewaffnet schläft, Kater. Am Ende hätte er dich noch zu Hasenpfeffer verarbeitet.«

»Oh, das bezweifle ich. Der gute Donald schläft bestimmt mit einem

Messer – aber er weiß auch, mit wem er es sich besser nicht verscherzt. Es ist doch wohl nicht sehr wahrscheinlich, dass du ihm Frühstück machen würdest, nachdem er deine Katze zerlegt hat.«

Ich blickte zur Tür. Die Matratzengeräusche und die unterdrückten Flüche auf der anderen Flurseite waren verstummt; der Major, der die Routine des Berufssoldaten besaß, befand sich bereits wieder auf dem Weg ins Traumland.

»Wohl nicht. Du hattest Recht damit, dass er sich eine Stellung beim neuen Gouverneur erschleichen würde. Was der wahre Grund für seinen Wunsch ist, dass du politisch weiterkommst, nehme ich an?«

Jamie nickte, hatte aber sichtlich kein Interesse mehr daran, MacDonalds Drahtziehereien zu erörtern.

»Ich *hatte* Recht, nicht wahr? Das heißt, du bist mir etwas schuldig, Sassenach.«

Er betrachtete mich mit einem Blick, in dem etwas Spekulatives heraufdämmerte, und ich hoffte nur, dass es nicht zu sehr durch seine Erinnerungen an die wurmähnlichen Pariser inspiriert worden war.

»Oh?« Ich musterte ihn argwöhnisch. »Und, äh, *was* genau…?«

»Nun ja, ich habe es noch nicht bis ins Detail ausgearbeitet, aber ich denke, für den Anfang solltest du vielleicht auf dem Bett liegen.«

Das klang nach einem recht vernünftigen Anfang. Ich legte die Kissen am Kopfende aufeinander – nachdem ich zuvor den Dolch entfernt hatte – und machte mich daran, auf das Bett zu klettern. Doch dann hielt ich inne und bückte mich stattdessen, um den Bettschlüssel nachzuziehen und so die Seile zu spannen, die die Matratzenunterlage bildeten, bis das Bettgestell ächzte und die Seile wie eine Bogensehne surrten.

»Sehr vorausschauend, Sassenach«, lobte Jamie belustigt hinter mir.

»Erfahrung«, teilte ich ihm mit und kroch auf Händen und Füßen über das frisch nachgezogene Bett. »Ich bin schon so oft am Ende einer Nacht mit dir in die Matratze eingerollt aufgewacht und hatte den Hintern fünf Zentimeter über dem Boden hängen.«

»Oh, ich gehe davon aus, dass dein Hintern ein Stück höher hinauskommen wird«, versicherte er mir.

»Oh, ich darf oben liegen?« Ich sah der ganzen Sache mit gemischten Gefühlen entgegen. Ich war schrecklich müde, und ich genoss das in Aussicht gestellte Vergnügen zwar grundsätzlich, doch ich hatte über zehn Stunden auf einem verflixten Pferd gesessen, und die für beide Tätigkeiten benötigten Oberschenkelmuskeln zitterten jetzt noch krampfhaft.

»Vielleicht später«, sagte er und kniff die Augen nachdenklich zusammen. »Leg dich zurück, Sassenach, und zieh dein Hemd hoch. Dann öffne die Beine für mich, braves Mädchen… nein, ein bisschen weiter, aye?« Er begann sich – absichtlich langsam – das Hemd auszuziehen.

Ich seufzte und rutschte ein wenig mit dem Hintern hin und her, um eine

Stellung zu finden, in der ich keinen Krampf bekommen würde, wenn ich sie zu lange einhalten musste.

»Falls du vorhast, was ich glaube, das du vorhast, wird es dir noch Leid tun. Ich habe ja nicht einmal richtig gebadet«, sagte ich tadelnd. »Ich bin furchtbar schmutzig und rieche nach Pferd.«

Er war jetzt nackt und hob einen Arm, um abschätzend daran zu riechen.

»Oh? Nun ja, ich auch. Das macht nichts; ich mag Pferde.« Er hatte jede Verzögerungstaktik aufgegeben, hielt jedoch inne, um sein Arrangement zu prüfen und mich beifällig zu betrachten.

»Aye, sehr schön. Also, wenn du jetzt die Hände über den Kopf legen und dich am Bettgestell festhalten würdest...«

»Das würdest du nicht tun!«, sagte ich und senkte dann die Stimme, während ich unwillkürlich zur Tür blickte. »Nicht, während MacDonald direkt gegenüber schläft.«

»O doch, das würde ich«, versicherte er mir, »und ich würde mich den Teufel um MacDonald und ein Dutzend andere scheren.« Doch er hielt inne, betrachtete mich nachdenklich, und im nächsten Moment seufzte er und schüttelte den Kopf.

»Nein«, sagte er leise. »Nicht heute Nacht. Du denkst bestimmt noch an den armen Teufel aus Holland und seine Familie, nicht wahr?«

»Ja. Du nicht?«

Er setzte sich mit einem Seufzer neben mir auf das Bett.

»Ich gebe mir alle Mühe, es nicht zu tun«, sagte er ganz offen. »Aber diese frisch Verstorbenen ruhen nicht sehr sanft in ihren Gräbern, oder?«

Ich legte ihm die Hand auf den Arm, erleichtert, weil er es ebenso empfand. Die Nachtluft schien unruhig und voller Geister zu sein, und ich hatte den ganzen ereignisreichen, beunruhigenden Abend lang die bedrückende Traurigkeit dieses verlassenen Gartens mit seiner Gräberreihe gespürt.

Es *war* eine Nacht, in der man besser die Sicherheit eines Hauses suchte mit einem schönen Feuer im Kamin und Menschen in der Nähe. Das Haus regte sich, und die Fensterläden ächzten im Wind.

»Ich will dich, Claire«, sagte Jamie leise. »Ich brauche dich... wenn du willst?«

Hatten sie die Nächte vor ihrem Tod so verbracht, fragte ich mich? Friedlich und kuschelig in ihren vier Wänden hatten Mann und Frau im Bett aneinander gelegen und sich flüsternd unterhalten, ohne die geringste Ahnung zu haben, was die Zukunft bringen würde. In meiner Erinnerung sah ich die langen weißen Oberschenkel der Frau, als der Wind darüber wehte und kurz den Blick auf die kleine, lockige Stelle dazwischen frei gab, die Scham unter ihrem Schleier aus braunem Haar weiß wie Marmor, ihr Saum versiegelt wie bei einer Jungfrauenstatue.

»Ich brauche dich auch«, sagte ich genauso leise. »Komm her.«

Er beugte sich über mich und öffnete zielsicher die Schnur am Hals meines Hemdes, so dass der abgetragene Leinenstoff wie verwelkt von meinen Schultern sank. Ich versuchte, den Stoff festzuhalten, doch er fing meine Hand auf und hielt sie an meiner Seite fest. Mit einem Finger schob er das Hemd weiter hinunter, dann löschte er die Kerze, und in der Dunkelheit, die nach Wachs, Honig und dem Schweiß der Pferde duftete, küsste er mich auf Stirn und Augen, Wangen, Lippen und Kinn und fuhr auf dieselbe Weise langsam mit sanften Lippen bis zum Rücken meiner Füße fort.

Dann richtete er sich auf und saugte lange an meinen Brüsten, und ich ließ meine Hand an seinem Rücken entlangfahren und legte sie auf seine Pobacken, die nackt und verletzlich der Dunkelheit ausgesetzt waren.

Hinterher lagen wir gemütlich wie Würmer verschlungen da, und das einzige Licht im Zimmer kam von der Glut des heruntergebrannten Feuers im Kamin. Ich war so müde, dass ich spüren konnte, wie mein Körper in die Matratze sank, und wünschte mir nichts mehr als weiter und weiter in die willkommene Schwärze des Vergessens zu sinken.

»Sassenach?«

»Hm?«

Ein Augenblick des Zögerns, dann fand seine Hand die meine und umfasste sie.

»Du würdest das nicht tun, was sie getan hat, oder?«

»Wer?«

»Sie. Die Holländerin.«

Kurz vor dem Einschlafen aufgeschreckt, fühlte ich mich so benommen und verwirrt, dass selbst das Bild der in ihre Schürze gehüllten Toten mir irreal erschien und mich auch nicht mehr verstörte als die zufälligen Fragmente der Realität, die mein Hirn über Bord warf, während es vergeblich versuchte, sich über Wasser zu halten, als ich mich in Tiefen des Schlafs sinken ließ.

»Was denn? Ins Feuer fallen? Ich werde mir Mühe geben«, versicherte ich ihm gähnend. »Gute Nacht.«

»Nein. Wach auf.« Er schüttelte mir sanft den Arm. »Sprich mit mir, Sassenach.«

»Ng.« Es kostete mich beträchtliche Mühe, doch ich schob Morpheus' verführerische Arme von mir und ließ mich auf die Seite kullern, so dass ich ihn ansehen konnte. »Mm. Mit dir reden. Über –?«

»Die Holländerin«, wiederholte er geduldig. »Wenn ich ums Leben käme, würdest du doch nicht hingehen und deine ganze Familie töten, oder?«

»Was?« Ich rieb mir mit der freien Hand über das Gesicht und versuchte, zwischen den dahintreibenden Schlaffetzen zu begreifen, was er meinte. »Wessen ganze … oh. Du glaubst, sie hat es absichtlich getan? Sie vergiftet?«

»Das glaube ich, ja.«

Seine Worte waren nicht mehr als ein Flüstern, doch sie holten mich ins

Bewusstsein zurück. Ich lag einen Moment schweigend da, dann streckte ich die Hand aus, um mich zu vergewissern, dass er wirklich da war.

Er war es; ein großes, greifbares Objekt, sein glatter Hüftknochen warm und lebendig unter meiner Hand.

»Es könnte doch genauso gut ein Unfall gewesen sein«, sagte ich mit leiser Stimme. »Du kannst es nicht mit Sicherheit sagen.«

»Nein«, gab er zu. »Aber ich muss es mir ununterbrochen vorstellen.« Er drehte sich unruhig auf den Rücken.

»Die Männer sind gekommen«, sagte er leise zu den Deckenbalken. »Er hat sich gewehrt, und sie haben ihn an Ort und Stelle umgebracht, auf seiner eigenen Türschwelle. Und als sie sah, dass ihr Mann nicht mehr da war… Ich glaube, sie hat den Männern gesagt, sie müsste zuerst den Kleinen etwas zu essen machen, bevor… Und dann hat sie Krötenschwämme in den Eintopf gemischt und ihn den Kindern und ihrer Mutter gegeben. Sie hat die beiden Männer mit sich gerissen, aber ich glaube, *das* ist der Unfall gewesen. Sie hatte nur vor, ihm zu folgen. Sie wollte ihn nicht allein lassen.«

Ich hätte ihm am liebsten gesagt, dass dies eine sehr dramatische Interpretation der Dinge war, die wir gesehen hatten. Aber ich konnte ihm ja kaum sagen, dass er Unrecht hatte. Als ich ihn beschreiben hörte, was er vor seinem inneren Auge sah, konnte ich es selbst nur zu deutlich sehen.

»Du weißt es nicht«, sagte ich leise. »Du kannst es nicht wissen.« *Es sei denn, du findest die anderen Männer*, dachte ich plötzlich, *und fragst sie.* Doch das sagte ich nicht.

Eine Zeit lang sagte keiner von uns beiden etwas. Ich wusste genau, dass er immer noch darüber nachdachte, doch der Schlaf sog mich erneut an wie Treibsand, hartnäckig und verlockend.

»Was, wenn ich dich nicht beschützen kann?«, flüsterte er schließlich. Sein Kopf bewegte sich plötzlich auf dem Kissen und wandte sich mir zu. »Dich und die anderen? Ich werde es mit aller Kraft versuchen, Sassenach, und es macht mir nichts aus, wenn ich dabei sterbe… Aber was, wenn ich zu früh sterbe – und es mir nicht gelingt?«

»Das wirst du nicht«, flüsterte ich zurück. Er seufzte und neigte den Kopf, so dass seine Stirn an meiner ruhte. Ich konnte Eier und Whisky warm in seinem Atem riechen.

»Ich werde es versuchen«, sagte er, und ich legte meinen Mund auf den seinen, der mir sanft begegnete, Bestätigung und Trost in der Dunkelheit.

Ich legte meinen Kopf an seine Schulter, legte eine Hand um seinen Arm und atmete den Geruch seiner Haut ein, Rauch und Salz, als sei er im Feuer geräuchert worden.

»Du riechst wie ein Räucherschinken«, murmelte ich, und er stieß einen leisen Laut der Belustigung aus und schob seine Hand an ihre gewohnte Stelle, eingeschlossen zwischen meinen Oberschenkeln.

Nun ließ ich endlich los, und der Schlaf umfing mich wie schwerer Sand.

Vielleicht sagte er es, während ich in die Finsternis sank, vielleicht träumte ich es auch nur.

»Wenn ich sterbe«, flüsterte er in der Dunkelheit, »folge mir nicht. Die Kinder werden dich brauchen. Bleib um ihretwillen. Ich kann warten.«

ZWEITER TEIL

Schatten ziehen herauf

8

Opfer eines Massakers

Von Lord John Grey
An Mr. James Fraser, Esq.

14. Juni 1773

Mein lieber Freund –
ich schreibe dir bei guter Gesundheit und hoffe, dich und die Deinen in ähnlichem Zustand anzutreffen.
Mein Sohn ist nach England zurückgekehrt, um dort seine Schulbildung zu vollenden. Er schreibt voller Begeisterung von seinen Erlebnissen (ich füge eine Kopie seines letzten Briefes bei) und versichert mir, dass es ihm bestens geht. Wichtiger noch, meine Mutter schreibt mir ebenfalls, dass er blüht und gedeiht, obwohl ich glaube – dies schließe ich mehr aus dem, was sie ungesagt lässt, als aus dem, was sie schreibt –, dass er ein ungewohntes Element der Verwirrung und des Aufruhrs zu ihrem Haushalt beisteuert.
Ich gestehe, dass ich das Fehlen dieses Elements in meinem Haushalt deutlich spüre. Du wärst erstaunt, wie wohlgeordnet mein Leben in diesen Tagen ist. Dennoch, die Ruhe erscheint mir bedrückend, und ich bin zwar körperlich gesund, doch mein Geist lässt ein wenig die Flügel hängen. Ich vermute, ich vermisse William sehr.
Als Ablenkung von meinem einsamen Dasein habe ich mir unlängst eine neue Beschäftigung gesucht, die der Weinherstellung. Ich vermute zwar, dass es das Produkt nicht mit dem Gehalt deiner eigenen Destillate aufnehmen kann, doch ich rede mir ein, dass es nicht untrinkbar ist und schließlich sogar genießbar werden könnte, wenn man ihm ein oder zwei Jahre Zeit zum Ruhen lässt. Ich werde dir Ende des Monats ein Dutzend Flaschen schicken, übersandt durch meinen neuen Bediensteten, Mr. Higgins, dessen Werdegang dich interessieren dürfte.
Du wirst eventuell schon von einer ruchlosen Schlägerei gehört haben, die sich im März vor drei Jahren in Boston zugetragen hat. Ich habe sie

in Zeitungen und Pamphleten als »Massaker« bezeichnet gefunden, höchst verantwortungslos – und höchst inakkurat für jemanden, der bei dem tatsächlichen Ereignis zugegen war.
Ich war nicht selbst dort, habe aber mit diversen Offizieren und Soldaten gesprochen, die dabei waren. Wenn sie die Wahrheit sagen, und ich glaube, dass sie das tun, dann ist das Bild, das die Bostoner Presse von der Angelegenheit zeichnet, geradezu monströs.
Boston ist allen Berichten nach ein wahrer Tummelplatz republikanischer Überzeugungen; bei jedem Wetter sind so genannte »Marschgesellschaften« auf den Straßen unterwegs, die nicht mehr sind als eine Ausrede für die Zusammenrottung von Pöbel, dessen Hauptbeschäftigung es ist, die dort stationierten Soldaten zu drangsalieren.
Higgins sagt mir, dass es aus Furcht vor diesem Pöbel niemand wagt, allein in Uniform auszugehen, und selbst wenn er in größerer Zahl unterwegs ist, treibt ihn der Druck der Öffentlichkeit bald wieder in sein Quartier zurück, es sei denn, die Pflicht zwingt ihn, sich zu behaupten.
Eines Abends wurde eine Patrouille von fünf Soldaten solchermaßen bedrängt und nicht nur mit Beleidigungen der übelsten Sorte, sondern zudem mit Steinwürfen, Erd- und Dungklumpen und anderem Abfall überhäuft. Der Pöbel drängte sich so dicht um sie, dass die Männer um ihre Sicherheit bangten und daher ihre Waffen zogen, um nach Möglichkeit die groben Aufmerksamkeiten abzuwenden, die man auf sie herniederregnen ließ. Doch weit gefehlt – anstatt dieses Ziel zu bewerkstelligen, trieb diese Handlungsweise die Menge zu noch größerer Entrüstung, und irgendwann wurde ein Gewehr abgefeuert. Niemand kann mit Sicherheit sagen, ob der Schuss aus der Menge oder aus einer Waffe der Soldaten kam, ganz zu schweigen davon, ob es ein Unfall oder Absicht war, doch seine Wirkung… Nun, du hast genug Erfahrung mit solchen Dingen, um dir die folgende Konfusion vorstellen zu können.
Am Ende gab es fünf Tote unter dem Pöbel, und die Soldaten wurden zwar übel mitgenommen, doch sie entkamen lebend, um dann allerdings in den böswilligen Tiraden der Rädelsführer in der Presse zu Sündenböcken gestempelt zu werden. Diese waren so formuliert, dass es ein mutwilliges, unprovoziertes Gemetzel an Unschuldigen war statt eines Falls von Selbstverteidigung gegenüber einem von Alkohol und Hassparolen entfesselten Pöbel.
Ich gestehe, dass meine Sympathien voll und ganz bei den Soldaten liegen müssen; ich bin mir sicher, dass dies für dich offensichtlich ist. Sie wurden vor Gericht gestellt, wo der Richter drei von ihnen für unschuldig befand, jedoch offensichtlich eine Gefahr für sich selbst darin sah, sie alle freizusprechen.

Higgins wurde gemeinsam mit einem weiteren des Totschlags für schuldig befunden, legte aber Berufung ein und wurde auf freien Fuß gesetzt, nachdem man ihn gebrandmarkt hatte. Die Armee hat ihn natürlich entlassen. Und ohne eine Möglichkeit, sich seinen Lebensunterhalt zu verdienen, sowie der öffentlichen Schmach ausgesetzt, befand er sich in einer traurigen Lage. Er erzählt mir, dass er kurz nach seiner Freilassung in einem Wirtshaus so verprügelt wurde, dass ihm die Verletzungen das Sehvermögen eines Auges raubten, und dass sein Leben mehr als einmal bedroht wurde. Auf der Suche nach Sicherheit verdingte er sich daher als Matrose auf einer Schaluppe, die meinem Freund, Kapitän Gill gehört, obwohl ich ihn persönlich segeln gesehen habe und dir versichern kann, dass er kein Seemann ist.

Diese Tatsache blieb auch Kapitän Gill nicht lange verborgen, und er beendete seine Anstellung bei der Ankunft in ihrem ersten Hafen. Ich war geschäftlich in der Stadt und bin Gill begegnet, der mir von Higgins' verzweifelter Lage erzählte.

Ich setzte alles daran, den Mann zu finden, weil ich Mitleid mit einem Soldaten empfand, der mir seinen Dienst ehrenhaft versehen zu haben schien, und weil ich es ein hartes Schicksal fand, dass er deswegen leiden sollte. Da ich entdeckte, dass er eine intelligente und allgemein angenehme Person ist, habe ich ihn in meine Dienste genommen, wo er sich als höchst zuverlässig erwiesen hat.

Ich sende ihn mit dem Wein, in der Hoffnung, dass deine Frau vielleicht so liebenswürdig ist, Mr. Higgins zu untersuchen. Der örtliche Arzt, ein Dr. Potts, hat die Verletzung seines Auges für unheilbar erklärt, was ja der Fall sein mag. Doch da ich das Können deiner Frau am eigenen Leib erfahren habe, frage ich mich, ob sie möglicherweise eine Behandlung für seine anderen Beschwerden vorschlagen kann; Dr. Potts war hier keine große Hilfe. Richte ihr bitte aus, dass ich ihr bescheidener Diener bin und ihr für ihre Freundlichkeit und ihr Geschick ewig dankbar bin.

Meine herzlichsten Grüße an deine Tochter, der ich ein kleines Geschenk sende, das zusammen mit dem Wein ankommen wird. Ich baue darauf, dass ihr Ehemann in meiner Vertraulichkeit keinen Affront sieht, sondern vielmehr meine lange Bekanntschaft mit deiner Familie in Betracht zieht und ihr erlauben wird, es anzunehmen.

Ich verbleibe wie immer dein ergebener Diener,
John Grey

9

Die Schwelle zum Krieg

Juni 1773

Robert Higgins war ein schmächtiger junger Mann, so dünn, dass es den Anschein hatte, als würden seine Knochen mit Mühe und Not von seinen Kleidern zusammengehalten, und so blass, dass man sich leicht einbilden konnte, er sei tatsächlich durchsichtig. Dafür hatte ihn die Natur jedoch mit großen, aufrichtigen, blauen Augen, einer welligen, hellbraunen Haarpracht und einem derart schüchternen Auftreten bedacht, dass Mrs. Bug ihn augenblicklich unter ihre Fittiche nahm und ihre Absicht kundtat, ihn »aufzupäppeln«, bevor er wieder nach Virginia aufbrach.

Auch ich mochte Mr. Higgins sehr; er war ein lieber Junge mit dem sanften Akzent seiner Heimat Dorset. Allerdings fragte ich mich doch, ob Lord John Greys Großzügigkeit ihm gegenüber wirklich so uneigennützig war, wie es schien.

Auch John Grey war mir widerstrebend ans Herz gewachsen, nachdem wir vor ein paar Jahren gemeinsam die Masern durchgestanden hatten und er Brianna während Rogers Gefangenschaft bei den Irokesen ein guter Freund gewesen war. Dennoch blieb mir stets bewusst, dass Lord John Männer liebte – ganz besonders Jamie, jedoch mit Sicherheit auch andere Männer.

»Beauchamp«, sagte ich zu mir selbst, während ich Waldlilienknollen zum Trocknen ausbreitete, »du hast einen ausgesprochen argwöhnischen Charakter.«

»Aye, das stimmt«, sagte eine belustigt klingende Stimme hinter mir. »Wen verdächtigst du denn, was getan zu haben?«

Ich fuhr erschrocken zusammen, und die Lilienknollen flogen in alle Richtungen.

»Oh, du bist es«, knurrte ich. »Warum musst du dich so an mich heranschleichen?«

»Übung«, sagte Jamie und küsste mich auf die Stirn. »Ich möchte doch die Kunst der Pirsch nicht verlernen. Warum führst du Selbstgespräche?«

»Weil mich das eines aufmerksamen Zuhörers versichert«, sagte ich schnippisch, und er lachte und bückte sich, um mir beim Aufsammeln der Knollen zu helfen.

»Wen hast du denn unter Verdacht, Sassenach?«

Ich zögerte, brachte es aber nicht fertig, etwas anderes als die Wahrheit zu sagen.

»Ich habe mich gefragt, ob John Grey es mit unserem Mr. Higgins treibt«, sagte ich geradeheraus. »Oder ob er es vorhat.«

Er kniff kurz die Augen zu, machte aber keinen schockierten Eindruck – was wiederum den Verdacht erregte, dass er selbst ebenfalls darüber nachgedacht hatte.

»Was bringt dich denn auf diesen Gedanken?«

»Erstens ist er ein sehr hübscher junger Mann«, sagte ich. Ich nahm ihm eine Hand voll Lilienknollen ab und machte mich daran, sie auf einem Stück Gaze auszubreiten. »Und zweitens hat er die schlimmsten Hämorrhoiden, die ich je bei einem Mann in seinem Alter gesehen habe.«

»Er hat zugelassen, dass du sie dir *ansiehst*?« Jamie war doch rot geworden, als das Gespräch auf Analverkehr kam; er hasste es, wenn ich indiskret wurde, aber er hatte schließlich gefragt.

»Nun, es hat mich große Überzeugungskraft gekostet«, sagte ich. »Er hat mir ganz bereitwillig davon erzählt, war aber nicht sehr darauf versessen, sie von mir untersuchen zu lassen.«

»Diese Vorstellung würde mir auch nicht gefallen«, versicherte mir Jamie, »und ich bin mit dir verheiratet. Warum in aller Welt solltest du dir so etwas ansehen wollen, außer vielleicht aus morbider Neugier?« Er warf einen argwöhnischen Blick auf mein schwarzes Notizbuch, das aufgeschlagen auf dem Tisch lag. »Du zeichnest doch da keine Bilder von Bobby Higgins' Hinterteil, oder?«

»Das ist nicht nötig. Ich kann mir keinen Arzt vorstellen, egal zu welcher Zeit, der nicht weiß, wie Hämorrhoiden aussehen. Die alten Israeliten und Ägypter hatten schließlich auch schon welche.«

»Ach ja?«

»Es steht in der Bibel. Frag Mr. Christie«, empfahl ich ihm.

Er bedachte mich mit einem schrägen Seitenblick.

»Du hast mit Tom Christie über die Bibel diskutiert? Du hast wirklich mehr Mut als ich, Sassenach.« Christie war ein zutiefst überzeugter Presbyterianer, und er war am glücklichsten, wenn er jemanden mit einer schönen Passage aus der Heiligen Schrift erschlagen konnte.

»Nicht ich. Germain hat mich letzte Woche gefragt, was Afterknollen sind.«

»Was ist das denn?«

»Hämorrhoiden. ›Sie aber sprachen: Welches ist das Schuldopfer, das wir ihm geben sollen? Sie antworteten: Fünf goldene Afterknollen und fünf goldene Mäuse nach der Zahl der fünf Fürsten der Philister‹«, zitierte ich, »oder so ähnlich. Besser kann ich es aus dem Gedächtnis nicht wiederholen. Mr. Christie hat Germain zur Strafe einen Bibelvers aufschreiben lassen, und da der Junge eine wissbegierige Seele ist, wollte er wissen, was er da geschrieben hat.«

»Und Mr. Christie wollte er natürlich nicht fragen.« Jamie rieb sich stirnrunzelnd mit dem Finger über den Nasenrücken. »Möchte ich wissen, was Germain angestellt hat?«

»Mit an Sicherheit grenzender Wahrscheinlichkeit nicht.« Tom Christie verdiente sich den Pachtzins für sein Land, indem er uns als Schulmeister diente, und es schien ihm zu gelingen, auf seine Weise Disziplin zu halten. Allein Germain Fraser als Schüler zu haben, war meiner Meinung nach schon die gesamte Summe in Naturalien wert.

»Goldene Afterknollen«, murmelte Jamie. »Nun, das ist eine Idee.« Er hatte jene leicht verträumte Miene aufgesetzt, die er oft trug, kurz bevor er mit einem haarsträubenden Gedanken herausrückte, der irgendetwas mit Verstümmelung, Tod oder lebenslänglicher Einkerkerung zu tun hatte. Ich fand seinen Gesichtsausdruck ein wenig alarmierend, doch welchen Gedankengang die goldenen Hämorrhoiden auch immer ausgelöst haben mochten, er ließ vorerst davon ab und schüttelte den Kopf.

»Nun gut. Wir waren bei Bobbys Hinterteil?«

»Oh, ja. Was den Grund angeht, warum ich kurz auf Mr. Higgins' Hämorrhoiden sehen wollte«, nahm ich unseren letzten Gesprächsfaden wieder auf, »so wollte ich sehen, ob Amelioration oder Entfernung die beste Behandlung wäre.«

Bei diesen Worten fuhren Jamies Augenbrauen in die Höhe.

»Sie entfernen? Wie denn? Mit deinem Messerchen?« Er richtete den Blick auf die Truhe, in der ich meine chirurgischen Instrumente aufbewahrte, und zog angewidert die Schultern hoch.

»Das könnte ich, ja, obwohl ich mir vorstelle, dass es ohne Anästhesie ziemlich schmerzhaft wäre. Aber es gab eine sehr viel einfachere Methode, die sich gerade allgemein durchzusetzen begann, als ich – gegangen bin.« Nur für einen Moment spürte ich einen Stich der Sehnsucht nach meinem Krankenhaus. Beinahe konnte ich das Desinfektionsmittel riechen, das Murmeln und Hasten der Schwestern und Pfleger hören, die Hochglanztitel der wissenschaftlichen Magazine, die vor Ideen und Informationen nur so überquollen, unter meinen Fingern spüren.

Dann war es vorbei, und ich wog die Vorzüge von Blutegeln gegenüber einer Abschnürung ab, unter Berücksichtigung des Ziels, Mr. Higgins zur bestmöglichen Analgesundheit zu verhelfen.

»Dr. Rawlings rät zum Einsatz von Blutegeln«, erklärte ich. »Zwanzig oder dreißig, sagt er, in einem schweren Fall.«

Jamie, der sich von dieser Vorstellung herzlich wenig angewidert zeigte, nickte. Er war halt selbst schon mehrfach mit Blutegeln behandelt worden und versicherte mir, dass es nicht schmerzhaft war.

»Aye. So viele hast du aber nicht, nicht wahr? Soll ich die Jungen holen und mit ihnen sammeln gehen?«

Nichts, was Jemmy und Germain mehr Spaß machen würde als eine Ausrede, mit ihrem Großvater in den Bächen herumzumatschen und bis zu den

Ohren mit Schlamm und Blutegeln übersät heimzukommen. Doch ich schüttelte den Kopf.

»Nein. Oder vielmehr, ja«, verbesserte ich mich. »Wenn du Zeit hast – aber ich brauche sie nicht sofort. Blutegel würden die Lage vorübergehend verbessern, aber Bobbys Hämorrhoiden sind voller Thrombosen – verklumptem Blut –«, korrigierte ich mich, »– und ich glaube, dass es wirklich besser für ihn wäre, wenn ich sie ganz entfernte. Ich glaube, ich kann sie abbinden – jede Hämorrhoide ganz unten fest mit einem Faden abschnüren, meine ich. Das unterbricht ihre Blutzufuhr, und im Lauf der Zeit vertrocknen sie einfach und fallen ab. Sehr sauber.«

»Sehr sauber«, murmelte Jamie wie ein Echo. Er zog ein etwas nervöses Gesicht. »Hast du das schon einmal gemacht?«

»Ja, ein-, zweimal.«

»Ah.« Er spitzte die Lippen, während er sich den Vorgang anscheinend vorstellte. »Wie ... äh ... ich meine ... glaubst du, er kann scheißen, während das so geht? Es wird doch sicher eine Weile dauern.«

Ich runzelte die Stirn und klopfte mit dem Finger auf die Arbeitsfläche.

»Sein größtes Problem ist, dass er *nicht* scheißt«, offenbarte ich. »Nicht oft genug, meine ich, und nicht mit der richtigen Konsistenz. Schreckliche Verpflegung«, sagte ich und zeigte anklagend mit dem Finger auf ihn. »Er hat es mir erzählt. Brot, Fleisch und Ale. Kein Gemüse, kein Obst. Ich glaube, die ganze britische Armee muss Verstopfung haben. Es würde mich nicht überraschen, wenn sie bis zum letzten Mann Hämorrhoiden hätten, die ihnen wie Traubenbüschel aus dem Hintern hängen!«

Jamie zog eine Augenbraue hoch und nickte.

»Es gibt viele Dinge, die ich an dir bewundere, Sassenach – vor allem deine delikate Ausdrucksweise.« Er hustete und senkte den Blick. »Aber ... wenn du sagst, dass es Verstopfung ist, die Hämorrhoiden verursacht –«

»Das tut sie.«

»Aye, nun ja. Es ist nur – was du über John Grey gesagt hast. Ich meine, du glaubst doch nicht, dass der Zustand von Bobbys Hintern etwas zu tun hat mit ... mmpfm.«

»Oh. Nun, nein, nicht direkt.« Ich hielt inne. »Es war eher so, dass Lord John in seinem Brief gefragt hat, ob ich möglicherweise eine Behandlung für seine anderen Beschwerden vorschlagen kann. Ich meine, eventuell weiß er von Bobbys Problemen, ohne sich ... äh ... sagen wir persönlich ein Bild davon gemacht zu haben. Aber wie gesagt, Hämorrhoiden sind eine derart verbreitete Erkrankung, warum sollte er sich so sehr dafür interessieren, dass er mich um Hilfe bittet – wenn er nicht glaubt, dass sie ihm irgendwann einmal beim, äh, Vorankommen hinderlich sein könnten?«

Jamies Gesicht hatte während unserer Unterhaltung über Blutegel und Verstopfung seine normale Farbe zurückgewonnen, doch an diesem Punkt wurde es erneut rot.

»Beim –«

»Ich meine«, sagte ich und verschränkte die Arme unter meiner Brust, »ich bin ein kleines bisschen … angewidert … von der Vorstellung, dass er Mr. Higgins sozusagen zur Instandsetzung zu uns geschickt hat.« Ich hatte die ganze Zeit ein äußerst ungutes Gefühl in Bezug auf die Sache mit Bobby Higgins' Hinterteil gehabt, hatte es aber bis jetzt noch nicht in Worte gefasst. Jetzt, da ich es ausgesprochen hatte, war mir absolut klar, was mich so störte.

»Der Gedanke, dass ich den armen kleinen Bobby in Ordnung bringen soll, um ihn dann wieder heimzuschicken, damit er –« Ich presste die Lippen fest aufeinander und wandte mich abrupt wieder meinen Waldlilienknollen zu, die ich überflüssigerweise wendete.

»Dieser Gedanke gefällt mir nicht«, sagte ich an die Schranktür gerichtet. »Ich werde natürlich für Mr. Higgins tun, was ich kann. Bobby Higgins hat keine großen Zukunftsaussichten; er würde zweifellos alles tun …, was Seine Lordschaft wünscht. Aber vielleicht tue ich ihm ja auch Unrecht. Lord John, meine ich.«

»Vielleicht tust du das.«

Ich drehte mich um und sah, dass sich Jamie auf den Hocker gesetzt hatte und mit einem Krug Gänseschmalz spielte, dem seine ungeteilte Aufmerksamkeit zu gelten schien.

»Nun«, sagte ich unsicher. »Du kennst ihn besser als ich. Wenn du meinst, dass er keine …« Ich verstummte.

»Ich weiß mehr über John Grey, als mir lieb ist«, sagte Jamie schließlich und sah mich an. Ein reumütiges Lächeln umspielte seinen Mundwinkel. »Und er weiß eine Menge mehr über mich, als ich mir ausmalen möchte. Aber.« Er beugte sich vor und stellte das Glas hin. Dann legte er die Hände auf seine Knie und sah mich an. »Eines weiß ich über jeden Zweifel erhaben. Er ist ein Ehrenmann. Er würde weder Higgins noch irgendeinen anderen Mann in seiner Obhut ausnutzen.«

Er klang sehr überzeugt, und ich fühlte mich beruhigt. Ich mochte John Grey. Und doch … wurde mir beim Erscheinen seiner Briefe, die uns mit der Regelmäßigkeit eines Uhrwerks erreichten, stets leicht beklommen zumute, als ob ich es in der Ferne donnern hörte. Die Briefe selbst hatten nichts an sich, das eine solche Reaktion begründet hätte; sie waren genauso wie der Mann selbst – gebildet, humorvoll und aufrichtig. Und er hatte natürlich Grund zu schreiben. Mehr als einen.

»Er liebt dich immer noch, das weißt du«, sagte ich leise.

Er nickte, sah mich aber nicht an, sondern hielt den Blick weiter auf irgendetwas jenseits der Bäume gerichtet, die unseren Hof säumten.

»Wäre es dir lieber, wenn es nicht so wäre?«

Er hielt inne, dann nickte er erneut. Diesmal drehte er sich jedoch um und sah mich an.

»Das wäre es, aye. Um meinetwillen. Gewiss um seinetwillen. Aber um Williams willen?« Er schüttelte unsicher den Kopf.

»Oh, möglich, dass er William deinetwegen angenommen hat«, sagte ich und lehnte mich mit dem Rücken an die Arbeitsfläche. »Aber ich habe die beiden zusammen gesehen, weißt du noch? Ich habe keinen Zweifel, dass er William jetzt um seiner selbst willen liebt.«

»Nein. Daran zweifle ich ebenso wenig.« Er stand unruhig auf und klopfte sich eingebildeten Staub vom Saum seines Kilts. Sein Gesicht war verschlossen, sein Blick nach innen auf etwas gerichtet, das er nicht mit mir teilen wollte.

»Hast du –«, begann ich, hielt jedoch inne, als er zu mir aufblickte. »Nein. Es spielt keine Rolle.«

»Was?« Er legte den Kopf zur Seite und kniff die Augen zusammen.

»Nichts.«

Er regte sich nicht, sondern intensivierte lediglich seinen Blick.

»Ich kann deinem Gesichtsausdruck ansehen, dass das nicht stimmt, Sassenach. Was?«

Ich atmete tief durch die Nase ein und wickelte die Fäuste in meine Schürze.

»Es ist nur – und ich bin mir sicher, dass es nicht stimmt, es ist nur so ein Gedanke –«

Er machte ein leises schottisches Geräusch, um mir zu sagen, dass ich mit dem Gestottere aufhören und es ausspucken sollte. Da ich genug Erfahrung hatte, um zu erkennen, dass er die Sache nicht ruhen lassen würde, bis ich das tat, spuckte ich also.

»Hast du dich je gefragt, ob Lord John ihn womöglich angenommen hat, weil… nun ja, William sieht dir schrecklich ähnlich, und das offenbar ja schon von klein an. Da Lord John dich körperlich… anziehend findet…« Die Worte erstarben, und als ich in sein Gesicht sah, hätte ich mir dafür auf die Zunge beißen können, dass ich sie gesagt hatte.

Er schloss einen Moment die Augen, damit ich nicht hineinsehen konnte. Seine Fäuste waren so fest geballt, dass die Adern von den Fingerknöcheln bis zum Unterarm vorsprangen. Ganz langsam entspannte er seine Hände. Er öffnete die Augen.

»Nein«, sagte er, und seine Stimme klang aufrichtig überzeugt. Er sah mich unverwandt an. »Und es ist nicht nur so, dass ich selbst den Gedanken daran nicht ertragen kann. Ich weiß es mit Sicherheit.«

»Natürlich«, sagte ich hastig, denn ich brannte darauf, das Thema auf sich beruhen zu lassen.

»Ich weiß es«, wiederholte er, diesmal schärfer. Seine beiden steifen Finger klopften ein einziges Mal gegen seinen Oberschenkel, dann kamen sie zur Ruhe. »Der Gedanke ist mir auch gekommen. Als er mir damals erzählt hat, dass er vorhatte, Isobel Dunsany zu heiraten.«

Er wandte sich ab und starrte zum Fenster hinaus. Adso war auf dem Hof und schlich sich im Gras an etwas heran.

»Ich habe ihm meinen Körper angeboten«, sagte Jamie abrupt, ohne sich zu mir umzudrehen. Die Worte kamen ruhig, doch ich konnte seinen verkrampften Schultern ansehen, was es ihn kostete, sie auszusprechen. »Zum Dank, habe ich gesagt. Aber es war…« Er machte eine merkwürdige, krampfhafte Bewegung, als versuchte er, sich von einer Fessel zu befreien. »Ich wollte genau wissen, was für ein Mensch er war. Dieser Mann, der meinen Sohn an Kindes statt annehmen wollte.«

Seine Stimme zitterte kaum merklich, als er »mein Sohn« sagte, und ich trat instinktiv zu ihm, denn ich hätte gern die offene Wunde unter diesen Worten verschlossen.

Er war stocksteif, als ich ihn berührte, und wollte sich nicht umarmen lassen – doch er nahm meine Hand und drückte sie.

»Glaubst du, du… konntest es wirklich erkennen?« Ich war nicht schockiert. John Grey hatte mir von diesem Angebot erzählt, vor Jahren auf Jamaika. Allerdings glaubte ich nicht, dass er darüber im Bilde war, was wirklich dahintersteckte.

Jamies Hand legte sich fester um die meine, und sein Daumen fuhr den Umriss des meinen nach und rieb sacht über meinen Nagel. Er blickte zu mir herab, und ich spürte, wie mir seine Augen suchend ins Gesicht sahen – nicht fragend, sondern so, wie man es macht, wenn man etwas Vertrautes ganz neu sieht – etwas mit den Augen sieht, das man lange Zeit nur mit dem Herzen gesehen hat.

Seine freie Hand hob sich und zeichnete meine Augenbrauen nach, dann blieben zwei Finger kurz auf meinem Wangenknochen liegen, bevor sie wieder emporwanderten, kühl in der Wärme meines Haars.

»Man kann einander nicht so nah sein«, sagte er schließlich. »Ineinander sein, den Schweiß des anderen riechen, die Körperhaare aneinander reiben… und nichts von seiner Seele sehen. Oder *wenn* man es kann…« Er zögerte, und ich fragte mich, ob er an Black Jack Randall dachte oder an Laoghaire, die Frau, die er geheiratet hatte, weil er mich für tot hielt. »Nun… das ist etwas Schreckliches.«

Es herrschte Schweigen zwischen uns. Es raschelte plötzlich draußen im Gras, als Adso zum Sprung ansetzte und verschwand, und eine Nachtigall begann, in der großen Rotfichte Alarm zu schlagen. In der Küche fiel etwas scheppernd zu Boden, und dann ertönten rhythmische Wischgeräusche. All die heimeligen Geräusche dieses Lebens, das wir uns aufgebaut hatten.

Hatte ich das je getan? Mit einem Mann geschlafen, ohne etwas von seiner Seele zu sehen? Ich hatte, und Jamie hatte Recht. Ein Hauch von Kälte berührte mich, und die Härchen meiner Haut richteten sich lautlos auf.

Er stieß einen Seufzer aus, der von seinen Füßen her zu kommen schien, und rieb sich mit der Hand über sein zusammengebundenes Haar.

»Aber er hat abgelehnt. John.« Jetzt blickte er auf und lächelte mich schief an. »Er liebte mich, hat er gesagt. Und wenn ich das nicht erwidern konnte – und er wusste, dass ich es nicht konnte –, wollte er kein Falschgeld für bare Münze nehmen.«

Er schüttelte sich heftig wie ein Hund, der aus dem Wasser kommt.

»Nein. Ein Mann, der so etwas sagt, vergeht sich nicht an einem Kind, weil dessen Vater so hübsche blaue Augen hat, davon bin ich überzeugt, Sassenach.«

»Nein«, gab ich ihm Recht. »Sag mir …« Ich zögerte, und er fixierte mich mit hochgezogener Augenbraue. »Wenn er … äh … auf dein Angebot eingegangen *wäre* – und du hättest feststellen müssen …« Ich suchte nach vernünftigen Worten. »Dass er nicht so anständig war wie erhofft –«

»Ich hätte ihm dort am Ufer das Genick gebrochen«, sagte er trocken. »Es hätte keine Rolle gespielt, ob sie mich gehängt hätten; ich hätte nicht zugelassen, dass er den Jungen bekommt. Aber er hat es nicht getan, und ich habe ihm den Jungen gelassen«, fügte er mit einem angedeuteten Achselzucken hinzu. »Und wenn unser Bobby das Bett Seiner Lordschaft aufsucht, dann glaube ich, dass es aus freien Stücken geschieht.«

Männer sind nicht unbedingt in Bestform, wenn jemand eine Hand in ihrem Hintern stecken hat. Ich hatte das schon öfter beobachtet, und Robert Higgins war keine Ausnahme von der generellen Regel.

»Also, das wird nicht sehr wehtun«, sagte ich so beruhigend wie möglich. »Alles, was Ihr tun müsst, ist ganz still halten.«

»Oh, das werde ich, Ma'am, ganz bestimmt«, versicherte er mir inbrünstig.

Ich hatte ihn auf dem Sprechzimmertisch. Er trug nur sein Hemd und befand sich im Vierfüßlerstand, wodurch sich die Stelle, an der ich operieren musste, praktischerweise auf meiner Augenhöhe befand. Die Zange und die Fäden, die ich brauchen würde, lagen rechts von mir auf dem kleinen Tisch, und daneben eine Schale mit frischen Blutegeln für den Notfall.

Er schrie kurz auf, als ich ein in Alkohol getränktes Läppchen auf die Stelle drückte, um sie gründlich zu säubern, aber er hielt Wort und regte sich nicht.

»Also, wir werden hier sehr guten Erfolg haben«, versicherte ich ihm und ergriff eine langschenklige Zange. »Aber wenn die Linderung von Dauer sein soll, müsst Ihr Eure Ernährung drastisch ändern. Versteht Ihr mich?«

Er schnappte heftig nach Luft, als ich eine der Hämorrhoiden packte und zu mir herunterzog. Es waren drei, eine klassische Anordnung auf neun, zwei und fünf Uhr. Rund wie Himbeeren und ganz genauso gefärbt.

»Oh! J-ja, Ma'am.«

»Hafermehl«, sagte ich bestimmt. Ich nahm die Zange in die andere Hand, ohne ihren Druck zu verringern, und ergriff mit der Rechten eine Nadel mit einem Seidenfaden. »Jeden Morgen Porridge, ohne Ausnahme. Habt Ihr eine Veränderung bei Eurer Verdauung bemerkt, seit Mrs. Bug Euch zum Frühstück Porridge gibt?«

Ich legte den Faden locker um den unteren Rand der Hämorrhoide, dann führte ich die Nadel vorsichtig unter der Schlaufe durch, so dass ich eine kleine Schlinge bekam, und zog sie zu.

»Ahhh… oh! Äh… ganz ehrlich, Ma'am, es ist als würde man Ziegel mit Igelstacheln scheißen, egal, was ich esse.«

»Nun, das wird sich ändern«, versicherte ich ihm und befestigte den Faden mit einem Knoten. Ich ließ die Hämorrhoide los, und er holte tief Luft. »Also, Trauben. Ihr mögt doch Trauben, oder?«

»Nein, M'm. Ich bekomm Zahnweh davon.«

»Wirklich?« Seine Zähne sahen nicht besonders verfault aus; besser, wenn ich mir seinen Mund näher ansah; möglicherweise litt er ja an leichtem Skorbut. »Nun, dann soll Mrs. Bug Euch einen schönen Rosinenkuchen backen, den könnt Ihr ohne Schwierigkeiten essen. Hat Lord John einen Koch, der sein Handwerk versteht?« Ich zielte mit meiner Zange auf die nächste Hämorrhoide und packte sie. Da er das Gefühl jetzt kannte, grunzte er nur kurz.

»Ja, M'm. Ist ein Indianer und heißt Manoke.«

»Hmm.« Umschlingen, festziehen, zuknoten. »Ich werde das Rezept für den Rosinenkuchen aufschreiben, dann könnt Ihr es ihm mitnehmen. Kocht er Yamswurzeln oder Bohnen? Bohnen sind sehr gut für diesen Zweck.«

»Ich glaub schon, Ma'am, aber Seine Lordschaft –«

Ich hatte die Fenster geöffnet, um zu lüften – Bobby war zwar nicht schmutziger als der Durchschnitt, aber er war mit Sicherheit auch nicht sauberer – und an diesem Punkt hörte ich Geräusche an der Wegmündung; Stimmen und Harnischklingeln.

Bobby hörte es auch. Er blickte wild zum Fenster und spannte den Hintern an, als wollte er vom Tisch springen wie ein Grashüpfer. Ich packte ihn am Bein, überlegte es mir dann aber anders. Es gab keine Möglichkeit, das Fenster zu verdecken, außer mit den Fensterläden, und ich brauchte das Licht.

»Na dann, steht auf«, sagte ich zu ihm. Ich ließ sein Bein los und griff nach einem Handtuch. »Ich werde nachsehen, wer es ist.« Er folgte dieser Anweisung blitzschnell, kletterte von Tisch und langte hastig nach seiner Hose.

Ich trat gerade rechtzeitig auf die Veranda, um die beiden Männer zu begrüßen, die gerade ihre Maultiere über das letzte, anstrengende Stück des Abhangs und dann auf unseren Hof führten. Richard Brown und sein Bruder Lionel aus dem nach ihnen benannten Dorf Brownsville.

Ich war überrascht, sie zu sehen; von Fraser's Ridge aus waren es gute drei Tagesritte bis Brownsville, und es herrschte wenig Austausch zwischen den beiden Siedlungen. Bis Salem war es mindestens genauso weit, aber dorthin ritten die Männer sehr viel häufiger; die Deutschlutheraner waren nicht nur fleißig, sondern sie waren auch gute Handelspartner, die Honig, Öl, eingelegten Fisch und Felle gegen Käse, Töpferwaren, Hühner und anderes Kleinvieh eintauschten. Soweit ich wusste, handelten die Einwohner von Brownsville nur mit billigen Tauschwaren für die Cherokee und brauten ein ziemlich minderwertiges Bier, das den Ritt nicht lohnte.

»Guten Tag, Mistress.« Richard, der kleinere und ältere der beiden Brüder, berührte seine Hutkrempe, ohne den Hut jedoch zu ziehen. »Ist Euer Gatte daheim?«

»Er ist draußen beim Heuschober und gerbt Felle.« Ich wischte mir die Hände sorgfältig an dem Handtuch ab, das ich mitgenommen hatte. »Kommt hinten herum zur Küche; ich habe Apfelwein für Euch.«

»Macht Euch keine Mühe.« Ohne Umschweife wandte er sich ab und umrundete zielstrebig das Haus. Lionel Brown, der ein wenig größer war als sein Bruder, das Haar kurz trug und keinen Hut hatte, nickte mir kurz zu und folgte ihm.

Sie hatten ihre Maultiere mit hängenden Zügeln stehen gelassen, offenbar, damit ich mich um sie kümmerte. Die Tiere schlenderten jetzt gemächlich über den Hof und blieben hier und dort stehen, um von dem langen Gras am Wegrand zu fressen.

»Hmpf!«, sagte ich und sah den Gebrüdern Brown funkelnd nach.

»Wer ist das?«, sagte eine leise Stimme hinter mir. Bobby Higgins war aus dem Haus gekommen und blinzelte mit seinem gesunden Auge um die Ecke der Veranda. Bobby war Fremden gegenüber misstrauisch – kein Wunder nach seinen Erlebnissen in Boston.

»Nachbarn, oder was man so nennt.« Ich sprang von der Veranda und packte eins der Maultiere am Zaum, weil es nach dem Pfirsichschößling schnappte, den ich vor der Veranda gepflanzt hatte. Da ihm diese Einmischung nicht passte, quiekte es mir ohrenbetäubend ins Gesicht und versuchte, mich zu beißen.

»Hier, Ma'am, lasst mich das machen.« Bobby, der bereits die Zügel des anderen Maultiers in der Hand hatte, beugte sich vor, um mir das Zaumzeug aus der Hand zu nehmen. »Ruhe jetzt!«, sagte er zu dem widerspenstigen Maultier. »Halt den Mund, oder du kriegst den Stock zu spüren!«

Bobby war Fußsoldat gewesen, das war nicht zu übersehen. Seine Worte klangen zwar kühn, passten aber nicht zu seinem zögerlichen Auftreten. Er ruckte anstandshalber an den Zügeln des Maultier. Dieses legte prompt die Ohren an und biss ihn in den Arm.

Er schrie und ließ die Zügel beider Tiere los. Clarence, mein eigenes Maultier, hörte den Lärm, grüßte lauthals von seiner Koppel herüber, und die beiden fremden Maultiere trotteten prompt mit schlackernden Steigbügeln in diese Richtung davon.

Bobby war nicht schlimm verletzt, obwohl der Biss durch die Haut gegangen war; Blutflecken sickerten durch den Ärmel seines Hemdes. Ich schlug gerade den Stoff zurück, um mir die Stelle anzusehen, als ich Schritte auf der Veranda hörte. Ich blickte auf und sah Lizzie mit alarmierter Miene dort stehen, einen großen Holzlöffel in der Hand.

»Bobby! Was ist passiert?«

Bei ihrem Anblick richtete er sich blitzartig auf, nahm eine lässige Haltung an und strich sich eine braune Haarlocke aus der Stirn.

»Ah, oh! Nichts, Miss. Kleine Schwierigkeit mit diesen Söhnen Belials. Keine Angst, es geht schon.«

Woraufhin er die Augen verdrehte und ohnmächtig umfiel.

»Oh!« Lizzie huschte die Stufen hinunter, kniete sich neben ihn und tätschelte ihm eindringlich die Wange. »Geht es ihm gut, Mrs. Fraser?«

»Weiß der Himmel«, sagte ich unverblümt. »Aber ich glaube schon.« Bobby schien normal zu atmen, und ich fand einen anständigen Pulsschlag in seinem Handgelenk.

»Sollen wir ihn ins Haus tragen? Oder meint Ihr, ich soll eine brennende Feder holen? Oder den Ammoniakgeist aus dem Sprechzimmer? Oder Brandy?« Lizzie erinnerte mich an eine ängstliche Hummel, die auf der Stelle schwebt, bereit in jede beliebige Richtung davonzufliegen.

»Nein, ich glaube, er kommt schon wieder zu sich.« Die meisten Ohnmachtsanfälle dauerten nur ein paar Sekunden, und ich konnte sehen, wie sich seine Brust hob, weil sich seine Atmung vertiefte.

»Ein Schluck Brandy wär nicht verkehrt«, murmelte er, und seine Augenlider begannen zu flattern.

Ich nickte Lizzie zu. Sie ließ ihren Löffel im Gras liegen und verschwand im Haus.

»Ihr fühlt Euch wohl ein wenig schlapp, wie?«, erkundigte ich mich mitfühlend. Seine Armverletzung war nicht mehr als ein Kratzer, und ich hatte ihm mit Sicherheit nichts angetan – zumindest nicht körperlich –, das einen Schockzustand gerechtfertigt hätte. Was stimmte hier nicht?

»Weiß nicht, Ma'am.« Er versuchte, sich aufzusetzen, und da er zwar leichenblass war, ihm aber ansonsten nichts zu fehlen schien, ließ ich ihn gewähren. »Es ist nur, ab und zu sehe ich diese Flecken, die wie ein Bienenschwarm um mich herumschwirren, und dann wird alles schwarz.«

»Ab und zu? Das war nicht das erste Mal?«, fragte ich scharf.

»Ja, M'm.« Sein Kopf wackelte wie eine Sonnenblume im Wind, und ich schob ihm eine Hand unter die Achsel, bevor er wieder umfiel. »Seine Lordschaft hoffte, ihr wüsstet etwas, damit es aufhört.«

»Seine Lord – oh, er wusste von den Ohnmachtsanfällen?« Nun, natürlich wusste er das, wenn Bobby regelmäßig vor seiner Nase in Ohnmacht fiel.

Er nickte und holte tief und keuchend Luft.

»Doktor Potts hat mich zur Ader gelassen, zweimal die Woche, aber es schien nicht zu helfen.«

»Wohl kaum. Ich hoffe, er war Euch bei Euren Hämorrhoiden eine größere Hilfe«, merkte ich trocken an.

Ein zarter Hauch von Rosa – der arme Junge hatte ja kaum genug Blut, um anständig rot zu werden – stieg in seinen Wangen auf, und er wandte den Blick ab und heftete ihn auf den Löffel.

»Äh… ich… äh… *davon* habe ich niemandem erzählt.«

»Nicht?« Das überraschte mich. »Aber –«

»Wisst Ihr, es war nur der Ritt. Aus Virginia.« Der rosafarbene Fleck wuchs. »Ich hätte es mir nicht anmerken lassen, aber nach einer Woche auf diesem verdammten Pferd – bitte um Verzeihung, Ma'am – hatte ich solche Schmerzen… ich hätte es nicht verheimlichen können.«

»Dann wusste Lord John auch nichts davon?«

Er schüttelte heftig den Kopf, so dass ihm die zerzausten Locken wieder in die Stirn fielen. Ich ärgerte mich fürchterlich – über mich selbst, weil ich Lord Johns Beweggründe offensichtlich falsch eingeschätzt hatte, und über Lord John, weil ich mir seinetwegen jetzt wie ein Idiot vorkam.

»Nun denn… fühlt Ihr Euch jetzt ein wenig besser?« Lizzie kam einfach nicht mit dem Brandy, und ich fragte mich kurz, wo sie war. Bobby war immer noch sehr blass, nickte aber tapfer und kämpfte sich auf die Beine hoch. Dann stand er schwankend und blinzelnd da und versuchte, das Gleichgewicht zu halten. Das »M«-Brandzeichen auf seiner Wange zeichnete sich in aggressivem Rot auf seiner blassen Haut ab.

Durch Bobbys Ohnmacht abgelenkt, hatte ich nicht auf die Geräusche geachtet, die von der anderen Seite des Hauses kamen. Jetzt jedoch wurde ich mir des Klangs von Stimmen und herannahenden Schritten bewusst.

Jamie und die beiden Browns kamen um die Ecke des Hauses gebogen. Als sie uns sahen, blieben sie stehen. Jamies Stirn war leicht gerunzelt gewesen; jetzt nahm das Stirnrunzeln zu. Die Browns schienen dagegen von einer merkwürdigen, wenn auch grimmigen Heiterkeit erfüllt zu sein.

»Dann ist es also wahr.« Richard Brown sah Bobby Higgins scharf an, dann wandte er sich an Jamie. »Ihr beherbergt einen Mörder!«

»Ach ja?« Jamie war höflich, aber eiskalt. »Ich hatte ja keine Ahnung.« Er verbeugte sich nach bester französischer Hofmanier vor Bobby Higgins, dann richtete er sich auf und wies auf die Browns. »Mr. Higgins, darf ich Euch Mr. Richard Brown und Mr. Lionel Brown vorstellen. Meine Herren – mein Gast, Mr. Higgins.« Er sprach die Worte »mein Gast« mit einer besonderen Betonung aus, woraufhin Richard Brown seinen schmalen Mund so fest zusammenpresste, dass er beinahe unsichtbar wurde.

»Hütet Euch, Fraser«, sagte er und starrte Bobby dabei an, als wollte er ihn davor warnen, sich in Luft aufzulösen. »Den falschen Umgang zu hegen, kann heutzutage gefährlich sein.«

»Ich wähle meinen Umgang so, wie es mir passt, Sir.« Jamie sprach leise und biss jedes Wort einzeln mit den Zähnen ab. »Und den Euren wähle ich nicht. Joseph!«

Lizzies Vater, Joseph Wemyss, kam um die Ecke und führte die beiden aufmüpfigen Maultiere herbei, die jetzt beide so friedlich wie junge Katzen zu sein schienen, obwohl Mr. Wemyss neben ihnen wie ein Zwerg aussah.

Bobby Higgins, den diese Vorgänge völlig verwirrten, sah mich Hilfe suchend an. Ich zuckte sacht mit den Achseln und schwieg, während die beiden Browns aufstiegen und starr vor Wut von der Lichtung ritten.

Jamie wartete, bis sie außer Sichtweite waren, dann atmete er aus, rieb sich heftig mit der Hand durch das Haar und brummte etwas auf Gälisch. Ich konnte ihm nicht bis ins Detail folgen, begriff aber, dass er den Charakter unserer Besucher mit dem von Mr. Higgins' Hämorrhoiden verglich und diese dabei vorteilhafter wegkamen.

»Verzeihung, Sir?« Higgins' Miene war verwirrt, aber eifrig bestrebt, es ihm recht zu machen.

Jamie sah ihn an.

»Sollen sie doch gehen und sich die Köpfe zerbrechen«, murmelte er und tat die Browns mit einer Geste ab. Er fing meinen Blick auf und wandte sich zum Haus. »Dann kommt, Bobby; ich habe Euch etwas zu sagen.«

Ich folgte ihnen ins Haus, sowohl aus Neugier als auch für den Fall, dass Mr. Higgins erneut unwohl wurde; sein Zustand schien zwar stabil zu sein, aber er war nach wie vor sehr blass. Verglichen mit Bobby Higgins war Mr. Wemyss – der die hellen Haare und die schmächtige Gestalt seiner Tochter hatte – ein Bild blühender Gesundheit. Was war nur mit Bobby los?, fragte ich mich. Ich warf einen verstohlenen Blick auf die Sitzfläche seiner Hose, während ich ihm folgte, doch es war alles in Ordnung; kein Blut.

Jamie ging voraus in sein Studierzimmer und deutete auf die bunte Ansammlung von Hockern und Kisten, die er für Besucher benutzte. Doch sowohl Bobby als auch Mr. Wemyss blieben lieber stehen – Bobby aus nahe liegenden Gründen, Mr. Wemyss aus Respekt; ihm war niemals wohl dabei, in Jamies Gegenwart zu sitzen, außer beim Essen.

Von keinerlei körperlichen oder gesellschaftlichen Vorbehalten behindert, ließ ich mich auf dem besten Hocker nieder und sah Jamie, der sich an den Tisch gesetzt hatte, der ihm als Schreibtisch diente, mit hochgezogener Augenbraue an.

»Es ist folgendermaßen«, begann er ohne Umschweife. »Brown und sein Bruder haben sich zu den Anführern eines Komitees für die Sicherheit erklärt und waren hier, um mich und meine Pächter als Mitglieder zu rekrutieren.« Er sah mich an, und seine Mundwinkel kräuselten sich. »Ich habe abgelehnt, wie ihr zweifellos bemerkt habt.«

Mein Magen verkrampfte sich ein wenig, als ich daran dachte, was Major MacDonald gesagt hatte – und daran, was ich wusste. Nun begann es also.

»Komitee für die Sicherheit?« Mr. Wemyss machte ein verwirrtes Gesicht und sah Bobby Higgins an – dessen Gesicht genau diesen Ausdruck mehr und mehr verlor.

»So, haben sie das?«, sagte Bobby leise. Ein paar lockige braune Haarsträhnen hatten sich aus seinem Zopf gelöst; er strich sich eine davon hinter das Ohr.

»Ihr habt also bereits von solchen Komitees gehört, Mr. Higgins?«, erkundigte sich Jamie mit gewölbter Augenbraue.

»Bin auf eins gestoßen, Sir. Aus nächster Nähe.« Bobby tippte sich mit dem Finger über das blinde Auge. Er war noch blass, erlangte aber allmählich seine Selbstbeherrschung zurück. »Das ist Pöbel, Sir. Wie die Mulis da draußen, nur mehr davon – und brutaler.« Er setzte ein unsicheres Lächeln auf und strich sich den Ärmel über der Bisswunde an seinem Arm glatt.

Die Erwähnung der Maultiere erinnerte mich abrupt an etwas, und ich stand auf und bereitete der Unterhaltung ein abruptes Ende.

»Lizzie! Wo ist Lizzie?«

Ohne eine Antwort auf diese rhetorische Frage abzuwarten, eilte ich zur Tür des Studierzimmers und rief ihren Namen – doch mir hallte nur Schweigen entgegen. Sie war ins Haus gegangen, um Brandy zu holen; wir hatten reichlich davon in einem Krug in der Küche, das wusste sie – ich hatte erst am Abend zuvor gesehen, wie sie ihn für Mrs. Bug vom Regal holte. Sie musste im Haus sein. Sie war doch wohl nicht hinausgegangen –

»Elizabeth? Elizabeth, wo bist du?« Mr. Wemyss folgte mir auf dem Fuße und rief nach seiner Tochter, während ich durch den Flur zur Küche ging.

Lizzie lag ohnmächtig vor dem Kamin, ein schlaffes Kleiderbündel, eine Hand ausgestreckt, als hätte sie versucht, sich aufzufangen, als sie hinfiel.

»Miss Wemyss!« Bobby Higgins schob sich mit panischem Gesichtsausdruck an mir vorbei und nahm sie in seine Arme.

»Elizabeth!« Mr. Wemyss drückte sich ebenfalls an mir vorbei, und sein Gesicht war beinahe genauso weiß wie das seiner Tochter.

»Nun lasst mich schon einen Blick auf sie werfen, ja?«, sagte ich und bahnte mir meinerseits den Weg an ihnen vorbei. »Legt sie auf die Kaminbank, Bobby, los.«

Er hielt sie in den Armen, während er vorsichtig aufstand, dann setzte er sich auf die Kaminbank, ohne sie loszulassen, zuckte dabei allerdings zusammen. Nun, wenn er den Helden spielen wollte, hatte ich keine Zeit, um mit ihm zu diskutieren. Ich kniete mich hin und suchte nach dem Puls an ihrem Handgelenk, während ich ihr mit der anderen Hand das hellblonde Haar aus dem Gesicht strich.

Ein Blick hatte ausgereicht, um mir zu sagen, was wahrscheinlich los war. Sie fühlte sich klamm an, und die Blässe in ihrem Gesicht hatte einen grauen Unterton. Ich konnte spüren, wie das Beben des kommenden Schüttelfrosts ihren Körper durchlief, obwohl sie bewusstlos war.

»Das Fieber ist wieder da, nicht wahr?«, fragte Jamie. Er war an meiner Seite erschienen und hielt Mr. Wemyss an der Schulter fest, um ihn zugleich zu trösten und zurückzuhalten.

»Ja«, sagte ich knapp. Lizzie hatte Malaria. Sie hatte sich vor ein paar Jahren an der Küste angesteckt und wurde hin und wieder rückfällig – obwohl sie seit über einem Jahr keinen Anfall mehr gehabt hatte.

Mr. Wemyss holte tief und deutlich hörbar Luft, und sein Gesicht bekam wieder ein wenig Farbe. Er war mit der Malaria vertraut und war zuversichtlich, dass ich damit fertig werden würde. Es war schließlich nicht das erste Mal.

Ich hoffte, dass es auch diesmal so sein würde. Lizzies Puls schlug schnell und leicht, aber regelmäßig unter meinen Fingern, und sie begann sich zu regen. Dennoch waren die Schnelligkeit und Plötzlichkeit, mit der der Anfall gekommen war, erschreckend. Hatte sie irgendeine Vorwarnung gehabt? Ich hoffte, dass die Sorge, die ich empfand, meinem Gesicht nicht anzusehen war.

»Bringt sie hinauf ins Bett, deckt sie zu, holt einen heißen Stein für ihre Füße«, sagte ich, während ich aufstand, abwechselnd an Bobby und Mr. Wemyss gewandt. »Ich setze Medizin für sie auf.«

Jamie folgte mir zum Sprechzimmer und blickte hinter sich, um sicherzugehen, dass die anderen außer Hörweite waren, bevor er etwas sagte.

»Ich dachte, du hast keine Chinarinde mehr?«, fragte er leise.

»Das stimmt ja auch. Verdammt.« Malaria war eine chronische Krankheit, aber es war mir gelungen, sie mit kleinen, regelmäßigen Dosen von Chinarinde unter Kontrolle zu halten. Doch im Lauf des Winters war mir die Chinarinde ausgegangen, und es hatte noch niemand an die Küste reiten können, um neue zu besorgen.

»Und nun?«

»Ich überlege.«

Ich öffnete die Schranktür und betrachtete die ordentlich aufgereihten Glasflaschen – von denen viele leer waren oder nur noch ein paar verstreute Blatt- oder Wurzelkrümel enthielten. Nach einem kalten, nassen Winter voller Grippe, Frostbeulen und Jagdunfälle war alles geplündert.

Fiebermittel. Ich hatte eine Reihe von Mitteln, die bei normalem Fieber helfen würden; Malaria war etwas anderes. Ich hatte zumindest reichlich Hartriegelwurzel und -rinde; ich hatte im Herbst vorausschauend große Mengen davon gesammelt. Ich griff danach und fügte nach kurzem Nachdenken noch ein Glas mit einer Enzianart hinzu, die man hier »Fieberkraut« nannte.

»Setz den Kessel auf, ja?«, bat ich Jamie und runzelte die Stirn, während ich Wurzeln, Rinde und Kraut in meinen Mörser bröselte. Alles, was ich tun konnte, war die oberflächlichen Symptome Fieber und Schüttelfrost zu behandeln. Und den Schock, dachte ich, besser, wenn ich den auch behandelte.

»Und bring mir etwas Honig mit, bitte – oh, und Salz!«, rief ich ihm nach, denn er war bereits an der Tür. Er nickte und lief eilig in die Küche; seine Schritte erklangen rasch und fest auf den Eichendielen des Fußbodens.

Ich begann, die Mischung zu zerstampfen, während ich weiter über zusätzliche Möglichkeiten nachdachte. Ein kleiner Teil meines Gehirns war beinahe froh über diesen Notfall; so konnte ich die Notwendigkeit, von den Browns und ihrem vermaledeiten Komitee zu hören, noch eine Weile aufschieben.

Ich hatte ein höchst ungutes Gefühl. Egal, was sie wollten, es verhieß nichts Gutes, dessen war ich mir sicher; sie waren garantiert nicht freundschaftlich von Jamie geschieden. Und was die Reaktion anging, zu der sich Jamie möglicherweise verpflichtet sehen würde –

Rosskastanien. Die benutzte man manchmal gegen das Tertiärfieber, wie Dr. Rawlings es nannte. Hatte ich noch welche? Während ich meinen Blick rasch über die Gläser und Fläschchen in der Medizintruhe schweifen ließ, hielt ich inne, weil ich ein Glas sah, das etwa drei Zentimeter hoch mit getrockneten schwarzen Kügelchen gefüllt war. »Gallbeeren« stand auf dem Schildchen. Nicht von mir; es war eines von Rawlings' Gläsern. Ich hatte sie noch nie für irgendetwas benutzt. Aber jetzt kam mir ein Gedanke. Ich hatte irgendetwas über Gallbeeren gelesen oder gehört; was war es nur?

Halb unbewusst ergriff ich das Glas, öffnete es und roch daran. Von den Beeren stieg ein scharfer, adstringierender Geruch auf, der leicht bitter war. Und irgendwie vertraut.

Ich ging mit dem Glas zum Tisch, wo mein großes, schwarzes Notizbuch lag, und blätterte hastig zu den ersten Seiten zurück, jenen Zeilen, die der Mann hinterlassen hatte, der der ursprüngliche Besitzer des Buchs und der Truhe gewesen war, Daniel Rawlings. Wo war es nur gewesen?

Ich blätterte noch auf der Suche nach dem Umriss einer halb erinnerten Notiz in den Seiten, als Jamie zurückkam. Er hatte einen Krug heißes Wasser, ein Schälchen Honig und eine kleine Portion Salz in den Händen – und die Beardsley-Zwillinge im Schlepptau.

Ich sah sie an, sagte aber nichts; sie hatten die Angewohnheit, unerwartet aufzutauchen wie ein Paar Stehaufmännchen.

»Ist Miss Lizzie sehr krank?«, fragte Jo ängstlich und blickte an Jamie vorbei, um zu sehen, was ich tat.

»Ja«, sagte ich und beachtete ihn nur halb. »Aber keine Sorge, ich mache ihr gerade Medizin.«

Da war die Stelle. Eine kurze Anmerkung, als nahe liegender Gedanke nachträglich an das Protokoll der Behandlung eines Patienten angefügt, dessen Symptome eindeutig nach Malaria aussahen – und der, wie ich mit einem dumpfen Stich feststellte, gestorben war.

»*Der Händler, von dem ich die Chinarinde erworben habe, sagt mir, dass die Indianer eine Pflanze namens Gallbeere benutzen, die der Chinarinde an Bitterkeit gleichkommt und die sie als vorzüglich bei Tertiär- und Quartärfiebern ansehen. Ich habe zu Versuchszwecken einige gesammelt und habe vor, bei nächster Gelegenheit einen Aufguss zu verwenden.*«

Ich nahm eine der getrockneten Beeren aus dem Glas und biss hinein. Beißender Chiningeschmack breitete sich in meinem Mund aus – begleitet von reichlichem Speichelfluss, weil sich mein ganzer Mund verkrampfte und mir infolge der Bitterkeit sofort das Wasser in die Augen stieg. Gallbeere, in der Tat!

Ich war mit einem Satz am offenen Fenster, spuckte die Beere in das darunter liegende Blumenbeet und hörte gar nicht auf zu spucken. Die Beardsleys kicherten und prusteten, amüsiert über die unerwartete Unterhaltungseinlage.

»Alles in Ordnung, Sassenach?« In Jamies Gesicht kämpften Belustigung und Sorge um die Vorherrschaft. Er goss einen Schluck Wasser aus dem Krug in einen Tonbecher, fügte einen Schuss Honig hinzu und reichte ihn mir.

»Bestens«, krächzte ich. »Nicht fallen lassen!« Kezzie Beardsley hatte das Glas mit den Gallbeeren in die Hand genommen und roch vorsichtig daran. Auf meine Ermahnung hin nickte er zwar, stellte das Glas aber nicht wieder hin, sondern reichte es stattdessen seinem Bruder.

Ich nahm einen guten Schluck heißen Honigwassers in den Mund und schluckte. »Diese Beeren – sie enthalten so etwas wie Chinin.«

Jamies Miene veränderte sich sofort, und der Ausdruck der Sorge ließ nach.

»Dann helfen sie der Kleinen?«

»Ich hoffe es. Ich habe aber nicht viele.«

»Heißt das, Ihr braucht noch mehr von diesen Dingern für Miss Lizzie, Mrs. Fraser?« Jo blickte zu mir auf, und seine dunklen Augen lugten scharf über das kleine Glas hinweg.

»Ja«, sagte ich überrascht. »Du willst doch wohl nicht sagen, dass du weißt, wo du sie herbekommst?«

»Aye, Ma'am«, sagte Kezzie, wie üblich etwas zu laut. »Von den Indianern.«

»Welche Indianer?«, fragte Jamie, und sein Blick wurde schärfer.

»Die Cherokee«, sagte Jo mit einer vagen Geste. »Auf dem Berg.«

Diese Beschreibung hätte auf ein halbes Dutzend Dörfer zutreffen können, doch offenbar meinte er ein bestimmtes Dorf, denn die beiden machten auf der Stelle kehrt wie ein Mann und schienen sofort losziehen und Gallbeeren holen zu wollen.

»Wartet, Jungs«, sagte Jamie und hielt Kezzie am Kragen zurück. »Ich gehe mit euch. Ihr werdet schließlich etwas zum Eintauschen brauchen.«

»Oh, wir haben Felle in Hülle und Fülle«, versicherte ihm Jo. »Die Jagdsaison war gut.«

Jo war ein exzellenter Jäger, und Kezzie hörte zwar noch nicht gut genug, um erfolgreich zu jagen, doch sein Bruder hatte ihm das Fallenstellen beigebracht. Ian hatte mir erzählt, dass sich die Biber-, Marder-, Hirsch- und Hermelinfelle im Schuppen der Beardsleys fast bis zur Decke stapelten. Sie trugen den Geruch stets am Leib, ein schwacher Hauch von getrocknetem Blut, Moschus und kalten Haaren.

»Aye? Nun, das ist wirklich großzügig von dir, Jo. Aber ich komme trotzdem mit.« Jamie sah mich an, um mir mitzuteilen, dass seine Entscheidung gefallen war – er mich aber trotzdem um meine Billigung bat. Ich schluckte, und es schmeckte bitter.

»Ja«, sagte ich und räusperte mich. »Wenn – wenn du gehst, möchte ich dir ein paar Tauschwaren mitgeben und dir sagen, worum du im Austausch bitten sollst. Ihr werdet doch erst morgen früh aufbrechen?«

Die Beardsleys bebten vor Ungeduld, doch Jamie stand still und sah mich an, und ich spürte, wie er mich berührte, ohne etwas zu sagen oder sich zu regen.

»Ja«, sagte er leise, »wir warten die Nacht noch ab.« Dann wandte er sich an die Beardsleys. »Könntest du zu Bobby Higgins gehen, Jo, und ihn bitten herunterzukommen? Ich muss mit ihm sprechen.«

»Er ist oben bei Miss Lizzie?« Das schien Jo Beardsley gar nicht zu gefallen, und im Gesicht seines Bruders spiegelte sich das gleiche schlitzäugige Misstrauen.

»Was macht er denn in ihrem Zimmer? Weiß er nicht, dass sie verlobt ist?«, fragte Kezzie rechtschaffen entrüstet.

»Ihr Vater ist dabei«, beruhigte Jamie die beiden. »Ihr Ruf ist nicht in Gefahr, aye?«

Jo prustete leise, doch die Brüder wechselten einen Blick, dann gingen sie gemeinsam, die schmalen Schultern aufgerichtet und fest entschlossen, dieser Bedrohung für Lizzies Tugend ein Ende zu setzen.

»Dann tust du es also?« Ich legte den Stößel hin. »Du wirst Indianeragent?«

»Ich glaube, ich muss. Wenn ich es nicht tue – tut es Richard Brown mit Sicherheit. Ich denke, das sollte ich nicht riskieren.« Er zögerte, dann trat er zu mir und legte mir sacht die Finger auf den Arm. »Ich schicke dir die Jungen mit den Beeren, die du brauchst. Möglich, dass ich ein oder zwei Tage bleiben muss. Zum Reden, aye?« Um den Cherokee mitzuteilen, dass er jetzt als Vertreter der britischen Krone agierte, meinte er – und um dafür zu sorgen, dass es sich herumsprach, damit die Häuptlinge der Bergdörfer zu einem späteren Zeitpunkt zusammenkamen, um Rat zu halten, sich zu besprechen und Geschenke auszutauschen.

Ich nickte und spürte die Angst wie eine kleine Blase unter meinem Brustbein aufsteigen. Nun begann es also. Ganz gleich, wie genau man weiß, dass demnächst etwas Furchtbares passieren wird, irgendwie denkt man nie, dass es *heute* sein wird.

»Bleib – bleib nicht zu lange fort, ja?«, entfuhr es mir. Ich wollte ihn zwar nicht mit meinen Ängsten belasten, aber ich konnte es genauso wenig für mich behalten.

»Nein«, sagte er leise und ließ seine Hand kurz auf meinem Kreuz ruhen. »Mach dir keine Sorgen; ich werde nicht unnötig bleiben.«

Schritte, die die Treppe herunterkamen, hallten durch den Flur. Wahrscheinlich hatte Mr. Wemyss die Beardsleys gemeinsam mit Bobby hinausgeworfen. Sie blieben nicht stehen, sondern gingen ohne ein Wort. Bobby schien die Blicke kaum verhüllter Abneigung, die sie ihm zuwarfen, nicht zu bemerken.

»Einer der Jungen sagt, Ihr wolltet mich sprechen, Sir?« Er hatte wieder etwas Farbe bekommen, wie ich erfreut feststellte, und schien wieder relativ standfest zu sein. Er blickte beklommen zum Tisch, der noch mit dem Laken überzogen war, auf dem ich ihn behandelt hatte, und dann zu mir, doch ich schüttelte nur den Kopf. Ich würde mich später um den Rest seiner Hämorrhoiden kümmern.

»Aye, Bobby.« Jamie wies mit einer knappen Geste auf einen Hocker, als wollte er Bobby einladen, sich zu setzen, doch ich räusperte mich bedeutsam, und er hielt inne und lehnte sich seinerseits an den Tisch, anstatt sich hinzusetzen.

»Die beiden Männer, die hier waren – Brown heißen sie. Sie haben eine Siedlung ein Stück von uns entfernt. Ihr sagt, Ihr habt von den Komitees für die Sicherheit gehört. Dann wisst Ihr also, worum es dabei geht.«

»Aye, Sir. Diese Browns, Sir – wollten sie mich?« Er sprach ganz ruhig, doch ich sah, wie er kurz schluckte und der Adamsapfel in seiner Kehle hüpfte.

Jamie seufzte und fuhr sich mit der Hand durchs Haar. Die Sonne fiel jetzt durch das Fenster und traf ihn direkt, so dass sein rotes Haar wie Feuer glühte – und hier und dort das Silber aufflackerte, das sich nun zwischen den roten Strähnen zeigte.

»Ja. Sie wussten, dass Ihr hier seid; hatten von Euch gehört, sicherlich von jemandem, dem ihr unterwegs begegnet wart. Ich nehme an, Ihr habt den Leuten erzählt, wohin Ihr unterwegs wart?«

Bobby nickte wortlos.

»Was hatten sie denn mit ihm vor?«, fragte ich, während ich die Mischung aus zerstampfter Wurzelrinde und Beeren in eine Schüssel kippte und mit heißem Wasser übergoss, damit sie ziehen konnte.

»Das haben sie nicht eindeutig gesagt«, sagte Jamie trocken. »Aber ich habe ihnen ja auch keine Gelegenheit dazu gelassen. Ich habe ihnen lediglich gesagt, dass sie meine Gäste nur über meine – und ihre – Leiche von meinem Herdfeuer wegzerren.«

»Ich dank Euch dafür, Sir.« Bobby holte tief Luft. »Dann – wussten sie wohl Bescheid? Über Boston? Davon habe ich bestimmt *niemandem* erzählt.«

Jamies Stirnrunzeln vertiefte sich ein wenig.

»Aye, das wussten sie. Sie haben vorgegeben zu glauben, dass ich es nicht wüsste; haben mir gesagt, ich beherbergte ohne mein Wissen einen Mörder und einen Mann, der eine Bedrohung für das öffentliche Wohlergehen darstellt.«

»Nun, das Erste stimmt ja auch«, sagte Bobby und berührte vorsichtig sein Brandzeichen, als schmerzte es ihn noch. Dann lächelte er schwach. »Aber ich weiß nicht, ob ich heute noch eine große Bedrohung darstelle.«

Jamie ignorierte das.

»Worum es geht, Bobby, ist, dass sie nun einmal wissen, dass Ihr hier seid. Ich glaube nicht, dass sie herkommen und Euch verschleppen werden. Aber ich bitte Euch, Euch hier wachsam zu bewegen. Wenn es so weit ist, werde ich dafür sorgen, dass Ihr unter Begleitschutz sicher zu Lord John zurückgelangt. Ich vermute, du bist noch nicht ganz mit ihm fertig?«, fragte er an mich gerichtet.

»Nicht ganz«, erwiderte ich freundlich. Bobby zog ein nervöses Gesicht.

»Nun denn.« Jamie griff in seinen Gürtel und zog eine Pistole hervor, die unter den Falten seines Hemdes verborgen gewesen war. Ich sah, dass es die extravagante Waffe mit den Goldverzierungen war.

»Tragt sie bei Euch«, sagte Jamie und reichte sie Bobby. »In der Anrichte sind Pulver und Munition. Werdet Ihr über meine Frau und meine Familie wachen, solange ich fort bin?«

»Oh!« Bobbys Miene war erschrocken, doch dann nickte er und steckte sich die Pistole in den Hosenbund. »Das werde ich, Sir. Verlasst Euch darauf!«

Jamie lächelte ihn an, und sein Blick erwärmte sich.

»Das ist gut zu wissen, Bobby. Würdet Ihr vielleicht meinen Schwiegersohn suchen? Ich muss ihn sprechen, bevor ich gehe.«

»Aye, Sir. Auf der Stelle!« Er richtete sich auf und marschierte davon, einen entschlossenen Ausdruck in seinem Poetengesicht.

»Was, glaubst du, hätten sie mit ihm gemacht?«, fragte ich leise, als sich die Haustür leise hinter ihm schloss. »Die Browns.«

Jamie schüttelte den Kopf.

»Weiß der Himmel. Ihn vielleicht an der nächsten Straßenkreuzung gehängt – oder ihn nur ausgepeitscht und aus den Bergen vertrieben. Sie wollen den Leuten demonstrieren, dass sie in der Lage sind, sie zu beschützen, aye? Vor gefährlichen Kriminellen und ähnlichem Gesindel«, fügte er hinzu und verzog den Mund.

»... dass zur Sicherung dieser Rechte Regierungen unter den Menschen eingesetzt werden, die ihre rechtmäßige Macht aus der Zustimmung der Regierten herleiten ...«, zitierte ich und nickte. »Damit ein Sicherheitskomitee eine Existenzberechtigung hat, muss es erst einmal eine offensichtliche Bedrohung für die öffentliche Sicherheit geben. Klug von den Browns, dass sie so weit gedacht haben.«

Er sah mich mit hochgezogener Augenbraue an.

»Wer hat das gesagt? Mit der Zustimmung der Regierten?«

»Thomas Jefferson«, erwiderte ich und kam mir sehr schlau vor. »Oder vielmehr wird er es in zwei Jahren sagen.«

»Er wird es in zwei Jahren von einem Herrn namens Locke stehlen«, korrigierte er. »Richard Brown muss eine ordentliche Schulbildung genossen haben.«

»Du meinst im Gegensatz zu mir?«, sagte ich unbeeindruckt. »Aber wenn du damit rechnest, dass die Browns Unruhe stiften, warum hast du Bobby ausgerechnet *diese* Pistole gegeben?«

Er zuckte mit den Achseln.

»Ich werde die guten brauchen. Und ich bezweifle sehr, dass er sie abfeuern wird.«

»Vertraust du auf ihre abschreckende Wirkung?« Ich war skeptisch, aber wahrscheinlich hatte er Recht.

»Aye, schon. Aber mehr auf Bobby.«

»Inwiefern?«

»Ich bezweifle, dass er noch einmal eine Pistole abfeuern würde, um sein Leben zu retten – aber vielleicht würde er es tun, um deins zu retten. Und sollte es so weit kommen, werden sie zu nah sein, um danebenzuschießen.« Er sprach ganz sachlich, doch ich spürte, wie sich meine Nackenhaare aufstellten.

»Nun, das ist äußerst tröstlich«, sagte ich trocken. »Und woher weißt du so genau, was er tun würde?«

»Habe mich mit ihm unterhalten«, antwortete er knapp. »Der Mann, den er in Boston erschossen hat, war der erste Mensch, den er getötet hat. Er möchte es nicht wieder tun.« Er richtete sich auf und trat unruhig zur Arbeitsfläche, wo er sich damit beschäftigte, die verstreuten kleinen Instrumente aufzuräumen, die ich zum Reinigen ausgebreitet hatte.

Ich trat an seine Seite und sah ihm zu. Eine Hand voll kleiner Kautereisen und Skalpelle stand in einem Becher Terpentin. Er holte eins nach dem anderen heraus, wischte sie trocken und legte sie nebeneinander zurück in ihre Schatulle. Die spatenförmigen Metallspitzen der Kautereisen waren vom Gebrauch geschwärzt; die abgenutzten Skalpellklingen glänzten dumpf, doch ihre scharfen Kanten glitzerten, eine Haaresbreite aus leuchtendem Silber.

»Uns passiert schon nichts«, sagte ich leise. Ich hatte es als beruhigende Feststellung gedacht, doch es kam mit einem fragenden Unterton heraus.

»Aye, ich weiß«, sagte er. Er legte das letzte Eisen in die Schatulle, ohne aber den Deckel zu schließen. Stattdessen stand er da, die gespreizten Hände flach auf der Arbeitsplatte, und sah vor sich hin.

»Ich möchte nicht gehen«, sagte er leise. »Ich will es nicht tun.«

Ich war mir nicht sicher, ob er mit mir sprach oder mit sich selbst – aber ich hatte nicht das Gefühl, dass er nur seine Reise in das Cherokeedorf meinte.

»Ich möchte es auch nicht«, flüsterte ich und trat noch ein wenig dichter an ihn heran, so dass ich seinen Atem spürte. Da hob er die Hände, wandte sich mir zu, nahm mich in die Arme, und wir standen eng umschlungen da und lauschten dem Atem des anderen. Und der bittere Geruch des ziehenden Tees durchdrang die heimeligen Düfte nach Leinen, Staub und sonnengewärmter Haut.

Es waren immer noch Entscheidungen zu fällen, Entschlüsse zu fassen, Pläne zu schmieden. Viele sogar. Doch innerhalb eines Tages, einer Stunde, einer einzigen Absichtserklärung hatten wir die Schwelle zum Krieg überschritten.

10

Die Pflicht ruft

Er hatte zwar Bobby losgeschickt, um Roger Mac zu holen, hielt es aber nicht aus zu warten und machte sich selbst auf den Weg, während Claire ihre Medizin braute.

Im Freien schien alles von Frieden und Schönheit erfüllt zu sein. Ein Schaf mit zwei Lämmern stand träge in seinem Pferch und kaute mit langsamen Kieferbewegungen zufrieden vor sich hin, während die Lämmer ungeschickt wie zwei pelzige Grashüpfer hinter ihm herumhoppelten. Claires Kräuterbeet war voller grüner Keimlinge und den zerzausten Überresten der Stauden, die nach dem Winter gerade wieder neu zu sprießen begannen.

Die Brunnenabdeckung lag schief; er bückte sich, um sie an Ort und Stelle zu schieben und stellte fest, dass sich die Bretter verzogen hatten. Er setzte ihre Instandsetzung mit auf die ewige Liste der Aufgaben und Reparaturen in seinem Kopf und wünschte sich sehnsüchtig, er könnte die nächsten paar Tage ganz mit Graben, Mistausfahren, Dachdeckerarbeiten und Ähnlichem verbringen statt mit dem Vorhaben, das er im Begriff war auszuführen.

Er hätte lieber die alte Kotgrube zugeschüttet oder Schweine kastriert als zu Roger Mac zu gehen und ihn zu fragen, was er über Indianer und Revolutionen wusste. Er fand es irgendwie gruselig, mit seinem Schwiegersohn über die Zukunft zu sprechen, und versuchte es grundsätzlich zu vermeiden.

Die Dinge, die Claire ihm von ihrer eigenen Zeit erzählte, kamen ihm oft wie Fantasiegebilde vor, denen die unterhaltsame, halb reale Aura von Märchen anhaftete, und waren manchmal makaber, aber stets interessant, weil er dabei auch immer etwas über seine Frau erfuhr. Brianna teilte oft kleine, alltägliche Details über mechanische Erfindungen mit ihm, was interessant war, oder wilde Geschichten über Männer, die auf dem Mond herumliefen, was ungeheuer amüsant war, aber keine Gefahr für seinen Seelenfrieden darstellte.

Roger Mac dagegen hatte eine kaltblütige Art zu erzählen, die ihn in gewisser Weise an die historischen Werke erinnerte, die er gelesen hatte, und daher etwas ganz konkret Unheilvolles an sich hatte. Sich mit Roger Mac zu unterhalten ließ es nur zu möglich erscheinen, dass dieser, jener oder ein anderer Angst einflößender Umstand nicht nur tatsächlich eintreten würde, sondern höchstwahrscheinlich auch direkte persönliche Konsequenzen haben würde.

Es war, als unterhielte man sich mit einem besonders böswilligen Wahrsager; einem, dem man nicht genug bezahlt hatte, um etwas Angenehmes zu hören zu bekommen. Dieser Gedanke erinnerte ihn plötzlich an ein Erlebnis, das wie ein Anglerkorken an die Oberfläche seines Verstandes schnellte.

In Paris. Er war mit Freunden, anderen Studenten, auf Sauftour in den nach Urin stinkenden Wirtshäusern in der Nähe der Université gewesen. Er war selbst ziemlich betrunken gewesen, als einer von ihnen unvermittelt auf den Gedanken kam, sich die Hand lesen zu lassen. Er war den anderen in die Ecke gefolgt, in der wie immer die Alte saß, die es tat, kaum zu sehen im Dunkel des Wirtshauses und den Wolken aus Pfeifenrauch.

Er hatte nicht vorgehabt, es ebenfalls zu tun; er hatte nur ein bisschen Kleingeld in der Tasche und wollte es nicht für gottlosen Unsinn verplempern. Das hatte er auch laut gesagt.

Woraufhin eine fleischlose Klaue aus der Dunkelheit geschossen kam, seine Hand gepackt und lange, schmutzige Nägel in seine Haut gebohrt hatte. Er hatte überrascht aufgeschrien, und seine Freunde hatten gelacht. Sie lachten noch lauter, als sie ihm auf die Handfläche spuckte.

Sie verrieb ganz geschäftsmäßig den Speichel auf seiner Haut, beugte sich so dicht zu ihm herüber, dass er ihren alten Schweiß riechen und die Läuse in ihrem angegrauten Haar herumkriechen sehen konnte, das unter dem Rand ihres rötlichschwarzen Schultertuchs hervorlugte. Sie starrte auf seine Hand, und ihr schmutziger Fingernagel zeichnete die Linien darauf nach und kitzelte ihn dabei. Er versuchte, die Hand wegzuziehen, doch sie umklammerte sein Handgelenk noch fester, und er stellte überrascht fest, dass er sich nicht aus ihrem Griff lösen konnte.

»*Tu es un chat*«, hatte die Alte im Tonfall böswilligen Interesses angemerkt. »Du bist eine Katze, du. Eine kleine, rote Katze.«

Dubois – so hieß er, Dubois – hatte zur Belustigung der anderen sofort zu miauen und zu jaulen angefangen. Er selbst weigerte sich, auf den Köder hereinzufallen, sagte nur: »*Merci, Madame*«, und versuchte erneut, seine Hand wegzuziehen.

»*Neuf*«, sagte sie, während sie ihm hier und dort auf die Handfläche tippte, dann einen Finger ergriff und bedeutungsvoll damit wackelte. »Du hast eine Neun in deiner Hand. Und den Tod«, fügte sie beiläufig hinzu. »Du wirst neunmal sterben, bevor du im Grab zur Ruhe kommst.«

Dann hatte sie ihn losgelassen, begleitet von einem Chor sarkastischer Oh-la-las der französischen Studenten und dem Gelächter der anderen.

Er prustete und schob die Erinnerung wieder dorthin, woher sie aufgetaucht war. Sollte sie dort bleiben. Doch die Alte weigerte sich, einfach so zu gehen, und rief ihn über die Jahre hinweg, wie sie ihm durch die lärmerfüllte, biergeschwängerte Luft des Wirtshauses hindurch nachgerufen hatte.

»Manchmal schmerzt es nicht zu sterben, *mon p'tit chat*«, hatte sie ihm spöttisch hinterhergerufen. »Aber meistens schmerzt es doch.«

»Nein, das tut es nicht«, brummte er und blieb angewidert stehen, als er sich selbst reden hörte. Himmel. Es war nicht er selbst, den er hörte, sondern sein Patenonkel.

»*Hab keine Angst, Junge. Es tut gar nicht weh zu sterben.*« Er sah nicht, wohin er trat, und stolperte, fing sich wieder und blieb stehen, den Geschmack von Metall auf der Zunge.

Sein Herz hämmerte plötzlich grundlos, als sei er meilenweit gerannt. Er sah die Blockhütte vor sich, kein Zweifel, und hörte die Rufe der Eichelhäher in den noch spärlich belaubten Kastanien. Doch noch deutlicher sah er Murtaghs Gesicht, dessen grimmige Linien sich zu einem friedlichen Ausdruck entspannten, sah die schwarzen Augen, die fest auf die seinen gerichtet waren, deren Blick aber immer wieder klar wurde und verschwamm, als sähe sein Patenonkel zugleich ihn an und etwas, das sich weit hinter ihm befand. Er spürte Murtaghs Gewicht in seinen Armen, spürte seinen Körper plötzlich schwer werden, als er starb.

Die Vision verschwand genauso abrupt, wie sie erschienen war, und er fand sich am Rand einer Regenpfütze wieder, in der eine Holzente halb im Schlamm vergraben war.

Er bekreuzigte sich mit einem raschen Wort des Friedens für Murtaghs Seele, dann bückte er sich und zog die Ente aus dem Schlamm, den er in der Pfütze abwusch. Seine Hände zitterten, was auch kaum ein Wunder war. Seine Erinnerungen an Culloden waren spärlich und bruchstückhaft – doch sie kehrten allmählich zurück.

Bis jetzt waren es nur Momente am Rande des Einschlafens gewesen. Dort hatte er Murtagh schon öfter gesehen, dort und in den Träumen, die darauf folgten.

Er hatte Claire nichts davon erzählt. Noch nicht.

Er drückte die Tür der Blockhütte auf, doch sie war leer, das Herdfeuer fast erloschen, und der Webstuhl ruhte. Brianna war wahrscheinlich bei Fergus und besuchte Marsali. Wo mochte Roger Mac nur sein? Er trat wieder ins Freie und lauschte.

Axthiebe tönten hinter der Hütte schwach aus dem Wald. Dann ließen sie nach, und er hörte Männerstimmen, die sich zum Gruß erhoben. Er drehte sich um und hielt auf den Pfad zu, der bergauf führte. Er war halb mit frischem Frühlingsgras bewachsen, wies aber die schwarzen Flecken frischer Fußspuren auf.

Was hätte ihm die Alte wohl gesagt, wenn er sie bezahlt hätte?, fragte er sich. Hatte sie gelogen, um ihn für seinen Geiz zu strafen – oder ihm aus demselben Grund die Wahrheit gesagt?

Eins der unangenehmen Dinge an jeder Unterhaltung mit Roger Mac war, dass sich Jamie sicher war, dass er zuverlässig die Wahrheit sagte.

Er hatte vergessen, die Ente bei der Hütte zurückzulassen. Er wischte sie an seiner Hose ab und schob sich grimmig durch das sprießende Grün, um zu hören, was für ein Schicksal ihn erwartete.

11

Blutbild

Ich schob das Mikroskop zu Bobby Higgins hinüber, der von seinem Botengang zurückgekehrt war und jetzt vor Sorge um Lizzie seine eigenen Schmerzen vergaß.

»Seht Ihr diese runden, rötlichen Flecken?«, sagte ich. »Das sind Lizzies Blutkörperchen. Jeder Mensch hat Blutkörperchen«, fügte ich hinzu. »Sie sind es, die das Blut rot färben.«

»Grundgütiger«, murmelte er erstaunt. »Das wusste ich gar nicht.«

»Nun, jetzt wisst Ihr es«, sagte ich. »Seht Ihr, dass einige der Blutkörperchen geplatzt sind? Und in einigen kleine Flecken sind?«

»Ja, Ma'am«, sagte er und verzog das Gesicht, während er angestrengt in das Mikroskop blickte. »Was sind das für Flecken?«

»Parasiten. Kleine Lebewesen, die in das Blut geraten, wenn man von einer bestimmten Moskitoart gestochen wird«, erklärte ich ihm. »Sie heißen *Plasmodium*. Wenn man sie einmal in sich trägt, leben sie im Blut weiter – aber dann und wann beginnen sie, sich zu vermehren. Wenn es zu viele werden, platzen sie aus den Blutkörperchen heraus, und das löst den Malariaanfall aus – das Fieber. Die Reste der geplatzten Blutkörperchen lagern sich in den Organen ab, und man fühlt sich elend und krank.«

»Oh.« Er richtete sich auf und richtete einen angewiderten Blick auf das Mikroskop. »Das ... das ist ja schauderhaft!«

»Ja, das stimmt«, sagte ich, und es gelang mir, dabei keine Miene zu verziehen. »Aber Chinin – eine Art Medizin – hilft, es zu verhindern.«

»Oh, das ist gut, Ma'am, sehr gut«, sagte er, und seine Miene erhellte sich. »Woher Ihr nur solche Dinge wisst«, sagte er und schüttelte den Kopf. »Das ist wirklich ein Wunder!«

»Oh, ich weiß eine ganze Menge über Parasiten«, sagte ich beiläufig und hob die Untertasse von der Schale, in der ich die Mischung aus Hartriegelrinde und Gallbeeren hatte ziehen lassen. Die Flüssigkeit hatte eine kräftige lila-schwarze Farbe und sah jetzt nach dem Abkühlen leicht dickflüssig aus. Außerdem roch sie todbringend, woraus ich schloss, dass sie fertig war.

»Sagt mir Bobby – habt Ihr schon einmal von Hakenwürmern gehört?«

Er sah mich verständnislos an.

»Nein, Ma'am.«

»Mm. Würdet Ihr das bitte für mich halten?« Ich legte ein zusammengefaltetes Stück Gaze über den Hals einer Flasche und reichte sie ihm zum Festhalten, während ich die lilafarbene Mixtur hineingoss.

»Diese Ohnmachtsanfälle, die Ihr habt«, sagte ich und hielt den Blick auf die laufende Flüssigkeit gerichtet. »Seit wann geht das schon so?«

»Oh ... sechs Monate vielleicht?«

»Verstehe. Ist Euch zufällig eine Reizung aufgefallen – vielleicht ein Juckreiz? Oder Ausschlag? Das müsste vor etwa sieben Monaten gewesen sein? Höchstwahrscheinlich an den Füßen.«

Er starrte mich an, und der Ausdruck seiner sanften blauen Augen war wie vom Donner gerührt, als hätte ich gerade seine Gedanken gelesen.

»Aber ja, so war es, Ma'am. Das war letzten Sommer.«

»Ah«, sagte ich. »Nun denn. Ich glaube, Bobby, dass Ihr wahrscheinlich von Hakenwürmern befallen seid.«

Er schielte entsetzt an sich herunter.

»Wo denn?«

»Im Inneren.« Ich nahm ihm die Flasche ab und verkorkte sie. »Hakenwürmer sind Parasiten, die sich durch die Haut graben – meistens durch die Fußsohlen – und dann durch den Körper wandern, bis sie den Intestinalbereich erreichen – Euren, äh, Darm«, korrigierte ich, als ich sein verständnisloses Gesicht sah. »Die ausgewachsenen Würmer haben gemeine hakenförmige Mäuler – so etwa –« Ich krümmte meinen Zeigefinger, um es ihm zu demonstrieren. »Damit durchbohren sie die Darmwände, damit sie Euer

Blut saugen können. Deshalb fühlt man sich sehr schwach, wenn man sie hat, und man fällt oft in Ohnmacht.«

Seinem plötzlichen klammen Aussehen nach dachte ich, er würde *auf der Stelle* in Ohnmacht fallen, daher führte ich ihn hastig zu einem Hocker und drückte ihm den Kopf zwischen die Knie.

»Ich bin mir allerdings nicht sicher, dass dies wirklich das Problem ist«, sagte ich über ihn gebeugt zu ihm. »Ich habe mir nur gerade die Glasträger mit Lizzies Blut angesehen und an Parasiten gedacht, und – nun, ich musste ganz plötzlich denken, dass eine Hakenwurmdiagnose sehr gut zu Euren Symptomen passen würde.«

»Oh?«, sagte er schwach. Sein dicker, gelockter Zopf war nach vorn gefallen, und sein Nacken lag frei, hellhäutig und zart wie der eines Kindes.

»Wie alt seid Ihr, Bobby?«, fragte ich, denn mir fiel plötzlich auf, dass ich keine Ahnung hatte.

»Dreiundzwanzig, Ma'am«, sagte er. »Ma'am? Ich glaube, ich muss mich übergeben.«

Ich schnappte mir einen Eimer, der in der Ecke stand, und reichte ihn Bobby gerade noch rechtzeitig.

»Bin ich sie losgeworden?«, fragte er schwach. Er setzte sich auf und wischte sich den Mund mit dem Ärmel ab, während er in den Eimer blinzelte. »Ich könnte das noch einmal machen.«

»Ich fürchte, nicht«, sagte ich mitfühlend. »Angenommen, Ihr habt Hakenwürmer, so sitzen sie sehr fest und zu tief unten, um sie durch Übergeben abzuschütteln. Die einzige Möglichkeit, sicherzugehen ist, nach ihren Eiern zu suchen.«

Bobby betrachtete mich nervös.

»Ich bin eigentlich nicht besonders schüchtern, Ma'am«, sagte er und rutschte vorsichtig hin und her. »Das wisst Ihr ja. Aber Dr. Potts hat mir riesige Klistiere mit Senfwasser verabreicht. Das muss die Würmer doch weggebrannt haben? Wenn ich ein Wurm wäre, würde ich sofort loslassen und den Geist aufgeben, wenn mich jemand in Senflauge tunkte.«

»Das sollte man meinen, nicht wahr?«, sagte ich. »Leider nicht. Aber ich werde Euch keinen Einlauf verabreichen«, versicherte ich ihm. »Erst einmal müssen wir sehen, ob Ihr die Würmer tatsächlich habt, und wenn ja, dann gibt es ein Heilmittel, das ich Euch geben kann und das sie direkt vergiften wird.«

»Oh.« Bei diesen Worten wurde seine Miene etwas glücklicher. »Wie wollt Ihr sie denn sehen, Ma'am?« Er warf einen skeptischen Blick zur Arbeitsfläche, auf der noch ein Sortiment von Klemmen und Gläsern mit Nähmaterial ausgebreitet war.

»Das könnte gar nicht einfacher sein«, versicherte ich ihm. »Ich führe eine Prozedur namens Fäkalsedimentierung durch, um den Stuhl zu konzentrieren, und dann suche ich unter dem Mikroskop nach den Eiern.«

Er nickte, obwohl ich sehen konnte, dass er mir nicht folgte. Ich lächelte ihm freundlich zu.

»Alles was Ihr tun müsst, Bobby, ist scheißen.«

Sein Gesicht war eine Studie des Zweifels und der nervösen Anspannung.

»Wenn es Euch nichts ausmacht, Ma'am«, sagte er, »behalte ich die Würmer, glaube ich.«

12

Weitere Wunder der Wissenschaft

Als Roger MacKenzie später an diesem Nachmittag von der Küferei heimkehrte, traf er seine Frau tief in die Betrachtung eines Gegenstandes versunken an, der auf seinem Esstisch stand.

»Was *ist* das? Eine Art prähistorische Konserve?« Roger streckte vorsichtig den Finger nach dem bauchigen Gefäß aus, das aus grünlichem Glas bestand und mit einem Korken verschlossen war, der wiederum mit einer dicken roten Wachsschicht überzogen war. Im Inneren war ein formloser Klumpen zu sehen, der offenbar in einer Flüssigkeit schwamm.

»Ho, ho«, sagte seine Frau nachsichtig und schob das Glas aus seiner Reichweite. »Du *meinst* wohl, das ist ein Scherz. Es ist weißer Phosphor – ein Geschenk von Lord John.«

Er sah sie an; sie war aufgeregt, ihre Nasenspitze war rot geworden, und einige Haarsträhnen hatten sich gelöst und wehten im Luftzug; wie ihr Vater hatte sie die Angewohnheit, sich beim Überlegen mit der Hand durch die Haare zu fahren.

»Und du hast… *was* damit vor?«, fragte er und gab sich Mühe, sich seine bangen Vorahnungen nicht anmerken zu lassen. Er konnte sich sehr vage daran erinnern, in seinen fernen Schultagen die Eigenschaften des Phosphors gelernt zu haben; entweder, so dachte er, ließ es einen im Dunklen leuchten, oder es explodierte. Keine dieser Aussichten war beruhigend.

»Tjaaa… Streichhölzer herstellen. Vielleicht.« Ihre Schneidezähne bohrten sich kurz in ihre Unterlippe, während sie das Glas betrachtete. »Ich weiß, wie es geht – theoretisch. In der Praxis könnte es etwas knifflig werden.«

»Und warum?«, fragte er argwöhnisch.

»Na ja, Phosphor entzündet sich, wenn er mit Luft in Berührung kommt«, erklärte sie. »Das ist der Grund, warum er in Wasser verpackt ist. Nicht anfassen, Jem! Das ist giftig.« Sie fasste Jemmy um die Taille und zog ihn vom Tisch herunter, wo er das Glas wissbegierig beäugt hatte.

»Oh, nun ja, warum sollten wir uns darum Sorgen machen? Es wird ihm um die Ohren fliegen, bevor er überhaupt dazu kommt, es in den Mund zu stecken.« Roger nahm das Glas an sich, damit es in Sicherheit war, und hielt es fest, als könnte es in seinen Händen explodieren. Er hätte sie gern gefragt, ob sie den Verstand verloren hatte, war aber lange genug verheiratet, um den Preis unüberlegter rhetorischer Fragen zu kennen.

»Wo hast du denn vor, ihn aufzubewahren?« Er sah sich viel sagend im Inneren der Hütte um, deren Aufbewahrungsmöglichkeiten sich auf eine Deckentruhe beschränkten, ein kleines Wandbord für Bücher und Papiere, ein zweites für Kamm, Zahnbürsten und Briannas kleine Sammlung persönlicher Gegenstände und einen Kuchenkasten. Den Kuchenkasten bekam Jemmy auf, seit er ungefähr sieben Monate war.

»Ich denke, ich bringe ihn besser in Mamas Sprechzimmer«, erwiderte sie, einen Arm geistesabwesend um Jemmy geklammert, der zielstrebig seine ganze Energie daran setzte, an das hübsche Spielzeug zu gelangen. »Dort fasst niemand etwas an.«

Das stimmte; wer sich nicht vor Claire Fraser persönlich fürchtete, hatte im Allgemeinen Angst vor dem Inhalt ihres Sprechzimmers, zu dem Schrecken erregend schmerzhaft aussehende Instrumente genauso zählten wie mysteriöse, undurchsichtige Gebräue und übel riechende Heilmittel. Außerdem waren die Schränke im Sprechzimmer so hoch, dass selbst ein entschlossener Kletterer wie Jem sie nicht erreichen konnte.

»Gute Idee«, sagte Roger, der das Glas gar nicht schnell genug aus Jems Nähe entfernen konnte. »Ich bringe es sofort hin, ja?«

Bevor Brianna antworten konnte, erklang ein Klopfen an der Tür, dem Jamie Fraser auf dem Fuße folgte. Sofort stellte Jem seine Versuche, an das Glas zu gelangen, ein und stürzte sich stattdessen mit Freudengeheul auf seinen Großvater.

»Wie geht es denn, *a bhailach*?«, erkundigte sich Jamie liebenswürdig, während er Jem umdrehte und ihn an den Knöcheln festhielt. »Auf ein Wort, Roger Mac?«

»Sicher. Willst du dich vielleicht hinsetzen?« Er hatte Jamie vorhin schon erzählt, was er über die Rolle der Cherokee in der kommenden Revolution wusste – beklagenswert wenig. Nachdem er das Glas widerstrebend wieder hingestellt hatte, zog Roger einen Hocker herbei und schob ihn seinem Schwiegervater hin. Jamie nahm kopfnickend an, verlagerte Jemmy geschickt so, dass er ihm über die Schulter hing, und setzte sich.

Jemmy kicherte wie verrückt und wand sich, bis ihm sein Großvater einen leichten Klaps auf den Hosenboden versetzte, woraufhin er verstummte und zufrieden wie ein Faultier kopfunter hing, so dass sein leuchtendes Haar über Jamies Hemdrücken fiel.

»Es ist so, *a charaid*«, sagte Jamie. »Ich muss morgen früh zu den Cherokeedörfern aufbrechen, und ich möchte dich bitten, an meiner Stelle etwas zu erledigen.«

»Oh, aye. Soll ich mich um die Gerste kümmern?« Die Felder waren ein wenig planlos eingesät worden, und einige reiften noch heran. Alle drückten die Daumen, dass das Wetter noch eine Woche schön blieb, doch die Aussichten waren gut.

»Nein, das kann Brianna tun – bitte?« Er lächelte seine Tochter an, die ihre dichten, roten Augenbrauen hochzog, Ebenbilder der seinen.

»Das kann ich«, stimmte sie zu. »Aber was für Pläne hast du denn mit Ian, Roger und Arch Bug?« Arch Bug war Jamies Faktotum, und es lag nahe, ihn in Jamies Abwesenheit um die Beaufsichtigung der Gerste zu bitten.

»Nun, unseren Ian nehme ich mit. Die Cherokee kennen ihn gut, und er ist mit ihrer Sprache vertraut. Die Beardsley-Jungen nehme ich ebenfalls mit, damit sie die Beeren und die anderen Dinge, die deine Mutter für Lizzie braucht, sofort zurückbringen können.«

»Ich auch mit?«, erkundigte sich Jemmy hoffnungsvoll.

»Nein, diesmal nicht, *a bhailach*. Im Herbst vielleicht.« Er klopfte Jemmy auf den Hintern, dann wandte er seine Aufmerksamkeit erneut Roger zu.

»Deshalb«, sagte er, »brauche ich dich, um nach Cross Creek zu gehen und die neuen Pächter abzuholen.« Bei dieser Vorstellung überlief Roger eine kleine Welle der Aufregung – und der Nervosität –, doch er räusperte sich nur und nickte.

»Aye. Natürlich. Werden sie –«

»Du nimmst Arch Bug mit und Tom Christie.«

Ein paar Sekunden ungläubigen Schweigens folgte auf diese Aussage.

»Tom *Christie*?«, sagte Brianna und wechselte einen verblüfften Blick mit Roger. »Warum denn das in aller Welt?« Der Schulmeister war ein verknöcherter Miesepeter und entsprach nicht den gängigen Vorstellungen von einer angenehmen Reisebegleitung.

Ihr Vater verzog ironisch den Mund.

»Aye. Nun ja. Es gibt da eine Kleinigkeit, die mir MacDonald vorenthalten hat, als er mich gebeten hat, sie aufzunehmen. Sie sind bis zum letzten Mann Protestanten.«

»Ah«, sagte Roger. »Ich verstehe.« Jamie sah ihm in die Augen und nickte, erleichtert, weil man ihn sofort verstand.

»*Ich* verstehe es nicht.« Brianna betastete stirnrunzelnd ihr Haar, dann zog sie das Band heraus, fuhr behutsam mit den Fingern hindurch und löste die Knoten, bevor sie es bürstete. »Wozu soll das gut sein?«

Roger und Jamie wechselten einen kurzen, aber viel sagenden Blick. Jamie zuckte mit den Achseln und setzte Jem auf seinen Schoß.

»Tja.« Roger rieb sich das Kinn und überlegte, wie er zweihundert Jahre religiöser Intoleranz unter den Schotten so erklären könnte, dass ihn eine Amerikanerin des zwanzigsten Jahrhunderts verstand. »Äh… erinnerst du dich an die Sache mit den Bürgerrechten in den Staaten, die Integration im Süden, das alles?«

»Natürlich.« Sie sah ihn mit zusammengekniffenen Augen an. »Okay. Und welche Seite symbolisieren die Neger?«

»Die was?« Jamies Miene war völlig verblüfft. »Was haben denn Neger damit zu tun?«

»Ganz so einfach ist es nicht«, versicherte ihr Roger. »Nur, damit du verstehst, um was für Emotionen es hier geht. Sagen wir, die Vorstellung, einen katholischen Grundbesitzer zu haben, dürfte unseren neuen Pächtern leichtes Unwohlsein verursachen – und umgekehrt?«, fragte er mit einem Blick auf Jamie.

»Was sind Neger?«, fragte Jemmy neugierig.

»Äh… dunkelhäutige Menschen«, erwiderte Roger, dem unvermittelt klar wurde, was für ein Sumpf sich durch diese Frage auftun konnte. Es war zwar so, dass der Begriff »Neger« nicht notwendigerweise gleichbedeutend mit »Sklave« war – doch der Unterschied war nur sehr gering. »Erinnerst du dich nicht, sie wohnen bei deiner Tante Jocasta?«

Jemmy runzelte die Stirn und setzte für einen bestürzenden Moment exakt die gleiche Miene auf wie sein Großvater.

»Nein.«

»Wie auch immer«, sagte Brianna und rief die Versammlung zur Ordnung, indem sie scharf mit der Bürste auf den Tisch hieb, »worauf ihr hinauswollt, ist also, dass Tom Christie Protestant genug ist, um das Vertrauen dieser neuen Leute zu gewinnen?«

»Etwas in der Art«, bestätigte ihr Vater, und sein linker Mundwinkel kräuselte sich. »Wenn sie deinen Mann hier sehen und Tom Christie, werden sie wenigstens nicht mehr ganz und gar das Gefühl haben, das Reich des Teufels zu betreten.«

»Ich verstehe«, sagte Roger erneut, diesmal in einem etwas veränderten Tonfall. Es war also nicht nur seine Stellung als Sohn des Hauses und allgemeine rechte Hand, nicht wahr – sondern die Tatsache, dass er Presbyterianer war, zumindest nominell. Er sah Jamie mit hochgezogener Augenbraue an, und dieser antwortete mit einem Achselzucken.

»Mmpfm«, sagte Roger in sein Schicksal ergeben.

»Mmpfm«, sagte Jamie zufrieden.

»Hört *auf* damit«, sagte Brianna gereizt. »Schön. Du gehst also mit Tom Christie nach Cross Creek. Warum geht Arch Bug mit?«

Auf die unterschwellige Art Verheirateter wurde Roger bewusst, was seiner Frau so die Laune verdarb: der Gedanke, dass man sie zurückließ, um die Ernte zu organisieren – was ja schon unter den besten Bedingungen eine erschöpfende Drecksarbeit war –, während er sich mit einem Trupp seiner

Religionsgenossen in der romantischen, aufregenden Metropole Cross Creek mit ihren zweihundert Einwohnern amüsierte.

»Es wird hauptsächlich Arch sein, der ihnen hilft, sich hier niederzulassen und vor der Kälte ihre Unterkünfte zu bauen«, sagte Jamie in aller Logik. »Du willst doch wohl nicht andeuten, dass ich ihn allein schicken sollte, um mit ihnen zu sprechen?«

Bei diesen Worten lächelte Brianna unwillkürlich; Arch Bug, der seit Jahrzehnten mit der redseligen Mrs. Bug verheiratet war, war für seine Wortkargheit bekannt. Er *konnte* zwar sprechen, tat es aber nur selten und beschränkte seine Redebeiträge auf ein gelegentliches, freundliches »Mmp«.

»Nun, wahrscheinlich werden sie im Leben nicht merken, dass Arch katholisch ist«, sagte Roger und rieb sich mit dem Zeigefinger über die Oberlippe. »Ist er das überhaupt? Ich habe ihn noch nie gefragt.«

»Ja«, sagte Jamie trocken. »Aber er ist alt genug, um zu wissen, wann es besser ist zu schweigen.«

»Nun, ich sehe schon, dass das ein munterer Ausflug wird«, sagte Brianna und zog die Augenbrauen hoch. »Was glaubst du, wann ihr wieder da seid?«

»Himmel, ich habe keine Ahnung«, sagte er, und seine beiläufige Gotteslästerung bereitete ihm sofort Gewissensbisse. Er musste sich das abgewöhnen, und zwar schnell. »In einem Monat? Sechs Wochen?«

»Mindestens«, sagte sein Schwiegervater gut gelaunt. »Sie sind schließlich zu Fuß.«

Roger holte tief Luft, während er sich einen langsamen Marsch von Cross Creek in die Berge ausmalte, *en masse*, Arch Bug zu seiner Linken und Tom Christie zur Rechten, Zwillingssäulen der Schweigsamkeit. Er ließ den Blick sehnsüchtig auf seiner Frau ruhen, während er sich vorstellte, sechs Wochen lang allein am Straßenrand zu schlafen.

»Großartig«, sagte er. »Dann spreche ich heute Abend mit Tom und Arch?«

»Papa weg?« Jem, der in groben Zügen mitbekam, worum es ging, rutschte vom Schoß seines Großvaters und sauste zu Roger hinüber, um ihn am Bein zu packen. »*Mit*, Papa!«

»Oh. Hm, ich glaube nicht –« Sein Blick fiel auf Briannas resigniertes Gesicht, dann auf das Glas mit dem rot-grünen Inhalt hinter ihr auf dem Tisch. »Warum eigentlich nicht?«, sagte er plötzlich und lächelte Jem an. »Großtante Jocasta würde dich bestimmt gern sehen. Und Mami kann nach Herzenslust alles in die Luft jagen, ohne sich darum sorgen zu müssen, wo du bist, aye?«

»Sie kann *was*?« Jamie musterte ihn verblüfft.

»Er *explodiert* nicht«, sagte Brianna. Sie nahm das Glas mit dem Phosphor in die Hand und wiegte es beschützend. »Er brennt nur. Bist du dir sicher?« Diese letzten Worte waren an Roger gerichtet und wurden von einem fragenden Blick begleitet.

»Ja, ganz sicher«, sagte er und bemühte sich, Zuversicht auszustrahlen. Er sah Jemmy an, der »Mit! Mit! Mit!« intonierte und dabei auf und ab hüpfte wie ein verrückt gewordener Popcornkrümel. »Wenigstens werde ich unterwegs jemanden haben, mit dem ich mich unterhalten kann.«

13

In guten Händen

Es war schon fast dunkel, als Jamie hereinkam und mich am Küchentisch antraf, den Kopf auf meine Arme gestützt. Beim Klang seiner Schritte fuhr ich blinzelnd auf.

»Geht es dir gut, Sassenach?« Er setzte sich auf die Bank gegenüber und betrachtete mich. »Du siehst aus, als hätte man dich rückwärts durchs Gebüsch gezerrt.«

»Oh.« Ich tastete vage an meinen Haaren herum, die tatsächlich abzustehen schienen. »Äh. Ja, es geht mir gut. Hast du Hunger?«

»Natürlich. Hast du denn schon etwas gegessen?«

Ich kniff die Augen zu und rieb mir das Gesicht, während ich versuchte nachzudenken.

»Nein«, entschied ich schließlich. »Ich wollte auf dich warten, aber ich scheine eingeschlafen zu sein. Es gibt Eintopf. Mrs. Bug hat ihn dagelassen.«

Er stand auf und spähte in den kleinen Kessel, dann schwenkte er ihn an seinem Haken zum Aufwärmen über das Feuer.

»Was hast du denn gemacht, Sassenach?«, fragte er und kam zurück. »Und wie geht es der Kleinen?«

»Mit der Kleinen bin ich beschäftigt gewesen«, sagte ich und unterdrückte ein Gähnen. »Mehr oder weniger.« Ich erhob mich langsam unter dem spürbaren Protest meiner Gelenke und stolperte zur Anrichte, um Brot zu schneiden.

»Sie konnte sie nicht bei sich behalten«, sagte ich. »Die Gallbeerenarznei. Nicht, dass ich ihr das vorwerfe«, fügte ich hinzu und leckte mir vorsichtig die Unterlippe. Nachdem sie sich zum ersten Mal übergeben hatte, hatte ich das Mittel selbst probiert. Meine Geschmacksknospen waren immer noch in Aufruhr; noch nie war mir eine Pflanze mit einem passenderen Namen untergekommen, und dadurch, dass ich sie zu Sirup verkochte, hatte sich der Geschmack nur noch stärker konzentriert.

Jamie schnupperte kräftig, als ich mich umdrehte.

»Hast du ihr Erbrochenes abbekommen?«

»Nein, das war Bobby Higgins«, sagte ich. »Er hat Hakenwürmer.«

Er zog die Augenbrauen hoch.

»Möchte ich das hören, während ich esse?«

»Mit Sicherheit nicht«, sagte ich und setzte mich mit dem Brotlaib, einem Messer und einem Keramiktöpfchen mit weicher Butter hin. Ich riss ein Stück ab, bestrich es dick mit Butter und gab es ihm, dann nahm ich mir selbst eins. Meine Geschmacksknospen zögerten, schwankten aber, kurz davor, mir den Gallbeerensirup zu verzeihen.

»Was hast *du* denn gemacht?«, fragte ich, denn langsam wurde ich so wach, dass ich wieder funktionierte. Er machte einen müden, aber zuversichtlicheren Eindruck als vorhin, als er aus dem Haus gegangen war.

»Habe mich mit Roger Mac über Indianer und Protestanten unterhalten.« Er betrachtete stirnrunzelnd das halb gegessene Stück Brot in seiner Hand. »Stimmt etwas nicht mit dem Brot, Sassenach? Es schmeckt merkwürdig.«

Ich machte eine entschuldigende Handbewegung.

»Tut mir Leid, das liegt an mir. Ich habe mich ein paar Mal gewaschen, aber ich habe es offensichtlich nicht ganz wegbekommen. Vielleicht solltest du die Brote lieber schmieren.« Ich schob das Brot mit dem Ellbogen zu ihm hinüber und wies auf den Buttertopf.

»Hast *was* nicht wegbekommen?«

»Nun, wir haben es immer wieder mit dem Sirup versucht, aber es hat nichts genützt; Lizzie konnte ihn einfach nicht bei sich behalten, die Arme. Aber dann ist mir eingefallen, dass man Chinin auch durch die Haut aufnehmen kann. Also habe ich den Sirup mit Gänseschmalz vermischt und sie damit eingerieben. O ja, danke.« Ich beugte mich vor und biss vorsichtig in das mit Butter bestrichene Stück Brot, das er mir hinhielt. Meine Geschmacksknospen ergaben sich dankbar, und mir wurde klar, dass ich den ganzen Tag noch nichts gegessen hatte.

»Und das hat gewirkt?« Er sah zur Decke auf. Mr. Wemyss und Lizzie teilten sich das kleinere Zimmer im ersten Stock, doch oben war alles still.

»Ich glaube schon«, sagte ich und schluckte. »Irgendwann ist das Fieber gesunken, und jetzt schläft sie. Wir machen damit weiter; wenn das Fieber in zwei Tagen nicht wiederkehrt, wissen wir, dass es funktioniert.«

»Das ist ja gut.«

»Nun ja, und dann waren da noch Bobby und seine Hakenwürmer. Zum Glück habe ich Ipecacuanha und Terpentin.«

»Zum Glück für die Würmer oder für Bobby?«

»Eigentlich für keinen von beiden«, sagte ich und gähnte. »Aber ich gehe davon aus, dass es klappt.«

Er lächelte schwach und entkorkte eine Flasche Bier, die er sich automatisch unter die Nase hielt. Er befand es für gut und schenkte mir etwas ein.

»Aye, nun ja, es ist tröstlich zu wissen, dass ich die Dinge in deinen kundigen Händen zurücklasse, Sassenach. Übel riechend«, fügte er hinzu und rümpfte seine lange Nase in meine Richtung, »aber kundig.«

»Vielen Dank.« Das Bier war außergewöhnlich gut; Mrs. Bug musste es gebraut haben. Wir nippten eine Weile kameradschaftlich vor uns hin, beide zu müde, um aufzustehen und den Eintopf aufzutischen. Ich beobachtete ihn durch meine Wimpern; das tat ich jedes Mal, wenn er im Begriff war, eine Reise anzutreten, um mir bis zu seiner Rückkehr einen Vorrat kleiner Erinnerungen an ihn anzulegen.

Er sah müde aus, und die kleinen Zwillingsfalten zwischen seinen dichten Augenbrauen verrieten seine leise Sorge. Doch der Kerzenschein glühte auf den kräftigen Knochen seines Gesichts und warf seinen Schatten klar und deutlich hinter ihm an die verputzte Wand, kraftvoll und kühn. Ich sah, wie der Schatten sein Geisterbierglas hob, und das Licht ließ das Schattenglas bernsteinfarben leuchten.

»Sassenach«, sagte er plötzlich und stellte das Glas hin, »wie oft, würdest du sagen, bin ich schon dem Tod nahe gewesen?«

Ich starrte ihn eine Sekunde an, doch dann zuckte ich mit den Achseln und begann zu überlegen, indem ich meine widerstrebenden Synapsen zur Mitarbeit zwang.

»Nun… ich weiß ja nicht, was für schreckliche Dinge dir zugestoßen sind, bevor ich dir begegnet bin, aber… nun ja, in der Abtei warst du furchtbar krank.« Ich sah ihn verstohlen an, doch der Gedanke an das Gefängnis von Wentworth und das, was man ihm dort angetan hatte und damit seine Krankheit verursacht hatte, schienen ihn nicht aus der Fassung zu bringen.

»Hmm. Und in der Zeit nach Culloden – du sagst, du hattest schreckliches Fieber von deinen Verletzungen und hast geglaubt, du könntest sterben, aber Jenny hat dich gezwungen – ich meine, hat dich gesund gepflegt.«

»Und dann hat Laoghaire mich angeschossen«, sagte er ironisch. »Und *du* hast mich gezwungen, gesund zu werden. Genau wie vor zwei Jahren, als mich die Schlange gebissen hat.« Er überlegte kurz.

»Als kleiner Junge hatte ich die Pocken, aber ich glaube nicht, dass ich in Lebensgefahr war; alle haben gesagt, es war kein schwerer Fall. Nur viermal also?«

»Was ist mit dem Tag, an dem wir uns das erste Mal begegnet sind?«, wandte ich ein. »Da wärst du beinahe verblutet.«

»Aber nicht doch«, protestierte er. »Das war doch nur ein kleiner Kratzer.«

Ich sah ihn skeptisch an, dann beugte ich mich zum Herdfeuer hinüber und schöpfte einen Löffel des duftenden Eintopfes in eine Schale. Er war mit den Säften von Kaninchen und Rotwild gewürzt, die in einer dicken Soße mit Rosmarin, Knoblauch und Zwiebeln schwammen. Was meine Geschmacksknospen anging, so war jetzt alles vergeben.

»Wie du willst«, sagte ich. »Aber warte – was ist mit deinem Kopf? Als Dougal versucht hat, dich mit der Axt umzubringen. Das macht doch wohl fünf?«

Er runzelte die Stirn und nahm die Schale entgegen.

»Aye, da hast du wohl Recht«, sagte er, doch es schien ihn irgendwie zu ärgern. »Fünfmal also.«

Ich betrachtete ihn zärtlich über den Rand meines Suppentellers hinweg. Er war sehr groß, stabil und gut gebaut. Und wenn ihn die Umstände ein wenig mitgenommen hatten, so trug das nur zu seinem Charme bei.

»Ich glaube, du bist nicht so einfach totzukriegen«, sagte ich. »Das finde ich sehr beruhigend.«

Er lächelte zögernd, doch dann streckte er die Hand aus, hob sein Glas zum Salut und führte es erst an seine Lippen, dann an die meinen.

»Darauf wollen wir trinken, Sassenach, ja?«

14

Das Volk der Snowbird

»Gewehre«, sagte *Bird-who-sings-in-the-morning* – Vogel-der-am-Morgen-singt. »Sagt Eurem König, wir wollen Gewehre.«

Im ersten Moment unterdrückte Jamie den Drang zu antworten: »Wer will das nicht?«, doch dann gab er diese Zurückhaltung auf – was den Kriegshäuptling so überraschte, dass er verblüfft die Augen zukniff, bevor er dann grinste.

»Ja, wer?« *Bird* war von kleiner Statur und kräftiger Gestalt, und er war jung für sein Amt – aber gerissen, und seine Umgänglichkeit verschleierte seine Intelligenz nicht. »Das sagen sie Euch alle, die Kriegshäuptlinge in allen Dörfern, wie? Natürlich tun sie das. Was antwortet Ihr ihnen?«

»Was ich kann.« Jamie zog eine Schulter hoch, dann ließ er sie wieder fallen. »Handelswaren ganz gewiss, Messer sehr wahrscheinlich – möglicherweise auch Gewehre, aber das kann ich noch nicht versprechen.«

Sie sprachen einen Cherokeedialekt, der ihm nicht sehr vertraut war, und er hoffte, er hatte den richtigen Weg gewählt, um Wahrscheinlichkeit auszudrücken. Wenn es beiläufig um Tauschhandel oder um die Jagd ging, kam er mit der üblichen Sprache zurecht, doch hier würde es nicht um Beiläufigkeiten gehen. Er warf einen kurzen Blick auf Ian, der ihm genau zuhörte, doch offenbar sagte er das Richtige. Ian besuchte die Dörfer in der Nähe von Fraser's Ridge regelmäßig; er wechselte genauso problemlos in die Sprache der Tsalagi wie in seine gälische Muttersprache.

»Nun gut.« *Bird* machte es sich ein wenig bequemer. Die Zinnbrosche, die ihm Jamie zum Geschenk gemacht hatte, glitzerte an seiner Brust, und der Feuerschein flackerte über die breiten, liebenswürdigen Flächen seines Gesichtes hinweg. »Berichtet Eurem König von den Gewehren – und sagt ihm, warum wir sie brauchen, wie?«

»Das hättet Ihr gern, dass ich ihm das sage, nicht wahr? Glaubt Ihr, er wird bereit sein, Euch Gewehre zu schicken, mit denen Ihr seine eigenen Leute umbringen könnt?«, fragte Jamie trocken. Das Eindringen weißer Siedler in das Cherokeeland jenseits der Vertragsgrenze war ein wunder Punkt, und er riskierte einiges, indem er direkt darauf anspielte, anstatt die anderen Gründe anzusprechen, warum *Bird* Gewehre brauchte; um sein Dorf vor Raubzügen zu schützen – oder um selbst auf Raubzüge zu gehen.

Bird antwortete mit einem Achselzucken.

»Wir können sie auch ohne Gewehre umbringen, wenn wir wollen.« Er zog die Augenbraue hoch und spitzte die Lippen, während er abwartete, was Jamie dazu sagen würde.

Er vermutete, dass *Bird* ihn schockieren wollte, und nickte nur.

»Natürlich könnt Ihr das. Ihr seid so klug, es nicht zu tun.«

»Noch nicht.« *Birds* Lippen entspannten sich zu einem charmanten Lächeln. »Sagt das dem König – noch nicht.«

»Seine Majestät wird sich freuen zu hören, dass Euch so an seiner Freundschaft liegt.«

Bei diesen Worten brach *Bird* in Gelächter aus und wiegte sich vor und zurück, und sein Bruder *Still Water*, der neben ihm saß, grinste breit.

»Ihr gefallt mir, Bärentöter«, sagte er, als er sich wieder erholte. »Ihr seid ein Spaßvogel.«

»Ich könnte einer werden«, sagte Jamie auf Englisch und lächelte. »Mit der Zeit.«

Jetzt prustete Ian leise vor Belustigung, und *Bird* fixierte ihn scharf, bevor er den Blick wieder abwendete und sich räusperte. Jamie sah seinen Neffen mit hochgezogener Augenbraue an, und dieser erwiderte seinen Blick mit einem harmlosen Lächeln.

Still Water beobachtete Ian genau. Die Cherokee begrüßten sie beide mit Respekt, doch Jamie hatte sogleich bemerkt, dass sie mit einer gewissen Anspannung auf Ian reagierten. Für sie war Ian ein Mohawk – und er machte ihnen Angst. Wenn er ehrlich war, glaubte er manchmal selbst, dass es einen Teil von Ian gab, der nicht aus Snaketown zurückgekehrt war und es eventuell auch niemals würde.

Doch *Bird* hatte ihm eine Möglichkeit eröffnet, sich nach etwas zu erkundigen.

»Ihr habt großen Kummer mit Menschen, die in Euer Land eindringen, um es zu besiedeln«, sagte er und nickte mitfühlend. »Natürlich tötet Ihr diese Menschen nicht, da Ihr klug seid. Aber nicht jeder ist so klug, oder?«

Birds Augen verengten sich eine Sekunde.
»Worauf wollt Ihr hinaus, Bärentöter?«
»Ich höre von Bränden, Tsisqua.« Er sah seinem Gegenüber fest in die Augen, achtete aber darauf, jeden anklagenden Unterton zu vermeiden. »Der König hört von brennenden Häusern, von getöteten Männern und geraubten Frauen. Das missfällt ihm.«
»Hmp«, sagte *Bird* und presste die Lippen aufeinander. Allerdings sagte er nicht, er selbst hätte davon nichts gehört, und das war interessant.
»Zu viele solcher Geschichten, und der König schickt womöglich Soldaten, um seine Leute zu beschützen. Wenn er das tut, wird er sich kaum wünschen, dass sie sich Gewehren gegenübersehen, die er selbst verschenkt hat«, erklärte Jamie in aller Logik.
»Und was sollen wir sonst tun?«, wandte *Still Water* aufgebracht ein. »Sie überqueren die Vertragsgrenze, bauen Häuser, legen Felder an und nehmen das Wild. Wenn Euer König seine Leute nicht dort halten kann, wo sie hingehören, wie kann er dann Einwände haben, wenn wir unser Land verteidigen?«
Bird machte eine kleine, beschwichtigende Geste mit der Hand, ohne seinen Bruder anzusehen, und *Still Water* verstummte, wenn auch trotzig.
»Nun, Bärentöter. Ihr werdet dem König diese Dinge mitteilen, nicht wahr?«
Jamie neigte ernst den Kopf.
»Das ist meine Aufgabe. Ich spreche zu Euch vom König, und ich überliefere dem König Eure Worte.«
Bird nickte nachdenklich, dann winkte er mit der Hand Essen und Bier herbei, und das Gespräch ging nachdrücklich zu neutralen Themen über. Für heute Abend war das Geschäftliche erledigt.

Es war spät, als sie Tsisquas Haus verließen und sich in das kleine Gästehaus begaben. Er hatte das Gefühl, dass es weit nach Mondaufgang war, doch es war kein Mond zu sehen; eine dumpf leuchtende Wolkendecke hing am Himmel, und der Wind brachte Regengeruch mit.
»O Gott«, sagte Ian und stolperte gähnend. »Mein Hintern ist eingeschlafen.«
Jamie ließ sich anstecken und gähnte ebenfalls, doch dann kniff er die Augen zu und lachte. »Aye, nun ja. Mach dir nicht die Mühe, ihn zu wecken; der Rest kann sich ja gleich anschließen.«
Ian schnalzte verächtlich mit den Lippen.
»Nur weil der Häuptling sagt, dass du ein Spaßvogel bist, Onkel Jamie, würde ich es noch lange nicht glauben. Er wollte nur höflich sein, weißt du?«
Jamie ignorierte diese Bemerkung und bedankte sich murmelnd auf Tsalagi bei der jungen Frau, die ihnen den Weg zu ihrem Quartier gezeigt hatte.

Sie reichte ihm einen kleinen Korb – dem Duft nach mit Äpfeln und Maisbrot – und wünschte ihnen leise »Gute Nacht, schlaft gut«, bevor sie in der feuchten, unruhigen Nacht verschwand.

Nach der Kühle der frischen Luft kam ihm die kleine Hütte stickig vor, und er blieb einen Moment in der Tür stehen, um den Wind zu genießen, der sich zwischen den Bäumen hindurchbewegte, und zu beobachten, wie er sich wie eine riesige, unsichtbare Schlange durch die Kiefernzweige wand. Ein Wasserspritzer landete in seinem Gesicht, und er empfand den großen Genuss eines Mannes, dem klar wird, dass es regnen wird und er die Nacht nicht im Freien verbringen muss.

»Wenn du dich morgen am allgemeinen Geplauder beteiligst, Ian, hör dich um«, sagte er, als er gebückt in die Hütte trat. »Teile den Leuten – taktvoll – mit, dass der König zu gern wüsste, wer zum Teufel hier Blockhäuser in Brand steckt – so gern, dass er als Belohnung möglicherweise ein paar Gewehre herausrückt. Wenn sie es selbst waren, werden sie dir nichts sagen – aber wenn es ein anderer Stamm war, tun sie es vielleicht.«

Ian nickte und gähnte erneut. In einem Ring aus Steinen brannte ein kleines Feuer, dessen Rauch zu einem Abzug oben in der Decke aufstieg und bei dessen Licht an der einen Wand der Hütte eine mit Fellen bedeckte Schlafplattform zu sehen war, neben der ein zweiter Stapel Felle und Decken auf dem Boden lag.

»Lass uns eine Münze werfen, wer das Bett bekommt, Onkel Jamie«, sagte Ian. Er steckte die Hand in den Beutel an seiner Taille und brachte einen zerkratzten Shilling zum Vorschein. »Such's dir aus.«

»Zahl«, sagte Jamie. Er stellte den Korb auf den Boden und löste den Gürtel seines Plaids. Er sank ihm als warmer Stoffberg um die Beine, und er schüttelte sein Hemd aus. Der Leinenstoff fühlte sich zerknittert und schmutzig an, und er konnte sich riechen; Gott sei Dank, dass dies das letzte Dorf war. Noch eine Nacht, höchstens zwei, dann konnten sie heimkehren.

Ian fluchte, als er die Münze aufhob.

»Wie machst du das? Jeden Abend sagst du Zahl, und jeden Abend kommt Zahl.«

»Nun, es ist dein Shilling, Ian. Schieb es nicht auf mich.« Er setzte sich auf die Bettplattform und räkelte sich genüsslich, dann erbarmte er sich. »Sieh dir Georgies Nase an.«

Ian drehte den Shilling mit den Fingern um und hielt ihn blinzelnd ins Licht des Feuers, dann fluchte er erneut. Ein winziger Klecks Bienenwachs, so klein, dass man ihn nur sah, wenn man danach suchte, verzierte die vorstehende Aristokratennase von George III., Rex Britanniae.

»Wie kommt denn der da hin?« Ian musterte seinen Onkel mit argwöhnisch zusammengekniffenen Augen, doch Jamie lachte nur und legte sich hin.

»Als du Jemmy gezeigt hast, wie man eine Münze wirft. Weißt du noch, er hat den Kerzenständer umgeworfen; das heiße Wachs ist überall hingespritzt.«

»Oh.« Ian saß einen Moment da und betrachtete die Münze in seiner Hand, dann kratzte er das Wachs mit dem Daumennagel ab und steckte den Shilling ein.

»Gute Nacht, Onkel Jamie«, sagte er und glitt mit einem Seufzer zwischen die Felle auf dem Boden.

»Gute Nacht, Ian.«

Bis jetzt hatte er seine Müdigkeit ignoriert und sie wie Gideon am kurzen Zügel gehalten. Jetzt ließ er die Zügel schießen und ließ sich davontragen, und sein Körper entspannte sich in seinem bequemen Bett.

MacDonald, reflektierte er zynisch, würde entzückt sein. Eigentlich hatte Jamie nur vorgehabt, die beiden Cherokeedörfer zu besuchen, die der Vertragsgrenze am nächsten waren, um dort seine neue Stellung bekannt zu geben, bescheidene Whisky- und Tabakgeschenke zu machen – den Tabak hatte er in aller Eile von Tom Christie geborgt, der bei seiner letzten Expedition nach Cross Creek nicht nur Saatgut gekauft hatte, sondern auch ein ganzes Fass dieses Krauts – und die Cherokee davon zu unterrichten, dass weitere Großzügigkeiten zu erwarten waren, wenn er im Herbst als Botschafter zu den entfernteren Dörfern reiste.

Er war in beiden Dörfern mit großer Herzlichkeit empfangen worden – doch im zweiten, Pigtown, waren mehrere Fremde zu Besuch gewesen; junge Männer auf der Suche nach Ehefrauen. Sie entstammten einer anderen Cherokeesippe namens *Snowbird*, deren Dorf weiter oben im Gebirge lag.

Einer der jungen Männer war der Neffe von *Bird-who-sings-in-the-morning* gewesen, Anführer der *Snowbird*-Sippe, und er hatte Jamie bedrängt, mit ihm und seinen Begleitern in ihr Heimatdorf zurückzukehren. Nachdem er eine hastige Bestandsaufnahme seines restlichen Whiskys und Tabaks durchgeführt hatte, hatte sich Jamie einverstanden erklärt, und er und Ian waren hier geradezu königlich als Vertreter Seiner Majestät empfangen worden. Die *Snowbird* hatten noch nie zuvor Besuch von einem Indianeragenten gehabt und schienen diese Ehre sehr zu schätzen – und es sehr eilig damit zu haben herauszufinden, welche Vorteile ihnen in der Folge daraus entstehen könnten.

Er hatte allerdings das Gefühl, dass *Bird* ein Mann war, mit dem er ins Geschäft kommen konnte – in mehrerlei Hinsicht.

Bei diesem Gedanken fielen ihm verspätet Roger Mac und die neuen Pächter ein. Er hatte in den letzten Tagen keine Zeit gehabt, sich großartig um sie zu sorgen – doch er bezweifelte sowieso, dass es Grund zur Besorgnis gab. Roger Mac war ein fähiger Mann, wenn er auch aufgrund seiner heiseren Stimme unsicherer war als nötig. Doch gemeinsam mit Christie und Arch Bug …

Er schloss die Augen, und die Seligkeit absoluter Erschöpfung stahl sich über ihn, während seine Gedanken zunehmend zusammenhangloser wurden.

Eventuell noch ein Tag, dann nach Hause, rechtzeitig zur Heuernte. Noch eine Ladung Malz, vielleicht zwei, bevor das Wetter kalt wurde. Schlachtsaison – ob es endlich an der Zeit war, die verdammte weiße Sau zu schlachten? Nein … das rücksichtslose Vieh war unglaublich fruchtbar. Was für ein Eber mochte wohl den Mumm haben, sich mit ihr zu paaren?, fragte er sich dumpf, und ob sie ihn hinterher fraß? Wildschwein, Räucherschinken, Blutwurst …

Er sank gerade Schicht um Schicht in den Schlaf, als er eine Hand an seinem Unterleib spürte. Aus der Schläfrigkeit gerissen wie ein Lachs aus dem Wasser, schlug er mit der Hand auf die des Eindringlings und hielt sie fest. Und erntete ein leises Kichern von seiner Besucherin.

Frauenfinger wanden sich sacht in seiner Umklammerung, und das Gegenstück der Hand schritt prompt an ihrer Stelle zur Tat. Sein erster klarer Gedanke war, dass das Mädchen hervorragend backen musste, so gut wie sie kneten konnte.

Andere Gedanken folgten dieser Absurdität rapide auf dem Fuße, und er versuchte, die zweite Hand zu packen. Sie entwischte ihm spielerisch, piekste und zupfte.

Er suchte nach einem höflichen Einwand auf Cherokee, doch ihm fielen nur eine Hand voll Phrasen auf Englisch und Gälisch ein, von denen keine der Situation entsprach.

Die erste Hand entwand sich ihm, zielstrebig und wie ein Aal. Da er ihr nicht die Finger zerquetschen wollte, ließ er eine Sekunde los und fischte erfolgreich nach ihrem Handgelenk.

»Ian!«, zischte er in seiner Verzweiflung. »Ian, bist du da?«

Er konnte seinen Neffen nicht sehen, weil die Hütte von Dunkelheit erfüllt war, und es war nicht festzustellen, ob er schlief. Es gab keine Fenster, und die erlöschenden Kohlen glommen nur noch ganz schwach.

»Ian!«

Auf dem Boden regte sich etwas, Körper drehten sich um, und er hörte Rollo niesen.

»Was ist, Onkel Jamie?« Er hatte Gälisch gesprochen, und Ian antwortete in derselben Sprache. Der Junge klang ruhig und hörte sich nicht so an, als sei er gerade wach geworden.

»Ian, in meinem Bett ist eine Frau«, sagte er auf Gälisch, um denselben ruhigen Tonfall wie sein Neffe bemüht.

»Es sind zwei, Onkel Jamie.« Ian klang belustigt, der Schuft! »Die andere muss unten am Fußende sein. Sie wartet, bis sie an der Reihe ist.«

Das raubte ihm die Fassung, und fast wäre ihm die Hand entglitten, die er erwischt hatte.

»Zwei? Wofür halten sie mich denn?«

Das Mädchen kicherte erneut, beugte sich über ihn und biss ihn sanft in die Brust.

»Jesus!«

»Nun, nein, Onkel Jamie, für Ihn halten sie dich nicht«, sagte Ian, der seine Fröhlichkeit hörbar unterdrückte. »Sie glauben, dass du der König bist. Sozusagen. Du bist sein Vertreter, also ehren sie Seine Majestät, indem sie dir Frauen für ihn schicken, aye?«

Die zweite Frau hatte seine Füße freigelegt und strich ihm langsam mit einem Finger über die Fußsohlen. Er war kitzelig, und es hätte ihn gestört, hätte ihn die erste Frau nicht so abgelenkt, mit der er jetzt zu einem höchst unwürdigen Versteckspiel gezwungen war.

»Sprich mit ihnen, Ian«, zischte er mit zusammengebissenen Zähnen und wehrte sich mit seiner freien Hand, während er gleichzeitig die Finger der festgehaltenen Frauenhand – die genüsslich sein Ohr streichelten – von sich schob und seine Füße schüttelte, um die Zuwendungen der zweiten Dame zu unterbinden, die immer forscher wurden.

»Äh… was soll ich denn sagen?«, erkundigte sich Ian jetzt wieder auf Englisch. Seine Stimme bebte schwach.

»Sag ihnen, ich weiß die Ehre wirklich zu schätzen, aber – gk!« Weitere diplomatische Ausflüchte wurden abgeschnitten, weil plötzlich eine Zunge in seinen Mund eindrang, die kräftig nach Zwiebeln und Bier schmeckte.

Während seiner folgenden verzweifelten Mühen war er sich dumpf bewusst, dass Ian jetzt seine Selbstbeherrschung aufgegeben hatte und hilflos kichernd am Boden lag. Es war Filizid, wenn man seinen Sohn umbrachte, dachte er grimmig; wie lautete die Vokabel für den Mord an einem Neffen?

»Madame!«, sagte er, nachdem er seinen Mund unter Schwierigkeiten von ihr gelöst hatte. Er packte die Dame an den Schultern und rollte sie mit solcher Kraft von sich, dass sie einen überraschten Ausruf ausstieß und ihre nackten Beine durch die Luft flogen – Himmel, war sie nackt?

Ja. Sie waren beide nackt; seine Augen gewöhnten sich jetzt an das schwache Glühen der Holzkohle, und er nahm das Licht wahr, das auf ihren Schultern, Brüsten und Oberschenkeln schimmerte.

Er setzte sich hin und verschanzte sich hastig hinter Fellen und Decken.

»Hört auf damit, alle beide!«, sagte er streng auf Cherokee. »Ihr seid wunderschön, aber ich kann nicht mit Euch schlafen.«

»Nein?«, sagte eine der Frauen und klang verwirrt.

»Warum nicht?«, sagte die andere.

»Äh… weil ein Eid auf mir liegt«, sagte er von der Not inspiriert. »Ich habe geschworen… geschworen…« Er suchte nach dem richtigen Wort, doch es fiel ihm nicht ein. Zum Glück fiel Ian an dieser Stelle mit einem Wortschwall auf Tsalagi ein, so schnell, dass Jamie ihm nicht folgen konnte.

»Ooh«, hauchte eines der Mädchen beeindruckt. Jamie spürte einen deutlichen Gewissensbiss.

»Was in Gottes Namen hast du ihnen gesagt, Ian?«

»Ich habe ihnen gesagt, dass dir der Große Geist im Traum erschienen ist, Onkel Jamie, und dir gesagt hat, dass du mit keiner Frau zusammen sein darfst, bis du allen Tsalagi Gewehre gebracht hast.«

»Bis ich *was*?«

»Nun ja, es war das Beste, was mir in der Eile eingefallen ist, Onkel Jamie«, verteidigte sich Ian.

So haarsträubend diese Idee war, er musste zugeben, dass sie wirkte; die beiden Frauen hockten zusammen und flüsterten in ehrfurchtsvollem Ton miteinander und hatten völlig von ihm abgelassen.

»Aye, nun ja«, sagte er widerstrebend. »Es könnte sicher schlimmer sein.« Selbst falls sich die Krone überreden ließ, Gewehre zur Verfügung zu stellen, gab es schließlich eine ziemliche Menge Tsalagi.

»Gern geschehen, Onkel Jamie.« Das Lachen gluckste dicht unter der Oberfläche der Stimme seines Neffen und verschaffte sich als unterdrücktes Prusten Luft.

»Was?«, sagte er gereizt.

»Die eine Dame sagt, sie sei enttäuscht, Onkel Jamie, weil du sehr gut ausgestattet bist. Aber die andere sieht es praktischer. Sie sagt, es sei möglich, dass sie Kinder von dir bekommen hätten, und die ... die Babys könnten rote Haare haben.« Die Stimme seines Neffen zitterte.

»Was ist denn so schlimm an roten Haaren, zum Kuckuck?«

»Ich weiß es nicht genau, aber soweit ich es verstehe, ist es nichts, was man seinem Kind wünscht, wenn man es verhindern kann.«

»Na schön«, schnappte er. »Die Gefahr ist ja jetzt gebannt, nicht wahr? Können sie jetzt nicht nach Hause gehen?«

»Es regnet, Onkel Jamie«, stellte Ian fest. So war es; der Wind hatte die ersten Tropfen mitgebracht, und jetzt war der eigentliche Schauer heraufgezogen, der unablässig auf das Dach prasselte. Durch den Rauchabzug fielen Tropfen zischend in die heißen Kohlen. »Du willst sie doch nicht in dieser Nässe ins Freie schicken, oder? Außerdem hast du nur gesagt, dass du nicht mit ihnen schlafen kannst, nicht, dass du möchtest, dass sie gehen.«

Er brach ab, um den Damen eine Frage zu stellen, die sie eifrig bejahten. Zumindest hatte Jamie den Eindruck, dass sie Ja gesagt hatten. Sie erhoben sich mit der Anmut junger Kraniche, stiegen splitternackt wieder in sein Bett, wo sie ihn unter bewunderndem Gemurmel tätschelten und streichelten – wenn sie auch seine Geschlechtsteile gewissenhaft vermieden –, dann drückten sie ihn tief in die Felle und kuschelten sich rechts und links an ihn, ihre warme, nackte Haut gemütlich an ihn gepresst.

Er öffnete den Mund, dann schloss er ihn wieder, weil ihm in keiner der ihm bekannten Sprachen irgendetwas einfiel, was er hätte sagen können.

Er lag stocksteif auf dem Rücken und atmete flach. Sein Schwanz pulsierte entrüstet vor sich hin – er hatte eindeutig vor, die ganze Nacht aufzubleiben und ihn zu quälen, um sich für diese Schmach zu rächen. Aus dem Fellstapel auf dem Boden drang leises Kichern, unterbrochen von Kieksen und Prusten. Möglicherweise war es das erste Mal, dass er Ian seit seiner Rückkehr richtig lachen hörte.

Er betete um Standhaftigkeit, holte lang und tief Atem und schloss die Augen, die Hände fest auf der Brust gefaltet, die Ellbogen an seine Seiten gepresst.

15

Bis zum Hals im Wasser

Roger trat auf die Terrasse von River Run. Er fühlte sich angenehm erschöpft. Nach drei Wochen harter Arbeit hatte er die neuen Pächter aus allen Winkeln Cross Creeks und Campbeltons zusammengeholt, sich sämtlichen Haushaltsvorständen vorgestellt, es geschafft, sie zumindest mit dem Nötigsten an Nahrungsmitteln, Decken und Schuhen für die Reise auszustatten – und sie alle an einem Ort versammelt, indem er ihre Marotte, in Panik die Flucht zu ergreifen, strikt unterband. Am Morgen würden sie nach Fraser's Ridge aufbrechen – keine Sekunde zu früh.

Er ließ den Blick zufrieden von der Terrasse in Richtung der Wiese schweifen, die hinter Jocasta Cameron Innes' Stallungen lag. Dort hatten sie vorübergehend ihr Lager aufgeschlagen: zweiundzwanzig Familien mit sechsundsiebzig Seelen, vier Maultiere, zwei Ponys, vierzehn Hunde, drei Schweine und weiß Gott wie viele Hühner, Katzen und Ziervögel, die für die Reise in Weidenkäfigen untergebracht waren. Er trug all ihre Namen – außer denen der Tiere – auf einer eselsohrigen, zerknitterten Liste in seiner Tasche bei sich. Dort befanden sich noch diverse andere Listen, die bis zur Unlesbarkeit überschrieben, durchgestrichen und verbessert worden waren. Ihm war wie einem wandelnden Deuteronomium zumute. Außerdem dürstete es ihn nach einem sehr großen Whisky.

Dieser erwartete ihn zum Glück bereits; Duncan Innes, Jocastas Ehemann, war ebenfalls von seinem Tagewerk zurückgekehrt. Er saß auf der Terrasse und leistete einem geschliffenen Dekanter Gesellschaft, den die Strahlen der sinkenden Sonne in sanftem Bernstein aufglühen ließen.

»Wie stehen die Dinge, *a charaid*?« Duncan begrüßte ihn herzlich und wies auf einen der Korbsessel. »Möchtet Ihr vielleicht einen Schluck?«

»Gern, und danke.«

Er ließ sich erleichtert in den Sessel sinken, der unter seinem Gewicht gemütlich ächzte. Er nahm das Glas entgegen, das Duncan ihm reichte, und stürzte den ersten Schluck mit einem kurzen »*Slainte*« hinunter.

Der Whisky brannte sich durch seine zugeschnürte Kehle, so dass er husten musste, schien dann aber plötzlich alles zu öffnen, so dass sein konstantes, schwaches Gefühl der Atemnot nachließ. Er nippte zufrieden weiter.

»Sind sie bereit zum Aufbruch?« Duncan wies in Richtung der Wiese, wo der Rauch der Lagerfeuer als goldener Nebel dicht über dem Boden hing.

»So bereit, wie es nur geht. Arme Teufel«, fügte Roger mitfühlend hinzu.

Duncan zog eine seiner schütteren Augenbrauen hoch.

»Sie sind völlig aus ihrem Element gerissen«, erklärte Roger und hielt Duncan sein Glas hin, als ihm dieser anbot, es erneut zu füllen. »Die Frauen haben Todesangst, und die Männer genauso, aber sie verheimlichen es besser. Man könnte meinen, ich würde sie alle als Sklaven auf eine Zuckerplantage verschleppen.«

Duncan nickte.

»Oder sie nach Rom verkaufen als Schuhputzer für den Papst«, sagte er ironisch. »Ich glaube nicht, dass einer von ihnen vor ihrer Überfahrt je einen Katholiken auch nur gerochen hat. Und so, wie sie die Nasen rümpfen, gefällt ihnen der Geruch jetzt auch nicht besonders. Ob sie wenigstens dann und wann einen Schluck trinken?«

»Nur aus medizinischen Gründen und auch dann nur bei akuter Lebensgefahr, glaube ich.« Roger trank genüsslich einen Schluck seines Nektars und schloss die Augen, während ihm der Whisky die Kehle wärmte und sich in seiner Brust einrollte wie eine schnurrende Katze. »Ihr habt Hiram doch kennen gelernt. Oder? Hiram Crombie, ihren Anführer?«

»Den alten Sauertopf, der einen Stock verschluckt hat? Aye, das habe ich.« Duncan grinste, und die Enden seines langen Schnurrbarts zuckten. »Er kommt gleich zum Abendessen. Trinkt am besten noch einen.«

»Gern, danke«, sagte Roger und streckte die Hand mit seinem Glas aus. »Obwohl keiner von ihnen viel für hedonistische Vergnügungen übrig hat, soweit ich das beurteilen kann. Man hat das Gefühl, dass sie nach wie vor durch und durch Covenanter sind. Die ewigen Auserwählten, aye?«

Bei diesen Worten lachte Duncan hemmungslos.

»Nun, es ist nicht mehr ganz so schlimm wie zu Großvaters Zeiten«, sagte er, als er sich wieder erholt hatte, und griff nach dem Dekanter. »Gott sei Dank.« Er verdrehte die Augen und verzog das Gesicht.

»Dann war Euer Großvater Covenanter?«

»Gott, ja.« Kopfschüttelnd schenkte Duncan erst Roger, dann sich selbst großzügig nach. »Ein fanatischer alter Kerl. Nicht, dass er keinen Grund dazu hatte. Man hat seine Schwester am Strand ersäuft, wisst Ihr?«

»Am Strand ... Himmel.« Er biss sich zur Strafe auf die Zunge, war aber zu neugierig, um weiter darauf zu achten. »Ihr meint – hingerichtet durch Ertränken?«

Duncan nickte, den Blick auf sein Glas gerichtet, dann nahm er einen guten Schluck und behielt ihn kurz im Mund, bevor er schluckte.

»Margaret«, sagte er. »Ihr Name war Margaret. Achtzehn war sie damals. Ihr Vater und ihr Bruder – mein Großvater, aye? – sie waren geflüchtet, nach der Schlacht von Dunbar und hatten sich in den Bergen versteckt. Die Soldaten haben Jagd auf sie gemacht, aber sie hat nicht verraten, wohin sie gegangen waren, und sie hatte eine Bibel dabei. Dann wollten sie sie zwingen, ihrem Glauben abzuschwören, aber sie hat sich weiter geweigert – man kann genauso gut auf einen Stein einreden wie auf die Frauen dieser Seite der Familie«, sagte er und schüttelte den Kopf. »Sie lassen sich nicht erweichen. Die Soldaten haben sie an den Strand gezerrt, sie und eine alte Covenanterfrau aus dem Dorf, ihnen die Kleider vom Leib gerissen und sie beide an der Wasserlinie an Pfähle gefesselt. Und dann haben alle dort gewartet, bis das Wasser kam.«

Er trank noch einen Schluck, ohne sein Aroma abzuwarten.

»Die Alte ist zuerst verschwunden; sie hatten sie näher am Wasser festgemacht – wahrscheinlich dachten sie, Margaret würde aufgeben, wenn sie die Alte sterben sah.« Er grunzte und schüttelte den Kopf. »Aber nein, nichts dergleichen. Die Flut ist immer höher gestiegen, und die Wellen sind über sie hinweggeschlagen. Sie hat Wasser geschluckt und gehustet, und immer, wenn die Wellen zurückfluteten, klebte ihr das lose Haar im Gesicht wie Tang. Meine Mutter war dabei«, erklärte er und hob sein Glas. »Sie war damals erst sieben, aber sie hat es nie vergessen. Nach der ersten Welle, hat sie gesagt, war noch Zeit für drei Atemzüge, dann ist die Welle wieder über Margaret hinweggespült. Dann wieder aufs Meer hinaus… drei Atemzüge… und dann wieder inland. Und dann konnte man nichts mehr sehen außer ihrem Haar, das auf der Flut trieb.«

Er hob sein Glas noch etwas höher, und Roger hob das seine unwillkürlich zum Salut. »Jesus«, sagte er, und es war keine Gotteslästerung.

Der Whisky brannte ihm in der Kehle, während er hindurchrann, und er atmete tief durch und dankte Gott für das Geschenk der Luft. Drei Atemzüge. Es war ein Single Malt aus Islay, und der Jodgeschmack von See und Tang hing kräftig und rauchig in seinen Lungen.

»Möge Gott ihr Frieden schenken«, sagte er mit rauer Stimme.

Duncan nickte und griff erneut nach dem Dekanter.

»Ich denke, das hat sie sich verdient«, sagte er. »Obwohl sie –«, er wies mit dem Kinn in Richtung der Wiese, »sie haben gesagt, sie hatte gar nichts damit zu tun; Gott hat sie für die Erlösung auserwählt und die Engländer zur Verdammnis, und damit war die Sache erledigt.«

Das Licht wurde jetzt schwächer, und die Lagerfeuer begannen im Dämmerlicht auf der Wiese jenseits der Ställe zu leuchten. Ihr Rauch stieg Roger in die Nase, ein warmer, heimeliger Geruch, der trotzdem das Seine zu dem Brennen in seiner Kehle beitrug.

»Ich konnte nichts daran finden, was es wert wäre, dafür zu sterben«, sagte Duncan rückblickend und lächelte dann sein rasches, seltenes Lächeln. »Aber mein Großvater hat oft gesagt, das bedeutet nur, dass mir die Verdammnis bestimmt ist. ›Nach dem Willen Gottes und zu seinem immerwährenden Ruhm ist einigen Menschen und Engeln das ewige Leben vorbestimmt, und andere sind zu ewigem Tod verurteilt.‹ Das hat er jedes Mal gesagt, wenn das Gespräch auf Margaret kam.«

Roger nickte. Er erkannte den Satz aus dem Bekenntnis von Westminster. Wann war das gewesen – 1647? 1648? Eine Generation – oder zwei – vor Duncans Großvater.

»Wahrscheinlich war es leichter für ihn zu glauben, dass ihr Tod Gottes Wille war und nichts mit ihm zu tun hatte«, sagte Roger nicht ohne Mitgefühl. »Dann glaubt Ihr selbst also nicht daran? An Vorbestimmung, meine ich?«

Er fragte aus aufrichtiger Neugier. Auch die Presbyterianer seiner eigenen Zeit hielten an der Doktrin der Vorbestimmung fest – waren aber etwas flexibler in ihrer Grundeinstellung und nahmen es daher mit der Vorstellung der vorherbestimmten Verdammnis nicht so genau und hielten auch nicht allzu viel von dem Gedanken, dass jedes Detail im Leben prädestiniert war. Er selbst? Das wusste Gott allein.

Duncan zog die Schultern hoch, die rechte etwas höher, so dass er eine Sekunde lang wie verwachsen aussah.

»Das weiß Gott allein«, sagte er und lachte. Er schüttelte den Kopf und leerte einmal mehr sein Glas. »Nein, ich glaube nicht. Aber ich würde es nicht laut vor Hiram Crombie sagen – nicht einmal vor dem alten Christie.« Er deutete mit dem Kinn in Richtung der Wiese, von wo Roger zwei dunkle Gestalten Seite an Seite auf das Haus zugehen sehen konnte. Arch Bugs hoch gewachsener, gebückter Körperbau war leicht zu erkennen, genau wie Tom Christies kürzere, kompaktere Figur. Noch als Umriss sah er streitlustig aus, dachte Roger, denn er machte beim Gehen kurze, scharfe Gesten und befand sich eindeutig in einer heftigen Diskussion mit Arch.

»Es gab manchmal erbitterte Streitereien darum, in Ardsmuir«, sagte Duncan und beobachtete die beiden sich nähernden Gestalten. »Die Katholiken hörten es nicht gern, wenn man ihnen sagte, sie wären verdammt. Und Christie und sein Trüppchen haben es ihnen mit Wonne immer wieder gesagt.« Seine Schultern bebten ein wenig vor unterdrücktem Gelächter, und Roger fragte sich, wie viel Whisky Duncan wohl schon getrunken hatte, bevor er auf die Terrasse gekommen war. Er hatte den älteren Mann noch nie so gesprächig erlebt.

»Mac Dubh hat dem schließlich ein Ende gesetzt, als er uns alle zu Freimaurern gemacht hat«, fügte er hinzu und beugte sich vor, um sich ein neues Glas einzuschenken. »Aber vorher hätte es beinahe Tote gegeben.« Er hob den Dekanter fragend in Rogers Richtung.

Da er einem Abendessen in Gesellschaft von Tom Christie *und* Hiram Crombie entgegensah, nahm Roger an.

Als sich Duncan vorbeugte, um ihm – immer noch lächelnd – einzuschenken, fielen die letzten Sonnenstrahlen auf sein wettergegerbtes Gesicht. Rogers Blick erfasste eine schwache weiße Linie, die Duncans Oberlippe durchschnitt, kaum sichtbar unter den Haaren, und er begriff ganz plötzlich, warum Duncan einen langen Schnurrbart trug – ein ungewöhnlicher Gesichtsschmuck in einer Zeit, in der die meisten Männer glatt rasiert waren.

Wahrscheinlich hätte er nichts gesagt, wäre der Whisky nicht gewesen und jener merkwürdige Bund zwischen ihnen – zwei Protestanten, zu ihrem Erstaunen an Katholiken gebunden und verwundert über die seltsamen Tiden des Schicksals, die über sie hinweggespült waren; zwei Männer, die durch unglückliche Ereignisse alles und jeden verloren hatten und sich jetzt ganz überrascht als Haushaltsvorstände wiederfanden und das Leben Fremder in der Hand hatten.

»Eure Lippe, Duncan.« Er fasste sich selbst kurz an den Mund. »Wie ist das passiert?«

»Och, das?« Überrascht fasste sich Duncan ebenfalls an die Lippe. »Nein, ich bin mit einer Hasenscharte geboren worden, sagt man zumindest. Ich kann mich selbst nicht daran erinnern; ich wurde geheilt, als ich nicht älter als eine Woche war.«

Jetzt war es Roger, überrascht zu sein.

»Wer hat Euch geheilt?«

Duncan zuckte mit den Achseln, diesmal mit einer Schulter.

»Ein fahrender Heiler, hat meine Mutter gesagt. Sie hatte sich schon damit abgefunden, mich zu verlieren, weil ich natürlich nicht trinken konnte. Sie und meine Tanten haben sich dabei abgewechselt, mir mit einem Tuch Milch in den Mund zu träufeln, aber sie sagt, ich war schon fast zu einem winzigen Skelett abgemagert, als dieser Zauberheiler ins Dorf kam.«

Er rieb sich verlegen mit dem Handrücken über die Lippe und glättete das dichte, grau melierte Haar seines Schnurrbarts.

»Mein Vater hat ihm sechs Heringe und eine Portion Schnupftabak gegeben, und er hat die Lippe genäht und meiner Mutter eine Salbe für die Wunde gegeben. Nun, und so …« Er zuckte erneut mit den Achseln und lächelte schief.

»Vielleicht war es mir ja doch vorherbestimmt zu leben. Mein Großvater hat gesagt, der Herr hätte mich auserwählt – obwohl Gott allein weiß, wozu.«

Roger war sich eines leisen Gefühls der Beklommenheit bewusst, auch wenn der Whisky es dämpfte.

Ein Highland-Heiler, der eine Hasenscharte in Ordnung bringen konnte? Er trank noch einen Schluck und versuchte, Duncan nicht anzustarren, während er verstohlen sein Gesicht betrachtete. Es musste wohl möglich sein; die Narbe unter Duncans Schnurrbart war gerade eben zu sehen – wenn man wusste, wohin man schauen musste –, doch sie zog sich nicht bis in seine Nase hinein. Also musste es eine relativ harmlose Hasenscharte gewesen sein, kein wirklich schlimmer Fall wie der, von dem er in Claires Notizbuch gelesen hatte – vor Schreck unfähig, sich von der Buchseite abzuwenden –, wo Dr. Rawlings ein Kind beschrieben hatte, das nicht nur mit einer zweigeteilten Lippe zur Welt gekommen war, sondern dem zusätzlich das Gaumensegel und der Großteil der Gesichtsmitte fehlte.

Gott sei Dank hatte es keine Zeichnung gegeben, aber das Bild, das Rawlings knappe Beschreibung vor seinem inneren Auge hatte entstehen lassen, hatte gereicht. Er schloss die Augen und holte tief Luft, um das Aroma des Whiskys mit allen Poren einzuatmen.

War es möglich? Vielleicht. Es *gab* heutzutage chirurgische Medizin, wenn sie auch blutig, brutal und qualvoll war. Er hatte einmal zugesehen, wie Murray MacLeod, der Apotheker aus Campbelton, einem Mann, der von einem Schaf getreten worden war, gekonnt die Wange nähte. Würde es schwieriger sein, einem Kind den Mund zu nähen?

Er stellte sich vor, wie Jemmys Lippe, zart wie eine Knospe, von einer Nadel durchbohrt wurde, und erschauerte.

»Ist Euch kalt, *a charaid*? Wollen wir ins Haus gehen?« Duncan zog die Füße an sich, als wollte er aufstehen, doch er hielt den älteren Mann mit einer Geste zurück.

»Oh, nein. Ich musste nur an etwas denken.« Er lächelte und ließ sich noch einen Tropfen einschenken, um die nicht vorhandene Abendkühle zu vertreiben. Und doch spürte er, wie sich die Haare auf seinen Armen schwach aufstellten. *Könnte es noch einen geben – oder mehr – wie uns?*

Es gab andere, das wusste er. Seine eigene Urahnin Geillis zum Beispiel. Und der Mann, dessen Schädel Claire gefunden hatte, mit vollständig erhaltenen Silberfüllungen in den Zähnen. Doch war Duncan noch einem begegnet, vor einem halben Jahrhundert in einem abgelegenen Highlanddorf?

Himmel, dachte er, erneut aus der Fassung gebracht. *Wie oft mag das vorkommen? Und was wird aus ihnen?*

Bevor sie ganz am Boden des Dekanters anlangten, hörte er Schritte hinter sich und raschelnde Seide.

»Mrs. Cameron.« Er erhob sich auf der Stelle, wobei die Welt ein wenig ins Wanken geriet, und ergriff die Hand seiner Gastgeberin, um sich darüberzubeugen.

Ihre lange Hand berührte sein Gesicht, wie es ihre Angewohnheit war, und ihre empfindlichen Fingerspitzen versicherten sich seiner Identität.

»Och, da bist du ja, Jo. Hast du mit dem Kleinen einen schönen Ausflug gemacht?« Durch den Whisky und seinen fehlenden Arm behindert, kämpfte sich Duncan hoch, doch Ulysses, Jocastas Butler, war lautlos aus dem Zwielicht an der Seite seiner Herrin aufgetaucht, um rechtzeitig ihren

Korbsessel für sie zurechtzuschieben. Sie ließ sich hineinsinken, ohne auch nur die Hand auszustrecken, um sich zu vergewissern, dass er da war, bemerkte Roger; sie wusste einfach, dass er da sein würde.

Roger betrachtete den Butler neugierig und fragte sich, wen Jocasta wohl bestochen hatte, um ihn zurückzubekommen. Da man ihn – höchstwahrscheinlich zu Recht – anklagte, auf Jocastas Grund und Boden den Tod eines britischen Marineoffiziers verschuldet zu haben, war Ulysses gezwungen gewesen, aus der Kolonie zu fliehen. Doch niemand hatte Leutnant Wolff als großen Verlust für die Marine betrachtet – und Ulysses war für Jocasta unverzichtbar. Gold mochte zwar nicht alles möglich machen, aber er war bereit zu wetten, dass Jocasta Cameron noch nie auf einen Umstand gestoßen war, der sich nicht mit Geld, mit politischen Verbindungen oder mit List und Tücke zurechtbiegen ließ.

»Oh, aye«, antwortete sie ihrem Mann. Sie lächelte und streckte eine Hand nach ihm aus. »Es war eine solche Freude, ihn überall herumzuzeigen! Wir haben mit der alten Mrs. Forbes und ihrer Tochter zu Mittag gegessen, und der Kleine hat ein Lied gesungen und sie alle bezaubert. Mrs. Forbes hatte zudem die Montgomery-Mädchen eingeladen und Mrs. Ogilvie, und es gab kleine Lammkoteletts mit Himbeersauce und Bratäpfel und – oh, seid Ihr das, Mr. Christie? Kommt doch zu uns!« Sie sprach ein wenig lauter und hob das Gesicht, so dass es wirkte, als blickte sie erwartungsvoll in die Dunkelheit in Rogers Rücken.

»Mrs. Cameron. Stets zu Diensten, Madam.« Christie trat auf die Terrasse und machte eine vornehme Verbeugung, die um keinen Deut weniger vollendet ausfiel, nur weil ihre Empfängerin blind war. Arch Bug folgte ihm, beugte sich ebenfalls über Jocastas Hand und brachte zur Begrüßung einen herzlichen Kehllaut hervor.

Sessel wurden ins Freie gebracht, noch mehr Whisky, eine Platte mit Häppchen erschien wie von Zauberhand, Kerzen wurden angezündet – und plötzlich herrschte Feierstimmung, die auf einer höheren Ebene dieselbe nervöse Festlichkeit ausstrahlte, die sich gleichzeitig unten auf der Wiese fand. In der Ferne erklang Musik; eine Blechflöte, die einen Tanz spielte.

Roger ließ das alles über sich hinwegspülen und genoss das kurze Gefühl der Entspannung, das Gefühl, für nichts verantwortlich zu sein. Nur heute Abend brauchte er sich um nichts zu sorgen; alle waren zusammen, in Sicherheit, satt und für die Reise am Morgen bereit.

Er brauchte sich nicht einmal darum zu kümmern, das Gespräch in Gang zu halten; Tom Christie und Jocasta diskutierten leidenschaftlich über die literarischen Kreise Edinburghs und ein Buch, von dem er noch nie gehört hatte; Duncan, der so benebelt aussah, als würde er jeden Moment von seinem Sessel rutschen, warf dann und wann eine Bemerkung ein, und der alte Arch – wo war Arch? Oh, dort, auf dem Rückweg zur Wiese. Zweifellos war ihm in letzter Minute noch etwas eingefallen, was er jemandem sagen musste.

Er pries Jamie Fraser dafür, dass er so vorausschauend gewesen war, Arch und Tom mit ihm zusammen zu schicken. Die beiden hatten ihn vor einer ganzen Reihe von Blamagen bewahrt, sich um die zehntausend notwendigen Details gekümmert und die Ängste der neuen Pächter vor ihrem jüngsten Sturz ins Unbekannte beschwichtigt.

Er holte tief und zufrieden Luft. Es roch heimelig nach Lagerfeuern in der Ferne und nach dem Abendessen, das in der Nähe gebraten wurde – und erinnerte sich verspätet an das eine kleine Detail, dessen Wohlergehen nach wie vor allein seine Sorge war.

Er entschuldigte sich, ging ins Haus und fand Jem unten in der Hauptküche, wo er es sich in der Ecke einer Kaminbank gemütlich gemacht hatte und Brotpudding mit geschmolzener Butter und Ahornsirup aß.

»Das ist doch niemals dein Abendessen, oder?«, fragte er und setzte sich neben seinen Sohn.

»Ah-hah. Auch, Papa?« Jem hielt ihm seinen triefenden Löffel entgegen, und er beugte sich hastig nieder, um den Inhalt zu essen, bevor er herunterfiel. Er war köstlich und zerging himmlisch süß und sahnig auf der Zunge.

»Mmm«, sagte er und schluckte. »Nun ja, davon erzählen wir Mami oder Oma lieber nichts, ja? Sie haben diese merkwürdige Vorliebe für Fleisch und Gemüse.«

Jem nickte einverstanden und bot ihm noch einen Löffel an. Zusammen leerten sie das Schüsselchen in kameradschaftlichem Schweigen. Danach kroch Jem auf seinen Schoß, lehnte sein klebriges Gesicht an Rogers Brust und schlief fest ein.

Dienstboten huschten um sie herum und lächelten ab und zu freundlich. Ich sollte aufstehen, dachte er vage. Das Abendessen würde jeden Moment serviert werden – er sah, wie Platten kunstvoll mit gebratener Ente und Hammel belegt wurden, wie Berge von lockerem, dampfendem, in Sauce getränktem Reis in Schüsseln gefüllt wurden und ein gigantischer grüner Salat mit Essig überträufelt wurde.

Voller Whisky, Brotpudding und Zufriedenheit blieb er jedoch sitzen und schob die Notwendigkeit, sich von Jem zu trennen und dem Frieden ein Ende zu setzen, den er empfand, als er seinen Sohn so im Arm hielt, weiter auf.

»Mister Roger? Ich nehme ihn, ja?«, sagte eine leise Stimme. Er hob den Blick von Jemmys Haaren, in denen Brotpuddingreste klebten, und sah, wie sich Phaedre, Jocastas Leibdienerin, vorbeugte und die Hände ausstreckte, um den Jungen zu nehmen.

»Ich wasche ihn und bringe ihn zu Bett, Sir«, sagte sie, und ihr ovales Gesicht war genauso sanft wie ihre Stimme, als sie Jem betrachtete.

»Oh. Ja … sicher. Danke.« Roger richtete sich auf, Jems nicht unbeachtliches Gewicht im Arm, und erhob sich vorsichtig. »Hier – ich trage ihn für dich nach oben.«

Er folgte der Sklavin die schmale Treppe aus der Küche hinauf und bewunderte – auf rein abstrakte und ästhetische Weise – die Anmut ihrer Haltung. Wie alt war sie?, fragte er sich. Zwanzig, zweiundzwanzig? Würde Jocasta ihr erlauben zu heiraten? Sie musste doch sicher Verehrer haben. Doch er wusste auch, wie wertvoll sie für Jocasta war – sie wich ihrer Herrin kaum von der Seite. Nicht leicht, das mit einem eigenen Heim und einer Familie zu vereinbaren.

Am oberen Ende der Treppe blieb sie stehen und wandte sich ihm zu, um ihm Jem abzunehmen; er überließ ihr seine erschlaffte Bürde nur widerstrebend, wenn auch nicht ohne Erleichterung. Unten war es drückend heiß, und dort, wo sich Jem an ihn gepresst hatte, war sein Hemd schweißnass.

»Mister Roger?« Er war schon im Begriff zu gehen, als ihn Phaedres Stimme zurückhielt. Sie sah ihn über Jemmys Schulter hinweg an, und ihre Augen blickten zögernd unter ihrem weißen Turban hervor.

»Aye?«

Das Geräusch von Schritten, die die Treppe heraufkamen, ließ ihn zur Seite treten, und er konnte gerade noch ausweichen, als Oscar nach oben gerannt kam, eine leere Servierplatte unter dem Arm – offenbar war er unterwegs in die Sommerküche, wo der Fisch gebraten wurde. Oscar grinste Roger im Vorbeigehen an und blies einen Kuss zu Phaedre hinüber, deren Lippen sich bei dieser Geste aufeinander pressten.

Sie machte eine schwache Kopfbewegung, und Roger folgte ihr durch den Flur, fort von der Geschäftigkeit der Küche. An der Tür, die zu den Stallungen führte, blieb sie stehen und sah sich um, um sich zu vergewissern, dass niemand sie hören konnte.

»Vielleicht sollte ich ja gar nichts sagen, Sir – vielleicht *ist* es ja auch nichts. Aber ich glaube, ich sollte es Euch trotzdem erzählen.«

Er nickte und strich sich die feuchten Haare aus der Schläfe. Die Tür stand offen, und hier wehte ein leiser Luftzug, Gott sei Dank.

»Wir waren in der Stadt, Sir, heute Morgen, in Mr. Benjamins Lagerhaus; Ihr wisst doch, welches ich meine? Unten am Fluss?«

Er nickte erneut, und sie leckte sich die Lippen.

»Master Jem, er ist unruhig geworden und hat sich selbständig gemacht, während sich die Herrin mit Mr. Benjamin unterhalten hat. Ich bin ihm nachgegangen, damit ihm nichts passiert, deshalb war ich bei ihm, als der Mann hereingekommen ist.«

»Aye? Welcher Mann denn?«

Sie schüttelte den Kopf, und der Ausdruck ihrer dunklen Augen war ernst.

»Ich weiß es nicht, Sir. Ein großer Mann, so groß wie Ihr. Hellhaarig; er hat keine Perücke getragen. Aber er war ein feiner Herr.« Womit sie wohl meinte, so vermutete er, dass der Mann gut gekleidet war.

»Und?«

»Er schaut sich um, sieht, wie Mr. Benjamin mit Miss Jo redet und tritt zur Seite, als ob er nicht möchte, dass ihn jemand bemerkt. Aber dann sieht er Mr. Jem, und sein Gesicht wird ganz scharf.«

Bei dieser Erinnerung zog sie Jem ein wenig dichter an sich.

»Sein Blick hat mir gar nicht gefallen, Sir, wenn ich ehrlich bin. Ich sehe, wie er sich auf Jemmy zubewegt, und gehe schnell zu dem Jungen und nehme ihn auf den Arm, so wie jetzt. Der Mann macht ein überraschtes Gesicht, dann so, als ob er etwas komisch findet; er lächelt Jemmy an und fragt ihn, wer sein Papa ist?«

Ein Lächeln huschte über ihr Gesicht, und sie tätschelte Jemmys Rücken.

»Das fragen ihn alle Leute in der Stadt, und er sagt sofort, sein Papa ist Roger MacKenzie, genau wie immer. Dieser Mann, er lacht und fährt Jemmy durch die Haare – das tun sie alle, Sir, er hat so einen hübschen Kopf. Dann sagt er: ›Ist er das, mein Kleiner, ist er das wirklich?‹«

Phaedre war die geborene Stimmenimitatorin. Sie ahmte den irischen Akzent perfekt nach, und der Schweiß auf Rogers Haut wurde kalt.

»Und was ist dann passiert?«, wollte er wissen. »Was hat er getan?« Er blickte unbewusst an ihr vorbei zur offenen Tür hinaus und durchsuchte die Nacht nach Gefahren.

Phaedre zog die Schultern hoch und erschauerte leicht.

»*Getan* hat er gar nichts, Sir. Aber er sieht Jem ganz scharf an, und dann mich, und dann lächelt er mir mitten ins Gesicht. Das Lächeln gefällt mir nicht, Sir, ganz und gar nicht.« Sie schüttelte den Kopf. »Aber dann höre ich hinter mir Mr. Benjamin fragen, ob der Herr ihn braucht? Und der Mann dreht sich auf dem Absatz um und ist zur Tür hinaus, einfach *so*.« Sie hielt Jem mit einem Arm umklammert und schnippte kurz mit den Fingern der freien Hand.

»Ich verstehe.« Der Pudding hatte einen festen Klumpen gebildet, der ihm wie Eisen im Magen lag. »Hast du deiner Herrin von diesem Mann erzählt?«

Sie schüttelte ernst den Kopf.

»Nein, Sir. Er hat ja eigentlich nichts getan, wie ich sagte. Aber er geht mir nicht aus dem Kopf, Sir, also habe ich zu Hause überlegt und schließlich gedacht, nun, besser, ich sage es Euch, Sir, wenn ich kann.«

»Das hast du richtig gemacht«, sagte er. »Danke, Phaedre.« Er musste gegen das Bedürfnis ankämpfen, ihr Jemmy abzunehmen und ihn ganz fest zu halten. »Würdest du – wenn du ihn ins Bett gebracht hast, kannst du … bei ihm bleiben? Nur, bis ich nach oben komme. Ich sage deiner Herrin, dass ich dich darum gebeten habe.«

Sie sah ihn mit ihren dunklen Augen direkt an und nickte. Sie verstand ihn voll und ganz.

»Aye, Sir. Ich passe auf ihn auf.« Sie deutete einen Hofknicks an und ging die Treppe hinauf auf das Zimmer zu, das er mit Jem teilte. Dabei summte sie dem Jungen leise und rhythmisch ins Ohr.

Er atmete langsam, während er mit dem überwältigenden Bedürfnis rang, sich ein Pferd aus dem Stall zu holen, nach Cross Creek zu reiten und in der Dunkelheit ein Haus nach dem anderen abzusuchen, bis er Stephen Bonnet fand.

»Schön«, sagte er laut. »Und was dann?« Seine Hände ballten sich unwillkürlich zu Fäusten – sie wussten genau, was zu tun war, auch wenn seinem Verstand die Vergeblichkeit eines solchen Vorgehens klar war.

Er kämpfte die Wut und Hilflosigkeit nieder, während die Überreste des Whiskys sein Blut kochen und in seinen Schläfen hämmern ließen. Er trat abrupt durch die offene Tür in die Nacht hinaus, denn es war inzwischen vollständig dunkel. Von dieser Seite des Hauses aus war die Wiese nicht zu sehen, doch er konnte den Rauch der Feuer noch riechen und hörte das leise Trällern der Musik.

Er hatte gewusst, dass Bonnet eines Tages zurückkehren würde. Dort unten am Rand des Rasens leuchtete Hector Camerons weißes Mausoleum schwach in der Nacht. Und in seinem Inneren, versteckt in dem Sarg, der auf Hectors Frau Jocasta wartete, lag ein Vermögen in Jakobitengold, das lange gehütete Geheimnis von River Run.

Bonnet wusste, dass das Gold existierte, vermutete, dass es sich auf der Plantage befand. Er hatte schon einmal versucht, es an sich zu bringen, und versagt. Er war alles andere als umsichtig, Bonnet – doch er *war* hartnäckig.

Roger hatte das Gefühl, dass seine Knochen aus seiner Haut wollten, so sehr verlangte es ihn danach, den Mann zu jagen und zu töten, der seine Frau vergewaltigt und seiner Familie gedroht hatte. Doch es waren sechsundsiebzig Menschen von ihm abhängig – nein, siebenundsiebzig. Sein Rachebedürfnis rang mit seinem Verantwortungsbewusstsein – und gab höchst widerstrebend nach.

Er holte langsam und tief Luft und spürte, wie sich der Knoten der Seilnarbe in seiner Kehle zuzog. Nein. Er musste aufbrechen und für die Sicherheit der neuen Pächter sorgen. Der Gedanke, sie mit Arch und Tom loszuschicken, während er zurückblieb und nach Bonnet suchte, war verlockend – doch es war seine Aufgabe; er konnte sie nicht vernachlässigen zugunsten einer Zeit raubenden und wahrscheinlich nutzlosen persönlichen Angelegenheit.

Noch konnte er Jemmy ohne Schutz lassen.

Doch er musste es Duncan sagen; er konnte sich darauf verlassen, dass Duncan alles Nötige zum Schutz von River Run unternahm und die Autoritäten in Cross Creek veranlasste, Nachforschungen anzustellen.

Und morgen würde Roger dafür sorgen, dass Jemmy stets in Sicherheit war, ihn vor sich auf dem Sattel halten, ihn auf dem ganzen Weg in die Zuflucht der Berge keine Sekunde aus den Augen lassen.

»›Wer ist dein Papa?‹«, knurrte er, und die Wut rauschte erneut durch seine Adern. »Gottverdammt, ich bin das, du Mistkerl!«

DRITTER TEIL

Ein jedes Ding hat seine Zeit

16

Le Mot Juste

August 1773

»Du lächelst ja«, sagte Jamie in mein Ohr. »War es schön?«

Ich wandte den Kopf und öffnete die Augen, die sich auf einer Höhe mit seinem Mund befanden – und der lächelte ebenfalls.

»Schön«, sagte ich nachdenklich und zeichnete mit der Fingerspitze den Verlauf seiner breiten Unterlippe nach. »Bist du mit Absicht bescheiden, oder hoffst du, mich durch klassische Untertreibung zu Lobeshymnen anzuspornen?«

Sein Mund wurde noch breiter, und seine Zähne schlossen sich sanft um meinen tastenden Finger, bevor sie ihn wieder losließen.

»Oh, Bescheidenheit natürlich«, sagte er. »Wenn ich dich zu Hymnen inspirieren wollte, würde ich es doch nicht mit Worten tun, oder?«

Er fuhr mir zur Illustration mit einer Hand sacht über den Rücken.

»Nun ja, die Worte *helfen* aber«, sagte ich.

»Ja?«

»Ja. Gerade jetzt war ich nämlich dabei, ›Ich liebe dich, ich hab dich so gern, ich bete dich an, ich muss meinen Schwanz in dir spüren‹ nach ihrer relativen Aufrichtigkeit zu sortieren.«

»Habe ich das gesagt?«, fragte er und klang leicht verschreckt.

»Ja. Hast du nicht zugehört?«

»Nein«, gab er zu. »Aber mir ist jedes Wort ernst gewesen.« Seine Hand umfasste meine Pobacke und wiegte sie beifällig. »Ist es immer noch, wenn du so fragst.«

»Was, sogar das letzte?« Ich lachte und rieb meine Stirn sanft an seiner Brust. Sein Kinn ruhte gemütlich auf meinem Scheitel.

»Oh, aye«, sagte er und zog mich mit einem Seufzer fest an sich. »Ich gebe zwar zu, dass das Fleisch einen kleinen Happen und eine kurze Ruhepause braucht, bevor ich an das nächste Mal denken kann, aber der Geist ist immer willig. Gott, du hast den schönsten fetten kleinen Arsch. Wenn ich ihn nur sehe, möchte ich es dir am liebsten gleich wieder besorgen. Dein Glück, dass du mit einem hinfälligen Greis verheiratetet bist, Sassenach, oder du würdest dich in dieser Sekunde mit dem Hintern in der Luft auf den Knien wiederfinden.«

Er roch angenehm nach Straßenstaub und getrocknetem Schweiß und dem kräftigen Moschus eines Mannes, der sich gerade genüsslich ausgelebt hat.

»Schön, dass ich dir gefehlt habe«, sagte ich zufrieden in den kleinen Zwischenraum unter seinem Arm hinein. »Du hast mir auch gefehlt.«

Mein Atem kitzelte ihn, und seine Haut zuckte plötzlich wie bei einem Pferd, das eine Fliege abschüttelt. Er rückte ein wenig zur Seite, drehte mich so, dass mein Kopf in seine Schulterhöhle passte und seufzte genauso zufrieden.

»Nun gut. Ich sehe, dass hier noch alles steht.«

So war es. Es war Spätnachmittag, die Fenster waren offen, und die tief stehende Sonne leuchtete zwischen den Bäumen hindurch, so dass sich wechselnde Muster auf den Wänden und Musselinlaken abmalten und wir in einer Laube aus murmelnden Schattenblättern dahintrieben.

»Das Haus steht noch, die Gerste ist zum Großteil geerntet, und es gab keine Toten«, sagte ich und machte es mir bequem, um ihm Bericht zu erstatten. Jetzt, da das Wichtigste erledigt war, würde er wissen wollen, was sich während seiner Abwesenheit in Fraser's Ridge zugetragen hatte.

»Zum Großteil?«, sagte er und stürzte sich zielsicher auf den Punkt, an dem es hakte. »Was ist denn passiert? Es hat geregnet, aye, aber die Gerste hätte doch schon letzte Woche unter Dach und Fach sein sollen.«

»Kein Regen. Heuschrecken.« Ich erschauerte bei dem bloßen Gedanken daran. Just am Ende der Gerstenernte war eine ganze Wolke der gemeinen Glubschaugenviecher über uns hergefallen. Ich war in meinen Garten gegangen, um Gemüse zu ernten, und hatte feststellen müssen, dass besagtes Gemüse nur so wimmelte von keilförmigen Insektenkörpern und raschelnden Krallenfüßen. Meine Salat- und Kohlköpfe waren zu zerrupften Stümpfen abgenagt, und die Trichterwinden am Zaun hingen in Fetzen.

»Ich bin losgelaufen und habe Mrs. Bug geholt, und wir haben sie mit Besen vertrieben – aber dann sind sie in einer großen Wolke aufgestiegen und haben sich durch den Wald zu dem Feld hinter der grünen Quelle aufgemacht. Sie haben sich auf der Gerste niedergelassen; man konnte sie meilenweit kauen hören. Es hat sich angehört, als stampften Riesen durch Reis.« Gänsehaut überzog meine Schultern, und Jamie rieb geistesabwesend über meine Haut. Seine Hand war groß und warm.

»Mmphm. Dann haben sie nur das eine Feld erwischt?«

»O ja.« Ich holte tief Luft und roch jetzt noch den Rauch. »Wir haben das Feld abgefackelt und sie lebendig verbrannt.«

Ein überraschter Ruck durchfuhr seinen Körper, und er sah zu mir herab. »Was? Wer ist denn auf diese Idee gekommen?«

»Ich«, sagte ich nicht ohne Stolz. Wenn ich es im Nachhinein kaltblütig betrachtete, war es eine vernünftige Vorgehensweise; es waren noch mehr Felder in Gefahr, nicht nur mit Gerste, sondern auch mit heranreifendem Mais, Weizen, Kartoffeln und Heu – ganz zu schweigen von den Gemüsegärten, die für die meisten Familien überlebenswichtig waren.

Tatsächlich jedoch war es eine Entscheidung, die aus kochender Wut geboren wurde – aus schierer brutaler Rache für die Vernichtung meines Gartens. Ich hätte liebend gern jedem einzelnen Insekt die Flügel ausgerissen und die Überreste zertrampelt – doch sie zu verbrennen war fast genauso gut gewesen.

Es war Murdo Lindsays Feld; Murdo, der weder der Hellste noch der Schnellste war, hatte gar keine Zeit gehabt, angemessen auf meine Ankündigung zu reagieren, dass ich vorhatte, die Gerste anzuzünden, und er stand noch mit offenem Mund auf den Stufen seiner Blockhütte, als Brianna, Lizzie, Marsali, die Bugs und ich schon mit Reisigbündeln um das Feld rannten, die Stöckchen an Fackeln anzündeten und sie so weit wie möglich in das Meer aus reifem, trockenen Getreide warfen.

Die trockenen Halme gingen erst knisternd, dann dröhnend in Flammen auf. Durch die Hitze und den Rauch Dutzender Feuer verwirrt, flogen die Heuschrecken wie Funken auf, dann fingen ihre Flügel Feuer, und sie verbrannten und verschwanden in der aufsteigenden Säule aus Rauch und wirbelnder Asche.

»Natürlich hat sich Roger genau *diesen* Moment ausgesucht, um mit den neuen Pächtern aufzutauchen«, sagte ich und unterdrückte den Reiz, bei dieser Erinnerung unpassend aufzulachen. »Die armen Teufel. Es wurde schon dunkel, und da standen sie nun im Wald mit ihren Bündeln und ihren Kindern und haben dieser – verflixten Feuersbrunst zugesehen, und wir sind barfuß herumgetanzt, die Hemden hochgeknotet und voller Ruß, und haben gekreischt wie die Affen.«

Jamie hielt sich eine Hand vor die Augen und malte sich die Szene aus. Seine Brust schüttelte sich kurz, und unter der Hand breitete sich ein Grinsen aus.

»O Gott. Sie müssen ja geglaubt haben, dass Roger Mac sie geradewegs in die Hölle geführt hat. Oder zumindest zu einem Hexensabbat.«

Eine Blase aus schuldbewusstem Gelächter stieg krampfhaft unter meinen Rippen auf.

»So war es. O Jamie – der Ausdruck in ihren Gesichtern!« Ich konnte nicht mehr an mich halten und vergrub mein Gesicht an seiner Brust. Wir schüttelten uns beide und lachten einen Moment beinahe geräuschlos.

»Ich *habe* versucht, sie willkommen zu heißen«, sagte ich und prustete schwach. »Wir haben ihnen etwas zu essen gegeben und sie für die Nacht untergebracht – so viele wie möglich im Haus, und den Rest haben wir auf Briannas Hütte, den Stall und die Scheune aufgeteilt. Aber mitten in der Nacht bin ich noch einmal nach unten gegangen – nach der Aufregung konnte ich nicht schlafen – und habe ein Dutzend von ihnen betend in der Küche gefunden.«

Sie hatten am Herd im Kreis gestanden, Hand in Hand und die Köpfe ehrfürchtig gesenkt. Bei meinem Erscheinen waren sämtliche Köpfe in die Höhe gefahren, und ihre Augen hatten weiß in den schmalen, ausgemergelten Gesichtern geschimmert. Sie hatten mich totenstill angestarrt, und eine der Frauen hatte ihren Nebenmann losgelassen, um ihre Hand unter ihrer Schürze zu verstecken. In einer anderen Zeit, an einem anderen Ort hätte ich gedacht, dass sie nach einer Waffe griff – und vielleicht war es ja auch so; ich war mir sicher, dass sie im Schutz des zerschlissenen Stoffs das Hornzeichen machte.

Ich hatte bereits herausgefunden, dass nur wenige von ihnen Englisch sprachen. Ich fragte in meinem stockenden Gälisch, ob sie irgendetwas brauchten? Sie starrten mich an, als hätte ich zwei Köpfe, dann hatte einer der Männer, eine verschrumpelte Kreatur mit einem dünnen Mund, den Kopf einen knappen Zentimeter geschüttelt.

»Dann haben sie sich einfach wieder ihrem Gebet zugewandt, und ich konnte ins Bett zurückschleichen.«

»Du bist im Hemd nach unten gegangen?«

»Nun… ja. Ich hatte nicht erwartet, dass um diese Uhrzeit jemand auf war.«

»Mmpfm.« Seine Fingerknöchel streiften meine Brust, und ich wusste genau, was er dachte. Mein Sommernachthemd war aus dünnem Musselin, und ja, na schön, verdammt, wahrscheinlich *war* es bei Tageslicht etwas durchsichtig, aber die Küche war nur von der roten Glut des fast erloschenen Herdfeuers erhellt gewesen.

»Ich gehe nicht davon aus, dass du mit einer anständigen Nachthaube nach unten gegangen bist, Sassenach?«, fragte Jamie und fuhr nachdenklich mit der Hand durch mein Haar. Ich hatte es gelöst, um mit ihm zu Bett zu gehen, und es schlängelte sich munter in alle Richtungen, à la Medusa.

»Natürlich nicht. Aber ich hatte es geflochten«, protestierte ich. »Absolut respektabel!«

»Oh, absolut«, pflichtete er mir grinsend bei, schob seine Finger in die wilde Masse meines Haars, umschloss meinen Kopf mit den Händen und küsste mich. Seine Lippen waren rissig vom Wind und der Sonne, aber angenehm weich. Er hatte sich seit seinem Aufbruch nicht rasiert, und sein Bart war kurz und gelockt und gab unter meinen Fingern nach wie Sprungfedern.

»Na schön. Sie sind inzwischen untergebracht, nehme ich an? Die Pächter?« Seine Lippen hauchten über meine Wange und knabberten sanft an meinem Ohr. Ich holte tief Luft.

»Ah. Oh. Ja. Arch Bug hat sie heute Morgen mitgenommen; er hat sie bei verschiedenen Familien in ganz Fraser's Ridge untergebracht, und sie haben sich gleich ans Werk gemacht und …« Mein Gedankengang geriet vorübergehend auf Abwege, und ich krallte meine Finger reflexiv in seinen Brustmuskel.

»Und du hast Murdo gesagt, dass ich das natürlich in Ordnung bringe. Das mit der Gerste?«

»Ja, natürlich.« Meine umherschweifende Aufmerksamkeit fasste kurz Fuß, und ich lachte. »Er hat mich lediglich angestarrt und dann völlig verdattert genickt und gesagt: ›Oh, natürlich, ganz wie es Ehrwürden wünscht.‹ Ich glaube, ihm war nicht einmal da klar, warum ich sein Feld niedergebrannt hatte; womöglich hat er einfach gedacht, ich hätte plötzlich Lust gehabt, seine Gerste in Brand zu stecken.«

Jamie lachte ebenfalls – ein höchst verunsicherndes Gefühl, weil er seine Zähne in mein Ohrläppchen gebohrt hatte.

»Um«, sagte ich schwach. Ich spürte, wie mich sein roter Bart am Hals kitzelte, und die Haut unter meiner Handfläche war warm und glatt. »Die Indianer. Wie bist du mit den Cherokee zurechtgekommen?«

»Gut.«

Er bewegte sich plötzlich und wälzte sich auf mich. Er war sehr kräftig und *sehr* warm, und er roch nach Verlangen, stark und scharf. Die Laubschatten wanderten über sein Gesicht und seine Schultern und sprenkelten das Bett und die weiße Haut meiner weit geöffneten Oberschenkel.

»Ich hab dich so gern, Sassenach«, murmelte er in mein Ohr. »Ich kann es mir genau vorstellen, du, halb nackt in deinem Hemd, und deine Locken fallen dir lose auf die Brust … ich liebe dich. Ich bete –«

»Wie war das mit der Ruhepause und dem Essen?«

Seine Hände schoben sich unter meinen Rücken, umfassten meine Pobacken und drückten zu, und ich spürte seinen Atem sanft und heiß auf meinem Hals.

»Ich *muss* meinen –«

»Aber –«

»Auf der Stelle, Sassenach.« Er richtete sich abrupt auf und kniete sich vor mir auf das Bett. Ein schwaches Lächeln überzog sein Gesicht, doch sein Blick war dunkelblau und gebannt. Er nahm seine Hoden in die Hand, und sein Daumen bewegte sich langsam und überlegt an seinem drängenden Glied auf und ab.

»Auf die Knie, *a nighean*«, sagte er leise. »Und zwar sofort.«

17

Die Grenzen der Macht

Von James Fraser, Esq., Fraser's Ridge
An Lord John Grey auf der Mount Josiah Plantage

14. August 1773

Mylord,
ich schreibe, um dich von meinem neuen Amt in Kenntnis zu setzen, nämlich dem des Königlichen Indianeragenten, benannt durch das Südliche Department unter John Stuart.

Ursprünglich war ich mir nicht im Klaren, ob ich dieses Amt annehmen sollte, doch wurden meine Ansichten eindeutiger, nachdem mir Mr. Richard Brown, ein entfernter Nachbar, und sein Bruder einen Besuch abstatteten. Ich nehme an, Mr. Higgins wird dir bereits von ihrem so genannten Komitee für die Sicherheit berichtet haben, das sofort zur Tat schritt und ihn festnehmen wollte.

Sind dir in Virginia auch derartige Ad-hoc-Zusammenschlüsse bekannt? Die Situation ist dort vielleicht nicht ganz so unruhig wie hier oder in Boston, wo Mr. Higgins ebenfalls von ihrer Existenz berichtet. Jedenfalls hoffe ich, dass sie es nicht ist.

Ich bin der Meinung, dass jeder vernünftige Mensch diese Komitees aus Prinzip missbilligen muss. Ihre erklärte Absicht ist es, Schutz vor Vagabunden und Banditen zu gewähren und in Gegenden, wo kein Sheriff oder Constabler greifbar ist, Kriminelle zu verhaften. Doch da ihr Verhalten keinem Gesetz außer dem Eigennutz gehorcht, gibt es eindeutig nichts, was verhindern könnte, dass eine solche irreguläre Miliz zu einer größeren Bedrohung für die Bürger wird als die Gefahren, vor denen sie sie angeblich schützen will.

Doch ihr Reiz ist unübersehbar, vor allem in einem Fall, wie wir ihn hier durch unsere abgelegene Lage haben. Das nächste Gerichtshaus ist – oder war – drei Tagesritte entfernt, und in der ständigen Unruhe nach dem Regulatorenaufstand hat sich selbst dieser wenig zufriedenstellende Zustand noch verschlechtert. Der Gouverneur und sein Rat befinden sich in ständigem Konflikt mit der Versammlung, das Beru-

fungsgericht existiert so gut wie nicht mehr, es werden keine Richter mehr eingesetzt, und es gibt gegenwärtig keinen Sheriff in Surry County, nachdem der letzte Inhaber dieses Amtes selbiges niederlegte, als man ihm drohte, sein Haus in Brand zu stecken.

Die Sheriffs von Orange und Rowan County gehen ihren Ämtern zwar nach – doch sie sind bekanntermaßen so korrupt, dass sich niemand in ihre Abhängigkeit wagt, es sei denn, er hätte selbst in sie investiert.

Wir hören in diesen Tagen immer wieder, dass Häuser in Brand gesetzt werden, von Überfällen und ähnlichen Unruhen im Kielwasser des kürzlichen Kriegs der Regulatoren. Gouverneur Tryon hat zwar einige der in diesen Konflikt verwickelten Männer offiziell begnadigt, hat aber nichts unternommen, um zu verhindern, dass man vor Ort Vergeltung an ihnen übte; sein Nachfolger ist noch weniger in der Lage, mit derartigen Ereignissen fertig zu werden – die sich ja sowieso im Hinterland abspielen, weit entfernt von seinem Palast in New Bern und daher umso einfacher zu ignorieren. (Um nicht ungerecht zu sein; der Mann hat zweifellos genug Probleme vor seiner eigenen Haustür.)

Dennoch, die Siedler hier sind es zwar gewöhnt, sich gegen die normalen Bedrohungen der Wildnis zu verteidigen, doch das Auftreten solch wahlloser Angriffe – und die Möglichkeit von Indianerüberfällen so dicht an der Vertragsgrenze – reichten aus, um ihnen Angst einzujagen, so dass sie mit Erleichterung das Auftauchen jeder Person oder Gruppe begrüßen, die bereit ist, die Rolle des öffentlichen Beschützers zu übernehmen. Daher heißt man die Vigilanten der Komitees mit offenen Armen willkommen – zumindest anfänglich.

Ich schildere dir dies so detailliert, um dir meine Gedanken bezüglich meines Amtes verständlich zu machen. Mein Freund Major MacDonald (früher 32stes Kavallerieregiment) hatte mir gesagt, dass er sich an Mr. Richard Brown wenden würde, sollte ich es letztlich ablehnen, Indianeragent zu werden. Brown unterhalte bereits ausgedehnte Handelsbeziehungen mit den Cherokee und befände sich daher in einer Position, die seine Akzeptanz durch die Indianer so gut wie garantiere, da er ihnen bereits bekannt sei und vermutlich auch ihr Vertrauen genösse.

Meine eigene Bekanntschaft mit Mr. Brown und seinem Bruder macht mich geneigt, diese Aussicht mit Schrecken zu betrachten. Da ein solches Amt zugleich steigenden Einfluss mit sich bringt, würde Browns Geltung in dieser unruhigen Gegend bald so wachsen, dass ihm niemand mehr etwas entgegenzusetzen hätte – und das halte ich für gefährlich.

Mein Schwiegersohn hat die treffende Beobachtung geäußert, dass das Moralgefühl der Menschen mit ihrer zunehmenden Macht schwindet, und ich vermute, dass die Gebrüder Brown nie besonders viel des Ersteren besessen haben. Es mag schlichte Überheblichkeit meinerseits sein, davon auszugehen, dass ich mehr davon besitze. Ich habe gesehen, wie die Macht die Seele eines Menschen korrumpieren kann – und ich habe ihre Last bereits am eigenen Körper gespürt, wie du verstehen wirst, da du sie selbst ja schon so oft getragen hast. Dennoch, wenn es auf eine Entscheidung zwischen mir und Richard Brown hinausläuft, muss ich mich wohl auf die alte schottische Weisheit verlegen, dass der Teufel, den man kennt, besser ist als der, den man nicht kennt.

Außerdem beunruhigt mich natürlich der Gedanke an die häufige und ausgedehnte Abwesenheit von zu Hause, die meine neuen Pflichten zwangsläufig mit sich bringen wird. Und doch kann ich nicht guten Gewissens zulassen, dass die Menschen unter meiner Führung der Willkür und möglicherweise den Gewalttaten von Browns Komitee ausgesetzt werden.

Ich könnte natürlich meinerseits ein solches Komitee zusammenstellen – du würdest wahrscheinlich auf ein solches Vorgehen drängen –, doch das will und werde ich nicht tun. Abgesehen von der Umständlichkeit und den Kosten eines solchen Unterfangens, käme es einer offenen Kriegserklärung an die Browns gleich, und das halte ich nicht für klug, nicht, wenn ich oft auf Reisen sein muss und meine Familie schutzlos zurücklassen muss. Dieses neue Amt wird jedoch meinen eigenen Einfluss vergrößern und – so hoffe ich – dem Ehrgeiz der Browns Grenzen setzen.

Nachdem ich also zu dieser Entscheidung gelangt war, habe ich das Amt sofort schriftlich angenommen und den Cherokee letzten Monat meinen ersten offiziellen Besuch als Indianeragent abgestattet. Ich wurde spontan sehr herzlich empfangen, und ich hoffe, mein Verhältnis mit den Dörfern wird so bleiben.

Im Herbst werde ich die Cherokee erneut besuchen. Sollte ich dir in meinem neuen Amt in irgendwelchen Geschäftsdingen behilflich sein können, lass es mich wissen, und sei dir sicher, dass ich in deinem Interesse keine Mühen scheuen werde.

Zu den häuslicheren Dingen. Unsere kleine Bevölkerung hat sich beinahe verdoppelt, das Resultat einer Zuwanderung von Siedlern, die gerade erst aus Schottland gekommen sind. Dies ist zwar höchst erstre-

benswert, hat aber für nicht geringen Aufruhr gesorgt, da die Neuankömmlinge Fischersleute von der Küste sind. Für sie ist die Gebirgswildnis voller Bedrohungen und Geheimnisse – die sich in Form von Schweinen und Pflugscharen manifestieren.

(Was die Schweine angeht, so bin ich mir nicht sicher, ob ich ihre Ansicht nicht teile. Die weiße Sau hat gerade unter dem Fundament meines Hauses Einzug gehalten und hält dort solche Fressorgien ab, dass unser Abendessen regelmäßig durch einen Höllenlärm gestört wird, der große Ähnlichkeit mit den Klängen der gepeinigten Seelen besitzt. Seelen, denen anscheinend unter unseren Füßen Arme und Beine ausgerissen werden, bevor sie von Dämonen verschlungen werden.)

Da gerade von der Hölle die Rede ist, muss ich anmerken, dass unsere Neuankömmlinge außerdem leider gestrenge Söhne der Covenanter sind, denen ein Papist wie ich ganz wie eine Kreatur mit Quast und Hörnern erscheint. Du erinnerst dich aus Ardsmuir sicher noch an einen gewissen Thomas Christie. Verglichen mit diesen halsstarrigen Herren erscheint Mr. Christie als der Inbegriff des Mitgefühls und der Großherzigkeit.

Bis jetzt war es mir nicht in den Sinn gekommen, der Vorsehung für die Tatsache zu danken, dass mein Schwiegersohn presbyterianischer Weltanschauung ist. Aber jetzt sehe ich, wie wahr es ist, dass die Wege des Allmächtigen uns armen Sterblichen in der Tat nicht immer einsichtig sind. Zwar ist selbst Roger MacKenzie in der neuen Pächter Augen ein lästerlicher Freigeist, doch immerhin können sie mit ihm sprechen, ohne sich zu den kleinen Gesten und Zeichen gegen das Böse genötigt zu sehen, die unablässig ihre Unterredungen mit mir begleiten.

Was ihr Verhalten gegenüber meiner Frau angeht, so könnte man meinen, sie sei die Hexe von Endor, wenn nicht die Hure von Babylon. Dies, weil sie die Ausstattung ihres Sprechzimmers für »Zauberwerk« halten und entsetzt waren, als sie sahen, wie eine Anzahl von Cherokee-Indianern es betrat, prächtig geschmückt für den Besuch. Sie waren gekommen, um mit Obskuritäten wie Schlangenzähnen und Bärengallen zu handeln.

Meine Frau bittet mich, dir mitzuteilen, wie sehr deine Komplimente bezüglich der Verbesserung des Gesundheitszustandes von Mr. Higgins sie gefreut haben – und wie viel mehr dein Angebot, ihr bei deinem Freund in Philadelphia Arzneien zu besorgen. Sie bittet mich, dir die beigefügte Liste zu senden. Der Blick, den ich darauf geworfen habe, lässt mich vermuten, dass deine Erfüllung ihrer Wünsche nicht dazu beitragen wird, den Argwohn der Fischersleute zu zerstreuen. Doch bitte lass dich dadurch nicht abhalten, denn ich bin der Überzeugung, dass allein Zeit und Gewohnheit ihre Angst vor ihr vermindern werden.

Meine Tochter bittet mich ebenfalls, dir ihre Dankbarkeit für den Phosphor auszudrücken, den du ihr geschenkt hast. Ich weiß nicht recht, ob ich diese teile, da ihre Experimente mit dieser Substanz bis jetzt beängstigend feurig ausgefallen sind. Glücklicherweise hat noch keiner der Neuankömmlinge sie dabei beobachtet, sonst hätten sie keinen Zweifel mehr, dass Satan in der Tat gut mit mir und den Meinen befreundet ist.

Um ein weniger ernstes Thema anzuschlagen, beglückwünsche ich dich zu deinem letzten Rebensaft, der wirklich trinkbar ist. Im Austausch sende ich dir einen Krug mit Mrs. Bugs bestem Cidre und eine Flasche des im Fass gereiften Dreijährigen. Ich rede mir ein, dass er dir die Speiseröhre weniger verätzen wird als die letzte Sendung.

Dein gehorsamer Diener,
J. Fraser

Postscriptum: Man hat mir von einem Herrn berichtet, dessen Beschreibung einem gewissen Stephen Bonnet ähnelt und der letzten Monat kurz in Cross Creek aufgetaucht ist. Wenn er es tatsächlich gewesen ist, so ist nicht bekannt, was er dort wollte, und er scheint spurlos verschwunden zu sein; mein Schwiegeronkel Duncan Innes hat in der Gegend Erkundigungen eingezogen, schreibt mir aber, dass sich diese als fruchtlos erwiesen haben. Solltest du diesbezüglich irgendetwas hören, so bitte ich dich, mich unverzüglich zu verständigen.

18

Brumm!

Aus dem Traumbuch

Letzte Nacht habe ich von fließendem Wasser geträumt. Das bedeutet normalerweise, dass ich zu viel getrunken habe, bevor ich ins Bett gegangen bin, aber diesmal war es anders. Das Wasser kam zu Hause aus dem Hahn am Spülbecken. Ich habe Mama geholfen, das Geschirr zu spülen; sie hat heißes Wasser aus dem Brausekopf über die Teller laufen lassen und sie mir dann zum Abtrocknen gegeben; ich konnte das heiße Porzellan durch das Geschirrtuch hindurch spüren und den Wasserdampf in meinem Gesicht.

Weil die Luft so feucht war, hat sich Mamas Haar geringelt wie verrückt, und das Muster auf den Tellern waren die runden rosa Rosen des guten Hochzeitsporzellans. Das hat mich Mama nie spülen lassen, bis ich zehn wurde, weil sie Angst hatte, ich würde es fallen lassen, und als ich es endlich spülen durfte, war ich so stolz!

Ich kann immer noch jeden einzelnen Gegenstand in unserem Porzellanschrank im Wohnzimmer sehen: die handbemalte Kuchenplatte von Mamas Urgroßvater (er war Künstler, hat sie gesagt, und hat mit dieser Platte vor hundert Jahren einen Wettbewerb gewonnen), das Dutzend Kristallweingläser, die Papa von seiner Mutter geerbt hat, zusammen mit dem passenden Olivenschälchen und der handbemalten Tasse und Untertasse mit den Veilchen und dem Goldrand.

Ich habe vor dem Schrank gestanden und das Porzellan weggeräumt – aber wir haben das Porzellan gar nicht in diesem Schrank aufbewahrt; es stand auf dem Bord über dem Backofen – und das Wasser in der Küchenspüle ist übergelaufen und hat sich auf dem Boden verteilt und unter mir Pfützen gebildet. Dann hat es angefangen zu steigen, und ich bin durch die Küche gewatet. Durch meine Schritte ist das Wasser aufgespritzt und hat geglitzert wie das Kristallschälchen für die Oliven. Das Wasser ist höher und höher gestiegen, aber keiner schien sich Sorgen zu machen; ich jedenfalls nicht.

Das Wasser war warm, heiß sogar; ich konnte Dampf von der Oberfläche aufsteigen sehen.

Das war der ganze Traum – aber als ich heute Morgen aufgestanden bin, war das Wasser in der Schüssel so kalt, dass ich mir Wasser in einem Topf über dem Feuer heiß machen musste, bevor ich Jemmy gewaschen habe.

Während ich auf das Wasser über dem Feuer gewartet habe, musste ich die ganze Zeit an meinen Traum denken und an all diese Massen heißen, fließenden Wassers.

Was ich mich frage, ist folgendes: Diese Träume, die ich über die Zeit dann habe – sie kommen mir so real und detailliert vor; viel mehr als meine Träume von heute. Warum sehe ich Dinge, die nirgendwo existieren außer in meinem Kopf?

Was ich mich in Bezug auf die Träume frage, ist – all die neuen Erfindungen, die die Leute machen, wie viele davon werden von Menschen wie mir gemacht – Menschen wie uns? Wie viele »Erfindungen« sind in Wirklichkeit Erinnerungen an die Dinge, die uns einmal vertraut waren? Und – wie viele von uns gibt es?

»Eigentlich ist es gar nicht so schwierig, an fließendes Wasser zu kommen. Theoretisch.«

»Nein? Kann sein.« Roger hörte ihr nur halb zu, denn er konzentrierte sich ganz auf den Gegenstand, der unter seinem Messer Gestalt annahm.

»Ich meine, es *einzurichten* wäre eine gewaltige Anstrengung. Aber das Prinzip ist ganz simpel. Man legt Gräben an oder baut Fließrinnen – und in dieser Gegend wären es wahrscheinlich Rinnen …«

»Wirklich?« Jetzt kam der knifflige Teil. Er hielt den Atem an und meißelte vorsichtig winzig kleine Holzspäne von seinem Werkstück ab, einen nach dem anderen.

»Nicht aus Metall«, sagte Brianna geduldig. »Wenn man Metall hätte, könnte man überirdische Rohrleitungen legen. Aber ich wette, es gibt in ganz North Carolina nicht genug Metall, um die Rohre herzustellen, die man brauchen würde, um Wasser vom Bach bis zum Haupthaus zu befördern. Von einem Dampfkessel ganz zu schweigen. Und wenn, dann würde es ein Vermögen kosten.

»Mmm.« Weil er das Gefühl hatte, dass dies eventuell keine angemessene Erwiderung war, fügte Roger hastig hinzu: »Aber es gibt doch Metall. Jamies Destillierapparat zum Beispiel …«

Seine Frau schnaubte verächtlich.

»Klar. Ich habe ihn gefragt, woher er ihn hat – er sagt, er hat ihn beim Pokerspiel gegen einen Schiffskapitän in Charleston gewonnen. Meinst du, ich könnte vierhundert Meilen weit reisen, um mein Silberarmband gegen einige zig Meter gewalztes Kupfer zu setzen?«

Noch ein Span … zwei … ein winziger Druck mit der Messerspitze … ah. Das winzige Rund löste sich aus dem Holz. Es drehte sich!

»Äh … natürlich«, sagte er, als ihm verspätet klar wurde, dass sie ihn etwas gefragt hatte. »Warum nicht?«

Sie brach in Gelächter aus.

»Du hast nicht ein Wort von dem gehört, was ich gesagt habe, oder?«

»Doch, natürlich«, protestierte er. »Du hast ›Gräben‹ gesagt. Und ›Wasser‹. Daran kann ich mich genau erinnern.«

Sie schnaubte erneut, wenn auch diesmal nachsichtig.

»Nun, *du* müsstest es sowieso machen.«

»Was denn?« Sein Daumen tastete nach dem kleinen Rad und versetzte es in Bewegung.

»Pokern. Niemand wird *mich* um Einsatz Karten spielen lassen.«

»Gott sei Dank«, sagte er automatisch.

»Mein kleiner Presbyterianer«, sagte sie geduldig und schüttelte den Kopf. »Du bist doch alles andere als ein Spieler, oder, Roger?«

»Oh, und du bist es wohl?« Sein Tonfall war scherzhaft, und doch fragte er sich, warum er sich durch ihre Bemerkung vage getadelt fühlte.

Sie lächelte nur, und ihr breiter Mund verzog sich zu einem Lächeln, das reichlich durchtriebenen Unternehmergeist andeutete. Ihm wurde ein wenig beklommen zumute, als er das sah. Sie *war* eine Spielernatur, obwohl sie bis jetzt … Er blickte unwillkürlich auf den großen, verkohlten Fleck mitten auf dem Tisch.

»Das war ein Unfall«, verteidigte sie sich.

»Oh, aye. Zumindest sind deine Augenbrauen schon nachgewachsen.«

»Hmpf. Ich hab's fast. Noch ein Versuch –«

»Das hast du beim letzten Mal auch gesagt.« Er war sich bewusst, dass er sich auf gefährlichem Terrain bewegte, doch er schien es nicht lassen zu können.

Sie holte tief und langsam Luft und sah ihn mit leicht zusammengekniffenen Augen an wie ein Mensch, der die Reichweite eines großen Geschützes abschätzte, bevor er es abfeuerte. Dann schien sie es sich anders zu überlegen und verkniff sich, was auch immer sie hatte sagen wollen; ihre Gesichtszüge entspannten sich, und sie streckte die Hand nach dem Gegenstand aus, den er festhielt.

»Was hast du denn da gemacht?«

»Nur ein kleines Spielzeug für Jem.« Er überließ es ihr und fühlte, wie ihn bescheidener Stolz erwärmte. »Alle Räder drehen sich.«

»Meins, Papa?« Jemmy hatte sich mit Adso, dem Kater, der große Geduld mit kleinen Kindern hatte, auf dem Boden herumgewälzt. Doch beim Klang seines Namens ließ er den Kater in Ruhe, der prompt durch das Fenster entfloh, und kam herbei, um das neue Spielzeug zu inspizieren.

»Oh, sieh nur!« Brianna ließ das kleine Auto über ihre Handfläche fahren und versetzte alle vier Räder in Bewegung. Jem griff gierig danach und zog an den Rädern.

»Vorsicht, Vorsicht! Du reißt sie noch ab! Warte, ich zeige es dir.« Roger hockte sich auf den Boden, nahm das Auto und rollte es über die Kamineinfassung. »Siehst du? Brumm. Brumm-brumm!«

»Brumm!«, wiederholte Jemmy. »Auch machen, Papa, ich, ich.«

Roger überließ Jemmy das Spielzeug und lächelte.

»Brumm! Brumm-brumm!« Der kleine Junge schob das Auto begeistert hin und her, dann rutschte es ihm aus der Hand, und er sah mit offenem Mund zu, wie es von selbst zum Ende des Kamins sauste, an die Kante stieß und umkippte. Quietschend vor Vergnügen, schwankte er dem neuen Spielzeug hinterher.

Immer noch lächelnd schaute Roger auf und sah, dass Brianna Jem nachschaute. Sie trug einen höchst merkwürdigen Gesichtsausdruck. Sie spürte seinen Blick auf sich und blickte zu ihm hinunter.

»Brumm?«, sagte sie leise, und er spürte einen kleinen innerlichen Ruck wie einen Hieb in den Magen.

»Was ist das, Papa, was?« Jemmy hatte sein Spielzeug wieder an sich gebracht und kam zu ihm gelaufen, das Auto an die Brust geklammert.

»Es ist ein … ein …«, begann er hilflos. Eigentlich war es ein schlichter Nachbau eines Morris Minor, doch selbst das Wort »Kraftwagen«, von »Auto« ganz zu schweigen, hatte hier keine Bedeutung. Und der Verbrennungsmotor mit seinen wunderbar erkennbaren Geräuschen war mehr als ein Jahrhundert von ihnen entfernt.

»Es ist wohl ein Brumm, Schätzchen«, sagte Brianna mit deutlichem Mitgefühl in der Stimme. Er spürte das sanfte Gewicht ihrer Hand, die sich auf seinen Kopf senkte.

»Ähm … ja, genau«, sagte er und räusperte sich mit zugeschnürter Kehle. »Es ist ein … Brumm.«

»Brumm«, sagte Jemmy glücklich und kniete sich hin, um es erneut von der Kamineinfassung rollen zu lassen. »Brumm-brumm!«

Dampf. Es müsste entweder mit Dampf oder Wind betrieben werden; mit einer Windmühle könnte man das Wasser vielleicht in das System pumpen, aber wenn ich heißes Wasser will, entsteht sowieso Dampf – warum sollte ich ihn nicht nutzen?

Dichtigkeit ist das Problem; Holz brennt und bekommt Lecks, Lehm hält dem Druck nicht stand. Ich brauche Metall, daran führt kein Weg vorbei. Was wohl Mrs. Bug tun würde, wenn ich den Waschkessel nehmen würde? Nun, ich weiß, was sie tun würde, und eine Dampfexplosion ist harmlos dagegen; außerdem müssen wir ja waschen. Ich muss mir etwas anderes herbeiträumen.

19

Heuernte

Major MacDonald kehrte am letzten Tag der Heuernte zurück. Ich balancierte gerade einen immensen Brotkorb an der Hauswand entlang, als ich ihn an der Einmündung des Pfades sah, wo er sein Pferd an einen Baum band. Er zog seinen Hut vor mir und verbeugte sich, dann kam er über den Hof und ließ den Blick neugierig über die Vorbereitungen schweifen, die hier im Gange waren.

Wir hatten Sägeböcke unter den Kastanien aufgestellt und Bretter darübergelegt, um sie als Tische zu benutzen, und ein Strom von Frauen huschte unablässig wie die Ameisen zwischen Haus und Hof hin und her. Die Sonne ging schon unter, und die Männer würden sich bald zum Feiern einfinden; schmutzig, erschöpft, hungrig – und überglücklich, weil ihre Plackerei ein Ende hatte.

Ich begrüßte den Major mit einem Kopfnicken und nahm erleichtert sein Angebot an, das Brot für mich zu tragen.

»Heumachen, ja?«, sagte er, nachdem ich es ihm erklärt hatte. Ein nostalgisches Lächeln breitete sich über sein wettergegerbtes Gesicht. »Daran kann ich mich aus meiner Kinderzeit erinnern. Aber das war in Schottland, aye? Und wir hatten selten so herrliches Wetter dazu.« Er blickte zum strahlenden, tiefblauen Augusthimmel auf. Er war wirklich das perfekte Wetter zum Heumachen, heiß und trocken.

»Es ist wunderbar«, sagte ich und zog beifällig die Nase hoch. Der Duft des frischen Heus war überall – genau wie das Heu; es lag in schimmernden Bergen in jedem Schuppen, alle hatten die Kleider voller Halme, und überall lagen Spuren von verstreutem Heu. Jetzt vermischte sich der Duft des geschnittenen, trockenen Heus mit dem herrlichen Geruch des Barbecues, das über Nacht in der Erde geköchelt hatte, des frischen Brotes und des zu Kopf steigenden Aromas von Mrs. Bugs Cidre. Marsali und Brianna holten ihn in Krügen aus dem Kühlhaus, wo er zusammen mit der Buttermilch und dem Bier kühl gehalten wurde.

»Ich sehe, dass ich einen guten Zeitpunkt gewählt habe«, merkte der Major an, der all diese Anstrengungen beifällig betrachtete.

»Wenn Ihr zum Essen gekommen seid, ja«, sagte ich belustigt. »Wenn Ihr hier seid, um mit Jamie zu sprechen, müsst Ihr wohl bis morgen warten.«

Er sah mich verwundert an, bekam aber keine Gelegenheit, weiter nachzufragen; ich hatte wieder eine Bewegung an der Wegmündung gesehen. Der Major drehte sich um und folgte meiner Blickrichtung. Dann runzelte er die Stirn.

»Oh, das ist ja dieser Kerl mit dem Brandzeichen im Gesicht«, sagte er, Argwohn und Missbilligung in der Stimme. »Ich habe ihn schon in Coopersville gesehen, doch er hat mich zuerst gesehen und ist mir ausgewichen. Soll ich ihn verjagen, Ma'am?« Er schob sich schon den Schwertgürtel auf der Hüfte zurecht, als ich ihn am Unterarm packte.

»Ihr werdet nichts dergleichen tun, Major«, sagte ich scharf. »Mr. Higgins ist unser Freund.«

Er sah mich ausdruckslos an, dann ließ er seinen Arm sinken.

»Natürlich, Mrs. Fraser, wie Ihr wünscht«, sagte er kühl, schlug sich den Staub von den Händen und setzte sich in Richtung der Tische in Bewegung.

Ich verdrehte frustriert die Augen und ging auf den Neuankömmling zu, um ihn zu begrüßen. Es stand fest, dass Bobby Higgins sich dem Major auf dem Weg nach Fraser's Ridge hätte anschließen können; es stand genauso fest, dass er es bewusst gelassen hatte. Ich sah, dass ihm Maultiere ein wenig vertrauter geworden waren; er ritt eines und führte ein anderes am Zügel, das mit einer viel versprechenden Sammlung von Packtaschen und Kisten beladen war.

»Mit den besten Wünschen Seiner Lordschaft, Ma'am«, sagte er mit einem zackigen Salut und glitt von seinem Maultier. Aus dem Augenwinkel sah ich, wie MacDonald ihn beobachtete – und kurz auffuhr, als er die militärische Geste erkannte. Nun wusste er also, dass Bobby Soldat war, und würde zweifellos unverzüglich seinen Hintergrund ausspionieren. Ich unterdrückte einen Seufzer; ich konnte das nicht in Ordnung bringen, sie mussten es unter sich selbst ausmachen – falls es überhaupt etwas auszumachen gab.

»Ihr seht gut aus, Bobby«, sagte ich und schob meine innere Unruhe mit einem Lächeln beiseite. »Keine Schwierigkeiten beim Reiten, hoffe ich?«

»Oh, nein, Ma'am!« Er strahlte. »Und seit ich von hier aufgebrochen bin, bin ich kein einziges Mal mehr umgekippt!« Er war also nicht mehr in Ohnmacht gefallen, und ich beglückwünschte ihn zu seinem Gesundheitszustand und sah ihn mir genau an, während er geschickt das Packmuli ablud. Es schien ihm viel besser zu gehen; seine Haut war rosig und frisch wie die eines Kindes, abgesehen von dem hässlichen Brandzeichen auf seiner Wange.

»Der Rotrock da drüben«, sagte er mit aufgesetzter Sorglosigkeit, während er eine Kiste abstellte. »Ihr kennt ihn doch, oder, Ma'am?«

»Das ist Major MacDonald«, sagte ich und vermied es bewusst, in die Richtung des Majors zu blicken; ich konnte spüren, wie er mir Löcher in den Rücken starrte. »Ja. Er ... arbeitet für den Gouverneur, glaube ich. Aber nicht als regulärer Soldat; er ist Offizier auf halbem Sold.«

Dieses Wissen schien Bobby ein wenig zu beruhigen. Er holte Luft, als wollte er etwas sagen, überlegte es sich dann aber anders. Stattdessen griff er in sein Hemd und zog einen versiegelten Brief hervor, den er mir reichte.

»Der ist für Euch«, erklärte er. »Von Seiner Lordschaft. Ist Miss Lizzie zufällig in der Nähe?« Sein Blick suchte bereits die Schar der Frauen und Mädchen ab, die die Tische deckte.

»Ja, ich habe sie zuletzt in der Küche gesehen«, erwiderte ich, und ein leises Gefühl der Beklommenheit huschte mir über den Rücken. »Sie kommt gleich. Aber Ihr ... Ihr wisst doch, dass sie verlobt ist, nicht wahr, Bobby? Ihr Verlobter kommt mit den anderen Männern zum Abendessen.«

Er sah mich direkt an, und sein Lächeln war unvergleichlich hinreißend.

»Oh, aye, Ma'am, das weiß ich wohl. Ich wollte mich nur dafür bedanken, dass sie so freundlich zu mir war, als ich das letzte Mal hier war.«

»Oh«, sagte ich ohne das geringste Vertrauen in dieses Lächeln. Trotz seines blinden Auges war Bobby ein hübscher Kerl – und er war Soldat gewesen. »Nun ... gut.«

Bevor ich noch etwas sagen konnte, hörte ich Männerstimmen zwischen den Bäumen. Es war nicht ganz Gesang, eine Art rhythmischer Singsang. Ich war mir nicht sicher, was es war – ich konnte gälische »Ho-ro!«-Laute heraushören – doch alle schienen einträchtig mitzugrölen.

Die Heuernte war eine völlig unbekannte Erfahrung für die neuen Pächter, die eher daran gewöhnt waren, Tang zu rechen als Gras zu mähen. Doch Jamie, Arch und Roger hatten sie geduldig eingearbeitet, und ich hatte nur eine Hand voll kleinerer Verletzungen nähen müssen. Daher ging ich davon aus, dass die Ernte ein Erfolg gewesen war – keine abgehackten Hände und Füße, ein paar laute Streitereien, aber keine Schlägereien, und es war nicht mehr Heu als sonst zertrampelt oder ruiniert worden.

Sie schienen alle bester Laune zu sein, als sie sich jetzt auf dem Hof verteilten, schmutzig, schweißdurchtränkt und durstig wie die Schwämme. Sie umringten Jamie; er lachte und stolperte, als ihn jemand schubste. Sein Blick fiel auf mich, und ein breites Grinsen zerteilte sein sonnengebräuntes Gesicht. Mit einem Schritt hatte er mich erreicht und umfing mich in einer überschwänglichen Umarmung, die nach Heu, Pferden und Schweiß roch.

»Geschafft, bei Gott!«, sagte er und küsste mich gründlich. »Himmel, ich brauche etwas zu trinken. Und nein, das ist keine Gotteslästerung, lieber Roger«, fügte er hinzu und blickte hinter sich. »Es ist tief empfundene Dankbarkeit und großer Durst, aye?«

»Aye. Trotzdem, eins nach dem anderen, aye?« Roger war hinter Jamie aufgetaucht. Seine Stimme war so heiser, dass sie in dem allgemeinen Aufruhr kaum zu hören war. Er schluckte und verzog das Gesicht.

»Oh, aye.« Jamie warf einen raschen, abschätzenden Blick auf Roger, dann zuckte er mit den Schultern und trat in die Mitte des Hofes.

»Eisd-ris! Eisd-ris«, dröhnte Kennny Lindsay bei seinem Anblick. Evan und Murdo fielen ein und riefen so laut »Hört ihn an!«, dass die Menge zu verstummen und sich zu konzentrieren begann.

»Ich spreche das Gebet mit meinem Mund,
ich spreche das Gebet aus meinem Herzen,
ich richte das Gebet an Dich selbst,
o heilende Hand, o Sohn des erlösenden Gottes.«

Er sprach kaum lauter als sonst, doch es wurde sofort vollkommen still, so dass die Worte deutlich erklangen.

»Du, Herr, Gott der Engel,
breite Deine Leinenrobe über mich,
beschütze mich vor jeder Hungersnot,
verschone mich von jedem Geisterspuk,
stärke mich im Guten,
leite mich in der Not,
behüte mich bei jeder Krankheit,
und halte mich von bösen Taten ab.«

Schwacher Beifall regte sich in der Menge; ich sah, wie einige der Fischersleute die Köpfe neigten, obwohl sie die Blicke weiter auf ihn gerichtet hielten.

»Sei zwischen mir und allen Schrecknissen,
sei zwischen mir und allem Bösen,
sei zwischen mir und jeder Grausamkeit,
die mir dunkel naht.

O Gott der Schwachen,
o Gott der Einfachen,
o Gott der Gerechten,
o Beschützer der Heimstätten:

Du rufst nach uns,
mit der Stimme des Ruhmes,
mit dem Mund der Barmherzigkeit
Deines geliebten Sohnes.«

Ich warf einen Blick auf Roger, der ebenfalls beifällig nickte. Offenbar hatten sie das miteinander abgesprochen. Vernünftig; diese Gebetsform musste den Fischersleuten vertraut sein, und sie hatte nichts ausdrücklich Katholisches an sich.

Jamie breitete die Arme aus, ohne sich dessen bewusst zu sein, und der Abendwind fing sich im abgetragenen Leinenstoff seines Hemdes, als er den Kopf zurücklegte und sein vor Freude strahlendes Gesicht zum Himmel hob.

»O möge ich ewige Ruhe finden
im Hort Deiner Dreifaltigkeit,
im Paradies des Gottesfürchtigen,
im Sonnengarten Deiner Liebe!«

»Amen!«, sagte Roger, so laut er konnte, und auf dem ganzen Hof wurde zufrieden »Amen« gemurmelt. Dann hob Major MacDonald seinen Cidrekrug, rief »*Slainte!*«, und leerte ihn.

Danach breitete sich Feierstimmung aus. Ich fand mich auf einem Fass sitzend wieder, Jamie im Gras zu meinen Füßen mit einem vollen Teller und einem Becher Cidre, der ständig nachgefüllt wurde.

»Bobby Higgins ist hier«, sagte ich zu ihm, als ich Bobby inmitten einer Gruppe junger Verehrerinnen erspähte. »Siehst du Lizzie irgendwo?«

»Nein«, sagte er und unterdrückte ein Gähnen. »Warum?«

»Er hat sich speziell nach ihr erkundigt.«

»Dann wird er sie auch sicher finden. Möchtest du Fleisch, Sassenach?« Er hielt mir eine große Rippe entgegen und zog fragend die Augenbraue hoch.

»Ich hatte schon genug«, versicherte ich ihm, und er machte sich unverzüglich darüber her und stürzte sich auf das mit Essig gewürzte Grillfleisch, als hätte er eine ganze Woche nichts mehr gegessen.

»Hat Major MacDonald dich schon angesprochen?«

»Nein«, murmelte er mit vollem Mund und schluckte. »Soll er doch warten. Da ist ja Lizzie – bei den McGillivrays.«

Das beruhigte mich. Die McGillivrays – vor allem Ute – würden mit Sicherheit allen unangebrachten Aufmerksamkeiten gegenüber ihrer Schwiegertochter-in-spe entgegentreten. Lizzie plauderte lachend mit Robin McGillivray, der sie väterlich anlächelte, während sein Sohn Manfred mit zielstrebigem Appetit aß und trank. Ute, so sah ich, ließ Lizzies Vater nicht aus den Augen. Dieser saß gemütlich auf der Veranda neben einer hoch gewachsenen Deutschen mit einem gewöhnlichen Gesicht.

»Wer ist denn das bei Joseph Wemyss?«, fragte ich und stieß Jamie mit dem Knie an, um seine Aufmerksamkeit in die richtige Richtung zu lenken.

Er kniff die Augen zusammen, um nicht von der Sonne geblendet zu werden, und sah die beiden an, dann zuckte er mit den Achseln.

»Ich weiß es nicht. Sie ist Deutsche; sie muss mit Ute hier sein. Unsere Kupplerin, aye?«

»Meinst du?« Ich betrachtete die Fremde neugierig. Sie schien sich wirklich gut mit Joseph zu verstehen – und er sich mit ihr. Sein schmales Gesicht leuchtete, als er ihr gestikulierend etwas erklärte, und ihr Kopf mit seiner ordentlichen Haube war ihm zugeneigt, ein Lächeln auf ihren Lippen.

Ich billigte Ute McGillivrays Methoden nicht immer, da sie oft mit dem Holzhammer agierte, doch ich musste die durchdachte Weitsicht ihrer Pläne bewundern. Lizzie und Manfred würden bald heiraten, und ich hatte mich schon gefragt, wie es Joseph dann ergehen würde; Lizzie war sein Leben.

Er konnte natürlich mit ihr gehen, wenn sie heiratete. Sie und Manfred würden einfach im großen Haus der McGillivrays wohnen, und ich konnte mir vorstellen, dass sich dort auch Platz für Joseph finden würde. Doch er würde hin- und hergerissen sein, weil er uns nicht verlassen wollte – und eine Siedlungsstelle konnte zwar jeden gesunden Mann gebrauchen, doch er war alles andere als der geborene Bauer und erst recht kein Büchsenmacher wie Manfred und sein Vater. Doch wenn er selbst heiratete …

Ich warf Ute McGillivray einen Blick zu und sah, wie sie Mr. Wemyss und seine Verehrerin mit der Genugtuung eines Marionettenspielers betrachtete, dessen Puppen präzise zu seiner Melodie tanzen.

Jemand hatte einen großen Krug Cidre bei uns stehen gelassen. Ich schenkte Jamie nach, dann mir. Er war herrlich, von dunkler, trüber Bernsteinfarbe, süß und durchdringend mit dem Biss einer ganz besonders hinterhältigen Schlange. Ich ließ mir die kühle Flüssigkeit durch die Kehle rinnen, ließ sie in meinem Kopf aufblühen wie eine lautlose Blume.

Überall wurde geredet und gelacht, und mir fiel zwar auf, dass sich die neuen Pächter nach wie vor an ihre eigenen Familien hielten, doch gab es jetzt auch Kontakt mit anderen, da die Männer, die zwei Wochen lang Seite an Seite gearbeitet hatten, weiter herzlich miteinander umgingen und der Cidre ihre Geselligkeit weiter anfachte. In den Augen der neuen Pächter war Wein nichts Halbes und nichts Ganzes; Whisky, Rum oder Brandy waren Teufelswerk – doch Bier und Cidre trank jeder. Cidre war gesund, hatte mir eine der Frauen erzählt, während sie ihrem kleinen Sohn einen Becher reichte. Ich gab ihnen noch eine halbe Stunde, dachte ich langsam nippend, bevor sie umzufallen begannen wie die Fliegen.

Jamie stieß ein leises, belustigtes Geräusch aus, und ich lugte zu ihm hinunter. Er wies kopfnickend zur anderen Seite des Hofes, und ich sah, dass sich Bobby Higgins seinen Verehrerinnen entwunden hatte und es mit irgendeinem Alchemistentrick fertig gebracht hatte, Lizzie aus der Mitte der McGillivrays zu holen. Sie standen im Schatten der Kastanien und unterhielten sich.

Ich sah mich nach den McGillivrays um. Manfred lehnte am Fundament des Hauses, und sein Kopf sank zunehmend tiefer über seinen Teller. Sein Vater hatte sich neben ihm auf dem Boden zusammengerollt und schnarchte friedlich. Sie waren von den Mädchen umringt, die miteinander plauderten und sich über die hängenden Köpfe ihrer schlaftrunkenen Männer hinweg gegenseitig das Essen anreichten. Ute hatte sich auf die Veranda begeben und unterhielt sich mit Joseph und seiner Begleiterin.

Ich blickte wieder zurück zu Lizzie und Bobby. Sie redeten nur und hielten respektvoll Abstand voneinander. Doch es war etwas an der Art, wie er sich ihr zuneigte, an der Art, wie sie sich halb von ihm abwandte, dann wieder zurück, und dabei mit der Hand eine Falte ihres Rockes schwingen ließ…

»Oje«, sagte ich. Ich machte mich zum Aufstehen bereit, war mir aber nicht sicher, ob ich wirklich hinübergehen und sie unterbrechen sollte. Sie befanden sich schließlich in der Öffentlichkeit, und –

»Drei Dinge erstaunen mich, nein, vier, sagt der Prophet.« Jamies Hand drückte meinen Oberschenkel, und als ich zu ihm hinunterschaute, sah ich, dass auch er das Pärchen unter den Kastanien mit halb geschlossenen Augen beobachtete. »Der Flug des Adlers in der Luft, das Gleiten der Schlange auf dem Felsen, die Fahrt eines Schiffes auf hoher See – und der Funke zwischen Mann und Frau.«

»Oh, dann ist es also keine Einbildung«, sagte ich trocken. »Meinst du, ich sollte besser etwas unternehmen?«

»Mmpfm.« Er holte tief Luft, richtete sich auf und schüttelte heftig den Kopf, um wach zu werden. »Ah. Nein, Sassenach. Wenn unser Manfred sich nicht die Mühe macht, auf seine Frau aufzupassen, ist es nicht deine Aufgabe, es für ihn zu tun.«

»Ja, der Meinung bin ich ebenfalls. Ich meine nur, was, wenn Ute sie sieht… oder Joseph…?« Ich war mir nicht sicher, was Mr. Wemyss tun würde; Ute, so glaubte ich, würde wahrscheinlich eine Riesenszene machen.

»Oh.« Er schwankte sacht und kniff die Augen zu. »Aye, da hast du vermutlich Recht.« Er wandte suchend den Kopf, dann erspähte er Ian und rief ihn mit einer Bewegung seines Kinns herbei.

Ian hatte in unserer Nähe verträumt im Gras gelegen, neben sich einen Stapel fettiger Rippenknochen, doch jetzt rollte er sich auf den Bauch und kam folgsam zu uns gekrochen.

»Mm?«, sagte er. Sein dichtes, braunes Haar hatte sich zur Hälfte aus seinem Pferdeschwanz gelöst und stand an einigen Stellen zu Berge; der Rest hing ihm verwegen vor dem Auge.

Jamie wies unauffällig in Richtung der Kastanien.

»Geh zu Lizzie, Ian, und bitte sie, sich um deine Hand zu kümmern.«

Ian blickte benommen auf seine Hand; er hatte einen frischen Kratzer auf dem Handrücken, doch er war schon lange verkrustet. Dann blickte er in die Richtung, die Jamie angedeutet hatte.

»Oh«, sagte er. Er verweilte noch ein paar Sekunden auf Händen und Knien und kniff nachdenklich die Augen zusammen, dann erhob er sich langsam und zog das Band aus seinem Haar. Er schob es sich mit einer Hand beiläufig aus dem Gesicht und schlenderte auf die Kastanien zu.

Sie waren zu weit entfernt, um etwas zu hören, doch wir konnten alles sehen. Bobby und Lizzie fuhren auseinander wie die Wogen des Roten Meers, als Ians hoch gewachsene, hagere Gestalt zielstrebig zwischen sie trat. Die drei schienen einen Moment freundschaftlich zu plaudern, dann setzten sich Lizzie und Ian zum Haus in Bewegung. Lizzie winkte Bobby beiläufig mit der Hand – und sah sich kurz nach ihm um. Bobby blieb noch einen Moment stehen und schaute ihr nach, dann schüttelte er den Kopf und hielt auf den Cidre zu.

Der Cidre forderte jetzt seinen Tribut. Ich hatte damit gerechnet, dass sämtliche Männer auf dem Hof bei Anbruch der Nacht am Boden liegen würden; während der Heuernte schliefen die Männer oft vor Erschöpfung über ihren Tellern ein. Es wurde zwar noch viel geredet und gelacht, doch das sanfte Zwielicht, das den Hof zu erfüllen begann, beleuchtete eine zunehmende Anzahl im Gras hingestreckter Körper.

Rollo kaute zufrieden an den Knochen, die Ian liegen gelassen hatte. Brianna saß ein kleines Stück weiter; Roger lag mit dem Kopf in ihrem Schoß und schlief tief und fest. Sein Hemdkragen war offen, und die gezackte Stricknarbe an seinem Hals war deutlich zu sehen. Brianna lächelte mir zu, und ihre Hand strich ihm sanft über das glänzende, schwarze Haar und pickte die Heureste heraus. Jemmy war nirgendwo in Sicht – Germain auch nicht, wie ich feststellte, als ich mich kurz umsah. Zum Glück befand sich der Phosphor ganz oben in meinem höchsten Schrank hinter Schloss und Riegel.

Jamie lehnte ebenfalls den Kopf an meinen Oberschenkel. Er war warm und schwer, und ich legte meine Hand auf sein Haar und erwiderte Briannas Lächeln. Ich hörte ihn kurz prusten und folgte seiner Blickrichtung.

»Für so ein schmächtiges Mädchen verursacht Lizzie aber eine Menge Ärger«, sagte er.

Bobby Higgins stand an einem der Tische und trank Cidre. Ganz offensichtlich war ihm nicht bewusst, dass sich die Beardsley-Zwillinge an ihn heranpirschten. Die beiden schlichen wie die Füchse durch den Wald, beinahe unsichtbar, und näherten sich ihm aus entgegengesetzten Richtungen.

Einer von ihnen – Jo wahrscheinlich – trat plötzlich an Bobbys Seite und jagte ihm einen solchen Schrecken ein, dass er sein Getränk verschüttete. Er wischte stirnrunzelnd über den nassen Fleck auf seinem Hemd, während sich Jo zu ihm hinüberbeugte und ihm offensichtlich Drohungen und Warnungen zuflüsterte. Bobby setzte eine beleidigte Miene auf und wandte sich von ihm ab, nur um sich auf der anderen Seite Kezzie gegenüberzusehen.

»Ich bin mir nicht sicher, dass Lizzie dahintersteckt«, sagte ich zu ihrer Verteidigung. »Sie hat sich schließlich nur mit ihm unterhalten.« Bobbys Gesicht lief merklich rot an. Er stellte den Becher hin, aus dem er getrunken hatte, und richtete sich noch weiter auf. Seine Hand ballte sich zur Faust.

Die Beardsleys rückten ihm noch dichter auf den Pelz, offensichtlich in der Absicht, ihn in den Wald zu drängen. Er blickte argwöhnisch von einem der Zwillinge zum anderen und trat einen Schritt zurück, so dass er jetzt einen stabilen Baum im Rücken hatte.

Ich blickte zu Boden; Jamie beobachtete die Szene mit halb geschlossenen

Lidern und einer Miene, aus der verträumte Geistesabwesenheit sprach. Er seufzte tief, schloss die Augen ganz, und erschlaffte plötzlich ganz. Er lehnte schwer an mir.

Der Grund für seine plötzliche Fahnenflucht tauchte eine Sekunde später vor mir auf: Major MacDonald; sein Gesicht war rot angelaufen vom Essen und vom Cidre, und sein roter Uniformrock glühte im Licht des Sonnenuntergangs. Er spähte zu Jamie hinunter, der friedlich an meinem Bein schlummerte, und schüttelte den Kopf. Dann drehte er sich langsam um und überblickte die Szene.

»Grundgütiger«, sagte er nachsichtig. »Ich sage Euch, Ma'am, ich habe schon Schlachtfelder mit weniger Opfern gesehen.«

»Ach ja?« Sein Auftauchen hatte mich abgelenkt, doch bei der Erwähnung von Opfern blickte ich zurück. Bobby und die Beardsley-Zwillinge waren verschwunden, aufgelöst wie Nebelschwaden in der Dämmerung. Nun, wenn sie sich gegenseitig im Wald zu Brei schlugen, würde ich sicher bald davon hören.

Mit einem kleinen Achselzucken bückte sich MacDonald, fasste Jamie an den Schultern, hob ihn von mir herunter und legte ihn überraschend sanft ins Gras.

»Darf ich?«, fragte er höflich, und als ich zustimmend nickte, setzte er sich auf der anderen Seite neben mich und schlang die Arme zwanglos um seine Knie.

Er war wie üblich ordentlich gekleidet, inklusive Perücke, doch sein Hemdkragen war schmutzig, und seine Rockschöße waren am Saum ausgefranst und mit Schlamm bespritzt.

»Seid Ihr in letzter Zeit viel unterwegs gewesen, Major?«, fragte ich, um Konversation zu betreiben. »Ihr seht furchtbar müde aus, wenn ich das sagen darf.«

Ich hatte ihn beim Gähnen überrascht; er schluckte es herunter, blinzelte und lachte dann.

»Aye, Ma'am. Ich habe den ganzen letzten Monat im Sattel verbracht und höchstens jede dritte Nacht ein Bett gesehen.«

Er sah wirklich müde aus, selbst im weichen Licht des Sonnenuntergangs; die Erschöpfung grub ihm die Falten tief ins Gesicht, und die Haut unter seinen Augen hatte dunkle Tränensäcke gebildet. Er war kein gut aussehender Mann, besaß jedoch normalerweise eine kecke Selbstsicherheit, die ihm eine attraktive Ausstrahlung verlieh. Jetzt sah er nach dem aus, was er war; ein Soldat auf halbem Sold, der auf die fünfzig zuging, keinem regulären Regiment angehörte und keinen regulären Dienst versah und sich daher an jeden kleinen Kontakt klammerte, dem ihm möglicherweise förderlich sein konnte.

Normalerweise hätte ich ihn nie auf Geschäftliches angesprochen, doch das Mitgefühl bewegte mich zu der Frage: »Arbeitet Ihr im Augenblick viel für Gouverneur Martin?«

Er nickte, trank noch einen Schluck Cidre und atmete danach tief aus.

»Aye, Ma'am. Der Gouverneur war so freundlich, mich damit zu beauftragen, ihm Nachrichten über die Zustände im Hinterland zu bringen – und tut mir sogar den Gefallen, dann und wann auf meinen Rat zu hören.« Er richtete den Blick auf Jamie, der wie ein Igel zusammengerollt da lag und zu schnarchen begonnen hatte, und lächelte.

»Was die Ernennung meines Mannes zum Indianeragenten angeht, meint Ihr? Dafür sind wir Euch wirklich dankbar, Major.«

Er tat meinen Dank mit einer beiläufigen Handbewegung ab.

»Ah, nein, Ma'am; das hatte höchstens indirekt mit dem Gouverneur zu tun. Solche Ernennungen sind Sache des Superintendenten des Südlichen Departments. Obwohl es natürlich im Interesse des Gouverneurs ist«, fügte er hinzu und trank noch einen Schluck, »Neuigkeiten von den Indianern zu erfahren.«

»Er wird Euch morgen sicher alles erzählen«, versicherte ich ihm und wies kopfnickend auf Jamie.

»Natürlich, Ma'am.« Er zögerte einen Moment. »Wisst Ihr vielleicht … hat Mr. Fraser vielleicht erwähnt, ob bei seinen Unterredungen in den Dörfern – war dabei vielleicht die Rede von … Bränden?«

Ich setzte mich kerzengerade hin, und das Cidresummen in meinem Kopf verstummte.

»Was ist passiert? Hat es noch mehr Brände gegeben?«

Er nickte und rieb sich müde mit der Hand durch das Gesicht und über seine sprießenden Bartstoppeln.

»Aye, zwei – aber einer war nur ein Scheunenbrand in der Nähe von Salem. Gehörte einem der Herrnhuter Brüder. Nach allem, was ich darüber in Erfahrung bringen konnte, waren es wahrscheinlich die schottisch-irischen Presbyterianer, die sich in Surry County niedergelassen haben. Ein Mistkäfer von einem Prediger hat sie gegen die Herrnhuter Brüdergemeinde aufgebracht – diese gottlosen Heiden –« Bei diesen Worten grinste er plötzlich, wurde dann aber wieder nüchtern.

»In Surry County braut sich schon seit Monaten etwas zusammen. Es ist schon so weit gegangen, dass die Brüdergemeinde eine Petition beim Gouverneur eingereicht hat, die Grenzlinien neu zu ziehen und sie so alle nach Rowan County zu verlegen. Die Grenze zwischen Surry und Rowan zieht sich mitten durch ihr Gebiet. Und der Sheriff von Surry ist …« Er machte eine abfällige Handbewegung.

»Vielleicht nicht so versessen auf die Erfüllung seiner Pflicht wie er es sein sollte?«, half ich nach. »Zumindest, was die Herrnhuter Brüdergemeinde betrifft?«

»Er ist der Vetter des Mistkäfers«, sagte MacDonald und leerte seinen Becher. »Habt Ihr übrigens irgendwelche Probleme mit Euren neuen Pächtern gehabt?«, fügte er hinzu, als er ihn sinken ließ. Er ließ die Augen mit einem schiefen Lächeln über den Hof schweifen, auf dem überall Grüppchen von Frauen zufrieden plauderten, während ihre Männer zu ihren Füßen schliefen. »Es sieht so aus, als würden sie sich hier zu Hause fühlen.«

»Nun ja, sie sind Presbyterianer und machen keinen Hehl daraus – aber sie haben zumindest noch nicht versucht, das Haus niederzubrennen.«

Ich warf einen raschen Blick zur Veranda, wo Mr. Wemyss und seine Begleiterin immer noch saßen und die Köpfe im Gespräch zusammengesteckt hatten. Mr. Wemyss war wahrscheinlich der einzige Mann, der noch bei Bewusstsein war, abgesehen vom Major selbst. Die Dame war zwar eindeutig Deutsche, aber ich hatte nicht das Gefühl, dass sie zu den Herrnhutern gehörte; diese gingen nur selten Ehen außerhalb ihrer Gemeinschaft ein, und ihre Frauen machten selten weitere Reisen.

»Falls Ihr also nicht der Meinung seid, dass sich die Presbyterianer zusammengerottet haben, um das Land von den Papisten und Lutheranern zu säubern … und das *meint* Ihr doch nicht, oder?«

Bei diesen Worten lächelte er kurz, wenn auch nicht ohne Humor.

»Nein. Aber ich bin selbst als Presbyterianer groß geworden, Ma'am.«

»Oh«, sagte ich. »Äh … noch einen Tropfen Cidre, Major?«

Er hielt mir widerspruchslos seinen Becher hin.

»Der andere Brand – er hat große Ähnlichkeit mit den anderen«, sagte er und beschloss großzügigerweise, nicht weiter auf meine Bemerkung einzugehen. »Eine abgelegene Siedlungsstelle. Ein allein lebender Mann. Allerdings lag sie knapp jenseits der Vertragsgrenze.«

Diese letzten Worte wurden von einer viel sagenden Geste begleitet, und ich warf unwillkürlich einen Blick auf Jamie. Er hatte mir erzählt, dass die Cherokee beunruhigt waren, weil ständig Siedler in ihr Gebiet eindrangen.

»Natürlich werde ich Euren Mann morgen früh danach fragen, Ma'am«, versprach MacDonald, der meinen Blick richtig interpretierte. »Aber wisst Ihr, ob ihm irgendwelche Anspielungen zu Ohren gekommen sind?«

»Verhüllte Drohungen eines *Snowbird*-Häuptlings«, gestand ich. »Er hat es John Stuart geschrieben. Aber nichts Konkretes. Wann ist dieser letzte Brand gewesen?«

Er zuckte mit den Achseln.

»Unmöglich zu sagen. Ich habe vor drei Wochen davon gehört, aber der Mann, der es mir erzählt hat, hatte es einen Monat zuvor erfahren – und er hatte es genauso wenig gesehen, sondern es nur von jemand anderem gehört.«

Er kratzte sich nachdenklich am Kinn.

»Vielleicht sollte sich jemand die Stelle einmal ansehen.«

»Mm«, sagte ich und gab mir keine Mühe, die Skepsis in meiner Stimme zu verschleiern. »Und Ihr meint, das ist Jamies Aufgabe, nicht wahr?«

»Ich würde es mir niemals anmaßen, Mr. Fraser über seine Pflichten zu unterrichten, Ma'am«, sagte er mit dem Hauch eines Lächelns. »Aber ich werde ihm nahe legen, dass die Situation von Interesse sein könnte, aye?«

»Ja, tut das«, murmelte ich. Jamie hatte sowieso eine weitere Reise zu den *Snowbird*-Dörfern vor, die er zwischen der Ernte und dem Einbruch des kalten Wetters eingeplant hatte. Die Vorstellung, ins Dorf zu marschieren und *Bird-who-sings-in-the-morning* über den Brand einer Siedlungsstätte auszufragen, kam mir persönlich mehr als nur leicht riskant vor.

Ein Anflug von Kühle ließ mich erschauern, und ich trank den Rest meines eigenen Cidres und wünschte plötzlich, er wäre heiß. Die Sonne war jetzt vollständig untergegangen, doch das war es nicht, was mir das Blut gefrieren ließ.

Was, wenn MacDonald mit seinen Vermutungen Recht hatte. Wenn die Cherokee tatsächlich Siedlungsstellen niedergebrannt hatten? Und wenn Jamie dann auftauchte und unbequeme Fragen stellte …

Ich betrachtete das Haus, das solide und gelassen dastand, die Fenster von Kerzenschein erhellt, ein helleres Bollwerk vor dem zunehmenden Dunkel der dahinter liegenden Wälder.

Mit Trauer nehmen wir die Nachricht vom Tod James MacKenzie Frasers und seiner Gattin Claire bei einer Feuersbrunst zur Kenntnis, die in der Nacht des 21sten Januar ihr Haus in der Siedlung Fraser's Ridge zerstörte.

Die Glühwürmchen kamen zum Vorschein und schwebten wie kühle grüne Funken im Schatten, und ich spähte unwillkürlich zum Schornstein hinauf, aus dem rote und gelbe Funken sprühten. Wann immer ich an diesen grauenvollen Zeitungsausschnitt dachte – und ich bemühte mich, es nicht zu tun, nicht die Tage von heute bis zum 21. Januar 1776 zu zählen –, war ich davon ausgegangen, dass das Feuer ein Unfall sein würde. Solche Unfälle geschahen häufig, von außer Kontrolle geratenen Herdfeuern und umgestürzten Kerzenständern bis hin zu Feuersbrünsten, die durch Sommergewitter ausgelöst wurden. Bis jetzt war ich nie bewusst auf den Gedanken gekommen, dass das Feuer mit Absicht gelegt werden könnte – als Mordanschlag.

Ich stieß Jamie mit dem Fuß an. Er regte sich im Schlaf, streckte eine Hand aus, und sie schloss sich warm um meinen Knöchel, dann schlief er mit einem zufriedenen Stöhnen weiter.

»Sei zwischen mir und jeder Grausamkeit«, murmelte ich halb vor mich hin.

»*Slainte*«, sagte der Major und leerte noch einmal seinen Becher.

20

Gefährliche Geschenke

Durch Major MacDonalds Neuigkeiten zur Eile getrieben, brachen Jamie und Ian zwei Tage später zu einem schnellen Besuch bei *Bird-who-sings-in-the-morning* auf, und der Major setzte seine rätselhaften Aufträge fort, so dass ich allein mit Bobby Higgins zurückblieb.

Ich brannte darauf, mich über die Kisten herzumachen, die Bobby mitgebracht hatte, doch da eins zum anderen kam – unter anderem unternahm das Schwein den schwachsinnigen Versuch, Adso zu fressen, eine Ziege bekam eine Euterentzündung, ein seltsamer grüner Schimmelpilz hatte unseren letzten Käse befallen, unsere dringend benötigte Sommerküche wurde endlich fertig, und ich richtete einige strenge Worte an die Beardsleys, den Umgang mit Gästen betreffend – dauerte es über eine Woche, bevor ich die Muße fand, Lord Johns Geschenk auszupacken und seinen Brief zu lesen.

4. August 1773

Von Lord John Grey, Mount Josiah Plantage
An Mrs. James Fraser

Meine werte Madam –
ich vertraue darauf, dass die Gegenstände, die Ihr erbeten hattet, intakt angekommen sind. Es macht Mr. Higgins ein wenig nervös, das Vitriol zu transportieren, weil er, wie ich höre, üble Erfahrungen damit gemacht hat, doch wir haben die Flasche mit Sorgfalt verpackt und sie so versiegelt gelassen, wie sie aus England gekommen ist.

Nach genauer Betrachtung der exquisiten Zeichnungen, die Ihr mir geschickt habt – entdecke ich die elegante Hand Eurer Tochter darin? –, bin ich nach Williamsburg geritten, um einen berühmten Glasbläser zu konsultieren, der dort wohnt und den (zweifellos dem Sagenreich entstammenden) Namen Blogweather trägt. Mr. Blogweather war der Meinung, dass es nichts Leichteres gäbe als die Pelikanretorte, die sein Können kaum auf eine faire Probe stellen würde, jedoch war er entzückt über die Anforderungen des Destillierapparats und ganz besonders über das abnehmbare Rohr. Er begriff augenblicklich, warum diese Konstruktion wünschenswert sei, da das Rohr so zerbrechlich ist, und hat drei Stück angefertigt.

Bitte betrachtet dies als mein Geschenk – eine höchst bescheidene Demonstration meiner fortwährenden Dankbarkeit für Eure zahlreichen Freundlichkeiten, sowohl gegenüber meiner Person als auch Mr. Higgins.

Euer bescheidener und ergebener Diener,
John Grey

Postscriptum: Bis jetzt habe ich meine vulgäre Neugier im Zaum gehalten, doch ich hege die Hoffnung, dass Ihr mir bei einer künftigen Gelegenheit den Gefallen tun werdet, mir zu erklären, welchem Zweck Ihr diese Gegenstände zuführen wollt.

Sie *hatten* mit Sorgfalt gepackt. Nachdem ich sie geöffnet hatte, stellte sich heraus, dass die Kisten mit Unmengen von Stroh gefüllt waren und die Glaswaren und versiegelten Flaschen dazwischen glitzerten wie rohe Eier in einem Nest.

»Ihr *seid* doch vorsichtig damit, nicht wahr, Ma'am?«, erkundigte sich Bobby ängstlich, als ich eine schwere, bauchige Flasche aus braunem Glas heraushob, deren Korken dick mit rotem Wachs versiegelt war. »Das ist furchtbar giftiges Zeug.«

»Ja, ich weiß.« Ich stellte mich auf die Zehenspitzen und hievte das Gefäß auf ein hohes Wandbord, wo es vor plündernden Kindern oder Katzen sicher war. »Habt Ihr seine Anwendung schon einmal gesehen, Bobby?«

Er presste die Lippen fest aufeinander und schüttelte den Kopf.

»Anwendung würde ich nicht sagen, Ma'am. Aber ich habe gesehen, wie es *wirkt*. Da war ein … ein Mädchen in London. Ich habe sie etwas näher kennen gelernt, während wir auf unser Schiff nach Amerika gewartet haben. Ihre eine Gesichtshälfte war hübsch und glatt wie eine Butterblume, aber die andere Seite war so vernarbt, dass man kaum hinsehen konnte. Als wäre sie in einem Feuer geschmolzen, aber sie hat gesagt, es war Vitriol.« Er blinzelte zu der Flasche auf und schluckte sichtlich. »Eine andere Hure hatte damit nach ihr geworfen, hat sie gesagt, aus Eifersucht.«

Er schüttelte noch einmal den Kopf, seufzte und griff nach dem Besen, um das verstreute Stroh aufzukehren.

»Nun, macht Euch keine Sorgen«, versicherte ich ihm. »Ich habe nicht vor, damit nach jemandem zu werfen.«

»Oh, nein, Ma'am!« Er war völlig schockiert. »Das würde ich auch nie denken!«

Ich ignorierte diese Beschwichtigung, weil ich ganz damit beschäftigt war, nach weiteren Schätzen zu graben.

»Oh, *seht nur*«, sagte ich entzückt. In meinen Händen hielt ich die Früchte von Mr. Blogweathers Kunstfertigkeit: eine Kugel aus Glas, etwa von der

Größe meines Kopfes, in perfekter Symmetrie geblasen und ohne die geringste Spur eines Bläschens. Das Glas hatte eine schwach blaue Tönung, und ich konnte mein verzerrtes Spiegelbild darin sehen, das mir mit breiter Nase und großen Augen entgegensah, als schaute eine Meerjungfrau aus dem Glas heraus.

»Aye, Ma'am«, sagte Bobby, der pflichtbewusst einen Blick auf die Retorte warf. »Sie ist … äh … groß, oder?«

»Sie ist perfekt. Einfach perfekt!« Anstatt den Hals der Kugel glatt von seinem Glasbläserrohr abzuschneiden, hatte er ihn zu einer dickwandigen Röhre ausgezogen, die etwa fünf Zentimeter lang war und einen Durchmesser von etwa zweieinhalb Zentimetern hatte. Die Kanten und die Innenfläche dieser Röhre waren … geschliffen worden? Angeätzt? Ich hatte keine Ahnung, wie Mr. Blogweather das angestellt hatte, doch das Ergebnis war eine seidige, matte Oberfläche, die eine wunderbare Versiegelung abgeben würde, wenn man ein Teil mit einer ähnlichen Oberfläche hineinsteckte.

Meine Hände waren feucht vor nervöser Aufregung, dass ich den kostbaren Gegenstand fallen lassen könnte. Ich wickelte ihn in meine Schürze und drehte mich hin und her, während ich überlegte, wohin ich ihn am besten legte. Ich hatte nicht damit gerechnet, dass die Retorte so groß sein würde; Brianna oder einer der Männer würden mir einen passenden Ständer fertigen müssen.

»Sie kommt über ein kleines Feuer«, erklärte ich und betrachtete stirnrunzelnd das kleine Kohlebecken, das ich für meine Heiltees benutzte. »Aber die Temperatur spielt eine große Rolle; möglicherweise ist es zu schwierig, mit Holzkohlen beständige Hitze zu erzeugen.« Ich legte die große Kugel in meinen Schrank, wo ich sie sicher hinter einer Reihe von Flaschen verstaute. »Ich denke, ich werde einen Alkoholbrenner brauchen – aber sie ist größer als ich dachte; ich werde einen ziemlich großen Brenner brauchen, um sie zu erhitzen …«

Mir wurde bewusst, dass Bobby gar nicht auf mein Geplapper hörte, weil etwas im Freien seine Aufmerksamkeit auf sich gezogen hatte. Er runzelte über etwas die Stirn, und ich trat hinter ihn und spähte durch das offene Fenster, um zu sehen, was es war.

Ich hätte es mir denken können; Lizzie Wemyss war draußen im Gras, wo sie unter den Kastanien Butter stampfte, und Manfred McGillivray war bei ihr.

Ich blickte auf das Pärchen, das sich fröhlich unterhielt, dann auf Bobbys düstere Miene. Ich räusperte mich.

»Würdet Ihr netterweise die andere Kiste für mich öffnen, Bobby?«

»Häh?« Seine Aufmerksamkeit war total auf das Pärchen im Freien gerichtet.

»Kiste«, wiederholte ich geduldig. »Die da.« Ich stieß sie mit dem Zeh an.

»Kiste… oh! Oh, aye, Ma'am, natürlich.« Er riss sich von dem Anblick los und machte sich mit verdrossener Miene ans Werk.

Ich holte die restlichen Glasgegenstände aus der offenen Kiste, schüttelte das Stroh ab und legte die Kugeln, Retorten, Flaschen und Röhrchen vorsichtig oben in einen Schrank – behielt dabei jedoch Bobby im Auge und dachte über diesen neuen Stand der Dinge nach, der sich hier auftat. Ich hatte nicht gedacht, dass seine Empfindungen gegenüber Lizzie mehr waren als eine vorübergehende Schwärmerei.

Vielleicht war es ja tatsächlich nicht mehr, ermahnte ich mich selbst. Aber wenn doch… Ich musste einfach noch einmal aus dem Fenster peilen – und stellte fest, dass aus dem Paar ein Trio geworden war.

»Ian!«, rief ich aus. Bobby sah verblüfft auf, doch ich war schon auf dem Weg zur Tür und strich mir hastig das Stroh aus den Kleidern.

Wenn Ian wieder da war, war Jamie –

Er kam im selben Moment zur Haustür herein, als ich in den Flur schoss, und fasste mich um die Taille. Er küsste mich mit sonnengewärmter, staubiger Begeisterung und einem Backenbart wie Schleifpapier.

»Du bist wieder da«, sagte ich schwachsinnigerweise.

»So ist es, und ein paar Indianer folgen gleich hinter mir«, sagte er. Dabei umklammerte er mit beiden Händen meinen Hintern und kratzte heftig mit seinem Bart über meine Wange. »Gott, was würde ich für eine Viertelstunde allein mit dir geben, Sassenach! Meine Eier platz– oh. Mr. Higgins. Ich, äh, habe Euch gar nicht gesehen.«

Er ließ mich los und richtete sich abrupt auf, zog seinen Hut, schlug ihn gegen seinen Oberschenkel und täuschte auf diese übertriebene Weise Beiläufigkeit vor.

»Nein, Sir«, sagte Bobby griesgrämig. »Ist Mr. Ian auch zurück?« Es klang nicht so, als sei dies eine besonders gute Nachricht; selbst wenn Ians Eintreffen Lizzie von Manfred abgelenkt hatte – und das hatte es –, so half es doch nicht, ihr Augenmerk auf Bobby zu lenken.

Lizzie hatte ihr Butterfass dem armen Manfred überlassen, der die Kurbel sichtlich widerstrebend bediente, während sie lachend mit Ian auf den Stall zuging, wahrscheinlich, um ihm das Kälbchen zu zeigen, das in seiner Abwesenheit geboren worden war.

»Indianer«, sagte ich, weil ich erst jetzt realisierte, was Jamie gesagt hatte. »Was für Indianer?«

»Ein halbes Dutzend Cherokee«, erwiderte er. »Was ist denn das?« Er deutete auf die Spur aus losem Stroh, die aus meinem Sprechzimmer herausführte.

»Oh, das. Das«, sagte ich glücklich, »ist Äther. Oder es wird Äther. Ich nehme an, die Indianer bleiben zum Essen?«

»Aye, ich sage Mrs. Bug Bescheid. Aber sie haben eine junge Frau dabei, die sie mitgebracht haben, damit du dich um sie kümmerst.«

»Oh?« Er war schon in die Küche unterwegs, und ich musste mich beeilen, um mitzuhalten. »Was hat sie denn?«

»Zahnschmerzen«, sagte er knapp und drückte die Küchentür auf. »Mrs. Bug! *Cá bhfuil tú?* Äther, Sassenach? Du meinst doch nicht Phlogiston, oder?«

»Ich *glaube* es nicht«, sagte ich und versuchte, mir ins Gedächtnis zu rufen, was in aller Welt Phlogiston war. »Aber ich habe dir von Anästhesie erzählt, das weiß ich – das ist Äther, eine Art Betäubungsmittel; es lässt die Leute einschlafen, so dass man sie operieren kann, ohne dass sie Schmerzen spüren.«

»Sehr nützlich bei Zahnschmerzen«, merkte Jamie an. »Wo ist die Frau nur geblieben? Mrs. Bug!«

»Theoretisch, aber es wird einige Zeit dauern, ihn herzustellen. Vorerst werden wir uns noch mit Whisky begnügen müssen. Mrs. Bug ist sicher in der Sommerküche; heute ist Backtag. Und wo wir gerade von Alkohol sprechen –« Er war schon zur Hintertür hinaus, und ich lief ihm über die Stufen hinterher. »Ich brauche für den Äther einiges von unserem Hochprozentigen. Kannst du mir morgen ein Fass von deinem neuen Whisky mitbringen?«

»Ein Fass? Himmel, Sassenach, was willst du denn damit, darin baden?«

»Nun, wenn du so fragst, ja. Oder vielmehr nicht ich – das Vitriol. Man gießt es vorsichtig in ein heißes Alkoholbad, und es –«

»Oh. Mr. Fraser! Ich dachte doch, dass ich jemanden rufen gehört habe.« Mrs. Bug erschien plötzlich mit einem Korb voll Eiern am Arm und strahlte. »Es freut mich so, Euch wieder sicher daheim zu sehen!«

»Und es freut mich, daheim zu sein, Mrs. Bug«, versicherte er ihr. »Bekommen wir ein halbes Dutzend Gäste beim Abendessen satt?«

Ihre Augen weiteten sich eine Sekunde, dann verengten sie sich, als sie zu planen begann.

»Wurst«, erklärte sie. »Und Rübengemüse. Bobby, kommt her und macht Euch nützlich.« Sie reichte mir die Eier, packte Bobby, der uns aus dem Haus gefolgt war, am Ärmel und zog ihn zum Rübenbeet davon.

Ich hatte das Gefühl, in einer Art sich rasch drehender Maschinerie wie ein Karussell gefangen zu sein und hielt mich an Jamies Arm fest, um mich zu stützen.

»Hast du gewusst, dass Bobby Higgins in Lizzie verliebt ist?«, fragte ich.

»Nein, aber es wird ihm nicht viel nützen, wenn es so ist«, erwiderte Jamie gnadenlos. Weil er meine Hand auf seinem Arm für eine Einladung hielt, nahm er mir den Korb mit den Eiern ab und stellte ihn auf den Boden, dann zog er mich an sich und küsste mich noch einmal, diesmal langsamer, aber dafür ausgesprochen gründlich.

Er ließ mit einem Seufzer tiefer Zufriedenheit von mir ab und warf einen Blick auf die neue Sommerküche, die wir in seiner Abwesenheit errichtet hatten: Ein kleines Gerüst mit grob gewebten Leinenwänden und einem Dach aus Kiefernzweigen umgab einen gemauerten Herd mit Schornstein – jedoch mit einem großen Tisch im Inneren. Verlockende Düfte nach aufgehendem Teig, frisch gebackenem Brot, Haferkeksen und Zimtbrötchen kamen aus dieser Richtung herbeigeweht.

»Nun, was diese Viertelstunde angeht, Sassenach… Ich glaube, ich komme auch mit etwas weniger zurecht, wenn es sein muss…«

»Ich aber nicht«, sagte ich bestimmt, gestattete es aber meiner Hand, ihn einen Moment nachdenklich zu liebkosen. Mein Gesicht brannte von der Berührung seines Bartes. »Und wenn wir dann Zeit haben, kannst du mir erzählen, was in aller Welt du getan hast, um *das* hier hervorzurufen.«

»Ich habe geträumt«, sagte er.

»Was?«

»Ich habe jede Nacht furchtbar lüstern von dir geträumt«, erklärte er und zupfte sich seine Hose zurecht. »Jedes Mal, wenn ich mich umgedreht habe, bin ich auf meinem Schwanz gelandet und aufgewacht. Es war grässlich.«

Ich brach in Gelächter aus, und er setzte eine verletzte Miene auf, wenn ich auch die widerstrebende Belustigung dahinter erkennen konnte.

»Nun, *du* hast gut lachen, Sassenach«, sagte er. »Du hast ja auch keinen, der dich so plagen könnte.«

»Ja, und das erleichtert mich sehr«, versicherte ich ihm. »Äh… was für lüsterne Träume denn?«

Tief in seinen Augen konnte ich es spekulierend glänzen sehen, als er mich anblickte. Er streckte seinen Finger aus und fuhr damit ganz sanft an meinem Hals hinunter und über meine Brust, bis er in meinem Leibchen verschwand, dann über den dünnen Stoff, der meine Brustwarze bedeckte – die als Reaktion auf seine Zuwendung prompt hart wurde wie eine Murmel.

»Die Art, die dazu führt, dass ich dich am liebsten ohne Umwege in den Wald bringen würde, so weit, dass es niemand hört, wenn ich dich auf den Boden lege, deine Röcke hochschiebe und dich spalte wie einen reifen Pfirsich«, sagte er leise. »Aye?«

Ich schluckte hörbar.

In dieser delikaten Sekunde erklang an der Wegmündung auf der anderen Seite des Hauses grüßendes Gejohle.

»Die Pflicht ruft«, schnaufte ich ein wenig atemlos.

Jamie holte ebenfalls tief Luft, richtete sich auf und nickte.

»Nun, ich bin bisher nicht an unerwiderter Lust gestorben; ich werde es wohl auch jetzt nicht tun.«

»Ich gehe nicht davon aus«, sagte ich. »Außerdem, hast du mir nicht erklärt, dass Abstinenz den Charakter… äh… festigt?«

Er warf mir einen trostlosen Blick zu.

»Wenn hier noch irgendetwas fester wird, falle ich in Ohnmacht, weil ich kein Blut mehr im Kopf habe. Vergiss den Eierkorb nicht, Sassenach.«

Es war Spätnachmittag, zum Glück aber noch hell genug für die Zahnbehandlung. Allerdings lag mein Sprechzimmer so, dass ich das Morgenlicht zum Operieren nutzen konnte, und nachmittags war es dunkler, so dass ich einen improvisierten Operationssaal auf dem Hof errichtete.

Dies war insofern von Vorteil, als alle zusehen wollten; Indianer betrachteten medizinische Behandlungen – und auch fast alles andere – als Sache der Gemeinschaft. Operationen liebten sie besonders, da diese großen Unterhaltungswert besaßen. Alle scharten sich neugierig um mich, gaben ihre Kommentare zu meinen Vorbereitungen ab, diskutierten miteinander und redeten auf die Patientin ein, die ich nur mit größter Mühe davon abhalten konnte zu antworten.

Ihr Name war *Mouse* – Maus –, und ich konnte nur vermuten, dass sie ihn aus irgendeinem metaphysischen Grund bekommen hatte, da er weder zu ihrer Erscheinung noch zu ihrer Persönlichkeit passte. Sie hatte ein rundes Gesicht, eine für die Cherokee ungewöhnliche Stupsnase, und sie war zwar nicht unbedingt hübsch, besaß aber jene Charakterstärke, die oft viel attraktiver ist als schlichte Schönheit.

Diese verfehlte jedenfalls ihre Wirkung auf die anwesenden Herren nicht; sie war die einzige Frau in dem Indianertrupp, der sich ansonsten aus ihrem Bruder Red Clay Wilson und vier Freunden zusammensetzte, die entweder mitgekommen waren, um den Wilsons Gesellschaft zu leisten, sie auf dem Weg zu beschützen – oder um Miss Mousies Gunst zu buhlen, was der wahrscheinlichste Grund für ihre Anwesenheit zu sein schien.

Trotz des schottischen Namens der Wilsons sprach keiner der Cherokee Englisch, abgesehen von ein paar grundlegenden Worten – wie »nein«, »ja«, »gut«, »schlecht« und »Whisky!« Da das in etwa ebenso meinem Vokabular in ihrer Sprache entsprach, hatte ich keinen großen Anteil an der Unterhaltung.

Im Moment warteten wir tatsächlich auf Whisky – und auf Übersetzer. Ein Siedler namens Wolverhampton aus einem namenlosen Tal im Osten hatte sich in der Woche zuvor unfreiwillig anderthalb Zehen amputiert, während er Brennholz spaltete. Da er diesen Zustand unpraktisch fand, hatte er dann versucht, sich den verbleibenden halben Zeh mit einem Spaltmesser abzunehmen.

Man kann über den allgemeinen Nutzen von Spaltmessern sagen, was man will, Präzisionsinstrumente sind sie nicht. Allerdings sind sie scharf.

Mr. Wolverhampton, ein kräftiger Kerl mit einer Neigung zum Jähzorn, lebte allein, und sein nächster Nachbar war sieben Meilen von ihm entfernt. Bis er diesen erreichte – zu Fuß, oder was davon übrig war – und der Nachbar ihn auf ein Maultier gepackt und nach Fraser's Ridge transportiert hatte, waren fast vierundzwanzig Stunden verstrichen, und der verstümmelte Fuß hatte die Ausmaße und das Aussehen eines zerquetschten Waschbären angenommen.

Die Erfordernisse der Säuberungsoperation, das folgende wiederholte Ausschneiden der Wunde zur Eindämmung der Entzündung und die Tatsache, dass sich Mr. Wolverhampton weigerte, die Flasche herauszurücken, hatte meinen normalen medizinischen Vorrat vollständig erschöpft. Da ich sowieso ein Fass Rohalkohol für meine Ätherherstellung brauchte, waren Ian und Jamie zur Destille gegangen, die eine gute Meile vom Haus entfernt lag, um Nachschub zu holen. Ich hoffte, dass sie so zeitig zurückkamen, dass ich noch genug Licht hatte, um zu sehen, was ich tat.

Ich unterbrach Miss Mousies lautstarke Auseinandersetzung mit einem der Herren, der sie offensichtlich aufzog, und signalisierte ihr mit Gebärden, dass sie den Mund für mich aufmachen sollte. Das tat sie gehorsam, setzte jedoch ihre Diskussion mit Hilfe höchst eindeutiger Handzeichen fort, die eine Reihe von Handlungen auszudrücken schienen, die sie den fraglichen Herrn aufforderte, an sich selbst vorzunehmen, zumindest seiner roten Gesichtsfarbe und der Heiterkeit nach, in die seine Gefährten ausbrachen.

Eine Seite ihres Gesichts war von der Augenhöhle bis zum Kinn geschwollen und offenbar sehr empfindlich. Doch sie zuckte weder zusammen noch fuhr sie zurück, selbst als ich ihr Gesicht weiter zum Licht drehte, um besser sehen zu können.

»Zahnschmerzen, mein lieber Schwan!«, sagte ich unwillkürlich.

»Fahn?«, sagte Miss Mousie und sah mich mit hochgezogener Augenbraue an.

»Schlecht«, erklärte ich und zeigte auf ihre Wange. *»Uyoi.«*

»Schlecht«, pflichtete sie mir bei. Es folgte eine lautstarke Erläuterung – in der sie nur pausierte, weil ich ihr hin und wieder den Finger in den Mund steckte –, von der ich annahm, dass es eine Erklärung war, was ihr zugestoßen war.

Dem Aussehen nach eine Schlagverletzung. Mehrere ihrer Backenzähne waren zersplittert, sowohl im Ober- als auch im Unterkiefer, ebenso war ihr Wangenknochen gebrochen, wie ich herausfand, als ich ihn abtastete. Doch nur ein Zahn, ein unterer Eckzahn, war komplett ausgeschlagen, und die scharfen Kanten hatten zwar das Innere ihres Mundes mit kleinen Risswunden übersät, doch das Zahnfleisch war nicht entzündet. Das war ermutigend.

Einen Zahn würde ich ziehen müssen; er war an der Zahnfleischkante abgebrochen, und der Nerv lag frei. Die anderen dagegen …

Angezogen vom Geplapper der Indianer kam Bobby Higgins vom Stall herüber und wurde prompt zurückgeschickt, um mir eine Feile zu holen. Miss Mousie grinste ihn schief an, als er damit zurückkam, und er verbeugte sich ausladend vor ihr, was alle zum Lachen brachte.

»Das sind doch Cherokee, nicht wahr, Ma'am?« Er lächelte Red Clay zu und machte ein Handzeichen, das die Indianer zu belustigen schien, obwohl sie es erwiderten. »Ich bin noch nie einem Cherokee-Indianer begegnet. In der Gegend der Plantage Seiner Lordschaft in Virginia leben jedoch viele andere Indianerstämme.«

Es freute mich zu sehen, dass ihm Indianer vertraut waren und er sich ihnen gegenüber ganz normal verhielt. Von Hiram Crombie, der an diesem Punkt auftauchte, konnte man das nicht behaupten.

Er erstarrte am Rand der Lichtung, als er unsere Versammlung sah. Ich winkte ihm fröhlich zu, und er kam – mit unübersehbarem Widerstreben – näher.

Roger hatte mir erzählt, dass Duncan Hiram als »dieser alte Sauertopf« beschrieben hatte. Das traf exakt zu. Er war klein und sehnig und hatte dünnes, grau meliertes Haar, das er zu einem so strengen Zopf zusammengebunden hatte, dass ich glaubte, er müsste Schwierigkeiten haben zu blinzeln. Mit einem Gesicht, das von den Anstrengungen eines Lebens als Fischer tief gezeichnet war, sah er aus, als sei er um die sechzig, war aber wahrscheinlich viel jünger – und sein Mund war gewohnheitsmäßig nach unten verzogen, so dass er die Miene eines Menschen trug, der nicht nur an einer Zitrone, sondern an einer faulen Zitrone gelutscht hat.

»Ich war auf der Suche nach Mr. Fraser«, sagte er mit einem argwöhnischen Blick in Richtung der Indianer. »Ich hatte gehört, er wäre zurück.« Er trug ein Beil in seinem Gürtel und behielt es mit einer Hand fest im Griff.

»Er kommt sofort zurück. Ihr seid doch Mr. Higgins schon begegnet, oder?« Das war offenbar der Fall, und das Erlebnis hatte einen negativen Eindruck hinterlassen. Die Augen fest auf Bobbys Brandzeichen gerichtet, bejahte er die Frage mit dem kleinstmöglichen Kopfnicken. Ohne mich beirren zu lassen, wies ich mit einer Geste auf die Indianer, die Hiram mit deutlich größerem Interesse betrachteten als er es ihnen gegenüber an den Tag legte. »Darf ich Euch Miss Wilson vorstellen, ihren Bruder, Mr. Wilson, und ihre ... äh ... Freunde?«

Hiram erstarrte noch mehr, sofern das möglich war.

»Wilson?«, sagte er in unfreundlichem Ton.

»Wilson«, bestätigte Miss Mouse fröhlich.

»Das war der Familienname meiner Frau«, quetschte er in einem Tonfall heraus, der keinen Zweifel daran ließ, dass er seine Verwendung durch die Indianer für eine grobe Entgleisung hielt.

»Oh«, sagte ich. »Wie schön. Meint Ihr, sie könnten vielleicht Verwandte Eurer Frau sein?«

Seine Augen quollen leicht vor, und ich hörte ein ersticktes Gurgeln aus Bobbys Richtung.

»Nun, sie haben den Namen doch ganz offensichtlich von einem schottischen Vater oder Großvater«, erläuterte ich. »Vielleicht ...«

Hirams Gesicht arbeitete wie ein Nussknacker und wurde in rascher Folge von Gefühlen überzogen, die von Wut bis hin zur Bestürzung reichten. Seine rechte Hand ballte sich zusammen, und Zeige- und kleiner Finger standen wie Hörner ab, das Zeichen gegen das Böse.

»Großonkel Ephraim«, flüsterte er. »Jesus steh uns bei.« Und ohne ein weiteres Wort machte er auf dem Absatz kehrt und wackelte davon.

»Wiedersehn!«, rief Miss Mousie auf Englisch und winkte. Er sah sich mit einem kurzen, gehetzten Blick nach ihr um und flüchtete dann, als seien Dämonen hinter ihm her.

Schließlich traf der Whisky ein, und nachdem reichlich davon an Patientin wie Zuschauer ausgeteilt worden war, nahm die Operation endlich ihren Lauf.

Die Feile wurde normalerweise für Pferdezähne benutzt und war daher ein wenig größer, als es mir lieb war, doch sie funktionierte. Miss Mouse tat lauthals kund, wie unangenehm es sich anfühlte, doch mit zunehmendem Whiskykonsum wurden ihre Klagen leiser. Bis ich so weit war, dass ich ihren Zahn ziehen musste, würde sie nichts mehr spüren.

Unterdessen unterhielt Bobby Jamie und Ian, indem er Hiram Crombies Reaktion auf die Entdeckung imitierte, dass er möglicherweise gemeinsame Familienbande mit den Wilsons besaß. Zwischen seinen Lachanfällen übersetzte Ian den Indianern, worum es ging, und sie wälzten sich von Belustigung geschüttelt im Gras.

»Haben sie denn einen Ephraim Wilson in ihrem Stammbaum?«, fragte ich und nahm Miss Mousies Kinn fest in die Hand.

»Nun, sie sind sich nicht sicher, ob er Ephraim hieß, aber aye, den haben sie.« Jamie grinste breit. »Ihr Großvater war ein schottischer Wanderer. Ist lange genug geblieben, um ihre Großmutter zu schwängern, dann ist er von einer Klippe gestürzt und unter einem Erdrutsch verschüttet worden. Sie hat natürlich wieder geheiratet, aber sie mochte den Namen.«

»Ich frage mich, was es nur war, das Großonkel Ephraim aus Schottland vertrieben hat?« Ian setzte sich hin und wischte sich die Lachtränen aus den Augen.

»Wahrscheinlich der unausweichliche Umgang mit Menschen wie Hiram«, sagte ich und kniff die Augen zusammen, um zu sehen, was ich tat. »Meint Ihr –« Ich begriff plötzlich, dass alle aufgehört hatten zu lachen und zu reden und ihre Aufmerksamkeit auf etwas am anderen Ende der Lichtung gerichtet hatten.

Es war die Ankunft eines weiteren Indianers, der etwas in einem Bündel über der Schulter trug.

Der Indianer war ein Mann namens Sequoyah, der um einiges älter war als die Wilsons und ihre Freunde. Er nickte Jamie nüchtern zu, schwang sich das Bündel von der Schulter, legte es zu Jamies Füßen auf den Boden und sagte etwas auf Cherokee.

Jamies Gesicht veränderte sich; die letzten Spuren der Belustigung verschwanden und wichen der Neugier – und dem Argwohn. Er kniete sich hin, schlug das zerschlissene Leinentuch zurück und legte ein Durcheinander verwitterter Knochen frei, aus deren Mitte uns die Augenhöhlen eines Schädels entgegenstarrten.

»Wer zum Teufel ist *das*?« Ich hatte die Arbeit eingestellt und stand mit allen anderen, Miss Mouse eingeschlossen, da und starrte auf den Neuankömmling hinunter.

»Er sagt, es ist der Alte, dem die Hütte gehört hat, von der MacDonald erzählt hat – die jenseits der Vertragsgrenze gestanden hat und abgebrannt ist.« Jamie streckte die Hand aus und hob den Schädel auf, den er sanft hin und her drehte.

Er hörte, wie ich leise einatmete, denn er sah mich an und drehte dann den Schädel so, dass ich ihn sehen konnte. Die meisten Zähne fehlten, und zwar schon so lange, dass sich der Kieferknochen weitgehend über die leeren Höhlen geschoben hatte. Doch die beiden übrig gebliebenen Backenzähne wiesen nur Risse und Flecken auf – keine glänzenden Silberfüllungen, keine Leerräume, in denen solche Füllungen hätten gewesen sein können.

Ich atmete langsam wieder aus, unsicher, ob ich erleichtert oder enttäuscht sein sollte.

»Was ist mit ihm geschehen? Und warum ist er *hier*?«

Jamie kniete sich hin und legte den Schädel sanft wieder auf das Tuch, dann drehte er einige der Knochen hin und her, um sie zu untersuchen. Er blickte auf und lud mich mit einer kleinen Handbewegung ein, seinem Beispiel zu folgen.

Die Knochen trugen keinerlei Brandspuren, doch einigen *war* anzusehen, dass Tiere daran genagt hatten. Ein oder zwei der langen Knochen waren zerbrochen worden, sicher, um an das Mark zu gelangen, und die meisten der kleineren Hand- und Fußknochen fehlten. Allesamt hatten sie das graue, zerbrechliche Aussehen von Knochen, die eine ganze Weile im Freien gelegen hatten.

Ian hatte meine Frage für Sequoyah übersetzt, der neben Jamie hockte und ihm etwas erklärte, wobei er dann und wann mit dem Finger auf diesen oder jenen Knochen zeigte.

»Er sagt«, übersetzte Ian stirnrunzelnd, »dass er den Mann schon lange kannte. Sie waren nicht unbedingt befreundet, aber dann und wann, wenn er in der Nähe der Hütte war, hat er dort Halt gemacht, und der Mann hat mit ihm gegessen. Also hat er zu seinen Besuchen ebenfalls etwas mitgebracht – einen Hasen für den Kochtopf oder etwas Salz.«

Vor ein paar Monaten hatte er eines Tages die Leiche des alten Mannes im Wald gefunden. Er hatte in einiger Entfernung von seinem Haus unter einem Baum gelegen.

»Er ist nicht umgebracht worden, sagt er«, sagte Ian, der dem raschen Wortstrom mit konzentriert gerunzelter Stirn folgte. »Er ist einfach… gestorben. Er glaubt, dass der Mann auf der Jagd war – er hatte ein Messer dabei und sein Gewehr an seiner Seite –, als ihn der Geist verlassen hat und er einfach zu Boden gefallen ist.« Er zuckte mit den Schultern, genau wie Sequoyah.

Da er keinen Grund sah, etwas mit der Leiche zu tun, hatte Sequoyah sie an Ort und Stelle liegen und das Messer dabei gelassen, falls der Geist es benötigte, wohin er auch immer gegangen war; er wusste nicht, wohin die Geister der Weißen gingen oder ob sie dort jagten. Er zeigte mit dem Finger darauf – unter den Knochen lag ein altes Messer, dessen Klinge beinahe vollständig weggerostet war.

Er hatte das Gewehr an sich genommen, da es ihm zu schade zum Liegenlassen erschien, und da die Hütte an seinem Weg lag, hatte er dort vorbeigeschaut. Der Alte hatte nicht viel besessen, und was er hatte, war zum Großteil wertlos. Er hatte einen Eisentopf, einen Kessel und ein Glas mit Maismehl mitgenommen und die Gegenstände in sein Dorf gebracht.

»Er ist doch nicht aus Anidonau Nuya, oder?«, fragte Jamie, dann wiederholte er die Frage auf Cherokee. Sequoyah schüttelte den Kopf, und die kleinen Ornamente, die er in sein Haar geflochten hatte, klapperten leise.

Er kam aus einem Dorf einige Meilen westlich von Anidonau Nuya – *Wo der Stein steht. Bird-who-sings* hatte nach Jamies Besuch Nachrichten in die Nachbardörfer entsandt und gefragt, ob jemand etwas über den Alten und sein Schicksal wusste. Als er Sequoyahs Bericht hörte, hatte er ihn die Überreste des Alten einsammeln lassen und ihn damit zu Jamie geschickt, um zu beweisen, dass er nicht umgebracht worden war.

Ian stellte eine Frage, in der ich das Cherokeewort für »Feuer« aufschnappte. Sequoyah schüttelte erneut den Kopf und erwiderte mit einem Wortschwall.

Er hatte die Hütte nicht niedergebrannt – warum sollte er so etwas tun? Er glaubte nicht, dass es irgendjemand mit Absicht getan hatte. Nachdem er die Knochen des Alten eingesammelt hatte – sein Gesicht zeigte den Abscheu, den er dabei empfunden hatte –, hatte er noch einmal einen Blick auf die Hütte geworfen. Sie hatte tatsächlich gebrannt – doch er konnte deutlich sehen, dass ein Baum gleich daneben vom Blitz getroffen worden war und einen guten Teil des umliegenden Waldes in Brand gesteckt hatte. Die Hütte war nur halb verbrannt.

Er erhob sich mit einem Ausdruck der Endgültigkeit.

»Wird er zum Abendessen bleiben?«, fragte ich, als ich sah, dass er im Aufbruch begriffen zu sein schien.

Jamie machte ihm die Einladung verständlich, doch Sequoyah schüttelte den Kopf. Er hatte getan, worum man ihn gebeten hatte; jetzt hatte er anderes zu tun. Er nickte den anderen Indianern zu, dann wandte er sich zum Gehen.

Doch dann fiel ihm etwas ein, und er blieb stehen und drehte sich zurück.

»Tsisqua sagt«, erklärte er in der vorsichtigen Art eines Menschen, der sich etwas in einer unbekannten Sprache eingeprägt hat, »vergesst Gewehre nicht.« Dann nickte er entschieden und ging.

Das Grab war mit einem kleinen Steinhügel und einem kleinen Holzkreuz aus Kiefernzweigen markiert. Sequoyah hatte nicht gewusst, wie sein Bekannter hieß, und wir hatten keine Ahnung, wie alt er gewesen war oder wann er geboren und gestorben war. Wir hatten zwar auch nicht gewusst, ob er Christ gewesen war, aber das Kreuz schien uns eine gute Idee zu sein.

Es war eine sehr kleine Beerdigungsgesellschaft, die sich aus mir selbst, Jamie, Ian, Brianna und Roger, Lizzie und ihrem Vater, den Bugs und Bobby Higgins zusammensetzte – wobei ich mir sicher war, dass er nur zugegen war, weil Lizzie es war. Ihr Vater schien diese Meinung zu teilen, den gelegentlichen argwöhnischen Blicken nach, die er in Bobbys Richtung warf.

Roger las einen kurzen Psalm über dem Grab, dann hielt er inne. Er räusperte sich und sagte schlicht: »Herr, in Deine Obhut geben wir die Seele unseres Bruders …«

»Ephraim«, murmelte Brianna, die Augen anstandsvoll niedergeschlagen.

Ein subtiles Bedürfnis zu lachen ging durch die Gruppe, auch wenn keiner einen Mucks tat. Roger warf Brianna einen bösen Blick zu, doch ich sah, dass auch sein Mundwinkel zuckte.

»… unseres Bruders, dessen Namen Du kennst«, brachte Roger seinen Satz würdevoll zu Ende und schloss das Buch der Psalmen, das er sich von Hiram Crombie ausgeborgt hatte – welcher die Einladung, der Beerdigung beizuwohnen, ausgeschlagen hatte.

Als Sequoyah am Abend zuvor seine Enthüllungen beendet hatte, war es fast dunkel, und ich war gezwungen gewesen, Miss Mousies Zahnkorrektur auf den nächsten Morgen zu verschieben. Abgefüllt, wie sie war, äußerte sie keine Einwände und wurde von Bobby Higgins hilfsbereit zu einem Bett auf dem Küchenfußboden eskortiert – ob er nun in Lizzie verliebt war oder nicht, er schien Miss Mousies Reizen gegenüber jedenfalls höchst aufgeschlossen zu sein.

Als ich mit der Zahnoperation fertig war, hatte ich ihr und ihren Freunden vorgeschlagen, eine Weile zu bleiben, doch genau wie Sequoyah hatten sie anderswo zu tun. Und nachdem sie mir ihren Dank ausgesprochen und mir kleine Geschenke gemacht hatten, waren sie am frühen Nachmittag in einer Wolke aus Whisky aufgebrochen, und es war an uns gewesen, uns um die sterblichen Überreste des verblichenen Ephraim zu kümmern.

Nach der Beerdigung gingen alle wieder zu den Häusern hinunter, doch Jamie und ich blieben zurück und suchten eine Gelegenheit, ein paar Minuten allein zu sein. Letzte Nacht war das Haus voller Indianer gewesen, und wir hatten lange am Feuer gesessen, geredet und Geschichten erzählt. Als wir endlich zu Bett gegangen waren, hatten wir uns nur noch aneinander geschmiegt und waren eingeschlafen, nachdem wir uns eine gute Nacht gewünscht hatten.

Der Friedhof lag in einiger Entfernung vom Haus auf einer kleinen Erhebung und war ein hübscher, friedvoller Ort. Von Kiefern umstanden, deren goldene Nadeln eine Decke über die Erde breiteten und deren murmelnde Zweige ein ununterbrochenes, leises Rauschen erzeugten, wirkte er tröstend auf mich.

»Armer alter Kerl«, sagte ich und legte einen letzten Kieselstein auf Ephraims Grabhügel. »Was meinst du wohl, wie er an einem solchen Ort gelandet ist?«

»Weiß der Himmel.« Jamie schüttelte den Kopf. »Es gibt immer Eremiten, Menschen, die sich in der Gesellschaft von ihresgleichen nicht wohl fühlen. Vielleicht ist er einer gewesen. Oder vielleicht hat ihn ein Unglück in die Wildnis getrieben, und er ... ist geblieben.« Er zuckte sacht mit den Achseln und lächelte mich schwach an.

»Manchmal frage ich mich, wie wir alle dahin gekommen sind, wo wir sind, Sassenach. Du nicht?«

»Früher schon«, sagte ich. »Aber irgendwann hatte ich das Gefühl, dass es darauf unmöglich eine Antwort geben kann, also habe ich aufgehört.«

Er blickte abgelenkt zu mir hinunter.

»Ach ja?« Er streckte die Hand aus und schob mir eine vom Wind zerzauste Locke hinter das Ohr. »Womöglich sollte ich dir diese Frage nicht stellen, aber ich tue es trotzdem. Macht es dir etwas aus, Sassenach? Dass du hier *bist*, meine ich. Wünschst du dir je, du wärst – zurück?«

Ich schüttelte den Kopf.

»Nein, nie.«

Und das war die Wahrheit. Doch manchmal erwachte ich mitten in der Nacht und fragte mich, *ist das der Traum*? Würde ich beim Aufwachen die warme Luft der Zentralheizung und den Duft von Franks Old Spice in der Nase haben? Und wenn ich dann wieder einschlief, umweht von Holzrauch und dem Moschus auf Jamies Haut, empfand ich ein schwaches, überraschtes Bedauern.

Falls er diesen Gedanken in meinem Gesicht las, ließ er es sich nicht anmerken, sondern er beugte sich nieder und küsste mich sanft auf die Stirn und nahm meinen Arm. Wir spazierten ein Stück in den Wald hinein, fort vom Haus.

»Manchmal rieche ich die Kiefern«, sagte er und atmete die harzig duftende Luft tief und langsam ein. »Und dann glaube ich für eine Sekunde, dass ich in Schottland bin. Aber dann komme ich zu mir und sehe es; hier gibt es keine sanften Farne, keine endlosen kahlen Berge – nicht die Wildnis, die ich einmal kannte, sondern nur Wildnis, die mir neu ist.«

Ich glaubte, Sehnsucht in seiner Stimme zu hören, aber keinen Schmerz. Doch er hatte mich gefragt; also würde ich es ebenfalls tun.

»Und wünschst du dir je, du wärst zurück?«

»Oh, aye«, sagte er zu meiner Überraschung – und lachte dann, als er mein Gesicht sah. »Aber nicht so sehr, dass ich mir nicht noch mehr wünschen würde, hier zu sein, Sassenach.«

Er sah sich nach dem winzigen Friedhof mit seinen kleinen Ansammlungen von Grabhügeln und Kreuzen um – nur hier und dort markierten größere Steine ein besonderes Grab.

»Wusstest du, Sassenach, dass manche Leute glauben, dass der letzte Mensch, der auf einem Friedhof beerdigt wird, sein Wächter wird? Er muss Wache stehen, bis der Nächste stirbt und seine Stelle einnimmt – erst dann kann er ruhen.«

»Dann wird unser mysteriöser Ephraim wohl sehr überrascht sein, sich in einer solchen Position wiederzufinden, nachdem er so lange allein unter einem Baum gelegen hat«, sagte ich mit einem kleinen Lächeln. »Aber ich frage mich – was bewacht der Wächter eines Friedhofs, und wovor?«

Da lachte er.

»Oh … Vandalen vielleicht; Grabschänder. Oder Zauberer.«

»Zauberer?« Das überraschte mich; ich hatte gedacht, das Wort »Zauberer« sei gleichbedeutend mit »Heiler«.

»Es gibt Zauberriten, für die Knochen benötigt werden, Sassenach«, sagte er. »Oder die Asche einer verbrannten Leiche. Oder Erde von einem Grab.« Sein Tonfall war eigentlich leicht, doch ohne jeden scherzenden Unterton. »Aye, selbst die Toten müssen manchmal verteidigt werden.«

»Und wer könnte das besser als der Friedhofsgeist?«, sagte ich trocken. »Verstehe.«

Wir stiegen weiter bergauf durch einen Hain zitternder Espen, deren Licht uns mit grünen und silbernen Sprenkeln überzog, und ich blieb stehen, um einen Tropfen leuchtend rotes Harz von einem der papierweißen Stämme zu kratzen. Wie seltsam, dachte ich, und fragte mich, warum mich dieser Anblick innehalten ließ – und dann fiel es mir ein, und ich wandte mich abrupt um und spähte noch einmal zum Friedhof hinüber.

Keine Erinnerung, sondern ein Traum – oder eine Vision. Ein Mann mit zerschmetterten Knochen, der sich in einem Espenhain erhob, aufstand und wusste, dass es das letzte Mal war, sein letzter Kampf, und er entblößte seine zersplitterten Zähne, befleckt mit Blut, das die Farbe des Espenharzes hatte. Sein Gesicht war schwarz bemalt, die Farbe des Todes – und ich wusste, dass er silberne Füllungen in den Zähnen hatte.

Doch der Granitfels stand lautlos und friedlich da, übersät mit verwehten gelben Kiefernnadeln, und markierte den Ruheplatz des Mannes, der sich einmal Otterzahn genannt hatte.

Der Augenblick verging. Wir ließen den Espenhain hinter uns und betraten eine andere Lichtung, die höher gelegen war als die Anhöhe mit dem Friedhof.

Ich stellte überrascht fest, dass hier jemand Holz geschlagen und den Boden gerodet hatte. Ein großer Stapel gefällter Baumstämme lag auf der einen Seite, und daneben lagerte ein Gewirr entwurzelter Stümpfe, obwohl eine ganze Menge mehr ihre Wurzeln noch im Boden hatten und aus dem dichten Kraut und den Schwingelgräsern ragten.

»Schau, Sassenach.« Jamie legte mir die Hand an den Ellbogen und drehte mich um.

»Oh. Oh, nein.«

Wir befanden uns hier so hoch, dass wir eine atemberaubende Aussicht hatten. Die Bäume fielen ringsum ab, und wir konnten über unseren Berg hinwegsehen, über den nächsten und den nächsten bis in eine blaue Ferne, vernebelt vom Atemhauch der Berge, aus deren Mulden die Wolken aufstiegen.

»Gefällt es dir?« Der Unterton des Besitzerstolzes in seiner Stimme war unüberhörbar.

»Natürlich gefällt es mir. Was –?« Ich drehte mich um und wies auf die Stämme und Stümpfe.

»Hier wird das nächste Haus stehen, Sassenach«, sagte er schlicht.

»Das *nächste* Haus? Wie, bauen wir denn noch eins?«

»Nun, ich weiß nicht, ob wir es sein werden oder vielleicht unsere Kinder – oder Enkelkinder«, fügte er hinzu, und sein Mund kräuselte sich ein wenig. »Aber ich dachte, falls irgendetwas passiert – nicht, dass ich das glauben würde –, aber falls doch, nun, dann wäre ich glücklicher, wenn ich schon einen Anfang gemacht hätte. Nur für alle Fälle.«

Ich starrte ihn einen Moment an und versuchte, mir einen Reim auf all das zu machen.

»Falls irgendetwas passiert«, sagte ich langsam und wandte mich nach Osten, wo man unser Haus gerade eben zwischen den Bäumen sehen konnte, sein Schornsteinrauch eine weiße Wolke zwischen dem sanften Grün der Kastanien und Fichten. »Falls es tatsächlich … abbrennt, meinst du.« Das bloße Aussprechen dieses Gedankens ließ meinen Magen hart wie Stein werden.

Dann richtete ich den Blick wieder auf ihn und sah, dass die Vorstellung auch ihm Angst machte. Doch da er Jamie war, hatte er sich daran gemacht, sich so gut er konnte auf den Tag der Katastrophe vorzubereiten.

»Gefällt es dir?«, wiederholte er, und seine blauen Augen sahen mich gebannt an. »Die Stelle, meine ich. Wenn nicht, kann ich eine andere aussuchen.«

»Sie ist wunderschön«, sagte ich und spürte, wie mir die Tränen in die Augen stiegen. »Einfach wunderschön, Jamie.«

Da uns vom Aufstieg warm geworden war, setzten wir uns in den Schatten einer hohen Hemlocktanne, um unsere zukünftige Aussicht zu bewundern. Und stellten fest, dass wir nun, da das Schweigen über die finstere Möglichkeit unserer Zukunft gebrochen war, darüber reden konnten.

»Es ist gar nicht so sehr die Vorstellung, dass wir sterben könnten«, sagte ich. »Oder nicht nur. Es ist dieses ›keine überlebenden Kinder‹, das mich so verrückt macht.«

»Nun, ich kann dich gut verstehen, Sassenach. Obwohl ich ebenfalls nicht gerade dafür bin, dass wir sterben, und ich habe vor, dafür zu sorgen, dass wir es nicht tun«, versicherte er mir. »Aber denk doch einmal nach. Es muss nicht bedeuten, dass sie tot sind. Es ist doch möglich, dass sie einfach ... gehen.«

Ich holte tief Luft und bemühte mich, diese Hypothese ohne Panik hinzunehmen.

»Gehen. Zurückgehen, meinst du. Roger und Brianna – und Jemmy wohl auch. Wir gehen also davon aus, dass er – durch die Steine reisen kann.«

Er nickte nüchtern und schlang die Arme um seine Knie.

»Nach dem, was er mit diesem Opal angestellt hat? Aye, ich denke, wir müssen davon ausgehen, dass er es kann.« Ich nickte und erinnerte mich, was er mit dem Opal gemacht hatte – er hatte ihn in der Hand gehabt und sich beklagt, er würde heiß ... bis er explodierte und in Hunderte nadelspitzer Bruchstücke zersplitterte. Ja, wir mussten wohl davon ausgehen, dass auch er durch die Zeit reisen konnte. Doch was, wenn Brianna noch ein Kind bekam? Es schien mir offensichtlich zu sein, dass sie und Roger sich noch eins wünschten – oder zumindest, dass sich Roger eins wünschte und sie nichts dagegen hatte.

Der Gedanke, sie zu verlieren, schmerzte akut, doch wir mussten uns wohl mit dieser Möglichkeit auseinander setzen.

»Womit es dann zwei Möglichkeiten gibt, nehme ich an«, sagte ich, um Tapferkeit und Objektivität bemüht. »Wenn wir tot sind, würden sie gehen, weil es ohne uns keinen wirklichen Grund für sie gibt, hierzubleiben. Aber wenn wir *nicht* tot sind – werden sie trotzdem gehen? Werden wir sie fortschicken, meine ich? Wegen des Krieges. Es wird schließlich gefährlich.«

»Nein«, sagte er leise. Er hatte den Kopf gesenkt, und einzelne rotbraune Haare standen an den Wirbeln ab, die er sowohl Brianna als auch Jemmy vererbt hatte.

»Ich weiß es nicht«, sagte er schließlich und hob den Kopf, um in die Weite von Land und Himmel zu schauen. »Niemand weiß es, Sassenach. Wir müssen dem, was kommt, so gut entgegentreten, wie wir können.«

Er wandte sich mir zu und legte seine Hand über die meine, und in seinem Lächeln lag ebenso viel Schmerz wie Glück.

»Du und ich, wir sind beide von genug Geistern umgeben, Sassenach. Wenn uns die Schrecknisse der Vergangenheit nicht lähmen können – dann sollen es die Ängste vor der Zukunft schon gar nicht tun. Wir müssen die Dinge nur hinter uns lassen und unser Leben weiterleben. Aye?«

Ich legte ihm leicht die Hand auf die Brust, nicht einladend, sondern nur, weil ich ihn spüren wollte. Seine Haut war kühl, weil er geschwitzt hatte, er hatte mitgeholfen, das Grab auszuheben; die Hitze seiner Anstrengung glühte darunter in seinen Muskeln.

»Du bist einer von meinen Geistern gewesen«, sagte ich. »Lange Zeit. Und ich habe lange versucht, *dich* hinter mir zu lassen.«

»Hast du das?« Er legte mir seinerseits die Hand auf den Rücken und bewegte sie unbewusst. Ich kannte diese Berührung – das Bedürfnis, den anderen zu berühren, nur um sich zu vergewissern, dass er wirklich und leibhaftig da war.

»Ich dachte, ich könnte nicht weiterleben, wenn ich zurückdachte – konnte es nicht ertragen.« Die Erinnerung schnürte mir die Kehle zu.

»Ich weiß«, sagte er leise, und seine Hand hob sich, um mein Haar zu berühren. »Aber du hattest das Kind – und einen Mann. Es war unrecht, ihnen den Rücken zuzukehren.«

»Es war unrecht, *dir* den Rücken zuzukehren.« Ich kniff die Augen zu, doch die Tränen quollen mir aus den Augenwinkeln. Er zog meinen Kopf an sich, streckte die Zunge heraus und leckte mir zart über das Gesicht, was mich so überraschte, dass ich inmitten eines Schluchzers auflachte und mich beinahe verschluckte.

»Ich liebe dich, so wie das Fleisch das Salz liebt«, zitierte er und lachte ebenfalls ganz leise. »Weine nicht, Sassenach. Du bist hier und ich ebenso. Sonst gibt es nichts, was zählt.«

Ich lehnte meine Stirn an seine Wange und schlang die Arme um ihn. Meine Hände ruhten flach auf seinem Rücken, und ich streichelte ihn von den Schulterblättern bis zur Mulde in seinem Kreuz, sacht, sehr sacht zeichnete ich ihn als Ganzes nach, nicht aber die Narben, die sich in seine Haut frästen.

Er drückte mich an sich und seufzte tief.

»Weißt du, dass wir diesmal schon fast doppelt so lange verheiratet sind wie das letzte Mal?«

Ich wich zurück und sah ihn mit argwöhnisch gerunzelter Stirn an, ging aber auf den Themenwechsel ein.

»Waren wir dazwischen denn nicht verheiratet?«

Das überraschte ihn; er runzelte ebenfalls die Stirn und fuhr sich nachdenklich mit dem Finger über den sonnenverbrannten Nasenrücken.

»Nun, das ist eine gute Frage für einen Pastor«, sagte er. »Ich würde sagen, ja – aber wenn das stimmt, sind wir dann nicht beide Bigamisten?«

»Waren, nicht sind«, verbesserte ich, und mir wurde leicht beklommen zumute. »Aber in Wirklichkeit waren wir es nicht. Vater Anselm hat das gesagt.«

»Anselm?«

»Vater Anselm – ein franziskanischer Pastor in der Abtei Ste. Anne. Aber womöglich erinnerst du dich nicht an ihn; du warst schließlich sehr krank.«

»Oh, ich erinnere mich«, sagte er. »Er ist oft nachts zu mir gekommen und hat bei mir gesessen, wenn ich nicht schlafen konnte.« Er lächelte ein wenig schief; diese Zeit gehörte nicht zu den Dingen, an die er denken wollte. »Er hatte dich sehr gern, Sassenach.«

»Oh? Und was ist mit dir?«, fragte ich, um ihn von der Erinnerung an Ste. Anne abzulenken. »Hattest du mich nicht gern?«

»Oh, doch, natürlich«, versicherte er mir. »Aber ich glaube, jetzt mag ich dich sogar noch mehr.«

»Ach wirklich.« Ich plusterte mich auf und setzte mich gerader hin. »Was ist denn anders?«

Er legte den Kopf schräg und verengte die Augen zu einem abschätzenden Blick.

»Nun, du furzt nicht mehr so viel im Schlaf«, begann er nüchtern, dann duckte er sich lachend, als ein Kiefernzapfen an seinem linken Ohr vorbeischoss. Ich ergriff ein Stück Holz, doch bevor ich es ihm über den Schädel ziehen konnte, packte er mich an den Armen. Er drückte mich flach ins Gras und ließ sich auf mich fallen, so dass er mich mühelos am Boden festhielt.

»Lass mich los, du Trottel! Ich furze *nicht* im Schlaf!«

»Und woher willst du das wissen, Sassenach? Du schläfst doch so fest, dass du nicht einmal von deinem eigenen Geschnarche wach wirst.«

»Oh, du willst mir etwas von Schnarchen erzählen, wie? Du –«

»Du bist stolz wie Luzifer«, unterbrach er mich. Er lächelte nach wie vor, doch in seinen Worten lag mehr Ernst. »Und du bist tapfer. Du bist schon immer mutiger gewesen als für dich gut war, und jetzt bist du wütend wie ein kleiner Dachs.«

»Ich bin also arrogant und hemmungslos. Das klingt nicht unbedingt wie eine Auflistung weiblicher Tugenden«, sagte ich und versuchte heftig atmend, mich unter ihm hervorzuwinden.

»Nun, gütig bist du auch«, sagte er und überlegte. »Sehr gütig. Obwohl du deine eigenen Bedingungen daran knüpfst. Nicht, dass das schlecht wäre«, fügte er hinzu und fasste mit einer gezielten Bewegung den Arm wieder, den ich ihm entwunden hatte. Er hielt mein Handgelenk über meinem Kopf am Boden fest.

»Weiblich«, murmelte er und runzelte konzentriert die Stirn. »Weibliche Tugenden …« Seine freie Hand kroch zwischen uns und legte sich auf meine Brust.

»Darüber hinaus!«

»Du bist sehr reinlich«, sagte er beifällig. Er ließ mein Handgelenk los und fuhr mit der Hand durch mein Haar – das in der Tat sauber war und nach Sonnen- und Ringelblumen roch.

»Ich habe noch nie eine Frau gesehen, die sich so oft wäscht wie du – außer Brianna vielleicht.«

Er blinzelte nachdenklich. »Du bist keine große Köchin«, fuhr er fort. »Obwohl du noch nie jemanden vergiftet hast, es sei denn mit Absicht. Und ich muss sagen, dass du ordentlich nähen kannst – obwohl es dir lieber ist, wenn du einen Menschen zusammenflicken kannst.«

»Vielen Dank!«

»Zähl mir noch ein paar Tugenden auf«, schlug er vor. »Eventuell habe ich etwas vergessen.«

»Hmpf! Sanftheit, Geduld …« Ich kam ins Schwimmen.

»Sanft? Himmel.« Er schüttelte den Kopf. »Du bist die skrupelloseste, blutdürstigste …«

Mein Kopf fuhr hoch, und fast wäre es mir gelungen, ihn in die Kehle zu beißen. Er fuhr lachend zurück.

»Nein, besonders geduldig bist du auch nicht.«

Ich gab es vorerst auf, mich zu wehren, und ließ mich flach auf den Rücken fallen. Mein zerzaustes Haar lag im Gras ausgebreitet.

»Und was *ist* dann meine liebenswerteste Eigenschaft?«, wollte ich wissen.

»Du findest mich lustig«, sagte er und grinste.

»Das … tue … ich … nicht …« Ich grunzte und wehrte mich wie verrückt. Er lag einfach nur auf mir und ignorierte in aller Seelenruhe mein Hämmern und Stechen, bis ich nicht mehr konnte und keuchend unter ihm lag.

»Und«, sagte er bedacht, »du magst es sehr, wenn ich mit dir ins Bett gehe. Nicht wahr?«

»Äh …« Ich hätte ihm gern widersprochen, doch das verbot die Ehrlichkeit. Außerdem wusste er ganz genau, dass es so war.

»Du zerquetschst mich«, sprach ich würdevoll. »Sei so gut und geh herunter.«

»Nicht wahr?«, wiederholte er, ohne sich zu bewegen.

»Ja! Na gut! Ja! Kannst du jetzt von mir runtergehen, verdammt?«

Das tat er nicht, sondern er senkte den Kopf und küsste mich. Ich hatte die Lippen zusammengekniffen und war fest entschlossen, nicht nachzugeben, doch er war ebenfalls entschlossen, und wenn man es recht betrachtete … Die Haut seines Gesichts war warm, seine Bartstoppeln kratzten sacht, und sein breiter, wunderbarer Mund … meine Beine öffneten sich selbstvergessen, und er lag unverrückbar dazwischen; seine nackte Brust roch nach Moschus und Schweiß und Sägemehl, das sich in dem drahtigen, rotbraunen Haar verfangen hatte … Mir war immer noch heiß, weil ich mich so gewehrt hatte, doch das Gras um uns war feucht und kühl … Nun gut, schön, noch eine Minute, und er konnte mich auf der Stelle haben, wenn er wollte.

Er spürte, wie ich mich ergab, und auch sein Körper entspannte sich mit einem Seufzer; er hielt mich nicht länger gefangen, sondern hielt mich einfach nur. Dann hob er den Kopf und nahm mein Gesicht in seine Hand.

»Möchtest du wissen, was es wirklich ist?«, fragte er, und ich konnte der dunkelblauen Färbung seiner Augen ansehen, dass er es ernst meinte. Ich nickte wortlos.

»Von allen Geschöpfen auf dieser Erde«, flüsterte er, »bist du das treueste.«

Mein erster Gedanke war, eine Bemerkung über Bernhardiner zu machen, doch sein Gesicht war so von Zärtlichkeit erfüllt, dass ich nichts sagte und stattdessen nur zu ihm aufsah und in das grüne Licht blinzelte, das über uns durch die Nadeln fiel.

»Nun«, sagte ich schließlich und seufzte ebenfalls tief, »du aber auch. Und das ist doch eigentlich eine gute Sache, oder nicht?«

21

Es zündet

Mrs. Bug hatte Hühnerfrikassee zum Abendessen gemacht, doch das allein reichte nicht aus, um die unterdrückte Erregung zu erklären, die Brianna und Roger bei ihrem Eintreten mit sich brachten. Sie lächelten beide, Briannas Wangen waren rot, und seine Augen leuchteten mit den ihren um die Wette.

Als Roger daher verkündete, dass sie große Neuigkeiten hätten, war es vielleicht nur verständlich, dass Mrs. Bug ohne Umwege zu dem nahe liegenden Schluss kam.

»Ihr bekommt wieder ein Kind!«, rief sie und ließ vor Aufregung den Löffel fallen. Sie klatschte in die Hände und blies sich auf wie ein Luftballon. »Oh, was für eine Freude! Und Zeit wurde es sowieso«, fügte sie hinzu und löste ihre Hände voneinander, um mit dem Finger auf Roger zu zeigen. »Und da hatte ich schon gedacht, ich müsste Euch Ingwer und Schwefel in den Porridge tun, junger Mann, um Euch auf die Sprünge zu helfen! Aber wie ich sehe, wusstet Ihr ja dann doch, wie es geht. Und du, *a bhailach*, was meinst du? Ein süßes Brüderchen für dich!«

Jemmy, an den diese Worte gerichtet waren, starrte mit offenem Mund zu ihr auf.

»Äh …«, sagte Roger und wurde rot.

»Oder es könnte natürlich auch ein Schwesterchen werden«, räumte Mrs. Bug ein. »Aber so oder so, gute Neuigkeiten, gute Neuigkeiten. Hier, *a luaidh*, nimm zur Feier ein Bonbon, und wir anderen trinken darauf!«

Jemmy, der sichtlich verwirrt, für etwas Süßes aber sofort zu haben war, nahm das Melassebonbon, das ihm angeboten wurde, und steckte es prompt in den Mund.

»Aber er hat doch noch–«, begann Brianna.

»Nanke, Missus Bug«, sagte Jem hastig und hielt sich die Hand vor den Mund, damit seine Mutter nicht versuchte, diese vor dem Essen ausdrücklich verbotene Köstlichkeit wieder an sich zu nehmen, weil er nicht höflich war.

»Oh, das eine Bonbon wird ihm schon nicht schaden«, versicherte ihr Mrs. Bug, während sie den hingefallenen Löffel aufhob und ihn an ihrer Schürze abwischte. »Ruft Arch, *a muirninn*, und wir erzählen es ihm auch. Bei der Heiligen Bride, Liebes, ich dachte schon, Ihr würdet Euch nie dazu aufraffen! Und alle die anderen Frauen haben sich schon erzählt, sie wüssten nicht, ob Ihr nichts mehr für Euren Mann empfindet, oder ob bei ihm der Funke erloschen ist, aber so, wie die Dinge jetzt stehen –«

»Nun, so *wie* die Dinge jetzt stehen«, sagte Roger und hob die Stimme, damit man ihn hörte.

»Ich bin *nicht schwanger*!«, sagte Brianna sehr laut.

Die folgende Stille hallte wider wie ein Donnerschlag.

»Oh«, sagte Jamie in aller Seelenruhe. Er nahm sich eine Serviette, setzte sich und steckte sie in seinen Halsausschnitt. »Nun denn. Wollen wir essen?« Er hielt Jemmy die Hand hin, und der Junge, der inbrünstig auf seinem Melassebonbon herumlutschte, kletterte neben ihm auf die Bank.

Mrs. Bug, die für eine Sekunde versteinert war, erwachte mit einem nachdrücklichen »Hmpf!« wieder zum Leben. Massiv beleidigt wandte sie sich der Anrichte zu und ließ einen Stapel Zinnteller scheppernd darauf landen.

Roger, der immer noch ziemlich rot war, schien die ganze Situation komisch zu finden, zumindest dem Zucken seines Mundes nach. Brianna war außer sich und prustete wie ein Orca.

»Setz dich doch, Schatz«, sagte ich im zögernden Tonfall eines Menschen, der sich mit einer großen tickenden Bombe unterhält. »Du … äh … hast Neuigkeiten, sagtest du?«

»Ach, egal!« Sie blieb stehen und funkelte vor sich hin. »Es interessiert ja sowieso niemanden, weil ich nicht schwanger bin. Und was könnte ich schließlich *sonst* schon Nennenswertes tun?« Sie fuhr sich brutal mit der Hand durch das Haar, verhakte sich in dem Band, mit dem es zusammengehalten wurde, riss es los und schleuderte es zu Boden.

»Aber, mein Herz …«, begann Roger. Ich hätte ihm sagen können, dass das ein Fehler war. Ein Fraser in Rage gab nichts auf honigsüße Worte, sondern ging eher dem nächstbesten Beteiligten, der so unvorsichtig war, ihn anzusprechen, an die Kehle.

»Lass mich bloß mit deinem ›mein Herz‹ in Ruhe!«, schnappte sie. »Du findest das doch auch! Du hältst alles, was ich tue, für Zeitverschwendung, es sei denn, ich kümmere mich um die Wäsche, koche das Abendessen oder stopfe deine verdammten Socken! Und du schiebst mir die Schuld daran zu, dass ich nicht schwanger werde! Nun, es ist NICHT meine Schuld, das weißt du ganz genau!«

»Nein! Das finde ich nicht, ganz und gar nicht. Brianna, bitte…« Er streckte ihr die Hand entgegen, dann überlegte er es sich anders und zog sie wieder zurück, weil er offensichtlich das Gefühl hatte, dass sie sie am Handgelenk abtrennen könnte.

»Lass ESSEN, Mami!«, meldete sich Jemmy hilfsbereit zu Wort. Ein langer, melassebrauner Speichelfaden triefte aus seinem Mundwinkel auf die Brust seines Hemdchens. Bei diesem Anblick ging seine Mutter wie eine Tigerin auf Mrs. Bug los.

»Jetzt seht nur, was Ihr angerichtet habt, Ihr geschwätzige alte Vorwitznase! Das war sein letztes sauberes Hemdchen! Und wie könnt Ihr es wagen, mit allen hier über unser Privatleben zu reden, was in aller Welt geht Euch das überhaupt an, Ihr verflixtes alter Läster–«

Da er die Vergeblichkeit seiner Einwände einsah, legte Roger von hinten die Arme um sie, hob sie vom Boden auf und trug sie zur Hintertür hinaus. Sie entfernten sich unter unverständlichen Protestlauten von Briannas Seite und Rogers schmerzhaftem Aufstöhnen, da sie ihn wiederholt vor die Schienbeine trat, und zwar mit beträchtlicher Wucht und Zielsicherheit.

Ich ging zur Tür und schloss sie vorsichtig, so dass die weiteren Streitgeräusche auf dem Hof verstummten.

»Das hat sie von *dir*, weißt du«, sagte ich tadelnd und setzte mich Jamie gegenüber hin. »Mrs. Bug, das riecht wundervoll. Lasst uns wirklich essen!«

Mrs. Bug tischte das Frikassee in beleidigtes Schweigen gehüllt auf, lehnte es jedoch ab, sich zu uns zu setzen. Stattdessen legte sie ihren Umhang um und stampfte zur Haustür hinaus, so dass uns das Aufräumen überlassen blieb. Ein exzellenter Tauschhandel, wenn man mich fragte.

Wir aßen in seliger Stille, die nur vom Klappern der Löffel auf dem Zinn und gelegentlichen Fragen unterbrochen wurde, weil Jemmy wissen wollte, warum Melasse so klebte, wie die Milch *in* die Kuh kam und wann er seinen kleinen Bruder bekommen würde.

»Was sage ich nur zu Mrs. Bug?«, fragte ich in einer kurzen Pause zwischen seinen Fragen.

»Warum solltest du etwas sagen, Sassenach? Du warst doch nicht diejenige, die sie beschimpft hat.«

»Nun ja, nein. Aber ich möchte wetten, dass Brianna nicht vorhat, sich zu entschuldigen –«

»Warum sollte sie auch?« Er zuckte mit den Achseln. »Sie ist schließlich provoziert worden. Und ich kann mir nicht vorstellen, dass Mrs. Bug in ihrem langen Leben noch nie als geschwätzige Vorwitznase bezeichnet worden ist. Sie wird sich austoben, Arch alles erzählen, und morgen ist alles wieder gut.«

»Nun«, sagte ich unsicher. »Vielleicht. Aber Brianna und Roger –«

Er lächelte mich an, und seine dunkelblauen Augen kräuselten sich zu Dreiecken.

»Du darfst nicht ständig glauben, dass jede Katastrophe deine Sorge sein muss, *mo chridhe*«, sagte er. Er streckte die Hand aus und tätschelte die meine. »Das müssen Roger Mac und die Kleine unter sich ausmachen – und der Junge schien die Dinge doch fest im Griff zu haben.«

Er lachte, und ich fiel widerstrebend ein.

»Nun, es wird meine Sorge sein, wenn sie ihm das Bein gebrochen hat«, merkte ich an und stand auf, um Sahne für den Kaffee zu holen. »Dann kommt er mit Sicherheit angekrochen, damit ich es heile.«

Just in diesem Moment ertönte ein Klopfen an der Hintertür. Während ich mich noch wunderte, wieso Roger anklopfte, öffnete ich sie und blickte erstaunt in das bleiche Gesicht von Thomas Christie.

Er war nicht nur bleich, sondern zudem in Schweiß gebadet und hatte ein blutbeflecktes Tuch um seine Hand gewickelt.

»Ich möchte Euch nicht ungelegen kommen, Mistress«, sagte er und hielt sich kerzengerade aufrecht. »Ich werde einfach… warten, bis Ihr Zeit habt.«

»Unsinn«, sagte ich denkbar kurz angebunden. »Kommt mit ins Sprechzimmer, solange wir noch Licht haben.«

Ich achtete darauf, Jamie nicht direkt anzusehen, warf aber einen Blick auf ihn, als ich mich bückte, um die Bank an ihren Platz zu schieben. Er hatte sich vorgebeugt, um meinen Kaffee mit einer Untertasse zuzudecken, und sein Blick hing mit einem Ausdruck spekulativer Nachdenklichkeit an Christie, wie ich ihn zuletzt bei einem Rotluchs gesehen hatte, der einen Entenschwarm am Himmel beobachtete. Nicht drängend, aber definitiv aufmerksam.

Christie hatte verständlicherweise keinerlei Aufmerksamkeit für irgendetwas außer seiner verletzten Hand übrig. Die Fenster meines Sprechzimmers waren nach Osten und Süden ausgerichtet, um das Morgenlicht zu nutzen, doch auch kurz vor Sonnenuntergang hing ein sanftes Leuchten im Zimmer – das die untergehende Sonne von den schimmernden Blättern des Kastanienhains zurückwarf. Hier drinnen war alles mit einem goldenen Licht überzogen, außer Tom Christies Gesicht, das merklich grün angelaufen war.

»Setzt Euch«, sagte ich und schob hastig einen Hocker hinter ihn. Seine Knie gaben nach, als er sich setzte; er landete härter, als er es beabsichtigt hatte, stieß sich die Hand und gab einen leisen Schmerzenslaut von sich.

Ich drückte mit dem Daumen auf die große Ader an seinem Handgelenk, um die Blutung aufzuhalten, und wickelte das Tuch los. Seinem Aussehen nach rechnete ich mit ein oder zwei abgetrennten Fingern und war überrascht, nur einen simplen Schnitt ins Fleisch vorzufinden, der von der Daumenwurzel zum Handgelenk verlief. Er war allerdings so tief, dass er auseinander klaffte, und blutete stark, doch Christie hatte keine wichtigen Blutgefäße verletzt und das große Glück gehabt, die Daumensehne nur anzuritzen; das konnte ich mit ein oder zwei Stichen in Ordnung bringen.

Als ich aufblickte, um ihm das zu sagen, sah ich nur noch, wie er die Augen verdrehte.

»Hilfe!«, rief ich, ließ die Hand los und langte nach seinen Schultern, weil er nach hinten kippte.

Das Krachen einer umgestürzten Bank und das Poltern laufender Füße beantworteten meinen Ruf, und Jamie stürmte in Sekundenschnelle ins Zimmer. Als er sah, dass mich Christies Gewicht niederzudrücken drohte, packte er den Mann am Hemdkragen, schob ihn auf dem Hocker nach vorn wie eine Stoffpuppe und drückte ihm den Kopf zwischen die Beine.

»Geht es ihm so schlecht?«, fragte Jamie und richtete die Augen blinzelnd auf Christies verletzte Hand, die nun neben ihm über dem Boden schlenkerte und weiterblutete. »Soll ich ihn auf den Tisch legen?«

»Ich glaube nicht.« Ich hatte Christie meine Hand unter das Kinn geschoben und tastete nach seinem Puls. »Seine Verletzung ist nicht schlimm; er ist nur ohnmächtig geworden. Da, siehst du, er kommt schon wieder zu sich. Lasst Euren Kopf noch einen Moment unten; gleich geht es Euch wieder besser.« Letztere Bemerkung war an Christie gerichtet, der wie eine Dampfmaschine atmete, sich aber ein wenig gefangen hatte.

Jamie entfernte seine Hand von Christies Hals und wischte sie mit leicht angewiderter Miene an seinem Kilt ab. Christie war der kalte Schweiß ausgebrochen; ich konnte ihn auch an meiner Hand kleben spüren, hob aber das zu Boden gefallene Tuch auf und wischte mir taktvoll die Hand daran ab.

»Möchtet Ihr Euch hinlegen?« fragte ich und beugte mich über Christie, um ihm ins Gesicht zu sehen. Es hatte zwar noch eine schauderhafte Farbe, doch er schüttelte den Kopf.

»Nein, Mistress. Es geht mir gut. Mir ist nur eine Sekunde schlecht geworden.« Seine Stimme war heiser, aber einigermaßen kräftig, so dass ich mich damit zufrieden gab, das Tuch fest auf die Wunde zu pressen, um den Blutfluss zu stoppen.

Jemmy drückte sich in der Tür herum; er hatte große Augen, sah aber nicht sonderlich erschrocken aus; Blut war für ihn nichts Neues.

»Soll ich Euch einen Schluck Whisky holen, Tom?«, sagte Jamie, der den Patienten argwöhnisch betrachtete. »Ich weiß ja, dass Ihr nichts von Hochprozentigem haltet, aber es gibt doch sicherlich auch dafür den richtigen Zeitpunkt, oder?«

Christies Mund arbeitete ein wenig, doch er schüttelte den Kopf.

»Ich... nein. Vielleicht... etwas Wein?«

»*Brauche ein wenig Wein um deines Magens willen*, wie? Aye, schön. Nur Mut, Mann, ich hole ihn.« Jamie klopfte ihm ermutigend auf die Schulter und ging ohne Zögern davon. Im Hinausgehen nahm er Jemmy bei der Hand.

Christies Mund verkrampfte sich zu einer Grimasse. Mir war schon öfter aufgefallen, dass er – genauso wie manch andere Protestanten – die Bibel als ein Dokument ansah, das sich an ihn persönlich richtete und seiner persönlichen Sorge zur weisen Verbreitung unter den Massen anvertraut war. Dementsprechend war es ihm zuwider, wenn er hörte, wie ein Katholik – in diesem Fall Jamie – sie beiläufig zitierte. Mir war ebenfalls aufgefallen, dass sich Jamie dessen bewusst war und er jede Gelegenheit zu derartigen Zitaten nutzte.

»Was ist passiert?«, fragte ich ebenso sehr, um Christie abzulenken, wie, weil ich es wissen wollte.

Christie riss seinen finsteren Blick von der leeren Tür los und richtete ihn auf seine linke Hand – dann wandte er ihn hastig wieder ab und erbleichte erneut.

»Ein Unfall«, sagte er schroff. »Ich habe Binsen geschnitten; das Messer ist mir abgerutscht.« Seine linke Hand krümmte sich schwach, als er das sagte, und ich sah sie mir genauer an.

»Das ist allerdings kein Wunder!«, sagte ich. »Hier, haltet sie hoch.« Ich hob die verletzte Linke, die ich fest eingewickelt hatte, über seinen Kopf, ließ sie los und griff nach der anderen.

Seine rechte Hand litt schon länger an einem Zustand, die sich Dupuytren'sche Kontraktur nannte – oder zumindest so genannt werden *würde*, sobald Baron Dupuytren in sechzig oder siebzig Jahren dazu kam, ihn zu beschreiben. Verursacht durch eine Verdickung und Verkürzung der Faserschicht, die die Sehnen der Hand an Ort und Stelle hielt, wenn sich die Finger krümmten, zog es den Ringfinger immer stärker auf die Handfläche zu. In fortgeschrittenen Fällen wurden auch der kleine Finger und manchmal der Mittelfinger in Mitleidenschaft gezogen. Tom Christies Fall war um einiges fortgeschritten, seit ich zum letzten Mal die Gelegenheit gehabt hatte, seine Hand etwas genauer zu untersuchen.

»Habe ich es Euch nicht gesagt?«, fragte ich rein rhetorisch und zog sanft an den klauenartigen Fingern. Der Mittelfinger ließ sich immer noch zur Hälfte gerade biegen; Ring- und kleiner Finger ließen sich kaum noch von der Handfläche lösen. »Ich habe doch gesagt, dass es schlimmer werden würde. Kein Wunder, dass Euch das Messer abgerutscht ist – es überrascht mich, dass Ihr es überhaupt festhalten konntet.

Eine leichte Röte erschien unter seinem kurzen melierten Bart, und er wandte den Blick ab.

»Ich hätte es vor Monaten mühelos richten können«, sagte ich und drehte seine Hand um, um den Winkel der Kontraktur kritisch zu betrachten. »Es wäre ein Leichtes gewesen. Jetzt wird es um einiges komplizierter werden – aber ich kann es immer noch korrigieren, glaube ich.«

Wäre er ein weniger sturer Mensch gewesen, hätte ich gesagt, dass er sich vor Verlegenheit wand. So jedoch zuckte er lediglich schwach, und die Röte in seinem Gesicht nahm zu.

»Ich – ich wünsche nicht –«

»Es ist mir verdammt gleichgültig, was Ihr wünscht«, sagte ich zu ihm und legte ihm die Klauenhand wieder in den Schoß. »Wenn Ihr mir nicht erlaubt, diese Hand zu operieren, wird sie innerhalb von sechs Monaten so gut wie nicht mehr zu gebrauchen sein. Ihr könnt doch jetzt schon kaum noch damit schreiben, oder?«

Sein Blick traf den meinen, tiefgrau und erschrocken.

»Ich kann schreiben«, sagte er, doch ich konnte sehen, dass sich hinter der Kampflust in seiner Stimme tiefe Beklommenheit verbarg. Tom Christie war ein gebildeter Mann, ein Gelehrter und der Schulmeister von Fraser's Ridge. Er war es, zu dem viele der Menschen hier gingen, wenn sie Hilfe beim Verfassen von Briefen oder rechtlichen Dokumenten brauchten. Darauf war er sehr stolz; ich wusste, dass die Drohung des Verlustes dieser Fähigkeit mein bester Ansatz war – und es war keine leere Drohung.

»Nicht mehr lange«, sagte ich und weitete meine Augen, als ich ihn ansah, um mich ganz deutlich auszudrücken. Er schluckte beklommen, doch bevor er antworten konnte, tauchte Jamie wieder auf, einen Weinkrug in der Hand.

»Besser, wenn Ihr auf sie hört«, riet er Christie und stellte den Krug auf die Arbeitsfläche. »Ich weiß, wie es ist, mit einem steifen Finger zu schreiben, aye?« Er hob seine rechte Hand und krümmte sie mit reumütiger Miene. »Wenn sie *das* mit ihrem Messerchen wieder hinbekommen könnte, würde ich ihr meine Hand sofort auf den Block legen.«

Jamies Problem war beinahe das Gegenteil von Christies, obwohl die Wirkung sehr ähnlich war. Der Ringfinger war so böse gequetscht worden, dass die Gelenke verknöchert waren; er konnte ihn nicht beugen. Demzufolge war die Bewegungsfreiheit der beiden Finger rechts und links davon ebenfalls eingeschränkt, obwohl ihre Gelenkkapseln unversehrt waren.

»Mit dem Unterschied, dass deine Hand nicht schlimmer wird«, sagte ich zu Jamie. »Seine schon.«

Christie machte eine kleine Bewegung und schob die rechte Hand zwischen seine Oberschenkel, als wollte er sie verstecken.

»Aye, nun ja«, sagte er in die Enge getrieben. »Es kann sicher noch etwas warten.«

»Zumindest so lange, bis sich meine Frau um die andere Hand gekümmert hat«, merkte Jamie an und goss einen Becher voll Wein. »Hier – könnt Ihr ihn halten, Tom, oder soll ich…?« Mit einer fragenden Geste hob der den Becher so, als wollte er ihn Christie an die Lippen führen. Der riss seine rechte Hand aus den schützenden Falten seiner Kleidung.

»Das kann ich schon«, fuhr er Jamie an und nahm den Wein – und hielt den Becher so ungeschickt mit Daumen und Zeigefinger fest, dass er noch stärker errötete. Seine linke Hand hing immer noch über seiner Schulter in der Luft. Er sah albern aus und kam sich offenbar auch so vor.

Jamie goss noch einen Becher voll und reichte ihn mir, ohne Christie zu beachten. Das hätte ich für selbstverständlichen Takt gehalten, wäre ich mir nicht der komplizierten Vergangenheit der beiden Männer bewusst gewesen. Es klangen unverändert gewetzte Messer mit, wenn Jamie und Tom Christie miteinander umgingen, obwohl sie nach außen hin eine freundliche Fassade wahrten.

Gegenüber jedem anderen Mann wäre Jamies Demonstration seiner eigenen beschädigten Hand einfach nur das gewesen, wonach es aussah – eine Geste der Beruhigung und der Kameradschaft in einer verletzlichen Lage. Gegenüber Tom Christie war es möglich, dass es bewusst als Beruhigung *gemeint* war, doch es lag zugleich eine Drohung darin, obwohl Jamie vielleicht gar nichts dafür konnte.

Es war nun einmal schlicht und ergreifend so, dass die Leute Jamie öfter um Hilfe baten als Christie. Jamie genoss allgemeinen Respekt und Bewunderung, trotz seiner verkrüppelten Hand. Christie war als Person nicht besonders beliebt; es war gut möglich, dass er jeden gesellschaftlichen Rang verlor, wenn ihm die Fähigkeit zu schreiben abhanden kam. Und – wie ich unverblümt erwähnt hatte – Jamies Hand würde sich nicht verschlimmern.

Christies Augen hatten sich über seinem Becher ein wenig verengt. Die Drohung war ihm nicht entgangen, ob sie nun beabsichtigt war oder nicht. So etwas entging ihm nicht; Tom Christie war von Natur aus ein argwöhnischer Mensch; er fühlte sich schon bedroht, wenn es *nicht* beabsichtigt war.

»Ich glaube, die Hand hat sich jetzt etwas beruhigt, lasst mich danach sehen.« Ich griff sanft nach seiner linken Hand und wickelte sie aus. Die Blutung hatte aufgehört. Ich legte die Hand in ein Bad aus mit Knoblauch abgekochtem Wasser, fügte zur weiteren Desinfektion ein paar Tropfen reines Äthanol hinzu und machte mich daran, mir meine Ausrüstung zurechtzulegen.

Es wurde allmählich dunkel, und ich zündete den Alkoholbrenner an, den Brianna für mich konstruiert hatte. In seinem hellen, gleichmäßigen Licht konnte ich sehen, dass Christies Gesicht den Anflug von Zornesröte verloren hatte. Er war nicht mehr so blass wie vorhin, sah aber so beklommen aus wie ein Maulwurf auf einer Dachsversammlung, als sein Blick meinen Händen folgte, die mein Nähmaterial und meine Schere zurechtlegten. Im Schein der Lampe glänzte alles sauber und scharf.

Jamie ging nicht, sondern blieb an die Arbeitsfläche gelehnt stehen und nippte ebenfalls an einem Becher Wein – mutmaßlich für den Fall, dass Christie erneut das Bewusstsein verlor.

Ein leises Zittern durchlief Christies Hand und Arm, die auf den Tisch gestützt waren. Er schwitzte wieder; ich konnte es riechen, scharf und bitter. Es war dieser Geruch, halb vergessen, aber augenblicklich vertraut, der mich schließlich das Problem erkennen ließ: Es war Angst. Möglicherweise konnte er kein Blut sehen; Angst vor Schmerzen hatte er mit Sicherheit.

Ich hielt den Blick auf meine Arbeit gerichtet und beugte den Kopf tiefer darüber, damit er meinem Gesicht nichts ansehen konnte. Ich hätte es eher sehen müssen; ich hätte es auch eher gesehen, dachte ich, wenn er kein Mann gewesen wäre. Seine Blässe, der Ohnmachtsanfall … nicht verursacht durch den Blutverlust, sondern durch den Schreck, das Blut verloren gehen zu sehen.

Ich flickte routinemäßig Männer und Jungen zusammen; eine Farm in den Bergen war harte Arbeit, und es gab kaum eine Woche, in der mir nicht irgendeine Axtwunde präsentiert wurde oder der Hieb einer Gartenhacke, ein Schweinebiss, eine Kopfverletzung, die sich jemand bei einem Sturz zugezogen hatte, oder irgendeine andere kleine Kalamität, die genäht werden musste. Im Großen und Ganzen verhielten sich meine Patienten völlig ungerührt, ließen meine Behandlung stoisch über sich ergehen und gingen danach gleich wieder an die Arbeit. Doch mir war klar, dass die Männer fast ausnahmslos Highlander waren, und viele von ihnen nicht nur Highlander, sondern ehemalige Soldaten.

Tom Christie war ein Städter aus Edinburgh – er war in Ardsmuir als Sympathisant der Jakobiten eingekerkert gewesen, doch er war nie ein Kämpfer gewesen, sondern Militärbeauftragter. Wahrscheinlich, so begriff ich überrascht, hatte er im Leben noch keine richtige Militärschlacht *gesehen*, ganz zu schweigen davon, sich auf den täglichen Kampf mit der Natur einzulassen, den das Farmerdasein in den Highlands mit sich brachte.

Mir wurde bewusst, dass Jamie nach wie vor im Schatten stand, an seinem Wein nippte und mit schwach ironischer Gleichgültigkeit zusah. Ich blickte rasch zu ihm auf; er verzog keine Miene, doch er erwiderte meinen Blick und nickte kaum merklich.

Tom Christie hatte seine Lippe zwischen die Zähne geklemmt; ich konnte das leise Pfeifen seines Atems hören. Er konnte Jamie nicht sehen, wusste aber, dass er da war; seine steife Rückenhaltung verriet es. Möglich, dass er Angst hatte, Tom Christie, doch ganz ohne Mut war er nicht.

Es hätte ihn weniger geschmerzt, hätte er seine verkrampften Arm- und Handmuskeln entspannen können. Unter den gegebenen Umständen konnte ich ihm das jedoch kaum vorschlagen. Ich hätte darauf bestehen können, dass Jamie ging, doch ich war jetzt fast fertig. Mit einem Seufzer, in dem sich Frustration und Verwunderung vermischten, schnitt ich die Enden des letzten Knotens ab und legte die Schere hin.

»Also gut«, sagte ich. Ich verteilte den Rest der Sonnenhutsalbe auf der Wunde und griff nach einem sauberen Leinenverband. »Haltet es sauber. Ich werde Euch frische Salbe zubereiten; Malva soll sie holen. Dann kommt in einer Woche wieder, und ich ziehe die Fäden.« Ich zögerte mit einem Blick auf Jamie. Es widerstrebte mir, seine Gegenwart als Erpressungsmittel zu benutzen, doch es war nur zu Christies Vorteil.

»Dann kümmere ich mich auch um Eure rechte Hand, ja?«, sagte ich mit fester Stimme.

Er schwitzte immer noch, obwohl sein Gesicht langsam wieder Farbe bekam. Er richtete den Blick auf mich, dann, unwillkürlich, auf Jamie.

Jamie lächelte schwach.

»Geht nur, Tom«, sagte er. »Es ist nichts, worum Ihr Euch sorgen müsstet. Nur ein kleiner Kratzer. Ich habe schon Schlimmeres erlebt.«

Sein Tonfall war beiläufig, doch die Worte hätten genauso gut in flammenden, dreißig Zentimeter hohen Buchstaben geschrieben gewesen sein können. *Ich habe schon Schlimmeres erlebt.*

Jamies Gesicht lag zwar im Schatten, doch seine Augen waren deutlich zu sehen, schräg gezogen von seinem Lächeln.

Tom Christie hatte auch jetzt keine entspanntere Haltung angenommen. Er erwiderte Jamies durchdringenden Blick und umschloss seine verbundene Hand mit der verkrümmten Rechten.

»Aye«, sagte er. »Nun denn.« Er atmete tief durch. »Dann gehe ich.« Er erhob sich abrupt, stieß den Hocker beiseite und hielt auf die Tür zu. Er hatte leichte Gleichgewichtsstörungen wie ein Mann, der zu viel getrunken hat.

An der Tür blieb er stehen und tastete nach der Klinke. Als er sie gefunden hatte, richtete er sich auf, drehte sich um und sah sich nach Jamie um.

»Wenigstens«, sagte er und atmete so heftig, dass er über die Worte stolperte, »wenigstens wird es eine ehrenvolle Narbe sein. Nicht wahr, *Mac Dubh*?«

Jamie richtete sich abrupt auf, doch Christie war bereits draußen und stampfte so schweren Schrittes durch den Flur, dass die Zinnteller auf dem Küchenbord klapperten.

»Oh, du kleiner Tunichtgut!«, sagte er in einem Tonfall irgendwo zwischen Ärger und Erstaunen. Seine linke Hand ballte sich unwillkürlich zur Faust, und ich hielt es für eine gute Sache, dass Christie einen so raschen Abgang gemacht hatte.

Ich war mir alles andere als sicher, *was* genau eigentlich passiert war – aber erleichtert, dass Christie fort war. Ich kam mir vor wie eine Hand voll Getreide, eingeklemmt zwischen zwei Mühlsteinen, die beide versuchten, sich aneinander zu schleifen, ohne das ahnungslose Korn in ihrer Mitte zu beachten.

»Ich habe noch nie gehört, dass dich Tom Christie *Mac Dubh* genannt hat«, merkte ich vorsichtig an und wandte mich ab, um meine chirurgischen Hinterlassenschaften aufzuräumen. Christie sprach natürlich kein Gälisch, doch ich hatte bis jetzt nicht einmal gehört, dass er den gälischen Spitznamen benutzte, mit dem die anderen Männer aus Ardsmuir Jamie immer noch riefen. Christie nannte Jamie stets »Mr. Fraser« oder einfach nur »Fraser«, wenn er eine freundschaftliche Anwandlung hatte.

Jamie stieß einen verächtlichen schottischen Laut aus, dann ergriff er Christies halb vollen Becher und trank ihn – stets sparsam – leer.

»Nein, das würde er nie tun – vermaledeiter Sassenach.« Dann fiel sein Blick auf mein Gesicht, und er lächelte mich schief an. »Du warst nicht gemeint, Sassenach.«

Ich wusste, dass er nicht mich meinte; er hatte das Wort in einem völlig anderen – hochgradig erschreckenden – Tonfall ausgesprochen; einer Bitterkeit, die mich daran erinnerte, dass »Sassenach« im normalen Gebrauch alles andere als eine freundschaftliche Bezeichnung war.

»Warum nennst du ihn so?«, fragte ich neugierig. »Und was genau hat er mit dem Seitenhieb mit der ›ehrenvollen Narbe‹ gemeint?«

Er fixierte den Boden und antwortete zunächst nicht, obwohl die steifen Finger seiner rechten Hand lautlos gegen seinen Oberschenkel trommelten.

»Tom Christie ist ein zuverlässiger Mensch«, sagte er schließlich. »Aber bei Gott, er ist ein halsstarriger kleiner Schurke!« Dann blickte er auf und lächelte mich ein wenig reumütig an.

»Acht Jahre lang hat er eine Zelle mit vierzig Männern geteilt, die Gälisch sprachen – und sich nicht ein einziges Mal dazu herabgelassen, ein Wort einer solchen Barbarenzunge über die Lippen zu bringen! Himmel, nein. Er hat Englisch gesprochen, ganz gleich, wen er vor sich hatte, und wenn es ein Mann war, der kein Englisch konnte, nun, dann stand er eben da, stumm wie ein Felsbrocken, bis jemand des Weges kam, der für ihn übersetzen konnte.«

»Jemand wie du?«

»Hin und wieder.« Er sah zum Fenster, als wollte er noch einen Blick auf Christie werfen, doch die Nacht war jetzt hereingebrochen, und die Fensterscheiben warfen nur ein dumpfes Spiegelbild des Sprechzimmers zurück, und unsere Gestalten erschienen wie Geister auf dem Glas.

»Roger sagt, Kenny Lindsay hätte etwas von Mr. Christies … Dünkel erwähnt«, sagte ich vorsichtig.

Jamie sah mich scharf an.

»Oh, hat er das, ja? Dann sind Roger Mac wohl Zweifel an der Klugheit seiner Entscheidung gekommen, Christie als Pächter anzunehmen. Davon hätte Kenny ungefragt nichts gesagt.«

Ich hatte mich mehr oder weniger an die Geschwindigkeit seiner Schlussfolgerungen und die Richtigkeit seiner Beobachtungen gewöhnt und stellte auch diese nicht in Frage.

»Davon hast du mir nie etwas erzählt«, sagte ich und trat vor ihn. Ich legte ihm meine Hände auf die Brust und blickte in sein Gesicht auf.

Er legte seine Hände über die meinen und seufzte so tief, dass ich spüren konnte, wie sich seine Brust bewegte. Dann schlang er die Arme um mich und zog mich an sich, so dass mein Gesicht den warmen Stoff seines Hemdes berührte.

»Aye, nun ja. Eigentlich war es ja auch nicht wichtig.«

»Und vielleicht wolltest du nicht an Ardsmuir denken?«

»Nein«, sagte er leise. »Ich habe genug von der Vergangenheit.«

Meine Hände ruhten jetzt auf seinem Rücken, und ich begriff plötzlich, was Christie wahrscheinlich gemeint hatte. Ich konnte den Verlauf seiner Narben durch den Leinenstoff so deutlich unter meinen Fingerspitzen spüren wie die Schnüre eines Fischernetzes, das über seine Haut gebreitet war.

»Ehrenvolle Narben!«, sagte ich und hob den Kopf. »Oh, dieser *Schurke*! Ist es das, was er gemeint hat?«

Jamie lächelte ein wenig über meine Entrüstung.

»Aye, das ist es«, sagte er trocken. »Das ist der Grund, warum er mich *Mac Dubh* genannt hat – um mich an Ardsmuir zu erinnern, damit kein Zweifel blieb, was er meinte. Er hat gesehen, wie ich dort ausgepeitscht worden bin.«

»Das – das –« Ich war so wütend, dass ich kaum sprechen konnte. »Ich wünschte, ich hätte ihm seine verdammt Hand an den Eiern festgenäht!«

»Und das von einer Ärztin, die geschworen hat, niemandem Schaden zuzufügen? Ich bin zutiefst schockiert, Sassenach!«

Jetzt lachte er, doch ich fand das überhaupt nicht lustig.

»Der verflixte kleine Feigling! Er kann kein Blut sehen, wusstest du das?«

»Nun ja, aye, das wusste ich. Man kann nicht drei Jahre lang mit einem Mann auf Tuchfühlung leben, ohne alles Mögliche über ihn zu erfahren, das man gar nicht wissen will, schon gar nicht so etwas.« Er war wieder etwas ernster geworden, obwohl in seinem Mundwinkel noch eine Spur von Ironie lauerte. »Als sie mich vom Auspeitschen zurückbrachten, ist er leichenblass geworden, hat in eine Ecke gekotzt und sich dann mit dem Gesicht zur Wand hingelegt. Eigentlich habe ich nicht auf ihn geachtet, aber ich erinnere mich, dass ich das ein bisschen unpassend fand; ich war schließlich derjenige, der überall blutete, warum benahm er sich also wie ein Mädchen?«

Ich prustete.

»Darüber solltest du keine Witze machen! Wie konnte er das wagen! Und was meint er überhaupt damit – ich weiß, was in Ardsmuir geschehen ist, und das sind doch – ich meine, das sind doch zweifellos ehrenvolle Narben, und alle, die dabei waren, haben es gewusst!«

»Aye, vielleicht«, sagte er, und jeder Hauch von Gelächter verschwand. »Dieses Mal. Aber als sie mich dort hingestellt haben, konnte auch jeder sehen, dass ich schon einmal ausgepeitscht worden war, aye? Und bis jetzt hat mich noch keiner der Männer auf diese Narben angesprochen. Bis heute.«

Das nahm mir den Wind aus den Segeln.

Einen Mann auszupeitschen, war nicht nur brutal; es war zudem ein Akt der Schande – der ihn über die Schmerzen hinaus dauerhaft entstellen sollte, die Vergangenheit eines Kriminellen genauso deutlich herausposaunen sollte wie ein Brandzeichen auf der Wange oder ein verstümmeltes Ohr. Und Jamie hätte sich natürlich eher die Zunge herausreißen lassen als irgendjemandem den Grund für diese Narben preiszugeben, selbst wenn das bedeutete, alle Welt in dem Glauben zu lassen, dass er für ein Verbrechen ausgepeitscht worden war.

Ich war so daran gewöhnt, dass Jamie in der Gegenwart anderer stets sein Hemd anbehielt, dass ich noch nie auf den Gedanken gekommen war, dass die Männer aus Ardsmuir natürlich von den Narben auf seinem Rücken wussten. Und doch hielt er sie bedeckt, und jeder tat so, als existierten sie nicht – bis auf Tom Christie.

»Hmpf«, sagte ich. »Nun ja … trotzdem soll der Mann zur Hölle fahren. Warum sagt er so etwas?«

Jamie lachte kurz auf.

»Weil es ihm nicht gepasst hat, dass ich ihn schwitzen gesehen habe. Er wollte sich seine Selbstachtung zurückholen, nehme ich an.«

»Hmpf«, sagte ich noch einmal und verschränkte die Arme vor der Brust. »Wo wir gerade davon reden – warum *hast* du das getan? Wenn du doch wusstest, dass er kein Blut sehen kann und dergleichen, ich meine, warum hast du daneben gestanden und ihn so beobachtet?«

»Weil ich wusste, dass er dann keinen Mucks tun oder in Ohnmacht fallen würde«, erwiderte er. »Er hätte eher ertragen, dass du ihm rot glühende Nadeln in die Augen stichst, als unter meinen Augen loszuwimmern.«

»Oh, das ist dir also aufgefallen?«

»Natürlich, Sassenach. Was meinst du denn, warum ich da war? Nicht, dass ich deine Kunstfertigkeit nicht zu schätzen weiß, aber dir beim Nähen von Wunden zuzusehen, ist nicht besonders gut für meine Verdauung.« Er warf einen kurzen Blick auf das beiseite gelegte blutige Tuch und zog eine Grimasse. »Meinst du, der Kaffee ist kalt geworden?«

»Ich wärme ihn wieder auf.« Ich schob die saubere Schere wieder in ihr Futteral, dann sterilisierte ich die Nadel, die ich benutzt hatte, zog einen frischen Seidenfaden hindurch und stellte sie in ihr Glas mit Alkohol – wobei ich immer noch versuchte, mir einen Reim auf alles zu machen.

Ich stellte alles wieder in den Schrank, dann wandte ich mich zu Jamie um.

»Du hast doch keine Angst vor Tom Christie, oder?«, wollte ich wissen.

Er blinzelte erstaunt, dann lachte er.

»Himmel, nein. Wie kommst du denn darauf, Sassenach?«

»Nun… die Art, wie ihr beide euch manchmal aufführt. Wie die wilden Hammel, die die Köpfe gegeneinander stoßen, um zu sehen, wer der Stärkere ist.«

»Oh, das.« Er tat die Frage mit einer Geste ab. »Mein Schädel ist viel dicker als Toms, und das weiß er genau. Aber er hat genauso wenig vor, aufzugeben und mir wie ein Lämmchen zu folgen.«

»Oh? Aber was hast du denn dann vor? Du hast ihn doch nicht nur gequält, um zu beweisen, dass du es kannst, oder?«

»Nein«, sagte er und lächelte mich schwach an. »Ein Mann, der so stur ist, dass er acht Jahre lang nur Englisch mit eingefleischten Highlandern spricht, ist auch stur genug, die nächsten acht Jahre an meiner Seite zu kämpfen; das glaube ich zumindest. Es wäre allerdings gut, wenn er sich selbst dessen ebenso sicher wäre.«

Ich holte tief Luft und seufzte kopfschüttelnd.

»Ich verstehe euch Männer nicht.«

Da musste er tief in seiner Brust glucksen.

»Doch, das tust du, Sassenach, Du wünschst dir nur, du tätest es nicht.«

Das Sprechzimmer war wieder ordentlich, bereit für die Notfälle, die der morgige Tag bringen mochte. Jamie griff nach der Lampe, doch ich gebot ihm Einhalt und legte ihm die Hand auf den Arm.

»Du hast *mir* Aufrichtigkeit versprochen«, sagte ich. »Aber bist du dir ganz sicher, dass du dir selbst gegenüber ganz aufrichtig bist? Dass du Tom Christie nicht nur deshalb geködert hast, weil er dich herausfordert?«

Er blieb stehen, seine Augen klar und unverstellt, ein paar Zentimeter von den meinen entfernt. Er hob eine Hand und legte sie an meine Wange, seine Handfläche warm an meiner Haut.

»Es gibt nur zwei Menschen auf der Welt, die ich nie belügen würde, Sassenach«, sagte er leise. »Der eine bist du. Und der andere bin ich.«

Er küsste mich sanft auf die Stirn, dann beugte er sich an mir vorbei und blies die Lampe aus.

»Natürlich«, kam seine Stimme aus der Dunkelheit, und ich sah seinen Umriss vor dem schwach erleuchteten Rechteck der Tür aufragen, als er sich jetzt aufrichtete, »natürlich ist es möglich, dass ich mich manchmal täusche. Aber mit Absicht würde ich das ganz bestimmt nicht tun.«

Roger bewegte sich ein Stück und stöhnte.

»Ich glaube, du hast mir das Bein gebrochen.«

»Gar nicht«, sagte seine Frau, die jetzt ruhiger war, aber immer noch für jedes Streitgespräch zu haben war. »Aber ich kann es für dich küssen, wenn du möchtest.«

»Das wäre schön.«

Die Maisstrohmatratze raschelte ohrenbetäubend, als sie die Lage so wechselte, dass sie diese Behandlung vornehmen konnte, und schließlich saß Brianna nackt auf seiner Brust und präsentierte ihm einen Anblick, der ihn wünschen ließ, sie hätten sich die Zeit gelassen, die Kerze anzuzünden.

Sie küsste ihm tatsächlich die Schienbeine, und das kitzelte. Unter den gegebenen Umständen war er allerdings gern bereit, das zu ertragen. Er streckte beide Hände nach ihr aus. Ohne Licht musste Blindenschrift reichen.

»Als ich ungefähr vierzehn war«, sagte er verträumt, »hatte ein Geschäft in Inverness eine sehr gewagte Schaufensterdekoration – gewagt für damals, meine ich –, eine weibliche Schaufensterpuppe, die nur Unterwäsche trug.«

»Mm?«

»Aye, rosa Hüfthalter, Strumpfbänder, alles, und ein passender Büstenhalter. Alle Welt war schockiert. Es wurden Protestkomitees gegründet, und sämtliche Geistlichen in der Stadt bekamen Telefonanrufe. Am nächsten Tag haben sie die Puppe herausgenommen, aber in der Zwischenzeit war die gesamte männliche Bevölkerung von Inverness an diesem Fenster vorbeigegangen, krampfhaft um beiläufige Mienen bemüht. Bis jetzt hatte ich gedacht, das wäre das Erotischste, was ich je gesehen habe.«

Sie hielt einen Moment mit ihrer Tätigkeit inne, und da sie sich nicht mehr bewegte, hatte er den Eindruck, dass sie sich nach ihm umsah.

»Roger«, sagte sie nachdenklich. »Ich glaube, du bist pervers.«

»Ja, aber ein Perverser, der nachts sehr gut sehen kann.«

Das brachte sie zum Lachen – genau das, worauf er aus gewesen war, seit es ihm endlich gelungen war, sie so weit zu bringen, dass sie keinen Schaum mehr vor dem Mund hatte –, und er richtete sich ein wenig auf und hauchte rechts und links einen Kuss auf den Gegenstand seiner Zuneigung, bevor er zufrieden wieder in sein Kissen sank.

Sie küsste sein Knie, dann legte sie den Kopf auf sein Bein und ließ die Wange an seinem Oberschenkel ruhen, so dass sich ihr Haar über seine Beine breitete, kühl und weich wie eine Wolke aus Silberfäden.

»Es tut mir Leid«, sagte sie kurz darauf leise.

Er tat es mit einem Geräusch ab und fuhr ihr beruhigend mit der Hand über die Hüfte.

»Och, es ist nicht schlimm. Schade nur; ich hätte gern ihre Gesichter gesehen, wenn sie sehen, was du getan hast.«

Sie prustete kurz, und sein Bein zuckte unter ihrem warmen Atem.

»Ihre Gesichter waren auch so nicht übel.« Sie klang ein wenig trostlos. »Und es wäre in diesem Moment doch eine ziemliche Ernüchterung gewesen.«

»Nun, da hast du Recht«, räumte er ein. »Aber wir zeigen es ihnen morgen, wenn damit zu rechnen ist, dass sie es auch zu schätzen wissen.«

Sie seufzte und küsste erneut sein Knie.

»Ich habe es nicht so gemeint«, sagte sie eine Sekunde später. »Anzudeuten, dass es deine Schuld ist.«

»Aye, das hast du«, sagte er leise, ohne seine Liebkosungen zu unterbrechen. »Ist schon gut. Wahrscheinlich hast du ja Recht.« Sehr wahrscheinlich sogar. Er redete sich nicht ein, dass es nicht wehgetan hatte, es zu hören, doch er gestattete sich keine Wut; das würde keinem von ihnen helfen.

»Das weißt du doch gar nicht.« Sie richtete sich plötzlich auf und ragte wie ein Obelisk vor dem blassen Rechteck des Fensters auf. Sie schwang ein Bein zielsicher über seinen hingestreckten Körper und ließ sich neben ihn gleiten. »Es könnte genauso an mir liegen. Oder an uns beiden. Vielleicht ist es einfach noch nicht der richtige Zeitpunkt.«

Als Antwort legte er den Arm um sie und zog sie an sich.

»Ganz gleich, was der Grund ist, wir werden uns gegenseitig keine Vorwürfe machen, aye?« Sie stimmte ihm mit einem leisen Geräusch zu. Schön und gut; es war aber nicht zu verhindern, dass er sich selbst Vorwürfe machte.

Die Tatsachen lagen auf der Hand; sie war nach einer Nacht mit Jemmy schwanger geworden – ob von ihm oder Stephen Bonnet, wusste niemand, aber ein Mal hatte gereicht. Wohingegen sie es seit mehreren Monaten versuchten, und Jem sah mehr und mehr nach einem Einzelkind aus. Vielleicht *war* der Funke bei ihm erloschen, wie Mrs. Bug und ihre Klatschbasen vermuteten.

Wer ist dein Papa?, hallte es ihm spöttisch durch den Kopf – mit irischem Akzent.

Er hustete heftig und legte sich wieder zurück, entschlossen, über *diese* Kleinigkeit nicht nachzugrübeln.

»Nun, mir tut es auch Leid«, sagte er und wechselte das Thema. »Vielleicht hast du ja Recht, und ich benehme mich wirklich so, als wäre es mir lieber, wenn du kochst und putzt als mit deinem Chemiebaukasten herumzuexperimentieren.

»Das *wäre* es ja auch«, sagte sie ohne Bitterkeit.

»Das Nicht-Kochen stört mich weniger als die Tatsache, dass du alles in Brand setzt.«

»Nun, dann wird dir das nächste Projekt gefallen«, sagte sie und liebkoste seine Schulter. »Es hat fast nur mit Wasser zu tun ...«

»Oh ... gut«, sagte er, obwohl er den Argwohn in seiner Stimme selbst hören konnte. »Fast?«

»Oh, ein paar Erdarbeiten sind noch dabei.«

»Nichts Brennbares?«

»Nur Holz. Ein bisschen. Keine große Sache.«

Sie fuhr langsam mit den Fingern über seine Brust. Er fing ihre Hand und küsste sie auf die Fingerspitzen; sie waren glatt, aber hart, Schwielen von der ständigen Spinnarbeit, mit der sie dafür sorgte, dass sie etwas zum Anziehen hatten.

»*Wem ein tugendsam Weib beschert ist*«, zitierte er. »*Sie macht sich selbst Decken; feine Leinwand und Purpur ist ihr Kleid.*«

»Ich hätte *liebend* gern eine Pflanzenfarbe, mit der man richtiges Purpur hinbekommt«, sagte sie sehnsüchtig. »Ich vermisse die kräftigen Farben. Kannst du dich noch an das Kleid erinnern, das ich bei der Mondlandungsparty anhatte? Das schwarze, mit den knallrosa und hellgrünen Streifen?«

»Das war ziemlich unvergesslich, ja.« Im Stillen fand er, dass ihr die gedämpften Farben des selbst gesponnenen Tuchs viel besser standen; in ihren Röcken in Rost und Braun und Oberteilen in Grau und Grün sah sie aus wie eine wunderschöne exotische Flechte.

Von einem plötzlichen Verlangen ergriffen, sie zu sehen, streckte er die Hand aus und tastete auf dem Tisch neben dem Bett herum. Die kleine Schachtel lag noch genau dort, wohin Brianna sie geworfen hatte, als sie zurückkamen. Sie hatte sie schließlich so konstruiert, dass man sie im Dunklen benutzen konnte; eine Drehung des Deckels gab eines der kleinen, gewachsten Hölzchen preis, und der kleine angeraute Metallstreifen, der an der Seite klebte, fühlte sich kühl an.

Ein *Skritsch*, bei dessen schlichter Vertrautheit ihm das Herz aufging, und mit einem Hauch von Schwefelgeruch erschien ein Flämmchen – Zauberei.

»Verschwende sie nicht«, sagte sie, lächelte aber trotz ihres Einwandes, denn der Anblick freute sie noch genauso wie zuvor, als sie ihm zum ersten Mal gezeigt hatte, was sie zuwege gebracht hatte.

Ihr Haar war lose und sauber, frisch gewaschen; es hing ihr schimmernd über die hellen Schultern und lag in Wolken auf seiner Brust, Zimt und Bernstein, rötlich grau und golden, von der Flamme erweckt.

»*Sie fürchtet für ihr Haus nicht den Schnee; denn ihr ganzes Haus hat zwiefache Kleider*«, sagte er leise. Er legte die freie Hand um sie, wickelte eine Locke um seinen Finger und drehte die dünne Strähne, wie er es bei ihr beobachtet hatte, wenn sie Garn spann.

Ihre Augenlider schlossen sich halb, wie die einer Katze, die sich sonnte, doch das Lächeln verweilte auf ihrem breiten, sanften Mund – diesen Lippen, die erst verletzten, dann heilten. Das Licht glühte auf ihrer Haut und tauchte das winzige Muttermal unter ihrem rechten Ohr in Bronze. Er hätte sie ewig weiter ansehen können, doch das Streichholz war fast heruntergebrannt. Just bevor die Flamme seine Finger berührte, beugte sie sich vor und blies sie aus.

Und in der von Rauch durchzogenen Dunkelheit flüsterte sie ihm zu: »*Ihres Mannes Herz darf sich auf sie verlassen, und Nahrung wird ihm nicht mangeln. Sie tut ihm Liebes und kein Leides ihr Leben lang.* Na bitte.«

22

Verhext

Tom Christie kam nicht zum Behandlungszimmer zurück, doch er schickte mir seine Tochter Malva, um die Salbe zu holen. Sie war ein dunkelhaariges, schlankes, stilles Mädchen, machte aber einen intelligenten Eindruck. Sie hörte genau zu, als ich sie nach dem Aussehen der Wunde fragte – so weit, so gut, leichte Rötung, aber kein Eiter, keine roten Streifen, die den Arm entlangliefen –, und ihr Anweisungen gab, wie sie die Salbe auftragen und den Verband wechseln sollte.

»Nun gut«, sagte ich und gab ihr den Salbentopf. »Sollte er Fieber bekommen, holt mich. Sonst sorgt dafür, dass er in einer Woche zu mir kommt, damit ich die Fäden ziehen kann.«

»Ja, Ma'am, das mache ich.« Doch sie wandte sich nicht zum Gehen, sondern blieb noch und ließ den Blick über die Häufchen trocknender Kräuter auf den Gazerahmen und meine Ausrüstung schweifen.

»Braucht Ihr sonst noch etwas? Oder habt Ihr noch eine Frage?« Sie schien meine Anweisungen wunderbar verstanden zu haben – doch vielleicht wollte sie mich ja noch etwas Persönlicheres fragen. Sie hatte ja schließlich keine Mutter…

»Nun, aye«, sagte sie und wies kopfnickend auf den Tisch. »Ich habe mich nur gefragt – was ist es, das Ihr in Euer schwarzes Buch da schreibt, Ma'am?«

»Das? Oh. Es sind meine medizinischen Notizen und Rezepte für Heilmittel. Seht Ihr?« Ich drehte das Buch auf den Kopf und schlug es so auf, dass sie die Seite sehen konnte, auf der ich eine Skizze von Miss Mousies beschädigten Zähnen angefertigt hatte.

Malvas graue Augen leuchteten vor Neugier, und sie beugte sich vor, um den Eintrag zu lesen, die Hände vorsichtig in ihrem Rücken verschränkt, als fürchtete sie, das Buch aus Versehen zu berühren.

»Keine Sorge«, sagte ich, ein wenig amüsiert über ihre Vorsicht. »Ihr könnt es durchblättern, wenn Ihr möchtet.« Ich schob das Buch in ihre Richtung, und sie trat erschrocken einen Schritt zurück. Sie blickte zu mir auf und runzelte zweifelnd die Stirn, doch als ich ihr zulächelte, holte sie kurz und aufgeregt Luft und streckte die Hand aus, um die Seite zu wenden.

»Oh, seht nur!« Die Seite, zu der sie umgeblättert hatte, war keine von meinen, sondern einer von Daniel Rawlings' Einträgen – er zeigte die Entfernung eines toten Kindes aus dem Uterus mit Hilfe der diversen Instrumente zur Ausschabung. Ich warf einen Blick auf die Seite und wandte ihn hastig wieder ab. Rawlings war kein Künstler gewesen, aber er hatte ein brutales Talent besessen, die Wirklichkeit einer Situation zu erfassen.

Malva schienen die Zeichnungen jedoch nicht zu verstören; ihre Augen waren groß und voller Interesse.

Das weckte auch mein Interesse, und ich beobachtete sie unauffällig, während sie wahllos in dem Buch blätterte. Natürlich schenkte sie den Zeichnungen die meiste Beachtung – doch sie nahm sich ebenso die Zeit, die Beschreibungen und Rezepte zu lesen.

»Warum schreibt Ihr die Dinge auf, die Ihr getan habt?«, fragte sie und blickte mit hochgezogenen Augenbrauen auf. »Die Rezepte, aye, ich kann mir vorstellen, dass man sie sonst vielleicht vergisst – aber warum macht Ihr diese Zeichnungen und schreibt Euch auf, wie Ihr einen Zeh mit Frostbeulen abgenommen habt? Würdet Ihr es vielleicht ein andermal anders machen?«

»Nun ja, manchmal schon«, sagte ich und legte den getrockneten Rosmarinzweig beiseite, dessen Nadeln ich abgelöst hatte. »Keine Operation gleicht der anderen. Jeder Körper ist ein wenig anders als der andere, und auch wenn man dieselbe grundlegende Prozedur ein Dutzend Mal durchführt, gibt es regelmäßig ein Dutzend Dinge, die sich anders ergeben – manchmal nur Kleinigkeiten, manchmal jedoch weitaus mehr. Aber ich führe aus mehreren Gründen Buch über das, was ich tue«, fügte ich hinzu, während ich meinen Hocker zurückschob und den Tisch umrundete, um mich neben sie zu stellen. Ich blätterte ein paar Seiten weiter und schlug meine Liste mit den Beschwerden der alten Mrs. MacBeth auf – eine Liste, die so umfangreich war, dass ich sie in meinem eigenen Interesse alphabetisiert hatte, und die mit *Arthritis aller Gelenke* begann, sich zwei Seiten lang von *Dyspepsie* bis hin zu *Ohnmacht* und *Ohrenschmerzen* hinzog und schließlich mit *Vorfall der Gebärmutter* endete. Ich unterdrückte einen leisen Schauer.

»Zum Teil dient es dazu, dass ich weiß, was ich für eine bestimmte Person getan habe und was passiert ist – wenn sie dann später wieder behandelt werden muss, kann ich zurückblicken und finde eine genaue Beschreibung ihres ursprünglichen Zustandes. Zum Vergleich, versteht Ihr, was ich meine?«

Sie nickte eifrig.

»Aye, ich verstehe. Damit Ihr wisst, ob sich ihr Zustand verbessert oder verschlechtert. Und warum noch?«

»Nun, der wichtigste Grund«, sagte ich langsam, weil ich nach den richtigen Worten suchte, »ist, dass ein anderer Arzt – jemand, der vielleicht später kommt – die Berichte lesen und sehen kann, wie ich dies oder jenes gemacht habe. Es könnte ihm eine Möglichkeit zeigen, etwas zu tun, was er selbst noch nie versucht hat – oder eine bessere Möglichkeit.«

Sie spitzte interessiert die Lippen.

»Ooh! Ihr meint, jemand könnte von diesem Buch lernen –«, sie legte vorsichtig einen Finger auf die Seite, »– das zu tun, was Ihr tut? Ohne bei einem Arzt in die Lehre zu gehen?«

»Nun, es ist natürlich besser, wenn man jemanden hat, von dem man lernen kann«, sagte ich, belustigt über ihren Feuereifer. »Und es gibt Dinge, die man eigentlich nicht aus einem Buch lernen kann. Aber wenn es niemanden gibt, von dem man lernen kann –« Ich blickte aus dem Fenster auf die grüne Wildnis, die sich über die Berge breitete, so weit das Auge reichte.

»Wo habt Ihr es denn gelernt?«, fragte sie neugierig. »Aus diesem Buch? Wie ich sehe, gibt es noch eine Handschrift außer der Euren. Wer war das?«

Das hätte ich kommen sehen sollen. Aber ich hatte nicht ganz mit Malva Christies Gedankenschnelle gerechnet.

»Äh … ich habe es aus *vielen* Büchern gelernt«, sagte ich. »Und von anderen Ärzten.«

»Von anderen Ärzten«, wiederholte sie und warf mir einen faszinierten Blick zu. »Dann bezeichnet Ihr Euch auch als Ärztin? Ich wusste nicht, dass eine Frau das werden kann.«

Aus dem guten Grund, dass sich Frauen in dieser Zeit niemals als Ärzte oder Chirurgen bezeichneten.

Ich hustete.

»Nun ja … es ist nur eine Name, sonst nichts. Die meisten Leute sagen einfach weise Frau oder Zauberfrau. Oder *ban-lichtne*«, fügte ich hinzu. »Aber eigentlich ist es alles dasselbe. Das Einzige, was zählt, ist, ob ich etwas weiß, was ihnen vielleicht hilft.«

»*Ban* –« Sie sprach das unvertraute Wort aus. »Das habe ich noch nie gehört.«

»Es ist Gälisch. Die Sprache der Highlands. Es bedeutet ›Heilerin‹ oder etwas in der Art.«

»Oh, Gälisch.« Ein Ausdruck leichter Geringschätzung überflog ihr Gesicht; ich nahm an, dass sie die Haltung ihres Vaters gegenüber der uralten Sprache der Highlander übernommen hatte – dieser »Barbarenzunge«. Doch offenbar sah sie auch etwas in *meinem* Gesicht, denn sie löschte sofort die Verachtung aus ihrer Miene und beugte sich wieder über das Buch. »Wer hat denn diese anderen Stellen geschrieben?«

»Ein Mann namens Daniel Rawlings.« Ich strich eine zerknitterte Seite glatt und empfand dabei die übliche Zuneigung gegenüber meinem Vorgänger. »Er war ein Arzt aus Virginia.«

»Der?« Sie blickte überrascht auf. »Der Mann, der auf dem Friedhof hier auf dem Berg begraben ist?«

»Äh … ja, genau.« Und die Geschichte, wie er hier gelandet war, gehörte nicht zu den Dingen, die ich mit Miss Christie teilen konnte. Ich spähte aus dem Fenster und schätzte das Licht ab. »Wartet Euer Vater nicht auf sein Abendessen?«

»Oh!« Bei diesem Wort stand sie auf und sah ebenfalls aus dem Fenster. Sie wirkte ein wenig erschrocken. »Aye, das tut er.« Sie warf einen letzten, sehnsüchtigen Blick auf das Buch, strich dann aber ihren Rock glatt und rückte ihre Haube zurecht, bereit zu gehen. »Ich danke Euch, Mrs. Fraser, dass Ihr mir Euer Büchlein gezeigt habt.«

»Gern«, versicherte ich ihr aufrichtig. »Ihr könnt gern wiederkommen und es Euch ansehen. Oder besser... würdet Ihr –« Ich zögerte, fuhr dann jedoch fort, ermuntert durch ihren leuchtenden Blick. »Ich muss der alten Mrs. MacBeth eine Verwachsung am Ohr entfernen, vielleicht morgen. Würdet Ihr gern dabei sein und es Euch ansehen? Ein zweites Paar Hände wäre mir eine Hilfe«, fügte ich hinzu, als ich den plötzlichen Zweifel sah, der mit dem Interesse in ihren Augen rang.

»Oh, aye, Mrs. Fraser – sehr gern sogar!«, sagte sie. »Es ist nur, mein Vater –« Ihre Miene war beklommen, als sie das sagte, doch dann schien sie zu einem Entschluss zu finden. »Nun... ich werde kommen. Ich bin mir sicher, dass ich ihn überreden kann.«

»Würde es Euch helfen, wenn ich ihm ein paar Zeilen schreiben würde? Oder mich selbst mit ihm unterhalten würde?« Ich wünschte mir plötzlich sehr, dass sie mit mir kam.

Sie schüttelte sacht den Kopf.

»Nein, Ma'am, es geht schon, da bin ich mir sicher.« Sie grinste mich plötzlich an, und ihre grauen Augen glitzerten. »Ich werde ihm sagen, dass ich einen kurzen Blick in Euer schwarzes Buch geworfen habe und gar keine Zaubersprüche darin stehen, sondern Rezepte für Tees und Spülungen. Nur von den Zeichnungen sage ich wohl lieber nichts«, fügte sie hinzu.

»Zaubersprüche?«, fragte ich ungläubig. »Das hat er gedacht?«

»Oh, aye«, versicherte sie mir. »Er hat mich davor gewarnt, es zu berühren, damit ich nicht verhext werde.«

»Verhext«, murmelte ich verblüfft. Nun, Thomas Christie *war* Schulmeister. Im Prinzip war es sogar gut möglich, dass er Recht gehabt hatte, dachte ich; die Faszination in Malvas Gesicht war unübersehbar, als sie auf dem Weg zur Tür noch einen letzten Blick auf das Buch warf.

23

Anästhesie

Ich schloss die Augen, hielt mir die Hand in etwa dreißig Zentimetern Entfernung vor das Gesicht und wedelte sanft in Richtung meiner Nase, wie die Parfumiers in Paris, wenn sie einen Duft testeten.

Der Geruch traf mein Gesicht wie eine Meereswoge und hatte auch in etwa dieselbe Wirkung. Meine Knie gaben nach, schwarze Streifen schlängelten sich durch mein Gesichtsfeld, und ich konnte oben und unten nicht länger unterscheiden.

Als ich auf dem Boden zu mir kam, schien nur eine Sekunde vergangen zu sein, und Mrs. Bug starrte entsetzt auf mich hinab.

»Mrs. Claire! Geht es Euch nicht gut, *mo gaolach*? Ich habe Euch hinfallen sehen –«

»Doch«, krächzte ich und schüttelte vorsichtig den Kopf, während ich mich auf einen Ellbogen stützte. »Steckt – steckt den Korken in die Flasche.« Ich deutete ungeschickt auf die große offene Flasche auf dem Tisch, deren Korken daneben lag. »Kommt nicht mit dem Gesicht in ihre Nähe.«

Sie wandte das Gesicht ab und verzog es zu einer Grimasse der Vorsicht. Dann griff sie nach dem Korken, hielt ihn auf Armeslänge und steckte ihn in die Flasche.

»Pfui, was ist das?«, sagte sie. Sie trat einen Schritt zurück und zog ein angewidertes Gesicht, dann nieste sie heftig in ihre Schürze. »So etwas habe ich noch nie gerochen – und der Himmel weiß, dass ich in diesem Zimmer schon eine ganze Reihe von Scheußlichkeiten gerochen habe!«

»Das, meine liebe Mrs. Bug, ist Äther.« Das schwimmende Gefühl in meinem Kopf war fast verschwunden und wich jetzt der Euphorie.

»Äther?« Sie warf einen faszinierten Blick auf den Destillierapparat auf meiner Arbeitsfläche, wo das Alkoholbad sanft über kleiner Flamme in seiner großen Glasblase vor sich hin blubberte und das Vitriol – das später unter dem Namen Schwefelsäure bekannt werden sollte – langsam durch die schräge Röhre glitt. Sein beißender, übler Geruch lauerte unter den üblichen Sprechzimmergerüchen der Wurzeln und Kräuter. »Sieh einer an! Und was ist das, Äther?«

»Er lässt die Menschen einschlafen, damit sie keine Schmerzen spüren, wenn man sie schneidet«, erklärte ich, begeistert von meinem Erfolg. »Und ich weiß genau, bei wem ich es zuerst benutzen werde!«

»Tom Christie?«, wiederholte Jamie. »Hast du es ihm schon gesagt?«

»Ich habe es Malva erzählt. Sie wird ihn ein bisschen weich klopfen.«

Bei dieser Vorstellung prustete Jamie.

»Du könntest Tom Christie vierzehn Tage in Milch kochen, und er wäre immer noch so hart wie ein Schleifstein. Und wenn du glaubst, er lässt sich von seiner Kleinen etwas von einer magischen Flüssigkeit erzählen, die ihn in den Schlaf versetzt –«

»Nein, von dem Äther wird sie ihm nichts erzählen. Das mache ich«, beruhigte ich ihn. »Sie wird ihn nur wegen seiner Hand bedrängen, ihn überzeugen, dass er sie operieren lassen muss.«

»Mm.« Jamie verhehlte seine Skepsis nicht, wenn auch anscheinend nicht nur in Bezug auf Thomas Christie.

»Dieser Äther, den du hergestellt hast, Sassenach. Wäre es nicht möglich, dass du ihn damit umbringst?«

Über genau diese Möglichkeit hatte ich mir in der Tat auch schon selbst beträchtliche Sorgen gemacht. Ich hatte schon oft Operationen durchgeführt, bei denen Äther benutzt wurde, und im Großen und Ganzen war er ein ziemlich sicheres Anästhetikum. Doch selbst gebrauter Äther, von Hand verabreicht ... und es *kam* schließlich vor, dass Menschen bei Narkoseunfällen starben, selbst unter den sichersten Umständen, unter der Aufsicht ausgebildeter Anästhesisten und obwohl alle Arten von Wiederbelebungsgeräten zur Verfügung standen. Und ich dachte an Rosamund Lindsay, deren Unfalltod mich immer noch dann und wann in meinen Träumen heimsuchte. Doch die Möglichkeit, ein verlässliches Narkosemittel zu haben, schmerzlos operieren zu können –

»Möglich«, gab ich zu. »Ich glaube es nicht, aber ein gewisses Risiko besteht. Aber es ist es wert.«

Jamie warf mir einen leicht zynischen Blick zu.

»Oh, aye? Findet Tom das ebenfalls?«

»Nun, das werden wir herausfinden. Ich werde ihm das Ganze sorgfältig erklären, und wenn er es nicht will – na ja, dann will er es nicht. Aber ich hoffe sehr, dass er es will!«

Jamies Mundwinkel kräuselte sich, und er schüttelte verständnisvoll den Kopf.

»Du bist wie Jem mit einem neuen Spielzeug, Sassenach. Pass auf, dass die Räder nicht abgehen.«

Möglicherweise hätte ich ihm darauf eine entrüstete Antwort gegeben, doch die Hütte der Bugs war jetzt in Sichtweite gekommen, und Arch Bug saß auf seiner Eingangstreppe und rauchte friedlich eine Tonpfeife. Als er uns sah, nahm er sie aus dem Mund und machte Anstalten, sich zu erheben, aber Jamie wies ihn mit einer Geste an, sitzen zu bleiben.

»Ciamar a tha thu, a charaid?«

Arch antwortete mit seinem üblichen »Mmp«, in das er einen herzlichen Unterton des Willkommens einfließen ließ. Er sah mich mit hochgezogener Augenbraue an und wies mit dem Pfeifenstiel auf den Pfad, um anzuzeigen, dass seine Frau bei uns war, falls sie es war, nach der ich suchte.

»Nein, ich gehe nur in den Wald, um ein paar Pflanzen zu sammeln«, sagte ich und hob zur Demonstration meinen leeren Korb. »Aber Mrs. Bug hat ihr Strickzeug vergessen – darf ich es für sie holen?«

Er nickte, und seine Augen kräuselten sich, als er mit der Pfeife im Mund lächelte. Er rutschte höflich zur Seite, um mich ins Innere der Hütte vorbeizulassen. Hinter mir hörte ich ein einladendes »Mmp?« und spürte, wie sich die Bretter der Stufe bogen, als sich Jamie neben Mr. Bug setzte.

Es gab keine Fenster, und ich musste einen Moment stehen bleiben, damit sich meine Augen an das Zwielicht gewöhnen konnten. Doch die Hütte war klein, und es dauerte nicht länger als eine halbe Minute, bis ich ihre Einrichtung ausmachen konnte: kaum mehr als das Bettgestell, eine Deckentruhe und ein Tisch mit zwei Hockern. Mrs. Bugs Handarbeitstasche hing an der Wand gegenüber an einem Haken, und ich durchquerte das Zimmer, um sie zu holen.

Hinter mir auf der Veranda hörte ich die gemurmelte Unterhaltung der Männer, in die jetzt der höchst ungewöhnliche Klang von Mr. Bugs Stimme einfiel. Natürlich konnte er sprechen und tat es auch, doch Mrs. Bug redete so unaufhörlich, dass er in ihrer Gegenwart normalerweise nicht mehr als ein Lächeln und ein gelegentliches »Mmp« der Zustimmung oder Verneinung beisteuerte.

»Dieser Christie«, sagte Mr. Bug gerade mit nachdenklicher Stimme. »Findet Ihr ihn merkwürdig, *a Seaumais*?«

»Aye, nun ja, er ist Lowlander«, sagte Jamie mit einem hörbaren Achselzucken.

Ein humorvolles »Mmp« deutete an, dass dies eine absolut hinreichende Erklärung war, und es folgten die Sauggeräusche, mit denen Mr. Bug seine Pfeife zum Qualmen ermunterte.

Ich öffnete die Tasche, um mich zu vergewissern, dass sich das Strickzeug auch darin befand; es war aber nicht da, und ich sah mich gezwungen, blinzelnd im Zwielicht der Hütte herumzustöbern. Oh – da war es ja; ein dunkles, weiches Häufchen in der Ecke, vom Tisch gefallen und von einem Fuß beiseite getreten.

»Ist er denn merkwürdiger als sonst, Christie?«, hörte ich Jamie ebenfalls beiläufig fragen.

Ich blinzelte durch die Tür und sah, wie Arch Jamie zunickte, obwohl er nichts sagte, weil er gerade heftig mit seiner Pfeife kämpfte. Allerdings hob er die rechte Hand und wackelte mit den Stümpfen seiner beiden fehlenden Finger.

»Aye«, sagte er schließlich und stieß dabei triumphierend eine weiße Rauchwolke aus. »Er wollte von mir wissen, ob es sehr geschmerzt hat, als das hier passiert ist.«

Sein Gesicht legte sich in Falten wie eine Papiertüte, und er keuchte ein wenig – für Arch Bugs Verhältnisse ein Ausbund an Fröhlichkeit.

»Oh, aye? Und was habt Ihr darauf zu ihm gesagt, Arch?«, fragte Jamie mit einem kleinen Lächeln.

Arch zog nachdenklich an seiner Pfeife, die ihm jetzt zu Willen war, dann spitzte er die Lippen und blies einen kleinen, perfekten Rauchkringel.

»Nun, ich habe gesagt, es hat kein bisschen geschmerzt – als es passiert ist.« Er hielt inne, und seine blauen Augen glitzerten. »Das kann natürlich daran gelegen haben, dass ich zu diesem Zeitpunkt nichts gespürt habe, weil ich durch den Schock in Ohnmacht gefallen bin. Als ich wieder zu mir gekommen bin, hat es mich schon gezwickt.« Er hob die Hand, betrachtete sie ungerührt, dann sah er durch die Tür in meine Richtung. »Ihr habt doch nicht vor, Euch mit einer Axt an unserem armen alten Tom zu vergreifen, oder, Ma'am? Er sagt, Ihr habt vor, nächste Woche seine Hand zu richten.«

»Wahrscheinlich nicht. Darf ich einmal sehen?« Ich trat auf die Veranda hinaus und bückte mich zu ihm hinunter, und er überließ mir die Hand, nachdem er die Pfeife zuvorkommend in die andere genommen hatte.

Zeige- und Mittelfinger waren direkt am Knöchel sauber abgetrennt. Es war eine sehr alte Verletzung; so alt, dass sie das schockierende Aussehen verloren hatte, das frische Verstümmelungen oft an sich haben, wo der Verstand immer noch sieht, was da sein *sollte*, und eine Sekunde lang versucht, die Wirklichkeit mit seinen Erwartungen in Einklang zu bringen. Doch der menschliche Körper ist erstaunlich plastisch und kompensiert fehlende Teile, so gut er kann; im Fall einer verstümmelten Hand durchlaufen die Überbleibsel oft eine subtile Art nützlicher Verformung, um für eine größtmögliche verbleibende Funktionalität zu sorgen.

Ich tastete die Hand vorsichtig und fasziniert ab. Die Mittelhandknochen der abgetrennten Finger waren unverletzt, doch das umliegende Gewebe hatte sich zusammengezogen und verdreht, so dass dieser Teil der Hand ein wenig zurückwich und die verbleibenden beiden Finger und der Daumen eine bessere Greifhand bilden konnten; ich hatte den alten Arch diese Hand schon mit der größten Selbstverständlichkeit benutzen sehen, um einen Trinkbecher zu halten oder einen Spaten zu schwingen.

Die Narben an den Spitzen der Fingerstümpfe waren abgeflacht und verblichen und bildeten eine glatte, schwielige Oberfläche. Die verbleibenden Fingergelenke waren vor Arthritis geschwollen, und die gesamte Hand war so verdreht, dass sie eigentlich gar keine Ähnlichkeit mehr mit einer Hand hatte – und doch war sie überhaupt nicht abstoßend. Sie fühlte sich kräftig und warm an und hatte sogar etwas seltsam Anziehendes an sich, so wie man es bei einem verwitterten Stück Treibholz empfindet.

»Es ist eine Axt gewesen, sagt Ihr?«, fragte ich, weil ich mich wunderte, wie er es fertig gebracht hatte, sich eine solche Verletzung zuzufügen, obwohl er Rechtshänder war. Ein Ausrutscher hätte einen Arm oder ein Bein verletzten können, aber sich zwei Finger derselben Hand so glatt abzuschlagen … Dann dämmerte es mir, und ich umklammerte die Hand unwillkürlich fester. Oh, nein.

»Oh, aye«, sagte er und stieß eine Rauchwolke aus. Ich blickte ihm direkt in die leuchtenden blauen Augen.

»Wer ist es gewesen?«, fragte ich.

»Die Frasers«, sagte er. Er drückte mir sanft die Hand, dann zog er die seine fort und drehte sie hin und her, um sie zu betrachten. Er richtete den Blick auf Jamie.

»Nicht die Frasers von Lovat«, versicherte er ihm. »Bobby Fraser aus Glenhelm und sein Neffe. Leslie hieß er.«

»Oh? Nun, das ist gut«, erwiderte Jamie und zog seine Augenbraue hoch. »Ich würde nicht gern hören, dass es ein naher Verwandter von mir gewesen ist.«

Arch gluckste beinahe geräuschlos vor sich hin. Seine Augen glänzten nach wie vor in ihren Netzen aus faltiger Haut, doch es lag etwas in diesem Lachen, das mich plötzlich drängte, einen kleinen Schritt zurückzutreten.

»Nein, natürlich nicht«, pflichtete er Jamie bei. »Und ich auch nicht. Aber es ist wahrscheinlich ungefähr in dem Jahr gewesen, in dem Ihr geboren seid, *a Seaumais*, oder etwas früher. Und es gibt keine Frasers in Glenhelm mehr.«

Der Anblick seiner Hand hatte mir keine Schwierigkeiten bereitet, doch bei der Vorstellung, wie sie so geworden war, wurde mir ein wenig schwindelig. Ich setzte mich neben Jamie, ohne eine Einladung abzuwarten.

»Warum?«, sagte ich geradeheraus. »Wie?«

Er zog an seiner Pfeife und blies noch einen Kringel. Er traf auf die Überreste des ersten, und beide lösten sich in rauchduftenden Nebel auf. Er runzelte leicht die Stirn und betrachtete die Hand, die jetzt auf seinem Knie lag.

»Ah, nun ja. Es war meine Entscheidung. Wir waren Bogenschützen«, erklärte er mir. »Alle Männer meiner Sippe sind von klein an dazu erzogen worden. Ich hatte meinen ersten Bogen mit drei, und mit sechs konnte ich aus zehn Metern Entfernung ein Rebhuhn ins Herz treffen.«

Er strahlte einen schlichten Stolz aus und blinzelte in Richtung eines kleinen Taubenschwarms, der in der Nähe unter den Bäumen pickte, als schätzte er ab, wie leicht er eine davon hätte einsacken können.

»Ich habe meinen Vater von den Bogenschützen erzählen hören«, sagte Jamie. »In Glenshiel. Viele von ihnen waren Grants, hat er gesagt – und ein paar Campbells.« Er beugte sich vor, die Ellbogen auf die Knie gestützt, neugierig auf die Geschichte, aber zugleich leicht argwöhnisch.

»Aye, das waren wir.« Arch puffte geschäftig vor sich hin, und der Rauch schlängelte sich um seinen Kopf. »Wir hatten uns in der Nacht durch das Farndickicht nach unten geschlichen«, erklärte er mir, »und uns über dem Fluss zwischen den Felsen versteckt, unter dem Farn und zwischen den Ebereschen. Man hätte direkt neben einem von uns stehen können und ihn nicht gesehen, so dicht war das Gebüsch. Es war ein bisschen eng«, fügte er vertraulich an Jamie gewandt hinzu.

»Man konnte nicht einmal aufstehen, um zu pinkeln, und wir hatten zu Abend gegessen – und Bier getrunken –, bevor wir die andere Bergseite hinaufgestiegen sind. Haben alle dagehockt wie die Frauen. Und wir mussten wie der Teufel versuchen, unsere Bogensehnen unter unseren Hemden trocken zu halten, weil es so geregnet hat und uns das Wasser durch den Farn an den Hälsen entlanggetropft ist. Aber dann kam die Dämmerung«, fuhr er munter fort, »und auf das Signal hin sind wir aufgestanden und haben unsere Pfeile fliegen lassen. Es war ein herrlicher Anblick, wie sie von den Hügeln auf die armen Kerle niedergehagelt sind, die unten am Fluss kampiert haben. Aye, Euer Vater hat auch dort gekämpft, *a Seaumais*«, fügte er hinzu und wies mit seinem Pfeifenstiel auf Jamie. »Er gehörte zu denen am Fluss.« Ein lautloser Lachkrampf schüttelte ihn.

»Dann gab es also keine Sympathien«, erwiderte Jamie sehr trocken. »Zwischen Euch und den Frasers.«

Der alte Arch schüttelte den Kopf, ohne im Geringsten aus der Fassung zu geraten.

»Nein«, sagte er. Er wandte seine Aufmerksamkeit wieder mir zu und wurde jetzt etwas nüchterner.

»Wann immer also die Frasers einen Grant allein auf ihrem Land erwischten, war es ihre Angewohnheit, ihn vor die Wahl zu stellen. Er konnte sein rechtes Auge verlieren oder die beiden Finger seiner rechten Hand. So oder so würde er nie wieder einen Bogen gegen sie richten.«

Er rieb die verstümmelte Hand langsam auf seinem Oberschenkel hin und her, als streckten sich seine Phantomfinger nach der Berührung einer singenden Sehne aus. Dann bewegte er den Kopf, als schüttelte er die Vorstellung ab, und ballte die Hand zur Faust. Er wandte sich an mich.

»Ihr hattet doch nicht vor, Christie die Finger abzunehmen, oder, Mrs. Fraser?«

»Nein«, sagte ich erschrocken. »Selbstverständlich nicht. Er glaubt doch nicht…?«

Arch zuckte mit den Achseln und zog seine weißen Augenbrauen fast bis zum Ansatz seiner Halbglatze hoch.

»Ich weiß es nicht genau, aber die Vorstellung, aufgeschnitten zu werden, schien ihn sehr zu verstören.«

»Hmm«, sagte ich. Ich würde mit Tom Christie reden müssen. Jamie war aufgestanden, um sich zu verabschieden, und ich folgte automatisch seinem Beispiel. Ich schüttelte meine Röcke aus und versuchte, mir das Bild eines jungen Mannes aus dem Kopf zu schlagen, dessen Hand auf dem Boden festgehalten wurde, und einer niedersausenden Axt.

»Keine Frasers mehr in Glenhelm, sagt Ihr?«, fragte Jamie nachdenklich und blickte auf Mr. Bug hinunter. »Leslie, der Neffe – dann wäre er Bobbys Erbe gewesen, oder?«

»Aye, das wäre er.« Mr. Bugs Pfeife war ausgegangen. Er drehte sie um und klopfte den Kopf zielsicher am Rand der Veranda aus.

»Sie sind beide zusammen umgebracht worden, nicht wahr? Ich erinnere mich, dass mein Vater mir davon erzählt hat. Man hat sie mit eingeschlagenem Schädel in einem Bach gefunden, hat er gesagt.«

Arch Bug sah blinzelnd zu ihm auf, die Augenlider wie eine Eidechse zum Schutz vor der Sonne gesenkt.

»Nun, seht Ihr, *a Seaumais*«, sagte er, »ein Bogen ist wie eine gute Ehefrau, aye, die ihren Meister kennt und auf seine Berührung anspricht. Eine Axt dagegen –« Er schüttelte den Kopf. »Eine Axt ist eine Hure. Jeder kann sie benutzen – ganz gleich, mit welcher Hand.«

Er pustete durch den Pfeifenhals, um ihn von der Asche zu reinigen, wischte mit seinem Taschentuch durch den Kopf und steckte sie sorgfältig ein – mit der linken Hand. Er grinste uns an, die verbleibenden Zähne scharfkantig und vom Tabak gelb gefärbt.

»Geht mit Gott, *Seaumais mac Brian.*«

Später in derselben Woche ging ich zum Blockhaus der Christies, um an Toms linker Hand die Fäden zu ziehen und ihm die Sache mit dem Äther zu erklären. Sein Sohn Allan war auf dem Hof damit beschäftigt, ein Messer an einem pedalbetriebenen Schleifstein zu wetzen. Er lächelte und nickte mir zu, sagte aber nichts, denn unter dem Knirschen und Kreischen den Schleifsteins wäre es sowieso nicht zu hören gewesen.

Möglicherweise war es ja dieses Geräusch, dachte ich einen Augenblick später, das Tom Christies Argwohn geweckt hatte.

»Ich habe mich entschlossen, die andere Hand so zu lassen, wie sie ist«, sagte er steif, als ich den letzten Knoten aufschnitt und den Faden herauszog.

Ich legte meine Pinzette hin und starrte ihn an.

»Warum?«

Ein dumpfes Rot stieg ihm in die Wangen, und er stand mit erhobenem Kinn auf und blickte über meine Schulter hinweg, um mich nicht direkt ansehen zu müssen.

»Ich habe die Frage in meine Gebete eingeschlossen und bin zu dem Schluss gekommen, dass es falsch wäre, es ändern zu wollen, wenn diese Schwäche Gottes Wille ist.«

Ich unterdrückte das heftige Bedürfnis, »Quatsch mit Soße« zu sagen, allerdings nur unter großen Schwierigkeiten.

»Setzt Euch«, sagte ich und holte tief Luft. »Und sagt mir bitte, warum Ihr glaubt, dass Gott wünscht, dass Ihr mit einer verkrüppelten Hand herumlauft?«

Jetzt sah er mich an, überrascht und nervös.

»Nun… es ist nicht an mir, die Wege des Herrn in Frage zu stellen!«

»Ach nein?«, sagte ich nachsichtig. »Ich hatte aber durchaus das Gefühl, dass Ihr genau das letzten Sonntag getan habt. Oder wart Ihr es nicht, den ich fragen gehört habe, was sich der Herr dabei denkt, all diese Katholiken wachsen und gedeihen zu lassen?«

Das dumpfe Rot verdunkelte sich beträchtlich.

»Ich bin sicher, dass Ihr mich missverstanden habt, Mistress Fraser.« Er richtete sich noch weiter auf, bis er fast hintenüberlehnte. »Das ändert aber nichts daran, dass ich Eure Hilfe nicht in Anspruch nehmen werde.«

»Liegt es daran, dass ich katholisch bin?«, fragte ich. Ich setzte mich auf meinem Hocker zurück und legte die Hände gefaltet auf meine Knie. »Glaubt Ihr vielleicht, dass ich die Situation ausnutzen und Euch zum Mitglied der Kirche Roms umtaufen werde, wenn Ihr nicht aufpasst?«

»Ich bin bereits hinreichend getauft!«, fuhr er mich an. »Und ich wäre Euch dankbar, wenn Ihr Eure Papistengedanken für Euch behalten würdet.«

»Ich habe eine Vereinbarung mit dem Papst«, sagte ich und erwiderte seinen durchdringenden Blick unbeeindruckt. »Ich gebe keine Bullen zu theologischen Inhalten heraus, und er führt keine Operationen durch. Nun, zu Eurer Hand –«

»Der Wille des Herrn –«, begann er stur.

»War es der Wille des Herrn, dass Eure Kuh letzten Monat in eine Felsspalte gestürzt ist und sich das Bein gebrochen hat?«, unterbrach ich ihn. »Denn wenn es so war, hättet Ihr sie wahrscheinlich dort sterben lassen sollen, statt Euch von meinem Mann dabei helfen zu lassen, sie herauszuziehen, und mich dann ihr Bein richten zu lassen. Wie geht es ihr übrigens?«

Ich konnte die Kuh durch das Fenster sehen. Sie graste friedlich am Rand des Hofes und schien sich weder von ihrem trinkenden Kalb noch von den Bandagen stören zu lassen, die ich angebracht hatte, um ihr gebrochenes Sprungbein zu stützen.

»Es geht ihr gut, danke.« Er hörte sich zunehmend an, als bekäme er Atemnot, obwohl sein Hemdkragen offen war. »Das hat –«

»Nun denn«, sagte ich. »Glaubt Ihr, der Herr ist der Meinung, dass Ihr der medizinischen Hilfe weniger würdig seid als Eure Kuh? Das kommt mir unwahrscheinlich vor, schon angesichts der Einstellung des Herrn gegenüber den Sperlingen.«

Inzwischen waren seine Wangen dunkelrot angelaufen, und er umklammerte die kranke Hand mit der gesunden, als wollte er sie vor mir in Sicherheit bringen.

»Ich sehe, dass Euch das eine oder andere Wort aus der Bibel vertraut ist«, hob er aufgeblasen an.

»Ich habe sie sogar selbst gelesen«, sagte ich. »Ich kann ganz gut lesen, wisst Ihr.«

Er ging nicht auf meine letzte Bemerkung ein, und in seinem Blick glänzte schwacher Triumph.

»Ach was. Dann habt Ihr ja sicher auch den Brief des heiligen Paulus an Timotheus gelesen, in dem er sagt: ›Lasset das Weib schweigen –‹«

Ich hatte in der Tat bereits früher Bekanntschaft mit dem heiligen Paulus und seinen Ansichten gemacht und mir auch selbst die eine oder andere überlegt.

»Ich gehe davon aus, dass der heilige Paulus selbst einer Frau begegnet ist, die ihn an die Wand diskutieren konnte«, sagte ich nicht ohne Mitgefühl. »Da war es natürlich einfacher, dem ganzen Geschlecht den Mund zu verbieten, als fair zu argumentieren. Von *Euch* hätte ich allerdings mehr erwartet, Mr. Christie.«

»Aber das ist ja Gotteslästerung!«, keuchte er sichtlich schockiert.

»Das ist es nicht«, konterte ich, »es sei denn, Ihr wollt damit sagen, dass der heilige Paulus in Wirklichkeit Gott ist – und falls Ihr das sagen wollt, bin ich doch sehr der Meinung, dass *das* Gotteslästerung ist. Aber lasst uns nicht streiten«, sagte ich, weil ich sah, dass ihm die Augen aus dem Kopf zu treten begannen. »Lasst mich…« Ich erhob mich von meinem Hocker und trat einen Schritt vor, was den Abstand zwischen uns so verringerte, dass ich ihn berühren konnte. Er wich so hastig zurück, dass er gegen den Tisch stieß und ihn zum Wackeln brachte, so dass Malvas Handarbeitskorb, ein Tonkrug mit Milch und ein Zinnteller scheppernd zu Boden flogen.

Ich bückte mich rasch und schnappte nach dem Handarbeitskorb, bevor er von der Milch überschwemmt wurde. Mr. Christie hatte genauso rasch einen Lappen vom Herd genommen und sich gebückt, um diese aufzuwischen. Fast hätten wir uns die Köpfe gestoßen, und ich verlor das Gleichgewicht und stolperte gegen ihn. Er hielt mich automatisch an den Armen fest und ließ den Lappen fallen, dann ließ er mich hastig los und fuhr zurück. Ich landete schwankend auf den Knien.

Er kniete ebenfalls und atmete schwer, befand sich aber jetzt in sicherem Abstand von mir.

»In Wirklichkeit«, sagte ich streng und zeigte mit dem Finger auf ihn, »habt Ihr Angst.«

»Das stimmt nicht!«

»Oh, doch.« Ich erhob mich, stellte den Arbeitskorb auf den Tisch und schob den Lappen vorsichtig mit dem Fuß über die Milchpfütze. »Ihr habt Angst, dass ich Euch wehtun werde – aber das werde ich nicht«, versicherte ich ihm. »Ich besitze eine Medizin, die sich Äther nennt; sie wird Euch einschlafen lassen, und Ihr werdet nichts spüren.«

Er blinzelte.

»Und vielleicht habt Ihr Angst, Finger zu verlieren oder die Hand gar nicht mehr benutzen zu können.«

Er kniete unverändert vor dem Herd und starrte zu mir auf.

»Ich kann Euch nicht hundertprozentig garantieren, dass das nicht geschehen wird«, sagte ich. »Ich *glaube* nicht, dass es dazu kommt – aber der Mensch denkt, und Gott lenkt, nicht wahr?«

Er nickte ganz langsam, blieb aber stumm. Ich holte tief Luft, denn fürs Erste waren mir die Argumente ausgegangen.

»Ich *glaube*, dass ich Eure Hand heilen kann«, sagte ich. »Ich kann es nicht garantieren. Manchmal gibt es Zwischenfälle. Entzündungen, Unfälle – irgendetwas Unerwartetes. Aber …«

Ich streckte die Hand nach ihm aus und wies auf die verkrüppelte Gliedmaße. Wie ein hypnotisierter Vogel, der im Blick einer Schlange gefangen ist, streckte er den Arm aus und ließ zu, dass ich ihn ergriff. Ich nahm sein Handgelenk und zog ihn hoch; er stand widerstandslos auf, blieb stehen und ließ mich seine Hand festhalten.

Ich nahm sie in die meine und drückte die verkrümmten Finger zurück, um sanft mit dem Daumen über die verdickte Aponeurose der Handfläche zu reiben, die die Sehnen einklemmte. Ich konnte sie deutlich spüren; konnte vor meinem inneren Auge genau sehen, wie ich das Problem angehen musste, wo ich das Skalpell ansetzen musste, wie sich die schwielige Haut teilen würde. Die Länge und Tiefe des Z-förmigen Einschnitts, der seine Hand befreien würde, so dass sie wieder zu gebrauchen war.

»Ich habe das schon öfter gemacht«, sagte ich leise und drückte zu, um die Knochen unter der Haut zu spüren. »Ich schaffe es auch diesmal, so Gott will. Wenn Ihr mich lasst?«

Er war nur ein paar Zentimeter größer als ich; ich hielt seinen Blick genau wie seine Hand. Seine grauen Augen waren klar und scharf und durchforschten mein Gesicht mit einem Ausdruck zwischen Angst und Argwohn – doch dahinter lag noch etwas anderes. Ganz plötzlich wurde mir sein Atem bewusst, langsam und gleichmäßig, und ich spürte ihn warm auf meiner Wange.

»Nun gut«, sagte er heiser. Er zog seine Hand aus der meinen, nicht abrupt, sondern beinahe zögernd, und umschloss sie wieder mit seiner gesunden Hand. »Wann?«

»Morgen«, sagte ich, »wenn das Wetter schön ist. Ich brauche gutes Licht«, erklärte ich, als ich den erschrockenen Ausdruck in seinen Augen sah. »Kommt morgen früh, aber ohne zu frühstücken.«

Ich griff nach meiner Ausrüstung, verbeugte mich steif vor ihm und ging. Mir war höchst merkwürdig zumute.

Allan Christie winkte mir fröhlich nach und wetzte sein Messer weiter.

»Glaubst du, er kommt?« Unser Frühstück war verzehrt, und noch keine Spur von Thomas Christie. Nach einer Nacht unruhigen Schlafes, in der ich wiederholt von Äthermasken und chirurgischen Katastrophen geträumt hatte, war ich mir nicht sicher, ob ich mir wirklich wünschte, dass er kam.

»Aye, er kommt schon.« Jamie las eine vier Monate alte *North Carolina Gazette* und kaute die letzten Reste von Mrs. Bugs Zimttoast. »Sieh nur, sie haben einen Brief des Gouverneurs an Lord Dartmouth abgedruckt, in dem steht, was für ein ungeregelter Haufen aufrührerischer Verschwörer und Diebe wir alle sind. Er bittet General Gage, ihm Kanonen zu schicken, damit er uns wieder Manieren beibringen kann. Ich frage mich, ob MacDonald weiß, dass das öffentlich bekannt ist?«

»Ach wirklich?«, sagte ich geistesabwesend. Ich erhob mich und griff nach der Äthermaske, die ich während des ganzen Frühstücks angestarrt hatte. »Nun, wenn er kommt, sollte ich wohl besser bereit sein.«

Ich hatte meine selbst gemachte Äthermaske und die Tropfflasche bereitliegen, daneben das Sortiment der Instrumente, die ich für die eigentliche Operation brauchen würde. Unsicher griff ich nach der Flasche, entkorkte sie und wedelte mit der Hand über ihren Hals, so dass die Ausdünstungen auf meine Nase zuwehten. Das Ergebnis war ein beruhigender Schwindelanfall, der mich ein paar Sekunden lang verschwommen sehen ließ. Als mein Blick wieder klar war, verkorkte ich die Flasche und stellte sie zurück. Jetzt fühlte ich mich ein wenig selbstsicherer.

Gerade rechtzeitig. Ich hörte Stimmen an der Rückseite des Hauses und Schritte im Flur.

Als ich mich erwartungsvoll umdrehte, sah mir Mr. Christie finster von der Tür aus entgegen, die Hand schützend vor der Brust zusammengeballt.

»Ich habe es mir anders überlegt.« Christie zog die Augenbrauen noch enger zusammen, um seinen Standpunkt zu betonen. »Ich habe über die Angelegenheit nachgedacht, und ich habe gebetet, und ich werde Euch nicht gestatten, mir Eure üblen Tränke einzuflößen.«

»Oh, was für ein Dummkopf«, sagte ich gründlich verärgert. Ich stand auf und erwiderte seinen finsteren Blick. »Was ist nur los mit Euch?«

Er sah verblüfft aus, so als hätte eine Schlange im Gras zu seinen Füßen es plötzlich gewagt, ihn anzusprechen.

»Es ist ganz und gar nichts mit mir los«, entgegnete er ziemlich schroff. Er hob aggressiv das Kinn und hielt mir seinen kurzen Bart wie ein Stachelkleid entgegen. »Was ist mit *Euch* los, Madam?«

»Und ich dachte, nur Highlander sind so stur wie Felsbrocken!«

Angesichts dieses Vergleiches zog er eine furchtbar beleidigte Miene, doch bevor er sich weiter mit mir anlegen konnte, steckte Jamie den Kopf in das Sprechzimmer, angezogen vom Klang unseres Wortgefechts.

»Gibt es ein Problem?«, erkundigte er sich höflich.

»Ja! Er weigert sich –«

»O ja. Sie besteht darauf –«

Die Worte prallten in der Luft aufeinander, und wir brachen beide ab und funkelten einander an. Jamie ließ den Blick von mir zu Mr. Christie schweifen, dann zu den Gerätschaften auf dem Tisch. Er richtete die Augen gen Himmel, als flehte er um Beistand, dann rieb er sich nachdenklich mit dem Finger unter der Nase.

»Aye«, sagte er. »Nun gut. Möchtet Ihr, dass Eure Hand geheilt wird, Tom?«

Christie starrte weiter vor sich hin wie ein Maultier und hielt sich die verkrüppelte Hand schützend vor die Brust. Nach ein paar Sekunden nickte er jedoch langsam.

»Aye«, sagte er. Er warf mir einen zutiefst argwöhnischen Blick zu. »Aber ich dulde keinen papistischen Unsinn dabei!«

»Papistisch?« Jamie und ich sprachen gleichzeitig; Jamie klang schlicht nur verwundert, ich absolut frustriert.

»Aye, und Ihr braucht gar nicht zu denken, dass Ihr mich dazu überreden könnt, Fraser!«

Jamie warf mir einen Blick zu, der »Ich hab's dir ja gesagt, Sassenach« ausdrückte, nahm jedoch seine Geduld zusammen, um einen Versuch zu wagen.

»Nun, Ihr seid immer schon ein schwieriger Zeitgenosse gewesen, Tom«, sagte er nachsichtig. »Ihr müsst natürlich tun, was Euch gefällt – aber ich kann Euch aus Erfahrung sagen, dass es ausgesprochen schmerzhaft ist.«

Ich hatte das Gefühl, dass Christie ein wenig erbleichte.

»Tom. Seht her.« Jamie wies kopfnickend auf das Tablett mit den Instrumenten; zwei Skalpelle, eine Sonde, Schere, Zange und zwei chirurgische Nadeln, in die bereits Darm eingefädelt war. Sie schwammen in einem Glas mit Alkohol und glänzten stumpf in der Sonne. »Sie hat vor, Euch die Hand aufzuschneiden, aye?«

»Das weiß ich«, fuhr ihn Christie an, obwohl sein Blick von der unheilvollen Sammlung scharfer Kanten fortglitt.

»Aye, das tut Ihr. Aber Ihr habt nicht die geringste Ahnung, wie es sich anfühlt. Ich schon. Seht Ihr das?« Er hielt die rechte Hand hoch, drehte Christie den Handrücken zu und wackelte mit den Fingern. In dieser Haltung, voll von der Morgensonne beschienen, hoben sich die feinen weißen Narben, die seine Finger überzogen, deutlich von seiner dunkelbronzenen Haut ab.

»Das hat *verdammt* wehgetan«, versicherte er Christie. »So etwas erduldet man nicht, wenn man eine andere Wahl hat – und die habt Ihr.«

Christie blinzelte nur kurz in Richtung von Jamies Hand. Natürlich, dachte ich, er musste mit ihrem Anblick vertraut sein; er hatte drei Jahre lang mit Jamie auf engstem Raum zusammengelebt.

»Ich habe meine Wahl getroffen«, sagte Christie mit großer Würde. Er setzte sich auf den Stuhl und legte seine Hand mit der Handfläche nach oben auf die Serviette. Sein Gesicht hatte jegliche Farbe verloren, und er hatte die freie Hand so fest geballt, dass sie zitterte.

Jamie sah ihn einen Moment stirnrunzelnd an, dann seufzte er.

»Aye. Dann wartet eine Sekunde.«

Es hatte offensichtlich keinen Sinn, weiter zu diskutieren, und ich versuchte es erst gar nicht. Ich holte meine kleine Flasche medizinischen Whisky vom Regal und goss ihm einen guten Schuss in einen Becher.

»*Brauche ein wenig Wein um deines Magens willen*«, sagte ich und drückte ihm den Becher fest in die nach oben gekehrte Hand. »Unser gemeinsamer Bekannter Paulus. Wenn es genehmigt ist, um des Magens willen zu trinken, dürft Ihr mit Sicherheit auch um Eurer Hand willen einen Tropfen zu Euch nehmen.«

Sein Mund, den er bereits in grimmiger Erwartung zusammengepresst hatte, öffnete sich überrascht. Er ließ den Blick von dem Becher zu mir wandern, dann wieder zurück. Er schluckte, nickte und hob den Becher an seine Lippen.

Doch bevor er ausgetrunken hatte, kam Jamie mit einem kleinen, abgewetzten grünen Buch zurück, das er Christie ohne Umschweife in die Hand drückte.

Christie machte ein überraschtes Gesicht, hielt das Buch aber vor sich hin und sah nach, was es war. *HEILIGE SCHRIFT* stand auf dem gekrümmten Buchdeckel.

»Ich vermute, Ihr nehmt jede Hilfe an, die Ihr bekommen könnt?«, sagte Jamie ein wenig schroff.

Christie musterte ihn scharf, dann nickte er, und ein schwaches Lächeln lief wie ein Schatten durch seinen Bart.

»Ich danke Euch, Sir«, sagte er. Er holte die Brille aus seinem Rock und setzte sie auf, dann öffnete er das kleine Buch mit großer Sorgfalt und begann, darin zu blättern, offenbar auf der Suche nach der passenden Inspiration zum Durchstehen einer Operation ohne Narkose.

Ich warf Jamie einen langen Blick zu, auf den er mit einem kaum sichtbaren Achselzucken antwortete. Es war nicht irgendeine Bibel. Es war die Bibel, die einmal Alexander MacGregor gehört hatte.

Jamie war als sehr junger Mann in ihren Besitz gekommen, als Hauptmann Jonathan Randall ihn in Fort William eingekerkert hatte. Er war bereits einmal ausgepeitscht worden und erwartete die Wiederholung der Strafe; voller Angst und Schmerzen hatte man ihn in Einzelhaft gesteckt, wo ihm nur seine Gedanken Gesellschaft leisteten – und diese Bibel, die ihm der Garnisonsarzt geschenkt hatte, damit er sich dort Trost holte.

Alex MacGregor war ein anderer junger schottischer Gefangener gewesen – der lieber durch seine eigene Hand gestorben war als weitere Aufmerksamkeiten Hauptmann Randalls über sich ergehen zu lassen. Sein Name stand im Inneren des Buches, in einer winzigen, sehr schnörkeligen Handschrift. Der kleinen Bibel waren Angst und Leid nicht fremd, und sie war zwar kein Äther, doch ich hoffte, dass sie ihre eigenen betäubenden Kräfte besaß.

Christie hatte etwas gefunden, das ihm passend erschien. Er räusperte sich, setzte sich gerade hin und legte die Hand wieder mit der Handfläche nach oben auf das Tuch, so forsch, dass ich mich fragte, ob er sich für die Passage entschieden hatte, in der die Makkabäer freiwillig dem Heidenkönig ihre Hände und Zungen hinstreckten, damit er sie abnahm.

Ein Blick über seine Schulter sagte mir jedoch, dass er sich irgendwo in den Psalmen befand.

»Wann immer Ihr so weit seid, Mistress, Fraser«, sagte Christie höflich.

Wenn er bei Bewusstsein sein würde, bedurfte es einiger zusätzlicher Vorbereitungen. Mannhafte Tapferkeit war ja eine schöne Sache, und dasselbe galt für biblische Inspiration – doch nur relativ wenige Menschen können reglos dasitzen, während ihnen jemand in die Hand säbelt, und ich glaubte nicht, dass Thomas Christie einer von ihnen war.

Ich hatte einen großen Vorrat an Leinenstreifen, die mir als Verbandsmaterial dienten. Ich krempelte seinen Ärmel auf und band dann seinen Unterarm mit einigen der Bandagen fest an den Tisch. Ein zusätzlicher Streifen hielt die Klauenfinger von der Operationsstelle fern.

Obwohl Christie sich ziemlich schockiert über die Vorstellung zeigte, Alkohol zu trinken, während er die Bibel las, hatte Jamie – und vielleicht ja auch der Anblick der wartenden Skalpelle – ihn überzeugt, dass die Umstände es rechtfertigten. Bis ich ihn richtig gesichert und seine Handfläche gründlich mit Rohalkohol gereinigt hatte, hatte er einiges intus und sah bedeutend entspannter aus als beim Betreten des Zimmers.

Diese entspannte Ausstrahlung verschwand abrupt, als ich den ersten Schnitt setzte.

Sein Atem entfuhr ihm als schrilles Keuchen, und er bäumte sich auf dem Stuhl auf und riss den Tisch quietschend über den Fußboden. Ich ergriff sein Handgelenk, bevor er die Bandagen abreißen konnte, und Jamie packte ihn an beiden Schultern und drückte ihn auf den Stuhl.

»Ganz ruhig, ganz ruhig«, sagte Jamie und drückte fest zu. »Ihr macht das schon, Tom. Aye, Ihr macht das schon.«

Der Schweiß war Christie im Gesicht ausgebrochen, und er hatte die Augen hinter den Gläsern seiner Brille weit aufgerissen. Er schluckte, warf einen raschen Blick auf seine Hand, von der Blut aufquoll, wurde leichenblass und wandte den Blick hastig ab.

»Wenn Ihr Euch übergeben müsst, Mr. Christie, bitte hier hinein, ja?«, sagte ich und schob ihm mit dem Fuß einen leeren Eimer hin. Mit einer Hand hielt ich eisern sein Handgelenk fest, die andere drückte einen sterilisierten Mulltupfer fest auf den Einschnitt.

Jamie redete auf ihn ein, als beruhigte er ein verängstigtes Pferd. Christie saß stocksteif da, atmete aber schwer und zitterte an allen Gliedmaßen einschließlich derjenigen, an der ich arbeiten sollte.

»Soll ich aufhören?«, fragte ich Jamie und betrachtete Christie abschätzend. Ich konnte seinen Puls in dem Handgelenk hämmern spüren, das ich festhielt. Er stand nicht unter Schock – noch nicht –, doch es war klar, dass es ihm nicht gut ging.

Jamie schüttelte den Kopf, den Blick auf Christies Gesicht gerichtet.

»Nein. Es wäre doch schade um den ganzen Whisky, aye? Und er wird das Warten nicht noch einmal durchstehen wollen. Hier, Tom, trinkt noch einen Schluck; das wird Euch gut tun.« Er hielt Christie den Becher an die Lippen, und dieser trank, ohne zu zögern.

Jamie hatte Christies Schultern losgelassen, als dieser ruhiger wurde; jetzt packte er mit einer Hand Christies Unterarm und drückte fest zu. Mit der anderen hob er die Bibel auf, die zu Boden gefallen war, und blätterte sie auf.

»Die Rechte des Herrn ist erhöht«, las er über Christies Schulter hinweg. *»Die Rechte des Herrn behält den Sieg.* Nun, das passt doch, oder?« Er blickte auf Christie hinab, der sich in sein Schicksal ergeben hatte und die rechte Hand auf seinem Bauch zur Faust geballt hatte.

»Fahrt fort«, sagte Christie mit heiserer Stimme.

»Ich werde nicht sterben, sondern leben und des Herrn Werke verkündigen«, las Jamie mit leiser, aber fester Stimme weiter. *»Der Herr züchtigt mich wohl; aber er gibt mich dem Tode nicht.«*

Das schien Christie ermutigend zu finden; seine Atmung verlangsamte sich ein wenig.

Ich hatte keine Zeit, um ihn zu beobachten, und sein Arm war so hart wie ein Stück Holz in Jamies Griff. Dennoch, er fiel jetzt murmelnd in Jamies Vortrag ein und betete hier und dort ein paar Worte mit.

»… Tut auf die Tore der Gerechtigkeit … ich danke dir, dass du mich demütigst und hilfst mir …«

Ich hatte die Aponeurose freigelegt und konnte die Verdickung deutlich sehen. Eine winzige Bewegung des Skalpells löste ihren Rand, dann ein brutaler Schnitt durch das Band aus Fasern … das Skalpell traf einen Knochen, und Christie keuchte auf.

»Der Herr ist Gott, der uns erleuchtet. Schmücket das Fest mit Maien bis an die Hörner des Altars.« Ich konnte einen Hauch von Belustigung in Jamies Stimme hören, als er diese Stelle vorlas, und spürte seine Bewegung, als er mich ansah.

Es sah wirklich so aus, als hätte ich ein Opferritual vollzogen; Hände bluten nicht so stark wie Kopfverletzungen, doch die Handfläche ist von zahllosen kleinen Blutgefäßen durchzogen, und ich tupfte hastig mit der einen Hand das Blut auf, während ich mit der anderen arbeitete; Tisch und Boden waren mit benutzten, blutigen Tupfern übersät.

Jamie blätterte hin und her und suchte sich da und dort Schriftpassagen aus, doch Christie war jetzt ganz auf ihn konzentriert und sprach die Worte gemeinsam mit ihm. Ich warf hastig einen verstohlenen Blick auf ihn; seine Hautfarbe war immer noch ungesund, und sein Puls donnerte, aber seine Atmung war besser. Er sagte die Passagen eindeutig auswendig auf; seine Brillengläser waren beschlagen.

Ich hatte das Gewebe, das die Behinderung hervorrief, jetzt vollständig freigelegt und löste die winzigen Fasern von der Oberfläche der Sehne.

Die verkrümmten Finger zuckten, und die frei liegenden Sehnen bewegten sich plötzlich wie silberne Fische. Ich packte die schwach wackelnden Finger und drückte sie fest.

»Ihr dürft Euch nicht bewegen«, sagte ich. »Ich brauche meine Hände; ich kann Eure nicht festhalten.«

Ich konnte nicht hochsehen, spürte aber sein Nicken und ließ seine Finger los. Ich entfernte die letzten Reste der Aponeurose von den matt glänzenden Sehnen, besprühte die Wunde zur Desinfektion mit einer Mischung aus Alkohol und Wasser und machte mich daran, die Einschnitte zu schließen.

Die Stimmen der Männer waren nicht mehr als ein Flüstern, ein leises Rauschen, dem ich keinerlei Aufmerksamkeit geschenkt hatte, so konzentriert hatte ich gearbeitet. Als ich mich jetzt jedoch entspannte und die Wunde zu nähen begann, kamen sie mir wieder zu Bewusstsein.

»Der Herr ist mein Hirte, mir wird nichts mangeln …«

Ich blickte auf, wischte mir mit dem Ärmel den Schweiß von der Stirn und sah, dass Thomas Christie die kleine Bibel jetzt geschlossen hatte und sie mit dem freien Arm an sich gedrückt hielt. Er hatte das Kinn fest auf die Brust gelegt, die Augen geschlossen, und sein Gesicht war schmerzverzerrt.

Jamie hielt nach wie vor seinen angebundenen Arm fest, hatte die andere Hand aber auf Christies Schulter liegen und den Kopf dicht neben Christies gesenkt; auch er hatte die Augen geschlossen, während er seinen Text flüsterte.

»Und ob ich schon wandere im tiefen Tal, fürchte ich kein Unglück …«

Ich verknotete den letzten Faden, kürzte seine Enden, schnitt mit derselben Bewegung die Leinenbandagen durch und hörte auf, den Atem anzuhalten. Die Stimmen der Männer verstummten abrupt.

Ich hob die Hand, wickelte einen frischen Verband fest darum und zog die verkrümmten Finger vorsichtig gerade.

Christie öffnete langsam die Augen. Die Pupillen hinter seinen Brillengläsern waren groß und schwarz, als er blinzelnd auf seine Hand blickte. Ich lächelte ihm zu und tätschelte sie.

»Gutes und Barmherzigkeit werden mir folgen mein Leben lang«, zitierte ich leise. *»Und ich werde bleiben im Hause des Herrn immerdar.«*

24

Rühr mich nicht an

Christies Puls ging ein wenig zu schnell, doch er war kräftig. Ich legte sein Handgelenk hin, das ich festgehalten hatte, und hielt ihm den Handrücken an die Stirn.

»Ihr habt leichtes Fieber«, sagte ich. »Hier, trinkt das.« Ich schob ihm eine Hand in den Rücken, um ihm beim Hinsetzen im Bett zu helfen, was ihn in Alarm versetzte. Er setzte sich unter fliegenden Bettdecken auf und atmete scharf ein, als er sich dabei die verletzte Hand stieß.

Ich gab taktvoll vor, seine Bestürzung nicht zu bemerken, die ich der Tatsache zuschrieb, dass er im Hemd war und ich mich schon für die Nacht umgezogen hatte. Ich hatte zwar den Anstand gewahrt und mir ein leichtes Schultertuch über mein Leinennachthemd gelegt, doch ich war mir hinreichend sicher, dass er seit dem Tod seiner Frau nicht mal in die Nähe einer unvollständig bekleideten Frau gekommen war – falls überhaupt jemals.

Ich murmelte etwas Bedeutungsloses und hielt den Becher mit Schwarzwurzeltee für ihn fest, dann schüttelte ich ihm tröstend, aber professionell die Kissen auf.

Anstatt ihn in seine eigene Blockhütte zurückzuschicken, hatte ich darauf bestanden, dass er über Nacht blieb, damit ich für den Fall einer postoperativen Entzündung ein Auge auf ihn haben konnte. Halsstarrig, wie er war, hatte ich nicht das geringste Vertrauen, dass er meinen Anweisungen Folge leisten und nicht mit der verletzten Hand die Schweine füttern, Holz hacken oder sich den Hintern abwischen würde. Ich hatte nicht vor, ihn aus meinem Sichtfeld zu lassen, bis der Schnitt zu granulieren begann – was am nächsten Tag der Fall sein sollte, wenn alles gut ging.

Immer noch wackelig durch den Schock der Operation, hatte er keine Einwände gehabt, und Mrs. Bug und ich hatten ihn im Zimmer der Wemyss' untergebracht, da Mr. Wemyss und Lizzie bei den McGillivrays waren.

Ich besaß kein Laudanum, hatte Christie aber einen starken Aufguss aus Baldrian und Johanniskraut untergejubelt, und er hatte den Großteil des Nachmittags verschlafen. Er hatte kein Abendessen gewollt, doch Mrs. Bug, die große Stücke auf Mr. Christie hielt, hatte ihn den ganzen Abend mit Glühwein und anderen nahrhaften Elixieren belagert – die allesamt einen hohen Alkoholanteil enthielten. Demzufolge war er mir sehr benommen und rot vorgekommen und hatte nicht protestiert, als ich die verbundene Hand hochhob und sie dicht an die Kerze hielt, um sie zu untersuchen.

Die Hand war geschwollen, was zu erwarten war, aber nicht übermäßig. Dennoch, der Verband saß sehr fest und drückte unangenehm in die Haut.

Ich schnitt ihn auf, hielt die honiggetränkte Wundauflage vorsichtig an Ort und Stelle fest, hob die Hand und roch daran.

Ich konnte Honig, Blut, Kräuter und den schwachen Metallgeruch frisch aufgeschnittenen Gewebes riechen – aber keinen süßlichen Eitergeruch. Gut. Ich drückte vorsichtig auf eine Stelle neben der Wundauflage und achtete auf Anzeichen heftigen Schmerzes oder leuchtend rote Streifen auf der Haut, doch abgesehen davon, dass die Stelle verständlicherweise empfindlich war, entdeckte ich nur eine sehr schwache Entzündung.

Dennoch, er *hatte* Fieber; das musste beobachtet werden. Ich nahm einen frischen Verband, wickelte ihn vorsichtig um die Wundauflage und befestigte ihn mit einer ordentlichen Schleife auf dem Handrücken.

»Warum tragt Ihr nie eine anständige Haube«, platzte er heraus.

»Was?« Mein Kopf zuckte überrascht hoch. Für den Augenblick hatte ich den Mann, der an der Hand hing, ganz vergessen. Ich hob meine freie Hand an mein Haar. »Warum sollte ich?«

Manchmal flocht ich mir die Haare, bevor ich zu Bett ging, aber heute Abend hatte ich es nicht getan. Doch ich hatte es gebürstet; es fiel mir lose um die Schultern und duftete angenehm nach der Lösung aus Ysop und Nesselblüten, mit der ich es durchgekämmt hatte, um die Läuse fern zu halten.

»Warum?« Seine Stimme wurde etwas lauter. *»Ein Weib aber, das da betet oder weissagt mit unbedecktem Haupt, die schändet ihr Haupt; denn es ist ebenso viel, als wäre sie geschoren.«*

»Oh, sind wir wieder bei Paulus?«, murmelte ich und richtete meine Aufmerksamkeit erneut auf seine Hand. »Kommt es Euch nicht so vor, dass der Mann einen ziemlichen Spleen hatte, was die Frauen angeht? Außerdem bete ich im Moment ja nicht, und ich will erst sehen, wie sich das hier über Nacht entwickelt, bevor ich diesbezüglich irgendwelche Weissagungen riskiere. Bis jetzt sieht es allerdings –«

»Euer Haar.« Als ich aufblickte, sah ich, dass er mich anstarrte und sich sein Mund missbilligend verzogen hatte. »Es ist …« Er deutete mit einer vagen Bewegung auf seinen eigenen, kurz geschorenen Kopf. »Es ist …«

Ich musterte ihn mit hochgezogenen Augenbrauen.

»Es ist wirklich viel«, endete er ziemlich lahm.

Ich betrachtete ihn einen Moment wortlos, dann legte ich seine Hand hin und griff nach der kleinen grünen Bibel, die auf dem Tisch lag.

»Korinther, nicht wahr? Hm, o ja, da ist es ja.« Ich richtete mich auf und las den Vers: *»Oder lehrt euch auch nicht die Natur, dass es einem Manne eine Unehre ist, so er das Haar lang wachsen lässt, und dem Weibe eine Ehre, so sie langes Haar hat? Das Haar ist ihr zur Decke gegeben.«* Ich schlug das Buch abrupt zu und legte es hin.

»Würdet Ihr gern auf die andere Flurseite gehen und meinem Mann erklären, was für eine Unehre *sein* Haar ist?«, fragte ich höflich. Jamie war zu

Bett gegangen; aus unserem Zimmer war schwaches, rhythmisches Schnarchen zu hören. »Oder geht Ihr davon aus, dass er das bereits weiß?«

Christie war bereits vom Fieber und vom Alkohol gerötet; bei diesen Worten überspülte ihn ein hässliches Dunkelrot von der Brust bis zum Haaransatz. Sein Mund bewegte sich und öffnete und schloss sich lautlos. Ich wartete nicht ab, bis er sich eine Erwiderung überlegte, sondern wandte mich einfach wieder seiner Hand zu.

»Also«, sagte ich bestimmt, »Ihr müsst die Hand regelmäßig bewegen, um zu verhindern, dass sich die Muskeln verkürzen, während sie heilen. Es wird anfangs schmerzhaft sein, aber Ihr müsst es tun. Kommt, ich zeige es Euch.«

Ich ergriff seinen Ringfinger knapp unterhalb des ersten Gelenkes und hielt den Finger gerade, während ich die Fingerspitze ein wenig nach innen beugte.

»Merkt Ihr das? Hier, macht es selbst. Benutzt Eure andere Hand zum Festhalten, und dann versucht, nur das eine Gelenk zu beugen. Ja. So ist es gut. Spürt Ihr das Ziehen durch Eure ganze Handfläche hindurch? Genau so muss es sein. Jetzt macht es mit dem kleinen Finger ... ja. Ja, das ist sehr gut!«

Ich blickte auf und lächelte ihn an. Seine Röte war ein wenig verblasst, doch er sah unverändert durch und durch verlegen aus. Er erwiderte das Lächeln nicht, sondern wandte hastig den Blick ab und senkte ihn auf seine Hand.

»Gut. Jetzt legt die Hand flach auf den Tisch – ja, genau so – und versucht, den Ringfinger und den kleinen Finger allein zu heben. Ja, ich weiß, dass das nicht einfach ist. Versucht es trotzdem weiter. Habt Ihr Hunger, Mr. Christie?«

Sein Magen hatte laut geknurrt und ihn genauso überrascht wie mich.

»Ich könnte wohl etwas essen«, murmelte er mürrisch und warf einen finsteren Blick auf seine unkooperative Hand.

»Ich hole Euch etwas. Macht noch eine Weile mit den Übungen weiter, ja?«

Das Haus war still; es hatte sich für die Nacht zur Ruhe begeben. Da es so warm war, hatten wir die Fensterläden offen gelassen, und es strömte so viel Mondlicht durch die Fenster, dass ich keine Kerze anzuzünden brauchte. Ein Schatten löste sich aus der Dunkelheit meines Behandlungszimmers und folgte mir durch den Flur zur Küche – Adso, der seine nächtliche Mäusejagd unterbrach, weil er auf leichtere Beute hoffte.

»Hallo, Kater«, sagte ich, als er an meinen Knöcheln vorbei in die Vorratskammer glitt. »Wenn du glaubst, dass du Schinken bekommst, bist du auf dem Holzweg. Ich könnte mich aber zu einem Schälchen Milch überreden lassen.« Der Milchkrug war aus weißem Ton mit einem blauen Streifen, ein bauchiger, heller Umriss, der in der Dunkelheit schwebte. Ich goss Milch auf eine Untertasse und stellte sie Adso auf den Boden, dann machte ich mich daran, ein leichtes Abendessen zusammenzustellen – wobei mir bewusst war, dass die schottische Vorstellung von einer leichten Mahlzeit genug Essen beinhaltete, um einem Pferd den Magen zu verderben.

»Schinken, kalte Bratkartoffeln, kalte Maispuffer, Brot und Butter«, betete ich vor mich hin, während ich alles auf ein großes Holztablett schaufelte. »Kaninchenklöße, eingelegte Tomaten, ein Stück Rosinenkuchen zum Nachtisch … was noch?« Ich lugte zu den leisen Schleckgeräuschen hinunter, die zu meinen Füßen aus dem Schatten kamen. »Ich würde ihm ja auch Milch geben, aber er würde sie nicht trinken. Nun, wir können wohl genauso gut weitermachen, wo wir angefangen haben; das wird ihm beim Einschlafen helfen.« Ich griff nach dem Whiskydekanter und stellte ihn ebenfalls auf das Tablett.

Ein schwacher Äthergeruch hing im dunklen Flur in der Luft, als ich wieder zur Treppe ging. Ich schnüffelte argwöhnisch – hatte Adso die Flasche umgekippt? Nein, dazu war der Geruch nicht kräftig genug, beschloss ich; nur ein paar verirrte Moleküle, die den Korken umschwebten.

Ich war voller Erleichterung und Bedauern zugleich, weil Mr. Christie sich geweigert hatte, mich den Äther benutzen zu lassen. Erleichterung, weil nicht zu sagen war, welche Wirkung er gehabt hätte – oder auch nicht. Bedauern, weil ich das Arsenal meiner Heilkunst gern um die Gabe der Bewusstlosigkeit erweitert hätte – eine kostbare Gabe für zukünftige Patienten, die ich Mr. Christie ebenfalls gern geschenkt hätte.

Abgesehen von der Tatsache, dass er während der Operation furchtbar gelitten hatte, war es um einiges schwieriger, einen Menschen zu operieren, der bei Bewusstsein war. Seine Muskeln waren angespannt, er schüttete massenweise Adrenalin aus, sein Herzschlag war massiv beschleunigt, so dass das Blut spritzte, anstatt zu fließen … Ich führte mir zum dutzendsten Mal seit heute Morgen vor Augen, was ich getan hatte, und fragte mich, ob ich es hätte besser machen können.

Zu meiner Überraschung war Christie beharrlich damit beschäftigt, seine Übungen zu machen; sein Gesicht war von einem Schweißfilm überzogen, und sein Mund war grimmig zusammengekniffen, doch er beugte immer noch hartnäckig seine Fingergelenke.

»Das ist sehr gut«, sagte ich. »Aber hört jetzt auf. Ich möchte nicht, dass es wieder anfängt zu bluten.« Ich griff automatisch nach der Serviette und tupfte ihm den Schweiß von den Schläfen.

»Ist hier noch jemand im Haus?«, fragte er und entzog mir gereizt seinen Kopf. »Ich habe Euch unten mit jemandem sprechen gehört.

»Oh«, sagte ich ziemlich verlegen. »Nein, nur der Kater.« Auf diese Vorstellung hin hüpfte Adso, der mir die Treppe hinauf gefolgt war, auf das Bett und knetete die Bettdecke mit den Tatzen. Seine großen grünen Augen strahlten gebannt auf den Teller mit dem Schinken.

Christie blickte zutiefst argwöhnisch von der Katze zu mir.

»Nein, Adso ist nicht mein Vertrauter«, erklärte ich schnippisch. Ich hob Adso auf und setzte ihn ohne Umschweife auf den Boden. »Er ist ein Kater. Mit ihm zu reden ist etwas weniger lächerlich als Selbstgespräche zu führen, das ist alles.«

Ein Ausdruck der Überraschung huschte über Christies Gesicht – vielleicht darüber, dass ich seine Gedanken gelesen hatte, oder einfach nur über meine Idiotie –, doch die argwöhnischen Falten rings um seine Augen entspannten sich.

Ich schnitt ihm rasch sein Essen klein, doch er bestand darauf, selbst zu essen. Er aß ungeschickt mit der linken Hand, den Blick auf den Teller gerichtet, die Stirn konzentriert gerunzelt.

Als er fertig war, trank er einen Becher Whisky, als wäre es Wasser, stellte den leeren Becher hin und sah mich an.

»Mistress Fraser«, sagte er und setzte seine Worte sehr präzise, »ich bin ein gebildeter Mann. Ich glaube nicht, dass Ihr eine Hexe seid.«

»Oh, nein?«, sagte ich belustigt. »Dann glaubt Ihr nicht an Hexen? Aber in der Bibel ist doch von Hexen die Rede.«

Er unterdrückte mit der Faust einen Rülpser und sah mich trübe an.

»Ich habe nicht gesagt, dass ich nicht an Hexen glaube. Ich glaube an sie. Ich habe gesagt, dass Ihr keine seid. Aye?«

»Es freut mich sehr, das zu hören«, erwiderte ich und gab mir Mühe, nicht zu lächeln. Er war völlig betrunken; obwohl er noch präziser sprach als sonst, kam jetzt sein Akzent durch. Normalerweise unterdrückte er seine Edinburgher Aussprache, doch jetzt wurde sie mit jeder Sekunde stärker.

»Noch einen Schluck?« Ich wartete keine Antwort ab, sondern goss ihm einen ordentlichen Schluck Whisky in den leeren Becher. Die Fensterläden standen offen, und im Zimmer war es kühl, doch der Schweiß glänzte trotzdem in seinen Halsfalten. Er hatte sichtlich Schmerzen, und es war unwahrscheinlich, dass er ohne Hilfe wieder einschlafen würde.

Diesmal nippte er daran und beobachtete über den Becherrand hinweg, wie ich die Überbleibsel seines Abendessens wegräumte. Trotz des Whiskys und seines vollen Magens wurde er zunehmend unruhig. Er rutschte unter dem Quilt mit den Beinen hin und her und zuckte mit den Schultern. Ich hatte den Eindruck, dass er den Nachttopf benutzen musste, und überlegte, ob ich ihm Hilfe dabei anbieten sollte oder einfach auf der Stelle gehen sollte, damit er selbst zurecht kam. Letzteres, dachte ich.

Doch ich war im Irrtum. Bevor ich mich verabschieden konnte, stellte er seinen Becher auf den Tisch und setzte sich im Bett gerade hin.

»Mistress Fraser«, sagte er und heftete sein wachsames Auge auf mich. »Ich möchte mich bei Euch entschuldigen.«

»Wofür denn?«, fragte ich verblüfft.

Er presste die Lippen fest zusammen.

»Für … mein Betragen heute Morgen.«

»Oh. Nun … es ist schon gut. Ich kann verstehen, dass Euch die Idee, in den Schlaf versetzt zu werden … sehr merkwürdig vorkommen muss.«

»Das habe ich nicht gemeint.« Er hob abrupt den Blick, dann senkte er ihn wieder. »Ich habe gemeint … dass ich … nicht stillhalten konnte.«

Ich sah, wie ihm die Röte erneut in die Wangen stieg, und spürte einen plötzlichen Stich überraschten Mitgefühls. Er war wirklich sehr verlegen.

Ich stellte das Tablett hin, setzte mich langsam auf den Hocker neben dem Bett und fragte mich, was ich wohl sagen könnte, das seine Gefühle beschwichtigen würde – und dabei die Dinge nicht verschlimmern würde.

»Aber, Mr. Christie«, sagte ich. »Ich würde von *niemandem* erwarten, dass er still sitzt, während seine Hand auseinander genommen wird. Das wäre – das wäre einfach nicht menschlich!«

Er warf mir einen raschen, brennenden Blick zu.

»Nicht einmal Euer Mann?«

Ich zwinkerte überrumpelt. Nicht so sehr von den Worten, als vielmehr von ihrem bitteren Tonfall. Roger hatte mir einiges von dem erzählt, was Kenny Lindsay über Ardsmuir gesagt hatte. Es war kein Geheimnis gewesen, dass Christie Jamie damals um seine Anführerposition beneidet hatte – doch was hatte das hiermit zu tun?

»Warum sagt Ihr das?«, fragte ich leise. Ich ergriff seine verletzte Hand, dem Anschein nach, um den Verband zu überprüfen – eigentlich aber, um ihm nicht in die Augen sehen zu müssen.

»Es ist doch wahr, aye? Die Hand Eures Mannes.« Sein bärtiges Kinn lugte mir streitlustig entgegen. »Er sagt, Ihr habt sie für ihn gerichtet. *Er* hat dabei nicht gezuckt und sich gewunden, oder?«

Nun, nein, das hatte er nicht. Jamie hatte gebetet, geflucht, geschwitzt, geweint – und ein- oder zweimal geschrien. Aber er hatte sich nicht bewegt.

Jamies Hand gehörte aber nicht zu den Dingen, über die ich mit Thomas Christie zu diskutieren bereit war.

»Jeder Mensch ist anders«, sagte ich und sah ihn so direkt an, wie es ging. »Ich würde nie erwarten –«

»Ihr würdet von keinem Mann erwarten, dass er sich so gut schlägt wie er. Aye, das weiß ich.«

Die dumpfe Röte brannte jetzt wieder in seinen Wangen, und er senkte den Blick auf seine verbundene Hand. Die Finger seiner gesunden Hand waren zur Faust geballt.

»Das habe ich nicht gemeint«, protestierte ich. »Ganz und gar nicht! Ich habe schon vielen Männern ihre Wunden genäht oder die Knochen gerichtet – die Highlander waren fast immer schrecklich tapfer dabei …« Den Bruchteil einer Sekunde zu spät wurde mir klar, dass Christie *kein* Highlander war.

Ein tiefes Grollen kam aus seiner Kehle.

»Highlander«, sagte er. »Hmp!« Sein Tonfall ließ keinen Zweifel daran, dass er gern auf den Boden gespuckt hätte, wenn er sich nicht in Gegenwart einer Dame befunden hätte.

»Barbaren?«, sagte ich als Reaktion auf diesen Ton. Er funkelte mich an, und ich sah, wie sich sein Mund verzog, als auch ihm verspätet etwas klar wurde. Er wandte den Blick ab und holte tief Luft – ich roch den Whiskyschwall, als er ausatmete.

»Euer Mann ... ist ... mit Sicherheit ein Gentleman. Er entstammt einer noblen Familie, auch wenn sie durch Verrat befleckt ist.« Die »r« in »Verrat« rollten wie Donner – er war wirklich völlig betrunken. »Aber er ist auch ... auch ...« Er runzelte die Stirn und suchte nach einem besseren Wort, dann gab er es auf. »Einer von ihnen. Das müsst Ihr als Engländerin doch wissen?«

»Einer von ihnen«, wiederholte ich schwach belustigt. »Meint Ihr ein Highlander oder ein Barbar?«

Der Blick, den er mir zuwarf, schwankte irgendwo zwischen Triumph und Verwunderung.

»Das ist doch dasselbe, oder?«

Ich fürchtete, dass er da Recht hatte. Mir waren zwar schon reiche, gebildete Highlander begegnet, wie Colum und Dougal MacKenzie – ganz zu schweigen von Jamies Großvater, dem verräterischen Lord Lovat, auf den sich Christie bezog –, doch das änderte nichts an der Tatsache, dass jeder einzelne von ihnen die Instinkte eines freibeuterischen Wikingers besaß. Genauso wie Jamie, wenn ich ehrlich war.

»Äh ... nun, sie ... haben einen Hang zum ...«, begann ich schwach. Ich rieb mir die Nase mit dem Finger. »Nun, sie werden zu Kämpfern erzogen, denke ich. Ist es das, was Ihr meint?«

Er seufzte tief und schüttelte schwach den Kopf, wobei ich den Eindruck hatte, dass dies kein Ausdruck des Widerspruchs war, sondern schlichter Widerwille dagegen, sich Gedanken über die Sitten und das Verhalten der Highlander zu machen.

Auch Mr. Christie war gebildet, der Sohn eines ambitionierten Kaufmanns aus Edinburgh. Als solcher strebte er – geradezu schmerzhaft – danach, ein Gentleman zu sein, würde aber offensichtlich nie einen anständigen Barbaren abgeben. Ich konnte verstehen, warum ihm die Highlander Rätsel aufgaben und ihm über die Hutschnur gingen. Was für ein Gefühl es wohl sein musste, fragte ich mich, sich im selben Gefängnis mit einer Horde ordinärer, für seine Verhältnisse gewalttätiger, großspuriger katholischer Barbaren wiederzufinden und wie einer von ihnen behandelt – oder misshandelt – zu werden?

Er hatte sich in sein Kissen gelehnt und Augen und Mund geschlossen. Ohne die Augen zu öffnen, fragte er plötzlich: »Wisst Ihr, dass Euer Mann Peitschennarben trägt?«

Ich öffnete den Mund, um schnippisch zu erwidern, dass ich seit fast dreißig Jahren mit Jamie *verheiratet* war – als mir klar wurde, dass diese Frage etwas über die Natur von Mr. Christies Vorstellungen von der Ehe verriet, über das ich lieber nicht allzu genau nachdachte.

»Ich weiß«, sagte ich stattdessen in aller Kürze mit einem Blick auf die offene Tür. »Warum?«

Christie öffnete die Augen, die etwas orientierungslos vor sich hinstarrten. Mit einiger Anstrengung richtete er sie auf mich.

»Wisst Ihr, warum?«, fragte er etwas gedehnt. »Was er getan hat?«

Ich spürte, wie mir um Jamies willen die Hitze in die Wangen stieg.

»In Ardsmuir«, sagte Christie und zeigte mit dem Finger auf mich. Er stocherte beinahe anklagend damit in der Luft herum. »Er hat ein Stück Tartanstoff getragen, aye? Verboten.«

»Aye?«, sagte ich automatisch, so verblüfft war ich. »Ich meine – aha?«

Christie drehte langsam den Kopf hin und her, so dass er wie eine große, betrunkene Eule aussah, deren funkelnde Augen vor sich hin starrten.

»Es war nicht seins«, sagte er. »Es gehörte einem Jungen.«

Er öffnete den Mund, um weiterzusprechen, doch zu seiner Überraschung kam nur ein leises Rülpsen heraus. Er schloss den Mund und blinzelte, dann versuchte er es noch einmal.

»Es war ein Akt außer ... außergewöhnlicher ... Selbstlosigkeit – und Tapferkeit.« Er sah mich an und schüttelte sacht den Kopf. »Nicht ... nicht zu ... begreifen.«

»Nicht zu begreifen? Wie er es angestellt hat, meint Ihr?« Ich wusste, wie, keine Frage; Jamie war so unverrückbar stur, dass er jeden Plan, den er fasste, auch zu Ende führte, ganz gleich, ob ihm die Hölle den Weg verstellte oder was immer ihm dabei zustieß. Aber *so* gut musste Christie ihn doch kennen.

»Nicht wie.« Christies Kopf wackelte ein wenig, und er richtete ihn mühsam wieder gerade. »Warum.«

»Warum?«, hätte ich gern geantwortet. *Weil er ein verflixter Held ist, darum; er kann nichts dafür* – aber das hätte nicht ganz der Wahrheit entsprochen. Außerdem wusste ich ja nicht, warum Jamie es getan hatte; er hatte es mir nicht erzählt, und ich fragte mich, wieso.

»Er würde alles tun, um einen seiner Männer zu beschützen«, sagte ich stattdessen.

Christies Blick war ziemlich glasig, aber immer noch wach; er fixierte mich einige Sekunden lang wortlos, und die Gedanken wanderten langsam hinter seinen Augen entlang. Im Flur ächzte eine Diele, und ich lauschte auf Jamies Atmung. Ja, ich konnte sie hören, leise und regelmäßig; er schlief noch.

»Hält er mich für einen ›seiner Männer‹?«, fragte Christie schließlich. Seine Stimme war leise, aber voller Unglauben und Entrüstung. »Denn das bin ich nicht, das versisch-versischer ich Euch!«

Ich begann zu glauben, dass jenes letzte Glas Whisky ein schwerer Fehler gewesen war.

»Nein«, sagte ich seufzend und unterdrückte das Bedürfnis, die Augen zu schließen und mir die Stirn zu reiben. »Ich bin sicher, dass er das nicht tut. Wenn Ihr das hier meint –«, ich wies kopfnickend auf die kleine Bibel, »so bin ich mir sicher, dass es reine Freundlichkeit gewesen ist. Das hätte er auch für jeden Fremden getan – Ihr doch ebenfalls, oder nicht?«

Er atmete eine Weile schwer und funkelte vor sich hin, dann nickte er einmal mit dem Kopf und legte sich zurück, als sei er erschöpft – wozu er auch allen Grund hatte. Die Streitlust war so plötzlich von ihm gewichen wie die Luft aus einem Ballon, und er sah irgendwie kleiner aus und arg verloren.

»Es tut mir Leid«, nuschelte er leise. Er hob die verbundene Hand ein kleines Stück und ließ sie wieder fallen.

Ich war mir nicht sicher, ob er sich für seine Bemerkungen über Jamie entschuldigte oder für das, was er als mangelnde Tapferkeit seinerseits bei der Operation heute Morgen betrachtete. Ich hielt es jedoch für klüger, nicht nachzufragen, erhob mich und strich mir das leinene Nachthemd glatt.

Ich zog die Bettdecke ein Stück höher und glättete sie, dann blies ich die Kerze aus. Er war nur noch ein dunkler Umriss auf dem Kissen, sein Atem langsam und heiser.

»Ihr habt Eure Sache gut gemacht«, flüsterte ich und legte ihm kurz die Hand auf die Schulter. »Gute Nacht, Mr. Christie.«

Mein privater Barbar schlief, erwachte jedoch wie eine Katze, als ich ins Bett kroch. Er streckte einen Arm aus und zog mich mit einem schläfrig-fragenden »Mmmm?« an sich.

Ich kuschelte mich an ihn, und in seiner Wärme begannen sich meine verspannten Muskeln automatisch zu lockern.

»Mmmm.«

»Ah. Und wie geht es dem alten Tom?« Er rückte ein Stück, und seine kräftigen Hände legten sich auf meinen Schultermuskel und kneteten die Knoten in meinem Nacken und meinen Schultern.

»Oh. Oh. Aufmüpfig, reizbar, arrogant und ziemlich betrunken. Ansonsten gut. Oh, ja. Mehr, bitte – etwas höher, oh, ja. Oooh.«

»Aye, das klingt nach Tom in seinen besten Zeiten – abgesehen von der Trunkenheit. Wenn du so stöhnst, Sassenach, wird er glauben, ich massiere dir etwas anderes als den Nacken.«

»Das interessiert mich nicht«, sagte ich und schloss die Augen, um die wunderbaren Empfindungen zu genießen, die an meiner Wirbelsäule entlangvibrierten. »Vorerst habe ich wirklich genug von Tom Christie. Außerdem ist er wahrscheinlich gar nicht mehr bei Bewusstsein, so viel, wie er getrunken hat.«

Dennoch zügelte ich meine hörbaren Reaktionen im Interesse meines ruhenden Patienten.

»Woher kommt eigentlich diese Bibel?«, fragte ich, obwohl die Antwort auf der Hand lag. Jenny musste sie aus Lallybroch geschickt haben; ihr letztes Paket war vor ein paar Tagen eingetroffen, als ich in Salem war.

Seufzend, so dass sein Atem mein Haar anhob, beantwortete Jamie die Frage, die ich eigentlich gestellt hatte.

»Ich habe mich ziemlich erschrocken, als ich sie unter den Büchern gefunden habe, die meine Schwester uns geschickt hat. Ich konnte mich nicht gleich entscheiden, was ich damit anfangen sollte, aye?«

Kein Wunder, dass er einen Schreck bekommen hatte.

»Hat sie gesagt, warum sie sie mitgeschickt hat?« Meine Schultern begannen, sich zu entspannen, und der Schmerz dazwischen ließ nach. Ich spürte, wie er hinter mir mit den Achseln zuckte.

»Sie hat sie zusammen mit ein paar anderen Büchern geschickt; sie sagt, sie hat den Dachboden aufgeräumt und dabei eine Bücherkiste gefunden, also hat sie beschlossen, sie mir zu schicken. Aber sie sagt auch, sie hat gehört, dass das Dorf Kildennie beschlossen hat, nach North Carolina auszuwandern; das sind alles MacGregors, weißt du?«

»Oh, ich verstehe.« Jamie hatte mir einmal erzählt, er hätte vor, eines Tages Alex MacGregors Mutter zu suchen, ihr seine Bibel zu geben und ihr zu sagen, dass ihr Sohn gerächt sei. In der Zeit nach Culloden hatte er Nachforschungen nach ihr angestellt, jedoch herausgefunden, dass beide MacGregor-Eltern tot waren. Nur seine Schwester hatte überlebt, und sie hatte geheiratet und war von zu Hause fortgegangen; niemand schien zu wissen, wo sie lebte oder ob sie überhaupt noch in Schottland war.

»Glaubst du, Jenny – oder vielmehr Ian – hat seine Schwester endlich gefunden? Und sie hat in diesem Dorf gelebt?«

Er zuckte erneut mit den Achseln, drückte mir noch einmal die Schultern und ließ sie los.

»Möglich. Du kennst doch Jenny; sie würde es mir überlassen, ob ich nach der Frau suchen will.«

»Und wirst du es tun?« Ich drehte mich zu ihm um. Alex MacGregor hatte sich lieber erhängt als Black Jack Randalls Beute zu sein. Jack Randall war tot, war in Culloden gestorben. Doch Jamies Erinnerungen an Culloden waren nur Bruchstücke; das Trauma der Schlacht und das darauf folgende Fieber hatten sie vertrieben. Er war verletzt erwacht, und Jack Randalls Leiche hatte über ihm gelegen – doch er konnte sich an nichts von dem, was passiert war, erinnern.

Und doch, so dachte ich, *war* Alex MacGregor gerächt – ob durch Jamies Hand oder nicht.

Er dachte kurz nach, und ich spürte die schwache Bewegung, als die beiden steifen Finger seiner rechten Hand auf seinen Oberschenkel klopften.

»Ich werde mich umhören«, sagte er schließlich. »Ihr Name war Mairi.«

»Ich verstehe«, sagte ich. »Nun, viel mehr als, oh… drei- oder vierhundert Frauen namens Mairi MacGregor kann es in North Carolina ja nicht geben.«

Das brachte ihn zum Lachen, und wir drifteten in den Schlaf, begleitet von Tom Christies sonorem Schnarchen auf der anderen Seite des Flurs.

Vielleicht Minuten, vielleicht Stunden später erwachte ich plötzlich und lauschte angespannt. Im Zimmer war es dunkel, das Kaminfeuer war erkaltet, und die Fensterläden klapperten schwach. Ich spannte mich sofort an und versuchte, so weit wach zu werden, dass ich aufstehen und nach meinem Patienten sehen konnte – hörte ihn dann aber, ein langes, pfeifendes Einatmen, gefolgt von einem dröhnenden Schnarchen.

Mir wurde klar, dass es nicht das war, was mich geweckt hatte. Es war die plötzliche Stille an meiner Seite. Jamie lag stocksteif neben mir und atmete kaum.

Ich streckte langsam die Hand aus, um ihn nicht mit meiner Berührung zu erschrecken, und legte sie auf sein Bein. Er hatte seit Monaten keine Albträume mehr gehabt, doch ich erkannte die Anzeichen.

»Was ist?«, flüsterte ich.

Er holte ein wenig tiefer Luft als sonst, und sein Körper schien sich ganz in sich zusammenzuziehen. Ich machte keine Bewegung, ließ meine Hand aber auf seinem Bein liegen. Ich fühlte, wie sich seine Muskeln kaum spürbar unter meinen Fingern anspannten, eine winzige Vorbereitung aufs Weglaufen.

Doch er ergriff nicht die Flucht. Er zuckte kurz und heftig mit den Schultern, dann atmete er aus und entspannte sich wieder. Eine Weile sagte er nichts, doch sein Gewicht zog mich an sich wie einen Mond, der von seinem Planeten angezogen wird. Ich lag still, meine Hand auf ihm, meine Hüfte an der seinen – Fleisch von seinem Fleisch.

Er starrte nach oben, in die Schatten zwischen den Deckenbalken. Ich konnte sein Profil als Linie sehen, und dann und wann schimmerten seine Augen auf, wenn er blinzelte.

»In der Dunkelheit…«, flüsterte er schließlich, »damals in Ardsmuir haben wir im Dunklen gelegen. Manchmal schien der Mond, oder die Sterne haben geleuchtet, aber selbst dann konnte man auf dem Boden, wo wir lagen, nichts erkennen. Es war einfach nur schwarz – aber hören konnte man.«

Die Atmung der vierzig Männer in der Zelle hören, das Rascheln ihrer Bewegungen. Schnarchen, Husten, die Geräusche unruhigen Schlafs – und die leisen, flüchtigen Geräusche derjenigen, die wach lagen.

»Oft sind Wochen vergangen, und wir haben keinen Gedanken daran verschwendet.« Jetzt fiel ihm das Sprechen leichter. »Wir hatten immer Hunger, haben immer gefroren. Müde bis auf die Knochen. In einer solchen Lage denkt man nicht viel nach, höchstens darüber, wie man einen Fuß vor den anderen setzt, den nächsten Stein hochhebt... Eigentlich *möchte* man nicht denken, verstehst du? Und es ist gar nicht so schwer, es nicht zu tun. Eine Zeit lang.«

Doch hin und wieder änderte sich etwas. Der Nebel der Erschöpfung hob sich unvermittelt und ohne Vorwarnung.

»Manchmal wussten wir, woran es lag – eine Geschichte, die jemand erzählt hatte, vielleicht, oder ein Brief, den jemand von seiner Frau oder Schwester bekommen hatte. Manchmal kam es aus dem Nichts; niemand sagte ein Wort, doch man wachte mitten in der Nacht davon auf, und es war wie der Geruch einer Frau, die neben einem lag.«

Erinnerungen, Sehnsucht... Not. Sie wurden zu Männern, die brannten – von der plötzlichen, schneidenden Erinnerung an ihren Verlust aus ihrer dumpfen Akzeptanz gerissen.

»Dann waren alle eine Zeit lang außer sich. Es wurde ununterbrochen gestritten. Und des Nachts, in der Dunkelheit...«

Des Nachts konnte man die Laute der Verzweiflung hören, unterdrücktes Schluchzen oder verstohlenes Rascheln. Manche der Männer streckten schließlich die Hände nach einem anderen aus – und wurden manchmal lautstark mit Fausthieben abgewiesen. Manchmal nicht.

Ich war mir nicht sicher, was er mir zu sagen versuchte oder was es mit Thomas Christie zu tun hatte. Oder vielleicht mit Lord John Grey.

»Hat irgendeiner von ihnen jemals... dich berührt?«, fragte ich zögernd.

»Nein. Keiner von ihnen wäre auch nur auf den Gedanken gekommen«, sagte er ganz leise. »Ich war ihr Anführer. Sie haben mich geliebt – aber sie wären nie darauf gekommen, mich zu berühren.«

Er holte tief und angestrengt Luft.

»Und hast du es dir gewünscht?«, flüsterte ich. Ich konnte spüren, wie mein Puls in meinen Fingerspitzen zu pochen begann, an seiner Haut.

»Ich habe danach gehungert«, sagte er so leise, dass ich ihn kaum hören konnte, obwohl ich so dicht bei ihm lag. »Mehr als nach Nahrung. Mehr als nach dem Schlaf – obwohl ich mir den Schlaf verzweifelt herbeigewünscht habe, und das nicht nur aus Müdigkeit. Denn im Schlaf habe ich manchmal dich gesehen. Aber es war keine Sehnsucht nach einer Frau – obwohl sie weiß Gott stark genug war. Es war nur – ich habe mir die Berührung einer Hand gewünscht. Nur das.«

Seine Haut hatte vor Sehnsucht so sehr geschmerzt, dass er das Gefühl hatte, sie müsste durchsichtig werden, so dass jeder das wunde Herz in seiner Brust sehen konnte.

Er stieß ein leises reumütiges Geräusch aus, nicht ganz ein Lachen.

»Du kennst doch diese Bilder vom Herzen Jesu – wie wir sie in Paris gesehen haben?«

Ich kannte sie – Renaissancegemälde, deren Farben auf den Buntglasfenstern von Notre Dame leuchteten. Der Schmerzensmann, dessen durchbohrtes Herz bloß lag und Liebe ausstrahlte.

»Daran musste ich denken. Und ich habe mir gedacht, wer auch immer diese Vision Unseres Herrn hatte, muss wahrscheinlich selbst sehr einsam gewesen sein, um es so gut zu verstehen.«

Ich hob die Hand und legte sie ganz leicht auf die kleine Mulde in der Mitte seiner Brust. Er hatte das Laken zurückgeschlagen, und seine Haut war kühl.

Er schloss seufzend die Augen und umfasste fest meine Hand.

»Dieser Gedanke ist mir manchmal gekommen, und dann dachte ich, ich wüsste, wie sich Jesus dort fühlen muss – so voller Sehnsucht, ohne dass ihn jemand berührt.«

25

Asche zu Asche

Jamie überprüfte noch einmal seine Satteltaschen, obwohl er das in letzter Zeit so oft getan hatte, dass diese Übung kaum noch mehr für ihn war als eine Angewohnheit. Doch er lächelte jedes Mal, wenn er die linke Tasche öffnete. Brianna hatte sie für ihn umgearbeitet und ihm Lederschlaufen hineingenäht, die seine Pistolen mit dem Kolben nach oben für den Notfall griffbereit hielten, sowie ein clevere Ansammlung von Fächern, die seinen Patronenbeutel enthielten, sein Pulverhorn, ein zusätzliches Messer, eine zusammengerollte Angelschnur, eine Rolle Garn zum Legen von Schlingen, Nähzeug, ein Esspaket, eine Flasche Bier und ein ordentlich zusammengerolltes sauberes Hemd.

An der Außenseite der Tasche hing ein kleiner Beutel, den sie voller Stolz »Erste-Hilfe-Ausrüstung« nannte, obwohl ihm nicht ganz klar war, wem die Hilfe gelten sollte. Er enthielt mehrere Gazepäckchen mit einem bitter duftenden Tee, eine Dose Salbe und mehrere Streifen ihres selbst klebenden Pflasters. Nichts davon schien im Fall eines vorhersehbaren Unglücks von irgendwelchem Nutzen zu sein, doch es schadete auch nicht.

Er entfernte das Stück Seife, das sie hinzugefügt hatte, gemeinsam mit einigem anderem unnötigem Tand, und versteckte das Ganze unter einem Eimer, damit sie nicht beleidigt war.

Gerade rechtzeitig; er hörte ihre Stimme, die dem armen Roger einen Vortrag darüber hielt, wie wichtig es war, genügend saubere Strümpfe einzupacken. Als sie um die Ecke des Heuschobers bogen, hatte er alles sicher verstaut.

»Fertig, *a charaid?*«

»Oh, aye.« Roger nickte, schlang sich die Satteltaschen von der Schulter und legte sie auf den Boden. Er wandte sich Brianna zu, die Jemmy auf dem Arm hatte, und gab ihr einen kurzen Kuss.

»Ich komme mit *dir*, Papa!«, rief Jem hoffnungsvoll.

»Diesmal nicht, Kumpel.«

»Will Indianer sehen!«

»Später vielleicht, wenn du größer bist.«

»Ich kann Indianersprache! Von Onkel Ian! Will mit!«

»Diesmal nicht«, sagte Brianna fest zu ihm, doch er hatte keine Lust zu hören und fing an zu treten, damit sie ihn auf den Boden stellte. Jamie stieß ein leises Grollen aus und sah ihn gebieterisch an.

»Du hast deine Eltern gehört«, sagte er. Jem funkelte ihn an und schob die Unterlippe vor, hörte aber auf, Theater zu machen.

»Irgendwann musst du mir verraten, wie du das machst«, sagte Roger mit einem Blick auf seinen Nachwuchs.

Jamie lachte und beugte sich zu Jemmy hinüber.

»Gib Opa einen Abschiedskuss, aye?«

Jemmy, der seine Enttäuschung großzügig abgelegt hatte, streckte die Ärmchen aus und legte sie ihm um den Hals. Er nahm Brianna den Kleinen ab, drückte ihn und gab ihm einen Kuss. Jem roch nach Porridge, Toast und Honig, ein kuschelig warmes Gewicht in seinen Armen.

»Sei ein lieber Junge und hör auf deine Mutter, aye? Und wenn du etwas größer bist, kannst du mitkommen. Komm und sag Clarence auf Wiedersehen; du kannst ihm die Worte sagen, die Onkel Ian dir beigebracht hat.« Mit etwas Glück würden es ja Worte sein, die für ein dreijähriges Kind geeignet waren. Ian hatte einen höchst verantwortungslosen Sinn für Humor.

Oder vielleicht, dachte er und grinste vor sich hin, *denke ich ja auch nur an ein paar Dinge, die ich Jennys Kindern – einschließlich Ian – auf Englisch beigebracht habe*.

Er hatte Rogers Pferd schon gesattelt und aufgezäumt, und Clarence, das Packmuli, war voll beladen. Brianna überprüfte Sattelgurt und Steigbügel, während Roger seine Satteltaschen über den Pferderücken schwang – mehr, um sich zu beschäftigen, als es nötig gewesen wäre. Sie hatte die Unterlippe zwischen die Zähne geklemmt und gab sich Mühe, keinen besorgten Eindruck zu machen, doch sie konnte niemandem etwas vorgaukeln.

Er hob Jem hoch, damit er dem Maultier die Nase streicheln konnte, und um seiner Tochter und ihrem Mann einen Moment unter vier Augen zu gewähren. Clarence war von der gutmütigen Sorte und ließ Jems heftiges Tätscheln und seine falsch ausgesprochenen Cherokee-Ausdrücke geduldig über sich ergehen. Doch als sich Jem auf seinem Arm in Gideons Richtung wandte, lehnte sich Jamie abrupt zurück.

»Nein, Junge, diesen hinterlistigen Kerl fasst du besser nicht an. Er beißt dir glatt die Hand ab.«

Gideon zuckte mit den Ohren und stampfte ungeduldig mit dem Huf. Der kräftige Hengst konnte es gar nicht abwarten, aufzubrechen und sich erneut an Jamies Ermordung zu versuchen.

»Warum behältst du dieses gemeingefährliche Vieh?«, fragte Brianna, als sie sah, wie Gideon seine Lippe kraus zog und voller Vorfreude seine gelben Zähne bleckte. Sie nahm ihm Jemmy ab und trat weit aus Gideons Reichweite heraus.

»Was, unseren Gideon? Oh, wir kommen schon zurecht. Außerdem ist er die Hälfte meiner Tauschware, Liebes.«

»Wirklich?« Sie warf dem großen Fuchs einen argwöhnischen Blick zu. »Bist du sicher, dass du keinen Krieg heraufbeschwörst, wenn du den Indianern so etwas gibst?«

»Oh, ich habe nicht vor, ihnen Gideon zu geben«, versicherte er ihr. »Zumindest nicht direkt.«

Gideon war ein übel gelauntes, eigensinniges Pferd mit einem eisernen Maul und dem dazu passenden Willen. Diese abstoßenden Eigenschaften schienen den Indianern höchst begehrenswert vorgekommen zu sein, genau wie seine kräftige Brust, seine Kondition und sein gut bemuskeltes Gebäude. Als ihm *Quiet Air*, der *Sachem* in einem der Dörfer, drei Hirschfelle im Austausch dafür angeboten hatte, seine gescheckte Stute von Gideon decken zu lassen, war Jamie mit einem Mal klar geworden, über was für ein Kapital er hier verfügte.

»Es ist ein Riesenglück, dass ich nie Zeit hatte, ihn zu kastrieren«, sagte er. Er klopfte Gideon vertraulich auf den Widerrist und wich automatisch aus, als der Hengst mit dem Kopf herumfuhr, um nach ihm zu schnappen. »Er verdient sich seinen Lebensunterhalt und mehr, wenn er die Indianerpferde deckt. Es ist das Einzige, worum ich ihn je gebeten habe, ohne dass er sich geweigert hätte.«

Brianna war von der Morgenkälte so rot wie eine Christrose; bei diesen Worten lachte sie jedoch und wurde noch röter.

»Was heißt kastrieren?«, erkundigte sich Jemmy.

»Das wird dir deine Mutter erklären.« Er grinste sie an, wuschelte mit der Hand durch Jemmys Haar und wandte sich Roger zu. »Fertig, Junge?«

Roger beugte sich aus dem Sattel, um Brianna ein letztes Mal zu küssen, dann waren sie unterwegs. Er hatte sich vorhin schon unter vier Augen – und gründlich – von Claire verabschiedet.

Sie stand im Fenster ihres Schlafzimmers, um ihnen im Vorbeireiten zuzuwinken, ihre Haarbürste in der Hand. Ihre Locken umstanden ihren Kopf in alle Richtungen, und die frühe Morgensonne fing sich darin wie Flammen in einem Dornbusch. Ihm wurde merkwürdig zumute, als er sie so ungeordnet sah, halb nackt in ihrem Hemd. Es war ein Gefühl heftigen

Verlangens, trotz der Dinge, die er vor nicht einmal einer Stunde mit ihr getan hatte. Und etwas, das beinahe Angst war, als könnte er sie nie wiedersehen.

Unwillkürlich blickte er auf seine linke Hand und sah den Geist der Narbe an der Wurzel seines Daumens. Das »C« war so verblichen, dass es kaum noch zu sehen war. Er hatte es seit Jahren nicht mehr bewusst wahrgenommen oder daran gedacht, und plötzlich hatte er das Gefühl, als reichte die Luft nicht zum Atmen.

Doch er winkte, und sie warf ihm lachend einen spöttischen Kuss zu. Himmel, er hatte seinen Abdruck auf *ihr* hinterlassen; er konnte den dunklen Flecken sehen, den er auf ihren Hals gedrückt hatte, und vor Verlegenheit stieg ihm die Röte ins Gesicht. Er bohrte Gideon die Fersen in die Flanken, woraufhin der Hengst missmutig quietschte und herumfuhr, um ihn ins Bein zu beißen.

Dadurch wurde er abgelenkt, bis sie das Haus hinter sich gelassen hatten. Er blickte nur noch einmal zurück, an der Wegmündung, und sah sie immer noch dort stehen, vom Licht umrahmt. Sie hob die Hand, als wollte sie ihn segnen, und dann verschwand sie hinter den Bäumen.

Das Wetter war schön, wenn auch kalt, so früh, wie es noch im Herbst war; der Atem der Pferde dampfte, als sie von Fraser's Ridge hinunter durch die winzige Siedlung ritten, die die Leute jetzt Cooperville nannten, und sich dann Richtung Norden dem Great Buffalo Trail anschlossen. Er behielt den Himmel stets im Blick; es war viel zu früh für Schnee, aber schwere Regenfälle waren nichts Ungewöhnliches. Doch die wenigen Wolken waren Zirruswolken; kein Grund zur Sorge.

Sie redeten nicht viel, denn sie waren beide allein mit ihren Gedanken. Roger Mac war normalerweise ein angenehmer Begleiter. Doch ihm fehlte Ian; er hätte sich gern mit ihm darüber unterhalten, wie die Dinge jetzt mit Tsisqua standen. Ian verstand die Gedanken der Indianer besser als die meisten Weißen. Jamie hatte zwar keine Schwierigkeiten damit, *Birds* Geste, ihm die Gebeine des Eremiten zu schicken, zu verstehen – es sollte der Beweis seines fortgesetzten guten Willens gegenüber den Siedlern sein, falls der König ihm Gewehre schickte –, doch Ians Meinung wäre ihm viel wert gewesen.

Und um der Zukunft willen war es zwar notwendig, Roger Mac in den Dörfern vorzustellen… aber er wurde rot bei dem Gedanken, dem Mann erklären zu müssen, was…

Dieser verflixte Ian. Der Junge war einfach vor ein paar Tagen in der Nacht gegangen, er und sein Hund. Es war nicht das erste Mal, und er würde gewiss genauso plötzlich, wie er verschwunden war, wieder auftauchen. Welche Dunkelheit ihn auch immer aus dem Norden zurückgebracht hatte, dann und wann wurde sie zu viel für ihn, und er verschwand im Wald, um schließlich schweigend und in sich gekehrt, aber friedvoller zurückzukehren.

Jamie verstand ihn sehr gut; das Alleinsein war auf seine eigene Weise ein Balsam gegen die Einsamkeit. Und gegen die Erinnerung, vor der der Junge im Wald flüchtete – oder die er dort suchte…

Hat er dir je von ihnen erzählt?, hatte Claire ihn sorgenvoll gefragt. *Seiner Frau, seinem Kind?*

Nein. Ian erzählte nicht das Geringste von seiner Zeit bei den Mohawk. Das Einzige, was er aus dem Norden mitgebracht hatte, war eine Armbinde aus blauen und weißen Wampum-Muscheln. Jamie hatte sie einmal in Ians Sporran erspäht, aber nicht genug gesehen, um das Muster zu erkennen.

»Der selige Michael beschütze dich, Junge, und mögen dich die Engel heilen«, dachte er an Ian gewandt.

So kam es, dass er kein wirkliches Gespräch mit Roger Mac führte, bis sie anhielten, um zu Mittag zu essen. Mit Genuss aßen sie die frisch zubereiteten Dinge, die die Frauen ihnen mitgegeben hatten. Es blieb genug für das Abendessen übrig; vom nächsten Tag an gab es nur noch Maisküchlein und alles, was ihren Weg kreuzte und sich leicht fangen und braten ließ. Dann noch ein Tag, und die *Snowbird*-Frauen würden sie als Vertreter des Königs von England auch königlich verpflegen.

»Letztes Mal gab es gefüllte Ente mit Yamswurzeln und Mais«, berichtete er Roger. »Wenn man Gast ist, gehört es sich, so viel zu essen, wie man kann, ganz gleich, was es gibt.«

»Verstehe.« Roger lächelte schwach, dann sah er das halb gegessene Wurstbrötchen in seiner Hand an. »Das mit den Gästen, meine ich. Ich glaube, wir haben ein kleines Problem – mit Hiram Crombie.«

»Hiram?« Jamie war überrascht. »Was ist denn mit Hiram?«

Rogers Mund zuckte; er war unsicher, ob er lachen sollte oder nicht.

»Nun, es ist nur – du weißt doch, dass alle das Skelett, das wir beerdigt haben, ›Ephraim‹ nennen, aye? Es ist ganz allein Briannas Schuld, aber so ist es nun einmal.«

Jamie nickte neugierig.

»Nun gut. Gestern ist Hiram zu mir gekommen und hat gesagt, er hätte über die Angelegenheit nachgedacht – im Gebet und so – und sei zu dem Schluss gelangt, dass, wenn es wahr sei, dass einige der Indianer Verwandte seiner Frau seien, es doch nur auf der Hand läge, dass einige von ihnen gerettet werden müssten.«

»Oh, aye?« Auch in seiner Brust regte sich Belustigung.

»Ja. Und deshalb, so sagt er, fühlt er sich berufen, diesen ahnungslosen Wilden das Wort Christi zu überbringen. Denn wie sollten sie es sonst hören?«

Jamie rieb sich die Oberlippe. Er war jetzt hin- und hergerissen zwischen

Belustigung und Bestürzung bei der Vorstellung, dass Hiram Crombie mit dem Psalmbuch in der Hand in die Dörfer der Cherokee eindrang.

»Mmpfm. Nun, aber ... glaubt ihr – Presbyterianer – nicht, dass alles vorherbestimmt ist? Dass die einen gerettet werden, meine ich, und sich nichts daran ändern lässt? Weshalb die Papisten demzufolge allesamt zur Hölle fahren werden?«

»Äh ... nun ja ...« Roger zögerte, denn er hatte offensichtlich nicht vor, es ganz so drastisch zu formulieren. »Mmpfm. Da gibt es unter den Presbyterianern einige Meinungsverschiedenheiten. Aber, ja, das ist es, was Hiram und Konsorten glauben.«

»Aye. Nun denn, wenn er glaubt, dass einige der Indianer bereits gerettet sind, warum muss man zu ihnen predigen?«

Roger rieb sich die Stelle zwischen den Augen.

»Nun, verstehst du, aus demselben Grund, warum Presbyterianer beten und zur Kirche gehen und all das. Selbst als Gerettete wollen sie Gott dafür preisen und – und lernen, sich zu bessern und so zu leben, wie Gott es von ihnen wünscht. Aus Dankbarkeit für ihre Errettung, aye?«

»Ich glaube, Hiram Crombies Gott wäre von der Lebensweise der Indianer nicht begeistert«, sagte Jamie und erinnerte sich lebhaft an nackte Frauenkörper im Zwielicht der glühenden Holzkohlen und dem Geruch der Felle.

»Wohl kaum«, sagte Roger und traf Claires trockenen Tonfall so genau, dass Jamie lachte.

»Aye, ich sehe das Problem«, sagte er, und so war es auch, obwohl er es immer noch zum Lachen fand. »Also hat Hiram vor, die Cherokee-Dörfer aufzusuchen und zu predigen? Ist es das?«

Roger nickte und schluckte seine Wurst herunter.

»Um genau zu sein, möchte er, dass du ihn dorthin mitnimmst. Und ihn vorstellst. Er erwartet nicht von dir, dass du die Predigten übersetzt, sagt er.«

»Grundgütiger.« Er malte sich diese Vorstellung einen Moment lang aus, dann schüttelte er entschlossen den Kopf. »Nein.«

»Natürlich nicht.« Roger entkorkte eine Bierflasche und bot sie ihm an. »Ich dachte nur, ich sage es dir, damit du dir überlegen kannst, was du am besten zu ihm sagst, wenn er dich fragt.«

»Sehr vorausschauend von dir«, sagte Jamie. Er nahm die Flasche und trank in tiefen Zügen.

Dann ließ er sie sinken, holte tief Luft – und erstarrte. Er sah, wie Roger Mac scharf den Kopf wandte, und wusste, dass er es ebenfalls inmitten des kalten Windes aufgefangen hatte.

Roger Mac wandte sich wieder zu ihm um, die schwarzen Augenbrauen zusammengezogen.

»Riechst du Brandgeruch?«, sagte er.

Roger hörte sie zuerst; ein wilder Chor von krächzenden Rufen, schrill wie Hexen. Dann Flügelknattern, als sie in Sicht kamen und die Vögel aufflogen, Krähen zum Großteil, aber hier und dort auch ein riesiger schwarzer Rabe.

»Oh, Gott«, sagte er leise.

Zwei Tote hingen an einem Baum neben dem Haus. Das, was von ihnen übrig war. Er konnte erkennen, dass es ein Mann und eine Frau waren, aber nur an ihren Kleidern. Jemand hatte dem Mann ein Stück Papier ans Bein geheftet, das so zerknittert und fleckig war, dass er es nur deshalb sah, weil ein Rand im Wind flatterte.

Jamie riss es ab, faltete es so weit auseinander, dass er es lesen konnte, und warf es zu Boden. »Tod den Regulatoren«, stand dort; er sah die hingekritzelten Worte eine Sekunde bevor der Wind den Zettel fortwehte.

»Wo sind die Kinder?«, fragte Jamie und wandte sich abrupt zu ihm um. »Diese Leute haben Kinder. Wo sind sie?«

Die Asche war kalt und wurde bereits vom Wind verstreut, doch der Brandgeruch erfüllte ihn, verstopfte seine Atemwege und versengte ihm die Kehle, so dass die Worte wie Kies knirschten, bedeutungslos wie das Schaben von Steinchen unter seinen Füßen. Er versuchte zu sprechen, räusperte sich und spuckte auf den Boden.

»Versteckt vielleicht«, rasselte er und streckte den Arm in Richtung des Waldes aus.

»Aye, vielleicht.« Jamie stand abrupt auf und rief in den Wald hinein. Ohne eine Antwort abzuwarten, ging er auf die Bäume zu und wiederholte seinen Ruf.

Roger folgte ihm, bog ab, als sie den Waldrand erreichten und stieg hinter dem Haus bergauf. Sie riefen beruhigende Worte, die ohne Ausnahme von der Stille des Waldes verschluckt wurden.

Er stolperte schwitzend und keuchend zwischen den Bäumen hindurch, ohne beim Rufen den Schmerz in seinem Hals zu beachten, und blieb gerade eben lange genug stehen, um zu hören, ob jemand antwortete. Mehrmals sah er aus dem Augenwinkel eine Bewegung und drehte sich danach um, sah aber nur den Wind durch trocknendes Schilf oder eine hängende Kletterpflanze fegen, die schwankte, als sei jemand hindurchgegangen.

Er bildete sich halb ein, er sähe Jem beim Versteckspiel, und das Bild eines davonhuschenden Fußes, eines kleinen, in der Sonne schimmernden Kopfes verlieh ihm die Kraft, noch einmal zu rufen und noch einmal. Schließlich jedoch musste er sich eingestehen, dass die Kinder niemals so weit gerannt wären, und er machte wieder in Richtung der Blockhütte kehrt. Dabei rief er nach wie vor heiser und erstickt krächzend nach den Kindern.

Als er zurück auf den Hof trat, sah er, wie sich Jamie nach einem Stein bückte, den er mit aller Kraft nach einem Rabenpärchen warf, das sich auf dem Galgenbaum niedergelassen hatte und sich mit leuchtenden Augen wieder auf dessen Bürde zuschlich. Die Raben krächzten und flatterten davon – allerdings nur bis zum nächsten Baum, wo sie abwartend sitzen blieben.

Der Tag war kalt, aber sie waren beide in Schweiß gebadet, und das Haar hing ihnen feucht im Nacken. Jamie wischte sich schwer atmend mit dem Ärmel über das Gesicht.

»Wie – wie viele Kinder?« Er war selbst kurzatmig, seine Kehle so wund, dass die Worte kaum ein Flüstern waren.

»Mindestens drei.« Jamie hustete und spuckte aus. »Das älteste vielleicht zwölf.« Eine Minute stand er da und betrachtete die Toten. Dann bekreuzigte er sich und zog seinen Dolch, um sie herunterzuschneiden.

Sie hatten kein Werkzeug zum Graben; das Beste, was sie zuwege brachten, war eine breite Mulde im zerfallenden Laub des Waldes und ein flacher Steinhügel, den Raben zum Trotz und um des Anstands willen.

»Waren sie Regulatoren?«, fragte Roger und hielt inne, um sich das Gesicht am Ärmel abzuwischen.

»Aye, aber ...« Jamies Stimme verstummte. »Das hier hat nichts damit zu tun.« Er schüttelte den Kopf und wandte sich ab, um noch mehr Steine zu sammeln.

Zuerst dachte Roger, es *wäre* ein Stein, halb verborgen unter den Blättern, die gegen die verkohlte Hüttenwand geweht waren. Er berührte es, und es bewegte sich. Er war mit einem Schrei auf den Beinen, der den Krähen alle Ehre gemacht hätte.

Jamie war in Sekundenschnelle bei ihm, um ihm zu helfen, als er das kleine Mädchen aus dem Laub und den Holzresten ausgrub.

»Schht, *a muirninn*, schht«, sagte Jamie drängend, obwohl das Kind gar nicht weinte. Sie war etwa acht; ihre Kleider und Haare waren verbrannt und ihre Haut so schwarz und aufgesprungen, dass sie tatsächlich aus Stein hätte sein können, wären ihre Augen nicht gewesen.

»O Gott, o Gott.« Roger sagte es ununterbrochen vor sich hin, auch als schon lange klar war, dass, wenn es ein Gebet war, die Zeit für seine Erhörung lange vorbei war.

Er wiegte sie an seiner Brust, und ihre Augen öffneten sich bis zur Hälfte und betrachteten ihn ohne jede Erleichterung oder Neugier – nur mit schicksalsergebener Ruhe.

Jamie hatte Wasser aus seiner Feldflasche auf sein Taschentuch geschüttet und schob ihr die Spitze zwischen die Lippen, um sie anzufeuchten, und Roger sah die automatische Bewegung ihrer Kehle, als sie daran sog.

»Es wird alles gut«, flüsterte Roger ihr zu. »Ist schon gut, *a leannan.*«

»Wer ist das gewesen, *a nighean*?«, fragte Jamie genauso sanft. Roger sah, dass sie ihn verstand; die Frage versetzte die Oberfläche ihrer Augen in Bewegung wie Wind einen Teich – doch dann zog es vorbei, und es kehrte wieder Ruhe ein. Sie sagte nichts, ganz gleich, welche Fragen sie stellten, sah die Männer nur unbeteiligt an und nuckelte verträumt an dem feuchten Tüchlein.

»Bist du getauft, *a leannan?*«, fragte Jamie sie schließlich, und die Frage versetzte Roger einen heftigen Ruck. Er war so vom Donner gerührt, sie gefunden zu haben, dass er ihren Zustand gar nicht richtig zur Kenntnis genommen hatte.

»Elle ne vais pas vivre«, sagte Jamie leise und sah Roger direkt an. Sie überlebt es nicht.

Sein erster Instinkt war, es heftig zu verleugnen. Natürlich überlebte sie es; sie musste überleben. Doch große Flächen ihrer Haut fehlten, das rohe Fleisch war verkrustet, nässte aber noch. Er konnte die weiße Kante eines Knieknochens sehen, konnte buchstäblich ihr Herz schlagen sehen, eine rötliche, durchscheinende Wölbung, die unter ihrem Brustkorb pulsierte. Sie war so leicht wie ein Stoffpüppchen, und ihm wurde schmerzlich bewusst, dass sie in seinen Armen zu schweben schien wie eine Ölschicht auf Wasser.

»Hast du Schmerzen, Schätzchen?«, fragte er sie.

»Mama?«, flüsterte sie. Dann schloss sie die Augen und war nicht mehr dazu zu bewegen, etwas zu sagen. Nur dann und wann flüsterte sie: »Mama?«

Zuerst hatte er gedacht, sie würden sie zurück nach Fraser's Ridge bringen, zu Claire. Doch es war zu weit; sie würde es nicht überleben. Es war unmöglich.

Er schluckte, und die Vorstellung schloss sich um seine Kehle wie eine Schlinge. Er richtete den Blick auf Jamie und sah die schmerzhafte Bestätigung in seinen Augen. Jamie schluckte ebenfalls.

»Kennst du … ihren Namen?« Roger konnte kaum atmen und zwang die Worte heraus. Jamie schüttelte den Kopf, dann sammelte er sich und zog die Schultern hoch.

Sie hatte aufgehört zu nuckeln, murmelte aber hin und wieder: »Mama?« Jamie nahm ihr das Taschentuch von den Lippen und drückte ihr ein paar Tropfen auf die geschwärzte Stirn, während er die Worte der Taufe flüsterte.

Dann sahen sie einander an, gestanden sich ein, dass es nicht anders ging. Jamie war blass, und Schweißperlen standen zwischen den roten Bartstoppeln auf seiner Oberlippe. Er holte tief Luft, nahm seine Kraft zusammen und hielt Roger die Hände entgegen.

»Nein«, sagte Roger leise. »Ich tue es.« Sie war sein; er konnte sie genauso wenig jemand anderem überlassen wie er sich einen Arm ausreißen konnte. Er griff nach dem Taschentuch, und Jamie drückte es ihm in die Hand, rußfleckig und feucht.

So etwas hätte er nie gedacht, und auch jetzt konnte er nicht denken. Er brauchte es auch nicht; ohne Zögern schmiegte er sie an sich und legte ihr das Taschentuch über Nase und Mund, dann drückte er seine Hand fest über das Tuch und spürte ihre kleine Nase zwischen Daumen und Zeigefinger stecken.

Über ihnen im Laub regte sich der Wind, und ein goldener Regen fiel auf sie, flüsterte auf seiner Haut, strich ihm kühl über das Gesicht. Ihr war sicher kalt, dachte er, und er hätte sie gern zugedeckt, aber er hatte keine Hand frei.

Seinen anderen Arm hatte er um sie gelegt, und die Hand ruhte auf ihrer Brust; er konnte das winzige Herz unter seinen Fingern spüren. Es hüpfte, schlug rasend, setzte aus, schlug noch zweimal ... und hörte auf. Es erbebte kurz; er konnte spüren, wie es versuchte, die Kraft für einen letzten Schlag zu finden, und für eine Sekunde malte sich Roger aus, dass ihm das nicht nur gelingen würde, sondern dass es sich auch seinen Weg durch die zerbrechliche Wand ihrer Brust in seine Hand bahnen würde, weil es so sehr leben wollte.

Doch der Augenblick verstrich, und die Illusion verschwand, und große Stille kam. In der Nähe rief ein Rabe.

Sie hatten das Begräbnis beinahe vollendet, als der Klang von Hufen und klingelndem Zaumzeug Besuch ankündigte – eine Menge Besuch.

Roger sah Jamie an, bereit, sich in den Wald davonzumachen, doch sein Schwiegervater schüttelte den Kopf und beantwortete so seine unausgesprochene Frage.

»Nein, sie würden nicht zurückkommen. Wozu?« Sein trostloser Blick überflog die qualmende Ruine der Siedlungsstelle, den zertrampelten Hof und die flachen Grabhügel. Das kleine Mädchen lag noch immer da, mit Rogers Umhang bedeckt. Er hatte es noch nicht ertragen können, sie in die Erde zu senken; zu kurz war es her, dass er sie lebend im Arm gehalten hatte.

Jamie richtete sich auf und dehnte seinen Rücken. Roger beobachtete, wie er sich mit einem Blick davon überzeugte, dass sein Gewehr griffbereit war. Es lehnte an einem Baumstamm. Dann stützte er sich auf das Brett, das er als Schaufel benutzt hatte, und wartete.

Der erste Reiter kam aus dem Wald; sein Pferd schnaubte und schüttelte den Kopf, als es den Brandgeruch einatmete. Der Reiter wendete es geschickt und trieb es näher heran, dann beugte er sich vor, um zu sehen, wer sie waren.

»Ihr seid das also, Fraser, wie?« Richard Browns faltiges Gesicht stellte jovialen Grimm zur Schau. Er warf einen Blick auf die verkohlten, rauchenden Holzreste, dann auf seine Kameraden. »Dachte ich mir doch, dass Ihr Euer Geld nicht nur mit dem Whiskyverkauf verdient.«

Die Männer – Roger zählte sechs Mann – rutschten im Sattel hin und her und prusteten vor Lachen.

»Zeigt etwas Respekt vor den Toten, Brown.« Jamie wies kopfnickend auf die Gräber, und Browns Gesicht verhärtete sich. Er richtete den Blick abrupt auf Jamie, dann auf Roger.

»Nur Ihr beide, wie? Was macht Ihr hier?«

»Gräber ausheben«, sagte Roger. Seine Handflächen waren voller Blasen; er rieb sich langsam mit der Hand über die Hose. »Was macht *Ihr* hier?«

Brown richtete sich abrupt im Sattel auf, doch es war sein Bruder Lionel, der die Frage beantwortete.

»Wir kommen aus Owenawisgu«, sagte er und wies mit einem Ruck seines Kopfes auf die Pferde. Roger folgte seinem Blick und sah, dass sie vier Packpferde dabeihatten, die mit Fellen beladen waren, und dass mehrere der anderen Pferde voll bepackte Satteltaschen trugen. »Wir haben das Feuer gerochen und wollten nachsehen.« Er senkte den Blick auf die Gräber. »Tige O'Brian, nicht wahr?«

Jamie nickte.

»Kanntet Ihr sie?«

Richard Brown zuckte mit den Schultern.

»Aye. Es liegt am Weg nach Owenawisgu. Ich habe ein paar Mal hier Halt gemacht und mit ihnen zusammen gegessen.« Erst jetzt zog er seinen Hut und klebte sich mit der flachen Hand die Haarsträhnen auf den kahlen Schädel. »Gott sei mit ihnen.«

»Wer hat ihnen denn das Dach über dem Kopf angesteckt, wenn Ihr es nicht wart?«, rief einer der jüngeren Männer aus der Gruppe. Der Mann, seinen schmalen Schultern und seinem breiten Kinn nach ein Mitglied der Familie Brown, grinste völlig unpassend, weil er offensichtlich glaubte, einen Witz gemacht zu haben.

Das angesengte Papierstück kam mit dem Wind geflogen; es flatterte zu Rogers Füßen gegen einen Stein. Er hob es auf, trat einen Schritt vor und klatschte es Lionel Brown vor den Sattel.

»Sagt Euch das etwas?«, fragte er. »Es war an O'Brians Leiche geheftet.« Er klang aufgebracht und war sich dessen bewusst, doch es kümmerte ihn nicht. Sein Hals schmerzte, und seine Stimme kam als ersticktes Rasseln heraus.

Lionel Brown betrachtete das Blatt mit hochgezogenen Augenbrauen, dann reichte er es seinem Bruder.

»Nein. Das habt Ihr doch selbst geschrieben, oder?«

»Was?« Er starrte zu dem Mann hinauf, und der Wind zwang ihn zu blinzeln.

»Indianer«, sagte Lionel Brown und deutete auf das Haus. »Das waren Indianer.«

»Oh, aye?« Roger konnte die Untertöne in Jamies Stimme hören – Zweifel, Argwohn und Wut. »Was für Indianer? Die, denen Ihr die Felle abgekauft habt? Sie haben es Euch bestimmt erzählt, oder?«

»Sei kein Dummkopf, Nelly.« Richard Brown sprach mit leiser Stimme, doch sein Bruder zuckte bei ihrem Klang zusammen. Brown trieb sein Pferd näher heran. Jamie wich nicht von der Stelle, doch Roger sah, wie er das Brett fester umfasste.

»Haben sie die ganze Familie erwischt?«, fragte er und warf einen Blick auf die Kinderleiche unter dem Umhang.

»Nein«, sagte Jamie. »Die beiden größeren Kinder haben wir nicht gefunden. Nur das kleine Mädchen.«

»Indianer«, wiederholte Lionel Brown stur hinter seinem Bruder. »Sie haben sie mitgenommen.«

Jamie holte tief Luft und hustete vom Rauch.

»Aye«, sagte er. »Dann werde ich mich in den Dörfern umhören.«

»Ihr werdet sie nicht finden«, prophezeite Richard Brown. Er zerknüllte den Zettel, indem er plötzlich eine Faust machte. »Wenn Indianer sie mitgenommen haben, werden sie sie nicht in der Nähe behalten. Sie werden sie weiterverkaufen, nach Kentucky.«

Unter den Männern ertönte zustimmendes Gemurmel, und Roger spürte, wie der Funke, der schon den ganzen Nachmittag in seiner Brust glomm, explodierte.

»Das hat kein Indianer geschrieben«, fuhr er Brown an und wies mit dem Daumen auf dessen Hand. »Und wenn es Rache an O'Brian war, weil er ein Regulator war, dann hätte derjenige die Kinder nicht mitgenommen.«

Brown kniff die Augen zusammen und fixierte ihn lange. Roger spürte, wie Jamie zur Vorbereitung leicht sein Gewicht verlagerte.

»Nein«, sagte Brown leise. »Das hätte er nicht. Deswegen ist Nelly ja auf die Idee gekommen, dass Ihr es selbst geschrieben habt. Sagen wir, Indianer waren hier und haben die Kleinen entführt, aber dann kommt Ihr daher und beschließt mitzunehmen, was noch übrig ist. Also habt Ihr die Hütte angezündet, O'Brian und seine Frau gehängt, ihnen den Zettel angeheftet, und fertig. Was sagt Ihr zu dieser Überlegung, Mr. MacKenzie?«

»Ich würde fragen, woher Ihr wisst, dass sie gehängt wurden, Mr. Brown.«

Browns Gesicht verkrampfte sich, und erst als er Jamies warnende Hand auf seinem Arm spürte, merkte er, dass er die Hände zu Fäusten geballt hatte.

»Die Stricke, *a charaid*«, sagte Jamie, und seine Stimme war sehr ruhig. Die Worte drangen dumpf zu ihm durch, und er sah sich um. Es stimmte, die Stricke, die sie von den Toten abgeschnitten hatten, lagen neben dem Baum auf dem Boden. Jamie sprach immer noch, seine Stimme war immer noch ruhig, doch Roger konnte die Worte nicht hören. Der Wind betäubte ihn, und in seinem Heulen hörte er das unregelmäßige, leise Schlagen eines Herzens. Möglich, dass es seins war – oder das ihre.

»Herunter von dem Pferd«, sagte er, oder er dachte es zumindest. Der Wind wehte ihm dem Ruß ins Gesicht, und die Worte blieben ihm im Hals stecken. Sein ganzer Mund schmeckte nach saurer Asche; er hustete und spuckte, und seine Augen tränten.

Er wurde sich vage bewusst, dass sein Arm schmerzte, und die Welt war nicht länger verschwommen. Die jungen Männer starrten ihn an, ihre Mienen reichten von hämischem Grinsen bis zum blanken Argwohn. Richard Brown und sein Bruder vermieden es geflissentlich, ihn anzusehen, und richteten ihre Blicke stattdessen auf Jamie – der nach wie vor seinen Arm festhielt.

Mühsam schüttelte er Jamies Hand ab und nickte seinem Schwiegervater kaum merklich zu, um ihm zu versichern, dass er nicht Amok laufen würde – obwohl sein Herz wild hämmerte und er die Schlinge so fest um seinen Hals spürte, dass er nichts hätte sagen können, selbst wenn ihm etwas eingefallen wäre.

»Wir helfen Euch.« Brown wies mit dem Kinn auf die Kinderleiche auf dem Boden und machte sich daran, ein Bein über den Sattel zu schwingen, aber Jamie gebot ihm mit einer kleinen Geste Einhalt.

»Nein, wir kommen schon zurecht.«

Brown erstarrte in seiner peinlichen Position, halb im Sattel, halb im Steigbügel. Seine Lippen wurden schmal, und er zog sich wieder in den Sattel, wendete das Pferd und ritt ohne ein Wort des Abschieds davon. Die anderen folgten ihm und sahen sich im Davonreiten neugierig um.

»Sie waren es nicht.« Jamie hatte nach seinem Gewehr gegriffen und richtete den Blick auf den Wald, in dem der letzte der Männer jetzt verschwunden war. »Aber sie wissen mehr darüber, als sie sagen.«

Roger nickte wortlos. Er ging zielstrebig auf den Galgenbaum zu, trat die Stricke beiseite und rammte seine Faust in den Stamm, zweimal, dreimal. Stand keuchend da, die Stirn gegen die raue Rinde gepresst. Der Schmerz seiner wunden Fingerknöchel half ein wenig.

Eine Kolonne winziger Ameisen hastete in Reih und Glied zwischen den Rindenplatten aufwärts, einer wichtigen Mission entgegen, die ihre ganze Aufmerksamkeit in Anspruch nahm. Er beobachtete sie ein Weilchen, bis er wieder schlucken konnte. Dann richtete er sich auf und machte sich daran, das Kind zu beerdigen. Er rieb sich die Druckstelle an seinem Arm, die bis auf den Knochen ging.

VIERTER TEIL

ENTFÜHRT

26

Die Zukunft im Blick

9. Oktober 1773

Roger ließ seine Satteltaschen am Rand der Grube auf den Boden fallen und spähte hinein.

»Wo ist Jem?«, sagte er.

Seine schlammverschmierte Frau sah zu ihm auf und schob sich eine schweißverklebte Haarlocke aus dem Gesicht.

»Oh, hallo«, sagte sie. »Hattet Ihr eine gute Reise?«

»Nein«, sagte er. »Wo ist Jem?«

Jetzt zog sie die Augenbrauen hoch und stieß die Schaufel in den Boden der Grube. Dann streckte sie die Hand aus, damit er ihr beim Hinausklettern half.

»Er ist bei Marsali. Er und Germain spielen Brumm mit den kleinen Autos, die du ihnen gemacht hast – zumindest taten sie das, als ich gegangen bin.«

Der nervöse Knoten, den er während der vergangenen zwei Wochen unter seinen Rippen mit sich herumgetragen hatte, begann sich langsam zu lösen. Er nickte, weil ihn ein plötzlicher Krampf in seiner Kehle am Sprechen hinderte, dann streckte er die Hand aus, zog sie an sich und presste sie trotz ihres verblüfften Aufschreis und ihrer schmutzigen Kleider an sich.

Er hielt sie fest; sein Herz hämmerte laut in seinen Ohren, und er konnte sie einfach nicht mehr loslassen, bis sie sich seiner Umarmung entwand. Sie ließ die Hände auf seinen Schultern liegen, legte aber den Kopf schief und zog eine Augenbraue hoch.

»Ja, du hast mir auch gefehlt«, sagte sie. »Was ist? Was ist passiert?«

»Fürchterliche Dinge.« Der Brand, der Tod des kleinen Mädchens – es war ihm unterwegs mehr und mehr wie ein Traum vorgekommen, der Schrecken gedämpft durch die monotone Anstrengung des Reitens, des Schreitens, im unablässigen Heulen des Windes, dem Knirschen ihrer Schuhe auf Kies, Sand, Nadeln, Schlamm, in der Umarmung aus verschwommenen Grün- und Gelbtönen, in der sie sich unter einem endlosen Himmel verloren.

Doch jetzt war er daheim, trieb nicht länger in der Wildnis dahin. Und die Erinnerung an das Mädchen, das sein Herz in seine Hände gegeben hatte, war plötzlich wieder so real wie in der Sekunde ihres Todes.

»Komm sofort ins Haus.« Brianna betrachtete ihn sorgenvoll aus der Nähe. »Du brauchst etwas Heißes, Roger.«

»Mir fehlt nichts«, sagte er, folgte ihr aber ohne Einwände.

Er setzte sich an den Tisch, während sie Teewasser aufsetzte, und erzählte ihr alles, was geschehen war. Er stützte den Kopf auf seine Hände und starrte auf die abgenutzte Tischplatte mit ihren vertrauten Flecken und Brandnarben.

»Ich habe die ganze Zeit gedacht, es müsste doch eine Möglichkeit geben. Aber es gab keine. Noch während ich … ihr meine Hand auf das Gesicht gelegt habe … war ich mir sicher, dass dies nicht die Wirklichkeit war. Doch gleichzeitig –« Jetzt setzte er sich gerade hin und sah seine Handflächen an. Gleichzeitig war es die eindringlichste Erfahrung seines ganzen Lebens gewesen. Er konnte es nicht ertragen, daran zu denken, und wenn doch, dann höchstens sehr flüchtig. Aber er wusste, dass er nie das kleinste Detail vergessen würde. Unvermittelt verschloss sich seine Kehle wieder.

Brianna sah ihm suchend ins Gesicht, sah, wie sich seine Hand über die wulstige Stricknarbe an seinem Hals legte.

»Bekommst du noch Luft?«, fragte sie ängstlich. Er schüttelte den Kopf, aber es stimmte nicht; *irgendwie* atmete er, obwohl es sich anfühlte, als hätte eine Riesenhand ihm die Kehle zerquetscht und Speise- und Luftröhre zu blutigem Brei zermalmt.

Er wedelte mit der Hand, um anzudeuten, dass es schon gehen würde, so sehr er es auch selbst bezweifelte. Sie trat hinter seinen Rücken, zog seine Hand von seinem Hals fort und legte ihre Finger ganz sacht auf die Narbe.

»Alles wird gut«, sagte sie leise. »Du musst nur atmen. Nicht nachdenken. Nur atmen.«

Ihre Finger waren kalt, und ihre Hände rochen nach Erde. Er hatte Wasser in den Augen. Er kniff sie zusammen, weil er das Zimmer sehen wollte, den Kamin und die Kerze, das Geschirr und den Webstuhl, um sich davon zu überzeugen, wo er war. Ein warmer Tropfen rollte ihm über die Wange.

Er versuchte, ihr zu sagen, dass es schon gut war, dass er nicht weinte, doch sie drückte ihn nur fester an sich, legte einen Arm um seine Brust, während die andere Hand weiter kühl auf dem schmerzenden Knoten in seiner Kehle lag. Ihre Brüste drückten sich weich an seinen Rücken, und er konnte ihr Summen eher spüren, als dass er es hörte, jenes leise, tonlose Geräusch, das sie machte, wenn sie nervös war oder sich sehr stark konzentrierte.

Schließlich begann der Krampf nachzulassen, und das Erstickungsgefühl verschwand. Seine Brust füllte sich mit der unglaublichen Erleichterung ungehinderten Atmens, und sie ließ ihn los.

»Was… gräbst du… denn da eigentlich?«, fragte er schon viel weniger angestrengt. Er sah sich nach ihr um und lächelte, was schon schwieriger war. »Eine Bar… becuegrube für ein Nilpferd?«

Ein Lächeln huschte über ihr Gesicht, obwohl die Sorge ihre Augen noch verdunkelte.

»Nein«, sagte sie. »Es ist ein Murmeltierbrennofen.«

Er versuchte kurz, sich eine schlagfertige Erwiderung auszudenken, dass es doch ein ziemlich großes Loch als Falle für so etwas Kleines wie ein Murmeltier sei, doch er schaffte es nicht.

»Oh«, sagte er stattdessen.

Er nahm den Becher mit heißem Tee, den sie ihm in die Hand gab, und hielt ihn an sein Gesicht, so dass ihm der duftende Dampf die Nase wärmen und sich an der kalten Haut seiner Wangen niederschlagen konnte.

Brianna goss sich ebenfalls einen Becher ein und setzte sich ihm gegenüber.

»Ich bin froh, dass du zu Hause bist«, sagte sie leise.

»Ja. Ich auch.« Er nippte probeweise; der Tee war noch kochend heiß. »Ein Brennofen?« Er hatte ihr von den O'Brians erzählt; er hatte es gemusst, aber er wollte nicht darüber reden. Nicht jetzt. Sie schien das zu spüren und bedrängte ihn nicht.

»Mm-hm. Für das Wasser.« Er musste ein verwirrtes Gesicht gezogen haben, denn ihr Lächeln verbreiterte sich. »Ich habe dir doch gesagt, dass es unter anderem Erdarbeiten gibt, oder nicht? Außerdem war es deine Idee.«

»Ach ja?« Derzeit konnte ihn so gut wie nichts überraschen, doch er konnte sich nicht erinnern, schlaue Ideen gehabt zu haben, die etwas mit Wasser zu tun gehabt hatten.

Wenn man Wasser in die Häuser bringen wollte, war der Transport das Problem. Der Himmel wusste, dass es nicht an Wasser mangelte; es strömte in Bächen dahin, stürzte als Wasserfall in die Tiefe, tropfte von Klippen, entsprang aus Quellen, sammelte sich in sumpfigen Pfützen am Fuß der Felsen… aber um es dahin zu dirigieren, wo man es haben wollte, musste man es irgendwie einfangen.

»Mr. Wemyss hat Fräulein Berrisch – das ist seine Freundin; Ute hat sie verkuppelt – erzählt, was ich vorhabe, und sie hat ihm gesagt, dass der Männerchor in Salem an dem gleichen Problem arbeitet, also –«

»Der Chor?« Er versuchte einen weiteren, vorsichtigen Schluck und fand den Tee trinkbar. »Was hat denn der Chor –?

»So nennen sie sich nur. Es gibt einen Chor der unverheirateten Männer, einen Chor der unverheirateten Frauen, den Chor der Verheirateten… Aber sie singen nicht nur gemeinsam, sondern es ist eher eine soziale Initiative, und jeder Chor hat bestimmte Aufgaben, die er für die Gemeinschaft tut. Also jedenfalls«, sagte sie mit einer Geste, »versuchen sie, Wasser in den Ort zu holen, und haben dasselbe Problem – kein Metall für Rohre. Aber du kannst dich bestimmt daran erinnern, dass du mich auf die Keramik aufmerksam gemacht hast, die in Salem hergestellt wird. Nun, sie haben versucht, Wasserleitungen aus Baumstämmen herzustellen, aber das ist wirklich schwierig und zeitaufwändig, weil man mit einem Stangenbohrer die Mitte herausbohren muss und trotzdem Verbindungsstücke aus Metall braucht. Und nach einer Weile verrotten sie. Aber dann sind sie auf dieselbe Idee gekommen wie du – warum die Rohre nicht aus gebranntem Lehm herstellen?«

Je länger sie darüber redete, desto lebhafter wurde sie. Ihre Nase war nicht mehr von der Kälte gerötet, aber das Blut war ihr in die Wangen gestiegen, und ihre Augen leuchteten gebannt. Sie gestikulierte beim Reden – das hatte sie von ihrer Mutter, dachte er amüsiert.

»... also haben wir die Kinder bei Mama und Mrs. Bug untergebracht, und Marsali und ich haben einen Ausflug nach Salem gemacht –«

»Marsali? Aber sie konnte doch wohl nicht reiten?« Marsali war hochschwanger, so sehr, dass es ihn schon nervös machte, nur in ihrer Nähe zu sein, weil er fürchtete, sie könnte jeden Moment Wehen bekommen.

»Sie hat noch einen Monat. Außerdem sind wir ja nicht geritten; wir haben den Wagen genommen und Honig, Cidre und Wild gegen Käse und Decken eingetauscht und – siehst du meine neue Teekanne?« Sie wies stolz darauf, eine unansehnliche, bauchige Kanne, die rotbraun glasiert war und in der Mitte einen Streifen aus gelben Schnörkeln hatte. Sie war einer der hässlichsten Gegenstände, die er je gesehen hatte, und ihr Anblick trieb ihm die Tränen in die Augen, so froh war er, zu Hause zu sein.

»Gefällt sie dir nicht?«, fragte sie und runzelte ein wenig die Stirn.

»Nein, sie ist toll«, sagte er heiser. Er tastete nach einem Taschentuch und putzte sich die Nase, um nicht zu zeigen, wie überwältigt er war. »Sie gefällt mir gut. Du warst bei ... Marsali?«

»Ich war bei den Wasserleitungen. Aber – mit Marsali ist auch etwas.« Ihr Stirnrunzeln nahm zu. »Ich habe das Gefühl, dass sich Fergus danebenbenimmt.«

»Nein! Was macht er denn? Hat er eine wilde Affäre mit Mrs. Crombie?«

Die Erwiderung auf diese Frage war ein vernichtender Blick, der allerdings nicht lange anhielt.

»Zunächst einmal ist er oft fort, und Marsali darf sich um die Kinder kümmern *und* die ganze Arbeit machen.«

»Völlig normal für diese Zeit«, merkte er an. »Das tun doch die meisten Männer. Dein Vater macht es auch. Ich auch; ist dir das noch nicht aufgefallen?«

»Doch«, sagte sie und spendierte ihm einen giftigen Blick. »Aber was ich meine ist, dass die meisten Männer die Schwerarbeit verrichten, das Pflügen und die Aussaat, und ihren Frauen die Hausarbeit überlassen, das Kochen und Spinnen und Weben *und* die Wäsche *und* das Einkochen *und* – nun ja, egal, all das. Aber Marsali macht alles, und sie hat die Kinder und arbeitet auf dem Feld *und* in der Mälzerei. Und wenn Fergus zu Hause ist, hat er schlechte Laune und trinkt zu viel.«

Auch das klang nach dem ganz normalen Verhalten eines Vaters dreier kleiner, wilder Kinder und dem Mann einer schwangeren Frau, dachte Roger, doch er schwieg dazu.

»Ich würde Fergus aber nicht als Faulenzer einschätzen«, sagte er nachsichtig. Brianna schüttelte stirnrunzelnd den Kopf und schenkte ihm Tee nach.

»Nein, faul ist er eigentlich nicht. Es ist hart für ihn mit nur einer Hand; mit vielen der schweren Arbeiten ist er ja tatsächlich überfordert – aber er weigert sich, Marsali bei den Kindern zu helfen oder zu kochen oder sauber zu machen, während sich Marsali um sie kümmert. Pa und Ian helfen ihnen beim Pflügen, aber... Und er ist oft tagelang fort; manchmal macht er hier und dort Gelegenheitsarbeiten, übersetzt für Reisende – aber meistens ist er einfach nur fort. Und...« Sie zögerte und warf ihm einen Blick zu, als fragte sie sich, ob sie weiterreden sollte.

»Und?«, sagte er pflichtbewusst. Der Tee tat seine Wirkung; der Schmerz in seinem Hals war fast fort.

Sie senkte den Blick auf den Tisch und malte mit dem Zeigefinger unsichtbare Muster auf das Eichenholz.

»Sie hat nichts davon gesagt... aber ich glaube, dass er sie schlägt.«

Roger spürte eine plötzliche Schwere auf seinem Herzen. Seine erste Reaktion war, diese Vorstellung rundweg von sich zu weisen – doch als er noch beim Reverend wohnte, hatte er zu viel gesehen. Zu viele Familien, die nach außen hin zufrieden und respektabel lebten, während sich die Frauen über ihre eigene »Trampeligkeit« lustig machten und jede Sorge über blaue Augen, gebrochene Nasen oder ausgerenkte Handgelenke als unbegründet abtaten. Zu viele Männer, die unter dem Druck, eine Familie versorgen zu müssen, zur Flasche griffen.

»Verdammt«, sagte er und fühlte sich auf einmal zutiefst erschöpft. Er rieb sich die Stirn, unter der sich Kopfschmerzen meldeten.

»Wie kommst du darauf?«, fragte er unverblümt. »Hat sie irgendwelche Verletzungen?«

Brianna nickte unglücklich. Sie blickte immer noch nicht auf, auch wenn ihr Finger jetzt zur Ruhe gekommen war.

»Am Arm.« Sie schlang zur Demonstration die Hand um ihren Unterarm. »Kleine runde blaue Flecken, wie Fingerabdrücke. Ich habe sie gesehen, als sie nach oben gelangt hat, um einen Eimer Honigwaben vom Wagen zu heben und ihr Ärmel verrutscht ist.«

Er nickte und wünschte, in seiner Tasse wäre etwas Stärkeres als Tee.

»Meinst du, ich soll mit ihm reden?«

Bei diesen Worten sah sie zu ihm auf, und ihr Blick wurde sanfter, auch wenn der Ausdruck der Sorge blieb.

»Weißt du, dieses Angebot würden die meisten anderen Männer nicht machen.«

»Na ja, ich kann mir spaßigere Dinge vorstellen«, räumte er ein. »Aber man kann so etwas ja nicht einfach so weitergehen lassen und hoffen, dass es sich von selbst erledigt. Irgendjemand *muss* etwas sagen.«

Wusste der Himmel, was – oder wie. Während er versuchte, sich zu überlegen, was er sagen *konnte*, bereute er sein Angebot bereits. »Hallo, Fergus, alter Knabe. Ich höre, du verprügelst deine Frau. Sei so gut und hör auf damit, okay?«

Er trank seinen Becher leer und stand auf, um den Whisky zu suchen.

»Wir haben nichts mehr«, sagte Brianna, als sie merkte, was er vorhatte. »Mr. Wemyss ist erkältet.«

Er stellte die leere Flasche seufzend hin. Sie berührte sanft seinen Arm.

»Wir sind oben zum Abendessen eingeladen. Wir könnten ja etwas eher gehen.« Das war ein Vorschlag, der seine Lebensgeister wieder weckte. Jamie bewahrte stets eine Flasche exzellenten Single Malt irgendwo im Haus auf.

»Aye, gut.« Er nahm ihren Umhang vom Haken und legte ihn schwungvoll um ihre Schultern. »Hey. Meinst du, ich sollte die Sache mit Fergus gegenüber deinem Pa erwähnen? Oder es besser selbst regeln?« Er hegte eine spontane, nicht besonders würdevolle Hoffnung, dass Jamie es als seine Sache betrachten und sich selbst darum kümmern würde.

Genau davor schien Brianna Angst zu haben; sie schüttelte den Kopf und lockerte damit gleichzeitig ihr halb getrocknetes Haar auf.

»Nein! Ich glaube, Pa würde ihm den Hals brechen. Und wenn er tot ist, wird Fergus Marsali noch weniger nützen.«

»Mmpfm.« Er fügte sich in das Unausweichliche und hielt ihr die Tür auf. Das große weiße Haus leuchtete über ihnen auf dem Hügel, und im Licht des Nachmittags strahlte es Ruhe aus; die große Rotfichte ragte als gütige Präsenz dahinter auf; nicht zum ersten Mal hatte er das Gefühl, dass der Baum irgendwie Wache über dem Haus stand – und in seinem derzeitigen zerbrechlichen Gemütszustand fand er diese Vorstellung tröstlich.

Sie machten einen kurzen Umweg, damit er die frische Grube angemessen bewundern konnte und sich die Funktionsweise eines Murmeltierbrennofens erklären lassen konnte. Es gelang ihm nicht, diese im Detail zu verstehen, er begriff aber zumindest, dass es darum ging, in seinem Inneren große Hitze zu erzeugen – und er fand den Fluss ihrer Erklärungen beruhigend.

»... Ziegel für den Schornstein«, sagte sie gerade und wies zum anderen Ende der zweieinhalb Meter tiefen Grube, die momentan größte Ähnlichkeit mit dem Ruheplatz für einen extrem großen Sarg hatte. Doch bis jetzt hatte sie ihre Sache sehr ordentlich gemacht; die Ecken waren rechtwinklig, wie mit Hilfe eines Werkzeugs hergestellt, und die Wände wiesen nicht die geringste Unebenheit auf. Er sagte es laut, und sie strahlte ihn an, während sie sich eine rote Locke hinter das Ohr strich.

»Es muss noch viel tiefer werden«, sagte sie, »etwa noch einen knappen Meter. Aber der Boden hier eignet sich gut zum Graben; er ist weich, bröckelt jedoch nicht allzu viel. Ich hoffe, ich habe das Loch fertig, bevor es anfängt zu schneien, aber ich weiß es nicht.« Sie rieb sich die Nase und blinzelte skeptisch in das Loch. »Eigentlich muss ich noch Wolle kämmen und spinnen, damit ich den Stoff für deine und Jemmys Winterhemden weben kann, ich muss die ganze nächste Woche einkochen, und…«

»Ich grabe es für dich.«

Sie stellte sich auf die Zehenspitzen und küsste ihn genau unter das Ohr, und er lachte und fühlte sich plötzlich besser.

»Nicht für diesen Winter«, sagte sie und nahm ihn zufrieden beim Arm, »aber irgendwann – ich frage mich, ob ich einen Teil der Hitze des Ofens ableiten und unter dem Boden der Hütte hindurchführen kann. Weißt du, was ein römisches Hypokaustum ist?«

»Ja.« Er drehte sich um und betrachtete das Fundament seines Domizils, eine simple hohle Grundplatte aus Feldsteinen, auf denen die Holzwände standen. Bei der Vorstellung einer Zentralheizung in einer schlichten Berghütte hätte er am liebsten gelacht, doch eigentlich hatte sie nichts Unmögliches an sich. »Und wie würdest du das tun? Rohre mit warmer Luft durch die Steine des Fundaments leiten?«

»Ja. Immer vorausgesetzt, dass ich wirklich gute Rohre hinbekomme, was noch abzuwarten ist. Was meinst du?«

Er richtete den Blick von ihrem geplanten Projekt bergauf zum Haupthaus. Selbst aus dieser Entfernung war der Erdhaufen neben dem Fundament sichtbar, der von der Grabelust der weißen Sau zeugte.

»Ich glaube, du würdest Gefahr laufen, dass unser weißes Buddelwunder seine Aufmerksamkeit auf uns richtet, wenn du unter unserem Haus eine gemütliche warme Höhle baust.«

»Dann freut sich Major MacDonald, wenn es ihn endlich in Ruhe lässt. Dieses Schwein kann Major MacDonald wirklich nicht ausstehen«, sinnierte Brianna. »Ich frage mich, warum?«

»Frag deine Mutter, sie mag ihn auch nicht besonders.«

»Oh, nun ja, das –« Sie blieb abrupt stehen, spitzte die Lippen und warf einen nachdenklichen Blick auf das Haus ihrer Eltern. Ein Schatten ging hinter dem Fenster des Sprechzimmers vorbei; innen bewegte sich jemand. »Weißt du, was? Such Pa und trink einen Whisky mit ihm; währenddessen erzähle ich Mama von Marsali und Fergus. Vielleicht hat sie ja eine gute Idee.«

»Ich weiß zwar nicht, ob hier ein medizinisches Problem vorliegt«, sagte er. »Aber eine Vollnarkose für Germain wäre sicherlich ein Anfang.«

27

Die Mälzerei

Ich konnte den süßen, etwas modrigen Geruch feuchten Getreides im Wind riechen, als ich den Pfad hinaufstieg. Er hatte nichts mit dem durchdringend betäubenden Geruch der Maische zu tun, dem kaffeeähnlichen Röstgeruch der Malzbildung oder dem Destillieraroma – doch er erinnerte bereits stark an Whisky. Sie war eine geruchsintensive Angelegenheit, diese Herstellung von *uisge beatha*, und das war der Grund, warum die Whiskylichtung fast eine Meile vom Haus entfernt stand. Selbst so fing meine Nase oft einen wilden, schwachen Alkoholgeruch auf, wenn mein Sprechzimmerfenster offen war und der Wind richtig stand, während die Maische vergor.

Die Whiskyherstellung hatte ihren eigenen Rhythmus, an dem sich alle Bewohner von Fraser's Ridge unbewusst orientierten, ob sie direkt daran beteiligt waren oder nicht. Daher wusste ich auch, ohne zu fragen, dass die Gerste in der Mälzerei gerade zu keimen begonnen hatte und Marsali daher dort sein würde, um das Korn zu wenden und gleichmäßig zu verteilen, bevor das Mälzfeuer angezündet wurde.

Das Korn musste einen Keim bilden, um die größtmögliche Süße zu garantieren, doch es durfte nicht sprießen, sonst nahm die Maische einen bitteren Geschmack an und war ruiniert. Nach dem Beginn des Keimvorgangs durften höchstens vierundzwanzig Stunden vergehen, und ich hatte am Nachmittag zuvor den fruchtbaren, feuchten Geruch des aufquellenden Getreides gerochen, als ich im Wald Heilpflanzen suchte. Die Zeit war reif.

Dies war bei weitem der beste Ort für ein Gespräch unter vier Augen mit Marsali; die Whiskylichtung war der einzige Ort, an dem sie je ohne ihre Ansammlung lärmender Kinder anzutreffen war. Ich hatte oft das Gefühl, dass sie die Einsamkeit dieser Arbeit weitaus mehr schätzte als den Whiskyanteil, den Jamie ihr dafür gab, dass sie nach der Gerste sah – und *dieser* war schon viel wert.

Brianna hatte mir erzählt, dass Roger sich ritterlicherweise angeboten hatte, Fergus anzusprechen, doch ich hielt es für besser, mich erst mit Marsali zu unterhalten, nur um herauszufinden, was wirklich vor sich ging.

Was sagte ich am besten?, fragte ich mich. Ein unverblümtes *Wirst du von Fergus verprügelt?* Irgendwie konnte ich das nicht glauben, obwohl – oder womöglich gerade, weil – ich mich sehr gut in Notaufnahmen auskannte, die mit den Überbleibseln häuslicher Dispute gefüllt waren.

Nicht, dass ich nicht glaubte, dass Fergus zu Gewalttätigkeiten imstande war; er war seit Kindesbeinen mit körperlicher Gewalt vertraut, und während des Aufstandes und seiner Nachwehen unter Highlandern aufzuwachsen, sensibilierte einen jungen Mann nicht unbedingt für die Vorzüge der Friedfertigkeit. Andererseits war Jenny Murray an seiner Erziehung beteiligt gewesen.

Ich versuchte mir – vergeblich – vorzustellen, wie irgendein Mann, der länger als eine Woche mit Jamies Schwester zusammengelebt hatte, *je* die Hand gegen eine Frau erhob. Außerdem wusste ich durch persönliche Beobachtung, dass Fergus ein sehr liebevoller Vater war, und normalerweise strahlte er im Umgang mit Marsali eine Unbeschwertheit aus, die –

Über mir brach plötzlich Tumult aus. Bevor ich auch nur den Blick heben konnte, krachte etwas Großes in einer Wolke aus Staub und abgestorbenen Kiefernnadeln durch die Äste. Ich sprang zurück und riss instinktiv den Korb zu meiner Verteidigung hoch – doch im selben Moment begriff ich, dass ich gar nicht attackiert wurde. Germain lag vor mir auf dem Weg auf dem Bauch und rang mit vorquellenden Augen nach Atem, denn der war ihm vergangen.

»Was in aller *Welt*…«, begann ich ziemlich aufgebracht. Dann sah ich, dass er etwas an seine Brust geklammert hielt; ein spätes Nest, gefüllt mit einem Gelege aus vier grünlichen Eiern. Wundersamerweise war es ihm gelungen, sie bei seinem Sturz nicht zu zerbrechen.

»Für Maman«, röchelte er und grinste zu mir auf.

»*Sehr* schön«, sagte ich. Ich hatte genügend Umgang mit jungen männlichen Wesen – nun, eigentlich jeden Alters; sie waren alle so –, um die völlige Vergeblichkeit jeden Tadels in einer solchen Situation zu begreifen, und da weder die Eier noch seine Beine zu Schaden gekommen waren, nahm ich einfach nur das Nest an mich und hielt es fest, während er nach Luft japste und mein Herzschlag wieder seine normale Geschwindigkeit aufnahm.

Als er sich erholt hatte, rappelte er sich hoch, ohne den Schmutz, das Harz und die abgebrochenen Kiefernnadeln zu beachten, die ihn von Kopf bis Fuß bedeckten.

»Maman ist im Schuppen«, sagte er und streckte die Hände nach seinem Schatz aus. »Kommst du mit, Grand-mère?«

»Ja. Wo sind deine Schwestern?«, fragte ich argwöhnisch. »Solltest du nicht auf sie aufpassen?«

»*Non*«, sagte er hochmütig. »Sie sind zu Hause; da gehören Frauen hin.«

»Ach wirklich? Und wer hat dir das erzählt?«

»Hab ich vergessen.« Vollständig erholt hüpfte er vor mir her und sang ein Lied, dessen Refrain »*Na tuit, na tuit, na tuit, Germain!*« zu lauten schien.

Marsali war in der Tat auf der Whiskylichtung; ihre Haube, ihr Umhang und ihr Kleid hingen an einem Ast der Persimone, deren Laub jetzt gelb war, und ein Keramiktopf voller Kohlen stand rauchend bereit.

Der Malzboden war jetzt von richtigen Wänden eingeschlossen, so dass ein Schuppen entstanden war, in dem das feuchte Gerstenkorn aufgehäuft werden konnte, um zunächst zu keimen und dann sanft auf sehr kleiner Flamme, die unter dem Boden brannte, geröstet zu werden. Asche und Holzkohle waren ausgefegt worden, und im Zwischenraum unter dem Stelzenboden lag Eichenholz für ein neues Feuer verteilt, doch es war noch nicht angezündet. Selbst ohne Feuer war es warm im Schuppen; ich spürte es schon aus einigem Abstand. Das keimende Korn strahlte eine solche Hitze ab, dass der Schuppen förmlich glühte.

Von innen kam rhythmisches Rascheln und Schaben; Marsali war dabei, das Korn mit einer Holzschaufel zu wenden, um sicherzugehen, dass es gleichmäßig verteilt war, bevor sie das Mälzfeuer anzündete. Die Tür des Schuppens war offen, doch natürlich hatte er keine Fenster; aus der Entfernung konnte ich nur einen verschwommenen Schatten sehen, der sich darin bewegte.

Das Rascheln der Gerstenkörner hatte unsere Schritte übertönt; Marsali blickte erschrocken auf, als meine Gestalt den Lichteinfall in der Tür blockierte.

»Mutter Claire!«

»Hallo«, sagte ich fröhlich. »Germain hat gesagt, du wärst hier. Da habe ich mir einfach gedacht, ich –«

»Maman! Sieh mal, sieh nur, schau, was ich habe!« Germain schob sich zielstrebig an mir vorbei und hielt seine Beute vor sich hin. Marsali lächelte ihn an und strich sich eine feuchte Haarsträhne hinter das Ohr.

»Oh, aye? Na, das ist ja großartig. Wir wollen es nach draußen bringen, damit ich es mir richtig ansehen kann.«

Sie trat aus dem Schuppen und seufzte vor Vergnügen über die Berührung der kühlen Luft. Sie war ausgezogen bis auf ihr Hemd, dessen Musselinstoff so schweißnass war, dass ich nicht nur die dunklen Kreise ihrer Areolen sehen konnte, sondern sogar ihren vorgewölbten Nabel, über dem der Stoff an der massigen Rundung ihres Bauches klebte.

Mit einem weiteren, ausgiebigen Seufzer der Erleichterung setzte sich Marsali hin, streckte die Beine aus und reckte die nackten Zehen in die Luft. Ihre Füße waren etwas geschwollen, und blaue Adern zeichneten sich unter der durchsichtigen Haut ihrer Beine ab.

»Ah, tut das gut zu sitzen! Also dann, *a chuisle*, zeig mal, was du da hast.«

Ich nutzte die Gelegenheit, hinter ihrem Rücken entlangzugehen, während Germain ihr seine Beute präsentierte, und unauffällig nach blauen Flecken und anderen verdächtigen Anzeichen zu suchen.

Sie war dünn – aber Marsali *war* nun einmal dünn, abgesehen von der Rundung ihrer Schwangerschaft, und sie war es immer gewesen. Ihre Arme waren schlank, aber gut bemuskelt, genau wie ihre Beine. Die Müdigkeit hatte Ränder unter ihren Augen hinterlassen – aber sie hatte schließlich drei kleine Kinder, die sie wach hielten, abgesehen von den Unannehmlichkeiten der Schwangerschaft. Ihr Gesicht war rosig und feucht und sah durch und durch gesund aus.

Sie hatte ein paar blaue Flecken an den Unterschenkeln, doch ich tat sie als unwichtig ab; Schwangere bekamen leicht blaue Flecken, und angesichts der zahlreichen Hindernisse, die das Leben in einer Blockhütte und in der Bergwildnis mit sich brachte, gab es kaum jemanden in Fraser's Ridge – männlichen *oder* weiblichen Geschlechts –, der nicht hier und dort eine Prellung hatte.

Oder suchte ich nur nach Ausreden, weil ich mir die Möglichkeit dessen, was Brianna geargwöhnt hatte, nicht eingestehen wollte?

»Eins für mich«, erklärte Germain und legte den Finger auf die Eier, »und eins für Joan und eins für Felicité und eins für Monsieur l'Œuf.« Er zeigte auf ihren wie eine Melone geschwollenen Bauch.

»Ach, was für ein lieber Junge«, sagte Marsali, zog ihn an sich und küsste seine fleckige Stirn. »Du bist wirklich mein kleines Küken.«

Germains Strahlen verwandelte sich in eine spekulierende Miene, als er mit dem vorgewölbten Bauch seiner Mutter in Berührung kam. Er tätschelte ihn vorsichtig.

»Wenn das Ei da drinnen ausschlüpft, was machst du mit der Schale?«, erkundigte er sich. »Kann ich sie haben?«

Marsali verkniff sich so mühsam das Lachen, dass sie rot wurde.

»Menschen kommen nicht mit Schale«, erklärte sie. »Gott sei Dank.«

»Bist du sicher, Maman?« Er warf einen argwöhnischen Blick auf ihren Bauch, dann stupste er ihn sanft mit dem Finger an. »Es *fühlt* sich aber wie ein Ei an.«

»Nun, das stimmt, aber es ist keins. Papa und ich nennen die Kleinen nur so, bevor sie geboren werden. *Du* warst auch einmal Monsieur l'Œuf, aye?«

»Wirklich?« Bei dieser Enthüllung zog Germain ein Gesicht wie vom Donner gerührt.

»O ja. Deine Schwestern auch.«

Germain runzelte die Stirn, bis der fransige Pony fast seine Nase berührte.

»Nein, das stimmt nicht. Sie sind Mesdemoiselles les Œufs.«

»*Oui, certainement*«, sagte Marsali und lachte ihn an. »Dieses hier vielleicht auch – aber es ist leichter, Monsieur zu sagen. Hier, sieh mal.« Sie lehnte sich ein wenig zurück und drückte ihre Hand fest in die Seite ihres Kugelbauches.

Dann nahm sie Germains Hand und legte sie auf die Stelle. Sogar ich konnte sehen, wie sich ihre Haut ausbeulte, als das Baby als Reaktion auf den Druck heftig trat.

Germain riss erschrocken die Hand fort, dann legte er sie mit faszinierter Miene wieder auf die Stelle und drückte zu.

»Hallo?«, sagte er laut und hielt sein Gesicht dicht an den Bauch seiner Mutter. »*Comment ça va* da drinnen, Monsieur l'Œuf?«

»Es geht ihm gut«, versicherte ihm seine Mutter. »Oder ihr. Aber ganz am

Anfang sagen Babys noch nichts. Das weißt du doch. Felicité sagt ja sogar jetzt noch nichts außer ›Mama‹.«

»Oh, aye.« Germain verlor jetzt das Interesse an seinem werdenden Geschwisterchen und bückte sich, um einen interessant aussehenden Stein aufzuheben.

Marsali hob den Kopf und blinzelte in die Sonne.

»Du solltest nach Hause gehen, Germain. Mirabel will bestimmt gemolken werden, und ich habe hier noch ein bisschen zu tun. Geh und hilf Papa, aye?« Mirabel war eine Ziege und erst so kürzlich zu ihrem Haushalt gestoßen, dass sie noch interessant war, denn bei diesem Vorschlag erhellte sich Germains Gesicht.

»*Oui*, Maman. *Au'voir*, Grand-mère!« Er zielte und warf den Stein in Richtung des Schuppens, verfehlte ihn, drehte sich um und hüpfte auf den Pfad zu.

»Germain«, rief Marsali ihm nach. »*Na tuit.*«

»Was bedeutet das?«, fragte ich neugierig. »Es ist doch Gälisch, oder? Oder Französisch?«

»Es ist Gälisch«, sagte sie lächelnd. »Es bedeutet ›Fall nicht!‹« Sie schüttelte in gespielter Bestürzung den Kopf. »Der Junge kann für sein Leben keinem Baum fernbleiben.« Germain hatte das Nest mit den Eiern dagelassen; sie setzte es sanft auf den Boden, und da sah ich die blassen gelblichen Ovale an ihrem Unterarm – verblichen, aber genau so, wie Brianna sie beschrieben hatte.

»Wie kommt Fergus denn zurecht?«, fragte ich, als hätte das irgendetwas mit unserer Unterhaltung zu tun.

»Ganz gut«, erwiderte sie, und ein Ausdruck des Argwohns verschloss ihre Züge.

»Wirklich?« Ich blickte gezielt auf ihren Arm, dann in ihre Augen. Sie errötete und verdrehte hastig den Arm, um die Flecken zu verbergen.

»Aye, es geht ihm gut!«, sagte sie. »Das Melken gelingt ihm noch nicht besonders gut, aber das klappt bestimmt bald. Mit nur einer Hand ist es natürlich schwierig, aber er ist –«

Ich setzte mich neben ihr auf den Baumstamm und drehte ihr Handgelenk um.

»Brianna hat es mir erzählt«, sagte ich. »Ist das Fergus gewesen?«

»Oh.« Sie schien verlegen zu werden, zog ihr Handgelenk fort und drückte den Unterarm an ihren Bauch, um die Stellen zu verdecken. »Nun, aye. Aye, das war er.«

»Möchtest du, dass ich mit Jamie darüber spreche?«

Kräftige Röte stieg ihr ins Gesicht, und sie richtete sich alarmiert auf.

»Himmel, nein! Pa würde Fergus das Genick brechen! Und es war nicht seine Schuld.«

»Natürlich war es seine Schuld«, sagte ich bestimmt. Ich hatte in der Bostoner Notaufnahme viel zu viele misshandelte Frauen gesehen, die allesamt behaupteten, dass es nicht die Schuld ihrer Männer oder Freunde gewesen war. Natürlich *lag* es oft an den Frauen, aber trotzdem –

»Aber nein«, beharrte Marsali. Die Farbe in ihrem Gesicht war nicht verblichen; wenn überhaupt, wurde sie jetzt noch kräftiger. »Ich – er – ich meine, er hat mich am Arm gepackt, aye, aber das war nur, weil ich ... äh ... na ja, ich hatte gerade versucht, ihm einen Holzscheit über den Schädel zu ziehen.« Sie wandte den Blick ab und errötete erneut heftig.

»Oh.« Ich rieb mir ein wenig verblüfft die Nase. »Ich verstehe. Und warum hast du das versucht? Hat er dich ... angegriffen?«

Sie seufzte und ließ die Schultern hängen.

»Oh. Nein. Nun ja, es war, weil Joanie die Milch verschüttet hat, und er hat sie angeschrien, und sie hat geweint, und ...« Sie zuckte schwach mit den Achseln und sah so aus, als sei ihr das Ganze sehr peinlich. »Ich nehme an, mich hat ein kleines Teufelchen geritten.«

»Es sieht Fergus aber nicht ähnlich, die Kinder anzuschreien, oder?«

»Oh, nein, gar nicht!«, sagte sie schnell. »Es kommt kaum vor, dass er ... nun ja, früher jedenfalls nicht, aber jetzt, wo es so viele sind ... nun ja, diesmal konnte ich ihm jedenfalls keine Vorwürfe machen. Er hat furchtbar lange gebraucht, um die Ziege zu melken, und dann zuzusehen, wie alles verschüttet und vergeudet wurde – ich glaube, ich hätte auch geschimpft.«

Sie hielt die Augen fest auf den Boden geheftet, um meinem Blick auszuweichen, und spielte mit dem Saum ihres Hemdes, indem sie den Daumen wieder und wieder über die Naht gleiten ließ.

»Kleine Kinder können einen wahrhaftig auf die Geduldsprobe stellen«, pflichtete ich ihr bei und erinnerte mich dabei lebhaft an einen Vorfall, dessen Hauptrollen die zweijährige Brianna, ein Anruf, der mich abgelenkt hatte, eine große Schüssel Spaghetti mit Fleischklößchen und Franks offene Aktentasche gespielt hatten. Frank hatte normalerweise eine Engelsgeduld mit Brianna – wenn auch nicht mit mir –, aber bei dieser Gelegenheit hatte sein Wutgebrüll die Fensterscheiben beben lassen.

Und jetzt, da ich mich daran erinnerte, *hatte* ich in meiner an Hysterie grenzenden Wut einen Fleischkloß nach ihm geworfen. Brianna ebenfalls, obwohl sie es nicht aus Rachsucht getan hatte, sondern weil sie es lustig fand. Hätte ich zu diesem Zeitpunkt am Herd gestanden, wäre es gut möglich gewesen, dass ich mit dem Topf nach ihm geworfen hätte. Ich rieb mir mit dem Finger unter der Nase entlang und war mir nicht sicher, ob ich diese Erinnerung bedauern oder darüber lachen sollte. Ich hatte die Flecken nie wieder aus dem Teppich bekommen.

Es war schade, dass ich diese Erinnerung nicht mit Marsali teilen konnte, da sie weder Spaghetti noch Aktentaschen kannte und auch keine Ahnung von Franks Existenz hatte. Sie hielt den Blick nach wie vor zu Boden gerichtet und schob mit dem Zeh Eichenblätter hin und her.

»Es war wirklich alles meine Schuld«, sagte sie und biss sich auf die Lippe.

»Nein, das stimmt nicht.« Ich drückte ihr beruhigend den Arm. »An solchen Dingen ist niemand Schuld; Unfälle passieren nun einmal, und dann regt man sich auf … Aber am Ende wird alles gut.« So war es tatsächlich, dachte ich – wenn auch oft nicht so, wie man es erwartete.

Sie nickte, doch der Schatten lag weiter über ihrem Gesicht, und sie hatte die Unterlippe eingeklemmt.

»Aye, es ist nur …«, begann sie, dann brach sie ab.

Ich saß geduldig da, sorgsam darauf bedacht, sie nicht zu bedrängen. Sie wollte – musste – reden. Und ich musste es hören, bevor ich entschied, was – oder ob überhaupt – ich Jamie sagen sollte. Irgendetwas ging zwischen ihr und Fergus vor, das war sicher.

»Ich … ich habe gerade noch daran gedacht, beim Schaufeln. Ich hätte es nicht getan, glaube ich, es hat mich nur so sehr daran erinnert, wie … ich habe mich nur wieder genauso gefühlt …«

»Genau wie?«, fragte ich, als klar war, dass sie ihre Erzählung abgebrochen hatte.

»Ich habe die Milch verschüttet«, sagte sie, und es kam fast wie ein Wort heraus. »Als ich noch klein war. Ich hatte Hunger und habe die Hand nach dem Krug ausgestreckt, um ihn zu mir zu ziehen, und ihn verschüttet.«

»Oh?«

»Aye. Und er hat geschrien.« Sie zog ein wenig die Schultern hoch, als erinnerte sie sich an einen Schlag.

»Wer hat geschrien?«

»Ich weiß es nicht genau. Kann sein, dass es mein Vater war, Hugh – aber es kann auch Simon gewesen sein, Mamas zweiter Mann. Ich kann mich nicht genau erinnern – nur daran, dass ich solche Angst hatte, dass ich mir ins Hemd gemacht habe, und das hat ihn noch wütender gemacht.« Ihr Gesicht stand in roten Flammen, und sie verkrampfte beschämt die Zehen.

»Meine Mutter hat geweint, weil es alles war, was wir zu essen hatten, etwas Brot und Milch, und jetzt war die Milch nicht mehr da – aber *er* hat geschrien, er könnte den Lärm nicht ertragen, denn inzwischen haben Joan und ich beide geheult … Und dann hat er mich geohrfeigt, und Mama ist blind auf ihn losgegangen, und er hat sie geschubst, so dass sie gegen den Kamin gefallen ist und sich das Gesicht am Schornstein gestoßen hat – ich konnte das Blut aus ihrer Nase laufen sehen.«

Sie zog die Nase hoch, fuhr mit dem Handrücken darunter entlang und blinzelte, den Blick fest auf das Laub gerichtet.

»Dann ist er hinausgestampft, hat die Tür zugeschlagen, und Joanie und ich sind beide zu Mama gerannt und haben aus voller Kehle gebrüllt, weil wir dachten, sie ist tot … Aber sie hat sich auf Hände und Knie hochgerappelt und uns gesagt, es sei gut, alles würde wieder gut – und sie ist hin und her geschwankt, ihre Haube war heruntergefallen, und blutiger Schleim triefte ihr aus dem Gesicht auf den Boden ... Das hatte ich vergessen. Aber als Fergus angefangen hat, die arme kleine Joanie anzuschreien ... war es, als wäre er Simon. Oder vielleicht Hugh. *Er*, wer immer es war.« Sie schloss die Augen, stieß einen tiefen Seufzer aus und beugte sich vor, so dass ihre Arme die Bürde ihrer Schwangerschaft wiegten.

Ich streckte die Hand aus und strich ihr die feuchten Haarsträhnen aus dem Gesicht, aus der runden Stirn.

»Deine Mutter fehlt dir, nicht wahr?«, sagte ich leise. Zum ersten Mal empfand ich ein wenig Mitgefühl mit ihrer Mutter Laoghaire, nicht nur mit Marsali.

»Oh, aye«, sagte Marsali schlicht. »Schrecklich.« Sie seufzte noch einmal, schloss die Augen und legte ihre Wange an meine Hand. Ich zog ihren Kopf an mich, hielt sie fest und streichelte wortlos ihr Haar.

Es war später Nachmittag, und die Schatten lagen lang und kalt auf dem Eichenwald. Die Hitze war jetzt von ihr gewichen, und sie erschauerte in der abkühlenden Luft. Gänsehaut lief ihr über die feinknochigen Arme.

»Hier«, sagte ich, stand auf und schwang mir den Umhang von den Schultern. »Zieh ihn an. Du willst dich doch nicht erkälten.«

»Ah, nein, ist schon gut.« Sie richtete sich auf, schüttelte ihr Haar zurück und wischte sich mit dem Handrücken über das Gesicht. »Hier ist nur noch eine Kleinigkeit zu tun, und dann muss ich nach Hause, das Abendessen machen ...«

»Ich mache das«, sagte ich bestimmt und legte ihr den Umhang fest um die Schultern. »Ruh dich ein bisschen aus.«

Die Luft im Inneren des kleinen Schuppens war so dick, dass man allein davon Schwindelgefühle bekam, geschwängert mit den fruchtbaren Ausdünstungen der keimenden Gerste und dem feinen, scharfen Staub der Spelzen. Nach der kühlen Luft im Freien war mir die Wärme willkommen, doch in Sekunden war meine Haut unter Kleid und Hemd feucht.

Egal; sie hatte Recht, es war nicht viel zu tun. Die Arbeit würde mich warm halten, und dann würde ich unverzüglich mit Marsali heimgehen. Ich würde das Abendessen für die Familie machen und sie sich ausruhen lassen – und mich vielleicht dabei mit Fergus unterhalten und herausfinden, was zwischen ihm und Marsali vorging.

Fergus hätte doch das Abendessen machen können, dachte ich stirnrunzelnd, während ich die flachen Haufen aus klebrigem Korn umgrub. Nicht, dass ihm so etwas in den Sinn kommen würde, dem kleinen französischen Faulenzer. Das Melken der Ziege war alles, was er an »Frauenarbeit« zu leisten bereit war.

Dann fielen mir Joan und Felicité ein, und ich wurde etwas nachsichtiger, was Fergus betraf. Joan war drei, Felicité anderthalb – und jeder, der mit den beiden in einem Haus allein war, hatte mein volles Mitgefühl, ganz gleich, *welche* Arbeit er tat.

Äußerlich war Joan ein hübsches, braunhaariges, zartes Kind, und allein war sie lieb und folgsam – bis zu einem gewissen Punkt. Felicité war ihrem Vater wie aus dem Gesicht geschnitten, dunkelhaarig, feinknochig mit einem Hang zu abwechselnden Anwandlungen herzerweichenden Charmes und zügelloser Leidenschaft. Zusammen ... Jamie bezeichnete sie beiläufig als die Höllenkätzchen, und wenn sie zu Hause waren, war es kein Wunder, dass Germain im Wald unterwegs war – oder dass Marsali es als Erleichterung empfand, allein hier draußen zu sein und Schwerarbeit zu leisten.

Wobei »schwer« das Wort war, auf das es hier ankam, dachte ich, während ich erneut mit der Schaufel zustieß und sie anhob. Keimende Gerste war feuchte Gerste, und jede Schaufel wog mehrere Kilo. Das gewendete Korn war unregelmäßig gefärbt und hatte dunkle Flecken von der Feuchtigkeit der unteren Schichten. Das ungewendete Korn war heller, selbst im schwindenden Licht. Es blieben nur noch ein paar Haufen hellen Korns in der anderen Ecke.

Ich stürzte mich entschlossen darauf und musste dabei feststellen, dass ich mir alle Mühe gab, nicht an die Geschichte zu denken, die Marsali mir erzählt hatte. Ich wollte keine freundschaftlichen Gefühle für Laoghaire entwickeln – und tat es auch nicht. Aber ich wollte ebenso wenig Mitleid mit ihr haben, und das zu vermeiden erwies sich als schwieriger.

Anscheinend hatte sie kein leichtes Leben gehabt. Nun, das galt ebenso für jeden anderen, der zu dieser Zeit in den Highlands lebte, dachte ich und warf ächzend eine Schaufel voll Korn zur Seite. Mutter zu sein war an keinem Ort der Welt einfach – aber es sah so aus, als hätte sie ihre Sache gut gemacht.

Der Kornstaub ließ mich niesen. Ich hielt inne, um mir die Nase am Ärmel abzuwischen, dann schaufelte ich weiter.

Schließlich war es ja nicht so gewesen, dass sie versucht hatte, mir Jamie wegzuschnappen, redete ich mir ein, um Mitgefühl und edelmütige Objektivität bemüht. Eigentlich eher umgekehrt – oder zumindest war es gut möglich, dass sie es so sah.

Die Kante der Schaufel knirschte über den Boden, als ich die letzte Gerste aufschabte. Ich warf das Korn zur Seite, dann benutzte ich die flache Seite des Schaufelblatts, um ein wenig frisch gewendetes Korn in die leere Ecke zu schieben und die höchsten Haufen etwas zu glätten.

Ich kannte die Gründe, warum er sie geheiratet hatte – und ich glaubte ihm. Das änderte jedoch nichts an der Tatsache, dass die Erwähnung ihres Namens eine ganze Reihe von Bildern heraufbeschwor – angefangen damit, dass Jamie sie leidenschaftlich in einem Alkoven der Burg Leoch küsste, bis dahin, dass er sich in der Dunkelheit ihres Ehebetts unter ihrem Nachthemd vortastete, seine Hände warm und begierig auf ihren Oberschenkeln –, die mich wie einen Orca prusten und mir das Blut in den Schläfen hämmern ließ.

Vielleicht, so besann ich mich, war ich ja einfach kein besonders edelmütiger Mensch. Gelegentlich sogar ziemlich kleinmütig und nachtragend.

Dieser Anfall von Selbstkritik wurde durch das Geräusch von Stimmen und Bewegung draußen abrupt beendet. Ich trat an die Tür des Schuppens und blinzelte ins blendende Licht der Nachmittagssonne.

Ich konnte weder ihre Gesichter sehen, noch mit Sicherheit sagen, wie viele es waren. Einige waren zu Pferd, andere zu Fuß, schwarze Scherenschnitte vor dem Hintergrund der sinkenden Sonne. Aus dem Augenwinkel fing ich eine Bewegung auf; Marsali war aufgestanden und kam langsam rückwärts auf den Schuppen zu.

»Wer seid Ihr, meine Herren?«, sagte sie mit erhobenem Kinn.

»Durstige Reisende, Mistress«, sagte eine der schwarzen Gestalten und trieb ihr Pferd vor die anderen. »Auf der Suche nach Gastfreundschaft.«

Die Worte waren ganz höflich; die Stimme war es nicht. Ich trat aus dem Schuppen, die Schaufel immer noch fest umklammert.

»Willkommen«, sagte ich und gab mir keine Mühe, den Anschein zu erwecken, als meinte ich es ernst. »Bleibt, wo Ihr seid, Gentlemen; wir bringen Euch gern etwas zu trinken. Marsali, kannst du das Fass holen?«

Wir bewahrten ein kleines Whiskyfass für genau solche Gelegenheiten in der Nähe auf. Mein Herzschlag dröhnte mir laut in den Ohren, und ich hielt den Holzstiel der Schaufel so fest umklammert, dass ich die Maserung des Holzes spüren konnte.

So viele Fremde auf einmal waren in den Bergen ein ungewöhnlicher Anblick. Dann und wann sahen wir eine Gruppe Cherokee auf der Jagd – doch diese Männer waren keine Indianer.

»Macht Euch keine Mühe, Mistress«, sagte ein anderer Mann und schwang sich vom Pferd. »Ich helfe ihr, es zu holen. Ich glaube allerdings, dass wir mehr als ein Fass brauchen werden.«

Die Stimme war die eines Engländers, und sie kam mir seltsam bekannt vor. Kein kultivierter Akzent, aber eine sorgfältige Aussprache.

»Wir haben nur ein Fass fertig«, sagte ich, während ich mich langsam seitwärts bewegte, ohne den Wortführer aus den Augen zu lassen. Er war nicht groß und sehr schlank, und seine Bewegungen waren steif und ruckartig wie die einer Marionette.

Er bewegte sich auf mich zu; die anderen folgten seinem Beispiel. Marsali hatte den Holzstapel erreicht und tastete hinter den Eichen- und Hickoryscheiten herum. Ich konnte ihren Atem rau in ihrer Kehle hören. Unter dem Holz war das Fass versteckt. Neben dem Stapel, das wusste ich, lag auch eine Axt.

»Marsali«, sagte ich. »Bleib da. Ich komme und helfe dir.«

Eine Axt war eine bessere Waffe als eine Schaufel – aber zwei Frauen gegen ... wie viele Männer? Zehn ... ein Dutzend ... mehr? Ich kniff die Augen zu, die von der Sonne tränten, und sah noch ein paar aus dem Wald kommen. Diese konnte ich klar erkennen; einer von ihnen grinste mich an, und ich musste mich zwingen, den Blick nicht abzuwenden. Sein Grinsen wurde breiter.

Der klein gewachsene Mann kam ebenfalls näher. Ich beobachtete ihn, und ein Kribbeln sagte mir, dass ich ihn kannte. Ich kannte ihn; ich hatte ihn schon einmal gesehen – und doch konnte ich seinen Pausbacken und seiner schmalen Stirn keinen Namen zuordnen.

Er stank penetrant nach längst getrocknetem Schweiß, nach in die Haut geriebenem Schmutz und nach Urintropfen; sie alle stanken so, und ihre Ausdünstung trieb auf dem Wind dahin wie der Wildgestank der Wiesel.

Er sah, dass ich ihn erkannte; seine dünnen Lippen pressten sich kurz zusammen, dann entspannten sie sich.

»Mrs. Fraser«, sagte er, und mein dumpfes Gefühl verschärfte sich abrupt, als ich den Ausdruck in seinen kleinen, schlauen Augen sah.

»Ich fürchte, ich kann Euch nicht ganz folgen, Sir«, sagte ich und setzte meine wagemutigste Miene auf. »Sind wir uns schon einmal begegnet?«

Er gab keine Antwort. Einer seiner Mundwinkel verzog sich nach oben, doch dann wurde er durch die beiden Männer abgelenkt, die sich nach vorn gestürzt hatten, um das Fass an sich zu nehmen, das Marsali jetzt aus dem Versteck gerollt hatte. Der eine hatte bereits nach der Axt gegriffen, auf die ich es eigentlich abgesehen hatte, und war im Begriff, den Fassdeckel zu zertrümmern, als der schmächtige Mann ihn anschrie.

»Aufhören!«

Der Mann blickte zu ihm hoch und riss völlig verdattert den Mund auf.

»Ich sagte aufhören!«, schnappte der Schmächtige, als der andere den Blick verwirrt von dem Fass zur Axt und zurück wandern ließ. »Wir nehmen es mit; es kommt nicht in Frage, dass Ihr Euch jetzt alle besauft.«

Er wandte sich mir zu, und als nähme er ein Gespräch wieder auf, sagte er: »Wo ist der Rest?«

»Mehr haben wir nicht«, sagte Marsali, bevor ich antworten konnte. Sie sah ihn stirnrunzelnd an, argwöhnisch, aber auch voller Wut. »Dann nehmt es eben mit.«

Der schmächtige Mann richtete seine Aufmerksamkeit jetzt erstmals auf sie, warf ihr jedoch nicht mehr als einen beiläufigen Blick zu, bevor er sich wieder mir zuwandte.

»Macht Euch nicht die Mühe, mich anzulügen, Mrs. Fraser. Ich weiß sehr wohl, dass noch mehr da ist, und ich werde es bekommen.«

»Das stimmt nicht. Gib mir das, du Idiot!« Marsali entriss ihrem Gegenüber mit einem Ruck die Axt und sah den Schmächtigen finster an. »So revanchiert Ihr Euch also für den freundlichen Empfang – mit Diebstahl? Nun, dann nehmt Euch, weshalb Ihr gekommen seid, und geht!«

Mir blieb nichts anderes übrig, als ihr Spiel mitzuspielen, obwohl in meinem Kopf jedes Mal die Alarmglocken schlugen, wenn ich den schmächtigen Mann anblickte.

»Sie hat Recht«, sagte ich. »Überzeugt Euch selbst.« Ich wies auf den Schuppen und den Destillierapparat, der daneben stand, unverschlossen und eindeutig leer. »Wir beginnen gerade erst mit dem Mälzen. Es dauert noch Wochen, bis es eine neue Fuhre Whisky gibt.«

Ohne eine Miene zu verziehen, trat er rasch vor und schlug mir mit voller Wucht ins Gesicht.

Der Schlag war nicht so fest, dass ich stürzte, doch mein Kopf fiel nach hinten und meine Augen tränten. Ich war mehr schockiert als ernstlich verletzt, obwohl ich einen scharfen Blutgeschmack im Mund hatte und ich bereits spüren konnte, wie meine Lippe anschwoll.

Marsali stieß einen kurzen Aufschrei des Schreckens und der Entrüstung aus, und ich hörte einige der Männer fasziniert und überrascht miteinander tuscheln. Sie waren jetzt so nah herangekommen, dass sie uns umzingelten.

Ich hielt mir den Handrücken vor den blutenden Mund und registrierte geistesabwesend, dass meine Hand zitterte. Doch mein Verstand hatte sich in sichere Entfernung zurückgezogen und schmiedete und verwarf seine Gedanken so schnell, dass sie wie Karten beim Mischen vorbeiflatterten.

Wer waren diese Männer? Wie gefährlich waren sie. Wie weit waren sie bereit zu gehen? Die Sonne ging unter – wie lange würde es dauern, bis man Marsali oder mich vermisste und uns jemand suchen kam? Würde es Fergus oder Jamie sein? Selbst Jamie, wenn er allein kam …

Ich hatte keinen Zweifel, dass dies dieselben Männer waren, die das Massaker an den Holländern verübt hatten und wahrscheinlich auch für viele weitere Überfälle verantwortlich waren. Gewaltbereit also – jedoch hauptsächlich auf Diebstahl aus.

Mein Mund schmeckte nach Kupfer; das Metallaroma von Blut und Angst. All diese Überlegungen hatten nicht mehr als eine Sekunde beansprucht, doch als ich jetzt den Kopf senkte, war ich zu dem Schluss gekommen, dass es das Beste sein würde, ihnen zu geben, was sie wollten, und zu hoffen, dass sie unverzüglich mit dem Whisky verschwanden.

Ich bekam jedoch keine Gelegenheit, das zu sagen. Der schmächtige Mann packte mich am Handgelenk und verdrehte es brutal. Ich spürte, wie sich die Knochen unter dem durchdringendem Schmerz verschoben und nachgaben und sank im Laub auf die Knie, unfähig, mehr als ein leises, atemloses Geräusch auszustoßen.

Marsali reagierte mit einem lauteren Geräusch und setzte sich in Bewegung wie eine angreifende Schlange. Sie schwang die Axt aus der Schulter heraus, mit der ganzen Kraft ihres ausladenden Körpers, und die Klinge sank tief in die Schulter des Mannes, der ihr am nächsten stand. Sie zog sie heraus, und warmes Blut sprühte mir ins Gesicht und prasselte wie Regen auf das Laub.

Sie schrie laut und schrill, der Mann schrie ebenfalls, und dann war die ganze Lichtung in Bewegung, und die Männer stürzten mit dem Dröhnen brechender Brandung auf ihre Mitte zu. Ich machte einen Satz, packte die Knie des schmächtigen Mannes und stieß ihm meinen Kopf mit aller Kraft in den Schritt. Er keuchte erstickt auf und fiel auf mich, so dass er mich zu Boden presste.

Ich wand mich unter seinem verdrehten Körper hervor und kannte nur einen Gedanken, dass ich zu Marsali musste, zwischen sie und die Männer gelangen musste – doch sie waren schon bei ihr. Ein Schrei, abgewürgt vom Geprassel der Fausthiebe, und ein dumpfes Rumpeln, als Menschen gegen die Wand des Malzschuppens prallten.

Das getöpferte Kohlebecken stand in Reichweite. Ich ergriff es, ohne die durchdringende Hitze zu beachten, und warf es mitten unter die Männer. Es traf einen von ihnen am Rücken, sprang in Scherben und verstreute seine heißen Kohlen in alle Richtungen. Männer schrien und fuhren zurück, und ich sah Marsali zusammengesunken an der Schuppenwand liegen. Ihr Hals war auf ihre Schulter gesunken, und ihre Augen weiß verdreht, die Beine gespreizt und das Hemd am Ausschnitt aufgerissen, so dass ihre schweren Brüste auf ihrem runden Bauch lagen.

Dann versetzte mir jemand einen Hieb gegen den Kopf, und ich flog zur Seite, rutschte über das Laub und landete flach auf dem Boden, unfähig, mich zu erheben oder zu bewegen, zu denken oder zu sprechen.

Große Ruhe überkam mich, und mein Gesichtsfeld verengte sich – es kam mir ganz langsam vor –, als ob sich eine Blende in Spiralen schließt. Vor mir sah ich das Nest auf dem Boden, nur Zentimeter von meiner Nase entfernt, seine verflochtenen Zweige schlank, klug konstruiert, die vier grünlichen Eier rund, zerbrechlich und perfekt umschlossen. Dann krachte ein Absatz auf die Eier nieder, und die Blende schloss sich.

Brandgeruch ließ mich wieder zu mir kommen. Ich konnte nicht mehr als ein paar Sekunden bewusstlos gewesen sein; das trockene Grasbüschel vor meinem Gesicht begann gerade erst zu qualmen. Eine heiße Kohle glühte in einem Aschenest, das von Funken durchzogen war. Glimmende Fäden schossen an den verwelkten Glashalmen empor, und das Büschel brach im selben Moment in Flammen aus, als Hände mich an Arm und Schulter packten und mich hochzerrten.

Immer noch benommen, schlug ich nach meinem Entführer, wurde jedoch ohne Umschweife zu einem der Pferde geschoben, hinaufgehievt und mit so viel Schwung über den Sattel geworfen, dass mir die Luft wegblieb. Ich besaß gerade noch die Geistesgegenwart, mich an den Steigbügelriemen zu klammern, als auch schon jemand dem Pferd einen Hieb auf die Kruppe versetzte und wir in schmerzhaftem Trab aufbrachen.

Schwindelig und durchgeschüttelt, sah ich alles nur in Bruchstücken, von

Haarrissen durchzogen wie gesplittertes Gras – doch ich erhaschte einen letzten Blick auf Marsali, die schlaff wie eine Stoffpuppe zwischen einem Dutzend kleiner Feuer lag, denn die verstreuten Kohlen begannen jetzt, Nahrung zu finden und zu brennen.

Ich brachte ein ersticktes Geräusch hervor, versuchte, sie zu rufen, doch es ging im Lärm des Zaumzeugs und der Männerstimmen unter, die sich ganz in meiner Nähe in drängendem Ton unterhielten.

»Bist du verrückt, Hodge? Du kannst doch diese Frau nicht mitnehmen. Bring sie zurück!«

»Nein.« Die Stimme des schmächtigen Mannes klang ärgerlich, aber kontrolliert, irgendwo dicht in der Nähe. »Sie wird uns zu dem Whisky bringen.«

»Der Whisky wird uns aber nichts nützen, wenn wir tot sind. Hodge! Das ist Jamie Frasers *Frau*, in Gottes Namen!«

»Ich weiß, wer sie ist. Ab mit dir!«

»Aber er – du kennst den Mann nicht, Hodge! Ich hab ihn einmal gesehen –«

»Verschone mich mit deinen Erinnerungen. *Ab*, habe ich gesagt!«

Diese letzten Worte wurden von einem plötzlichen, heftigen Schlag und einem erschrockenen Schmerzenslaut unterstrichen. Ein Pistolenkolben, dachte ich. Mitten ins Gesicht, fügte ich im Geiste hinzu und schluckte, als ich das nasse, keuchende Luftholen eines Mannes mit gebrochener Nase hörte.

Eine Hand packte mich an den Haaren und riss meinen Kopf schmerzhaft herum. Das Gesicht des Schmächtigen starrte zu mir herunter, die Augen berechnend zusammengekniffen. Er schien sich nur vergewissern zu wollen, dass ich tatsächlich noch lebte, denn er sagte nichts und ließ meinen Kopf gleichgültig wieder fallen, als sei ich ein Tannenzapfen, den er unterwegs aufgelesen hatte.

Jemand führte das Pferd, auf dem ich mich befand; es waren mehrere Männer zu Fuß dabei. Ich hörte, wie sie einander zuriefen, halb rannten, um mitzukommen, als die Pferde einen Hang hinaufschwankten, und grunzend wie die Schweine durch das Unterholz krachten.

Ich konnte nur flach und abgehackt atmen und wurde mit jedem Schritt gnadenlos durchgerüttelt – doch ich hatte keine Aufmerksamkeit für meine körperlichen Beschwerden übrig. War Marsali tot? Es hatte durchaus so ausgesehen – doch ich hatte kein Blut gesehen, und ich klammerte mich an diese winzige Tatsache und den schwachen – wenn auch vorübergehenden – Trost, den sie bot.

Selbst, wenn sie noch nicht tot war, war es gut möglich, dass es nicht mehr lange dauerte. Ganz gleich, ob durch Verletzungen, den Schock, eine plötzliche Fehlgeburt – o Gott, o Gott, der arme Monsieur l'Œuf –

Meine Hände klammerten sich hilflos und verzweifelt um den Steigbügelriemen. Wer mochte sie finden – und wann?

Es war kaum noch eine Stunde bis zur Abendessenszeit gewesen, als ich zum Malzschuppen gekommen war. Wie spät war es jetzt? Ich sah Bruchstücke des Bodens, der unter mir vorüberschaukelte, doch mein Haar hatte sich gelöst und fiel mir über das Gesicht, wenn ich versuchte, den Kopf zu heben. Allerdings wurde die Luft zunehmend kühler, und das Licht hatte eine Stille an sich, die mir sagte, dass die Sonne dem Horizont nahe war. In ein paar Minuten würde es zu verblassen beginnen.

Und was dann? Wie lange, bis eine Suchaktion begann? Fergus würde Marsalis Fehlen bemerken, wenn sie nicht auftauchte, um das Abendessen zu kochen – aber würde er sie suchen gehen, wenn er die kleinen Mädchen in seiner Obhut hatte? Nein, er würde Germain schicken. Mir fuhr das Herz in die Kehle. Die Vorstellung, dass ein fünfjähriger Junge seine Mutter fand…

Ich konnte immer noch Brandgeruch riechen. Ich zog die Nase hoch, einmal, zweimal, noch einmal, hoffte, dass ich es mir einbildete. Doch über dem Staub und dem Pferdeschweiß, dem Geruch des Sattelzeugs und dem Hauch zertretener Pflanzen konnte ich deutlich Qualm riechen. Die Lichtung, der Schuppen oder beides stand jetzt lichterloh in Flammen. Irgendjemand würde den Rauch sehen und hinrennen. Aber rechtzeitig?

Ich schloss fest die Augen und versuchte, die Gedanken abzustellen, mich von den Bildern in meinem Kopf abzulenken, die mir die Szene zeigten, die sich hinter mir abspielen musste.

Die Stimmen in meiner Nähe waren immer noch nicht verstummt. Wieder der Mann, den sie Hodge nannten. Es musste sein Pferd sein, auf dem ich hing; er führte es auf der anderen Seite am Kopf. Jemand anders diskutierte jetzt mit ihm, jedoch keineswegs erfolgreicher als der erste Mann.

»Verteile sie«, sagte er kurz angebunden. »Teile die Männer in zwei Gruppen auf – du nimmst die eine, der Rest kommt mit mir. Wir treffen uns in drei Tagen in Brownsville wieder.«

Verflucht. Er rechnete damit, verfolgt zu werden, und hatte vor, die Verfolger zu frustrieren, indem er seine Truppe teilte und die Spur verwischte. Ich versuchte verzweifelt, mir etwas zu überlegen, das ich fallen lassen konnte; ich musste doch *irgendetwas* haben, das ich zurücklassen konnte, um Jamie zu sagen, wohin man mich verschleppt hatte.

Doch ich trug nichts außer meinem Unterkleid, dem Korsett und Strümpfen – ich hatte meine Schuhe verloren, als sie mich zu dem Pferd schleiften. Die Strümpfe schienen die einzige Möglichkeit zu sein; doch die Strumpfbänder waren perverserweise diesmal ordentlich befestigt und im Moment für mich völlig unerreichbar.

Überall ringsum hörte ich die Geräusche von Männern und Pferden, und der Trupp teilte sich unter allgemeinem Rufen und Schubsen. Hodge trieb das Pferd schnalzend an, und wir begannen, uns erheblich schneller zu bewegen.

Mein loses Haar verfing sich an einem Zweig, als wir an einem Gebüsch vorbeistrichen, blieb eine Sekunde hängen und kam dann mit einem schmerzhaften *Ping!* wieder frei, als der Zweig abbrach, von meinem Wangenknochen abprallte und nur knapp mein Auge verfehlte. Ich sagte etwas sehr Rüdes, und jemand – wahrscheinlich Hodge – verpasste mir einen tadelnden Schlag auf den Hintern.

Ich sagte etwas noch viel, viel Rüderes, allerdings leise und mit zusammengebissenen Zähnen. Mein einziger Trost war der Gedanke, dass es kein großes Kunststück sein würde, eine Bande zu verfolgen, die eine so breite Spur aus abgebrochenen Zweigen, Hufabdrücken und umgedrehten Steinen hinterließ.

Ich hatte Jamie schon oft dabei beobachtet, wie er die Spur kleiner, schlauer Geschöpfe verfolgte, aber auch solcher, die groß und trampelig waren – und dabei gesehen, wie er im Vorübergehen die Rinde der Bäume und die Zweige der Büsche nach Kratzern absuchte und nach verräterischen … Haarbüscheln.

Auf der Seite des Pferdes, an der mein Haar hing, ging niemand. Hastig begann ich, mir Haare auszureißen. Drei, vier fünf – reichte das? Ich streckte die Hand aus und zog sie durch einen Ilexstrauch; die Bewegung des vorbeigehenden Pferdes ließ die langen, lockigen Haare im Wind wehen, doch sie blieben fest in den gezackten Blättern hängen.

Das wiederholte ich noch viermal. Er würde doch sicher wenigstens eins der Zeichen sehen und daran erkennen, welcher Spur er folgen musste – wenn er nicht Zeit damit verlor, zuerst einer der anderen zu folgen. Doch dagegen konnte ich nichts tun außer zu beten – und daran machte ich mich jetzt mit aller Hingabe, indem ich mit einer Fürbitte für Marsali und Monsieur l'Œuf begann, deren Not eindeutig sehr viel größer war als meine.

Wir bewegten uns eine ganze Weile weiter bergauf; es war vollständig dunkel, als wir etwas erreichten, was ein Berggipfel zu sein schien, und ich war halb bewusstlos, denn mein mit Blut gefüllter Kopf dröhnte, und mein Korsett drückte sich so fest in meinen Oberkörper, dass ich jede einzelne Fischbeinstange wie ein Brandzeichen auf meiner Haut spürte.

Mir blieb gerade noch die Energie, mich abzustoßen, als das Pferd stehen blieb. Ich landete als Häufchen Elend auf dem Boden, wo ich benommen sitzen blieb und mir die Hände rieb, die vom langen Hängen geschwollen waren.

Die Männer hatten sich zu einer kleinen Gruppe umeinander geschart und waren in ein leises Gespräch vertieft, doch zu dicht bei mir, als dass ich auch nur hätte daran denken können, ins Gebüsch davonzukriechen. Ein Mann stand in kurzer Entfernung von mir und behielt mich unablässig im Auge.

Ich spähte zurück in die Richtung, aus der wir gekommen waren. Halb fürchtete, halb hoffte ich, tief unten das Glühen eines Feuers zu sehen. Das

Feuer würde jemandem aufgefallen sein – inzwischen würde jemand wissen, was geschehen war, in diesem Moment Alarm schlagen, die Verfolgung organisieren. Und doch ... Marsali.

War sie schon tot – und das Baby mit ihr?

Ich schluckte krampfhaft und blinzelte angestrengt in die Dunkelheit – um die Tränen zu unterdrückten, aber genauso in der Hoffnung, irgendetwas zu sehen. Doch die Bäume ringsum waren dicht gewachsen, und alles, was ich erkennen konnte, war Tintenschwärze in unterschiedlichen Schattierungen..

Es gab kein Licht; der Mond war noch nicht aufgegangen, und die Sterne waren noch blass – doch meine Augen hatten mehr als genug Zeit gehabt, sich daran zu gewöhnen, und ich war zwar keine Katze, die im Dunkeln sehen konnte, doch ich konnte genug wahrnehmen, um eine grobe Schätzung vorzunehmen. Sie diskutierten und blickten dann und wann in meine Richtung. Vielleicht ein Dutzend Männer ... wie viele waren es ursprünglich gewesen? Zwanzig? Dreißig?

Ich ballte zitternd meine Finger zur Faust. Mein Handgelenk war übel mitgenommen, doch das war es nicht, was mir gegenwärtig Sorgen machte.

Mir war klar – und ihnen daher wahrscheinlich ebenfalls –, dass sie nicht direkt auf das Whiskyversteck zuhalten konnten, selbst wenn ich in der Lage gewesen wäre, es bei Nacht zu finden. Ob Marsali nun überlebt hatte, um zu reden, oder nicht – ich spürte, wie mir dieser Gedanke die Kehle verschnürte –, Jamie würde wahrscheinlich begreifen, dass es die Eindringlinge auf den Whisky abgesehen hatten, und ihn bewachen lassen.

Hätten sich die Dinge anders entwickelt, hätten mich die Männer im Idealfall gezwungen, sie zum Versteck zu führen, den Whisky an sich gebracht und sich davongemacht, in der Hoffnung zu fliehen, bevor der Diebstahl entdeckt wurde. Hätten sie mich und Marsali am Leben gelassen, um Alarm zu schlagen?, fragte ich mich. Vielleicht, vielleicht auch nicht.

Doch in der Panik, die auf Marsalis Angriff folgte, war der ursprüngliche Plan zunichte gemacht worden. Was nun?

Die Gruppe der Männer löste sich auf, obwohl der Streit weiterging. Schritte kamen näher.

»Ich sag's euch, das geht nicht gut«, sagte einer der Männer erhitzt. Aus seiner belegten Stimme schloss ich, dass es der Gentleman mit der gebrochenen Nase war, der sich durch seine Verletzung nicht abschrecken ließ. »Erledigt sie jetzt. Lasst sie hier; eher werden die wilden Tiere ihre Knochen verstreuen, als dass sie jemand findet.«

»Aye? Und wenn niemand sie findet, werden sie denken, dass sie immer noch bei uns ist, oder nicht?«

»Aber wenn uns Fraser einholt, und sie ist nicht da, wie soll er uns vorwerfen ...«

Sie blieben stehen, vier oder fünf von ihnen, die sich um mich herum aufstellten. Ich ging hastig in die Hocke, und meine Hand umschloss reflexartig den nächstbesten, einer Waffe ähnlichen Gegenstand – einen unglücklicherweise reichlich kleinen Stein.

»Wie weit sind wir von dem Whisky entfernt?«, wollte Hodge wissen. Er hatte den Hut abgesetzt, und seine Augen glänzten im Schatten wie die einer Ratte.

»Ich weiß es nicht«, sagte ich und behielt meine Nerven – und den Stein – fest im Griff. Meine Lippe war wund und geschwollen von seinem Schlag, und ich musste die Worte sorgfältig aussprechen. »Ich weiß ja nicht einmal, wo *wir* sind.«

Das stimmte, obwohl ich es hätte erraten können. Wir waren seit mehreren Stunden unterwegs, meistens bergauf, und die Bäume hier waren Tannen und Fichten; ich konnte ihr Harz riechen, scharf und rein. Wir befanden uns oben auf dem Hang, wahrscheinlich in der Nähe eines kleinen Passes, der die Bergschulter durchschnitt.

»Erledigt sie«, drängte einer der anderen. »Sie nützt uns nichts, und wenn Fraser sie bei uns findet –«

»Halt's Maul!« Hodge baute sich mit solcher Heftigkeit vor dem Sprecher auf, dass dieser unwillkürlich zurücktrat, obwohl er viel größer war. Als er keine Bedrohung mehr darstellte, ignorierte ihn Hodge und packte mich am Arm.

»Spielt mir nicht die Harmlose vor. Ihr sagt mir jetzt, was ich wissen will.« Er machte sich erst gar nicht die Mühe, ein »sonst« anzufügen – etwas Kaltes glitt mir über die Brust, und eine Sekunde später folgte das Beißen des Schnittes, und Blut begann daraus aufzuquellen.

»Jesus H. Roosevelt Christ!«, sagte ich eher überrascht als vor Schmerz. Ich entriss ihm meinen Arm. »Ich sage Euch doch, ich weiß ja nicht einmal, wo *wir* sind, Idiot! Wie soll ich Euch da sagen, wo irgendetwas anderes ist?«

Er kniff verblüfft die Augen zu und hob instinktiv das Messer, argwöhnisch, als dächte er, ich wollte mich auf ihn stürzen. Als er begriff, dass ich das nicht vorhatte, sah er mich finster an.

»Ich werde Euch sagen, *was* ich weiß«, sagte ich und freute mich in einem abgelegenen Winkel meines Verstandes, weil meine Stimme scharf und unbeirrt war. »Das Whiskyversteck ist etwa eine halbe Meile von der Mälzerei entfernt, grob nordwestlich. Es ist in einer Höhle gut versteckt. Ich könnte Euch hinbringen – wenn wir an der Quelle anfangen würden, an der Ihr mich in Eure Gewalt gebracht habt –, aber das ist alles, was ich Euch über den Weg sagen kann.«

Und genauso war es. Ich konnte es problemlos finden – aber den Weg beschreiben? *»Geht ein kleines Stück durch eine Lücke im Gebüsch, bis Ihr die Eichen seht, wo Brianna das Opossum geschossen hat, dann links bis zu einem quadratischen Felsen, der mit Natternzunge überwachsen ist…«*

Natürlich spielte auch die Tatsache, dass wahrscheinlich allein meine Unentbehrlichkeit als Führerin sie davon abhielt, mich auf der Stelle umzubringen, eine Rolle bei meinen Überlegungen.

Es war nur ein oberflächlicher Schnitt; ich blutete nicht sehr stark. Mein Gesicht und meine Hände waren allerdings eiskalt, und am Rand meines Gesichtsfeldes blitzten kleine Lichter auf und erloschen wieder. Das Einzige, was mich aufrecht hielt, war die vage Überzeugung, dass ich es, sollte es so weit kommen, vorzog, im Stehen zu sterben.

»Ich sag's dir, Hodge, du willst mit der Frau nichts zu tun haben – nichts.« Ein größerer Mann war zu der kleinen Gruppe gestoßen, die um mich herumstand. Er beugte sich über Hodges Schulter, sah mich an und nickte. In der Dunkelheit waren sie alle schwarz, doch dieser Mann hatte eine Stimme, die afrikanisch rollte – ein ehemaliger Sklave oder vielleicht ein Sklavenhändler. »Diese Frau – ich hab von ihr gehört. Sie ist eine Zauberin. Ich kenne die Sorte. Sie sind wie Schlangen, diese Zauberfrauen. Rühr sie bloß nicht an, hörst du mich? Sonst verflucht sie dich!«

Als Antwort darauf brachte ich ein ausgesprochen scheußlich klingendes Lachen heraus, und der Mann, der am dichtesten bei mir stand, trat einen halben Schritt zurück. Ich war vage überrascht; wo war *das* denn hergekommen?

Doch das Atmen fiel mir jetzt leichter, und die blitzenden Lichter waren fort.

Der Große reckte den Hals und sah den dunklen Blutstreifen auf meinem Hemd.

»Du hast ihr Blut vergossen? Verdammt, Hodge, jetzt hast du's.« Sein Tonfall war deutlich alarmiert, und er wich ein wenig zurück und machte mit einer Hand ein Zeichen in meine Richtung.

Ohne die geringste Ahnung zu haben, was mich dazu trieb, ließ ich den Stein fallen, fuhr mir mit den Fingern der rechten Hand über den Schnitt, streckte die Hand aus und zog sie mit einer raschen Bewegung über die Wange des Schmächtigen. Ich wiederholte das gemeine Lachen.

»Verfluchen, wie?«, sagte ich. »Wie ist es hiermit? Rührt mich noch einmal an, und Ihr sterbt in den nächsten vierundzwanzig Stunden.«

Die Blutstreifen waren dunkel in seinem weißen Gesicht zu sehen. Er war mir nah genug, dass ich seinen sauren Atem riechen und die Wut sehen konnte, die sich in seinem Gesicht aufstaute.

Was glaubst du eigentlich, was du hier tust, Beauchamp?, dachte ich, von mir selbst ganz überrascht. Hodge holte mit der Faust aus, um mich zu schlagen, doch der kräftige Mann packte ihn mit einem Aufschrei der Angst am Handgelenk.

»Nicht! Du bringst uns alle um!«

»Ich bringe *dich* gleich um, Arschgesicht!«

Hodge hatte das Messer immer noch in der anderen Hand; er stach ungeschickt auf den größeren Mann ein und grunzte vor Wut. Der kräftige Mann keuchte, als das Messer ihn traf, war jedoch nicht schlimm getroffen – und verdrehte das Handgelenk, das er festhielt. Hodge stieß einen schrillen Aufschrei aus wie ein Kaninchen, das der Fuchs gefangen hat.

Sofort waren die anderen zur Stelle, und tasteten lautstark nach ihren Waffen. Ich machte kehrt und rannte los, kam jedoch nur ein paar Schritte weit, bevor mich einer von ihnen packte, die Arme um mich schlang und mich fest an sich riss.

»Ihr geht nirgendwo hin, meine Dame«, keuchte er mir ins Ohr.

Er hatte Recht. Er war nicht größer als ich, aber um einiges kräftiger. Ich wehrte mich gegen seine Umklammerung, doch er hatte beide Arme fest um mich geschlungen und drückte jetzt noch fester zu. Da blieb ich stocksteif stehen. Mein Herz hämmerte vor Wut und Angst, doch ich wollte ihm keine Entschuldigung verschaffen, mich zu misshandeln. Er war erregt; ich konnte spüren, dass auch sein Herz hämmerte, und ich roch frischen Schweiß neben den Ausdünstungen seiner schmuddeligen Kleider und seines Körpers.

Ich konnte nicht sehen, was geschah, aber ich hatte jetzt weniger das Gefühl, dass sie sich prügelten, als vielmehr, dass sie sich nur gegenseitig anbrüllten. Mein Bewacher verlagerte das Gewicht und räusperte sich.

»Äh … woher kommt Ihr, Ma'am?«, fragte er ganz höflich.

»Was?«, sagte ich völlig verblüfft. »Woher? Ähm … äh … England. Ursprünglich aus der Grafschaft Oxford. Dann Boston.«

»Oh? Ich bin auch aus dem Norden.«

Ich unterdrückte das automatische Bedürfnis, »angenehm«, zu erwidern, da es mir nicht angenehm war, und die Unterhaltung stockte.

Die Rauferei hatte so abrupt aufgehört, wie sie angefangen hatte. Unter knurrenden Warnlauten wichen die restlichen Männer vor Hodges Gebrüll zurück, er habe hier das Kommando und sie sollten besser tun, was er sagte, sonst müssten sie die Konsequenzen tragen.

»Er meint es ernst«, murmelte mein Bewacher, der mich nach wie vor fest an seine verdreckte Brust gedrückt hielt. »Glaubt mir, meine Dame, ärgert ihn besser nicht.«

»Hmpf«, sagte ich, obwohl ich davon ausging, dass der Ratschlag gut gemeint war. Ich hatte gehofft, dass die Auseinandersetzung sich lautstark in die Länge ziehen würde und sich damit die Chancen vergrößern würden, dass Jamie uns einholte.

»Und woher stammt dieser Hodge, wo wir gerade von Geburtsorten sprechen?«, fragte ich. Er kam mir so verflixt bekannt vor; ich war mir sicher, dass ich ihn *irgendwo* schon einmal gesehen hatte – aber wo?

»Hodgepile? Ahhh … England, nehme ich an«, sagte der junge Mann. Er klang überrascht. »Hört man ihm das denn nicht an?«

Hodge? Hodgepile? Irgendwo klingelte es in der Tat, aber –

Das allgemeine Gemurmel und Geschiebe war zwar nicht ganz vorbei, aber nach viel zu kurzer Zeit waren wir wieder unterwegs. Diesmal durfte ich Gott sei Dank normal reiten, wenn auch meine Hände gefesselt und an den Sattel gebunden wurden.

Wir kamen sehr langsam voran; es gab zwar eine Art Pfad, doch selbst im schwachen Licht des aufgehenden Mondes war das Terrain schwierig. Das Pferd, auf dem ich ritt, wurde jetzt nicht mehr von Hodgepile geführt; der junge Mann, der mich wieder eingefangen hatte, hielt es am Kopfstück und zog und lockte das zunehmend widerstrebende Pferd durch das dichte Unterholz. Dann und wann konnte ich ihn sehen, schlank mit dichtem, wildem Haar, das ihm über die Schultern hing und ihn im Gegenlicht so aussehen ließ, als hätte er eine Löwenmähne.

Die unmittelbare Todesdrohung hatte zwar ein wenig nachgelassen, doch mein Magen war verkrampft, und meine Rückenmuskeln waren steif vor Anspannung. Hodgepile hatte fürs Erste gewonnen, doch die Männer waren zu keiner wirklichen Übereinstimmung gelangt; wie leicht konnte ein Mitglied der Fraktion, die dafür gewesen war, mich umzubringen und meine Leiche für die Stinktiere und Wiesel liegen zu lassen, beschließen, der Kontroverse mit einem plötzlichen Sprung aus der Dunkelheit ein Ende zu setzen.

Irgendwo weiter vorn konnte ich Hodgepiles Stimme hören, scharf und herrisch. Er schien sich entlang der Kolonne vor und zurück zu bewegen und seine Männer zu bedrohen und zu bedrängen und ihnen die Zähne zu zeigen wie ein Schäferhund, der versucht, seine Herde in Bewegung zu halten.

Sie *blieben* in Bewegung, obwohl selbst für mich offensichtlich war, dass die Pferde müde waren. Die Stute, auf der ich saß, schlug beim Dahintrotten gereizt mit dem Kopf. Weiß Gott, woher die Plünderer kamen und wie lange sie schon unterwegs waren, als sie die Whiskylichtung erreichten. Auch die Männer wurden jetzt langsamer, und die Erschöpfung legte sich allmählich wie Nebel über sie, als das durch Flucht und Streit freigesetzte Adrenalin verebbte. Ich konnte spüren, wie sich die Erschöpfung auch über mich stahl, und ich kämpfte dagegen an und bemühte mich, wach zu bleiben.

Es war Spätsommer, doch ich trug nur mein Hemd, und wir waren so hoch in den Bergen, dass sich die Luft nach Einbruch der Dunkelheit rasch abkühlte. Ich zitterte unablässig, und die Schnittwunde auf meiner Brust brannte, weil sich die Muskeln unter der Haut anspannten. Es war nichts Ernstes, aber was, wenn sie sich entzündete? Ich konnte nur hoffen, dass ich so lange noch leben würde, bis das zum Problem wurde.

So sehr ich mich auch bemühte, ich konnte nicht verhindern, dass ich an Marsali denken musste oder dass mein Kopf medizinische Spekulationen unternahm und sich alles Mögliche ausmalte, von der Gehirnerschütterung mit intrakraniellen Schwellungen bis hin zu Verbrennungen und Rauchvergiftung. Ich könnte etwas tun – wenn ich dort wäre. Sonst konnte es niemand.

Meine Hände umklammerten mit aller Kraft den Rand des Sattels und zerrten an dem Seil, mit dem sie gefesselt waren. Ich musste zu ihr!

Aber ich war nicht bei ihr, und womöglich kam ich nie wieder zurück.

Die Streitgespräche und das Rumoren waren so gut wie verstummt, als sich das Dunkel des Waldes um uns schloss, doch ein Gefühl der Beklommenheit blieb schwer über der Gruppe liegen. Zum Teil glaubte ich, dass es von der Anspannung und der Furcht vor Verfolgung kam, zum viel größeren Teil jedoch von der Unstimmigkeit zwischen den Männern. Der Streit war nicht behoben, sondern nur auf einen geeigneten Moment aufgeschoben. Das Gefühl eines brodelnden Konfliktes lag scharf in der Luft.

Eines Konfliktes, der sich allein um *mich* drehte. Da ich während der Auseinandersetzung nicht viel hatte sehen können, konnte ich nicht mit Gewissheit sagen, welche der Männer welche Meinung vertraten, doch die Spaltung war deutlich: Der eine Teil, angeführt von Hodgepile, war dafür, mich am Leben zu lassen, zumindest so lange, bis ich sie zu dem Whisky geführt hatte. Eine zweite Gruppe war dafür, ihre Verluste so gering wie möglich zu halten und mir die Kehle durchzuschneiden. Und die Meinung einer Minderheit, ausgedrückt durch den Gentleman mit dem afrikanischen Akzent, lautete, mich laufen zu lassen, und zwar je eher, desto besser.

Offenbar würde es klug sein, meine Beziehungen zu diesem Herrn zu pflegen und zu versuchen, mir seinen Aberglauben zunutze zu machen. Doch wie? Einen Anfang hatte ich ja schon gemacht, indem ich Hodgepile verfluchte – und es verblüffte mich immer noch, dass ich das getan hatte. Ich hielt es jedoch nicht für ratsam, damit anzufangen, sie in Massen zu verfluchen – es würde die Wirkung zerstören.

Ich rutschte im Sattel hin und her, denn er fing jetzt an, mich fürchterlich wund zu scheuern. Dies war nicht das erste Mal, dass Männer aus Angst vor dem, wofür sie mich hielten, vor mir zurückgefahren waren. Abergläubische Furcht konnte eine wirkungsvolle Waffe sein – aber ihr Einsatz war äußerst gefährlich. Wenn ich sie zu sehr erschreckte, war es möglich, dass sie mich ohne Zögern umbrachten.

Wir hatten den Pass betreten. Hier standen nur wenige Bäume zwischen den Felsbrocken, und als wir auf der anderen Seite des Berges ankamen, öffnete sich der Himmel vor mir, unendlich, leuchtend und voller flammender Sterne.

Ich muss bei diesem Anblick ein Geräusch ausgestoßen haben, denn der junge Mann, der mein Pferd führte, blieb stehen und hob ebenfalls den Kopf zum Himmel.

»Oh«, sagte er leise. Er starrte einen Moment hinauf, dann strich ein anderes Pferd an uns vorbei, dessen Reiter sich umdrehte und mich durchdringend ansah, und er kam wieder auf den Erdboden zurück.

»Hattet Ihr auch solche Sterne – wo Ihr herkommt?«, fragte mein Begleiter.

»Nein«, sagte ich, noch ein wenig im Bann der stillen Glorie über unseren Köpfen. »Nicht so hell.«

»Nein, das waren sie nicht«, sagte er, schüttelte den Kopf und zog am Zügel. Diese Bemerkung kam mir seltsam vor, aber ich konnte mir keinen Reim darauf machen. Möglicherweise hätte ich mich noch weiter mit ihm unterhalten – ich brauchte weiß Gott jeden Verbündeten, den ich finden konnte – doch vor uns erklang ein Ruf; offensichtlich würden wir Rast machen.

Ich wurde losgebunden und vom Pferd gezerrt. Hodgepile schob sich durch das Gedränge und packte mich an der Schulter.

»Versucht wegzulaufen, und Ihr werdet Euch wünschen, Ihr hättet es nicht getan.« Er drückte brutal zu, und seine Finger bohrten sich in meine Haut. »Ich brauche Euch lebendig – ich brauche Euch nicht unversehrt.«

Ohne meine Schulter loszulassen, hob er sein Messer, presste die Klinge mit der flachen Seite an meine Lippen und schob mir die Spitze in die Nase. Dann beugte er sich so dicht zu mir herüber, dass ich die feuchte Wärme seines widerwärtigen Atems in meinem Gesicht spürte.

»Das Einzige, was ich Euch *nicht* abschneiden werde, ist Eure Zunge«, flüsterte er. Er zog die Messerklinge langsam aus meiner Nase über mein Kinn, an meinem Hals entlang und umkreiste meine Brust. »Ihr versteht mich doch, oder?«

Er wartete, bis ich ein Kopfnicken zuwege brachte, dann ließ er mich los und verschwand in der Dunkelheit.

Wenn er vorgehabt hatte, mich aus dem Konzept zu bringen, so war ihm das bestens gelungen. Ich schwitzte trotz der Kühle und zitterte noch, als plötzlich ein hoch gewachsener Schatten neben mir aufragte, eine meiner Hände ergriff und etwas hineindrückte.

»Mein Name ist Tebbe«, murmelte er. »Vergesst das nicht – Tebbe. Denkt daran, dass ich gut zu Euch gewesen bin. Sagt Euren Geistern, sie sollen Tebbe nichts tun, er war gut zu Euch.«

Ich nickte erneut, erstaunt, und wurde wieder allein gelassen, diesmal mit einem Stück Brot in der Hand. Ich aß es hastig und stellte dabei fest, dass es zwar ziemlich trocken war, ursprünglich aber gutes Roggenbrot von der Art war, wie es die Frauen in Salem buken. Hatten sie dort ein Haus überfallen oder das Brot lediglich gekauft?

Jemand hatte neben mir einen Pferdesattel auf den Boden geworfen; am Sattelknauf hing eine Wasserflasche, und ich sank auf die Knie, um daraus zu trinken. Das Brot und das Wasser – Geschmacksnote Segelleinen und Holz – waren das Leckerste, was ich seit langem gegessen hatte. Es war nicht das erste Mal, dass mir auffiel, dass die Nähe des Todes den Appetit drastisch verbessert. Dennoch hoffte ich, dass meine letzte Mahlzeit etwas raffinierter sein würde.

Nach ein paar Minuten kam Hodgepile mit einem Seil zurück. Er machte sich nicht die Mühe, mich weiter zu bedrohen – offenbar hatte er den Eindruck, sich genügend verständlich gemacht zu haben. Er fesselte nur meine Hände und Füße und schubste mich zu Boden. Niemand sprach mit mir, aber irgendjemand warf aus einem liebenswürdigen Impuls heraus eine Decke über mich.

Das Lager kam schnell zur Ruhe. Es wurde kein Feuer angezündet, also auch kein Abendessen gekocht; wahrscheinlich stillten die Männer ihren Hunger auf dieselbe improvisierte Weise wie ich. Dann verstreuten sie sich im Wald, um ihre Ruhe zu finden, und ließen die Pferde ein Stück weiter angebunden zurück.

Ich wartete, bis das Hin und Her verebbte, dann nahm ich die Decke zwischen die Zähne und robbte vorsichtig von der Stelle fort, an der man mich abgelegt hatte, bis ich zentimeterweise wie ein Wurm zu einem anderem Baum etwa ein Dutzend Meter weiter gekrochen war.

Dabei hatte ich nicht etwa Flucht im Sinn, doch falls einer der Banditen, die mich am liebsten loswerden wollten, sein Ziel mit Hilfe der Dunkelheit zu erreichen, wollte ich nicht wie ein Opferlamm dort liegen. Wenn jemand an der Stelle herumschnüffelte, wo ich gelegen hatte, würde ich mit etwas Glück gewarnt sein und um Hilfe schreien können.

Ich wusste über jeden Zweifel erhaben, dass Jamie kommen würde. Meine Aufgabe war es zu überleben, bis er es tat.

Keuchend und schwitzend, mit zerbröseltem Laub bestreut und in zerrissenen Strümpfen rollte ich mich unter einer großen Hainbuche zusammen und vergrub mich wieder unter der Decke. So versteckt unternahm ich den Versuch, die Knoten meiner Handfesseln mit den Zähnen zu lösen. Doch Hodgepile hatte sie gebunden und es mit militärischer Gründlichkeit getan. Wenn ich die Seile nicht wie ein Nagetier durchkaute, hatte ich keine Chance.

Militär. Es war dieser Gedanke, der mich schlagartig darauf brachte, wer er war und wo ich ihn schon einmal gesehen hatte. Arvin Hodgepile! Er war Schreiber im königlichen Lagerhaus von Cross Creek gewesen. Ich war ihm vor zwei Jahren kurz begegnet, als Jamie und ich die Leiche eines ermordeten Mädchens zum Sergeanten der dortigen Garnison brachten.

Sergeant Murchison war tot – und ich hatte gedacht, dass Hodgepile es auch war, umgekommen in der Feuersbrunst, die das Lagerhaus und seinen Inhalt zerstört hatte. Ein Deserteur also. Entweder hatte er genug Zeit gehabt, aus dem Lagerhaus zu fliehen, bevor es in Flammen aufging, oder er war gar nicht dort gewesen. Jedenfalls war er so schlau gewesen zu begreifen, dass er diese Gelegenheit nutzen konnte, um sich aus der Armee Seiner Majestät abzusetzen. Schließlich ging alle Welt davon aus, dass er tot war.

Was er seitdem getan hatte, war ebenfalls klar. Er war durch das Land gezogen, um zu stehlen, zu rauben und zu morden – und unterwegs eine Schar gleich gesinnter Gefährten um sich zu sammeln.

Nicht, dass sie sich im Moment einig zu sein schienen. Hodgepile mochte zwar der selbst erklärte Anführer der Bande sein, doch es war deutlich zu sehen, dass er diesen Posten noch nicht lange innehatte. Er war es nicht gewohnt, Befehle zu erteilen; wusste nicht, wie man Männer führte, außer mit Drohungen. Ich hatte in meinem Leben schon viele militärische Befehlshaber gesehen, gute und schlechte, und ich kannte den Unterschied.

Selbst jetzt konnte ich Hodgepile noch in der Ferne hören, wo er die Stimme im Streit erhoben hatte. Ich hatte seine Sorte schon öfter erlebt, brutale Kerle, die die Menschen in ihrer Umgebung durch unvorhersehbare Gewaltausbrüche vorübergehend einschüchtern konnten. Sie hielten selten lange durch – und ich bezweifelte, dass Hodgepile seinen Posten noch sehr viel länger innehaben würde.

Jedenfalls nicht länger als Jamie brauchte, um uns zu finden. Dieser Gedanke beruhigte mich wie ein Schluck guten Whiskys. Inzwischen suchte Jamie mit Sicherheit nach mir.

Ich kuschelte mich dichter unter meine Decke, und ein Schauer überlief mich. Jamie würde Licht brauchen, um bei Nacht einer Spur zu folgen – Fackeln. Das würde ihn und seine Begleiter sichtbar – und verwundbar – machen, wenn sie in Sichtweite des Lagers kamen. Das Lager selbst würde nicht zu sehen sein; es brannte kein Feuer, und die Pferde und Männer waren im Wald verstreut. Ich wusste, dass Wachen aufgestellt worden waren; ich konnte sie dann und wann durch den Wald gehen oder leise reden hören.

Doch Jamie war kein Dummkopf, sagte ich mir und versuchte, die Visionen von Hinterhalten und Massakern zu vertreiben. Er würde es an der Frische des Pferdedungs erkennen, wenn er sich uns näherte, und er würde ganz bestimmt nicht mit flammenden Fackeln direkt zum Lager marschieren. Wenn er unsere Spur bis hierher verfolgt hatte, würde er –

Das Geräusch leiser Schritte ließ mich erstarren. Sie kamen aus der Richtung meines ursprünglichen Schlafplatzes, und ich kauerte unter meiner Decke wie eine Feldmaus, die ein Wiesel erspäht.

Die Schritte schlurften langsam hin und her, als stocherte jemand auf der Suche nach mir in den trockenen Blättern und Tannenadeln umher. Ich hielt die Luft an, obwohl das mit Sicherheit niemand hören konnte, da der Nachtwind hoch oben in den Ästen seufzte.

Ich spähte angestrengt in die Dunkelheit, konnte aber nichts weiter ausmachen als einen schwachen, verschwommenen Fleck, der sich etwa zehn Meter weiter zwischen den Bäumen bewegte. Mir kam ein plötzlicher Gedanke – konnte das Jamie sein? Wenn er uns so nahe gekommen war, dass er das Lager lokalisierte, würde er sich wahrscheinlich zu Fuß hineinstehlen, um nach mir zu suchen.

Bei diesem Gedanken holte ich Luft und zerrte an meinen Fesseln. Ich hätte für mein Leben gern gerufen, wagte es aber nicht. Wenn es Jamie *war*, würde mein Ausruf den Banditen seine Gegenwart verraten. Wenn ich die Wachen hören konnte, konnten sie mich mit Sicherheit ebenfalls hören.

Doch wenn es *nicht* Jamie war, sondern einer der Banditen, der mich im Stillen umbringen wollte …

Ich atmete ganz langsam aus, und jeder Muskel in meinem Körper zitterte vor Anspannung. Eigentlich war es kühl, doch ich war in Schweiß gebadet; ich konnte meinen eigenen Körper riechen, Angstgeruch, der sich unter die kühleren Gerüche von Erde und Vegetation mischte.

Der Fleck war verschwunden, die Schritte verstummt, und mein Herz hämmerte wie eine Pauke. Die Tränen, die ich stundenlang unterdrückt hatte, quollen hervor, liefen heiß über mein Gesicht, und ich weinte lautlos zitternd.

Die Nacht ringsum war immens, die Dunkelheit voller Bedrohungen. Über mir hingen die Sterne leuchtend und wachsam am Himmel, und irgendwann schlief ich ein.

28

Verwünschungen

Ich erwachte kurz vor der Dämmerung in Schweiß gebadet und mit dröhnenden Kopfschmerzen. Die Männer waren schon auf den Beinen und beschwerten sich murrend darüber, dass es weder Kaffee noch Frühstück gab.

Hodgepile blieb neben mir stehen und funkelte mit zusammengekniffenen Augen zu mir herunter. Er blickte nach links zu dem Baum, unter dem er mich am Abend zuvor zurückgelassen hatte, und auf die tiefe Furche im Laub, die ich bei meiner Kriechtour zu meinem gegenwärtigen Platz hinterlassen hatte. Seine Lippen waren so schmal, dass man sie kaum sah, doch sein Kinn verkrampfte sich vor Ärger.

Er zog das Messer aus seinem Gürtel, und ich spürte, wie mir das Blut aus dem Gesicht wich. Doch er kniete sich nur hin und durchtrennte meine Fesseln, anstatt mir zum Ausdruck seiner Gefühle einen Finger abzuschneiden.

»Wir brechen in fünf Minuten auf«, sagte er und stampfte davon. Ich zitterte, mir war übel vor Angst, und ich war so steif, dass ich kaum stehen konnte. Doch ich schaffte es aufzustehen und stolperte das kurze Stück bis zu einem kleinen Bach.

Die Luft war feucht, und ich fror in meinem schweißdurchtränkten Hemd, doch das kalte Wasser, das ich mir auf Hände und Gesicht spritzte, schien mir gut zu tun und das Dröhnen hinter meinem rechten Auge zu lindern. Ich hatte gerade genug Zeit für eine hastige Morgentoilette, zog mir die zerfetzten Strümpfe aus und fuhr mir mit feuchten Fingern durch das Haar, bevor Hodgepile wieder auftauchte, um mich vor sich herzuschubsen.

Diesmal wurde ich auf ein Pferd gesetzt, aber Gott sei Dank nicht gefesselt. Die Zügel durfte ich allerdings nicht festhalten; mein Pferd hatte einen Führstrick, den einer der Banditen festhielt.

Es war meine erste Gelegenheit, mir meine Entführer genauer anzusehen, als sie jetzt aus dem Wald kamen und sich zurechtschüttelten. Sie husteten, spuckten und urinierten gegen die Bäume, ohne Rücksicht auf meine Anwesenheit zu nehmen. Außer Hodgepile zählte ich noch zwölf weitere Männer – eine richtige Wilde Dreizehn.

Der Mann namens Tebbe war leicht auszumachen; abgesehen von seiner Größe war er Mulatte. Es gab noch einen weiteren gemischtrassigen Mann – schwarz und indianisch, dachte ich –, doch er war klein und kräftig. Tebbe blickte nicht in meine Richtung, sondern erledigte mit gesenktem Kopf und finsterer Miene seine Aufgaben.

Das war eine Enttäuschung; ich hatte keine Ahnung, was im Lauf der Nacht zwischen den Männern vorgefallen war, doch offenbar war Tebbes Forderung, mich freizulassen, jetzt ihres Nachdrucks beraubt. Er hatte ein rostfleckiges Taschentuch um sein Handgelenk gebunden; möglicherweise hatte das ja etwas damit zu tun.

Der junge Mann, der gestern Abend mein Pferd geführt hatte, war aufgrund seines langen, buschigen Haars ebenfalls leicht zu erspähen, doch er kam nicht in meine Nähe und vermied es ebenfalls, mich anzusehen. Zu meiner großen Überraschung war er Indianer – kein Cherokee, vielleicht ein Tuscarora? Seinem Akzent nach hatte ich das nicht erwartet.

Der Rest der Bande war mehr oder weniger weiß, aber ein wild zusammengewürfelter Haufen. Drei von ihnen waren kaum mehr als Jungen, um die fünfzehn, mit spärlichem Bartwuchs, schmächtig und verdreckt. Sie *sahen* mich an, mit offenem Mund, und pufften sich gegenseitig herum. Ich starrte einen von ihnen an, bis er meinen Blick erwiderte; er wurde leuchtend rot unter seiner dünnen Kinnbehaarung und wandte den Kopf ab.

Zum Glück hatte das Hemd, das ich trug, Ärmel; es bedeckte mich vom Halsausschnitt bis zum Saum in der Mitte meiner Waden einigermaßen anständig, aber ich konnte nicht leugnen, dass ich mir unangenehm entblößt vorkam. Das Hemd war schweißfeucht und klebte schlaff an den Rundungen meiner Brüste – ein Gefühl, dessen ich mir nur zu bewusst war. Ich wünschte, ich hätte die Decke behalten.

Die Männer umkreisten mich langsam, während sie die Pferde beluden, und ich hatte das deutliche und unerfreuliche Gefühl, das Zentrum dieser Masse zu bilden – ähnlich wie das Schwarze im Zentrum einer Zielscheibe. Ich konnte nur hoffen, dass ich derart alt und hutzelig aussah, dass mein aufgelöster Zustand sie abstieß, statt ihr Interesse zu wecken; mein loses Haar hing mir wild und verworren wie Hexenmoos um die Schultern, und ich *fühlte* mich mit Sicherheit so, als hätte man mich zusammengeknüllt wie eine alte Papiertüte.

Ich hielt mich kerzengerade im Sattel und funkelte jeden, der auch nur einen Blick in meine Richtung warf, unfreundlich an. Einer der Männer blinzelte mein nacktes Bein triefäugig und mit einem schwachen Ausdruck der Spekulation an – zuckte aber sichtbar zusammen, als er meinem Blick begegnete.

Ich genoss ein kurzes Gefühl grimmiger Genugtuung – das auf der Stelle dem Erschrecken wich. Die Pferde hatten sich in Bewegung gesetzt, und als das meine gehorsam dem Mann vor mir folgte, kamen zwei weitere Männer, die unter einer großen Eiche standen, in Sicht. Ich kannte sie beide.

Harley Boble zog gerade die Schnüre eines Packsattels fest und sprach mit finsterer Miene mit einem anderen, größeren Mann. Harley Boble war ein ehemaliger Diebesfänger, der jetzt offensichtlich ins Diebeslager übergewechselt war. Ein durch und durch widerwärtiger, kleiner Mann, der mir wohl kaum freundlich gesinnt war, was ich einem Zwischenfall verdankte, der sich vor einiger Zeit bei einem *Gathering* zugetragen hatte.

Ich war alles andere als erfreut, ihn hier zu sehen, obwohl es mich keineswegs überraschte, ihn in solcher Gesellschaft anzutreffen. Doch es war der Anblick seines Begleiters, der mir meinen leeren Magen verdrehte und meine Haut zucken ließ wie die eines von Fliegen geplagten Pferdes.

Mr. Lionel Brown aus Brownsville.

Er sah auf, entdeckte mich und wandte sich mit hochgezogenen Schultern hastig ab. Doch ihm musste klar sein, dass ich ihn gesehen hatte, denn er wandte sich wieder zu mir um, einen Ausdruck abgekämpften Trotzes in seinem hageren Gesicht. Seine Nase war geschwollen und verfärbt, eine dunkelrote Knolle, die sogar im gräulichen Morgenlicht gut zu erkennen war. Er starrte mich kurz an, dann nickte er wie zu einer Art widerstrebender Bestätigung und wandte sich wieder ab.

Ich riskierte einen Blick zurück, als wir den Wald betraten, konnte ihn aber nicht mehr sehen. Was machte *er* denn hier?

Ich hatte seine Stimme nicht erkannt, aber es war eindeutig er gewesen, der sich mit Hodgepile darüber gestritten hatte, ob es klug sei, mich mitzunehmen. Kein Wunder! Er war nicht der Einzige, der über unser gegenseitiges Wiedererkennen erschrocken war.

Lionel Brown und sein Bruder Richard waren Kaufleute, die Gründer und Patriarchen von Brownsville, einer kleinen Siedlung in den Bergen etwa vierzig Meilen von Fraser's Ridge entfernt. Es war eine Sache, wenn Freibeuter wie Boble oder Hodgepile raubend und mordend das Land durchstreiften; es war etwas ganz anderes, wenn ihnen die Browns aus Brownsville die Basis für ihre Beutezüge boten. Das Letzte, was sich Mr. Lionel Brown auf der ganzen Welt wünschen konnte war, dass ich die Gelegenheit bekam, Jamie zu erzählen, was er getrieben hatte.

Und ich ging stark davon aus, dass er Schritte ergreifen würde, um mich daran zu hindern. Die Sonne stieg jetzt empor und begann, die Luft zu erwärmen, doch mir war plötzlich so kalt, als hätte man mich in einen Brunnen gestürzt.

Lichtstrahlen schienen durch das Geäst, vergoldeten die Überreste des Nachtnebels, der die Bäume verschleierte, und versilberte ihre tropfenden Blattränder. In den Bäumen ertönte Vogelgesang, und eine Grundammer hüpfte scharrend auf einem sonnigen Flecken herum, ohne die vorbeiziehenden Männer und Pferde zu beachten. Es war noch zu früh für Fliegen und Moskitos, und der sanfte Morgenwind liebkoste mein Gesicht. Dies war definitiv einer jener Anblicke, in denen der Mensch der einzige Makel war.

Der Morgen verstrich einigermaßen ruhig, doch ich war mir einer beständigen Anspannung unter den Männern bewusst – wenn sie auch nicht größer war als die meine.

Jamie Fraser, wo bist du?, dachte ich und zwang mich, mich auf den Wald zu konzentrieren, der uns umgab. Jedes ferne Rascheln oder Knacken eines Zweiges konnte Rettung verheißen, und langsam fransten meine Nerven in dieser erwartungsvollen Anspannung aus.

Wo? Wann? Wie? Ich hatte weder die Zügel in der Hand noch besaß ich eine Waffe; falls es einen Angriff auf die Gruppe gab, war meine beste – nun, die einzig mögliche – Strategie, mich vom Pferd zu werfen und davonzulaufen. Ich betrachtete im Vorbeireiten abschätzend jedes Zaubernussgebüsch und jede Fichtengruppe, um nach den gangbarsten Stellen Ausschau zu halten und mir einen Zickzackweg zwischen den Schösslingen und Felsbrocken hindurch zurechtzulegen.

Es war nicht nur ein Angriff Jamies und seiner Männer, auf den ich mich vorbereitete; ich konnte Lionel Brown zwar nicht sehen, aber ich wusste, dass er irgendwo in der Nähe war. Ein Punkt zwischen meinen Schulterblättern verkrampfte sich zu einem Knoten, stets in Erwartung eines Messers.

Ich hielt Ausschau nach möglichen Waffen: Steine von brauchbarer Größe, Äste, die ich eventuell vom Boden aufheben konnte. Wenn ich einmal auf der Flucht war, hatte ich nicht vor, mich von irgendjemandem aufhalten zu lassen. Doch wir eilten zügig voran, so schnell es der Boden den Pferden erlaubte, und die Männer sahen sich ständig um, die Hände auf ihren Pistolen. Was mich anging, so war ich gezwungen, jede denkbare Waffe wieder zu verwerfen, weil sie alle an mir vorbeiglitten und ich sie aus den Augen verlor.

Zu meiner immensen Enttäuschung erreichten wir die Klamm gegen Mittag ohne jeden Zwischenfall.

Ich hatte die Klamm schon einmal mit Jamie besucht. Der Katarakt stürzte zwanzig Meter tief über eine Granitklippe, voller glitzernder Regenbogen, tosend wie die Stimme des Erzengels Michael. Farnwedel säumten den Wasserfall, und jenseits des Auffangbeckens hing so dicht über dem Fluss, dass zwischen der üppigen Ufervegetation nur dann und wann ein flüchtiger Blick auf das Wasser möglich war. Doch Hodgepile hatte sich natürlich nicht von der landschaftlichen Schönheit dieser Stelle anlocken lassen.

»Absteigen.« Eine schroffe Stimme erklang an meiner Seite, und als ich hinabsah, stand Tebbe dort. »Wir schwimmen mit den Pferden hinüber. Ihr kommt mit mir.«

»Ich nehme sie mit.« Das Herz hüpfte mir in die Kehle, als eine belegte, näselnde Stimme erklang. Es war Lionel Brown, der sich an einer im Weg hängenden Schlingpflanze vorbeischob, die dunklen Augen gebannt auf mich gerichtet.

»Nicht Ihr.« Tebbe baute sich mit geballter Faust vor Brown auf.

»Nicht Ihr«, wiederholte ich mit Nachdruck. »Ich gehe mit ihm.« Ich ließ mich vom Pferd gleiten, suchte sofort Schutz hinter der bedrohlichen Gestalt des Mulatten und spähte Brown unter dem Arm des kräftigeren Mannes hindurch an.

Ich machte mir nicht die geringsten Illusionen in Bezug auf Browns Absichten. Er würde es nicht riskieren, mich vor Hodgepiles Augen umzubringen, doch er konnte – und würde – mich ohne jedes Problem ertränken und behaupten, es sei ein Unfall gewesen. Zwar war der Fluss hier nicht tief, aber er floss trotzdem schnell; ich konnte ihn in Ufernähe an den Felsen vorbeirauschen hören.

Browns Blick huschte nach rechts, dann nach links, während er überlegte, ob er es versuchen sollte – doch Tebbe richtete seine kräftigen Schultern auf, und Brown gab es als zwecklos auf. Er schnaubte verächtlich, spuckte zur Seite und stampfte ästeknackend davon.

Vielleicht würde die Gelegenheit nie wieder so gut sein. Ohne abzuwarten, bis Browns schmollender Abgang nicht mehr zu hören war, legte ich dem kräftigen Mann eine Hand auf den Ellbogen und drückte ihm den Arm.

»Danke«, sagte ich leise. »Für gestern Abend. Seid Ihr schlimm verletzt?«

Er blickte zu mir herab, und der Argwohn stand ihm deutlich ins Gesicht geschrieben. Meine Berührung brachte ihn aus der Fassung; ich konnte die Anspannung in seinem Arm spüren, während er überlegte, ob er ihn wegziehen sollte oder nicht.

»Nein«, sagte er schließlich. »Ich habe nichts.« Er zögerte einen Moment, doch dann lächelte er, wenn auch unsicher.

Es war klar, was Hodgepile vorhatte; die Pferde wurden einzeln einen schmalen Wildpfad hinabgeführt, der am Rand der Klippe entlanglief. Wir befanden uns über eine Meile vom Wasserfall entfernt, doch sein Lärmen war trotzdem deutlich zu hören. Die steilen Wände der Klamm senkten sich fast zwanzig Meter tief zum Wasser hinab, und das gegenüberliegende Ufer war genauso steil und überwuchert.

Ein dichter Saum aus Büschen verbarg den Uferrand, doch ich konnte sehen, dass sich der Fluss hier verbreiterte und verlangsamte, während er gleichzeitig an Tiefe verlor. Da es hier keine gefährliche Strömung gab, konnte man die Pferde flussabwärts führen und das Wasser an einem beliebigen Punkt am anderen Ufer verlassen. Wenn es jemandem gelungen war, unsere Spur bis zur Klamm zu verfolgen, würde er sie hier verlieren und große Schwierigkeiten haben, sie auf der anderen Seite wieder aufzunehmen.

Ich musste mich zwingen, mich nicht umzusehen und nach Anzeichen für eine direkte Verfolgung zu suchen. Mein Herz schlug schnell. Wenn Jamie in der Nähe war, würde er warten und die Bande angreifen, wenn sie das Wasser betrat und am verletzlichsten war. Selbst wenn er noch nicht in der Nähe war, würde es bei der Flussüberquerung nicht geordnet zugehen. Wenn es überhaupt einen guten Zeitpunkt für einen Fluchtversuch gab…

»Ihr solltet nicht mit ihnen gehen«, sagte ich wie beiläufig zu Tebbe. »Ihr werdet auch sterben.«

Der Arm unter meiner Hand zuckte heftig. Er sah mit weit aufgerissenen Augen zu mir herunter. Das Weiße seiner Augen war von der Gelbsucht verfärbt, und seine Regenbogenhäute waren aufgeplatzt, so dass sein Blick ein seltsames, fleckiges Starren war.

»Ich habe ihm nämlich die Wahrheit gesagt.« Ich wies mit erhobenem Kinn auf Hodgepile, den ich in einiger Entfernung sehen konnte. »Er wird sterben. All seine Begleiter ebenso. Aber Euch muss nicht unbedingt das Gleiche passieren.«

Er murmelte etwas vor sich hin und presste eine Faust an seine Brust. Er hatte etwas unter seinem Hemd an einem Riemen hängen. Ich wusste nicht, ob es ein Kreuz oder eher ein heidnisches Amulett war, aber bis jetzt schien er auf meinen Hinweis gut zu reagieren.

So dicht am Fluss war die Luft sehr feucht und vom Duft grüner Pflanzen und dem Aroma des Wassers erfüllt.

»Das Wasser ist mein Freund«, sagte ich und versuchte, mir eine mysteriöse Ausstrahlung zu verleihen, die einer Zauberin würdig war. Ich war keine gute Lügnerin, aber ich log schließlich um mein Leben. »Wenn wir ins Wasser gehen, lasst mich los. Ein Wasserpferd wird aufsteigen, um mich davonzutragen.«

Seine Augen konnten nicht mehr größer werden. Er hatte offensichtlich schon von *Kelpies* oder Ähnlichem gehört. Selbst so weit vom Wasserfall entfernt war das Wasser voller Stimmen – wenn man sich die Mühe machte zuzuhören.

»Ich folge keinem Wasserpferd«, sagte er voller Überzeugung. »Ich weiß darüber Bescheid. Sie ziehen Menschen auf den Grund, ertränken sie und fressen sie.«

»Es wird mich nicht fressen«, versicherte ich ihm. »Ihr braucht nicht in seine Nähe zu gehen. Bleibt nur weg von mir, sobald wir im Wasser sind. Haltet reichlich Abstand.«

Und wenn er das tat, würde ich unter Wasser sein und um mein Leben schwimmen, bevor er Wasserpferd sagen konnte. Ich hätte bereitwillig gewettet, dass die meisten von Hodgepiles Banditen nicht schwimmen konnten; in den Bergen konnte das kaum jemand. Ich spannte meine Beinmuskeln an, um mich bereitzuhalten, und meine Schmerzen und meine Steifheit lösten sich in einer Flut aus Adrenalin auf.

Die Hälfte der Männer war mit den Pferden schon jenseits der Kante verschwunden – ich glaubte, dass ich Tebbe aufhalten konnte, bis der Rest sicher im Wasser war. Selbst wenn er sich nicht willentlich an meiner Flucht beteiligte, glaubte ich nicht, dass er versuchen würde, mich wieder einzufangen, wenn ich seinen Händen entschlüpfte.

Er zog halbherzig an meinem Arm, und ich blieb abrupt stehen.

»Autsch! Halt, ich bin auf eine Klette getreten.«

Ich hob einen Fuß hoch und betrachtete die Sohle. Unter dem Schmutz und den Harzflecken, die daran klebten, hätte unmöglich jemand sagen können, ob ich mir Kletten, Brombeerdornen oder gar einen Hufnagel hineingetreten hatte.

»Ihr müsst weitergehen.« Ich wusste nicht, ob es meine Nähe, das Tosen des Wassers oder der Gedanke an Wasserpferde war, der Tebbe beunruhigte, aber er schwitzte vor Nervosität; sein Körpergeruch hatte sich von schlichtem Moschus in etwas Scharfes, Durchdringendes verwandelt.

»Nur einen Moment«, sagte ich und gab vor, an meinem Fuß herumzupicken. »Hab's fast.«

»Aufhören. Ich trage Euch.«

Tebbe atmete schwer und blickte pausenlos zwischen mir und dem Rand der Klamm, wo der Wildpfad im Dickicht verschwand, hin und her, als fürchtete er Hodgepiles erneutes Auftauchen.

Doch es war nicht Hodgepile, der aus dem Gebüsch auftauchte. Es war Lionel Brown, einen entschlossenen Ausdruck im Gesicht, hinter ihm zwei junge Männer, die genau so zielstrebig dreinblickten.

»Ich nehme sie«, sagte er ohne Umschweife und packte meinen Arm.

»Nein!« Tebbe umklammerte reflexartig meinen anderen Arm und zog.

Es folgte ein entwürdigendes Tauziehen, da Tebbe und Mr. Brown jeweils an einem meiner Arme zogen. Doch bevor es mich entzweiriss, wechselte Tebbe zum Glück die Taktik. Er ließ meinen Arm los, umfasste stattdessen meinen Körper und klammerte mich an sich, während er mit einem Fuß nach Mr. Brown trat.

Das Ergebnis dieses Manövers war, dass Tebbe und ich rücklings hinfielen und in einem wirren Haufen aus Armen und Beinen landeten, während Brown ebenfalls das Gleichgewicht verlor, wenn ich das zunächst auch nicht merkte. Das Einzige, dessen ich mir bewusst war, waren ein lauter Schrei und Stolpergeräusche, gefolgt von einem Aufprall und dem Poltern loser Steine, die einen steinigen Hang hinunterpurzelten.

Ich löste mich von Tebbe und kroch vorwärts, bis ich sehen konnte, dass sich die übrigen Männer um einen ominös flach gedrückten Fleck im Gebüsch am Rand der Klamm gruppiert hatten. Ein paar holten hastig Seile herbei und brüllten widersprüchliche Befehle, aus denen ich schloss, dass Mr. Brown in der Tat in die Klamm gestürzt war, sein Tod aber noch nicht amtlich feststand.

Ich änderte rapide die Richtung und hatte gerade vor, mich kopfüber in die Vegetation zu stürzen, als ich mich stattdessen einem Paar rissiger Schuhe gegenübersah, die Hodgepile gehörten. Er packte mich an den Haaren und riss daran, so dass ich automatisch aufschrie und nach ihm schlug. Ich erwischte ihn am Bauch. Er stieß ein Geräusch aus und schnappte nach Luft, löste jedoch seinen eisernen Griff in meinen Haaren nicht.

Dann zog er wütende Grimassen, die mir galten, ließ los und schubste mich mit dem Knie auf die Kante der Klamm zu. Einer der jüngeren Männer klammerte sich an die Büsche und tastete den Hang unter sich vorsichtig nach Halt für seine Füße ab. Er hatte ein Seil um die Taille geschlungen und ein anderes in Schlaufen über die Schulter gelegt.

»Verdammtes Miststück«, brüllte Hodgepile und bohrte seine Finger in meinen Arm, während er sich durch die beschädigten Büsche beugte. »Was habt Ihr Euch dabei gedacht, Hexe?«

Er hüpfte auf der Kante herum wie Rumpelstilzchen, schüttelte die Faust und fluchte wahllos sowohl auf mich als auch auf seinen verletzten Geschäftspartner ein, während die Rettungsaktion ihren Lauf nahm. Tebbe hatte sich in sichere Entfernung zurückgezogen und stand nun mit beleidigter Miene da.

Schließlich wurde Brown unter lautem Stöhnen heraufgehievt und ins Gras gelegt. Die Männer, die noch nicht im Fluss waren, sammelten sich verschwitzt und nervös rings um ihn.

»Habt Ihr vor, ihn zu heilen, Zauberin?«, fragte Tebbe und sah mich skeptisch an. Ich wusste nicht, ob er an meinen Fähigkeiten zweifelte oder sich einfach fragte, ob es klug war, wenn ich Brown half, aber ich nickte ein wenig unsicher und trat vor.

»Ich denke, schon.« Eid war Eid, obwohl ich mich durchaus fragte, ob Hippokrates je selbst in einer solchen Situation gesteckt hatte. Vermutlich schon; die alten Griechen waren schließlich ebenfalls ein brutaler Haufen.

Die Männer ließen mich bereitwillig durch; jetzt, da sie Brown aus der Klamm befreit hatten, war es offensichtlich, dass sie keine Ahnung hatten, was sie mit ihm anfangen sollten.

Ich machte eine hastige Bestandsaufnahme. Abgesehen von diversen Rissen und Prellungen unter einer dicken Staub- und Schlammschicht hatte sich Mr. Brown das linke Bein an mindestens zwei Stellen gebrochen, sich das linke Handgelenk gebrochen und wahrscheinlich ein paar Rippen angeknackst. Nur einer der Brüche war offen, aber er war gemein, und das gezackte Ende des gebrochenen Oberschenkelknochens stach durch Haut und Hose, umrahmt von einem beständig wachsenden roten Fleck.

Unglücklicherweise hatte er sich nicht die Oberschenkelschlagader durchtrennt, denn dann wäre er schon tot gewesen. Dennoch stellte Mr. Brown zurzeit wohl keine persönliche Bedrohung mehr für mich dar, und das war gut so.

Ohne jede Ausrüstung oder Arznei, abgesehen von diversen schmierigen Halstüchern, einem Kiefernzweig und etwas Whisky aus einer Feldflasche, waren meine Zuwendungen notwendigerweise begrenzt. Ich schaffte es – unter beträchtlichen Schwierigkeiten und mit Hilfe einer ordentlichen Menge Whisky – den Oberschenkelknochen einigermaßen zu richten und zu schienen, ohne dass Brown an einem Schock starb, was ich unter den gegebenen Umständen für eine beachtliche Leistung hielt.

Doch es war schwierig, und ich murmelte vor mich hin, ohne mir dessen bewusst zu sein, bis ich aufblickte und feststellte, dass Tebbe auf der anderen Seite von Browns Körper hockte und mich interessiert betrachtete.

»Oh, ihr verflucht ihn«, sagte er beifällig. »Ja, das ist eine gute Idee.«

Mr. Browns Augen öffneten sich und quollen vor. Er war halb von Sinnen vor Schmerzen und inzwischen durch und durch betrunken, aber nicht betrunken genug, um das zu ignorieren.

»Sie soll aufhören«, sagte er heiser. »He, Hodgepile – sorg dafür, dass sie aufhört! Sie soll es zurücknehmen!«

»Was ist denn hier los? Was habt Ihr gesagt, Frau?« Hodgepile kochte jetzt nicht mehr ganz so heftig vor Wut, doch diese Worte entflammten seinen Kampfgeist blitzartig neu. Er streckte die Hand aus und packte mein Handgelenk, gerade als ich Browns verletzten Oberkörper abtastete. Es war das Gelenk, das er mir tags zuvor so brutal verdreht hatte, und Schmerz durchfuhr meinen Unterarm.

»Wenn Ihr es unbedingt wissen müsst, habe ich wohl ›Jesus H. Roosevelt Christ!‹ gesagt«, herrschte ich ihn an. »Lasst mich los!«

»Das hat sie auch gesagt, als sie dich verflucht hat! Bringt sie weg von mir! Sie darf mich nicht anfassen!« Brown versuchte in Panik wegzurobben, eine ziemlich dumme Idee, wenn man einen frischen Knochenbruch hat. Er wurde unter den Schmutzspuren totenbleich, und seine Augen rollten ihm in den Kopf.

»Da! Er ist tot!«, rief einer der Zuschauer. »Sie hat es getan! Sie hat ihn verhext!«

Dies resultierte in beträchtlichem Aufruhr, da Tebbe und seine Anhänger ihren Beifall kundtaten, ich selbst lautstark protestierte und Mr. Browns Freunde und Verwandte ihrer Besorgnis Ausdruck verliehen, bis sich einer von ihnen neben ihn hockte und ihm ein Ohr auf die Brust legte.

»Er lebt noch!«, rief dieser Mann aus. »Onkel Lionel! Geht es dir gut?«

Lionel Brown stöhnte laut und öffnete die Augen, was weitere Unruhe hervorrief. Der junge Mann, der ihn als Onkel bezeichnet hatte, zog ein großes Messer aus seinem Gürtel und zielte damit auf mich. Er hatte die Augen so weit aufgerissen, dass ringsum das Weiße zu sehen war.

»Zurück mit Euch!«, sagte er. »Rührt ihn nicht an!«

Ich hob die Hände mit nach außen gekehrten Handflächen, um meinen Verzicht anzuzeigen.

»Schön!«, schnappte ich. »Dann lasse ich es eben!« Es gab auch nicht mehr viel, was ich für Brown tun konnte. Er brauchte jetzt Wärme, ein trockenes Bett und viel Wasser, aber irgendetwas sagte mir, dass Hodgepile von derlei Vorschlägen nicht viel halten würde.

So war es auch. Mit wütendem, wiederholtem Gebrüll erstickte er die drohende Meuterei und erklärte dann, dass wir jetzt die Klamm überqueren würden, und zwar zügig.

»Dann legt ihn eben auf eine Tragbahre«, sagte er ungeduldig als Antwort auf die Proteste von Browns Neffen. »Und was Euch angeht –« Er baute sich funkelnd vor mir auf. »Habe ich Euch nicht gesagt, kein falsches Spiel?«

»Bring sie um«, kam Browns heisere Stimme vom Boden. »Bring sie sofort um.«

»Umbringen? Wohl kaum, alter Knabe.« In Hodgepiles Augen glänzte die Bosheit. »Für *mich* ist sie lebend nicht gefährlicher als tot – und viel einträglicher. Aber ich werd ihr zeigen, wo's lang geht.«

Er hatte das Messer immer in Reichweite. Er hatte es in Sekundenschnelle gezogen und meine Hand ergriffen. Ehe ich auch nur Luft holen konnte, spürte ich den Druck der Klinge, die in meine Fingerwurzel schnitt.

»Ihr wisst doch noch, was ich Euch gesagt habe?« Es kam nur als Hauch, und sein Gesicht wurde vor Vorfreude ganz sanft. »Ich brauche Euch nicht unversehrt.«

Ich wusste es noch, und mein Bauch wurde hohl, meine Kehle trocken und stumm. Meine Haut brannte an der Stelle, wo er mich geschnitten hatte, und der Schmerz schoss wie ein Blitz durch meine Nervenbahnen; der Drang, meine Hand von der Klinge wegzureißen, war so stark, dass sich meine Armmuskeln verkrampften.

Ich konnte lebhaft den Stumpf spüren, aus dem das Blut spritzte, den Schock der brechenden Knochen, der zerrissenen Haut, den Schrecken des unwiderruflichen Verlustes.

Doch hinter Hodgepile hatte sich Tebbe erhoben. Sein seltsam starrender, fleckiger Blick hatte mich mit einem Ausdruck faszinierter Angst fixiert. Ich sah, wie sich seine Hand zur Faust schloss, wie sich seine Kehle bewegte, als er schluckte, und ich spürte, wie sich meine eigene Kehle wieder anfeuchtete. Wenn ich seinen Schutz behalten wollte, musste ich seinen Glauben erhalten.

Ich sah Hodgepile direkt in die Augen und zwang mich, mich zu ihm hinüberzubeugen. Meine Haut prickelte und zuckte, und das Blut in meinen Ohren rauschte lauter als der Katarakt – doch ich öffnete weit die Augen. Hexenaugen – sagten zumindest manche.

Ganz, ganz langsam hob ich meine freie Hand, an der Browns Blut noch feucht war. Ich streckte die blutigen Finger nach Hodgepiles Gesicht aus.

»Ich weiß es noch«, sagte ich, meine Stimme ein heiseres Flüstern. »Wisst Ihr noch, was *ich* gesagt habe?«

Er hätte es getan. Ich sah den Entschluss in seinen Augen aufblitzen, doch bevor er mit der Klinge zudrücken konnte, sprang der junge Indianer mit den buschigen Haaren vor und griff mit einem Schreckensschrei nach seinem Arm. Aus seiner Konzentration gerissen ließ Hodgepile los, und ich befreite mich.

Im selben Augenblick traten Tebbe und zwei weitere Männer vor, die Hände auf ihren Messern und Pistolengriffen.

Hodgepiles schmales Gesicht war vor Wut verzerrt, doch der Moment drohender Gewalt war verstrichen. Er ließ sein Messer sinken, und die Bedrohung schwand.

Ich öffnete den Mund, um etwas zu sagen, das die Lage weiter entschärfen sollte, doch Browns Neffe kam mir mit einem panischen Schrei zuvor.

»Sie darf nichts sagen! Sie wird uns alle verfluchen!«

»Oh, Teufel noch mal«, sagte Hodgepile, dessen Wut jetzt in simplen Ärger übergegangen war.

Ich hatte einige Taschentücher von den Männern gesammelt, um Browns Schiene festzubinden, Hodgepile bückte sich und schnappte sich eines davon, knüllte es zu einer Kugel zusammen und trat vor.

»Mund auf«, sagte er kurz angebunden, packte mit einer Hand mein Kinn, zwang mich, den Mund zu öffnen und stopfte den Stoffball hinein. Er funkelte Tebbe an, der sich ruckartig auf ihn zubewegte.

»Ich werde sie nicht umbringen. Aber sie sagt kein Wort mehr. Nicht zu ihm –« Er nickte in Browns Richtung, dann in Tebbes. »Nicht zu dir. Und nicht zu mir.« Er richtete den Blick wieder auf mich, und zu meiner Überraschung sah ich Beklommenheit in seinen Augen lauern. »Zu niemandem.«

Tebbes Miene war unentschlossen, doch Hodgepile band mir schon sein Halstuch um den Kopf, und ich war geknebelt.

»Nicht ein Wort«, wiederholte Hodgepile und sah sich funkelnd unter seinen Männern um. »Und jetzt los.«

Wir überquerten den Fluss. Lionel Brown überlebte zu meiner Überraschung, doch das Ganze zog sich sehr in die Länge, und die Sonne stand schon tief, als wir zwei Meilen hinter der Klamm am anderen Ufer unser Lager aufschlugen.

Alle waren durchnässt, und es wurde ohne weitere Diskussionen Feuer gemacht. Die Untertöne der Zwietracht und des Misstrauens waren zwar noch spürbar, doch der Fluss und die Erschöpfung hatten sie gedämpft. Alle waren zu müde für weitere Auseinandersetzungen.

Sie hatten mir die Hände lose zusammengebunden, meine Füße aber ungefesselt gelassen; ich hielt auf einen umgestürzten Baumstamm neben dem Feuer zu und ließ mich restlos ausgelaugt zu Boden sinken. Ich war feucht, mir war kalt, und meine Muskeln zitterten vor Erschöpfung – nach der Flussüberquerung hatte ich laufen müssen –, und zum ersten Mal begann ich mich zu fragen, ob mich Jamie wirklich finden würde. Jemals. Um Marsali versuchte ich mir keine Gedanken mehr zu machen. Entweder hatte man sie in der Zwischenzeit gefunden – oder nicht. Auf alle Fälle hatte sich ihr Schicksal in der Zwischenzeit entschieden.

Vielleicht war Jamie ja der falschen Banditengruppe gefolgt. Vielleicht hatte er sie gefunden und angegriffen – und war im Kampf verwundet oder getötet worden. Ich hatte die Augen geschlossen, öffnete sie aber wieder, um die Bilder zu verdrängen, die dieser Gedanke heraufbeschwor.

Immerhin brannte das Feuer; durchgefroren, durchnässt und begierig nach warmem Essen, hatten die Männer einen immensen Haufen Holz zusammengetragen. Ein kurz gewachsener Schwarzer stochte schweigend das Feuer, während ein paar der Jungen die Packtaschen nach Essbarem durchstöberten. Ein Topf Wasser mit einem Stück Pökelfleisch wurde auf das Feuer gestellt, und der löwenmähnige junge Indianer schüttete Maismehl in eine Schüssel, in der sich ein Klumpen Schmalz befand.

Ein weiterer Schmalzklumpen schmolz brutzelnd auf einem Eisenblech. Es roch wundervoll.

Mein Mund füllte sich mit Speichel, der sofort von dem Stoffball aufgesogen wurde, und trotz meines Unbehagens weckte der Essensgeruch meine Lebensgeister ein wenig. Meine Korsettstangen, die sich im Lauf der letzten vierundzwanzig Stunden unterwegs gelockert hatten, hatten sich wieder verengt, als die nassen Schnüre trockneten und schrumpften. Die Haut unter dem Stoff juckte, aber die dünnen Stangen gaben mir das Gefühl, gestützt zu sein, und das konnte ich derzeit nur zu gut brauchen.

Mr. Browns Neffen – Aaron und Moses, wie ich inzwischen erfahren hatte – kamen langsam in das Lager gehumpelt und hatten eine improvisierte Trage zwischen sich hängen. Sie setzten sie dankbar am Feuer ab, was einen lauten Aufschrei des Kranken nach sich zog.

Mr. Brown hatte die Flussüberquerung zwar überlebt, aber sie hatte ihm nicht besonders gut getan. Natürlich *hatte* ich ihnen gesagt, dass sie ihm viel zu trinken geben sollten. Dieser Gedanke brachte mich trotz meiner Müdigkeit aus der Fassung, und ich stieß hinter meinem Knebel ein ersticktes Prusten aus.

Einer der Jungen hörte mich und streckte zögernd die Hand nach dem

Knoten meines Knebels aus, ließ sie aber sofort sinken, als Hodgepile ihn anknurrte.

»Weg da!«

»Aber – muss sie denn nichts essen, Hodge?« Der Junge sah mich beklommen an.

»Jetzt nicht.« Hodgepile hockte sich vor mich hin und musterte mich von oben bis unten. »Habt Eure Lektion doch noch gelernt, wie?«

Ich machte keine Bewegung. Saß einfach nur da und sah ihn an, so verächtlich ich nur konnte. Die Schnittwunde an meinem Finger brannte, und meine Handflächen hatten angefangen zu schwitzen – doch ich starrte ihn an. Er versuchte, zurückzustarren, konnte es aber nicht – sein Blick huschte immer wieder zur Seite.

Das machte ihn noch wütender; das Blut stieg ihm in die knochigen Wangen.

»Hört auf, mich anzusehen!«

Ich kniff langsam die Augen zu und öffnete sie wieder, dann sah ich ihn weiter an und hoffte, dass mein Blick einen ungerührten, aufmerksamen Eindruck machte. Er sah ziemlich mitgenommen aus, der gute Mr. Hodgepile. Dunkle Ringe unter den Augen, die Muskelfasern um seinen Mund sahen aus wie in Holz geschnitzte Linien. Nasse, heiße Schweißflecken unter den Achselhöhlen. Das Tyrannendasein musste anstrengend sein.

Ganz plötzlich stand er auf, packte mich am Arm und riss mich hoch.

»Ich bring dich irgendwo hin, wo es nichts mehr anzustarren gibt, du Hexe«, murmelte er und schob mich vor sich her am Feuer vorbei. Ein Stückchen außerhalb des Lagers fand er einen Baum nach seinem Geschmack. Er band meine Hände los und fesselte meine Handgelenke, indem er eine Schlinge um meine Taille legte und meine Hände daran festband. Dann knüpfte er eine einfache Schlinge mit einem Laufknoten, die er mir um den Hals legte, und band das lose Ende an den Baum.

»Damit Ihr nicht davonspaziert«, sagte er und zog den groben Hanf um meinen Hals fest. »Will ja nicht, dass Ihr verloren geht. Nachher frisst Euch noch ein Bär, und was dann, wie?« Damit war seine gute Laune wiederhergestellt; er lachte unbändig und kicherte noch vor sich hin, als er ging. Einmal jedoch drehte er sich um, um noch einen Blick auf mich zu werfen. Ich saß aufrecht da und starrte ihn an, und der Humor wich abrupt aus seinem Gesicht. Er drehte sich um, schritt davon und hielt dabei die Schultern so steif, als wären sie aus Holz.

Obwohl ich Hunger und Durst hatte und mich durch und durch unwohl fühlte, empfand ich tatsächlich tiefe, wenn auch nur vorübergehende Erleichterung. Ich war zwar nicht im strengen Wortsinn allein, doch ich war zumindest unbeobachtet, und selbst dieses Minimum an Zurückgezogenheit war Balsam für meine Seele.

Ich befand mich gute zwanzig Meter vom Feuer entfernt, außer Sichtweite sämtlicher Männer. Ich ließ mich gegen den Baumstamm sacken. Meine Gesichtsmuskeln gaben im selben Moment nach wie mein restlicher Körper, und es schüttelte mich, obwohl es nicht kalt war.

Bald. Jamie würde mich bestimmt bald finden. Es sei denn – Ich schob den Zweifel beiseite, als sei er ein giftiger Skorpion, und genauso jeden Gedanken an Marsali und daran, was wohl passieren würde, *wenn* er uns fand. Ich wusste nicht, wie er es schaffen würde, aber er würde es schaffen. Er *würde* es einfach schaffen.

Die Sonne war fast untergegangen; Schatten sammelten sich unter den Bäumen, und das Licht wich langsam aus der Luft, bis die Farben flüchtig wurden und feste Gegenstände ihre Tiefe verloren. Irgendwo in der Nähe rauschte Wasser, und Vögel zwitscherten laut in den weiter entfernten Bäumen. Sie verstummten allmählich, als sich der Abend abkühlte, und wurden durch das erwachende Zirpen der Grillen in der Nähe ersetzt. Mein Auge fing eine huschende Bewegung auf, und ich sah ein Kaninchen, grau wie die Abenddämmerung, das sich unter einem Busch auf die Hinterbeine aufsetzte und mit der Nase zuckte.

Angesichts der schieren Normalität der ganzen Szene brannten meine Augen. Ich blinzelte, um die Tränen zurückzudrängen, und das Kaninchen war fort.

Sein Anblick hatte mir wieder etwas Nervenstärke verliehen; ich experimentierte ein wenig herum, um die Grenzen meiner Fesseln zu erkunden. Meine Beine waren frei – das war gut. Ich konnte mich unbeholfen in die Hocke aufrichten und wie eine Ente um den Baum herumwatscheln. Besser noch; ich würde meine Blase in aller Zurückgezogenheit auf der anderen Seite des Baums entleeren können.

Allerdings konnte ich mich weder vollständig aufrichten noch den Knoten der Schlinge erreichen, die den Baumstamm umringte; das Seil rutschte fort oder verfing sich an der Rinde, doch in jedem Fall blieb der Knoten zu meiner Frustration auf der anderen Seite des Stammes – der fast neunzig Zentimeter Durchmesser haben musste.

Ich hatte etwas mehr als einen halben Meter Seil zwischen dem Stamm und der Halsschlinge; genug, um mir zu gestatten, dass ich mich hinlegte oder mich umdrehte. Hodgepile war ganz offensichtlich mit praktischen Methoden zur Fesselung Gefangener gut vertraut. Die Heimstätte der O'Brians kam mir in den Sinn, und die beiden Leichen dort. Die zwei Mädchen wurden noch vermisst. Mich überlief erneut ein kleiner Schauer.

Wo waren sie? Als Sklavinnen an einen der Indianerstämme verkauft? In ein Matrosenbordell in einer der Küstenstädte verschleppt? Oder auf ein Schiff, um auf den Zuckerplantagen der Westindischen Inseln Zwangsarbeit zu leisten?

Ich machte mir keine Illusionen, dass auch mir ein solch unangenehm pittoreskes Schicksal bevorstand. Ich war viel zu alt, viel zu aufsässig – und viel zu berüchtigt. Nein, der einzige Wert, den ich für Hodgepile besaß, war mein Wissen um das Whiskyversteck. Sobald es in Riechweite gekommen war, würde er mir die Kehle durchschneiden, ohne eine Sekunde zu zaudern.

Der Geruch gebratenen Fleisches hing in der Luft und überschwemmte meinen Mund mit frischem Speichel – eine willkommene Erleichterung, trotz meines Magenknurrens, da mir der Knebel den Mund unangenehm austrocknete.

Ein kleiner Panikstoß versetzte meine Muskeln in Anspannung. Ich wollte nicht über den Knebel nachdenken. Oder über die Seile an meinen Handgelenken und meinem Hals. Es würde zu leicht sein, mich der Panik des Gefangenseins zu überlassen und mich mit fruchtloser Gegenwehr zu erschöpfen. Ich musste meine Kräfte schonen. Ich wusste nicht, wann oder wie ich sie brauchen würde, doch brauchen würde ich sie mit Sicherheit. *Bald*, betete ich. *Lass es bald sein.*

Die Männer hatten sich zum Abendessen niedergelassen und die Streitigkeiten des Tages beim Essen begraben. Sie waren so weit weg, dass ich keine Details ihrer Gespräche verstehen konnte, sondern nur dann und wann ein Wort oder eine Formulierung, die der Abendwind herbeitrug. Ich wandte den Kopf, um mir vom Wind die Haare aus dem Gesicht streichen zu lassen, und stellte fest, dass ich über der Schlucht einen langen, schmalen Streifen Himmel sehen konnte, der eine tiefblaue, unirdische Farbe angenommen hatte, als würde die empfindliche Atmosphäre, die die Erde bedeckte, noch dünner, und der dunkle Weltraum dahinter schiene hindurch.

Die Sterne gingen einer nach dem anderen auf, und es gelang mir, mich beim Zusehen zu vergessen, indem ich sie zählte, einen nach dem anderen nach dem anderen ... Sie berührte wie die Perlen eines Rosenkranzes, und sämtliche astronomischen Namen, die mir bekannt waren, vor mich hin sagte und mich an ihrem Klang tröstete, obwohl ich keine Ahnung hatte, ob sie irgendetwas mit den Himmelskörpern zu tun hatten, die ich sah. Alpha Centauri, Deneb, Sirius, Betelgeuse, die Pleiaden, Orion ...

Es gelang mir, mich so sehr einzulullen, dass ich einnickte, nur um kurze Zeit später wieder aufzuwachen und festzustellen, dass es jetzt völlig dunkel war. Das Licht des Feuers sandte ein flackerndes Glühen durch das Unterholz und überzog meine Füße, die an einer freien Stelle lagen, mit rosigen Schatten. Ich bewegte und streckte mich, so gut ich konnte, um die Steifheit in meinem Rücken zu lösen. Dabei fragte ich mich, ob sich Hodgepile jetzt in Sicherheit wiegte, da er ein Feuer von dieser Größe zuließ.

Der Wind trug ein lautes Stöhnen in meine Richtung; Lionel Brown. Ich verzog das Gesicht, doch in meiner derzeitigen Lage gab es nichts, was ich für ihn tun konnte.

Ich hörte Schritte und Stimmengemurmel; jemand kümmerte sich um ihn.

»... so heiß wie eine Pistole ...«, sagte eine Stimme, die nur mäßig interessiert klang.

»… die Frau holen?«

»Nein«, sagte eine entschlossene Stimme. Hodgepile. Ich seufzte.

»… Wasser. *Daran* ist nichts zu ändern …«

In der Hoffnung zu hören, was sich am Feuer abspielte, lauschte ich so gebannt, dass es eine Weile dauerte, bis ich mir bewusst wurde, dass neben mir im Gebüsch Geräusche zu hören waren. Keine Tiere; nur Bären würden solchen Lärm machen, und Bären kicherten nicht. Das Kichern war leise und klang nicht nur erstickt, sondern es wurde auch mehrfach unterbrochen.

Es wurde auch geflüstert, obwohl ich kaum ein Wort ausmachen konnte. Doch herrschte eine solche Atmosphäre jugendlicher Verschwörung, dass ich wusste, dass es einige der jüngeren Bandenmitglieder sein mussten.

»… na dann *los*!«, fing ich auf, in vehementem Ton gesprochen und von einem rumpelnden Geräusch begleitete, das darauf hindeutete, dass jemand gegen einen Baum geschubst worden war. Weiteres Rumpeln, das auf Vergeltung schließen ließ.

Mehr Geraschel. Flüster, flüster, kicher, prust. Ich setzte mich gerade hin und fragte mich, was in Gottes Namen sie vorhatten.

Dann hörte ich, »… ihre Beine sind nicht gefesselt …«, und mein Herz machte einen kleinen Satz.

»Aber was, wenn sie …« Murmel, murmel.

»Egal. Sie kann nicht schreien.«

Das verstand ich in aller Deutlichkeit, und ich zog ruckartig die Füße an, um aufzuspringen – wurde aber von der Schlinge um meinen Hals gebremst. Es fühlte sich an, als drückte eine Eisenstange auf meine Luftröhre, und ich taumelte zurück und sah blutrote Flecken in den Augenwinkeln.

Ich schüttelte den Kopf und rang nach Luft, um die Benommenheit abzuschütteln, und Adrenalin raste durch mein Blut. Ich spürte eine Hand auf meinem Knöchel und trat aus Leibeskräften danach.

»He!«, sagte er laut und klang überrascht. Er nahm seine Hand von meinem Knöchel und setzte sich zurück. Meine Sicht wurde jetzt besser; ich konnte ihn jetzt sehen, doch er hatte das Feuer im Rücken; es war einer von den Jungen, doch er war nicht mehr als eine gesichtslose, gebückte Silhouette.

»Psst«, sagte er und kicherte nervös, während er die Hand nach mir ausstreckte. Ich machte ein tiefes, knurrendes Geräusch unter meinem Knebel, und er hielt mitten in der Bewegung inne. Hinter ihm raschelte es im Unterholz.

Das schien ihn daran zu erinnern, dass sein Freund – oder seine Freunde – ihm zusahen, und er streckte mit neuer Entschlossenheit die Hand aus und tätschelte meinen Oberschenkel.

»Keine Sorge, Ma'am«, flüsterte er und kam mir in der Hocke näher. »Ich will Euch nichts tun.«

Ich prustete, und er zögerte erneut – doch dann schien ihn erneutes Rascheln im Gebüsch in seinem Entschluss zu bekräftigen, und er packte mich an den Schultern, um mich hinzulegen. Ich wehrte mich heftig und trat und stieß mit den Knien nach ihm, und er ließ los, verlor das Gleichgewicht und fiel auf den Rücken.

Unterdrücktes Kichern explodierte im Gebüsch, und er fuhr hoch wie ein Stehaufmännchen. Er streckte entschlossen die Hand aus, packte meine Knöchel und ruckte daran, so dass ich umfiel. Dann warf er sich auf mich und hielt mich mit seinem Gewicht am Boden fest.

»Pssst!«, sagte er drängend in mein Ohr. Seine Hände tasteten nach meiner Kehle, und ich wand und warf mich unter seinem Gewicht hin und her, um ihn abzuschütteln. Doch seine Hände schlossen sich fest um meinen Hals, und ich hielt inne, weil mein Blickfeld wieder schwarz und blutig wurde.

»Psst jetzt«, sagte er, diesmal ruhiger. »Seid einfach still, Ma'am, ja?« Ich stieß leise Würgegeräusche aus, die er für Zustimmung gehalten haben muss, denn seine Umklammerung lockerte sich.

»Ich werde Euch nicht wehtun, Ma'am, bestimmt nicht«, flüsterte er und versuchte, mich mit einer Hand am Boden festzuhalten, während er mit der anderen zwischen uns herumfingerte. »Könntet Ihr nur einfach *ruhig* sein, bitte?«

Das hatte ich jedoch nicht vor, und schließlich legte er mir seinen Unterarm quer über die Kehle und stützte sich darauf. Nicht so fest, dass ich wieder das Bewusstsein zu verlieren drohte, aber fest genug, um meine Gegenwehr zu dämpfen. Er war dünn und drahtig, aber ziemlich stark, und es gelang ihm durch schiere Hartnäckigkeit, mein Hemd hochzuschieben und sein Knie zwischen meine Beine zu schieben.

Er atmete fast so schwer wie ich, und ich konnte den Ziegengeruch seiner Erregung riechen. Seine Hand hatte von meinem Hals abgelassen und begrabschte fieberhaft meine Brüste, und an der Art, wie er das machte, war hinreichend zu erkennen, dass die einzige andere Brust, die er je berührt hatte, wahrscheinlich die seiner Mutter gewesen war.

»Psst, so, keine Angst, Ma'am, schon gut, ich werd nicht… oh. Oje. Ich… ah… oh.« Seine andere Hand stocherte zwischen meinen Oberschenkeln herum und ließ dann vorübergehend von mir ab, weil er sich kurz aufstützte, um sich aus seiner Hose zu winden.

Er fiel schwer auf mich, seine Hüften pumpten in heftigen Stößen – doch der einzige Kontakt, zu dem es kam, war Reibung, da er ganz offensichtlich keine Ahnung hatte, wie die weibliche Anatomie konstruiert war. Ich lag still, zu erstaunt, um mich zu bewegen, dann spürte ich, wie sich warme Flüssigkeit über meine Oberschenkel ergoss, als er sich keuchend in Ekstase verlor.

Die drahtige Anspannung fiel schlagartig von ihm ab, und er sackte wie ein schlaffer Ballon auf meine Brust. Ich konnte sein junges Herz wie einen Dampfhammer pochen spüren, und seine Schläfe war schweißnass an meine Wange gedrückt.

Ich fand die Intimität dieser Berührung genauso widerwärtig wie die erschlaffende Präsenz, die zwischen meinen Oberschenkeln klemmte, und rollte mich abrupt zur Seite, so dass ich ihn abwarf. Er erwachte plötzlich zum Leben, erhob sich krabbelnd auf die Knie und zerrte an seiner herunterhängenden Hose.

Er schwankte einen Moment hin und her, dann kroch er auf allen vieren dicht neben mich.

»Tut mir wirklich Leid, Ma'am«, flüsterte er.

Ich machte keine Bewegung, und einen Augenblick darauf streckte er zögernd eine Hand aus und klopfte mir sanft auf die Schulter.

»Tut mir wirklich Leid«, wiederholte er noch einmal flüsternd, und dann war er fort, und ich blieb auf dem Rücken in einer Pfütze zurück und fragte mich, ob man einen derart unfähig ausgeführten Überfall legitim als Vergewaltigung bezeichnen konnte.

Etwas weiter entferntes Rascheln im Gebüsch, begleitet von ersticktem jugendlichem Freudengeheul, brachte mich zu der festen Überzeugung, dass man es konnte. Himmel, die anderen kleinen Störenfriede würden sich in den nächsten Sekunden über mich hermachen. Ich setzte mich panisch auf, stets auf der Hut vor der Halsschlinge.

Der Schein des Feuers flackerte unregelmäßig, gerade eben hell genug, um die Baumstämme und die bleiche Schicht aus Nadeln und Laub auf dem Boden auszumachen. Genug, um die Granitbrocken aus der Laubschicht hervorbrechen zu sehen und hier und dort einen abgefallenen Zweig. Nicht, dass der Mangel an potenziellen Waffen eine Rolle spielte, da meine Hände nach wie vor gefesselt waren.

Das Gewicht des jungen Angreifers hatte alles verschlimmert; die Knoten hatten sich fester zugezogen, als ich mich wehrte, und meine Hände pulsierten, weil die Blutzufuhr abgeschnitten war. Meine Fingerspitzen wurden taub. Verdammt. Lief ich etwa Gefahr, als Ergebnis dieser Absurdität mehrere Finger durch Wundbrand zu verlieren?

Eine Sekunde lang überlegte ich, ob es vielleicht klug sein würde, dem nächsten gemeinen kleinen Jungen einfach zu Willen zu sein, in der Hoffnung, dass er den Knebel entfernen würde. Wenn er das tat, konnte ich ihn zumindest anflehen, die Fesseln zu lockern – und dann um Hilfe schreien, in der Hoffnung, dass Tebbe herbeieilen und weitere Übergriffe verhindern würde, weil er fürchtete, dass irgendwann meine übernatürliche Rache kommen würde.

Da kam er schon; ein verstohlenes Rascheln im Gebüsch. Ich biss auf dem Knebel die Zähne zusammen und blickte auf, doch die Schattengestalt vor mir war keiner von den Jungen.

Als ich begriff, wer der neue Besucher war, kam mir nur ein Gedanke: »Jamie Fraser, du Schuft, wo *bist* du?«

Ich erstarrte, als könnte ich durch Reglosigkeit unsichtbar werden. Der Mann trat vor mich hin und ging dann in die Hocke, um mir ins Gesicht zu sehen.

»Jetzt ist Euch nicht mehr so zum Lachen, nicht wahr?«, sagte er gelassen. Es war Boble, der ehemalige Diebesfänger. »Das habt Ihr und Euer Gatte wohl verdammt komisch gefunden, wie, was die deutschen Frauen mit mir gemacht haben? Und wie Mr. Fraser dann zu mir gesagt hat, sie würden Würstchenfleisch aus mir machen, und dabei ein Gesicht aufgesetzt hatte wie ein Christenmensch, der die Bibel liest. Das fandet Ihr doch auch komisch, oder?«

Um ganz ehrlich zu sein, war es komisch gewesen. Allerdings hatte er völlig Recht; jetzt lachte ich nicht. Er holte mit dem Arm aus und ohrfeigte mich.

Meine Augen tränten von seinem Schlag, doch das Feuer beleuchtete ihn von der Seite; ich konnte immer noch das Lächeln in seinem Teiggesicht sehen. Übelkeit durchfuhr mich kalt und ließ mich erschauern. Er sah es, und das Lächeln wurde breiter. Seine Eckzähne waren kurz und stumpf, so dass die Schneidezähne im Vergleich dazu vorstanden, lang und gelb wie die eines Nagetiers.

»Das findet Ihr bestimmt noch komischer«, sagte er, stand auf und griff sich an den Hosenlatz. »Hoffentlich bringt Euch Hodge nicht direkt um, so dass Ihr Gelegenheit bekommt, es Eurem Mann zu erzählen. Ich wette, mit seinem Sinn für Humor findet er den Witz gut.«

Der Samen des Jungen klebte immer noch warm an meinen Oberschenkeln. Ich fuhr automatisch zurück und versuchte, mich aufzuraffen, wurde aber von der Schlinge um meinen Hals gebremst. Mir wurde eine Sekunde schwarz vor Augen, als mir das Seil die Halsschlagader zudrückte. Dann konnte ich wieder sehen und fand Bobles Gesicht nur Zentimeter vor dem meinen, spürte seinen Atem heiß auf meiner Haut.

Er nahm mein Kinn in die Hand und rieb sein Gesicht über das meine. Er biss mich in die Lippen und kratzte mit seinen Bartstoppeln über meine Wangen. Dann wich er zurück, hinterließ feuchten Speichel in meinem Gesicht, drückte mich zu Boden und kletterte auf mich.

Ich konnte die Brutalität wie ein bloßgelegtes Herz in ihm pulsieren spüren, dessen dünne Wände nur darauf warteten zu explodieren. Ich wusste, dass ich ihm nicht entkommen oder ihn aufhalten konnte – wusste, dass er mir beim geringsten Anlass Schmerzen zufügen würde. Das Einzige, was ich tun konnte, war stillzuhalten und ihn zu ertragen.

Ich konnte es nicht. Ich bäumte mich unter ihm auf, rollte mich auf die Seite und holte mit dem Knie aus, als er mein Hemd zur Seite schob. Es traf ihn mit voller Wucht am Oberschenkel, und er holte automatisch mit der Faust aus und schlug mich fest ins Gesicht.

Rotschwarzer Schmerz breitete sich plötzlich in meiner Gesichtsmitte aus, verteilte sich in meinem Kopf, und ich wurde blind, im ersten Moment reglos vor Schrecken. Du Riesendummkopf, dachte ich vollkommen klar. Jetzt bringt er dich um. Der zweite Hieb traf meine Wange und ließ meinen Kopf zur Seite schnappen. Möglich, dass ich mich in blinder Gegenwehr erneut bewegte, vielleicht aber auch nicht.

Plötzlich kniete er rittlings über mir, hieb und schlug, und seine Schläge hagelten dumpf und schwer auf mich nieder wie Meereswellen, die auf Sand klatschten, noch zu fern, als dass ich den Schmerz gespürt hätte. Ich wand und drehte mich, hob meine Schulter und versuchte, mein Gesicht schützend in den Boden zu drücken, und dann war sein Gewicht verschwunden.

Er war aufgestanden. Er trat mich und fluchte, keuchte und schluchzte fast, während sein Stiefel in meine Seiten und meinen Rücken hämmerte, gegen meine Oberschenkel und meine Pobacken. Ich keuchte abgehackt und versuchte zu atmen. Mein Körper zuckte und zitterte bei jedem Tritt, ich rutschte über das Laub und klammerte mich an das Gefühl des Bodens unter mir, versuchte verzweifelt einzusinken, vom Erdboden verschluckt zu werden.

Dann hörte es auf. Ich konnte hören, wie er keuchte, zu sprechen versuchte. »Gottverdammt… gottverdammt… oh, gottverdammt… verflu… verfluchte… Hexe…«

Ich lag reglos da und versuchte, in der Dunkelheit zu verschwinden, die mich umgab, weil ich wusste, dass er gegen meinen Kopf treten würde. Ich konnte hören, wie meine Zähne zertrümmert wurden, wie meine zerbrechlichen Schädelknochen zersplitterten und sich in den weichen Brei meines Hirns bohrten, und ich biss zitternd die Zähne zusammen, um mich vergeblich vor dem Aufprall zu schützen. Es würde wie eine zerplatzende Melone klingen, dumpf, klebrig und hohl. Würde ich es hören?

Es kam nicht. Es gab ein anderes Geräusch, ein schnelles, festes Rascheln, das keinen Sinn ergab. Ein schwach fleischiges Geräusch, Haut auf Haut in einem leise klatschenden Rhythmus, und dann stöhnte er, und warme Flüssigkeit landete nass in meinem Gesicht und auf meinen Schultern, spritzte auf die nackte Haut unter meinem zerrissenen Hemd.

Ich erstarrte. Irgendwo in einem entfernten Winkel meines Verstandes fragte sich der sachliche Beobachter, ob dies wohl wirklich das Ekelhafteste war, das ich je erlebt hatte. Nun, nein, das war es nicht. Einige der Dinge, die ich im L'Hôpital des Anges gesehen hatte, ganz zu schweigen von Vater Alexandres Tod oder der Dachkammer der Beardsleys… dem Feldlazarett von Amiens… Himmel, nein, an diese Dinge kam das hier nicht im Entferntesten heran.

Ich lag stocksteif da, die Augen geschlossen, rief mir alle möglichen üblen Erlebnisse aus meiner Vergangenheit ins Gedächtnis und wünschte, ich wäre in der Tat irgendwo dort anstatt hier.

Er beugte sich über mich, packte mein Haar und schlug meinen Kopf keuchend mehrere Male gegen den Baum.

»Habt Ihr davon«, knurrte er, dann ließ er die Hand sinken, und ich hörte ihn schlurfend davonstolpern.

Als ich schließlich die Augen öffnete, war ich allein.

Ich blieb allein – ein kleiner Segen. Bobles brutaler Angriff schien die Jungen verscheucht zu haben.

Ich drehte mich auf die Seite, lag still da und atmete einfach nur. Ich fühlte mich sehr müde und völlig verloren.

Jamie, dachte ich, *wo bist du*?

Ich hatte keine Angst vor dem, was als Nächstes passieren könnte. Ich konnte nicht über den gegenwärtigen Moment hinausblicken, den nächsten Atemzug, den nächsten Herzschlag. Ich dachte an nichts und weigerte mich zu fühlen. Noch nicht. Ich lag einfach nur still und atmete.

Allmählich begann ich, Kleinigkeiten wahrzunehmen. Ein Rindenstückchen, das sich in meinem Haar verfangen hatte und mich an der Wange kratzte. Die dichte, nachgiebige Laubschicht unter mir, die meinen Körper umschloss. Das Gefühl der Anstrengung, jedes Mal wenn sich meine Brust hob. Zunehmender Anstrengung.

Ein winziger Nerv begann neben meinem Auge zu zucken.

Ganz plötzlich begriff ich, dass ich mit dem Knebel im Mund und meiner rapide zuschwellenden Nase ernsthaft in Gefahr war zu ersticken. Ich wand mich auf die Seite, so weit ich es konnte, ohne stranguliert zu werden, rieb erst mein Gesicht über den Boden, bohrte dann – mit wachsender Verzweiflung – die Fersen in den Boden und kämpfte mich hoch, um mit dem Gesicht über die Baumrinde zu kratzen. Doch meine Versuche, den Knebel zu lockern, blieben erfolglos.

Die Rinde kratzte mir Lippen und Wangen auf, doch das Halstuch, das um meinen Kopf gebunden war, saß so fest, dass es mir in die Mundwinkel schnitt und meinen Mund mit Gewalt offen hielt, so dass ständig Speichel in den Stoffball in meinem Mund sickerte. Ich würgte, weil mich das nasse Tuch im Hals kitzelte, und spürte ganz hinten in der Nase das Brennen von Erbrochenem.

Du wirst nicht, du wirst nicht, duwirstnichtduwirstnicht wirst *dich nicht übergeben*! Ich holte blubbernd durch meine blutige Nase Luft, schmeckte Kupfer, als mir der Schleim durch den Hals lief, würgte fester, beugte mich vor – und sah weißes Licht am Rand meines Blickfeldes, weil sich die Schlinge um meinen Hals zuzog.

Ich fiel zurück, und mein Kopf schlug fest gegen den Baum. Ich merkte es kaum; die Schlinge lockerte sich wieder, Gott sei Dank, und es gelang mir zwei, drei kostbare Atemzüge blutverklebter Luft zu holen.

Meine Nase war von Wange zu Wange aufgedunsen und schwoll rapide an. Ich biss die Zähne auf dem Knebel zusammen und pustete durch meine Nase, um sie zu reinigen, wenn auch nur für einen Moment. Eine Mischung aus Galle und Blut spritzte warm über mein Kinn, tropfte auf meine Brust – und ich holte aus Leibeskräften Luft und kam etwas zu Atem.

Puste, atme ein. Puste, atme ein. Puste – aber meine Nase war jetzt fast zugeschwollen, und fast hätte ich vor Panik aufgeschluchzt, als keine Luft kam.

Himmel, nicht weinen! Du bist tot, wenn du weinst, in Gottes Namen, *bloß nicht weinen*!

Pusten … pusten … Ich prustete mit dem letzten Rest Kraft Luft aus meinen Lungen und schaffte etwas Freiraum, genug, um sie wieder zu füllen.

Ich hielt die Luft an und versuchte, lange genug bei Bewusstsein zu bleiben, um eine Möglichkeit zum Atmen zu finden – es *musste* eine Möglichkeit geben zu atmen.

Ich würde *nicht* zulassen, dass ein Nichtsnutz wie Harley Boble mich schlicht aus Versehen umbrachte. Das war einfach nicht richtig; es durfte nicht sein.

Ich schob mich halb sitzend an dem Baum hoch, um den Zug an der Halsschlinge so weit wie möglich zu verringern, und ließ den Kopf nach vorn fallen, so dass das Blut aus meiner Nase nach unten tropfte. Das half ein wenig. Allerdings nicht lange.

Meine Augenlider spannten zunehmend; meine Nase war definitiv gebrochen, und das Gewebe in meiner oberen Gesichtshälfte quoll jetzt auf, weil Blut und Lymphe aus den geplatzten Gefäßen es anschwellen ließen, mir die Augen zudrückten und mir die Luftzufuhr weiter abschnürten.

Ich biss in quälender Frustration auf den Knebel, dann begann ich von Verzweiflung gepackt darauf zu kauen, mahlte den Stoff zwischen meinen Zähnen, um ihn zu zermalmen, zu komprimieren, ihn irgendwie in meinem Mund zu verschieben … Ich biss mir auf die Innenseite der Wange und spürte den Schmerz, doch er machte mir nichts aus, es zählte nur das Atmen, o Gott, ich bekam keine *Luft*, bitte hilf mir atmen, bitte …

Ich biss mir auf die Zunge, keuchte vor Schmerz – und merkte, dass es mir gelungen war, meine Zunge an dem Knebel vorbeizuschieben und mit der Zungenspitze an meinen Mundwinkel zu gelangen. Durch mein festes Bohren hatte ich einen winzigen Luftkanal geschaffen. Es konnte nur ein Hauch von Sauerstoff hindurchsickern – doch es war Luft, und das war alles, was zählte.

Ich hielt den Kopf unter Schmerzen zur Seite geneigt und drückte mit der Schläfe gegen den Baum, hatte aber Angst, mich zu rühren, weil ich fürchtete, die lebenswichtige Luftleitung wieder zu verlieren, falls sich der Knebel bei einer Bewegung meines Kopfes verschob. Ich saß mit verkrampften Händen still, holte in langen, gurgelnden, flachen Zügen Luft und fragte mich, wie lange ich es wohl so aushalten konnte; meine Halsmuskeln zitterten bereits vor Anstrengung.

Meine Hände pochten wieder – ich ging davon aus, dass sie nie damit aufgehört hatten, sondern ich einfach keine Aufmerksamkeit dafür übrig gehabt hatte. Jetzt allerdings nahm ich sie wieder wahr, und ich begrüßte die stechenden Schmerzen, die meine Fingernägel einzeln mit flüssigem Feuer nachzeichneten, als Ablenkung von der tödlichen Steifheit, die sich durch meinen Hals allmählich in meine Schulter zog.

Meine Halsmuskeln zuckten und verkrampften sich; ich schnappte nach Luft, bekam keine und krümmte mich wie ein Bogen, die Finger in das Seil gekrallt, während ich erneut nach Atem rang.

Eine Hand legte sich auf meinen Arm. Ich hatte ihn nicht kommen hören. Ich wandte mich blind zu ihm um und hieb mit dem Kopf nach ihm. Es war mir egal, wer er war oder was er wollte, wenn er nur den Knebel entfernte. Eine Vergewaltigung schien ein absolut vernünftiger Preis für das Überleben zu sein, zumindest im Moment.

Ich stieß verzweifelte Geräusche aus, wimmerte und versprühte Blut und Schleim, als ich heftig den Kopf schüttelte, um zu signalisieren, dass ich im Begriff war zu ersticken – angesichts der bisher demonstrierten sexuellen Inkompetenz musste ich vermuten, dass er möglicherweise gar nicht begriff, dass ich keine Luft bekam, und einfach seinem Geschäft nachgehen würde, ohne zu merken, dass sich seine schlichte Vergewaltigung in Nekrophilie verwandelte.

Er tastete an meinem Kopf herum. Gott sei Dank, Gott sei Dank! Ich hielt mit übermenschlicher Anstrengung still, während mein Kopf zu schwimmen begann und im Inneren meiner Augäpfel kleine Blitze explodierten. Dann verschwand der Stoffstreifen, ich schob automatisch den Ball aus meinem Mund und würgte und übergab mich, während ich gleichzeitig keuchend Luft holte.

Ich hatte nichts gegessen; es war nicht mehr als ein Gallerinnsal, das mir die Kehle versengte und über mein Kinn lief. Ich verschluckte mich, schluckte und *atmete*, sog die Luft in langen, gierigen Zügen ein, die mir die Lungen zu sprengen drohten.

Er sagte irgendetwas in drängendem Flüsterton. Es interessierte mich nicht, ich konnte nicht zuhören. Alles, was ich hörte, war das dankbare Keuchen meines eigenen Atems und das rasende Klopfen meines Herzens. Nachdem es sich verzweifelt bemüht hatte, den Sauerstoff durch mein ausgehungertes Gewebe zu transportieren, kam es jetzt endlich zur Ruhe, klopfte aber dabei so fest, dass es meinen ganzen Körper schüttelte.

Dann drangen ein oder zwei Worte zu mir durch, und ich hob den Kopf und starrte ihn an.

»Was?«, sagte ich mit belegter Stimme. Ich hustete und schüttelte den Kopf, um ihn frei zu bekommen. Es tat sehr weh. »*Was* habt Ihr gesagt?«

Im schwachen Feuerschein war er nur als zottiger, löwenmähniger Umriss mit hageren Schultern zu erkennen.

»Ich habe gesagt«, flüsterte er und beugte sich dicht zu mir herüber, »sagt Euch der Name ›Ringo Starr‹ etwas?«

Inzwischen konnte mich nichts mehr schockieren. Ich wischte mir nur vorsichtig meine aufgeplatzte Lippe an der Schulter ab und sagte ganz ruhig: »Ja.«

Er hatte die Luft angehalten; ich merkte es erst, als ich den Seufzer hörte, mit dem er ausatmete, und sah, wie er die Schultern fallen ließ.

»O Gott«, sagte er halb zu sich selbst. »O Gott.«

Er schoss plötzlich auf mich zu und nahm mich fest in seine Arme. Ich fuhr zurück, und die Halsschlinge schnürte mir die Luft ab, doch er war so von seinen eigenen Gefühlen gefangen, dass er es nicht bemerkte.

»O Gott«, sagte er beinahe schluchzend und vergrub das Gesicht an meiner Schulter. »O Gott, ich wusste es, ich wusste, dass es so sein musste, aber ich konnte es nicht glauben, o Gott, o Gott, o Gott! Ich hatte nicht gedacht, dass ich je noch einen finden würde, im Leben nicht –«

»Kk«, sagte ich. Ich krümmte mich verzweifelt.

»Was – oh, Mist!« Er ließ los und griff nach der Schlinge um meinen Hals. Er bekam sie zu fassen und zerrte sie mir über den Kopf. Dabei riss er mir fast das Ohr ab, doch das störte mich nicht. »Mist, alles okay?«

»Ja«, krächzte ich. »Bindet … mich los.«

Er zog die Nase hoch und wischte sie an seinem Ärmel ab, dann blickte er hinter sich.

»Ich kann nicht«, flüsterte er. »Der Nächste würde es merken.«

»Der *Nächste*?«, schrie ich, so weit ich erstickt flüsternd schreien konnte. »Wie meint Ihr das, der Nächste –«

»Nun ja, Ihr wisst schon …« Ihm schien plötzlich zu dämmern, dass ich etwas dagegen haben könnte, verschnürt wie ein Truthahn brav auf den nächsten Möchtegernvergewaltiger in der Warteschlange zu harren. »Äh … ich meine … na ja, egal. Wer seid Ihr?«

»Ihr wisst verdammt gut, wer ich bin«, krächzte ich wütend und stieß ihn mit beiden Händen von mir. »Ich bin Claire Fraser. Wer zum *Teufel* seid Ihr, was tut Ihr hier, und wenn Ihr auch nur ein weiteres Wort von mir hören wollt, bindet mich gefälligst auf der Stelle los!«

Er wandte erneut nervös den Kopf, um hinter sich zu blicken, und ich bekam den vagen Eindruck, dass er vor seinen Kameraden Angst hatte. Das ging mir nicht anders. Ich konnte sein Profil im Gegenlicht sehen; er war in der Tat der junge Indianer mit den buschigen Haaren, den ich für einen Tuscarora gehalten hatte. Indianer … Irgendwo im Gewirr meiner Synapsen kam klickend eine Verbindung zustande.

»Teufel noch mal«, sagte ich und betupfte ein Blutrinnsal, das aus meinem wunden Mundwinkel lief. »Otterzahn. Du bist einer von seinen Jungs.«

»Was?« Sein Kopf fuhr herum, und er sah mich an, die Augen so weit aufgerissen, dass ringsum kurz das Weiße zu sehen war. »Wer?«

»Oh, wie zum Teufel hieß er noch? Robert... Robert irgendwie...« Ich zitterte vor Wut, Schrecken, Schock und Erschöpfung und tastete in den verschwommenen Resten dessen herum, was einmal mein Verstand gewesen war. Ich mochte ja ein Wrack sein, doch an Otterzahn konnte ich mich gut erinnern. Mir kam eine plötzliche, lebhafte Erinnerung an eine Nacht ganz wie diese. Ich war allein in der Dunkelheit, es war regennass, und ich war völlig allein, einen lange begrabenen Schädel in meinen Händen.

»Springer«, sagte er und packte gebannt meinen Arm. »Springer – war es das? Robert Springer?«

Ich besaß gerade genug Geistesgegenwart, um meine Lippen zusammenzupressen, mein Kinn vorzuschieben und ihm beide Hände hinzuhalten. Kein Wort mehr, bis er mich losschnitt.

»Mist«, murmelte er noch einmal. Dann warf er einen weiteren hastigen Blick hinter sich und fingerte nach seinem Messer. Er stellte sich nicht besonders geschickt damit an. Wenn ich irgendeinen Beweis gebraucht hätte, dass er kein echter Indianer dieser Zeit war... doch er bekam meine Hände frei, ohne mich zu schneiden, und ich beugte mich stöhnend vornüber und steckte die Hände in meine Achselhöhlen, während das Blut in sie hineinschoss. Sie fühlten sich an wie gefüllte Luftballons, die zum Zerplatzen gedehnt waren.

»Wann?«, wollte er wissen, ohne meine Not zu beachten. »Wann sind Sie gekommen? Wo haben Sie Bob gefunden? Wo ist er?«

»1946«, sagte ich und drückte meine Arme fest auf meine pochenden Hände. »Beim ersten Mal. 1968 beim zweiten. Und was Mr. Springer angeht...«

»Beim zweiten – haben Sie gesagt beim *zweiten* Mal?« Seine Stimme wurde vor Erstaunen lauter. Er hielt inne und sah sich schuldbewusst um, doch die Geräusche der Männer, die am Feuer Würfel spielten und diskutierten, waren laut genug, um einen einzelnen Ausruf zu übertönen.

»Ein zweites Mal«, wiederholte er, diesmal leiser. »Also haben Sie es geschafft? Sie sind zurückgegangen?«

Ich nickte mit zusammengepressten Lippen und wiegte mich sacht vor und zurück. Ich hatte bei jedem Herzschlag das Gefühl, meine Fingernägel würden abplatzen.

»Was ist mit dir?«, fragte ich, obwohl ich mir hinreichend sicher war, die Antwort bereits zu kennen.

»1965«, bestätigte er mein Gefühl.

»In welchem Jahr bist du herausgekommen?«, fragte ich. »Ich meine – wie lange bist du schon hier? Äh... jetzt, meine ich.«

»O Gott.« Er ging in die Hocke und fuhr sich mit der Hand durch sein langes, wirres Haar. »Ich bin jetzt sechs Jahre hier, soweit ich das sagen kann. Aber Sie haben gesagt – ein zweites Mal. Wenn Sie es nach Hause geschafft haben, warum zum Teufel sind Sie *zurückgekommen*? Oh – halt. Sie haben es nicht nach Hause geschafft, Sie sind in einer anderen Zeit gelandet als der, in der Sie aufgebrochen sind? Wann sind Sie aufgebrochen?«

»Schottland, 1946. Und nein, ich bin nach Hause gekommen«, sagte ich, ohne ins Detail gehen zu wollen. »Aber mein Mann war hier. Ich bin mit Absicht zurückgegangen, um bei ihm zu sein.« Ein Entschluss, an dessen Klugheit ich zur Stunde ernsthaft zweifelte.

»Und wo wir gerade von meinem Mann sprechen«, fügte ich hinzu und bekam das Gefühl, eventuell doch noch ein paar Fetzen gesunden Menschenverstandes zu besitzen, »das war *kein* Witz. Er kommt. Ich versichere dir, dass es besser wäre, wenn er mich nicht in deiner Gefangenschaft antrifft. Aber wenn du –«

Er beugte sich aufgeregt zu mir vor, ohne meine Worte zu beachten.

»Aber das heißt ja, dass Sie wissen, wie es funktioniert! Sie können steuern!«

»Etwas in der Art«, sagte ich ungeduldig. »Dann haben deine Begleiter und du also *nicht* gewusst, wie man steuert, wie du es ausdrückst?« Ich massierte eine Hand mit der anderen und biss die Zähne zusammen, so heftig pulsierte das Blut. Ich konnte die Abdrücke spüren, die das Seil in meiner Haut zurückgelassen hatte.

»Wir dachten, wir wüssten es.« Ein Hauch von Bitterkeit lag in seiner Stimme. »Singende Steine. Edelsteine. Damit haben wir es gemacht. Raymond hatte gesagt … aber es hat nicht funktioniert. Oder vielleicht … vielleicht hat es doch funktioniert.« Er spann seine Gedanken weiter, ich konnte hören, wie die Aufregung in seinem Tonfall wieder zunahm.

»Sie haben Bob Springer getroffen – Otterzahn, meine ich. Also *hat* er es geschafft! Und wenn er es geschafft hat, dann die anderen ja vielleicht ebenfalls. Und ich dachte schon, sie wären alle tot. Ich dachte … dachte, ich wäre allein.« Seine Stimme war belegt, und trotz meiner Notlage und meiner Verärgerung ihm gegenüber spürte ich einen Stich des Mitgefühls. Ich wusste sehr gut, wie es sich anfühlte, auf diese Weise allein zu sein, gestrandet in der Zeit.

Irgendwie hätte ich ihm seine Illusionen gern gelassen, doch es hatte keinen Sinn, ihm die Wahrheit vorzuenthalten.

»Ich fürchte, Otterzahn ist tot.«

Er erstarrte plötzlich und saß ganz still da. Der schwache Feuerschein, der durch die Bäume drang, zeigte mir seinen Umriss; ich konnte sein Gesicht sehen. Ein paar seiner langen Haare hoben sich im Wind. Sie waren alles, was sich bewegte.

»Wie?«, sagte er schließlich mit leiser, erstickter Stimme.

»Von den Irokesen umgebracht«, sagte ich. »Den Mohawk.« Mein Verstand begann ganz allmählich wieder zu arbeiten. Vor sechs Jahren war dieser Mann – wer immer er war – erschienen. Das wäre also 1767. Und doch war Otterzahn, der Mann, der einmal Robert Springer gewesen war, mehr als eine Generation zuvor gestorben. Sie waren zusammen aufgebrochen, jedoch in verschiedenen Zeiten herausgekommen.

»Mist«, sagte er, obwohl die deutliche Verstörung in seiner Stimme mit Ehrfurcht vermischt war. »Das muss ja ein ziemlicher Hammer gewesen sein, vor allem für Bob. Er hat diese Typen vergöttert.«

»Ja, ich vermute, dass es ihn sehr aus der Fassung gebracht hat«, erwiderte ich ausgesprochen trocken. Meine Augenlider fühlten sich dick und schwer an. Es kostete mich Mühe, sie offen zu halten, aber ich konnte immer noch etwas erkennen. Ich blickte in Richtung des Feuerscheins, konnte aber nichts weiter sehen als Schatten, die sich verschwommen bewegten. Wenn es tatsächlich eine Warteschlange für meine Dienste gab, so hielt sie sich wenigstens taktvoll außer Sichtweite auf. Ich bezweifelte dies jedoch und dankte Gott, dass ich nicht zwanzig Jahre jünger war – dann hätte es eine geben können.

»Ich bin schon einmal Irokesen begegnet – Himmel, ich habe nach ihnen *gesucht*, ist das zu glauben! Das war schließlich der Sinn der ganzen Sache, die Irokesenstämme zu finden und dazu zu bringen, dass –«

»Ich weiß, was ihr vorhattet«, unterbrach ich ihn. »Hör mal, das ist weder die Zeit noch der Ort für ein langes Gespräch. Ich glaube, dass –«

»Die Irokesen sind üble Kerle, wirklich, Mann«, sagte er und unterstrich seine Worte, indem er mir seinen Finger in die Brust stach. »Sie würden gar nicht *glauben*, was sie mit denen machen, die –«

»Ich weiß. Mein Mann ist auch einer.« Ich funkelte ihn an, eine Miene, deren Wirkung – seinem Zusammenzucken nach – durch den Zustand meines Gesichtes noch verstärkt wurde. Das hoffte ich jedenfalls; es schmerzte furchtbar, sie aufzusetzen.

»Okay, was *du* jetzt machst«, sagte ich und legte so viel Autorität in meine Stimme, wie ich nur aufbringen konnte, »ist, zum Feuer zurückgehen, ein bisschen warten, dann stehst du beiläufig auf, schleichst dich weg und besorgst zwei Pferde. Ich höre da unten einen Bach –« Ich wies kurz nach rechts. »Da treffen wir uns. Wenn wir in sicherem Abstand vom Lager sind, erzähle ich dir alles, was ich weiß.«

Ich konnte ihm zwar wahrscheinlich nichts erzählen, was ihm half, aber das wusste er ja nicht. Ich hörte ihn schlucken.

»Ich weiß nicht…«, murmelte er unsicher und schaute sich erneut um. »Hodge ist ziemlich skrupellos. Vor ein paar Tagen hat er einen Typen erschossen. Hat nicht mal was gesagt, ist einfach nur zu ihm gegangen, hat seine Knarre gezogen und *peng*!«

»Wieso?«

Er zuckte mit den Achseln und schüttelte den Kopf.

»Keine Ahnung, Mann. Einfach ... *peng*, klar?«

»Klar«, versicherte ich ihm. Meine Beherrschung und mein Geisteszustand hingen an einem seidenen Faden. »Okay, dann lassen wir das mit den Pferden also. Gehen wir einfach.« Ich wuchtete mich umständlich auf ein Knie hoch und gab die Hoffnung nicht auf, dass ich in ein paar Sekunden in der Lage sein würde aufzustehen, vom Laufen ganz zu schweigen. Die großen Muskeln meiner Oberschenkel waren dort, wo Boble mich getreten hatte, feste Knoten; der bloße Versuch zu stehen ließ meine Muskeln krampfhaft erzittern, und ich war praktisch gelähmt.

»Mist, doch nicht jetzt!« In seiner Erregung packte der junge Mann meinen Arm und riss mich neben sich zu Boden. Ich fiel auf meine Hüfte und stieß einen Schmerzensschrei aus.

»Kommst du da zurecht, Donner?« Die Stimme kam irgendwo hinter mir aus der Dunkelheit. Sie klang beiläufig – offenbar hatte einer der Männer das Lager verlassen, um seine Blase zu entleeren – doch ihre Wirkung auf den jungen Indianer war elektrisierend. Er warf sich der Länge nach auf mich, schlug meinen Kopf auf den Boden, und mir blieb die Luft weg.

»Ja ... wirklich ... gut«, rief er seinem Kameraden zu und keuchte übertrieben, offenbar um sich den Anschein eines Mannes in der Agonie halb vollendeter Lust zu geben. Er klang wie jemand, der im Begriff ist, an Asthma zu sterben, doch ich kritisierte ihn nicht. Ich konnte es gar nicht.

Mein Kopf hatte schon öfter Hiebe eingesteckt, und normalerweise sah ich dann mehr oder minder schwarz. Diesmal sah ich allen Ernstes bunte Sterne. Ich lag schlaff und verwirrt da und fühlte mich, als säße ich ganz ruhig ein Stück über meinem gemarterten Körper. Dann legte mir Donner eine Hand auf die Brust, und ich kehrt abrupt auf den Boden der Tatsachen zurück.

»Lass mich sofort los!«, zischte ich. »Was glaubst du eigentlich, was du da tust?«

»Hey, hey, gar nichts, gar nichts, tut mir Leid«, versicherte er mir hastig. Er zog die Hand fort, blieb aber auf mir liegen. Er wand sich ein wenig, und ich begriff, dass ihn der enge Kontakt erregt hatte, ob beabsichtigt oder nicht.

»*Runter* da!«, flüsterte ich außer mir.

»Hey, ich will doch gar nichts, ich meine, ich würde Ihnen doch nichts tun oder so. Ich hab nur keine Frau mehr gehabt, seit –«

Ich packte eine Hand voll seiner Haare, hob meinen Kopf und biss ihn fest ins Ohr. Er kreischte auf und rollte von mir herunter.

Der andere Mann war zum Feuer zurückgegangen. Jetzt drehte er sich jedoch um und rief: »Himmel, Donner, ist sie *so* gut? Dann muss ich es auch versuchen!« Er erntete Gelächter von den Männern, doch zum Glück verstummte es, und sie wandten sich wieder ihren eigenen Angelegenheiten zu. Ich auch – und meine Angelegenheit war die Flucht.

»Musste das sein?«, jaulte Donner leise und hielt sich das Ohr. »Ich hätte doch gar nichts gemacht! Himmel, Sie haben hübsche Titten, aber Sie sind doch so alt, Sie könnten glatt meine Mutter sein!«

»Klappe!«, sagte ich und setzte mich mühsam auf. Mir wurde schwindelig vor Anstrengung; winzige bunte Lichter flimmerten wie eine weihnachtliche Lichterkette am Rand meines Gesichtsfeldes auf. Trotzdem hatte ein Teil meines Gehirns den Betrieb wieder aufgenommen.

Er hatte zumindest teilweise Recht. Wir konnten nicht sofort gehen. Nachdem er so viel Aufmerksamkeit auf sich gezogen hatte, würden die anderen erwarten, dass er nach ein paar Minuten zu ihnen zurückkehrte; wenn nicht, würden sie anfangen, nach ihm zu suchen – und wir brauchten mehr als nur ein paar Minuten Vorsprung.

»Wir können jetzt nicht gehen«, flüsterte er und rieb sich vorwurfsvoll das Ohr. »Sie würden es merken. Warten Sie, bis sie einschlafen, dann komme ich Sie holen.«

Ich zögerte. Ich war in Lebensgefahr, solange ich in Reichweite Hodgepiles und seiner wilden Bande verbrachte. Wenn ich überhaupt Beweise dafür gebraucht hätte, hatten es mir die Ereignisse der letzten beiden Stunden gezeigt. Dieser Donner musste sich wieder am Feuer zeigen – aber ich konnte mich davonstehlen. Lohnte es das Risiko, dass jemand mein Fehlen bemerkte, bevor ich weit genug weg war, um vor einer Verfolgung sicher zu sein? Es würde sicherer sein zu warten, bis sie schliefen. Aber konnte ich es wagen, so lange zu warten?

Und dann war da noch Donner selbst. Wenn er mit mir reden wollte, wollte ich erst recht mit ihm reden. Die Chance, über einen anderen Zeitreisenden zu stolpern …

Donner bemerkte mein Zögern, interpretierte es jedoch falsch.

»Sie gehen nicht ohne mich!« Er packte mich plötzlich alarmiert am Handgelenk, und bevor ich es ihm entreißen konnte, hatte er ein Stück des zerschnittenen Seils darum geschlungen. Ich wehrte mich, wich zurück und zischte ihn an, um es ihm zu erklären, doch der Gedanke, dass ich ohne ihn davonschlüpfen könnte, versetzte ihn in Panik, und er war nicht dazu zu bringen, mir zuzuhören. Da ich durch meine Verletzungen im Nachteil war und nicht so viel Lärm machen wollte, dass wir noch mehr Aufmerksamkeit erregten, konnte ich seine entschlossenen Bemühungen, mich wieder zu fesseln, nur hinauszögern, aber nicht verhindern.

»Okay.« Er schwitzte; ein warmer Tropfen fiel auf mein Gesicht, als er sich über mich beugte, um die Fesseln zu überprüfen. Immerhin hatte er mir die Schlinge nicht wieder um den Hals gelegt, sondern mich mit einem Seil um die Taille an den Baum gebunden.

»Ich hätte wissen müssen, wer Sie sind«, murmelte er, ganz auf seine

Arbeit konzentriert. »Schon bevor Sie ›Jesus H. Roosevelt Christ‹ gesagt haben.«

»Was zum Teufel meinst du damit?«, fuhr ich ihn an und versuchte, mich seiner Hand zu entwinden. »Tu das nicht – ich werde ersticken!« Er versuchte, mir den Stoffstreifen wieder in den Mund zu schieben, schien aber den panischen Unterton in meiner Stimme aufzufangen, denn er zögerte.

»Oh«, sagte er verunsichert. »Na ja. Schätze –« Er sah sich noch einmal um, fasste dann aber seinen Entschluss und ließ den Knebel auf den Boden fallen. »Okay. Aber Sie sind still, okay? Was ich gemeint habe – Sie verhalten sich nicht so, als hätten Sie Angst vor Männern. Die meisten Frauen dieser Zeit tun das. Sie sollten mehr Angst zeigen.«

Und mit diesem Seitenhieb erhob er sich und strich sich das Laub aus den Kleidern, bevor er wieder auf das Feuer zuhielt.

Irgendwann kommt ein Punkt, an dem der Körper einfach nicht mehr kann. Er klammert sich an den Schlaf, ganz gleich, welche Bedrohung in der Zukunft liegt. Ich hatte es schon öfter beobachtet: die Jakobitensoldaten, die dort, wo sie standen, in den Gräben einschliefen, die britischen Piloten, die in ihren Flugzeugen schliefen, während die Mechaniker sie auftankten, und dann rechtzeitig zum Start in voller Alarmbereitschaft hochfuhren. Und auch Frauen, deren Geburten sich lange hinziehen, schlafen oft zwischen den Wehen.

Genauso schlief ich auch.

Doch diese Art von Schlaf ist weder tief noch friedvoll. Ich tauchte daraus auf, weil eine Hand auf meinem Mund lag.

Der vierte Mann war weder unfähig noch brutal. Er war untersetzt, und er hatte seine verstorbene Frau geliebt. Das wusste ich, weil er in mein Haar weinte und mich am Ende mit ihrem Namen anrief. Er war Martha.

Einige Zeit später erwachte ich erneut. Augenblicklich, hellwach, donnernden Herzens. Doch es war nicht mein Herz. Es war eine Trommel.

Aus der Richtung des Feuers kamen erschrockene Laute, Männer fuhren alarmiert aus dem Schlaf auf.

»Indianer!«, rief jemand, und das Licht erlosch zu einem Glühen, als jemand auf das Feuer trat, um seine Reste zu verstreuen.

Es war keine Indianertrommel. Ich setzte mich auf und lauschte angestrengt. Es war eine Trommel mit einem Klang wie Herzschlag, langsam und rhythmisch, dann schnell wie ein Aufwerfhammer, wie der panische Galopp eines gejagten Tiers.

Ich hätte ihnen sagen können, dass nicht Indianer ihre Trommeln als Waffen benutzten; Kelten taten es. Es war der Klang eines Bodhrans.

Und was kommt als Nächstes?, dachte ich am Rand der Hysterie, *Dudelsäcke?*

Es war Roger, mit Sicherheit; nur er konnte eine Trommel so zum Sprechen bringen. Es war Roger, und Jamie war in der Nähe. Ich rappelte mich zum Stehen auf, wollte, musste mich unbedingt *bewegen*. Ich zerrte in ungeduldiger Raserei an dem Seil um meine Taille, doch es saß fest.

Eine zweite Trommel hub an, weniger kunstvoll, aber genauso bedrohlich. Der Klang schien sich zu bewegen – er bewegte sich tatsächlich. Wurde leiser, kehrte mit voller Wucht zurück. Eine dritte Trommel begann, und jetzt schienen die Schläge überallher zu kommen, schnell, langsam, spottend.

Jemand feuerte in Panik einen Schuss in den Wald.

»Aufhören!«, erklang Hodgepiles Stimme, laut und wütend, aber vergeblich; Gewehrschüsse ertönten wie platzendes Popcorn, doch im Klang der Trommeln gingen sie fast unter. Ich hörte es dicht neben meinem Kopf klatschen, und eine Hand voll Nadeln rieselte an mir vorbei. Mir dämmerte, dass es eine gefährliche Strategie war, aufrecht dazustehen, während ringsum blind drauflos geschossen wurde. Ich ließ mich blitzartig fallen und grub mich in der Nadelschicht ein, während ich versuchte, den Baumstamm zwischen mich und die Männer zu bekommen.

Die Trommeln wanderten, einmal näher, einmal weiter entfernt; ihr Klang ging selbst dem an die Nieren, der wusste, was es war. Sie umkreisten das Lager, zumindest schien es so. Sollte ich rufen?

Ich wurde aus der Qual der Entschlusslosigkeit gerettet; die Männer am Lagerfeuer machten solchen Lärm, dass mich niemand gehört hätte, selbst wenn ich mich heiser geschrien hätte. Sie riefen Warnungen, brüllten Fragen, bellten Befehle – die der weiterhin hörbaren Verwirrung nach anscheinend keine Beachtung fanden.

Jemand krachte auf der Flucht vor den Trommeln dicht in meiner Nähe durch das Unterholz. Einer, noch zwei – das Geräusch keuchender Atemzüge und knirschender Schritte. *Donner?* Der Gedanke kam mir ganz plötzlich, und ich setzte mich auf, ließ mich aber wieder fallen, als erneut ein Schuss über meinen Kopf pfiff.

Das Trommeln verstummte abrupt. Am Feuer herrschte Chaos, obwohl ich hören konnte, wie Hodgepile versuchte, seine Männer zur Ordnung zu rufen. Er brüllte und drohte; seine näselnde Stimme übertönte den Rest. Dann setzten die Trommeln wieder ein – viel näher.

Sie kamen, kamen näher, irgendwo im Wald, links von mir, und das spottende Tip-Tap-Tip-Tap der Schläge hatte sich verändert. Es donnerte jetzt. Keine Kunst, nur Drohung. Näher und näher.

Wilde Gewehrschüsse, so dicht bei mir, dass ich das Mündungsfeuer sehen und den Rauch riechen konnte, der dicht und heiß in der Luft hing. Die Glut des Feuers war verstreut worden, brannte jedoch noch und glomm gedämpft zwischen den Bäumen hindurch.

»Da sind sie! Ich sehe sie!«, rief jemand am Feuer, und es folgte eine weitere Musketensalve in Richtung der Trommeln.

Dann erhob sich rechts von mir ein gespenstisches Heulen in der Dunkelheit. Es war nicht das erste Mal, dass ich hörte, wie sich Schotten schreiend in die Schlacht stürzten, doch bei diesem kreischenden Highlandschrei stellten sich sämtliche Haare an meinem Körper auf, vom Steißbein bis zum Nacken.

Jamie. Trotz meiner Angst setzte ich mich kerzengerade hin und lugte gerade rechtzeitig hinter meinem schützenden Baum hervor, um Dämonen aus dem Wald rasen zu sehen.

Ich kannte sie – wusste genau, dass ich sie kannte –, doch ich fuhr zurück, als ich sie sah, rußgeschwärzt, kreischenden Höllenwahn auf den Lippen, roten Feuerschein auf den Klingen ihrer Messer und Äxte.

Mit dem ersten Schrei hatte das Trommeln abrupt aufgehört, und jetzt brach zu meiner Linken weiteres Geheul aus, als die Trommler in den Kampf rasten. Ich presste mich mit dem Rücken an den Baum, das Herz atemberaubend groß in meiner Kehle, versteinert vor Angst, dass die Klingen auf jede zufällige Bewegung im Schatten losgehen könnten.

Jemand kam krachend durch die Dunkelheit auf mich zugestolpert – Donner? Ich krächzte seinen Namen, um ihn auf mich aufmerksam zu machen, und die schmale Gestalt wandte sich in meine Richtung, zögerte, entdeckte mich dann und stürzte sich auf mich.

Es war nicht Donner, sondern Hodgepile. Er packte mich am Arm, zerrte mich hoch und zerschnitt gleichzeitig das Seil, das mich an den Baum band. Er keuchte heftig vor Anstrengung – oder Angst.

Ich begriff sofort, was er vorhatte; er wusste, dass er kaum eine Chance hatte zu entkommen – mich als Geisel zu haben, war seine einzige Hoffnung. Aber zum *Teufel*, wenn ich seine Geisel sein würde. Nicht noch einmal.

Ich trat mit aller Kraft nach ihm und traf ihn seitlich am Knie. Es warf ihn nicht um, lenkte ihn aber eine Sekunde lang ab. Ich ging mit gesenktem Kopf auf ihn los, traf ihn mitten vor die Brust, und er ging zu Boden.

Der Aufprall war schmerzhaft; ich stolperte, und meine Augen tränten. Er stand auf und stürzte sich wieder auf mich. Ich trat nach ihm, traf daneben und fiel mit voller Wucht auf den Rücken.

»*Kommt* schon, verdammt!«, zischte er und zerrte mit aller Kraft an meinen gefesselten Händen. Ich duckte mich, ließ mich nach hinten fallen und riss ihn mit mir zu Boden. Ich rollte und kroch durch das Laub und versuchte mit aller Macht, meine Beine um ihn zu schlingen, in der Hoffnung, seine Rippen zu packen zu bekommen und dem dreckigen Wurm das Leben auszupressen, doch er befreite sich, rollte sich auf mich und schlug nach meinem Kopf, um meine Gegenwehr zu brechen.

Er traf mich am Ohr, und ich zuckte zusammen und schloss reflexartig die Augen. Dann war sein Gewicht plötzlich fort, und als ich die Augen öffnete, sah ich Jamie, der Hodgepile mehrere Zentimeter über dem Boden festhielt. Hodgepile wedelte wie verrückt mit seinen spindeldürren Beinen und versuchte vergeblich, zu entkommen. Ich verspürte ein irrsinniges Verlangen zu lachen.

Ich muss auch tatsächlich gelacht haben, denn Jamies Kopf fuhr herum, und er sah mich an; ich erkannte kurz das Weiße in seinen Augen, bevor er sich wieder Hodgepile zuwandte. Er stand im Gegenlicht der schwach glühenden Holzkohle; ich sah für eine Sekunde sein Profil, dann spannte er sich ächzend an und senkte den Kopf.

Er hielt Hodgepile mit einem Arm dicht vor seiner Brust. Ich kniff die Augen zu und öffnete sie wieder; sie waren halb zugeschwollen, und ich begriff nicht ganz, was er da tat. Dann hörte ich ein leises, angestrengtes Grunzen, Hodgepile schrie erstickt auf, und Jamies angewinkelter Ellbogen senkte sich abrupt.

Hodgepiles dunkler Kopf wurde zurückgebogen – und weiter zurück. Ich sah seine scharfe Marionettennase und sein angehobenes Kinn – unmöglich hoch erhoben, und Jamies Handfläche klemmte fest darunter. Es war ein gedämpftes *Pop!* zu hören, das ich in meiner Magengrube spürte; Hodgepiles Genick brach, und die Marionette erschlaffte.

Jamie ließ den Puppenkörper fallen, streckte die Hände nach mir aus und zog mich hoch.

»Du lebst, du bist nicht verletzt, *a nighean donn*?«, fragte er drängend auf Gälisch. Er tastete mich mit fliegenden Händen ab, während er gleichzeitig versuchte, mich aufrecht zu halten – meine Knie schienen sich übergangslos in Wasser verwandelt zu haben – und das Seil zu finden, mit dem meine Hände gefesselt waren.

Ich weinte und lachte, schniefte Tränen und Blut, stieß ihn mit meinen zusammengebundenen Händen an und versuchte ungeschickt, sie ihm hinzuhalten, damit er das Seil durchschneiden konnte.

Er hörte auf, mit seinen Händen zu suchen, und drückte mich so fest an sich, dass ich einen Schmerzenslaut aufstieß, als mein Gesicht gegen sein Plaid gepresst wurde.

Er sagte noch etwas, drängend, aber es gelang mir nicht, es zu übersetzen. Energie durchpulste ihn, heiß und brutal, wie Strom in einem geladenen Draht, und ich begriff vage, dass es noch der Berserker war, der aus ihm sprach; er hatte sein Englisch noch nicht wieder gefunden.

»Ich habe nichts«, keuchte ich, und er ließ mich los. Auf der Lichtung hinter den Bäumen flammte das Licht auf; jemand hatte die verstreuten Kohlen eingesammelt und neues Brennholz darauf geworfen. Sein Gesicht war schwarz, und seine Augen blitzten plötzlich blau darin auf, als er den Kopf wandte und das Licht auf sein Gesicht fiel.

Der Kampf war noch nicht ganz vorbei; es schrie niemand mehr, doch ich konnte das Grunzen und Rumpeln im Kampf verschlungener Körper hören. Jamie hob meine Hände, zog seinen Dolch und sägte das Seil durch;

meine Hände fielen wie Bleigewichte herunter. Er starrte mich eine Sekunde an, als suchte er nach Worten, dann schüttelte er den Kopf, nahm kurz mein Gesicht in seine Hand und verschwand in Richtung der Auseinandersetzung.

Ich sank benommen zu Boden. Hodgepiles Leiche lag mit verdrehten Gliedern neben mir. Ich sah ihn an, in meinem Kopf ein deutliches Bild von einer Halskette, die Brianna einmal als Kind gebastelt hatte und die aus verbundenen Plastikperlen bestand, die sich voneinander lösten, wenn man daran zog. Ich wünschte mir vage, ich würde mich nicht daran erinnern.

Das Gesicht hatte ein spitzes Kinn und hohle Wangen; er sah überrascht aus, die Augen im flackernden Licht weit aufgerissen. Doch irgendetwas kam mir merkwürdig verkehrt vor, und ich versuchte blinzelnd herauszufinden, was. Dann begriff ich, dass sein Kopf falsch herum saß.

Möglich, dass es Sekunden oder Minuten waren, die vergingen, während ich dasaß und ihn anstarrte, die Arme um die Knie gelegt, den Kopf total leer. Dann ließ mich der Klang leiser Schritte aufblicken.

Arch Bug kam aus der Dunkelheit, hoch gewachsen, dünn und schwarz vor dem Flackern des wachsenden Feuers. Ich sah, dass er mit der Linken eine Axt festhielt; auch sie war schwarz und verströmte kräftigen Blutgeruch, als er sich über mich beugte.

»Ein paar von ihnen leben noch«, sagte er, und ich spürte, wie etwas Kaltes, Hartes meine Hand berührte. »Möchtet Ihr jetzt an ihnen Rache nehmen, *a bana-mhaigistear*?«

Ich senkte den Blick und sah, dass er mir einen Dolch mit dem Heft zuerst entgegenhielt. Ich war aufgestanden, konnte mich aber nicht daran erinnern.

Ich konnte nicht sprechen, mich nicht bewegen – und doch krümmten sich meine Finger, ohne dass ich sie dazu brachte, und meine Hand hob sich, um das Messer entgegenzunehmen, während ich ihr schwach neugierig dabei zusah. Dann senkte sich Jamies Hand auf den Dolch und nahm ihn an sich, und ich sah wie aus großer Entfernung, dass das Licht auf seine Hand fiel, die bis über das Handgelenk hinweg schwarz von verschmiertem Blut glänzte. Hier und dort leuchteten rote Tropfen auf, dunkel glühende Juwelen, die sich in den lockigen Haaren auf seinem Arm fingen.

»Sie unterliegt einem Eid«, sagte er zu Arch, und ich begriff dumpf, dass er immer noch Gälisch sprach, obwohl ich ihn deutlich verstand. »Sie darf nicht töten, es sei denn aus Gnade oder Notwehr. Ich bin es, der für sie tötet.«

»Und ich«, sagte eine hoch gewachsene Gestalt hinter ihm leise. Ian.

Arch deutete kopfnickend an, dass er verstand, obwohl sein Gesicht im Dunkeln war. Es war noch jemand neben ihm – Fergus. Ich erkannte ihn sofort, wenn ich mich auch einen Moment anstrengen musste, um dem beschmierten, bleichen Gesicht und der drahtigen Gestalt einen Namen zuzuordnen.

»Madame«, sagte er, und der Schock ließ seine Stimme leise klingen. »Milady.«

Dann sah mich Jamie an, und auch sein Gesicht veränderte sich, als das Bewusstsein in seinen Blick zurückkehrte. Ich sah, wie sich seine Nasenlöcher blähten, als er den Geruch von Schweiß und Samen in meinen Kleidern wahrnahm.

»Welcher von ihnen?«, sagte er. »Wie viele?« Er sprach jetzt Englisch, und seine Stimme war bemerkenswert sachlich, als erkundigte er sich danach, wie viele Gäste wir zum Abendessen erwarteten. Ich fand ihren schlichten Tonfall beruhigend.

»Ich weiß es nicht«, sagte ich. »Sie – es war dunkel.«

Er nickte, drückte mir die Hand und wandte sich ab.

»Tötet sie alle«, sagte er zu Fergus, und seine Stimme war immer noch ruhig. Fergus' Augen waren riesig und dunkel, brennend in ihren Höhlen versunken. Er nickte nur und ergriff die Axt an seinem Gürtel. Die Vorderseite seines Hemdes war bespritzt, und das Ende seines Hakens sah dunkel und klebrig aus.

Irgendwie hatte ich das Gefühl, dass ich etwas sagen sollte. Doch ich tat es nicht. Ich richtete mich kerzengerade auf, den Baum in meinem Rücken, und sagte kein einziges Wort.

Jamie betrachtete den Dolch in seiner Hand, als wollte er sich versichern, dass er einsatzbereit war – er war es nicht; er wischte die Klinge an seinem Oberschenkel ab, ohne das trocknende Blut zu beachten, das den Holzgriff verklebte –, und ging auf die Lichtung zurück.

Ich stand weiter völlig reglos da. Es folgten noch mehr Geräusche, doch ich schenkte ihnen nicht mehr Beachtung als dem Rauschen des Windes über mir in den Nadeln; es war eine Balsamfichte, und ihr Geruch war rein und frisch und fiel über mich wie eine Spülung aus duftendem Harz, so kräftig, dass mein Gaumen ihn schmecken konnte, obwohl kaum etwas die verklebten Membranen meiner Nase durchdrang. Unter dem sanften Schleier des Baumaromas schmeckte ich Blut und nassen Stoff und den Gestank meiner erschöpften Haut.

Die Dämmerung war angebrochen. Vögel sangen fern im Wald, und das Licht lag sanft wie Holzasche auf dem Boden.

Ich stand völlig reglos da, und mein einziger Gedanke war, wie angenehm es sein müsste, bis zum Hals in heißem Wasser zu stehen und mir die Haut von den Muskeln zu schrubben, das Blut rot und sauber an meinen Beinen herunterlaufen zu lassen, bis es sich in sanften Wolken verteilte, die mich verbargen.

29

Gut, wirklich

Dann waren sie davongeritten. Hatten sie liegen gelassen, ohne Begräbnis oder ein Wort des Gebets. Auf eine Art war das schockierender gewesen als das Morden. Roger hatte den Reverend früher öfter zu Menschen auf dem Totenbett oder zu Unfallorten begleitet, ihm geholfen, die Hinterbliebenen zu trösten, dabeigestanden, wenn der Geist entwich und der Reverend die Worte der Gnade sprach. Das tat man nun einmal, wenn jemand starb; man wandte sich Gott zu und beugte sich den Tatsachen.

Und doch … wie konnte man vor der Leiche eines Menschen stehen, den man selbst umgebracht hatte, und Gott ins Gesicht sehen?

Er konnte nicht stillsitzen. Die Müdigkeit füllte ihn an wie nasser Sand, doch er konnte nicht stillsitzen.

Er stand auf, ergriff das Schüreisen, blieb damit vor seinem Kamin stehen und starrte in das fast erloschene Feuer. Es war perfekt, satinschwarze Kohlen mit Asche überzogen, die rot glühende Hitze dicht unter die Oberfläche verbannt. Es zu berühren, würde die Kohlen aufbrechen lassen, die Flamme aufschießen lassen – nur um ohne Brennstoff sofort wieder zu ersterben. Es würde Verschwendung sein, so spät in der Nacht noch mehr Holz aufzulegen.

Er legte das Schüreisen beiseite und wanderte von Wand zu Wand, eine erschöpfte Biene in einer Flasche, die immer noch summte, obwohl ihr die nutzlosen Flügel in Fetzen am Körper hingen.

Fraser hatte es nicht das Geringste ausgemacht. Doch Fraser hatte sowieso keinen Gedanken mehr an die Banditen verschwendet, als sie erst tot waren; all seine Gedanken hatten Claire gegolten, und das war schließlich verständlich.

Er hatte sie im Morgenlicht über die Lichtung getragen, ein blutgetränkter Adam, eine geschundene Eva, und sie hatten um Gut und Böse gewusst. Und dann hatte er sie in sein Plaid gewickelt, sie aufgehoben und war zu seinem Pferd gegangen.

Die Männer waren schweigend gefolgt und hatten die fremden Pferde hinter ihren eigenen hergeführt. Als ihnen die Sonne eine Stunde später warm im Rücken stand, hatte Fraser sein Pferd bergab gewandt und sie zu einem Bach geführt. Er war abgestiegen, hatte Claire vom Pferd geholfen und war mit ihr zwischen den Bäumen verschwunden.

Die Männer hatten sich erstaunt angesehen, doch niemand sagte etwas. Dann hatte sich der alte Arch Bug von seinem Maultier geschwungen. »Nun, sie will sich doch bestimmt waschen, oder?«, hatte er im selbstverständlichsten Ton gesagt.

Ein verständnisvolles Seufzen war durch die Gruppe gegangen, und die Spannung ließ auf der Stelle nach, um dann in den vertrauten Aufgaben zu verebben: absteigen, die Pferde anbinden, das Sattelzeug überprüfen, pinkeln. Langsam suchten sie die Nähe der anderen, tasteten nach Worten, suchten in Allgemeinplätzen Erleichterung.

Er fing Ians Blick auf, doch ihr Umgang miteinander war noch zu steif für eine Situation wie diese; Ian wandte sich ab, legte Fergus den Arm um die Schulter und drückte ihn, dann stieß er ihn mit einem kurzen, groben Witz über seinen Gestank von sich. Der Franzose lächelte ihn flüchtig an und hob salutierend den dunkel verfärbten Haken.

Kenny Lindsay und Arch Bug teilten Tabak aus und stopften – allem Anschein nach seelenruhig – ihre Pfeifen. Tom Christie spazierte zu ihnen hinüber, bleich wie ein Gespenst, doch mit der Pfeife in der Hand. Nicht zum ersten Mal wurden Roger die Vorteile des Rauchens in Gesellschaft klar.

Doch Arch hatte gesehen, wie er ziellos bei seinem Pferd stand, und war zu ihm gekommen, um mit ihm zu reden. Die Stimme des alten Mannes war ruhig und flößte Vertrauen ein. Er wusste nicht mehr genau, was Arch gesagt hatte, ganz zu schweigen davon, was er geantwortet hatte; das Gespräch an sich schien ihm das Atmen wieder leichter zu machen und den Schauder zu glätten, der ihn wieder und wieder überlief wie eine brechende Welle.

Plötzlich hielt der alte Mann mitten im Satz inne und wies kopfnickend auf etwas, das sich hinter Roger befand.

»Geh jetzt, Junge. Er braucht dich.«

Als Roger sich umdrehte, sah er Jamie am anderen Ende der Lichtung stehen, halb abgewandt an einen Baum gelehnt, den Kopf in Gedanken gesenkt. Hatte er Arch ein Zeichen gegeben? Dann sah sich Jamie um und traf Rogers Blick. Ja, er suchte ihn, und Roger fand sich an Frasers Seite wieder, ohne sich eigentlich daran erinnern zu können, wie er den Abstand zwischen ihnen überquert hatte.

Jamie streckte die Hand nach der seinen aus und drückte sie. Er hielt sie fest und erwiderte den Druck.

»Ein Wort, *a cliamhuinn*«, sagte Jamie und ließ los. »Eigentlich ist jetzt nicht der richtige Zeitpunkt dafür, aber vielleicht bekommen wir keine andere Gelegenheit, und ich kann nicht lange warten.« Auch er klang ruhig, doch ganz anders als Arch. Seine Stimme war voller Scherben; Roger spürte bei ihrem Klang den haarigen Biss des Stricks und räusperte sich.

»Dann rede.«

Jamie holte tief Luft und zuckte sacht mit den Achseln, als sei ihm sein Hemd zu eng.

»Der Kleine. Es ist nicht recht, dich das zu fragen, aber ich kann nicht anders. Würdest du dasselbe für ihn empfinden, wenn du mit Gewissheit wüsstest, dass er nicht von dir ist?«

»Was?« Roger kniff einfach nur die Augen zu, ohne ein Wort zu begreifen. »Der Klei– du meinst Jem?«

Jamie nickte und sah Roger gebannt an.

»Nun ja, ich … ich weiß es nicht genau«, sagte Roger, der sich keinen Reim darauf machen konnte, worum es hier eigentlich ging. Warum? Und warum ausgerechnet *jetzt*?

»Denk nach.«

Er *dachte* doch nach, fragte sich zum Teufel wozu? Dieser Gedanke war ihm offenbar anzusehen, denn Fraser senkte den Kopf – er begriff, so signalisierte er, dass er es wohl erklären musste.

»Ich weiß … es ist nicht sehr wahrscheinlich, aye? Aber möglich ist es. Sie könnte doch nach den Ereignissen dieser Nacht ein Kind erwarten.«

Er begriff schlagartig, als hätte ihn eine Faust unterhalb des Brustbeins getroffen. Bevor er Luft holen konnte, um etwas zu sagen, fuhr Fraser fort.

»Mir bleiben ein oder zwei Tage, um selbst –« Er wandte den Blick ab, und eine dumpfe Röte erschien zwischen den Rußstreifen, mit denen er sich das Gesicht bemalt hatte. »Es könnten zwar Zweifel bleiben, aye? So wie es bei dir ist. Aber …« Er schluckte und ließ das »aber« viel sagend in der Luft hängen.

Jamie wandte unwillkürlich den Blick ab, und Roger folgte seiner Blickrichtung. Hinter einem Vorhang aus Büschen und rotblättrigen Kletterranken war ein Becken, in dem sich das Wasser staute, und Claire kniete nackt auf der anderen Seite und betrachtete ihr Spiegelbild. Das Blut rauschte in Rogers Ohren, und er riss den Blick von ihr los, doch das Bild war schon in seinen Verstand eingebrannt.

Ihr Aussehen hatte nichts Menschliches, das war sein erster Gedanke. Ihr ganzer Körper war mit blauen Flecken übersät, ihr Gesicht nicht zu erkennen, und sie sah aus wie ein seltsames Urwesen, ein exotisches Geschöpf des Gewässers im Wald. Über ihr Aussehen hinaus war es jedoch ihre Haltung, die ihm auffiel. Sie war irgendwie ganz für sich, reglos wie ein Baum, selbst wenn die Luft seine Blätter bewegt.

Er sah noch einmal hin; er konnte nicht anders. Sie beugte sich über das Wasser und studierte ihr Gesicht. Das Haar hing ihr nass und verschlungen über den Rücken, und sie strich es mit einer Handfläche zurück und hielt es zur Seite, während sie leidenschaftslos und konzentriert ihre entstellten Gesichtszüge betrachtete.

Sie drückte hier und dort sanft mit dem Finger zu, öffnete und schloss den Mund, während ihre Fingerspitzen den Konturen ihres Gesichtes folgten. Auf der Suche nach losen Zähnen und Knochenbrüchen, so vermutete er. Sie schloss die Augen und zeichnete die Linien von Stirn und Nase, Kinn und Lippen nach, mit der sicheren, vorsichtigen Hand eines Malers. Dann packte sie entschlossen ihre Nasenspitze und zog mit aller Kraft.

Roger zuckte automatisch zusammen, und Blut und Tränen liefen ihr über das Gesicht, doch sie machte kein Geräusch. Sein Magen war sowieso schon zu einem winzigen, schmerzenden Kügelchen verknotet; jetzt stieg er ihm in den Hals und drückte gegen die Narbe, die der Strick hinterlassen hatte.

Sie verlagerte das Gewicht auf die Fersen und atmete tief durch, die Augen geschlossen, beide Hände auf ihre Gesichtsmitte gelegt.

Plötzlich wurde ihm bewusst, dass sie nackt *war* und er sie immer noch anstarrte. Er riss den Blick von ihr los, und das Blut schoss ihm heiß ins Gesicht. Er blickte unauffällig in Jamies Richtung, denn er hoffte, dass Fraser es nicht bemerkt hatte. Er hatte es nicht bemerkt – er war gar nicht mehr da.

Roger sah sich wild um, entdeckte ihn jedoch sofort. Seine Erleichterung, nicht erwischt worden zu sein, wich schlagartig einem Adrenalinstoß, als er sah, was Fraser tat.

Er stand neben einem Mann, der auf dem Boden lag.

Fraser ließ den Blick ganz kurz umherhuschen, um nach seinen Männern zu sehen, und Roger konnte die Anstrengung, mit der Fraser seine Gefühle unterdrückte, beinahe spüren. Dann hefteten sich Frasers leuchtend blaue Augen auf den Mann zu seinen Füßen, und Roger sah ihn ganz langsam einatmen.

Lionel Brown.

Ohne es eigentlich vorzuhaben, war Roger über die Lichtung geschritten. Wie ein Schlafwandler nahm er seinen Platz an Jamies rechter Seite ein und richtete seine Aufmerksamkeit ebenfalls auf den Mann am Boden.

Brown hatte die Augen geschlossen, doch er schlief nicht. Sein geschwollenes Gesicht war voller blauer Flecken, dazu vom Fieber gescheckt, doch der Ausdruck kaum verhohlener Panik war deutlich zu erkennen. Ein Ausdruck, den er völlig zu Recht trug, soweit Roger das beurteilen konnte.

Brown hatte die nächtliche Aktion nur deshalb als Einziger lebend überstanden, weil Arch Bug Ian MacKenzie um Haaresbreite davon abgehalten hatte, ihm den Schädel mit einem Tomahawk einzuschlagen. Nicht, weil er Hemmungen gehabt hätte, einen Verletzten umzubringen, sondern aus kaltem Pragmatismus.

»Dein Onkel wird Fragen haben«, hatte Arch gesagt und Brown stirnrunzelnd betrachtet. »Lass den hier so lange leben, dass er sie beantworten kann.«

Ian hatte kein Wort gesagt, sondern er hatte Arch Bug seinen Arm entzogen, auf dem Absatz kehrtgemacht und war wie Rauch im Schatten des Waldes verschwunden.

Jamies Gesicht war sehr viel weniger beredt als das seines Gefangenen, dachte Roger. Selbst er konnte aus Frasers Ausdruck nicht auf seine Gedanken schließen – doch das war auch kaum nötig. Der Mann war reglos wie ein Stein, schien aber dennoch von etwas Langsamem, Unausweichlichem durchpulst zu sein. Einfach nur neben ihm zu stehen, war schon beängstigend.

»Was sagt Ihr, mein Freund?«, sagte Fraser schließlich an Arch gewandt, der weißhaarig und blutverschmiert auf der anderen Seite von Browns Trage stand. »Kann er die Reise fortsetzen, oder wird ihn das umbringen?«

Bug beugte sich vor und blickte die auf dem Rücken liegende Gestalt kühl an.

»Ich sage, er wird es überleben. Sein Gesicht ist rot, nicht weiß, und er ist wach. Wünscht Ihr, ihn mitzunehmen, oder möchtet Ihr ihn jetzt gleich befragen?«

Für den Bruchteil einer Sekunde hob sich die Maske, und Roger, der den Blick nicht von Jamies Gesicht abgewandt hatte, sah seinen Augen genau an, was er zu tun wünschte. Hätte Lionel Brown es auch gesehen, wäre er trotz seines gebrochenen Beins von seiner Trage aufgesprungen und davongelaufen. Doch seine Augen blieben hartnäckig geschlossen, und da sich Jamie und Arch auf Gälisch unterhielten, blieb es ihm unverständlich.

Ohne Archs Frage zu beantworten, kniete sich Jamie hin und legte Brown seine Hand auf die Brust. Roger konnte den Puls in Browns Hals hämmern sehen, sah seinen raschen, flachen Atem. Doch der Mann hielt die Lider fest zugedrückt, obwohl seine Augäpfel panisch darunter umherrollten.

Jamie verharrte eine Weile reglos. Schon Roger kam es lange vor – für Brown musste es eine Ewigkeit sein. Dann stieß er einen kurzen Laut aus, der ein verächtliches Lachen oder ein angewidertes Prusten gewesen sein mochte, und erhob sich.

»Wir nehmen ihn mit. Sorgt also dafür, dass er am Leben bleibt«, sagte er auf Englisch. »Vorerst.«

Brown hatte sich auch während des restlichen Rückwegs nach Fraser's Ridge tot gestellt, obwohl die Männer in seiner Hörweite ständig blutrünstige Spekulationen anstellten. Roger hatte bei ihrer Ankunft mitgeholfen, ihn von der Schleppbahre loszuschnallen. Seine Kleidungsstücke und Verbände waren nass geschwitzt, der Geruch der Angst umgab ihn wie ein spürbares Miasma.

Claire hatte sich stirnrunzelnd auf den Verletzten zu bewegt, doch Jamie hatte ihr die Hand auf den Arm gelegt und sie aufgehalten. Roger hatte nicht gehört, was er ihr zugemurmelt hatte, doch sie nickte und ging mit ihm ins Haus. Kurz darauf war Mrs. Bug erschienen und hatte Lionel Brown uncharakteristisch wortkarg in ihre Obhut genommen.

Murdina Bug war nicht wie Jamie oder der alte Arch; ihre Gedanken waren der blutleeren Naht ihres Mundes und ihrer zornigen Stirn deutlich anzusehen. Doch Lionel Brown ließ sich von ihr Wasser geben und betrachtete sie, als sei sie das Licht seiner Erlösung. Sie hätte Brown mit Freuden umgebracht wie eine der Kakerlaken, die sie ohne Gnade aus ihrer Küche vertrieb, dachte Roger. Doch Jamie wünschte, dass man ihn am Leben hielt, also würde er am Leben bleiben.

Vorerst.

Ein Geräusch an der Tür riss Roger in die Gegenwart zurück. Brianna!

Er öffnete die Tür, doch sie war es nicht – nur das Poltern umhergewehter Zweige und Eichelhütchen. Er sah den dunklen Pfad hinauf, weil er hoffte, sie zu sehen, doch sie war noch nicht in Sicht. Natürlich, sagte er sich, Claire brauchte sie wahrscheinlich.

Ich doch auch.

Er unterdrückte diesen Gedanken, blieb jedoch an der Tür stehen und spähte hinaus, während ihm der Wind in den Ohren pfiff. Sie war sofort zum Haupthaus hinaufgegangen, als er kam und ihr sagte, dass ihre Mutter in Sicherheit war. Viel mehr hatte er nicht gesagt, doch sie hatte ja gesehen, wie die Dinge standen – er hatte Blut an den Kleidern, und sie hatte gerade so lange innegehalten, um sich zu versichern, dass es nicht seines war, bevor sie ins Freie stürzte.

Er schloss vorsichtig die Tür und prüfte, ob der Luftzug Jemmy aufgeweckt hatte. Er verspürte ein immenses Bedürfnis, den Jungen in den Arm zu nehmen, und trotz seiner durch lange Erfahrung verinnerlichten Scheu, ein schlafendes Kind zu stören, hob er Jemmy aus seinem Bettchen; er konnte nicht anders.

Jemmy lag schwer und schläfrig in seinen Armen. Er regte sich, hob den Kopf und blinzelte. Seine blauen Augen waren glasig vom Schlaf.

»Alles okay«, flüsterte Roger und tätschelte seinen Rücken. »Papi ist hier.«

Jem seufzte wie ein durchlöcherter Reifen und ließ den Kopf mit der Wucht einer landenden Kanonenkugel auf Rogers Schulter sinken. Eine Sekunde lang schien er sich wieder aufzurichten, doch dann steckte er den Daumen in den Mund und ergab sich jenem merkwürdig knochenlosen Zustand, der nur bei schlafenden Kindern vorkommt. Seine Haut schien seelenruhig mit Rogers zu verschmelzen, denn sein Vertrauen war so unendlich, dass es nicht einmal notwendig schien, die Grenzen seines eigenen Körpers aufrechtzuerhalten – Papa würde das tun.

Roger schloss die Augen, weil ihm die Tränen darin aufstiegen, und drückte seinen Mund auf Jemmys weiches, warmes Haar.

Der Feuerschein zeichnete schwarze und rote Schatten auf die Innenseiten seiner Lider; er betrachtete sie und konnte so die Tränen unterdrücken. Es spielte keine Rolle, was er dort sah. Er hatte eine kleine Sammlung gruseliger Szenen angelegt, die seit dem Morgengrauen nichts an Intensität eingebüßt hatten, doch er konnte sie ungerührt betrachten – vorerst. Es war das schlafende Vertrauen in seinen Armen, das ihn anrührte, und das Echo seiner geflüsterten Worte.

War es überhaupt eine Erinnerung? Vielleicht war es ja nicht mehr als ein

Wunsch – dass er einmal aus dem Schlaf geweckt worden war, um dann in kräftigen Armen weiterzuschlafen und zu hören, wie jemand sagte: »Papi ist hier.«

Er atmete in tiefen Zügen, passte seinen Rhythmus Jemmys langsamerem Atem an und kam zur Ruhe. Es erschien ihm wichtig, nicht zu weinen, obwohl niemand da war, der es hätte sehen können, den es gekümmert hätte.

Jamie hatte ihn angesehen, als sie sich von Browns Lagerstätte entfernten, die Frage deutlich in seinen Augen.

»Ich hoffe, du glaubst nicht, dass es mir nur um mich geht?«, hatte er leise gesagt. Sein Blick war zu der Lücke im Gebüsch gewandert, durch die Claire verschwunden war, blinzelnd, als könne er es nicht ertragen hinzusehen, als könne er es aber auch nicht lassen.

»Um sie«, sagte er so leise, dass Roger es kaum hörte. »Meinst du, sie würde lieber… mit dem Zweifel leben? Wenn es dazu käme?«

Roger atmete tief ein, roch die Haare seines Sohnes und hoffte bei Gott, dass er das Richtige gesagt hatte, dort unter den Bäumen.

»Ich weiß es nicht«, hatte er gesagt. »Aber was dich angeht – wenn es auch nur den Hauch eines Zweifels gibt, sage ich: lösch ihn aus.«

Falls Jamie vorhatte, diesem Rat Folge zu leisten, würde Brianna bald zu Hause sein.

»Ich habe nichts«, sagte ich bestimmt. »Es geht mir gut, wirklich.«

Brianna sah mich mit zusammengekniffenen Augen an.

»Schon klar«, sagte sie. »Du siehst aus, als wärst du unter eine Lokomotive gekommen. *Zwei* Lokomotiven.«

»Ja«, sagte ich und berührte vorsichtig meine aufgeplatzte Lippe. »Nun. Ja. Aber davon abgesehen…«

»Hast du Hunger? Setz dich, Mama, ich mache dir einen Tee, und dann eine Kleinigkeit zum Abendessen.«

Ich hatte keinen Hunger, hatte keine Lust auf Tee, und ich wollte mich ganz bestimmt nicht hinsetzen – nicht nach einem langen Tag im Sattel. Doch Brianna war schon dabei, die Teekanne vom Wandbord über der Anrichte zu nehmen, und ich konnte die Worte nicht finden, um sie davon abzuhalten. Urplötzlich schien es mir die Sprache verschlagen zu haben. Ich wandte mich hilflos in Jamies Richtung.

Er begriff irgendwie, was ich fühlte, obwohl er meinem Gesicht in seinem derzeitigen Zustand nicht besonders viel angesehen haben konnte. Doch er trat vor, nahm ihr die Teekanne ab und murmelte so leise auf sie ein, dass ich ihn nicht verstehen konnte. Sie sah ihn stirnrunzelnd an, blickte zu mir und wieder zurück, ohne dass sich ihre Stirn geglättet hätte. Dann veränderte sich ihr Gesicht ein wenig, und sie kam auf mich zu und sah mir suchend in die Augen.

»Ein Bad?«, fragte sie leise. »Shampoo?«

»O ja«, sagte ich und ließ dankbar und erleichtert meine Schultern sinken. »Bitte.«

Dann setzte ich mich schließlich doch und ließ mir von ihr mit einem Schwamm die Hände und Füße waschen, dann meine Haare, in einer Schüssel mit warmem Wasser aus dem Kessel über dem Herd. Sie schwieg dabei und summte vor sich hin, und allmählich entspannte ich mich unter den beruhigenden Bewegungen ihrer langen, kraftvollen Finger.

Vor lauter Erschöpfung hatte ich einen Teil des Weges an Jamies Brust gelehnt verschlafen. Doch es ist unmöglich, auf einem Pferd wirklich Ruhe zu finden, und jetzt war ich kurz vor dem Einnicken. Dass sich das Wasser in der Schüssel in eine schmutzig rote Brühe verwandelt hatte, in der Sand und Blattstückchen schwammen, nahm ich nur aus der Ferne wahr, wie im Traum.

Ich hatte mir ein sauberes Hemd angezogen, und das Leinen war der schiere Luxus auf meiner Haut, kühl und glatt.

Brianna summte leise vor sich hin. Was war es… »Mr. Tambourine Man«, dachte ich. Einer dieser liebenswert albernen Songs aus den Sechzi –

1968.

Ich keuchte auf, und Briannas Hände umfassten meinen Kopf und hielten mich fest.

»Mama? Alles in Ordnung? Bin ich an eine Stelle gekommen –«

»Nein! Nein, schon gut«, sagte ich und blickte in die Strudel aus Schmutz und Blut. Ich holte tief Luft, und mein Herz klopfte. »Gut, wirklich. Bin nur – eingedöst, das ist alles.«

Sie prustete, ließ mich jedoch los und holte einen Krug zum Spülen. Ich klammerte mich an die Tischkante und gab mir Mühe, nicht zu zittern.

Sie sollten mehr Angst vor Männern zeigen. Dieses überaus ironische Echo drang deutlich zu mir durch, zusammen mit dem Kopfumriss des jungen Mannes, seiner Löwenmähne im Gegenlicht des Feuers. Ich konnte mich nicht genau an sein Gesicht erinnern – doch sein Haar wäre mir doch bestimmt aufgefallen?

Als alles vorbei war, hatte Jamie meinen Arm genommen und mich aus dem Schutz meines Baumes auf die Lichtung geführt. Die Reste des Feuers waren im Lauf des Kampfes verstreut worden; hier und dort waren geschwärzte Steine und versengte, flach gedrückte Grasbüschel – zwischen den Leichen. Er hatte mich langsam vom einen zum anderen geführt. Beim Letzten war er stehen geblieben und hatte leise gesagt: »Siehst du, dass sie tot sind?«

Das tat ich, und ich wusste, warum er sie mir gezeigt hatte – damit ich keine Angst vor ihrer Rückkehr, ihrer Rache hatte. Aber es war mir nicht in den Sinn gekommen, sie zu zählen. Oder mir ihre Gesichter genauer anzusehen. Und selbst wenn ich sicher gewesen wäre, wie viele es waren… Erneut überlief mich ein Schauer, und Brianna legte mir ein warmes Handtuch um die Schultern und murmelte mir etwas zu, das ich im Radau der Fragen in meinem Kopf nicht hörte.

War Donner unter den Toten? Oder hatte er auf mich gehört, als ich ihm sagte, dass es klug sein würde zu fliehen. Er war mir nicht besonders klug vorgekommen.

Allerdings *war* er mir wie ein Feigling vorgekommen.

Warmes Wasser spülte an meinen Ohren vorbei und übertönte Jamies und Briannas Stimmen über mir; ich schnappte nur hier und dort ein Wort auf, doch als ich mich wieder aufsetzte, ein Handtuch um meinen Kopf gewickelt, während mir das Wasser über den Hals tropfte, hatte sich Brianna zögernd in Richtung ihres Umhangs in Bewegung gesetzt, der an einem Haken neben der Tür hing.

»Bist du *sicher*, dass du zurechtkommst, Mama?« Das besorgte Stirnrunzeln war wieder da, doch diesmal brachte ich ein paar beruhigende Worte zuwege.

»Danke, Schatz; das war wundervoll«, sagte ich völlig aufrichtig. »Alles, was ich jetzt will, ist schlafen«, fügte ich schon weniger überzeugend hinzu.

Ich war zwar furchtbar müde, doch jetzt war ich hellwach. Was ich wirklich wollte, war… nun, ich wusste nicht genau, was ich *wollte*, aber trostbeflissene Gesellschaft gehörte nicht dazu. Außerdem hatte ich vorhin einen kurzen Blick auf Roger geworfen, der blutbefleckt und kreidebleich vor Erschöpfung schwankte; ich war nicht das einzige Opfer dieses unangenehmen Zwischenfalls.

»Geh nach Hause, Kleine«, sagte Jamie leise. Er nahm den Umhang vom Haken, schwang ihn um ihre Schultern und tätschelte sie sanft. »Sieh zu, dass dein Mann etwas zu essen bekommt. Bring ihn ins Bett, und sprich ein Gebet für ihn. Ich kümmere mich um deine Mutter, aye?«

Briannas Blick pendelte zwischen uns hin und her, blau und sorgenvoll, doch ich setzte eine Miene auf, von der ich hoffte, dass sie beruhigend war – ein schmerzhaftes Unterfangen –, und nach kurzem Zögern nahm sie mich fest in den Arm, küsste mich ganz sanft auf die Stirn und ging.

Jamie schloss die Tür und stellte sich davor, die Hände hinter dem Rücken verschränkt. Ich war an die ungerührte Fassade gewöhnt, die er normalerweise aufsetzte, um seine Gedanken abzuschirmen, wenn er bestürzt oder wütend war; jetzt fehlte sie, und sein Gesichtsausdruck bestürzte *mich*.

»Du brauchst dir meinetwegen keine Sorgen zu machen«, sagte ich, so beruhigend ich konnte. »Ich bin nicht traumatisiert oder dergleichen.«

»Das brauche ich nicht?«, fragte er vorsichtig. »Nun… vielleicht würde ich das ja auch nicht, wenn ich wüsste, was du damit meinst.«

»Oh.« Ich tupfte behutsam mein feuchtes Gesicht ab und drückte das Handtuch gegen meinen Hals. »Nun ja. Es bedeutet… sehr schwer verletzt – oder furchtbar erschüttert. Es ist Griechisch, glaube ich – den Wortstamm, meine ich, ›trauma‹.«

»Oh, aye? Und du bist nicht… erschüttert. Was du nicht sagst.«

Er kniff die Augen zusammen und betrachtete mich mit jener Art von kritischer Aufmerksamkeit, die er sonst an den Tag legte, wenn er über den Kauf eines wertvollen Zuchttiers nachdachte.

»Mir geht es gut«, sagte ich und wich ein wenig zurück. »Nur – mir fehlt nichts. Ich bin nur etwas… verstört.«

Er trat einen Schritt auf mich zu, und ich wich abrupt zurück, während mir etwas verspätet zu Bewusstsein kam, dass ich das Handtuch an meine Brust geklammert hielt wie einen Schutzschild. Ich zwang mich, es etwas sinken zu lassen, und spürte, wie das Blut in meinem Gesicht und an meinem Hals unangenehm prickelte.

Er stand völlig reglos da und betrachtete mich nach wie vor mit zusammengekniffenen Augen. Dann richtete sich sein Blick auf den Fußboden. Er stand da wie in Gedanken versunken, und dann dehnte er seine kräftigen Hände. Einmal, zweimal. Ganz langsam. Und ich hörte – in aller Deutlichkeit – das Geräusch, mit dem sich Arvin Hodgepiles Wirbel voneinander trennten.

Jamie riss erschrocken den Kopf hoch, und ich begriff, dass ich hinter dem Stuhl stand, der mich jetzt von Jamie trennte, und das erneut hochgezogene zusammengeballte Handtuch vor meinen Mund gepresst hatte. Meine Ellbogen bewegten sich wie rostige Scharniere, steif und langsam, doch es gelang mir, das Handtuch wieder sinken zu lassen. Meine Lippen waren fast genauso steif, doch ich sprach.

»Ich bin ein wenig verstört, ja«, sagte ich sehr deutlich. »Das wird schon wieder. Mach dir keine Sorgen. Ich will nicht, dass du dir Sorgen machst.«

Die sorgenvolle Gründlichkeit in seinem Blick geriet plötzlich ins Schlingern wie das Glas einer von einem Stein getroffenen Fensterscheibe in dem Bruchteil einer Sekunde vor dem Zerspringen, und er schloss die Augen. Er schluckte und öffnete sie wieder.

»Claire«, sagte er ganz leise, und die Splitter und Bruchstücke waren deutlich in seinen Augen zu sehen, scharf und kantig. »Ich *bin* vergewaltigt worden. Und du sagst, ich soll mir keine Sorgen um dich machen?«

»Oh, gottverdammt!« Ich schleuderte das Handtuch zu Boden und wünschte mir sofort, ich hätte es zurück. In meinem Hemd hatte ich das Gefühl, nackt dazustehen, und ich verabscheute die plötzliche Leidenschaft, die meine Haut erschauern ließ, so sehr, dass ich mir zu gern auf den Oberschenkel geschlagen hätte, um sie abzustellen.

»Verdammt, verdammt! Ich *will* nicht, dass du wieder daran denken musst. Ich will es nicht!« Und doch hatte ich von Anfang an gewusst, dass es so geschehen würde.

Ich packte mit beiden Händen die Stuhllehne, hielt sie fest und versuchte, ihn mit meinem Blick zu beschwören, denn ich hätte mich so gern über diese glitzernden Scherben geworfen, ihn davor beschützt.

»Hör mir zu«, sagte ich, um eine feste Stimme bemüht. »Ich will nicht – ich will dich nicht dazu bringen, dass du an Dinge denkst, die besser vergessen bleiben.«

Bei diesen Worten zuckte doch tatsächlich sein Mundwinkel.

»Gott«, sagte er und klang beinahe verwundert. »Du glaubst, ich hätte irgendetwas davon vergessen?«

»Vielleicht nicht«, sagte ich und gab auf. Ich sah ihn an, und mein Blick verschwamm. »Aber – oh, Jamie, ich habe mir so gewünscht, du würdest es vergessen!«

Er streckte ganz vorsichtig die Hand nach der Stuhllehne aus und berührte meine Zeigefingerspitze mit der seinen.

»Denk nicht darüber nach«, sagte er leise und zog den Finger zurück. »Es spielt jetzt keine Rolle. Möchtest du schlafen, Sassenach? Oder etwas essen?«

»Nein. Ich möchte nicht… nein.« Eigentlich konnte ich mich nicht entscheiden, was ich wollte. Ich wollte überhaupt nichts tun. Außer meine Haut aufzureißen, hinauszusteigen und davonzulaufen – und das schien mir nicht machbar zu sein. Ich holte ein paar Mal tief Luft in der Hoffnung, mich zu beruhigen und wieder zu diesem netten Zustand völliger Erschöpfung zurückzufinden.

Sollte ich ihn nach Donner fragen? Doch was gab es da zu fragen? »Habt ihr zufällig einen Mann mit langen Locken umgebracht?« Ein Stück weit sahen sie doch alle so aus. Donner war Indianer gewesen – war es möglicherweise immer noch –, doch das würde in der Dunkelheit und in der Hitze des Gefechts niemandem aufgefallen sein.

»Wie – wie geht es Roger?«, fragte ich, weil mir nichts Besseres einfiel. »Und Ian? Fergus?«

Er sah ein wenig erschrocken aus, als hätte er ihre Existenz vergessen.

»Sie? Oh, den Jungs geht es gut. Es ist niemand im Kampf verletzt worden. Wir haben Glück gehabt.«

Er zögerte, dann trat er vorsichtig einen Schritt auf mich zu und beobachtete dabei mein Gesicht. Ich schrie nicht, noch flüchtete ich, und er kam noch einen Schritt näher, bis er so dicht bei mir stand, dass ich die Wärme seines Körpers spüren konnte. Diesmal erschrak ich nicht, und da mir in meinem feuchten Hemd kalt war, entspannte ich mich ein wenig, lehnte mich ihm entgegen und sah, wie sich als Reaktion auch seine Schultern etwas entspannten.

Er berührte ganz sanft mein Gesicht. Das Blut pulste dicht unter der empfindlichen Oberfläche, und ich musste mich zwingen, nicht vor seiner Berührung zurückzuzucken. Er sah es und zog seine Hand ein Stückchen fort, so dass sie gerade eben über meiner Haut schwebte – ich konnte die Hitze seiner Handfläche spüren.

»Wird das heilen?«, fragte er und wanderte mit den Fingerspitzen über den Riss in meiner linken Augenbraue, dann über das Minenfeld auf meiner Wange bis zu dem Kratzer an meinem Kinn, der die Stelle markierte, an der Harley Bobles Stiefel mich nur knapp verfehlt hatte – ein Treffer hätte mir das Genick gebrochen.

»Natürlich. Das weißt du doch; du hast auf dem Schlachtfeld selbst schon Schlimmeres gesehen.« Ich hätte ihm gern ermunternd zugelächelt, wollte aber den tiefen Riss in meiner Lippe nicht wieder öffnen, also zog ich eine Art schmollenden Goldfischmund, der ihn überraschte und *ihn* zum Lächeln brachte.

»Aye, ich weiß.« Er senkte schüchtern den Kopf. »Es ist nur …« Seine Hand schwebte nach wie vor neben meinem Gesicht, und das seine trug einen Ausdruck besorgter Nervosität. »O Gott, *mo nighean donn*«, sagte er leise. »O Himmel, dein schönes Gesicht.«

»Kannst du den Anblick nicht ertragen?«, fragte ich. Ich wandte meinerseits den Blick ab und spürte bei diesem Gedanken einen heftigen Stich, doch ich versuchte, mir einzureden, dass es keine Rolle spielte. Es *würde* schließlich heilen.

Seine Finger berührten sanft, aber bestimmt mein Kinn und hoben es, so dass ich ihn wieder ansah. Sein Mund presste sich ein wenig zusammen, während sein Blick zu einer langsamen Bestandsaufnahme über mein zerschlagenes Gesicht wanderte. Seine Augen waren sanft und dunkel im Kerzenschein, die Augenwinkel angespannt vor Schmerz.

»Nein«, sagte er. »Ich kann ihn nicht ertragen. Dein Anblick zerreißt mir das Herz. Und er erfüllt mich mit solcher Wut, dass ich das Gefühl habe, ich muss jemanden umbringen oder platzen. Doch bei dem Gott, der dich geschaffen hat, Sassenach, ich werde nicht mit dir schlafen und dabei nicht in der Lage sein, dir ins Gesicht zu sehen.«

»Mit mir schlafen?«, sagte ich verständnislos. »Was … du meinst *jetzt*?«

Die Hand an meinem Kinn senkte sich, doch er sah mich unverwandt an, ohne zu blinzeln.

»Nun … aye. Genau.«

Wäre mein Kiefer nicht so geschwollen gewesen, wäre mein Kinn vor schierem Erstaunen heruntergeklappt.

»Ah … warum?«

»Warum?«, wiederholte er. Dann senkte er den Blick und machte seine seltsame, achselzuckende Geste, die anzeigte, dass er verlegen oder verwirrt war. »Ich – nun ja – es erscheint mir … notwendig.«

Ich verspürte ein durch und durch unpassendes Bedürfnis zu lachen.

»Notwendig? Meinst du, es ist, wie wenn man vom Pferd fällt? Ich sollte sofort wieder aufsteigen?«

Sein Kopf fuhr hoch, und er warf mir einen wütenden Blick zu.

»Nein«, sagte er mit zusammengebissenen Zähnen. Er schluckte sichtlich angestrengt. Offenbar musste er sich sehr beherrschen und hielt starke Gefühle unter Kontrolle. »Bist du – bist du denn schlimm verletzt?«

Ich starrte ihn an, so gut ich es mit meinen geschwollenen Lidern konnte.

»Soll das ein Witz – oh«, sagte ich, denn mir dämmerte endlich, was er meinte. Ich spürte, wie mir die Hitze ins Gesicht stieg, und meine Verletzungen pochten.

Ich holte tief Luft, um sicherzugehen, dass ich ruhig sprechen konnte.

»Ich bin zu blutigem Brei geschlagen worden, Jamie, und auf mehrere scheußliche Arten missbraucht worden. Aber nur einer ... es war nur einer von ihnen, der tatsächlich ... Er – er war nicht ... brutal.« Ich schluckte, doch der Knoten in meinem Hals gab nicht merklich nach. Tränen ließen das Kerzenlicht verschwimmen, so dass ich sein Gesicht nicht sehen konnte, und ich wandte blinzelnd den Kopf ab.

»Nein!«, sagte ich, und meine Stimme klang sehr viel lauter als beabsichtigt. »Ich bin nicht ... verletzt.«

Er murmelte kurz und heftig etwas auf Gälisch und stieß sich vom Tisch ab. Sein Hocker stürzte laut krachend um, und er trat darauf ein. Dann trat er noch einmal zu, und noch einmal, trampelte mit solcher Gewalt darauf herum, dass die Holzstückchen durch die ganze Küche flogen und leise klirrend an der Kuchendose abprallten.

Ich saß völlig reglos da, zu schockiert und taub, um Verstörung zu empfinden. Hätte ich es ihm besser nicht gesagt?, fragte ich mich vage. Doch er musste es doch wissen. »Wie viele?«, hatte er wissen wollen. Und hatte dann gesagt: »Bringt sie alle um.«

Allerdings ... von etwas zu wissen, war eine Sache, und die Details zu hören, eine andere. Das wusste ich, und ich sah ihm mit einem Gefühl schuldbewusster Trauer dabei zu, wie er die Splitter des Hockers von sich trat und zum Fenster stürzte. Die Läden waren geschlossen, doch er stand da, die Hände auf die Fensterbank gestützt, mit dem Rücken zu mir, und seine Schultern bebten. Ich konnte nicht erkennen, ob er weinte.

Der Wind nahm zu; von Westen kam eine Sturmbö heran. Die Fensterläden klapperten, und das für die Nacht eingedämmte Feuer spuckte Ruß, als der Wind durch den Schornstein fuhr. Dann war der Windstoß vorbei, und das einzige Geräusch war dann und wann das leise, plötzliche *Krack!* einer Holzkohle im Kamin.

»Es tut mir Leid«, sagte ich schließlich leise.

Jamie fuhr auf dem Absatz herum und funkelte mich an. Er weinte nicht, doch er hatte geweint; seine Wangen waren feucht.

»Sag das ja nicht!«, dröhnte er. »Das dulde ich nicht, hörst du?« Er trat mit einem Riesenschritt zum Tisch und ließ die Faust so fest darauf niederknallen, dass das Salzgefäß aufhüpfte und umfiel. »Es darf dir nicht Leid tun!«

Ich hatte automatisch die Augen geschlossen, zwang mich jedoch, sie wieder zu öffnen.

»Schon gut«, sagte ich. Ich war jetzt wieder furchtbar, furchtbar müde, und mir war selbst zum Weinen. »Das wird es auch nicht.«

Es herrschte geladenes Schweigen. Ich konnte hören, wie im Hain hinter dem Haus die Kastanien fielen, weil der Wind sie löste. Eine, noch eine, dann noch eine, ein Hagel gedämpfter Plumpsgeräusche. Dann holte Jamie tief erschauernd Luft und wischte sich mit dem Ärmel über das Gesicht.

Ich stützte meine Ellbogen auf den Tisch und nahm den Kopf in die Hände; er schien viel zu schwer zu sein, um ihn weiter hochzuhalten.

»Notwendig«, sagte ich mehr oder minder ruhig zur Tischplatte. »Wie hast du das gemeint, notwendig?«

»Ist dir der Gedanke noch nicht gekommen, dass du schwanger sein könntest?« Er hatte sich wieder unter Kontrolle und stellte seine Frage so ruhig, wie er sich vielleicht erkundigt hätte, ob ich vorhätte, beim Frühstück Porridge zum Schinken aufzutischen.

Ich blickte erschrocken zu ihm auf.

»Ich bin nicht schwanger.« Aber meine Hände waren schon automatisch an meinen Bauch gefahren.

»Ich bin nicht schwanger«, wiederholte ich, diesmal energischer. »Das ist unmöglich.« Doch es war möglich – gerade eben. Die Wahrscheinlichkeit war gering, doch sie existierte. Normalerweise wandte ich eine Form der Verhütung an, nur zur Sicherheit – aber offensichtlich …

»Ich bin *nicht* schwanger«, sagte ich. »Ich wüsste es.«

Er starrte mich stumm mit hochgezogenen Augenbrauen an. Ich würde es nicht wissen, nicht so schnell. So schnell – so schnell, dass es, wenn es so *wäre* und es mehr als ein Mann wäre, Zweifel geben würde. Den Vorteil dieses Zweifels bot er mir an – und sich selbst.

Ein tiefer Schauer begann in den Tiefen meines Bauches und breitete sich blitzartig in meinem Körper aus, so dass ich trotz der Wärme im Zimmer eine Gänsehaut bekam.

»*Martha*«, hatte der Mann geflüstert, während er mich mit seinem Gewicht ins Laub drückte.

»Verdammt, verdammt, verdammt«, sagte ich ganz leise. Ich legte meine Hände ausgebreitet auf den Tisch und versuchte zu denken.

»*Martha.*« Und sein säuerlicher Geruch, der Druck seiner fleischigen, feuchten Oberschenkel mit den kratzigen Haaren –

»Nein!« Meine Beine und Pobacken pressten sich vor Ekel so fest zusammen, dass ich auf der Bank mehrere Zentimeter größer wurde.

»Es wäre möglich –«, begann Jamie hartnäckig.

»Nein«, wiederholte ich genauso hartnäckig. »Aber selbst wenn – Jamie, das kannst du doch nicht tun.«

Er sah mich an, und ich sah die Angst in seinen Augen aufflackern. Das, so begriff ich mit einem Schlag, war genau das, wovor er Angst hatte. Oder eines der Dinge.

»Ich meine, wir können es nicht«, sagte ich rasch. »Ich bin mir so gut wie sicher, dass ich nicht schwanger bin. Aber ich bin mir ganz und gar nicht sicher, dass ich nicht mit irgendeiner widerwärtigen Krankheit in Kontakt gekommen bin.« Das war noch etwas, woran ich bis jetzt nicht gedacht hatte, und die Gänsehaut meldete sich mit voller Wucht zurück. Eine Schwangerschaft war unwahrscheinlich; Gonorrhöe oder Syphilis waren es nicht. »Wir – wir können es nicht. Nicht, bevor ich mich nicht mit Penizillin behandelt habe.«

Ich erhob mich von der Bank, noch bevor ich den Satz beendet hatte.

»Wohin gehst du?«, fragte er verblüfft.

»In mein Sprechzimmer!«

Der Flur war dunkel und das Feuer in meinem Sprechzimmer erloschen, doch davon ließ ich mich nicht aufhalten. Ich riss die Schranktür auf und fing an, hastig umherzutasten. Ein Lichtschein fiel mir über die Schulter und beleuchtete die Reihe schimmernder Fläschchen. Jamie hatte einen Docht angezündet und war mir gefolgt.

»Was in Gottes Namen tust du da, Sassenach?«

»Penizillin«, sagte ich und ergriff eines der Fläschchen und den Lederbeutel, in dem ich meine Spritzen aufbewahrte.

»Jetzt?«

»Ja, jetzt, zum Kuckuck! Zünde die Kerze an, ja?«

Er tat es, und das flackernde Licht wuchs zu einer Kugel aus warmem Gelb heran, die sich in den Lederschläuchen meiner selbstgemachten Spritzen widerspiegelte. Zum Glück hatte ich eine ordentliche Dosis Penizillinmixtur zur Hand. Die Flüssigkeit in der Flasche war rosa; viele der *Penicillium*-Kulturen dieser Charge waren in schalem Wein gewachsen.

»Bist du sicher, dass es funktioniert?«, fragte Jamie leise aus dem Schatten.

»Nein«, sagte ich mit zusammengebissenen Zähnen. »Aber es ist alles, was ich habe.« Der Gedanke, dass sich mit jeder Sekunde die Spirochäten lautlos in meinen Blutbahnen vermehrten, ließ meine Hand zittern. Ich schluckte meine Angst, dass das Penizillin nicht in Ordnung sein könnte, herunter. Es hatte schon bei einigen bösen Oberflächeninfektionen Wunder gewirkt. Es gab keinen Grund, warum …

»Lass mich das machen, Sassenach.« Jamie nahm mir die Spritze aus der Hand; meine Finger waren schlüpfrig und ungeschickt. Die seinen waren vollkommen ruhig, sein Gesicht im Kerzenschein voller Konzentration, als er die Spritze füllte.

»Dann tu's zuerst bei mir«, sagte er und reichte sie mir zurück.

»Was – du? Aber du brauchst doch gar kein – ich meine – du hasst Injektionen«, schloss ich schwach.

Er prustete und sah mich mit gesenkten Augenbrauen an.

»Hör zu, Sassenach. Wenn ich vorhabe, meine Ängste zu bekämpfen, und deine – und das habe ich vor –, dann werde ich nicht wegen eines Pieksers weiche Knie bekommen, aye? Tu's!« Er drehte mir die Seite zu, beugte sich vor, stützte sich mit einem Ellbogen auf die Arbeitsplatte und hob seinen Kilt, um seine muskulöse Pobacke zu entblößen.

Ich wusste nicht, ob ich lachen oder weinen sollte. Ich hätte vielleicht noch weiter mit ihm diskutiert, doch ich warf einen Blick auf ihn, wie er mit nacktem Hintern stur wie der Black Mountain dastand, und war von der Vergeblichkeit eines solchen Versuchs überzeugt. Sein Entschluss stand fest, und wir würden beide mit den Konsequenzen leben.

Mit einem plötzlichen, merkwürdigen Gefühl der Ruhe hob ich die Spritze und drückte sie, um eventuelle Luftblasen zu entfernen.

»Dann stell dich auf dein anderes Bein«, sagte ich und stieß ihn unsanft an. »Entspanne diese Seite; ich will nicht, dass mir die Spritze abbricht.«

Er holte zischend Luft; die Nadel war dick, und es war noch genug Restalkohol des Weins übrig, dass es gemein brannte, wie ich feststellte, als ich eine Minute später meine eigene Spritze bekam.

»Autsch! Au! Oh, Himmelherrgott noch einmal!«, rief ich aus und biss die Zähne zusammen, als ich mir die Spritze aus dem Oberschenkel zog. »Himmel, tut das weh!«

Jamie, der sich noch den Hintern rieb, lächelte mich schief an.

»Aye, gut. Der Rest wird auch nicht schlimmer sein als das hier, nehme ich an.«

Der Rest. Ich fühlte mich plötzlich hohl, und mir war schwindelig, als hätte ich eine Woche nichts gegessen.

»Bist du – bist du sicher?«, fragte ich und legte die Spritze hin.

»Nein«, sagte er. »Das bin ich nicht.« Dann holte er tief Luft und sah mich an, sein Gesicht unsicher im flackernden Kerzenlicht. »Aber ich habe fest vor, es zu versuchen. Ich muss.«

Ich strich mir das Leinenhemd über meinen zerstochenen Oberschenkel und sah ihn dabei an. Er hatte all seine Masken längst fallen gelassen; Zweifel, Wut und Angst, alles war da, deutlich in die verzweifelten Linien seines Gesichts graviert. Ausnahmsweise, so dachte ich, war meine eigene Miene weniger einfach zu lesen, da die Verletzungen mir als Maske dienten.

Etwas Weiches strich mit einem leisen Zirpen an meinem Bein vorbei, und als ich hinunterblickte, sah ich, dass mir Adso eine tote Wühlmaus gebracht hatte, zweifellos als Ausdruck seiner Anteilnahme. Ich begann zu lächeln, fühlte meine Lippe prickeln, dann blickte ich zu Jamie auf, ließ sie aufreißen und schmeckte Blut wie warmes Silber auf meiner Zunge.

»Nun ja … du bist bis jetzt immer gekommen, wenn ich dich gebraucht habe; ich glaube nicht, dass es diesmal anders ist.«

Im ersten Moment war seine Miene absolut verständnislos, weil er meinen lahmen Witz nicht verstand. Dann begriff er, und das Blut schoss ihm ins Gesicht. Seine Lippe zuckte, zuckte noch einmal, und er konnte sich nicht zwischen Schock und Gelächter entscheiden.

Als er mir dann den Rücken zukehrte, dachte ich zuerst, er wollte sein Gesicht vor mir verbergen, doch in Wirklichkeit hatte er sich nur umgedreht, um den Schrank zu durchsuchen. Er fand, wonach er suchte, und drehte sich wieder um, eine dunkel leuchtende Flasche meines besten Muskatellers in der Hand. Er hielt sie mit dem Ellbogen an seinen Körper gepresst und griff nach einer zweiten Flasche.

»Aye, bestimmt«, sagte er und streckte seine freie Hand nach mir aus. »Aber wenn du glaubst, dass einer von uns es nüchtern tun wird, Sassenach, dann irrst du dich gewaltig.«

Ein Windstoß, der durch die offene Tür fuhr, riss Roger aus seinem unruhigen Schlaf. Er war auf der Bank am Kamin eingeschlafen, die Beine auf den Boden gestützt, das Kind warm und schwer an seine Brust gekuschelt.

Er sah blinzelnd und orientierungslos auf, als sich Brianna über ihn beugte, um ihm den Kleinen abzunehmen.

»Regnet es draußen?«, sagte er, weil ihn ein Hauch von Feuchtigkeit und Ozon von ihrem Umhang traf. Er setzte sich aufrecht hin und rieb sich mit der Hand über das Gesicht, um zu sich zu kommen. Er spürte die Stoppeln seines Viertagebartes.

»Nein, aber es wird gleich regnen.« Sie legte Jemmy wieder in sein Bettchen, deckte ihn zu und hängte ihren Umhang auf, bevor sie zu Roger kam. Sie roch nach der Nacht, und ihre Hand war kalt auf seiner erhitzten Wange. Er schlang die Arme um ihre Taille, lehnte den Kopf gegen sie und seufzte.

Er wäre liebend gern für ewig so verharrt – oder wenigstens für die nächsten ein oder zwei Stunden. Doch sie strich ihm ein paar Sekunden sanft über das Haar, dann wandte sie sich ab und bückte sich, um am Kaminfeuer eine Kerze zu entzünden.

»Du musst fast verhungert sein. Soll ich dir etwas machen?«

»Nein. Ich meine… ja, bitte.« Jetzt, da seine restliche Schläfrigkeit von ihm abfiel, stellte er fest, dass er tatsächlich Hunger hatte. Seit ihrem Halt an dem Bach heute Morgen hatten sie nicht mehr angehalten, weil Jamie zu Hause sein wollte, bevor es dunkel wurde. Er konnte sich nicht erinnern, wann er zuletzt etwas gegessen hatte, doch bis zu diesem Moment hatte er keinerlei Hunger verspürt.

Er fiel heißhungrig über das Brot, die Butter und die Marmelade her, die sie ihm brachte. Das Essen nahm seine ganze Konzentration in Anspruch, und es dauerte mehrere Minuten, bevor ihm beim Schlucken eines letzten butterigen, süßen Bissens der Gedanke kam zu fragen: »Wie geht es deiner Mutter?«

»Gut«, sagte sie und lieferte dabei eine gelungene Imitation von Claires steifster englischer Oberlippe. »Gut, *wirklich*.« Sie zog eine Grimasse, und er lachte, wenn auch leise mit einem automatischen Blick in Richtung des Bettchens.

»Und stimmt es?«

Brianna zog eine Augenbraue hoch und sah ihn an.

»Glaubst *du* das?«

»Nein«, räumte er ernüchtert ein. »Aber ich glaube nicht, dass sie es dir sagen wird, wenn es nicht so ist. Sie wird nicht wollen, dass du dir Sorgen machst.«

Als Antwort auf diese Vermutung stieß sie einen rüden Kehllaut aus. Dann drehte sie ihm den Rücken zu und hob den langen Schleier ihres Haars beiseite.

»Kannst du mir die Schnüre aufmachen?«

»Du hörst dich genau wie dein Vater an, wenn du dieses Geräusch machst – nur die Tonlage ist höher. Hast du das geübt?« Er löste die Schnüre und ließ dann impulsiv seine Hände in das offene Kleid gleiten, bis sie auf der Rundung ihrer warmen Hüften zu liegen kamen.

»Jeden Tag. Und du?« Sie lehnte sich mit dem Rücken an ihn, und seine Hände wanderten höher, bis sie wie automatisch ihre Brüste umfassten.

»Nein«, gab er zu. »Es tut weh.« Es war Claires Vorschlag gewesen – dass er versuchen sollte zu singen und höhere wie auch niedrigere Töne als sonst probierte, um eventuell seine Stimmbänder zu lockern und zumindest einen Teil seiner ursprünglichen Resonanz zurückzuerlangen.

»Feigling«, sagte sie, doch ihre Stimme war beinahe so sanft wie das Haar, das ihm über die Wange strich.

»Aye, das bin ich«, sagte er genauso leise. Es schmerzte tatsächlich, doch es war nicht der körperliche Schmerz, der ihm Probleme bereitete. Es war das Gefühl, ein Echo seiner alten Stimme in seinen Knochen zu spüren – ihrer Leichtigkeit und Kraft – und dann die rauen Töne zu hören, die unter solchen Schwierigkeiten aus seiner Kehle drangen, krächzend, grunzend und quietschend. Wie ein Schwein, das an einer Krähe erstickt, dachte er verächtlich.

»*Sie* sind die Feiglinge«, sagte Brianna zwar leise, doch mit einem Hauch von Stahl in der Stimme. Sie spannte sich in seinen Armen ein wenig an. »Ihr Gesicht – ihr armes Gesicht! Wie konnten sie nur? Wie kann jemand so etwas tun?«

Plötzlich sah er Claire vor seinem inneren Auge, nackt am Ufer des Teiches, schweigend wie die Felsen, ihre Brüste blutüberströmt, weil sie sich gerade die Nase gerichtet hatte. Er wich zurück, riss seine Hände geradezu fort.

»Was?«, sagte Brianna erschrocken. »Was ist?«

»Nichts.« Er zog die Hände aus ihrem Kleid und trat einen Schritt zurück. »Ich – äh, haben wir vielleicht noch Milch?«

Sie warf ihm einen merkwürdigen Blick zu, ging jedoch in die angebaute Vorratskammer an der Rückseite des Hauses und holte einen Krug Milch. Er trank sie gierig und spürte ihre Augen auf sich, wachsam wie die einer Katze, während sie sich entkleidete und ihr Nachthemd anzog.

Sie setzte sich auf das Bett und begann, ihr Haar auszubürsten, bevor sie es für die Nacht einflocht. Einem Impuls folgend streckte er die Hand aus und nahm ihr die Bürste ab. Ohne etwas zu sagen, fuhr er mit einer Hand durch ihr dichtes Haar, hob es hoch und strich es ihr aus dem Gesicht.

»Du bist wunderschön«, flüsterte er und spürte, wie ihm erneut die Tränen in die Augen stiegen.

»Du auch.« Sie legte die Hände auf seine Schultern und zog ihn langsam vor sich auf die Knie. Sie blickte ihm suchend in die Augen – und er tat sein Bestes, den Blick zu erwidern. Dann lächelte sie schwach und streckte die Hand aus, um das Band zu lösen, mit dem er seine Haare zusammengebunden hatte.

Es fiel ihm als staubiges, schwarzes Gewirr auf die Schultern, das nach Verbranntem roch, nach altem Schweiß und Pferden. Er protestierte, als sie ihre Bürste nahm, doch sie ignorierte ihn und ließ ihn den Kopf über ihren Schoß beugen, während sie ihm Kiefernnadeln und Kletten aus den Haaren pickte und langsam die Knoten löste. Sein Kopf senkte sich weiter und weiter, und schließlich fand er sich mit der Stirn auf ihrem Schoß wieder und atmete ihren Geruch ganz aus der Nähe ein.

Er fühlte sich an mittelalterliche Gemälde erinnert, auf denen die Sünder mit gesenktem Kopf knieten und ihre Sünden beichteten und bereuten. Presbyterianer beichteten nicht im Knien – Katholiken taten es, dachte er, genauso, im Dunklen … anonym.

»Du hast mich gar nicht gefragt, was passiert ist«, flüsterte er schließlich in den Schatten zwischen ihren Oberschenkeln. »Hat dein Vater es dir erzählt?«

Er hörte sie Luft holen, doch ihre Stimme war ruhig, als sie antwortete.

»Nein.«

Mehr sagte sie nicht, und es war still im Zimmer bis auf das Geräusch der Bürste in seinem Haar und das zunehmende Rauschen des Windes draußen.

Wie mochte es Jamie ergehen?, fragte sich Roger plötzlich. Würde er es wirklich tun? Versuchen … Er scheute vor dem Gedanken zurück und war nicht in der Lage, ihn zu Ende zu denken. Sah stattdessen Claire vor sich, die aus der Morgendämmerung hervortrat, das Gesicht zu einer Maske geschwollen. Immer noch sie selbst, doch so isoliert wie ein ferner Planet, der im Begriff war, auf seiner Umlaufbahn in die äußeren Regionen des Weltraums aufzubrechen – wann mochte er wieder in Sicht kommen? Claire, die sich auf Jamies Drängen hin bückte, um die Toten zu berühren, um den Preis ihrer Ehre mit eigenen Augen zu sehen.

Es war nicht die Möglichkeit einer Schwangerschaft, dachte er plötzlich. Es war Angst – doch nicht davor. Es war Jamies Angst, sie zu verlieren – dass sie gehen und sich ohne ihn in das dunkle, einsame All aufschwingen würde, wenn er sie nicht irgendwie an sich binden konnte, sie an seiner Seite halten konnte. Doch Himmel, was für ein Risiko – wie konnte er es riskieren mit einer Frau, die so verstört war, so misshandelt worden war?

Wie konnte er nicht?

Brianna legte die Bürste hin, ließ aber eine Hand sanft auf seinem Kopf liegen und streichelte ihn. Er kannte diese Angst selbst nur zu gut – erinnerte sich an die Kluft, die einmal zwischen ihnen gelegen hatte, und den Mut, der nötig gewesen war, um sie zu überwinden. Um ihrer beider willen.

Er mochte ja in mancher Hinsicht ein Feigling sein – aber nicht in dieser.

»Brianna«, sagte er und spürte den Kloß in seinem Hals, die Narbe, die der Strick hinterlassen hatte. Sie hörte die Not in seiner Stimme und sah ihn an, als er den Kopf hob, bewegte die Hand auf sein Gesicht zu, und er ergriff sie, drückte ihre Handfläche an seine Wange und rieb sie darüber.

»Brianna«, sagte er noch einmal.

»Was? Was denn?« Ihre Stimme war leise, um das Kind nicht zu wecken, aber drängend.

»Brianna, wirst du mich anhören?«

»Das weißt du doch. Was ist denn?« Ihr Körper presste sich an ihn, wollte sich um ihn kümmern, und er begehrte ihren Trost so sehr, dass er sich am liebsten hier auf den Teppich vor dem Kamin gelegt und seinen Kopf zwischen ihren Brüsten vergraben hätte – doch jetzt noch nicht.

»Nur – hör dir an, was ich sagen muss. Und dann – bitte, Gott –, sag mir, dass ich es richtig gemacht habe.« *Sag mir, dass du mich immer noch liebst*, meinte er, doch das konnte er nicht aussprechen.

»Du brauchst mir nichts zu sagen«, flüsterte sie. Ihre Augen waren dunkel und sanft, erfüllt von einer grenzenlosen Vergebung, die er sich noch nicht verdient hatte. Und irgendwo jenseits ihres Gesichts sah er ein anderes Augenpaar, das in betrunkener Verwirrung zu ihm aufstarrte, die sich abrupt in Angst verwandelte, als er zum Todesstoß ausholte.

»Doch, das muss ich«, sagte er leise. »Lösch die Kerze aus, aye?«

Nicht die Küche, die noch mit emotionalen Wrackteilen übersät war. Nicht das Sprechzimmer mit all seinen scharfkantigen Erinnerungen. Jamie zögerte, wies dann aber kopfnickend zur Treppe und zog eine Augenbraue hoch. Ich nickte und folgte ihm hinauf in unser Schlafzimmer.

Es kam mir vertraut und fremd zugleich vor, wie es manchmal ist, wenn man eine Zeit lang fort gewesen ist. Vielleicht lag es nur an meiner verletzten Nase, dass es auch fremd roch – kalt und irgendwie schal, obwohl alles gewischt und abgestaubt war. Jamie stochte das Feuer, und Licht erhob sich und flackerte in hellen Streifen über die Holzwände. Die Düfte nach Rauch und Harz trugen das ihre dazu bei, das Gefühl der Leere im Zimmer zu füllen.

Keiner von uns warf einen Blick auf das Bett. Er zündete die Kerze auf dem Waschtisch an, stellte dann unsere beiden Hocker ans Fenster und öffnete die Fensterläden, die uns von der unruhigen Nacht trennten. Er hatte zwei Zinnbecher mitgebracht; er füllte sie und stellte sie gemeinsam mit den Flaschen auf die breite Fensterbank.

Ich stand an der Tür, gerade eben innerhalb des Zimmers, und sah seinen Vorbereitungen mit einem durch und durch merkwürdigen Gefühl zu.

Ich durchlebte einen sehr seltsamen Widerspruch der Gefühle. Einerseits fühlte ich mich, als sei er ein völlig Fremder. Ich konnte mir überhaupt nicht vorstellen, ganz zu schweigen davon, mich daran zu erinnern, ihn je unbefangen berührt zu haben. Sein Körper war nicht länger eine vertraute Erweiterung des meinen, sondern etwas Fremdes, Unnahbares.

Gleichzeitig durchfuhren mich ohne Vorwarnung alarmierende Wellen der Lust. Das war schon den ganzen Tag so gewesen. Dies hatte nichts vom langsamen Brennen normalen Verlangens oder von einem plötzlichen Funken der Leidenschaft an sich. Es erinnerte nicht einmal an das zyklische, blinde, aus dem Bauch kommende Bedürfnis, sich zu paaren, das einzig körperlicher Natur war. Dies hier machte mir Angst.

Er bückte sich, um noch ein Scheit auf das Feuer zu legen, und fast wäre ich gestolpert, weil mir alles Blut aus dem Kopf wich. Das Licht schien auf die Härchen auf seinen Armen, die dunklen Schatten in seinem Gesicht –

Es war das schiere, unpersönliche Gefühl hemmungslosen *Appetits* – etwas, das von mir Besitz ergriffen hatte, aber kein Teil von mir war –, das mir einen Schrecken einjagte. Es war die Angst davor, die mich seiner Berührung ausweichen ließ – mehr als das Gefühl der Entfremdung.

»Ist dir nicht gut, Sassenach?« Er hatte mein Gesicht gesehen und trat stirnrunzelnd auf mich zu. Ich hob die Hand, um ihm Einhalt zu gebieten.

»Doch«, sagte ich und fühlte mich atemlos. Ich setzte mich hastig mit weichen Knien hin und ergriff einen der Becher, die er gerade gefüllt hatte. »Ähm … Prost.«

Seine Augenbrauen fuhren in die Höhe, doch er setzte sich mir gegenüber auf seinen eigenen Hocker.

»Prost«, sagte er leise und stieß meinen Becher mit dem seinen an. Der Wein in meiner Hand war schwer und duftete süß.

Meine Finger waren kalt, ebenso wie meine Zehen und meine Nasenspitze. Auch das änderte sich ständig ohne Vorwarnung. Möglich, dass ich in der nächsten Minute von Hitze überflutet wurde und mir der Schweiß ausbrach. Doch im Moment war mir kalt, und ich zitterte im regennassen Luftzug, der vom Fenster kam.

Das Aroma des Weins war so kräftig, dass es selbst auf meine beschädigten Schleimhäute wirkte, und seine Süße beruhigte meine Nerven und meinen Magen gleichermaßen. Ich trank schnell den ersten Becher und schenkte mir den nächsten ein, denn ich konnte es kaum abwarten, einen leichten Schleier des Vergessens zwischen mich und die Wirklichkeit zu schieben.

Jamie trank langsamer, schenkte sich aber gleichzeitig mit mir nach. Vom

Feuer erwärmt, begann die Wäschetruhe aus Zedernholz ihren vertrauten Duft im Zimmer zu verbreiten. Er sah mich hin und wieder an, sagte aber nichts. Das Schweigen zwischen uns war zwar nicht das, was man beklommen nennen würde, doch es *war* geladen.

Ich sollte etwas sagen, dachte ich. Doch was? Ich trank den zweiten Becher in kleinen Schlucken und zermarterte mir das Hirn.

Schließlich streckte ich langsam die Hand aus und berührte die Stelle auf seiner Nase, an der sich die schmale Linie des längst verheilten Bruches weiß auf seiner Haut abzeichnete.

»Weißt du«, sagte ich, »du hast mir nie erzählt, wie du dir die Nase gebrochen hast. Wer hat sie für dich gerichtet?«

»Och, das? Niemand.« Er lächelte und fasste sich etwas befangen an die Nase. »Es war einfach Glück, dass es ein sauberer Bruch war, weil ich in der damaligen Situation überhaupt nicht darauf geachtet habe.«

»Wohl nicht. Du hast gesagt –« Ich brach ab, denn plötzlich fiel mir ein, was er gesagt *hatte.* Als ich ihn wiedergefunden hatte, dort in seiner Druckerei in Edinburgh, hatte ich ihn gefragt, wann er sich die Nase gebrochen hatte. Er hatte geantwortet: *»Ungefähr drei Minuten nachdem ich dich zuletzt gesehen hatte, Sassenach.«* Am Vorabend von Culloden also – auf jenem felsigen Hügel in Schottland, unterhalb des Ringes aufrechter Steine.

»Es tut mir Leid«, sagte ich etwas schwach. »Daran denkst du wahrscheinlich nicht gern, oder?«

Er ergriff meine freie Hand und sah zu mir herunter.

»Du kannst es haben«, sagte er. Seine Stimme war ganz leise, doch er sah mir direkt in die Augen. »Alles. Alles, was mir jemals angetan worden ist. Wenn du es möchtest, wenn es dir hilft, durchlebe ich es noch einmal.«

»O Gott, Jamie«, sagte ich leise. »Nein. Ich brauche es nicht zu wissen; alles, was ich wissen muss, ist, *dass* du es überlebt hast. Dass alles gut ist. Aber...« Ich zögerte. »Werde ich es *dir* erzählen?« Was mir angetan worden war, meinte ich, und er wusste es. Jetzt wandte er den Blick ab, doch er hielt meine Hand umfasst und rieb sanft mit der Handfläche über meine wunden Fingerknöchel.

»Musst du es denn?«

»Ich glaube schon. Irgendwann. Aber nicht jetzt – außer, du... du musst es hören.« Ich schluckte. »Vorher.«

Er schüttelte kaum merklich den Kopf, sah mich aber nicht an.

»Nicht jetzt«, flüsterte er. »Nicht jetzt.«

Ich zog meine Hand fort und schluckte den restlichen Wein in meinem Becher, rau und warm, mit dem Aroma von Muskat und Traubenschalen. Mir wurde nicht länger abwechselnd heiß und kalt; jetzt war mir nur noch durch und durch warm, und dafür war ich dankbar.

»Deine Nase«, sagte ich und schenkte mir nach. »Dann erzähl's mir. Bitte.«

Er zuckte sacht mit den Achseln.

»Aye, nun gut. Zwei englische Soldaten kamen als Kundschafter den Hügel hinauf. Ich glaube nicht, dass sie damit gerechnet hatten, jemanden anzutreffen – keiner von ihnen hatte seine Muskete schussbereit, sonst wäre ich ein toter Mann gewesen.«

Sein Tonfall war ganz beiläufig. Mich durchlief ein Schauer, doch nicht vor Kälte.

»Sie haben mich gesehen, und dann hat dich einer von ihnen oben auf dem Hügel entdeckt. Er hat etwas gerufen und wollte dich verfolgen, also habe ich mich auf ihn gestürzt. Mir war gleichgültig, was passiert, solange du nur gehen konntest, also bin ich einfach auf ihn losgegangen und habe ihm meinen Dolch in die Seite gestoßen. Aber seine Patronenbüchse ist mir dazwischengeraten, und das Messer ist darin stecken geblieben, und –« Er lächelte schief. »Und während ich versucht habe, es herauszuziehen und nicht umgebracht zu werden, ist sein Freund gekommen und hat mir seinen Musketenkolben ins Gesicht geschwungen.«

Beim Erzählen krümmte sich seine freie Hand und umklammerte in der Erinnerung einen Dolch.

Ich zuckte zusammen, denn jetzt wusste ich genau, wie sich das angefühlt hatte. Die bloße Schilderung ließ meine eigene Nase dröhnen. Ich zog sie hoch, betupfte sie vorsichtig mit dem Handrücken und schenkte mir Wein nach.

»Wie bist du entkommen?«

»Habe ihm die Muskete abgenommen und sie beide damit erschlagen.«

Er sprach ruhig und beinahe tonlos, doch seine Stimme hatte einen merkwürdigen Beiklang, der meinen Magen beklommen rumoren ließ. Er war noch zu frisch, dieser Anblick der Blutstropfen, die im Licht der Morgendämmerung in den Härchen auf seinem Arm glänzten. Zu frisch, dieser Unterton – was war es? Genugtuung? – in seiner Stimme.

Plötzlich war ich so unruhig, dass ich nicht mehr still sitzen konnte. Sekunden zuvor war ich noch so erschöpft gewesen, dass es mir die Knochen erweichte; jetzt musste ich mich bewegen. Ich stand auf und beugte mich über die Fensterbank. Der Sturm war im Anmarsch; der Wind wurde stärker und wehte mir das frisch gewaschene Haar aus dem Gesicht, und in der Ferne blitzte es.

»Es tut mir Leid, Sassenach«, sagte Jamie mit sorgenvoller Stimme. »Ich hätte es dir nicht erzählen sollen. Geht es dir so nahe?«

»Ob es mir nahe geht? Nein, nicht das.«

Meine Worte klangen ein wenig kurz angebunden. Warum hatte ich ihn nur ausgerechnet nach seiner Nase gefragt? Warum jetzt, wo ich doch jahrelang ganz zufrieden gelebt hatte, ohne es zu wissen?

»Was denn dann?«, fragte er leise.

Was mir nahe ging, war die Tatsache, dass der Wein seine Aufgabe, mich zu betäuben, wunderbar erledigt hatte; jetzt hatte ich die Wirkung ruiniert. Sämtliche Bilder der vergangenen Nacht waren wieder in meinem Kopf, in bunten Technicolorfarben getüncht durch jenen simplen Satz, dieses ach-so-sachliche: »Ich habe ihm die Muskete abgenommen und sie beide damit erschlagen.« Und sein unausgesprochenes Echo: *Ich bin es, der für sie tötet.*

Am liebsten hätte ich mich übergeben. Stattdessen trank ich noch mehr Wein, ohne ihn auch nur zu schmecken, schluckte ihn hinunter, so schnell ich konnte.

»Was mir nahe geht – nahe geht! Was für ein albernes Wort! Was mich absolut zum *Wahnsinn* treibt, ist die Tatsache, dass ich irgendjemand hätte sein können, irgendetwas – ein warmer Fleck mit weichen Stellen zum Drücken, der zufällig gerade da war – Gott, ich bin für sie nicht mehr gewesen als ein *Loch*!«

Ich schlug mit der Faust auf die Fensterbank; aufgebracht über den wirkungslosen, dumpfen Knall, ergriff ich meinen Becher und schleuderte ihn gegen die Wand.

»Mit Black Jack Randall war es anders, oder?«, wollte ich wissen. »Er wusste, wer du warst, nicht wahr? Er hat *dich* gesehen, als er dich benutzt hat – es wäre nicht dasselbe gewesen, wenn du irgendjemand gewesen wärst – er wollte *dich*.«

»Mein Gott, und du glaubst, das war besser?«, entfuhr es ihm, und er sah mich mit weit aufgerissenen Augen an.

Ich hielt keuchend inne, und mir war schwindelig.

»Nein.« Ich ließ mich auf den Hocker sinken und schloss die Augen. Ich spürte, wie sich das Zimmer um mich drehte, und sah bunte Lichter wie die Leuchten eines Karussells hinter meinen Augen. »Nein. Das glaube ich nicht. Ich glaube, dass Jack Randall ein perverser, verdammter, Eins-A-Soziopath war, und das – das – »Ich wedelte mit der Hand, denn mir fiel kein passendes Wort ein. »Das waren nur… Männer.«

Ich sprach das letzte Wort mit einer Verachtung aus, die selbst für mich deutlich war.

»Männer«, sagte Jamie, und seine Stimme klang seltsam.

»Männer«, sagte ich. Ich öffnete die Augen und sah ihn an. Meine Augen fühlten sich heiß an, und ich hatte das Gefühl, dass sie rot glühen mussten wie die eines Opossums im Fackelschein.

»Ich habe einen verdammten Weltkrieg überlebt«, sagte ich mit leiser, giftiger Stimme. »Ich habe ein Kind verloren. Ich habe zwei Ehemänner verloren. Ich habe mit einer Armee Hunger gelitten, bin zusammengeschlagen und verwundet worden, ich bin herumkommandiert, verraten, eingekerkert und überfallen worden!« Meine Stimme erhob sich, doch ich war nicht in der Lage, es zu verhindern. »Und jetzt soll ich daran zerbrechen, dass ein paar heruntergekommene Taugenichtse, die sich als Männer ausgeben, ihre widerwärtigen, kleinen Anhängsel zwischen meine Beine gesteckt und damit *gewackelt* haben?« Ich stand auf, packte die Kante des Waschtischs und kippte ihn um, so dass alles krachend durch das Zimmer flog – die Schüssel, der Krug und die brennende Kerze, die prompt erlosch.

»Nun, das werde ich nicht tun«, sagte ich ganz ruhig.

»Widerwärtige, kleine Anhängsel?«, sagte er und sah aus wie vom Donner gerührt.

»Nicht deins«, sagte ich. »An deinem hänge ich wirklich sehr.« Dann setzte ich mich und brach in Tränen aus.

Er legte die Arme um mich, langsam und sanft. Ich zuckte nicht zusammen und fuhr nicht zurück, und er drückte meinen Kopf an sich, um mir das feuchte, verworrene Haar zu glätten, in dessen Masse seine Finger hängen blieben.

»Himmel, du bist ein tapferes kleines Ding«, murmelte er.

»Nein«, sagte ich mit geschlossenen Augen. »Das bin ich nicht.« Ich packte seine Hand und hob sie an meine Lippen, strich blind mit meinem verletzten Mund über seine Fingerknöchel. Sie waren genauso blau und geschwollen wie die meinen; ich berührte mit der Zunge seine Haut und schmeckte Seife und Staub und das Silber der Kratzer und Risse – Spuren, die gesplitterte Zähne und Knochen hinterlassen hatten. Presste meine Finger auf die Adern unter der Haut von Handgelenk und Arm, weich und elastisch, und auf die festen Umrisse der Knochen darunter. Ich spürte die Zuflüsse zu den Adern und wünschte mir, ich könnte in seinen Blutstrom eindringen und mich davontragen lassen, aufgelöst und körperlos, Zuflucht finden in den dickwandigen Kammern seines Herzens. Doch das war unmöglich.

Ich ließ meine Hand in seinen Ärmel gleiten, ging auf Erkundungsreise, klammerte mich an ihn, machte mich aufs Neue mit seinem Körper vertraut. Ich berührte das Haar in seiner Achselhöhle und streichelte es, überrascht, wie weich es sich anfühlte.

»Weißt du«, sagte ich, »ich glaube nicht, dass ich dich da schon einmal berührt habe.«

»Nein, das glaube ich auch nicht«, sagte er mit einer Spur nervösen Lachens in der Stimme. »Daran würde ich mich erinnern. Oh!« Gänsehaut überzog die weiche Haut an dieser Stelle, und ich drückte meine Stirn an seine Brust.

»Das Schlimmste ist«, sagte ich in sein Hemd hinein, »dass ich *sie* gekannt habe. Jeden Einzelnen von ihnen. Und mich an sie erinnern werde. Und mich schuldig fühlen werde, weil sie tot sind, und zwar meinetwegen.«

»Nein«, sagte er leise, aber sehr bestimmt. »Sie sind *meinetwegen* tot, Sassenach. Und wegen ihrer eigenen Bosheit. Wenn es eine Schuld gibt, soll sie auf ihnen ruhen. Oder auf mir.«

»Nicht nur auf dir«, sagte ich, immer noch mit geschlossenen Augen. Es war dunkel hier und beruhigend. Ich konnte meine Stimme hören, entfernt aber deutlich, und fragte mich dumpf, woher die Worte kamen. »Du bist Blut von meinem Blut, und Bein von meinem Bein. Das hast du gesagt. Was du tust, ruht auch auf mir.«

»Dann möge mich dein Schwur erlösen«, flüsterte er.

Er erhob mich und zog mich an sich wie ein Schneider, der ein Stück empfindliche, schwere Seide rafft – langsam, mit spitzen Fingern, Falte um Falte. Dann trug er mich durch das Zimmer und legte mich sanft auf das Bett, im Licht des flackernden Feuers.

Er hatte sanft sein wollen. Ganz sanft. Er hatte es sorgfältig geplant, sich über jeden Schritt des langen Heimwegs Gedanken gemacht. Sie war zersplittert; er musste bedacht vorgehen, sich Zeit lassen. Vorsichtig sein, wenn er die Scherben wieder zusammenfügte.

Und dann kam er zu ihr und stellte fest, dass sie sich keine Sanftheit wünschte, kein Umworbensein. Sie wünschte sich Direktheit. Abrupt und brutal. Wo sie zersplittert war, schnitt sie ihn mit ihren gezackten Kanten, rücksichtslos wie ein Betrunkener mit einer zerbrochenen Flasche.

Ein, zwei Sekunden hatte er mit ihr gerungen, versucht, sie zu halten und sanft zu küssen. Sie hatte sich in seinen Armen gewunden wie ein Aal und sich dann beißend auf ihn gewälzt.

Er hatte sie – sie beide – mit dem Wein entspannen wollen. Er hatte gewusst, dass sie jede Zurückhaltung verlor, wenn sie etwas getrunken hatte; ihm war nur nicht klar gewesen, was sie da zurückhielt, dachte er grimmig, während er versuchte, sie zu packen, ohne ihr wehzutun.

Ausgerechnet er hätte es wissen müssen. Weder Angst noch Trauer noch Schmerz – nur Wut.

Sie zerkratzte ihm den Rücken; er fühlte die Spuren ihrer abgebrochenen Fingernägel und dachte dumpf, dass das gut war – sie hatte gekämpft. Das war sein letzter Gedanke; dann überkam auch ihn die Raserei, die Wut und eine Lust, die über ihn herfiel wie schwarzer Donner über einen Berg, eine Wolke, die alles vor ihm verbarg, die ihn vor allem verbarg, bis jede liebevolle Vertrautheit verloren ging und er allein war, fremd in der Dunkelheit.

Es hätte ihr Hals sein können, den er packte, oder der jedes anderen. Er erinnerte sich an kleine Knochen, kleine Aufwölbungen in der Dunkelheit, und die Schreie von Kaninchen, die er mit bloßer Hand tötete. Er erhob sich wie ein Wirbelwind aus Staub und fortgespültem Blut.

Zorn kochte und ballte sich in seinen Hoden, und sie trieb ihn wie mit Sporen. Ließ seine Blitze flammen und jede Spur des Eindringlings aus ihrem Inneren sengen, und wenn es sie beide zu Knochen und Asche verbrannte – dann sollte es so geschehen.

Als er wieder zu sich kam, lag er mit seinem ganzen Gewicht auf ihr und presste sie auf das Bett. Der Atem schluchzte in seinen Lungen; seine Hände hielten ihre Arme so fest umklammert, dass sich die Knochen wie Stöckchen anfühlten, die durchzubrechen drohten.

Er hatte sich verloren. War nicht sicher, wo sein Körper endete. Sein Verstand schlug sekundenlang wild um sich, in Panik, ganz aus den Angeln gehoben worden zu sein – nein. Er spürte plötzlich einen kalten Tropfen auf seiner Schulter, und die verstreuten Teile seines Selbst sammelten sich blitzartig wie versprühte Quecksilbertropfen, und er fand sich vor Entsetzen bebend wieder.

Er war immer noch mit ihr vereint. Er wäre am liebsten hochgefahren wie eine aufgescheuchte Wachtel, doch es gelang ihm, sich langsam zu bewegen, seine festgekrallten Finger einen nach dem anderen von ihren Armen zu lösen, seinen Körper sanft von ihr zu heben, obwohl ihm das ungeheuer anstrengend vorkam, als hätte er das Gewicht von Monden und Planeten. Fast hätte er erwartet, sie zerdrückt und leblos auf dem Laken zu sehen. Doch ihr biegsamer Rippenbogen hob und senkte und hob sich erneut, ganz und gar beruhigend.

Wieder traf ein Tropfen seinen Nacken, und er zog überrascht die Schultern hoch. Von seiner Bewegung geweckt, blickte sie auf, und er erwiderte erschrocken ihren Blick. Sie teilte das Gefühl, den Schreck zweier Fremder, die sich nackt begegnen. Ihre Augen huschten von den seinen fort zur Decke hinauf.

»Das Dach hat ein Leck«, flüsterte sie. »Da ist eine feuchte Stelle.«

»Oh.« Er hatte nicht einmal gemerkt, dass es regnete. Doch das Zimmer war vom Regen verdunkelt, und über ihnen dröhnte das Dach. Der Klang schien in seinem Blut widerzuhallen wie das Schlagen der *Bodhrana* im Inneren der Nacht, wie sein Herzschlag im Wald.

Er erschauerte, und weil ihm nichts anderes einfiel, küsste er sie auf die Stirn. Ihre Arme hoben sich plötzlich wie eine Kaninchenfalle und hielten ihn mit aller Kraft fest, zogen ihn wieder auf sie hinunter, und auch er umarmte sie und presste sie so fest an sich, dass er spürte, wie ihr der Atem verging, doch er konnte nicht loslassen. Er dachte vage an Briannas Erzählungen von gigantischen Kugeln, die durch das All wirbelten, an diese Sache namens Schwerkraft – und was war daran schwer? Das konnte er jetzt sehr gut sehen; eine Kraft, die so stark war, dass sie einen unvorstellbar großen Körper in der Luft im Gleichgewicht schweben lassen konnte – oder zwei solcher Körper miteinander kollidieren lassen konnte, sie in einer Explosion vernichten und in Sternenrauch verwandeln konnte.

Er hatte ihr Prellungen zugefügt; seine Finger hatten rote Flecken auf ihren Armen hinterlassen. Innerhalb eines Tages würden sie schwarz werden. Die Spuren der anderen Männer blühten schwarz und violett, blau und gelb, verschwommene Blütenblätter unter ihrer weißen Haut.

Seine Oberschenkel und Pobacken waren vor Anstrengung angespannt, und er bekam einen Krampf, dessen Heftigkeit ihn aufstöhnen ließ. Er wand sich, um sich Erleichterung zu verschaffen. Seine Haut war feucht, genau wie die ihre, und sie glitten langsam und widerstrebend auseinander.

Geschwollene, verfärbte Augen, milchig wie wilder Honig, Zentimeter von den seinen entfernt.

»Wie fühlst du dich?«, fragte sie leise.

»Grauenvoll«, erwiderte er wahrheitsgemäß. Er war heiser, als hätte er geschrien – Gott, vielleicht war es ja so. Ihr Mund hatte erneut geblutet; sie hatte eine rote Schmierspur auf dem Kinn, und er selbst schmeckte Metall.

Er räusperte sich und hätte gern den Blick von ihren Augen abgewandt, doch er konnte es nicht. Er rieb mit dem Daumen über die Blutspur und wischte sie ungeschickt ab.

»Du?«, fragte er und die Worte kratzten in seinem Hals. »Wie fühlst du dich?«

Sie war vor seiner Berührung sacht zurückgewichen, hielt die Augen aber fest auf die seinen gerichtet. Er hatte das Gefühl, als blickte sie weit über ihn hinaus, durch ihn hindurch – doch dann schärfte sich ihr Blick wieder, und sie sah ihn direkt an, zum ersten Mal, seit er sie heimgebracht hatte.

»Sicher«, flüsterte sie und schloss die Augen. Sie holte ein einziges Mal tief Luft, und ihr ganzer Körper entspannte sich und wurde schlaff und schwer wie ein sterbender Hase.

Er hielt sie fest, beide Arme um sie geschlungen, als wollte er sie vor dem Ertrinken retten, doch er fühlte sie dennoch dahinsinken. Er hätte ihr gern zugerufen, nicht zu gehen, ihn nicht allein zu lassen. Sie verschwand in den Tiefen des Schlafs, und er sehnte sich ihr nach, wünschte sich Heilung für sie, fürchtete ihre Flucht und senkte den Kopf, um sein Gesicht in ihrem Haar und ihrem Duft zu vergraben.

Der Wind ließ im Vorbeiwehen die offenen Fensterläden knallen, und draußen in der Dunkelheit rief eine Eule, die sich vor dem Regen versteckte, und eine andere antwortete ihr.

Dann weinte er, lautlos, die Muskeln bis zur Schmerzgrenze angespannt, um nicht zu zittern, damit sie nicht erwachte und es merkte. Er weinte, bis er leer war und sein Atem keuchte, das Kissen nass unter seinem Gesicht. Dann lag er erschöpft da, über jeden Gedanken an Müdigkeit hinaus, zu weit vom Schlaf entfernt, um sich daran zu erinnern, wie er sich anfühlte. Sein einziger Trost war das kleine, so zerbrechliche Gewicht, das warm auf seinem Herzen lag und atmete.

Dann hoben sich ihre Hände und ruhten auf ihm, die trocknenden Tränen kühl auf seinem Gesicht, ihre weiße Haut rein wie der leise Schnee, der Brandspuren überdeckt und Blut und die Welt mit Frieden überzieht.

30

Der Gefangene

Es war ein stiller, heißer Morgen. Nur ein Specht klopfte an einen Baum, und irgendein Insekt erzeugte im hohen Gras hinter dem Haus ein Geräusch, das wie metallisches Schaben klang. Ich kam langsam die Treppe hinunter und empfand ein vages Gefühl der Körperlosigkeit – und wünschte mir, ich wäre körperlos, da ich fast überall Schmerzen hatte.

Mrs. Bug war heute Morgen nicht gekommen; vielleicht fühlte sie sich nicht gut. Oder vielleicht war sie auch noch unsicher, wie sie sich verhalten sollte, wenn sie mich sah, oder was sie dann zu mir sagen sollte. Mein Mund presste sich ein wenig zusammen; etwas, das ich nur bemerkte, weil der halb verheilte Riss in meiner Lippe dabei brannte.

Ich entspannte bewusst mein Gesicht und machte mich daran, die Kaffeeutensilien vom Küchenregal zu holen. Eine Karawane winziger, schwarzer Ameisen wanderte an der Regalkante entlang, und ein ganzer Schwarm umwimmelte die kleine Blechdose, in der ich meine Zuckerklümpchen aufbewahrte. Ich wischte sie mit einigen energischen Hieben meiner Schürze beiseite und nahm mir vor, mich auf die Suche nach Nelkenwurz zu begeben.

So unbedeutend dieser Beschluss auch war, danach ging es mir sofort besser, und ich fühlte mich weniger wackelig. Seit Hodgepile und seine Männer beim Malzschuppen aufgetaucht waren, war ich vollständig in der Hand anderer gewesen und hatte keinen unabhängigen Schritt tun können. Zum ersten Mal seit Tagen – es kam mir viel länger vor – konnte ich selbst entscheiden, was ich tun würde. Diese Freiheit kam mir sehr kostbar vor.

Nun gut, dachte ich. Was würde ich also tun? Ich würde… Kaffee trinken. Eine Scheibe Toast essen? Nein. Ich tastete vorsichtig mit der Zunge in meinem Mund umher; auf der einen Seite hatte ich mehrere lose Zähne, und meine Kiefermuskeln waren so wund, dass ernsthaftes Kauen nicht in Frage kam. Also nur Kaffee, und während ich ihn trank, würde ich entscheiden, wie mein Tag ablaufen sollte.

Zufrieden mit diesem Plan, stellte ich den einfachen Holzbecher zurück und deckte den Tisch stattdessen mit einer einzelnen Porzellantasse und -untertasse, ein zartes, mit Veilchen handbemaltes Stück, das Jocasta mir geschenkt hatte.

Jamie hatte vorhin schon das Feuer gestocht, und das Wasser im Kessel kochte: Ich schöpfte etwas Wasser, um die Kanne zu wärmen, spülte sie durch und öffnete die Hintertür, um es auszuschütten. Zum Glück sah ich zuerst hinaus.

Ian saß im Schneidersitz auf der Veranda, einen kleinen Schleifstein in der einen Hand, ein Messer in der anderen.

»Guten Morgen, Tante Claire«, sagte er fröhlich und zog das Messer über den Stein. Daher stammte das leise, monotone Schabegeräusch, das ich vorhin gehört hatte. »Geht's dir besser?«

»Ja, gut«, versicherte ich ihm. Er zog skeptisch eine Augenbraue hoch und betrachtete mich von oben bis unten.

»Nun, besser als du aussiehst, hoffe ich.«

»*So* gut nun auch wieder nicht«, sagte ich schnippisch, und er lachte. Er legte Messer und Schleifstein beiseite und stand auf. Er war inzwischen viel größer als ich und hatte beinahe Jamies Körpergröße erreicht, wenn auch nicht sein Gewicht. Er hatte den sehnigen Körperbau seines Vaters geerbt, zusammen mit dem Humor des älteren Ian – und seiner Zähigkeit.

Er fasste mich an den Schultern und drehte mich zum Sonnenlicht, und als er mich dann näher betrachtete, schürzte er die Lippen. Ich blinzelte zu ihm auf und malte mir aus, wie ich wohl aussehen musste. Ich hatte noch nicht die Nerven gehabt, in einen Spiegel zu schauen, aber ich wusste, dass die Prellungen gerade jetzt von ihren ursprünglichen Schwarz- und Rottönen in eine bunte Mischung aus Blau, Grün und Gelb übergehen mussten. Fügte man noch das verkrustete Schwarz der aufgeplatzten Lippe und der anderen kleinen Wunden hinzu, ergab sich bestimmt ein Bild tadelloser Gesundheit.

Ians sanfte Haselaugen sahen mir konzentriert ins Gesicht, ohne jedoch Überraschung oder Bestürzung an den Tag zu legen. Schließlich ließ er mich los und klopfte mir sacht auf die Schulter.

»Du machst das schon, Tante Claire«, sagte er. »Du bist es doch immer noch, oder?«

»Ja«, sagte ich. Und ohne jede Warnung stiegen mir die Tränen in die Augen und liefen über. Ich wusste genau, was er damit gemeint und warum er es gesagt hatte – und es stimmte.

Ich fühlte mich, als hätte sich mein Innerstes plötzlich verflüssigt und strömte aus; nicht vor Trauer, vor Erleichterung. Ich *war* immer noch ich. Zerbrechlich, geschunden, wund und argwöhnisch – aber ich selbst. Erst als mir das klar wurde, begriff ich, wie sehr ich mich davor gefürchtet hatte, es nicht zu sein – dass ich aus dem Schockzustand auftauchen und feststellen würde, dass ich mich unwiderruflich verändert, einen lebenswichtigen Teil meiner selbst für ewig verloren hatte.

»Mir fehlt nichts«, versicherte ich Ian und wischte mir hastig mit der Schürze über die Augen. »Nur ein bisschen –«

»Aye, ich weiß«, sagte er und nahm mir die Kanne ab, um das Wasser am Wegrand ins Gras zu schütten. »Es ist ein bisschen seltsam, aye? Zurückzukommen?«

Ich nahm die Kaffeekanne wieder an mich und drückte ihm dabei fest die Hand. Er war schon zweimal aus der Gefangenschaft heimgekehrt, war aus

Geillis Duncans seltsamer Festung auf Jamaika gerettet worden, um sich später für das Exil bei den Mohawk zu entscheiden. Er war auf dieser Reise zum Mann geworden, und ich fragte mich in der Tat, welche Teile seiner selbst er unterwegs hinter sich gelassen hatte.

»Möchtest du Frühstück, Ian?«, fragte ich schniefend und betupfte vorsichtig meine geschwollene Nase.

»Aber natürlich«, sagte er grinsend. »Komm und setz dich, Tante Claire – ich mache es.«

Ich folgte ihm ins Haus, goss den Kaffee auf und ließ ihn ziehen, dann setzte ich mich an den Tisch, ließ mir die Sonne durch die offene Tür auf den Rücken scheinen und sah zu, wie Ian in der Vorratskammer umherstöberte. Mein Verstand fühlte sich schwammig an, zu keinem Gedanken fähig, doch ein Gefühl des Friedens stahl sich über mich, grün und sanft wie das wogende Licht, das durch die Kastanienbäume fiel. Selbst das Pochen und Ziehen hier und dort erschien mir angenehm, denn es gab mir das Gefühl, dass im Stillen meine Heilung vor sich ging.

Ian breitete eine Ladung zusammengesuchter Lebensmittel auf dem Tisch aus und setzte sich mir gegenüber.

»Geht es, Tante Claire?«, fragte er erneut und zog eine seiner fedrigen Augenbrauen hoch, die er von seinem Vater geerbt hatte.

»Ja. Allerdings ist es ein Gefühl, als säße man auf einer Seifenblase, nicht wahr?« Ich sah ihn an, während ich uns Kaffee einschenkte, aber er hielt den Blick auf das Stück Brot gesenkt, das er gerade mit Butter bestrich. Ich hatte den Eindruck, dass sich seine Lippen zu einem kleinen Lächeln verzogen, konnte es aber nicht mit Gewissheit sagen.

»Etwas in der Art«, sagte er leise.

Die Hitze des Kaffees wärmte mir durch das Porzellan hindurch die Hände, sein Aroma strich wohltuend über die wunden Schleimhäute meiner Nase und meines Gaumens. Ich fühlte mich, als hätte ich stundenlang geschrien, konnte mich aber an nichts dergleichen erinnern. Hatte ich geschrien, mit Jamie in der letzten Nacht?

Eigentlich hätte ich lieber gar nicht an letzte Nacht gedacht; sie war Teil des Seifenblasengefühls. Jamie war schon fort gewesen, als ich erwachte, und ich war mir nicht sicher, ob ich darüber froh oder traurig war.

Ian redete nicht, sondern futterte sich konzentriert durch einen halben Brotlaib mit Butter und Honig, drei Rosinenmuffins, zwei dicke Scheiben Schinken und einen Krug Milch. Ich sah, dass Jamie gemolken hatte; er benutzte immer den blauen Sahnekrug, während Mr. Wemyss den weißen nahm. Ich fragte mich vage, wo Mr. Wemyss wohl war – ich hatte ihn noch nicht gesehen, und das Haus fühlte sich leer an –, aber eigentlich interessierte es mich gar nicht. Mir kam der Gedanke, dass Jamie möglicherweise Mr. Wemyss und Mrs. Bug gebeten hatte, sich eine Weile vom Haus fern zu halten, weil er glaubte, dass ich vorerst lieber allein blieb.

»Noch Kaffee, Tante Claire?«

Auf mein Nicken hin erhob sich Ian vom Tisch, nahm die Karaffe vom Regal und goss einen großen Schluck Whisky in meine Tasse, bevor er sie wieder füllte.

»Mama hat immer gesagt, das hilft gegen alles«, sagte er.

»Deine Mutter hat Recht. Möchtest du auch einen Schluck?«

Er atmete den aromatischen Duft ein, schüttelte aber den Kopf.

»Nein, ich glaube nicht, Tante Claire. Ich brauche heute Morgen einen klaren Kopf.«

»Wirklich? Warum?« Der Porridge im Topf war zwar keine neun Tage alt – nicht ganz –, aber er stand schon drei oder vier Tage da. Natürlich; es war ja niemand da gewesen, der ihn hätte essen können. Ich warf einen kritischen Blick auf die zementartige Masse, die an meinem Löffel klebte, beschloss, dass er noch weich genug zum Essen war und beträufelte ihn mit Honig.

Ian kämpfte gerade mit einem Löffel derselben Substanz und brauchte einen Moment, um seinen Gaumen davon zu befreien, bevor er antwortete.

»Onkel Jamie hat vor, seine Fragen zu stellen«, antwortete er und warf mir einen vorsichtigen Blick zu, während er nach dem Brot griff.

»Ach wirklich?«, sagte ich verständnislos, doch bevor ich mich erkundigen konnte, was er damit meinte, verkündete das Geräusch von Schritten auf dem Weg Fergus' Ankunft.

Er sah aus, als hätte er im Wald geschlafen – nun ja, dachte ich, das hatte er ja auch. Oder vielmehr hatte er nicht geschlafen; die Männer hatten während ihrer Verfolgung der Hodgepile-Bande kaum Rast gemacht. Fergus hatte sich zwar rasiert, aber sein normalerweise tadelloses Aussehen ließ heute zu wünschen übrig, und sein attraktives Gesicht war eingefallen, die tief liegenden Augen von Schatten umringt.

»Milady«, murmelte er und bückte sich unerwarterweise, um mir die Wange zu küssen, die Hand auf meiner Schulter. »*Comment ça va?*«

»*Très bien, merci*«, erwiderte ich und lächelte zaghaft. »Wie geht es Marsali und den Kindern? Und unserem Helden Germain?« Ich hatte Jamie auf dem Rückweg nach Marsali gefragt, und er hatte mir versichert, dass es ihr gut ging. Germain, das kleine Äffchen, war geradewegs auf einen Baum geklettert, als er Hodgepiles Männer kommen hörte. Von dort oben hatte er alles gesehen, und sobald die Männer aufgebrochen waren, war er hinuntergeklettert, hatte seine halb bewusstlose Mutter vom Feuer weggezerrt und schnellstens Hilfe geholt.

»Ah, Germain«, sagte Fergus, und ein schwaches Lächeln hob für einen Moment die Schatten der Erschöpfung. »*Notre p'tit guerrier.* Er sagt, Grand-père hat ihm eine eigene Pistole versprochen, damit er auf böse Menschen schießen kann.«

Damit war es Grand-père zweifellos ernst, dachte ich. Mit einer Muskete kam Germain nicht zurecht, da er selbst ein ganzes Stück kürzer war als die Waffe – aber eine Pistole würde funktionieren. In meinem gegenwärtigen Geisteszustand erschien mir die Tatsache, dass Germain erst sechs war, nicht besonders wichtig.

»Hast du schon gefrühstückt, Fergus?« Ich schob die Kanne zu ihm hinüber.

»Non. Merci.« Er bediente sich mit kaltem Gebäck, Schinken und Kaffee, obwohl mir auffiel, dass er ohne großen Appetit aß.

Wir saßen alle drei schweigend da, tranken Kaffee und lauschten den Vögeln. Carolina-Zaunkönige hatten ihr Nest unter der Traufe des Hauses gebaut, und die Vogeleltern sausten direkt über unseren Köpfen ein und aus. Ich konnte das schrille Zwitschern der Jungen hören und sah Zweige und leere Eierschalen auf der Veranda verstreut liegen.

Der Anblick der Eierschale erinnerte mich an Monsieur l'Œuf. Ja, das war es, was ich tun würde, beschloss ich, ein wenig erleichtert, weil ich jetzt etwas Bestimmtes vorhatte. Ich würde nachher Marsali besuchen. Und vielleicht auch Mrs. Bug.

»Hast du Mrs. Bug heute Morgen schon gesehen?«, fragte ich an Ian gewandt. Seine Hütte – kaum mehr als ein mit Zweigen bedeckter Schuppen – stand gleich hinter der der Bugs; er musste auf dem Weg zum Haus bei ihnen vorbei.

»Oh, aye«, sagte er mit überraschter Miene. »Sie hat gerade gefegt, als ich vorbeigekommen bin. Hat mir Frühstück angeboten, aber ich habe ihr gesagt, ich würde hier essen. Ich wusste doch, dass Onkel Jamie Schinken hat, aye?« Er grinste und hob zur Illustration sein viertes Schinkenbrötchen.

»Dann fehlt ihr also nichts? Ich dachte, sie wäre womöglich krank; normalerweise ist sie meistens ganz früh hier.«

Ian nickte und biss herzhaft in sein Brötchen.

»Aye, sie wird wohl beschäftigt sein, weil sie sich um den *ciomach* kümmert.«

Mein brüchiges Wohlgefühl zerbarst wie die Zaunkönigeier. Ein *ciomach* war ein Gefangener. In meiner schwammigen Euphorie war es mir irgendwie gelungen, die Existenz Lionel Browns zu vergessen.

Ians Bemerkung, dass Jamie vorhatte, heute Morgen Fragen zu stellen, fügte sich plötzlich in einen Zusammenhang – genau wie Fergus' Anwesenheit. Und das Messer, das Ian geschärft hatte.

»Wo ist Jamie?«, fragte ich schwach. »Habt ihr ihn gesehen?«

»Oh, aye«, sagte Ian erneut überrascht. Er schluckte und wies mit dem Kinn zur Tür. »Er ist nur draußen in der Werkstatt und macht neue Schindeln. Er sagt, das Dach hat ein Leck.«

Er hatte die Worte kaum ausgesprochen, als es oben auf dem Dach hämmerte. Natürlich, dachte ich. Eins nach dem anderen. Doch schließlich würde Lionel Brown auch nirgendwo hingehen.

»Vielleicht ... sollte ich einen Blick auf Mr. Brown werfen«, sagte ich und schluckte.

Ian und Fergus wechselten einen Blick.

»Nein, Tante Claire, das solltest du nicht«, sagte Ian ganz ruhig, aber mit einer Autorität, die ich von ihm nicht gewohnt war.

»Wie zum Kuckuck meinst du das?« Ich starrte ihn an, aber er aß einfach nur weiter, wenn auch etwas langsamer.

»Milord sagt, Ihr sollt es nicht tun«, bekräftigte Fergus und ließ einen Löffel Honig in seinen Kaffee rinnen.

»Was sagt er?«, fragte ich ungläubig.

Keiner von ihnen wagte es, mich anzusehen, aber sie schienen dichter zusammenzurücken und strahlten eine widerstrebende Art sturer Widersetzlichkeit aus. Jeder von ihnen würde alles tun, was ich verlangte, das wusste ich – außer Jamie zu trotzen. Wenn Jamie der Meinung war, dass ich nicht nach Mr. Brown sehen sollte, würden mir weder Ian noch Fergus dabei behilflich sein.

Ich ließ den Löffel, an dem noch ungegessene Klümpchen klebten, zurück in meine Porridgeschale fallen.

»Hat er zufällig auch erwähnt, *warum* er meint, dass ich Mr. Brown nicht besuchen soll?«, fragte ich, angesichts der Umstände überraschend ruhig.

Beide Männer sahen verblüfft aus, dann wechselten sie erneut einen Blick, diesmal länger.

»Nein, Milady«, sagte Fergus ohne jeden Ausdruck in der Stimme.

Es folgte ein kurzes Schweigen, während sie beide zu überlegen schienen. Dann sah Fergus Ian an und überließ ihm achselzuckend das Wort.

»Nun, verstehst du, Tante Claire«, sagte Ian vorsichtig, »wir haben vor, den Mann zu verhören.«

»Und wir werden unsere Antworten bekommen«, sagte Fergus, den Blick auf den Löffel gerichtet, mit dem er seinen Kaffee umrührte.

»Und wenn Onkel Jamie sicher ist, dass er uns alles gesagt hat, was er sagen kann ...«

Ian hatte das frisch geschliffene Messer neben seinem Teller auf dem Tisch liegen. Er nahm es in die Hand und zog es nachdenklich der Länge nach über eine Wurst, deren Hülle prompt aufplatzte und das Aroma von Salbei und Knoblauch entweichen ließ. Dann blickte er auf und sah mir direkt in die Augen. Und mir wurde klar, dass ich zwar nach wie vor ich sein mochte – dass Ian aber längst nicht mehr der Junge von früher war. Ganz und gar nicht.

»Dann werdet ihr ihn umbringen?«, sagte ich, und meine Lippen waren trotz des heißen Kaffees taub.

»O ja«, sagte Fergus ganz leise. »Davon gehe ich aus.« Auch er sah mir jetzt in die Augen. Seine Miene war trostlos und grimmig, und seine tief liegenden Augen waren so hart wie Stein.

»Er – es – ich meine ... er ist es doch nicht gewesen«, sagte ich. »Das wäre doch gar nicht möglich gewesen. Er hatte sich doch schon das Bein gebrochen, als –« Mir schien die Luft zu fehlen, um meine Sätze zu beenden. »Und Marsali. Das war nicht – ich glaube nicht, dass er ...«

Etwas veränderte sich hinter Ians Augen, als er begriff, was ich sagte. Er presste die Lippen fest zusammen, und er nickte.

»Gut für ihn«, sagte er knapp.

»Auch gut«, kam Fergus' Echo, »aber ich glaube nicht, dass es letztendlich eine Rolle spielen wird. Wir haben die anderen getötet – warum sollte er am Leben bleiben?« Er stieß sich vom Tisch ab und ließ seinen Kaffee stehen. »Ich denke, ich gehe jetzt, Vetter.«

»Aye? Dann begleite ich dich.« Ian schob seinen Teller von sich und nickte mir zu. »Kannst du Onkel Jamie sagen, dass wir schon vorgegangen sind, Tante Claire?«

Ich nickte dumpf und beobachtete sie, wie sie nacheinander unter der großen Kastanie verschwanden, die den Weg zur Hütte der Bugs überwucherte. Ich stand mechanisch auf und begann, die Überreste des improvisierten Frühstücks wegzuräumen.

Ich war mir gar nicht sicher, ob mich Mr. Browns Schicksal besonders interessierte oder nicht. Einerseits missbilligte ich Folter und kaltblütigen Mord schon aus Prinzip. Andererseits ... stimmte es zwar, dass Brown mich nicht persönlich vergewaltigt oder verletzt hatte und er in der Tat versucht *hatte*, Hodgepile zu meiner Freilassung zu bewegen – doch hinterher hatte er lauthals für meine Ermordung gestimmt. Und ich hegte nicht den geringsten Zweifel, dass er mich in der Schlucht ertränkt hätte, wenn Tebbe sich nicht eingemischt hätte.

Nein, dachte ich, während ich meine Tasse vorsichtig spülte und an meiner Schürze abtrocknete, vielleicht interessierte mich Mr. Brown wirklich nicht besonders.

Dennoch fühlte ich mich beklommen und aufgewühlt. Was mich eher interessierte, begriff ich, waren Ian und Fergus. Und Jamie. Es war schließlich so, dass es etwas anderes war, einen Mann in der Hitze des Gefechts umzubringen als ihn zu exekutieren. Und ich wusste das. Wussten sie es auch?

Nun, Jamie schon.

»Und möge dein Schwur mich erlösen.« Das hatte er mir zugeflüstert, in der Nacht zuvor. Es war sogar das Letzte, was er gesagt hatte, woran ich mich erinnern konnte. Nun, schön und gut; aber ich hätte es doch vorgezogen, wenn das Bedürfnis nach Erlösung gar nicht erst entstand. Und was Ian und Fergus anging ...

Fergus hatte in der Schlacht von Prestonpans gekämpft, als er zehn war. Ich konnte mich gut an das Gesicht des kleinen, französischen Waisenkindes erinnern, das mich rußverschmiert und benommen vor Schreck und Erschöpfung von einer eroberten Kanone herab ansah. *Ich habe einen englischen Soldaten getötet, Milady*, hatte er zu mir gesagt. *Er ist gestürzt, und ich habe ihn mit meinem Messer erstochen.*

Und Ian, der als Fünfzehnjähriger Reuetränen weinte, weil er glaubte, unabsichtlich einen Einbrecher in Jamies Druckerei umgebracht zu haben. Weiß Gott, was er seitdem alles getan hatte; er redete nicht darüber. Plötzlich sah ich Fergus' Haken vor mir, mit dunklem Blut verklebt, und Ians Umriss in der Nacht. *Und ich*, hatte er Jamies Worte wiederholt. *Ich bin es, der für sie tötet.*

Es war 1773. Und am 18. April 1775... Der Schuss, der um die Welt ging, wurde bereits geladen. Im Zimmer war es warm, doch ich erschauerte krampfhaft. Wovor in Gottes Namen glaubte ich, sie abschirmen zu können? Ganz gleich, wen von ihnen.

Plötzliches Gebrüll auf dem Dach ließ mich aus meinen Gedanken aufschrecken.

Ich ging vor die Tür, spähte nach oben und hielt mir zum Schutz gegen die Morgensonne eine Hand über die Augen. Jamie saß rittlings auf dem Dachfirst und wiegte sich vor und zurück. Dabei hielt er eine Hand an seinen Bauch gepresst.

»Was ist denn da oben los?«, rief ich.

»Ich habe mir einen Splitter eingefangen«, kam die gereizte Antwort, offenbar mit zusammengebissenen Zähnen.

Ich hätte gern gelacht, ließ es aber.

»Nun, dann komm herunter. Ich ziehe ihn dir heraus.«

»Ich bin aber noch nicht fertig!«

»Das ist mir egal!«, sagte ich und verlor plötzlich die Geduld mit ihm. »Komm sofort herunter. Ich will mit dir reden.«

Ein Beutel mit Nägeln fiel plötzlich klirrend ins Gras, und der Hammer folgte sofort.

Nun gut. Eins nach dem anderen.

Technisch gesehen war es wohl ein Splitter. Es war ein fünf Zentimeter langes Stück Zedernholz, und er hatte es vollständig unter den Nagel seines Mittelfingers getrieben, fast bis zum ersten Fingergelenk.

»Jesus H. Roosevelt Christ!«

»Aye«, pflichtete er mir etwas blass um die Nase bei. »So könnte man es formulieren.«

Das vorstehende Ende war zu klein, um es mit den Fingern zu packen. Ich zerrte ihn ins Sprechzimmer und riss den Splitter mit der Pinzette heraus, bevor jemand pieps sagen konnte. Jamie sagte eine ganze Menge mehr als pieps – zum Großteil auf Französisch, welches sich hervorragend zum Fluchen eignet.

»Du wirst den Nagel verlieren«, merkte ich an, während ich den verletzten Finger in eine kleine Schale mit Alkohol und Wasser tauchte. Blut quoll auf wie die Tinte eines Tintenfischs.

»Zum Teufel mit dem Nagel«, sagte er und knirschte mit den Zähnen. »Schneide den ganzen verdammten Finger ab, dann habe ich es hinter mir! *Merde d'chèvre!*«

»Bei den Chinesen war es üblich – oder nein, ich nehme an, sie tun es wohl immer noch –, den Leuten Bambussplitter unter die Fingernägel zu schieben, um sie zum Reden zu bringen.«

»Himmel! *Tu me casses les couilles!*«

»Offenbar eine sehr wirkungsvolle Technik«, sagte ich. Ich hob seine Hand aus der Schale und wickelte den Finger fest in einen Leinenstreifen. »Wolltest du sie ausprobieren, bevor du sie bei Lionel Brown einsetzt?« Ich versuchte, beiläufig zu klingen, und hielt meine Augen auf seine Hand gerichtet. Ich spürte, wie er seinen Blick auf mich heftete, und er schnaubte.

»Was in aller Welt hat der gute Ian dir erzählt, Sassenach?«

»Dass du vorhast, den Mann zu befragen – und Antworten zu bekommen.«

»So ist es, und das werde ich«, sagte er knapp. »Und?«

»Fergus und Ian schienen überzeugt zu sein, dass – du bereit sein könntest, jedes nötige Mittel zu ergreifen«, sagte ich sehr vorsichtig. »Sie brennen geradezu darauf, dir zu helfen.«

»Das kann ich mir vorstellen.« Der erste Schmerz hatte etwas nachgelassen. Er atmete jetzt tiefer, und sein Gesicht bekam allmählich wieder Farbe. »Fergus hat das Recht dazu. Es war seine Frau, die angegriffen worden ist.«

»Ian ist mir ...« Ich zögerte, weil ich nach dem richtigen Wort suchte. Ian war mir so ruhig vorgekommen, dass es beängstigend war. »Du hast Roger nicht gebeten, dir bei dem – dem Verhör zu helfen?«

»Nein. Noch nicht.« Sein Mundwinkel verzog sich. »Roger Mac ist nicht der Richtige, um jemandem Angst zu machen, es sei denn, er ist wirklich in Rage. Er hat nichts Falsches an sich.«

»Wohingegen du, Ian und Fergus ...?«

»Oh, aye«, sagte er trocken. »Gerissen wie die Schlangen, alle miteinander. Man braucht ja nur einen Blick auf Roger Mac zu werfen, um zu sehen, wie sicher die Welt in ihrer Zeit sein muss, auf ihn und die Kleine. Eigentlich tröstlich«, fügte er hinzu, und die Falte um seinen Mundwinkel vertiefte sich. »Zu wissen, dass alles besser wird, meine ich.«

Ich konnte sehen, dass er versuchte, das Thema zu wechseln, und das war kein gutes Zeichen. Ich prustete leise auf, doch das schmerzte in meiner Nase.

»Und *du* bist nicht in Rage? Ist es das, was du mir sagen willst?«

Er prustete seinerseits mit mehr Erfolg, antwortete aber nicht. Er legte den Kopf schief und sah mir zu, während ich mir ein quadratisches Stück Gaze zurechtlegte und anfing, getrocknete Beinwellblätter darauf zu zerreiben. Ich wusste nicht, wie ich ausdrücken sollte, was mir Kummer machte, doch er merkte eindeutig, dass es etwas gab.

»Wirst du ihn umbringen?«, fragte ich geradeheraus, während ich das Honigglas fixierte. Es war aus braunem Glas, und das Licht glühte hindurch, als sei es eine große Kugel aus klarem Bernstein.

Jamie saß still da und beobachtete mich. Obwohl ich nicht aufsah, konnte ich seinen spekulativen Blick spüren.

»Möglich«, sagte er.

Meine Hände hatten zu zittern begonnen, und ich presste sie auf die Tischplatte, um sie zur Ruhe zu bringen.

»Aber nicht heute«, fügte er hinzu. »Wenn ich ihn umbringe, werde ich es anständig machen.«

Ich war mir nicht sicher, ob ich hören wollte, wie seiner Meinung nach eine anständige Tötung aussah, aber er sagte es mir trotzdem.

»Wenn er von meiner Hand stirbt, wird es im Freien geschehen, vor Zeugen, die die Wahrheit kennen, und er wird aufrecht stehen und eine Waffe in der Hand haben. Ich will nicht, dass man sich erzählt, ich hätte einen wehrlosen Menschen getötet, ganz gleich, was für ein Verbrechen er begangen hat.«

»Oh.« Ich schluckte einen Anflug von Übelkeit herunter und griff nach einer Prise Schafgarbe, um sie der Salbe hinzuzufügen, die ich für Jamie zubereitete. Sie hatte einen schwach adstringierenden Geruch, der zu helfen schien.

»Aber – möglicherweise lässt du ihn doch am Leben?«

»Vielleicht. Möglich, dass ich ihn gegen Lösegeld an seinen Bruder herausgebe – kommt ganz darauf an.«

»Weißt du, du klingst genau wie dein Onkel Colum. Er hätte sich dieselben Gedanken gemacht.«

»Ach ja?« sein Mundwinkel verzog sich sacht nach oben. »Darf ich das als Kompliment betrachten, Sassenach?«

»Das kannst du gern tun.«

»Aye, schön«, sagte er nachdenklich. Seine steifen Finger klopften auf die Tischplatte, und er zuckte schwach zusammen, als die Bewegung den verletzten Finger durchfuhr. »Colum hatte eine Burg. Und bewaffnete Clansmänner unter seinem Befehl. Mir würde es schon eher Schwierigkeiten bereiten, dieses Haus gegen einen Raubzug zu verteidigen.«

»Ist es das, was du mit ›Kommt ganz darauf an‹ meinst?« Bei dieser Vorstellung wurde mir ganz benommen zumute; der Gedanke, dass jemand das Haus mit Waffengewalt angreifen könnte, um Lionel Brown zu befreien, war mir gar nicht gekommen – und ich begriff, dass die Voraussicht, mit der Jamie Mr. Brown anderswo untergebracht hatte, nicht nur der Schonung meines Zartgefühls gegolten hatte.

»Unter anderem.«

Ich vermischte meine zerstoßenen Kräuter mit etwas Honig und ließ dann einen Schuss gereinigtes Bärenschmalz in den Mörser tropfen.

»Ich gehe nicht davon aus«, sagte ich, den Blick auf meine Mixtur gerichtet, »dass es Zweck hat, Lionel Brown den – den Autoritäten zu übergeben?«

»An welche Autoritäten dachtest du denn da, Sassenach?«, fragte er trocken.

Dieser Teil des Hinterlandes hatte sich noch nicht zu einem Distrikt formiert, obwohl es Bestrebungen in dieser Richtung gab. Wenn Jamie Mr. Brown an den Sheriff des Nachbardistrikts auslieferte, um ihn dort der Gerichtsbarkeit zu überlassen… Tja, nein, vielleicht keine gute Idee. Brownsville lag gerade eben innerhalb der Grenzen des Nachbardistrikts, und der amtierende Sheriff hieß in der Tat Brown.

Ich biss mir auf die Lippe und überlegte. In Zeiten nervlicher Belastung neigte ich immer noch dazu, als das zu reagieren, was ich war – eine Engländerin, die es gewohnt war, sich wie selbstverständlich auf Gesetz und Regierung zu verlassen. Nun gut, Jamie hatte Recht; das zwanzigste Jahrhundert hatte seine eigenen Gefahren, aber einiges hatte sich auch verbessert. Doch *jetzt* schrieben wir das Jahr 1773, und in der Kolonialregierung zeigten sich bereits Risse und Spalten, erste Anzeichen des bevorstehenden Zusammenbruchs.

»Vielleicht könnten wir ihn ja nach Cross Creek bringen.« Farquard Campbell war dort Friedensrichter – und er war mit Jamies Tante Jocasta Cameron befreundet. »Oder nach Wilmington.« Gouverneur Martin und der Großteil des Königlichen Rates residierten in Wilmington. »Hillsboro vielleicht?« Das war der Sitz des Berufungsgerichtes.

»Mmpfm.«

Dieses Geräusch verriet, wie sehr es Jamie widerstrebte, Mr. Brown vor irgendeins dieser Gerichte zu zerren, ganz zu schweigen davon, dem hochgradig unverlässlichen – und häufig korrupten – Gerichtssystem eine Angelegenheit von Bedeutung anzuvertrauen. Ich hob den Kopf und erwiderte seinen Blick, der humorvoll, aber trostlos war. Ich mochte als das reagieren, was ich war, doch Jamie tat es auch.

Und Jamie war ein Gutsherr der Highlands, der es gewohnt war, seinen eigenen Gesetzen zu folgen und seine eigenen Schlachten zu schlagen.

»Aber –«, setzte ich an.

»Sassenach«, sagte er ganz sanft. »Was ist mit den anderen?«

Die anderen. Ich erstarrte, gelähmt von der plötzlichen Erinnerung; ein großer Trupp schwarzer Gestalten, die aus dem Wald kamen, die Sonne im Rücken. Aber dieser Trupp hatte sich geteilt. Sie hatten vorgehabt, sich nach drei Tagen in Brownsville wieder zu treffen – heute, um genau zu sein.

Wir konnten davon ausgehen, dass vorerst noch niemand aus Brownsville wusste, was geschehen war – dass Hodgepile und seine Männer tot waren oder dass Lionel Brown in Fraser's Ridge gefangen gehalten wurde. Doch angesichts der Geschwindigkeit, mit der sich Neuigkeiten in den Bergen verbreiteten, würde es innerhalb einer Woche jeder wissen.

In dem Aufruhr nach meinem Schockzustand hatte ich irgendwie die Tatsache übersehen, dass eine Reihe der Banditen nach wie vor auf freiem Fuß war – und dass sie sowohl wussten, wer ich war, als auch, wo ich wahrscheinlich zu finden sein würde. Würde ihnen klar sein, dass ich sie gar nicht identifizieren konnte? Geschweige denn bereit sein würde, dieses Risiko einzugehen?

Offenbar war Jamie nicht bereit, das Risiko einzugehen, Fraser's Ridge zu verlassen, um Lionel Brown an einen anderen Ort zu bringen.

»Oh.« Ich schluckte und lenkte ein wenig vom Thema ab.

»Warum hast du Ian gesagt, dass ich Mr. Brown nicht sehen darf?«

»Das habe ich nicht gesagt. Aber ich halte es für besser, wenn du ihn nicht siehst, das ist wahr.«

»Weil?«

»Weil du einen Eid abgelegt hast«, sagte er und klang etwas überrascht, dass ich nicht automatisch darauf gekommen war. »Kannst du es ertragen, einen Verletzten zu sehen und ihn leiden zu lassen?«

Die Salbe war fertig. Ich wickelte seinen Finger aus, der aufgehört hatte zu bluten, und drückte so viel Salbe wie möglich unter den beschädigten Nagel.

»Wahrscheinlich nicht«, sagte ich und hielt den Blick auf meine Arbeit gerichtet. »Aber warum –«

»Wenn du ihn behandelst und pflegst – und ich dann beschließe, dass er sterben muss?« Er ließ seinen Blick fragend auf mir ruhen. »Wie wäre das für dich?«

»Nun, das *wäre* ein wenig unangenehm«, sagte ich und holte tief Luft, um das Gleichgewicht wiederzufinden. Ich wickelte einen schmalen Leinenstreifen um den Nagel und verknotete ihn. »Aber trotzdem …«

»Trotzdem möchtest du dich um ihn kümmern? Warum?« Er klang neugierig, aber nicht wütend. »Ist dein Eid denn so stark?«

»Nein.« Ich stützte mich mit beiden Händen an der Tischkante ab; meine Knie schienen plötzlich nachzugeben.

»Weil ich froh bin, dass sie tot sind«, flüsterte ich mit gesenktem Kopf. Meine Hände waren wund, und ich arbeitete ungeschickt, weil meine Finger immer noch geschwollen waren; tiefrote Striemen waren immer noch in die Haut meiner Handgelenke gegraben. »Und ich empfinde große –« Was? Angst; Angst vor den Männern, Angst vor mir selbst. Eine grauenhafte Art von Erregung. »Scham«, sagte ich. »Ich schäme mich furchtbar.« Ich blickte zu ihm auf. »Und das hasse ich.«

Er hielt mir die Hand entgegen und wartete. Er war so klug, mich nicht zu berühren; ich hätte in dieser Minute keine Berührung ertragen. Ich ergriff sie nicht, nicht sogleich, obwohl ich es gern getan hätte. Ich wandte den

Blick ab und redete mit Hochgeschwindigkeit auf Adso ein, der auf der Arbeitsplatte erschienen war und mich mit seinem unergründlichen, grünen Blick betrachtete.

»Wenn ich – ich denke pausenlos … wenn ich ihn sähe, ihm helfen würde – Himmel, nicht, dass ich das *will*, ganz und gar nicht! Aber wenn ich es könnte – dass es vielleicht … irgendwie helfen würde.« Dann blickte ich auf und fühlte mich von den Toten heimgesucht. »Abbitte zu leisten.«

»Weil du froh bist, dass sie tot sind – und weil du dir auch seinen Tod wünschst?«, fragte Jamie sanft.

Ich nickte und fühlte mich, als sei ein kleines, schweres Gewicht von mir genommen worden, als er diese Worte aussprach. Ich konnte mich nicht erinnern, seine Hand ergriffen zu haben, aber sie hielt die meine fest umfasst. Blut sickerte durch den Verband an seinem Finger, doch er beachtete es nicht.

»*Möchtest* du ihn töten?«, fragte ich.

Er sah mich lange an, bevor er antwortete.

»Oh, aye«, sagte er ganz leise. »Aber im Moment ist sein Leben die Garantie für deins und Marsalis. Vielleicht für uns alle. Und deshalb bleibt er am Leben. Vorerst. Aber ich werde ihm Fragen stellen – und ich werde Antworten erhalten.«

Ich nickte wortlos, und er stand auf, um zu gehen. Doch mir kam noch ein Gedanke.

»Jamie!«

»Aye?« Er drehte sich mit hochgezogenen Augenbrauen um.

»Wo wir gerade von Antworten reden …« Mein Magen war verknotet und ballte sich jetzt noch fester zusammen, doch ich musste ihn fragen. »Als du – als wir … uns die Toten angesehen haben. Kannst du dich erinnern, ob einer von ihnen Indianer war? Ziemlich jung, mit langem, buschigem Haar?«

Im ersten Moment war seine Miene verständnislos, doch dann runzelte er konzentriert die Stirn. Die beiden steifen Finger seiner rechten Hand klopften gegen seinen Oberschenkel, und er schüttelte den Kopf.

»Das kann ich nicht sagen. Ich kann mich nicht an einen solchen Mann erinnern – aber ich habe die Toten nicht alle selbst gesehen. Warum?«

Ich hob den Deckel von meinem Blutegelgefäß und stieß einen seiner Bewohner sanft an. Er regte sich faul und entfaltete sich.

»Ich – ich sage es dir später. Du hast jetzt zu tun.« Mein Mund fühlte sich trocken an. »Wenn – wenn es Mr. Brown sehr schlecht geht, Jamie, komm mich holen. Bitte?«

»Das werde ich«, sagte er. Er zog den Mund kraus, doch das Lächeln reichte nicht bis zu seinen Augen. »Ich will schließlich nicht, dass er von selber stirbt.«

Nachdem er gegangen war, blieb ich noch eine Weile in meinem Sprechzimmer sitzen. Nach meinem langsamen Auftauchen aus dem Schock hatte ich mich sicher gefühlt, beschützt von unserem Haus und unseren Freunden, von Jamie. Jetzt musste ich mich mit der Tatsache anfreunden, dass nichts sicher war – ich nicht, unser Haus nicht, unsere Freunde nicht … und ganz bestimmt nicht Jamie.

»Aber das bist du schließlich nie, nicht wahr, du verflixter Schotte?«, sagte ich laut und lachte schwach.

So zaghaft mein Lachen war, es weckte meine Lebensgeister. Ich erhob mich, von plötzlicher Entschlossenheit erfüllt, und machte mich daran, meine Schränke aufzuräumen, indem ich die Fläschchen der Größe nach sortierte, verstreute Kräuterreste wegfegte und alle Flüssigkeiten wegwarf, die mir schal oder verdächtig vorkamen.

Eigentlich hatte ich ja vorgehabt, Marsali zu besuchen, aber Fergus hatte mir beim Frühstück erzählt, dass Jamie sie mit den Kindern zu den McGillivrays geschickt hatte, wo man sich um sie kümmern und wo sie in Sicherheit sein würde. Wenn es Sicherheit in Menschenmassen gab, war das Haus der McGillivrays zweifellos der richtige Ort dafür.

Dieses lag am Woolam's Creek direkt neben Ronnie Sinclairs Küferwerkstatt und beherbergte eine brodelnde Masse menschlicher Herzlichkeit, die nicht nur Robin und Ute McGillivray, ihren Sohn Manfred, und ihre Tochter Senga einschloss, sondern auch Ronnie, der als Untermieter bei ihnen wohnte. Das übliche Gewimmel wurde abwechselnd durch Senga McGillivrays Verlobten, Heinrich Strasse und seine deutsche Verwandtschaft aus Salem verstärkt, als auch durch Inge und Hilde sowie deren Ehemänner und Kinder und die Verwandten der Ehemänner.

Fügte man dem noch die Männer hinzu, die sich täglich in Ronnies Werkstatt einfanden, weil sich diese als Rastplatz an der Straße nach Woolam's Mill anbot, so war es unwahrscheinlich, dass irgendjemand Marsali und ihre Familie in diesem Gewühl bemerken würde. Bestimmt würde niemand versuchen, ihr dort etwas anzutun. Doch wenn ich sie dort besuchte …

Das Taktgefühl und die Diplomatie der Highlander waren eine Sache. Ihre Gastfreundschaft und Neugier waren eine andere. Wenn ich in Frieden zu Hause blieb, würde ich vermutlich auch in Frieden gelassen werden – zumindest vorerst. Wenn ich nur einen Fuß in die Nähe der McGillivrays setzte … Ich erbleichte bei dieser Vorstellung und beschloss hastig, Marsali eventuell morgen zu besuchen. Oder am Tag danach.

Das Haus umgab mich mit Frieden. Keine modernen Hintergrundgeräusche von Heizung, Ventilatoren, Wasserleitungen und Kühlschränken. Keine zischenden Zündflammen, keine summenden Kompressoren. Nur dann und wann das Ächzen eine Dachbalkens oder einer Bodendiele und das merkwürdige Schaben der Holzwespen, die unter der Dachtraufe ein Nest bauten.

Ich sah mich in der geordneten Welt meines Sprechzimmers um – schnurgerade Reihen glänzender Glasbehälter und Flaschen, mit trocknendem Pfeilwurz und Lavendel beladene Leinensiebe, Nesseln, Schafgarbe und Rosmarin, die in Bündeln von der Decke hingen. Adso, der zusammengerollt auf der Arbeitsplatte lag, den Schwanz ordentlich um die Füße gelegt, die Augen in schnurrender Selbstbetrachtung halb geschlossen.

Zu Hause. Ein leiser Schauer lief mir über den Rücken. Ich wünschte mir nichts sehnlicher, als allein zu sein, in Sicherheit und allein, in meinen eigenen vier Wänden.

Sicherheit. Mir blieb ein Tag, möglicherweise zwei, an dem das Haus noch Sicherheit bieten würde. Und dann...

Ich merkte, dass ich schon seit einiger Zeit still stand und ziellos in eine Dose mit gelben Tollkirschen starrte, rund und glänzend wie Murmeln. Langsam schloss ich das Gefäß und stellte es zurück in das Regal.

Was dann?

Es gab ständig irgendetwas zu tun – doch nichts wirklich Dringendes, da gerade niemand nach Essen, Kleidung oder Zuwendung schrie. Mit einem sehr merkwürdigen Gefühl spazierte ich eine Weile durch das Haus und ging schließlich in Jamies Studierzimmer, wo ich sein Bücherregal durchstöberte, bis ich mich für Henry Fieldings *Tom Jones* entschied.

Ich wusste gar nicht mehr, wie lange es schon her war, dass ich zuletzt einen Roman gelesen hatte. Und das am helllichten Tag! Mit einem angenehmen Gefühl der Verruchtheit setzte ich mich in meinem Sprechzimmer ans offene Fenster und begab mich entschlossen in eine Welt, die weit von der meinen entfernt lag.

Ich verlor jedes Zeitgefühl und bewegte mich nur, um die Insekten zu vertreiben, die durch das offene Fenster hereinkamen, oder um Adso geistesabwesend den Kopf zu kraulen, wenn er mich anstupste. Dann und wann driftete mir ein Gedanke an Jamie und Lionel Brown durch den Hinterkopf, doch ich schob ihn jedes Mal beiseite wie die Grashüpfer oder Mücken, die auf meiner Buchseite landeten. Was auch immer in der Hütte der Bugs geschah, war schon geschehen oder würde geschehen – ich konnte mich einfach nicht damit befassen. Während des Lesens bildete sich die Seifenblase um mich herum von neuem, angefüllt mit vollkommener Stille.

Die Sonne hatte ihren Weg am Himmel schon halb hinter sich, als sich ein schwaches Hungergefühl regte. Erst als ich aufblickte, mir die Stirn rieb und mich abwesend fragte, ob wohl noch Schinken übrig war, sah ich, dass ein Mann in der Tür zum Sprechzimmer stand.

Ich schrie auf und sprang hoch, und Henry Fielding segelte durch das Zimmer.

»Bitte um Verzeihung, Mistress!«, platzte Thomas Christie heraus, Er sah beinahe genauso erschrocken aus, wie ich mich fühlte. »Ich wusste nicht, dass Ihr mich nicht gehört hattet.«

»Nein. Ich – ich -- habe gelesen.« Ich zeigte wie ein Idiot auf das Buch auf dem Boden. Mein Herz hämmerte, und das Blut rauschte scheinbar ziellos in meinem Körper hin und her, so dass mein Gesicht errötete, meine Ohren dröhnten und meine Finger kribbelten, ohne dass ich es hätte kontrollieren können.

Er bückte sich, um das Buch aufzuheben, und strich den Umschlag mit der Sorgfalt eines Menschen glatt, der Bücher zu schätzen weiß, obwohl das Buch selbst schon mitgenommen war und sein Umschlag mit Ringabdrücken übersät war, weil jemand feuchte Gläser oder Flaschen darauf abgestellt hatte. Jamie hatte es als Teil der Bezahlung für eine Ladung Kaminholz vom Betreiber eines Wirtshauses in Cross Creek bekommen; ein Gast hatte es vor Monaten dort liegen gelassen.

»Ist denn niemand hier, der sich um Euch kümmert?«, fragte er und sah sich stirnrunzelnd um. »Soll ich meine Tochter holen gehen?«

»Nein. Ich meine – ich brauche niemanden. Es geht mir gut. Was ist mit Euch?«, fragte ich schnell, um weiteren Äußerungen der Besorgnis zuvorzukommen. Er warf einen Blick auf mein Gesicht, dann wandte er hastig die Augen ab. Als er sie sorgfältig auf die Gegend meines Schlüsselbeins gerichtet hatte, legte er das Buch auf den Tisch und hielt mir seine rechte Hand hin, die in ein Tuch gewickelt war.

»Ich bitte um Verzeihung, Mistress. Ich würde hier nicht so eindringen, aber …«

Ich war schon dabei, die Hand auszuwickeln. Er hatte sich den Einschnitt aufgerissen – wahrscheinlich, so begriff ich mit einem kleinen Krampf im Bauch, im Lauf des Kampfes mit den Banditen. Die aufgeplatzte Wunde stellte kein großes Problem dar, doch es war Schmutz in die Wunde geraten, deren Ränder rot klafften, und die rohen Oberflächen waren mit einem Eiterfilm überzogen.

»Ihr wärt besser sofort gekommen«, sagte ich, doch lag nichts Tadelndes in meiner Stimme. Ich wusste sehr genau, warum er das nicht getan hatte – und ich wäre auch gar nicht in der Lage gewesen, mich um ihn zu kümmern, wenn er früher aufgetaucht wäre.

Er zuckte kurz mit den Achseln, bemühte sich jedoch nicht um eine Antwort. Ich wies ihm einen Platz zum Hinsetzen an und holte die notwendigen Utensilien. Zum Glück war noch etwas von der antiseptischen Salbe übrig, die ich für Jamies Splitter angerührt hatte. Das, eine schnelle Spülung mit Alkohol, ein sauberer Verband …

Er schlug langsam mit gespitzten Lippen die Seiten von *Tom Jones* durch. Offenbar reichte Henry Fielding heute als Narkosemittel aus; es würde nicht nötig sein, dass ich eine Bibel holte.

»Lest Ihr gern Romane?«, fragte ich. Ich meinte es nicht unhöflich, sondern war lediglich nur überrascht, dass er nur einen Gedanken an etwas so Frivoles verschwendete.

Er zögerte. »Ja. Ich – ja.« Er holte sehr tief Luft, als ich seine Hand in die Schale tauchte, aber diese enthielt nur Wasser, Seifenwurz und eine geringe Menge Alkohol, und er atmete mit einem Seufzer wieder aus.

»Habt Ihr *Tom Jones* schon gelesen?«, fragte ich, damit er sich im Gespräch entspannte.

»Nicht ganz, obwohl ich die Handlung kenne. Meine Frau –«

Er hielt abrupt inne. Er hatte seine Frau noch nie erwähnt; ich vermutete, dass es die schiere Erleichterung über die ausbleibenden Schmerzen war, die ihn so redselig machte. Doch er schien zu begreifen, dass er den Satz beenden musste, und fuhr widerstrebend fort. »Meine Frau... hat gern gelesen.«

»Ach ja?«, murmelte ich und begann mit dem Debridement, also dem Ausschneiden, der Wunde. »Hat es ihr gefallen?«

»Ich gehe davon aus.«

Es lag ein seltsamer Unterton in seiner Stimme, der mich von meiner Arbeit aufsehen ließ. Er merkte es und wandte errötend den Blick ab.

»Ich – habe die Lektüre von Romanen nicht gebilligt. Damals.«

Er schwieg eine Minute und hielt seine Hand still. Dann platzte er heraus: »Ich habe ihre Bücher verbrannt.«

Das klang schon eher nach der Art von Reaktion, die ich von ihm erwartet hätte.

»Darüber kann sie aber nicht sehr erfreut gewesen sein«, sagte ich leise, und er betrachtete mich verblüfft, als sei die Reaktion seiner Frau derart irrelevant, dass sie keine Erwähnung verdiente.

»Äh... was hat Euch denn bewegt, Eure Meinung zu ändern?«, fragte ich, während ich mich auf die Schmutzpartikel konzentrierte, die ich mit der Pinzette aus der Wunde pickte. Splitter und Rindenfasern. Was hatte er nur getan? Einen Knüppel geschwungen, dachte ich – einen Ast? Ich atmete tief durch und konzentrierte mich angestrengt auf meine Arbeit, um nur ja nicht an die Toten auf der Lichtung zu denken.

Er bewegte unruhig die Beine; jetzt verursachte ich ihm doch leichte Schmerzen.

»Ich – es – in Ardsmuir.«

»Was? Ihr habt es im Gefängnis gelesen?«

»Nein. Dort hatten wir keine Bücher.« Er holte angestrengt Luft, sah mich an, wandte dann den Blick ab und richtete ihn auf eine Zimmerecke, in der eine unternehmungslustige Spinne Mrs. Bugs Abwesenheit ausgenutzt hatte, um ein Netz zu beginnen.

»Eigentlich habe ich es nie selbst gelesen. Aber Mr. Fraser hat es sich zur Angewohnheit gemacht, den Gefangenen die Geschichte zu erzählen. Er hat ein gutes Gedächtnis«, fügte er neidisch hinzu.

»Ja, das stimmt«, murmelte ich. »Ich werde die Wunde nicht nähen; es wird besser sein, sie offen zu lassen, damit die Flüssigkeit ablaufen kann. Es gibt leider keine so ordentliche Narbe«, fügte ich bedauernd hinzu, »aber ich denke, sie wird gut verheilen.«

Ich trug reichlich Salbe auf die Verletzung auf und zog die Wundränder so dicht zusammen, wie ich es konnte, ohne die Blutzufuhr abzuschnüren. Brianna hatte mit selbstklebenden Pflastern herumexperimentiert und etwas ganz Nützliches zustande gebracht – kleine schmetterlingsförmige Läppchen aus gestärktem Leinen und Kiefernteer.

»Dann hat Euch *Tom Jones* also gefallen, ja?«, kehrte ich zum Thema zurück. »Ich hätte nicht gedacht, dass ihr ihn für einen bewundernswerten Charakter halten würdet. Ich meine, er ist kein besonderes moralisches Vorbild.«

»Das tue ich auch nicht«, sagte er unverblümt. »Aber ich habe eingesehen, dass Romanliteratur –«, er sprach das Wort vorsichtig aus, als sei es gefährlich, »– vielleicht doch nicht nur zu Untätigkeit und Verruchtheit verleitet, wie ich gedacht hatte.«

»Ach, nein?«, sagte ich belustigt, versuchte aber aus Rücksicht auf meine Lippe, nicht zu lächeln. »Was sind denn Eurer Meinung nach ihre rettenden Vorzüge?«

»Aye, nun ja.« Er runzelte nachdenklich die Stirn. »Ich fand es höchst bemerkenswert. Dass etwas, das im Grunde nicht mehr ist als ein Lügengespinst, es irgendwie doch zu einer nützlichen Wirkung brachte. Denn so ist es gewesen«, schloss er und klang überrascht.

»Tatsächlich? Inwiefern?«

Er legte den Kopf schief und überlegte.

»Es bot natürlich Ablenkung. Unter solchen Umständen ist Ablenkung nichts Böses« versicherte er mir. »Zwar ist es natürlich erstrebenswerter, sich ins Gebet zu flüchten …«

»Oh, natürlich«, murmelte ich.

»Aber darüber hinaus … hat es die Männer zusammengeschweißt. Man würde ja nicht glauben, dass sich solche Männer – Highlander, Bauern – mit … solchen Situationen, solchen Personen identifizieren würden.« Er wies mit der freien Hand auf das Buch und damit auf solche Personen wie Squire Allworthy und Lady Bellaston, vermutete ich.

»Aber sie haben sich stundenlang darüber unterhalten – sich am nächsten Tag bei der Arbeit gefragt, warum sich Junker Northerton gegenüber Miss Western so verhalten hatte, wie er es getan hatte, und darüber diskutiert, ob sie sich wohl selbst genauso verhalten hätten.« Sein Gesicht erhellte sich ein wenig, als er sich an etwas erinnerte. »Und irgendwann kam regelmäßig der Punkt, an dem ein Mann den Kopf geschüttelt und gesagt hat: ›Zumindest hat mich *so* noch niemand behandelt!‹ Er mochte hungrig sein und frieren, mit Wunden übersät und für immer von seiner Familie und seiner gewohnten Umgebung getrennt sein – und doch fand er Trost darin, niemals die Wechselhaftigkeit durchgestanden haben zu müssen, die diesen imaginären Wesen widerfuhr!«

Er lächelte tatsächlich bei diesem Gedanken und schüttelte den Kopf, und ich fand, dass ihm das Lächeln sehr gut stand.

Ich war fertig und legte seine Hand auf den Tisch.

»Danke«, sagte ich leise.

Er machte ein verblüfftes Gesicht.

»Was? Wofür?«

»Ich vermute, dass diese Verletzung das Resultat eines K-Kampfes um meinetwillen gewesen ist«, stotterte ich. Ich berührte sacht seine Hand. »Ich, äh… nun ja.« Ich holte tief Luft. »Danke.«

»Oh.« Jetzt sah er völlig bestürzt und sehr verlegen aus.

»Ich… erm… hmm!« Er schob den Hocker zurück und erhob sich nervös.

Ich erhob mich ebenfalls.

»Ihr müsst die Salbe täglich frisch auftragen«, informierte ich ihn, jetzt wieder in geschäftsmäßigem Tonfall. »Ich rühre noch eine Portion an; Ihr könnt sie holen oder Eure Tochter schicken.«

Er nickte, sagte aber nichts, da er seinen Tagesvorrat an Geselligkeit offenbar aufgebraucht hatte. Doch ich merkte, wie sein Blick auf dem Buchdeckel hängen blieb, und einem Impuls folgend bot ich es ihm an.

»Möchtet Ihr es ausleihen? Ihr solltet es wirklich selbst lesen; Jamie kann sich doch bestimmt nicht an jedes Detail erinnert haben.«

»Oh!« Er machte ein verblüfftes Gesicht und schürzte stirnrunzelnd die Lippen, als hätte er den Verdacht, dass dies eine Art Falle sei. Doch als ich darauf bestand, ergriff er das Buch, das er mit einem solchen Ausdruck verstohlener Gier an sich nahm, dass ich mich fragte, wie lange es her war, dass er etwas anderes als die Bibel zum Lesen gehabt hatte.

Er nickte mir zum Dank zu, setzte seinen Hut auf und wandte sich zum Gehen. Ohne groß zu überlegen, fragte ich: »Habt Ihr Euch je bei Eurer Frau entschuldigen können?«

Das war ein Fehler. Sein Gesicht verzog sich zu einer kalten Miene, und seine Augen wurden so ausdruckslos wie die einer Schlange.

»Nein«, sagte er knapp. Im ersten Moment dachte ich, er würde das Buch wieder hinlegen und sich weigern, es mitzunehmen. Doch stattdessen presste er die Lippen zusammen, klemmte sich den Band noch fester unter den Arm und stolzierte ohne jedes weitere Abschiedswort davon.

31

Und dann zu Bett

Dann kam niemand mehr. Als es dunkel wurde, wurde ich zunehmend kribbeliger; ich fuhr bei jedem Geräusch zusammen und suchte die länger werdenden Schatten unter den Kastanien nach Männern ab, die dort auf der Lauer lagen, oder nach Schlimmerem. Ich hatte das Gefühl, ich sollte etwas kochen; Jamie und Ian hatten doch sicher vor, zum Abendessen nach Hause zu kommen? Oder vielleicht sollte ich lieber zu Roger und Brianna gehen.

Aber ich schrak vor der Vorstellung zurück, irgendeiner Art von Sorge ausgesetzt zu sein, ganz gleich, wie gut sie gemeint war. Ich hatte zwar noch nicht den Mut gefasst, in den Spiegel zu schauen, doch ich war mir hinreichend sicher, dass mein Anblick Jemmy einen Schreck einjagen würde – oder zumindest eine Menge Fragen nach sich ziehen würde. Ich wollte nicht in die Situation geraten, ihm erklären zu müssen, was mir zugestoßen war. Ich war mir ziemlich sicher, dass Jamie Brianna gebeten hatte, mich eine Weile in Ruhe zu lassen, und das war gut so. Ich war wirklich nicht in der Verfassung, so zu tun, als sei alles in Ordnung. Noch nicht.

Ich drückte mich in der Küche herum, hob ziellos Gegenstände auf und legte sie wieder hin. Ich öffnete die Schubladen der Anrichte und schloss sie wieder – dann öffnete ich die zweite Schublade noch einmal. Dort bewahrte Jamie seine Pistolen auf.

Die meisten davon waren weg. Es war nur noch die goldverzierte Pistole da, die nicht geradeaus schoss, dazu ein paar Patronen und ein winziges Pulverhorn, wie man es für extravagante Duellierpistolen herstellte.

Meine Hände zitterten kaum, als ich sie lud und ein wenig Pulver auf das Pfännchen schüttete.

Als sich eine ganze Weile später die Hintertür öffnete, saß ich am Tisch, hatte *Don Quichote* vor mir liegen und zielte mit beiden Händen auf die Tür.

Ian erstarrte eine Sekunde.

»Auf diese Entfernung würdest du im Leben niemanden mit einer Pistole treffen, Tante Claire«, sagte er nachsichtig und trat ein.

»Das wüsste derjenige aber nicht, oder?« Ich legte die Pistole vorsichtig hin. Meine Handflächen waren feucht, und meine Finger schmerzten.

Er nickte, weil er begriff, was ich meinte, und setzte sich.

»Wo ist Jamie?«, fragte ich.

»Er wäscht sich. Geht es dir gut, Tante Claire?« Seine sanften grün-braunen Augen verschafften sich beiläufig, aber sorgfältig einen Eindruck von meinem Zustand.

»Nein, aber ich werd's überleben.« Ich zögerte. »Und... Mr. Brown? Hat er – euch irgendetwas erzählt?«

Ian stieß ein verächtliches Geräusch aus.

»Hat sich in die Hosen gemacht, als Jamie den Dolch aus dem Gürtel gezogen hat, um sich die Fingernägel zu reinigen. Wir haben ihn nicht angerührt, Tante Claire, keine Sorge.«

An diesem Punkt kam Jamie herein, glatt rasiert, die Haut kalt und frisch vom Brunnenwasser, das Haar feucht an den Schläfen. Trotzdem sah er todmüde aus, die Falten hatten sich tief in sein Gesicht gegraben, und seine Augen lagen im Schatten. Dieser Schatten hob sich jedoch ein wenig, als er mich mit der Pistole sah.

»Ist schon gut, *a nighean*«, sagte er leise und berührte meine Schulter, als er sich neben mich setzte. »Ich habe Männer eingeteilt, die das Haus bewachen – für alle Fälle. Obwohl ich frühestens in ein paar Tagen Ärger erwarte.«

Der Atem entfuhr mir in einem langen Seufzer.

»Das hättest du mir doch sagen können.«

Er warf mir einen überraschten Blick zu.

»Ich bin davon ausgegangen, dass du es weißt. Du hast doch wohl nicht gedacht, ich würde dich schutzlos zurücklassen, oder, Sassenach?«

Ich schüttelte den Kopf, denn im Moment konnte ich nichts sagen. Wäre ich zu logischem Denken in der Lage gewesen, hätte ich das natürlich nicht gedacht. So aber hatte ich den Nachmittag in einem Zustand stummer – und unnötiger – Todesangst verbracht, mir Dinge ausgemalt, mich an Dinge erinnert...

»Es tut mir Leid, Liebes«, sagte er leise und legte seine große, kalte Hand auf die meine. »Ich hätte dich nicht allein lassen sollen. Ich dachte –«

Ich schüttelte den Kopf, legte aber meine andere Hand auf die seine und drückte fest zu.

»Nein, es war schon gut so. Abgesehen von Sancho Pansa hätte ich keine Gesellschaft ertragen können.«

Er richtete den Blick auf *Don Quichote*, dann auf mich, und zog die Augenbrauen hoch. Das Buch war auf Spanisch.

»Nun, es ist zum Teil sehr dicht am Französischen, und die Geschichte kenne ich sowieso«, sagte ich. Ich holte tief Luft, tröstete mich, so gut es ging, an der Wärme des Feuers, dem Flackern der Kerze und an der Nähe der beiden Männer, kräftig, solide, pragmatisch und – zumindest nach außen hin – nicht aus der Fassung zu bringen.

»Gibt es irgendetwas zu essen, Tante Claire?«, erkundigte sich Ian und stand auf, um nachzusehen, da ich selbst keinen Appetit hatte und zu nervös war, um mich in irgendeiner Richtung zu konzentrieren. Ich hatte weder zu Mittag gegessen, noch Abendessen gemacht – doch in diesem Haus gab es immer Essen. Und ohne große Umschweife hatten sich Jamie und Ian in kürzester Zeit mit den Resten einer kalten Rebhuhnpastete versorgt, einigen hartgekochten Eiern, einem Schüsselchen Mixed Pickles und einem halben Brotlaib, den sie in Scheiben schnitten und an einer Gabel über dem Feuer rösteten, woraufhin sie die Scheiben mit Butter bestrichen und sie auf eine Weise in mich hineinstopften, die keinen Widerspruch duldete.

Heißer Toast mit Butter hat etwas unbeschreiblich Tröstendes, selbst wenn man vorsichtig mit einem verletzten Kiefer daran herumknabbert. Mit vollem Magen fühlte ich mich bald viel ruhiger und war im Stande, mich zu erkundigen, was sie von Lionel Brown erfahren hatten.

»Er hat alles auf Hodgepile geschoben«, sagte Jamie zu mir, während er sich Pickles auf ein Stück Pastete lud. »Was ja zu erwarten war.«

»Du bist Arvin Hodgepile schließlich nicht begegnet«, sagte ich und erschauerte leise. »Äh … lebend, meine ich.«

Er warf mir einen scharfen Blick zu, ging aber nicht weiter darauf ein, sondern überließ es Ian, mir Browns Version der Ereignisse zu schildern.

Alles hatte damit angefangen, dass er und sein Bruder Richard ihr Komitee für die Sicherheit ins Leben riefen. Dies, so hatte er beharrlich behauptet, war nur als Dienst an der Gemeinschaft gedacht, schlicht und ergreifend. Bei diesen Worten prustete Jamie verächtlich, unterbrach aber nicht.

Die meisten männlichen Einwohner von Brownsville hatten sich dem Komitee angeschlossen – die meisten Siedler und Kleinbauern der Umgegend nicht. Dennoch, so weit, so gut. Das Komitee hatte sich um eine Reihe von Kleinigkeiten gekümmert und in einigen Fällen von tätlichen Angriffen oder Diebstahl und Ähnlichem für Gerechtigkeit gesorgt. Und obwohl sie das eine oder andere Schwein oder erlegte Stück Wild als Bezahlung für ihre Mühen konfisziert hatten, hatte es keine großen Beschwerden gegeben.

»Die Gefühle kochen immer noch hoch, wenn es um die Regulatoren geht«, erklärte Ian und schnitt sich stirnrunzelnd noch eine Scheibe Brot ab. »Die Browns haben sich der Regulation nicht angeschlossen; sie brauchten es nicht, weil der Sheriff ihr Vetter war und das halbe Berufungsgericht aus Browns oder aus Männern besteht, die mit Browns verheiratet sind.« Mit anderen Worten war die Korruption auf ihrer Seite gewesen.

Im Hinterland herrschten nach wie vor große Antipathien gegenüber den Regulatoren, obwohl die wichtigsten Anführer der Bewegung wie Hermon Husband und James Hunter die Kolonie verlassen hatten. In der Zeit nach der Schlacht von Alamance waren die meisten Regulatoren vorsichtiger geworden, wenn es darum ging, ihre Meinung zu sagen. Doch mehrere Regulatorenfamilien aus der Umgebung von Brownsville hatten ihrer Kritik gegenüber dem Einfluss der Browns auf die Lokalpolitik und -wirtschaft Ausdruck verliehen.

»Und Tige O'Brian war einer davon?«, fragte ich und spürte, wie das Brot in meinem Magen einen kleinen, harten Klumpen bildete. Jamie hatte mir erzählt, was aus den O'Brians geworden war – und ich hatte Rogers Gesicht bei seiner Rückkehr gesehen.

Jamie nickte, ohne von seiner Pastete aufzublicken.

»Auftritt Arvin Hodgepile«, sagte er und nahm einen kräftigen Bissen. Nachdem Hodgepile den Zwängen der britischen Armee geschickt entwischt war, indem er vorgab, bei dem Lagerhausbrand in Cross Creek gestorben zu sein, hatte er sich seinen Lebensunterhalt auf diverse unappetitliche Arten verdient. Und da Gleich und Gleich sich gern gesellt, hatte er schließlich eine Bande gleichgesinnter Verbrecher um sich geschart.

Diese Bande hatte klein angefangen, indem sie jeden ausraubte, der ihnen begegnete, Wirtshäuser überfiel und Ähnliches mehr. Derartiges Verhalten ist jedoch alles andere als unauffällig, und nachdem sich diverse Constabler, Sheriffs und Komitees für die Sicherheit an ihre Fersen geheftet hatten, hatten sie sich aus dem Vorgebirge zurückgezogen, wo sie angefangen hatten, und waren in die Berge gestiegen, wo sie isolierte Siedlungen und einzelne Höfe finden konnten. Außerdem hatten sie damit begonnen, ihre Opfer umzubringen, um Ärgernissen wie ihrer Identifizierung sowie der Verfolgung aus dem Weg zu gehen.

»Zumindest die meisten«, murmelte Ian. Er betrachtete das halb gegessene Ei in seiner Hand kurz, dann legte er es hin.

Während seiner Armeelaufbahn in Cross Creek hatte Hodgepile diverse Kontakte mit flussfahrenden Händlern und Küstenschmugglern geknüpft. Manche von ihnen handelten mit Fellen; andere mit allem, was ihnen Profit brachte.

»Und ihnen kam der Gedanke«, sagte Jamie und holte tief Luft, »dass Frauen, Mädchen und Jungen profitabler sind als beinahe alles andere – Whisky vielleicht ausgenommen.« Sein Mundwinkel zuckte, aber es war kein Lächeln.

»Unser Mr. Brown beharrt darauf, dass er nichts damit zu tun hatte«, fügte Ian mit zynischem Unterton hinzu. »Genauso wenig wie sein Bruder oder ihr Komitee.«

»Aber wie sind die Browns dann in Kontakt mit Hodgepiles Bande gekommen?«, fragte ich. »Und was haben sie mit den Menschen gemacht, die sie entführt haben?«

Die Antwort auf die erste Frage lautete, dass es der glückliche Ausgang eines verpfuschten Raubüberfalls war.

»Du erinnerst dich doch noch an Aaron Beardsleys Haus, aye?«

»O ja«, sagte ich und rümpfte die Nase bei dem Gedanken an diesen ekelhaften Schweinestall, um dann einen leisen Schrei auszustoßen und beide Hände vor mein gequältes Riechorgan zu schlagen.

Jamie sah mich an und steckte ein frisches Brotstück auf seine Röstgabel.

»Nun denn«, fuhr er fort, ohne auf meinen Einwand zu hören, dass ich satt war. »Die Browns haben es natürlich übernommen, als sie die Kleine adoptiert haben. Sie haben es sauber gemacht, es neu bestückt und es weiter als Handelsposten benutzt.«

Die Cherokee und die Catawba waren schon dorthin gekommen – so schauderhaft es dort war –, als Aaron Beardsley noch als Indianerhändler arbeitete, und sie hatten auch mit den neuen Inhabern weiter Geschäfte gemacht – ein Arrangement, das allen Beteiligten sehr entgegenkam.

»Und das hat Hodgepile gesehen«, warf Ian ein. Hodgepiles Bande war getreu ihrer üblichen Brachialmethode, Geschäfte zu machen, in das Haus spaziert, hatte das Verwalterehepaar erschossen und mit einer systematischen Plünderung begonnen. Die elfjährige Tochter des Ehepaars, die zum Glück in der Scheune war, als die Bande eintraf, war auf ein Maultier geklettert und wie der Teufel nach Brownsville geritten, um Hilfe zu holen. Wie es das Schicksal wollte, war sie dem Komitee begegnet, das gerade von einer Erledigung zurückkehrte, und hatte es rechtzeitig zum Haus geführt, um den Räubern Paroli zu bieten.

Das hatte zu etwas geführt, was man in späteren Jahren als Patt-Situation bezeichnen würde. Die Browns hatten das Haus umzingelt. Hodgepile dagegen hatte Alicia Beardsley Brown in seiner Gewalt – das zweijährige Mädchen, das die rechtmäßige Eigentümerin des Handelspostens war und nach dem Tod seines Vaters von den Browns adoptiert worden war.

Hodgepile hatte genug Lebensmittel und Munition im Haus, um einer wochenlangen Belagerung zu trotzen; den Browns widerstrebte es, ihr wertvolles Eigentum in Brand zu setzen, um ihn ins Freie zu treiben, oder das Leben des Mädchens durch eine Erstürmung zu gefährden. Nachdem beide Seiten ein oder zwei Tage planlos in die Gegend geschossen hatten und die Browns zunehmend gereizt wurden, weil sie im Wald rings um das Haus übernachten mussten, hatte jemand im ersten Stock eine weiße Fahne geschwenkt, und Richard Brown hatte sich hineinbegeben, um mit Hodgepile zu verhandeln.

Das Ergebnis war ein auf Argwohn basierendes Abkommen gewesen. Hodgepiles Bande würde ihre Aktivitäten fortsetzen, sich dabei aber von Siedlungen fern halten, die unter dem Schutz der Browns standen. Den Ertrag ihrer Raubzüge würde sie zum Handelsposten bringen, wo man ihn unauffällig und profitabel absetzen konnte. Hodgepiles Bande würde eine großzügige Gewinnbeteiligung erhalten.

»Den Ertrag«, sagte ich und nahm ein frisches Stück Toast von Jamie entgegen. »Das – meinst du, Gefangene?«

»Manchmal.« Seine Lippen pressten sich fest zusammen, und er schenkte mir einen Becher Cidre ein und reichte ihn mir. »Je nachdem, wo sie gerade waren. Wenn sie in den Bergen Gefangene machten, wurden diese manchmal über den Handelsposten an die Indianer verkauft. Gefangene aus dem Vorgebirge verkauften sie an Flusspiraten oder brachten sie an die Küste, um sie auf die Westindischen Inseln zu verkaufen – das brachte den besten Preis, aye? Ein vierzehnjähriger Junge brachte ihnen mindestens hundert Pfund ein.«

Meine Lippen waren taub, und das nicht nur vom Cidre.

»Wie lange?«, fragte ich angewidert. »Wie viele?« Kinder, junge Männer, junge Frauen, aus ihren Häusern gerissen und kaltblütig in die Sklaverei verkauft. Niemand, der ihnen hätte folgen können. Selbst wenn es ihnen irgendwann gelang zu entfliehen, gab es keinen Ort – keinen Menschen – mehr, an den – oder zu dem – sie zurückkehren konnten.

Jamie seufzte, er sah unaussprechlich müde aus.

»Brown weiß es nicht«, sagte Ian leise. »Sagt er. Er sagt, damit hatte er nichts zu tun.«

»Das kann er sonstwem erzählen«, knurrte ich, und meine Wut war für ein paar Sekunden stärker als mein Entsetzen. »Er war doch dabei, als Hodgepile und seine Männer hier aufgetaucht sind. Er wusste, dass sie vorhatten, den Whisky zu stehlen. Und er muss schon öfter bei ihnen gewesen sein, wenn sie… andere Dinge getan haben.«

Jamie nickte.

»Er behauptet, er hätte versucht, sie davon abzuhalten, dich mitzunehmen.«

»Das stimmt«, sagte ich knapp. »Und dann hat er versucht, sie dazu zu bringen, mich umzubringen, damit ich dir nicht verraten konnte, dass er hier gewesen war. Und dann hat er versucht, mich eigenhändig zu ertränken! Ich gehe nicht davon aus, dass er dir das ebenfalls erzählt hat.«

»Nein, das hat er nicht.« Ian wechselte einen kurzen Blick mit Jamie, und ich sah, wie sie eine unausgesprochene Übereinkunft trafen. Mir kam der Gedanke, dass ich möglicherweise gerade Lionel Browns Schicksal besiegelt hatte. Falls es so war, war ich mir nicht sicher, ob ich deswegen Schuldgefühle hatte.

»Was – was habt Ihr mit ihm vor?«, wollte ich wissen.

»Wahrscheinlich werde ich ihn hängen«, erwiderte Jamie nach einer kurzen Pause. »Aber ich habe noch ein paar Fragen, auf die ich Antworten haben will. Und ich muss mir überlegen, wie ich das Ganze am besten bewerkstellige. Denk nicht darüber nach, Sassenach; du wirst ihn nicht wiedersehen.«

Mit diesen Worten stand er auf und räkelte sich, bis seine Muskeln knackten, dann ließ er die Schultern fallen und entspannte sich mit einem Seufzer. Er gab mir die Hand und half mir auf.

»Geh zu Bett, Sassenach; ich komme sofort nach. Ich muss nur kurz noch etwas mit Ian besprechen.«

Der warme Toast, der Cidre und unsere Unterhaltung hatten bewirkt, dass ich mich vorübergehend besser fühlte. Doch ich war so müde, dass ich mich kaum die Treppe hinaufschleppen konnte, und ich musste mich benommen schwankend auf das Bett setzen und konnte nur hoffen, dass ich die Kraft finden würde, mich auszuziehen. Es vergingen einige Minuten, ehe ich bemerkte, dass sich Jamie an der Tür herumdrückte.

»Äh …?«, sagte ich vage.

»Ich war mir nicht sicher, ob du möchtest, dass ich heute Nacht bei dir schlafe?«, fragte er zögernd. »Wenn du lieber allein bleibst, könnte ich Josephs Bett nehmen. Oder wenn du möchtest, schlafe ich neben dir auf dem Boden.«

»Oh«, sagte ich verständnislos und versuchte, diese Alternativen abzuwägen. »Nein. Bleib hier. Schlaf bei mir, meine ich.« Trotz meiner bodenlosen Erschöpfung brachte ich so etwas wie ein Lächeln zuwege. »Du kannst zumindest das Bett wärmen.«

Bei diesen Worten huschte ein höchst seltsamer Ausdruck über sein Gesicht, und ich blinzelte, weil ich mir nicht sicher war, ob ich ihn tatsächlich gesehen hatte. Doch es war so; seine Miene war hin- und hergerissen zwischen Verlegenheit und bestürzter Belustigung – und irgendwo dahinter lag der Ausdruck, den er vermutlich auf dem Weg zum Scheiterhaufen getragen hätte; heroische Schicksalsergebenheit.

»Was in aller Welt hast du getan?«, fragte ich so überrascht, dass ich aus meinem Dämmerzustand gerissen wurde.

Die Verlegenheit siegte; die Spitzen seiner Ohren liefen rot an, und auch seine Wangen verfärbten sich, selbst im schwachen Licht der Kerze, die ich auf den Tisch gestellt hatte.

»Eigentlich hatte ich vor, es dir nie zu erzählen«, murmelte er und wich meinem Blick aus. »Ich habe Ian und Roger Mac schwören lassen, dass sie schweigen.«

»Oh, sie haben geschwiegen wie die Gräber«, versicherte ich ihm. Obwohl seine Äußerung vielleicht den seltsamen Gesichtsausdruck erklärte, den Roger in letzter Zeit manchmal trug. »Was ist passiert?«

Er seufzte und schabte mit der Kante seines Schuhs über den Boden.

»Aye, nun ja. Es liegt an Tsisqua, verstehst du. Beim ersten Mal hat er es als Geste der Gastfreundschaft gemeint, aber als Ian ihm dann gesagt hat … nun ja, es war nicht das Beste, was er unter den Umständen sagen konnte, nur … Und als wir dann das nächste Mal kamen, waren sie wieder da, nur ein anderes Paar, und als ich versucht habe, sie fortzuschicken, haben sie gesagt, *Bird* hätte ihnen aufgetragen zu sagen, es sei um meines Schwures willen, denn was nützte ein Schwur, dessen Einhaltung mich nichts kostete. Und der Teufel soll mich holen, wenn ich weiß, ob es ihm damit Ernst ist oder ob er nur glaubt, dass ich entweder nachgebe und er mich damit in der Hand hat, oder dass ich ihm seine Gewehre besorge, um der Sache ein Ende zu setzen – oder macht er sich nur auf meine Kosten lustig? Selbst Ian sagt, er weiß es nicht, und wenn er –«

»Jamie«, unterbrach ich ihn, »wovon redest du?«

Er streifte mich mit einem raschen Blick und wandte ihn wieder ab.

»Äh … von nackten Frauen«, platzte er heraus und wurde so rot wie ein Stück neuer Flanellstoff.

Ich starrte ihn einen Augenblick an. Ich hatte zwar leichtes Ohrensausen, aber hören konnte ich trotzdem gut. Ich zeigte mit dem Finger auf ihn – vorsichtig, weil all meine Finger blau geschwollen waren.

»Du«, sagte ich in gemäßigtem Tonfall, »komm sofort her. Setz dich hier hin –«, ich wies neben mir auf das Bett, »– und erkläre mir in Worten, die nicht mehr als eine Silbe haben, was du getan hast.«

Das tat er, mit dem Ergebnis, dass ich fünf Minuten später flach auf dem Bett lag und vor Lachen keuchte, gleichzeitig stöhnte, weil meine angeknacksten Rippen schmerzten, und mir die Tränen über die Schläfen in die Ohren liefen.

»Ohgottogottogott«, keuchte ich. »Das ertrage ich nicht, wirklich nicht. Hilf mir, mich hinzusetzen.« Ich hielt ihm die Hand hin, jaulte vor Schmerzen auf, als sich seine Finger um mein aufgescheuertes Handgelenk schlossen, richtete mich jedoch schließlich auf und beugte mich vor, ein Kissen vor meinen Bauch gedrückt, das ich jedes Mal fester drückte, wenn mich ein neuer Lachanfall schüttelte.

»Ich bin froh, dass du das so komisch findest, Sassenach«, sagte Jamie extrem trocken. Er selbst hatte die Fassung weitgehend zurückerlangt, obwohl sein Gesicht noch gerötet war. »Bist du sicher, dass du keinen hysterischen Anfall hast?«

»Nein, ganz und gar nicht.« Ich zog die Nase hoch und betupfte mir die Augen mit einem feuchten Leinentaschentuch, dann prustete ich erneut auf, weil ich nicht an mich halten konnte. »Oh! Au, Gott, das tut weh.«

Seufzend goss er mir einen Becher Wasser aus der Feldflasche neben dem Bett ein und hielt ihn mir an die Lippen. Es war kühl, aber ziemlich schal; ich hatte den Eindruck, dass es schon dort gestanden hatte, bevor …

»Na schön«, sagte ich. Ich schob den Becher beiseite und tupfte mir sorgfältig die Feuchtigkeit von den Lippen. »Es geht mir besser.« Ich atmete flach und spürte, wie sich mein Herzschlag zu verlangsamen begann. »Nun. Also. Jetzt weiß ich wenigstens, warum du immer, wenn du von den Cherokee zurückkommst, so – so –« Ich spürte ein haltloses Kichern aufsteigen und beugte mich stöhnend vor, um es zu unterdrücken. »Ach, du lieber Himmel. Und ich dachte, es wäre der Gedanke an mich gewesen, der dich vor Lust wahnsinnig gemacht hat.«

Da prustete er selbst, wenn auch nur schwach. Er stellte den Becher hin, erhob sich und schlug die Bettdecke zurück. Dann sah er mich an, und sein Blick war klar und unverstellt.

»Claire«, sagte er ganz sanft, »es *war* der Gedanke an dich. Er war es immer, und er wird es immer sein. Geh ins Bett und mach die Kerze aus. Sobald ich die Fensterläden geschlossen, das Kaminfeuer abgedeckt und die Tür verriegelt habe, komme ich und halte dich warm.«

»Töte mich.« In Randalls Augen brannte das Fieber. »Töte mich«, sagte er. »Mein größter Wunsch.«

Er erwachte ruckartig – hörte das Echo der Worte in seinem Kopf, sah die Augen, sah das regenverklebte Haar, Randalls Gesicht, nass wie das eines Ertrunkenen.

Er rieb sich selbst fest mit der Hand über das Gesicht, überrascht, dass seine Haut trocken war, sein Bart nicht mehr als ein Schatten. Das Gefühl von Nässe, des juckenden, schuppigen Bartwuchses eines ganzen Monats waren noch so stark, dass er aufstand, instinktiv leise, und zum Fenster ging, wo Mondlicht durch die Ritzen des Fensterladens fiel. Er goss etwas Wasser in die Schüssel, schob die Schüssel an eine Stelle, auf die Licht fiel, und blickte hinein, um sich von diesem hartnäckigen Gefühl zu befreien, jemand anderes zu sein, irgendwo anders zu sein.

Das Gesicht im Wasser war nicht mehr als ein ausdrucksloses Oval, aber glatt rasiert, und das Haar lag lose auf den Schultern, war nicht für die Schlacht zusammengebunden. Und doch kam es ihm vor wie das Gesicht eines Fremden.

Aus der Ruhe gebracht, ließ er das Wasser in der Schüssel und ging auf leisen Sohlen zum Bett zurück.

Sie schlief. Er hatte nicht einmal an sie gedacht, als er erwachte, doch jetzt beruhigte ihn ihr Anblick. Dieses Gesicht kannte er, obwohl es so geschunden und geschwollen war.

Er legte die Hand auf das Bett und spürte das beruhigend greifbare Holz. Manchmal ließ ihn ein Traum nach dem Aufwachen nicht in Ruhe, und die reale Welt erschien ihm geisterhaft und blass. Manchmal hatte er Angst, er wäre ein Geist.

Doch die Laken legten sich kühl auf seine Haut, und Claires Wärme gab ihm Sicherheit. Er streckte die Hand nach ihr aus, und sie drehte sich um, schmiegte sich mit einem leisen, zufriedenen Seufzer mit dem Rücken an ihn, und ihr runder Hintern presste sich fest gegen ihn.

Sie schlief sofort wieder ein; sie war gar nicht richtig wach geworden. Es drängte ihn, sie zu wecken, damit sie mit ihm sprach – nur um ganz sicher zu sein, dass sie ihn sehen konnte, ihn hören konnte. Doch er hielt sie einfach nur fest und behielt über ihren Lockenkopf hinweg die Tür im Auge, so als könnte sie sich öffnen, und als könnte Jack Randall dort stehen, nass und triefend.

Töte mich, hatte er gesagt. Mein größter Wunsch.

Sein Herz schlug langsam und hallte in seinem Ohr wider, das er gegen das Kissen gedrückt hatte. Manchmal lauschte er des Nachts beim Einschlafen darauf, beruhigt durch das satte, monotone Pochen. Manchmal, so wie jetzt, hörte er stattdessen die Totenstille zwischen den Schlägen – jene Stille, die uns alle geduldig erwartet.

Er hatte die Bettdecke über sich gezogen, schob sie jetzt aber wieder zurück, so dass Claire zugedeckt war, sein Rücken aber entblößt war, der Kühle des Zimmers ausgesetzt, damit er nicht gewärmt in den Schlaf glitt und riskierte, dass der Traum wiederkehrte. Sollte der Schlaf doch mit der Kälte um ihn ringen und ihn schließlich von der Klippe des Bewusstseins reißen, in die Tiefe des schwarzen Vergessens.

Denn er wollte nicht wissen, was Randall mit diesen Worten gemeint hatte.

32

Der Galgen ist viel zu schade

Am nächsten Morgen war Mrs. Bug wieder in der Küche, und Kochgerüche durchzogen die warme Luft. Sie verhielt sich ganz normal, und abgesehen von einem Blick auf mein Gesicht und einem »Tsk!« schien sie mich nicht bemuttern zu wollen. Entweder besaß sie mehr Taktgefühl als ich gedacht hatte, oder Jamie hatte mit ihr geredet.

»Hier, *a muirninn*, esst das, solange es noch warm ist.« Mrs. Bug ließ ein Häufchen Truthahnpfanne auf meinen Teller gleiten und krönte das Ganze geschickt mit einem Spiegelei.

Ich nickte dankend und griff ohne große Begeisterung nach meiner Gabel. Mein Kiefer schmerzte noch so, dass ich nur sehr langsam und qualvoll essen konnte.

Das Ei war kein Problem, aber mir hing ein kräftiger, fettiger Geruch nach verbrannten Zwiebeln in der Nase. Ich trennte ein Kartoffelstückchen aus dem Berg heraus und zerdrückte es mit der Zunge an meinem Gaumen, anstatt es zu kauen, bevor ich es mit einem Schluck Kaffee hinunterspülte.

Mehr um mich abzulenken, als weil ich es wirklich wissen wollte, fragte ich: »Und wie geht es Mr. Brown heute Morgen?«

Sie presste die Lippen aufeinander, und sie klatschte ihre Bratkartoffeln in die Pfanne, als wären sie Browns Gehirn.

»Nicht halb so schlecht wie es ihm gehen sollte«, zischte sie. »Der Galgen ist viel zu schade für ihn, diesen alten, vor Würmern wimmelnden Misthaufen.«

Ich spuckte das Kartoffelstückchen aus, das ich gerade durch die Mangel drehte, und trank hastig noch einen Schluck Kaffee. Der traf meinen Magen und kam sofort wieder hoch. Ich schob die Bank zurück und hielt auf die Tür zu, die ich gerade noch rechtzeitig erreichte, um mich in den Brombeerbusch zu übergeben. Ich spuckte Kaffee, Galle und Spiegelei.

Mir war dumpf bewusst, dass Mrs. Bug ängstlich in der Tür stand, und winkte sie mit einer Hand beiseite. Sie zögerte kurz, trollte sich dann aber wieder in die Küche, als ich aufstand und zum Brunnen ging.

Das gesamte Innere meines Kopfes schmeckte nach Kaffee und Galle, und in meiner Nase biss es fürchterlich. Es fühlte sich so an, als blutete meine Nase wieder, doch als ich sie zögernd mit dem Finger berührte, stellte ich fest, dass dem nicht so war. Vorsichtiges Ausspülen mit Wasser reinigte meinen Mund und vertrieb den ekelhaften Geschmack ein wenig – konnte aber die Panik nicht ertränken, die der Übelkeit auf dem Fuße gefolgt war.

Ich hatte plötzlich den deutlichen und durch und durch bizarren Eindruck, keine Haut mehr zu haben. Meine Beine wackelten, und ohne mich um Splitter zu kümmern, setzte ich mich auf den Baumstumpf, auf dem wir unser Brennholz spalteten.

Ich kann's nicht, dachte ich. *Ich kann es einfach nicht.*

Ich saß auf dem Hackklotz, und mir fehlte der Antrieb aufzustehen. Ich konnte meine Gebärmutter spüren, ganz deutlich. Ein kleines, rundes Gewicht in meinem Unterbauch, das sich schwach geschwollen und sehr empfindlich anfühlte.

Nichts, dachte ich mit aller Entschlossenheit, die ich aufbringen konnte. Völlig normal. An einem bestimmten Punkt in meinem Zyklus fühlt sie sich regelmäßig so an. Und nach dem, was wir getan hatten, Jamie und ich… nun, kein Wunder, wenn ich mir meiner Einzelbestandteile immer noch bewusst war. Natürlich hatten wir es letzte Nacht nicht getan; ich hatte mir nur gewünscht, dass er mich festhielt. Andererseits wäre ich vor Lachen fast geplatzt. Auch jetzt entfuhr mir bei dem Gedanken an Jamies Beichte ein kurzer Lacher. Es schmerzte, und ich umklammerte meine Rippen, fühlte mich aber etwas besser.

»Nun, zum Kuckuck damit«, sagte ich laut und stand auf. »Ich habe zu tun.«

Angetrieben durch diese tapfere Absichtserklärung, holte ich meinen Korb und mein Messer, sagte Mrs. Bug, dass ich gehen würde, und brach zum Haus der Christies auf.

Ich würde nach Toms Hand sehen und Malva fragen, ob sie mit mir kommen würde, um Ginsengwurzeln zu suchen – und was uns sonst noch an Nützlichem unterkam. Sie war eine gute Schülerin, die genau beobachten konnte, schnell begriff und ein gutes Pflanzengedächtnis hatte. Und ich wollte ihr beibringen, wie man Penizillin-Kolonien anlegte. In meiner Sammlung feuchter, schimmliger Abfälle herumzufingern, würde mir gut tun. Ich ignorierte den leichten Brechreiz, der sich bei diesem Gedanken regte, und hob mein geschundenes Gesicht in die Morgensonne.

Und ich würde mir nicht den Kopf darüber zerbrechen, was Jamie mit Lionel Brown vorhatte.

33

In welchem Mrs. Bug Hand anlegt

Am nächsten Morgen ging es mir um einiges besser. Mein Magen hatte sich beruhigt, und auch emotional fühlte ich mich wieder belastbarer; eine gute Sache, da Jamies Warnungen gegenüber Mrs. Bug, mich in Ruhe zu lassen, eindeutig nicht mehr wirkten.

Alles schmerzte weniger, und meine Hände sahen wieder fast normal aus – aber ich war immer noch schrecklich müde, und eigentlich tat es sogar ausgesprochen gut, meine Füße auf die Kaminbank zu legen und mir eine Tasse heißen Kaffee nach der anderen bringen zu lassen – der Tee ging uns allmählich aus, und für die nächsten Jahre standen die Chancen, dass wir neuen bekamen, nicht sehr gut – und dazu schälchenweise Reispudding mit Rosinen.

»Und Ihr seid Euch ganz sicher, dass Euer Gesicht sich wieder in etwas verwandeln wird, das wie ein Gesicht aussieht, ja?« Mrs. Bug reichte mir einen frischen Muffin, von dem Butter und Honig trieften, und sah mich mit gespitzten Lippen skeptisch an.

Ich war versucht sie zu fragen, wonach denn das Ding an der Vorderseite meines Kopfes jetzt aussah, doch ich war mir ziemlich sicher, dass ich die Antwort nicht hören wollte. Stattdessen begnügte ich mich mit einem knappen »Ja« und der Bitte um noch etwas Kaffee.

»Ich kannte einmal eine Frau in Kirkcaldy, der hat eine Kuh ins Gesicht getreten«, sagte sie und beäugte mich nach wie vor kritisch, während sie den Kaffee auftrug. »Hat ihre Vorderzähne verloren, die Arme, und seitdem hat ihre Nase zur Seite gezeigt, *so.*« Sie bog sich zur Demonstration selbst die Nase mit dem Zeigefinger scharf zur Seite und schob gleichzeitig die Oberlippe unter die Unterlippe, um Zahnlosigkeit anzudeuten.

Ich fasste mir vorsichtig an den Nasenrücken, doch er war beruhigenderweise gerade, wenn auch stark geschwollen.

»Und dann war da noch William MacCrea aus Balgownie, der hat mit meinem Arch in Sherriffsmuir gekämpft. Ist einer englischen Pike in die Quere gekommen und ist dabei den halben Kiefer *und* den Großteil seiner Nase losgeworden! Arch sagt, man konnte ihm direkt in die Speiseröhre und ins Hirn sehen – aber er hat überlebt. Hat sich fast nur noch von Porridge ernährt«, fügte sie hinzu. »Und von Whisky.«

»Was für eine gute Idee«, sagte ich und legte den angeknabberten Muffin beiseite. »Ich glaube, ich hole mir auch welchen.«

Ich nahm meine Tasse mit und entfloh so schnell ich konnte durch den Flur in mein Sprechzimmer, während sie mir die Geschichte von Dominic Mulroney hinterherrief, der mit dem Gesicht vor eine Kirchentür in Edinburgh gelaufen war, obwohl er doch gerade stocknüchtern war …

Ich schloss die Tür des Sprechzimmers hinter mir, öffnete das Fenster, um den restlichen Kaffee hinauszuschütten, dann nahm ich die Flasche vom Regal und füllte meine Tasse bis zum Rand.

Ich hatte vorgehabt, mich bei Mrs. Bug erneut nach Lionel Browns Gesundheitszustand zu erkundigen, doch … das konnte wohl warten. Ich stellte fest, dass meine Hände wieder zitterten, und musste sie ein paar Sekunden flach auf den Tisch drücken, um sie ruhig zu stellen, bevor ich die Tasse ergreifen konnte.

Ich holte tief Luft und trank einen Schluck Whisky. Noch einen. Ja, das war besser.

Ich wurde immer noch dann und wann von kleinen Wellen grundloser Panik ergriffen. Bis jetzt war ich heute Morgen davon verschont geblieben und hatte schon gehofft, sie wären vorbei. Offensichtlich jedoch noch nicht ganz.

Ich nippte an meinem Whisky, tupfte mir den kalten Schweiß von der Stirn und sah mich nach einer sinnvollen Tätigkeit um. Malva und ich hatten gestern frisches Penizillin angesetzt und Wasserhanf- und Zahnlilientinktur hergestellt, dazu Enziansalbe.

Am Ende blätterte ich langsam in meinem großen schwarzen Notizbuch, nippte an meinem Whisky und brütete über Seiten, die von diversen schrecklichen Komplikationen bei Geburten berichteten.

Mir war zwar klar, was ich da tat, doch ich schien nicht in der Lage zu sein, es zu lassen. Ich war *nicht* schwanger. Dessen war ich mir sicher. Und doch fühlte sich mein Bauch sensibel an, entzündet, und ich war durch und durch verstört.

Oh, da war eine lustige Stelle; einer von Daniel Rawlings' Einträgen, der eine Sklavin in den mittleren Jahren beschrieb, die an einer Rektovaginalfistel litt, durch die ständig ein kleines Fäkalienrinnsal in ihre Vagina lief.

Solche Fisteln wurden durch Risse während der Geburt hervorgerufen und kamen häufiger bei sehr jungen Mädchen vor, bei denen die Anstrengungen einer langen Wehentätigkeit zu Rissen führten – oder bei älteren Frauen, deren Gewebe nicht mehr so elastisch war. Natürlich bestand bei älteren Frauen die Wahrscheinlichkeit, dass mit diesem Schaden ein vollständiger Vorfall des Perineums einherging, bei dem Gebärmutter, Blase –

und der Vollständigkeit halber auch der Anus – durch den Beckenboden sackten.

»Was für ein großes Glück, dass ich nicht schwanger bin«, sagte ich laut und klappte das Buch fest zu. Vielleicht versuchte ich es besser erneut mit *Don Quichote*.

Im Großen und Ganzen war es eine außerordentliche Erleichterung, als Malva Christie gegen Mittag an die Tür klopfte.

Sie warf einen flüchtigen Blick auf mein Gesicht, doch da sie mich tags zuvor schon gesehen hatte, nahm sie mein Aussehen kommentarlos zur Kenntnis.

»Was macht die Hand Eures Vaters?«, fragte ich.

»Oh, sie heilt gut, Ma'am«, erwiderte sie schnell. »Ich habe sie mir angesehen, wie Ihr gesagt habt, aber es sind keine roten Streifen da, kein Eiter und nur eine leichte Rötung direkt neben dem Schnitt. Ich habe ihn mit den Fingern wackeln lassen, wie Ihr es aufgetragen habt«, fügte sie hinzu, und ein Grübchen tauchte kurz auf ihrer Wange auf. »Er wollte es nicht und hat sich angestellt, als hätte ich ihn mit Dornen gestochen – aber er hat es getan.«

»Oh, gut gemacht!«, sagte ich und klopfte ihr auf die Schulter, woraufhin sie vor Freude rot wurde.

»Ich finde, damit habt Ihr Euch ein Honigbrötchen verdient«, fügte ich hinzu, da mir das herrliche Backaroma in die Nase stieg, das seit einer Stunde aus der Küche durch den Flur wehte. »Kommt mit.«

Doch als wir in den Flur traten und uns der Küche zuwandten, hörte ich hinter uns ein seltsames Geräusch. Draußen erklang ein kurioses Pochen und Schleifen, als trampelte ein großes Tier über die unterhöhlten Bretter der Eingangstreppe.

»Was ist das?«, sagte Malva und sah sich alarmiert um.

Lautes Stöhnen antwortete ihr, gefolgt von einem Rumpeln, das die Haustür erschütterte, als etwas dagegen fiel.

»Jesus, Maria und Josef!« Mrs. Bug kam aus der Küche geschossen und bekreuzigte sich. »Was ist denn das?«

Mein Herz hatte bei den Geräuschen zu rasen begonnen, und mein Mund wurde trocken. Etwas Großes, Dunkles blockierte den Lichtstreifen, der unter der Tür hindurchfiel, und abgehacktes Atmen, das von Stöhnlauten unterbrochen wurde, war deutlich zu hören.

»Nun, was es auch immer ist, es ist krank oder verletzt«, sagte ich. »Bleibt hier stehen.« Ich wischte mir die Hände an der Schürze ab, schluckte, trat vor und zog die Tür auf.

Im ersten Moment erkannte ich ihn gar nicht; er war nicht mehr als ein Haufen wunder Haut, wilder Haare und zerlumpter, schmutzverschmierter Kleider. Doch dann kämpfte er sich auf ein Knie hoch, hob keuchend den Kopf und zeigte mir sein leichenblasses, schweißglänzendes Gesicht, das voller blauer Flecken war.

»Mr. Brown?«, sagte ich ungläubig.

Sein Blick war glasig; ich war mir nicht sicher, ob er mich überhaupt sah, doch meine Stimme erkannte er eindeutig, denn er bewegte sich ruckartig auf mich zu und hätte mich beinahe umgeworfen. Ich trat abrupt zurück, doch er bekam meinen Fuß zu fassen, hielt sich daran fest und rief: »Gnade! Mistress, habt Erbarmen mit mir, ich flehe Euch an!«

»Was zum – lasst los. Loslassen, sage ich!« Ich bewegte meinen Fuß, um ihn abzuschütteln, doch er klebte wie eine Klette daran und rief weiter um Gnade, ein heiserer, verzweifelter Singsang.

»Oh, Ruhe jetzt, Mann«, sagte Mrs. Bug gereizt. Nachdem sie sich vom Schreck seines Eindringens erholt hatte, war sie von seinem Erscheinen nicht aus der Fassung zu bringen, wenn es sie auch beträchtlich zu ärgern schien.

Lionel Brown gab keine Ruhe, sondern fuhr trotz meiner Versuche, ihn zu beruhigen, fort, mich um Gnade anzuflehen. Er wurde unterbrochen, als sich Mrs. Bug mit einem großen Fleischhammer in der Hand an mir vorbeidrängte und Mr. Brown einen kräftigen Hieb auf den Kopf verpasste. Er verdrehte die Augen und fiel ohne ein weiteres Wort vornüber aufs Gesicht.

»Ich bedaure wirklich, Mrs. Fraser«, sagte Mrs. Bug entschuldigend. »Es ist mir unerklärlich, wie er entwischt ist, ganz zu schweigen davon, wie er den ganzen Weg bis hierher schaffen konnte!«

Ich wusste auch nicht, wie er entwischt war, aber es war völlig klar, wie er sich vorwärts bewegt hatte – er war gekrochen und hatte sein gebrochenes Bein hinter sich hergezogen. Seine Hände und Beine waren zerkratzt und blutig, seine Hose hing in Fetzen, und er war mit Schlammspuren übersät und hatte überall Gras und Laub kleben.

Ich bückte mich und zog ihm ein Ulmenblatt aus den Haaren, während ich zu überlegen versuchte, was in aller Welt wir mit ihm anfangen sollten. Das Naheliegende, nahm ich an.

»Helft mir, ihn ins Sprechzimmer zu bringen«, sagte ich und bückte mich seufzend, um ihm unter die Arme zu greifen.

»Das dürft Ihr nicht tun, Mrs. Fraser!« Mrs. Bug war entsetzt. »Das hat Ehrwürden mit Nachdruck gesagt; Ihr dürft nicht von diesem Halunken belästigt werden, hat er gesagt, oder ihn auch nur zu Gesicht bekommen!«

»Nun, ich fürchte, es ist ein bisschen zu spät dafür, dass ich ihn nicht zu Gesicht bekomme«, sagte ich und zog an seinem reglosen Körper. »Wir können ihn schließlich nicht einfach auf der Veranda liegen lassen, oder? Helft mir!«

Mrs. Bug schien zwar kein guter Grund einzufallen, warum Mr. Brown *nicht* weiter auf der Veranda liegen sollte, doch als Malva – die während des ganzen Aufruhrs mit weit aufgerissenen Augen flach an der Wand gestanden hatte – mir zur Hilfe kam, gab Mrs. Bug mit einem Seufzer auf, legte ihre Waffe nieder und ging uns zur Hand.

Bis wir ihn auf den Sprechzimmertisch gehievt hatten, hatte er das Bewusstsein zurückerlangt und stöhnte: »Lasst nicht zu, dass er mich umbringt… bitte lasst nicht zu, dass er mich umbringt!«

»Könntet Ihr vielleicht still sein?«, sagte ich gereizt. »Lasst mich einen Blick auf Euer Bein werfen.«

Niemand hatte irgendwelche Verbesserungen an der Schiene vorgenommen, die ich ihm angelegt hatte, und sein Ausflug von der Hütte der Bugs bis hier hatte ihr alles andere als gut getan; aus seinem Verband drang Blut. Angesichts seiner anderen Verletzungen war ich offen gestanden erstaunt, dass er es geschafft hatte. Seine Haut war klamm, und er atmete flach, doch er schien das Fieber überstanden zu haben.

»Würdet Ihr mir bitte heißes Wasser bringen, Mrs. Bug?«, bat ich und betastete vorsichtig die gebrochene Gliedmaße. »Und vielleicht etwas Whisky? Er wird etwas gegen den Schock brauchen.«

»Nein, das werde ich nicht«, sagte Mrs. Bug und warf dem Patienten einen extrem angewiderten Blick zu. »Wir sollten Mr. Fraser einfach die Mühe ersparen, sich mit dem Mistkerl befassen zu müssen, falls er nicht den Anstand besitzt, von selbst zu sterben.« Sie hatte ihren Hammer wieder ergriffen und hob ihn jetzt drohend, so dass sich Mr. Brown zusammenkrümmte und aufschrie, weil sein gebrochenes Handgelenk durch die Bewegung schmerzte.

»Ich hole das Wasser«, sagte Malva und verschwand.

Mr. Brown ignorierte meine Versuche, mich um seine Verletzungen zu kümmern, und packte mich mit seiner gesunden Hand überraschend fest am Handgelenk.

»Lasst nicht zu, dass er mich umbringt«, sagte er heiser und fixierte mich mit blutunterlaufenen Augen. »Bitte, ich flehe Euch an!«

Ich zögerte. Ich hatte Mr. Browns Existenz zwar nicht gerade vergessen, sie aber im Lauf des letzten Tages mehr oder minder verdrängt. Da mir Jamie versicherte, dass der Mann in besten Händen war, hatte ich nur zu gern nicht weiter an ihn gedacht.

Er sah mein Zögern und leckte sich über die Lippen, um es erneut zu versuchen.

»Rettet mich, Mrs. Fraser – ich bitte Euch! Ihr seid der einzige Mensch, auf den er hört!«

Unter Schwierigkeiten entfernte ich seine Hand von meinem Handgelenk.

»Warum genau glaubt Ihr denn, dass Euch jemand umbringen will?«, fragte ich vorsichtig. Ich ging davon aus, dass ihn Jamie irgendwie bedroht hatte, um ihm die Namen der restlichen Bandenmitglieder zu entlocken. Doch hatte er wirklich vor, Brown umzubringen? Ich hatte allerdings ein dumpfes Gefühl in der Magengrube, das mir vermittelte, dass es in der Tat so war.

Brown lachte zwar nicht, doch sein Mund verzog sich bei diesen Worten zu einer bitteren Miene.

»Er sagt, dass er es tun wird. Ich zweifle nicht an seinen Worten.« Er machte jetzt einen etwas ruhigeren Eindruck und holte tief und zitternd Luft. »Bitte, Mrs. Fraser«, sagte er, leiser jetzt. »Ich bitte Euch – rettet mich.«

Ich blickte zu Mrs. Bug und las ihr die Wahrheit an den verschränkten Armen und den zusammengepressten Lippen ab. Sie wusste es.

In diesem Moment eilte Malva in das Zimmer, einen Becher heißes Wasser in der einen Hand, den Whiskykrug in der anderen.

»Was soll ich tun?«, fragte sie atemlos.

»Äh... im Schrank«, sagte ich und versuchte, mich zu konzentrieren. »Wisst Ihr, wie Schwarzwurz aussieht – Beinwell?« Ich hielt Browns Handgelenk und überprüfte mechanisch seinen Puls. Er raste.

»Aye, Ma'am. Soll ich etwas davon aufsetzen?« Sie hatte Krug und Becher abgestellt und durchsuchte bereits den Schrank.

Ich sah Brown direkt in die Augen und bemühte mich um Teilnahmslosigkeit.

»Ihr hättet mich auch umgebracht, wenn Ihr gekonnt hättet«, sagte ich ganz ruhig. Mein eigener Puls raste fast genauso wie der seine.

»Nein«, sagte er, doch sein Blick wich dem meinen aus. Nur ein winziges Stück, doch er wich aus. »Nein, das hätte ich nie getan!«

»Ihr habt H-Hodgepile gesagt, er soll mich umbringen.« Meine Stimme bebte bei diesem Namen, und Wut stieg plötzlich in mir auf. »Das wisst Ihr ganz genau!«

Sein linkes Handgelenk war wahrscheinlich gebrochen, und niemand hatte es gerichtet; das Gewebe war geschwollen, die Haut voll dunkler Prellungen. Trotzdem legte er die Hand auf die meine, um mich zu überzeugen. Er roch ranzig, scharf und wild, wie –

Ich riss meine Hand los, und Abscheu kroch über meine Haut wie ein Tausendfüßlerschwarm. Ich rieb mir die Handfläche fest an meiner Schürze ab und versuchte, mich nicht zu übergeben.

Er war nicht dabei gewesen. So viel wusste ich. Von all den Männern war er der einzige, der es nicht gewesen sein konnte; er hatte sich nachmittags das Bein gebrochen. Es war unmöglich, dass er diese schwere, überwältigende Präsenz in der Nacht gewesen war, die sich stinkend auf mich schob. Und doch hatte ich das Gefühl, dass es so war, und schluckte Galle, während mir plötzlich schwindelig wurde.

»Mrs. Fraser? Mrs. Fraser!« Malva und Mrs. Bug riefen gleichzeitig, und bevor ich so recht wusste, was geschah, hatte Mrs. Bug mich auf einen Hocker gedrückt und stützte mich, während mir Malva einen Becher Whisky an den Mund hielt.

Ich trank mit geschlossenen Augen und versuchte, mich für den Moment im reinen, durchdringenden Geruch und dem brennenden Geschmack des Whiskys zu verlieren.

Ich erinnerte mich an Jamies Wut in der Nacht, in der er mich heimgebracht hatte. Wäre Brown damals mit uns im selben Zimmer gewesen, so gab es keinen Zweifel, dass er den Mann umgebracht hätte. Würde er es jetzt auch tun, kaltblütig? Ich wusste es nicht, Brown war jedenfalls davon überzeugt.

Ich konnte Brown weinen hören, ein leiser, hoffnungsloser Ton. Ich schluckte den Rest des Whiskys, schob den Becher beiseite, richtete mich auf und öffnete die Augen. Zu meiner leichten Überraschung weinte ich ebenfalls.

Ich stand auf und wischte mir mit der Schürze über das Gesicht. Sie roch tröstend nach Butter, Zimt und frischem Apfelmus, und ihr Duft linderte meine Übelkeit.

»Der Tee ist fertig, Mrs. Fraser«, flüsterte Malva und zupfte an meinem Ärmel. Ihr Blick war auf Mr. Brown gerichtet, der wie ein Häufchen Elend auf dem Tisch lag. »Wollt Ihr ihn trinken?«

»Nein«, sagte ich. »Gebt ihn ihm. Dann holt mir Verbandsmaterial – und geht nach Hause.«

Ich hatte keine Ahnung, was Jamie vorhatte; ich hatte keine Ahnung, was ich tun würde, wenn ich seine Absichten herausfand. Ich wusste nicht, was ich denken oder wie ich mich fühlen sollte. Das Einzige, was ich mit Sicherheit wusste, war, dass ich einen Verletzten vor mir hatte. Das musste vorerst genügen.

Für eine Weile gelang es mir zu vergessen, wer er war. Ich verbot ihm zu sprechen, biss die Zähne zusammen und verlor mich in meiner Aufgabe. Er wimmerte zwar, sagte aber nichts. Ich wusch und verband ihn, ordnete seine Kleider und umsorgte ihn unpersönlich. Doch als es dann kaum noch etwas zu tun gab, verwandelte er sich wieder in sich selbst, und mir wurde bewusst, dass er mich mit jeder Berührung mehr anekelte.

Schließlich war ich fertig und ging mich waschen. Ich wischte mir die Hände gründlichst mit einem in Alkohol und Terpentin getränkten Tuch ab und reinigte jeden Fingernagel, obwohl es schmerzte. Ich benahm mich, so begriff ich, als hätte er eine üble, ansteckende Krankheit. Doch ich konnte nicht anders.

Lionel Brown beobachtete mich angespannt.

»Was habt Ihr vor?«

»Ich habe mich noch nicht entschieden.« Das entsprach mehr oder weniger der Wahrheit. Es war kein bewusster Entscheidungsprozess gewesen, obwohl meine Handlungsweise – oder meine Tatenlosigkeit – feststand. Jamie – zum Teufel mit ihm – hatte Recht gehabt. Doch ich sah keinen Grund, Lionel Brown das zu sagen. Noch nicht.

Er öffnete gerade den Mund, zweifellos, um mich weiter anzuflehen, doch ich gebot ihm mit einer scharfen Handbewegung Einhalt.

»In Eurer Begleitung war ein Mann namens Donner. Was wisst Ihr von ihm?«

Was er auch immer erwartet hatte, das war es nicht. Sein Mund stand ein wenig offen.

»Donner?«, wiederholte er mit unsicherer Miene.

»Wagt es nicht, mir zu sagen, dass Ihr Euch nicht an ihn erinnert«, sagte ich, und meine Erregung ließ mich laut werden.

»O nein, Ma'am«, versicherte er mir hastig. »Ich erinnere mich gut an ihn, wirklich! Was –«, seine Zunge berührte seinen wunden Mundwinkel, »– was wollt Ihr denn von ihm wissen?«

Was mich am meisten interessierte, war, ob er tot war oder nicht, doch das wusste Brown mit ziemlicher Sicherheit nicht.

»Fangen wir mit seinem vollen Namen an«, schlug ich vor und setzte mich zögerlich neben ihn, »und machen dann weiter.«

Es stellte sich heraus, dass Brown kaum mehr mit Gewissheit über Donner wusste *als* seinen Namen – welcher, wie er sagte, Wendigo war.

»Was?«, sagte ich ungläubig, doch Brown schien daran nichts Merkwürdiges zu finden.

»Das hat er gesagt«, sagte er und klang verletzt, weil ich es anzuzweifeln schien. »Indianerwort, nicht wahr?«

Ja. Um genau zu sein, war es der Name eines Monsters aus der Mythologie eines Stammes im Norden – ich konnte mich nicht erinnern, welcher. Brianna hatte in der Highschool eine Unterrichtseinheit über die Mythen der Ureinwohner gehabt, und jedes Kind sollte eine bestimmte Geschichte erklären und illustrieren. Brianna hatte den Wendigo genommen.

Ich erinnerte mich nur daran, weil sie dazu ein Bild gemalt hatte, das mich eine ganze Weile nicht losgelassen hatte. Es war in einer Art Negativtechnik entstanden, die eigentliche Zeichnung mit weißem Wachsmalstift, der durch eine schwarze Kohleschicht lugte. Bäume, die in einem Wirbel aus Schnee und Wind hin- und herschwankten, blattlos und mit fliegenden Nadeln, die Lücken zwischen ihnen ein Teil der Nacht. Man musste es mehrere Sekunden lang ansehen, bevor man das Gesicht zwischen den Ästen erspähte. Ich hatte aufgeschrien und das Blatt fallen gelassen, als ich es sah – zu Briannas großer Genugtuung.

»Das kann man wohl sagen«, sagte ich und unterdrückte die Erinnerung an das Gesicht des Wendigos entschlossen. »Woher kam er? Hat er in Brownsville gelebt?«

Er hatte nur ein paar Wochen in Brownsville verbracht. Hodgepile hatte ihn von irgendwoher mitgebracht, zusammen mit seinen anderen Männern. Brown hatte keine Notiz von ihm genommen; er hatte keinen Ärger gemacht.

»Er hat bei der Witwe Baudry gewohnt«, sagte Brown, der plötzlich hoffnungsvoll klang. »Vielleicht hat er Ihr ja etwas von sich erzählt. Ich könnte es für Euch herausfinden. Wenn ich nach Hause komme.« Er warf mir einen Blick zu, der wohl das Vertrauen eines Hundes ausdrücken sollte, aber eher an einen sterbenden Molch erinnerte.

»Hmm«, sagte ich und sah ihn extrem skeptisch an. »Wir werden sehen.«

Er leckte sich die Lippen und versuchte, sich ein Mitleid erregendes Aussehen zu geben.

»Könnte ich vielleicht etwas Wasser haben, Ma'am?«

Ich konnte ihn wohl kaum verdursten lassen, aber ich hatte wirklich genug davon, den Mann persönlich zu bedienen. Ich wünschte, er verschwände aus meinem Sprechzimmer, aus meinen Augen. Ich nickte knapp und trat in den Flur. Dort rief ich nach Mrs. Bug und bat sie, ihm etwas Wasser zu bringen.

Der Nachmittag war warm, und ich fühlte mich unangenehm reizbar, nachdem ich Lionel Brown versorgt hatte. Ohne Vorwarnung schoss mir plötzlich eine Hitzewelle über Brust und Hals und lief mir wie heißes Wachs über das Gesicht, so dass mir der Schweiß hinter den Ohren ausbrach. Mit einer gemurmelten Entschuldigung überließ ich Mrs. Bug den Patienten und eilte hinaus an die willkommene Luft.

Draußen befand sich ein Brunnen; nicht mehr als ein kleiner Schacht mit einer ordentlichen Einfassung aus Steinen. Ein großer Kürbisschöpflöffel klemmte zwischen zweien dieser Steine; ich zog ihn heraus, kniete mich hin und schöpfte genug Wasser, um davon zu trinken und es in mein dampfendes Gesicht zu spritzen.

Eigentlich waren Hitzewellen gar nicht so unangenehm – eher interessant, genau wie eine Schwangerschaft; dieses seltsame Gefühl, dass der eigene Körper etwas ganz Unerwartetes machte, außerhalb jeder bewussten Kontrolle. Ich fragte mich kurz, ob Männer in Bezug auf ihre Erektionen das gleiche Gefühl hatten.

Momentan war mir die Hitzewelle sehr willkommen. Ich konnte doch wohl kaum schwanger sein, sagte ich mir, wenn ich Hitzewellen hatte. Oder? Ich wusste unangenehmerweise, dass die Hormonschübe der Frühschwangerschaft genauso im Stande waren, alle möglichen merkwürdigen Wärmephänomene hervorzurufen, wie die der Wechseljahre. Mit Sicherheit durchlebte ich gerade die Gefühlsachterbahn, die eine Schwangerschaft mit sich brachte – oder die Wechseljahre – oder eine Vergewaltigung –

»Mach dich nicht lächerlich, Beauchamp«, sagte ich laut. »Du weißt ganz genau, dass du nicht schwanger bist.«

Das zu hören, weckte ein komisches Gefühl in mir – neun Teile Erleichterung, ein Teil Bedauern. Nun, vielleicht ja auch neuntausendneunhundertneunundneunzig Teile Erleichterung und ein Teil Bedauern – aber es war auf jeden Fall da.

Ich hätte allerdings ohne den Schweißausbruch leben können, der manchmal auf eine Hitzewelle folgte. Meine Haarwurzeln waren klatschnass, und das kühle Wasser in meinem Gesicht fühlte sich zwar wundervoll an, doch ich wurde immer noch von Wellen der Hitze überspült, die sich wie ein klebriger Schleier über Brust, Gesicht, Hals und Kopfhaut ausbreiteten. Impulsiv schüttete ich mir einen halben Schöpflöffel voll Wasser in mein Mieder und atmete erleichtert auf, als die Nässe den Stoff durchtränkte, zwischen meinen Brüsten entlangrann, dann über meinen Bauch, bis sie kühl meine Beine kitzelte und zu Boden tropfte.

Ich sah verboten aus, aber Mrs. Bug würde es nichts ausmachen – und zum Teufel damit, was der verflixte Lionel Brown dachte. Ich trocknete mir mit dem Saum meiner Schürze die Schläfen ab und ging zum Haus zurück.

Die Tür war angelehnt, so wie ich sie zurückgelassen hatte. Ich drückte sie auf, und das kräftige, klare Licht des Nachmittags fiel an mir vorbei und schien auf Mrs. Bug, die gerade mit aller Kraft ein Kissen auf Lionel Browns Gesicht drückte.

Ich stand einen Moment blinzelnd da, denn ich war so überrascht, dass ich den Anblick nicht in klares Begreifen übertragen konnte. Dann schoss ich mit einem unzusammenhängenden Aufschrei los und packte ihren Arm.

Sie war furchtbar stark und konzentrierte sich so auf das, was sie tat, dass sie keinen Zentimeter von der Stelle wich. Auf ihrer Stirn zeichneten sich die Adern ab, und ihr Gesicht war beinahe lila vor Anstrengung. Ich riss heftig an ihrem Arm, schaffte es nicht, ihren Griff zu lösen, und in meiner Verzweiflung schubste ich sie, so fest ich konnte.

Das brachte sie aus dem Gleichgewicht; sie stolperte, und ich packte den Rand des Kissens und riss es zur Seite, herunter von Browns Gesicht. Sie war mit einem Satz zurück, einzig darauf aus zu vollenden, was sie begonnen hatte, und ihre kantigen Hände pressten sich auf das Kissen und verschwanden bis zu den Handgelenken.

Ich trat einen Schritt zurück und warf mich mit meinem ganzen Körper auf sie. Wir gingen krachend zu Boden, trafen den Tisch, stürzten die Bank um und landeten als Knäuel auf dem Boden, inmitten eines Haufens Tonscherben und der Gerüche von Pfefferminztee und verschüttetem Nachttopf.

Ich drehte mich um, schob sie von mir und versuchte, mich aus dem Wirrwarr aus Röcken zu befreien, und erhob mich stolpernd.

Seine Hand hing schlaff vom Tisch. Ich packte sein Kinn, zog seinen Kopf zurück und drückte meinen Mund mit aller Kraft auf den seinen. Ich blies alle Luft, die ich hatte, in seinen Mund, holte keuchend Luft und blies erneut. Währenddessen suchte ich panisch nach der Spur eines Pulsschlags in seinem Hals.

Er war warm, die Knochen seines Kiefers, seiner Schulter fühlten sich normal an – doch seine Muskeln waren grauenvoll schlaff, und die Lippen unter den meinen wurden obszön flach, wenn ich zudrückte und blies.

Irgendwie fielen sie auseinander, so dass ich gezwungen war, heftig zu saugen, um sie zu versiegeln, und dann fest durch die Mundwinkel einatmete, um genug Luft für die Beatmung zu bekommen.

Ich spürte jemanden hinter mir – Mrs. Bug – und trat nach ihr. Sie versuchte, mich an der Schulter zu packen, doch ich entwand mich ihrem Griff, und ihre Finger rutschten ab. Ich drehte mich blitzschnell um, versetzte ihr so fest ich konnte einen Fausthieb in den Magen, und sie fiel mit einem lauten *Wuff!* zu Boden. Ich hatte keine Zeit für sie; ich fuhr herum und warf mich wieder über Brown.

Die Brust unter meiner Hand hob sich ermutigend, wenn ich blies – sank aber abrupt wieder, sobald ich aufhörte. Ich richtete mich auf und hämmerte mit beiden Fäusten fest auf ihn ein. Ich hieb so kräftig auf seine elastischen Bauchmuskeln ein, dass meine Hände blaue Flecken bekamen – und Browns Haut, wenn er noch blaue Flecken hätte bekommen können.

Er konnte es nicht. Ich blies und hieb, blies und hieb, bis mir der Schweiß in Strömen über den Körper lief und an meinen Oberschenkeln klebte, es mir in den Ohren klingelte und es mir schwarz vor den Augen wurde, weil ich hyperventilierte.

Schließlich hörte ich auf. Ich stand heftig keuchend da, das nasse Haar hing mir ins Gesicht, und meine Hände pochten im Rhythmus meines klopfenden Herzens.

Der verfluchte Kerl war tot.

Ich rieb mir die Hände an meiner Schürze, dann wischte ich mir das Gesicht damit ab. Mein Mund war geschwollen und schmeckte nach Blut. Ich spuckte auf den Boden und fühlte mich völlig ruhig; die Luft war von jener merkwürdigen Stille erfüllt, die oft mit einem leisen Tod einhergeht. Im Wald rief ein Zaunkönig, »Teekessel, Teekessel, Teekessel!«

Ich hörte es leise rascheln und drehte mich um. Mrs. Bug hatte die Bank wieder hingestellt und sich darauf gesetzt. Sie saß vornübergebeugt; die Hände in ihrem Schoß gefaltet, die Stirn über ihrem faltigen runden Gesicht leicht gerunzelt, starrte sie gebannt auf den Toten auf dem Tisch. Browns Hand hing schlaff herunter, die Finger leicht gekrümmt, als hielte er einen Schatten fest.

Das Laken, das über ihm lag, hatte Flecken; das war die Ursache des Nachttopfgeruchs. Dann war er also längst tot gewesen, als ich mit meinen Wiederbelebungsversuchen begonnen hatte.

Eine neue Hitzwelle stieg in mir auf und überzog meine Haut wie heißes Wachs. Ich konnte meinen Schweiß riechen. Ich schloss kurz die Augen, dann öffnete ich sie wieder und wandte mich wieder an Mrs. Bug.

»Warum in aller Welt«, fragte ich im Plauderton, »habt Ihr das bloß getan?«

»Sie hat was getan?« Jamie richtete den Blick zuerst verständnislos auf mich, dann auf Mrs. Bug, die mit gesenktem Kopf am Küchentisch saß und die Hände verschränkt vor sich liegen hatte.

Ohne darauf zu warten, dass ich wiederholte, was ich gesagt hatte, schritt er durch den Flur zum Sprechzimmer. Ich hörte, wie seine Schritte abrupt anhielten. Es folgte eine kurze Stille, dann ein kräftiger gälischer Fluch. Mrs. Bug zog ihre rundlichen Schultern bis über beide Ohren hoch.

Die Schritte kehrten zurück, diesmal langsamer. Er kam herein und trat an den Tisch, an dem sie saß.

»Frau, wie konntest du Hand an einen Mann legen, der unter meiner Obhut stand?«, fragte er ganz leise auf Gälisch.

»Oh, Sir«, flüsterte sie. Sie fürchtete sich davor aufzublicken; sie kauerte unter ihrer Haube, und ihr Gesicht war so gut wie nicht zu sehen. »Es – es war keine Absicht. Wirklich, Sir!«

Jamie sah mich an.

»Sie hat ihn erstickt«, wiederholte ich. »Mit einem Kissen.«

»Ich glaube nicht, dass man so etwas unbeabsichtigt tut«, sagte er mit einem Unterton, an dem man Messer hätte schleifen können. »Was habt Ihr Euch nur dabei gedacht, *a boireannach*?«

Ihre runden Schultern begannen vor Furcht zu zittern.

»O Sir, O Sir! Ich, weiß, dass es falsch war – aber … aber es war seine böse Zunge. Solange ich mich um ihn gekümmert habe – er ist zitternd zusammengezuckt, aye, wenn Ihr oder der junge Mann zu ihm gekommen seid, sogar bei Arch – aber bei mir –« Sie schluckte, und die Haut schien auf einmal lose in ihrem Gesicht zu hängen. »Ich bin doch nur eine Frau, bei mir konnte er sagen, was er wollte, und das hat er getan. Er hat mir gedroht und grässlich geflucht. Er hat gesagt – gesagt, sein Bruder würde kommen, er und seine Männer; sie würden uns alle abschlachten und uns die Häuser über dem Kopf anzünden.« Ihre Zähne klapperten beim Sprechen, doch jetzt fand sie den Mut, aufzublicken und Jamie in die Augen zu sehen.

»Ich wusste, dass Ihr das nie zulassen würdet, Sir, und habe mir alle Mühe gegeben, ihn nicht zu beachten. Und wenn mir seine Worte zu nahe gingen, habe ich ihm gesagt, dass er lange tot sein würde, bevor sein Bruder erführe, wo er war. Aber dann ist der gemeine Wicht entflohen – und ich habe wirklich keine Ahnung, wie er das gemacht hat, denn ich hätte schwören können, dass er nicht in der Lage war, auch nur aufzustehen, geschweige denn, so weit zu kommen – aber er hat es getan, und er hat Eure Frau um Gnade angefleht, und sie hat sich seiner erbarmt. Ich hätte den alten Verbrecher persönlich weggeschleift, aber sie hat es nicht zugelassen –« An dieser Stelle warf sie mir einen kurzen, vorwurfsvollen Blick zu, richtete ihre Augen jedoch gleich wieder flehend auf Jamie.

»Und sie hat sich um seine Verletzungen gekümmert, großzügig wie sie ist, Sir – und ich konnte es ihrem Gesicht ansehen, dass ihr klar wurde, dass sie es nicht zulassen würde, dass er umkäme, nachdem sie ihn behandelt hatte. Und er hat es auch gesehen, der Mistkerl, und als sie ins Freie gegangen ist, hat er mich verhöhnt und gesagt, jetzt sei er gerettet; er hätte sie dazu gebracht, ihn zu behandeln, und jetzt würde sie nie zulassen, dass er getötet würde, und sobald er frei wäre, würde er dafür sorgen, dass eine ganze Schar von Männern wie die Rache selbst über uns herfiele, und dann ...« Sie schloss die Augen, schwankte kurz und drückte eine Hand an ihre Brust.

»Ich konnte nicht dagegen an, Sir«, sagte sie schlicht. »Ich konnte es einfach nicht.«

Jamie hatte ihr aufmerksam zugehört, seine Miene wie Donner. An diesem Punkt sah er mich scharf an – und las an meinen geschundenen Zügen offensichtlich die Bestätigung ihrer Worte ab. Er presste die Lippen fest zusammen.

»Geht heim«, sagte er zu Mrs. Bug. »Sagt Eurem Mann, was Ihr getan habt, und schickt ihn zu mir.«

Dann machte er auf dem Absatz kehrt und steuerte auf sein Studierzimmer zu. Ohne mich anzusehen, erhob sich Mrs. Bug umständlich und tapste wie eine Blinde davon.

»Du hattest Recht. Es tut mir Leid.« Ich stand steif in der Tür des Studierzimmers und lehnte mich mit der Hand an den Rahmen.

Jamie saß an seinem Schreibtisch, die Ellbogen aufgestützt, den Kopf in den Händen, doch bei diesen Worten sah er blinzelnd auf.

»Habe ich dir das nicht verboten, Sassenach?«, sagte er mit einem schiefen Lächeln. Dann wanderte sein Blick an mir entlang, und ein Ausdruck der Sorge regte sich in seinem Gesicht.

»Himmel, du siehst aus, als würdest du gleich umfallen, Claire«, sagte er und stand hastig auf. »Komm und setz dich.«

Er dirigierte mich auf seinen Stuhl und blieb über mir stehen.

»Ich würde ja Mrs. Bug bitten, dir etwas zu bringen«, sagte er, »aber da ich sie gerade fortgeschickt habe ... soll ich dir eine Tasse Tee holen, Sassenach?«

Mir war nach Weinen zumute gewesen, doch stattdessen lachte ich und verdrückte mir die Tränen.

»Wir haben keinen mehr. Mir fehlt nichts. Ich bin nur ziemlich – ziemlich schockiert.«

»Aye, das kann ich mir vorstellen. Du blutest ein bisschen.« Er zog ein zerknittertes Taschentuch aus seiner Tasche, beugte sich vor und betupfte meinen Mund. Seine Stirn war sorgenvoll gerunzelt.

Ich saß still und ließ es geschehen, während ich gegen eine plötzliche Woge der Erschöpfung ankämpfte. Ich wollte mich nur noch hinlegen, einschlafen und nie wieder aufwachen. Und wenn ich doch aufwachte, wollte ich, dass der Tote in meinem Sprechzimmer verschwunden war. Außerdem wollte ich nicht, dass uns das Haus über den Köpfen angezündet wurde.

Aber es ist noch zu früh, dachte ich auf einmal und fand diesen Gedanken seltsam tröstlich, so idiotisch er war.

»Wird das die Situation für dich komplizierter machen?«, fragte ich. Ich kämpfte gegen die Müdigkeit an und versuchte, vernünftig zu denken. »In Bezug auf Richard Brown?«

»Ich weiß es nicht«, räumte er ein. »Ich habe auch schon darüber nachgedacht. Fast wünschte ich, wir wären in Schottland«, sagte er ein wenig reumütig. »Wenn Brown ein Schotte wäre, wüsste ich eher, was er wohl tun würde.«

»Ach wirklich? Sagen wir zum Beispiel, du hättest es mit deinem Onkel Colum zu tun«, schlug ich vor. »Was meinst du, was er tun würde?«

»Versuchen, mich umzubringen und seinen Bruder zurückzubekommen«, erwiderte er prompt. »Wenn er wüsste, dass ich ihn habe. Und wenn dein Donner nach Brownsville zurückgekehrt *ist* – weiß Richard es inzwischen.«

Er hatte völlig Recht, und diese Tatsache ließ es mir heiß und kalt über den Rücken laufen.

Offenbar war meinem Gesicht die Sorge abzulesen, denn er lächelte ein wenig.

»Mach dir keine Sorgen, Sassenach«, sagte er. »Die Lindsay-Brüder sind am Morgen nach unserer Rückkehr nach Brownsville aufgebrochen. Kenny hält den Ort im Auge, und Evan und Murdo warten mit frischen Pferden an zwei Stellen entlang der Straße. Falls Richard Brown und sein verflixtes Komitee in unsere Richtung reiten, werden wir es rechtzeitig erfahren.«

Das war beruhigend, und ich setzte mich ein wenig gerader hin.

»Das ist gut. Aber – selbst wenn Donner zurückgegangen ist, kann er doch nicht wissen, dass du Lionel Brown gefangen genommen hast; du hättest ihn doch während des K-Kampfes umbringen können.«

Er kniff die Augen zusammen und musterte mich aufmerksam, nickte aber nur.

»Ich wünschte, ich hätte es getan«, sagte er mit einer kleinen Grimasse. »Es hätte mir einigen Ärger erspart. Aber dann – hätte ich nicht herausgefunden, was sie treiben, und das musste ich wissen. Doch wenn Donner zurückgegangen ist, wird er Richard Brown erzählt haben, was geschehen ist, und sie zu den Leichen führen. Er wird entdecken, dass sein Bruder nicht unter ihnen ist.«

»Woraufhin er den logischen Schluss ziehen und ihn hier suchen wird.«

Das Geräusch der Hintertür, die sich in dieser Minute öffnete, ließ mich zusammenzucken. Mein Herz hämmerte wild, doch dann folgte das leise Schlurfen von Mokassins im Flur, das Ians Ankunft verkündete. Er lugte fragend ins Studierzimmer.

»Ich bin gerade Mrs. Bug begegnet, die es ziemlich eilig hatte, nach Hause zu kommen«, sagte er stirnrunzelnd. »Sie wollte nicht anhalten und mit mir sprechen, und sie sah wirklich mitgenommen aus. Stimmt etwas nicht?«

»Die Frage ist eher, was stimmt noch«, sagte ich und lachte, so dass er mich scharf ansah.

Jamie seufzte.

»Setz dich«, sagte er und schob Ian mit dem Fuß einen Hocker hin. »Dann erzähle ich es dir.«

Ian hörte ihm sehr aufmerksam zu, wenn ihm auch der Mund ein wenig aufklappte, als Jamie die Stelle erreichte, an der Mrs. Bug Mr. Brown das Kissen aufs Gesicht drückte.

»Ist er noch hier?«, fragte er am Ende der Geschichte. Er zog den Kopf ein und blickte argwöhnisch hinter sich, als rechnete er damit, Brown jeden Moment aus dem Sprechzimmer auftauchen zu sehen.

»Nun, ich glaube nicht, dass er sich noch aus eigenem Antrieb irgendwo anders hinbegeben wird«, merkte ich trocken an.

Ian nickte, erhob sich aber trotzdem, um nachzusehen. Einen Moment später kehrte er nachdenklich zurück.

»Man sieht ihm nichts an«, sagte er zu Jamie und setzte sich.

Jamie nickte. »Aye, und er ist frisch verbunden. Deine Tante hatte sich gerade um ihn gekümmert.«

Sie nickten sich gegenseitig zu, denn offenbar dachten sie beide dasselbe.

»Man kann ihm nicht ansehen, dass er umgebracht worden ist, Tante Claire«, erklärte Ian, als er sah, dass ich nicht auf einer Wellenlänge mit ihnen war. »Er könnte auch von selbst gestorben sein.«

»Man könnte auch sagen, dass es so *war*. Wenn er nicht versucht hätte, Mrs. Bug zu terrorisieren…« Ich rieb mir – sanft – über die Stirn, unter der sich ein pochender Kopfschmerz regte.

»Wie fühlst du dich –«, setzte Ian in sorgenvollem Ton an, doch ich hatte abrupt mehr als genug von Leuten, die mich fragten, wie ich mich fühlte.

»Wenn ich das wüsste«, sagte ich schnippisch und ließ meine Hand sinken. Ich senkte den Blick auf meine Fäuste, die in meinem Schoß lagen.

»Er – er war kein *Verbrecher*, glaube ich«, sagte ich. Auf meiner Schürze war ein Blutfleck. Ich hatte keine Ahnung, ob es sein oder mein Blut war. »Nur… ein fürchterlicher Schwächling.«

»Dann ist er tot besser dran«, sagte Jamie sachlich und ohne jeden schadenfrohen Unterton. Ian nickte zustimmend.

»Nun denn.« Jamie kam wieder auf das Thema zurück. »Ich hatte gerade zu deiner Tante gesagt, dass ich besser Bescheid wüsste, wie ich mit Brown umgehen muss, wenn er Schotte wäre – aber dann kam mir der Gedanke, dass er zwar kein Schotte ist, er seine Angelegenheiten aber regelt wie die Schotten. Er und sein Komitee. Sie sind wie eine Milizpatrouille.«

Ian nickte und zog seine dünnen Augenbrauen hoch.

»Das stimmt.« Seine Miene war interessiert. »Ich habe zwar noch nie eine gesehen, aber Mama hat mir… von der Patrouille erzählt, die dich festgenommen hat, Onkel Jamie, und wie sie und Tante Claire ihr gefolgt sind.« Er grinste mich an, und sein hageres Gesicht verwandelte sich plötzlich, so dass eine Spur des Jungen zu sehen war, der er gewesen war.

»Nun, da war ich auch noch jünger«, sagte ich. »Und mutiger.«

Jamie stieß einen leisen Kehllaut aus, der nach Belustigung klang.

»Sie gehen aber nicht sehr sparsam vor«, sagte er. »Mit ihrem Morden und Brandschatzen, meine ich –«

»Verglichen mit jahrelanger Ausbeutung.« Langsam dämmerte mir, worauf er hinauswollte. Ian war nach der Schlacht von Culloden geboren; er hatte nie eine Milizpatrouille zu Gesicht bekommen, eine jener organisierten Banden, die bewaffnet durch das Land ritten und den Highland-Häuptlingen Schutzgelder für ihre Pächter, ihr Land und Vieh abnahmen – und wenn dieses erpresste Geld nicht bezahlt wurde, Güter und Vieh postwendend selbst an sich nahmen. Ich war einmal einer solchen *Watch* begegnet. Und ehrlich gesagt hatte ich auch davon gehört, dass sie dann und wann mordeten und brandschatzten – im Allgemeinen jedoch nur, um ein Exempel zu statuieren und die Zusammenarbeit zu verbessern.

Jamie schnaubte. »Nun ja, wie gesagt, ist Brown kein Schotte. Aber Geschäft ist Geschäft, nicht wahr?« Sein Gesicht hatte einen nachdenklichen Ausdruck angenommen, und er lehnte sich ein wenig zurück, die Hände über dem Knie verschränkt. »Wie schnell schaffst du es nach Anidonau Nuya, Ian?«

Nachdem Ian gegangen war, blieben wir noch im Studierzimmer. Wir würden uns um die Situation in meinem Sprechzimmer kümmern müssen, aber ich war noch nicht so weit, mich ihr zu stellen. Abgesehen von der Bemerkung, wie bedauerlich es sei, dass er noch nicht dazu gekommen war, ein Eishaus zu bauen, bezog sich Jamie ebenfalls mit keinem Wort darauf.

»Die arme, alte Mrs. Bug«, sagte ich, als ich mich langsam fing. »Ich hatte keine Ahnung, dass er sie so manipuliert hat. Er muss sie für sehr zimperlich gehalten haben.« Ich lachte kraftlos. »*Das* war sein Fehler. Sie ist furchtbar stark. Ich war erstaunt.«

Das hätte ich nicht sein sollen; ich hatte Mrs. Bug schon eine Meile mit einer ausgewachsenen Ziege auf der Schulter gehen sehen – aber irgendwie setzt niemand die Kraft, die für den Alltag auf dem Land nötig ist, mit der Fähigkeit zur blinden Mordlust gleich.

»Ich auch«, sagte Jamie. »Nicht, dass sie die Körperkraft hatte, es zu tun, sondern dass sie es gewagt hat, die Dinge selbst in die Hand zu nehmen. Warum hat sie es Arch nicht erzählt, wenn sie mir schon nichts gesagt hat?«

»Ich nehme an, es ist so, wie sie es geschildert hat – sie hat gedacht, es stünde ihr nicht zu, etwas zu sagen; du hattest ihr die Aufgabe erteilt, sich um ihn zu kümmern, und sie würde schließlich Himmel und Hölle in Bewegung setzen, um zu tun, was du verlangst. Ich glaube, dass sie das Gefühl hatte, alles im Griff zu haben. Aber als er dann hier aufgetaucht ist… ist es mit ihr durchgegangen. So etwas passiert; ich habe es nicht zum ersten Mal erlebt.«

»Ich auch nicht«, murmelte er. Er hatte die Stirn leicht gerunzelt, so dass sich die Falte zwischen seinen Augenbrauen vertiefte, und ich fragte mich, an welchen brutalen Zwischenfall er sich wohl gerade erinnerte. »Aber ich hätte nicht gedacht …«

Arch Bug kam so leise herein, dass ich ihn nicht hörte; ich begriff erst, dass er da war, als ich Jamie aufblicken und erstarren sah. Ich fuhr herum und sah die Axt in Archs Hand. Ich öffnete den Mund, um etwas zu sagen, doch er schritt auf Jamie zu, ohne Notiz von seiner Umgebung zu nehmen. Für ihn gab es eindeutig niemanden in diesem Raum außer Jamie.

Er erreichte den Schreibtisch und legte die Axt sanft darauf.

»Mein Leben für das Ihre, mein Häuptling«, sagte er leise auf Gälisch. Dann trat er zurück und kniete gesenkten Kopfes nieder. Er hatte sein weiches, weißes Haar zu einem schmalen Zopf geflochten und diesen hochgebunden, so dass sein Nacken bloß lag. Er war walnussbraun und vom Wetter gezeichnet, aber oberhalb seines weißen Kragens noch breit und muskulös.

Ein leises Geräusch an der Tür ließ mich von der Szene herumfahren, so faszinierend diese war. Mrs. Bug war da. Sie klammerte sich Halt suchend an den Türpfosten und hatte dies offensichtlich auch nötig. Ihre Haube saß schief, und ihr eisengraues Haar klebte in verschwitzten Strähnen in ihrem Gesicht, das die Farbe verdorbener Sahne hatte.

Ihr Blick huschte zu mir herüber, als ich mich bewegte, schoss dann aber wieder zurück, um sich auf ihren knienden Mann zu heften – und auf Jamie, der jetzt stand und den Blick von Arch zu seiner Frau schweifen ließ, dann wieder zurück. Er rieb sich mit dem Finger langsam über den Nasenrücken und betrachtete Arch.

»Oh, aye«, sagte er nachsichtig. »Ich soll Euch köpfen, aye? Hier in meinem eigenen Zimmer, und dann soll ich Eure Frau das Blut aufwischen lassen, oder soll ich es draußen tun und Euch mit den Haaren an den Türsturz nageln, als Warnung für Richard Brown? Steht auf, Ihr alter Betrüger.«

Alles im Inneren des Zimmers erstarrte für einen Moment – lange genug, um mich das kleine schwarze Muttermal genau in der Mitte von Archs Nacken bemerken zu lassen –, und dann erhob sich der alte Mann ganz langsam.

»Es ist Euer Recht«, sagte er auf Gälisch. »Ich bin Euer Gefolgsmann, *a ceann-cinnidh*, ich schwöre bei meiner Waffe; es ist Euer Recht.« Er stand hochaufgerichtet da, doch sein Blick war verhüllt und auf den Tisch gerichtet, auf der seine Axt lag, deren scharfe Kante sich silbern vom dumpfen Metallgrau des Kopfes abzeichnete.

Jamie holte Luft, um ihm zu antworten, hielt dann aber inne und betrachtete den Alten genau. Etwas in ihm veränderte sich, fasste Fuß in seinem Bewusstsein.

»*A ceann-cinnidh?*«, sagte er, und Arch Bug nickte schweigend.

Die Luft im Zimmer hatte sich von einer Sekunde zur anderen verdichtet, und meine Nackenhaare stellten sich auf.

A ceann-cinnidh, hatte Arch gesagt. *Mein Häuptling*. Ein Wort, und wir standen in Schottland. Es war nicht schwer, den Unterschied in der Haltung zu sehen, die die neuen Pächter Jamie gegenüber an den Tag legten, und der seiner Männer aus Ardsmuir – den Unterschied zwischen einer vereinbarten und einer gewachsenen Loyalität. Dies hier war noch etwas anderes; eine ältere Treueverpflichtung, die tausend Jahre lang die Highlands beherrscht hatte. Ein Schwur aus Blut und Eisen.

Ich sah, wie Jamie die Gegenwart und die Vergangenheit abwägte und ihm klar wurde, dass Arch in ihrer Mitte stand. Ich sah es in seinem Gesicht, in dem sich Ungeduld in Begreifen verwandelte – und sah, wie er es akzeptierte und die Schultern sinken ließ.

»Nun gut, bei Eurem Wort, es ist mein Recht«, sagte er leise, ebenfalls auf Gälisch. Er richtete sich auf, ergriff die Axt und hielt sie mit dem Griff zuerst vor sich hin. »Und mit demselben Recht gebe ich Euch das Leben Eurer Frau zurück – und Euer eigenes.«

Mrs. Bug atmete mit einem kleinen Schluchzer aus. Arch sah sich nicht nach ihr um, sondern streckte die Hand aus und nahm die Axt. Dabei neigte er ernst den Kopf. Dann drehte er sich um und ging ohne ein weiteres Wort aus dem Zimmer – obwohl ich sah, wie die Finger seiner verstümmelten Hand seiner Frau im Vorübergehen ganz sacht über den Ärmel strichen.

Mrs. Bug richtete sich auf und steckte mit zitternden Fingern hastig ihre losen Haarsträhnen fest. Jamie würdigte sie keines Blickes, sondern setzte sich wieder und griff nach Feder und Papier, obwohl ich nicht glaubte, dass er vorhatte, etwas zu schreiben. Da ich sie nicht in Verlegenheit bringen wollte, täuschte ich großes Interesse für das Bücherregal vor und nahm Jamies kleine Kirschholzschlange in die Hand, als wollte ich sie genauer untersuchen.

Nachdem sie ihre Haube gerade gerückt hatte, trat sie ins Zimmer und machte vor ihm einen Hofknicks.

»Soll ich Euch etwas zu essen holen, Sir? Ich habe frisch gebacken.« Sie sprach mit großer Würde und trug den Kopf aufrecht. Er hob den Kopf von seinem Blatt Papier und lächelte sie an.

»Ja, gern«, sagte er. »*Gun robh math agaibh, a nighean.*«

Sie nickte abrupt und machte auf dem Absatz kehrt. Doch an der Tür blieb sie stehen und blickte zurück. Jamie zog die Augenbrauen hoch.

»Ich war dabei, wisst Ihr«, sagte sie und sah ihm direkt in die Augen. »Als die Sassenachs Euren Großvater umgebracht haben, auf dem Tower Hill. Eine furchtbar blutige Angelegenheit.« Sie spitzte die Lippen und betrachtete ihn mit zusammengekniffenen, geröteten Augen, dann entspannte sie sich.

»Ihr macht ihm alle Ehre«, sagte sie. Dann wirbelten ihre Röcke und Schürzenbänder, und sie war fort.

Jamie blinzelte mich überrascht an, und ich zuckte mit den Achseln.

»Das war nicht unbedingt ein Kompliment, weißt du«, sagte er, und seine Schultern begannen zu beben, als er lautlos loslachte.

»Ich weiß«, sagte er schließlich und fuhr sich mit der Hand unter der Nase entlang. »Weißt du, Sassenach – dass ich manchmal um den alten Schuft trauere?« Er schüttelte den Kopf. »Irgendwann muss ich Mrs. Bug einmal fragen, ob es stimmt, was er zum Schluss gesagt hat. Angeblich, meine ich.«

»Was denn?«

»Er hat den Scharfrichter bezahlt und ihm gesagt, er solle seine Sache gut machen – ›Sonst werde ich furchtbar wütend.‹«

»Nun, es sähe ihm zumindest ähnlich, so etwas von sich zu geben«, sagte ich mit einem kleinen Lächeln. »Was glaubst du, was die Bugs in London gemacht haben?«

Er schüttelte erneut den Kopf, wandte ihn mir zu und hob das Kinn, so dass die Sonne, die durch das Fenster schien, wie Wasser auf seinem Kinn und seinen Wangen schimmerte.

»Weiß der Himmel. Meinst du, sie hat Recht, Sassenach? Dass ich ihm ähnlich bin?«

»Dem Aussehen nach nicht«, antwortete ich lächelnd. Der verblichene Lord Simon Lovat war kurz und kantig gewesen, trotz seines Alters allerdings kraftvoll gebaut. Zudem hatte er große Ähnlichkeit mit einer böswilligen – aber schlauen – Kröte gehabt.

»Nein«, pflichtete mir Jamie bei. »Zum Glück. Aber sonst?« Der Humor leuchtete ihm noch aus den Augen, doch es war ihm ernst; er wollte es wirklich wissen.

Ich betrachtete ihn grübelnd. Es war keine Spur des alten Fuchses in seinen kühnen, klaren Gesichtszügen zu entdecken – die hatte er hauptsächlich mütterlicherseits von den MacKenzies geerbt –, genauso wenig wie in seinem hoch gewachsenen, breitschultrigen Körperbau, doch irgendwo hinter seinen schrägen, dunkelblauen Augen spürte ich hin und wieder ein schwaches Echo Lord Lovats und seiner tiefliegenden Augen, in denen Neugier und sardonischer Humor glitzerten.

»Du hast etwas von ihm«, räumte ich ein. »Manchmal auch mehr als nur etwas. Dir fehlt sein maßloser Ehrgeiz, aber …« Ich blinzelte und überlegte. »Ich wollte sagen, du bist nicht so rücksichtslos wie er«, fuhr ich langsam fort, »aber genau das bist du.«

»Bin ich das?« Es schien ihn weder zu überraschen noch zu erschrecken, das zu hören.

»Manchmal«, sagte ich, und irgendwo im Inneren meiner Knochen spürte ich das *Plop*, mit dem Arvin Hodgepiles Genick durchgebrochen war. Der Nachmittag war warm, aber unversehens breitete sich eine Gänsehaut auf meinen Armen aus – um dann wieder zu verschwinden.

»Meinst du, dass ich seinen hinterhältigen Charakter habe?«, fragte er ernst.

»Ich weiß es nicht genau«, sagte ich etwas skeptisch. »Du bist kein Intrigant wie er – aber vielleicht auch nur, weil du das Ehrgefühl besitzt, das ihm fehlte. Du benutzt die Menschen nicht wie er.«

Er lächelte, doch mit weniger echtem Humor als zuvor.

»O doch, das tue ich, Sassenach«, sagte er. »Ich gebe mir nur Mühe, dass es niemand merkt.«

Einen Moment saß er still da, und sein Blick fixierte die kleine Kirschholzschlange in meiner Hand, doch ich hatte nicht das Gefühl, dass er sie ansah. Schließlich schüttelte er den Kopf und sah zu mir auf, und sein Mundwinkel verzog sich ironisch.

»Wenn es einen Himmel gibt und mein Großvater dort ist – und ich erlaube mir, das zu bezweifeln –, so lacht er gerade, bis ihm sein garstiger alter Kopf abfällt. Oder er würde es, wenn er ihm nicht schon unter dem Arm klemmen würde.«

34

Beweisstück A und Beweisstück B

Und so kam es, dass wir ein paar Tage später zu Pferd in Brownsville Einzug hielten. Jamie in voller Highland-Tracht, Hector Camerons Dolch mit dem goldenen Griff an seiner Hüfte und eine Falkenfeder im Barett. Auf Gideon, der die Ohren angelegt und Blut in den Augen hatte, wie üblich.

An seiner Seite *Bird-who-sings-in-the-morning*, Friedenshäuptling der *Snowbird* vom Stamm der Cherokee. *Bird*, so hatte Ian mir gesagt, stammte aus dem Langhaar-Clan, und so sah er auch aus. Sein Haar war nicht nur lang und mit glänzendem Bärenfett gesalbt, sondern dazu prachtvoll frisiert. Ein Pferdeschwanz erhob sich auf seinem Scheitel und fiel ihm über den Rücken, bis er in einem Dutzend kleiner Flechtzöpfe endete, die – wie der Rest seiner Aufmachung – mit Wampum-Muscheln, Glasperlen, kleinen Messingglöckchen, Wellensittichfedern und einem chinesischen Yen verziert waren; wusste der Himmel, woher er den hatte. An seinem Sattel festgeschnallt seine neueste und kostbarste Errungenschaft – Jamies Gewehr.

An Jamies anderer Seite ich – Beweisstück A. Auf meinem Maultier Clarence, ganz in indigofarbene Wolle gekleidet – welche die Blässe meiner Haut verstärkte und das Gelb und Grün der heilenden Verletzungen in meinem Gesicht traumhaft betonte. Die Süßwasserperlenkette um meinen Hals lieferte mir moralische Unterstützung.

Ian ritt mit den beiden Kriegern, die *Birds* Gefolge bildeten, hinter uns. Er sah eher wie ein Indianer als wie ein Schotte aus, dank der Halbkreise aus eintätowierten Punkten, die sich über seine Wangen zogen, und der Tatsache, dass auch er sein langes braunes Haar gefettet und zu einem Knoten zusammengebunden hatte, in dem eine einzelne Truthahnfeder steckte. Zumindest hatte er sich nicht nach Mohawk-Manier die Kopfhaut kahl gerupft; er sah auch so bedrohlich genug aus.

Und auf einer Schlepptrage hinter Ians Pferd lag Beweisstück B – Lionel Browns Leiche. Wir hatten ihn im Kühlhaus aufbewahrt, um ihn gemeinsam mit der Butter und den Eiern frisch zu halten, und Brianna und Malva hatten getan, was sie konnten, ihn in Moos gepackt, um eventuelle Flüssigkeiten aufzusaugen, so viele stark duftende Kräuter hinzugefügt, wie sie auftreiben konnten, und die unappetitliche Ladung in ein Hirschfell gewickelt, das sie nach Indianerart mit Lederstreifen umschlangen. Trotz dieser Zuwendungen waren die Pferde nicht begeistert davon, sich in der Nähe des Toten aufzuhalten, doch Ians Pferd trug es mit grimmiger Fassung. Es schnaubte nur alle paar Minuten laut und schüttelte den Kopf, so dass sein Zaumzeug rasselte, ein wehmütiger Kontrapunkt zum leisen Klappern der Hufe.

Wir redeten nicht viel.

In jeder Siedlung in den Bergen sorgten Besucher für öffentliches Aufsehen und Gerede. Unser kleiner Hofstaat ließ die Leute mit offenem Mund aus den Häusern schießen wie aufgestörte Schnecken. Als wir Richard Browns Haus erreichten, das dem Ort gleichzeitig als Wirtshaus diente, hatten wir eine kleine Schar von Anhängern um uns gesammelt, zum Großteil Männer und Jungen.

Die Geräusche unserer Ankunft lockten eine Frau – Mrs. Brown, ich erkannte sie – aus dem schlampig gebauten Verkaufsraum. Ihre Hand flog an ihren Mund, und sie hastete ins Haus zurück.

Wir warteten schweigend. Es war ein kühler, klarer Herbsttag, und der Wind spielte mit dem Haar an meinem Hals; auf Jamies Bitte trug ich es zu einem Zopf zurückgebunden und hatte auf eine Haube verzichtet. Mein Gesicht lag bloß, und die Wahrheit war deutlich darin abzulesen.

Wussten sie Bescheid? Mit einem seltsam abwesenden Gefühl, als beobachtete ich die Vorgänge von einem Ort außerhalb meines Körpers aus, blickte ich den Umstehenden nacheinander ins Gesicht.

Sie konnten es nicht wissen. Jamie hatte mich dessen versichert, und ich wusste es selbst. Es sei denn, Donner war entwischt und hatte ihnen erzählt, was in jener letzten Nacht geschehen war. Doch das konnte nicht sein. Wenn er ihnen etwas erzählt hätte, wäre Richard Brown zu uns gekommen.

Sie wussten nur, was in meinem Gesicht zu lesen stand. Und das war zu viel.

Clarence spürte die Hysterie, die unter meiner Haut entlangzitterte wie ein Tropfen Quecksilber; er stampfte mit dem Huf auf und schüttelte den Kopf, als wollte er Fliegen aus seinen Ohren vertreiben.

Die Tür öffnete sich, und Richard Brown kam heraus. Hinter ihm befanden sich mehrere bewaffnete Männer.

Brown war bleich, verwahrlost und unrasiert. Seine Haare waren fettig, seine Augen rot und trübe, und der Bierdunst schien ihn wie eine Wolke zu umgeben. Er hatte heftig getrunken und bemühte sich sichtlich, sich so weit zusammenzureißen, dass er sich mit der Bedrohung befassen konnte, die wir vermutlich darstellten.

»Fraser«, sagte er und blieb blinzelnd stehen.

»Mr. Brown.« Jamie trieb Gideon dichter an ihn heran, so dass er auf Augenhöhe mit den Männern auf der Veranda war, keine zwei Meter von Richard Brown entfernt.

»Vor zehn Tagen«, sagte Jamie gleichmütig, »ist eine Bande von Männern auf mein Land gekommen. Sie haben mein Eigentum gestohlen, meine Tochter angegriffen, die ein Kind erwartet, meinen Malzschuppen abgebrannt, meine Gerste vernichtet und meine Frau entführt und misshandelt.«

Die Hälfte der Männer hatte mich sowieso schon angestarrt; jetzt taten sie es alle. Ich hörte das leise, metallische Klicken einer Pistole, die gespannt wurde. Kein Muskel regte sich in meinem Gesicht, ich hielt die Zügel fest in der Hand und richtete die Augen unbeweglich auf Richard Brown.

Browns Mund begann, sich zu bewegen, doch bevor er etwas sagen konnte, hob Jamie die Hand und gebot ihm zu schweigen.

»Ich bin ihnen mit meinen Männern gefolgt und habe sie getötet«, sagte er im selben ungerührten Ton. »Ich habe Euren Bruder unter ihnen gefunden. Ich habe ihn gefangen genommen, ihm aber nichts angetan.«

Alles holte Luft, und in der Menge hinter uns ertönte beklommenes Gemurmel. Richard Browns Augen fuhren zu den Bündel auf der Schlepptrage, und sein Gesicht wurde weiß unter dem verkrusteten Bart.

»Ihr –«, krächzte er. »Nelly?«

Das war mein Stichwort. Ich holte tief Luft und trieb Clarence vorwärts.

»Euer Bruder hatte einen Unfall, bevor mein Mann uns gefunden hat«, sagte ich. Meine Stimme war heiser, aber gut verständlich. Ich holte noch tiefer Luft, damit mich jeder hören konnte. »Er hat sich bei einem Sturz schwer verletzt. Wir haben uns seiner Verletzungen angenommen. Doch er ist gestorben.«

Jamie ließ eine Minute fassungslosen Schweigens verstreichen, ehe er fortfuhr.

»Wir haben ihn Euch mitgebracht, damit Ihr ihn begraben könnt.« Er machte eine kleine Handbewegung, und Ian, der vom Pferd gestiegen war, schnitt die Stricke durch, die die Trage hielten. Gemeinsam mit den beiden Cherokee zog er sie vor die Veranda und legte sie auf der zerfurchten Straße ab. Dann kehrten sie wortlos zu ihren Pferden zurück.

Jamie neigte abrupt den Kopf und wendete Gideon. *Bird* folgte ihm, seelenruhig und tatenlos wie ein Buddha. Ich wusste nicht, ob er genug Englisch verstand, um Jamies Worten zu folgen, doch das spielte keine Rolle. Er verstand seine Rolle und hatte sie perfekt gespielt.

Die Browns mochten ein lohnendes Nebeneinkommen durch Mord, Diebstahl und Sklavenhandel haben, doch ihre Haupteinkünfte verdankten sie den Indianern. Seine Anwesenheit an Jamies Seite bedeutete eine deutliche Warnung, dass den Cherokee der König von England und sein Abgesandter wichtiger waren als der Handel mit den Browns. Falls Jamie oder sein Eigentum erneut durch sie zu Schaden kamen, würde diese profitable Verbindung abreißen.

Ich wusste nicht alles, was Ian zu *Bird* gesagt hatte, als er ihn bat zu kommen – doch ich hielt es für sehr wahrscheinlich, dass es eine unausgesprochene Übereinkunft gab, dass keine offiziellen Ermittlungen der Krone bezüglich des Schicksals der Gefangenen erfolgen würden, die möglicherweise in Indianerhände gelangt waren.

Dies war schließlich reine Geschäftssache.

Ich trat Clarence fest in die Rippen und nahm meine Position hinter *Bird* ein. Ich hielt meinen Blick fest auf den Yen gerichtet, der mitten auf seinem Rücken aufglitzerte und an einem scharlachroten Faden in seinem Haar hing. Ich verspürte ein beinahe unkontrollierbares Bedürfnis zurückzublicken und umklammerte die Zügel mit den Händen und bohrte die Fingernägel in meine Handflächen.

War Donner doch tot? Er war nicht unter den Männern in Richard Browns Begleitung; das hatte ich geprüft.

Ich wusste nicht, ob ich mir *wünschte*, er wäre tot. Das Verlangen, mehr über ihn herauszufinden, war stark – doch das Verlangen, die ganze Sache erledigt zu wissen, jene Nacht auf dem Berg ein für alle Mal hinter mir zu lassen, alle Zeugen der sicheren Stille des Grabes überlassen zu sehen – das war stärker.

Ich hörte, wie sich Ian und die beiden Cherokee hinter uns einreihten, und innerhalb kürzester Zeit war Brownsville nicht mehr zu sehen, obwohl mir der Geruch von Bier und Schornsteinrauch hartnäckig in der Nase hing. Ich trieb Clarence an Jamies Seite; *Bird* war zurückgefallen, um mit seinen Männern und Ian zusammen zu reiten; sie lachten über irgendetwas.

»Ist es damit vorbei?«, fragte ich. Meine Stimme fühlte sich in der kalten

Luft kraftlos an, und ich war mir nicht sicher, ob er mich gehört hatte. Doch das hatte er. Er schüttelte kaum merklich den Kopf.

»So etwas ist nie vorbei«, sagte er leise. »Aber wir leben noch. Und das ist gut.«

FÜNFTER TEIL

Unverhofft kommt oft

35

Laminaria

Nachdem wir heil aus Brownsville zurückgekehrt waren, machte ich mich mit gezielten Schritten daran, wieder zum normalen Alltag überzugehen. Einer dieser Schritte war ein Besuch bei Marsali, die ihre Zuflucht bei den McGillivrays aufgegeben hatte und zurückgekehrt war. Fergus hatte ich ja schon gesehen, und er hatte mir versichert, dass sie sich von ihren Verletzungen erholt hatte und sich gut fühlte – aber ich musste mich selbst davon überzeugen.

Ich sah, dass ihr Hof zwar aufgeräumt war, aber gewisse Zeichen des Verfalls an den Tag legte; ein paar Schindeln waren vom Dach geweht; die Eingangstreppe hing an einer Stelle durch, und das Ölpapier vor dem einzigen Fenster hatte einen Riss, den jemand hastig mit einem Stück Stoff verstopft hatte. Kleinigkeiten, aber Dinge, um die sich jemand kümmern sollte, bevor der Schnee kam – und er würde bald kommen; ich konnte ihn in der Luft spüren, als der leuchtend blaue Himmel des Spätherbstes allmählich in das diesige Grau des nahenden Winters überging.

Niemand eilte mir entgegen, um mich zu begrüßen, doch ich wusste, dass sie zu Hause waren; aus dem Schornstein kamen Rauch und Funken – immerhin schien Fergus in der Lage zu sein, sie mit genug Kaminholz zu versorgen, dachte ich bissig. Ich rief fröhlich »Halloo!« und drückte die Tür auf.

Ich spürte es sofort. Ich traute meinen Gefühlen im Moment nicht sehr weit über den Weg, aber dieses ging mir durch Mark und Bein. Es ist das Gefühl, das man als Arzt hat, wenn man ein Untersuchungszimmer betritt und *weiß*, dass etwas ganz und gar nicht stimmt. Noch bevor man die erste Frage stellt, bevor man die erste Untersuchung durchführt. Es kommt nicht oft vor, und man wünscht sich, es geschähe nie – doch dann passiert es doch. Man weiß es, und es gibt kein Entrinnen.

Es waren die Kinder, die es mir mehr als alles andere verrieten. Marsali saß am Fenster und nähte, und die beiden Mädchen spielten leise zu ihren Füßen. Germain – untypischerweise nicht im Freien – saß mit schaukelnden Beinen am Tisch und beugte sich stirnrunzelnd über ein zerfleddertes, aber heißgeliebtes Bilderbuch, das Jamie ihm aus Cross Creek mitgebracht hatte. Sie wussten es auch.

Marsali blickte auf, als ich ins Zimmer kam, und ich sah, wie sich ihr Gesicht beim Anblick des meinen erschrocken anspannte.

»Es ist nichts«, sagte ich hastig und schnitt ihren Ausruf ab. »Nur blaue Flecken. Aber wie geht es dir?«

Ich stellte meine Tasche hin und nahm ihr Gesicht in meine Hände, um es sanft zum Licht zu drehen. Sie hatte heftige Prellungen auf der einen Wange und dem Ohr, und auf ihrer Stirn verblasste eine Beule – aber sie hatte keine offenen Wunden, und ihre Augen sahen mich klar und gesund an. Ihr Hautfarbe war gut, keine Gelbsucht, kein schwacher Geruch, der auf Nierenversagen hindeutete.

Ihr geht es gut. Es ist das Baby, dachte ich und ich ließ meine Hände auf ihren Bauch sinken, ohne zu fragen. Mir war kalt ums Herz, als ich ihren Bauch umfasste und sanft anhob. Ich biss mir vor Überraschung fast auf die Zunge, als mir der Tritt eines winzigen Knies antwortete.

Das gab mir neuen Mut; ich hatte gedacht, das Kind wäre tot. Ein rascher Blick in Marsalis Gesicht dämpfte meine Erleichterung. Sie war hin- und hergerissen zwischen Angst und der Hoffnung, ich würde ihr sagen, dass das, was sie genau wusste, nicht wahr war.

»Hat sich das Baby in den letzten paar Tagen sehr viel bewegt?«, fragte ich um einen ruhigen Tonfall bemüht, während ich mein Stethoskop hervorholte. Ich hatte es mir von einem Zinngießer in Wilmington machen lassen – eine kleine Glocke mit einem flachen Endstück –, primitiv, aber wirksam.

»Nicht so viel wie vorher«, antwortete Marsali und lehnte sich zurück, damit ich ihren Bauch abhören konnte. »Aber das kommt doch vor, oder? Wenn sie beinahe bereit sind herauszukommen? Joanie war die ganze Nacht, bevor die Fruchtblase geplatzt ist, so reglos wie eine To- wie ein Mühlstein.«

»Nun ja, doch, das tun sie oft«, bestätigte ich, ohne darauf einzugehen, was sie beinahe gesagt hatte. »Wahrscheinlich ruhen sie sich aus.« Sie lächelte als Erwiderung, doch ihr Lächeln verschwand wie eine Schneeflocke auf heißem Eisen, als ich mich dicht über sie beugte und mein Ohr an das abgeflachte Ende der trompetenförmigen Metallröhre hielt, deren breite, glockenförmige Öffnung ich auf ihren Bauch drückte.

Es dauerte einige Zeit, bis ich den Herzschlag fand, und als es mir gelang, war er ungewöhnlich langsam. Außerdem setzte er dann und wann aus; meine Arme überzogen sich mit einer Gänsehaut, als ich das hörte.

Ich fuhr mit meiner Untersuchung fort, stellte ihr Fragen, machte kleine Witze, hielt inne, um die Fragen der anderen Kinder zu beantworten, die sich um uns drängten, sich gegenseitig auf die Füße traten und mir im Weg waren – und während der ganzen Zeit raste mein Verstand und malte sich Möglichkeiten aus, allesamt schlecht.

Das Kind *bewegte* sich – aber nicht richtig. Sein Herz schlug – aber nicht richtig. Alles an diesem Bauch fühlte sich *falsch* an. Doch was war es nur? Möglicherweise war die Nabelschnur um den Hals gewickelt – was sehr gefährlich gewesen wäre.

Ich schob ihr Hemd weiter zurück, um besser hören zu können, und sah die schweren Prellungen – hässliche Flecken aus heilendem Grün und Gelb, einige noch mit dunkler, rot-schwarzer Mitte, blühten wie todbringende Rosen überall auf ihrem Bauch. Bei ihrem Anblick biss ich mir auf die Lippe; sie hatten sie getreten, die Mistkerle. Ein Wunder, dass sie nicht auf der Stelle eine Fehlgeburt gehabt hatte.

Wut stieg plötzlich in mir auf, geballte, handfeste Wut, die mir fast den Brustkorb sprengte.

Blutete sie irgendwo? Nein. Keine Schmerzen, abgesehen von den empfindlichen Prellungen. Keine Krämpfe. Keine Wehen. Ihr Blutdruck schien normal zu sein, soweit ich das beurteilen konnte.

Ein Unfall mit der Nabelschnur war dennoch möglich – sogar sehr wahrscheinlich. Doch es konnte genauso gut eine teilweise abgelöste Plazenta sein, die in die Gebärmutter hineinblutete. Ein Gebärmutterriss? Oder etwas Selteneres – ein toter Zwilling, eine Verwachsung … Das Einzige, was ich genau wusste war, dass dieses Kind in die Welt der Sauerstoffatmer geholt werden musste, und zwar so schnell wie möglich.

»Wo ist Fergus?«, sagte ich mit ruhiger Stimme.

»Ich weiß es nicht«, sagte sie im selben Tonfall absoluter Ruhe. »Er ist seit vorgestern nicht mehr zu Hause gewesen. Steck das nicht in den Mund *a chuisle.*« Sie streckte die Hand nach Felicité aus, die an einem Kerzenstummel kaute, konnte sie aber nicht erreichen.

»Nicht? Nun, wir werden ihn schon finden.« Ich nahm Felicité den Kerzenstummel ab, ohne dass sie protestiert hätte. Sie spürte, dass etwas vor sich ging, wusste aber nicht, was. Auf der Suche nach Trost packte sie das Bein ihrer Mutter und versuchte hartnäckig, auf Marsalis nicht existenten Schoß zu klettern.

»Nicht, *bébé*«, sagte Germain, fasste seine Schwester um die Taille und zog sie zurück. »Du kommst mit mir, *a piuthar*. Willst du Milch?«, fügte er hinzu, um sie zu überreden. »Wir gehen zum Kühlhaus, aye?«

»Will Mama!« Felicité wehrte sich mit Händen und Füßen, um sich ihm zu entwinden, aber Germain hievte ihre pummelige kleine Gestalt in seine Arme.

»Ihr Mädchen kommt jetzt mit mir«, sagte er bestimmt und schob sich ungeschickt zur Tür hinaus. Felicité grunzte und wand sich in seinen Armen, und Joanie folgte ihm zögerlich – und blieb an der Tür stehen, um mit großen, braunen Augen noch einen ängstlichen Blick auf Marsali zu werfen.

»Geh nur, *a muirninn*«, rief Marsali lächelnd. »Bring sie zu Mrs. Bug. Es wird alles gut. Germain ist so ein lieber Junge«, murmelte sie, faltete die Hände auf ihrem Bauch, und das Lächeln verschwand.

»Sehr lieb«, pflichtete ich ihr bei. »Marsali –«

»Ich weiß«, sagte sie einfach nur. »Meinst du, dieses hier wird lebend zur Welt kommen?« Sie fuhr sich sanft mit der Hand über ihren Bauch und senkte den Blick.

Ich war mir alles andere als sicher, doch vorerst *lebte* das Kind. Ich zögerte und spielte in Gedanken diverse Möglichkeiten durch. Egal, was ich tat – es barg gewaltige Risiken, für sie, für das Kind oder für beide.

Warum war ich nur nicht eher gekommen? Ich machte mir Vorwürfe, weil ich Jamie geglaubt hatte, dass es ihr gut ging – doch ich hatte keine Zeit für Selbstvorwürfe, und es war gut möglich, dass es sowieso nichts geändert hätte.

»Kannst du gehen?«, fragte ich. »Wir müssen zum Haupthaus.«

»Aye, natürlich.« Sie erhob sich vorsichtig, auf meinen Arm gestützt. Sie sah sich in der Hütte um, als prägte sie sich all ihre alltäglichen Details ein, dann sah sie mich scharf und klar an. »Wir reden auf dem Weg.«

Die wenigen Optionen, die ich hatte, waren zum Großteil Schrecken erregend. Wenn die Gefahr einer Plazentaablösung bestand, *konnte* ich einen Notkaiserschnitt durchführen und das Kind retten – aber Marsali würde sterben. Die Wehen einzuleiten und das Kind langsam zur Welt zu holen, bedeutete zwar ein Risiko für das Kind, doch für Marsali war es wesentlich sicherer. Natürlich – und diesen Gedanken behielt ich für mich – stieg bei einer Geburtseinleitung die Gefahr schwerer Blutungen. Wenn es dazu kam …

Möglicherweise konnte ich die Blutung stillen und Marsali retten – würde aber dem Kind nicht helfen können, das wahrscheinlich auch in Gefahr sein würde. Dann war da der Äther – ein verlockender Gedanke, den ich jedoch widerstrebend verwarf. Es *war* Äther – doch ich hatte ihn noch nicht benutzt, hatte weder eine klare Vorstellung von seiner Konzentration und Wirkungsweise, noch besaß ich die Kenntnisse eines Anästhesisten, die es mir erlaubt hätten, seine Nebenwirkungen in einer derart kniffligen Situation zu berechnen, wie sie eine Geburt darstellte. Bei einer kleineren Operation konnte ich langsam vorgehen, die Atmung des Patienten beobachten und einfach einen Rückzieher machen, wenn etwas schief zu gehen schien. Wenn ich mich mitten in einem Kaiserschnitt befand und die Dinge den Bach hinuntergingen, gab es keinen Ausweg.

Marsali erschien mir übernatürlich ruhig, als lauschte sie den Vorgängen in ihrem Inneren anstatt meiner Erklärungen und Spekulationen. Doch als wir in die Nähe unseres Hauses kamen, begegneten wir Ian, der mit einer Hand voll toter Kaninchen den Berg herunterkam, die er an den Ohren baumelnd transportierte, und sie war ruckartig ganz bei der Sache.

»Ho, Cousinchen! Wie geht es denn?«, fragte er fröhlich.

»Ich brauche Fergus, Ian«, sagte sie ohne Umschweife. »Kannst du ihn suchen?«

Das Lächeln wich aus seinem Gesicht, als er sah, wie blass Marsali war, die sich auf mich stützte.

»Himmel, das Kind kommt? Aber warum –« Er blickte auf den Weg hinter uns und fragte sich wohl, warum wir Marsalis Hütte verlassen hatten.

»Geh und such Fergus, Ian«, warf ich ein. »*Schnell.*«

»Oh.« Er schluckte, und plötzlich sah er sehr jung aus. »Oh. Aye. Das mache ich. Sofort!« Er lief los, fuhr dann aber herum und drückte mir die Kaninchen in die Hand. Dann verließ er mit einem Satz den Pfad und rannte den Hügel hinter, wobei er zwischen den Bäumen hindurchschoss und über umgestürzte Bäume sprang. Rollo, der nicht außen vor bleiben wollte, huschte wie ein verschwommener grauer Blitz an uns vorbei und sauste den Berg hinunter und seinem Herrchen nach wie der Blitz.

»Keine Sorge«, sagte ich und tätschelte Marsalis Arm. »Sie finden ihn.«

»Oh, aye«, sagte sie und blickte ihnen nach. »Aber falls sie ihn nicht rechtzeitig finden …«

»Das werden sie«, sagte ich überzeugt. »Komm mit.«

Ich schickte Lizzie los, um Brianna und Malva Christie zu suchen – ich hatte das Gefühl, ich könnte vielleicht ein paar zusätzliche Hände gebrauchen –, und schickte Marsali zu Mrs. Bug in die Küche, um sich auszuruhen, während ich das Sprechzimmer vorbereitete. Frische Bettwäsche und Kissen über meinen Untersuchungstisch gebreitet. Ein Bett wäre zwar besser gewesen, aber ich musste meine Ausrüstung zur Hand haben.

Und die Ausrüstung selbst; die chirurgischen Instrumente, sorgfältig unter einem sauberen Handtuch verborgen, die Äthermaske, dick mit frischer Gaze gepolstert, die Tropfflasche: Konnte ich mich darauf verlassen, dass Malva den Äther verabreichte, während ich eine Notoperation durchführte? Ich glaubte es schon; das Mädchen war zwar sehr jung und völlig ungelernt, aber sie besaß eine bemerkenswerte Geistesgegenwart, und ich wusste, dass sie nicht zimperlich war. Ich füllte die Tropfflasche, das Gesicht von dem starken, süßlichen Geruch abgewandt, der von der Flüssigkeit aufstieg, und stopfte ein kleines verdrehtes Stück Watte in den Ausgießer, damit der Äther nicht verdampfte und uns alle vergaste – oder Feuer fing. Ich warf hastig einen Blick zum Kamin, doch das Feuer war aus.

Was, wenn ich es nachts tun musste, bei Kerzenschein? Das ging nicht; Äther war hoch entflammbar. Ich verdrängte die Vorstellung, wie ich im Stockfinsteren nur mit Hilfe des Tastsinns einen Notkaiserschnitt durchführte.

»Wenn ihr im Moment nichts Besseres vorhabt, wäre dies ein verdammt guter Zeitpunkt, einmal vorbeizuschauen«, murmelte ich an die Heiligen Brigitta, Raimund und Margareta von Antiochia gerichtet, angeblich allesamt Schutzpatrone der Gebärenden und Schwangeren, sowie an alle

Schutzengel – meinen, Marsalis oder den des Kindes –, die sich möglicherweise gerade im Hintergrund herumtrieben.

Irgendjemand schenkte mir offenbar Gehör. Als ich Marsali auf den Tisch verfrachtet hatte, stellte ich zu meiner übergroßen Erleichterung fest, dass der Muttermund sich zu öffnen begonnen hatte – es aber keinerlei Anzeichen für eine Blutung gab. Damit war das Risiko eines Blutsturzes zwar nicht ganz ausgeschaltet, aber die Wahrscheinlichkeit war deutlich geringer.

»Es scheint fest zu schlafen«, sagte ich und lächelte Marsali an. »Ruht sich aus.«

Sie erwiderte mein Lächeln kurz und drehte sich dann ächzend auf die Seite.

»Nach diesem Spaziergang könnte ich selbst ein bisschen Ruhe gebrauchen.« Sie seufzte und legte ihren Kopf auf das Kissen. Adso, der ihre Meinung zu teilen schien, sprang auf den Tisch, kuschelte sich an ihre Brüste und rieb hingebungsvoll sein Gesicht an ihr.

Ich hätte ihn hinausgeworfen, aber Marsali schien seine Anwesenheit beruhigend zu finden und kraulte ihm die Ohren, bis er sich heftig schnurrend unter ihrem Kinn zusammenrollte. Nun, ich hatte schon unter sehr viel weniger hygienischen Umständen Kinder auf die Welt geholt, Katze oder nicht, und diese Geburt würde wahrscheinlich langsam vor sich gehen; Adso würde sein Lager längst anderswo aufgeschlagen haben, bevor er uns hinderlich werden konnte.

Ich fühlte mich etwas zuversichtlicher, wenn auch nicht absolut beruhigt. Dieses unterschwellige Gefühl, dass etwas nicht stimmte, rumorte in mir. Unterwegs hatte ich über die diversen Möglichkeiten nachgedacht, die sich mir boten; angesichts der leichten Weitung des Muttermundes und des inzwischen regelmäßigen Herzschlags dachte ich, wir könnten es mit der konservativsten Methode der Geburtseinleitung versuchen, um Mutter und Kind möglichst nicht unnötig zu belasten. Wenn ein Notfall dazwischenkam … nun, dann würden wir uns darum kümmern, falls und wenn wir es mussten.

Ich hoffte nur, dass der Inhalt des Glases zu benutzen war; ich hatte noch nie Grund gehabt, es zu öffnen. »Laminaria« stand in Daniel Rawlings' fließender Handschrift auf dem Etikett. Es war ein kleines Glas aus dunkelgrünem Glas, dessen Korken mit Wachs versiegelt war und das sehr leicht war. Als ich es öffnete, strömte ein leichter Hauch von Jod aus, aber zum Glück kein Verwesungsgeruch.

Laminaria ist eine Seetangart. Getrocknet besteht sie aus papierdünnen, bräunlich grünen Streifen. Doch anders als andere getrocknete Tangsorten bröckelt *Laminaria* nicht sehr leicht. Und sie besitzt eine höchst erstaunliche Fähigkeit, Wasser aufzusaugen.

In den Muttermund eingeführt, absorbiert sie Feuchtigkeit aus den umliegenden Schleimhäuten – und schwillt an, wodurch sie den Muttermund langsam weiter öffnet und irgendwann die Wehen einleitet. Ich hatte schon zugesehen, wie Laminarien verwendet wurden, sogar in meiner eigenen Zeit, obwohl man es in der Moderne am häufigsten benutzte, um Totgeburten aus dem Mutterleib auszustoßen. *Diesen* Gedanken schob ich weit von mir und wählte ein gutes Stück aus.

Es war einfach getan, und als es einmal geschehen war, gab es nichts mehr zu tun, als zu warten. Und zu hoffen. Das Sprechzimmer war sehr friedlich, von Licht erfüllt und den Geräuschen der Zaunkönige, die unter der Traufe umherraschelten.

»Ich hoffe, Ian findet Fergus«, sagte Marsali nach längerem Schweigen.

»Das wird er bestimmt«, erwiderte ich etwas abwesend, weil ich gerade versuchte, mein kleines Kohlebecken mit Hilfe von Feuerstein und Stahl anzuzünden. »Du sagst, Fergus ist schon länger nicht mehr zu Hause gewesen?«

»Nein.« Ihre Stimme klang gedämpft, und als ich aufblickte, sah ich, dass sie den Kopf über Adso gebeugt und das Gesicht in seinem Fell verborgen hatte. »Ich habe ihn so gut wie nicht mehr gesehen, seit… seit die Männer zur Mälzerei gekommen sind.«

»Ah.«

Ich wusste nicht, was ich darauf sagen sollte. Mir war nicht klar gewesen, dass Fergus sich rar gemacht hatte – obwohl ich ihn durchaus verstehen konnte, angesichts dessen, was ich über Männer des achtzehnten Jahrhunderts wusste.

»Er schämt sich, der kleine Franzosenschuft«, sagte Marsali trocken und bestätigte damit meine Vermutung. Sie drehte den Kopf, so dass eins ihrer blauen Augen hinter Adsos rundem Köpfchen auftauchte. »Glaubt, es ist seine Schuld gewesen, aye? Dass ich dort war, meine ich. Meint, wenn er besser im Stande wäre, für mich zu sorgen, hätte ich mich nicht um die Mälzerei kümmern müssen.«

»Männer«, sagte ich kopfschüttelnd, und sie lachte.

»Aye, Männer. Nicht, dass er etwa *gesagt* hätte, wo das Problem liegt – natürlich nicht. Viel besser, wenn man sich davonmacht und darüber brütet und mich mit drei wilden Kindern zu Hause lässt!« Sie verdrehte die Augen.

»Aye, nun ja, das tun sie manchmal, Männer«, sagte Mrs. Bug, die mit einem entzündeten Docht ins Zimmer kam, duldsam. »Fern jeder Vernunft, aber sie meinen es gut. Ich hab Euch mit dem Stahl klappern hören wie bei einer Totenwache, Mrs. Claire; warum konntet Ihr nicht in die Küche kommen und Euch Feuer holen wie ein normaler Mensch?« Sie hielt den Docht an das Brennmaterial in meinem Kohlebecken, das prompt in Flammen aufging.

»Übung«, sagte ich und legte Stöckchen auf das junge Feuer. »Ich habe die Hoffnung noch nicht aufgegeben, irgendwann zu lernen, wie man in weniger als einer Viertelstunde Feuer macht.«

Marsali und Mrs. Bug prusteten gleichzeitig voller Verachtung los.

»Och, Lämmchen, eine Viertelstunde ist doch gar nichts! Gott, wie oft habe ich schon eine Stunde und mehr dazu gebraucht, feuchten Zunder zum Brennen zu bringen – vor allem in Schottland, wo es im Winter nichts Trockenes gibt. Warum glaubt Ihr, dass sich die Leute solche Mühe geben, ihr Feuer für die Nacht auf Sparflamme weiterglimmen zu lassen?«

Dies führte zu einer erregten Diskussion darüber, wie man am besten ein Feuer für die Nacht abdämpfte, einschließlich einer Auseinandersetzung darüber, welches Gebet dabei zu sprechen sei. Und dies dauerte so lange, dass ich das Kohlebecken ordentlich zum Glühen bringen und einen kleinen Kessel hineinstellen konnte, um Tee zu machen. Ich hatte nur noch einen winzigen Vorrat an echten Teeblättern, doch ich war der Meinung, dass der Anlass es rechtfertigte.

Die Erwähnung Schottlands schien Marsali auf einen Gedanken gebracht zu haben, denn sie erhob sich auf ihren Ellbogen.

»Mutter Claire – glaubst du, es würde Pa etwas ausmachen, wenn ich mir ein Blatt Papier und etwas Tinte borge? Ich glaube, es wäre gut, wenn ich meiner Mutter schriebe.«

»Ich glaube, das wäre eine hervorragende Idee.« Ich ging Papier und Tinte holen, und mein Herz schlug ein wenig schneller. Marsali war ganz ruhig; ich war es nicht. Doch ich hatte das schon öfter erlebt; ich war mir nicht sicher, ob es Fatalismus, Glaube oder ein rein körperliches Phänomen war – aber Frauen unter der Geburt schienen oft jede Angst zu verlieren, sich ganz auf sich zu konzentrieren und eine Selbstversunkenheit an den Tag zu legen, die an Gleichgültigkeit grenzte – einfach nur, weil sie nicht die geringste Aufmerksamkeit für etwas anderes als jenes Universum übrig hatten, das im Inneren ihrer Bäuche lag.

Also ließ mein anhaltendes Gefühl des Grauens nach, und zwei oder drei Stunden verstrichen in friedlicher Ruhe. Marsali schrieb an Laoghaire, aber auch an jedes ihrer Kinder. »Nur für alle Fälle«, sagte sie lakonisch, als sie mir die zusammengefalteten Notizen reichte, damit ich sie weglegte. Mir fiel auf, dass sie nicht an Fergus geschrieben hatte, doch ihr Blick fuhr bei jedem Geräusch zur Tür.

Malva Christie kreuzte auf. Ihre Miene war aufgeregt, und ich gab ihr sofort etwas zu tun, nämlich aus Tobias Smollets *Die Abenteuer des Peregrine Pickle* vorzulesen.

Jamie kam herein. Er war voller Straßenstaub und küsste mich auf die Lippen und Marsali auf die Stirn. Er betrachtete die unorthodoxe Situation und sah mich mit dem Hauch einer hochgezogenen Augenbraue an.

»Wie geht es denn, *a muirninn*?«, fragte er Marsali.

Sie verzog ein wenig das Gesicht und streckte ihm die Zunge heraus, und er lachte.

»Du hast nicht zufällig Fergus irgendwo gesehen, oder?«, fragte ich.

»Aye, das habe ich«, sagte er und schien ein wenig überrascht zu sein. »Braucht ihr ihn?«

»Ja«, sagte ich mit Nachdruck. »Wo ist er denn?«

»Woolam's Mill. Er dolmetscht für einen Reisenden aus Frankreich, ein Künstler, der hier auf der Suche nach Vögeln ist.«

»Vögel, wie?« Diese Vorstellung schien Mrs. Bug zu verärgern, denn sie legte ihre Strickarbeit nieder und richtete sich auf. »Dann spricht unser Fergus also in Vogelzungen, wie? Nun, geht und holt ihn sofort zurück. Dieser Franzose kann sich selbst um seine Vögel kümmern!«

Jamie, den so viel Vehemenz sehr zu verblüffen schien, ließ sich von mir aus dem Zimmer in den Flur und bis zur Haustür geleiten. Als wir außer Hörweite waren, blieb er stehen.

»Was ist mit der Kleinen?«, wollte er leise wissen und warf einen Blick zurück zum Sprechzimmer, wo Malvas klare, hohe Stimme wieder zu lesen begonnen hatte.

Ich sagte es ihm, soweit ich es konnte.

»Möglich, dass es nichts ist; ich hoffe es sehr. Aber – sie verlangt nach Fergus. Sie sagt, er hat sich von ihr fern gehalten, weil er sich schuldig fühlt an den Vorfällen bei der Mälzerei.«

Jamie nickte.

»Nun, aye, das kann ich verstehen.«

»Verstehen? Aber warum denn, zum Kuckuck?«, wollte ich entgeistert wissen. »Es war doch nicht *seine* Schuld.«

Er warf mir einen Blick zu, der andeutete, dass ich etwas nicht begriffen hatte, das selbst dem Dümmsten sonnenklar war.

»Und du glaubst, das spielt eine Rolle? Und wenn die Kleine stirbt – oder dem Kind etwas zustößt? Du glaubst, dann würde er sich keine Vorwürfe machen?«

»Er *sollte* es jedenfalls nicht«, sagte ich. »Aber es ist ja nicht zu übersehen, dass er es tut. Du glaubst doch nicht auch –« Ich hielt inne. Natürlich glaubte er das. Er hatte es mir unmissverständlich gesagt, in der Nacht, als er mich zurückgeholt hatte.

Er sah, wie die Erinnerung daran mein Gesicht überflog, und der Hauch eines Lächelns zeigte sich ironisch und schmerzhaft in seinen Augen. Er streckte die Hand aus und zeichnete meine Augenbraue nach, die von einer fast verheilten Risswunde zerteilt wurde.

»Du glaubst, das schmerzt mich nicht?«, fragte er leise.

Ich schüttelte den Kopf, nicht als Verneinung, sondern aus Hilflosigkeit.

»Ein Mann hat die Aufgabe, seine Frau zu beschützen«, sagte er schlicht und wandte sich um. »Ich gehe Fergus holen.«

Die Laminarien hatten ihre langsame Geduldsarbeit verrichtet, und Marsali bekam in Abständen Wehen, wenn es auch noch nicht richtig zur Sache ging. Das Licht fing an zu verblassen, als Jamie mit Fergus eintraf – und Ian, den sie unterwegs getroffen hatten.

Fergus war unrasiert und voller Staub und hatte sich sichtlich seit Tagen nicht mehr gewaschen, aber Marsalis Gesicht erhellte sich wie die Sonne, als sie ihn sah. Ich wusste nicht, was Jamie ihm erzählt hatte; er sah grimmig und sorgenvoll aus – doch bei Marsalis Anblick steuerte er auf sie zu wie ein Pfeil auf sein Ziel und zog sie so heftig an sich, dass Malva ihr Buch zu Boden fallen ließ und die beiden verdattert bestaunte.

Ich entspannte mich ein wenig, zum ersten Mal, seit ich an diesem Morgen Marsalis Haus betreten hatte.

»Nun denn«, sagte ich und holte tief Luft. »Vielleicht essen wir jetzt eine Kleinigkeit, wollen wir?«

Ich ließ Fergus und Marsali allein, während wir anderen etwas aßen, und als ich ins Sprechzimmer zurückkehrte, hatten sie die Köpfe dicht beieinander und unterhielten sich leise. Ich störte sie nur ungern, aber es war nicht zu vermeiden.

Einerseits hatte sich der Muttermund deutlich geöffnet, und es gab kein Zeichen für eine abnorme Blutung, was mich unglaublich erleichterte. Andererseits … war der Herzschlag des Babys wieder unregelmäßig. Beinahe mit Sicherheit ein Nabelschnurproblem, dachte ich.

Ich war mir deutlich bewusst, dass Marsalis Augen an meinem Gesicht hingen, als ich sie mit meinem Stethoskop abhörte, und es kostete mich all meine Willenskraft, mir nichts anmerken zu lassen.

»Du machst das sehr gut«, versicherte ich ihr, während ich ihr eine Haarlocke aus der Stirn strich und ihr in die Augen lächelte. »Ich glaube, es ist an der Zeit, ein wenig nachzuhelfen.«

Es gab eine ganze Reihe von Kräutern, die wehenfördernd wirkten, aber die meisten hätte ich normalerweise nie benutzt, wenn die Gefahr eines Blutsturzes bestand. An diesem Punkt fühlte ich mich jedoch so unwohl, dass ich mir nur wünschte, dass die Dinge so schnell wie möglich in Bewegung kamen. Himbeerblättertee konnte möglicherweise helfen, ohne so stark zu wirken, dass er zu gewaltigen oder abrupten Wehen führte. Sollte ich noch Frauenwurzel hinzufügen? fragte ich mich.

»Das Baby muss schnell kommen«, sagte Marsali zu Fergus, ohne beunruhigt zu wirken. Offenbar hatte ich meine Sorge doch nicht so erfolgreich verbergen können, wie ich dachte.

Sie hatte ihren Rosenkranz dabei und schlang ihn jetzt um ihre Hand, so dass das Kreuz herabhing. »Hilf mir, *mon cher*.«

Er hob die Hand mit dem Rosenkranz und küsste sie.

»*Oui, chérie.*« Dann bekreuzigte er sich und machte sich ans Werk.

Fergus hatte die ersten zehn Jahre seines Lebens in dem Bordell verbracht, in dem er auch geboren worden war. Demzufolge wusste er eine ganze Menge mehr über Frauen – in gewisser Weise – als jeder andere Mann, dem ich je begegnet war. Dennoch erstaunte es mich zu sehen, dass er nach den Bändern am Halsausschnitt von Marsalis Hemd griff und ihn herunterzog, so dass ihre Brüste entblößt wurden.

Marsali schien dies nicht zu überraschen, denn sie legte sich nur zurück und drehte sich leicht in seine Richtung, wobei sie ihn mit dem Bauch anstieß.

Er kniete auf einem Hocker neben dem Bett, legte eine Hand sanft, aber geistesabwesend auf ihren Kugelbauch und beugte sich mit dem Kopf über Marsalis Brust, die Lippen leicht gespitzt. Dann schien er zu bemerken, dass ich ihn anstarrte, und schielte mich über ihren Bauch hinweg an.

»Oh.« Er lächelte. »Habt Ihr – nun, ich vermute, Ihr habt das noch nie gesehen, Milady?«

»Das kann ich nicht behaupten.« Ich war hin- und hergerissen zwischen Faszination und dem Gefühl, dass ich den Blick abwenden sollte. »Was ...?«

»Wenn die Wehen nur zögernd beginnen wollen, regt es die Bewegungen der Gebärmutter an, wenn man an den Brüsten der Frau saugt, und so kommt das Kind schneller«, erklärte er und strich unbewusst mit dem Daumen über die dunkelbraune Brustwarze, die sich sogleich aufrichtete, rund und fest wie eine Frühlingskirsche. »Wenn im Bordell eine der *filles* Schwierigkeiten hatte, hat ihr manchmal eine andere diesen Dienst erwiesen. Ich habe es schon einmal für *ma douce* getan – als Felicité gekommen ist. Es hilft; Ihr werdet sehen.«

Und ohne weitere Umstände nahm er die Brust in beide Hände, umfasste die Brustwarze mit dem Mund und saugte sanft, aber sehr konzentriert mit geschlossenen Augen daran.

Marsali seufzte, und ihr Körper schien in jene fließende Entspannung zu verfallen, die man nur bei Schwangeren findet, als wäre sie plötzlich knochenlos wie eine gestrandete Qualle.

Ich war mehr als aus der Fassung gebracht, musste aber für den Fall, dass etwas Drastisches passierte, im Zimmer bleiben.

Ich überlegte kurz, dann zog ich einen Hocker hervor, setzte mich darauf und versuchte, mich unauffällig zu verhalten. Doch eigentlich schien sich keiner von beiden auch nur im Geringsten an meiner Gegenwart zu stören – wenn sie mich überhaupt noch wahrnahmen. Allerdings wandte ich mich ein wenig ab, um sie nicht anzustarren.

Fergus' Technik erstaunte und interessierte mich zugleich. Er hatte völlig Recht; ein Kind zu stillen, bringt die Gebärmutter dazu, sich zusammenzuziehen. Die Hebammen im Hôpital des Anges in Paris hatten mir das ebenfalls erzählt; man sollte einer frisch Entbundenen sofort das Kind reichen, damit sich die Blutung verlangsamte. Doch keine von ihnen war darauf gekommen, diese Methode als Mittel zur Geburtseinleitung zu erwähnen.

Wenn im Bordell eine der filles *Schwierigkeiten hatte, hat ihr manchmal eine andere diesen Dienst erwiesen*, hatte er gesagt.

Seine Mutter war eine der *filles* gewesen, auch wenn er ihr nie begegnet war. Ich konnte mir eine Pariser Prostituierte vorstellen, dunkelhaarig, wahrscheinlich jung, wie sie in den Wehen stöhnte – und eine Freundin, die neben ihr kniete, um sanft an ihr zu saugen, ihre empfindlichen, geschwollenen Brüste umfasste und ihr Mut zuflüsterte, während gleichzeitig die hemmungslosen Laute befriedigter Kunden durch die Fußböden und Wände hallten.

War sie gestorben, seine Mutter? Bei seiner oder einer späteren Geburt? Erwürgt von einem betrunkenen Kunden, erschlagen vom Schuldeneintreiber der Puffmutter? Oder hatte sie ihn einfach nicht gewollt, wollte nicht für einen Bastard verantwortlich sein und hatte ihn daher dem Mitleid der anderen Frauen überlassen, einer der namenlosen Söhne der Straße, niemandes Kind?

Marsali änderte ihre Lage auf dem Bett, und ich warf einen Blick zu ihr hinüber, um mich zu überzeugen, dass alles in Ordnung war. So war es. Sie hatte sich nur bewegt, um Fergus die Arme um die Schultern zu legen und ihren Kopf über ihn zu beugen. Sie hatte ihre Haube nicht angezogen; ihre blonden Strähnen hingen lose herab und hoben sich leuchtend von seinem glänzend schwarzen Haar ab.

»Fergus… ich glaube, ich werde sterben«, flüsterte sie, und ihre Stimme war so leise, dass sie im Wind, der durch die Bäume fuhr, fast unterging.

Er ließ ihre Brustwarze los, bewegte aber seine Lippen vorsichtig über die Oberfläche ihrer Brust und murmelte: »Das ist ganz normal, *p'tite puce*, das glauben alle Frauen.«

»Aye, das liegt daran, dass tatsächlich viele von ihnen *sterben*«, sagte sie mit einem leicht scharfen Unterton und öffnete die Augen. Er lächelte, die Augen immer noch geschlossen, und schnellte sanft mit der Zungenspitze gegen die Brustwarze.

»Du aber nicht«, sagte er leise, aber mit großer Überzeugung. Er fuhr mit der Hand über ihren Bauch, zuerst sanft, dann kräftiger. Ich konnte sehen, wie sich die Kugel festigte, sich plötzlich rund und hart zusammenzog. Marsali holte tief und abrupt Luft, und Fergus drückte fest mit dem Handballen gegen die Unterseite der Kugel und ließ die Hand auf ihrem Schambein liegen, bis die Wehe nachließ.

»Oh«, sagte sie und klang atemlos.

»*Tu… pas*«, flüsterte er noch leiser. »Du nicht. Ich lasse dich nicht gehen.«

Ich ballte meine Hände im Stoff meines Rocks zusammen. Das sah nach einer schönen, handfesten Wehe aus. Sie schien keine schrecklichen Ereignisse nach sich zu ziehen.

Fergus machte sich wieder ans Werk. Dann und wann hielt er inne, um Marsali Lächerlichkeiten auf Französisch zuzuflüstern. Ich stand auf und begab mich vorsichtig zum Fußende des Tischbetts. Nein, nichts Auffälliges. Ich prüfte meine Arbeitsfläche, um mich zu vergewissern, dass alles bereit war. Gut.

Vielleicht würde ja alles gut gehen. Auf dem Bettlaken war eine Blutspur – doch es war nur Ausfluss, ganz normal. Der Herzschlag des Kindes war immer noch Besorgnis erregend, und es bestand nach wie vor die Möglichkeit einer Nabelschnurkomplikation – aber daran konnte ich jetzt nichts ändern. Marsali hatte ihre Entscheidung getroffen, und es war die richtige.

Fergus fuhr mit dem Saugen fort. Ich trat lautlos in den Flur und zog die Tür halb zu, um ihnen Zurückgezogenheit zu gewähren. Wenn sie einen Blutsturz hatte, konnte ich in einer Sekunde bei ihr sein.

Ich hatte noch das Glas mit den Himbeerblättern in der Hand. Dann konnte ich wohl genauso gut den Tee machen – und sei es nur, um mir nützlich vorzukommen.

Arch Bug, der seine Frau nicht zu Hause angetroffen hatte, war mit den Kindern zu uns gekommen. Felicité und Joan schliefen tief und fest auf der Kaminbank, und Arch rauchte am Feuer seine Pfeife und blies Rauchkringel für den faszinierten Germain. Währenddessen schienen Jamie, Ian und Malva Christie eine freundschaftliche Diskussion zu führen und verglichen die literarischen Vorzüge von Henry Fielding, Tobias Smollett und …

»Ovid?«, sagte ich, nachdem ich den Schluss einer Bemerkung aufgefangen hatte. »Tatsächlich?«

»›Solange es dir gut geht, wirst du viele Freunde zählen‹«, zitierte Jamie. »›Wenn Wolken in deinem Leben aufziehen, wirst du allein sein.‹ Findest du nicht, dass das auf den armen Tom Jones genauso zutrifft wie auf Perry Pickle?«

»Aber wahre Freunde würden einen Mann doch wohl nicht im Stich lassen, nur weil er in Schwierigkeiten ist!«, protestierte Malva. »Was für Freunde sind denn das?«

»Ganz normale, fürchte ich«, sagte ich. »Zum Glück *gibt* es aber ebenso andere.«

»Aye, das stimmt«, pflichtete Jamie mir bei. Er lächelte Malva an. »Highlander sind die treusten Freunde – wenn auch nur, weil sie die schlimmsten Feinde sind.«

Sie war leicht rot geworden, begriff aber, dass er sie aufzog.

»Hmp«, sagte sie und hob den Kopf, um ihn herablassend anzufunkeln. »Mein Vater sagt, Highlander sind deshalb begeisterte Kämpfer, weil es in den Highlands so wenig Wertvolles gibt und die schlimmsten Kämpfe immer um die belanglosesten Dinge ausgefochten werden.«

Bei diesen Worten brachen alle in Gelächter aus. Jamie erhob sich, um neben mich zu treten, und überließ Ian und Malva ihrem Wortgefecht.

»Wie steht es um die Kleine?«, fragte er leise und schöpfte heißes Wasser für mich aus dem Kessel.

»Ich weiß es nicht genau«, sagte ich. »Fergus … äh … hilft ihr.«

Jamies Augenbrauen fuhren in die Höhe.

»Wie denn?«, fragte er. »Ich wusste gar nicht, dass ein Mann in dieser Sache viel tun kann, wenn sie einmal im Gange ist.«

»Oh, du wärst überrascht«, versicherte ich ihm. »*Ich* war es jedenfalls.«

Das schien ihn zu faszinieren, doch er wurde an weiteren Fragen gehindert, weil Mrs. Bug verlangte, dass die Anwesenden ihre Gespräche über Jammergestalten beendeten, die ihr Unwesen auf Buchseiten trieben, und sich zum Essen niedersetzten.

Auch ich setzte mich dazu, brachte aber kaum etwas hinunter, weil mich die Sorge um Marsali zu sehr ablenkte. Der Himbeerblättertee war während des Essens fertig gezogen; ich goss ihn um und trug ihn ins Sprechzimmer – wo ich vor dem Eintreten vorsichtig anklopfte.

Fergus war errötet und atemlos, doch seine Augen leuchteten. Er ließ sich nicht dazu überreden, etwas essen zu gehen, sondern bestand darauf, bei Marsali zu bleiben. Seine Mühen begannen, Früchte zu tragen; sie hatte jetzt regelmäßige Wehen, wenn auch noch in großen Abständen.

»Es wird schnell gehen, wenn die Fruchtblase einmal geplatzt ist«, sagte Marsali zu mir. Auch sie war leicht errötet, und ihr Blick war lauschend nach innen gewandt. »So ist es immer.«

Ich überprüfte erneut den Herzschlag – keine große Veränderung; immer noch holperig, aber nicht schwächer – und entschuldigte mich. Jamie war in seinem Studierzimmer auf der anderen Flurseite. Ich trat ein und setzte mich zu ihm, um zur Stelle zu sein, wenn ich gebraucht wurde.

Er war dabei, seine allabendliche Notiz an seine Schwester zu schreiben, und unterbrach sich dann und wann, um sich die verkrampfte rechte Hand zu massieren, bevor er fortfuhr. Oben brachte Mrs. Bug die Kinder zu Bett. Ich konnte hören, wie Felicité weinte und Germain versuchte, ihr etwas vorzusingen.

Auf der anderen Flurseite leises Rascheln und Murmeln, dann knarrte der Tisch, als Marsali die Lage wechselte. Und in den Tiefen meines inneren Ohrs wie ein Echo meines Pulsschlags der sanfte, schnelle Schlag eines Babyherzens.

Es konnte so leicht böse enden.

»Was machst du da, Sassenach?«

Ich blickte erschrocken auf.

»Ich mache doch gar nichts.«

»Du starrst vor dich hin, als wolltest du durch die Wand sehen, und es hat nicht den Anschein, als gefiele dir, was du da siehst.«

»Oh.« Ich senkte den Blick und begriff, dass ich den Stoff meines Rocks wiederholt zwischen meinen Fingern in Falten gelegt und wieder geglättet hatte; der rehbraune Leinenstoff hatte eine große zerknitterte Stelle. »Ich rekapituliere wohl meine Niederlagen.«

Er sah mich einen Moment an, dann stand er auf und trat hinter mich, um mir mit kräftigen, warmen Händen die Schultern zu kneten.

»Was denn für Niederlagen?«, fragte er.

Ich schloss die Augen und ließ meinen Kopf nach vorn sinken, während ich mir Mühe gab, nicht aufzustöhnen, weil meine verknoteten Muskeln so schmerzten und ich gleichzeitig diese herrliche Erleichterung empfand.

»Oh«, sagte ich und seufzte. »Patienten, die ich nicht retten konnte. Fehler. Katastrophen. Unfälle. Totgeburten.«

Dieses letzte Wort blieb in der Luft hängen, und seine Hände pausierten eine Sekunde, bevor sie umso kräftiger fortfuhren.

»Aber es gibt doch sicher Situationen, in denen es nichts gibt, was du tun könntest? Du oder sonst jemand. Manchmal kann einfach niemand helfen, aye?«

»*Du* glaubst das ja auch nicht, wenn es dich trifft«, sagte ich, »warum sollte ich es tun?«

Er hielt mit seiner Massage inne, und ich sah mich zu ihm um. Er öffnete den Mund, um mir zu widersprechen, dann begriff er, dass es nichts gab, was er sagen konnte. Er schüttelte den Kopf, seufzte und fuhr fort.

»Aye, nun ja. Das stimmt wohl«, sagte er trocken.

»Ob es das ist, was die Griechen *Hybris* nannten?«

Er stieß einen kurzen Prustlaut aus, vielleicht vor Belustigung.

»O ja. Und du weißt, wohin *das* führt.«

»Zu einem einsamen Felsen unter brennender Sonne, wo ein Geier an deiner Leber herumfrisst«, sagte ich und lachte.

Jamie lachte ebenfalls.

»Aye, nun ja, auf einem einsamen Felsen unter brennender Sonne bekommt man doch gern Gesellschaft, finde ich. Und damit meine ich nicht den Geier.«

Seine Hände drückten ein letztes Mal meine Schultern, doch er zog sie nicht fort. Ich schloss die Augen, lehnte mich mit dem Kopf an ihn und suchte Trost in seiner Nähe.

In der Stille dieses Moments konnten wir leise Geräusche von der anderen Flurseite hören, aus dem Sprechzimmer. Ein ersticktes Grunzen aus Marsalis Mund, als eine Wehe kam, eine leise Frage auf Französisch von Fergus.

Ich hatte das Gefühl, dass wir sie eigentlich nicht belauschen sollten – aber keinem von uns fiel etwas ein, das er hätte sagen können, um die Geräusche ihrer intimen Unterhaltung zu übertönen.

Ein Murmeln von Marsali, eine Pause, dann sagte Fergus zögernd etwas.

»Aye, wie wir es schon bei Felicité gemacht haben«, kam Marsalis Stimme gedämpft, aber klar verständlich.

»*Oui*, aber –«

»Dann verbarrikadierst du eben die Tür«, sagte sie, und es klang ungeduldig.

Wir hörten Schritte, dann öffnete sich die Tür des Sprechzimmers. Fergus stand dort, das dunkle Haar verworren, das Hemd halb aufgeknöpft, und sein schönes Gesicht unter den Schatten der Bartstoppeln tiefrot. Er sah uns, und ein ganz außergewöhnlicher Ausdruck huschte über sein Gesicht. Stolz, Verlegenheit und etwas undefinierbar... Französisches. Er bedachte Jamie mit einem schiefen Lächeln und einem einschultrigen Achselzucken, das an gallischer Sorglosigkeit nicht zu übertreffen war – und dann schloss er fest die Tür. Wir hörten ein schabendes Geräusch, als ein kleiner Tisch bewegte wurde, und ein leises Rumpeln, als er vor die Tür geschoben wurde.

Jamie und ich wechselten einen verblüfften Blick.

Kichern ertönte hinter der geschlossenen Tür, begleitet von Knarr- und Raschelgeräuschen.

»Er wird doch nicht –«, setzte Jamie an und hielt dann abrupt inne. Seine Miene war ungläubig. »Oder?«

Offenbar schon, nach dem leisen rhythmischen Knarren zu schließen, dass jetzt im Sprechzimmer ertönte.

Ich spürte, wie mich eine leise Wärme durchspülte, gemeinsam mit einem schwachen Gefühl der Schockiertheit – und einem etwas kräftigeren Bedürfnis zu lachen.

»Nun ja... äh... man *sagt* ja, dass es... ähm... manchmal die Wehen zu fördern scheint. Wenn ein Kind überfällig war, haben die *maitresses-sage-femme* in Paris den Frauen manchmal gesagt, sie sollten dafür sorgen, dass sich ihre Männer betranken und... äh-hm.«

Jamie richtete einen ungläubigen Blick auf die Sprechzimmertür, unter den sich widerstrebender Respekt mischte.

»Dabei hat er nicht einen Schluck getrunken. Nun ja, wenn er das vorhat, dann hat der Kerl Mumm, das muss ich ihm lassen.«

Ian, der durch den Flur kam und diesen letzten Wortwechsel mitbekam, blieb abrupt stehen. Er lauschte einen Moment auf die Geräusche, die aus dem Sprechzimmer drangen, blickte von Jamie und mir zur Tür und wieder zurück, dann schüttelte er den Kopf, drehte sich um und ging zurück zur Küche.

Jamie streckte die Hand aus und schloss sacht die Studierzimmertür.

Er setzte sich kommentarlos wieder hin, ergriff sein Schreibwerkzeug und begann, hartnäckig vor sich hin zu kritzeln. Ich trat an das kleine Bücherregal und starrte auf die Sammlung abgewetzter Bücherrücken, ohne wirklich etwas zu sehen.

Manchmal waren Ammenmärchen nicht mehr als das. Manchmal jedoch schon.

Ich wurde selten durch persönliche Erinnerungen beunruhigt, während ich mit einem Patienten befasst war; ich hatte weder Zeit noch Aufmerksamkeit dafür übrig. Doch zurzeit hatte ich zu viel von beidem. Und mir kam eine sehr lebhafte Erinnerung an die Nacht vor Briannas Geburt.

Die Leute sagen oft, dass Frauen vergessen, wie sich eine Geburt anfühlt, weil es sonst niemand öfter als einmal tun würde. Ich persönlich konnte mich ohne Probleme daran erinnern.

Vor allem an das furchtbare Gefühl der Trägheit. Diese endlose Zeit am Schluss, wenn man das Gefühl hat, dass es niemals enden wird, dass man in einer prähistorischen Teergrube feststeckt und selbst die kleinste Bewegung ein Kampf ist, der zur Vergeblichkeit verdammt ist. Jeder Quadratzentimeter Haut ist so überspannt wie die eigene Laune.

Man vergisst es nicht. Man gelangt einfach nur an einen Punkt, an dem es egal ist, wie sich die Geburt anfühlen wird; alles ist besser, als auch nur eine Sekunde länger schwanger zu sein.

Ich hatte diesen Punkt gut zwei Wochen vor dem Termin erreicht, an dem ich ausgezählt war. Der Termin kam – und verstrich. Eine Woche später befand ich mich in einem Zustand chronischer Hysterie, sofern es möglich war, gleichzeitig hysterisch und erstarrt zu sein.

Frank hatte es zwar körperlich besser als ich, doch sein Nervenkostüm stand dem meinen in nichts nach. Wir hatten beide Todesangst – nicht nur vor der Geburt, sondern zusätzlich vor dem, was danach kam. Da Frank nun einmal Frank war, reagierte er auf die Angst, indem er sehr still wurde und sich in sich selbst zurückzog, an einen Ort, an dem er die Geschehnisse kontrollieren konnte, indem er sich weigerte, irgendetwas an sich heranzulassen.

Doch ich war nicht in der Stimmung, die Grenzen anderer zu respektieren, und brach in Verzweiflungstränen aus, nachdem mich ein gut gelaunter Frauenarzt davon in Kenntnis gesetzt hatte, dass mein Muttermund noch vollständig verschlossen war und »es noch ein paar Tage dauern konnte – vielleicht auch noch eine Woche.«

Um mich zu beruhigen, hatte Frank sich darauf verlegt, mir die Füße zu massieren. Dann meinen Rücken, meinen Nacken, alle Stellen, an denen ich mich von ihm berühren ließ. Und schließlich hatte ich nicht mehr gekonnt und still dagelegen und mich von ihm berühren lassen. Und … und wir hatten beide Angst, hatten beide ein furchtbares Bedürfnis nach Sicherheit, und keiner von uns fand die Worte, mit denen er sie hätte geben können.

Und er schlief mit mir, langsam und sanft, und wir schliefen eng umschlungen ein – und wachten ein paar Stunden später panisch auf, weil meine Fruchtblase platzte.

»Claire!« Wahrscheinlich hatte Jamie meinen Namen schon mehr als einmal gerufen; ich hatte mich in meiner Erinnerung so verloren, dass ich völlig vergessen hatte, wo ich war.

»Was?« Ich fuhr herum, und mein Herz hämmerte. »Ist etwas passiert?«

»Nein, noch nicht.« Er betrachtete mich stirnrunzelnd, dann stand er auf und trat zu mir.

»Stimmt etwas nicht, Sassenach?«

»Doch. Ich – ich habe nur nachgedacht.«

»Aye, das habe ich gesehen«, sagte er trocken. Er zögerte, dann – als ein besonders lautes Stöhnen durch die Tür drang – berührte er meinen Arm.

»Hast du Angst?«, sagte er leise. »Dass du selbst schwanger sein könntest, meine ich?«

»Nein«, sagte ich und hörte den trostlosen Unterton in meiner Stimme genauso deutlich wie er. »Ich weiß, dass ich es nicht bin.« Ich blickte zu ihm auf; sein Gesicht verschwamm hinter einem Vorhang aus unvergossenen Tränen. »Ich bin traurig, dass ich es nicht bin – und es nie wieder sein werde.«

Ich kniff fest die Augen zu, öffnete sie wieder und sah in seinem Gesicht die gleichen Gefühle, die ich selbst empfand – Erleichterung und Bedauern in solch ähnlichen Anteilen, dass es unmöglich war zu sagen, was überwog. Er legte die Arme um mich, und ich lehnte die Stirn an seine Brust und dachte mir, was für ein Trost es war, dass auch ich auf diesem Felsen Gesellschaft hatte.

Wir blieben eine Zeit lang schweigend stehen und atmeten einfach nur. Dann änderten sich die verstohlenen Geräusche im Sprechzimmer plötzlich. Ein leiser Ausruf der Überraschung, ein lauterer Ausruf auf Französisch, dann das Geräusch von Füßen, die schwer auf dem Boden landeten, gleichzeitig mit dem unverwechselbaren Plätschern des Fruchtwassers.

Jetzt ging es schnell. Innerhalb einer Stunde sah ich einen schwarz bepelzten Schädel austreten.

»Es hat jede Menge Haare«, berichtete ich, während ich den Damm mit Öl geschmeidig machte. »Sei vorsichtig, nicht zu fest pressen! Noch nicht.« Ich umspannte die Rundung des austretenden Köpfchens mit der Hand. »Es hat einen ziemlich großen Kopf.«

»Darauf wäre ich nie gekommen«, sagte Marsali, deren Gesicht rot angelaufen war, keuchend. »Danke, dass du es mir sagst.«

Mir blieb kaum Zeit zu lachen, als der Kopf auch schon mit dem Gesicht nach unten in meine Hände glitt. Es *hatte* die Nabelschnur um den Hals, aber Gott sei Dank nicht fest. Ich schob einen Finger darunter und lockerte sie, und dann brauchte ich gar nicht mehr »Pressen!« zu sagen, als Marsali mit aller Kraft Luft holte und mir das Kind wie eine Kanonenkugel vor den Bauch schoss.

Es war, als bekäme man plötzlich ein eingefettetes Schwein gereicht, und ich bemühte mich hektisch, das kleine Wesen richtig herumzudrehen und zu sehen, ob es atmete.

Unterdessen ertönte begeistertes Kreischen von Malva und Mrs. Bug, und laute Schritte eilten aus der Küche durch den Flur.

Ich fand das Gesicht des Babys, säuberte ihm hastig Mund und Nasenlöcher, pustete ihm kurz in den Mund und schnippte mit dem Finger gegen seine Fußsohle. Der Fuß zuckte automatisch zurück, und der Mund öffnete sich zu einem kräftigen Heuler.

»*Bon soir, Monsieur l'Œuf*«, sagte ich und sah dann rasch nach, ob es wirklich ein Monsieur war.

»Monsieur?« Fergus brach in ein breites Grinsen aus.

»Monsieur«, bestätigte ich, wickelte das Baby schnell in ein Flanelltuch und drückte es seinem Vater in den Arm, während ich meine Aufmerksamkeit seiner Mutter zuwandte.

Ihr ging es Gott sei Dank gut. Sie war erschöpft und in Schweiß gebadet, grinste aber ebenfalls – genau wie alle anderen im Zimmer. Der Fußboden war voller Pfützen, die Bettwäsche durchtränkt, und die Gerüche der Geburt hingen in der Luft, doch in der allgemeinen Aufregung schien dies niemand zu bemerken.

Ich knetete Marsali den Bauch, um die Gebärmutter anzuregen, sich zusammenzuziehen, während Mrs. Bug ihr einen großen Krug Bier zum Trinken brachte.

»Er ist gesund?«, sagte sie, als sie nach einigen durstigen Zügen wieder auftauchte. »Wirklich gesund?«

»Nun, er hat zwei Arme, zwei Beine und einen Kopf«, sagte ich. »Ich hatte noch keine Zeit, die Finger und Zehen zu zählen.«

Fergus legte das Baby neben Marsali auf den Tisch.

»Sieh es dir selbst an, *ma chère*«, sagte er. Er schlug das Tuch zurück. Und kniff die Augen zu, öffnete sie wieder und beugte sich stirnrunzelnd dichter über das Baby.

Ian und Jamie unterbrachen ihr Gespräch, als sie ihn beobachteten.

»Stimmt irgendetwas nicht?«, fragte Ian und kam näher.

Plötzliche Stille senkte sich über das Zimmer. Malva blickte bestürzt von einem Gesicht zum anderen.

»*Maman?*«

Germain stand verschlafen wankend in der Tür.

»Ist er hier? *C'est Monsieur?*«

Ohne eine Antwort oder Erlaubnis abzuwarten, stolperte er vorwärts und beugte sich über das blutverschmierte Bett. Er starrte seinen neugeborenen Bruder mit leicht geöffnetem Mund an.

»Er sieht aber komisch aus«, sagte er und runzelte die Stirn. »Was hat er denn?«

Fergus hatte stocksteif dagestanden, genau wie wir anderen. Bei diesen Worten sah er zu Germain hinunter, richtete den Blick dann auf das Baby, dann wieder auf seinen Ältesten.

»*Il est un nain*«, sagte er fast beiläufig. Er drückte Germain die Schulter, so fest, dass der Junge erschrocken aufjaulte, dann machte er plötzlich kehrt und verließ das Zimmer. Ich hörte, wie sich die Haustür öffnete, und ein kalter Luftzug wehte durch den Flur und durch das Zimmer.

Il est un nain. Es ist ein Zwerg.

Fergus hatte die Tür nicht geschlossen, und der Wind pustete die Kerzen aus und ließ uns im Halbdunkel zurück, das nur noch von der Glut des Kohlebeckens erleuchtet wurde.

36

Winterwölfe

Der kleine Henri-Christian schien völlig gesund zu sein; er war eben ein Zwerg. Doch er hatte leichte Gelbsucht, und die schwach goldene Schattierung seiner Haut ließ seine Wangen zart leuchten wie die Blütenblätter einer Osterglocke. Mit seiner schwarzen Schmalzlocke hätte er ein kleiner Chinese sein können – hätte er nicht diese riesigen blauen Augen gehabt.

In gewisser Weise hatte ich das Gefühl, dass ich ihm dankbar sein sollte. Nur die Geburt eines Zwerges war in der Lage, die Aufmerksamkeit der Bewohner von Fraser's Ridge von mir und den Ereignissen der vergangenen Monate abzulenken. Nun starrten die Leute mir nicht mehr in das verheilende Gesicht oder suchten holpernd nach etwas, was sie zu mir sagen konnten. Sie hatten jede Menge zu sagen – zu mir, zueinander – und nicht selten zu Marsali, wenn weder Brianna noch ich rechtzeitig da waren, um sie aufzuhalten.

Wahrscheinlich sagten sie dieselben Dinge auch zu Fergus – falls sie ihn zu Gesicht bekamen. Er war drei Tage nach der Geburt des Babys zurückgekehrt, schweigend und mit finsterer Miene. Er war lange genug geblieben, um Marsalis Namenswahl zuzustimmen und sich kurz unter vier Augen mit ihr zu unterhalten. Dann war er wieder gegangen.

Falls sie wusste, wo er war, sagte sie es nicht. Vorerst wohnte sie mit den Kindern bei uns im Haus. Sie lächelte die anderen Kinder an und hörte ihnen zu, weil eine Mutter das muss, doch sie schien stets auf irgendetwas zu lauschen, das nicht da war. Fergus' Schritte?, fragte ich mich.

Doch eines war gut; sie hielt Henri-Christian stets dicht bei sich und trug ihn in einer Schlinge am Körper oder hatte ihn zu ihren Füßen in seinem Binsenkörbchen stehen. Ich hatte schon öfter Eltern gesehen, die ein behindertes Kind bekommen hatten; oft reagierten sie darauf, indem sie sich zurückzogen, weil sie mit der Situation nicht umgehen konnten. Marsali ging genau entgegengesetzt damit um und beschützte ihn mit Leib und Seele.

Ständig kamen Besucher, angeblich, um irgendetwas mit Jamie zu besprechen oder mich um ein Tonikum oder eine Salbe zu bitten – doch in Wirklichkeit hofften sie, einen Blick auf Henri-Christian werfen zu können.

Daher war es nicht überraschend, dass sich Marsali anspannte und Henri-Christian an ihre Brust klammerte, sobald sich die Hintertür öffnete und ein Schatten die Schwelle verdunkelte.

Diesmal jedoch entspannte sie sich ein wenig, als sie sah, dass Ian der Besucher war.

»Hallo, Cousinchen«, sagte er und lächelte sie an. »Geht es dir gut, und dem Kleinen auch?«,

»Bestens«, sagte sie bestimmt. »Möchtest du deinem neuen Neffen einen Besuch abstatten?« Ich konnte sehen, dass sie ihn genau beobachtete.

»Ganz genau, und ich habe ein kleines Geschenk für ihn.« Er hob seine kräftige Hand und fasste sich an sein Hemd, unter dem sich etwas als Beule abzeichnete. »Dir geht es ebenfalls gut, hoffe ich, Tante Claire?«

»Hallo, Ian«, sagte ich. Ich stand auf und legte das Hemd beiseite, dessen Saum ich gerade nähte. »Ja, alles bestens. Möchtest du ein Glas Bier?« Ich war dankbar, ihn zu sehen; ich hatte Marsali beim Nähen Gesellschaft geleistet – oder vielmehr bei ihr Wache gestanden, um weniger willkommene Besucher zu vertreiben, solange sich Mrs. Bug um die Hühner kümmerte. Doch ich hatte einen Brennnesselabsud im Sprechzimmer aufgesetzt und musste danach sehen. Ich konnte mich darauf verlassen, dass Ian sich um sie kümmern würde.

Nachdem ich sie mit Erfrischungen versorgt hatte, flüchtete ich in mein Sprechzimmer und verbrachte eine angenehme Viertelstunde mit meinen Kräutern. Ich füllte Infusionen ab und trennte einen Berg Rosmarinzweige voneinander, um sie zu trocknen, umgeben vom durchdringenden Duft und dem Frieden der Pflanzen. Solche Momente des Alleinseins waren in diesen Tagen selten, da überall Kinder aus dem Boden schossen wie die Pilze. Ich wusste, dass Marsali es nicht abwarten konnte, nach Hause zurückzukehren – aber ich ließ sie nur ungern gehen, solange Fergus nicht da war, um ihr zumindest *irgendwie* zur Hand zu gehen.

»Dieser verflixte Kerl«, murmelte ich. »So ein kleiner Egoist.«

Offenbar war ich nicht die Einzige, die so dachte. Als ich in einer Duftwolke aus Rosmarin und Ginsengwurzel wieder durch den Flur kam, hörte ich, wie Marsali Ian gegenüber eine ähnliche Meinung zum Ausdruck brachte.

»Aye, ich weiß, dass er sich überrumpelt fühlt, wer würde das nicht?«, sagte sie gerade mit sehr verletzter Stimme. »Aber warum muss er denn weglaufen und uns allein lassen? Hast du mit ihm gesprochen, Ian? Hat er irgendetwas *gesagt*?«

Das war es also. Ian war auf einer seiner rätselhaften Wanderungen gewesen; er musste Fergus irgendwo begegnet sein und es Marsali erzählt haben.

»Aye«, sagte er nach kurzem Zögern. »Ein paar Worte.« Ich hielt mich im Hintergrund, weil ich sie nicht unterbrechen wollte, doch ich konnte sein Gesicht sehen, und das Mitgefühl, das seinen Blick verschleierte, strafte seine wilden Tätowierungen Lügen. Er beugte sich über den Tisch und streckte die Arme aus. »Kann ich ihn in den Arm nehmen, Cousinchen? Bitte?«

Marsali richtete sich überrascht auf, reichte ihm aber das Baby, das ein wenig in seinem Deckchen strampelte, sich aber schnell an Ians Schulter kuschelte und kleine Schmatzlaute von sich gab. Ian senkte lächelnd den Kopf und strich mit den Lippen über Henri-Christians großen runden Kopf.

Er sagte leise etwas zu dem Baby, und ich glaubte, dass es auf Mohawk war.

»Was hast du da gesagt?«, fragte Marsali neugierig.

»Man könnte es wohl einen Segen nennen.« Ganz sanft tätschelte er Henri-Christian den Rücken. »Man ruft den Wind an, ihn willkommen zu heißen, den Himmel, ihm Schutz zu gewähren, und Wasser und Erde, ihn satt zu machen.«

»Oh.« Marsalis Stimme war leise. »Wie wunderschön, Ian.« Doch dann setzte sie sich gerade hin und ließ sich nicht länger ablenken. »Du sagst, du hast mit Fergus gesprochen?«

Ian nickte mit geschlossenen Augen. Seine Wange ruhte leicht auf dem Kopf des Babys. Im ersten Moment sagte er nichts, doch ich sah, wie sich seine Kehle bewegte und sein Adamsapfel beim Schlucken auf und ab hüpfte.

»Ich habe auch ein Kind gehabt, Cousinchen«, flüsterte er so leise, dass ich ihn kaum hörte.

Marsali hörte ihn. Sie erstarrte, und die Nadel, nach der sie gerade gegriffen hatte, glitzerte in ihrer Hand. Dann legte sie sie ganz langsam wieder hin.

»Ist das so?«, sagte sie genauso leise. Dann stand sie auf, umrundete mit sanft raschelnden Röcken den Tisch, um sich neben ihm auf die Bank zu setzen, so dicht, dass er sie dort spüren konnte, und legte ihm ihre kleine Hand auf den Ellbogen.

Ohne die Augen zu öffnen, holte er tief Luft und fing an zu reden, das Baby an sein Herz geschmiegt, seine Stimme kaum lauter als das Knistern des Feuers.

Er erwachte in dem sicheren Bewusstsein, dass etwas nicht stimmte. Er rollte sich zum hinteren Teil der Plattform, wo seine Waffen bereitlagen, doch bevor er zu Messer oder Speer greifen konnte, hörte er erneut das Geräusch, das ihn geweckt haben musste. Es war hinter ihm, war nicht mehr als ein leises Atemanhalten, doch er hörte Schmerz und Angst darin.

Das Feuer war schon weit heruntergebrannt; er sah nicht mehr als die Oberseite von Wako'teqehsnonhsas Kopf als Umriss vor der roten Glut und die Rundungen ihrer Schultern und Hüften unter den Pelzen. Sie regte sich nicht und gab auch keinen Ton von sich, doch irgendetwas an ihrer reglosen, dunklen Silhouette traf ihn mitten ins Herz wie ein Tomahawkhieb.

Er packte sie fest an der Schulter und beschwor sie, gesund zu sein. Ihre Knochen zeichneten sich klein und hart unter ihrer Haut ab. Er konnte die richtigen Worte nicht finden, die Sprache der Kahnyen'kehaka war aus seinem Kopf entflohen, und so sagte er das Erste, das ihm in den Sinn kam.

»Mein Herz – Liebste – geht es dir nicht gut? Heiliger Michael, steh uns bei, was hast du?«

Sie wusste, dass er da war. Etwas – eine kleine Welle, wie wenn man einen Stein ins Wasser wirft – durchlief sie, und ihr stockte erneut der Atem, ein leises, trockenes Geräusch.

Er wartete nicht weiter, sondern kroch nackt aus den Pelzen und rief um Hilfe. Menschen kamen in den Dämmerschein des Langhauses gestolpert, unförmige Schatten, die in einem Nebel aus Fragen auf ihn zueilten. Er konnte nicht sprechen; brauchte es auch nicht. Innerhalb von Sekunden war Tewaktenyonh da, ihr krafterfülltes, altes Gesicht in grimmiger Ruhe erstarrt, und die Frauen des Langhauses hasteten an ihm vorbei und stießen ihn beiseite, als sie Emily in ein Rehfell gehüllt davontrugen.

Er folgte ihnen ins Freie, doch sie verschwanden im Haus der Frauen am Ende des Dorfes, ohne ihn zu beachten. Zwei oder drei Männer traten vor die Tür und sahen ihnen nach, dann machten sie achselzuckend kehrt und gingen wieder hinein. Es war kalt und spät und außerdem Frauensache.

Einige Minuten später ging er selbst hinein, jedoch nur, um sich ein paar Kleider anzuziehen. Er konnte nicht im Langhaus bleiben, nicht ohne sie, nicht in einem Bett, das nach Blut roch. An seiner Haut war ebenfalls Blut, doch er nahm sich nicht die Zeit, es abzuwaschen.

Draußen waren die Sterne verblichen, und der Himmel war schwarz. Es war bitterkalt und sehr still.

Die Lederhaut, die vor der Tür seines Langhauses hing, bewegte sich, und Rollo kam hindurchgeschlüpft, grau wie ein Gespenst. Der große Hund streckte die Vorderpfoten aus und räkelte sich. Er stöhnte, steif von der späten Stunde und der Kälte. Dann schüttelte er seinen dichten Pelz, stieß schnaubend ein weißes Atemwölkchen aus und schlenderte langsam zu seinem Herrn. Er ließ sich mit einem resignierten Seufzer auf den Hintern plumpsen und lehnte sich an Ians Bein.

Ian blieb noch eine Weile stehen, den Blick auf das Haus gerichtet, in dem seine Emily war. Sein Gesicht war fieberheiß vor Ungeduld. Er brannte gleißend wie ein Stück Kohle, doch er konnte spüren, wie die Hitze aus ihm entwich, um in den kalten Himmel zu steigen, und sein Herz langsam schwarz wurde. Schließlich schlug er sich mit der Handfläche auf den Oberschenkel und wandte sich schnellen Schrittes dem Wald zu. Der große Hund tappte geräuschlos neben ihm her.

»Gegrüßet seist du, Maria, voll der Gnade…« Ohne darauf zu achten, wohin er ging, betete er flüsternd, aber hörbar, seine Stimme ein Trost in der schweigenden Dunkelheit.

Ob er zu einem der Mohawk-Geister beten sollte?, fragte er sich. Würden sie wütend sein, weil er zu seinem alten Gott sprach, zur Mutter Gottes? Würden sie sich für eine solche Kränkung an seiner Frau und seinem Kind rächen?

Das Kind ist schon tot. Er hatte keine Ahnung, woher dieses Wissen kam. Doch er wusste, dass es so war, so sicher, als hätte es jemand laut zu ihm gesagt. Es war ein gleichgültiges Wissen, noch kein Grund zur Trauer; nur eine Tatsache, von der er wusste und die ihn erschütterte.

Er drang weiter in den Wald vor, zuerst im Gehen, dann im Laufschritt, den er nur verlangsamte, wenn er musste, um wieder zu Atem zu kommen. Die Luft war kalt wie ein Messer und reglos; sie duftete nach Rotte und Terpentin, doch die Bäume, an denen er vorbeikam, flüsterten kaum hörbar. Emily konnte sie reden hören; sie kannte ihre geheimen Stimmen.

»Aye, und was nützt ihr das?«, knurrte er, das Gesicht zu der sternenlosen Leere zwischen dem Geäst erhoben. »Ihr habt ihr nichts gesagt, das irgendetwas wert wäre. Und ihr wisst auch nicht, wie es jetzt um sie steht, oder?«

Dann und wann konnte er direkt hinter sich die Pfoten des Hundes im Laub rascheln oder leise auf den blanken Boden tapsen hören. Hin und wieder stolperte er, weil seine Füße in der Dunkelheit fehltraten, einmal stürzte er schmerzhaft, rappelte sich stolpernd wieder hoch und lief schwankend weiter. Er hatte aufgehört zu beten; sein Verstand formte keine Worte mehr, konnte sich nicht mehr zwischen den Silbenbruchstücken seiner verschiedenen Sprachen entscheiden, und der Atem brannte rasselnd in seiner Kehle, als er weiterlief.

Er spürte in der Kälte ihren Körper an den seinen gepresst, ihre vollen Brüste in seinen Händen, ihre kleinen, runden Pobacken, die gegen ihn stießen, heftig und gierig, wenn er sie nahm, o Gott, er wusste, dass er es lassen sollte, er wusste es genau! Und doch hatte er es getan, Nacht für Nacht, verrückt nach ihrer schlüpfrigen, festen Umklammerung, weit über den Tag hinaus, an dem er wusste, dass es besser wäre aufzuhören, selbstsüchtig, gedankenlos, von Sinnen und gewissenlos vor Lust...

Er rannte, und hoch oben verdammten ihn murmelnd die Bäume.

Er musste stehen bleiben, um schluchzend nach Atem zu ringen. Der Himmel war von Schwärze zu jener Farbe übergegangen, die vor dem Licht kommt. Der Hund stieß ihn mit der Nase an und jaulte leise, tief in seiner Kehle. Seine bernsteinfarbenen Augen waren in der lichtlosen Stunde dunkel und stumpf geworden.

Unter dem Lederhemd lief ihm der Schweiß über den Körper, durchtränkte den schmutzigen Lendenschurz zwischen seinen Beinen. Sein Geschlecht hing durchfroren und geschrumpft an seinem Körper, und er konnte sich riechen, ein ranziger, bitterer Geruch nach Angst und Verlust.

Rollo stellte die Ohren auf, und der Hund jaulte erneut und trat einen Schritt von ihm fort, dann zurück, dann wieder fort, und seine Rute zuckte nervös. *Komm*, sagte er so deutlich, als benützte er Worte. *Komm jetzt!*

Am liebsten hätte sich Ian in das eiskalte Laub gelegt und sein Gesicht am Boden vergraben, um nie wieder aufzustehen. Doch die Gewohnheit hinderte ihn daran; er war es gewohnt, den Hund zu beachten.

»Was?«, murmelte er und wischte sich mit dem Ärmel über das nasse Gesicht. »Was ist denn los?«

Rollo knurrte tief in seiner Kehle. Er stand stocksteif da, und seine Nackenhaare richteten sich langsam auf. Ian sah das, und ein fernes Alarmgefühl verschaffte sich durch den Nebel seiner erschöpften Verzweiflung hindurch Gehör. Seine Hand fuhr an seinen Gürtel, stieß auf Leere und schlug ungläubig dagegen. Himmel, er hatte nicht einmal ein Häutemesser dabei!

Rollo knurrte erneut, diesmal lauter. Eine Warnung, die keine Missachtung duldete. Ian fuhr herum, sah aber nur die dunklen Stämme der Zedern und Tannen, die Schattenmasse zu ihren Füßen und die nebelerfüllte Luft zwischen ihnen.

Ein französischer Händler, der einmal an ihr Lagerfeuer gekommen war, hatte diese Tageszeit, dieses Licht *l'heure du loup* genannt – die Stunde des Wolfs. Und das mit gutem Grund; es war eine gute Zeit zum Jagen, wenn die Nacht an Schwärze verliert und der schwache Windhauch, der dem Licht vorausgeht, sich zu erheben beginnt und den Geruch der Beute mitbringt.

Seine Hand fuhr an die andere Seite seines Gürtels, wo sein *taseng*-Beutel hätte hängen sollen; Bärenschmalz mit Pfefferminzblättern, um den Körpergeruch eines Mannes zu überdecken, wenn er auf der Jagd war – oder gejagt wurde. Doch auch diese Seite war leer, und er spürte sein Herz schnell und fest schlagen, während der Wind ihm den Schweiß am Körper trocknete.

Rollo hatte die Zähne entblößt, und sein Knurren grollte unablässig wie Donner. Ian bückte sich und hob einen abgebrochenen Kiefernast vom Boden auf. Er hatte die richtige Länge, wenn er auch nicht so stabil war, wie er es sich gewünscht hätte, und unhandlich, weil er lange Zweige hatte.

»Nach Hause«, flüsterte er dem Hund zu. Er hatte keine Ahnung, wo er sich befand oder wo das Dorf lag, doch Rollo wusste es. Der Hund bewegte sich langsam rückwärts, die Augen nach wie vor auf die grauen Schatten gerichtet – bewegten sie sich, diese Schatten?

Er ging jetzt schneller, immer noch rückwärts, spürte den abgeschrägten Boden durch die Sohlen seiner Mokassins, spürte, wo sich Rollo befand, am Rascheln seiner Füße, an dem leisen Jaulen, das dann und wann hinter ihm erklang. Da. Ja, es *hatte* sich ein Schatten bewegt! Eine graue Gestalt, weit entfernt und zu kurz erspäht, um sie zu erkennen, doch unleugbar da.

Wo einer war, waren noch mehr. Sie jagten nicht allein. Doch sie waren ihm noch nicht besonders nah; er drehte sich um und beschleunigte seine Schritte so, dass er beinahe rannte. Nicht mehr in Panik jetzt, trotz der Angst in seiner Magengrube. Eine schnelle, gleichmäßige Schrittfolge, die Gangart der Bergwanderer, die ihm sein Onkel gezeigt hatte und die die steilen, endlosen Meilen der schottischen Berge verschlang, beständige Anstrengung ohne Erschöpfung. Er musste seine Kräfte schonen, um kämpfen zu können.

Bei diesem Gedanken verzog er ironisch den Mund und knickte im Gehen die widerspenstigen Kiefernzweige von seinem Knüppel ab. Ein paar Minuten zuvor hatte er noch sterben wollen, und vielleicht würde er das wieder wollen, wenn Emily… Aber nicht jetzt. Wenn Emily… und außerdem gab es ja noch den Hund. Rollo würde ihn nicht im Stich lassen; sie mussten einander verteidigen.

Es war Wasser in der Nähe; trotz des Windes hörte er es gurgeln. Doch der Wind trug gleichzeitig ein anderes Geräusch zu ihm heran; ein lang gezogenes, gespenstisches Heulen, das ihm erneut den kalten Schweiß im Gesicht ausbrechen ließ. Ein ähnlicher Laut antwortete im Westen. Zwar weit entfernt, doch jetzt waren sie auf der Jagd. Er roch nach Emilys Blut.

Er machte kehrt und suchte die Nähe des Wassers. Es war ein kleiner Bach, kaum mehr als einen Meter breit. Er trat ohne zu zögern hinein und zersplitterte die dünne Eiskruste, die am Ufer klebte. Die Kälte biss ihm in die Beine, als das Wasser ihm die Hose durchtränkte und die Mokassins füllte. Er blieb den Bruchteil einer Sekunde stehen und zog die Mokassins aus, damit die Strömung sie nicht davontrug; Emily hatte sie für ihn gemacht, aus Elchleder.

Rollo hatte den Bach mit zwei gigantischen Sätzen überquert und blieb am anderen Ufer stehen, um sich das eisige Wasser aus dem Pelz zu schütteln, bevor er weitertrabte. Doch er folgte dem Ufer; Ian blieb im Wasser, das ihn bis zum Schienbein umspülte, watete, so lange er konnte. Wölfe folgten auf der Jagd genauso dem Wind wie den Geruchsfährten auf dem Boden, doch er sah keinen Grund, es ihnen leicht zu machen.

Er hatte sich die nassen Mokassins in den Halsausschnitt seines Jagdhemds gesteckt, und eisige Rinnsale liefen ihm über Brust und Bauch, durchtränkten seinen Lendenschurz. Seine Füße waren taub; er konnte die runden Steine des Bachbetts zwar nicht spüren, doch sie waren mit schlüpfrigen Algen bewachsen, und dann und wann glitt sein Fuß darauf aus, und er schwankte und stolperte, um das Gleichgewicht zu behalten.

Er konnte die Wölfe jetzt deutlicher hören, doch das war gut – der Wind hatte sich gedreht; er wehte jetzt in seine Richtung und brachte ihre Stimmen mit. Oder lag es nur daran, dass sie näher gekommen waren?

Näher. Rollo war wie von Sinnen, schoss am anderen Ufer hin und her, jaulte und knurrte und drängte ihn mit kurzen Lauten zur Eile. Ein Wildwechsel stieß auf dieser Seite auf den Bach; er stolperte aus dem Wasser darauf zu, keuchte und zitterte. Er brauchte mehrere Versuche, um die Mokassins wieder anzuziehen. Das nasse Leder war glitschig, und seine Hände und Füße verweigerten ihm den Dienst. Er musste seinen Knüppel ablegen und beide Hände benutzen.

Er hatte es gerade geschafft, den zweiten Schuh anzuziehen, als Rollo plötzlich unter herausforderndem Knurren das Ufer hinuntersauste. Noch während Ian im gefrorenen Schlamm herumfuhr und nach seinem Knüppel griff, sah er auf der anderen Seite des Wassers eine graue Gestalt, die ungefähr Rollos Größe hatte. Ihre blassen Augen waren ihm erschreckend nah.

Er kreischte auf und warf instinktiv mit dem Knüppel danach. Dieser flog über den Bach und landete neben den Pfoten des Wolfs auf dem Boden – und das Tier verschwand wie von Zauberhand. Im ersten Moment stand er stocksteif da und starrte hinüber. Er hatte es sich doch nicht eingebildet?

Nein, Rollo tobte; er bellte mit gefletschten Zähnen, und Schaumflocken flogen ihm um die Schnauze. An der Wasserkante lagen Steine; Ian ergriff einen, noch einen, kratzte eine Hand voll zusammen, noch einen, stieß sich in seiner Hast die Finger an den Steinen und dem gefrorenen Boden. Er hielt die Vorderseite seines Jagdhemds wie einen Beutel vor sich hin.

Der weiter entfernte Wolf heulte erneut; der nähere antwortete so dicht bei ihnen, dass sich seine Nackenhaare sträubten. Er schleuderte einen Stein in die Richtung, aus der der Ruf gekommen war, drehte sich um und rannte fort, das Bündel mit den Steinen fest an seinen Bauch gedrückt.

Am Himmel zeigte sich jetzt Dämmerlicht. Herz und Lungen rangen um Blut und Luft, und doch hatte er das Gefühl, so langsam zu rennen, dass er über den Waldboden schwebte und wie eine Wolke dahinzog, unfähig, sich schneller zu bewegen. Er konnte jeden einzelnen Baum sehen, jede Nadel der Fichte, an der er jetzt vorbeikam, kurz und breit, sanftes Silbergrün im Morgenlicht.

Er atmete schwer, es verschwamm ihm vor den Augen, dann sah er wieder klar – Tränen der Anstrengung, die ihm den Blick verstellten, bis er sie wegzwinkerte, nur damit sie wieder aufquollen. Ein Ast schlug ihm ins Gesicht und blendete ihn, während ihm ein scharfer Duft in die Nase stieg.

»Rotfichte, hilf mir!«, keuchte er, und die Sprache der Kahnyen'kehaka ging ihm über die Lippen, als hätte er niemals Englisch gesprochen oder zu Christus und seiner Mutter gebetet.

Hinter dir. Es war eine leise Stimme, lautlos, vielleicht nicht mehr als die Stimme seines eigenen Instinkts, doch er fuhr blitzartig herum, einen Stein in der Hand, den er mit aller Kraft von sich schleuderte. Noch einen, noch einen und noch einen, so schnell er werfen konnte. Er hörte ein Knacken, einen dumpfen Aufprall und ein Jaulen, und Rollo kam rutschend zum Halten, um sich herumzuwerfen und anzugreifen.

»Komm-komm-komm!« Er packte den großen Hund im Laufen am Nacken, zerrte ihn herum, zwang ihn mitzurennen.

Jetzt konnte er sie hören, zumindest dachte er das. Der Wind, der sich in der Dämmerung erhob, fuhr raschelnd durch die Bäume, und sie flüsterten über ihm, riefen ihn in diese Richtung, dann in jene, zeigten ihm den Weg, während er rannte. Er sah nichts als Farben, halb blind vor Anstrengung, doch sein Verstand spürte ihre kühlende Umarmung; die prickelnde Berührung von Tanne und Fichte, die glatte Rinde einer weißen Espe, glatt wie die Haut einer Frau, klebrig vom Blut.

Geh dort entlang, komm hierher, glaubte er zu hören und folgte dem Klang des Windes.

Hinter ihnen erscholl Geheul, gefolgt von kurzen Jaullauten, dann noch ein Heullaut der Bestätigung. In der Nähe, viel zu nah! Er warf im Laufen mit Steinen hinter sich, ohne hinzusehen, keine Zeit, sich umzudrehen und zu zielen.

Dann hatte er keine Steine mehr und ließ den leeren Hemdschoß fallen, pumpte im Weiterlaufen mit den Armen, ein raues Keuchen in den Ohren, das sein eigener Atem sein mochte oder der des Hundes – oder das Geräusch der Bestien in seinem Rücken.

Wie viele mochten es sein? Wie weit war es noch? Er begann zu stolpern, und rote und schwarze Streifen schossen durch sein Gesichtsfeld. Wenn das Dorf nicht in der Nähe war, hatte er keine Chance.

Er schwankte seitwärts und traf gegen einen Ast, der unter seinem Gewicht nachgab, ihn dann wieder aufrecht drückte und auf die Füße stellte. Doch er hatte seinen Antrieb verloren – und sein Richtungsgefühl.

»Wo?«, keuchte er die Bäume an. »Wohin?«

Wenn eine Antwort kam, so hörte er sie nicht. Hinter ihm erschollen Gebrüll und ein Aufprall und die Geräusche einer wilden Rauferei, unterbrochen vom Grollen und Jaulen kämpfender Hunde.

»Rollo!« Er machte kehrt, stürzte sich durch einen Vorhang aus abgestorbenen Weinranken und prallte auf Hund und Wolf, die sich zappelnd und beißend zu einer Kugel aus Fell und blitzenden Zähnen verknäult hatten.

Er schoss auf sie zu und trat auf sie ein, brüllte und teilte Hiebe aus, froh, endlich etwas zu haben, auf das er einschlagen, gegen das er sich wehren konnte, und wenn es sein letzter Kampf wurde. Irgendetwas riss ihm das Bein auf, doch er spürte nur den Ruck des Aufpralls, als er dem Wolf das Knie fest in die Seite rammte. Dieser jaulte, rollte zur Seite und baute sich im Nu vor ihm auf.

Der Wolf sprang, und seine Pfoten trafen ihn vor die Brust. Er fiel hintenüber und stieß sich heftig den Kopf; für eine Sekunde ging ihm die Luft aus, und als er wieder zu sich kam, fand er seine Hand unter den sabbernden Kiefern wieder, um diese von seiner Kehle fern zu halten.

Rollo sprang dem Wolf auf den Rücken, und Ian verlor den Halt und brach unter dem Gewicht des stinkenden, zappelnden Fellhaufens zusammen. Er streckte die Hand aus, auf der Suche nach irgendetwas – einer Waffe, einem Werkzeug, einem Griff, um sich zu befreien –, und bekam etwas Hartes zu fassen.

Er riss den Stein aus seinem Moosbett und ließ ihn gegen den Kopf des Wolfs krachen. Blutige Zahnbruchstücke flogen durch die Luft und trafen ihn im Gesicht. Schluchzend hieb er erneut zu, und noch einmal.

Rollo jaulte, ein schrilles Jammern – nein, das war er selbst. Er schmetterte den Stein noch einmal gegen den zertrümmerten Schädel, doch der Wolf hatte aufgehört zu kämpfen; er lag quer über seinen Oberschenkeln, und sein Blick wurde glasig, als er verendete. Angewidert und panisch schob er ihn von sich. Rollos Zähne sanken in die freiliegende Kehle des Wolfs und rissen sie in Stücke. Ein letztes Mal regnete es Blut und warme Hautfetzen.

Ian schloss die Augen und saß reglos da. Jede Bewegung, jeder Gedanke schien unmöglich.

Nach einer Weile schien es ihm zumindest möglich, die Augen zu öffnen und zu atmen. In seinem Rücken stand ein großer Baum; er war gegen den Stamm gefallen, als der Wolf ihn ansprang; jetzt stützte er ihn. Zwischen den verkrümmten Wurzeln war ein Schlammloch, aus dem er den Stein gezogen hatte.

Er hatte den Stein immer noch in der Hand; fast schien es, als sei er dort festgewachsen; er konnte die Hand nicht öffnen. Als er jetzt den Blick darauf richtete, sah er, warum – der Stein war in Stücke gesprungen; scharfe Splitter hatten seine Hand verletzt und sich mit trocknendem Blut daran festgeklebt. Mit der anderen Hand öffnete er seine verkrümmten Finger und drückte die Bruchstücke des Steins von seiner Handfläche. Er kratzte etwas Moos von den Baumwurzeln, ballte es in seiner Hand zusammen und ließ seine Finger sich wieder darum schließen.

Ein Stück entfernt heulte ein Wolf. Rollo, der sich neben Ian niedergelegt hatte, hob mit einem leisen *Wuff!* den Kopf. Das Heulen erklang erneut, und es schien etwas Fragendes darin zu liegen, ein besorgter Unterton.

Zum ersten Mal sah er den Körper des Wolfs an. Im ersten Moment glaubte er, dieser bewegte sich, und schüttelte den Kopf, um den Blick frei zu bekommen. Dann sah er noch einmal hin.

Er bewegte sich tatsächlich. Der unförmige Bauch hob sich sacht und sank dann wieder zusammen. Der Tag war jetzt angebrochen, und im Bauchfell des Tiers konnte er rosa Zitzen wie kleine Knöpfe erkennen. Kein Rudel. Ein Paar. Aber jetzt nicht mehr. Der Wolf in der Ferne heulte erneut, und Ian beugte sich zur Seite und übergab sich.

Eats Turtles – Schildkrötenesser – fand ihn etwas später, mit dem Rücken an die Rotzeder neben dem toten Wolf gelehnt, Rollos massigen Körper dicht an sich gepresst. Turtle hockte sich dicht vor ihn und beobachtete ihn.

»Gute Jagd, Wolfsbruder«, sagte er schließlich als Begrüßung. Ian spürte, wie sich der Knoten zwischen seinen Schulterblättern ein klein wenig löste. *Turtles* Tonfall war gedämpft, aber nicht schmerzerfüllt. Dann lebte sie also.

»Sie, deren Herd ich teile«, sagte er und vermied es bewusst, ihren Namen zu sagen. Ihn laut auszusprechen, konnte sie den bösen Geistern in der Nähe aussetzen. »Geht es ihr gut?«

Turtle schloss die Augen und zog Augenbrauen und Schultern hoch. Sie lebte und war außer Gefahr. Dennoch war es keinem Menschen gegeben zu sagen, was geschehen konnte. Ian erwähnte das Kind nicht. *Turtle* ebenfalls nicht.

Turtle hatte ein Gewehr, einen Bogen und natürlich sein Messer dabei. Er zog das Messer aus seinem Gürtel und reichte es Ian, ohne eine Miene zu verziehen.

»Du willst doch bestimmt die Felle haben«, sagte er. »Um deinen Sohn darin einzuwickeln, wenn er zur Welt kommt.«

Ein Schock durchfuhr Ian wie plötzlicher Regen, der auf nackte Haut trifft. *Turtle* sah seine Miene und wandte das Gesicht ab, um ihm nicht in die Augen zu sehen.

»Dieses Kind war eine Tochter«, sagte *Turtle* ganz nüchtern. »Tewaktenyonh hat es meiner Frau gesagt, als sie sich ein Kaninchenfell geholt hat, um es darin einzuwickeln.«

Seine Bauchmuskeln verkrampften sich und zitterten; er hatte das Gefühl, er selbst könnte aus seiner Haut platzen, doch nichts dergleichen geschah. Seine Kehle war trocken, und er schluckte unter Schmerzen, dann ließ er das Moos aus seiner verwundeten Hand fallen und streckte sie nach dem Messer aus. Er bückte sich langsam, um den Wolf zu häuten.

Schildkrötenesser stocherte fasziniert in den blutigen Überresten des zerschmetterten Steins herum, als ihn Wolfsgeheul abrupt auf die Beine brachte. Er starrte in den Wald.

Es hallte durch den Wald, dieses Geheul, und die Bäume über ihnen bewegten sich und erhoben beklommenes Gemurmel bei diesem Ton des Verlusts und der Trostlosigkeit. Das Messer fuhr rasch den hellen Bauchpelz entlang und trennte die beiden Reihen der rosa Zitzen.

»Ihr Partner ist bestimmt in der Nähe«, sagte Wolfsbruder, ohne aufzublicken. »Geh und töte ihn.«

Marsali starrte ihn an. Sie atmete kaum. Es lag immer noch Traurigkeit in ihrem Blick, doch war sie jetzt schwächer, überwältigt von Mitgefühl. Die Wut war von ihr gewichen; sie hatte Henri-Christian wieder an sich genommen und hielt das dicke Bündel mit ihrem Baby an die Brust gedrückt. Ihre Wange hatte sie an die kraftvolle Rundung seines Köpfchens gelegt.

»O Ian«, sagte sie leise. »*Mo charaid, mo chridhe.*«

Er saß da und sah auf seine Hände hinunter, die er lose auf dem Schoß verschränkt hatte. Es schien, als hätte er sie nicht gehört. Schließlich jedoch regte er sich wie eine erwachende Statue. Ohne aufzublicken, griff er in sein Hemd und zog ein kleines, zusammengerolltes Bündel hervor, das mit Haarzwirn zusammengebunden und mit Wampum-Perlen verziert war.

Er öffnete es, beugte sich vor und breitete dem Baby das gegerbte Fell eines ungeborenen Wolfs über die Schultern. Seine große, knochige Hand glättete den hellen Pelz und blieb einen Moment auf Marsalis Hand liegen, die das Kind festhielt.

»Glaub mir, liebe Cousine«, sagte er ganz leise, »er trauert.« Dann erhob er sich und ging, lautlos wie ein Indianer.

37

Le Maître des Champignons

Die kleine Kalksteinhöhle, die uns als Stall diente, beherbergte im Moment nur eine Ziege mit zwei neugeborenen Jungen. Das Wetter war noch mild, und alle im Frühling geborenen Tiere waren längst groß genug, um mit ihren Müttern frei im Wald Futter zu suchen. Die Ziege allerdings genoss Zimmerservice in Form von Küchenabfällen und zerstoßenen Maiskörnern.

In der Nacht hatte es geregnet, und der Morgen brach feucht und bewölkt an; jedes Blatt tropfte, und es roch nach Harz und nassem Mulch. Zum Glück dämpfte der bewölkte Himmel die Unternehmungslust der Vögel; die Eichelhäher und Nachtigallen lernten schnell, und ihre Perlenaugen hielten stets Ausschau nach Menschen mit Essbarem – sie attackierten mich regelmäßig, wenn ich mit meiner Schüssel bergauf stapfte.

Ich war auf der Hut, doch trotzdem schoss ein vorwitziger Eichelhäher wie ein blauer Blitz von einem Ast herbei. Er jagte mir einen Schrecken ein, weil er *in* der Schüssel landete. Bevor ich reagieren konnte, hatte er ein Stück Maistörtchen stibitzt und war wieder fort, so schnell, dass ich kaum glauben konnte, dass ich ihn gesehen hatte, hätte mein Herz nicht so gerast. Zum Glück hatte ich die Schüssel nicht fallen gelassen; ich hörte Triumphgekreisch in den Bäumen und beeilte mich, in den Stall zu kommen, bevor es die Kumpel des Eichelhähers mit derselben Taktik versuchen konnten.

Überrascht stellte ich fest, dass die obere Hälfte der geteilten Tür nicht verriegelt war und ein paar Zentimeter offen stand. Natürlich bestand keine Gefahr, dass die Ziegen entwischten, doch Füchse und Waschbären konnten die untere Hälfte problemlos überklettern, daher wurden normalerweise beide Türen über Nacht verriegelt. Vielleicht hatte Mr. Wemyss es vergessen; es war seine Aufgabe, den Stall auszumisten und das Vieh für die Nacht zu versorgen.

Doch sobald ich die Tür aufdrückte, sah ich, dass Mr. Wemyss keine Schuld traf. Zu meinen Füßen raschelte es heftig im Stroh, und etwas Großes bewegte sich im Dunklen.

Ich stieß einen abrupten Schreckensruf aus, und diesmal *ließ* ich die Schüssel los, so dass sie scheppernd zu Boden fiel und die Ziege weckte, die sich die Kehle aus dem Hals meckerte.

»*Pardon*, Milady!«

Meine Hand fuhr an mein hämmerndes Herz, und ich trat aus der Tür, so dass das Licht auf Fergus fiel, der am Boden hockte. Strohhalme ragten ihm aus dem Haar wie der Verrückten von Chaillot.

»Oh, da bist du ja«, sagte ich frostig.

Er blinzelte, schluckte und rieb sich mit der Hand über das Gesicht, das von sprießenden Bartstoppeln verdunkelt wurde.

»Ich – ja«, sagte er. Dem schien er nichts hinzuzufügen zu haben. Ich blieb ein paar Sekunden stehen und sah funkelnd zu ihm hinunter, dann schüttelte ich den Kopf und bückte mich, um die Kartoffelschalen und anderen Essensreste wieder einzusammeln, die aus der Schüssel gefallen waren. Er setzte sich in Bewegung, als wollte er mir helfen, doch ich gebot ihm mit einer Geste Einhalt.

Er saß still da und beobachtete mich, die Hände um die Knie geschlungen. Es war dämmerig im Inneren des Stalls, und es tropfte unablässig aus den Pflanzen, die oberhalb der Stalltür auf dem Hügel wuchsen, so dass vor der Tür ein Vorhang aus fallenden Wassertropfen hing.

Die Ziege hatte aufgehört zu lärmen, weil sie mich erkannt hatte, doch jetzt reckte sie den Hals durch die Umzäunung ihres Pferchs und streckte ihre blaubeerfarbige Zunge aus wie ein Ameisenbär, um einen Apfelrest zu erhaschen, der vor den Pferch gerollt war. Ich hob ihn auf und gab ihn ihr, während ich überlegte, wo ich anfangen und was ich dann sagen sollte.

»Henri-Christian geht es gut«, sagte ich, weil mir nichts Besseres einfiel. »Er hat zugenommen …«

Hier brach ich ab und beugte mich über die Einfriedung, um Mais und Küchenabfälle in den hölzernen Futtertrog zu schütten.

Totenstille. Ich wartete einen Moment, dann drehte ich mich um, eine Hand auf meiner Hüfte.

»Er ist ein lieber kleiner Junge«, sagte ich.

Ich konnte ihn atmen hören, doch er schwieg. Ich schnaubte verächtlich, trat zur Tür und schob auch die untere Hälfte weit auf, so dass das Licht von draußen hereinströmte und auf Fergus fiel. Er saß auf dem Boden, das Gesicht hartnäckig abgewandt. Ich konnte ihn von dort, wo ich stand, riechen; er stank nach bitterem Schweiß und Hunger.

Ich seufzte.

»Zwerge dieser Art besitzen eine völlig normale Intelligenz. Ich habe ihn gründlich untersucht, und er zeigt alle Reflexe und Reaktionen, die er haben sollte. Es gibt keinen Grund, warum er nicht die Schule besuchen und – irgendeine Arbeit verrichten sollte.«

»Irgendeine«, wiederholte Fergus, und es lagen Verzweiflung und Verachtung in diesem Wort. »Irgendeine.« Endlich wandte er mir das Gesicht zu, und ich sah, wie leer sein Blick war. »Bei allem Respekt, Milady – Ihr habt noch nie gesehen, wie ein Zwerg lebt.«

»Du denn?«, fragte ich weniger, um ihn herauszufordern, als aus Neugier.

Er schloss die Augen, um sie vor dem Morgenlicht zu schützen, und nickte.

»Ja«, flüsterte er und schluckte. »In Paris.«

Das Bordell in Paris, in dem er aufgewachsen war, war groß gewesen und hatte eine vielseitige Kundschaft gehabt; es war berühmt dafür gewesen, für fast jeden Geschmack etwas im Angebot zu haben.

»Das Haus selbst hatte *les filles, naturellement*, und *les enfants*. Das ist natürlich das Hauptgeschäft des Etablissements. Doch es gibt stets Menschen, die es nach ... dem Exotischen verlangt und die dafür bezahlen. Also ließ die Dame des Hauses dann und wann jemanden kommen, der sich auf so etwas verstand. *La Maîtresse des Scorpions – avec les flagellants, vous comprendrez? Ou le Maître des Champignons.*«

»Den Herrn der Pilze?«, entfuhr es mir.

»*Oui.* Den Zwergenmeister.«

Seine Augen waren halb geschlossen, sein Blick war nach innen gekehrt und sein Gesicht eingefallen. In seiner Erinnerung sah er Anblicke und Menschen, die seinen Gedanken jahrelang fern geblieben waren – und es war keine schöne Erinnerung.

»*Les chanterelles* haben wir sie genannt«, sagte er leise. »Die Frauen. Die Männer, sie waren *les morilles.*« Exotische Pilze, als Rarität geschätzt aufgrund ihrer verkrümmten Gestalt, des seltsamen Aromas ihrer Körper.

»Man hat sie nicht schlecht behandelt, *les champignons*«, sagte er geistesabwesend. »Sie waren wertvoll, versteht Ihr. *Le Maître* hat solche Kinder von ihren Eltern gekauft – einmal wurde im Bordell eins geboren, und die Dame des Hauses war entzückt über ihr Glück – oder sie von der Straße geholt.«

Er sah auf seine Hand hinunter, deren lange, zerbrechliche Finger sich unablässig bewegten und den Stoff seiner Hose kneteten.

»Von der Straße«, wiederholte er. »Diejenigen, die den Bordellen entkamen, wurden Bettler. Einen von ihnen habe ich sehr gut gekannt – Luc hieß er. Manchmal haben wir uns gegenseitig geholfen –« Der Schatten eines Lächelns umspielte seinen Mund, und er schwenkte seine heile Hand mit der geschickten Geste eines Taschendiebs.

»Aber er war allein«, fuhr er sachlich fort. »Er hatte keinen Beschützer.

Eines Tages habe ich ihn mit durchgeschnittener Kehle in der Gosse gefunden. Ich habe es der Dame des Hauses erzählt, und sie hat sofort den Türsteher losgeschickt, um die Leiche zu holen, die sie an einen Arzt im nächsten Arrondissement verkauft hat.«

Ich fragte nicht, was der Arzt mit Lucs Leiche gewollt hatte. Ich hatte gesehen, wie die breiten Hände von Zwergen getrocknet als Mittel für Weissagungen oder als Schutzzauber verkauft wurden. Andere Körperteile ebenfalls.

Vor meinem inneren Auge stand plötzlich Dr. Fentiman, der eine Glasflasche mit Formalin füllte und Henri-Christian gierig beäugte. Mir kam die Galle hoch, und mich überspülte eine Kälte, die nichts mit der Kühle des Stalls zu tun hatte.

»Ich beginne zu verstehen, warum ein Bordell als vergleichsweise sicherer Ort erscheinen könnte«, sagte ich und schluckte heftig. »Aber dennoch …«

Fergus hatte den Kopf auf die Hand gestützt und starrte ins Stroh. Bei diesen Worten blickte er zu mir auf.

»Ich habe meinen Hintern für Geld hingehalten, Milady«, sagte er schlicht. »Und mir nichts dabei gedacht, nur gehofft, dass es nicht zu sehr schmerzen würde. Aber dann bin ich Milord begegnet und habe eine Welt jenseits des Bordells und der Straßen gefunden. Dass mein Sohn an solche Orte zurückkehren könnte …« Er hielt abrupt inne, unfähig zu sprechen. Er schloss erneut die Augen und schüttelte langsam den Kopf.

»Fergus. Lieber Fergus. Du kannst doch nicht glauben, dass Jamie – dass wir – so etwas jemals zulassen würden«, sagte ich über die Maßen bestürzt.

Zitternd holte er tief Luft und strich die Tränen fort, die an seinen Wimpern hingen. Er öffnete die Augen und lächelte mich unendlich traurig an.

»Nein, natürlich nicht, Milady. Aber Ihr werdet nicht ewig leben und Milord auch nicht. Und ich auch nicht. Aber das Kind wird ewig ein Zwerg bleiben. Und *les petits*, sie können sich doch kaum selbst verteidigen. Sie werden von jenen aufgelesen, die nach ihnen suchen, werden aufgesammelt und verzehrt.« Er wischte sich die Nase an seinem Ärmel ab und setzte sich etwas gerader hin.

»Falls sie so viel Glück haben«, fügte er hinzu, und seine Stimme wurde härter. »Außerhalb der Städte schätzt sie niemand sehr. Die Bauern, sie glauben, dass die Geburt eines solchen Kindes bestenfalls ein Urteil für die Sünden seiner Eltern ist.« Ein tiefer Schatten huschte über sein Gesicht, und seine Lippen spannten sich an. »Vielleicht ist es ja so. Meine Sünden –« Doch er verstummte abrupt und wandte sich ab.

»Schlimmstenfalls –«, seine Stimme war leise, sein Kopf abgewandt, als flüsterte er den Schatten der Höhle Geheimnisse zu, »schlimmstenfalls sieht man sie als Monstrositäten an; Kinder eines Dämons, der mit der Frau geschlafen hat. Man steinigt sie, verbrennt sie; in den Bergdörfern Frankreichs lässt man Zwergenkinder für die Wölfe liegen. Aber wisst Ihr diese Dinge denn nicht, Milady?«, fragte er und wandte sich wieder zu mir um.

»Ich – ich denke schon«, sagte ich und streckte die Hand nach der Wand aus, weil ich plötzlich eine Stütze brauchte. Ich *hatte* von solchen Dingen gewusst, in der abstrakten Art, in der man an die Sitten der Eingeborenen und Wilden denkt – von Menschen, denen man nie begegnen wird, in der sicheren Entfernung der Geografiebücher und der alten Geschichten.

Er hatte Recht; ich wusste es. Mrs. Bug hatte sich bekreuzigt, als sie das Kind sah, und dann das Zeichen des Horns zum Schutz gegen das Böse gemacht, schreckensbleich im Gesicht.

Erschrocken, wie wir alle gewesen waren, und dann um Marsali besorgt und mit Fergus' Abwesenheit beschäftigt, war ich mindestens eine Woche nicht aus dem Haus gekommen. Ich hatte keine Ahnung, was die Leute auf dem Berg sagten.

Fergus offensichtlich schon.

»Sie … werden sich daran gewöhnen«, sagte ich, so tapfer ich konnte. »Die Leute werden sehen, dass er kein Monstrum ist. Es wird eine Weile dauern, aber ich verspreche dir, sie werden es merken.«

»Ach ja? Und wenn sie ihn am Leben lassen, was wird er dann tun?« Er erhob sich abrupt. Er streckte den linken Arm aus und löste mit einem Ruck den Lederriemen, der seinen Haken an Ort und Stelle hielt. Er fiel mit einem leisen Plumps ins Stroh, und der schmale Stumpf seines Handgelenks lag bloß, seine bleiche Haut rot gestreift, weil sie so eng eingeschnürt gewesen war.

»Ich kann nicht jagen, kann keine richtige Männerarbeit verrichten. Das Einzige, wozu ich in der Lage bin ist, den Pflug zu ziehen wie ein Maultier!« Seine Stimme zitterte vor Wut und Selbstverachtung. »Wenn ich schon nicht arbeiten kann wie ein Mann, wie soll es dann ein Zwerg tun?«

»Fergus, es ist doch nicht –«

»Ich kann meine Familie nicht ernähren! Meine Frau muss Tag und Nacht arbeiten, um die Kinder zu ernähren, muss sich mit Abschaum auseinander setzen, der sie missbraucht, der … Selbst wenn ich in Paris wäre, für die Hurerei bin ich zu alt!« Mit verzerrtem Gesicht schüttelte er den Stumpf in meine Richtung, dann fuhr er herum, holte mit dem verstümmelten Arm aus und hieb wieder und wieder gegen die Wand.

»Fergus!« Ich packte seinen anderen Arm, doch er entriss ihn mir.

»Was für eine Arbeit wird er verrichten?«, rief er, und die Tränen strömten ihm über das Gesicht. »Wie soll er leben? *Mon Dieu! Il est aussi inutile que moi!*«

Er bückte sich und hob den Haken vom Boden auf, dann schleuderte er ihn gegen die Kalksteinwand, so fest er konnte. Er landete mit einem leisen Klingeln, dann fiel er ins Stroh, wo er die Ziege und ihre Jungen aufschreckte.

Fergus war fort, nur die Tür schwang noch nach. Die Ziege rief ihm ein lang gezogenes, missbilligendes *Määäh!* hinterher.

Ich klammerte mich an die Umzäunung des Pferchs, als sei sie das einzig Feste in einer Welt, die langsam ins Trudeln geriet. Als der Schwindel nachließ, bückte ich mich und tastete vorsichtig im Stroh nach dem Haken, dem Fergus' Körperwärme noch anhaftete. Ich zog ihn hervor und befreite ihn sorgfältig mit meiner Schürze von Stroh und Dung, Fergus' letzte Worte noch im Ohr.

»Mein Gott! Er ist genauso nutzlos wie ich!«

38

Ein Teufel in der Milch

Henri-Christian schielte fürchterlich, so sehr strengte er sich an, dem Wollpompon zu folgen, den Brianna über seinem Gesicht baumeln ließ.

»Ich glaube, seine Augen bleiben blau«, sagte sie und musterte das Baby nachdenklich. »Was meinst du wohl, wohin er sieht?« Er lag auf ihrem Schoß, und besagte blaue Augen waren auf irgendetwas weit hinter ihr gerichtet.

»Oh, wenn sie so klein sind, können sie noch den Himmel sehen, hat meine Mutter immer gesagt.« Marsali probierte Briannas neues Pedalspinnrad aus, um Wolle zu spinnen, richtete aber rasch einen Blick auf ihren jüngsten Sohn und lächelte ein wenig. »Vielleicht hast du ja einen Engel auf der Schulter sitzen, aye? Oder hinter dir steht ein Heiliger.«

Bei diesen Worten beschlich Brianna das seltsame Gefühl, es stünde tatsächlich jemand hinter ihr. Doch es war nicht gruselig – eher ein leises, beruhigendes Gefühl der Wärme. Sie öffnete den Mund, um zu sagen: »Vielleicht ist es mein Vater«, besann sich aber gerade noch rechtzeitig.

»Wer ist denn der Schutzpatron des Wäschewaschens?«, sagte sie stattdessen. »Den könnten wir brauchen.« Es regnete; regnete seit Tagen, und überall im Zimmer lagen kleine Kleiderberge, oder einzelne Stücke waren über die Möbel gebreitet: Nasse Wäsche in verschiedenen Trocknungsstadien, Schmutzwäsche, die im Waschkessel landen würde, sobald das Wetter besser wurde, weniger schmutzige Teile, die man bürsten, ausschlagen oder sonst wie mit Gewalt dazu bringen konnte, dass sie sich noch ein paar Tage tragen ließen, und ein stets wachsender Haufen von Kleidern, die geflickt werden mussten.

Marsali lachte, während sie das Garn mit geschickten Fingern auf die Spule rollte.

»Danach müsstest du Pa fragen. Er kennt mehr Heilige als irgendjemand sonst. Dieses Spinnrad ist wunderbar! Wie bist du nur darauf gekommen?«

»Oh – ich hab's irgendwo gesehen.« Sie tat die Frage mit einer Handbewegung ab. Sie hatte tatsächlich ein solches Spinnrad gesehen – in einem Heimatmuseum. Es zu bauen, war zeitaufwändig gewesen – zuerst hatte sie eine rudimentäre Drechselbank bauen und das Holz für das eigentliche Rad einweichen und zurechtbiegen müssen –, aber nicht sehr schwierig. »Ronnie Sinclair war mir eine große Hilfe dabei; er weiß, wozu man Holz bringen kann und wozu nicht. Ich kann gar nicht glauben, wie gut du damit zurechtkommst, obwohl du es zum ersten Mal benutzt.«

Marsali prustete und tat ihrerseits das Kompliment ab.

»Ich kann schon spinnen, seit ich fünf bin, *a piuthar*. Das Einzige, was hierbei anders ist, ist dass ich sitzen bleiben kann, anstatt hin und her zu gehen, bis ich vor Müdigkeit umfalle.«

Ihre mit Strümpfen bekleideten Füße huschten unter dem Saum ihres Kleides hin und her, um das Pedal anzutreiben. Es machte ein angenehmes Surrgeräusch – obwohl es unter dem Geplapper am anderen Ende des Zimmers kaum zu hören war, wo Roger noch ein weiteres Auto für die Kinder schnitzte.

Brumms waren der Renner bei den Kleinen, und die Nachfrage ließ nicht nach. Sie sah belustigt zu, wie sich Roger geschickt mit dem Ellbogen gegen Jems Vorwitznase verteidigte. Er hatte die Stirn konzentriert gerunzelt. Seine Zungenspitze hatte sich zwischen seine Zähne geschoben, und Holzspäne übersäten den Kamin und seine Kleider, und einer hatte sich – natürlich – in seinem Haar verfangen, ein heller Kringel auf dunklem Hintergrund.

»Was für einer ist das?«, fragte sie laut genug, dass er sie hören konnte. Er blickte auf, seine Augen moosgrün im gedämpften Regenlicht des Fensters hinter ihm.

»Ich glaube, es ist ein Chevrolet Pickup-Truck, Baujahr 57«, sagte er grinsend. »Hier, bitte, *a nighean*. Der ist für dich.« Er strich einen letzten Holzspan von seiner Kreation und reichte Felicité das klobige Spielzeug, das sie ehrfurchtsvoll mit großen Augen und offenem Mund entgegennahm.

»Ist Brumm?«, sagte sie und hielt es an ihre Brust geklammert. »*Mein* Brumm?«

»Es ist ein Truck«, unterrichtete Jemmy sie herablassend, aber freundlich. »Sagt Papa.«

»Ein Truck ist ein Brumm«, versicherte Roger Felicité, als er sah, dass sich ihre Stirn zweifelnd zu verziehen begann. »Es ist nur eine größere Sorte.«

»Ein *großes* Brumm, bäh!« Felicité trat Jem vor das Schienbein. Er heulte auf und fasste nach ihren Haaren, wurde aber von Joan in den Bauch geboxt – sie war stets bereit, ihre Schwester zu verteidigen.

Brianna richtete sich auf und war schon im Begriff einzugreifen, doch Roger erstickte den Aufruhr im Keim, indem er Jem und Felicité auf Armeslänge von sich hielt und Joan funkelnd zum Rückzug zwang.

»Schluss damit. Hier wird nicht gestritten, sonst kommen die Brumms bis morgen fort.«

Das brachte sie unverzüglich zur Ruhe, und Brianna spürte, wie sich Marsali entspannte und rhythmisch weiterarbeitete. Der Regen summte unablässig auf dem Dach; an einem solchen Tag hielt man sich am besten im Haus auf, auch wenn man gelangweilte Kinder beschäftigen musste.

»Warum spielt ihr nicht etwas schön Ruhiges?«, sagte sie und grinste Roger an. »Zum Beispiel... oh... Formel eins?«

»Oh, was für eine große Hilfe du bist«, sagte er und warf ihr einen genervten Blick zu, ließ die Kinder aber gehorsam mit Kreide eine Rennstrecke auf den großen Kaminsockel malen.

»Wie schade, dass Germain nicht hier ist«, sagte er beiläufig. »Wo steckt er denn bei diesem Regen, Marsali?« Germains Brumm – laut Roger ein Jaguar X-KE, auch wenn es in Briannas Augen genauso wie die anderen aussah; ein Holzklotz mit einem angedeuteten Führerhaus und Rädern – stand auf dem Kaminsims und wartete auf die Rückkehr seines Besitzers.

»Er ist mit Fergus unterwegs«, antwortete Marsali ruhig und ohne sich aus dem Rhythmus bringen zu lassen. Doch sie presste die Lippen zusammen, und es war nicht schwer, eine leichte Gereiztheit herauszuhören.

»Und wie geht es Fergus?« Roger sah sie an, freundlich, aber unbeirrbar.

Der Faden rutschte in Marsalis Hand ab und wickelte sich mit einer sichtbaren Verdickung auf. Sie zog eine Grimasse und antwortete erst, als ihr der Faden wieder reibungslos durch die Finger lief.

»Nun, ich muss sagen, für einen Mann mit einer Hand kämpft er ziemlich eindrucksvoll«, sagte sie schließlich, die Augen auf den Faden geheftet und einen ironischen Unterton in der Stimme.

Brianna sah Roger an, der ihren Blick mit hochgezogener Augenbraue erwiderte.

»Mit wem hat er denn gekämpft?«, fragte sie und bemühte sich, es beiläufig klingen zu lassen.

»Das erzählt er mir nicht jedes Mal«, sagte Marsali gleichmütig. »Aber gestern war es der Mann einer Frau, die ihn gefragt hat, warum er Henri-Christian nicht gleich bei der Geburt erwürgt hat. Daran hat er Anstoß genommen«, fügte sie noch hinzu, ließ aber im Unklaren, ob es Fergus, der Ehemann oder beide gewesen waren, die Anstoß genommen hatten. Sie hob den Faden an und biss das Ende ab.

»Das kann ich mir vorstellen«, murmelte Roger. Er markierte gerade die Startlinie, so dass sein Kopf gesenkt und sein Gesicht verdeckt war. »Das war nicht das einzige Mal?«

»Nein.« Marsali begann, das Garnende um den Strang zu wickeln, die Stirn zwischen ihren hellen Augenbrauen in Falten gelegt, die anscheinend gar nicht mehr verschwinden wollten. »Ich nehme an, das ist besser als die, die nur tuschelnd mit dem Finger auf uns zeigen. Das sind die, die glauben, Henri-Christian ist – die Brut des Teufels«, brachte sie ihren Satz tapfer zu Ende, obwohl ihre Stimme ein wenig zitterte. »Ich glaube, sie würden den Kleinen verbrennen – und mich und die anderen Kinder gleich dazu, wenn sie das Gefühl hätten, sie könnten es.«

Brianna spürte, wie ihr Magen einen Satz machte, und drückte den Gegenstand der Unterhaltung auf ihrem Schoß.

»Was für Idioten kommen denn auf *solche* Gedanken?«, wollte sie wissen. »Ganz zu schweigen davon, sie auszusprechen!«

»Ganz zu schweigen davon, es zu tun, meinst du.« Marsali legte ihre Wolle beiseite, erhob sich und beugte sich vor, um Henri-Christian an die Brust zu nehmen. Er hatte die Knie angezogen und war in dieser Haltung ungefähr halb so groß wie ein normales Baby – und Brianna musste zugeben, dass er mit seinem großen runden Kopf und der dunklen Haartolle … seltsam aussah.

»Pa hat schon das eine oder andere Machtwort gesprochen«, sagte Marsali. Sie hatte die Augen geschlossen und wiegte sich sanft vor und zurück, Henri-Christian fest an sich gedrückt. »Wenn er das nicht getan hätte …« Ihr schlanker Hals bewegte sich, als sie schluckte.

»Papa, Papa, *los*!« Jem, der die Unterhaltung der Erwachsenen nicht verstand, zupfte ungeduldig an Rogers Ärmel.

Roger hatte Marsali beobachtet, sein hageres Gesicht voll Sorge. Bei dieser Ermahnung kniff er die Augen zu, blickte zu seinem durch und durch normalen Sohn hinunter und räusperte sich.

»Aye«, sagte er und nahm sich Germains Auto. »Also gut. Hier ist der Start …«

Brianna legte Marsali eine Hand auf den Arm. Er war dünn, aber kräftig bemuskelt, die helle Haut von der Sonne vergoldet und mit winzigen Sommersprossen übersät.

»Sie werden schon noch damit aufhören«, flüsterte sie. »Sie werden es einsehen …«

»Aye, vielleicht.« Marsali umfasste Henri-Christians kleinen runden Hintern und drückte ihn fester an sich. Ihre Augen waren geschlossen. »Vielleicht auch nicht. Aber wenn Germain bei Fergus ist, passt er vielleicht besser auf, mit wem er sich anlegt. Es wäre mir lieber, wenn er nicht umgebracht würde, aye?«

Sie beugte den Kopf über das Baby, konzentrierte sich ganz aufs Stillen und schien nichts mehr sagen zu wollen. Brianna tätschelte ihr etwas verlegen den Arm, dann nahm sie den Platz am Spinnrad ein.

Natürlich hatte sie das Gerede gehört. Zumindest teilweise. Vor allem unmittelbar nach Henri-Christians Geburt, die Fraser's Ridge wie ein Erdbeben erschüttert hatte. Abgesehen von ein paar offenen Mitleidsbekundungen war viel getuschelt worden; über die jüngsten Ereignisse und den bösen Einfluss, der dazu geführt haben mochte – vom Überfall auf Marsali und dem Brand der Mälzerei bis hin zur Entführung ihrer Mutter, dem Gemetzel im Wald und der Geburt eines Zwergs. Ein Mädchen hatte in ihrer Hörweite unüberlegt etwas von »... Hexerei, was sonst?« gemurmelt – doch Brianna hatte sich vor dem Mädchen aufgebaut und es wortlos angefunkelt, worauf es erbleicht war und sich mit seinen Freundinnen verdrückt hatte. Allerdings hatte das Mädchen noch einmal trotzig zurückgesehen, bevor es sich abwandte und die drei kichernd verschwanden.

Doch ihr oder ihrer Mutter gegenüber hatte es niemand je an Respekt mangeln lassen. Es war klar, dass eine ganze Reihe der Pächter große Angst vor Claire hatte – doch sie hatten noch mehr Angst vor ihrem Vater. Die Zeit und die Macht der Gewohnheit schienen ihr Werk verrichtet zu haben – bis Henri-Christian geboren wurde.

Am Spinnrad zu arbeiten, beruhigte ihre Nerven; das Surren des Spinnrads mischte sich unter die Regengeräusche und das Plappern der Kinder.

Immerhin war Fergus zurückgekommen. Als Henri-Christian geboren wurde, war er aus dem Haus gestürmt und hatte sich tagelang nicht sehen lassen. *Arme Marsali*, dachte sie und sandte im Geiste einen finsteren Blick in Fergus' Richtung. Sie allein mit dem Schock fertig werden zu lassen. Und *alle* waren schockiert gewesen, sie selbst nicht ausgeschlossen. Vielleicht konnte sie Fergus doch keine Vorwürfe machen.

Sie schluckte, und wie immer, wenn sie in Henri-Christians Nähe war, malte sie sich aus, wie es wohl wäre, ein Kind mit einer schlimmen Missbildung zu bekommen. Dann und wann sah sie sie – Kinder mit Hasenscharten, mit den entstellten Gesichtszügen, die ihre Mutter angeborener Syphilis zuschrieb, geistig Behinderte – und jedes Mal bekreuzigte sie sich und dankte Gott, dass Jemmy normal war.

Aber das waren Germain und seine Schwestern auch. So etwas konnte einen jederzeit aus dem Nichts treffen. Sie blickte unwillkürlich zu dem Regal hinüber, auf dem sie ihre persönlichen Gegenstände aufbewahrte, darunter auch das dunkelbraune Glas mit den *Dauco*samen. Seit Henri-Christians Geburt nahm sie sie wieder, obwohl sie es Roger gegenüber nicht erwähnt hatte. Sie fragte sich, ob er es wusste; gesagt hatte er nichts.

Marsali sang leise vor sich hin. *Machte* Marsali Fergus Vorwürfe?, fragte sie sich. Oder er ihr? Sie hatte schon seit einiger Zeit kein Wort mehr mit Fergus gewechselt. Marsali schien ihn jedenfalls nicht kritisieren zu wollen – und sie hatte gesagt, sie sähe nicht gern, dass er umgebracht würde. Brianna lächelte bei dieser Erinnerung. Und doch strahlte sie unleugbar Entfremdung aus, wenn sie ihn erwähnte.

Der Faden verdickte sich plötzlich, und sie trat schneller, um den Fehler auszugleichen, doch er verfing sich und riss. Brummig hörte sie auf zu treten und ließ das Rad auslaufen – und erst in dieser Minute wurde ihr klar, dass schon seit einiger Zeit jemand an die Hüttentür hämmerte, dies aber im allgemeinen Lärm untergegangen war.

Als sie die Tür öffnete, fand sie eins der Fischerskinder triefend auf der Eingangsstufe, klein, hager und völlig verwildert. Die Pächterfamilien hatten mehrere solcher Kinder, so dass sie Schwierigkeiten hatte, sie auseinander zu halten.

»Aidan?«, riet sie. »Aidan McCallum?«

»Guten Tag, Mistress«, sagte der kleine Junge und nickte bestätigend mit dem Kopf. »Ist der Pastor zu Hause?«

»Pas – oh. Ja, das ist er. Komm doch herein, ja?« Sie verkniff sich ein Lächeln, öffnete die Tür und winkte ihn herein. Der Junge zog ein völlig schockiertes Gesicht, als er Roger auf dem Boden hocken und mit Jemmy, Joan und Felicité Brumm spielen sah, noch dazu unter solchem Kreischen und Dröhnen, dass sie den Neuankömmling gar nicht bemerkt hatten.

»Du hast Besuch«, sagte sie und hob die Stimme, um sich im allgemeinen Tumult Gehör zu verschaffen. »Er möchte den Pastor sprechen.« Roger bremste abrupt und blickte fragend auf.

»Den was?«, sagte er und setzte sich in den Schneidersitz. Dann erspähte er den Jungen und lächelte. »Oh. Aidan, *a charaistet*. Was gibt es denn?«

Aidan verzog beim Nachdenken das Gesicht. Offenbar hatte man ihm eine konkrete Botschaft mitgegeben, die er auswendig gelernt hatte.

»Mutter sagt, könnt Ihr bitte kommen«, rezitierte er, »und den Teufel austreiben, der in die Milch gefahren ist?«

Der Regen hatte zwar nachgelassen, doch sie waren trotzdem durchnässt, als sie das Heim der McCallums erreichten. Falls es denn einen solchen Ausdruck verdiente, dachte Roger und schlug sich den Regen vom Hut, während er Aidan über den schmalen, rutschigen Pfad zu der Hütte folgte, die hoch auf dem Hang in einer unpraktischen Mulde hockte.

Orem McCallum hatte es knapp geschafft, die Wände seiner wackeligen Hütte zu errichten, bevor er kaum einen Monat nach seiner Ankunft in Fraser's Ridge fehltrat, in eine felsige Schlucht stürzte und sich das Genick brach. Seine schwangere Frau und sein kleiner Sohn blieben ihrem zweifelhaften Schutz überlassen.

Die anderen Männer hatten sich beeilt, sie mit einem Dach zu versehen, bevor der Schnee kam, doch die ganze Hütte erinnerte Roger verblüffend an einen Stapel Mikadostäbchen, der wackelig auf dem Berg hing und allem Anschein nach nur darauf wartete, dass ihn die nächste Schneeschmelze seinem Erbauer hinterherspülte.

Mrs. McCallum war jung und blass und so dünn, dass ihr Kleid sie umschlotterte wie ein leerer Mehlsack. *Himmel*, dachte er, *was mochten sie zu essen haben*?

»Oh, Sir, danke, dass Ihr gekommen seid.« Sie machte einen nervösen Hofknicks. »Tut mir so Leid, dass ich Euch durch den Regen geschickt habe – aber ich wusste einfach nicht, was ich sonst tun sollte!«

»Keine Ursache«, beruhigte er sie. »Äh ... Aidan hat gesagt, dass Ihr einen Pastor braucht. Das bin ich aber nicht, wisst Ihr.«

Sie machte ein bestürztes Gesicht.

»Oh. Nun, vielleicht nicht ganz, Sir. Aber die Leute sagen, dass Euer Vater Pastor war und Ihr Euch gut in der Bibel auskennt und all das.«

»Ganz gut, ja«, erwiderte er vorsichtig und fragte sich, was für ein Notfall wohl Bibelfestigkeit erfordern konnte. »Ein... äh... Teufel in Eurer Milch, ja?«

Er blickte diskret von ihrem Baby in der Wiege zur Vorderseite ihres Kleides, zunächst unsicher, ob sie womöglich ihre eigene Muttermilch meinte, denn auf ein solches Problem war er definitiv nicht vorbereitet. Glücklicherweise schien die Schwierigkeit mit einem Holzeimer zu tun zu haben, der auf dem wackeligen Tisch stand. Ein Musselintuch war darüber gebreitet, um die Fliegen fern zu halten, und in den Ecken des Tuchs waren kleine Steine als Gewichte festgeknotet.

»Aye, Sir.« Mrs. McCallum wies kopfnickend auf den Eimer. Offenbar hatte sie Angst, sich diesem weiter zu nähern. »Lizzie Wemyss aus dem Fraserhaus hat mir das gestern Abend gebracht. Sie hat gesagt, Mrs. Fraser sagt, ich muss sie Aidan geben und selbst davon trinken.« Sie sah Roger hilflos an; selbst in seiner eigenen Zeit betrachtete man Milch ausschließlich als Getränk für Kleinkinder und Kranke; da sie aus einem Fischerdorf an der schottischen Küste stammte, war es gut möglich, dass sie bis zu ihrer Ankunft in Amerika noch nie eine Kuh gesehen hatte. Er war sich sicher, dass sie wusste, was Milch war und dass sie theoretisch trinkbar war, doch wahrscheinlich hatte sie noch nie welche probiert.

»Aye, das ist gut«, versicherte er ihr. »Meine ganze Familie trinkt Milch; die Kinder werden groß und stark davon.« Und einer stillenden Mutter mit schmalen Essensrationen würde sie auch nicht schaden, was zweifellos Claires Hintergedanke gewesen war.

Sie nickte unglücklich.

»Nun... aye, Sir. Ich war mir nicht ganz sicher... aber der Junge hatte Hunger, und er hat gesagt, er würde sie trinken. Also wollte ich ihm etwas einschenken, aber es –« Sie blickte mit einer Miene angstvollen Argwohns auf den Eimer. »Nun, wenn es nicht der Teufel ist, der da hineingefahren ist, dann ist es etwas anderes. Irgendetwas spukt darin herum, da bin ich mir sicher!«

Er konnte nicht sagen, was ihn bewegte, genau in diesem Moment den Blick auf Aidan zu richten, doch er überraschte den Jungen mit einer höchst interessierten Miene, die sofort verschwand und einem übernatürlich ernsten Ausdruck Platz machte.

So war er ein Stück weit vorgewarnt, als er sich vorbeugte und vorsichtig das Tuch anhob. Trotzdem fuhr er mit einem Aufschrei zurück, und das mit Gewichten beschwerte Tuch landete klackernd an der Wand.

Die böswilligen grünen Augen, die ihm aus der Mitte des Eimers entgegenstarrten, verschwanden, die Milch macht *Glup!*, und aus dem Eimer sprühte ein Regen sahniger Tropfen wie aus einem Miniaturvulkan.

»Mist!«, sagte er. Mrs. McCallum war zurückgewichen, so weit es ging, und starrte entsetzt auf den Eimer. Sie hatte beide Hände vor den Mund geschlagen. Auch Aidan hatte die Hand vor den Mund gepresst, und seine Augen waren ähnlich weit aufgerissen – doch aus seiner Richtung erklang ein schwaches Zischen.

Rogers Herz hämmerte, angetrieben von Adrenalin – und dem herzhaften Verlangen, Aidan McCallum den dünnen Hals umzudrehen. Er wischte sich langsam die verspritzte Sahne aus dem Gesicht, biss die Zähne zusammen und fasste vorsichtig in den Milcheimer.

Er brauchte mehrere Versuche, um zu fassen zu bekommen, was sich anfühlte wie ein ebenso muskulöser wie beweglicher Schleimkloß, doch beim vierten Mal hatte er Erfolg und hob triumphierend einen großen, indignierten Ochsenfrosch aus dem Eimer, der Milch in alle Himmelsrichtungen verspritzte.

Der Frosch stieß sich mit den Hinterbeinen kräftig von seiner glitschigen Handfläche ab, entwischte seinem Griff und machte einen Riesensatz, der die halbe Strecke zur Tür überbrückte und Mrs. McCallum laut aufschreien ließ. Das Baby wachte erschrocken auf und steuerte das Seine zum allgemeinen Aufruhr bei, während der Frosch hastig zur Tür hinaus in den Regen platschte und dabei eine Spur gelber Flecken hinterließ.

Aidan war so klug, ihm mit Höchstgeschwindigkeit zu folgen.

Mrs. McCallum hatte sich auf den Boden gesetzt und sich die Schürze über den Kopf geworfen, unter der sie einen hysterischen Anfall bekam. Das Baby brüllte, und die Milch, die langsam von der Tischkante tropfte, akzentuierte das Prasseln des Regens. Er sah, dass das Dach undicht war; lange nasse Streifen verdunkelten die entrindeten Stämme in Mrs. McCallums Rücken, und sie saß in einer Pfütze.

Mit einem tiefen Seufzer hob er das Baby aus seiner Wiege und überraschte es damit so, dass es schluckte und aufhörte zu schreien. Es blinzelte ihn an und steckte die Faust in den Mund. Er hatte keine Ahnung, ob es ein Junge oder Mädchen war; es war ein anonymes Stoffbündel mit einem verkniffenen kleinen Gesicht und argwöhnischer Miene.

Er nahm es in den Arm und hockte sich auf den Boden, um Mrs. McCallum den anderen Arm um die Schultern zu legen. Er tätschelte sie vorsichtig, in der Hoffnung, dass sie sich vielleicht fassen würde.

»Ist ja schon gut«, sagte er. »Es war doch nur ein Frosch.«

Sie stöhnte unablässig wie ein Gespenst und schrie dazwischen immer wieder kurz auf. Dann wurden die Schreie seltener, und das Stöhnen verwandelte sich schließlich in mehr oder weniger normales Weinen, doch sie war nicht zu bewegen, unter der Schürze hervorzukommen.

Seine Oberschenkelmuskeln verkrampften sich im Hocken, und nass war er sowieso. Mit einem Seufzer ließ er sich in der Pfütze nieder, setzte sich neben sie und berührte hin und wieder ihre Schulter, damit sie wusste, dass er noch da war.

Zumindest machte das Baby einen zufriedenen Eindruck. Es saugte an seiner Faust und ließ sich von den Anwandlungen seiner Mutter nicht stören.

»Wie alt ist denn das Kleine?«, fragte er im Plauderton während einer kurzen Atempause. Er wusste es ungefähr, weil es eine Woche nach Orem McCallums Tod zur Welt gekommen war – aber wenigstens war es etwas, was er sagen konnte. Und was sein Alter anging, so kam es ihm furchtbar klein und leicht vor, zumindest verglichen mit seiner Erinnerung an Jemmy zur selben Zeit.

Sie murmelte etwas Unhörbares, doch das Weinen ging in holpernde Seufzer über. Dann sagte sie noch etwas.

»Wie war das, Mrs. McCallum?«

»Warum?«, flüsterte sie unter ihrem verblichenen Kaliko. »Warum hat mich Gott hierher gebracht?«

Das war allerdings eine verdammt gute Frage; er hatte sie selbst schon oft genug gestellt, allerdings noch keine überzeugenden Antworten erhalten.

»Nun ... wir bauen darauf, dass er einen Plan hat«, sagte er ein wenig verlegen. »Wir kennen ihn nur nicht.«

»Ein schöner Plan«, sagte sie und schluchzte auf. »Uns so weit zu bringen, an diesen schrecklichen Ort, und mir dann meinen Mann wegzunehmen und mich hier verhungern zu lassen!«

»Oh ... so schrecklich ist es hier doch gar nicht«, sagte er, weil ihm ansonsten keine Gegenargumente einfielen. »Die Wälder und die ... Bäche, die Berge ... es ist ... äh ... ziemlich hübsch. Wenn es nicht gerade regnet.« Diese hirnverbrannten Worte brachten sie tatsächlich zum Lachen, obwohl es schnell erneut in Weinen überging.

»Was?« Er legte den Arm um sie und zog sie ein wenig fester an sich, sowohl um sie zu trösten als auch um auszumachen, was sie unter ihrer improvisierten Zuflucht sagte.

»Ich vermisse das Meer«, flüsterte sie und lehnte ihren in Kaliko gehüllten Kopf an seine Schulter, als sei sie sehr müde. »Ich werde es nie wieder sehen.«

Damit hatte sie sehr wahrscheinlich Recht, und es gab nichts, was er darauf erwidern konnte. Sie saßen eine Weile da, und nur das Schmatzen des Babys unterbrach die Stille.

»Ich lasse nicht zu, dass Ihr verhungert«, sagte er schließlich leise. »Das ist alles, was ich versprechen kann, aber ich verspreche es.« Mit steifen Beinen stand er auf und ergriff eine ihrer kleinen rauen Hände, die schlaff auf ihrem Schoß lagen. »Steht jetzt auf. Ihr könnt das Kleine füttern, während ich ein wenig aufräume.«

Als er aufbrach, hatte es aufgehört zu regnen, und die Wolkendecke begann aufzureißen und ließ den blassblauen Himmel durchscheinen. An einer Biegung des steilen, schlammigen Pfades blieb er stehen, um einen Regenbogen zu bewundern – er war vollständig und reichte von einer Seite des Himmels zur anderen, und seine Nebelfarben versanken im nassen Dunkelgrün des gegenüberliegenden Berghangs.

Es war still, bis auf das Wasser, das von den Blättern platschte und tropfte und neben dem Pfad durch eine felsige Rinne gurgelte.

»Ein Pakt«, sagte er leise vor sich hin. »Und was ist das Versprechen? Doch bestimmt kein Goldschatz.« Er schüttelte den Kopf und ging weiter. Er hielt sich an Ästen und Büschen fest, um nicht den Berg hinunterzurutschen; er wollte nicht als Gewirr von Knochen unten enden wie Orem McCallum.

Er würde mit Jamie sprechen, außerdem mit Tom Christie und Hiram Crombie. Sie konnten es gemeinsam weitersagen und dafür sorgen, dass die Witwe McCallum und ihre Kinder genug zu essen bekamen. Die Leute teilten gern – aber es musste sie jemand fragen.

Er sah sich noch einmal um; der schiefe Schornstein war über den Bäumen gerade noch zu sehen, doch er rauchte nicht. Sie konnten genug Brennholz sammeln, sagte sie – doch nass wie es war, dauerte es tagelang, bis sie etwas Brennbares hatten. Sie brauchten einen Schuppen für das Holz und Stücke, die so groß waren, dass sie einen Tag lang brannten, nicht die Zweige und heruntergefallenen Äste, die Aidan tragen konnte.

Als hätte ihn der Gedanke herbeigerufen, sah er Aidan. Der Junge hockte etwa zehn Meter unter ihm mit dem Rücken zum Pfad an einem Teich und angelte. Seine Schulterblätter zeichneten sich scharf wie kleine Engelsflügel unter dem abgetragenen Stoff seines Hemdes ab.

Das Rauschen des Wassers überdeckte seine Schritte, als er die Felsen hinunterstieg. Ganz sanft legte er Aidan die Hand um den schmalen weißen Nacken, und die hageren Schultern des Jungen fuhren überrascht zurück.

»Aidan«, sagte er. »Ich muss bitte mit dir reden.«

39

Ich bin die Auferstehung

Ende Oktober 1773

Gehämmer an der Tür riss Roger kurz vor Tagesanbruch aus dem Schlaf. Brianna, die neben ihm lag, stieß ein unartikuliertes Geräusch aus, das er aus langer Erfahrung als Ankündigung interpretierte, dass sie aufstehen und zur Tür gehen würde, wenn er es nicht tat – dass es ihm aber Leid tun würde, genau wie der bedauernswerten Person auf der anderen Seite.

Resigniert warf er die Bettdecke zurück und fuhr sich mit der Hand durch das wirre Haar. Die Luft traf ihn kalt an den nackten Beinen, und es lag ein eisiger Schneehauch darin.

»Wenn ich das nächste Mal heirate, nehme ich ein Mädchen, das morgens fröhlich aufwacht«, sagte er an die zusammengekrümmte Gestalt unter der Bettwäsche gerichtet.

»Mach das«, sagte eine gedämpfte Stimme unter dem Kissen – deren verschwommener Klang ihren feindseligen Tonfall nicht verbergen konnte.

Das Hämmern wiederholte sich, und Jemmy – der morgens fröhlich aufwachte – setzte sich in seinem Bettchen auf. Er sah aus wie eine rothaarige Pusteblume.

»Es klopft«, teilte er Roger mit.

»Ach ja? Mmpfm.« Er unterdrückte das Bedürfnis aufzustöhnen, stand auf und ging zur Tür, um sie zu entriegeln.

Draußen stand Hiram Crombie, der im milchigen Halbdunkel noch sauertöpfischer aussah als sonst. Ebenfalls kein Frühaufsteher, dachte Roger.

»Die alte Mutter meiner Frau ist in der Nacht von uns geschieden«, unterrichtete er Roger ohne Umschweife.

»Geschieden?«, fragte Jemmy neugierig und steckte seinen Wuschelkopf hinter Rogers Bein hervor. »Mr. Stornaway hat einen Stein ausgeschieden – hat ihn mir und Germain gezeigt.«

»Mr. Crombies Schwiegermutter ist gestorben«, sagte Roger. Er legte Jem die Hand auf den Kopf, um ihn zum Schweigen zu bringen, und hüstelte entschuldigend in Mr. Crombies Richtung. »Tut mir Leid, das zu hören, Mr. Crombie.«

»Aye.« Mr. Crombie schien die Beileidsbekundung nicht zu interessieren. »Murdo Lindsay sagt, Ihr kennt Euch ein wenig in der Schrift aus, für die Beerdigung. Meine Frau fragt, ob Ihr vielleicht herauskommen und ein paar Worte am Grab sprechen würdet?«

»Murdo sagt... oh!« Die holländische Familie, das war es. Jamie hatte ihn damals genötigt, die Grabrede zu halten. »Aye, natürlich.« Er räusperte sich automatisch; er war furchtbar heiser – wie jeden Morgen, solange er noch nichts Heißes getrunken hatte. Kein Wunder, dass Crombie ein skeptisches Gesicht zog.

»Natürlich«, wiederholte er kräftiger. »Können wir … äh … irgendwie helfen?«

Crombie verneinte mit einer kleinen Geste.

»Die Frauen dürften sie inzwischen aufgebahrt haben«, sagte er mit einem verächtlichen Seitenblick auf den Hügel im Bett, unter dem Brianna steckte. »Nach dem Frühstück fangen wir an, das Grab auszuheben. Mit etwas Glück haben wir sie unter der Erde, bevor es schneit.« Er hob sein spitzes Kinn zum bewölkten Himmel, der die sanftgraue Farbe von Adsos Bauchpelz hatte. Dann nickte er, machte kehrt und ging ohne weitere Höflichkeiten.

»Papa, guck!« Roger blickte zu Boden und sah, dass Jem die Finger in seine Mundwinkel gehakt hatte und sie heruntergezogen hatte, um das umgekehrte »U« nachzuahmen, das Hiram Crombies üblicher Gesichtsausdruck war. Seine kleinen roten Augenbrauen waren zu einem finsteren Stirnrunzeln verzogen, so dass die Ähnlichkeit verblüffend war. Roger lachte überrascht, dann schnappte er nach Luft und verschluckte sich, bis er sich schließlich hustend vornüberfallen ließ.

»Alles in Ordnung?« Brianna hatte sich an die Oberfläche begeben und saß im Bett. Sie hatte die Augen schlaftrunken zusammengekniffen, machte aber ein besorgtes Gesicht.

»Aye, gut.« Die Worte kamen als dünnes, beinahe tonloses Keuchen heraus. Er holte Luft und hustete einen widerwärtigen Schleimklecks in seine Hand, weil er kein Taschentuch hatte.

»Igitt!«, sagte seine zartfühlende Frau und fuhr zurück.

»Lass sehen, Papa!«, sagte sein Sohn und Erbe und bemühte sich angestrengt, einen Blick darauf zu werfen. »Igitt!«

Roger trat ins Freie und wischte sich die Hand im nassen Gras an der Tür ab. So früh am Morgen war es kalt draußen, doch Crombie hatte zweifellos Recht; der Schnee war nicht mehr weit. Etwas Weiches, Gedämpftes lag in der Luft.

»Dann ist die alte Mrs. Wilson also tot?« Brianna hatte sich ein Schultertuch umgelegt und war ihm gefolgt. »Wie schade. Stell dir vor, so weit zu kommen und dann an einem fremden Ort zu sterben, bevor man Zeit hatte, dort richtig heimisch zu werden.«

»Na ja, wenigstens war ihre Familie dabei. Ich kann mir nicht vorstellen, dass sie gern allein zum Sterben in Schottland geblieben wäre.«

»Mm.« Brianna strich sich ein paar Haarsträhnen von den Wangen; sie hatte ihr Haar vor dem Einschlafen zu einem dicken Zopf geflochten, doch es war der Gefangenschaft zum Großteil entflohen und ringelte sich in der kalten feuchten Luft um ihr Gesicht. »Meinst du, ich sollte hingehen?«

»Ihr die letzte Ehre erweisen? Er sagt, sie haben die alte Dame schon aufgebahrt.«

Sie schnaubte, und die weißen Atemwölkchen, die aus ihren Nasenlöchern aufstiegen, erinnerten ihn an Drachen.

»Es kann noch nicht später als sieben Uhr sein; draußen ist es stockfinster! Und ich glaube nicht eine Sekunde lang, dass seine Frau und seine Schwester die Alte bei Kerzenlicht aufgebahrt haben. Schon, weil Hiram die Kosten für die zusätzliche Kerze scheuen würde. Nein, es ist ihm gegen den Strich gegangen, dass er dich um einen Gefallen bitten musste. Also hat er versucht, dir nahe zu legen, dass deine Frau eine faule Schlampe ist.«

Gut beobachtet, dachte Roger belustigt – vor allem, weil sie Crombies viel sagenden Blick auf ihre liegende Gestalt ja nicht gesehen hatte.

»Was ist eine Schlampe?«, erkundigte sich Jemmy, der sich sofort auf jedes halbwegs verboten klingende Wort stürzte.

»Das ist eine Dame, die keine ist«, klärte ihn Roger auf. »Und eine schlechte Hausfrau dazu.«

»Das ist eins von den Wörtern, die dir Mrs. Bug mit Seife aus dem Mund wäscht, wenn sie es dich sagen hört«, verbesserte seine Frau scharf.

Roger war immer noch im Nachthemd, und seine Beine und Füße froren langsam ein. Auch Jem hüpfte barfuß herum, jedoch ohne das leiseste Anzeichen, dass ihm kalt war.

»Mami ist keine«, sagte Roger bestimmt und nahm Jemmys Hand. »Komm, Kumpel, wir gehen pinkeln, während Mami Frühstück macht.«

»Danke für den Vertrauensbeweis«, sagte Brianna und gähnte. »Ich bringe den Crombies nachher ein Glas Honig oder so etwas.«

»Ich komme mit«, verkündete Jemmy prompt.

Brianna zögerte einen Moment und sah Roger mit hochgezogenen Augenbrauen an. Jem hatte noch nie einen Toten gesehen.

Roger zuckte mit einer Schulter. Es war ein friedlicher Tod gewesen, und der Tod gehörte nun einmal zum Leben. Er ging nicht davon aus, dass der Anblick von Mrs. Wilsons Leiche dem Kind Albträume verursachen würde – obwohl es, so wie er Jem kannte, *sehr* wahrscheinlich eine ganze Reihe lauter und peinlicher Fragen in aller Öffentlichkeit nach sich ziehen würde. Einige vorbereitende Erklärungen würden wohl angebracht sein, dachte er.

»Sicher«, sagte er zu Jem. »Aber erst müssen wir nach dem Frühstück zu Opa gehen und uns von ihm eine Bibel leihen.«

Er traf Jamie beim Frühstück an, und der warme Haferduft des frischen Porridges umhüllte ihn wie eine Decke, als er in die Küche trat. Bevor er sein

Anliegen vortragen konnte, hatte ihn Mrs. Bug schon mit seinem eigenen Schüsselchen an den Tisch gesetzt, dazu ein Gefäß mit Honig, einen Teller mit gebratenem Schinken, heißen Toast, von dem Butter triefte, und eine frische Tasse mit etwas Dunklem, Duftendem, das wie Kaffee aussah. Jem saß neben ihm und war schon bis zu den Ohren mit Honig und Butter beschmiert. Eine verräterische Sekunde lang fragte er sich, ob Brianna vielleicht doch etwas von einem Faulpelz hatte, wenn sie auch im Leben keine Schlampe war.

Dann richtete er den Blick über den Tisch hinweg auf Claire, deren ungekämmtes Haar in alle Richtungen abstand und die ihn über ihren Toast hinweg verschlafen anblinzelte, und er kam großzügig zu dem Schluss, dass es wahrscheinlich keine Entscheidung war, die Brianna bewusst getroffen hatte, sondern vielmehr ein genetischer Einfluss.

Allerdings erwachte Claire prompt, als er bei Schinken und Toast erklärte, warum er hier war.

»Die alte Mrs. Wilson?«, fragte sie interessiert. »Woran ist sie gestorben, hat Mr. Crombie das gesagt?«

Roger schüttelte den Kopf und schluckte einen Löffel Porridge.

»Nur, dass sie in der Nacht gestorben ist. Ich nehme an, sie haben sie tot gefunden. Eventuell das Herz – sie muss doch mindestens achtzig gewesen sein.«

»Sie war ungefähr fünf Jahre älter als ich«, sagte Claire trocken. »Sie hat es mir erzählt.«

»Oh. Mmpfm.« Sich zu räuspern schmerzte, und er trank einen Schluck des heißen, dunklen Getränks. Es war aus gerösteten Zichorien und Eicheln gebrüht, aber gar nicht so schlecht.

»Ich hoffe, du hast ihr nicht gesagt, wie alt *du* bist, Sassenach.« Jamie langte über den Tisch und schnappte sich das letzte Stück Toast. Wachsam wie immer, entführte Mrs. Bug den Teller, um ihn nachzufüllen.

»So unvorsichtig bin ich nicht«, sagte Claire. Sie tupfte mit dem Zeigefinger in einen Honigtropfen und leckte ihn ab. »Bis jetzt glauben sie nur, dass ich im Pakt mit dem Teufel bin; wenn ich ihnen mein Alter verraten würde, hätten sie Gewissheit.«

Roger gluckste, dachte aber insgeheim, dass sie Recht hatte. Die Spuren ihrer Misshandlung waren fast verschwunden, die blauen Flecken verblasst und ihr Nasenrücken gerade und sauber verheilt. Selbst ungekämmt und mit aufgedunsenen Schlafaugen sah sie noch verdammt gut aus. Sie hatte zarte Haut, dichte Locken und feine Gesichtszüge, von denen die Fischersleute aus den Highlands nur träumen konnten. Ganz zu schweigen von ihren Augen, die golden wie Sherry waren und denen nichts entging.

Zu diesen Gaben der Natur kamen noch die Hygiene und Ernährung des zwanzigsten Jahrhunderts – sie hatte noch sämtliche Zähne, alle weiß und gerade –, und sie ging leicht für zwanzig Jahre jünger durch als andere Frauen ihres Alters. Er empfand diesen Gedanken als tröstlich; vielleicht hatte Brianna ja die Kunst, in Schönheit zu altern, von ihrer Mutter geerbt. Sein Frühstück konnte er sich schließlich jederzeit selbst machen.

Jamie hatte seine Mahlzeit beendet und war die Bibel holen gegangen. Er kam zurück und legte sie neben Rogers Teller.

»Wir gehen mit euch zur Beerdigung«, sagte er und deutete auf das Buch. »Mrs. Bug – könntet Ihr bitte einen kleinen Korb für die Crombies packen?«

»Schon geschehen«, sagte sie und stellte einen großen Korb vor ihm auf den Tisch, der mit einem Tuch zugedeckt war und vor Köstlichkeiten überquoll. »Könnt Ihr ihn mitnehmen? Ich muss Arch Bescheid sagen und mein gutes Schultertuch holen, und wir sehen uns dann am Grab, aye?«

An diesem Punkt kam Brianna herein, gähnend, aber ordentlich zurechtgemacht. Sie fing an, Jem wieder in einen präsentablen Zustand zu versetzen, während Claire verschwand, um ihre Haube und ihr Schultertuch zu suchen. Roger griff nach der Bibel, um die Psalmen nach etwas durchzublättern, das hinreichend ernst und gleichzeitig erhebend war.

»Vielleicht der dreiundzwanzigste?«, sagte er halb zu sich selbst. »Schön kurz. Stets ein Klassiker. Und der Tod wird immerhin erwähnt.«

»Wirst du eine Grabrede halten?«, fragte Brianna interessiert. »Oder eine Predigt?«

»Oh, Himmel. Daran hatte ich gar nicht gedacht«, sagte er bestürzt. Er räusperte sich probeweise. »Gibt es noch Kaffee?«

In Inverness hatte er vielen Beerdigungen beigewohnt, die der Reverend abhielt, und er war sich der Tatsache wohl bewusst, dass das zahlende Publikum ein solches Ereignis als traurigen Misserfolg betrachtete, wenn nicht mindestens eine halbe Stunde lang gepredigt wurde. Allerdings konnten Bettler nicht wählerisch sein, und die Crombies konnten nicht erwarten –

»Warum hast du denn eine protestantische Bibel, Pa?« Brianna, die gerade ein Stück Toast aus Jemmys Haaren befreite, hielt inne und lugte Roger über die Schulter.

Er schloss das Buch überrascht, doch sie hatte Recht; *King James Version* stand dort in fast verblichenen Buchstaben.

»Sie war ein Geschenk«, sagte Jamie. Seine Antwort klang beiläufig, doch Roger sah hoch; es lag etwas Seltsames in Jamies Stimme. Brianna hörte es ebenfalls; sie warf ihrem Vater einen kurzen, scharfen Blick zu, doch sein Gesicht war seelenruhig, als er jetzt einen letzten Bissen Schinken verspeiste und sich die Lippen abwischte.

»Möchtest du einen Schluck in deinen Kaffee, Roger Mac?«, sagte er und wies auf Rogers Tasse, als sei es die größte Selbstverständlichkeit der Welt, Whisky zum Frühstück anzubieten.

Eigentlich war es angesichts dessen, was ihm bevorstand, eine wirklich verlockende Vorstellung, doch Roger schüttelte den Kopf.

»Nein, danke; es geht schon.«

»Bist du sicher?« Brianna verlagerte den scharfen Blick in seine Richtung. »Womöglich solltest du das aber. Für deinen Hals.«

»Es geht schon«, sagte er knapp. Er machte sich selber Sorgen um seine Stimme; er brauchte das Mitleid der rothaarigen Fraktion nicht, deren drei Mitglieder ihn jetzt mit einer Nachdenklichkeit betrachteten, die er als extremen Zweifel an seiner Artikulationsfähigkeit interpretierte. Möglich, dass ein Schluck Whisky seinem Hals half, doch er zweifelte, dass er seine Predigt verbessern würde – und das Letzte, was er wollte, war mit einer Whiskyfahne in einer Beerdigungsgesellschaft hundertprozentiger Abstinenzler aufzutauchen.

»Essig«, riet ihm Mrs. Bug, die sich über ihn beugte, um seinen Teller abzuräumen. »Heißer Essig ist das Beste. Verdünnt den Schleim, aye?«

»Darauf möchte ich wetten«, sagte Roger und lächelte trotz seiner Beschwerden. »Trotzdem lieber nicht, Mrs. Bug, danke.« Er war mit leichten Halsschmerzen aufgewacht und hatte gehofft, dass das Frühstück sie heilen würde. Das war nicht der Fall, und allein schon bei der Vorstellung, heißen Essig zu trinken, schwollen seine Mandeln an.

Stattdessen hielt er seine Tasse hoch, um sich noch Zichorienkaffee nachschenken zu lassen, und konzentrierte sich auf seine Aufgabe.

»Gut – weiß jemand irgendetwas über die alte Mrs. Wilson?«

»Sie ist tot«, meldete sich Jemmy selbstsicher zu Wort. Alle lachten, und Jemmy zog ein verwirrtes Gesicht, fiel dann aber in das Gelächter ein, obwohl er eindeutig nicht die geringste Ahnung hatte, was denn so komisch war.

»Ein guter Anfang, Kumpel.« Roger streckte die Hand aus und strich Jemmy die Krümel vom Hemd. »Es könnte sogar etwas daran sein. Der Reverend hatte eine schöne Predigt über eine Stelle in den Paulusbriefen – der Lohn der Sünde ist der Tod, aber Gottes Geschenk ist ewiges Leben. Ich habe sie mehr als einmal gehört. Was meinst du?« Er sah Brianna mit hochgezogener Augenbraue an. Sie runzelte nachdenklich die Stirn und griff nach der Bibel.

»Das klingt passend. Hat diese Bibel eine Konkordanz?«

»Nein.« Jamie stellte seine Kaffeetasse hin. »Aber es ist im sechsten Kapitel des Römerbriefs.« Als er die überraschten Blicke sah, die sich auf ihn richteten, errötete er leicht und wies mit einem Ruck seines Kopfes auf die Bibel.

»Ich hatte dieses Buch im Gefängnis«, sagte er. »Ich habe es gelesen. Dann komm, *a bhailach*, bist du jetzt fertig?«

Das Wetter war finster; niedrig hängende Wolken drohten mit allem, was zwischen Eisregen und dem ersten Schnee des Herbstes möglich war, und dann und wann fing sich ein kalter Windstoß in Umhängen und Röcken und blähte sie wie Segel. Die Männer hielten ihre Hüte fest, und die Frauen verkrochen sich tief in ihren Kapuzen. Alle gingen mit gesenkten Köpfen wie die Schafe, die hartnäckig dem Wind trotzen.

»Tolles Wetter für eine Beerdigung«, murmelte Brianna nach einem solchen Windstoß und zog ihren Umhang fest um sich.

»Mmpfm.« Roger antwortete ihr automatisch; offenbar war ihm nicht bewusst, was sie gesagt hatte, nur, dass sie etwas gesagt hatte. Er hatte die Stirn gerunzelt, und sein Gesicht sah verkrampft und bleich aus. Sie legte ihm eine Hand auf den Arm und drückte ihn beruhigend, und er sah sie schwach lächelnd an, und seine Miene entspannte sich.

Ein gespenstisches Heulen durchschnitt die Luft, und Brianna erstarrte und klammerte sich an Rogers Arm. Das Geräusch steigerte sich zu einem Kreischen, löste sich in eine Reihe kurzer, abgehackter Schluckgeräusche auf und absolvierte dann eine schluchzende Tonleiter wie eine Leiche, die eine Treppe herunterrollt.

Gänsehaut breitete sich auf ihrem Rücken aus, und ihr Magen verkrampfte sich. Sie sah Roger an; er sah beinahe genauso blass aus, wie sie sich fühlte, obwohl er ihr beruhigend die Hand drückte.

»Das ist wohl die *bean-treim*«, bemerkte ihr Vater in aller Ruhe. »Ich wusste gar nicht, dass wir hier eine haben.«

»Ich auch nicht«, sagte ihre Mutter. »Was meinst du, wer das ist?« Auch sie war bei dem Geräusch erschocken zusammengefahren, doch jetzt schien sie nur noch neugierig zu sein.

Roger hatte ebenfalls die Luft angehalten; jetzt atmete er mit einem leisen Rasseln aus und räusperte sich.

»Ein Klageweib«, sagte er. Die Worte klangen belegt, und er räusperte sich noch einmal, diesmal fester. »Sie, äh, jammern. Hinter dem Sarg.«

Die Stimme erhob sich erneut im Wald, und diesmal klang das Geräusch kontrollierter. Brianna glaubte, Worte unter den Jammerlauten zu hören, konnte sie aber nicht ausmachen. *Wendigo*. Das Wort fiel ihr ungebeten ein, und sie erschauerte krampfhaft. Jemmy versuchte wimmernd, sich im Rock seines Großvaters zu verkriechen.

»Du brauchst keine Angst davor zu haben, *a bhailach*.« Er tätschelte Jemmys Rücken. Jemmy schien nicht überzeugt zu sein und steckte den Daumen in den Mund. Er kuschelte sich mit großen Augen an Jamies Brust, als das Heulen in Stöhnlaute überging.

»Nun, dann kommt, wir suchen sie, ja?« Jamie wandte sich zur Seite und setzte sich in Bewegung, in den Wald und auf die Stimme zu.

Es blieb ihnen nichts anderes übrig als ihm zu folgen. Brianna drückte Roger den Arm, löste sich dann aber von ihm, um dicht neben ihrem Vater herzugehen, damit Jemmy sie sehen und sich sicher fühlen konnte.

»Ist schon okay, Kumpel«, sagte sie leise. Das Wetter wurde kälter; ihr Atem verdampfte in weißen Wölkchen. Jemmys Nasenspitze war rot, und seine Augenränder schienen leicht gerötet zu sein – brütete er etwa eine Erkältung aus?

Sie streckte die Hand aus, um ihm an die Stirn zu fassen, doch just in diesem Moment brach die Stimme erneut los. Diesmal schien jedoch etwas mit ihr geschehen zu sein. Es war ein schrilles, dünnes Geräusch; nicht das geübte Jammern, das sie zuvor gehört hatten. Und unsicher – wie ein Gespensterlehrling, dachte sie halb beklommen, halb scherzhaft.

Es erwies sich tatsächlich als Lehrling, wenn auch nicht als Gespenst. Ihr Vater duckte sich unter einem tief hängenden Kiefernzweig hindurch, und sie folgte ihm. Sie kamen auf einer Lichtung heraus und sahen sich zwei überraschten Frauen gegenüber – oder besser einer Frau und einem jungen Mädchen. Beide hatten Schultertücher um ihre Köpfe geschlungen. Brianna kannte sie, aber wie hießen sie nur?

»*Maduinn mhath, maighistear*«, sagte die ältere der beiden, die sich jetzt von ihrer Überraschung erholte und einen tiefen Hofknicks vor Jamie machte. Guten Morgen, Sir.

»Euch auch, meine Damen«, erwiderte er ebenfalls auf Gälisch.

»Morgen, Mrs. Gwilty«, sagte Roger mit seiner leisen, heiseren Stimme. »Euch auch, *a nighean*«, fügte er hinzu und verbeugte sich höflich vor dem Mädchen. Olanna, so hieß sie; Brianna erinnerte sich an das runde Gesicht, ganz wie das »O« am Anfang ihres Namens. Sie war Mrs. Gwiltys … Tochter? Oder ihre Nichte?

»Ach, mein Goldjunge«, gurrte das Mädchen und streckte den Finger aus, um Jems runde Wange zu berühren. Er wich ein Stückchen zurück und lutschte noch fester an seinem Daumen, während er sie unter dem Rand seiner blauen Wollmütze hervor argwöhnisch beobachtete.

Die Frauen sprachen kein Englisch, doch Brianna konnte inzwischen genug Gälisch, um der Unterhaltung zu folgen, wenn sie sich auch nicht aktiv beteiligen konnte. Mrs. Gwilty war dabei, ihre Nichte die Kunst des *coronach* zu lehren.

»Und ich bin mir sicher, dass Ihr Eure Sache zusammen gut machen werdet«, sagte Jamie höflich.

Mrs. Gwilty zog die Nase hoch und warf ihrer Nichte einen etwas verächtlichen Blick zu.

»Mmpfm«, sagte sie. »Eine Stimme wie ein Fledermausfurz, aber sie ist die letzte Frau aus meiner Familie, und ich werde nicht ewig leben.«

Roger stieß ein ersticktes Geräusch aus, das er hastig in überzeugendes Husten ausufern ließ. Olannas freundliches, rundes Gesicht, das schon von der Kälte rot war, bekam überall rote Flecken, doch sie sagte nichts; sie senkte nur den Blick und hüllte sich fester in ihr Schultertuch. Es war aus dunkelbraunem, handgewebtem Stoff, sah Brianna; Mrs. Gwiltys war aus feiner, schwarz gefärbter Wolle – und wenn es an den Rändern auch ein wenig ausfranste, so trug sie es doch mit der ganzen Würde ihres Berufsstandes.

»Wir teilen Eure Trauer«, sprach ihr Jamie formell sein Beileid aus. »Sie, die von uns gegangen ist –?« Er hielt taktvoll fragend inne.

»Die Schwester meines Vaters«, antwortete Mrs. Gwilty prompt. »Weh, weh, dass sie unter Fremden begraben werden soll.« Sie hatte ein hageres, unterernährtes Gesicht, dessen Haut um die Augen tief eingesunken war und aussah wie verletzt. Sie richtete diese tief liegenden Augen auf Jemmy, der den Rand seiner Mütze packte und sie sich ins Gesicht zog. Als Brianna die dunklen, bodenlosen Augen dann in ihre Richtung schweifen sah, musste sie sich zusammenreißen, um es ihm nicht gleichzutun.

»Ich hoffe – dass ihr Schatten Trost finden wird. Da – da Eure Familie hier ist«, sagte Claire stockend auf Gälisch. Mit dem englischen Akzent ihrer Mutter klang das sehr seltsam, und Brianna sah, wie sich ihr Vater auf die Unterlippe biss, um nicht zu lächeln.

»Sie wird nicht lange allein bleiben«, platzte Olanna heraus, dann fing sie Jamies Blick auf, wurde puterrot und vergrub die Nase in ihrem Schultertuch.

Diese seltsame Bemerkung schien ihren Vater nicht zu wundern, und er nickte.

»Och, so? Wer ist denn krank?« Er warf ihrer Mutter einen fragenden Blick zu, doch sie schüttelte kaum merklich den Kopf. Falls jemand krank war, hatte man sie nicht um Hilfe gebeten.

Mrs. Gwiltys lange, schmale Oberlippe schob sich über ihre fürchterlichen Zähne.

»Seaumais Buchan«, bemerkte sie voll grimmiger Genugtuung. »Er liegt mit Fieber im Bett, und seine Brust wird ihn bis Ende der Woche umbringen, aber wir sind ihm zuvorgekommen. Glücklicherweise.«

»Was?«, sagte ihre Mutter und runzelte bestürzt die Stirn.

Mrs. Gwilty blitzte sie mit zusammengekniffenen Augen an.

»Die letzte Person, die auf einem Friedhof beerdigt wird, muss ihn bewachen, Sassenach«, erklärte Jamie auf Englisch. »Bis der Nächste kommt und ihren Platz einnimmt.«

Er wechselte nahtlos wieder ins Gälische und sagte: »Glück hat sie, und das noch mehr, weil eine solche *bean-treim* ihrem Sarg folgen wird.« Er steckte die Hand in seine Tasche und reichte Mrs. Gwilty eine Münze. Diese sah sie an, kniff die Augen zu und sah noch einmal hin.

»Ah«, sagte sie zufrieden. »Nun, wir werden unser Bestes tun, das Mädchen und ich. Dann komm, *a nighean*, lass mich deine Stimme hören.«

Derart gedrängt, vor Publikum aufzutreten, zog Olanna ein zu Tode geängstigtes Gesicht. Doch es gab kein Entrinnen vor dem mahnenden Auge ihrer Tante. Sie schloss die Augen, pumpte Luft in ihre Brust, schob die Schultern zurück und stieß ein durchdringendes »IEEEEHHHieeeehhhIEEEHHieh-ah-ieh-ah-ieh-ah« aus, bevor sie keuchend abbrach.

Roger zuckte zusammen, als hätte man ihm Bambussplitter unter die Fingernägel geschoben, und ihrer Mutter stand der Mund offen. Jemmy hatte den Kopf tief eingezogen und klebte am Rock seines Großvaters wie eine kleine blaue Klette. Selbst Jamie machte einen leicht erschrockenen Eindruck.

»Nicht schlecht«, urteilte Mrs. Gwilty. »Vielleicht wird es ja doch kein völliges Fiasko. Ich höre, dass Hiram Euch gebeten hat, ein paar Worte zu sprechen?«, fügte sie mit einem herablassenden Blick in Rogers Richtung hinzu.

»So ist es«, antwortete Roger heiser, aber so bestimmt wie möglich. »Es ist mir eine Ehre.«

Darauf erwiderte Mrs. Gwilty nichts, sondern musterte ihn nur von oben bis unten. Dann wandte sie ihm kopfschüttelnd den Rücken zu und hob die Arme.

»AaaaaaaAAAAAaaaaAAAAAAAaaaIeeeeh«, jaulte sie mit einer Stimme, die Brianna Eiskristalle in ihrem Blut spüren ließ. »Weh, weh. Weeeeeeh! AaaayaaaAAaayaaaAAhaaaaahaaa! Weh ist gekommen über das Haus Crombie – Weh!«

Auch Olanna wandte ihnen pflichtschuldigst den Rücken zu und ließ ihren Sopran einstimmen. Claire steckte sich taktlos, aber pragmatisch die Finger in die Ohren.

»*Wie viel* hast du ihnen gegeben?«, fragte sie Jamie auf Englisch. Jamies Schultern bebten kurz und er legte ihr fest die Hand auf den Ellbogen, um sie weiterzuschieben.

Trotz des Lärms hörte Brianna Roger an ihrer Seite schlucken.

»Du hättest den Whisky trinken sollen«, sagte sie zu ihm.

»Ich weiß«, sagte er heiser und nieste.

»Hast du schon einmal von Seaumais Buchan gehört?«, fragte ich Jamie, während wir uns unseren Weg über den matschigen Boden vor dem Haus der Crombies bahnten. »Wer ist das?«

»Oh, ich weiß von ihm, aye«, erwiderte er, während er mich mit einem Arm umschlag und mich über eine trübe Pfütze schwang, die nach Ziegenurin aussah. »Uff. Gott, du bist ganz schön schwer, Sassenach.«

»Das ist der Korb«, erwiderte ich geistesabwesend. »Ich glaube, Mrs. Bug hat ihn mit Bleipatronen gefüllt. Oder vielleicht auch nur Früchtebrot. Und wer ist er? Einer von den Fischern?«

»Aye. Er ist der Großonkel von Maisie MacArdle, die mit dem Mann verheiratet ist, der früher Bootsbauer war. Erinnerst du dich an sie? Rote Haare und eine sehr lange Nase, sechs Kinder.«

»Vage. Wie behältst du das nur alles?«, wollte ich wissen, doch er lächelte nur und bot mir seinen Arm an. Ich ergriff ihn, und wir schritten majestätisch durch den Schlamm und das darübergestreute Stroh, der Gutsherr und seine Gemahlin auf dem Weg zum Begräbnis.

Die Tür der Blockhütte stand trotz der Kälte offen, um den Geist der Toten hinauszulassen. Glücklicherweise ließ sie auch ein wenig Licht ein, da die Hütte grob zusammengezimmert war und keine Fenster hatte. Dazu war sie voll gestopft mit Menschen, die in den letzten vier Monaten nicht gebadet hatten.

Doch für mich waren weder beengte Hütten noch ungewaschene Menschen etwas Neues, und da ich wusste, dass zumindest einer der Anwesenden zwar wahrscheinlich sauber, dafür aber mit Sicherheit tot war, atmete ich längst durch den Mund, als uns eine der Crombietöchter in ein Schultertuch gehüllt mit roten Augen hineinbat.

Die alte Mrs. Wilson war auf dem Tisch aufgebahrt. An ihrem Kopf stand eine Kerze, und sie war in das Leichentuch gehüllt, das sie zweifellos gleich nach ihrer Hochzeit gewebt hatte; der Leinenstoff war vom Alter vergilbt und zerknittert, jedoch sauber und weich im Kerzenschein, an den Rändern mit einem schlichten Muster aus Weinranken bestickt. Sie hatten es sorgfältig aufbewahrt und unter wer weiß welchen Mühen aus Schottland mitgebracht.

Jamie blieb an der Tür stehen, zog seinen Hut und murmelte formelle Beileidswünsche, welche die Damen und Herren Crombie kopfnickend und grunzend entgegennahmen. Ich überreichte unseren Lebensmittelkorb und nickte ebenfalls mit einer hoffentlich angemessenen Miene würdevollen Mitgefühls. Dabei behielt ich Jemmy im Auge.

Brianna hatte ihr Möglichstes getan, um ihm alles zu erklären, aber ich hatte keine Ahnung, wie er auf die ganze Sache – und die Leiche – reagieren würde. Wir hatten ihn unter Schwierigkeiten überredet, unter seiner Mütze hervorzukommen. Jetzt stand sein Haarwirbel zu Berge, und er sah sich neugierig um.

»Ist das die tote Dame, Oma?«, flüsterte er mir laut zu und zeigte auf die Leiche.

»Ja, Schätzchen«, sagte ich mit einem beklommenen Blick auf Mrs. Wilson. Doch sie sah ganz präsentabel aus, anständig mit ihrer besten Haube zurechtgemacht, eine Bandage um das Kinn gewickelt, um ihren Mund geschlossen zu halten, die trockenen Augenlider versiegelt, damit die Augen nicht im Kerzenschein glitzerten. Ich glaubte nicht, dass Jemmy der alten Dame je lebend begegnet war; es gab eigentlich keinen Grund, warum ihr Tod ihn erschrecken sollte – und er ging schon mit zur Jagd, seit er laufen konnte; er verstand mit Sicherheit, was »Tod« bedeutete. Außerdem war eine Leiche garantiert nicht halb so aufregend wie unsere Begegnung mit der *bean-treim*. Dennoch …

»Wir erweisen ihr jetzt die letzte Ehre, Schätzchen«, sagte Jamie leise zu ihm und stellte ihn auf den Boden. Ich fing den Blick auf, den Jamie zur Tür warf, wo auch Roger und Brianna jetzt ihre Beileidswünsche murmelten, und begriff, dass er gewartet hatte, bis sie uns einholten, so dass sie ihn beobachten konnten und Bescheid wussten, was als Nächstes von ihnen erwartet wurde.

Er führte Jemmy durch die Menge, die respektvoll Platz machte, zum Tisch, wo er der Toten die Hand auf die Brust legte. Oh, so eine Beerdigung war das also.

Bei manchen Highland-Beerdigungen war es Sitte, dass jeder die Leiche berührte, damit der Verstorbene ihn nicht heimsuchte. Ich bezweifelte zwar, dass die alte Mrs. Wilson das geringste Interesse daran hatte, mir hinterherzuspuken, doch Vorsicht konnte nicht schaden – und ich erinnerte mich schließlich beklommen an einen Schädel mit Zahnfüllungen und an meine Begegnung mit seinem mutmaßlichen Besitzer in der irrlichternden Finsternis eines nächtlichen Berges. Ich warf unwillkürlich einen Blick auf die Kerze, doch es schien eine völlig normale Kerze aus bräunlichem, angenehm duftendem Bienenwachs zu sein, die leicht schief in ihrem Keramikständer lehnte.

Ich nahm mich zusammen, beugte mich vor und legte ebenfalls sanft die Hand auf das Leichentuch. Eine getöpferte Untertasse mit einer Scheibe Brot und einem Häuflein Salz stand auf der Brust der Toten, und eine kleine Schale mit einer dunklen Flüssigkeit – Wein? – stand neben ihr auf dem Tisch. Angesichts der guten Bienenwachskerze, des Salzes und der *beantreim* hatte es ganz den Anschein, als versuchte Hiram Crombie sich seiner toten Schwiegermutter gegenüber vorbildlich zu verhalten – obwohl ich es seiner geizigen Natur zutraute, dass er das Salz nach der Beerdigung wieder benutzen würde.

Doch irgendetwas schien nicht zu stimmen; ein Hauch von Beklommenheit schlängelte sich zwischen den brüchigen Schuhen und den in Lumpen gewickelten Füßen der Anwesenden hindurch wie der kalte Luftzug von der Tür. Zuerst hatte ich gedacht, es läge vielleicht an unserer Anwesenheit, doch das war es nicht; alles hatte beifällig aufgeatmet, als Jamie neben die Leiche trat.

Jamie flüsterte Jemmy etwas zu, dann hob er ihn hoch, damit er die Tote berühren konnte. Jemmy zögerte keine Sekunde und spähte interessiert in das wächserne Gesicht der Verstorbenen.

»Wofür ist das?«, fragte er laut und streckte die Hand nach dem Brot aus. »Wird sie das essen?«

Jamie packte sein Handgelenk und drückte seine Hand stattdessen auf das Leichentuch.

»Das ist für den Sündentilger, *a bhailach*. Fass es nicht an, aye?«

»Was ist ein –«

»Später.« Niemand diskutierte mit Jamie, wenn er diesen Tonfall benutzte, und Jemmy gab es auf und steckte den Daumen wieder in den Mund, als Jamie ihn zurück auf den Boden stellte. Brianna trat zu ihm, nahm ihn in die Arme, nachdem ihr gerade noch eingefallen war, die Tote ebenfalls zu berühren, und murmelte: »Ruht mit Gott.«

Dann trat Roger vor, und ein erwartungsvolles Raunen ging durch die Menge.

Er sah bleich, aber gefasst aus. Sein Gesicht war hager und sehr asketisch. Normalerweise wurde es durch seine sanften Augen und seinen Mund, der gern lachte, vor allzu großer Strenge bewahrt. Doch dies war nicht der Zeitpunkt zum Lachen, und im gedämpften Licht der Hütte sahen seine Augen trostlos aus.

Er legte der Toten eine Hand auf die Brust und senkte den Kopf. Ich war mir nicht sicher, ob er für die Erlösung ihrer Seele oder um Inspiration betete, doch er verharrte über eine Minute so. Die Menge beobachtete ihn respektvoll, und außer Husten und Räuspern war nichts zu hören. Roger war nicht der Einzige, der im Begriff war, sich zu erkälten, dachte ich – und plötzlich fiel mir Seaumais Buchan wieder ein.

Er liegt mit Fieber im Bett, und seine Brust wird ihn bis Ende der Woche umbringen, hatte Mrs. Gwilty gesagt. Vielleicht eine Lungenentzündung – oder eine Bronchitis oder sogar Schwindsucht. Und niemand hatte mir etwas gesagt.

Bei diesem Gedanken spürte ich einen leisen Stich, zu gleichen Teilen vor Ärger, Schuldgefühl und Beklommenheit. Ich wusste, dass mir die neuen Pächter noch nicht über den Weg trauten; ich hatte vorgehabt, ihnen erst Gelegenheit zu geben, sich an mich zu gewöhnen, bevor ich anfing, ihnen Überraschungsbesuche abzustatten. Viele von ihnen hatten vor ihrer Ankunft in den Kolonien mit Sicherheit noch nie einen Engländer zu Gesicht bekommen – und ich war mir ihrer Einstellung gegenüber Sassenachs und Katholiken sehr wohl bewusst.

Doch jetzt lag praktisch vor meiner Tür offenbar ein Mann im Sterben – und ich hatte nicht einmal von seiner Existenz gewusst, von seiner Erkrankung ganz zu schweigen.

Sollte ich nach ihm sehen, wenn die Beerdigung vorbei war? Aber wo zum Teufel lebte der Mann? Es konnte nicht in unserer unmittelbaren Nähe sein; die Fischersleute, die sich unter uns auf dem Berg niedergelassen hatten, *kannte* ich; die MacArdles mussten weiter oben wohnen. Ich warf einen verstohlenen Blick zur Tür und versuchte abzuschätzen, wie schnell sich die drohenden Wolken wohl ihrer Schneebürde entledigen würden.

Im Freien waren Schritte und gedämpfte Worte zu hören; aus den umliegenden Talmulden waren noch mehr Menschen gekommen, die sich jetzt um die Tür drängten. Ich fing das Wort *dèan caithris* auf, das in fragendem Ton fiel, und plötzlich wurde mir klar, was hier so seltsam war.

Es gab keine Totenwache. Normalerweise hätte man die Tote gewaschen und zurechtgemacht, sie dann aber ein oder zwei Tage aufgebahrt, damit alle Bewohner der Gegend Gelegenheit zu einem Beileidsbesuch bekamen. Ich hörte angestrengt zu und fing einen deutlichen Ton der Verstimmung und Überraschung auf – die Nachbarn empfanden diese Hast als unziemlich.

»Was ist mit der Totenwache?«, flüsterte ich Jamie zu. Er zog eine Schulter kaum merklich hoch, wies aber kopfnickend zur Tür und auf den bedeckten Himmel draußen.

»Bevor es Abend wird, wird es eine Menge Schnee geben, *a Sorcha*«, sagte er. »Und wie es aussieht, schneit es wahrscheinlich noch tagelang weiter. Bei dem Wetter würde ich auch nicht gern ein Grab schaufeln und einen Sarg beerdigen müssen. Und wenn es mehrere Tage lang schneit, wohin sollen sie dann mit der Leiche?«

»Das stimmt, *Mac Dubh*«, sagte Kenny Lindsay, der ihn hörte. Er warf einen Blick auf die Leute, die um uns herumstanden, dann schob er sich dichter an uns heran und senkte die Stimme. »Aber es stimmt auch, dass Hiram Crombie keine großen Gefühle für die alte Schach– äh, seine Schwiegermutter hegt.« Er hob sein Kinn ein Stückchen, um auf die Verstorbene zu deuten. »Man erzählt sich, dass er die Alte gar nicht schnell genug unter die Erde bekommen kann – bevor sie es sich anders überlegt, aye?« Er grinste kurz, und Jamie senkte den Blick, um sich sein Lächeln nicht anmerken zu lassen.

»Das spart obendrein Verpflegung, nehme ich an.« Hiram war weithin als Geizkragen bekannt – was angesichts der als sparsam, aber gastfreundlich bekannten Highlander einiges sagte.

Draußen kam erneut Hektik auf, als noch mehr Neuankömmlinge eintrafen. An der Tür gab es ein Gedränge, weil sich jemand hineinzuzwängen versuchte, obwohl die Leute im Haus Schulter an Schulter standen und sich die einzige freie Stelle auf dem Fußboden unter dem Tisch befand, auf dem Mrs. Wilson ruhte.

Die Leute an der Tür machten widerstrebend Platz, und Mrs. Bug rauschte in die Hütte, angetan mit ihrer besten Haube und ihrem guten Schultertuch, Arch an ihrer Seite.

»Ihr habt den Whisky vergessen, Sir«, unterrichtete sie Jamie und reichte ihm eine verkorkte Flasche. Sie sah sich um, erspähte die Crombies und verneigte sich mit ein paar gemurmelten Beileidsworten vor ihnen. Dann richtete sie sich auf, rückte ihre Haube gerade und sah sich erwartungsvoll um. Jetzt konnten die Festivitäten offenbar beginnen.

Hiram Crombie sah sich um, dann nickte er Roger zu.

Roger richtete sich etwas gerader auf, erwiderte das Kopfnicken und begann. Er hielt eine schlichte Rede, die sich über ein paar Minuten erstreckte und sich mit der Kostbarkeit des Lebens, der Enormität des Todes und der Bedeutung von Verwandten und Nachbarn bei der Bewältigung solcher Dinge befasste. Dies alles schien gut anzukommen, denn die Anwesenden nickten beifällig mit den Köpfen und schienen auf ordentliche Unterhaltung eingestellt zu sein.

Roger hielt inne, um zu husten und sich die Nase zu putzen, dann ging er zu etwas über, was eine bestimmte Version des presbyterianischen Seelenamtes zu sein schien – oder das, was ihm aus seiner Zeit bei Reverend Wakefield davon im Gedächtnis geblieben war.

Auch das schien auf Akzeptanz zu stoßen. Brianna entspannte sich etwas und stellte Jemmy hin.

Alles verlief gut… und doch war ich mir nach wie vor einer gewissen Beklommenheit bewusst. Das lag natürlich zum Teil daran, dass ich Roger sehen konnte. Durch die zunehmende Wärme im Inneren der Hütte lief ihm die Nase; er behielt sein Taschentuch in der Hand, betupfte sich verstohlen die Nase und hielt hin und wieder inne, um sie sich so diskret wie möglich zu putzen.

Doch Hustenschleim fließt bergab. Und je zäher er wurde, umso stärker beeinträchtigte er Rogers empfindliche Kehle. Der erstickte Unterton, der immer in seiner Stimme mitklang, wurde merklich schlimmer. Er musste sich wiederholt räuspern, um sprechen zu können.

Jemmy wurde an meiner Seite unruhig, und ich sah aus dem Augenwinkel, wie ihm Brianna die Hand auf den Kopf legte, um ihn zum Schweigen zu bringen. Er sah zu ihr auf, doch ihre ganze Aufmerksamkeit war gebannt auf Roger gerichtet.

»Wir danken Gott für das Leben dieser Frau«, sagte er und hielt inne, um sich zu räuspern – schon wieder. Ich erwischte mich dabei, dass ich mich vor lauter nervösem Mitgefühl ebenfalls räusperte.

»Sie ist eine Dienerin Gottes, gläubig und treu, und jetzt preist sie ihn vor seinem Thron, mit allen Hei…« Ich sah plötzlichen Zweifel über sein Gesicht huschen – teilte die hier versammelte Gemeinde den Glauben an die Heiligen, oder würde sie ihre Erwähnung als römische Häresie betrachten? Er hustete und schloss »mit den Engeln.«

Engel waren offenbar harmlos; die Gesichter ringsum trugen ernste Mienen, in denen aber kein Affront zu lesen war. Roger atmete sichtlich auf, griff nach der kleinen grünen Bibel und schlug eine markierte Seite auf.

»Lasst uns gemeinsam einen Psalm sprechen zum Lobpreis dessen, der –« Er sah die Seite an, und zu spät erkannte er die Schwierigkeit, einen Psalm ad hoc aus dem Englischen ins Gälische zu übersetzen.

Er räusperte sich explosiv, und ein halbes Dutzend Kehlen in der Menge fiel automatisch ein. Neben mir murmelte Jamie, »O Gott«. Es kam von Herzen.

Jemmy zupfte seine Mutter am Rock und flüsterte etwas, doch sie gebot ihm zu schweigen. Ich konnte sehen, wie sich Brianna Roger entgegensehnte, sich ihr ganzer Körper in dem dringendem Bedürfnis anspannte, ihm irgendwie zu helfen, wenn auch nur durch Telepathie.

Da sich keine Alternative auftat, begann Roger stockend, den Psalm vorzulesen. Die Hälfte der Anwesenden hatte ihn beim Wort genommen, als er sie einlud, »gemeinsam zu sprechen« und sagten den Psalm auswendig auf – um einiges schneller als er lesen konnte.

Ich schloss die Augen, weil ich es nicht mit ansehen konnte, doch ich konnte die Ohren nicht verschließen, und so hastete die Gemeinde den Psalm durch und verstummte, um dann voll mürrischer Geduld abzuwarten, bis Roger holpernd das Ende erreichte. Was er auch hartnäckig tat.

»Amen«, sagte Jamie laut. Und als Einziger. Als ich die Augen öffnete, sah ich, dass uns alle anstarrten. Die Mienen reichten von nachsichtiger Überraschung bis hin zu unterdrückter Feindseligkeit. Jamie holte tief Luft und atmete sehr langsam wieder aus.

»Lieber Himmel«, sagte er ganz leise.

Eine Schweißperle rann Roger über die Wange, und er wischte sie mit dem Rockärmel fort.

»Möchte jemand noch ein paar Worte über die Verstorbene sagen?«, fragte er und musterte ein Gesicht nach dem anderen. Ihm antworteten nur Schweigen und das Heulen des Windes.

Er räusperte sich, und jemand kicherte.

»Oma –«, flüsterte Jemmy und zupfte an meinem Rock.

»Schh.«

»Aber *Oma* –« Sein drängender Ton brachte mich dazu, mich umzudrehen und zu ihm hinunterzusehen.

»Musst du pinkeln?«, flüsterte ich und bückte mich. Er schüttelte den Kopf, so heftig, dass sein dichtes, rotgoldenes Haar auf seiner Stirn hin und her flog.

»O Gott, unser himmlischer Vater, der uns durch den Wandel der Zeiten zur gesegneten Rast der Ewigkeit führt, sei uns nun nahe zu unserem Trost und unserer Stütze.«

Ich sah hoch und verfolgte, dass Roger seine Hand wieder auf der Leiche liegen hatte. Offenbar hatte er beschlossen, zum Ende zu kommen. Die Erleichterung in seinem Gesicht und seiner Stimme ließ darauf schließen, dass er sich jetzt auf bekannte Zeilen aus dem Gebetbuch verlegt hatte, die ihm so vertraut waren, dass er sie auch auf Gälisch hinreichend fließend hinbekam.

»Schenk uns das Wissen, dass Deine Kinder vor Deinem Auge kostbar sind …« Er hielt inne und musste sichtlich kämpfen; seine Halsmuskeln bewegten sich vergeblich, um die Verstopfung lautlos zu beseitigen, doch es nützte nichts.

»Err … HRRM!« Ein Geräusch, das verdächtig an Gelächter erinnerte, durchlief das Zimmer, und in Briannas Kehle grollte es wie ein Vulkan, der kurz davor stand, Lava zu speien.

»Oma!«

»Schh!«

»... kostbar sind. Dass sie ... ewig bei Dir leben, und dass Deine Gnade –«

»Oma!«

Jemmy wand sich, als hätte sich eine ganze Ameisenkolonie in seiner Hose niedergelassen, und seine Miene war beinahe qualvoll drängend.

»Eine *Sekunde*«, zischte ich. »Ich gehe sofort mit dir nach drau-«

»Nein, Oma! *Sieh* doch!«

Ich folgte seinem ausgestreckten Finger und dachte im ersten Moment, er zeigte auf seinen Vater. Doch das tat er nicht.

Die alte Mrs. Wilson hatte die Augen geöffnet.

Es folgte ein Moment völliger Lautlosigkeit, und sämtliche Blicke richteten sich gleichzeitig auf Mrs. Wilson. Dann schnappte alles kollektiv nach Luft und trat instinktiv einen Schritt zurück, und es erhob sich das Gezeter derjenigen, denen auf die Zehen getreten oder die gegen die unnachgiebigen Baumstämme der Wände gedrängt wurden.

Jamie hob Jemmy gerade noch rechtzeitig auf, um zu verhindern, dass er zertrampelt wurde, holte tief Luft und brüllte aus tiefster Kehle *»Sheas!«* Er war so laut, dass die Menge tatsächlich kurz erstarrte – immerhin so lange, bis er Jemmy an Brianna übergeben und sich zum Tisch durchgeboxt hatte.

Roger hatte die ehemalige Leiche zu fassen bekommen und half ihr zum Sitzen auf, während ihre Hand schwach nach der Bandage an ihrem Kinn schlug. Ich schob mich hinter Jamie her und schubste die Leute rücksichtslos aus dem Weg.

»Lasst sie doch bitte zu Atem kommen«, sagte ich laut. Das verblüffte Schweigen wich jetzt zunehmend aufgeregtem Gemurmel, das jedoch verstummte, als ich mich daranmachte, die Bandage zu entfernen. Das ganze Zimmer wartete bebend vor Erwartung, als die Leiche ihre steifen Kiefer bewegte.

»Wo bin ich?«, sagte sie mit bebender Stimme. Ihr Blick wanderte ungläubig durch das Zimmer und heftete sich schließlich auf das Gesicht ihrer Tochter.

»Mairi?«, sagte sie argwöhnisch, und Mrs. Crombie hastete an ihre Seite, fiel auf die Knie, brach in Tränen aus und nahm ihre Mutter an den Händen.

»A Màthair! A Màthair!«, rief sie aus. Die Alte legte ihrer Tochter zitternd die Hand auf das Haar und sah aus, als sei sie sich nicht ganz sicher, dass sie echt war.

Ich hatte mir unterdessen alle Mühe gegeben, die Verfassung der alten Dame zu überprüfen, die zwar nicht brillant, aber auch nicht schlecht war für jemanden, der gerade noch tot gewesen war. Ihre Atmung war flach und sehr angestrengt, ihre Gesichtsfarbe erinnerte an altes Hafermehl, ihre Haut war trotz der Hitze im Inneren des Zimmers kalt und klamm, und ich konnte keinerlei Pulsschlag finden, obwohl er doch eindeutig vorhanden sein musste. Oder etwa nicht?

»Wie fühlt Ihr Euch?«, fragte ich.

Sie legte ihre zitternde Hand auf ihren Bauch.

»Es geht mir etwas schlecht«, flüsterte sie.

Ich legte ihr ebenfalls die Hand auf den Bauch und spürte es sogleich, ein Puls, wo keiner sein sollte. Er war unregelmäßig und holperig – aber definitiv dort.

»Himmel, Arsch und Zwirn«, sagte ich. Ich sagte es nicht laut, aber Mrs. Crombie schnappte nach Luft, und ich sah ihre Schürze zucken, weil sie zweifellos das Zeichen des Horns darunter machte.

Ich hatte keine Zeit für eine Entschuldigung, sondern stand auf, packte Roger am Ärmel und zog ihn beiseite.

»Sie hat ein Aneurysma«, sagte ich kaum hörbar zu ihm. »Sie muss schon seit einiger Zeit innere Blutungen haben, so stark, dass sie dass Bewusstsein verloren und sich kalt angefühlt hat. Die Aorta wird *ziemlich* bald platzen, und dann stirbt sie wirklich.«

Er schluckte hörbar, und sein Gesicht war sehr blass, doch er sagte nur; »Weißt du, wie lange noch?«

Ich sah Mrs. Wilson an; ihr Gesicht hatte die graue Farbe des schneebeladenen Himmels, und ihr Blick wurde abwechselnd scharf und unscharf wie das Flackern einer Kerze im Wind.

»Verstehe«, sagte Roger, obwohl ich nichts gesagt hatte. Er holte tief Luft und räusperte sich.

Die Menge, die zischend getuschelt hatte wie eine Schar aufgeregter Gänse, verstummte augenblicklich. Jedes Auge im Zimmer hing fasziniert an dem Tableau, das sich ihnen präsentierte.

»Unsere Schwester ist ins Leben zurückgekehrt, wie wir es mit Gottes Gnaden alle einmal werden«, sagte Roger leise. »Es ist uns ein Zeichen der Hoffnung und der Zuversicht. Sie wird bald wieder in die Arme der Engel zurückkehren, ist aber kurz zu uns gekommen, um uns der Liebe Gottes zu versichern.« Er hielt inne und suchte offensichtlich nach weiteren Worten. Er räusperte sich und beugte den Kopf über Mrs. Wilson.

»Möchtet Ihr … etwas sagen, Mutter?«, flüsterte er auf Gälisch.

»Aye, das möchte ich.« Mrs. Wilsons Kräfte schienen wieder zuzunehmen – und mit ihnen ihre Entrüstung. Ein Hauch von Röte erschien auf ihren wächsernen Wangen, und sie funkelte in die Menge.

»Was für eine Totenwache ist denn *das*, Hiram Crombie?«, wollte sie wissen und heftete den Blick kampflustig auf ihren Schwiegersohn. »Ich sehe nichts zu essen aufgetischt, nichts zu trinken – und was ist das?« Ihre Stimme erhob sich zu einem wütenden Quieken, nachdem ihr Blick auf das Tellerchen mit Brot und Salz gefallen war, das Roger hastig beiseite gestellt hatte, als er ihr aufhalf.

»Warum –« Sie sah sich wild unter den Anwesenden um, dann dämmerte ihr die Wahrheit. Ihre eingesunkenen Augen traten hervor. »Aber… du schamloser Geizkragen! Das ist gar keine Totenwache! Du wolltest mich mit einer Brotkruste und einem Tropfen Wein für den Sündentilger begraben, und es ist noch ein Wunder, dass du *das* übrig hattest! Am Ende reißt du mir noch das Leichentuch vom Leib, um Kleider für deine triefnäsigen Kinder daraus zu machen, und wo ist meine gute Brosche, mit der ich begraben werden wollte?« Ihre schmächtige Hand klammerte sich um eine zerknitterte Faust voll Leinen an ihrer zusammengesunkenen Brust.

»Mairi! Meine Brosche!«

»Hier ist sie, Mutter, hier ist sie!« Die arme Mrs. Crombie, die jetzt völlig aufgelöst war, fummelte schluchzend und keuchend in ihrer Tasche herum. »Ich habe sie sicher verwahrt – ich wollte sie dir anstecken, bevor – bevor…« Sie brachte einen hässlichen Granatklumpen zum Vorschein, den ihre Mutter ihr entriss, um ihn an ihre Brust zu drücken und sich dann argwöhnisch umzusehen. Es war klar, dass sie die Nachbarn im Verdacht hatte, nur auf die Gelegenheit zu warten, sie ihr zu stehlen; ich hörte, wie die Frau hinter mir beleidigt Luft holte, hatte aber keine Zeit, mich umzudrehen und nachzusehen, wer es war.

»Aber, aber«, sagte ich in meinem besten, tröstenden Krankenzimmerton. »Es wird bestimmt alles gut.« *Abgesehen von der Tatsache, dass Ihr innerhalb der nächsten Minuten sterben werdet, heißt das*, dachte ich und unterdrückte das hysterische Bedürfnis, völlig unangebracht loszulachen. Wenn ihr Blutdruck so weiter stieg, konnte es auch in den nächsten Sekunden passieren.

Ich hatte meine Finger auf dem kräftigen Puls in ihrem Bauch liegen, der die tödliche Schwächung ihrer Bauchschlagader verriet. Sie war bereits so stark ausgelaufen, dass Mrs. Wilson in todesähnliche Ohnmacht gefallen war. Irgendwann würde bei ihr einfach eine Dichtung platzen, und das war es dann.

Roger und Jamie mühten sich nach Kräften, sie zu beruhigen, indem sie auf Englisch und Gälisch auf sie einmurmelten und sie tröstend tätschelten. Sie schien auf diese Behandlung anzusprechen, obwohl sie immer noch atmete wie eine Dampfmaschine.

Dass Jamie dann die Whiskyflasche aus seiner Tasche zog, half um vieles weiter.

»Das kommt der Sache doch schon näher!«, sagte Mrs. Wilson ein wenig besänftigter, als er hastig den Korken aus der Flasche zog und sie unter ihrer Nase schwenkte, damit sie die Qualität prüfen konnte. »Und etwas zu essen habt Ihr auch mitgebracht?« Mrs. Bug hatte sich nach vorn durchgeschoben und trug unseren Korb vor sich her wie eine Ramme. »Hmpf! Ich hätte nicht geglaubt, dass ich den Tag erleben würde, an dem Papisten großzügiger sind als meine eigene Verwandtschaft!« Diese Worte waren an

Hiram Crombie gerichtet, der bis jetzt nur den Mund öffnete und schloss, ohne dass ihm eine Erwiderung auf die Tiraden seiner Schwiegermutter einfiel.

»Wie … wie …«, stammelte er entrüstet, hin- und hergerissen zwischen Schock, offensichtlicher Wut und dem Bedürfnis, sich vor seinen Nachbarn zu rechtfertigen. »Großzügiger als deine Verwandtschaft! Wie, habe ich dir nicht die letzten zwanzig Jahre ein Dach über dem Kopf gegeben? Kost und Kleidung wie meiner eigenen Mutter? *Jahrelang* deine böse Zunge und deine Launen ertragen, ohne je –«

Jamie und Roger fielen ihm gleichzeitig ins Wort, um ihn zum Schweigen zu bringen, unterbrachen sich jedoch gegenseitig, und in der allgemeinen Verwirrung konnte Hiram ungehindert weiter seine Meinung sagen, was er auch tat – genau wie Mrs. Wilson, die ebenfalls nicht zimperlich war, wenn es um Beschimpfungen ging.

Der Pulsschlag in ihrem Bauch hämmerte unter meiner Hand, und ich hatte alle Hände voll damit zu tun, sie davon abzuhalten, vom Tisch zu springen und Hiram die Whiskyflasche über den Schädel zu ziehen. Die Nachbarn waren fassungslos.

Roger nahm die Dinge – und Mrs. Wilson – fest in die Hand und packte sie an den schmalen Schultern.

»Mrs. Wilson«, sagte er heiser, aber dennoch laut genug, um Hirams entrüstete Entgegnung auf ihre letzte Beschreibung seines Charakters zu übertönen. »Mrs. Wilson!«

»Hä?« Sie hielt inne, um Luft zu holen, und blinzelte ihn verwirrt an.

»Hört auf damit. Und Ihr auch!« Er funkelte Hiram an, der gerade erneut den Mund öffnete, ihn aber wieder schloss.

»Ich lasse das nicht zu«, sagte Roger und ließ die Bibel auf den Tisch sausen. »Es ist unangebracht, und ich dulde es nicht, hört Ihr mich?« Er blickte finster von einem der beiden Streithähne zum anderen, die schwarzen Augenbrauen dicht zusammengezogen.

Im Zimmer war es still bis auf Hirams heftiges Atmen, Mrs. Crombies leises Schluchzen und Mrs. Wilsons schwaches, asthmatisches Keuchen.

»Na also«, sagte Roger, der den Blick unverwandt durch die Runde schweifen ließ, um weiteren Unterbrechungen zuvorzukommen. Er legte seine Hand auf Mrs. Wilsons dünne, mit Altersflecken übersäte Hand.

»Mrs. Wilson – ist Euch nicht klar, dass Ihr in dieser Minute vor Gott steht?« Er warf mir einen raschen Blick zu, und ich nickte; ja, sie würde definitiv sterben. Ihr Hals konnte ihren Kopf kaum tragen, und das wütende Funkeln ihrer Augen verblasste, noch während er sprach.

»Gott ist uns nah«, sagte er und hob den Kopf, um sich an die ganze Gemeinde zu wenden. Er wiederholte die Worte auf Gälisch, und es folgte eine Art kollektives Seufzen. Er sah sie mit zusammengekniffenen Augen an.

»Wir werden diesen heiligen Moment nicht durch Wut oder Bitterkeit entweihen. Nun – Schwester.« Er drückte ihr sanft die Hand. »Macht Euch bereit. Gott wird –«

Doch Mrs. Wilson hörte ihm nicht länger zu. Ihr verwelkter Mund öffnete sich entsetzt.

»Der Sündentilger!«, rief sie und sah sich wild um. Sie packte das Tellerchen, das neben ihr stand, und verstreute dabei das Salz auf ihrem Leichentuch. »Wo ist der Sündentilger?«

Hiram erstarrte, als hätte man ihn mit einem glühend heißen Schüreisen angestoßen, dann fuhr er herum und bahnte sich den Weg zur Tür. Die Menge wich vor ihm zurück, und hinter ihm erhob sich spekulatives Gemurmel, verstummte aber abrupt, als draußen ein durchdringendes Heulen erklang, gefolgt von einer zweiten Stimme, als die erste leiser wurde.

Ein ehrfürchtiges »Oooh!« erhob sich in der Menge, und Mrs. Wilson machte ein zufriedenes Gesicht, als jetzt die *bean-treim* begannen, sich ihr Geld wirklich zu verdienen.

Dann wurde es an der Tür unruhig, und die Menge teilte sich wie das Rote Meer, um einen schmalen Durchgang zum Tisch frei zu geben. Mrs. Wilson setzte sich kerzengerade hin, wurde totenblass und atmete kaum noch. Der Puls in ihrem Bauch zitterte und hüpfte unter meinen Fingern. Roger und Jamie hielten sie an den Armen fest, um sie zu stützen.

Völlige Stille hatte sich über das Zimmer gesenkt; die einzigen Geräusche waren das Heulen der *bean-treim* draußen – und langsame, schlurfende Schritte, zunächst leise auf dem Boden vor der Hütte, dann plötzlich lauter auf den Dielen im Inneren. Der Sündentilger war da.

Er war ein hoch gewachsener Mann – oder war es zumindest einmal gewesen. Es war unmöglich zu sagen, wie alt er war; die Jahre oder eine Krankheit hatten an seinen Muskeln gezehrt, so dass seine breiten Schultern vornüberhingen und seine Wirbelsäule krumm war. Sein eingesunkener Kopf, der nur noch mit wenigen ergrauenden Haarsträhnen bewachsen war, ragte vor.

Ich blickte zu Jamie auf und zog die Augenbrauen hoch. Ich hatte den Mann noch nie gesehen. Er zuckte sacht mit den Achseln; er kannte ihn auch nicht. Als der Sündentilger näher kam, sah ich, dass sein ganzer Körper schief war; er schien an einer Seite ausgehöhlt zu sein, vielleicht, weil seine Rippen bei einem Unfall eingeschlagen worden waren.

Alle Augen waren auf den Mann gerichtet, doch er sah niemanden direkt an, sondern hielt den Blick auf den Boden gerichtet. Der Durchgang zum Tisch war schmal, doch die Leute wichen zurück, als er vorbeiging, damit er sie ja nicht berührte. Erst als er den Tisch erreichte, hob er den Kopf, und ich sah, dass ihm ein Auge fehlte. Dem Aussehen des vernarbten Gewebes nach hatte es ihm eine Bärenkralle ausgeschlagen.

Das andere Auge funktionierte; er fuhr überrascht auf, als er Mrs. Wilson sah, und sah sich um, weil er offensichtlich nicht sicher war, was er als Nächstes tun sollte.

Sie entwand Roger ihren Arm und schob ihm den Teller mit dem Brot und Salz hin.

»Nun macht schon«, sagte sie, und ihre Stimme klang schrill und ein wenig ängstlich.

»Aber Ihr seid doch gar nicht tot.« Es war eine sanfte, gebildete Stimme, die nur Verwunderung verriet, doch die Menge reagierte, als sei es das Zischen einer Schlange gewesen, und wich noch weiter zurück, soweit das möglich war.

»Und?« Die Aufregung ließ Mrs. Wilson noch stärker zittern; ich konnte ein konstantes Vibrieren spüren, das den Tisch durchlief. »Man hat Euch dafür bezahlt, meine Sünden zu essen – nun tut es auch!« Ihr kam ein Gedanke, und sie fuhr hoch und blinzelte ihren Schwiegersohn an. »Du *hast* ihn doch bezahlt, Hiram?«

Hirams Gesicht war noch von den vorausgegangenen Wortwechseln errötet, doch bei dieser Frage wurde er beinahe lila und hielt sich die Seite – um seine Geldbörse zu umklammern, dachte ich, nicht sein Herz.

»Nun, ich habe auch nicht vor, ihn zu bezahlen, *bevor* er seine Arbeit getan hat«, schnappte er. »Was für ein Benehmen ist denn das?«

Jamie, der sah, dass der nächste Aufruhr loszubrechen drohte, ließ Mrs. Wilson los, tastete hastig in seinem Sporran herum und brachte einen Silbershilling zum Vorschein, den er dem Sündentilger hinüberschob – ich sah, dass auch er darauf achtete, den Mann nicht zu berühren.

»Jetzt habt Ihr Eure Bezahlung«, sagte er schroff und nickte ihm zu. »Bitte geht Eurem Geschäft nach, Sir.«

Der Mann ließ den Blick langsam durch das Zimmer schweifen, und das Einatmen der Menge war sogar unter den »WEEEEEEEEH dem Hause CROMMMMBIIIEEEEE«-Jammerlauten vor der Tür deutlich zu hören.

Er stand keinen halben Meter von mir entfernt; so dicht, dass ich seine süßsäuerliche Ausdünstung riechen konnte, nach altem Schweiß und dem Schmutz auf seinen Lumpen und noch etwas, eine schwache Note, die auf eiternde, offene Wunden schließen ließ. Er wandte den Kopf und sah mich direkt an. Es war ein sanftes, braunes Auge, dessen Bernsteinfarbe verblüffend an meine eigenen Augen erinnerte. Sein Blick verursachte mir ein seltsames Gefühl in der Magengrube, als sähe ich für einen Moment in einen Zerrspiegel, in dem dieses grausam entstellte Gesicht an Stelle des meinen trat.

Seine Miene änderte sich nicht, und doch spürte ich, wie etwas Namenloses zwischen uns ausgetauscht wurde. Dann wandte er den Kopf ab und streckte seine lange, verwitterte, extrem schmutzige Hand aus, um nach dem Stück Brot zu greifen.

Eine Art Seufzer durchlief das Zimmer, als er aß – indem er das Brot langsam zermalmte, denn er hatte kaum noch Zähne. Ich konnte Mrs. Wilsons Pulsschlag fühlen, viel schwächer jetzt und rasend schnell wie der eines Kolibris. Sie hing beinahe erschlafft im Griff der Männer, und ihre welken Augenlider sanken immer tiefer, während sie dem Sündentilger zusah.

Er umfasste den Weinbecher mit beiden Händen, als sei es ein Kelch, und trank ihn geschlossenen Auges leer. Dann stellte er den leeren Becher hin und sah Mrs. Wilson neugierig an. Ich ging davon aus, dass er noch nie einen seiner Kunden lebend angetroffen hatte, und fragte mich, wie lange er sein seltsames Amt schon ausübte.

Mrs. Wilson starrte ihm ins Gesicht, und ihre Miene war ausdruckslos wie die eines Kindes. Der Puls in ihrem Bauch hüpfte wie ein Stein, ein paar leichte Schläge, eine Pause, dann ein Stoß, der meine Handfläche traf wie ein Hammerschlag, dann zurück zu den unregelmäßigen Hüpfern.

Der Sündentilger verbeugte sich ganz langsam vor ihr. Dann packte er den Shilling. Drehte sich um und huschte zur Tür, erstaunlich schnell für ein solch kränkliches Exemplar.

Mehrere Jungen und jüngere Männer, die an der Tür gestanden hatten, eilten ihm schreiend nach; ein oder zwei nahmen Holzstöcke aus dem Korb am Kamin mit. Andere waren hin- und hergerissen; sie blickten zur offenen Tür, wo sich Schreie und der Aufprall fliegender Steine mit dem Jammern der *bean-treim* mischten – doch ihre Blicke wurden unwiderstehlich erneut zu Mrs. Wilson gezogen.

Sie sah … friedvoll aus, das war das einzige Wort dafür. Es überraschte mich nicht im Geringsten, den Pulsschlag unter meiner Hand einfach anhalten zu spüren. Irgendwo tief in meinem Inneren spürte ich, wie der Schwindel erregende Fluss der Blutung begann, eine warme Flut, die mich mit sich zog, bis schwarze Flecken vor meinen Augen tanzten und es mir in den Ohren klingelte. Ich wusste mit absoluter Sicherheit, dass sie jetzt unwiderruflich tot war. Ich spürte, wie sie davonging. Und doch hörte ich ihre Stimme über dem Lärm, sehr leise, aber ruhig und klar.

»Ich verzeihe dir, Hiram«, sagte sie. »Du warst ein guter Junge.«

Mir war zwar schwarz vor Augen geworden, doch ich konnte immer noch dumpf hören und spüren. Etwas packte mich und zog mich fort, und ein paar Sekunden später kam ich zu mir, in einer Ecke an Jamie gelehnt, dessen Arme mich stützten.

»Ist alles gut, Sassenach?«, sagte er drängend. Er rüttelte mich ein wenig und klopfte meine Wange.

Die schwarz gekleideten *bean-treim* waren bis zur Tür gekommen. Ich konnte sie draußen stehen sehen wie dunkle Zwillingssäulen, und der fallende Schnee begann, sie zu umwirbeln. Der kalte Wind wehte herein und brachte kleine, harte, trockene Flocken mit, die über den Boden tanzten. Die Stimmen der Frauen erhoben und senkten sich und verschmolzen mit dem Wind. Am Tisch versuchte Hiram Crombie, seiner Schwiegermutter die Granatbrosche an das Leichentuch zu heften, doch seine Hände zitterten und sein Gesicht war tränennass.

»Ja«, sagte ich schwach, dann etwas kräftiger: »Ja. Jetzt ist alles gut.«

Die Dunkelheit senkte sich am Abend vor Allerheiligen. Wir gingen zu den Klängen des heulenden Windes und des prasselnden Regens zu Bett und erwachten am Fest Allerheiligen umhüllt von Weiß. Große, weiche Flocken schwebten unentwegt absolut lautlos zu Boden. Es gibt keine perfektere Stille als die Einsamkeit im Herzen eines Schneesturms.

Dies ist die dünne Zeit, in der sich die einst geliebten Toten nähern. Die Welt kehrt sich nach innen, und Träume und Rätsel liegen in der kalten Luft. Der Himmel verwandelt sich. Aus der scharfen, klaren Kälte einer Million brennender Sterne wird die rötlich graue Wolke, die die Erde umhüllt und Schnee verheißt.

Ich nahm eins von Briannas Streichhölzern aus der Schachtel und entzündete es, begrüßte froh die winzige Flamme, die sofort aufsprang, und bückte mich, um sie an das Brennholz zu halten. Nachdem sie die Nacht mit ihrem Feuer beherrscht hatten, strebten unsere Kürbisgesichter jetzt einem friedlicheren Schicksal entgegen, wurden zu Kuchen und Kompost, sanken in die sanfte Ruhe der Erde vor der Erneuerung. Tags zuvor hatte ich den Boden in meinem Garten umgegraben, die Wintersamen eingesetzt, auf dass sie schlafend heranschwollen und unterirdisch träumten von ihrer Geburt.

Jetzt ist die Zeit, in der wir in die Gebärmutter der Welt zurückkehren, träumen von Schnee und Stille. Erwachen, und die Seen unter dem schwindenden Mond sind plötzlich zugefroren, die kalte Sonne brennt tief und blau im Geäst der vereisten Bäume. Abends von unseren kurzen, notwendigsten Arbeiten zurückkehren zu Köstlichkeiten und Geschichten, in die Wärme des Feuerscheins im Dunkeln.

Am Feuer, in der Dunkelheit, kann man alles sagen, alles hören, in Sicherheit.

Ich zog mir Wollstrümpfe an, dicke Unterröcke, mein wärmstes Schultertuch und stieg hinunter, um das Küchenfeuer zu schüren. Ich sah den Dampfwölkchen zu, die vom duftenden Kessel aufstiegen, und spürte, wie ich mich nach innen kehrte. Die Welt konnte gehen, und wir würden heilen.

SECHSTER TEIL

Auf dem Berg

40

Im Märzen der Bauer

März 1774

Es war Frühling, und die langen, trostlosen Monate lösten sich in Schmelzwasser auf, das sich in kleinen Bächen von allen Hügeln ergoss und in winzigen Wasserfällen von Stein zu Stein zu Stein hüpfte.

Die Luft war vom Lärmen der Vögel erfüllt, eine Kakophonie der Melodien, die an die Stelle der einsamen Rufe der vorbeiziehenden Gänse trat.

Im Winter halten sich die Vögel für sich, ein einzelner Rabe, der grübelnd in einem kahlen Baum kauert, eine Eule, die sich im Schatten unter einem Scheunendach vor Kälte aufplustert. Oder sie treten in Scharen auf; auf und davon getragen von donnernden Flügeln, wirbeln sie durch die Luft wie eine Hand voll emporgeworfener Pfefferkörner, bahnen sich ihren Weg in V-Formation, voll Trauer und Mut, der Verheißung eines fernen, schwierigen Überlebens entgegen.

Im Winter ziehen sich die Raubvögel in die Einsamkeit zurück; die Singvögel suchen das Weite, die Farbigkeit der gefiederten Welt auf das Einfachste reduziert, Räuber und Beute, graue Schatten, die am Himmel vorüberziehen. Und nur dann und wann fällt ein leuchtender Tropfen Blut zur Erde zurück, um das Ende eines Lebens anzuzeigen. Zurück bleiben verstreute Federn, die mit dem Wind davonschweben.

Doch wenn der Frühling erwacht, werden die Vögel betrunken vor Liebe, und ihre Lieder gellen im Gebüsch. Weit, weit in die Nacht hinein, denn die Dunkelheit schwächt ihre Energie zwar ab, bringt sie aber nicht zum Schweigen. Und zu jeder Stunde erheben sich leise melodische Unterhaltungen, unsichtbar und seltsam intim in der Mitte der Nacht, als ob man im Nebenzimmer ein unbekanntes Liebespaar belauscht.

Ich rückte dichter an Jamie heran, während ich dem klaren, lieblichen Gesang einer Drossel in der großen Rotfichte hinter dem Haus lauschte. Nachts war es immer noch kalt, jedoch ohne den bitteren Frost des Winters, an dessen Stelle die süße Frische tauender Erde und knospender Blätter getreten war, eine Kälte, die das Blut prickeln und warme Körper einander suchen ließ, um miteinander zu verschmelzen.

Auf der anderen Flurseite erhob sich dröhnendes Schnarchen – noch ein Frühlingsbote. Major MacDonald, der gestern Abend schlammverkrustet und vom Wind zerbissen aufgetaucht war und unwillkommene Nachrichten aus der Außenwelt mitgebracht hatte.

Jamie regte sich bei diesem Geräusch, stöhnte, furzte leise und lag wieder still. Er war lange aufgeblieben und hatte den Major unterhalten – falls dies das richtige Wort dafür war.

Ich konnte Lizzie und Mrs. Bug unten in der Küche hören. Sie unterhielten sich und ließen Töpfe klappern und Türen schlagen, um uns zu wecken. Frühstücksdüfte begannen, die Treppe hinaufzusteigen, verlockend, ein bitterer Geruch nach gerösteten Zichorien, der die köstliche Wärme des gebutterten Haferbreis würzte.

Jamies Atemgeräusche hatten sich verändert, und ich wusste, dass er wach war, obwohl er nach wie vor mit geschlossenen Augen dalag. Ich wusste nicht, ob dies ein Bedürfnis signalisierte, in der körperlichen Annehmlichkeit des Schlafes zu verharren – oder den ausdrücklichen Widerwillen, aufzustehen und sich um Major MacDonald zu kümmern.

Er zerstreute diesen Zweifel unmissverständlich, indem er sich umdrehte, mich in die Arme schloss und seinen Unterkörper auf eine Weise gegen den meinen bewegte, die es deutlich machte, dass er zwar durchaus körperliche Annehmlichkeiten im Sinn hatte, aber nicht mehr an Schlaf dachte.

Allerdings hatte er den Punkt, an dem er verständliche Worte formen konnte, noch nicht erreicht, und rieb stattdessen die Nase an meinem Ohr und stieß kleine fragende Summlaute aus. Nun, der Major schlief noch, und es würde noch etwas dauern, bis der Kaffee – oder was sich hier Kaffee nannte – fertig war. Ich antwortete ebenfalls summend, langte nach der Mandelcreme auf dem Nachttisch und machte mich daran, mich langsam und genüsslich durch die Bettwäsche und Nachtkleidung durchzugraben, um sie aufzutragen.

Kurze Zeit darauf verkündeten Prustlaute und rumpelnde Geräusche auf der anderen Flurseite Major MacDonalds Auferstehung, und herrliche Gerüche nach gebratenem Schinken und Kartoffeln mit Zwiebeln bereicherten die Skala der olfaktorischen Stimuli. Doch der süße Duft der Mandelcreme war stärker.

»Geölter Blitz«, sagte Jamie voll schläfriger Genugtuung. Er befand sich noch im Bett und lag auf der Seite, um mir beim Ankleiden zuzusehen.

»Was?« Ich wandte mich vom Spiegel ab, um ihn anzusehen. »Wer?«

»Ich, denke ich. Oder warst du am Ende nicht vom Donner gerührt?« Er lachte beinahe lautlos, und die Bettwäsche raschelte.

»Oh, du hast dich wieder einmal mit Brianna unterhalten«, sagte ich nachsichtig. Ich drehte mich wieder zum Spiegel um. »Diese Redewendung drückt extreme Schnelligkeit aus, nicht gut geschmierte Brillanz.«

Ich lächelte ihm im Spiegel zu, während ich mir die Knoten aus dem

Haar bürstete. Er hatte es aufgeflochten, während ich die Salbe auftrug, und bei unseren folgenden Körperübungen war es explodiert. Es hatte tatsächlich schwache Ähnlichkeit mit den Nachwirkungen eines elektrischen Schlags.

»Nun, ich kann auch schnell sein«, erläuterte er. Er setzte sich hin und fuhr sich mit der Hand durch das Haar. »Aber nicht so früh am Morgen. Es gibt schlimmere Arten aufzuwachen, aye?«

»Ja, viel schlimmere.« Auf der anderen Seite erklang heftiges Husten und Spucken, gefolgt von dem unverwechselbaren Geräusch, mit dem ein Mensch, dessen Blase kurz vor dem Überlaufen steht, einen Nachttopf benutzt. »Hat er gesagt, ob er lange bleibt?«

Jamie schüttelte den Kopf. Er erhob sich langsam, räkelte sich wie eine Katze und trat dann im Hemd zu mir, um die Arme um mich zu legen. Ich hatte das Feuer noch nicht geschürt, und es war kühl im Zimmer; sein Körper war angenehm warm.

Er legte das Kinn auf meinen Kopf und betrachtete unsere übereinander gestapelten Spiegelbilder.

»Ich muss fort«, sagte er leise. »Vielleicht schon morgen.«

Ich erstarrte ein wenig, die Bürste in der Hand.

»Wohin? Zu den Indianern?«

Er nickte und sah mir direkt in die Augen.

»MacDonald hat Zeitungen mitgebracht, mit Briefen von Gouverneur Martin an eine ganze Reihe von Adressaten – Tryon in New York, General Gage –, die er um Hilfe bittet. Er verliert die Kontrolle über die Kolonie – sofern er sie je unter Kontrolle hatte – und denkt ernsthaft darüber nach, die Indianer zu bewaffnen. Wobei es *diese* Information noch nicht bis in die Zeitungen geschafft hat. Und das ist auch gut so.«

Er ließ mich los und griff in die Schublade mit seinen sauberen Hemden und Strümpfen.

»Das ist tatsächlich gut«, sagte ich, während ich mein Haar zu einem Zopf zusammenfasste und nach einem Band dafür suchte. Wir hatten während des Winters kaum Zeitungen zu Gesicht bekommen, doch auch so war der Grad der Unstimmigkeit zwischen dem Gouverneur und der Versammlung nicht zu übersehen; er vertagte inzwischen ständig Entscheidungen und entließ die Versammlung ein ums andere Mal, um zu verhindern, dass sie Gesetze beschloss, die seinen Wünschen im Weg standen.

Ich konnte mir gut vorstellen, wie die Öffentlichkeit reagieren würde, wenn bekannt wurde, dass er darüber nachdachte, die Cherokee-, Catawba- und Creek-Indianer zu bewaffnen und sie gegen seine eigenen Leute aufzuhetzen.

»Ich schätze nicht, dass er das wirklich tun wird«, sagte ich und fand das blaue Haarband, das ich suchte, »denn wenn er es getan hätte – täte, meine ich –, hätte die Revolution jetzt in North Carolina ihren Anfang genommen, nicht erst in zwei Jahren in Massachusetts oder Philadelphia. Aber warum in aller Welt druckt er diese Briefe denn in der Zeitung ab?«

Jamie lachte. Er schüttelte den Kopf und strich sich das wirre Haar aus dem Gesicht.

»Das tut er ja gar nicht. Offenbar wird die Post des Gouverneurs abgefangen. Er ist nicht besonders glücklich darüber, sagt MacDonald.«

»Das kann ich mir vorstellen.« Die Unsicherheit der Post war berüchtigt, war es immer schon gewesen. Fergus war ursprünglich zu uns gestoßen, weil Jamie ihn als Taschendieb angeheuert hatte, um in Paris Briefe zu stehlen.

»Wie geht es eigentlich Fergus?«, fragte ich.

Jamie zog eine kleine Grimasse und schlüpfte in seine Strümpfe.

»Besser, glaube ich. Marsali sagt, er ist jetzt öfter zu Hause, was gut ist. Und er verdient ein wenig Geld, weil er Hiram Crombie Französisch beibringt. Aber –«

»Hiram? *Französisch?*«

»Oh, aye.« Er grinste mich an. »Hiram hat es sich in den Kopf gesetzt, dass er zu den Indianern predigen muss, und er glaubt, dass er besser zurechtkommt, wenn er nicht nur Englisch, sondern dazu etwas Französisch kann. Ian bringt ihm außerdem noch etwas Tsalagi bei, aber es gibt so viele Indianerdialekte, dass er sie nie alle lernen wird.«

»Es geschehen noch Zeichen und Wunder«, murmelte ich. »Meinst du –?«

An diesem Punkt wurde ich unterbrochen, weil Mrs. Bug einladend die Treppe hinaufbrüllte: »Falls gewisse Personen warten möchten, bis ein gutes Frühstück vor die Hunde geht, können sie mir gestohlen bleiben!«

Wie auf Kommando öffnete sich MacDonalds Tür, und seine Füße ratterten eilig die Treppe hinunter.

»Fertig?«, sagte ich zu Jamie. Er griff nach meiner Bürste und machte sich mit wenigen Bewegungen zurecht, dann ging er zur Tür, öffnete sie, verbeugte sich und geleitete mich formell hinaus.

»Was du gesagt hast, Sassenach«, sagte er, während er mir die Treppe hinunterfolgte. »Dass es in zwei Jahren beginnt. Es ist längst im Gange. Das weißt du doch, aye?«

»O ja«, sagte ich grimmig. »Aber ich möchte nicht mit leerem Magen darüber nachdenken.«

Roger richtete sich auf, um Maß zu nehmen. Die Oberkante der Ofengrube, in der er stand, reichte ihm gerade eben unter das Kinn. Seine Augenhöhe war die angestrebte Tiefe, also nur noch ein paar Zentimeter. Das war ermutigend. Er lehnte den Spaten an die Erdwand, bückte sich, packte einen Holzeimer voll Erde und hievte ihn oben über den Rand.

»Dreck!«, rief er. Es kam keine Antwort auf seinen Ruf. Er stellte sich auf die Zehen und sah sich finster nach seinen so genannten Helfern um. Eigentlich war geplant, dass Jemmy und Germain abwechselnd die Eimer ausleeren und ihm wieder hinunterreichen sollten, doch sie neigten dazu, abrupt zu verschwinden.

»Dreck!«, schrie er , so laut er konnte. Die kleinen Schurken konnten nicht weit sein; er brauchte weniger als zwei Minuten, um einen Eimer zu füllen.

Diesmal wurde der Ruf beantwortet, aber nicht von den Jungen. Ein kalter Schatten fiel auf ihn, und als er aufblinzelte, sah er den Umriss seines Schwiegervaters, der sich bückte, um den Eimer am Griff zu packen. Jamie ging zwei Schritte weit und schleuderte die Erde auf den langsam wachsenden Hügel, dann kam er zurück und sprang in die Grube, um ihm den Eimer zurückzugeben.

»Ein nettes kleines Loch hast du hier«, sagte er und drehte sich um sich selbst, um es zu betrachten. »Darin könnte man einen Ochsen grillen.«

»Den werde ich auch brauchen. Ich verhungere.« Roger wischte sich mit dem Ärmel über die Stirn; es war ein kühler, frischer Frühlingstag, aber er war in Schweiß gebadet.

Jamie hatte den Spaten ergriffen und betrachtete interessiert das Blatt.

»So etwas habe ich noch nie gesehen. Ist das Briannas Idee?«

»Mit etwas Hilfe von Dai Jones, aye.« Brianna hatte ungefähr dreißig Sekunden mit einem Spaten aus dem achtzehnten Jahrhundert gegraben, bevor sie zu der Überzeugung gelangte, dass hier Verbesserungsbedarf bestand. Dann hatte sie drei Monate gebraucht, um einen Eisenklumpen zu finden, den der Schmied nach ihren Anweisungen formen konnte, und um Dai Jones – der aus Wales stammte und daher definitionsgemäß stur war – zu überreden, dies auch zu tun. Ein normaler Spaten bestand aus Holz und sah aus wie eine Dachschindel, die an einer Stange angebracht war.

»Darf ich ihn ausprobieren?« Fasziniert stieß Jamie das spitze Ende des neuen Spatens zu seinen Füßen in die Erde.

»Aber gern.«

Roger kletterte aus dem tiefen Teil der Grube an das flachere Ende des Ofens. Jamie stand in dem Teil, in dem laut Brianna das Feuer brennen würde, überragt von einem Schornstein. Die zu brennenden Gegenstände konnten in den längeren, relativ flachen Teil der Grube gestellt und zugedeckt werden. Nachdem er eine Woche geschaufelt hatte, war Roger inzwischen nicht mehr so fest überzeugt, dass die entfernte Möglichkeit fließenden Wassers all diese Mühe wert war, doch Brianna wünschte es so – und genau wie ihrem Vater konnte man Brianna ebenfalls kaum widerstehen, auch wenn beide unterschiedliche Methoden einsetzten.

Jamie schaufelte schnell, und während er die Erde in den Eimer beförderte, stieß er kleine Laute der Begeisterung und Bewunderung darüber aus, wie leicht und schnell es sich so graben ließ. Obwohl er selbst dieser Beschäftigung nur wenig Freude abgewinnen konnte, war Roger stolz auf das von seiner Frau geschaffene Arbeitsgerät.

»Erst die Streichhölzer«, sagte Jamie scherzend, »dann Spaten. Was wird sie sich wohl als Nächstes einfallen lassen.«

»Ich wage es kaum, sie zu fragen«, sagte Roger mit einem schicksalsergebenen Unterton, der Jamie zum Lachen brachte.

Der Eimer füllte sich, Roger hob ihn auf und entleerte ihn, während Jamie den zweiten füllte. Und ohne sich abzusprechen, arbeiteten sie so weiter; Jamie grub, Roger trug, und sie konnten kaum glauben, wie schnell sie fertig waren.

Jamie kletterte aus der Grube und stellte sich neben Roger an den Rand. Er blickte zufrieden auf ihre Arbeit hinunter.

»Und wenn es als Ofen nicht funktioniert«, merkte Jamie an, »kann sie es als Kartoffelkeller benutzen.«

»Spare in der Zeit, so hast du in der Not«, pflichtete Roger ihm bei. Sie standen am Rand des Lochs und spähten hinein, und jetzt, da sie sich nicht mehr bewegten, fuhr ihnen der Wind kalt durch die feuchten Hemden.

»Glaubst du, ihr werdet zurückgehen, du und Brianna?«, sagte Jamie. Sein Ton war so beiläufig, dass Roger ihn zuerst gar nicht verstand und erst begriff, als er das Gesicht seines Schwiegervaters sah, das jene unerschütterliche Ruhe ausstrahlte, die – wie er selbst schon schmerzlich erfahren hatte – im Allgemeinen ein starkes Gefühl überdeckte.

»Zurück«, wiederholte er unsicher. Er meinte doch wohl nicht – aber natürlich tat er das. »Du meinst, durch die Steine?«

Jamie nickte. Er hatte die Augen scheinbar fasziniert auf die Wände der Grube gerichtet, von denen trockene Graswurzeln in Büscheln herabhingen und aus deren feuchter Erde spitze Steinkanten ragten.

»Ich habe darüber nachgedacht«, sagte Roger nach einer Pause. »*Wir* haben darüber nachgedacht. Aber …« Er verstummte, weil ihm nichts einfiel, wie er es hätte erklären können.

Doch Jamie nickte erneut, als hätte er seine Erklärung bekommen. Roger vermutete, dass Jamie und Claire genau wie er und Brianna darüber gesprochen und das Für und Wider durchgespielt hatten. Die Gefahren der Passage – und er unterschätzte diese Gefahren nicht, schon gar nicht im Licht dessen, was Claire ihm von Donner und seinen Gefährten erzählt hatte. Was, wenn er es schaffte – und Brianna und Jemmy nicht? Er durfte gar nicht darüber nachdenken.

Darüber hinaus, wenn sie alle die Passage überlebten, der Trennungsschmerz! Denn er musste zugeben, dass es auch für ihn schmerzvoll sein würde. Ganz gleich, welche Beschränkungen ihm hier auferlegt waren – Fraser's Ridge war sein Zuhause.

Dem gegenüber jedoch standen die Gefahren der Gegenwart, denn die vier Reiter der Apokalypse waren in dieser Zeit häufige Gäste, und es war nicht schwer, aus dem Augenwinkel einen flüchtigen Blick auf Pestilenz oder Hungersnot zu erhaschen. Und der lichte Schimmel und sein Reiter tauchten unerwartet auf – und oft.

Doch dann begriff er mit Verspätung, dass Jamie genau das gemeint hatte.

»Du meinst wegen des Krieges.«

»Die O'Brians«, sagte Jamie leise. »So etwas wird wieder geschehen, aye? Immer wieder.«

Es war Frühling, nicht Herbst, doch der kalte Wind, der ihm durch die Knochen fuhr, war derselbe, der braunes und goldenes Laub über das Gesicht des kleinen Mädchens geweht hatte. Plötzlich sah Roger Jamie und sich selbst am Rand dieses gewaltigen Lochs stehen wie verwahrloste Trauernde an einem Grab. Er drehte der Grube den Rücken zu und richtete den Blick stattdessen auf das knospende Grün der Kastanienbäume.

»Weißt du«, sagte er nach einer Minute des Schweigens, »als ich erfahren habe, was – was Claire ist, was wir alle sind, die ganze Geschichte – da dachte ich, ›wie faszinierend!‹ Tatsächlich zu sehen, wie Geschichte gemacht wird, meine ich. Wenn ich ehrlich bin, bin ich genauso sehr deswegen gekommen wie um Briannas willen. Damals, meine ich.«

Jamie lachte auf und drehte sich ebenfalls um.

»Oh, aye, und ist es das? Faszinierend?«

»Mehr als ich je gedacht hätte«, versicherte ihm Roger extrem trocken. »Aber warum fragst du mich das jetzt? Ich habe dir doch schon vor einem Jahr gesagt, dass wir bleiben.«

Jamie nickte und spitzte die Lippen.

»Das stimmt. Es ist aber so – ich glaube, ich muss einen oder mehrere Edelsteine verkaufen.«

Das ließ ihn auffahren. Natürlich hatte er nie bewusst darüber nachgedacht – aber das Bewusstsein, dass die Steine notfalls da waren ... bis jetzt war ihm gar nicht klar gewesen, welch ein Gefühl der Sicherheit ihm dieses Wissen gegeben hatte.

»Sie gehören doch dir«, erwiderte er vorsichtig. »Aber warum gerade jetzt? Ist die Lage so schwierig?«

Jamie bedachte ihn mit einem überaus ironischen Blick.

»Schwierig«, wiederholte er. »Aye, so könnte man es ausdrücken.« Und dann ließ er eine ausführliche Erklärung der Situation folgen.

Die Marodeure hatten nicht nur den fermentierenden Whisky eines ganzen Jahres vernichtet, sondern gleichzeitig die Mälzerei, die erst jetzt wieder aufgebaut wurde. Dies bedeutete, dass es in diesem Jahr keinen überschüssigen Whisky geben würde, den sie verkaufen oder gegen das Notwendigste eintauschen konnten. Es gab in Fraser's Ridge zweiundzwanzig neue Pächterfamilien, an die er denken musste und von denen die meisten mit einem Ort und einem Handwerk kämpften, das sie sich nie hätten träumen lassen.

Sie versuchten nur, so lange am Leben zu bleiben, dass sie lernen konnten, wie sich dies am besten bewerkstelligen ließ.

»Und dann«, fügte Jamie grimmig hinzu, »ist da noch MacDonald – wenn man vom Teufel spricht.«

Der Major war aus dem Haus getreten, und sein roter Rock leuchtete in der Morgensonne. Roger sah, dass er reisefertig war, gestiefelt und gespornt, die Perücke auf dem Kopf, den mit Spitze besetzten Hut in der Hand.

»Ein Kurzbesuch, wie ich sehe.«

Jamie stieß ein leises, unartikuliertes Geräusch aus.

»Lang genug, um mir mitzuteilen, dass ich versuchen muss, den Kauf von dreißig Musketen nebst Munition zu arrangieren – natürlich auf meine Kosten, die mir irgendwann von der Krone zurückerstattet werden«, fügte er hinzu, und sein Tonfall war so zynisch, dass er keinen Zweifel daran ließ, für wie unwahrscheinlich er diese Eventualität hielt.

»Dreißig Musketen.« Roger dachte darüber nach und spitzte die Lippen zu einem lautlosen Pfeifen. Jamie war ja nicht einmal in der Lage gewesen, das Gewehr zu ersetzen, das er *Bird* für seine Hilfe in Brownsville geschenkt hatte.

Jamie zuckte mit den Achseln.

»Und dann sind da noch Kleinigkeiten wie die Mitgift, die ich Lizzie Wemyss versprochen habe, wenn sie heiratet. Und Marsalis Mutter Laoghaire –« Er warf Roger einen argwöhnischen Blick zu, weil er nicht sicher war, wie viel dieser über Laoghaire wusste. Mehr als Jamie lieb sein würde, dachte Roger und gab sich Mühe, ein unbeteiligtes Gesicht zu machen.

»Ich bin ihr etwas für ihren Lebensunterhalt schuldig. Wir können von dem leben, was wir haben, aye – aber für den Rest … muss ich Land verkaufen oder die Steine. Und das Land gebe ich nicht auf.« Seine Finger trommelten unruhig gegen seinen Oberschenkel, dann hielten sie inne, weil er die Hand hob, um dem Major zuzuwinken, der sie gerade über die Lichtung hinweg erspäht hatte.

»Ich verstehe. Tja dann …« Es musste wohl sein; es war töricht, auf einem Vermögen in Edelsteinen zu hocken, nur weil sie eines Tages für einen weit hergeholten, riskanten Zweck benötigt werden könnten. Dennoch bekam Roger bei dieser Vorstellung ein etwas hohles Gefühl, so als schnitte jemand seine Sicherheitsleine durch, während er sich von einer Klippe abseilte.

Jamie atmete hörbar auf.

»Nun gut. Ich werde Seiner Lordschaft in Virginia einen der Steine schicken. Bobby Higgins kann ihn mitnehmen. Er wird wenigstens einen guten Preis für mich erzielen.«

»Aye, das ist eine –« Roger hielt inne, denn die Szene, die sich vor ihm abspielte, lenkte ihn ab.

Der Major, offenbar bester Laune nach einem guten Frühstück, war die

Eingangsstufen hinuntergestiegen und schlenderte jetzt auf sie zu – ohne die weiße Sau zu bemerken, die aus ihrem Unterschlupf unter dem Fundament hervorgekommen war und an der Hauswand entlangtrottete, um sich ihr eigenes Frühstück zu suchen. Es würde nur noch eine Sache von Sekunden sein, bevor sie den Major entdeckte.

»Hoy!«, brüllte Roger und spürte, wie etwas in seiner Kehle riss. Der Schmerz war so heftig, dass er erstarrte und sich mit den Händen an den Hals fasste, mit plötzlicher Stummheit geschlagen.

»Achtung, das Schwein!«, rief Jamie, der mit den Armen wedelte und auf das Haus zeigte. Der Major schob den Kopf vor, die Hand hinter dem Ohr – dann verstand er die wiederholten »Schwein!«-Rufe und sah sich wild um – als die weiße Sau auch schon schwerfällig lostrabte und dabei ihre Hauer wie Sensen schwang.

Am besten wäre es gewesen, wenn er kehrtgemacht hätte und auf die sichere Treppe zurückgespurtet wäre, doch stattdessen wurde er von Panik erfasst und rannte vor dem Schwein davon – geradewegs auf Jamie und Roger zu, die prompt in entgegengesetzte Richtungen losliefen.

Roger drehte den Kopf und sah, dass der Major mit Riesensätzen an Vorsprung vor dem Schwein gewann und sich offenbar die Blockhütte zum Ziel gesetzt hatte. Doch zwischen dem Major und der Hütte lag die offene Grube des Murmeltierofens, getarnt durch das hoch gewachsene Frühlingsgras, durch das der Major galoppierte.

»Nein!«, schrie Roger, nur, dass das Wort als ersticktes Krächzen herauskam. Dennoch schien ihn der Major zu hören, denn ein leuchtend rotes Gesicht wandte sich mit vorquellenden Augen in seine Richtung. Es musste wie »Schwein!« geklungen haben, denn in diesem Moment blickte sich der Major um und registrierte, dass das Schwein sein Tempo beschleunigte, die rosa Äuglein voll Mordlust auf ihn geheftet.

Diese Ablenkung hätte sich beinahe als fatal erwiesen, denn der Major stolperte über seine Sporen, stürzte der Länge nach ins Gras und verlor seinen modischen Hut – den er während der gesamten Jagd nicht losgelassen hatte und der jetzt durch die Luft kreiselte.

Roger zögerte kurz, rannte dann aber mit einem erstickten Fluch zurück, um dem Major zu helfen. Er sah, dass auch Jamie mit gezücktem Spaten zurückkam – obwohl selbst eine Metallschaufel kläglich ungeeignet schien, um mit einer Zweihundert-Kilo-Sau fertig zu werden.

Doch MacDonald rappelte sich schon wieder auf. Bevor einer von ihnen ihn erreichen konnte, stürzte er los, als sei der Teufel persönlich hinter ihm her. Mit wedelnden Armen und puterrotem, aber entschlossenem Gesicht rannte er um sein Leben, hetzte wie ein Hase durch das Gras – und verschwand. In der einen Sekunde war er noch da, in der nächsten hatte er sich aufgelöst wie von Zauberhand.

Jamie starrte erst Roger mit aufgerissenen Augen an, dann das Schwein, das auf der anderen Seite der Ofengrube zum Stehen gekommen war. Mit behutsamen Bewegungen, ein Auge stets auf das Schwein gerichtet, pirschte er sich dann an die Grube heran und warf einen vorsichtigen Blick hinein, als fürchtete er sich vor dem Bild, das ihn an ihrem Boden erwartete.

Roger trat an Jamies Seite und spähte in die Grube. Major MacDonald war in den tieferen Teil gefallen, wo er wie ein Igel zusammengerollt lag, die Arme schützend um seine Perücke geschlungen – die wie durch ein Wunder nicht verrutscht war, wenn sie auch jetzt mit Erdbrocken und Gras übersät war.

»MacDonald?«, rief Jamie hinunter. »Seid Ihr verletzt, Mann?«

»Ist es noch da?«, fragte der Major bebend, ohne seine Kugelform aufzugeben.

Roger warf einen Blick über die Grube hinweg auf das Schwein, das jetzt seine lange Schnauze ein Stückchen weiter ins Gras gesteckt hatte.

»Äh… aye, das ist es.« Zu seiner Überraschung fiel ihm das Sprechen leicht, selbst wenn er etwas heiser war. Er räusperte sich und sprach ein wenig lauter weiter. »Aber Ihr braucht keine Angst zu haben. Es ist damit beschäftigt, Euren Hut zu fressen.«

41

Der Büchsenmacher

Jamie begleitete MacDonald bis nach Coopersville, wo er den Major auf die Straße nach Salisbury brachte, ausgestattet mit Verpflegung, einem verwegenen Schlapphut zum Schutz vor dem Wetter und einer kleinen Flasche Whisky zur Kräftigung seiner angeschlagenen Lebensgeister. Dann bog er mit einem innerlichen Seufzer zum Anwesen der McGillivrays ab.

Robin arbeitete in seiner Schmiede, umgeben von den Gerüchen heißen Metalls, von Holzspänen und Waffenöl. Ein schlaksiger junger Mann mit einer Hakennase bediente den ledernen Blasebalg, auch wenn seine verträumte Miene auf einen gewissen Mangel an Aufmerksamkeit für seine Arbeit schließen ließ.

Robin merkte, dass Jamies Schatten die Tür verdunkelte, blickte auf, nickte kurz und machte sich wieder an seine Arbeit.

Er hämmerte einen Eisenstab zu flachen Bändern; der Eisenzylinder, um die er diese wickeln würde, um einen Gewehrlauf herzustellen, war schon zwischen zwei Blöcken eingespannt. Jamie hielt sich sorgsam außer Reichweite der fliegenden Funken und setzte sich auf einen Eimer, um zu warten.

Der Junge am Blasebalg war Sengas Verlobter – Heinrich. Heinrich

Strasse. Er zog den Namen zielsicher aus den Hunderten anderer Namen, die er in seinem Kopf verwahrte. Und mit ihm kam automatisch alles, was er über Heinrichs Vorgeschichte, seine Familie und seine Verbindungen wusste, die sich in seiner Vorstellung als Beziehungsgeflecht rings um das lange, verträumte Gesicht des Jungen abzeichneten, symmetrisch und komplex wie das Muster einer Schneeflocke.

Er sah alle Menschen so, aber es wurde ihm nur selten bewusst. Strasses Gesicht jedoch hatte irgendetwas an sich, das das geistige Bild noch verstärkte – die lange Achse von Stirn, Nase und Kinn, das eine tiefe Spalte hatte und durch eine pferdeähnliche Oberlippe noch betont wurde , die kürzere Querachse, die durch die langen schmalen Augen und die flachen dunklen Brauen nicht minder scharf akzentuiert war.

Er konnte die Herkunft des Jungen sehen – der das mittlere von neun Kindern war, aber der älteste Junge, Sohn eines dominanten Vaters und einer Mutter, die sich mit List und leiser Tücke behauptete – eine höchst delikate Anordnung auf seinem Scheitel; seine Religion – Lutheraner, aber nicht sehr devot – wie eine feine Klöppelarbeit unter seinem nicht minder spitzen Kinn; sein Verhältnis zu Robin – herzlich, aber wachsam, wie es sich für einen zukünftigen Schwiegersohn ziemte, der gleichzeitig Lehrling war – spross ihm wie eine buschige Ähre aus dem rechten Ohr, das zu Ute – eine Mischung aus Entsetzen und hilfloser Verlegenheit – aus dem linken.

Diese Vorstellung erheiterte ihn sehr, und er war gezwungen, den Blick abzuwenden und Interesse an Robins Werkbank vorzutäuschen, um den Jungen nicht anzustarren und in Verlegenheit zu bringen.

Der Büchsenmacher war nicht besonders ordentlich; auf der Bank lagen Holz- und Metallsplitter inmitten eines Durcheinanders aus Nägeln, Stiften, Hämmern, Holzklötzen, schmutzigen Tauen und Kohlestiften. Ein paar Papiere waren mit einem ruinierten Gewehrkolben beschwert, der bei der Fertigung entzweigesprungen war, und ihre schmutzigen Ränder flatterten im heißen Hauch des Schmiedefeuers. Er hätte sich nicht weiter darum gekümmert, wenn er den Zeichenstil nicht erkannt hätte – diese kühne und zugleich zarte Linienführung wäre ihm überall aufgefallen.

Er erhob sich stirnrunzelnd und zog die Blätter unter dem Gewehrkolben hervor. Zeichnungen eines Gewehrs aus verschiedenen Blickwinkeln – hier ein Schnitt durch den Lauf, die Ladevorrichtung deutlich zu erkennen – aber zugleich sehr merkwürdig. Die eine Zeichnung zeigte die Waffe vollständig, eigentlich vertraut, abgesehen von den komischen, an Hörner erinnernden Auswüchsen auf dem Lauf. Aber die nächste … Das Gewehr sah aus, als hätte es jemand über seinem Knie zerbrochen; es war entzweigeschnappt, und Kolben und Lauf zeigten in entgegengesetzter Richtung zu Boden, verbunden allein durch … Was für ein Scharnier war das? Er kniff ein Auge zu und überlegte.

Das Hämmern am Schmiedeofen verstummte, und das laute Zischen von

Metall in der Gießwanne störte ihn bei seiner faszinierten Betrachtung der Zeichnungen, so dass er aufblickte.

»Hat dir deine Tochter diese Zeichnungen gezeigt?«, fragte Robin und wies kopfnickend auf die Blätter. Er zog seinen Hemdschoß hinter der Lederschürze hervor und wischte sich mit belustigter Miene den Dampf aus dem verschwitzten Gesicht.

»Nein. Was will sie denn? Möchte sie, dass du ihr ein Gewehr machst?« Er überreichte dem Büchsenmacher die Blätter, und dieser sah sie durch und zog neugierig die Nase hoch.

»Oh, das kann sie im Leben nicht bezahlen, *Mac Dubh*, es sei denn, Roger Mac hätte im Lauf der letzten Woche einen Goldschatz entdeckt. Nein, sie hat mir nur ein paar Ideen erzählt, wie man die Kunst der Büchsenmacherei verbessern könnte, und sich erkundigt, was es wohl kosten würde, ein solches Gewehr zu machen.« Das zynische Lächeln, das in Robins Mundwinkel gelauert hatte, verbreiterte sich zu einem Grinsen, und er schob Jamie die Blätter wieder hin. »Man merkt, dass sie deine Tochter ist, *Mac Dubh*. Welche andere junge Frau würde ihre Zeit damit verbringen, über Gewehre nachzudenken statt über Kleider und Kinder?«

In dieser Bemerkung steckte ein gutes Maß an angedeuteter Kritik – Brianna verhielt sich zweifellos um einiges unverblümter als es sich geziemte –, doch für den Moment ignorierte er das. Er war auf Robins Wohlwollen angewiesen.

»Nun, jede Frau hat ihre Vorlieben«, beschied er ihn nachsichtig. »Selbst unsere Lizzie, nehme ich an – aber darum wird sich Manfred ja sicher kümmern. Ist er gerade in Salisbury? Oder in Hillsboro?«

Robin McGillivray war beileibe kein Dummkopf. Er zog bei diesem abrupten Themenwechsel eine Augenbraue hoch, verkniff sich aber jede Bemerkung. Stattdessen schickte er Heinrich ins Haus, um ihnen Bier zu holen, und wartete, bis der Junge verschwunden war, bevor er sich erwartungsvoll erneut an Jamie wandte.

»Ich brauche dreißig Musketen, Robin«, sagte dieser ohne Umschweife. »Und ich brauche sie schnell – innerhalb von drei Monaten.«

Das Gesicht des Büchsenmachers wurde vor Erstaunen so ausdruckslos, dass es geradezu komisch war, jedoch nur für eine Sekunde. Dann kniff er die Augen zu, schloss abrupt den Mund und setzte seine übliche Miene sardonischen Humors wieder auf.

»Willst wohl deine eigene Armee gründen, was, *Mac Dubh*?«

Jamie lächelte nur, ohne zu antworten. Wenn es sich herumsprach, dass er vorhatte, seine Pächter zu bewaffnen und als Reaktion auf Richard Browns Übeltaten sein eigenes Komitee aufzustellen, konnte das nicht schaden, sondern es würde ihm möglicherweise sogar von Nutzen sein. Falls allerdings herauskam, dass der Gouverneur heimlich daran arbeitete, die Wilden zu bewaffnen, für den Fall, dass er einen bewaffneten Aufstand im

Hinterland niederschlagen musste, und dass er, Jamie Fraser, dabei seine rechte Hand war... so würde dies ein exzellenter Weg sein, sein Leben zu verlieren und sein Haus niederbrennen zu sehen, ganz zu schweigen von den restlichen Problemen, die sich daraus ergeben konnten.

»Wie viele kannst du für mich auftreiben, Robin? Und wie schnell?«

Der Büchsenmacher überlegte blinzelnd, dann warf er ihm einen raschen Seitenblick zu.

»Bargeld?«

Er nickte und sah, wie sich Robins Lippen zu einem tonlosen Pfiff des Erstaunens spitzten. Robin wusste genauso gut wie jeder andere, dass er keine größeren Geldsummen besaß – doch der Büchsenmacher schwieg. McGillivray bohrte konzentriert die Schneidezähne in seine Unterlippe, dann entspannte er sich.

»Ich kann in Salisbury und Salem sechs, vielleicht sieben zusammenbekommen. Brugge –« das war der Büchsenmacher der Herrnhuther, »– könnte eine oder zwei beisteuern, wenn er wüsste, dass es für dich ist...« Er sah, wie Jamie kaum merklich den Kopf schüttelte, und nickte resigniert. »Aye, nun gut, vielleicht also sieben. Und Manfred und ich schaffen vielleicht noch drei – du willst doch nur Musketen, nichts Besonderes?« Sein Humor von vorhin blitzte noch einmal auf, als er mit dem Kopf auf Briannas Zeichnung wies.

»Nichts Besonderes«, bestsätigte Jamie lächelnd. »Das macht dann zehn.« Er wartete. Robin ergab sich seufzend in sein Schicksal.

»Ich höre mich um«, sagte er. »Aber es wird nicht leicht sein. Vor allem, wenn du nicht möchtest, dass dein Name damit in Zusammenhang gebracht wird – und ich vermute, das möchtest du nicht.«

»Du bist ein Mann von seltener Klugheit und Diskretion, Robin«, versicherte ihm Jamie ernst und brachte ihn damit zum Lachen. Allerdings stimmte es; Robin McGillivray hatte in Culloden an seiner Seite gefochten, hatte drei Jahre mit ihm zusammen in Ardsmuir verbracht; Jamie hätte ihm jederzeit sein Leben anvertraut – wie er es gerade tat. Allmählich wünschte er sich, das Schwein hätte MacDonald doch gefressen, verdrängte diesen unwürdigen Gedanken jedoch, trank das Bier, das Heinrich ihnen brachte und plauderte über Belanglosigkeiten, bis die Höflichkeit es ihm gestattete, sich zu verabschieden.

Er hatte Gideon geritten, um MacDonald zu Pferd Gesellschaft zu leisten, hatte aber vor, ihn bei Dai Jones im Stall zu lassen. Als Ergebnis eines komplexen Tauschhandels würde Gideon John Woolam's Scheckstute decken – und dann zurückgebracht werden, wenn Woolam vom Bear Creek zurückkehrte. Und wenn im Herbst die Ernte eingebracht war, würde Jamie einen Fuder Gerste kassieren, und Dai würde für seine Hilfe eine Flasche Whisky erhalten.

Nachdem er sich kurz mit Dai unterhalten hatte – er war sich nie sicher, ob der Schmied wirklich kein Mann für viele Worte war, oder ob er einfach den Versuch aufgegeben hatte, den Schotten seinen Waliser Singsang verständlich zu machen –, klopfte Jamie Gideon ermunternd auf den Hals und überließ ihn seinem Hafer, damit er seine Lenden für die Ankunft der Stute kräftigen konnte.

Dai hatte ihm etwas zu essen angeboten, doch er lehnte ab; er war nervös, freute sich aber auf den Frieden seines fünf Meilen weiten Heimwegs. Der Tag war schön und der Himmel von einem blassen Blau. Über ihm murmelte das Frühlingslaub, und ein wenig Einsamkeit war ihm sehr willkommen.

Seine Entscheidung war gefallen, als er Robin bat, ihm die Gewehre zu besorgen. Doch die Lage erforderte weiteres Nachdenken.

Es gab vierundsechzig Cherokee-Dörfer, ein jedes mit seinem eigenen Oberhaupt, seinem eigenen Friedens- und Kriegshäuptling. Nur fünf dieser Dörfer lagen innerhalb seines Einflussbereiches – die drei *Snowbird*dörfer und zwei, die zu den *Overhill*-Cherokee gehörten. Er ging davon aus, dass diese den Anführern der *Overhill* folgen würden, ganz gleich, was er sagte.

Roger Mac hatte nur relativ wenig über die Cherokee oder darüber gewusst, welche Rolle sie bei der drohenden Auseinandersetzung spielen würden. Er hatte ihm nur sagen können, dass die Cherokee nicht *en masse* aktiv geworden waren; einige Dörfer entschlossen sich zu kämpfen, andere nicht – einige kämpften für die eine Seite, andere für eine andere.

Nun gut. Es war nicht sehr wahrscheinlich, dass irgendetwas, was er sagte oder tat, den Lauf des Krieges verändern würde, und das war tröstlich. Doch er konnte sich dem Bewusstsein nicht entziehen, dass der Zeitpunkt näher rückte, an dem er den Absprung wagen musste. Nach außen hin war er im Moment ein loyaler Untertan Seiner Majestät, ein Tory, der sich in Geordies Interesse abrackerte, die Wilden unterwarf und Gewehre unter das Volk brachte, um die aufrührerischen Leidenschaften der Regulatoren, Whigs und Möchtegernrepublikaner im Zaum zu halten.

Irgendwann jedoch musste diese Fassade bröckeln, um ihn als überzeugten Rebellen und Verräter preiszugeben. Doch wann? Er fragte sich müßig, ob diesmal ein Preis auf seinen Kopf ausgesetzt werden würde und wie hoch er sein würde.

Mit den Schotten würde er möglicherweise keine großen Schwierigkeiten bekommen. Sie waren zwar nachtragend und sturköpfig, doch er war einer von ihnen, und ihre persönlichen Sympathien würden eventuell die Entrüstung darüber dämpfen, dass er zum Rebellen geworden war, wenn es so weit war.

Nein, es waren die Indianer, die ihm Sorgen machten – denn zu ihnen kam er als Vertreter des Königs. Wie sollte er ihnen seinen Sinneswandel erklären? Noch dazu so, dass sie sich auf seine Seite schlugen? Mit Sicherheit würden sie es schlimmstenfalls als Verrat, bestenfalls als höchst verdächtiges Benehmen betrachten. Er glaubte nicht, dass sie ihn umbringen würden. Doch wie in Gottes Namen sollte er sie überreden, sich der Sache der Rebellen anzuschließen, wo sie doch beständige und fruchtbare Beziehungen zu Seiner Majestät unterhielten?

O Gott, und dann war da noch John. Was sollte er zu seinem Freund sagen, wenn die Zeit kam? Ihn mit Logik und Rhetorik überreden, ebenfalls die Farbe seiner Uniform zu wechseln? Er atmete zischend ein und schüttelte konsterniert den Kopf, während er – ganz und gar erfolglos – versuchte, sich vorzustellen, wie sich John Grey, Soldat von Kindesbeinen an, ehemaliger königlicher Gouverneur, die Loyalität in Person und eingefleischter Ehrenmann, plötzlich offiziell auf die Seite von Rebellion und Republik schlug.

Er machte sich im Weitergehen seine Gedanken, merkte jedoch allmählich, dass ihn das Laufen beruhigte und der friedvolle Tag seine Stimmung hob. Vor dem Abendessen würde er noch Zeit haben, mit dem kleinen Jemmy angeln zu gehen, dachte er; die Sonne schien zwar, doch unter den Bäumen hing eine gewisse Feuchte in der Luft, die ihm versprach, dass die Fliegen heute das erste Mal auf dem Wasser schlüpfen würden. Er spürte es in den Knochen, dass kurz vor Sonnenuntergang die Forellen an die Oberfläche steigen würden.

Ein wenig erleichtert, freute er sich, ein Stückchen unterhalb von Fraser's Ridge seine Tochter zu treffen. Ihm wurde warm ums Herz, als er ihre rote Haarpracht sah, die ihr üppig über den Rücken fiel.

»*Ciamar a tha thu, a nighean?*«, sagte er und küsste ihr zum Gruß die Wange.

»*Tha mi gu math, mo athair*«, sagte sie und lächelte, doch er bemerkte, dass die glatte Haut ihrer Stirn von kleinen Fältchen gekräuselt wurde wie ein Forellenteich, auf dem die Larven schlüpfen.

»Ich habe auf dich gewartet«, sagte sie und nahm seinen Arm. »Ich wollte mich mit dir unterhalten, bevor du morgen zu den Indianern reitest.« Und in ihrer Stimme lag etwas, das ihn jeden Gedanken an Fische schlagartig vergessen ließ.

»Oh, aye?«

Sie nickte, aber es schien ihr schwer zu fallen, Worte zu finden – etwas, das ihn noch mehr in Alarm versetzte. Doch er konnte ihr nicht helfen, solange er keine Ahnung hatte, worum es ging. Und so hielt er schweigend, aber ermutigend mit ihr Schritt. In ihrer Nähe war eine Nachtigall zugange und übte ihr Repertoire an Rufen. Es war der Vogel, der in der Rotfichte hinter dem Haus wohnte; er erkannte das Tier, weil es dann und wann mit seinem Gezwitscher innehielt, um das mitternächtliche Jaulen des Katers Adso perfekt zu imitieren.

»Als du mit Roger über die Indianer gesprochen hast«, sagte Brianna schließlich und wandte den Kopf, um ihn anzusehen, »hat er da etwas erwähnt, das sich Marsch der Tränen nennt?«

»Nein«, sagte er neugierig. »Was ist das?«

Sie schnitt eine Grimasse und zog den Kopf auf eine Weise ein, die ihm verstörend vertraut vorkam.

»Das dachte ich mir. Er hat gesagt, er hätte dir alles erzählt, was er über die Indianer und die Revolution weiß – nicht, dass das besonders viel ist, es war nicht sein Spezialgebiet –, aber dies ist nach … wird sich nach der Revolution ereignen. Also hat er es vielleicht nicht für wichtig gehalten. Vielleicht ist es ja auch nicht wichtig.«

Sie zögerte, als wünschte sie, dass er ihr bestätigte, dass es nicht wichtig war. Doch er wartete nur, und sie seufzte und betrachtete im Weitergehen ihre Füße. Sie trug Sandalen ohne Strümpfe, und ihre langen, nackten Zehen waren mit dem feinen Staub der Wagenstraße bedeckt. Der Anblick ihrer Füße erfüllte ihn stets mit einer merkwürdigen Mischung aus Stolz auf ihre elegante Form und schwachem Schamgefühl über ihre Größe – doch da er für beides verantwortlich war, hatte er wohl keinen Grund, sich zu beklagen.

»In etwa sechzig Jahren«, sagte sie schließlich, die Augen auf den Boden gerichtet, »wird die amerikanische Regierung die Cherokee von ihrem Land umsiedeln. Weit weg – in eine Gegend namens Oklahoma. Es sind mindestens tausend Meilen, und sie werden unterwegs zu Hunderten und Aberhunderten verhungern und sterben. Das ist der Grund, warum sie es Marsch der Tränen genannt haben – nennen werden.«

Er war beeindruckt, dass eine Regierung zu so etwas in der Lage sein konnte, und sagte das auch. Sie warf ihm einen wütenden Blick zu.

»Sie werden sich einer List bedienen. Sie werden einige der Cherokee-Anführer überreden, sich damit einverstanden zu erklären, indem sie ihnen Versprechungen machen, die sie dann nicht einhalten.«

Er zuckte mit den Achseln.

»Aber so machen es doch die meisten Regierungen«, merkte er nachsichtig an. »Warum erzählst du mir das? Ich werde doch – Gott sei Dank – längst unter der Erde liegen, bevor es dazu kommt.«

Er sah, wie etwas über ihr Gesicht huschte, als er von seinem Tod sprach, und bedauerte, ihr leichtfertig Kummer bereitet zu haben. Doch bevor er sich entschuldigen konnte, richtete sie sich auf und fuhr fort.

»Ich sage es dir, weil ich dachte, du solltest es wissen«, sagte sie. »Nicht alle Cherokee sind mitgegangen – einige von ihnen sind weiter ins Gebirge gestiegen und haben sich versteckt; die Armee hat sie nicht gefunden.«

»Aye?«

Sie wandte den Kopf und sah ihn mit diesen Augen an, die die seinen waren, und ihr Ernst berührte ihn.

»Verstehst du denn nicht? Mama hat dir gesagt, was passieren würde –

in Culloden. Du konntest es nicht verhindern, aber du hast Lallybroch gerettet. Und deine Männer, deine Pächter. Weil du es vorher wusstest.«

»O Himmel«, sagte er und begriff erschrocken, was sie meinte. Die Erinnerung überspülte ihn wie eine Flut, das Grauen, die Hoffnungslosigkeit und die Unsicherheit jener Zeit – die dumpfe Verzweiflung, die ihn durch jene letzten, schicksalhaften Tag hindurchgetragen hatte. »Du möchtest, dass ich es *Bird* sage.«

Sie rieb sich mit der Hand durch das Gesicht und schüttelte den Kopf.

»Ich weiß es nicht. Ich weiß nicht, ob du es ihm sagen *solltest* – oder ob er auf dich hören wird, wenn du es tust. Aber ich habe mich mit Roger darüber unterhalten, nachdem du ihn über die Indianer befragt hattest. Und ich musste pausenlos weiter darüber nachdenken ... und, nun ja, es kam mir einfach nicht *richtig* vor, es zu wissen und nichts zu tun. Also dachte ich, ich sage es dir besser.«

»Aye, ich verstehe«, sagte er ein wenig trostlos.

Ihm war schon öfter aufgefallen, dass Menschen mit einem empfindsamen Gewissen dazu neigten, ihr eigenes Unbehagen zu mindern, indem sie die Notwendigkeit zu handeln auf jemand anderen übertrugen, verzichtete aber darauf, es zu erwähnen. Sie konnte es *Bird* schließlich kaum selbst sagen.

Als wäre das, was im Zusammenhang mit den Cherokee auf ihn zukam, nicht schon kompliziert genug, dachte er ironisch – jetzt musste er sich zusätzlich damit befassen, künftige Generationen unbekannter Wilder zu retten? Die Nachtigall surrte alarmierend dicht an seinem Kopf vorbei und gackerte dabei ausgerechnet wie ein Huhn.

Das war so unpassend, dass er lachte. Und dann begriff er, dass er gar nichts anderes tun konnte. Nicht im Moment.

Brianna warf ihm einen merkwürdigen Blick zu.

»Was hast du jetzt vor?«

Er reckte sich langsam und ausgiebig und spürte, wie seine Rückenmuskeln an seinen Knochen zogen, jeder einzelne lebendig und real. Die Sonne senkte sich am Himmel, allmählich würde das Abendessen gekocht werden, und für für diese eine, letzte Nacht brauchte er nichts zu tun. Noch nicht.

»Ich gehe angeln«, sagte er und lächelte seine wunderbare, unwahrscheinliche, problembeladene Tochter an. »Hol den Kleinen, aye? Ich hole die Angeln.«

Von James Fraser, Esq., aus Fraser's Ridge
An Mylord John Grey, Mount Josiah Plantage, am 2. April 1774

Mylord,
morgen werde ich aufbrechen, um die Cherokee zu besuchen, und lasse diesen Brief daher bei meiner Frau zurück, damit sie ihn Mr. Higgins

anvertraut, wenn er das nächste Mal kommt, und ihn dieser mitsamt dem dazugehörigen Paket in deine Hände übergibt.

Ich baue auf deine Güte und deine Sorge um meine Familie, wenn ich dich um den Gefallen bitte, den Gegenstand, den ich dir anvertraue, zu verkaufen. Ich vermute, dass deine Verbindungen es dir ermöglichen, einen besseren Preis zu erzielen, als ich es könnte – und dabei diskret vorzugehen.

Ich hoffe, dass ich dir nach meiner Rückkehr die Gründe für meine Handlungsweise anvertrauen kann, gemeinsam mit gewissen philosophischen Überlegungen, die dich wahrscheinlich sehr interessieren werden. In der Zwischenzeit bleibe ich stets

dein dir zugeneigter Freund und ergebener Diener,
J. Fraser

42

Generalprobe

Bobby Higgins sah mich über sein Bier hinweg beklommen an.

»Bitte um Verzeihung, Ma'am«, sagte er. »Aber Ihr denkt nicht zufällig gerade darüber nach, was für eine Medizin Ihr mir noch verabreichen könntet, oder? Die Würmer sind fort, da bin ich mir sicher. Und das – das andere –«, er errötete schwach und wand sich auf der Bank, »– das ist auch ganz geheilt. Ich habe so viele Bohnen gegessen, ich furze regelmäßig, und es tut überhaupt nicht weh!«

Jamie hatte sich schon oft über die Transparenz meiner Gesichtszüge ausgelassen, aber dies war überraschend scharfsichtig von Bobby.

»Es freut mich, das zu hören«, sagte ich und wich seiner Frage fürs Erste aus. »Ihr seht auch aus wie das blühende Leben, Bobby.«

Das stimmte; er hatte sein krankes, ausgezehrtes Aussehen gänzlich verloren, seine Haut war fest und gesund, und seine Augen glänzten. Das blinde Auge war nicht milchig geworden und wanderte auch nicht merklich; ihm musste ein Rest einer schemenhaften Sehfähigkeit geblieben sein, was für meine Diagnose einer teilweisen Hornhautablösung sprach.

Er nickte argwöhnisch und trank einen Schluck Bier, ohne den Blick von mir abzuwenden.

»Es geht mir auch sehr gut, Ma'am«, bestätigte er.

»Wunderbar. Ihr wisst nicht zufällig, wie viel Ihr wiegt, oder, Bobby?«

Der Ausdruck des Argwohns verschwand und wich bescheidenem Stolz.

»Zufällig doch, Ma'am. Letzten Monat habe ich für Seine Lordschaft ein paar Vliese nach Riverport gebracht, und dort gab es einen Händler, der eine Waage hatte – für Tabak, Reis, Indigoblöcke und so. Ein paar von uns haben zum Spaß gewettet, was dies oder das wohl wiegen könnte, und … nun ja, es sind fünfundsechzig Kilo, Ma'am.«

»Sehr schön«, lobte ich beifällig. »Lord Johns Koch muss Euch gut ernähren.« Ich glaubte nicht, dass er mehr als fünfzig Kilo gewogen hatte, als ich ihm das erste Mal begegnete; fünfundsechzig war zwar nach wie vor zu leicht für einen Mann von fast eins achtzig, aber es war schon eine deutliche Verbesserung. Und es war ein echter Glückstreffer, dass er sein genaues Gewicht kannte.

Wenn ich nicht schnell reagierte, war es natürlich gut möglich, dass er noch zehn oder zwölf Kilo zunahm; Mrs. Bug hatte sich vorgenommen, Lord Johns indianischen Koch (von dem wir schon viel gehört hatten) zu übertrumpfen, und zu diesem Zweck schaufelte sie Bobbys Teller gerade mit Ei, Zwiebeln, Braten und einem Stück übrig gebliebener Schweinepastete voll, ganz zu schweigen von dem Korb mit duftenden Muffins, der bereits vor ihm stand.

Lizzie, die neben mir saß, nahm sich einen davon und bestrich ihn mit Butter. Ich stellte zufrieden fest, dass auch sie gesünder aussah und ihr Gesicht eine zarte Röte angenommen hatte – obwohl ich nicht vergessen durfte, ihr eine Blutprobe zu entnehmen, um sie auf Malariaparasiten zu überprüfen. Das konnte ich wunderbar tun, solange sie weg war. Unglücklicherweise war es nicht möglich, ihr Gewicht genau zu bestimmen – aber sie konnte nicht mehr als fünfundvierzig Kilo wiegen, so klein und schmächtig, wie sie war.

Und dann Brianna und Roger am anderen Ende der Skala … Roger musste mindestens achtzig Kilo wiegen; Brianna wahrscheinlich knapp siebzig. Ich nahm mir ebenfalls einen Muffin und überlegte, wie ich meinen Plan am besten verkaufen könnte. Roger würde es natürlich tun, wenn ich ihn fragte, aber Brianna … Bei ihr musste ich vorsichtig sein. Sie hatte mit zehn Jahren unter Äther die Mandeln entfernt bekommen und war davon nicht begeistert gewesen. Wenn sie herausfand, was ich im Schilde führte, und anfing, ihre Meinung darüber kundzutun, war es möglich, dass sie meine restlichen Versuchskaninchen verschreckte.

In meiner Begeisterung über meinen Erfolg bei der Ätherherstellung hatte ich ernstlich unterschätzt, wie schwierig es sein würde, jemanden dazu zu bewegen, mich das Mittel ausprobieren zu lassen. Mr. Christie war zwar ein renitenter Vogel, wie Jamie sich manchmal ausdrückte – doch er war mit seiner Abneigung gegen die Vorstellung, plötzlich in einen Zustand der Bewusstlosigkeit versetzt zu werden, nicht allein.

Ich hätte zwar gedacht, dass Schmerzlosigkeit eine universelle Verlockung darstellte – jedoch nicht für Menschen, die so etwas noch nie erlebt hatten. Eine solche Vorstellung passte für sie in keinen Zusammenhang. Selbst wenn sie vermutlich nicht alle glaubten, dass Äther Teil der papistischen Weltverschwörung war, betrachteten sie es doch als unvereinbar mit der göttlichen Vision des Universums, wenn man ihnen den Schmerz nahm.

Bobby und Lizzie dagegen standen hinreichend unter meinem Einfluss, dass ich mir ziemlich sicher war, sie zu einem kurzen Versuch überreden – oder erpressen – zu können. Wenn sie ihre Erfahrung dann in einem positiven Licht weitererzählten ... Aber verbesserte Öffentlichkeitsarbeit war nur die halbe Miete.

Wirklich wichtig war es, meinen Äther an verschiedenen Personen auszuprobieren und sorgfältig über die Ergebnisse Buch zu führen. Der Schreck, den mir Henri-Christian bei seiner Geburt eingejagt hatte, hatte mir gezeigt, wie beklagenswert unvorbereitet ich war. Ich musste eine Vorstellung davon bekommen, wie viel Äther ich pro Kilo Körpergewicht anwenden musste und durfte, wie lange eine gewisse Dosis vorhielt und wie tief die daraus resultierende Betäubung war. Das Letzte, was ich wollte war bis zum Ellbogen in jemandes Bauch zu stecken, der dann plötzlich kreischend zu sich kam.

»Ihr macht es schon wieder, Ma'am.« Bobby runzelte die Stirn und musterte mich mit zusammengekniffenen Augen, während er langsam weiterkaute.

»Was? Was mache ich?« Ich stellte mich unwissend und bediente mich mit einem Stück Schweinepastete.

»Mich beobachten. So wie ein Falke eine Maus beobachtet, bevor er sich auf sie stürzt. Stimmt es nicht?«, bat er Lizzie um Unterstützung.

»Aye, das stimmt«, pflichtete ihm Lizzie bei und grinste mich verschmitzt an. »Aber so ist sie nun einmal. Und du wärst eine große Maus, Bobby.«

Bobby musste so lachen, dass er sich an seinem Muffin verschluckte. Mrs. Bug blieb stehen, um ihm helfend auf den Rücken zu hämmern, bis er puterrot nach Luft schnappte.

»Was hat er denn nur?«, fragte sie und trat um den Tisch, um einen kritischen Blick auf Bobbys Gesicht zu werfen. »Du hast doch nicht schon wieder die Scheißerei, oder, Junge?«

»*Schon wieder?*«, sagte ich.

»O nein, Ma'am«, krächzte er. »Bewahre! Das war nur das eine Mal, weil ich unreife Äpfel gegessen hatte.« Er verschluckte sich wieder, hustete, setzte sich gerade hin und räusperte sich.

»Könnten wir uns bitte nicht über meine Verdauung unterhalten, Ma'am?«, fragte er flehend. »Zumindest nicht beim Frühstück?«

Ich konnte spüren, wie Lizzie neben mir vor Belustigung vibrierte, doch sie hielt den Blick auf ihren Teller gesenkt, um ihn nicht noch mehr in Verlegenheit zu bringen.

»Natürlich«, sagte ich und lächelte. »Ich hoffe, Ihr bleibt ein paar Tage, Bobby?« Er war tags zuvor angekommen und hatte die übliche Sammlung von Briefen und Zeitungen von Lord John mitgebracht – gemeinsam mit einem Paket, das ein wunderbares Geschenk für Jemmy enthielt; einen Schachtelteufel mit einer Spieluhr, den Lord Johns Sohn Willie eigens aus London geschickt hatte.

»O ja, Ma'am«, versicherte er mir mit vollem Mund. »Seine Lordschaft hat gesagt, ich sollte sehen, ob Mr. Fraser einen Brief für mich hat, also muss ich doch auf ihn warten, nicht wahr?«

»Natürlich.« Jamie und Ian waren letzte Woche zu den Cherokee aufgebrochen; es würde wahrscheinlich noch eine Woche dauern, bis sie zurückkamen. Zeit genug für meine Experimente.

»Gibt es irgendetwas, Ma'am, womit ich Euch zu Diensten sein könnte«, fragte Bobby. »Da ich sowieso hier bin, meine ich, und Mr. Fraser und Mr. Ian nicht?« Diese Worte hatten einen leisen Unterton der Genugtuung; er vertrug sich gut mit Ian, doch es bestand kein Zweifel, dass er es vorzog, Lizzies Aufmerksamkeit ganz für sich allein zu haben.

»Nun, ja«, sagte ich und aß einen Löffel Porridge. »Da Ihr es selbst erwähnt, Bobby…«

Als ich es ihm erklärt hatte, sah Bobby zwar immer noch gesund aus, aber um einiges weniger blühend.

»Mich in den Schlaf versetzen«, wiederholte er unsicher. Er sah Lizzie an, die zwar ebenfalls leicht unsicher wirkte, aber zu sehr daran gewöhnt war, unvernünftige Aufträge zu bekommen, als dass sie mir widersprochen hätte.

»Ihr werdet nur ganz kurz schlafen«, versicherte ich ihm. »Wahrscheinlich merkt Ihr es gar nicht.«

Aus seinem Gesicht sprach beträchtliche Skepsis, und ich konnte sehen, wie er nach einer Entschuldigung angelte. Doch ich hatte diesen Trick vorausgeahnt und spielte jetzt meine Trumpfkarte aus.

»Es ist nicht nur, weil ich die Dosis bestimmen muss«, sagte ich. »Ich kann nicht gleichzeitig einen Patienten operieren und ihm den Äther verabreichen – zumindest ist es schwierig. Malva Christie wird mir assistieren; sie braucht Erfahrung.«

»Oh«, sagte Bobby nachdenklich. »Miss Christie.« Sein Gesicht nahm einen sanften, verträumten Ausdruck an. »Nun. Ich möchte Miss Christie natürlich nicht vor den Kopf stoßen.«

Lizzie stieß einen dieser ökonomischen schottischen Kehllaute aus, die in zwei Silben zugleich Hohn, Verachtung und deutliche Missbilligung ausdrücken konnten.

Bobby blickte fragend auf, ein Stückchen Pastete auf seiner Gabel.

»Hast du etwas gesagt?«

»Wer, ich?«, sagte sie. »Natürlich nicht.« Sie stand abrupt auf, trug ihre Schürze vor sich her, schüttelte die Krümel ins Feuer und wandte sich an mich.

»Wann wollt Ihr es tun?«, fragte sie fordernd, bevor sie nachträglich noch »Ma'am« anfügte.

»Morgen früh«, sagte ich. »Es muss auf leeren Magen sein, also machen wir es als Erstes, vor dem Frühstück.

»Schön!«, sagte sie und stampfte hinaus.

Bobby sah ihr blinzelnd nach und wandte sich dann verwirrt an mich.

»Habe ich etwas gesagt?«

Mrs. Bug sah mir wissend ins Gesicht.

»Gar nichts, Junge«, sagte sie und deponierte eine frische Portion Rührei auf seinem Teller. »Esst auf. Ihr werdet Eure Kraft brauchen.«

Mit ihrer üblichen Kunstfertigkeit hatte Brianna die Maske nach meinen Spezifikationen angefertigt. Sie bestand aus miteinander verwobenen Eichenholzstreifen. Die Konstruktion war einfach, eine Art Doppelkäfig, dessen Hälften man mittels eines Scharniers aufklappen konnte, um eine dicke Schicht Baumwolle dazwischenzuschieben und sie dann wieder zu schließen. Das Ganze war geformt wie eine Catchermaske, die um Mund und Nase des Patienten passte.

»Nehmt genug Äther, um die Baumwolle ganz zu durchfeuchten«, wies ich Malva an. »Wir wollen ja, dass er schnell wirkt.«

»Aye, Ma'am. Oh, das riecht aber unangenehm, nicht wahr?« Sie wandte das Gesicht halb ab und schnüffelte vorsichtig, während sie den Äther auf die Maske träufeln ließ.

»Ja. Passt auf, dass Ihr nicht zu viel davon einatmet«, sagte ich. »Wir wollen ja nicht, dass Ihr bei der Operation umfallt.«

Sie lachte, hielt die Maske aber pflichtschuldigst weiter von sich weg.

Lizzie hatte tapfer angeboten, den Anfang zu machen – mit der eindeutigen Absicht, Bobbys Aufmerksamkeit von Malva auf sich zu lenken. Dies zeigte den gewünschten Erfolg; sie lag hingestreckt auf dem Tisch und hatte die Haube ausgezogen, so dass sich ihr weiches, blondes Haar malerisch über das Kissen ergoss. Bobby saß mit ernster Miene neben ihr und hielt ihr die Hand.

»Nun gut.« Ich hatte eine winzige Sanduhr in der Hand; das Einzige, was mir zur akkuraten Zeitmessung zur Verfügung stand. »Legt sie ihr vorsichtig über das Gesicht. Lizzie, hol einfach nur tief Luft und zähle mit mir, eins … zwei … du liebe Güte, das ging aber schnell, nicht wahr?«

Sie hatte ein Mal tief Luft geholt, so dass sich ihr Brustkorb weit hob – und war beim Ausatmen erschlafft wie eine tote Flunder. Ich drehte hastig die Sanduhr um und überprüfte ihren Puls. Alles bestens.

»Wartet einen Moment; man kann es spüren, wenn sie beginnen, wieder zu Bewusstsein zu kommen, so als würde ihre Haut vibrieren«, wies ich Malva an, während ich mit einem Auge Lizzie, mit dem anderen die Sanduhr beobachtete. »Legt ihr die Hand auf die Schulter … da, spürt Ihr es?«

Malva nickte. Sie zitterte fast vor Aufregung.

»Zwei oder drei Tropfen also.« Diese fügte sie hinzu, hielt den Atem an, und mit einem Seufzer, der sich anhörte wie aus einem undichten Reifen entweichende Luft, entspannte sich Lizzie wieder.

Bobbys blaue Augen waren kreisrund, doch er hielt Lizzies andere Hand fest umklammert.

Ich stoppte die Zeit bis zum beginnenden Erwachen noch ein- oder zweimal, dann bat ich Malva, sie noch etwas tiefer zu betäuben. Ich ergriff die Lanzette, die ich bereitliegen hatte, und stach Lizzie in den Finger. Bobby keuchte auf, als das Blut aufquoll, und blickte dann zwischen dem leuchtend roten Tropfen und Lizzies friedvollem Engelsgesicht hin und her.

»Oh, sie merkt es gar nicht!«, rief er aus. »Da, sie hat nicht mit der Wimper gezuckt!«

»Genau«, sagte ich von tiefer Genugtuung erfüllt. »Sie wird nicht das Geringste spüren, bis sie wieder zu sich kommt.«

»Mrs. Fraser sagt, sie könnte jemanden richtig aufschneiden«, unterrichtete Malva Bobby wichtigtuerisch. »Ihn aufschneiden und die kranke Stelle finden – und er würde nichts davon spüren!«

»Nun, zumindest nicht bis zum Aufwachen«, sagte ich belustigt. »Ich fürchte, danach spürt man es doch. Aber es ist schon eine großartige Sache«, fügte ich sanfter hinzu und widmete mich aufmerksam Lizzies bewusstlosem Gesicht.

Ich ließ sie in der Narkose liegen, während ich die frische Blutprobe untersuchte, dann wies ich Malva an, ihr die Maske abzunehmen. Innerhalb einer Minute begannen Lizzies Augenlider zu flattern. Sie sah sich neugierig um, dann drehte sie das Gesicht zu mir.

»Wann wollt Ihr denn anfangen, Ma'am?«

Obwohl ihr Bobby und Malva versicherten, dass sie während der letzten Viertelstunde für den Betrachter mausetot gewesen war, weigerte sie sich, es zu glauben und behauptete entrüstet, dies sei unmöglich – obwohl sie sich den Einstich an ihrem Finger und den Objektträger mit dem frischen Blut nicht erklären konnte.

»Erinnerst du dich an die Maske auf deinem Gesicht?«, fragte ich. »Und daran, dass ich dir gesagt habe, du sollst tief Luft holen?«

Sie nickte unsicher.

»Aye, das tue ich wohl – und im ersten Moment hat es sich angefühlt, als würde ich ersticken – und im nächsten haben alle auf mich heruntergestarrt!«

»Nun, ich denke, die einzige Möglichkeit, sie davon zu überzeugen, ist, es ihr zu zeigen«, sagte ich und lächelte den drei jungen, erröteten Gesichtern zu. »Bobby?«

Da er darauf brannte, Lizzie zu demonstrieren, dass alles wahr war, hüpfte er auf den Tisch und legte sich ohne Umschweife hin, obwohl der

Puls in seinem schmalen Hals hämmerte, während Malva den Äther auf die Maske träufelte. Sobald sie ihm diese auf das Gesicht drückte, holte er tief und krampfhaft Luft. Er runzelte sacht die Stirn, holte noch einmal Luft – noch einmal – und erschlaffte.

Lizzie schlug die Hände vor den Mund und starrte ihn an.

»Jesus, Maria und Josef!«, rief sie aus. Malva kicherte entzückt.

Lizzie sah mich mit großen Augen an, dann wieder Bobby. Sie beugte sich über sein Ohr, um seinen Namen zu rufen, was keine Wirkung zeigte, dann ergriff sie seine Hand und wackelte sacht damit. Sein Arm schlackerte, und sie stieß einen leisen Ausruf aus und legte seine Hand wieder hin. Sie wirkte sehr aufgeregt.

»Kann er nicht aufwachen?«

»Nicht, bevor wir die Maske abnehmen«, informierte Malva sie neunmalklug.

»Ja, aber man lässt keinen Patienten länger in Narkose als nötig«, fügte ich hinzu. »Es ist nicht gut, wenn man zu lange betäubt ist.«

Malva holte Bobby gehorsam mehrfach an den Rand des Bewusstseins und narkotisierte ihn wieder, während ich mir die Zeiten und Dosen notierte. Als ich damit fast fertig war, bemerkte ich, wie sie Bobby gebannt fixierte und sich dabei auf etwas zu konzentrieren schien. Lizzie hatte sich in eine Ecke des Sprechzimmers zurückgezogen, weil ihr bei Bobbys Anblick unbehaglich wurde. Sie saß auf einem Hocker, flocht ihr Haar und steckte es wieder unter ihre Haube.

Ich stand auf, nahm Malva die Maske aus der Hand und legte sie beiseite.

»Das habt Ihr wunderbar gemacht«, sagte ich. »Danke.«

Sie schüttelte den Kopf, und ihr Gesicht leuchtete.

»O Ma'am! Es war … so etwas habe ich noch nie gesehen. Es ist solch ein Gefühl, nicht wahr? Als hätten wir ihn umgebracht und wieder zum Leben erweckt.« Sie breitete die Hände aus und sah sie halb unbewusst an, als fragte sie sich, wie sie ein solches Wunder hatte vollbringen können. Dann ballte sie sie zu kleinen Fäusten und lächelte mich verschwörerisch an.

»Ich glaube, ich verstehe, warum mein Vater sagt, es ist Teufelswerk. Wenn er sehen könnte, wie es ist –«, sie warf einen Blick auf Bobby, der sich zu regen begann, »– würde er sagen, dass nur Gott das Recht hat, so etwas zu tun.«

»Wirklich«, kommentierte ich trocken. Der Glanz in ihren Augen sagte mir, dass die wahrscheinliche Reaktion ihres Vaters auf das, was wir getan hatten, für sie einer der Hauptbeweggründe für dieses Experiment gewesen war. Eine Sekunde lang bedauerte ich Tom Christie.

»Äh … vielleicht solltet Ihr es Eurem Vater dann lieber nicht erzählen«, schlug ich vor. Sie lächelte, so dass sich ihre kleinen scharfen weißen Zähne zeigten, und verdrehte die Augen.

»Keine Sorge, Ma'am«, versicherte sie mir. »Er würde mich daran hindern wiederzukommen, so schnell wie –«

Bobby setzte unserem Gespräch ein Ende, indem er die Augen öffnete, den Kopf zur Seite drehte und sich übergab. Lizzie schrie auf und eilte an seine Seite, um ihn zu bemuttern, indem sie ihm das Gesicht abwischte und ihm Brandy holte. Malva stand mit leicht überlegener Miene daneben und ließ sie gewähren.

»Oh, war das unangenehm«, wiederholte Bobby ungefähr zum zehnten Mal und rieb sich mit der Hand über den Mund. »Ich habe etwas ganz Schreckliches gesehen – nur eine Sekunde lang – und dann ist mir übel geworden, und alles war vorbei.«

»Was ist es denn gewesen?«, fragte Malva neugierig. Er sah sie argwöhnisch und verunsichert an.

»Ich weiß es ja selbst kaum, wenn ich ehrlich bin, Miss. Nur dass es… irgendwie dunkel war. Eine Gestalt, könnte man sagen; ich glaube, die einer Frau. Aber… schrecklich«, beendete er hilflos seinen Satz.

Nun, schade für ihn. Halluzinationen waren kein ungewöhnlicher Nebeneffekt, aber bei einer solch kurzen Dosis hatte ich nicht damit gerechnet.

»Nun, ich denke, es war einfach nur ein Albtraum«, sagte ich tröstend. »Es ist eine Art Schlaf, also ist es nicht überraschend, dass hin und wieder jemand etwas Merkwürdiges träumt.«

Zu meiner Überraschung schüttelte Lizzie bei diesen Worten den Kopf.

»O nein, Ma'am«, sagte sie. »Es ist ganz und gar nicht wie schlafen. Wenn man schläft, vertraut man seine Seele den Engeln an, damit nichts Böses in ihre Nähe kommt. Aber das hier…« Sie warf einen stirnrunzelnden Blick auf die Ätherflasche, die jetzt wieder sicher verkorkt war, dann musterte sie mich.

»Ich *habe* mich gefragt«, sagte sie, »wohin meine Seele gegangen ist?«

»Äh…«, sagte ich. »Nun, ich nehme an, sie bleibt einfach im Körper. So muss es sein. Ich meine – man ist ja nicht tot.«

Lizzie und Bobby schüttelten energisch die Köpfe.

»Nein, das tut sie nicht«, meinte Lizzie. »Wenn man schläft, ist man immer noch *da*. Wenn man *das hier* macht…«, sie wies auf die Maske, und Beklommenheit regte sich in ihrem schmalen Gesicht, »… ist man es nicht.«

»Das stimmt. Ma'am«, versicherte mir Bobby. »Man ist nicht mehr da.«

»Glaubst du, man kommt vielleicht ins Fegefeuer zu den ungetauften Kindern und alldem?«, fragte Lizzie nervös.

Malva prustete sehr undamenhaft.

»Es gibt kein Fegefeuer«, sagte sie. »Das ist nur etwas, das der Papst erfunden hat.«

Lizzie klappte vor Schreck über diese Gotteslästerung der Mund auf, doch zum Glück lenkte Bobby sie dadurch ab, dass ihm schwindelig wurde und er sich hinlegen musste.

Malva schien zwar nicht übel Lust zu haben, die Diskussion fortzusetzen, doch abgesehen davon, dass sie noch ein- oder zweimal »Der Papst…« sagte, stand sie einfach nur da, schwankte mit offenem Mund hin und her und blinzelte ein wenig. Ich warf einen Blick auf Lizzie, die ebenfalls glasige Augen hatte. Sie gähnte hemmungslos und blinzelte mich mit tränenden Augen an.

Ich stellte fest, dass auch mir jetzt leicht schwindelig wurde.

»Ach du liebe Güte!« Ich riss Malva die Äthermaske aus der Hand und führte sie hastig zu einem Hocker. »Lasst mich das fortbringen, sonst wird uns noch allen schwindelig.«

Ich klappte die Maske auf, zog die feuchte Baumwolle heraus und trug sie auf Armeslänge aus dem Zimmer. Ich hatte beide Fenster des Sprechzimmers geöffnet, um für Frischluft zu sorgen und zu verhindern, dass wir alle vergast wurden, aber Äther war heimtückisch. Er war schwerer als Luft und sank daher zu Boden und sammelte sich dort, es sei denn, es gab einen Ventilator oder ein anderes Hilfsmittel, um ihn zu entfernen. Ich würde möglicherweise im Freien operieren müssen, dachte ich, wenn ich gezwungen war, länger damit zu arbeiten.

Ich legte die Baumwolle zum Trocknen auf einen Stein und ging zurück, in der Hoffnung, dass sie jetzt alle zu benommen waren, um ihre philosophischen Spekulationen fortzusetzen. Ich war nicht scharf darauf, dass sie *diesen* Gedanken weitersponnen; wenn es sich in Fraser's Ridge herumsprach, dass Äther die Menschen von ihren Seelen trennte, würde ich niemals jemanden dazu bewegen, ihn anwenden zu dürfen, ganz gleich, wie brenzlig die Lage war.

»Nun, vielen Dank für Eure Hilfe«, sagte ich und lächelte, als ich das Zimmer betrat und erleichtert feststellte, dass sie alle hinlänglich wach aussahen. »Ihr habt etwas sehr Nützliches und Wertvolles getan. Aber jetzt geht an Eure Arbeit – ich räume hier auf.«

Malva und Lizzie zögerten ein paar Sekunden, denn keine der beiden wollte Bobby der anderen überlassen. Doch auf mein Drängen hin drifteten sie auf die Tür zu.

»Für wann ist Eure Hochzeit geplant, Miss Wemyss?«, fragte Malva beiläufig – und so laut, dass Bobby es hören konnte, obwohl sie es mit Sicherheit wusste; jeder in Fraser's Ridge wusste es.

»August«, erwiderte Lizzie kühl und hob ihre kleine Nase ein Stückchen. »Gleich nach der Heuernte – *Miss* Christie.« *Und dann bin ich Mrs. McGillivray*, sagte die Genugtuung in ihrer Miene. *Und Ihr* – Miss *Christie – seid ohne einen einzigen Verehrer*. Nicht, dass Malva bei den jungen Männern keine Aufmerksamkeit erregte; nur, dass ihr Vater und ihr Bruder diese geflissentlich von ihr fern hielten.

»Ich wünsche Euch alles Gute«, sprach Malva hoheitsvoll. Sie richtete den Blick auf Bobby Higgins, dann wieder auf Lizzie, und lächelte, gesetzt und anständig unter ihrer gestärkten weißen Haube.

Bobby blieb noch einen Moment auf dem Tisch sitzen und sah den Mädchen nach.

»Bobby«, sagte ich, weil mir seine zutiefst nachdenkliche Miene auffiel, »die Gestalt, die Ihr in der Narkose gesehen habt – habt Ihr sie erkannt?«

Er sah mich an, dann glitt sein Blick wieder zu der leeren Tür, als könnte er ihn nicht abwenden.

»O nein, Ma'am«, sagte er in einem solchen Tonfall ernster Überzeugung, dass ich wusste, dass er log. »Ganz und gar nicht!«

43

Heimatlose

Sie hatten am Ufer eines kleinen Sees, den die Indianer *Viele Binsen* nannten, Halt gemacht, um die Pferde zu tränken. Es war ein warmer Tag, und sie fesselten den Pferden die Beine, zogen sich aus und wateten ins Wasser, das von einer Quelle gespeist wurde und herrlich kalt war. So kalt, dass es alle Sinne aufschreckte, und Jamie zumindest vorübergehend von seinen finsteren Überlegungen bezüglich der Note ablenkte, die MacDonald ihm von John Stuart, dem Superintendenten für Indianerfragen im Südlichen Department überbracht hatte.

Sie war voll des Lobes über die Schnelligkeit und den Unternehmergeist gewesen, mit denen er die *Snowbird*-Cherokee unter britischen Einfluss gebracht hatte – hatte ihn im Weiteren aber zu noch aktiverem Engagement gedrängt, indem sie ihn auf Stuarts persönlichen Coup hinwies, die Choctaw und die Chickasaw bei der Wahl ihrer Häuptlinge zu beeinflussen, und zwar im Rahmen einer Zusammenkunft, die er vor zwei Jahren selbst einberufen hatte.

Der Feuereifer der Kandidaten im Wettstreit um Orden und finanzielle Vorteile war so groß, wie man ihn sich nur vorstellen kann, und glich den Anstrengungen der ehrgeizigsten Männer großer Staaten im Ringen um Ehre und Vorteile. Ich habe keine Mühen gescheut, um mich über ihre Charaktere zu informieren, und habe die Posten mit jenen Männern besetzt, die mir am würdigsten erschienen, und am geeignetsten, die Ordnung zu wahren und dafür zu sorgen, dass diese Nation im britischen Interesse handelt. Ich dränge Euch, bei den Cherokee ähnlich gute Resultate anzustreben.

»Oh, aye«, sagte er laut, als er in einem Binsendickicht auftauchte und sich das Wasser aus dem Haar schüttelte. »Ich soll Tsisqua absetzen, zweifellos durch ein Attentat, und dann den Rest bestechen, damit sie *Pipestone Carver* –«, den kleinsten und krankhaft bescheidensten Indianer, dem Jamie je begegnet war, »– als Friedenshäuptling einsetzen. Hach!« Er tauchte in einem Schwall von Luftblasen erneut unter und amüsierte sich damit, Stuarts Dünkel zu verfluchen und zuzusehen, wie die Worte als wabernde Quecksilberkugeln aufstiegen, um im hellen Licht der Wasseroberfläche wie von Zauberhand zu verschwinden.

Er tauchte erneut auf und schnappte nach Luft, dann hielt er den Atem an.

»Was war das?«, sagte eine erschrockene Stimme ganz in der Nähe. »Waren das die Männer?«

»Nein, nein«, sagte eine andere leise und drängend. »Sie sind nur zu zweit; ich sehe sie beide, dort drüben, siehst du?«

Er atmete mit offenem Mund, während er sich anstrengte, sie trotz seines Herzklopfens zu hören.

Er hatte sie zwar verstanden, konnte ihrer Sprache aber im ersten Moment keinen Namen zuordnen. Indianer, aye, aber keine Cherokee; sie waren … Tuscarora, das war es.

Er hatte seit Jahren mit keinem Tuscarora-Indianer mehr gesprochen; die meisten von ihnen waren in der Folge der Masernepidemie, die so viele von ihnen das Leben gekostet hatte, nach Norden gewandert – um sich in der Gegend, die die Liga der Irokesen kontrollierte, ihren Mohawk-»Vätern« anzuschließen.

Diese beiden diskutierten zwar im Flüsterton, jedoch so dicht bei ihm, dass er das meiste, was sie sagten, verstehen konnte; sie waren kaum mehr als einen Meter von ihm entfernt, verborgen durch ein beinahe mannshohes Dickicht aus Schilf und Binsen.

Wo war Ian? Er konnte es am anderen Ende des Sees plätschern hören, und als er vorsichtig den Kopf wandte, sah er aus dem Augenwinkel, dass Ian und Rollo im Wasser spielten und der Hund fast völlig untergetaucht umherpaddelte. Wenn man es nicht besser wusste – und der Hund die Eindringlinge nicht witterte und bellte – sahen sie ganz wie zwei schwimmende Männer aus.

Die Indianer waren jedenfalls zu diesem Schluss gekommen – zwei Pferde, also auch zwei Männer, beide in sicherer Entfernung. Unter großem Knarzen und Rascheln setzten sie sich verstohlen in Richtung der Pferde in Bewegung.

Jamie hatte beinahe Lust, sie versuchen zu lassen, Gideon zu stehlen, und zu sehen, wie weit sie damit kamen. Doch es war möglich, dass sie sich nur mit Ians Pferd und dem Packmaultier davonmachten – und Claire würde stocksauer sein, wenn er zuließ, dass sie Clarence mitnahmen. Mit dem deutlichen Gefühl, beträchtlich im Nachteil zu sein, glitt er nackt durch das Schilf, verzog das Gesicht, weil es so auf seiner Haut scheuerte, und kroch dann zwischen den Rohrkolben hindurch an das schlammige Ufer.

Wären sie so klug gewesen, sich umzusehen, hätten sie das Röhricht schwanken sehen müssen – und er hoffte, dass Ian es sehen *würde* – aber sie waren ganz auf ihr Vorhaben konzentriert. Jetzt konnte er sie im hohen Gras am Waldrand kauern und hin und her spähen sehen – jedoch nie in die richtige Richtung.

Nur zwei, dessen war er sich jetzt sicher. Jung, ihren Bewegungen nach, und unsicher. Er konnte nicht sehen, ob sie bewaffnet waren.

Schlammbeschmiert kroch er weiter und ließ sich im fauligen Gras dicht am See auf den Bauch sinken, um sich dann hastig in den Schutz eines Sumachstrauchs zu winden. Was er brauchte, war ein Knüppel, und zwar schnell.

Wie üblich unter solchen Umständen bot sich natürlich nichts an außer Zweigen und längst verrotteten Ästen. Da er nichts Besseres entdeckte, ergriff er einen ordentlichen Stein, fand dann aber, was er suchte, einen Hartriegelast, den der Wind abgebrochen hatte und der in seiner Reichweite noch am Baum hing.

Sie näherten sich jetzt den grasenden Pferden; Gideon sah sie und hob den Kopf. Er kaute weiter, legte aber in unverhohlenem Argwohn die Ohren halb an. Clarence, der ewig freundliche, nahm ebenfalls Notiz von den Ankömmlingen und hob den Kopf, die Ohren hellwach aufgestellt.

Jamie nutzte die Gelegenheit, und als Clarence sein Willkommensgeschrei ausstieß, riss er den Ast vom Baum, stürzte auf die Eindringlinge zu und brüllte aus voller Kehle »*Tulach Ard!*«.

Weit aufgerissene Augen blickten ihm entgegen, und der eine der Männer ergriff mit wehendem Haar die Flucht. Der andere folgte ihm, doch da er stark humpelte, brach er auf ein Knie ein, weil irgendetwas nachgab. Er war zwar sofort wieder auf den Beinen, jedoch zu langsam; Jamie hieb ihm außer sich vor Wut den Ast mit beiden Händen vor die Beine, so dass er auf dem Boden landete, dann sprang er auf den Rücken des Mannes und presste ihm brutal das Knie in die Niere.

Der Mann stieß ein ersticktes Geräusch aus und erstarrte, gelähmt vor Schmerz. Jamie hatte seinen Stein fallen gelassen – nein, da war er ja. Er hob ihn auf und versetzte dem Mann einen ordentlichen Hieb hinter das Ohr, als Glücksbringer. Und schon hetzte er dem zweiten nach, der auf den Wald zugehalten hatte, dann aber ausscherte, weil ihm ein steiniger Bach den Weg versperrte. Jetzt rannte der Mann mit großen Sätzen durch das Schilf; Jamie sah, wie er in Todesangst einen Blick zum Wasser warf, wo Ian und Rollo wie die Biber auf ihn zuschwammen.

Möglich, dass es der Indianer in den Schutz des Waldes geschafft hätte, wenn er nicht plötzlich mit einem Fuß im weichen Schlamm eingesunken wäre. Er stolperte seitwärts, und Jamie holte ihn ein, rutschte im Schlamm aus, bekam ihn zu fassen.

Der Mann war jung und sehnig und kämpfte wie ein Aal. Jamie, der ihm an Größe und Gewicht überlegen war, schaffte es, ihn zu Boden zu werfen, und sie fielen zusammen hin und rollten ineinander gekrallt durch Schilf und Schlamm. Der Indianer packte Jamies langes Haar und riss daran, so dass ihm die Augen tränten; er boxte den Mann fest in die Rippen, damit er losließ, und als er es tat, stieß er ihm den Kopf ins Gesicht.

Seine Stirn traf mit einem dumpfen Knall auf die des Indianers, und ein blendender Schmerz fuhr ihm durch den Kopf. Sie sanken keuchend auseinander, und Jamie rappelte sich auf die Knie hoch. Ihm war schwindelig, und er versuchte mit tränenden Augen, etwas zu sehen.

Einem grauen Blitz folgte ein Schreckensschrei. Rollo bellte einmal aus der Tiefe seiner Brust, dann ging er zu einem grollendem, unablässigen Knurren über. Jamie kniff ein Auge zu, eine Hand auf seiner dröhnenden Stirn, und erspähte seinen Gegner auf dem Rücken im Schlamm. Rollo stand über ihm und hatte die Zähne unter seinen schwarzen Lippen gefletscht.

Füße rannten plätschernd durch das flache Wasser, und dann war Ian da. Er schnappte keuchend nach Luft.

»Geht es dir gut, Onkel Jamie?«

Er zog seine Hand zurück und betrachtete seine Finger. Kein Blut, obwohl er hätte schwören können, dass sein Kopf eine Platzwunde hatte.

»Nein«, sagte er, »aber besser als ihm. O Himmel.«

»Hast du den anderen umgebracht?«

»Wahrscheinlich nicht. O Gott.«

Er stützte sich auf Hände und Knie, kroch ein kleines Stück beiseite und übergab sich. Hinter sich konnte er hören, wie Ian im Befehlston auf Cherokee fragte, wer die Männer waren und ob sie in Begleitung waren.

»Es sind Tuscarora«, ächzte er. Sein Kopf dröhnte immer noch, aber er fühlte sich etwas besser.

»Oh, aye?« Ian war überrascht, wechselte aber sofort in die Sprache der Kahnyen'kehaka. Der junge Gefangene, dem schon Rollo Furcht und Schrecken einjagte, sah jetzt aus, als könnte er angesichts von Ians Tätowierungen und der Tatsache, dass er Mohawk sprach, vor Angst sterben. Kahnyen'kehaka gehörte zur selben Familie wie die Tuscarora-Sprache, und der junge Mann konnte eindeutig verstehen, was Ian sagte, denn er antwortete vor Angst stammelnd. Sie waren allein. War sein Bruder tot?

Jamie spülte seinen Mund mit Wasser aus und bespritzte sein Gesicht. Das war schon besser, obwohl über seinem linken Auge eine Beule von der Größe eines Enteneis heranschwoll.

»Bruder?«

Ja, sagte der junge Mann, sein Bruder. Wenn sie nicht vorhatten, ihn auf der Stelle umzubringen, ob er dann nachsehen dürfte? Sein Bruder war verletzt.

Ian bat Jamie mit einem Blick um seine Zustimmung, dann rief er Rollo mit einem Wort zurück. Der mitgenommene Gefangene kämpfte sich mühsam auf die Beine, stolperte und trat den Rückweg über das Ufer an, gefolgt von dem Hund und den zwei nackten Schotten.

Der andere Mann war in der Tat verletzt; durch einen improvisierten Verband an seinem Bein drang Blut. Er hatte den Verband aus seinem Hemd gemacht und sah halb verhungert aus mit seiner nackten Brust und seinem hageren Körperbau. Jamie sah vom einen zum anderen; keiner von ihnen konnte älter sein als zwanzig, dachte er, und wahrscheinlich waren sie noch jünger. Ihre Gesichter waren von Hunger und Strapazen gezeichnet, ihre Kleider kaum mehr als Lumpen.

Die Pferde hatten sich ein kleines Stück entfernt, weil die Auseinandersetzung sie nervös gemacht hatte, aber die Kleider, die die Schotten über die Büsche gehängt hatten, waren noch da. Ian zog sich seine Hose an und ging zu den Satteltaschen, um etwas zu essen und zu trinken zu holen, während sich Jamie gemächlicher anzog und dem jungen Mann, der seinen Bruder angstvoll untersuchte, weitere Fragen stellte.

Wie der junge Mann bestätigte, waren sie Tuscarora. Er hatte einen langen Namen, der in etwa »das Glänzen auf dem Wasser im Frühling« bedeutete, kurz *Light on Water*; dies war sein Bruder, »der Ganter, der im Flug den Anführer ermutigt«, schlicht *Goose* genannt.

»Was ist mit ihm passiert?« Jamie zog sich das Hemd über den Kopf und wies kopfnickend – eine Bewegung, bei der er zusammenzuckte – auf das Loch in *Gooses* Bein, das offensichtlich durch etwas wie eine Axt verursacht worden war.

Light on Water holte tief Luft und schloss einen Moment die Augen. Auch er hatte eine ordentliche Beule am Kopf.

»Tsalagi«, sagte er. »Wir waren vierzig Mann; die anderen sind tot oder in Gefangenschaft. Ihr werdet uns ihnen nicht übergeben, Herr? Bitte?«

»Tsalagi? Welche?«

Light schüttelte den Kopf; er wusste es nicht. Sein Clan hatte beschlossen zu bleiben, als sein Dorf nach Norden wanderte, doch es war ihnen nicht gut ergangen; sie hatten nicht genug Männer, um ein Dorf zu verteidigen und zu jagen, und ohne Verteidiger stahlen andere ihre Ernte und entführten ihre Frauen.

Als sie zunehmend ärmer wurden, waren sie dazu übergegangen, zu betteln und selbst zu stehlen, um den Winter zu überleben. Immer mehr waren an Kälte und Krankheit gestorben, und die Übrigen waren ziellos umhergezogen. Dann und wann hatten sie eine Stelle gefunden, an der sie sich für ein paar Wochen niederließen, waren aber ständig von den weit überlegenen Cherokee vertrieben worden.

Vor ein paar Tagen waren sie von einem Trupp Cherokee-Krieger überfallen worden, die sie überrumpelt und die meisten von ihnen getötet hatten. Einige Frauen hatten sie mitgenommen.

»Sie haben meine Frau«, sagte *Light* mit zittriger Stimme. »Wir wollten sie – sie zurückholen.«

»Natürlich werden sie uns umbringen«, sagte *Goose* schwach, aber eigentlich recht fröhlich. »Doch das spielt keine Rolle.«

»Natürlich nicht«, sagte Jamie und musste lächeln. »Wisst Ihr, wohin sie sie gebracht haben?«

Die Brüder wussten, welche Richtung die Räuber eingeschlagen hatten, und sie hatten vor, ihre Spur bis zu ihrem Dorf zu verfolgen. Dort entlang, sagten sie und wiesen auf eine Lücke zwischen den Bergen. Ian sah Jamie an und nickte.

»*Bird*«, sagte er. »Oder besser *Fox*«, denn *Running Fox* war der Kriegshäuptling des Dorfes; ein tüchtiger Krieger, wenn es ihm auch etwas an Einfallsreichtum mangelte – ein Charakterzug, den *Bird* in Hülle und Fülle besaß.

»Sollen wir ihnen also helfen?«, sagte Ian auf Englisch. Er zog seine feinen Augenbrauen fragend hoch, doch Jamie merkte, dass es nur eine rhetorische Frage war.

»Oh, aye, ich denke schon.« Er rieb sich vorsichtig die Stirn; die Haut auf der Beule war bereits überdehnt und empfindlich. »Aber zuerst lass uns essen.«

Die Frage war nicht, ob sie es tun sollten, sondern nur, wie. Den Vorschlag, dass die Brüder *Lights* Frau zurückstehlen könnten, verwarfen Jamie und Ian kategorisch.

»Sie *werden* euch umbringen«, versicherte Ian ihnen.

»Das stört uns nicht«, meinte *Light* standhaft.

»Natürlich nicht«, sagte Jamie. »Aber was ist mit Eurer Frau? Sie würde allein zurückbleiben, und es hätte ihr nichts genützt.«

Goose nickte einsichtig.

»Er hat Recht, weißt du«, sagte er zu seinem finster blickenden Bruder.

»Wir könnten die Cherokee um sie bitten«, schlug Jamie vor. »Eine Frau für dich, Ian. *Bird* hält viel von dir; er würde sie dir bestimmt geben.«

Er scherzte nur halb. Wenn noch kein anderer die junge Frau geheiratet hatte, war es möglich, dass sich der Mann, dem sie als Sklavin diente, überreden ließ, sie Ian zu geben, der großen Respekt genoss.

Ian lächelte, schüttelte aber den Kopf.

»Nein, es ist besser, wenn wir Lösegeld bezahlen. Oder –« Er musterte nachdenklich die beiden Indianer, die sich fleißig durch die restlichen Vorräte aus den Satteltaschen futterten. »Sollten wir *Bird* vielleicht bitten, sie zu adoptieren?«

Das war eine wirklich gute Idee. Denn sobald sie die junge Frau zurückhatten, würde es ihr und ihren Brüdern wieder genauso elend gehen wie zuvor – sie würden hungrig umherwandern.

Doch die Brüder schüttelten stirnrunzelnd die Köpfe.

»Ein voller Magen ist schön«, sagte *Goose* und leckte sich die Finger ab. »Aber wir haben mit angesehen, wie sie unsere Familie, unsere Freunde umgebracht haben. Wenn wir es nicht mit eigenen Augen gesehen hätten, wäre es möglich. Aber –«

»Aye, ich verstehe«, sagte Jamie und war eine Sekunde lang sogar erstaunt, weil er es tatsächlich verstand; offenbar hatte er schon mehr Zeit unter den Indianern verbracht, als er angenommen hatte.

Die Brüder wechselten einen Blick, mit dem sie offenbar einen Gedanken austauschten. Als ihre Entscheidung gefallen war, wies *Light* respektvoll auf Jamie.

»Wir sind *Eure* Sklaven«, sagte er ein wenig zaghaft. »Es ist an Euch zu entscheiden, was mit uns geschehen soll.« Er hielt zögernd inne und wartete.

Jamie rieb sich mit der Hand über das Gesicht und dachte, dass er wohl doch nicht genug Zeit unter den Indianern verbracht hatte. Ian lächelte zwar nicht, doch er schien ein schwach belustigtes Vibrieren auszustrahlen.

MacDonald hatte ihm von Kriegszügen während der Franzosenkriege erzählt; Soldaten, die Indianer gefangen nahmen, brachten sie normalerweise um, um das Skalpgeld zu kassieren, oder sie verkauften sie als Sklaven. Diese Kriegszüge waren gerade einmal zehn Jahre vorbei, und der Frieden war seitdem häufig von Unrast erfüllt gewesen – und die verschiedenen Indianerstämme machten ihre Gefangenen weiß Gott zu Sklaven, es sei denn sie beschlossen aus unerfindlichen indianischen Gründen, sie stattdessen zu adoptieren oder umzubringen.

Er hatte die beiden Tuscarora gefangen genommen; ergo befahl es die Sitte, dass sie jetzt seine Sklaven waren.

Er verstand bestens, was *Light* andeutete – dass *er* die beiden Indianer adoptieren sollte und die junge Frau zweifellos ebenso, wenn sie erst gerettet war. Und wie in Gottes Namen war ihm plötzlich diese Verantwortung zugefallen?

»Nun ja, für Skalps gibt es im Moment keinen Markt«, merkte Ian an. »Obwohl du die beiden vielleicht wirklich an *Bird* verkaufen könntest. Obwohl sie nicht viel wert sind, so dürr und kränklich, wie sie sind.«

Die Brüder starrten ihn reglos an und erwarteten seine Entscheidung. *Light* rülpste unvermittelt, und die Brüder zogen überraschte Gesichter. Jetzt lachte Ian doch, ein leises, knarrendes Geräusch.

»Oh, das könnte ich nie tun, und das wisst ihr alle drei ganz genau«, sagte Jamie gereizt. »Ich hätte dich fester schlagen und mir den Ärger ersparen sollen«, sagte Jamie zu *Goose*, der ihn gutmütig angrinste, so dass man seine Zahnlücke sah.

»Ja, Onkel«, sagte er und verbeugte sich zutiefst respektvoll.

Jamie erwiderte das mit einem missmutigen Geräusch, das die beiden Indianer jedoch ignorierten.

Die Orden also. MacDonald hatte ihm eine Kiste mitgebracht, die zum Bersten mit Orden, Blechknöpfen, billigen Messingkompassen, stählernen Messerklingen und anderen hübschen Nutzlosigkeiten gefüllt war. Da sich die Macht der Häuptlinge aus ihrer Beliebtheit ableitete und diese direkt proportional zu ihrem Vorrat an Geschenken stieg, nahmen die britischen Indianeragenten Einfluss, indem sie sich gegenüber jenen Häuptlingen freigebig zeigten, die ihre Bereitschaft signalisierten, sich auf die Seite der Krone zu stellen.

Er hatte nur zwei kleine Beutel solcher Bestechungsgeschenke dabei; den Rest hatte er für künftige Gelegenheiten zu Hause gelassen. Was er dabei hatte, würde zwar sicher ein ausreichendes Lösegeld für Mrs. *Light* abgeben, doch wenn er alles dafür ausgab, musste er den Häuptlingen der anderen Dörfer mit leeren Händen gegenübertreten – und das kam nicht in Frage.

Nun, dann musste er Ian wohl zurückschicken, um noch mehr zu holen. Aber erst, wenn er das Lösegeld ausgehandelt hatte; dabei brauchte er Ians Hilfe.

»Also schön«, sagte er und stand auf. Er wehrte sich gegen ein plötzliches Schwindelgefühl. »Aber ich werde sie *nicht* adoptieren.« Das Letzte, was er zurzeit brauchte, waren noch drei Mäuler, die er stopfen musste.

44

Scottie

Die junge Frau frei zu bekommen, war, wie er erwartet hatte, ein simpler Tauschhandel. Am Ende war Mrs. *Light* sogar ziemlich billig; ihr Preis betrug sechs Orden, vier Messer und einen Kompass. Natürlich hatte er sie vor dem Abschluss des Handels nicht zu Gesicht bekommen – hätte er sie erst gesehen, hätte er noch weniger geboten; sie war ein kleines, pockennarbiges Mädchen von etwa vierzehn, das leicht schielte.

Doch über Geschmack ließ sich nicht streiten, und *Light* und *Goose* waren schließlich beide bereit gewesen, für sie zu sterben. Sicher war sie sehr liebenswürdig oder besaß irgendeinen anderen herausragenden Wesenszug, wie zum Beispiel Talent im Bett.

Es schockierte ihn, sich bei einem solchen Gedanken zu ertappen, und er betrachtete sie sich genauer. Es war alles andere als offensichtlich – und doch strahlte sie jetzt, *da* er hinsah, jene seltsame Anziehungskraft, diese bemerkenswerte Gabe einiger weniger Frauen aus, die einen Mann dazu brachte, Oberflächlichkeiten wie Aussehen, Alter oder Klugheit links liegen zu lassen, und in ihm schlicht den Wunsch weckten, sie zu packen und –

Er erstickte das entstehende Bild im Keim. Ihm waren schon öfter solche Frauen begegnet, meistens Französinnen. Und er hatte schon öfter gedacht, dass es eventuell das französische Erbe seiner Frau war, das dafür verantwortlich war, dass sie diese höchst begehrenswerte, aber äußerst gefährliche Gabe besaß.

Er konnte sehen, wie *Bird* das Mädchen nachdenklich betrachtete und ganz offensichtlich bedauerte, dass er sie für so wenig hatte gehen lassen. Glücklicherweise wurde er in diesem Moment auf andere Gedanken gebracht – ein Jagdtrupp kehrte zurück und brachte Gäste mit.

Die Gäste waren Cherokee der *Overhill*-Sippe, weit entfernt von ihrer Heimat in den Bergen Tennessees. Und mit ihnen kam ein Mann, von dem Jamie schon oft gehört hatte, dem er aber bis zu diesem Tag nie begegnet war – ein gewisser Alexander Cameron, den die Indianer »Scottie« nannten.

Cameron war ein dunkelhaariger, wettergegerbter Mann in den mittleren Jahren, der nur durch seinen dichten Bart und seine lange, vorwitzige Nase von den Indianern zu unterscheiden war. Er lebte bei den Cherokee, seit er fünfzehn war, war mit einer Indianerin verheiratet und genoss großen Respekt bei ihnen. Außerdem war er Indianeragent und bestens mit John Stuart bekannt. Und die Tatsache, dass er hier war, zweihundert Meilen von zu Hause entfernt, ließ Jamies lange, vorwitzige Nase neugierig zucken.

Seine Neugier stieß eindeutig auf Gegenseitigkeit; Cameron betrachtete ihn mit seinen tiefliegenden Augen, in denen gleichermaßen Intelligenz und Verschlagenheit schimmerten.

»Der rothaarige Bärentöter, och, och!«, rief er aus, schüttelte Jamie herzlich die Hand und umarmte ihn dann nach Indianerart. »Ich habe schon so viel von Euch gehört und immer darauf gebrannt, Euch zu begegnen, um zu sehen, ob es wahr ist.«

»Das bezweifle ich«, sagte Jamie. »In der letzten Geschichte, die ich selbst gehört habe, hatte ich drei Bären gleichzeitig erledigt und den letzten auf dem Baum getötet, auf den er mich gejagt hatte, nachdem er mir den Fuß abgefressen hatte.«

Cameron senkte unwillkürlich den Blick auf Jamies Füße – und sah dann wieder hoch und brüllte vor Lachen, wobei sich die Falten in seinem Gesicht zu einer solch unwiderstehlichen Miene der Fröhlichkeit verzogen, dass Jamie spürte, wie auch in ihm Gelächter aufstieg.

Natürlich geziemte es sich vorerst nicht, von Geschäftsdingen zu sprechen. Der Jagdtrupp hatte einen Waldbüffel erlegt, und ein Fest wurde vorbereitet; die Leber wurde entfernt, um kurz angebraten und auf der Stelle verspeist zu werden, das Filet wurde mit ganzen Zwiebeln gebraten, und das Herz – so sagte ihm Ian – würde als Ehrenbeweis unter ihnen aufgeteilt werden: ihm selbst, Cameron, *Bird* und *Running Fox*.

Nachdem die Leber verzehrt war, zogen sie sich in *Bird*s Haus zurück, um erst einmal gemächlich Bier zu trinken, während die Frauen das restliche Essen zubereiteten. Und wie es die Natur will, fand er sich irgendwann im Freien wieder und pinkelte genüsslich an einen Baum, als er hinter sich leise Schritte hörte und Alexander Cameron neben ihn trat und ebenfalls seine Hose öffnete.

Danach ergab es sich wie von selbst – obwohl es eindeutig Camerons Absicht gewesen war –, dass sie ein wenig spazieren gingen, um sich in der kühlen Abendluft vom Rauch im Inneren des Hauses zu erholen, während sie über Dinge sprachen, die sie beide interessierten – John Stuart zum Beispiel und die Zustände im Südlichen Department. Und die Indianer. Sie verglichen die Persönlichkeiten der verschiedenen Häuptlinge und ihrer beider Art, mit ihnen umzugehen, spekulierten gemeinsam, wer einen guten Anführer abgeben würde, und ob es wohl im Verlauf des Jahres zu einer großen Zusammenkunft der Stämme kommen würde.

»Ihr wundert Euch sicher«, sagte Cameron ganz beiläufig, »dass ich hier bin?«

Jamie zuckte kaum merklich mit den Schultern, um zuzugeben, dass es ihn interessierte, aber gleichzeitig anzudeuten, dass es ihm die Höflichkeit verbot, sich nach Camerons Angelegenheiten zu erkundigen.

Cameron gluckste.

»Aye, nun ja. Es ist gewiss kein Geheimnis. James Henderson ist der Grund – der Name ist Euch sicher bekannt?«

So war es. Henderson war Chefrichter des Obersten Gerichtshofs von North Carolina gewesen – bis ihn die Regulatoren gezwungen hatten zu gehen. Er war aus dem Fenster seines Gerichtsgebäudes geklettert und vor einem mordlustigen Pöbel um sein Leben gerannt.

Da Henderson wohlhabend war und ihm an seiner Haut gelegen war, hatte er sich aus dem öffentlichen Leben zurückgezogen und sich ganz der Vermehrung seines Vermögens gewidmet. Zu diesem Zweck erwog er jetzt, den Cherokee ein gewaltiges Stück Land in Tennessee abzukaufen und dort Ortschaften zu gründen.

Jamie fixierte Cameron kurz. Er begriff sofort, wie komplex diese Situation war. Zunächst einmal lag das fragliche Land weit, weit jenseits der Vertragsgrenze. Dass Henderson solche Verhandlungen anbahnen konnte, war ein deutlicher Hinweis – wäre ein solcher nötig gewesen –, wie schwach der Einfluss der Krone in letzter Zeit geworden war. Henderson dachte sich offenbar nicht das Geringste dabei, den Vertrag Seiner Majestät mit Füßen zu treten, und rechnete infolge dieser Handlungsweise mit keinerlei Einmischung in seine Angelegenheiten.

Das war das eine. Zweitens jedoch besaßen die Cherokee ihr Land gemeinsam, wie alle Indianer. Häuptlinge konnten Land an Weiße verkaufen – und taten dies auch –, ohne auf gesetzliche Nettigkeiten wie Besitzurkunden angewiesen zu sein. Doch sie unterstanden nach getaner Tat immer noch der Zustimmung oder Ablehnung ihres Volkes. Diese Zustimmung hatte zwar keinen Einfluss mehr auf den Verkauf, der ja bereits vollzogen sein würde, doch sie konnte zum Fall eines Häuptlings führen – und zu großem Ärger für denjenigen, der versuchte, von seinem Land, das er mehr oder minder guten Glaubens bezahlt hatte, Besitz zu ergreifen.

»John Stuart weiß natürlich davon«, sagte Jamie, und Cameron nickte mit einem Hauch von Selbstgefälligkeit.

»Natürlich nicht offiziell«, sagte er.

Natürlich nicht. Der Superintendent in Indianerfragen konnte ein solches Arrangement kaum öffentlich gutheißen. Gleichzeitig jedoch würde er sich inoffiziell darüber freuen, da ein solcher Erwerb nur dem Ziel des Departments dienlich sein konnte, die Indianer mehr und mehr unter britischen Einfluss zu bringen.

Jamie fragte sich müßig, ob Stuart wohl auch persönlich von dem Handel profitierte. Stuart hatte einen guten Ruf und galt nicht als korrupt – doch es war gut möglich, dass er im Stillen an der Sache beteiligt war. Andererseits hatte er vielleicht kein persönliches, finanzielles Interesse, sondern stellte sich diesem Arrangement gegenüber nur deshalb offiziell blind, um den Zwecken des Departments zu dienen.

Cameron jedoch ... Natürlich wusste er das nicht mit Bestimmtheit, doch es hätte ihn sehr überrascht, wenn Cameron seine Finger nicht im Spiel hatte.

Er wusste nicht, wo Camerons natürliches Interesse lag; ob bei den Indianern, unter denen er lebte, oder bei den Briten, unter denen er geboren worden war. Er bezweifelte, dass es jemand wusste – vielleicht ja nicht einmal Cameron. Ungeachtet seiner generellen Interessen waren Camerons unmittelbare Ziele jedoch klar. Er wünschte, dass der Landverkauf auf den Beifall – oder zumindest die Indifferenz – der umliegenden Cherokee stieß, so dass seine handzahmen Häuptlinge weiter das Vertrauen ihrer Anhängerschaft genossen und Henderson seine Pläne durchsetzen konnte, ohne von den Indianern der Umgegend Steine in den Weg gelegt zu bekommen.

»Natürlich werde ich erst einmal ein oder zwei Tage nichts davon sagen«, vertraute Cameron ihm an, und er nickte. Solche Dinge folgten einem natürlichen Rhythmus. Natürlich hatte Cameron ihm jetzt davon erzählt, damit er ihn unterstützte, wenn zu gegebener Zeit die Rede darauf kam.

Cameron ging davon aus, dass er ihm helfen *würde*. Es gab zwar kein ausdrückliches Versprechen, dass für ihn selbst ebenfalls ein Stück des Henderson-Kuchens abfallen würde, doch das war auch nicht nötig; dies war die Art von Gelegenheit, die zu den Vergünstigungen des Indianeragenten gehörte – der Grund, warum dieses Amt so begehrt war.

Angesichts dessen, was Jamie über die nähere Zukunft wusste, interessierte er sich weder für Hendersons Handel, noch erwartete er sich etwas davon – doch dieses Thema lieferte ihm eine willkommene Gelegenheit, um eine Gegenleistung zu bitten.

Er hüstelte.

»Ihr kennt doch die junge Tuscarora-Frau, die ich von *Bird* gekauft habe?«

Cameron lachte.

»Aye. Und er fragt sich völlig verblüfft, was Ihr wohl mit ihr anfangen wollt; er sagt, Ihr weigert Euch, die Mädchen zu nehmen, die er Euch schickt, um Euch das Bett zu wärmen. Sie sieht zwar nicht nach viel aus – aber trotzdem ...«

»Das nicht«, versicherte ihm Jamie. »Schon, weil sie verheiratet ist. Ich habe zwei Tuscarora-Indianer mitgebracht; sie gehört zu einem von ihnen.«

»Oh, aye?« Camerons Nase zuckte neugierig, denn er witterte eine Geschichte. Jamie wartete schon auf diese Gelegenheit, seit ihn Camerons Auftauchen auf die Idee gebracht hatte, und er erzählte sie schmackhaft – mit dem zufriedenstellenden Ergebnis, dass Cameron sich bereit erklärte, die drei heimatlosen jungen Tuscarora mitzunehmen und für ihre Adoption durch die *Overhill* zu sorgen.

»Es ist ja nicht das erste Mal«, sagte er zu Jamie. »Es werden immer mehr – winzige Reste ehemaliger Dörfer, sogar ganzer Stämme –, die hungernd und darbend durch das Land wandern. Habt Ihr von den Dogash gehört?«

»Nein.«

»Das werdet Ihr wahrscheinlich auch nicht mehr«, sagte Cameron und schüttelte den Kopf. »Es gibt nur noch ungefähr zehn von ihnen. Sie sind letzten Winter zu uns gekommen; haben sich als Sklaven angeboten, nur um die Kälte zu überleben. Nein – keine Sorge, Mann«, beruhigte er Jamie, als er seine Miene sah. »Eure drei werden keine Sklaven; darauf gebe ich Euch mein Wort.«

Jamie nickte dankend. Er war froh über diese Abmachung. Ihre Wanderung hatten sie ein Stück vom Dorf weggeführt, und jetzt standen sie am Rand einer Schlucht, und der Wald öffnete sich unvermittelt über einer Landschaft von Bergketten, die wie Furchen in einem endlosen Feld der Götter dahinliefen, ihre Rücken dunkel und brütend unter dem sternenklaren Himmel.

»Wie kann es je genug Menschen geben, um solch eine Wildnis zu besiedeln?«, sagte er, plötzlich tief bewegt von diesem Anblick. Und doch hing der Geruch von Holzrauch und gebratenem Fleisch schwer in der Luft. Es war von Menschen bewohnt, selbst wenn es noch wenige waren, die überall verstreut lebten.

Cameron schüttelte nachdenklich den Kopf.

»Sie kommen«, sagte er, »und es kommen immer mehr. Meine Familie ist aus Schottland gekommen. Ihr doch auch«, fügte er hinzu, und seine Zähne glänzten kurz in seinem Bart auf. »Und ich gehe nicht davon aus, dass Ihr vorhabt zurückzugehen.«

Jamie lächelte bei diesen Worten, doch er antwortete nicht, und ein seltsames Gefühl regte sich bei diesem Gedanken in seinem Bauch. Er hatte nicht vor zurückzugehen. Er hatte sich an der Reling der *Artemis* von Schottland verabschiedet und genau gewusst, dass er seine Heimat wahrscheinlich zum letzten Mal sah. Und doch hatte er die Vorstellung, dass er nie wieder einen Fuß auf schottischen Boden setzen würde, bis zu diesem Moment nicht verinnerlicht.

»Scottie, Scottie«-Rufe verlangten nach ihnen, er wandte sich um, und während er Cameron zurück zum Dorf folgte, war er sich mit jedem Schritt der herrlichen, Schrecken erregenden Leere in seinem Rücken bewusst – und der noch schreckenerregenderen Leere in seinem Inneren.

Sie rauchten an diesem Abend, nach dem Festessen, eine Zeremonie zur Feier von Jamies Handel mit *Bird*, zu Camerons Begrüßung. Als die Pfeife zweimal um das Feuer gewandert war, begannen sie, Geschichten zu erzählen.

Geschichten von Raubzügen, von Kämpfen. Weil der Tag ihn erschöpft hatte, sein Kopf noch dröhnte, Essen und Bier ihn müde gemacht hatten und der Rauch ihn leicht betäubt hatte, hatte Jamie eigentlich nur vorgehabt zuzuhören. Vielleicht war es der Gedanke an Schottland, den Cameron so beiläufig heraufbeschworen hatte. Doch an irgendeinem Punkt hatte sich eine Erinnerung geregt, und als das nächste Mal erwartungsvolle Stille eintrat, hörte er überrascht seine eigene Stimme, die ihnen von Culloden erzählte.

»Und dann habe ich an einem Wall einen Mann gesehen, den ich kannte, Alistair MacAllister, der von einer Horde von Feinden bedrängt wurde. Er kämpfte mit Muskete und Schwert, doch beide versagten ihm den Dienst – seine Klinge war zerbrochen, der Schild vor seiner Brust zerborsten.«

Der Rauch der Pfeife stieg ihm in die Nase, und er hob sie an den Mund und nahm einen tiefen Zug, als tränke er die Luft auf dem Moor, die vom Regen und dem Rauch jenes Tages vernebelt war.

»Immer mehr feindliche Krieger sind auf ihn eingestürmt, und er ergriff ein Stück Metall, eine Wagenfeder, und brachte sechs –«, er hielt beide Hände hoch und streckte zur Demonstration die Finger aus, »sechs von ihnen damit um, bevor sie ihn schließlich töteten.«

Ehrfurchtsvolle Laute und beifälliges Zungenschnalzen begrüßten diese Schilderung.

»Und Ihr selbst, Bärentöter, wie viele Männer habt Ihr in dieser Schlacht getötet?«

Der Rauch brannte in seiner Brust, hinter seinen Augen, und eine Sekunde lang schmeckte er den bitteren Rauch der Kanonenfeuer, nicht den süßen Tabakduft. Er sah – er *sah* Alistair MacAllister – zwischen den rot berockten Körpern tot zu seinen Füßen liegen, eine Seite seines Kopfes eingeschlagen, und die Rundung seiner Schulter glänzte durch den Stoff seines Hemdes, das nass an ihm klebte.

Er war dort, auf dem Moor, die Nässe und Kälte nicht mehr als ein Schimmer auf seiner Haut, der Regen glättete sein Gesicht, und auch ihm klebte das Hemd dampfend am Körper, durchtränkt von der Hitze seiner Raserei.

Und dann stand er nicht mehr in Drumossie und wurde sich eine Sekunde zu spät bewusst, dass alles ringsum den Atem anhielt. Er sah Robert Talltrees Gesicht, in dem sich alle Falten vor Erstaunen verzogen, und erst dann senkte er die Augen und entdeckte, wie sich alle zehn Finger seiner Hand streckten und beugten, sich dann die vier Finger seiner rechten Hand noch einmal ausstreckten, ohne dass er selbst es wollte. Der Daumen schwankte unentschlossen. Er sah fasziniert zu, dann kam er endlich zu sich, ballte die rechte Hand, so gut es ging, zur Faust und schlug die linke darum, als wollte er die Erinnerung ersticken, die ihm mit solch verstörender Plötzlichkeit in die Hand gedrückt worden war.

Als er aufblickte, sah er, dass Talltree ihn scharf fixierte, sah, wie die dunklen, alten Augen des Mannes hart wurden und sich dann unter einem Stirnrunzeln verengten – und dann ergriff der Alte die Pfeife, zog fest daran, beugte sich vor und blies den Rauch zu ihm herüber. Dies wiederholte Talltree noch zweimal, und die um das Feuer gedrängten Männer bedachten ihn gedämpft summend mit Beifall für diese Ehre.

Er nahm die Pfeife entgegen und erwiderte Talltree die Ehre dieser Geste, dann reichte er sie an seinen Nachbarn weiter und weigerte sich, noch mehr zu erzählen.

Sie bedrängten ihn nicht und schienen den Schock, den er fühlte, zu verstehen und zu respektieren.

Schock. Nicht einmal das. Was er fühlte, war blankes Erstaunen. Vorsichtig, widerwillig, riskierte er einen Blick auf sein Bild von Alistair. Gott, es war noch da.

Er begriff, dass er den Atem anhielt, weil er den Gestank nach Blut und entleerten Eingeweiden nicht riechen wollte. Er atmete ein, sanften Rauch und einen strengen Hauch von Körpergeruch, und er hätte weinen können, so sehr überwältigte ihn auf einmal die Sehnsucht nach der kalten, klaren Luft der Highlands mit ihren durchdringenden Düften nach Torf und Ginster.

Alexander Cameron sagte etwas zu ihm, doch er war zu keiner Reaktion fähig. Ian, der merkte, dass es ihm schwer fiel, beugte sich vor, um zu antworten, und alle lachten. Ian bedachte ihn mit einem fragenden Blick, wandte sich dann aber wieder der Unterhaltung zu und begann eine Geschichte über ein berühmtes Ballspiel, das er bei den Mohawk oft gespielt hatte. Ließ Jamie in Ruhe sitzen, eingehüllt in Rauch.

Vierzehn Männer. Und erinnerte sich an kein einziges Gesicht. Und dieser Daumen, der sich nicht entscheiden konnte. Was mochte er damit meinen? Dass er mit noch einem Mann gekämpft hatte, aber nicht bis zum Allerletzten?

Er hatte Angst davor, nur daran zu denken. Wusste nicht, was er mit der Erinnerung anfangen sollte. Gleichzeitig war er sich jedoch eines Gefühls der Ehrfurcht bewusst. Und war trotz allem dankbar, wenigstens das zurückzuhaben.

Es war sehr spät, und die meisten Männer hatten sich in ihre eigenen Häuser begeben oder lagen gemütlich am Feuer und schliefen. Ian hatte sich vom Feuer entfernt, war aber noch nicht zurück. Doch Cameron war noch da und rauchte jetzt seine eigene Pfeife, die er allerdings mit *Bird* teilte.

»Es gibt da etwas, das ich Euch sagen möchte«, sagte Jamie abrupt inmitten des schläfrigen Schweigens. »Euch beiden.« *Bird* zog langsam und fragend die Augenbrauen hoch, trunken vom Tabak.

Er hatte nicht gewusst, dass er vorhatte, es zu sagen. Er hatte vorgehabt, den richtigen Zeitpunkt abzuwarten – wenn er überhaupt etwas sagte. Vielleicht war es die Enge des Hauses, die Dunkelheit und Intimität am Feuer oder die Wirkung des Tabaks. Vielleicht nur die Seelenverwandtschaft eines Heimatlosen mit jenen, denen das gleiche Schicksal bevorstand. Doch er hatte den Anfang gemacht; jetzt blieb ihm nichts anderes übrig, als ihnen zu erzählen, was er wusste.

»Die Frauen in meiner Familie sind –«, er suchte nach Worten, da er den richtigen Cherokeeausdruck nicht kannte, »Frauen, die im Traum sehen, was kommen wird.« Er warf einen raschen Blick auf Cameron, der sich anscheinend davon nicht aus der Ruhe bringen ließ, denn er nickte und schloss die Augen, um seine Lungen mit Rauch zu füllen.

»Dann haben sie das zweite Gesicht?«, fragte er neugierig.

Jamie nickte; eine bessere Erklärung fiel ihm nicht ein.

»Sie haben etwas gesehen, das die Tsalagi betrifft. Meine Frau und meine Tochter haben es beide gesehen.«

Als er das hörte, merkte *Bird* auf. Träume waren wichtig; es war etwas Außergewöhnliches und daher besonders Wichtiges, wenn mehrere Personen dasselbe träumten.

»Es schmerzt mich, es Euch zu sagen«, sagte Jamie, und es war ihm Ernst. »In fünfzig Jahren werden die Tsalagi von ihrem Land geholt und an einen neuen Ort gebracht. Viele werden auf dieser Reise sterben, so dass der Weg, den sie gehen …«, er suchte nach dem Wort für »Tränen«, fand es nicht und schloss: »…›der Marsch, auf dem sie weinten‹ genannt werden wird.«

Bird spitzte die Lippen, als wollte er an der Pfeife ziehen, doch sie rauchte unbeachtet in seiner Hand vor sich hin.

»Wer wird das tun?«, fragte er. »Wer *kann* das tun?«

Jamie holte tief Luft; hier kam das Problem. Und doch – es war so viel weniger problematisch, als er gedacht hatte, jetzt, da er einmal dabei war.

»Es werden Weiße sein. Aber es werden nicht die Männer des Königs sein.«

»Die Franzosen?«, sagte Cameron mit einem Hauch von Ungläubigkeit, doch er runzelte trotzdem die Stirn, während er versuchte, sich vorzustellen, wie es dazu kommen sollte. »Oder sind die Spanier gemeint? Die Spanier sind uns um einiges näher – aber sie sind nicht so viele.« Spanien hatte immer noch das Land südlich von Georgia und Teile der Westindischen Inseln in Besitz, doch die Engländer hatten Georgia fest in der Hand, und es schien kaum wahrscheinlich, dass die Spanier nach Norden vorrücken würden.

»Nein. Keine Spanier, keine Franzosen.« Er wünschte aus mehr als einem Grund, Ian wäre noch da. Doch er war es nicht, und so würde er weiter mit der Tsalagisprache kämpfen müssen – die eine interessante Sprache war, in der er sich jedoch nur über konkrete Dinge fließend unterhalten konnte … und deren Zukunft sehr begrenzt war.

»Was sie mir sagen – was meine Frauen sagen –« Er versuchte angestrengt, sinnvolle Worte zu finden. »Wenn sie etwas in ihren Träumen sehen, dann wird es auch geschehen, wenn es viele Menschen betrifft. Aber sie glauben, dass es *nicht* geschehen muss, wenn es nur wenige oder einen Menschen betrifft.«

Bird blinzelte verwirrt – kein Wunder. Grimmig versuchte er erneut, es zu erklären.

»Es gibt große Ereignisse, und es gibt kleine Ereignisse. Ein großes Ereignis ist ein Ereignis wie zum Beispiel eine große Schlacht oder der Aufstieg eines bedeutenden Häuptlings – obwohl er nur ein Mann ist, steigt er doch durch die Stimmen vieler auf. Wenn meine Frauen von diesen großen Dingen träumen, dann werden sie geschehen. Doch an jedem großen Ereignis sind viele Menschen beteiligt. Die einen sagen, macht es so; andere sagen, macht es anders.« Seine Hand vollführte eine Zickzackbewegung, und *Bird* nickte.

»Also. Wenn viele Menschen sagen, macht es *so* –«, er zeigte abrupt mit dem Finger nach links, »– dann geschieht es auch so. Aber was ist mit denen, die gesagt haben, macht es anders?« Und er wies mit dem Daumen in die andere Richtung. »Diese Menschen wählen vielleicht einen anderen Weg.«

Bird stieß das Hm-hm-*hm*-Geräusch aus, das seine Verblüffung ausdrückte.

»Also ist es möglich, dass einige nicht mitgehen?«, fragte Cameron scharf. »Und entkommen?«

»Ich hoffe es«, sagte Jamie schlicht.

Eine Weile saßen sie schweigend da, und jeder von ihnen starrte in das Feuer und sah seine eigenen Visionen – der Zukunft oder der Vergangenheit.

»Diese Frau, die Ihr habt«, sagte *Bird* schließlich sehr nachdenklich, »habt Ihr sehr viel für sie bezahlt?«

»Sie hat mich fast alles gekostet, was ich hatte«, sagte er in so trockenem Tonfall, dass die anderen lachten. »Aber sie ist es wert.«

Es war sehr spät, als er sich zum Gästehaus begab; der Mond war untergegangen, der Himmel strahlte tiefe Heiterkeit aus, und die Sterne sangen in der endlosen Nacht vor sich hin. Jeder Muskel seines Körpers schmerzte, und er war so müde, dass er auf der Schwelle stolperte. Doch seine Instinkte waren noch intakt, und obwohl er kaum etwas sah, spürte er, wie sich im Schatten des Schlaflagers jemand bewegte.

Gott, *Bird* gab einfach keine Ruhe. Nun, heute Nacht würde es keine Rolle spielen; er konnte nackt inmitten einer ganzen Schar junger Frauen liegen und würde trotzdem fest schlafen. Zu erschöpft, um sich über ihre Anwesenheit zu ärgern, suchte er nach einem höflichen Gruß. Dann stand sie auf.

Der Feuerschein zeigte ihm eine ältere Frau, ihr Haar in grau melierten Zöpfen, ihr weißes Hirschlederkleid mit Bemalungen und Stachelschweinstacheln verziert. Er erkannte *Calls-in-the-Forest* – Die-im-Wald-ruft – in ihrem Sonntagsstaat. Jetzt war der Humor ganz mit *Bird* durchgegangen; er hatte Jamie seine Mutter geschickt.

Jede Fähigkeit, sich auf Tsalagi zu verständigen, versagte ihm den Dienst. Er öffnete den Mund, gaffte sie jedoch einfach nur an. Sie lächelte kaum merklich und hielt ihm die Hand entgegen.

»Kommt und legt Euch nieder, Bärentöter«, sagte sie. Ihre Stimme war gütig und rau. »Ich bin hier, um Euch die Schlangen aus dem Haar zu kämmen.«

Sie zog ihn widerstandslos auf das Schlaflager, und er legte seinen Kopf auf ihren Schoß. Tatsächlich flocht sie sein Haar auf und breitete es über ihre Knie; ihre Berührung linderte das Dröhnen in seinem Kopf und die Schmerzen der Beule auf seiner Stirn.

Er hatte keine Ahnung, wie alt sie wohl sein mochte, doch ihre Finger waren kräftig und unermüdlich und vollführten kleine rhythmische Kreisbewegungen auf seiner Kopfhaut, seinen Schläfen, hinter seinen Ohren, an der Unterkante seines Schädelknochens. Sie hatte Kalmus und noch ein anderes Kraut in das Feuer geworfen; die Kaminöffnung zog sehr gut, und er konnte weißen Rauch als schwankende Säule aufsteigen sehen, sehr ruhig, aber doch von ständiger Bewegung erfüllt.

Sie summte leise vor sich hin oder flüsterte vielmehr ein Lied, dessen Worte zu undeutlich waren, um sie zu verstehen. Er beobachtete die lautlosen Formen, die mit dem Rauch nach oben strömten, und spürte, wie sein Körper schwer wurde, als seien seine Gliedmaßen mit nassem Sand gefüllt, sein Körper ein Sandsack, der einer Flut im Weg war.

»Rede, Bärentöter«, sagte sie ganz leise und hörte auf zu singen. Sie hatte einen Holzkamm in der Hand; er spürte, wie die von langem Gebrauch abgerundeten Zähne seine Kopfhaut liebkosten.

»Ich kann mich nicht an Eure Worte erinnern«, sagte er sehr langsam, weil er nach jedem einzelnen Tsalagi-Wort suchen musste. Sie antwortete mit einem leisen Prusten.

»Die Worte spielen keine Rolle, auch nicht die Sprache, die Ihr sprecht«, sagte sie. »Redet nur. Ich werde es verstehen.«

Und so begann er stockend zu sprechen – auf Gälisch, weil es die einzige Sprache zu sein schien, die ihn keine Mühe kostete. Er begriff, dass er von dem erzählen sollte, was ihm das Herz füllte, und so begann er in Schottland – und Culloden. Sprach von Trauer. Von dem, was verloren war. Von Angst.

Wandte sich dann von der Vergangenheit der Zukunft zu, in der er erneut diese drei Gespenster lauern sah, kalte Gestalten, die aus dem Nebel auf ihn zukamen und ihn mit leeren Augen ansahen.

Unter ihnen stand noch eine Gestalt – Jack Randall – zu seiner Verwirrung sowohl rechts als auch links. Diese Augen waren nicht leer, sondern lebendig, gebannt in einem verschwommenen Gesicht. Hatte er den Mann getötet oder nicht? Wenn ja, wurde er von seinem Geist verfolgt? Oder wenn nicht, war es der Gedanke an unerfüllte Rache, der ihn verfolgte, ihn mit dieser unvollkommenen Erinnerung quälte?

Doch während er sprach, schien er sich irgendwie ein kleines Stück über seinen eigenen Körper zu erheben und sich selbst ruhen zu sehen, mit offenen Augen, die nach oben blickten, sein Haar ein dunkel flammender Heiligenschein rings um seinen Kopf, vom Silber des Alters durchzogen. Und dort sah er, dass er einfach nur *war*, in einem Zwischenraum, für sich. Und völlig allein. In Frieden.

»In meinem Herzen ist kein Raum für böse Geister«, sagte er und hörte seine eigene Stimme langsam aus weiter Ferne sprechen. »Sie können mir nichts anhaben. Möglich, dass noch andere kommen, doch nicht diese. Nicht hier. Nicht jetzt.«

»Ich verstehe«, flüsterte die alte Frau und fuhr fort, ihm die Haare zu kämmen, und der weiße Rauch stieg lautlos aus dem Loch, dem Himmel entgegen.

45

Böses Blut

Juni 1774

Ich setzte mich auf die Fersen zurück, müde, aber zufrieden. Mein Rücken schmerzte, meine Knie ächzten wie Scharniere, meine Fingernägel waren mit Schmutz verkrustet, und Haarsträhnen klebten mir an Wangen und Hals – aber die kommende Ernte an Stangenbohnen, Zwiebeln, Rüben und Radieschen war gepflanzt, die Kohlbeete vom Unkraut befreit und gelichtet. Und ich hatte ein Dutzend große Erdnussbüsche aus dem Boden gezogen und zum Trocknen an die Gartenpalisaden gehängt, wo sie vor marodierenden Eichhörnchen sicher waren.

Ich blinzelte zur Sonne auf; sie stand noch über den Kastanien. Vor dem Abendessen war also noch genug Zeit für ein oder zwei letzte Erledigungen. Ich stand auf, ließ den Blick über mein kleines Königreich schweifen und debattierte mit mir selbst darüber, wo ich die verbleibende Zeit am besten verbrachte. Die Katzenminze und Zitronenmelisse jäten, die das andere Ende des Gartens zu überwuchern drohten? Körbeweise fein verrotteten Mist von dem Haufen hinter der Scheune anschleppen? Nein, das war Männerarbeit.

Kräuter? Meine drei französischen Lavendelsträucher reichten mir bis zum Knie und waren voller dunkelblauer Knötchen auf schmalen Stielen, und die Schafgarbe stand in voller Blüte mit Spitzenmusterdolden in Weiß, Rot und Gelb. Ich rieb mir die juckende Nase und versuchte, mich daran zu erinnern, ob dies die richtige Mondphase zum Schneiden von Schafgarbe war. Lavendel und Rosmarin sollten allerdings am Morgen geschnitten werden, wenn die flüchtigen Öle mit der Sonne aufgestiegen waren; sie waren nicht so aromatisch, wenn man sie später am Tag erntete.

Nieder mit der Minze also. Ich griff nach der Hacke, die ich an den Zaun gelehnt hatte, sah ein Gesicht durch den Zaun grinsen und fuhr zurück. Das Herz hüpfte mir in die Kehle.

»Oh!« Mein Besucher, der nicht minder erschrak, war ebenfalls zurückgefahren. »Bitte, Ma'am! Ich wollte Euch nicht erschrecken.«

Es war Manfred McGillivray, der schüchtern durch die Prunkwinden und die Yamswurzelranken linste. Er war heute Morgen aufgetaucht und hatte ein in Segeltuch gewickeltes Bündel mitgebracht, das mehrere Musketen für Jamie enthielt. »Ist schon gut.« Ich bückte mich, um die Hacke aufzuheben. »Seid Ihr auf der Suche nach Lizzie? Sie ist im –«

»Ach, nein, Ma'am. Das heißt, ich – könnte ich etwas mit Euch besprechen, Ma'am?«, fragte er abrupt. »Allein vielleicht?«

»Natürlich. Kommt herein; wir können uns unterhalten, während ich arbeite.«

Er nickte und schritt am Zaun entlang, um durch das Törchen einzutreten. Was mochte er von mir wollen, fragte ich mich. Er trug Mantel und Stiefel, beides mit Staub bedeckt, und seine Hose war stark zerknittert; er war also weit geritten und kam nicht von zu Hause – und er war noch nicht im Haus gewesen; Mrs. Bug hätte ihn kräftig entstaubt.

»Woher kommt Ihr?«, fragte ich und bot ihm den Schöpflöffel aus meinem Wassereimer an. Er nahm an, trank gierig, dann wischte er sich höflich den Mund am Ärmel ab.

»Danke, Ma'am. Ich war in Hillsboro, um die … äh … die Sachen für Mr. Fraser zu holen.«

»Wirklich? Das erscheint mir aber weit«, sagte ich nachsichtig.

Ein Ausdruck tiefster Beklommenheit huschte über sein Gesicht. Er war ein hübscher Kerl, braun gebrannt und gut aussehend wie ein junger Faun mit dichten, dunklen Locken. Im Moment jedoch wirkte er beinahe gehetzt und sah sich nach dem Haus um, als fürchtete er, unterbrochen zu werden.

»Ich … ähm … nun ja, Ma'am, das hat etwas mit dem zu tun, worüber ich mit Euch sprechen möchte.«

»Oh? Nun …« Ich machte eine freundliche Geste, um ihm anzuzeigen, dass er es sich ruhig von der Seele reden sollte, und wandte mich ab, um mit meiner Arbeit zu beginnen, so dass er sich weniger befangen fühlte. Mir kam langsam ein Verdacht, was er mich fragen wollte, wobei mir aber nicht klar war, was Hillsboro damit zu tun hatte.

»Es … äh … nun, es hat mit Miss Lizzie zu tun«, begann er und verschränkte die Hände hinter dem Rücken.

»Ja?«, sagte ich ermutigend. Jetzt war ich mir beinahe sicher, dass ich mit meinen Mutmaßungen Recht hatte. Ich blickte zum westlichen Ende meines Gartens, wo Bienen fröhlich die großen gelben Dolden der *Dauco*pflanzen umschwärmten. Nun, immerhin war es besser als die zeitgenössischen Vorstellungen von Kondomen.

»Ich kann sie nicht heiraten«, platzte er heraus.

»Was?« Ich ließ meine Hacke ruhen, richtete mich auf und starrte ihn an. Er hatte die Lippen fest aufeinander gepresst, und jetzt sah ich, dass das, was ich für Schüchternheit gehalten hatte, sein Versuch gewesen war, die tiefe Traurigkeit zu maskieren, die seinen Gesichtszügen jetzt deutlich anzusehen war.

»Kommt besser mit und setzt Euch.« Ich führte ihn zu der kleinen Bank, die Jamie mir gebaut hatte und die im Schatten eines schwarzen Gummibaums stand, der die Nordseite des Gartens überragte.

Er setzte sich, ließ den Kopf hängen und steckte die Hände zwischen seine Knie. Ich setzte meinen breitkrempigen Sonnenhut ab, wischte mir das Gesicht mit meiner Schürze ab und steckte mir das Haar wieder ordentlich hoch, während ich die kühle Frische der Tannen und Balsamfichten einatmete, die über uns auf dem Berg wuchsen.

»Was ist denn?«, fragte ich sanft, weil ich merkte, dass er nicht wusste, wo er anfangen sollte. »Habt Ihr Angst, dass Ihr sie vielleicht nicht liebt?«

Er warf mir einen verblüfften Blick zu, dann wandte er sich wieder der wissenschaftlichen Betrachtung seiner Knie zu. »Oh. Nein, Ma'am. Ich meine – ich liebe sie nicht, aber das spielt keine Rolle.«

»Nicht?«

»Nein. Ich meine – ich bin mir sicher, dass wir uns auf die Dauer lieb haben werden, das sagt meine Mutter auch. Und ich habe sie ja jetzt schon gern«, fügte er hastig hinzu, als fürchtete er, dass diese Worte beleidigend klangen. »Pa sagt, sie ist eine ordentliche Seele, und meine Schwestern hängen sehr an ihr.«

Ich machte ein unverbindliches Geräusch. Ich hatte von Anfang an meine Zweifel an diesem Arrangement gehabt, und allmählich klang es ganz danach, als wären sie berechtigt gewesen.

»Gibt es ... vielleicht eine andere?«, fragte ich vorsichtig.

Manfred schüttelte langsam den Kopf, und ich hörte ihn fest schlucken.

»Nein, Ma'am«, sagte er mit leiser Stimme.

»Seid Ihr sicher?«

»Aye, Ma'am.« Er holte tief Luft. »Ich meine – es gab eine. Aber das ist jetzt alles vorbei.«

Das verwunderte mich. Wenn er beschlossen hatte, sich von diesem mysteriösen anderen Mädchen loszusagen – ob aus Angst vor seiner Mutter oder irgendeinem anderen Grund –, was hielt ihn dann davon ab, seine Heirat mit Lizzie in die Tat umzusetzen?

»Dieses andere Mädchen – ist sie zufällig aus Hillsboro?« Jetzt wurde alles etwas klarer. Als ich ihn und seine Familie beim *Gathering* kennen gelernt hatte, hatten seine Schwestern viel sagende Blicke ausgetauscht, als von Manfreds Besuchen in Hillsboro die Rede war. Sie hatten es damals schon gewusst, auch wenn Ute es nicht mal geahnt hatte.

»Aye. Das ist der Grund, warum ich in Hillsboro war – ich meine, ich musste dort hin, wegen der ... äh ... Aber ich hatte vor ... Myra ... zu besuchen und ihr zu sagen, dass ich Miss Wemyss heiraten würde und wir uns nicht mehr sehen könnten.«

»Myra.« Immerhin hatte sie also einen Namen. Ich lehnte mich zurück und klopfte nachdenklich mit dem Fuß auf den Boden. »Ihr hattet es vor – also habt Ihr sie dann doch nicht besucht?«

Er schüttelte den Kopf, und ich sah, wie sich plötzlich eine Träne auf dem staubigen Leinenstoff seiner Hose ausbreitete.

»Nein, Ma'am«, sagte er mit halb erstickter Stimme. »Es ging nicht. Sie war tot.«

»Oje«, sagte ich leise. »Oh, das tut mir so Leid.« Die Tränen fielen ihm auf die Knie und erschienen als Flecken auf dem Tuch, und seine Schultern bebten, aber er machte kein Geräusch.

Ich nahm ihn in die Arme und drückte ihn an meine Schulter. Sein Haar war weich, seine Haut glühte an meinem Hals. Ich wusste nicht, wie ich mit seinem Schmerz umgehen sollte; er war zu alt, um ihn mit bloßen Berührungen zu trösten, zu jung – vielleicht – um Linderung in Worten zu finden. Im Moment konnte ich nichts anderes tun, als ihn fest zu halten.

Doch er legte die Arme um meine Taille und klammerte sich auch dann noch einige Minuten an mich, als er ausgeweint hatte. Ich hielt ihn wortlos fest, klopfte ihm sacht auf den Rücken und hielt die flackernden grünen Schatten des berankten Zauns für den Fall im Auge, dass noch jemand kam und mich im Garten suchte.

Schließlich seufzte er, ließ los und setzte sich auf. Ich suchte nach einem Taschentuch, fand keins und zog meine Schürze aus, damit er sich das Gesicht abwischen konnte.

»Ihr braucht doch nicht sofort zu heiraten«, sagte ich, als er sich wieder unter Kontrolle zu haben schien. »Es ist nur recht und billig, dass Ihr etwas Zeit braucht zu – zu heilen. Aber wir können uns eine Ausrede einfallen lassen, um die Hochzeit aufzuschieben; ich werde mit Jamie sprechen –«

Doch er schüttelte den Kopf, und an die Stelle der Tränen trat ein Ausdruck trauriger Entschlossenheit.

»Nein, Ma'am«, sagte er leise, aber endgültig. »Ich kann es nicht.«

»Warum denn nicht?«

»Myra war eine Hure, Ma'am. Sie ist an der Franzosenkrankheit gestorben.«

Dann blickte er zu mir auf, und ich sah das Entsetzen unter der Trauer in seinen Augen.

»Und ich glaube, ich habe sie auch.«

»Seid ihr sicher?« Jamie stellte den Huf ab, den er gerade ausgeschnitten hatte, und warf Manfred einen finsteren Blick zu.

»Ich *bin* sicher«, sagte ich genervt. Ich hatte Manfred gebeten, mir das Beweismaterial zu zeigen, kaum gewartet, bis er seine Hose wieder verschlossen hatte, und mich dann auf der Stelle mit ihm auf die Suche nach Jamie gemacht.

Jamie fixierte Manfred und überlegte sichtlich, was er sagen sollte. Manfred, der nach der doppelten Belastung seiner Beichte und der Untersuchung dunkelrot angelaufen war, wich seinem Basiliskenblick aus und starrte einen geringelten schwarzen Hufspan an, der auf dem Boden lag.

»Es tut mir so Leid, Sir«, murmelte er. »Ich – ich hatte nicht vor ...«

»Nein, das hat wohl niemand«, schnaubte Jamie. Er atmete tief durch, und es ging eine Art unterschwelliges Knurren von ihm aus, so dass Manfred den Kopf einzog, der sich wie bei einer Schildkröte in den Schutz seiner Kleidung verkroch.

»Er hat das Richtige getan«, sagte ich und versuchte, die Situation in das bestmögliche Licht zu rücken. »Jetzt, meine ich – indem er die Wahrheit gesagt hat.«

Jamie schnaubte verächtlich.

»Nun, er kann jetzt wohl kaum hingehen und Lizzie mit der Seuche anstecken, oder? Das wäre schlimmer als nur mit einer Hure zu gehen.«

»Manche Männer würden aber einfach nur den Mund halten und das Beste hoffen.«

»Aye, das stimmt.« Er musterte Manfred mit zusammengekniffenen Augen und suchte anscheinend nach offenen Anzeichen dafür, dass Manfred ein solcher Schurke war.

Gideon, der es hasste, wenn man ihm die Hufe ausschnitt, und der demzufolge schlecht gelaunt war, trat heftig mit dem Huf auf und verfehlte nur knapp Jamies Fuß. Er schlug mit dem Kopf und stieß ein Geräusch aus, das wohl in etwa Jamies Knurren entsprach.

»Aye, nun gut.« Jamie stellte seine funkelnden Blicke in Manfreds Richtung ein und packte Gideon am Halfter. »Geh mit ihm ins Haus, Sassenach. Ich mache hier fertig, und dann holen wir Joseph und sehen, was zu tun ist.«

»Gut.« Ich zögerte, weil ich mir nicht sicher war, ob ich in Manfreds Beisein etwas sagen sollte. Ich wollte ihm nicht allzu viel Hoffnung machen, bevor ich Gelegenheit gehabt hatte, mir sein Blut unter dem Mikroskop anzusehen.

Syphilis-Spirochäten waren unverwechselbar, aber ich war mir nicht sicher, ob ich ein Färbemittel hatte, das sie mit einem einfachen Lichtmikroskop sichtbar machen konnte. Und ich hielt es zwar für wahrscheinlich, dass mein hausgemachtes Penizillin die Infektion stoppen konnte, doch ich konnte mir nur dann sicher sein, wenn ich sie sehen *konnte* – und dann verfolgen konnte, dass sie verschwunden waren.

Also sagte ich einfach nur: »Ich habe doch Penizillin.«

»Das weiß ich wohl, Sassenach.« Jamie spendierte diesmal mir seinen finsteren Blick. Ich hatte ihm schon zweimal das Leben mit Penizillin gerettet, doch er hatte es nicht sehr angenehm gefunden. Er entließ uns mit einem schottischen Geräusch, bückte sich und hob erneut Gideons kräftigen Huf auf.

Manfred schien unter Schock zu stehen, und blieb abrupt stumm auf dem Weg zum Haus. An der Tür zum Sprechzimmer zögerte er und blickte beklommen von meinem glänzenden Mikroskop zu der offenen Kiste mit dem Chirurgenbesteck, dann zu den Schalen, die ich zugedeckt auf der Arbeitsfläche aufgereiht hatte und in denen ich mein Penizillin züchtete.

»Kommt herein«, sagte ich, musste aber die Hand ausstrecken und ihn am Ärmel fassen, bevor er die Schwelle überschritt. Ich begriff, dass er noch nie zuvor im Sprechzimmer gewesen war; es waren gut fünf Meilen bis zum Haus der McGillivrays, und Frau McGillivray war bestens in der Lage, sich um die kleineren Erkrankungen ihrer Familie selbst zu kümmern.

Momentan waren meine Gefühle gegenüber Manfred nicht besonders mildtätig, doch ich gab ihm einen Hocker und fragte ihn, ob er gern einen Kaffee hätte. Ich hatte zwar eher das Gefühl, dass er etwas Hochprozentiges brauchen konnte, wenn ihm ein Gespräch mit Jamie und Joseph Wemyss bevorstand, aber es war wohl besser, wenn er einen klaren Kopf behielt.

»Nein, Ma'am«, sagte er. Er war blass und schluckte. »Ich meine, nein danke.«

Er sah extrem jung und furchtbar verängstigt aus.

»Bitte krempelt Euren Ärmel auf. Ich werde Euch etwas Blut abnehmen, aber es wird nicht sehr wehtun. Wie kam es, dass Ihr der, äh, jungen Dame begegnet seid? Myra, hieß sie so?«

»Aye, Ma'am.« Beim Klang ihres Namens stiegen ihm Tränen in die Augen; er hatte sie wohl wirklich geliebt, der arme Junge – oder es zumindest geglaubt.

Er war Myra in einem Wirtshaus in Hillsboro begegnet. Sie war ihm gütig vorgekommen, sagte er, und sie war sehr hübsch, und als sie den jungen Büchsenmacher bat, ihr ein Glas Genever zu spendieren, war er dem Wunsch nachgekommen und hatte sich wie ein Mann gefühlt.

»Also haben wir zusammen etwas getrunken, und sie hat mich angelacht, und...« Er schien nicht so recht erklären zu können, wie es dann weitergegangen war, aber er war in ihrem Bett aufgewacht. Damit war die Sache für ihn besiegelt, und von da an hatte er jede mögliche Entschuldigung genutzt, um nach Hillsboro zu reiten.

»Wie lange ging das schon so?«, fragte ich neugierig. Da ich keine vernünftige Kanüle hatte, um ihm Blut abzunehmen, hatte ich einfach die Ader an der Innenseite seines Ellbogens mit einer Lanzette angestochen und das aufquellende Blut in eine kleine Flasche laufen lassen.

Fast zwei Jahre anscheinend.

»Ich wusste, dass ich sie nicht heiraten konnte«, erklärte er ernst. »Meine Mutter hätte nie...« Er verstummte, und seine Miene nahm den Ausdruck eines Kaninchens an, das Jagdhunde in seiner Nähe hört. »Großer Gott!«, sagte er. »Meine Mutter!«

Ich hatte mich auch schon gefragt, wie es um diesen Teil der Affäre stand. Ute McGillivray würde alles andere als erfreut sein zu hören, dass ihr Augapfel, ihr einziger Sohn sich eine ehrenrührige Krankheit eingefangen hatte, die noch dazu zur Auflösung seiner sorgsam in die Wege geleiteten Verlobung sowie höchstwahrscheinlich zu einem Skandal führen würde, von dem das gesamte Hinterland hören würde. Die Tatsache, dass die Krankheit im Allgemeinen zum Tode führte, würde sie nur in zweiter Linie interessieren.

»Sie wird mich umbringen!«, sagte er. Er rutschte von seinem Hocker und krempelte hastig seinen Ärmel hinunter.

»Eher weniger«, sagte ich nachsichtig. »Obwohl ich annehme –«

In diesem ungünstigen Moment erklang das Geräusch der Hintertür, die sich öffnete, gefolgt von Stimmen in der Küche. Manfred erstarrte, und seine dunklen Locken bebten alarmiert. Dann setzten sich schwere Schritte durch den Flur zum Sprechzimmer in Bewegung, und er schoss durch das Zimmer, schwang sein Bein über die Fensterbank und war fort. Er hetzte wie ein Reh auf die Bäume zu.

»Komm zurück, du Esel!«, rief ich durch das offene Fenster.

»Welcher Esel denn, Tante Claire?« Ich drehte mich um und sah, dass die schweren Schritte zu Ian gehörten – schwer deshalb, weil er Lizzie Wemyss in den Armen trug.

»Lizzie! Was ist denn los? Hier, leg sie auf den Tisch.« Ich konnte sofort feststellen, was los war; das Malariafieber war zurückgekehrt. Sie war völlig schlaff, zitterte aber dennoch vor Kälte, und die Muskelkrämpfe schüttelten sie wie Gallert.

»Ich habe sie im Molkereischuppen gefunden«, sagte Ian und legte sie sanft auf den Tisch. »Der taube Beardsley kam herausgerannt, als wäre der Teufel hinter ihm her, hat mich gesehen und mich hineingezerrt. Sie hat auf dem Boden gelegen, das Butterfass umgekippt neben ihr.«

Das war sehr besorgniserregend – sie hatte seit einiger Zeit keinen Anfall mehr gehabt, aber zum zweiten Mal war die Attacke so plötzlich über sie gekommen, dass sie keine Hilfe mehr holen konnte, sondern sofort zusammengebrochen war.

»Das obere Bord im Schrank«, sagte ich zu Ian und drehte Lizzie hastig auf die Seite, um ihre Schnüre zu lösen. »Der blaue Tiegel – nein, der große.«

Er griff wortlos danach und öffnete das Gefäß schon, während er es mir brachte.

»Himmel, Tante Claire! Was ist das denn?« Er rümpfte die Nase über den Geruch der Salbe.

»Gallbeeren und Chinarinde in Gänseschmalz, unter anderem. Nimm etwas davon und fang an, ihr die Füße damit einzureiben.«

Er zog ein verwirrtes Gesicht, nahm vorsichtig eine Fingerspitze der rötlich grauen Creme und tat, was ich sagte. Lizzies kleiner nackter Fuß verschwand fast zwischen seinen großen Handflächen.

»Meinst du, sie wird wieder gesund, Tante Claire?« Er warf einen sorgenvollen Blick auf ihr Gesicht. Ihr Aussehen gab aber auch allen Grund dazu – ihre klamme Haut hatte die Farbe von Molke und war erschlafft, so dass ihre zarten Wangen vor Schüttelfrost bebten.

»Wahrscheinlich. Mach die Augen zu, Ian.« Ich hatte ihr Mieder gelockert und zog ihr jetzt das Kleid, die Unterröcke, Schürzentasche und das Korsett aus. Ich warf eine alte Decke über sie, bevor ich ihr das Hemd über den Kopf zog – sie besaß nur zwei und würde nicht wollen, dass eins davon durch den starken Geruch der Salbe ruiniert würde.

Ian hatte gehorsam die Augen geschlossen, massierte ihr aber systematisch weiter die Salbe in die Füße. Seine Stirn war leicht gerunzelt, so dass sich seine Augenbrauen zusammenzogen, und dieses sorgenvolle Aussehen verlieh ihm für ein paar Sekunden eine flüchtige, aber verblüffende Ähnlichkeit mit Jamie.

Ich zog den Salbentiegel an mich, nahm etwas Salbe heraus, griff unter die Decke und begann, die dünnere Haut unter ihren Achseln damit einzureiben, dann ihren Rücken und ihren Bauch. Ich konnte die Umrisse ihrer Leber deutlich fühlen, eine große feste Masse unterhalb ihrer Rippen. Geschwollen und empfindlich, denn sie verzog bei meiner Berührung das Gesicht; ihre Leber war mit Sicherheit bereits dauerhaft geschädigt.

»Kann ich jetzt die Augen aufmachen?«

»Oh – ja, natürlich. Reib ihr die Beine ein, bitte, Ian.« Ich schob die Salbe wieder in seine Richtung und sah, dass sich in der Tür etwas bewegte. Einer der Beardsley-Zwillinge stand dort, hielt sich am Türrahmen fest und fixierte Lizzie mit seinen dunklen Augen. Es musste Kezzie sein; Ian hatte gesagt, »der taube Beardsley« hätte Hilfe geholt.

»Sie wird wieder gesund«, sagte ich laut zu ihm, und er nickte, dann warf er einen brennenden Blick auf Ian und verschwand.

»Wer war es, den du gerade angeschrien hast, Tante Claire?« Ian blickte zu mir auf, sicher ebenso sehr, um Lizzie gegenüber den Anstand zu wahren, wie aus Höflichkeit mir gegenüber; er hatte die Decke zurückgeschlagen, und seine großen Hände massierten die Salbe in die Haut über ihrem Knie. Seine Daumen kreisten sanft über die Rundungen ihrer Kniescheibe, deren Haut so dünn war, dass der perlmuttfarbene Knochen beinahe hindurchzuschimmern schien.

»Wer – oh. Manfred McGillivray«, sagte ich und erinnerte mich. »Verdammt! Das Blut!« Ich sprang auf und wischte mir hastig die Hände an meiner Schürze ab. Gott sei Dank hatte ich das Fläschchen verkorkt; das Blut darin war noch flüssig. Es würde sich aber nicht lange halten.

»Würdest du ihr auch die Hände und Arme einreiben, Ian? Ich muss das hier schnell erledigen.«

Er machte sich gehorsam daran zu tun, was ich sagte, während ich eilig Blutstropfen auf mehrere Objektträger verteilte und sie mit sauberen Glasscheiben verschmierte. Welches Färbemittel brachte wohl Spirochäten zum Vorschein? Keine Ahnung; ich würde sie alle ausprobieren.

Ich erklärte Ian die ganze Sache mit abgehackten Sätzen, während ich die Fläschchen mit den Färbemitteln aus dem Schrank holte, die Lösungen ansetzte und die Objektträger darin tränkte.

»Syphilis? Der arme Kerl; er muss ja fast verrückt sein vor Angst.« Er ließ Lizzies salbenglänzenden Arm unter die Decke gleiten, die er dann sanft um sie legte.

Im ersten Moment überraschte mich sein Mitgefühl, doch dann fiel mir wieder ein, dass Ian vor einigen Jahren nach seiner Entführung durch Geillis Duncan mit der Syphilis in Kontakt gekommen war; ich war zwar nicht sicher gewesen, dass er die Krankheit hatte, hatte ihn aber vorsichtshalber mit meinem letzten Penizillin aus dem zwanzigsten Jahrhundert behandelt.

»Aber hast du ihm denn nicht gesagt, dass du ihn heilen kannst, Tante Claire?«

»Dazu bin ich nicht gekommen. Obwohl ich, ehrlich gesagt, auch nicht sicher bin, ob ich es kann.« Ich setzte mich auf einen Hocker, ergriff Lizzies andere Hand und tastete nach ihrem Puls.

»Nicht?« Jetzt hoben sich seine feinen Augenbrauen. »Du hast mir doch gesagt, ich wäre geheilt.«

»Das bist du auch«, versicherte ich ihm. »Falls du die Krankheit überhaupt gehabt hast.« Ich musterte ihn scharf. »Du hattest doch noch nie eine wunde Stelle an deinem Glied, oder? Oder sonst irgendwo?«

Er schüttelte stumm den Kopf, und eine dunkle Röte stieg ihm in die hageren Wangen.

»Gut. Aber das Penizillin, das ich dir gegeben habe – das hatte ich noch mitgebracht von – nun, von vorher. Es war gereinigt – sehr kräftig und mit Sicherheit wirksam. Wenn ich das hier verwende –«, ich wies auf die Schalen mit den Kulturen auf der Arbeitsfläche, »weiß ich nie genau, ob es stark genug ist, um etwas zu bewirken, oder ob es überhaupt der richtige Stamm ist...« Ich fuhr mir mit dem Handrücken unter der Nase entlang; die Gallbeerensalbe roch absolut *penetrant*.

»Es wirkt nicht immer.« Ich hatte schon mehr als einmal Patienten mit Infektionen gehabt, die nicht auf mein Penizillingebräu ansprachen – obwohl ich in diesen Fällen meistens beim nächsten Versuch Erfolg gehabt hatte. Ein paar Mal hatte sich die Person erholt, bevor die zweite Kultur fertig war. In einem Fall war der Patient gestorben, obwohl ich ihm zwei verschiedene Penizillinmixturen verabreicht hatte.

Ian nickte langsam, den Blick auf Lizzies Gesicht gerichtet. Die erste Schüttelfrostattacke war verebbt, und sie lag still. Die Decke bewegte sich kaum über der flachen Rundung ihrer Brust.

»Wenn du dir nicht sicher bist, dann... lässt du doch wohl nicht zu, dass er sie heiratet?«

»Ich weiß es nicht. Jamie hat gesagt, er würde mit Mr. Wemyss sprechen, um zu hören, wie er über die ganze Sache denkt.«

Ich erhob mich und zog den ersten Objektträger aus seinem hellroten Bad, schüttelte die letzten Tropfen ab, wischte die Unterseite der Glasscheibe trocken und legte sie vorsichtig unter mein Mikroskop.

»Wonach suchst du denn, Tante Claire?«

»Etwas, das man Spirochäten nennt. Das sind die Keime, die Syphilis verursachen.«

»Oh, aye.« Trotz des Ernstes der Lage lächelte ich, als ich die Skepsis in seiner Stimme hörte. Ich hatte ihm schon öfter Mikroorganismen gezeigt, doch genau wie Jamie – genau wie fast alle anderen auch – konnte er einfach nicht glauben, dass etwas so gut wie Unsichtbares Schaden anrichten konnte. Die Einzige, die diese Vorstellung ohne Widerrede akzeptierte, war Malva Christie, und in ihrem Fall hatte ich den Eindruck, dass dies einfach an dem Vertrauen lag, das sie in mich setzte. Wenn ich *ihr* etwas erzählte, glaubte sie mir; sehr erfrischend, nachdem mich jahrelang ein Schotte nach dem anderen mit Argwohn in verschiedenen Abstufungen angeblinzelt hatte.

»Meinst du, er ist nach Hause gegangen? Manfred?«

»Ich weiß es nicht«, sagte ich geistesabwesend, während ich den Objektträger langsam und suchend hin und her schob. Ich konnte die roten Blutkörperchen gut ausmachen, blassrote Scheiben, die durch mein Gesichtsfeld trieben und träge in der wässrigen Farbe schwammen. Tödliche Spiralen waren nicht zu sehen – was aber nicht bedeutete, dass keine da waren, sondern nur, dass mein Färbemittel sie möglicherweise nicht sichtbar machte.

Lizzie regte sich und stöhnte, und als ich mich umdrehte, sah ich, wie sich ihre Augen zitternd öffneten.

»So, Kleine«, sagte Ian leise und lächelte sie an. »Besser, oder?«

»Wirklich?«, sagte sie schwach. Dennoch hoben sich ihre Mundwinkel sacht, und sie zog eine Hand unter der Decke hervor und tastete nach ihm. Er ergriff sie und tätschelte sie.

»Manfred«, sagte sie und wandte mit halb geschlossenen Augen den Kopf hin und her. »Ist Manfred hier?«

»Äh ... nein«, sagte ich und wechselte einen raschen, konsternierten Blick mit Ian. Wie viel hatte sie gehört? »Nein, er ist hier gewesen, aber – aber jetzt ist er fort.«

»Oh.« Sie schien das Interesse zu verlieren und schloss die Augen wieder. Ian blickte auf sie hinunter. Er streichelte immer noch ihre Hand. Sein Gesicht zeigte tiefes Mitgefühl – vielleicht mit einer Spur von Berechnung.

»Soll ich sie nach oben in ihr Bett tragen?«, fragte er leise, als schliefe sie. »Und mich dann vielleicht auf die Suche machen –?« Er wies mit dem Kopf zum offenen Fenster und zog eine Augenbraue hoch.

»Wenn du so lieb wärst, Ian.« Ich zögerte, und sein Blick traf den meinen, dunkelbraun und sanft vor Sorge und der Erinnerung an vergangenes Leid. »Es geht ihr bald wieder gut«, sagte ich und versuchte, Gewissheit in meine Worte zu legen.

»Aye, das wird es«, sagte er bestimmt und beugte sich über sie, um sie aufzuheben und die Decke unter ihr festzustecken. »Sofern ich dabei ein Wörtchen mitzureden habe.«

46

Von nun an ging's bergab

Manfred McGillivray kam nicht zurück. Ian dagegen schon, mit einem blauen Auge und dem knappen Bericht, dass Manfred ihm seine feste Absicht mitgeteilt hatte, sich zu erhängen. Viel Glück wünschte er dem Hurenbock dabei, und mochten sich die fauligen Eingeweide des stinkenden kleinen Mistkerls entleeren wie die des Judas Ischariot. Damit stampfte er die Treppe hinauf und stand eine Weile schweigend Wache an Lizzies Bett.

Als ich das hörte, hoffte ich, dass Manfreds Ankündigung nur eine Eingebung aus der Verzweiflung des Augenblicks war – und verfluchte mich, weil ich ihm nicht sofort und in aller Deutlichkeit gesagt hatte, dass die Möglichkeit einer Heilung bestand, ob es nun die absolute Wahrheit war oder nicht. Er würde doch wohl nicht…

Lizzie war halb bei Bewusstsein, von glühendem Fieber und Schüttelfrost niedergestreckt – kein Zustand, in dem man ihr von der Fahnenflucht ihres Verlobten oder dem Grund dafür erzählen konnte. Sobald sie jedoch wieder auf den Beinen war, würde ich ihr vorsichtig ein paar Fragen stellen müssen, denn es bestand ja die Möglichkeit, dass sie und Manfred ihrem Ehegelübde zuvorgekommen waren, und wenn ja…

»Nun, ein Gutes hat die ganze Sache jedenfalls«, merkte Jamie grimmig an. »Die Beardsleys waren schon im Begriff, den guten Manfred aufzuspüren und zu kastrieren, aber nachdem sie gehört haben dass er vorhat, sich zu erhängen, haben sie großzügig beschlossen, dass sie damit ebenfalls leben können.«

»Man ist ja schon für Kleinigkeiten dankbar«, sagte ich und ließ mich am Tisch niedersinken. »Ich traue ihnen das tatsächlich zu.« Die Beardsleys, vor allem Josiah, waren hervorragende Spurenleser – und sie machten keine leeren Drohungen.

»Oh, sie würden es tun«, versicherte mir Jamie. »Sie waren allen Ernstes dabei, ihre Messer zu wetzen, als ich sie dabei angetroffen und ihnen gesagt habe, dass sie sich die Mühe sparen können.«

Ich verkniff mir ein Lächeln bei der Vorstellung, wie sich die Beardsleys Seite an Seite über einen Schleifstein beugten, identische Mienen düsterer

Rachsucht in den hageren, dunklen Gesichtern, doch der Humor verblasste schnell wieder.

»Oh, Gott. Wir müssen es den McGillivrays sagen.«

Jamie nickte und erbleichte bei dem Gedanken daran, schob aber seine Bank zurück.

»Am besten gehe ich sofort.«

»Nicht, ohne vorher etwas zu essen.« Mrs. Bug stellte ihm mit Nachdruck einen gefüllten Teller hin. »Ihr wollt Euch doch nicht auf nüchternen Magen mit Ute McGillivray einlassen.«

Jamie zögerte, fand ihre Begründung jedoch offensichtlich überzeugend, denn er griff nach seiner Gabel und widmete sich mit grimmiger Entschlossenheit seinem Schweineragout.

»Jamie …«

»Aye?«

»Vielleicht *solltest* du die Beardsleys bitten, Manfred aufzuspüren. Ich meine, nicht um ihm etwas anzutun – aber wir müssen ihn finden. Er *wird* daran sterben, wenn er nicht behandelt wird.«

Er hielt inne, eine Gabel voll Ragout auf halbem Weg zu seinem Mund, und betrachtete mich mit gesenkten Augenbrauen.

»Aye, und wenn sie ihn finden, wird er *daran* sterben, Sassenach.« Er schüttelte den Kopf, und die Gabel vollendete ihren Weg. Er kaute und schluckte und vervollständigte dabei anscheinend seinen Plan.

»Joseph ist in Bethabara und macht Fräulein Berrisch den Hof. Man muss es ihm sagen, und eigentlich sollte ich ihn holen und zu den McGillivrays mitnehmen. Aber …« Er zögerte, wohl weil er an Mr. Wemyss dachte, jenen freundlichsten und schüchternsten aller Menschen, der keiner Vorstellung von einem nützlichen Verbündeten entsprach. »Nein. Ich werde allein gehen und es Robin sagen. Vielleicht macht er sich ja selbst auf die Suche nach dem Jungen – oder vielleicht hat es sich Manfred ja auch anders überlegt und ist schon nach Hause gelaufen.«

Das war ein ermutigender Gedanke, und ich verabschiedete ihn hoffnungsvoll. Doch er kehrte kurz vor Mitternacht schweigend und mit grimmiger Miene zurück, und ich wusste, dass Manfred nicht nach Hause gekommen war.

»Hast du es beiden gesagt?«, fragte ich, während ich die Decke zurückschlug, damit er zu mir ins Bett klettern konnte. Er roch nach Pferden und nach der Nacht, kühl und durchdringend.

»Ich habe Robin gebeten, mit mir ins Freie zu gehen, und habe es ihm gesagt. Ich habe es nicht fertig gebracht, es Ute ins Gesicht zu sagen«, gab er zu. Er lächelte mich an und kuschelte sich unter den Quilt. »Ich hoffe, du hältst mich jetzt nicht für einen Feigling, Sassenach.«

»Bestimmt nicht«, versicherte ich ihm und lehnte mich aus dem Bett, um die Kerze auszublasen. »Vorsicht ist besser als Nachsicht.«

Kurz vor Tagesanbruch weckte uns donnerndes Hämmern an der Tür. Rollo, der auf dem Treppenabsatz geschlafen hatte, schoss unter drohendem Gebell die Stufen hinunter. Dicht gefolgt von Ian, der an Lizzies Bett gesessen und Wache gehalten hatte, während ich schlief. Jamie war mit einem Satz aus dem Bett, griff sich eine geladene Pistole, die auf dem Schrank lag und stürzte sich ebenfalls ins Getümmel.

Erschrocken und benommen – ich war erst vor weniger als einer Stunde eingeschlafen – setzte ich mich klopfenden Herzens auf. Rollo hörte kurz zu bellen auf, und ich hörte Jamie durch die Tür »Wer ist da?« rufen.

Diese Frage wurde durch erneutes Hämmern beantwortet, das die Treppe hinaufhallte und das Haus erbeben zu lassen schien, begleitet von einer lauten Frauenstimme, die Wagner in einer seiner deftigeren Launen alle Ehre gemacht hätte. Ute McGillivray.

Ich begann, mich aus der Bettwäsche zu kämpfen. Unterdessen Stimmengewirr, erneutes Gebell, das Knirschen des Riegels, der geöffnet wurde, und dann noch mehr Stimmengewirr, diesmal sehr viel lauter. Ich rannte zum Fenster und blickte hinaus; Robin McGillivray stand auf dem Hof, nachdem er offenbar gerade von einem seiner zwei Maultiere abgestiegen war.

Er sah viel älter aus und irgendwie erschlafft, als seien seine Lebensgeister von ihm gewichen und hätten ihn als leere Hülle zurückgelassen. Er wandte den Kopf von dem Aufruhr an der Haustür ab und schloss die Augen. Die Sonne war gerade aufgegangen, und das reine, klare Licht zeigte all seine Falten, die Höhlen der Erschöpfung und eine verzweifelte Traurigkeit.

Als spürte er, dass ich ihn ansah, öffnete er die Augen und hob das Gesicht zum Fenster. Er hatte rote Augen und sah mitgenommen aus. Er sah mich, reagierte aber nicht auf das zögernde Winken, mit dem ich ihn begrüßte. Stattdessen wandte er sich ab, schloss erneut die Augen und stand einfach nur wartend da.

Der Aufruhr unten hatte sich ins Innere des Hauses verlagert und schien jetzt die Treppe heraufzukommen, getragen von einer Welle schottischer Kraftausdrücke und deutscher Kreischlaute, von Rollo, der Festivitäten stets gern auf die Sprünge half, mit begeistertem Gebell begleitet.

Ich griff nach meinen Morgenmantel, war aber kaum mit einem Arm hineingeschlüpft, als die Tür zum Schlafzimmer aufgeworfen wurde und so fest gegen die Wand schlug, dass sie zurückschwang und meine Besucherin vor die Brust traf. Unbeeindruckt ließ sie sie erneut aufkrachen und rauschte wie eine Dampfmaschine auf mich zu. Ihre Haube saß schief, und ihre Augen flammten.

»Ihr! Altes Waschweib! Wie könnt Ihr es wagen, solche Beleidigungen, solche Lügen über meinen Sohn zu verbreiten! Ich bringe Euch um, ich reiße Euch die Haare einzeln aus. Der Teufel soll Euch holen! *Nighean na galladh!* Ihr –«.

Sie stürzte sich auf mich, und ich warf mich zur Seite und verhinderte knapp, dass sie mich am Arm zu packen bekam.

»Ute! Frau McGillivray! Hört mir doch –«

Beim zweiten Mal war sie erfolgreicher; sie bekam den losen Ärmel meines Nachthemdes zu fassen, zerrte daran und zog es mir von der Schulter. Ich konnte hören, wie der Stoff riss, während sie mit der freien Hand auf mein Gesicht einkratzte.

Ich fuhr zurück und schrie aus voller Kehle, als sich meine Nerven eine schreckliche Sekunde lang an eine Hand erinnerten, die nach meinem Gesicht schlug, Hände, die an mir zerrten …

Ich schlug nach ihr, und das Entsetzen verlieh mir Kraft. Ich schrie und schrie, während mich ein letzter Rest rationalen Denkens in meinem Gehirn dabei beobachtete, verwundert, angewidert – aber völlig unfähig, die instinktive Panik, die blinde Wut zu bremsen, die wie ein Geysir aus einer tiefen, unvermuteten Quelle aufschoss.

Ich hämmerte weiter blind auf sie ein, schrie – und fragte mich zur selben Zeit: Warum, warum tat ich das?

Ein Arm packte mich um die Taille und hob mich vom Boden auf. Eine neue Welle der Panik schoss durch mich hindurch, und dann fand ich mich plötzlich allein, unbehelligt. Ich stand trunken, schwankend und keuchend in der Ecke neben dem Kleiderschrank. Jamie stand vor mir, die Schultern angespannt und die Ellbogen erhoben, und schirmte mich ab.

Er redete, sehr ruhig, doch die Fähigkeit, Worte zu verstehen, war mir abhanden gekommen. Ich presste meine Hände hinter mir an die Wand, und das Bollwerk in meinem Rücken wirkte beruhigend.

Das Herz hämmerte mir in den Ohren, und meine Atemgeräusche machten mir Angst, weil sie mich so an mein Keuchen erinnerten, nachdem mir Harley Boble die Nase gebrochen hatte. Ich schloss mit aller Kraft den Mund und versuchte, damit aufzuhören. Es schien zu helfen, wenn ich die Luft anhielt und nur ganz flach durch meine jetzt wieder funktionstüchtige Nase einatmete.

Mir fiel auf, dass Ute die Lippen bewegte, und ich starrte sie an, während ich versuchte, mich wieder in Raum und Zeit einzuordnen. Ich hörte Worte, schaffte jedoch noch nicht den Schritt, sie zu verstehen. Ich atmete, ließ die Worte wie Wasser über mich hinwegfließen und filterte nur die Gefühle heraus – Wut, Vernunft, Protest, Besänftigung, Kreischen, Grollen –, nicht aber ihre eigentliche Bedeutung.

Dann holte ich tief Luft, wischte mir über das Gesicht – das zu meiner Überraschung nass war –, und mit einem Schlag war alles wieder normal. Ich konnte hören und verstehen.

Ute starrte mich an. Wut und Abneigung standen ihr deutlich ins Gesicht geschrieben, wurden jedoch von unterschwelligem Entsetzen gedämpft.

»Ihr seid wahnsinnig«, sagte sie und nickte. »Ich verstehe.« Jetzt klang sie beinahe ruhig. »Also schön.«

Sie wandte sich Jamie zu und zwirbelte dabei mechanisch ihr wirres blondes Haar hoch, um es unter ihre gigantische Haube zu stecken. Deren Spitzenkante war halb abgerissen und hing ihr in einer absurden Schlaufe über dem Auge.

»Sie hat also den Verstand verloren. Das sehe ich ein… aber dennoch, mein Sohn – mein Sohn! – ist fort. Also.« Sie stand keuchend da, betrachtete mich kopfschüttelnd und wandte sich dann erneut Jamie zu.

»Salem steht Euch nicht mehr offen«, sagte sie knapp. »Meine Familie, jeder, der uns kennt – sie werden keinen Handel mehr mit Euch treiben. Und auch sonst niemand, dem ich von ihrer Bosheit erzählen kann.« Ihr Blick wanderte wieder zu mir zurück, ein eisig kaltes Blau, und ihre Lippen verzogen sich unter der Spitzenschlaufe zu einem Hohnlächeln.

»Ihr seid Gemiedene«, sagte sie. »Ihr existiert nicht mehr.« Sie machte auf dem Absatz kehrt und ging, so dass Ian und Rollo gezwungen waren, ihr hastig aus dem Weg zu gehen. Ihre Schritte hallten auf der Treppe wider, ein schwerfälliger, gemessener Gang wie das Schlagen einer Totenglocke.

Ich sah, wie sich Jamies Schultern Stück für Stück entspannten. Er war immer noch im Nachthemd – er hatte eine feuchte Stelle zwischen den Schulterblättern – und hatte immer noch die Pistole in der Hand.

Unten knallte die Haustür zu. Alle standen wie vom Donner gerührt schweigend da.

»Du hättest doch nicht wirklich auf sie geschossen, oder?«, fragte ich und räusperte mich.

»Was?« Er wandte sich um und starrte mich an. Dann sah er meine Blickrichtung und betrachtete die Pistole in seiner Hand, als fragte er sich, woher sie gekommen war.

»Oh«, sagte er. »Nein«, und schüttelte den Kopf, während er den Arm ausstreckte, um sie wieder auf den Schrank zu legen. »Ich hatte ganz vergessen, dass ich sie in der Hand hatte. Obwohl ich das verrückte Weibsstück weiß Gott gern erschossen hätte«, fügte er hinzu. »Geht es dir gut, Sassenach?«

Er beugte sich zu mir nieder, um mich anzusehen, und sein Blick war sanft vor Sorge.

»Ja. Ich weiß nicht, was – aber es ist alles gut. Jetzt ist es fort.«

»Ah«, sagte er leise, wandte den Blick ab und senkte die Wimpern, um seine Augen zu verbergen. Hatte er es also auch gespürt? Sich plötzlich… zurückversetzt gefühlt? Ich wusste, dass es ihm schon einmal so gegangen war; erinnerte mich daran, wie ich eines Nachts in Paris aufgewacht war und ihn an das offene Fenster gelehnt gesehen hatte, die Hände so fest gegen den Rahmen gepresst, dass sich seine Armmuskeln im Mondschein deutlich abzeichneten.

»Es ist alles gut«, wiederholte ich und berührte ihn, und er lächelte mich kurz und schüchtern an.

»Du hättest sie beißen sollen«, sagte Ian gerade streng zu Rollo. »Sie hat doch einen Hintern, der so groß ist wie ein Tabakfass – wie konntest du den verfehlen?«

»Wahrscheinlich hatte er Angst, sich zu vergiften«, sagte ich und trat aus meiner Ecke. »Glaubst du, sie hat es ernst gemeint – oder nein, sie hat es mit Sicherheit ernst gemeint. Aber glaubst du, sie kann es tun? Dafür sorgen, dass niemand mehr mit uns handelt, meine ich?«

»Sie kann dafür sorgen, dass Robin nicht mehr mit uns handelt«, sagte Jamie, und seine Miene nahm wieder einen gewissen Ingrimm an. »Was den Rest angeht ... Wir werden sehen.«

Ian schüttelte stirnrunzelnd den Kopf und rieb sich vorsichtig mit den Fingerknöcheln der Faust über den Oberschenkel.

»Ich wusste doch, dass ich Manfred besser den Hals gebrochen hätte«, sagte er voll aufrichtigem Bedauern. »Wir hätten Frau Ute sagen können, dass er von einem Felsen gestürzt ist, und hätten uns eine Menge Ärger erspart.«

»Manfred?« Beim Klang des leisen Stimmchens fuhren wir herum wie ein Mann, um festzustellen, wer da gesprochen hatte.

Lizzie stand in der Tür, dünn und bleich wie ein hungriges Gespenst mit riesigen, vom Fieber noch glasigen Augen.

»Was ist denn mit Manfred?«, sagte sie. Sie schwankte gefährlich und streckte die Hand aus, um sich am Türrahmen abzustützen und nicht hinzufallen. »Was ist ihm zugestoßen?«

»Geschlechtskrank und abgehauen«, erklärte Ian wortkarg und richtete sich auf. »Ich hoffe, du hast ihm nicht deine Jungfräulichkeit geschenkt.«

Am Ende gelang es Ute McGillivray doch nicht, ihre Drohung vollständig in die Tat umzusetzen – doch sie richtete auch so genug Schaden an. Manfreds dramatisches Verschwinden, die Lösung seiner Verlobung mit Lizzie und der Grund für diesen Schritt verursachten einen fürchterlichen Skandal, der sich von Hillsboro und Salisbury, wo er hin und wieder als wandernder Büchsenmacher gearbeitet hatte, bis nach Salem und High Point herumsprach.

Infolge von Utes Bemühungen war die Geschichte jedoch noch verworrener als bei solchen Gerüchten üblich; die einen sagten, er hätte die Syphilis, andere, ich hätte ihn aufgrund eines erfundenen Streits mit seinen Eltern böswilliger- und fälschlicherweise beschuldigt, sie zu haben. Andere waren mir wohler gesinnt. Sie glaubten zwar nicht, dass Manfred die Krankheit hatte, sagten aber, ich hätte mich zweifellos geirrt.

Diejenigen, die es glaubten, dass er die Krankheit hatte, waren geteilter Meinung, wie er darangekommen war; die eine Hälfte war überzeugt, er hätte sie von irgendeiner Hure, und ein Großteil der anderen spekulierte, dass er sie von der armen Lizzie hatte, deren Ruf schrecklich litt – bis Ian, Jamie, die Beardsley-Zwillinge und sogar Roger es übernahmen, ihre Ehre mit den Fäusten zu verteidigen. Zwar hörten die Leute an diesem Punkt nicht auf zu reden – aber sie hörten auf zu reden, wenn einer ihrer ritterlichen Verteidiger in Hörweite war.

Utes zahlreiche Verwandte in und um Wachovia, Salem, Bethabara und Bethania glaubten natürlich ihre Version der Geschichte und zerrissen sich fleißig die Mäuler. Salem stellte den Handel mit uns zwar nicht vollständig ein – aber viele einzelne Einwohner taten es. Und immer öfter machte ich die verstörende Erfahrung, einen Herrnhuter Bruder zu grüßen, den ich gut kannte, und dann mit ansehen zu müssen, wie er versteinert schweigend durch mich hindurchsah oder mir den Rücken zuwandte. So oft, dass ich nicht länger nach Salem ging.

Nachdem Lizzie ihre anfängliche Kränkung überwunden hatte, schien das abrupte Ende ihrer Verlobung sie gar nicht sehr zu bestürzen. Sie war verwundert, verwirrt, und Manfred – so sagte sie – tat ihr Leid, aber sie war nicht untröstlich über seinen Verlust. Und da sie Fraser's Ridge nur noch selten verließ, hörte sie nicht, was die Leute über sie sagten. Was ihr zu schaffen machte, war der Verlust der McGillivrays – vor allem Utes.

»Versteht Ihr, Ma'am«, sagte sie sehnsüchtig zu mir, »ich habe doch nie eine Mutter gehabt, denn meine Mutter ist bei meiner Geburt gestorben. Und dann hat Mutti – sie hat mich gebeten, sie so zu nennen, als ich gesagt habe, ich würde Manfred heiraten – gesagt, ich wäre ihre Tochter, genau wie Hilde und Inge und Senga. Sie hat mich bemuttert und mich eingeschüchtert und ausgelacht, genau wie sie es mit ihnen macht. Und es war … einfach so *schön*, so eine große Familie zu haben. Und jetzt habe ich sie verloren.«

Robin, der sehr an ihr gehangen hatte, hatte ihr einen kurzen, bedauernden Brief geschickt, den er mit Hilfe des guten Ronnie Sinclair zu uns geschmuggelt hatte. Aber weder Ute noch ihre Töchter hatten sie nach Manfreds Verschwinden besucht oder auch nur ein Wort von sich hören lassen.

Doch es war Joseph Wemyss, den die ganze Angelegenheit am deutlichsten mitnahm. Er sagte nichts, und es war klar, dass er es für Lizzie nicht noch schlimmer machen wollte – aber er welkte dahin wie eine Blume, die keinen Regen mehr abbekommt. Abgesehen von seinem Mitgefühl mit Lizzie und seiner Sorge um den Schaden, den ihr Ruf nahm, fehlten auch ihm die McGillivrays; fehlten ihm das Glück und die Geborgenheit, die er empfunden hatte, als er sich nach so vielen Jahren der Einsamkeit plötzlich als Teil einer großen, quicklebendigen Familie wiederfand.

Schlimmer noch war, dass es Ute zwar nicht gelungen war, ihre Drohung gänzlich wahr zu machen, dass sie ihre nahen Verwandten jedoch hatte beeinflussen können – darunter auch Pastor Berrisch und seine Schwester Monika, der man, wie mir Jamie unter vier Augen sagte, verboten hatte, Joseph je wieder zu sehen oder auch nur ein Wort mit ihm zu wechseln.

»Der Pastor hat sie zu Verwandten seiner Frau in Halifax geschickt«, sagte er und schüttelte traurig den Kopf. »Damit sie vergisst.«

»Oje.«

Und von Manfred gab es nicht die geringste Spur. Jamie hatte die Nachricht durch all seine üblichen Kanäle verbreitet, doch niemand hatte ihn seit seiner Flucht aus Fraser's Ridge gesehen. Ich dachte täglich an ihn – und betete für ihn –, verfolgt von der Vorstellung, wie er allein durch die Wälder schlich, während sich die tödlichen Spirochäten in seinem Blut mit jedem Tag vervielfachten. Oder schlimmer noch, wie er als Handlanger auf einem Schiff zu den Westindischen Inseln reiste und in jedem Hafen Halt machte, um seinen Schmerz in den Armen ahnungsloser Huren zu ertränken, an die er die lautlose, tödliche Erkrankung weitergab, die sie dann wiederum...

Oder manchmal auch das albtraumhafte Bild eines verrottenden Kleiderbündels, das tief im Wald an einem Ast baumelte, betrauert allein von den Krähen, die ihm das Fleisch von den Knochen pickten. Und trotz allem brachte ich es nicht übers Herz, Ute McGillivray zu hassen, denn sie musste schließlich Ähnliches denken.

Der einzige Lichtblick in diesem ganzen Elend war die Tatsache, dass Thomas Christie es Malva völlig wider Erwarten erlaubt hatte, weiter zu mir ins Sprechzimmer zu kommen, mit der einzigen Einschränkung, dass er im Voraus unterrichtet werden wollte, wenn ich vorhatte, seine Tochter an weiteren Anwendungen des Äthers zu beteiligen.

»Da.« Ich trat zurück und wies sie mit einer Geste an, durch das Okular des Mikroskops zu blicken. »Seht Ihr sie?«

Sie spitzte in stummer Faszination die Lippen. Es hatte mich beträchtliche Mühe gekostet, die richtige Kombination aus Färbemittel und Sonnenstand zu finden, die die Spirochäten sichtbar machte, doch schließlich war es mir gelungen. Sie waren nicht sehr deutlich zu erkennen, doch man sah sie, wenn man wusste, wonach man suchte. Und obwohl ich von der Richtigkeit meiner ursprünglichen Diagnose überzeugt war, war ich erleichtert, sie zu sehen.

»Oh, ja! Kleine Spiralen. Ich erkenne sie gut!« Sie blinzelte zu mir auf. »Wollt Ihr mir wirklich erzählen, dass diese kleinen Dinger der Grund für Manfreds Krankheit sind?« Sie war zu höflich, um offene Skepsis an den Tag zu legen, aber ich konnte sie in ihren Augen sehen.

»Genau.« Ich hatte die Theorie, dass Krankheiten durch Keime ausgelöst werden, schon einer ganzen Reihe ungläubiger Zuhörer aus dem achtzehnten Jahrhundert vorgetragen, und im Licht dieser Erfahrung hatte ich keine großen Erwartungen mehr auf eine positive Aufnahme. Die normalen Reaktionen waren entweder verständnislose Blicke, nachsichtiges Gelächter oder verächtlich gerümpfte Nasen. Auch von Malva erwartete ich eine höfliche Version einer dieser Reaktionen.

Zu meiner Überraschung schien sie diese Vorstellung jedoch sofort zu begreifen – zumindest gab sie vor, es zu tun.

»Aha.« Sie stützte sich mit beiden Händen auf die Arbeitsplatte und linste erneut auf die Spirochäten. »Diese kleinen Tierchen verursachen also die Syphilis. Wie machen sie das? Und wie kommt es, dass die kleinen Wesen aus meinen Zähnen, die Ihr mir gezeigt habt, mich nicht krank machen?«

So gut ich konnte, erklärte ich ihr von »guten Keimen« oder »wirkungslosen Keimen« im Gegensatz zu »bösen Keimen«. Auch das schien sie problemlos zu begreifen. Doch nachdem ich ihr erklärt hatte, was Zellen waren und dass der ganze Körper daraus bestand, blickte sie mit einem verwirrten Stirnrunzeln auf ihre Hand und versuchte, die einzelnen Zellen auszumachen. Doch dann schüttelte sie ihren Zweifel ab, wickelte die Hand in ihre Schürze und fragte mich weiter aus.

Verursachten alle Keime Krankheiten? Das Penizillin – warum bekämpfte es einige Keime, aber nicht alle? Und wie gelangten sie von einer Person zur nächsten?

»Manche werden durch die Luft übertragen – weshalb man versuchen muss zu vermeiden, dass man angehustet oder angeniest wird – und manche durch Wasser – weshalb man nicht aus Bächen trinken darf, die von anderen als Abort benutzt werden, und manche … nun, auf anderen Wegen.« Mir war nicht klar, wie viel sie über den menschlichen Geschlechtsverkehr wusste – sie lebte auf einer Farm und musste ja wissen, wie sich Schweine, Hühner und Pferde verhielten –, und es widerstrebte mir, sie aufzuklären, bevor am Ende ihr Vater davon hörte. Ich hatte das Gefühl, dass er sie lieber mit Äther umgehen lassen würde.

Natürlich nagelte sie mich auf meiner ausweichenden Antwort fest.

»Andere Wege? Was gibt es denn für andere Wege?« Mit einem innerlichen Seufzer erklärte ich es ihr.

»Sie tun *was*?«, sagte sie ungläubig. »Männer, meine ich. Wie ein Tier! Warum in aller Welt sollte eine Frau zulassen, dass ein Mann ihr so etwas antut?«

»Nun, sie *sind* schließlich Tiere«, sagte ich und unterdrückte den Drang zu lachen. »Genau wie Frauen. Was den Grund dafür angeht …« Ich rieb mir die Nase, während ich nach einer taktvollen Formulierung suchte. Sie war mir jedoch schon meilenweit voraus und machte sich ihren eigenen Reim darauf.

»Gegen Geld«, sagte sie, und ihr Gesicht war wie vom Donner gerührt. »*Das* ist es, was eine Hure tut! Sie lässt es gegen Geld mit sich machen.«

»Nun, ja – aber Frauen, die keine Huren sind …«

»Die Kinder, aye, das habt Ihr ja gesagt.« Sie nickte, dachte aber eindeutig an andere Dinge und hatte ihre kleine, glatte Stirn konzentriert gerunzelt.

»Wie viel Geld bekommen sie?«, fragte sie. »Ich glaube, ich würde eine Menge verlangen, damit ein Mann –«

»Ich weiß es nicht«, sagte ich ein wenig überrumpelt. »Es ist unterschiedlich, nehme ich an. Je nachdem.«

»Je nachdem … Oh, wenn er vielleicht hässlich ist, meint er, könnte man sich mehr bezahlen lassen? Oder wenn *sie* hässlich ist …« Sie warf mir einen raschen, neugierigen Blick zu. »Bobby Higgins hat mir von einer Hure erzählt, der er in London begegnet ist und deren Gesicht von Vitriol zerstört war.« Sie hob den Blick zum Schrank, in dem ich die Schwefelsäure unter Schloss und Riegel aufbewahrte, und erschauerte, so dass ihre zarten Schultern bei der Vorstellung erbebten.

»Ja, das hat er mir auch erzählt. Vitriol ist das, was wir eine ätzende Flüssigkeit nennen. Das ist der Grund –«

Aber ihre Gedanken waren schon wieder zum Gegenstand ihrer Faszination zurückgekehrt.

»Sich vorzustellen, dass Manfred McGillivray so etwas tut!« Sie sah mich mit großen Augen an. »Nun, und Bobby. Er muss es doch getan haben, oder nicht?«

»Ich glaube schon, dass Soldaten öfter –«

»Aber die Bibel«, sagte sie und blinzelte nachdenklich. »Dort steht, man darf keinem Götzenbild hinterherhuren. Heißt das, die Männer haben ihre Glieder in – meint Ihr, die Götzenbilder haben ausgesehen wie Frauen?«

»Das ist mit Sicherheit nicht gemeint«, sagte ich hastig. »Es ist eher eine Metapher. Äh … ich denke, es bedeutet, dass einen die Lust nach etwas beherrscht, nicht, äh …«

»Lust«, sagte sie nachdenklich. »Das ist, wenn man sündhaft nach etwas verlangt, nicht wahr?«

»Ja, genau.« Hitze überflutete meine Haut in tanzenden kleinen Schleiern. Ich brauchte schnell kühle Luft, sonst würde ich rot werden wie eine Tomate und in Schweiß gebadet sein. Ich stand auf, um ins Freie zu gehen, hatte aber das Gefühl, sie um keinen Preis mit dem Eindruck zurücklassen zu dürfen, dass es beim Geschlechtsverkehr nur um Geld oder Babys ging – selbst wenn es gut möglich war, dass es für manche Frauen so war.

»Es gibt *noch* einen Grund dafür, wisst Ihr«, sagte ich und wandte auf dem Weg zur Tür den Kopf nach ihr um. »Wenn man jemanden liebt, möchte man ihm Vergnügen schenken. Und er möchte das Gleiche tun.«

»Vergnügen?« Ihre Stimme erhob sich ungläubig hinter mir. »Ihr meint, es macht manchen Frauen *Spaß*?«

47

Wenn du zum Weibe gehst...

Es war wirklich nicht meine Absicht herumzuspionieren. Eins meiner Bienenvölker war ausgeschwärmt, und ich war auf der Suche nach den entflohenen Bienen.

Neue Schwärme flogen normalerweise nicht weit und hielten häufig an. Oft legten sie stundenlange Pausen in Astgabeln oder Baumhöhlen ein, wo sie sich zu einer Kugel sammelten und Summkonferenzen abhielten. Fand man sie, bevor sie sich selbst für einen Ort entschieden, an dem sie sich niederlassen wollten, konnte man sie oft in einen verführerisch leeren Bienenkorb locken und sie so wieder in die Gefangenschaft zurücktragen.

Das Problem ist, dass Bienen keine Fußabdrücke hinterlassen. So wanderte ich also suchend auf dem Berghang hin und her, fast eine Meile von unserem Haus entfernt, einen leeren Bienenkorb an einem Strick über meine Schulter geschlungen, und versuchte dabei, Jamies Jagdanweisungen zu folgen und wie eine Biene zu denken.

Weit über mir auf dem Hang wuchsen große Flächen blühende Klebkraut, Weidenröschen und andere Wildpflanzen – aber ein Stückchen bergab ragte ein – für Bienen – äußerst attraktiver Baumstumpf aus dem dichten Unterholz.

Der Bienenkorb war schwer und der Berghang steil. Es war leichter bergab zu gehen als bergauf. Ich rückte den Strick zurecht, der meine Schulter wund zu scheuern begann, und setzte mich abwärts in Bewegung, durch Sumach- und Schneeballsträucher, benutzte Felsen als Fußbremse und hielt mich an Ästen fest, um nicht auszurutschen.

Da ich mich so auf meine Füße konzentrierte, nahm ich kaum Notiz davon, wo ich war. Ich kam in einer Lücke im Gebüsch heraus, von wo ich ein Stück unter mir das Dach einer Hütte sehen konnte. Welche war es? Die der Christies, dachte ich. Ich wischte mir mit dem Ärmel die Schweißtropfen vom Kinn; der Tag war warm, und ich hatte vergessen, eine Feldflasche mitzunehmen. Vielleicht würde ich auf dem Heimweg bei ihnen anhalten und um Wasser bitten.

Als ich den Baumstumpf endlich erreichte, fand ich zu meiner Enttäuschung keine Spur von den Bienen. Ich blieb stehen, tupfte mir den Schweiß aus dem Gesicht und lauschte, um eventuell das verräterische Dröhnen der Bienen aufzufangen. Ich hörte das Summen und Surren diverser Fluginsekten und das gesellige Gezwitscher eines Zwergkleiberschwarms über mir auf dem Berg – aber keine Bienen.

Ich seufzte und machte kehrt, um den Baumstumpf zu umrunden, hielt dann aber inne, weil mir unten etwas Weißes ins Auge fiel.

Thomas Christie und Malva befanden sich auf der kleinen Lichtung hinter ihrer Blockhütte. Ich hatte sein Hemd aufleuchten sehen, als er sich bewegte, doch jetzt stand er mit verschränkten Armen reglos da.

Er schien sich ganz auf seine Tochter zu konzentrieren, die Zweige von einem der Vogelbeerbäume am Rand der Lichtung abschnitt. Ich fragte mich, wozu?

Etwas Merkwürdiges schien der Szene anzuhaften, obwohl ich nicht mit dem Finger darauf zeigen konnte, was es war. Ihre Körpersprache? Die angespannte Atmosphäre zwischen ihnen?

Malva drehte sich um und ging auf ihren Vater zu, einige lange, schlanke Zweige in der Hand. Sie hatte den Kopf gesenkt und bewegte sich schleppend, und als sie ihm die Ruten reichte, verstand ich abrupt, was dort vor sich ging.

Sie waren zu weit entfernt, als dass ich sie hätte hören können, aber anscheinend sagte er etwas zu ihr und wies schroff auf den Baumstumpf, der ihnen als Hackklotz diente. Sie kniete sich davor hin, beugte sich vor und hob ihre Röcke, um ihren nackten Hintern zu entblößen.

Ohne zu zögern hob er die Ruten und schlug sie ihr fest über den Hintern, dann peitschte er sie in die andere Richtung und überzog ihre Haut mit leuchtend roten Zickzacklinien, die ich selbst aus dieser Entfernung sehen konnte. Dies wiederholte er mehrmals und schwang die elastischen Zweige mit einer zielsicheren Gemessenheit, deren Brutalität durch seine offensichtliche Emotionslosigkeit noch schockierender wirkte.

Ich war nicht einmal auf die Idee gekommen, den Blick abzuwenden. Ich stand stocksteif im Gebüsch, zu verdattert, um auch nur die Mücken zu verscheuchen, die mein Gesicht umschwärmten.

Christie hatte die Ruten zu Boden geworfen, auf dem Absatz kehrt gemacht und war ins Haus gegangen, bevor ich auch nur blinzeln konnte. Malva hockte sich auf die Fersen, schüttelte ihre Röcke aus und strich sie beim Aufstehen vorsichtig über ihrem Hintern glatt. Ihr Gesicht war rot, aber sie weinte nicht und schien auch nicht verstört zu sein.

Sie ist daran gewöhnt. Der Gedanke kam mir ungebeten. Ich zögerte, weil ich keine Ahnung hatte, was ich tun sollte. Bevor ich einen Entschluss fassen konnte, hatte Malva ihre Haube zurechtgerückt, sich umgedreht, war mit entschlossener Miene in den Wald gegangen – und kam direkt auf mich zu.

Ich duckte mich schon hinter einem großen Tulpenbaum, bevor mir überhaupt klar war, dass ich das beschlossen hatte. Sie war nicht verletzt, und ich war mir sicher, dass es ihr nicht recht gewesen wäre zu erfahren, dass jemand den Vorfall beobachtet hatte.

Malva kam in geringem Abstand an mir vorbei. Sie schnaufte ein wenig, weil es bergauf ging, und prustete und murmelte auf eine Weise vor sich hin, die in mir den Eindruck weckte, dass sie ziemlich wütend war, aber nicht bestürzt.

Ich lugte vorsichtig um den Baumstamm herum, sah aber nur noch ihre Haube, die sich zwischen den Bäumen auf und ab bewegte. Dort oben wohnte niemand, und sie hatte keinen Korb und keine Werkzeuge zum Pflanzensammeln dabei gehabt. Vielleicht wollte sie einfach nur allein sein, um sich wieder zu fangen.

Das hätte mich nicht überrascht.

Ich wartete, bis sie außer Sichtweite war, dann stieg ich langsam bergab. Obwohl ich so durstig war, machte ich nicht bei den Christies Halt, und auch mein Interesse an verirrten Bienen hatte ich verloren.

Ich begegnete Jamie ein Stück von zu Hause entfernt an einem Zaunübertritt, wo er sich mit Hiram Crombie unterhielt. Ich begrüßte ihn kopfnickend und wartete ungeduldig, dass Crombie sein Gespräch beendete, damit ich Jamie erzählen konnte, was ich gerade mit angesehen hatte.

Glücklicherweise zeigte Hiram kein Bedürfnis zu verweilen; ich machte ihn nervös.

Ich erzählte Jamie auf der Stelle, was ich beobachtet hatte, und stellte verärgert fest, dass er meine Betroffenheit nicht teilte. Wenn es Tom Christie für nötig hielt, seine Tochter auszupeitschen, dann war das seine Sache.

»Aber es könnte doch sein, dass er ... es ist doch möglich – vielleicht ist das ja nur der Anfang. Vielleicht tut er ... ihr noch andere Dinge an.«

Er warf mir einen überraschten Blick zu.

»Tom? Hast du irgendeinen Grund, so zu denken?«

»Nein«, räumte ich widerstrebend ein. Bei dem Gedanken an die Christies wurde mir mulmig, aber das lag wahrscheinlich nur daran, dass ich nicht mit Tom zurechtkam. Ich war nicht so dumm zu denken, dass ein Hang zum Bibelfanatismus automatisch bedeutete, dass ein Mensch nichts Böses tun konnte – aber um fair zu sein, bedeutete es auch nicht unbedingt, *dass* er es tat. »Aber er sollte sie doch sicher nicht so schlagen – in ihrem Alter?«

Er sah mich etwas entnervt an.

»Du begreifst nicht das Geringste, oder?«, sprach er genau das aus, was ich dachte.

»Genau das wollte ich auch gerade sagen, zu *dir*«, sagte ich und sah ihn unbeirrt an. Er wandte den Blick nicht ab, sondern fixierte mich mit den Augen, in die sich ein Ausdruck ironischer Belustigung stahl.

»Dann wird es also anders sein?«, sagte er. »In deiner Welt?« Es lag gerade genug Schärfe in seiner Stimme, um mich unmissverständlich daran zu erinnern, dass wir uns nicht in meiner Welt befanden – und es auch nie tun würden. Eine Gänsehaut ließ plötzlich die feinen blonden Haare auf meinem Arm zu Berge stehen.

»Dann würde in deiner Zeit kein Mann eine Frau schlagen? Nicht einmal mit gutem Grund?«

Was sollte ich darauf antworten? Ich konnte nicht lügen, selbst wenn ich gewollt hätte; er kannte mein Gesicht viel zu gut.

»Manchmal schon«, gab ich zu. »Aber es ist nicht dasselbe. Dort – dann, meine ich – wäre ein Mann, der seine Frau schlägt, ein Krimineller. Aber«, fügte ich der Fairness halber hinzu, »wenn ein Mann dann seine Frau schlägt, würde er meistens seine Fäuste benutzen.«

Ein Ausdruck angewiderten Erstaunens überzog sein Gesicht.

»Was für ein Mann tut denn so etwas?«, fragte er ungläubig.

»Ein böser.«

»Das will ich wohl meinen, Sassenach. Und du findest nicht, dass das etwas anderes ist?«, fragte er. »Für dich wäre es dasselbe, ob ich dir das Gesicht einschlage oder dir nur den Hintern versohle?«

Das Blut stieg mir abrupt in die Wangen. Er *hatte* mich einmal mit dem Gürtel verprügelt, und ich hatte es nicht vergessen. Damals hätte ich ihn am liebsten umgebracht – und auch heute empfand ich alles andere als freundschaftliche Gefühle für ihn, wenn ich daran dachte. Gleichzeitig war ich aber nicht so dumm, sein Verhalten mit dem eines modernen Mannes gleichzustellen, der seine Frau misshandelte.

Er sah mich an, zog eine Augenbraue hoch, dann begriff er, woran ich dachte.

»Oh«, sagte er.

»Oh, in der Tat«, sagte ich sehr verärgert. Es war mir gelungen, diese ausgesprochen demütigende Episode zu verdrängen, und ich war nicht begeistert, wieder daran erinnert zu werden.

Er dagegen genoss es sichtlich. Er betrachtete mich auf eine Weise, die ich ausgesprochen unerträglich fand, und grinste unablässig.

»Gott, du hast geschrien wie eine *ban-sidhe*.«

Ich begann deutlich zu spüren, wie das Blut in meinen Schläfen pochte.

»Dazu hatte ich auch allen verdammten Grund!«

»Oh, aye«, sagte er, und sein Grinsen wurde breiter. »Den hattest du. Aber du warst schließlich selber schuld«, fügte er hinzu.

»*Selber* sch...«

»Ja«, beharrte er.

»Du hast dich doch sogar entschuldigt!«, schnaubte ich entrüstet.

»Nein, das habe ich nicht. Und es ist trotzdem deine Schuld gewesen«, sagte er ohne jede Logik. »Und ich hätte dich nicht annähernd so fest verprügelt, wenn du von Anfang an auf mich gehört hättest, als ich dir gesagt habe, du solltest dich hinknien und –«

»Auf dich gehört! Du glaubst, ich hätte einfach nur demütig klein beigeben und zulassen sollen, wie du –«

»Ich habe noch nie gesehen, wie du *irgendetwas* demütig tust, Sassenach.« Er ergriff meinen Arm, um mir über den Zauntritt zu helfen, doch ich riss mich aufgebracht prustend los.

»Du verfluchter *Schotte*!« Ich warf ihm den Bienenkorb vor die Füße, schürzte meine Röcke und kletterte über den Tritt.

»Nun, ich habe es nie wieder getan«, protestierte er hinter mir. »Ich hab's dir versprochen, aye?«

Ich fuhr auf der anderen Zaunseite herum und funkelte ihn an.

»Nur, weil ich gedroht habe, dir das Herz herauszuschneiden, falls du es je versuchst!«

»Aber trotzdem. Ich *hätte* es gekonnt – und das weißt du ganz genau, Sassenach. Aye?« Er hatte aufgehört zu grinsen, aber das Glitzern in seinen Augen war nicht zu verkennen.

Ich holte ein paar Mal tief Luft und versuchte gleichzeitig, meine Verärgerung im Zaum zu halten und mir eine niederschmetternde Erwiderung zu überlegen. Beides misslang mir, und mit einem kurzen, würdevollen »Hmpf!« stolzierte ich gemessenen Schrittes von dannen.

Ich hörte seinen Kilt rascheln, als er den Bienenkorb aufhob, über den Zauntritt hüpfte und mich mit ein oder zwei Schritten einholte. Ich sah ihn nicht an; meine Wangen standen immer noch in Flammen.

Die empörende Tatsache war, dass ich es in der Tat wusste. Ich erinnerte mich nur zu gut daran. Er hatte seinen Schwertgürtel benutzt, und zwar so, dass ich tagelang nicht schmerzfrei hatte sitzen können – und falls er je beschloss, es wieder zu tun, gab es nichts, was ihn daran hindern konnte.

Meistens gelang es mir, die Tatsache zu ignorieren, dass ich vor dem Gesetz sein Eigentum war. Das änderte aber nichts an der Tatsache, *dass* es eine Tatsache war – und er es wusste.

»Was ist mit Brianna?«, wollte ich wissen. »Würdest du genauso denken, wenn der gute Roger plötzlich auf die Idee käme, deine Tochter mit seinem Gürtel oder einer Rute zu malträtieren?«

Irgendetwas schien er an dieser Vorstellung lustig zu finden.

»Ich glaube, wenn er das versuchen würde, hätte er den Kampf seines Lebens vor sich«, sagte er. »Das ist ein wunderbares Mädchen, nicht wahr? Und ich fürchte, sie hat dieselben Vorstellungen von ehelichem Gehorsam wie du. Andererseits«, fügte er hinzu und schwang sich den Strick mit dem Korb über die Schulter, »weiß man nie, was in einer Ehe vor sich geht, nicht wahr? Vielleicht würde es ihr ja gefallen, wenn er es versuchte.«

»Gefallen?!« Ich starrte ihn erstaunt an. »Wie kannst du nur glauben, dass eine Frau es *je* –«

»Oh, aye? Was ist denn mit meiner Schwester?«

Ich erstarrte mitten auf dem Weg und gaffte ihn an.

»Was *ist* mit deiner Schwester? Du willst mir doch nicht erzählen –«

»Doch.« Da war das Glitzern wieder, doch ich hatte nicht das Gefühl, dass er Witze machte.

»Ian hat sie *geschlagen*?«

»Ich wünschte, du würdest aufhören, es so zu nennen«, sagte er nachsichtig. »Es klingt ja so, als wäre Ian mit den Fäusten auf sie losgegangen, oder als hätte er ihr blaue Augen verpasst. Ich habe dir ordentlich das Fell gegerbt, aber ich habe dich doch in Gottes Namen nicht blutig geschlagen.« Sein Blick huschte zu meinem Gesicht; es war alles verheilt, zumindest äußerlich; die einzige Spur war eine winzige Narbe in der Augenbraue – unsichtbar, es sei denn, man teilte die Haare dort und sah genau hin. »Und Ian würde das auch nicht tun.«

Es verblüffte mich total, das zu hören. Ich hatte mehrere Monate mit Ian und Jenny Murray unter einem Dach gewohnt, und nichts hatte je darauf hingedeutet, dass er einen Hang zur Brutalität hatte. Außerdem war es unmöglich, sich vorzustellen, dass jemand so etwas mit Jenny Murray probierte, denn sie hatte einen noch ausgeprägteren Charakter als ihr Bruder – falls so etwas überhaupt möglich war.

»Nun, was *hat* er denn getan? Und warum?«

»Nun, er hat nur dann und wann zu seinem Gürtel gegriffen«, sagte er, »und nur, wenn sie ihn dazu gebracht hat.«

Ich holte tief Luft.

»Wenn sie ihn dazu *gebracht* hat?«, fragte ich verhältnismäßig ruhig.

»Nun, du kennst doch Ian«, sagte er achselzuckend. »Er ist kein Mensch, der so etwas täte, es sei denn, Jenny provozierte ihn dazu.«

»So etwas ist mir nie aufgefallen«, sagte ich und musterte ihn streng.

»Nun, sie hätte es wohl kaum vor deiner Nase getan, oder?«

»Vor *deiner* aber schon?«

»Nun, nicht direkt, nein«, gab er zu. »Aber ich war nach Culloden nicht mehr oft im Haus. Dann und wann habe ich sie aber besucht und konnte sehen, dass sie ... es auf etwas anlegte.« Er rieb sich die Nase und blinzelte in die Sonne, während er nach Worten suchte.

»Sie hat ihn verrückt gemacht«, sagte er schließlich achselzuckend. »Ihn wegen nichts beschimpft, kleine sarkastische Bemerkungen gemacht. Sie hat sich –« Sein Gesicht entspannte sich ein wenig, als ihm jetzt eine passende Beschreibung einfiel. »Sie hat sich aufgeführt wie ein verwöhntes kleines Mädchen, das reif war für eine Tracht Prügel.«

Ich fand diese Beschreibung absolut unglaublich. Jenny Murray hatte eine scharfe Zunge und kaum Hemmungen, sie zu benutzen, ganz gleich, gegenüber wem, einschließlich ihres Mannes. Ian, der Inbegriff der Gutmütigkeit, lachte nur über sie. Aber ich konnte mir einfach nicht vorstellen, dass sie sich so benahm, wie Jamie es beschrieb.

»Nun gut. Wie gesagt, ich hatte das schon ein paar Mal beobachtet. Und Ian hat sie dann scharf angesehen, jedoch geschwiegen. Aber dann war ich einmal kurz vor Sonnenuntergang auf der Jagd und habe auf dem Hügel gleich hinter dem Turm ein kleines Reh erlegt – du weißt, wo?«

Ich nickte, immer noch verblüfft.

»Es war so nah, dass ich das Reh ohne Hilfe zum Haus tragen konnte, also habe ich es zum Räucherschuppen gebracht und aufgehängt. Es war niemand da – ich habe später herausgefunden, dass die Kinder zusammen mit den Dienstboten nach Broch Mhorda zum Markt gegangen waren. Also dachte ich, das Haus wäre ganz leer, und bin in die Küche gegangen, um einen Bissen zu essen und mir einen Becher Buttermilch zu nehmen, bevor ich wieder ging.«

Da er davon ausging, dass das Haus leer war, war er erschrocken, als er oben im Schlafzimmer Geräusche hörte.

»Was denn für Geräusche?«, fragte ich fasziniert.

»Nun … Geschrei«, sagte er achselzuckend. »Und Gekicher. Schubsen und Rumpeln, und dann ist ein Hocker oder so etwas umgekippt. Wären sie nicht so albern gewesen, hätte ich gedacht, es wären Diebe im Haus. Aber ich wusste, dass es Jennys Stimme war und Ians und –« Er brach ab, und seine Ohren wurden rot bei der Erinnerung daran.

»Und dann … ging es noch ein wenig so weiter mit den erhobenen Stimmen – und dann knallte ein Gürtel, und es folgte ein Schrei, den man sechs Felder weit hören konnte.«

Er holte tief Luft und zuckte mit den Achseln.

»Nun, ich war etwas verwundert und wusste nicht sofort, was ich tun sollte.«

Ich nickte, denn das konnte ich zumindest nachempfinden.

»Ich kann mir vorstellen, dass es eine etwas peinliche Situation war, ja. Aber dann … äh … ging es so weiter?«

Er nickte. Seine Ohren waren jetzt dunkelrot, und sein Gesicht war gerötet, was allerdings auch lediglich von der Hitze kommen konnte.

»Aye, so war es. Er sah mich an. »Versteh mich nicht falsch, Sassenach, wenn ich das Gefühl gehabt hätte, dass er ihr etwas antun wollte, wäre ich im nächsten Moment oben auf der Treppe gewesen. Aber …« Er verscheuchte eine neugierige Biene und schüttelte den Kopf. »Es war – es hat sich angefühlt – ich weiß gar nicht, wie ich es ausdrücken soll. Es war nicht so, dass Jenny die ganze Zeit gelacht hat, denn das hat sie nicht – aber dass ich das Gefühl hatte, dass sie es am liebsten getan hätte. Und Ian … nun, Ian *hat* gelacht. Ich meine, nicht laut; es war nur … in seiner Stimme.«

Er atmete aus und wischte sich mit dem Handrücken den Schweiß vom Kinn.

»Ich bin völlig erstarrt stehen geblieben, ein Stück Kuchen in der Hand, und habe zugehört. Ich bin erst wieder zu mir gekommen, als mir die ersten Fliegen in den offenen Mund geflogen sind, und zu diesem Zeitpunkt waren sie schon … äh … sie haben … mmmpfm.« Er zog den Kopf ein, als sei ihm sein Hemd zu eng.

»Waren dabei, sich zu versöhnen, wie?«, fragte ich trocken.

»Ich nehme es an«, erwiderte er steif. »Ich bin gegangen. Bin den ganzen Weg nach Foyne gewandert und habe bei der alten Mrs. MacNab übernachtet.« Foyne war ein winziges Dorf etwa fünfzehn Meilen von Lallybroch entfernt.

»Warum?«, fragte ich.

»Nun, es ging nicht anders«, sagte er in aller Logik. »Ich konnte das Ganze schließlich nicht ignorieren. Also musste ich entweder herumwandern und nachdenken oder kapitulieren und mich selbst missbrauchen, und *das* konnte ich nun wirklich nicht gut machen – es war schließlich meine eigene Schwester.«

»Willst du damit sagen, dass du nicht gleichzeitig denken und dich sexuell betätigen kannst?«, fragte ich lachend.

»Natürlich nicht«, sagte er – womit er einen Verdacht bestätigte, den ich schon lange hegte – und betrachtete mich, als hätte ich den Verstand verloren. »Du denn?«

»Ich *kann* das, ja.«

Er zog eine Augenbraue hoch und war eindeutig nicht überzeugt.

»Nun, ich sage ja nicht, dass ich es immer *tue*«, räumte ich ein, »aber es ist möglich. Frauen sind es gewohnt, mehr als einer Tätigkeit gleichzeitig nachzugehen – sie müssen es, wegen der Kinder. Aber egal, zurück zu Jenny und Ian. Warum in aller Welt –?«

»Nun, ich bin herumgewandert und habe *darüber* nachgedacht«, gab Jamie zu. »Um ehrlich zu sein, konnte ich gar nicht damit aufhören. Die alte Mrs. MacNab konnte sehen, dass ich etwas auf dem Herzen hatte, und hat mich beim Abendessen so ausgefragt, dass ich … äh … nun ja, dass ich es ihr erzählt habe.«

»Wirklich? Wie hat sie reagiert?«, fragte ich fasziniert. Ich hatte die alte Mrs. MacNab gekannt, eine lebhafte Person, die kein Blatt vor den Mund nahm – und jede Menge Erfahrung mit menschlichen Schwächen hatte.

»Sie hat gegackert wie ein Huhn«, sagte er und seine Mundwinkel kräuselten sich. »Ich dachte schon, sie würde vor lauter Belustigung ins Feuer kippen.«

Doch nachdem sie sich ein Stück weit erholt hatte, hatte sich die alte Dame die Augen gewischt und ihm die Dinge erklärt, gütig und geduldig, als spräche sie mit jemandem, der nicht ganz bei Verstand war.

»Sie hat gesagt, es läge an Ians Bein«, sagte Jamie und blickte mich prüfend an, ob das für mich einen Sinn ergab. »Sie hat gesagt, Jenny machte das nichts aus, *ihm* aber schon. Sie hat gesagt«, sagte er, und seine Gesichtsfarbe wurde noch kräftiger, »dass Männer keine Ahnung haben, was Frauen über das Bett denken, sie aber ständig glauben, sie müssten es wissen, und so kommt es zu Missverständnissen.«

»Ich wusste doch, dass ich die Alte mochte«, murmelte ich. »Was noch?«

»Nun ja. Sie hat gesagt, es wäre sehr wahrscheinlich, dass Jenny Ian nur verdeutlicht hat – und vielleicht auch sich selbst –, dass sie ihn nach wie vor für einen Mann hielt, trotz seines Beins.«

»Was? Warum?«

»Weil, Sassenach«, erklärte er nüchtern, »weil man als Mann immer wieder Grenzen ziehen und gegen andere vorgehen muss, die diese überschreiten. Feinde, Pächter, die eigenen Kinder – die eigene Frau. Man kann sie nicht pausenlos mit der Faust oder dem Riemen bestrafen, aber wenn man es tut, ist wenigstens jedem klar, wer das Sagen hat.«

»Aber das ist doch völliger –«, begann ich und brach dann stirnrunzelnd ab, um darüber nachzudenken.

»Und wenn man ein Mann ist, hat man das Sagen. Man ist derjenige, der die Ordnung wahrt, ob es einem gefällt oder nicht. So ist es nun einmal«, schloss er. Dann berührte er meinen Ellbogen und wies mit dem Kinn auf eine Lücke zwischen den Bäumen. »Ich habe Durst. Sollen wir einen Moment Rast machen?«

Ich folgte ihm auf einem schmalen Pfad durch den Wald zu der Stelle, die wir die Grüne Quelle nannten – weil das Wasser plätschernd durch eine Vertiefung aus hellem Serpentin floss, die von einer kühlen, schattigen Umrandung aus Moos eingefasst war. Wir knieten uns hin, benetzten unsere Gesichter und seufzten beim Trinken vor dankbarer Erleichterung. Jamie ließ sich eine Hand voll Wasser in sein Hemd laufen und schloss selig die Augen. Ich lachte über ihn, löste aber mein durchgeschwitztes Halstuch, tauchte es in die Quelle und wischte mir damit über Hals und Arme.

Der Weg zur Quelle hatte unsere Unterhaltung zum Stillschweigen gebracht, und ich wusste nicht genau, wie – oder ob – ich sie wieder aufnehmen sollte. Stattdessen saß ich einfach nur wortlos im Schatten, die Arme um die Knie geschlungen, und wackelte mit den Zehen im Moos.

Auch Jamie schien im Moment kein Bedürfnis zu haben zu sprechen. Er lehnte bequem an einem Felsblock, den nassen Stoff seines Hemdes an die Brust geklebt. Still saßen wir da und lauschten dem Wald.

Ich wusste nicht, was ich sagen sollte, aber das bedeutete nicht, dass ich aufgehört hatte, über unser Gespräch nachzudenken. Auf eine merkwürdige Weise glaubte ich zu verstehen, was die alte Mrs. MacNab gemeint hatte – obwohl ich mir nicht sicher war, ob ich mit ihr einer Meinung war.

Doch ich dachte mehr darüber nach, was Jamie über die Verantwortung eines Mannes gesagt hatte. War das so? Möglicherweise war es das, obwohl ich es noch nie in diesem Licht betrachtet hatte. Es *stimmte*, dass er ein Bollwerk war – nicht nur für mich und für die ganze Familie, sondern auch für die Pächter. Doch war es wirklich das, was er tat? *»Grenzen ziehen und gegen andere vorgehen, die diese überschreiten«?* Schon möglich, dass es so war.

Natürlich gab es Grenzen zwischen ihm und mir; ich hätte sie in das Moos zeichnen können. Was aber nicht bedeutete, dass wir unsere gegenseitigen Grenzen nicht überschritten – das taten wir, oft und mit unterschiedlichem Ergebnis. Ich hatte meine eigenen Verteidigungslinien – und Mittel zu ihrer Verteidigung. Doch er hatte mich nur ein Mal wegen einer Grenzüberschreitung geschlagen, und das war in den Anfangstagen unserer Ehe gewesen. Dann hatte er das also als notwendige Auseinandersetzung betrachtet? Ich ging davon aus; das war es, was er mir hiermit sagte.

Doch er war seinen eigenen Gedankengängen gefolgt, die einen anderen Verlauf nahmen.

»Es ist wirklich seltsam«, sagte er nachdenklich. »Laoghaire hat mich mit schönster Regelmäßigkeit zum Wahnsinn getrieben, aber es ist mir nicht ein einziges Mal eingefallen, sie zu schlagen.«

»Oh, wie überaus gedankenlos von dir«, spottete ich und richtete mich auf. Ich hasste es, wenn er Laoghaire erwähnte, egal, in welchem Zusammenhang.

»In der Tat«, erwiderte er ernsthaft, ohne meinen Sarkasmus zu beachten. »Ich glaube, mir lag einfach nicht genug an ihr, um auch nur daran zu denken, geschweige denn, es zu tun.«

»Dir lag nicht genug an ihr, um sie zu schlagen. Ist sie nicht ein Glückspilz gewesen?«

Er fing meinen gekränkten Unterton auf; sein Blick schärfte sich und richtete sich auf mein Gesicht.

»Nicht, um sie zu verletzen«, sagte er. Ihm kam ein neuer Gedanke; ich sah ihn über sein Gesicht huschen.

Er lächelte ein wenig, stand auf und kam zu mir. Er streckte die Hände aus und zog mich hoch, dann ergriff er mein Handgelenk, das er sanft über meinen Kopf hob und am Stamm der Kiefer festhielt, unter der ich gesessen hatte, so dass ich gezwungen war, mich flach daran zurückzulehnen.

»Nicht, um sie zu verletzen«, sagte er erneut mit leiser Stimme. »Um sie zu besitzen. Ich wollte nicht, dass sie mir gehört. Dich, *mo nighean donn* – dich will ich besitzen.«

»Mich *besitzen*?«, sagte ich. »Und was genau meinst du damit?«

»Was ich sage.« Humor schimmerte noch in seinen Augen, aber seine Stimme war ernst. »Du bist mein, Sassenach. Und ich würde alles tun, was ich für nötig halte, um das deutlich zu machen.«

»Ach, wirklich. Einschließlich regelmäßiger Prügel?«

»Nein, das würde ich nicht tun.« Sein Mundwinkel hob sich sacht, und der Druck seiner Hand auf mein festgeklemmtes Handgelenk nahm zu. Seine Augen waren dunkelblau, direkt vor den meinen. »Das brauche ich nicht – denn ich *könnte* es, Sassenach, und das weißt du genau.«

Ich wehrte mich aus purem Reflex gegen seinen Klammergriff. Ich erinnerte mich lebhaft an jene Nacht in Doonesbury; das Gefühl, mit aller Kraft – und ohne jeden Erfolg – gegen ihn anzukämpfen. Das grauenhafte Gefühl, auf dem Bett gefangen zu sein, bloßgestellt und ohne mich wehren zu können, während ich begriff, dass er mit mir machen konnte – und würde –, was immer er wollte.

Ich wand mich heftig, genauso sehr, um mich dem Griff der Erinnerung zu entziehen wie der Umklammerung meiner Haut. Es gelang mir nicht, doch ich verdrehte mein Handgelenk so, dass ich meine Nägel in seine Hand bohren konnte.

Er zuckte weder zusammen, noch wandte er den Blick ab. Seine andere Hand berührte mich sacht – streifte einfach nur mein Ohrläppchen, aber das reichte schon aus. Er *konnte* mich überall berühren – auf jede Weise.

Offenbar sind Frauen tatsächlich in der Lage, gleichzeitig rational zu denken und sexuell erregt zu sein, denn genau das schien gerade in mir vorzugehen.

Mein Gehirn war damit beschäftigt, sich indigniert gegen alles Mögliche zu wehren, einschließlich mindestens der Hälfte dessen, was er in den letzten Minuten gesagt hatte.

Zur selben Zeit war das andere Ende meiner Wirbelsäule nicht nur schamvoll erregt bei dem Gedanken an körperliche Besitzergreifung; ich bekam weiche Knie vor Verlangen bei dieser Vorstellung und ließ meine Hüften nach vorn kippen, so dass sie die seinen streiften.

Er schenkte meinen bohrenden Fingernägeln schlichtweg keine Beachtung. Seine andere Hand hob sich und ergriff meine freie Hand, bevor ich ihm damit Gewalt antun konnte; er schlang seine Finger um die meinen und hielt sie an meiner Seite gefangen.

»Wenn du mich bitten würdest, Sassenach, dich freizulassen –«, flüsterte er, »glaubst du, ich würde es tun?«

Ich holte tief Luft, so tief, dass meine Brüste seine Brust streiften, so dicht stand er vor mir, und ich begriff. Ich stand still, atmete, beobachtete seine Augen und spürte, wie meine Hektik langsam dahinschwand und sich in ein Gefühl der Überzeugung verwandelte, schwer und warm in meiner Magengrube.

Ich hatte das Gefühl gehabt, dass mein Körper als Reaktion auf den seinen schwankte – und so war es auch. Doch er bewegte sich unbewusst gemeinsam mit mir; der Rhythmus des Pulsschlags, den ich in seinem Hals sah, war das Hämmern des Herzschlags, das durch mein Handgelenk hallte. Und das Schwanken seines Körpers folgte dem meinen, obwohl wir uns kaum berührten und uns kaum stärker bewegten als das Laub über uns, das im Wind seufzte.

»Ich würde dich nicht bitten«, flüsterte ich. »Ich würde dich auffordern. Und du würdest es tun. Du würdest tun, was ich sage.«

»Würde ich das?« Er hielt mein Handgelenk nach wie vor fest umklammert, und sein Gesicht war so nah an dem meinen, dass ich sein Lächeln eher spürte, als dass ich es sah.

»Ja«, sagte ich. Ich hatte aufgehört, an meinem gefangenen Handgelenk zu ziehen; stattdessen entzog ich ihm meine andere Hand – er versuchte mit keiner Bewegung, mich aufzuhalten – und fuhr ihm mit dem Daumen vom

Ohrläppchen am Hals hinunter. Er atmete kurz und scharf ein, und ein winziger Schauer durchfuhr ihn und überzog seine Haut im Kielwasser meiner Berührung mit Gänsehaut.

»Ja, das würdest du«, sagte ich noch einmal ganz leise. »Denn ich besitze dich auch ... Mann. Nicht wahr?«

Seine Hand ließ mich abrupt los und glitt höher hinauf. Seine langen Finger verschlangen sich mit den meinen, und seine Handfläche drückte sich groß und warm an die meine.

»Oh, aye«, sagte er genauso leise. »Das tust du.« Er senkte seinen Kopf den letzten Zentimeter, und seine Lippen streiften die meinen, flüsternd, so dass ich die Worte genauso sehr spürte wie hörte.

»Und das weiß ich ganz genau, *mo nighean donn.*«

48

Judasohren

Obwohl er ihre Sorge als unnötig abgetan hatte, hatte Jamie seiner Frau versprochen, sich der Angelegenheit anzunehmen, und ein paar Tage später bekam er die Gelegenheit, mit Malva Christie zu sprechen.

Auf dem Rückweg von Kenny Lindsays Hütte stieß er auf eine Schlange, die sich vor ihm im Staub des Weges zusammengerollt hatte. Sie war relativ groß, aber bunt gestreift – also keine von den giftigen Vipern. Dennoch, er konnte nicht dagegen an; ihm grauste vor Schlangen, und er wollte sie weder mit den Händen aufheben, noch über sie hinwegtreten. Wahrscheinlich hatte sie ja nicht die geringste Lust, ihm in den Kilt zu fahren – aber vielleicht ja doch. Unterdessen blieb die Schlange hartnäckig im Laub eingerollt liegen und reagierte weder, als er »Kusch!« rief, noch als er mit dem Fuß aufstampfte.

Er trat einen Schritt zur Seite, fand eine Erle und schnitt sich einen ordentlichen Stock ab, mit dem er das Tier zielsicher vom Weg in den Wald eskortierte. Beleidigt schoss die Schlange mit Höchstgeschwindigkeit in einen Schneeballstrauch, und im nächsten Moment kam ein lauter Schrei von der anderen Seite des Strauchs.

Er rannte um das Gewächs herum und traf Malva Christie bei dem verzweifelten, aber erfolglosen Versuch an, die aufgebrachte Schlange mit einem großen Korb zu zerquetschen.

»Ist ja gut, Kleine, lasst sie laufen.« Er ergriff sie am Arm, woraufhin eine Hand voll Pilze aus ihrem Korb purzelte, und die Schlange verzog sich indigniert, um sich ein ruhigeres Plätzchen zu suchen.

Er hockte sich auf den Boden und sammelte die Pilze für sie auf, während sie nach Luft schnappte und sich mit ihrem Schürzensaum Luft zufächelte.

»Oh, danke, Sir«, sagte sie mit bebender Brust. »Ich habe solche Angst vor Schlangen.«

»Och, das war aber doch nur eine kleine Königsnatter«, sagte er und stellte sich ungerührt. »Gute Rattenjäger – habe ich gehört.«

»Das kann ja sein, aber sie können gemein beißen.« Sie erschauerte kurz.

»Aber sie hat Euch doch nicht gebissen. Oder?« Er stand auf und warf ihr die letzten Pilze in den Korb, und sie bedankte sich mit einem Knicks.

»Nein, Sir.« Sie rückte ihre Haube zurecht. »Aber Mr. Crombie. Gully Dornan hat eine in einer Schachtel zum letzten Sonntagsgebet mitgebracht, nur aus Schabernack, denn er wusste, dass die Textstelle *›In meinem Namen werden sie Schlangen vertreiben‹* sein würde. Ich glaube, er hatte vor, sie während des Gebets freizulassen.« Sie grinste beim Erzählen und ließ das Erlebte noch einmal Revue passieren.

»Aber Mr. Crombie hat ihn mit der Schachtel gesehen und hat sie ihm abgenommen, ohne zu wissen, was sie enthielt. Nun ja – Gully hat die Schachtel geschüttelt, um die Schlange wach zu halten, und als Mr. Crombie sie geöffnet hat, kam die Schlange wie ein Schachtelteufel herausgefahren und hat Mr. Crombie in die Lippe gebissen.«

Jamie musste ebenfalls lächeln.

»Wirklich? Ich kann mich gar nicht erinnern, davon gehört zu haben.«

»Nun, Mr. Crombie war furchtbar wütend«, sagte sie um Takt bemüht. »Ich kann mir vorstellen, Sir, dass es niemand weitererzählen wollte, aus Angst, dass er womöglich vor Wut platzt.«

»Aye, ich verstehe«, sagte er trocken. »Und deswegen ist er auch nicht zu meiner Frau gekommen, um die Wunde von ihr versorgen zu lassen, nehme ich an.«

»Oh, das würde er nie tun, Sir«, versicherte sie ihm kopfschüttelnd. »Nicht einmal, wenn er sich aus Versehen die Nase abschneiden würde.«

»Nicht?«

Sie ergriff ihren Korb und blickte schüchtern zu ihm auf.

»Nun ... nein. Einige Leute sagen, dass Eure Frau eine Hexe ist, wusstet Ihr das?«

Sein Bauch verkrampfte sich unangenehm, wenn es ihn auch nicht überraschte, das zu hören.

»Sie ist Engländerin«, antwortete er ruhig. »Die Leute werden sich so etwas immer über Fremde erzählen, vor allem, wenn es um eine Frau geht.« Er sah sie von der Seite an, doch sie hatte den Blick bescheiden auf ihren Korb gesenkt. »Ihr glaubt es doch auch, oder?«

Bei diesen Worten sah sie mit großen Augen auf.

»Oh, nein, Sir! Niemals!«

Ihre Worte klangen so aufrichtig, dass er trotz seines ernsten Vorhabens lächelte.

»Nun, ich nehme an, es wäre Euch aufgefallen, so viel Zeit, wie Ihr in ihrem Sprechzimmer verbringt.«

»Oh, ich wünsche mir nichts mehr als so zu sein wie sie, Sir!«, versicherte sie ihm und umklammerte des Griff ihres Korbes in hingerissener Anbetung. »Sie ist so gütig und so schön, und sie weiß so viel! Ich möchte alles wissen, was sie mich lehren kann, Sir.«

»Aye, schön. Sie hat mir schon oft erzählt, wie gut es ist, eine Schülerin wie Euch zu haben. Ihr seid ihr eine große Hilfe.« Er räusperte sich und fragte sich, wie er von diesen Nettigkeiten am besten zu der rüden Frage überging, ob sich ihr Vater an ihr verging. »Äh ... stört es Euren Vater nicht, dass Ihr so viel Zeit bei meiner Frau verbringt?«

Bei diesen Worten legte sich eine Wolke über ihre Miene, und sie senkte ihre langen Wimpern, um ihre taubengrauen Augen zu verbergen.

»Oh. Nun ja. Er ... er sagt nicht, dass ich nicht gehen darf.«

Jamie machte ein unverbindliches Geräusch und geleitete sie mit einer Geste vor sich her auf den Weg zurück, wo er zunächst ohne weitere Fragen neben ihr herging, damit sie die Fassung zurückerlangen konnte.

»Was glaubt Ihr, was Euer Vater tun wird«, erkundigte er sich und fuhr mit seinem Stock beiläufig durch ein Büschel Leinkraut, »wenn Ihr einmal heiratet und aus dem Haus seid? Gibt es eine Frau, auf die er eventuell ein Auge geworfen hat? Er würde doch wohl Hilfe brauchen.«

Er beobachtete interessiert, dass sie bei diesen Worten die Lippen aufeinander presste und ihr eine leichte Röte in die Wangen stieg.

»Ich habe nicht vor, in absehbarer Zeit zu heiraten, Sir. Wir werden schon zurechtkommen.«

Ihre Antwort war so kurz, dass er nachhakte.

»Nein? Aber Ihr habt doch wohl Verehrer – die jungen Männer machen Euch scharenweise schöne Augen; ich habe es selbst gesehen.«

Sie errötete noch leuchtender.

»Bitte, Sir, sagt so etwas nicht zu meinem Vater!«

Das ließ eine kleine Alarmglocke in ihm schrillen – doch es war immer noch möglich, dass sie nur meinte, dass Tom ein strenger Vater war, der über die Tugend seiner Tochter wachte. Und er wäre bis ins Mark erstaunt gewesen, wenn er erfahren hätte, dass Christie sanftmütig, duldsam oder in Bezug auf solche Verantwortlichkeiten irgendwie weichherzig war.

»Das werde ich nicht tun«, sagte er nachsichtig. »Es war nur ein Scherz. Ist Euer Vater denn so streng?«

Jetzt sah sie ihn an, sehr direkt.

»Ich dachte, Ihr kennt ihn, Sir.«

Bei diesen Worten lachte er los, und nach kurzem Zögern fiel sie mit einem Zwitschern ein, das wie die Vögel in den Bäumen klang.

»Ich kenne ihn, ja«, sagte er, als er sich erholte. »Er ist ein guter Mann, Tom – wenn auch etwas mürrisch.«

Er beobachtete die Wirkung dieser Worte. Ihr Gesicht war zwar noch gerötet, doch es lag zugleich die Spur eines Lächelns auf ihren Lippen. Das war gut.

»Nun gut«, sprach er beiläufig weiter, »habt Ihr genug von den Judasohren hier?« Er wies auf ihren Korb. »Ich habe gestern eine ganze Menge davon gesehen, oben an der Grünen Quelle.«

»Oh, wirklich?« Sie blickte interessiert auf. »Wo denn?«

»Ich bin dorthin unterwegs«, sagte er. »Kommt mit, wenn Ihr möchtet, ich zeige es Euch.«

Sie bahnten sich ihren Weg über den Bergkamm und unterhielten sich über Belanglosigkeiten. Dann und wann kam er auf ihren Vater zurück und stellte fest, dass sie Tom gegenüber keinerlei Unwohlsein zu empfinden schien – nur einen klugen Respekt vor seinen Launen und seinem Temperament.

»Und Euer Bruder«, sagte er an einem Punkt nachdenklich. »Glaubt Ihr, er ist zufrieden? Oder wird er gehen wollen, vielleicht hinunter an die Küste? Ich weiß, dass er im Grunde seines Herzens kein Bauer ist, oder?«

Sie prustete los, schüttelte aber den Kopf.

»Nein, Sir, das ist er nicht.«

»Welche Arbeiten hat er denn getan? Ich meine, er ist doch auf einer Plantage aufgewachsen, oder?«

»O nein, Sir.« Sie sah überrascht zu ihm auf. »Er ist in Edinburgh aufgewachsen. Genau wie ich.«

»Wie kam denn das? Tom sagt, er hat in den Kolonien geheiratet.«

»Oh, das hat er auch, Sir«, versicherte sie ihm hastig. »Aber seine Frau war keine Leibeigene; sie ist nach Schottland zurückgekehrt.«

»Ich verstehe«, sagte er nachsichtig, als er merkte, dass ihre Röte erneut zunahm und sie die Lippen fest aufeinander gepresst hatte. Tom hatte gesagt, seine Frau sei gestorben. Nun, wahrscheinlich war es auch so, nur eben in Schottland, nachdem sie ihn verlassen hatte. So stolz, wie Christie war, wunderte es ihn kaum, dass der Mann nicht zugegeben hatte, von seiner Frau verlassen worden zu sein. Aber –

»Ist es wahr, Sir, dass Euer Großvater Lord Lovat war? Den sie den Alten Fuchs genannt haben?«

»Oh, aye«, sagte er lächelnd. »Ich entstamme einer langen Ahnenreihe von Verrätern, Dieben und Bastarden, wisst Ihr?«

Da lachte sie und drängte ihn artig, ihm mehr von seiner finsteren Familiengeschichte zu erzählen – ganz offensichtlich um zu verhindern, dass er ihr weitere Fragen über die ihre stellte.

Doch dieses »Aber« blieb ihm im Kopf hängen, während sie sich unterhielten – zunehmend zusammenhangloser, je höher sie durch den dunklen, duftenden Wald kletterten.

Aber. Tom Christie war zwei oder drei Tage nach der Schlacht von Culloden festgenommen worden und hatte die nächsten zehn Jahre im Gefängnis gesessen, bevor man ihn nach Amerika deportierte. Er kannte Malvas genaues Alter nicht, glaubte aber, dass sie ungefähr achtzehn sein musste – auch wenn sie öfter den Eindruck erweckte, älter zu sein, denn sie verhielt sich so erwachsen.

Also musste es kurz nach Christies Eintreffen in den Kolonien zu ihrer Empfängnis gekommen sein. Kein Wunder, wenn der Mann die erste Gelegenheit ergriffen hatte zu heiraten, nachdem er so lange ohne Frau gelebt hatte. Und dann hatte es sich seine Frau anders überlegt und war gegangen. Christie hatte Roger Mac erzählt, seine Frau sei an der Influenza gestorben – nun, ein Mann hatte seinen Stolz, und Tom Christie hatte mehr davon als die meisten anderen.

Aber Allan Christie … woher war *er* gekommen? Der junge Mann war Mitte bis Ende zwanzig; es war möglich, dass er vor Culloden gezeugt worden war. Aber wenn ja – wer war seine Mutter?

»Ihr und Euer Bruder«, sagte er abrupt, als das Gespräch das nächste Mal stockte. »Hattet Ihr dieselbe Mutter?«

»Ja, Sir«, sagte sie mit verblüfftem Gesichtsausdruck.

»Ah«, sagte er und ließ das Thema fallen. Na schön. Dann war Christie also schon vor Culloden verheiratet gewesen. Und dann war die Frau, wer auch immer sie war, in die Kolonien gereist, um ihn zu suchen. Das zeugte von einem gehörigen Maß an Entschlossenheit und Hingabe und ließ ihn Tom Christie mit deutlich gesteigertem Interesse betrachten. Aber diese Hingabe hatte den Strapazen der Kolonien nicht standgehalten – oder die Frau hatte Tom so durch Zeit und Umstände verändert angetroffen, dass ihre Hingabe in Enttäuschung ertrunken war und sie wieder verschwunden war.

Er konnte sich das gut vorstellen – und verspürte ein unerwartetes Band des Mitgefühls mit Tom Christie. Er erinnerte sich nur zu gut an seine eigenen Gefühle, als Claire zurückgekehrt war und ihn wiedergefunden hatte. Die ungläubige Freude über ihr Hiersein – und die abgrundtiefe Angst, sie könnte den Mann, den sie einmal gekannt hatte, nicht wiedererkennen in dem Mann, der vor ihr stand.

Schlimmer noch, wenn sie etwas entdeckt hätte, das sie in die Flucht trieb – und obwohl er Claire gut kannte, war er sich immer noch nicht sicher, dass sie geblieben wäre, wenn er ihr sofort von seiner Heirat mit Laoghaire erzählt hätte. Es war sogar gut möglich, dass Claire davongelaufen und für immer verloren gewesen wäre, wenn Laoghaire nicht auf ihn geschossen und ihn beinahe umgebracht hätte. Dieser Gedanke war ein finsterer Schlund, der sich zu seinen Füßen auftat.

Natürlich *wäre* er gestorben, wenn sie gegangen wäre, dachte er. Und er hätte nie dieses Land betreten, hätte seine Tochter nie zu Gesicht bekommen und nie seinen Enkel in den Armen gehalten. Wenn man es recht bedachte, war es vielleicht nicht immer ein Unglück, beinahe umgebracht zu werden – solange man nicht tatsächlich daran starb.

»Bereitet Euer Arm Euch Schwierigkeiten, Sir?« Er wurde aus seinen Gedanken gerissen und begriff, dass er wie ein Idiot dastand und mit einer Hand die Stelle umklammerte, an der Laoghaires Pistolenkugel seinen Oberarm durchschlagen hatte, und Malva ihn besorgt anblinzelte.

»Äh, nein«, sagte er hastig und ließ die Hand sinken. »Ein Mückenstich. Die kleinen Viecher sind heute früh unterwegs. Sagt mir –«, er suchte nach einem neutralen Gesprächsthema, »gefällt es Euch hier in den Bergen?«

Es war zwar eine hirnlose Frage, doch sie schien ernsthaft darüber nachzudenken.

»Es ist manchmal einsam«, sagte sie und betrachtete den Wald, wo die einfallenden Sonnenstrahlen auf Blättern und Nadeln zersplitterten und die Luft mit einem brüchigen grünen Licht erfüllten. »Aber es *ist*...«, sie suchte nach einem Wort, »hübsch«, vollendete sie und lächelte ihn schwach an, als wollte sie einräumen, wie unzulänglich dieses Wort war.

Sie hatten die kleine Lichtung erreicht, wo das Wasser über die Kante eines Felsens rann, den seine Tochter als Serpentin bezeichnete – das Gestein, dessen sanftes Grün der Quelle ihren Namen gab; dies und die dicke grüne Moosschicht, die es umrandete.

Er wies sie mit einer Geste an, sich zuerst hinzuknien und etwas zu trinken. Das tat sie und legte die Hände vor das Gesicht und schloss die Augen, selig über den Geschmack des kalten, süßen Wassers. Sie schluckte, schöpfte noch mehr Wasser mit den Händen und trank es beinahe gierig. Sie war sehr hübsch, dachte er belustigt, und auf das Mädchen mit dem zarten Kinn und den rosa Ohrläppchen, die aus ihrer Haube lugten, traf das Wort viel eher zu als auf den Geist der Berge. Ihre Mutter musste wunderschön gewesen sein, dachte er – und es war ein Glück für das Mädchen, dass sie nicht mehr von ihrem Vater hatte als ihre grauen Augen.

Sie hockte sich auf die Fersen und atmete tief durch, dann rückte sie zur Seite und forderte ihn kopfnickend auf, sich ebenfalls hinzuknien und zu trinken. Der Tag war zwar nicht heiß, aber der Aufstieg zur Quelle war steil, und er ließ das kalte Wasser dankbar durch seine Kehle rinnen.

»Ich bin noch nie in den Highlands gewesen«, sagte Malva und betupfte sich mit einer Ecke ihres Halstuchs das Gesicht. »Manche Leute sagen aber, hier ist es so ähnlich. Meint Ihr das ebenfalls, Sir?«

Er schüttelte sich das Wasser von den Fingern und wischte sich mit dem Handrücken über das Gesicht.

»Ein wenig. Manche Stellen. Der Great Glen und der Wald – aye, das ist so wie hier.« Er deutete mit dem Kinn auf die murmelnden, harzduftenden Bäume, die sie umringten. »Aber hier gibt es keinen Farn. Und natürlich keinen Torf. Und keine Heide; das ist der größte Unterschied.«

»Man hört Geschichten – von Männern, die sich im Heidekraut versteckt halten. Habt Ihr das auch je getan, Sir?« Grübchen erschienen auf ihren Wangen, und er wusste nicht, ob sie ihn necken wollte oder nur Konversation betrieb.

»Hin und wieder«, sagte er und lächelte sie an, während er sich erhob und sich die Kiefernnadeln vom Kilt strich. »Auf der Rotwildjagd, aye? Hier, ich zeige Euch die Pilze.«

Die Pilze wuchsen dicht gedrängt am Fuß einer Eiche, keine drei Meter von der Quelle entfernt. Einige hatten bereits ihre Lamellen geöffnet und begonnen, sich dunkel zu färben und einzurollen; der Boden in ihrer Nähe war mit ihren Sporen übersät, die als braunes Pulver auf dem glänzenden, knisternden Laub des letzten Jahres lagen. Doch die frischeren Pilze waren noch hell, tieforange und fleischig.

Er ließ sie mit einem freundlichen Wort dort allein und begann den Abstieg zu dem schmalen Pfad, während er über die Frau nachdachte, die Tom Christie geliebt und verlassen hatte.

49

Des Nordwinds Gift

Juli 1774

Brianna stieß mit dem scharfen Ende des Spatens in den Uferschlamm und löste einen Lehmklumpen, der die Farbe von Schokotoffee hatte. Sie hätte sehr gut ohne die Erinnerung an etwas zu essen leben können, dachte sie und schleuderte den Klumpen grunzend in die Strömung. Sie zog ihr durchnässtes Hemd hoch und wischte sich mit dem Unterarm über die Stirn. Sie hatte seit heute Vormittag nichts mehr gegessen, und jetzt war es später Nachmittag. Nicht, dass sie vorhatte, vor dem Abendessen aufzuhören. Roger war oben auf dem Berg und half Amy McCallum, ihren Schornstein wieder aufzubauen, und die Jungen waren zum Haupthaus gegangen, um sich von Mrs. Bug mit Honigbroten füttern und von vorn bis hinten verwöhnen zu lassen. Sie würde mit dem Essen warten; hier war noch zu viel zu tun.

»Brauchst du Hilfe, Schatz?«

Sie blinzelte in die Sonne und hielt sich dann die Hand über die Augen. Ihr Vater stand über ihr auf dem Ufer und betrachtete ihre Bemühungen mit einem Ausdruck, der gefährlich nach Belustigung aussah.

»Sehe ich so *aus*, als ob ich Hilfe brauche?«, fragte sie gereizt und fuhr sich mit dem schlammverschmierten Handrücken über das Kinn.

»Aye, das tust du.«

Er war angeln gewesen, barfuß und nass bis zu den Oberschenkeln. Er lehnte seine Angelrute an einen Baum und schwang den Korb, dessen Schilfgeflecht vom Gewicht seines Fangs ächzte, von seiner Schulter. Dann hielt er sich an einem Baumschössling fest, um das Gleichgewicht zu behalten, und begann, das rutschige Ufer hinunterzugleiten. Seine nackten Zehen glitschten durch den Schlamm.

»Warte – zieh dein Hemd aus!« Sie erkannte ihren Fehler eine Sekunde zu spät. Ein erschrockener Ausdruck huschte über sein Gesicht, nur für einen Moment, dann war er fort.

»Ich meine … den Schlamm«, sagte sie, obwohl sie wusste, dass es zu spät war. »Es muss gewaschen werden.«

»Oh, aye, natürlich.« Ohne Zögern zog er sich das Hemd über den Kopf und wandte ihr den Rücken zu, um sich nach einem passenden Ast umzusehen, an den er es hängen konnte.

Eigentlich schockierten seine Narben sie nicht. Sie hatte sie schon öfter flüchtig gesehen, sie sich häufig vorgestellt, und in Wirklichkeit waren sie viel weniger ausgeprägt. Die Narben waren alt, ein blasses Silbernetz, das fließend über die Schatten seiner Rippen wanderte, als er jetzt die Arme nach oben ausstreckte. Er bewegte sich ganz natürlich. Nur die Anspannung in seinen Schultern verriet etwas anderes.

Ihre Hand schloss sich unwillkürlich auf der Suche nach dem nicht vorhandenen Stift und spürte den Verlauf der Linie, die diesen Hauch von Beklommenheit einfangen würde, diesen Misston, der den Beobachter anziehen würde, noch näher, während er sich fragte, was diese Szene ländlicher Anmut nur an sich hatte.

Du sollst deines Vaters Blöße nicht aufdecken, dachte sie und spreizte die Finger wieder, um sie flach gegen ihren Oberschenkel zu drücken. Doch er hatte sich schon wieder umgedreht und kam jetzt das Ufer herunter, den Blick auf die verhedderten Binsen und die Steine zu seinen Füßen gerichtet.

Er rutschte den letzten halben Meter und landete platschend und mit wedelnden Armen neben ihr, um das Gleichgewicht zu behalten. Sie lachte, ganz wie er es beabsichtigt hatte, und er lächelte. Sie dachte kurz daran, ihn darauf anzusprechen, sich zu entschuldigen – doch er wich ihrem Blick aus.

»Also, verrücken wir ihn, oder umgehen wir ihn?« Er richtete seine Aufmerksamkeit auf den Felsbrocken, der im Ufer feststeckte; er lehnte sich mit seinem ganzen Gewicht dagegen und drückte versuchsweise.

»Meinst du, wir *können* ihn verrücken?« Sie watete an seine Seite, raffte ihre nassen Hemdschöße und wrang sie aus. »Ihn zu umgehen würde bedeuten, dass ich den Graben um drei Meter verlängern muss.«

»So viel?« Er sah sie überrascht an.

»Ja. Ich möchte hier eine Einkerbung graben, um dort zu der Biegung durchzustoßen – dann kann ich hier ein kleines Wasserrad bauen und bekomme eine ordentliche Fallhöhe.« Sie lehnte sich an ihm vorbei und zeigte mit dem Finger flussabwärts. »Die nächstbeste Stelle wäre dort unten – siehst du, wo die Uferbänke höher werden? –, aber hier ist es besser.«

»Aye, verstehe. Warte einen Moment.« Er ging zurück zur Uferböschung, kletterte hinauf und verschwand im Wald, aus dem er mit mehreren kräftigen Eichenschösslingen zurückkam, an denen noch glänzende Blattreste hingen.

»Wir brauchen ihn doch nicht aus dem Bachbett zu heben, aye?«, fragte er. »Es reicht doch, ihn ein Stück fort zu bewegen, so dass du dahinter durch das Ufer stoßen kannst?«

»Genau.« Schweißbäche sammelten sich in ihren dichten Augenbrauen, bevor sie ihr rechts und links über das Gesicht liefen. Sie buddelte jetzt seit fast einer Stunde; ihr Arme schmerzten, weil sie den schweren Schlamm mit der Schaufel hochgehievt hatte, und ihre Hände waren voller Blasen. Von Herzen dankbar gab sie den Spaten ab und trat in den Bach, um sich kaltes Wasser auf ihre zerkratzten Arme und in das errötete Gesicht zu spritzen.

»Eine schwere Arbeit«, merkte ihr Vater an und grunzte, während er den Felsbrocken zügig untergrub. »Hättest du Roger Mac nicht bitten können, sie zu tun?«

»Er ist beschäftigt«, sagte sie. Ihr war bewusst, wie kurz angebunden ihr Tonfall war, aber ihr war nicht danach, dies zu verbergen.

Ihr Vater warf ihr einen scharfen Blick zu, sagte aber nichts mehr, sondern widmete sich ganz der richtigen Positionierung seiner Eichenstecken. Wie Eisenspäne vom Magnetismus ihres Großvaters angezogen, erschienen Jemmy und Germain aus dem Nichts und forderten lautstark, helfen zu dürfen.

Sie hatte sie gebeten, ihr zu helfen, was sie auch getan hatten – ein paar Minuten lang, bis sie ein Stachelschwein in den Bäumen erspäht hatten. Jetzt jedoch, da Jamie das Kommando übernommen hatte, stürzten sie sich in die Arbeit und schaufelten wie besessen mit flachen Holzstücken den Uferschlamm beiseite. Sie kicherten, schubsten sich gegenseitig, waren ständig im Weg und stopften sich gegenseitig Schlamm in die Hosen.

Wie bei Jamie nicht anders zu erwarten, ignorierte er die Störung und sagte ihnen nur, wo sie graben sollten, bis er ihnen schließlich befahl, aus dem Bach zu steigen, damit sie nicht erdrückt wurden.

»Na dann«, sagte er und wandte sich ihr zu. »Fass hier an.« Er hatte den Felsbrocken freigelegt, so dass er jetzt aus dem Lehm des Ufers herausragte. Rechts und links des Felsens sowie dahinter steckten die Eichenstämmchen im Schlamm.

Sie ergriff den Stecken, auf den er zeigte, und er nahm die beiden anderen.

»Ich zähle bis drei … eins … zwei … *hoch*!«

Jem und Germain, die über ihnen hockten, stimmten ein und intonierten

»Eins … zwei … *hoch*!« wie ein kleiner griechischer Chor. Sie hatte einen Splitter im Daumen, und das Holz scheuerte gegen ihre vom Wasser aufgeweichte, faltige Haut, doch plötzlich war ihr zum Lachen zumute.

»Eins … zwei … *ho-*« Mit einem plötzlichen Ruck, einer Schlammlawine und einer Kaskade loser Erde vom darüber liegenden Ufer gab der Felsbrocken nach und fiel mit einem Klatscher in den Bach, der sie beide bis zur Brust durchnässte und die beiden kleinen Jungen vor Freude aufkreischen ließ.

Jamie grinste von einem Ohr zum anderen, genau wie sie, obwohl ihr Hemd durchnässt und die Kinder voller Schlamm waren. Der Felsbrocken lag jetzt kurz vor dem anderen Bachufer, und die umgelenkte Strömung fraß sich bereits – ganz wie sie es vorausberechnet hatte – in die neu geschaffene Höhlung im diesseitigen Ufer, wo ein kräftiger Wirbel den feinkörnigen Lehm in Fäden und Spiralen davontrug.

»Siehst du das?« Sie zeigte darauf und wischte sich ihr schlammverspritztes Gesicht an der Schulter ihres Hemdes ab. »Ich weiß nicht, wie weit die Stelle ausgespült wird, aber wenn ich es ein oder zwei Tage fließen lasse, werde ich nicht mehr viel zu graben haben.«

»Du hast gewusst, dass das passieren würde?« Ihr Vater sah sie mit leuchtenden Augen an und lachte. »Oh, du kleiner Schlaukopf.«

Die Freude über die Anerkennung ihrer Leistung dämpfte ihren Ärger über Rogers Abwesenheit. Eine Flasche Cidre, die in Jamies Korb von den toten Forellen kühl gehalten wurde, tat das Ihre. Sie saßen kameradschaftlich auf der Uferböschung, reichten sich abwechselnd die Flasche und bewunderten den Eifer, mit dem der neue Strömungswirbel am Werk war.

»Das sieht nach ordentlichem Lehm aus«, stellte sie fest und beugte sich vor, um ein wenig feuchten Lehm aus dem bröckeligen Ufer zu schaben. Sie drückte ihn mit der Hand, so dass ihr das gräuliche Wasser über den Arm lief, und öffnete dann die Hand, um ihm zu zeigen, wie gut er seine Form behielt und wie deutlich man die Abdrücke ihrer Finger sehen konnte.

»Gut für deinen Ofen?«, fragte er, nachdem er pflichtschuldigst einen Blick auf das Lehmklümpchen geworfen hatte.

»Den Versuch ist es wert.« Bis jetzt hatte sie diverse mehr oder minder erfolglose Experimente mit dem Brennofen durchgeführt und eine Reihe unförmiger Teller und Schüsseln produziert, von denen die meisten entweder noch im Ofen explodiert oder gleich nach dem Herausziehen in Scherben gebrochen waren. Ein oder zwei deformierte, verkohlte Überlebende leisteten jetzt zweifelhafte Frondienste, doch es war ein herzlich geringer Lohn für die Mühe, die es kostete, den Ofen zu stochen und tagelang im Auge zu behalten.

Was sie brauchte, war guter Rat von jemandem, der sich mit Brennöfen und der Keramikherstellung auskannte. Aber angesichts der angespannten Beziehungen zwischen Fraser's Ridge und Salem konnte sie diesen nicht suchen. Es war schon peinlich genug gewesen, dass sie direkt mit Bruder Mordecai über sein Brennverfahren gesprochen hatte – eine Papistin, die mit einem Mann sprach, mit dem sie nicht verheiratet war, welch ein Skandal!

»Dieser verdammte Manfred«, gab ihr Vater ihr Recht, als sie ihm ihr Leid klagte. Er hörte ihre Klagen nicht zum ersten Mal, schwieg aber – und zögerte. »Würde es dir helfen, wenn ich hingehen und fragen würde? Ein paar von den Brüdern sprechen ja noch mit mir, und vielleicht lassen sie mich mit Mordecai reden. Wenn du mir sagen würdest, was du wissen musst...? Du könntest es dann aufschreiben.«

»Oh, Pa, ich liebe dich!« Dankbar beugte sie sich zu ihm hinüber, um ihm einen Kuss zu geben, und er lachte, sichtlich froh, ihr einen Dienst erweisen zu können.

Vergnügt trank sie noch einen Schluck Cidre, während ihr rosige Visionen gebrannter Lehmrohre durch den Kopf zu tanzen begannen. Sie hatte bereits eine hölzerne Zisterne, die Ronnie Sinclair nach großem Hin und Her gebaut hatte. Sie brauchte Hilfe dabei, diese an Ort und Stelle zu hieven. Und wenn sie dann nur sieben Meter verlässlicher Rohre zuwege brachte...

»Mama, *sieh* mal!« Jems ungeduldige Stimme schnitt durch den Nebel ihrer Berechnungen. Mit einem innerlichen Seufzer merkte sie sich hastig, wo sie gewesen war, und schob den ganzen Vorgang sorgfältig in eine Ecke ihres Verstandes, wo er vielleicht hilfreich weitergären würde.

Sie reichte ihrem Vater die Flasche zurück und lief über das Ufer zu der Stelle, an der die Jungen hockten. Sie rechnete damit, dass sie ihr Froschlaich, ein ertrunkenes Stinktier oder irgendein anderes Naturwunder zeigen würde, das kleine Jungen faszinierte.

»Was ist denn?«, rief sie.

»Sieh nur, sieh!« Als Jemmy sie kommen sah, fuhr er auf und zeigte auf den Felsbrocken zu seinen Füßen.

Sie standen auf dem *Flat Rock*, einer Landmarke dieses Bachs. Wie der Name schon andeutete, war es ein flacher Granitfels, der so groß war, dass drei Männer gleichzeitig darauf sitzen konnten, und vom Wasser unterspült wurde, so dass er über die brodelnde Strömung ragte. Es war ein beliebter Angelplatz.

Jemand hatte dort ein kleines Feuer entfacht; auf der Felsoberfläche war eine geschwärzte Stelle, in deren Mitte etwas lag, das wie die Überreste verkohlter Stöckchen aussah. Es war viel zu klein für ein Grillfeuer, und sie hätte sich nichts dabei gedacht. Doch ihr Vater betrachtete die Feuerstelle mit einem solchen Stirnrunzeln, dass sie neben ihn auf den Felsen trat und zu Boden blickte.

Die Gegenstände in der Asche waren keine Stöckchen –

»Knochen«, sagte sie sofort und hockte sich hin, um die Teilchen genauer zu prüfen. »Von was für einem Tier stammen sie?« Noch während sie das sagte, analysierte und verwarf ihr Verstand – Eichhörnchen, Opossum, Kaninchen, Rotwild, Schwein –, ohne sich einen Reim auf die Form der Knochen machen zu können.

»Es sind Fingerknochen, Schatz«, sagte er und senkte sie Stimme mit einem Blick auf Jemmy – der das Interesse an der Feuerstelle verloren hatte und jetzt zum weiteren Schaden seiner Hose die schlammige Uferböschung hinunterrutschte. »Nicht anfassen«, fügte er hinzu – unnötigerweise, da sie ihre Hand ruckartig angewidert zurückgezogen hatte.

»Du meinst, von einem Menschen?« Sie wischte sich instinktiv die Hand am Oberschenkel ab, obwohl sie nichts berührt hatte.

Er nickte und hockte sich neben sie, um die verkohlten Überreste zu inspizieren. Neben den Knochen lagen ein paar geschwärzte Klümpchen in der Asche – die sie allerdings für die Überreste pflanzlicher Substanzen hielt; eins war grünlich, eventuell ein Stiel, der nicht ganz verbrannt war.

Jamie beugte sich dicht über die verbrannten Überreste und schnupperte daran. Instinktiv holte auch sie tief durch die Nase Luft – und prustete dann, um den Geruch wieder abzuschütteln. Er war beunruhigend; ein starker Holzkohlegeruch, der von etwas Bitterem, Kalkigem überlagert wurde – das wiederum von einem durchdringenden Duft überlagert wurde, der sie an Arznei erinnerte.

»Woher kann das stammen?«, raunte sie – obwohl Jemmy und Germain angefangen hatten, sich gegenseitig mit Schlammkugeln zu bewerfen, und selbst dann keine Notiz von ihr genommen hätten, wenn sie gebrüllt hätte.

»Mir ist niemand aufgefallen, dem eine Hand fehlt – dir?« Jamie schenkte ihr ein halbes Lächeln. Sie erwiderte es nicht.

»Niemand, der hier herumlaufen würde, nein. Aber wenn er nicht herumläuft –« Sie schluckte und versuchte, den halb eingebildeten Geschmack nach bitteren Kräutern und Verbranntem zu ignorieren. »Wo ist der Rest? Der Leiche, meine ich.«

Dieses Wort, »Leiche«, schien die ganze Sache in ein neues, böses Licht zu rücken.

»Wo ist der Rest dieses Fingers, frage ich mich.« Jamie starrte stirnrunzelnd auf den geschwärzten Fleck. Er wies mit dem Finger darauf, und jetzt sah sie, was er entdeckt hatte; eine hellere Stelle inmitten des kreisrunden Feuers, wo ein Teil der Asche beiseite gefegt worden war. Es waren drei Finger, stellte sie fest, und schluckte schwer. Zwei waren intakt, die Knochen grau-weiß und gespenstisch in der Asche. Doch dem dritten Finger fehlten zwei Glieder; nur das letzte war noch da.

»Ein Tier?« Sie sah sich nach Spuren um, doch es gab keine Tatzenabdrücke auf der Felsoberfläche – nur die schlammigen Flecken, die die Füße der Jungen hinterlassen hatten.

Vage Visionen von Kannibalismus regten sich unangenehm in ihrer Magengrube, obwohl sie diesen Gedanken energisch von sich wies.

»Du glaubst doch nicht, dass Ian –« Sie hielt abrupt inne.
»Ian?« Ihr Vater blickte erstaunt auf. »Warum sollte Ian so etwas tun?«
»Ich glaube nicht, dass er das tun würde«, sagte sie um Vernunft bemüht. »Bestimmt nicht. Es war nur ein Gedanke – ich habe gehört, dass die Irokesen manchmal ... manchmal ...« Sie wies auf die verkohlten Knochen, unwillig, den Gedanken weiter auszusprechen. »Ähm ... vielleicht ein Freund von Ian? Äh ... zu Besuch?«

Jamies Gesicht verfinsterte sich ein wenig, doch er schüttelte den Kopf.
»Nein, das Ganze riecht nach den Highlands. Es kommt vor, dass die Irokesen ihre Feinde verbrennen. Oder sie verstümmeln. Aber nicht so.« Er wies mit dem Kinn auf die Knochen. »Das hier ist etwas Persönliches. Eine Hexe – oder einer ihrer Schamanen – würde so etwas wohl tun, aber kein Krieger.«

»Ich habe in letzter Zeit auch keine Indianer gesehen. Nicht in Fraser's Ridge. Du?«

Er betrachtete den verbrannten Fleck noch eine Minute stirnrunzelnd, dann schüttelte er den Kopf.

»Nein, und auch niemanden, dem ein paar Finger fehlen.«

»Bist du *sicher*, dass es Menschenknochen sind?« Sie beäugte die Knochen erneut und suchte nach anderen Möglichkeiten. »Vielleicht von einem kleinen Bären? Oder einem großen Waschbären?«

»Vielleicht«, sagte er flach, doch sie merkte, dass er es nur ihr zuliebe sagte. Er war sich sicher.

»Mama!« Dem Tapsen nackter Füße hinter ihr auf dem Felsen folgte ein Zupfen an ihrem Ärmel. »Mama, wir haben Hunger!«

»Natürlich«, sagte sie und erhob sich, um seiner Forderung nachzukommen, während sie noch geistesabwesend die verkohlten Überreste betrachtete. »Ihr habt ja seit fast einer Stunde nichts mehr gegessen. Was habt ihr –« Ihr Blick wanderte langsam von der Feuerstelle zu ihrem Sohn, dann heftete er sich abrupt auf die beiden kleinen Jungen, die grinsend dastanden, von Kopf bis Fuß mit Schlamm bedeckt.

»Wie seht *ihr* denn aus!«, sagte sie, doch ihre Bestürzung wurde durch Resignation gedämpft. »Wie habt ihr es nur geschafft, euch so schmutzig zu machen?«

»Oh, das ist doch ganz einfach«, versicherte ihr Vater ihr und erhob sich grinsend. »Es lässt sich aber auch ebenso einfach beheben.« Er bückte sich, packte Germain am Rücken seines Hemdes und an der Sitzfläche seiner Hose und schleuderte ihn zielsicher von dem Felsen in das darunter liegende Wasserbecken.

»Ich auch, ich auch! Ich auch, Opa!« Jemmy tanzte aufgeregt auf und ab und versprühte Erdklumpen in sämtliche Himmelsrichtungen.

»Oh, aye. Du auch.« Jamie bückte sich, packte Jem um die Taille und warf ihn mit flatterndem Hemd hoch in die Luft, ehe Brianna aufschreien konnte.

»Er kann nicht schwimmen!«

Dieser Einwand erklang gleichzeitig mit einem lauten Klatschen, als Jem im Wasser auftraf und prompt wie ein Stein versank. Sie hechtete schon auf die Felskante zu, um ihm nachzuspringen, als ihr Vater ihr die Hand auf den Arm legte, um sie aufzuhalten.

»Warte einen Moment«, sagte er. »Woher willst du wissen, ob er schwimmt oder nicht, wenn du es ihn nicht versuchen lässt?«

Germain hielt bereits wie ein Pfeil auf das Ufer zu, sein glänzendes blondes Haar dunkel vor Nässe. Jemmy tauchte planschend und spuckend hinter ihm auf, und Germain holte erneut aus, machte kehrt wie ein Otter und schwamm an seine Seite.

»Du musst treten!«, rief er Jemmy zu und produzierte zur Demonstration eine gewaltige Fontäne. »Leg dich auf den Rücken!«

Jemmy hörte auf, mit den Armen zu wedeln, legte sich auf den Rücken und strampelte wie verrückt mit den Beinen. Sein Haar klebte ihm im Gesicht, und das Spritzwasser seiner Anstrengungen musste ihm den Rest seiner Sicht nehmen – doch er strampelte tapfer weiter, begleitet von Jamies und Germains Ermunterungsgeheul.

Das Becken maß nicht mehr als drei Meter im Durchmesser, und er erreichte das flache Wasser am anderen Ufer in wenigen Sekunden und strandete zwischen den Felsen, indem er kopfüber damit zusammenstieß. Er hielt an, schlug im flachen Wasser um sich, dann sprang er spritzend auf und schob sich das nasse Haar aus dem Gesicht. Er sah total verdattert aus.

»Ich kann schwimmen!«, rief er. »Mama, ich kann *schwimmen*!«

»Das ist ja wunderbar!«, rief sie, hin und her gerissen zwischen Anteilnahme an seinem ekstatischen Stolz, dem Bedürfnis, nach Hause zu laufen und Roger davon zu erzählen – und finsteren Visionen von Jemmy, der sich von nun an achtlos in abgrundtiefe Teiche und von Felszacken durchzogene Stromschnellen stürzte, dies alles in dem unbekümmerten Irrglauben, er könne tatsächlich schwimmen. Doch er war flügge geworden, da gab es keinen Zweifel – und es gab kein Zurück.

»Komm hierher!« Sie beugte sich in seine Richtung und klatschte in die Hände. »Kannst du auch zu mir zurückschwimmen? Komm schon, komm hierher!«

Er sah sie einen Moment verständnislos an, dann betrachtete er das aufgewühlte Wasser des Beckens. Das Leuchten der Aufregung in seinem Gesicht erstarb.

»Ich weiß nicht mehr«, sagte er, und seine Mundwinkel verzogen sich nach unten, schmollend vor plötzlicher Traurigkeit. »Ich weiß nicht mehr, wie!«

»Lass dich fallen und strample mit den Beinen!«, rief Germain hilfsbereit von seinem Aussichtspunkt auf dem Felsen. »Du kannst das, Jemmy!«

Jemmy stolperte ein oder zwei Schritte ins Wasser hinein, blieb dann aber mit zitternden Lippen stehen, weil Angst und Verwirrung ihn zu überwältigen begannen.

»Bleib da, *a chuisle*! Ich komme zu dir!«, rief Jamie, der ohne Umschweife in das Becken sprang und als langer, heller Streifen unter Wasser verschwand, während Luftbläschen von seiner Hose und seinen Haaren aufstiegen. Direkt vor Jemmy tauchte er auf, holte tief Atem und schüttelte den Kopf, um sich die nassen roten Haarsträhnen aus dem Gesicht zu schütteln.

»Na, dann komm, Mann«, sagte er und machte auf Knien im flachen Wasser kehrt, so dass er Jemmy den Rücken zukehrte. »Halt dich hier an mir fest, aye? Wir schwimmen zusammen zurück.«

Und das taten sie auch, paddelnd wie die Hunde, strampelnd und spritzend, und Germain, der ins Wasser gesprungen war, um neben ihnen herzupaddeln, stimmte in Jemmys aufgeregtes Kreischen ein.

Nachdem sie sich auf den Felsen hochgezogen hatten, lagen sie alle drei klatschnass, keuchend und lachend zu ihren Füßen, und das Wasser breitete sich in Pfützen um sie aus.

»Nun, sauberer seid ihr jetzt«, sagte sie einsichtig und brachte ihren Fuß vor einem herannahenden Bächlein in Sicherheit. »Das muss ich zugeben.«

»Natürlich sind wir das.« Jamie setzte sich hin und wrang seine langen Haare aus. »Mir ist der Gedanke gekommen, dass es vielleicht einen einfacheren Weg gibt, das zu tun, was du vorhast.«

»Was ich v… oh. Du meinst das Wasser?«

»Aye, genau.« Er zog die Nase hoch und fuhr sich mit der Hand darunter hinweg. »Ich zeige es dir, wenn du nach dem Abendessen zu uns kommst.«

»Was ist das, Opa?« Jemmy, dem die Haare als rote Stacheln zu Berge standen, war aufgestanden und betrachtete neugierig Jamies Rücken. Er streckte zögernd den Finger aus und zeichnete eine der langen, geschwungenen Narben nach.

»Was? Oh… das.« Jamies Gesicht verlor für einen Moment jeden Ausdruck. »Das ist… äh…«

»Böse Männer haben Opa einmal wehgetan«, unterbrach sie bestimmt und bückte sich, um Jemmy aufzuheben. »Aber das ist lange her. Jetzt ist er wieder gesund. Du wiegst ja eine Tonne!«

»Papa sagt, Grand-père ist vielleicht ein *Silkie*«, merkte Germain an, während er einen interessierten Blick auf Jamies Rücken warf. »Genau wie sein Vater vor ihm. Haben dich die bösen Männer in deinem *Silkie*-Fell gefunden, Grand-père, und versucht, es dir abzuschneiden? Dann wäre er natürlich wieder ein Mann geworden«, erklärte er ganz sachlich, während er zu Jemmy aufblickte, »und konnte sie mit seinem Schwert töten.«

Jamie starrte Germain an. Er kniff die Augen zu, öffnete sie wieder und wischte sich noch einmal über die Nase.

»Oh«, sagte er, »aye. Ähm. Aye, ich denke, so ist es gewesen. Wenn dein Vater es sagt.«

»Was ist ein *Silkie?*«, fragte Jemmy verwirrt, aber neugierig. Er wand sich in ihren Armen, weil er herunterwollte, und sie stellte ihn wieder auf den Felsen.

»Ich weiß es nicht«, gab Germain zu. »Aber er hat ein Fell. Was ist ein *Silkie*, Opa?«

Jamie schloss die Augen, um sie vor der sinkenden Sonne abzuschirmen, rieb sich mit der Hand über das Gesicht und schüttelte schwach den Kopf. Brianna hatte das Gefühl, dass er lächelte, konnte es aber nicht mit Sicherheit sagen.

»Äh, nun gut«, sagte er. Er setzte sich aufrecht hin, öffnete die Augen und warf sein nasses Haar zurück. »Ein *Silkie* ist ein Wesen, das an Land ein Mensch ist, im Meer aber ein Seehund wird. Und ein Seehund«, fügte er hinzu und schnitt damit Jemmy das Wort ab, denn dieser hatte den Mund schon zur nächsten Frage geöffnet, »ist ein großes, glänzendes Tier, das wie ein Hund bellt, so stark wie ein Ochse ist und so schön wie die schwarze Nacht. Sie leben im Meer, setzen sich aber manchmal auf die Felsen in der Nähe des Ufers.«

»Hast du schon einmal Seehunde gesehen, Grand-père?«, fragte Germain begierig.

»Oh, schon oft«, versicherte ihm Jamie. »An der Küste Schottlands gibt es viele Seehunde.«

»Schottland«, wiederholte Jemmy. Seine Augen waren kugelrund.

»*Ma mère* sagt, in Schottland ist es schön«, sagte Germain. »Sie weint manchmal, wenn sie davon erzählt. Aber ich bin mir nicht so sicher, dass es mir dort gefallen würde.«

»Warum denn nicht?«, fragte Brianna.

»Es ist voller Riesen und Wasserpferde und… Wesen«, erwiderte Germain stirnrunzelnd. »Denen möchte ich nicht begegnen. Und Porridge, sagt *Maman*, aber Porridge haben wir ja auch hier.«

»Das stimmt. Und ich glaube, es ist Zeit, dass wir welchen essen gehen.« Jamie stand auf und räkelte sich, stöhnend vor Vergnügen. Die untergehende Sonne tauchte Fels und Wasser in goldenes Licht, das die Wangen der Jungen und die hellen Haare auf den Armen ihres Vaters aufleuchten ließ.

Jemmy räkelte sich ebenfalls stöhnend und ahmte Jamie so anbetungsvoll nach, dass ihr Vater lachte.

»Dann komm, kleiner Fisch. Möchtest du nach Hause reiten?« Er bückte sich, so dass Jemmy auf seinen Rücken klettern konnte. Dann richtete er sich wieder auf, rückte den kleinen Jungen zurecht und nahm Germain bei der Hand.

Er sah, wie sie ihre Aufmerksamkeit noch einmal kurz auf den schwarzen Fleck am Rand des Felsens richtete.

»Lass es gut sein, Schatz«, sagte er leise. »Es ist irgendein Zauber. Fass es lieber nicht an.«

Dann trat er von dem Felsen hinunter und hielt auf den Pfad zu. Er hatte Jemmy auf dem Rücken und hielt Germain fest am Nacken gepackt. Beide Jungen kicherten, während sie sich ihren Weg durch den rutschigen Schlamm bahnten.

Brianna rettete ihren Spaten und Jamies Hemd von der Uferböschung und holte die Männer auf dem Pfad zum Haus ein. Ein Wind hatte sich zwischen den Bäumen erhoben und fuhr kalt durch den feuchten Stoff ihres Hemdes, doch vom Gehen war ihr so warm, dass sie nicht fror.

Germain sang leise vor sich hin, immer noch Hand in Hand mit seinem Großvater, und sein kleiner Blondschopf nickte hin und her wie ein Metronom.

Jemmy seufzte erschöpft und selig. Er hatte die Beine um Jamies Taille geschlungen, die Arme um seinen Hals gelegt und das sonnengerötete Gesicht an seinen narbigen Rücken gelehnt. Dann kam ihm ein Gedanke, denn er hob den Kopf und küsste seinen Großvater schmatzend zwischen die Schulterblätter.

Ihr Vater fuhr so heftig zusammen, dass er Jem beinahe fallen ließ, und stieß einen schrillen Laut aus, der sie zum Lachen brachte.

»Ist es jetzt besser?«, erkundigte sich Jem ernst. Er zog sich hoch und versuchte, über Jamies Schulter hinweg in sein Gesicht zu sehen.

»Oh. Aye, Kleiner«, versicherte ihm sein Großvater mit zuckendem Gesicht. »Viel besser.«

Es wimmelte jetzt von fliegenden Insekten. Sie verscheuchte eine ganze Wolke aus ihrem Gesicht und zerschlug eine Mücke, die auf Germains Hals landete.

»Ak!«, sagte er und zog den Kopf ein, sang dann aber ungestört weiter »*Alouette*«.

Jemmys Hemd war aus dünnem, abgetragenem Leinen, das sie aus einem von Rogers alten Hemden zurechtgeschnitten hatte. Der Stoff war ihm am Körper getrocknet, der sich kantig und solide darunter abzeichnete, und in der Spanne seiner kleinen, zarten Schultern spiegelten sich die breiteren, kräftigeren Schultern wider, an die er sich klammerte. Sie ließ den Blick von den Rotschöpfen zu Germain wandern, der dünn wie eine Spiere und anmutig durch Schatten und Licht wanderte und sang, und sie dachte, welch schmerzliche Schönheit Männer doch besaßen.

»Wer waren die bösen Männer, Opa?«, fragte Jemmy schläfrig, und sein Kopf nickte im Rhythmus von Jamies Schritten.

»*Sassunaich*«, erwiderte Jamie kurz. »Englische Soldaten.«

»Engländer*canaille*«, bekräftigte Germain und brach sein Lied ab. »Sie waren es auch, die meinem Papa die Hand abgeschnitten haben.«

»Wirklich?« Jemmy hob eine Sekunde konzentriert den Kopf, dann ließ er ihn so schwer zwischen Jamies Schulterblätter sinken, dass sein Großvater ächzte. »Hast du sie mit deinem Schwert getötet, Opa?«

»Einige von ihnen.«

»Ich werde den Rest töten, wenn ich groß bin«, verkündete Germain. »Wenn dann noch welche übrig sind.«

»Das könnte schon sein.« Jamie schob Jem ein wenig höher und ließ Germains Hand los, um Jemmys erschlaffende Beine dicht an seinen Körper zu halten.

»Ich auch«, murmelte Jemmy, und seine Augenlider wurden schwer. »Ich töte sie auch.«

An der Weggabelung überreichte ihr Jamie ihren fest schlafenden Sohn und nahm sein Hemd wieder in Empfang. Er zog es an und strich sich das zerzauste Haar aus dem Gesicht, als er den Kopf hindurchsteckte. Er lächelte sie an, dann beugte er sich, küsste sie sanft auf die Stirn und legte die Hand auf Jemmys runden, roten Kopf, der an ihrer Schulter lag.

»Mach dir keine Sorgen«, sagte er leise. »Ich werde mit Mordecai sprechen. Und mit deinem Mann. Kümmere du dich um den Kleinen hier.«

»Das hier ist etwas Persönliches«, hatte ihr Vater gesagt und damit mehr oder weniger gemeint, dass sie die Sache ruhen lassen sollte. Und vielleicht hätte sie das auch getan, wären da nicht zwei Dinge gewesen. Zum einen, dass Roger weit nach Anbruch der Dunkelheit heimgekommen war und ein Lied gepfiffen hatte, von dem er sagte, Amy McCallum hätte es ihm beigebracht. Zum anderen diese andere beiläufige Bemerkung, die ihr Vater über das Feuer auf dem *Flat Rock* gemacht hatte – dass es nach den Highlands roch.

Brianna hatte eine ausgezeichnete Nase, und hier roch sie Lunte. Außerdem hatte sie verspätet begriffen, wie ihr Vater darauf gekommen war. Der merkwürdige Geruch des Feuers, dieser Hauch von Arznei – es war Jod, der Geruch verbrannter Algen. In ihrer eigenen Zeit hatte sie einmal am Strand bei Ullapool ein Seetangfeuer gerochen, als sie mit Roger dort picknickte.

An der Küste gab es mit Sicherheit Seetang, und es war nicht unmöglich, das irgendjemand irgendwann etwas davon ins Landesinnere mitgebracht hatte. Es war aber auch nicht unmöglich, dass ein paar der Fischersleute Seetang aus Schottland mitgebracht hatten, so wie manche Menschen ein Glas mit Erde oder eine Hand voll Kiesel mit ins Exil nahmen, um sich an das Land zu erinnern, das sie hinter sich gelassen hatten.

Ein Zauber, hatte ihr Vater gesagt. Und das Lied, das Roger von Amy McCallum gelernt hatte, hieß *»Der Deasilzauber«*, sagte er.

Dies alles bedeutete noch gar nichts. Dennoch erwähnte sie das kleine Feuer und seinen Inhalt aus reiner Neugier gegenüber Mrs. Bug. Mrs. Bug wusste eine ganze Menge über Highland-Magie aller Art.

Mrs. Bug runzelte nachdenklich die Stirn über ihre Beschreibung und spitzte die Lippen.

»Knochen, sagt Ihr? Was für Knochen – waren es Tierknochen oder Menschenknochen?«

Brianna fühlte sich, als hätte ihr jemand eine Schnecke auf den Rücken gesetzt.

»Menschenknochen?«

»Oh, aye. Für manche Zaubersprüche braucht man Erde von einem Grab, wisst Ihr, und für andere Knochenstaub oder die Asche einer Leiche.« Die Erwähnung von Asche brachte Mrs. Bug offenbar auf einen Gedanken, und sie zog eine große Rührschüssel aus Keramik aus der warmen Asche des Herdfeuers und blinzelte hinein. Ein paar Tage zuvor war der Sauerteig eingegangen, und sie hatte eine Schüssel mit Mehl, Wasser und Honig aufgestellt, weil sie hoffte, auf diese Weise wilde Hefe aus der Luft einzufangen.

Die rundliche kleine Schottin blickte stirnrunzelnd auf die Schüssel, schüttelte den Kopf und stellte sie mit einem kurzen, gemurmelten Vers auf Gälisch wieder zurück. Natürlich, dachte Brianna etwas belustigt, es *musste* ein Gebet zum Einsammeln von Hefe geben. Welcher Schutzheilige war wohl dafür zuständig?

»Aber was Ihr gesagt habt«, sagte Mrs. Bug, die sich wieder ans Rübchenhacken machte und zum Thema zurückkam. »Dass Ihr es auf dem *Flat Rock* gefunden habt. Seetang, Knochen und eine Felsplatte. Das ist ein Liebeszauber. Man nennt ihn des Nordwinds Gift.«

»Was für ein überaus seltsamer Name für einen Liebeszauber«, sagte sie und starrte Mrs. Bug an. Diese lachte.

»Och, nun, ob ich mich wohl daran erinnere?«, fragte sie rhetorisch. Sie wischte sich die Hände an der Schürze ab, verschränkte sie ein wenig theatralisch an der Taille und rezitierte:

»Ein Liebeszauber für dich,
Wasser durch einen Strohhalm gesogen,
Die Wärme dessen, den du liebst,
Mit Liebe an dich zu ziehen.

Begib dich zeitig am Tag des Herrn,
Zum flachen Fels am Ufer
Mit dir nimm den Pestwurz
Und den Fingerhut.

Eine kleine Menge Asche
In deinem Hemdschoß,
Eine Hand voll Seetangfeuer
In einer hölzernen Kelle.

Drei Knochen eines alten Mannes,
Frisch aus dem Grab geraubt,
Neun Stängel Königsfarn,
Frisch geschnitten mit der Axt.

Verbrenne das auf einem Reisigfeuer,
Bis es zu Asche zerfällt;
Streue es deinem Liebsten auf die Brust,
Gegen des Nordwinds Gift.

Umrunde den Hügel der Fortpflanzung,
Fünfmal im Kreis,
Und ich will dir schwören,
Dieser Mann verlässt dich nie.«

Mrs. Bug löste die Hände voneinander, ergriff ein neues Rübchen, das sie mit gezielten Bewegungen vierteilte und in den Topf warf. »Ich hoffe, Ihr wollt so etwas nicht für Euch selbst?«

»Nein«, murmelte Brianna und spürte, wie ihr der kleine kalte Fleck weiter über den Rücken kroch. »Meint Ihr – würden die Fischersleute einen solchen Zauber anwenden?«

»Nun, was das angeht, so kann ich nicht sagen, *was* sie tun würden – aber einige von ihnen kennen diesen Zauber mit Sicherheit; er ist weithin bekannt, obwohl ich selbst niemanden kenne, der ihn schon einmal benutzt hat. Es gibt einfachere Möglichkeiten, einen Jungen verliebt zu machen«, fügte sie hinzu und wies mahnend mit ihrem Stummelfinger auf Brianna. »Kocht ihm zum Beispiel eine ordentliche Portion Rübchen in Milch und tischt sie ihm mit Butter auf.«

»Ich werde es nicht vergessen«, versprach Brianna lächelnd und entschuldigte sich.

Eigentlich hatte sie heimgehen wollen; es waren Dutzende von Dingen zu erledigen, vom Garnspinnen und Weben zum Rupfen und Ausnehmen des halben Dutzends Gänse, die sie geschossen und im Schuppen aufgehängt hatte. Doch stattdessen ertappte sie sich dabei, dass sich ihre Schritte bergauf wandten und dem überwucherten Pfad folgten, der zum Friedhof führte.

Es war wohl kaum Amy McCallum, von der der Zauber stammte, dachte sie. Sie hätte stundenlang gebraucht, von ihrer Hütte den Berg herunterzusteigen, und sie hatte schließlich ein Baby, um das sie sich kümmern musste. Doch ein Baby konnte man tragen. Und niemand würde wissen, ob sie ihre Hütte verlassen hatte, außer vielleicht Aidan – und Aidan sprach mit niemandem außer Roger, den er anbetete.

Die Sonne war schon fast untergegangen, und dem kleinen Friedhof haftete etwas Melancholisches an. Die langen Schatten der schützenden Bäume fielen kalt und dunkel über den mit Nadeln übersäten Boden und die kleine Ansammlung grober Steinplatten, Grabhügel und hölzerner Kreuze. Die Kiefern und Hemlocktannen murmelten beklommen im aufkommenden Abendwind.

Das Gefühl der Kälte hatte sich von ihrer Wirbelsäule her ausgebreitet und nahm jetzt einen großen Fleck zwischen ihren Schulterblättern ein. Der Anblick der aufgewühlten Erde unter dem mit »Ephraim« markierten Kreuz war auch nicht besonders hilfreich.

50

Auf Messers Schneide

Er hätte es besser wissen sollen. *Wusste* es besser. Doch was hätte er tun können. Viel wichtiger, was sollte er jetzt tun?

Roger stieg langsam den Berg hinunter, dessen Schönheit er kaum wahrnahm. Kaum, aber doch ein wenig. So trostlos die abgeschiedene Mulde, in der Amy McCallums wackelige Hütte zwischen den Lorbeerbüschen hockte, im Winter war – im Frühjahr verwandelte sie sich in ein Meer lebendiger Farben, so kräftig, dass er trotz seiner Sorge die flammenden Rottöne nicht übersehen konnte, unterbrochen von den sanften Cremefarben des Hartriegels und Heidelbeerteppichen, deren winzige blaue Blüten an schlanken Stielen nickend über dem wilden Bach hingen, der neben dem steinigen Pfad bergab sprudelte.

Sie mussten die Stelle im Sommer ausgewählt haben, dachte er zynisch. Sie war ihnen damals sicher bezaubernd vorgekommen. Er hatte Orem McCallum nicht gekannt, doch der Mann war eindeutig ebenfalls nicht praktischer veranlagt gewesen als seine Frau, sonst hätten sie die Gefahren ihrer Abgeschiedenheit erkannt.

Doch die gegenwärtige Situation war nicht Amys Schuld; er durfte ihr keine Vorwürfe für seinen eigenen Mangel an Urteilsvermögen machen.

Auch sich selbst machte er nicht unbedingt Vorwürfe – doch er hätte eher bemerken sollen, was im Gange war; was sich die Leute erzählten.

Alle wissen, dass Ihr mehr Zeit oben bei der Witwe McCallum verbringt als bei Eurer eigenen Frau.

Das hatte Malva Christie zu ihm gesagt und trotzig ihr kleines spitzes Kinn gehoben. *Sagt es meinem Vater, und ich erzähle allen, dass ich gesehen habe, wie Ihr Amy McCallum küsst. Sie werden es mir glauben.*

Er spürte ein Echo des Erstaunens, das er bei ihren Worten empfunden hatte – einem Erstaunen, dem die Verärgerung auf dem Fuße folgte. Über das Mädchen und seine alberne Drohung, aber noch viel mehr über sich selbst.

Er hatte auf der Whiskylichtung gearbeitet und war zur Essenszeit auf dem Rückweg zur Hütte um eine Wegbiegung gekommen und hatte die beiden überrascht, Malva und Bobby Higgins, eng umschlungen. Sie waren wie aufgeschreckte Rehe mit aufgerissenen Augen auseinander gefahren und so erschrocken gewesen, dass es schon wieder komisch war.

Er lächelte, doch bevor er sich entweder entschuldigen oder taktvoll mit dem Unterholz verschmelzen konnte, hatte sich Malva vor ihm aufgebaut, die Augen nach wie vor weit aufgerissen, aber brennend vor Entschlossenheit.

Sagt es meinem Vater, und ich erzähle allen …

Ihre Worte hatten ihn so verblüfft, dass er Bobby kaum bemerkt hatte, bis ihr der junge Soldat die Hand auf den Arm gelegt, ihr etwas zugemurmelt und sie fortgezogen hatte. Sie hatte sich widerstrebend abgewandt, mit einem letzten, bedeutungsschwangeren Blick auf Roger und einer abschließenden Bemerkung, die ihn in den Grundfesten erschütterte.

Alle wissen, dass Ihr mehr Zeit oben bei der Witwe McCallum verbringt als bei Eurer eigenen Frau.

Verdammt, ja, so war es, und es war seine eigene dämliche Schuld. Abgesehen von ein oder zwei sarkastischen Bemerkungen, hatte Brianna keine Einwände gegen seine Besuche gehabt; sie hatte es akzeptiert – zumindest anscheinend – dass *irgendjemand* nach den McCallums sehen musste, dafür sorgen musste, dass sie Nahrung und Feuer hatten, ihnen kurz Gesellschaft leistete, eine kleine Zuflucht in der Monotonie der Einsamkeit und Mühsal.

Er hatte so etwas schon oft getan, den Reverend begleitet, wenn er Alte, Witwen oder die Kranken der Gemeinde besuchte, ihnen etwas zu essen brachte, ein Weilchen blieb, um sich zu unterhalten – um zuzuhören. Das *tat* man nun einmal für seine Nachbarn, sagte er sich, es war ein ganz normaler Akt der Güte.

Doch er hätte besser Acht geben sollen. Jetzt fiel ihm Jamies nachdenklicher Blick am Essenstisch wieder ein, die Art, wie er Luft holte, als wollte er etwas sagen, als Roger Claire um eine Salbe für Klein-Orries Ausschlag bat – und dann der Blick, den Claire Brianna zuwarf, woraufhin Jamie den Mund schloss und die Worte, die ihm auf der Zunge lagen, unausgesprochen blieben.

Sie werden es mir glauben. Da das Mädchen so etwas sagte, musste es bereits Gerede gegeben haben. Jamie hatte wahrscheinlich davon gehört; er konnte nur hoffen, dass Brianna nichts davon wusste.

Über den Lorbeerbüschen kam der schiefe Schornstein in Sicht; sein Rauch ein beinahe durchsichtiger Hauch, der die reine Luft über dem Dachbalken erzittern ließ, als sei die Hütte verwunschen und könnte im nächsten Moment verschwunden sein.

Das Schlimmste daran war, dass er genau wusste, wie sich die Geschichte entwickelt hatte. Er hatte eine Schwäche für junge Mütter, eine schreckliche Zärtlichkeit, ein Bedürfnis, sich um sie zu kümmern. Die Tatsache, dass er genau wusste, *warum* er ein solches Bedürfnis verspürte – die Erinnerung an seine eigene junge Mutter, die im Bombenkrieg gestorben war, als sie ihm das Leben rettete –, half ihm absolut nicht weiter.

Es war eine Schwäche, die ihn in Alamance fast das Leben gekostet hätte, als dieser verfluchte Dummkopf William Buccleigh MacKenzie Rogers Sorge um Morag MacKenzie irrtümlich ... nun gut, er hatte sie geküsst, aber nur auf die Stirn, und zum Kuckuck, sie war seine eigene Urahnin ... und die unglaubliche Idiotie, beinahe von seinem eigenen Ururgroßvater umgebracht zu werden, weil man dessen Frau belästigte ... Sie hatte ihn die Stimme gekostet, und er hätte seine Lektion lernen sollen, aber das hatte er nicht, nicht gründlich genug.

Plötzlich wütend auf sich selbst – und auf Malva Christie, dieses boshafte kleine Schandmaul – hob er einen Stein vom Weg auf und schleuderte ihn bergab in den Bach. Er traf im Wasser einen anderen Stein, hüpfte zweimal und verschwand in der gurgelnden Strömung.

Seine Besuche bei den McCallums mussten aufhören, und zwar sofort. Das war ihm klar. Er musste eine andere Möglichkeit für sie finden ... aber einmal musste er noch hingehen, um es ihnen zu erklären. Amy würde es verstehen, dachte er – aber wie erklärte man Aidan, was ein Ruf war, warum Gerede eine Todsünde war und warum Roger nicht mehr kommen konnte, um mit ihm zu angeln oder ihm das Schreinern beizubringen ...

Unter unablässigen Flüchen bewältigte er die letzte kurze, steile Steigung und betrat den verwahrlosten kleinen Hof. Bevor er sich jedoch rufend bemerkbar machen konnte, flog die Tür auf.

»Roger Mac!« Amy McCallum fiel fast die Stufen hinunter und landete keuchend und weinend in seinen Armen. »Oh, Ihr seid hier, Ihr seid hier! Ich habe gebetet, dass jemand kommt, aber ich habe nicht geglaubt, dass es rechtzeitig geschehen würde, und gedacht, er stirbt, aber Ihr seid hier, Gott sei Dank!«

»Was ist denn? Was ist passiert? Ist Orrie krank?« Er hielt sie an den Armen fest, um sie zu stützen, und sie schüttelte so heftig den Kopf, dass ihre Haube halb herunter rutschte.

»Aidan«, keuchte sie. »Es ist Aidan.«

Aidan McCallum lag zusammengekrümmt auf meinem Sprechzimmertisch. Er war weiß wie ein Leintuch und stieß kleine keuchende Stöhnlaute aus. Meine erste Hoffnung – unreife Äpfel oder Stachelbeeren – verschwand, als ich ihn mir näher ansah. Ich war mir ziemlich sicher, womit ich es hier zu tun hatte, aber eine Blinddarmentzündung hatte einige Symptome mit anderen Erkrankungen gemeinsam. Doch ein klassischer Fall hat eine auffallende Eigenschaft.

»Könnt Ihr ihn gerade hinlegen, nur ganz kurz?« Ich sah seine Mutter an, die den Tränen nahe neben ihm stand, und es war Roger, der nickte und Aidan die Hände auf Knie und Schultern legte, während er ihn sanft überredete, sich flach hinzulegen.

Ich legte ihm den Daumen auf den Bauchnabel, den kleinen Finger auf den rechten Hüftknochen und drückte ihm fest mit dem Mittelfinger auf den Bauch. Dabei fragte ich mich für eine Sekunde, ob McBurney diese Stelle bereits entdeckt und benannt hatte. Schmerzen am McBurney-Punkt waren ein spezifisches diagnostisches Symptom für eine akute Blinddarmentzündung – und als ich Aidan dort auf den Bauch drückte und dann wieder losließ, schrie er, bäumte sich auf dem Tisch auf und klappte dann zusammen wie ein Taschenmesser.

Mit Sicherheit der Blinddarm. Ich hatte gewusst, dass ich eines Tages damit zu tun bekommen würde. Und mit einer Mischung aus Bestürzung und Aufregung begriff ich, dass der Zeitpunkt gekommen war, endlich den Äther einzusetzen. Ich hatte sowohl keinen Zweifel als auch keine Wahl; wenn ich den Wurmfortsatz nicht entfernte, würde er platzen.

Ich blickte auf; Roger stützte Mrs. McCallum am Ellbogen; sie hielt das eingewickelte Baby an ihre Brust geklammert. Sie würde bleiben müssen; Aidan würde sie brauchen.

»Roger – hol Lizzie, damit sie sich um das Baby kümmert. Und dann lauf zu den Christies, so schnell du kannst; ich brauche Malva, damit sie mir hilft.«

Ein außergewöhnlicher Ausdruck huschte über sein Gesicht; ich konnte ihn nicht deuten, aber er verschwand gleich wieder, und ich hatte keine Zeit, mir darüber Sorgen zu machen. Er nickte wortlos und ging, und ich wandte mich Mrs. McCallum zu, um ihr die Fragen zu stellen, deren Antworten ich wissen musste, bevor ich ihrem kleinen Sohn den Bauch aufschnitt.

Es war Allan Christie, der auf Rogers kräftiges Klopfen hin öffnete. Er war eine dunklere, schmalere Ausgabe von Toms Eulengesicht, und auf die Frage nach Malvas Aufenthaltsort blinzelte er gemächlich.

»Oh ... sie ist zum Bach gegangen«, sagte er. »Binsen sammeln, hat sie gesagt.« Er runzelte die Stirn. »Was wollt Ihr denn von ihr?«

»Mrs. Fraser bittet sie, zu kommen und ihr bei – bei etwas zu helfen.« Im Inneren der Hütte bewegte sich etwas; die Hintertür wurde geöffnet. Tom Christie kam herein, ein Buch in der Hand, die Seite, die er gerade gelesen hatte, zwischen zwei Fingern markiert.

»MacKenzie«, sagte er mit einem grüßenden Ruck seines Kopfes. »Habt Ihr gesagt, Mrs. Fraser sucht Malva? Warum?« Er runzelte ebenfalls die

Stirn, und die beiden Christies sahen haargenau so aus wie ein Eulenpaar, das eine fragwürdige Maus betrachtete.

»Weil der kleine Aidan McCallum schwer krank ist und sie froh wäre, wenn Malva ihr hilft. Ich gehe sie suchen.«

Christies Stirnrunzeln vertiefte sich noch, und er öffnete den Mund, um etwas zu sagen, aber Roger hatte sich bereits umgedreht und eilte auf die Bäume zu, bevor ihn einer der beiden aufhalten konnte.

Er fand sie ziemlich schnell, obwohl ihm jeder Augenblick, den er auf der Suche verbrachte, wie eine Ewigkeit vorkam. Wie lange dauerte es, bis ein Wurmfortsatz platzte? Sie stand knietief im Bach, die Röcke hochgerafft, und ihr Binsenkorb trieb an ihr Schürzenband geknotet neben ihr. Im ersten Moment hört sie ihn im ohrenbetäubenden Rauschen des Wassers nicht. Als er ihren Namen lauter ausrief, fuhr ihr Kopf erschrocken auf, und sie hob das Messer, das sie fest in der Hand hielt.

Ihr alarmierter Ausdruck schwand, als sie sah, wer er war, obwohl sie ihn weiterhin argwöhnisch im Blick behielt – und das Messer fest umklammerte, wie er bemerkte. Seine Bitte stieß auf reges Interesse.

»Den Äther? Wirklich, sie wird ihn operieren?«, fragte sie wissbegierig, während sie auf ihn zuwatete.

»Ja. Kommt! Ich habe Eurem Vater schon gesagt, dass Mrs. Fraser Euch braucht. Wir brauchen dort nicht anzuhalten.«

Bei diesen Worten änderte sich ihre Miene.

»Ihr habt es ihm gesagt?« Ihre Stirn legte sich eine Sekunde in Falten. Dann biss sie sich auf die Lippe und schüttelte den Kopf.

»Ich kann nicht mitkommen«, sagte sie laut genug, um den Bach zu übertönen.

»Doch, das könnt Ihr«, sagte er so ermutigend wie möglich und streckte die Hand aus, um ihr zu helfen. »Kommt, ich helfe Euch tragen.«

Sie schüttelte noch entschlossener den Kopf und schob die Unterlippe vor.

»Nein. Mein Vater – er wird es nicht zulassen.« Sie blickte in Richtung der Hütte, und er drehte sich um. Doch es war alles friedlich; weder Allan noch Tom waren ihm gefolgt. Noch nicht.

Er zog sich sie Schuhe aus und trat in das eisige Bachbett, dessen harte, schlüpfrige Steine ihm unter den Füßen wegrollten. Malva riss Mund und Augen auf, als er sich bückte und nach ihrem Korb griff, ihn von ihrem Schürzenband abriss und ans Ufer warf. Dann nahm er ihr das Messer ab, schob es in seinen Gürtel, packte sie um die Taille, hob sie hoch und watete mit ihr ans Ufer, ohne ihre Tritte und ihr Kreischen zu beachten.

»Ihr kommt jetzt mit«, sagte er und stellte sie ächzend hin. »Möchtet Ihr laufen, oder soll ich Euch tragen?«

Er hatte zwar den Eindruck, dass sie dieser Vorschlag eher faszinierte als abschreckte, doch sie schüttelte erneut den Kopf und wich vor ihm zurück.

»Es geht nicht – wirklich nicht! Er – er wird mich schlagen, wenn er herausfindet, dass ich mit dem Äther zu tun hatte.«

Das ließ ihn kurz innehalten. Würde er das wirklich tun? Vielleicht. Aber Aidans Leben stand auf dem Spiel.

»Dann wird er es eben nicht herausfinden«, sagte er. »Und falls doch, sorge ich dafür, dass er Euch nichts tut. Kommt, in Gottes Namen – wir haben keine Zeit zu verlieren!«

Sie presste den Mund zu einem Ausdruck der Sturheit zusammen. Keine Zeit für Skrupel also. Er bückte sich, um ihr näher ins Gesicht zu sehen, und sah ihr unverwandt in die Augen.

»Ihr kommt jetzt mit«, sagte er und ballte die Hände zu Fäusten, »oder ich erzähle Eurem Vater und Eurem Bruder von Euch und Bobby Higgins. Erzählt über mich, was Ihr wollt – es ist mir egal. Aber wenn Ihr glaubt, dass Euch Euer Vater schlagen würde, weil Ihr Mrs. Fraser helft, was wird er dann wohl tun, wenn er erfährt, dass Ihr mit Bobby herumgeknutscht habt?«

Er wusste nicht, was im achtzehnten Jahrhundert das Wort für knutschen war, aber sie verstand ihn ganz eindeutig. Und wäre sie auch nur annähernd so groß gewesen wie er, hätte sie ihn niedergeschlagen, wenn er das gefährliche Leuchten in ihren großen grauen Augen richtig interpretierte.

Doch sie war es nicht, und nach kurzer Überlegung bückte sie sich, um sich die Beine an ihrem Rock abzutrocknen, und schlüpfte hastig in ihre Sandalen.

»Lasst ihn stehen«, sagte sie knapp, als sie sah, dass er sich nach ihrem Korb bückte. »Und gebt mir mein Messer zurück.«

Möglich, dass es einfach nur das Bedürfnis war, sie ein Stück weit unter Kontrolle zu behalten, bis er sie sicher im Sprechzimmer abgeliefert hatte – Angst hatte er bestimmt nicht vor ihr. Doch er legte die Hand auf das Messer in seinem Gürtel und sagte: »Später. Wenn es vorbei ist.«

Sie machte sich nicht die Mühe zu widersprechen, sondern kletterte vor ihm die Uferböschung hinauf und hielt auf das Fraserhaus zu. Die Sohlen ihrer Sandalen klatschten gegen ihre nackten Fersen.

Ich hatte meine Finger auf der großen Schlagader in Aidans Magengrube liegen und zählte. Seine Haut fühlte sich ziemlich heiß an; er würde eine Temperatur von knapp 39 Grad haben. Sein Pulsschlag war kräftig, aber rapide – und wurde jetzt langsamer, als er in der Narkose versank. Ich konnte spüren, wie Malva vor sich hin zählte, so viele Tropfen Äther, so lange Pause bis zum nächsten … Ich verzählte mich, doch das spielte keine Rolle; ich nahm den Pulsschlag in mich auf und spürte, wie der meine im selben Rhythmus zu schlagen begann, und er war normal und stabil.

Seine Atmung war gut. Der kleine Bauch hob und senkte sich unter meiner Hand, und ich konnte spüren, wie sich seine Muskeln mit jeder Sekunde mehr entspannten, bis sich sein ganzer Bauch schlaff und wackelig anfühlte und sich seine vorstehenden Rippen bei jedem Atemzug weit darüber erhoben. Ich hatte plötzlich das Gefühl, meine Hand direkt durch seine Haut schieben und den geschwollenen Appendix berühren zu können, konnte ihn vor meinem inneren Auge boshaft in der dunklen Sicherheit seiner versiegelten Welt pulsieren sehen. Es war Zeit.

Mrs. McCallum stieß ein leises Geräusch aus, als ich das Skalpell ergriff, ein lauteres, als ich es in die helle Haut drückte, die noch feucht glänzte, weil ich sie mit Alkohol abgewischt hatte, wie ein Fischbauch, der unter der Klinge nachgibt, wenn man ihn ausnehmen will.

Seine Haut öffnete sich widerstandslos, und wie von Zauberhand quoll Blut auf, das aus dem Nichts zu kommen schien. Er hatte fast kein Fett darunter; ich stieß sofort auf Muskeln, dunkelrot und elastisch. Mit mir waren noch andere Menschen im Zimmer; ich spürte sie vage. Doch ich hatte keine Aufmerksamkeit für sie übrig. All meine Sinne waren auf den kleinen Körper unter meinen Händen konzentriert. Doch es stand jemand neben mir – Brianna?

»Gib mir einen Retraktor – ja, das da.« Ja, es war Brianna; eine langfingrige Hand, mit Desinfektionsmittel befeuchtet, ergriff das klauenförmige Instrument und drückte es mir in die wartende linke Hand. Ich vermisste die Dienste einer geschulten OP-Schwester, aber wir würden schon zurechtkommen.

»Halt ihn fest, genau da.« Ich schob die Klinge zwischen die Muskelfasern, die sich leicht trennen ließen, und schnitt vorsichtig durch das dicke, sanft glänzende Bauchfell.

Seine Innereien waren warm und feucht und umschlossen saugend meine beiden tastenden Finger. Weiche, glitschige Därme, die kleine halbfeste Klumpen enthielten, die ich durch die Wände spüren konnte, Knochen, die meine Finger streiften – er war so klein, ich hatte nicht viel Raum, um mich vorzutasten. Ich hatte die Augen geschlossen und konzentrierte mich allein auf meinen Tastsinn. Der Blinddarm *musste* direkt unter meinen Fingern sein, hier konnte ich die Rundung des Dickdarms spüren, reglos, aber lebendig wie eine schlafende Schlange. Dahinter? Darunter? Ich tastete vorsichtig weiter, öffnete die Augen und warf einen scharfen Blick auf die Wunde. Er blutete nicht sehr stark, doch die Wunde schwamm trotzdem. Sollte ich mir die Zeit nehmen, die kleinen Gefäße zu kauterisieren? Ich warf einen Blick auf Malva: Sie runzelte konzentriert die Stirn und bewegte lautlos zählend die Lippen – und sie hatte eine Hand zur Kontrolle auf der Halsschlagader liegen.

»Kautereisen – ein kleines.« Ich hielt einen Moment inne; angesichts der Brennbarkeit des Äthers hatte ich mein Kohlebecken auf der anderen Flurseite in Jamies Studierzimmer gestellt. Doch Brianna war schnell; ich hielt es in wenigen Sekunden in der Hand. Ein Rauchfaden stieg von seinem Bauch auf, und das Brutzeln angesengten Fleisches vermischte sich mit dem warmen Blutgeruch. Mrs. McCallums Augen wurde immer größer.

Ich tupfte das Blut mit einer Hand voll Baumwolle ab und sah erneut hin – meine Finger hielten nach wie vor das fest, was ich dachte … gut.

»Gut«, sagte ich triumphierend. »Hab dich.« Ganz vorsichtig hakte ich meinen Finger unter der Krümmung des Blinddarms ein und zog ein Stück davon durch die Wunde nach oben. Der entzündete Wurmfortsatz stand ab wie ein aggressiver fetter Wurm, von der Entzündung beinahe lila gefärbt.

»Faden.«

Jetzt hatte ich ihn. Ich konnte die Membran an der Seite des Fortsatzes sehen und die Blutgefäße, die ihn speisten. Diese musste ich zuerst abbinden; dann konnte ich den Appendix selbst abbinden und abtrennen. Schwierig nur, weil alles so klein war, aber kein echtes Problem.

Es war so still im Zimmer, dass ich das leise Zischen und Prasseln der Holzkohle in dem Kohlebecken auf der anderen Flurseite hören konnte. Der Schweiß rann mir hinter den Ohren und zwischen den Brüsten hinunter, und mir wurde dumpf bewusst, dass ich die Zähne in meine Unterlippe gebohrt hatte.

»Zange.« Ich zog die Schlaufe fest zu, und drückte den abgebundenen Stumpf des Wurmfortsatzes mit der Zange fest gegen den Blinddarm. Dann schob ich das Ganze zurück in seinen Bauch und holte Luft.

»Wie lange, Malva?«

»Etwas mehr als zehn Minuten, Ma'am. Es geht ihm gut.« Sie wendete den Blick gerade so lange von der Äthermaske ab, um mir ein rasches Lächeln zuzuwerfen, dann hob sie die Tropfflasche, und ihre Lippen zählten stumm weiter.

Die Wunde war schnell verschlossen. Ich strich eine dicke Honigschicht auf die genähte Wunde, wickelte ihm einen Verband fest um den Bauch, legte eine warme Decke über ihn und atmete auf.

»Nimm ihm die Maske ab«, sagte ich zu Malva und richtete mich auf. Sie antwortete nicht, und ich sah sie an. Sie hatte Aidan die Maske vom Gesicht genommen und hielt sie mit beiden Händen vor sich hin wie einen Schutzschild. Doch ihr Blick galt nicht mehr Aidan; ihre Augen hafteten an ihrem Vater, der stocksteif in der Tür stand.

Tom Christie ließ den Blick wiederholt zwischen dem Kinderkörper auf dem Tisch und seiner Tochter hin und her schweifen. Verunsichert trat sie einen Schritt zurück, ohne die Äthermaske loszulassen. Sein Kopf zuckte, und ein brennender grauer Blick durchbohrte mich.

»Was geht hier vor?«, wollte er wissen. »Was macht Ihr mit diesem Kind?«

»Sein Leben retten«, erwiderte ich gereizt. Ich vibrierte noch von der Intensität der Operation und war nicht in der Stimmung für Gezänk. »Wolltet Ihr etwas?«

Christie presste seine dünnen Lippen fest aufeinander, doch bevor er antworten konnte, schob sich sein Sohn Allan an ihm vorbei ins Zimmer. Er war mit ein paar Schritten bei seiner Schwester und packte sie am Handgelenk.

»Komm mit«, sagte er grob und zerrte an ihr. »Du hast hier nichts zu suchen.«

»Lasst sie los.« Rogers Stimme klang scharf, und er packte Allans Schulter, um ihn von ihr fortzuziehen. Allan fuhr auf dem Absatz herum und boxte Roger kurz und fest in den Bauch. Roger stieß ein hohles Krächzen aus, brach aber nicht zusammen. Stattdessen verpasste er Allan einen Kinnhaken. Allan stolperte rückwärts und stieß den kleinen Tisch mit den Instrumenten um – Messer und Retraktoren schepperten als metallene Flut zu Boden, und das Glas mit den Catgutfäden zersplitterte auf dem Boden, so dass Glas und Flüssigkeit in alle Richtungen spritzten.

Ein leiser Aufprall ließ mich in die Ecke blicken. Die Ätherdämpfe und der Gefühlsaufruhr hatten Amy McCallum überwältigt, und sie war in Ohnmacht gefallen.

Ich hatte keine Zeit, mich darum zu kümmern; Allan holte zu einem gewaltigen Hieb aus, Roger duckte sich, bekam den Schwung von Christie juniors Körper ab, und sie stolperten beide rückwärts, stießen gegen die Fensterbank und fielen ineinander verschlungen aus dem Fenster.

Tom Christie stieß ein leises Knurren aus und hastete zum Fenster. Malva nutzte die Gelegenheit und rannte zur Tür hinaus; ich hörte ihre Schritte eilends durch den Flur zur Küche trippeln – und wahrscheinlich zur Hintertür.

»Was in aller *Welt*...?«, begann Brianna und sah mich an.

»Sieh mich nicht an«, sagte ich und schüttelte den Kopf. »Ich habe *keine* Ahnung.« Was stimmte; ich hatte allerdings das dumpfe Gefühl, dass es eine Menge mit der Tatsache zu tun hatte, dass ich Malva an der Operation beteiligt hatte. Tom Christie und ich hatten uns einander wieder einigermaßen angenähert, seit ich seine Hand operiert hatte – doch das bedeutete nicht, dass er seine Ansichten in Bezug auf die Gottlosigkeit des Äthers geändert hatte.

Brianna richtete sich abrupt auf und erstarrte. Ächzen, Keuchen und unzusammenhängende Halbbeleidigungen vor dem Fenster deuteten darauf hin, dass der Kampf noch im Gange war – doch Allan Christie hatte Roger gerade lauthals einen Ehebrecher genannt.

Brianna warf einen scharfen Blick auf Amy McCallums hingestreckte Gestalt, und ich murmelte ein böses Schimpfwort. Ich hatte hier und da bereits Gerede über Rogers Besuche bei den McCallums gehört – und Jamie war schon kurz davor gewesen, Roger darauf anzusprechen. Aber ich hatte es ihm ausgeredet, sich einzumischen, und ihm gesagt, dass ich Brianna taktvoll darauf ansprechen würde. Dazu hatte ich jedoch keine Gelegenheit gehabt, und jetzt –

Mit einem letzten unfreundlichen Blick auf Amy McCallum schritt Brianna zur Tür hinaus, anscheinend um sich in den Kampf einzumischen. Ich fasste mir an die Stirn und muss gestöhnt haben, denn Tom Christie wandte sich abrupt vom Fenster ab.

»Ist Euch unwohl, Mistress?«

»Nein«, sagte ich ein wenig schwach. »Nur… hört mir zu, Tom. Ich bedaure, wenn ich Schwierigkeiten verursacht habe, als ich Malva um Hilfe gebeten habe. Sie hat eine wirkliche Gabe als Heilerin, glaube ich – aber es war nicht meine Absicht, sie zu etwas zu überreden, das Ihr nicht gutheißt.«

Er warf mir einen trostlosen Blick zu, den er dann auf Aidans erschlafften Körper richtete. Der Blick schärfte sich abrupt.

»Ist das Kind tot?«, fragte er.

»Nein, nein«, sagte ich. »Ich habe ihm Äther verabreicht; er ist nur eingeschla…«

Mir erstarb die Stimme in der Kehle, denn ich bemerkte, dass Aidan just diesen unpassenden Moment gewählt hatte, um das Atmen einzustellen.

Mit einem unzusammenhängenden Aufschrei schob ich Tom Christie aus dem Weg, warf mich auf Aidan, legte meinen Mund fest auf den seinen und drückte meine Handfläche fest auf die Mitte seiner Brust.

Der Äther aus seinen Lungen wehte mir ins Gesicht, als ich meinen Mund hob, und mir wurde schwindelig. Ich packte mit der freien Hand an die Tischkante und legte meinen Mund wieder auf den seinen. Ich durfte *nicht* in Ohnmacht fallen, ich durfte es nicht.

Alles verschwamm mir vor den Augen, und das Zimmer schien sich langsam um mich zu drehen. Doch ich klammerte mich hartnäckig an mein Bewusstsein, blies drängend Luft in seine Lungen, während ich spürte, wie sich die kleine Brust unter meiner Hand sanft hob und dann wieder senkte.

Es konnte nicht länger als eine Minute gedauert haben, doch es war ein einminütiger Albtraum, währenddessen sich alles um mich drehte und Aidans Körper der einzig feste Anker in einem Strudel aus Chaos war. Amy McCallum regte sich neben mir auf dem Boden, erhob sich schwankend auf die Knie – und stürzte sich mit einem Aufschrei auf mich, zerrte an mir, um mich von ihrem Sohn fortzuziehen. Ich hörte, wie sich Tom Christies Stimme im Befehlston erhob und versuchte, sie zu fassen zu bekommen; er musste sie beiseite gezogen haben, denn plötzlich hatte sie mein Knie losgelassen.

Ich beatmete Aidan noch einmal – und diesmal zuckte die Brust unter meiner Hand. Er hustete, würgte, hustete noch einmal und begann dann gleichzeitig zu atmen und zu weinen. Ich stand auf; alles drehte sich, und ich musste mich am Tisch festhalten, um nicht hinzufallen.

Ich sah zwei Gestalten vor mir, schwarz, verschwommen, mit gaffenden Mündern, die sich in meine Richtung öffneten, voll scharfer Fangzähne. Ich blinzelte schwankend und holte in tiefen Zügen Luft. Blinzelte erneut, und die Gestalten verwandelten sich in Tom Christie und Amy McCallum. Er hatte sie um die Taille gefasst, um sie zurückzuhalten.

»Es ist schon gut«, sagte ich, und meine Stimme klang seltsam und weit entfernt. »Es geht ihm gut. Lasst sie zu ihm.«

Sie warf sich mit einem Schluchzer auf Aidan und zog ihn in seine Arme. Tom Christie und ich starrten uns über das Bild der Verwüstung hinweg an. Im Freien war alles still geworden.

»Habt Ihr dieses Kind gerade von den Toten erweckt?«, fragte er, fast im Plauderton, obwohl er seine feinen Augenbrauchen weit hochgezogen hatte.

Ich wischte mir mit der Hand über den Mund, der immer noch vom widerlich süßen Geschmack des Äthers erfüllt war.

»Das könnte man so sagen«, sagte ich.

»Oh.«

Er starrte mich mit ausdruckslosem Gesicht an. Das Zimmer roch nach Alkohol, der meine Nasenschleimhäute zu verätzen schien. Meine Augen tränten ein wenig; ich wischte mit meiner Schürze darüber. Schließlich nickte er wie zu sich selbst und wandte sich zum Gehen.

Ich musste mich um Aidan und seine Mutter kümmern. Aber ich konnte ihn nicht gehen lassen, ohne mich für Malva einzusetzen, so weit es mir möglich war.

»Tom – Mr. Christie.« Ich eilte ihm nach und erwischte ihn am Ärmel. Er drehte sich überrascht und stirnrunzelnd um.

»Malva. Es ist meine Schuld; ich habe Roger geschickt, um sie zu holen. Ihr werdet –« Ich zögerte, aber mir fiel keine taktvolle Formulierung dafür ein. »Ihr werdet sie doch nicht bestrafen, oder?«

Sein Stirnrunzeln vertiefte sich kurz, dann verblasste es. Er schüttelte kaum merklich den Kopf und zog mir mit einer kleinen Verbeugung den Ärmel aus der Hand.

»Stets zu Diensten, Mrs. Fraser«, sagte er leise, warf einen letzten Blick auf Aidan – der gerade etwas zu essen verlangte – und ging.

Brianna betupfte Rogers Unterlippe mit der feuchten Ecke ihres Taschentuchs. Sie war an einer Seite aufgeplatzt und geschwollen und blutete, weil sie mit irgendeinem Körperteil Allan Christies zusammengeprallt war.

»Es ist meine Schuld«, sagte er zum dritten Mal. »Ich hätte mir irgendeine vernünftige Ausrede einfallen lassen sollen.«

»Halt den Mund«, sagte sie, denn allmählich riss ihr der dünne Geduldsfaden. »Wenn du weiter redest, hört es nicht auf zu bluten.« Es waren die ersten Worte, die sie seit dem Faustkampf zu ihm sagte.

Mit einer gemurmelten Entschuldigung nahm er ihr das Taschentuch ab und presste es an seinen Mund. Weil er aber nicht stillhalten konnte, stand er auf und ging zur offenen Tür der Hütte, um hinauszusehen.

»Er treibt sich doch nicht immer noch hier herum, oder? Allan?« Sie trat zu ihm, um ihm über die Schulter zu blicken. »Wenn ja, lass ihn in Ruhe. Ich werde –«

»Nein, er ist nicht da«, unterbrach Roger sie. Die Hände an den Mund gepresst, wies er kopfnickend auf das Haupthaus am anderen Ende der ansteigenden Lichtung. »Es ist Tom.«

Und tatsächlich stand Tom Christie auf der Eingangstreppe. Stand einfach nur da, anscheinend tief in Gedanken versunken. Während sie ihn beobachteten, schüttelte er den Kopf wie ein Hund, der sich das Wasser aus dem Pelz schüttelte, und setzte sich entschlossen in Richtung seiner eigenen Hütte in Bewegung.

»Ich gehe und rede mit ihm.« Roger warf das Taschentuch auf den Tisch.

»Oh, nein, das tust du nicht« Sie packte ihn am Arm, als er sich der Tür zuwandte. »Halt dich da heraus, Roger.«

»Ich will mich ja nicht mit ihm schlagen«, sagte er und tätschelte ihr auf eine Weise, die er eindeutig für beruhigend hielt, die Hand. »Aber ich muss mit ihm reden.«

»Nein, das musst du nicht.« Sie umklammerte seinen Arm noch fester und zog daran, um ihn zum Kamin zurückzuholen. »Du machst es nur noch schlimmer. Lass sie in Ruhe.«

»Nein, das tue ich nicht«, beharrte er, und sein Gesicht nahm einen gereizten Ausdruck an. »Was meinst du damit, ich mache es nur noch schlimmer? Wofür hältst du mich?«

Das war keine Frage, die sie im Moment beantworten wollte. Bebend vor Anspannung nach der Operation, der Entladung des Streits und des nagenden Stachels der Beleidigung, die Allan ausgerufen hatte, traute sie sich kaum zu sprechen, ganz zu schweigen davon, es taktvoll zu tun.

»Geh nicht«, wiederholte sie und zwang sich, die Stimme zu senken und ruhig zu sprechen. »Sie sind alle mit den Nerven am Ende. Warte wenigstens, bis sie sich wieder beruhigt haben. Oder besser, warte, bis Pa wieder da ist. Er kann –«

»Aye, er kann alles besser als ich, das weiß ich wohl«, erwiderte Roger beißend. »Aber ich bin es, der Malva versprochen hat, dass ihr nichts geschieht. Ich gehe.« Er riss so fest an seinem Ärmel, dass sie spürte, wie die Naht unter seinem Arm nachgab.

»Schön!« Sie ließ los und schlug ihn fest auf den Arm. »Geh! Kümmere dich um jeden auf der Welt außer deiner eigenen Familie. Geh! *Geh*, zum Teufel!«

»Was?« Er hielt mit finsterer Miene an, gefangen zwischen Ärger und Erstaunen.

»Du hast mich doch gehört. Geh!« Sie stampfte mit dem Fuß auf, und das Glas mit den *Dauco*samen, das zu dicht an der Regalkante gestanden hatte, fiel herunter, zersprang auf dem Boden und verstreute winzige schwarze Samen wie Pfefferkörner. »Jetzt sieh nur, was du getan hast!«

»Was *ich* –«

»Egal! Völlig egal. Verschwinde von hier.« Sie schnaufte wie ein Orca, so sehr strengte sie sich an, nicht zu weinen. Ihre Wangen waren heiß und rot, und ihre Augäpfel fühlten sich blutunterlaufen und so heiß an, dass sie das Gefühl hatte, ihn mit ihren Blicken versengen zu können – zumindest wünschte sie, sie könnte es.

Er zögerte. Ihm war anzusehen, dass er versuchte zu entscheiden, ob er bleiben und sich mit seiner aufgebrachten Frau versöhnen oder zum ritterlichen Schutz Malva Christies davoneilen sollte. Er trat einen zögerlichen Schritt auf die Tür zu, und sie stürzte sich mit einem Satz auf den Besen, mit dem sie unter hirnlosem, schrillem, zusammenhanglosem Wutgekreische nach seinem Kopf zielte.

Er duckte sich, aber beim zweiten Schlag erwischte sie ihn und traf ihn krachend quer vor die Rippen. Er fuhr überrascht zusammen, erholte sich aber so schnell, dass er den Besen beim nächsten Schlag abfing. Er riss ihn ihr aus der Hand und splitterte ihn vor Anstrengung ächzend über seinem Knie entzwei.

Er warf ihr die beiden Stücke scheppernd vor die Füße und funkelte sie an, wütend, aber Herr seiner selbst.

»Was in Gottes Namen ist mit dir los?«

Sie richtete sich zu voller Größe auf und erwiderte seinen Blick.

»Was ich gesagt habe. Wenn du so viel Zeit bei Amy McCallum verbringst, dass alle Welt darüber redet, dass du eine Affäre mit ihr hast –«

»Das ich *was*?« Seine Stimme überschlug sich entrüstet, doch der ausweichende Ausdruck seiner Augen verriet ihn.

»Dann hast du es also auch gehört – nicht wahr?« Sie empfand keinen Triumph dabei, ihn ertappt zu haben, sondern eher lähmende Wut.

»Du kannst doch unmöglich glauben, dass das wahr ist, Brianna«, sagte er, und seine Stimme schwankte unsicher zwischen vorwurfsvoller Wut und Flehen.

»Ich weiß, dass es nicht wahr ist«, sagte sie, und es versetzte sie in Rage zu hören, dass ihre Stimme genauso zitterte und stockte wie die seine. »Darum *geht* es nicht, Roger!«

»Darum geht es nicht«, echote er. Seine Stirn war gerunzelt, sein Blick scharf und dunkel.

»Worum es geht«, sagte sie und schnappte nach Luft, »ist, dass du ständig *fort* bist. Malva Christie, Amy McCallum, Marsali, Lizzie – du hilfst ja sogar Ute McGillivray, zum Kuckuck.«

»Wer soll es denn sonst tun?«, fragte er scharf. »Dein Vater oder dein Vetter würden es ja vielleicht tun, aye – aber die müssen ständig zu den Indianern. Ich bin hier. Und ich bin nicht ständig fort«, fügte er noch hinzu. »Ich bin jede Nacht zu Hause, oder nicht?«

Sie schloss die Augen und ballte die Hände zu Fäusten, so dass sie spürte, wie sich ihre Nägel in die Handflächen gruben.

»Du hilfst jeder Frau außer mir«, sagte sie und öffnete die Augen. »Wie kommt das?«

Er warf ihr einen langen, festen Blick zu, und sie fragte sich eine Sekunde lang, ob es wohl so etwas wie schwarze Smaragde gab.

»Vielleicht hatte ich ja nicht das Gefühl, dass du mich brauchst«, sagte er, und machte auf dem Absatz kehrt und ging.

51

Berufen

Das Wasser lag still wie geschmolzenes Silber, nur die Schatten der Abendwolken bewegten sich darauf. Doch die Larven waren kurz vor dem Aufsteigen; man konnte es spüren. Oder womöglich, dachte Roger, war das, was er spürte, ja die Erwartung seines Schwiegervaters, der wie ein Leopard am Ufer des Forellenteichs hockte und Angelrute und Fliege bereithielt für das erste Anzeichen einer Bewegung.

»Wie der Teich von Bethesda«, sagte er belustigt.

»Oh, aye?«, antwortete Jamie mit sturem blick nach vorn, denn seine gesamte Aufmerksamkeit galt dem Wasser.

»Dort ist dann und wann ein Engel ins Wasser gestiegen und hat es in Wallung gebracht. Also saß alles da und wartete, um sich bei der ersten Bewegung des Wassers hineinzustürzen.«

Jamie lächelte, wandte aber immer noch nicht den Kopf. Angeln war eine ernste Angelegenheit.

Das war gut; es war ihm lieber, wenn Jamie ihn nicht ansah. Aber er würde sich beeilen müssen, wenn er etwas loswerden wollte; Fraser ließ bereits die Schnur durch seine Finger gleiten, um sich mit ein paar Würfen aufzuwärmen.

»Ich glaube –« Er unterbrach sich, um sich zu verbessern. »Nein, ich glaube es nicht. Ich weiß es. Ich möchte –« Zu seinem Ärger ging ihm mit einem Keuchlaut die Luft aus; das Letzte, was er wollte, war so zu klingen, als hegte er Zweifel in Bezug auf das, was er sagte. Er holte tief Luft, und die nächsten Worte kamen wie aus der Pistole geschossen. »Ich habe vor, Pfarrer zu werden.«

Nun denn. Er hatte es laut ausgesprochen. Er blickte unwillkürlich auf, aber der Himmel war tatsächlich nicht eingestürzt. Er war dunstig und mit Federwolken überzogen, durch die jedoch ein stilles Blau hindurchschimmerte, und der frühe Mond hing wie ein Geist dicht über dem Bergrücken.

Jamie sah ihn nachdenklich an, schien aber nicht schockiert oder verblüfft zu sein. Das war immerhin ein kleiner Trost.

»Pfarrer. Ein Prediger, meinst du?«

»Nun… aye. Das auch.«

Dieses Eingeständnis brachte ihn aus der Ruhe. Er würde wohl predigen *müssen*, obwohl ihm schon der bloße Gedanke daran Angst machte.

»Das *auch*?«, wiederholte Fraser mit einem Seitenblick.

»Aye. Ich meine – ein Pfarrer predigt natürlich.« Natürlich. Worüber? Wie? »Aber das ist nicht – ich meine, das ist nicht die Hauptsache. Nicht der Grund, warum ich – ich es tun muss.« Er machte ihn nervös, dieser Versuch, etwas eindeutig zu erklären, das er sich nicht einmal selbst richtig erklären konnte.

Er seufzte und fuhr sich mit der Hand über das Gesicht.

»Aye, es ist so. Du erinnerst dich doch an das Begräbnis der alten Mrs. Wilson. Und an die McCallums?«

Jamie nickte nur, aber Roger hatte das Gefühl, dass eine Spur von Verständnis in seinen Augen aufflackerte.

»Ich habe… so etwas schon öfter gemacht. So ähnlich, wenn es nötig war. Und –« Er zuckte mit der Hand, weil er nicht wusste, wie er Dinge wie seine Begegnung mit Hermon Husband am Ufer des Alamance oder seine nächtlichen Zwiegespräche mit seinem verstorbenen Vater auch nur ansatzweise beschreiben sollte.

Er seufzte erneut, holte aus, um einen Kieselstein ins Wasser zu werfen, hielt sich aber gerade noch zurück, als er sah, dass sich Jamies Hand an der Angel anspannte. Er hustete, weil er die vertraute raue Enge in seinem Hals spürte, und schloss die Finger um den Kiesel.

»Predigen, aye, das werde ich wohl schaffen. Aber es sind die anderen Dinge – o Gott, das klingt verrückt, und vielleicht bin ich das ja auch. Aber es sind die Begräbnisse und die Taufen und die – die – vielleicht einfach nur, dass ich *helfen* kann, selbst wenn es nur durch Zuhören und Beten geschieht.«

»Du willst dich um sie kümmern«, sagte Jamie leise, und es war keine Frage, sondern vielmehr nahm er es zustimmend zur Kenntnis.

Roger lachte unglücklich auf und schloss die Augen zum Schutz vor dem Glitzern der Sonne auf dem Wasser.

»Ich will es nicht tun«, sagte er. »Es ist der letzte Gedanke, der mir gekommen wäre, denn ich bin im Haus eines Pfarrers aufgewachsen. Ich meine, ich weiß, wie das ist. Aber irgendjemand *muss* es tun, und ich habe das Gefühl, das bin ich.«

Eine Weile schwiegen beide. Roger öffnete die Augen und beobachtete das Wasser. Algen überwucherten die Felsen und trieben in der Strömung wie die Locken einer Meerjungfrau. Fraser holte mit einer kleinen Bewegung seine Rute ein.

»Glauben die Presbyterianer denn an die Sakramente?«

»Ja«, sagte Roger überrascht. »Natürlich tun wir das. Hast du denn noch nie –« Nun, nein. Wahrscheinlich *hatte* Fraser noch nie mit einem Nichtkatholiken über solche Dinge gesprochen. »Das tun wir«, wiederholte er. Er tauchte sanft die Hand ins Wasser und wischte sich damit über die Stirn, so dass es kühl über sein Gesicht, seinen Hals und dann in sein Hemd rann.

»Es ist die Weihe, die ich meine, verstehst du?« Die eingetauchte Fliege trieb durch das Wasser, ein winziger roter Fleck. »Muss du nicht ordiniert werden?«

»Oh, ich verstehe. Aye, das müsste ich wohl. Es gibt ein Presbyterianerseminar in Mecklenburg County. Ich werde dort hinreiten und mich erkundigen. Obwohl ich nicht glaube, dass es lange dauern wird; Griechisch und Latein kann ich ja schon, was auch immer das hier wert ist –« Er lächelte unwillkürlich. »Aber ich habe einen Abschluss der Universität von Oxford. Glaube es oder nicht, aber ich habe einmal als gebildeter Mann gegolten.«

Jamies Mundwinkel zuckte, als er den Arm zurückschwang und das Handgelenk vorschnellen ließ. Die Schnur segelte träge in einer Kurve über das Wasser, und die Fliege landete. Roger blinzelte; tatsächlich – die Oberfläche des Wassers begann sich zitternd zu kräuseln, und winzige Wellen breiteten sich kreisförmig von den aufsteigenden Larven der Eintagsfliegen und Seejungfern aus.

»Hast du schon mit deiner Frau darüber gesprochen?«

»Nein«, sagte er und starrte über den Teich hinweg.

»Warum nicht?« Die Frage hatte nichts Vorwurfsvolles an sich; eher Neugier. Warum hätte er sich schließlich entscheiden sollen, zuerst mit seinem Schwiegervater zu sprechen, nicht mit seiner Frau?

Weil du weißt, was es bedeutet, ein Mann zu sein, dachte er, *und sie weiß es nicht.* Doch was er sagte, war eine andere Version der Wahrheit.

»Ich möchte nicht, dass sie mich für einen Feigling hält.«

Jamie stieß ein leises »Hmpf« aus, beinahe überrascht, doch er antwortete nicht sofort, sondern konzentrierte sich darauf, seine Angelschnur einzuholen. Er nahm die durchnässte Fliege vom Haken, dann betrachtete er zögernd die Sammlung an seinem Hut und wählte schließlich ein zartes grünes Exemplar mit einem geschwungenen Hauch einer schwarzen Feder.

»Glaubst du denn, das würde sie?« Ohne eine Antwort abzuwarten, stand Fraser auf und schwang die Angelschnur hin und her, bis die Fliege gemächlich wie ein Blatt in der Mitte des Teiches landete.

Roger sah zu, wie er sie wieder einholte, sie spielerisch über das Wasser tanzen ließ. Der Reverend war Angler gewesen. Ganz plötzlich sah er den

Ness und seine glitzernden Wellen vor sich, die klar und braun über die Felsen liefen, Pa, der in seinen abgenutzten Gummistiefeln dastand und seine Angelschnur einholte. Sehnsucht nahm ihm den Atem. Nach Schottland. Nach seinem Vater. Nach einem weiteren Tag – nur einem – voll Frieden.

Die Berge und der grüne Wald erhoben sich rätselhaft und wild ringsum, und der dunstige Himmel umschlang das Tal wie ein Engelsflügel, lautlos und von der Sonne erhellt. Aber nicht friedvoll; niemals Friede, nicht hier.

»Glaubst du uns – Claire und Brianna und mir –, was den kommenden Krieg angeht?«

Jamie lachte auf, den Blick auf das Wasser geheftet.

»Ich habe doch Augen im Kopf, Mann. Man braucht weder ein Prophet noch eine Hexe zu sein, um ihn auf der Straße stehen zu sehen.«

»Das«, sagte Roger und sah ihn neugierig an, »ist eine sehr merkwürdige Art, es auszudrücken.«

»Ist das so? Steht es nicht so in der Bibel? ›Wenn ihr aber sehen werdet den Gräuel der Verwüstung, dass er steht, wo er nicht soll, alsdann, wer in Judäa ist, der fliehe auf die Berge‹?«

Wer es liest, der merke auf! Sein Gedächtnis lieferte ihm den fehlenden Teil des Verses, und mit einem leisen, durchdringenden Gefühl der Kälte begriff Roger, dass Jamie den Krieg tatsächlich auf der Straße stehen sah und ihn erkannte. Er sprach auch nicht in Metaphern; er beschrieb exakt, was er sah – denn er sah es nicht zum ersten Mal.

Die Freudenschreie kleiner Jungen trieben über das Wasser, und Fraser wandte lauschend den Kopf. Ein schwaches Lächeln berührte seinen Mund, dann blickte er in das unruhige Wasser hinab und schien ganz still zu werden. Die Haare auf seinem sonnenverbrannten Hals regten sich, so wie sich die Blätter über ihnen bewegten.

Plötzlich hätte er Jamie gern gefragt, ob er Angst hatte, doch er schwieg. Er kannte die Antwort sowieso.

Das spielt keine Rolle. Er holte tief Luft und spürte dieselbe Antwort auf dieselbe Frage, an ihn gerichtet. Sie schien nirgendwo herzukommen, sondern war einfach in ihm, als wäre er damit geboren worden, hätte sie immer schon gewusst.

Das spielt keine Rolle. Wir tun es trotzdem.

Eine Weile verharrten sie stumm. Jamie warf die grüne Fliege noch zweimal aus, dann schüttelte er den Kopf und murmelte etwas, holte sie ein, tauschte sie gegen eine *Dun Fly* ein und warf die Schnur erneut aus. Die Jungen rannten nackt wie die Aale am anderen Ufer vorbei und kicherten, dann verschwanden sie im Gebüsch.

Wirklich seltsam, dachte Roger. Er fühlte sich gut. Hatte zwar immer noch nicht die leiseste Ahnung, was genau er vorhatte; sah immer noch die dahintreibende Wolke auf sie zukommen, ohne viel mehr darüber zu wissen, was sie beinhaltete. Aber er fühlte sich dennoch gut.

Jamie hatte einen Fisch an der Angel. Er holte ihn schnell ein und warf das glänzende, zuckende Tier auf das Ufer, wo er es mit einem scharfen Hieb gegen einen Stein tötete, bevor er es in seinen Korb legte.

»Hast du vor, Quäker zu werden?«, fragte Jamie ernst.

»Nein.« Diese Frage verblüffte Roger. »Warum fragst du das?«

Jamie machte diese merkwürdige, halb achselzuckende Geste, die er manchmal benutzte, wenn ihm etwas unangenehm war, doch er sprach erst wieder, als er die Angel erneut ausgeworfen hatte.

»Du sagst, du möchtest nicht, dass dich Brianna für einen Feigling hält. Ich habe schon einmal an der Seite eines Pastors gekämpft.« Sein Mundwinkel verzog sich ironisch. »Gut, er war kein großer Schwertkämpfer, der Monsignore, und er konnte eine Scheunenwand nicht mit der Pistole treffen – aber Kampfgeist hatte er.«

»Oh.« Roger kratzte sich an Kinn. »Aye, ich verstehe, was du meinst. Nein, ich glaube nicht, dass ich in einer Armee kämpfen könnte.« Bei diesen Worten spürte er einen Stich des Bedauerns. »Aber zu den Waffen greifen, um die zu verteidigen, die – die es nötig haben … das kann ich mit meinem Gewissen vereinbaren, aye.«

»Dann ist es ja gut.«

Jamie holte den Rest der Schnur ein, schüttelte die Fliege aus und steckte sich den Haken wieder an den Hut. Er legte die Schnur beiseite, kramte in seinem Korb und zog eine Steingutflasche hervor. Er setzte sich mit einem Seufzer hin, zog mit den Zähnen den Korken heraus, spuckte ihn in seine Hand und bot Roger die Flasche an.

»Da ist dieser Spruch, den Claire manchmal zu mir sagt«, erklärte er und zitierte: *»Trinkst du Whisky, guter Mann, erklärt die Welt er besser, als es Milton kann.«*

Roger zog die Augenbraue hoch.

»Hast du schon einmal Milton gelesen?«

»Ein bisschen. Sie hat Recht.«

»Kennst du auch die nächsten Zeilen?« Roger hob die Flasche an seine Lippen. *»Bier, ihr Männer, müsst ihr trinken, habt sonst großen Schmerz beim Denken.«*

Lachen leuchtete in Frasers Augen auf.

»Dann muss das hier Whisky sein«, sagte er. »Es riecht nur wie Bier.«

Es war kühl und dunkel und angenehm bitter, und sie reichten sich gegenseitig die Flasche, ohne viel zu reden, bis die Flasche leer war. Jamie, immer sparsam, steckte den Korken wieder hinein und verstaute die leere Flasche im Korb.

»Deine Frau«, sagte er nachdenklich, während er sich erhob und sich den Trageriemen des Korbs über die Schulter legte.

»Aye?« Roger hob den abgenutzten Hut auf, der mit Köderfliegen übersät war, und reichte ihn ihm, Jamie bedankte sich kopfnickend und setzte ihn auf.

»Sie hat auch Augen im Kopf.«

52

Disneyland

Glühwürmchen leuchteten im Gras und in den Bäumen, eine Masse schwebender kühler, grüner Flecken in der schwülen Luft. Eines landete auf Briannas Knie; sie sah es pulsieren, an-aus, an-aus, während sie zuhörte, wie ihr Mann ihr erzählte, dass er Pfarrer werden wollte.

Sie saßen auf der Eingangstreppe ihrer Hütte, während die Dämmerung in die Nacht überging. Auf der anderen Seite der großen Lichtung erklang das ausgelassene Rufen spielender Kinder im Gebüsch, schrill und fröhlich wie jagende Fledermäuse.

»Du ... äh ... könntest ruhig etwas sagen«, schlug Roger vor. Er hatte ihr den Kopf zugewandt und sah sie an. Es war gerade noch so hell, dass sie sein Gesicht sehen konnte, erwartungsvoll und etwas nervös.

»Na ja ... lass mir eine Minute Zeit. Damit hatte ich jetzt nicht gerechnet, verstehst du?«

Das stimmte und auch wieder nicht. Natürlich hatte sie nicht bewusst an so etwas gedacht; und doch war sie jetzt, da er ihr seine Absicht mitgeteilt hatte – und das hatte er, dachte sie; es war keine Bitte um Erlaubnis –, nicht im Geringsten überrascht. Es war weniger eine Veränderung als vielmehr das Eingeständnis von etwas, das schon seit einiger Zeit im Raum stand – und sie war irgendwie auch erleichtert, es als das zu sehen und zu erkennen, was es war.

»Nun ja«, sagte sie, nachdem sie einen Moment überlegt hatte, »ich finde es gut.«

»Wirklich.« Die Erleichterung in seiner Stimme war spürbar.

»Ja. Wenn du all diesen Frauen hilfst, weil Gott es dir aufgetragen hat, ist das besser als wenn du es tust, weil du lieber mit ihnen zusammen bist als mit mir.«

»Brianna! Das kannst du doch nicht glauben, dass ich –« Er beugte sich dichter zu ihr herüber und sah ihr nervös ins Gesicht. »Das tust du nicht, oder?«

»Nun, nur manchmal«, gab sie zu. »In meinen schlechtesten Minuten. Meistens aber nicht.« Er sah so ängstlich aus, dass sie die Hand ausstreckte und seine lange, geschwungene Wange umfasste; bei diesem Licht waren seine Bartstoppeln unsichtbar, aber sie konnte spüren, wie sie ihr sanft die Handfläche kitzelten.

»Bist du dir sicher?«, fragte sie leise. Er nickte, und sie sah, wie sich seine Kehle bewegte, als er schluckte.

»Ich bin mir sicher.«

»Hast du Angst?«

Bei dieser Frage lächelte er schwach.

»Ja.«

»Ich helfe dir«, sagte sie bestimmt. »Sag mir nur, wie, und ich helfe dir.«

Er holte tief Luft, und seine Miene erhellte sich, obwohl sein Lächeln von Reumut erfüllt war.

»Ich weiß nicht, wie«, sagte er. »Was zu tun ist, meine ich. Ganz zu schweigen davon, was *du* tun könntest. Das ist es ja, was mir Angst macht.«

»Vielleicht ja auch nicht«, sagte sie. »Du tust es doch sowieso schon eine ganze Weile, oder nicht? Aber brauchst du eine formelle Anerkennung? Oder kannst du einfach verlauten lassen, dass du Pfarrer bist, so wie diese Fernsehprediger, und mit der Kollekte anfangen?«

Er lächelte über ihren Witz, doch seine Antwort war ernst.

»Ihr verflixten Anhänger Roms. Ihr glaubt immer, außer euch hat niemand Anspruch auf Sakramente. Den haben wir aber. Ich habe mir gedacht, ich besuche das Presbyterianerseminar und frage, was ich in Bezug auf meine Ordinierung unternehmen muss. Und was die Kollekte angeht – ich vermute, das bedeutet, dass ich niemals reich werde.«

»Davon war ich sowieso nicht ausgegangen«, versicherte sie ihm genauso ernst. »Mach dir keine Sorgen; ich habe dich nicht deines Geldes wegen geheiratet. Wenn wir mehr brauchen, werde ich es verdienen.«

»Wie denn?«

»Ich weiß es nicht. Wahrscheinlich nicht, indem ich meinen Körper feilbiete. Nicht nach dem, was Manfred zugestoßen ist.«

»Darüber solltest du nicht einmal Witze machen«, sagte er. Seine Hand legte sich groß und warm über die ihre.

Aidan McCallums hohe, durchdringende Stimme erklang, und ihr kam plötzlich ein Gedanke.

»Deine – deine, äh, Gemeinde …« Das Wort traf ihren Lachnerv, und sie kicherte trotz des Ernstes der Situation. »Wird es sie stören, dass ich katholisch bin?« Sie drehte ihm abrupt das Gesicht zu, denn ein anderer Gedanke folgte diesem gleich auf dem Fuße. »Du – du bittest mich doch nicht zu konvertieren?«

»Nein, das tue ich nicht«, sagte er schnell und bestimmt. »Nicht um alles in der Welt. Und was das angeht, was sie denken oder sagen könnten –« Sein Gesicht zuckte, gefangen zwischen Bestürzung und Entschlossenheit. »Wenn sie nicht bereit sind, das zu akzeptieren, nun … dann können sie zum Teufel gehen und damit basta.«

Sie brach in Gelächter aus, und er folgte ihrem Beispiel. Sein Lachen war rau, aber ungehemmt.

»Pastors Katze ist eine respektlose Katze«, zog sie ihn auf. »Und wie sagt man *das* auf Gälisch?«

»Keine Ahnung. Aber Pastors Katze ist eine erleichterte Katze«, fügte er immer noch lächelnd hinzu. »Ich konnte ja nicht wissen, was du davon halten würdest.«

»Ich bin mir ja auch nicht ganz *sicher*, was ich davon halte«, gab sie zu. Sie drückte ihm sacht die Hand. »Aber ich sehe, dass es dich glücklich macht.«

»Das kann man sehen?« Er lächelte, und das letzte Abendlicht leuchtete kurz in seinen Augen auf, ein tiefes, züngelndes Grün.

»Das kann man sehen. Du … leuchtest sozusagen von innen.« Ihr wurde eng im Hals, als sie ihn betrachtete. »Roger – du wirst doch Jem und mich nicht vergessen, oder? Ich weiß nicht, ob ich mit Gott konkurrieren kann.«

Er wirkte wie vom Donner gerührt.

»Nein«, sagte er, und der Druck seiner Hand verstärkte sich so, dass ihr Ring ihr in den Finger schnitt. »Niemals.«

Sie saßen eine Weile schweigend da, und die Glühwürmchen drifteten zu Boden wie ein gemächlicher grüner Regen, während ihr lautloses Paarungslied das Gras und die Bäume erleuchtete, die jetzt zunehmend dunkler wurden. Rogers Gesicht verblasste mit dem schwindenden Licht, obwohl sie noch den Umriss seines entschlossen wirkenden Kinns sehen konnte.

»Ich schwöre dir, Brianna«, sagte er. »Wozu auch immer ich jetzt berufen werde – und nur Gott weiß, was das ist –, zuallererst bin ich berufen, dein Mann zu sein. Dein Ehemann und der Vater deiner Kinder, vor allem anderen – und das werde ich immer sein. Egal, was ich tue, es wird nie auf Kosten meiner Familie gehen, das verspreche ich dir.«

»Alles, was ich will«, sagte sie leise in die Dunkelheit, »ist, dass du mich liebst. Nicht wegen der Dinge, die ich tun kann oder wegen meines Aussehens, oder weil ich dich liebe – einfach nur, weil ich ich bin.«

»Perfekte, bedingungslose Liebe?«, sagte er genauso leise. »Manch einer sagt, dass nur Gott so lieben kann – aber ich kann es versuchen.«

»Oh, du hast mein volles Vertrauen«, sagte sie und spürte, wie sein Leuchten ihr Herz erreichte.

»Ich hoffe, das bleibt für alle Zeiten so«, sagte er. Er hob ihre Hand an seine Lippen und küsste sie wie zum formellen Gruß. Sein Atem strich warm über ihre Haut.

Als wollte er prüfen, wie ernst ihm seine Absichtserklärungen waren, hob und senkte Jem die Stimme im Abendwind, eine kleine, drängende Sirene. »PapaaaPaaapaaaPAAAPAAA…«

Roger seufzte tief und beugte sich über sie, ein paar Sekunden sanfter, tiefer Verbindung, dann erhob er sich, um sich um das jüngste Problem zu kümmern.

Sie blieb noch sitzen und lauschte. Männliche Stimmen erklangen am anderen Ende der Lichtung, hoch und tief, Forderung und Frage, Beruhigung und Erregung. Kein Notfall also; Jem wollte auf einen Baum gehoben werden, der so hoch war, dass er ihn nicht selbst erklettern konnte. Dann Gelächter und wildes Blätterrascheln – oje, Roger war ebenfalls auf dem Baum. Sie waren alle dort oben und stießen Eulenrufe aus.

»Worüber lachst du, *a nighean*?« Ihr Vater tauchte aus der Nacht auf und brachte Pferdegeruch mit.

»Über alles«, sagte sie und rutschte ein Stück, damit er sich neben sie setzen konnte. Es stimmte. Alles schien plötzlich hell zu sein, der Kerzenschein, der aus den Fenstern des Haupthauses drang, die Glühwürmchen im Gras, Rogers leuchtendes Gesicht, als er ihr von seinem Wunsch erzählt hatte. Sie konnte immer noch seinen Mund auf dem ihren spüren; seine Berührung sang in ihrem Blut.

Jamie streckte die Hand aus und fing ein vorbeifliegendes Glühwürmchen, das er einen Moment in der dunklen Höhle seiner Hand gefangen hielt, wo es weiter blinkte, so dass sein kühles Licht durch seine Finger drang. Weiter entfernt hörte sie kurz die Stimme ihrer Mutter, die aus einem offenen Fenster kam; Claire sang *»Clementine«*.

Jetzt heulten die Jungen – und Roger – den Mond an, obwohl er nur als blasse Sichel am Horizont stand. Sie spürte, dass sich auch ihr Vater lautlos vor Lachen schüttelte.

»Es erinnert mich an Disneyland«, sagte sie einer Eingebung folgend.

»Oh, aye? Wo ist denn das?«

»Es ist ein Vergnügungspark – für Kinder«, fügte sie hinzu, denn sie wusste zwar, dass es schon so etwas wie Vergnügungsparks in Städten wie London oder Paris gab, doch diese waren nur für Erwachsene. Zu dieser Zeit kam niemand auf die Idee, Kinder zu unterhalten, abgesehen von Familienspielen und gelegentlichen Spielzeugen.

»Papa und Mama sind jeden Sommer mit mir dort hingefahren«, sagte sie und versetzte sich mühelos in die heißen, hellen Tage und die warmen Nächte Kaliforniens zurück. »Die Bäume waren alle voller kleiner Glitzerlichter – daran haben mich die Glühwürmchen erinnert.«

Jamie öffnete die Hand; plötzlich freigelassen, pulsierte das Glühwürmchen noch ein- oder zweimal vor sich hin, dann breitete es leise summend die Flügel aus, erhob sich in die Luft und schwebte auf und davon.

»Dwelt a miner, forty-niner, and his daugh-ter, Clementine…«

»Und wie war es dort?«, fragte er neugierig.

»Oh… es war wundervoll.« Sie lächelte vor sich hin, während sie die strahlenden Lichter der Main Street sah, die Musik und die Spiegel und die bildschönen, verzierten Pferde von König Artus' Karussell. »Es gab… Fahrgeschäfte nannten wir das. Ein Boot, mit dem man auf einem Fluss durch den Dschungel treiben und Krokodile sehen konnte und Flusspferde und Kopfjäger…«

»Kopfjäger?«, sagte er fasziniert.

»Keine echten«, versicherte sie ihm, »es war alles nur Schau – aber es ist… nun ja, es ist eine eigene Welt. Wenn man dort ist, verschwindet die richtige Welt sozusagen, und es kann nichts Böses geschehen. ›Der glücklichste Ort der Welt‹ nennt man es – und für kurze Zeit kann es einem wirklich so vorkommen.«

»Light she was, and like a fairy, and her shoes were number nine, Herring boxes without topses, sandals were for Clementine.«

»Und ununterbrochen war überall Musik«, sagte sie lächelnd. »Marschkapellen – Gruppen von Musikanten mit Instrumenten wie Hörner und Trommeln – sind durch die Straßen spaziert oder haben in Pavillons gespielt…«

»Aye, so ist das in Vergnügungsparks. Oder so war es, das eine Mal, als ich einen besucht habe.« Auch in seiner Stimme konnte sie ein Lächeln hören.

»Mm-hm. Und überall spazieren Comicfiguren herum – ich habe dir doch von Comics erzählt. Man kann Mickey Mouse die Hand schütteln oder –«

Wem?«

»Mickey Mouse.« Sie lachte. »Eine große Maus, lebensgroß – so groß wie ein Mensch, meine ich. Sie trägt Handschuhe.«

»Eine riesige Ratte?«, fragte er und klang leicht verblüfft. »Und damit lässt man die Kinder spielen?«

»Keine Ratte, eine Maus«, verbesserte sie ihn. »Eigentlich ein Mensch, der als Maus verkleidet ist.«

»Oh, aye?«, sagte er, klang aber nicht sonderlich beruhigt.

»Ja. Und ein riesiges Karussell mit bemalten Pferden und ein Eisenbahnzug, der durch die Regenbogenhöhle fährt, in deren Wänden große Edelsteine stecken, und bunte Bäche mit rotem und blauem Wasser… und Orangensafteis. Oh, Orangensafteis!« Sie stöhnte leise und ekstatisch bei der Erinnerung an die kalte, saure, überwältigende Süße.

»Dann war es schön?«, fragte er leise.

»Thou art lost and gone forever, dreadful sor-ry, Clementine.«

»Ja«, sagte sie, seufzte und schwieg einen Moment. Dann legte sie den Kopf an seine Schulter und die Hand auf seinen kräftigen Arm.

»Weißt du was?«, sagte sie, und er antwortete mit einem kleinen Fragelaut.

»Es *war* schön – es war wunderschön – aber was mir am meisten gefallen hat war, dass wenn wir dort waren, nur wir drei existierten und alles perfekt war. Mama hat sich keine Sorgen um ihre Patienten gemacht, Papa hat nicht an einem Thesenpapier gearbeitet – sie haben sich nie angeschwiegen oder gestritten. Sie haben beide gelacht – wir haben alle gelacht, die ganze Zeit … solange wir dort waren.«

Er antwortete nicht, sondern neigte den Kopf, so dass er an ihrem ruhte. Sie seufzte noch einmal tief auf.

»Jemmy wird zwar nie nach Disneyland fahren – aber das wird er haben. Eine Familie, die lacht – und Millionen kleiner Lichter in den Bäumen.«

SIEBTER TEIL

KOPFÜBER TALABWÄRTS

53

Prinzipien

Fraser's Ridge, North Carolina,
3. Juli 1774,
von James Fraser, Esq.

An Seine Lordschaft, John Grey,
Mount Josiah Plantage in der Kolonie Virginia

Mein lieber Freund,
ich kann auch nicht ansatzweise ausdrücken, wie dankbar ich dir für deine Güte bin, mir einen auf deine eigene Bank ausgestellten Wechsel als Vorauszahlung für den Verkauf der dir anvertrauten Gegenstände zu schicken. Mr. Higgins ist bei der Ablieferung dieses Dokuments natürlich äußerst taktvoll vorgegangen – und doch entnehme ich seinem besorgten Verhalten und seinem Bemühen um Diskretion, dass du womöglich den Eindruck hast, dass wir in Not sind. Ich beeile mich, dir zu versichern, dass dies nicht der Fall ist; wir kommen gut zurecht, was Nahrungsmittel, Kleidung und andere Lebensnotwendigkeiten angeht.

Ich sagte ja schon, dass ich dir die Details der Angelegenheit mitteilen würde, und ich sehe, dass ich es tun muss, wenn auch nur, um dir die Vorstellung zu nehmen, dass meine Familie und meine Pächter am Hungertuch nagen.

Abgesehen von einer kleinen juristischen Verpflichtung, für die ich Bargeld benötige, muss ich ein Geschäft abschließen, und zwar den Kauf einer Reihe von Gewehren. Ich hatte die Hoffnung gehegt, diese durch die Vermittlung eines Freundes erwerben zu können, doch dieses Arrangement besteht nicht länger; ich muss mich also anderweitig umsehen.

Meine Familie und ich sind zu einem Empfang zu Ehren von Miss Flora MacDonald eingeladen, der Heldin des Aufstands von '45 – ich glaube, du bist mit der Dame bekannt? Ich erinnere mich, dass du mir einmal erzählt hast, wie du ihr in London begegnet bist, während sie dort eingekerkert war. Er soll nächsten Monat auf River Run, der Plantage meiner Tante, stattfinden. Da dieses Ereignis von vielen Schotten besucht werden wird, die zum Teil aus beträchtlicher Entfernung anreisen werden, hege ich die Hoffnung, dass es mir dort mit Hilfe von Bargeld gelingen wird, die benötigten Waffen aus anderen Quellen zu besorgen. Apropos, sollten sich derartige Quellen unter deinen eigenen Verbindungen finden, wäre ich dankbar, davon zu hören.

Ich schreibe rasch, da Mr. Higgins noch andere Aufträge hat, doch meine Tochter bittet mich, dir eine Schachtel Streichhölzer zu übersenden, ihre eigene Erfindung. Sie hat Mr. Higgins sorgfältigst in ihrem Gebrauch unterwiesen; falls er also nicht auf dem Rückweg unabsichtlich in Flammen aufgeht, wird er sie dir vorführen können.

Dein ergebener und gehorsamer Diener,
James Fraser

P.S. Ich benötige dreißig Musketen mit so viel Pulver und Munition wie möglich. Es müssen nicht die neuesten Modelle sein, aber sie müssen in gutem Zustand und funktionsbereit sein.

»›Andere Quellen‹«, sagte ich, während ich ihm zusah, wie er den Brief mit Sand löschte, bevor er ihn zusammenfaltete. »Du meinst Schmuggler? Und falls ja, bist du sicher, dass Lord John verstehen wird, was du meinst?«

»Das bin ich, und das wird er«, versicherte mir Jamie. »Ich kenne selbst ein paar Schmuggler, die über die *Outer Banks* Waren ins Land bringen. Aber er wird diejenigen kennen, die über Roanoke kommen – und dort sind die Geschäfte besser, wegen der Blockade in Massachusetts. Die Waren kommen über Virginia herein und werden auf dem Landweg nach Norden transportiert.«

Er nahm eine halb heruntergebrannte Wachskerze vom Wandbord, hielt sie an die Glut des Kaminfeuers und ließ dann das weiche braune Wachs in einer Pfütze über den Rand des Briefes laufen. Ich beugte mich vor und drückte meinen linken Handrücken in das warme Wachs, so dass der Abdruck meines Eherings darin zurückblieb.

»Ich könnte Manfred McGillivray verwünschen«, sagte er relativ gefasst. »Die Kosten werden dreimal so hoch sein, und ich muss sie über einen Schmuggler besorgen.«

»Wirst du trotzdem nach ihm fragen? Bei dem Empfang, meine ich?« Flora MacDonald, die Frau, die Charles Stuart nach der Schlacht von Culloden gerettet hatte, indem sie ihm die Kleider ihrer Dienstmagd anzog und ihn auf Skye zu einem Treffpunkt schmuggelte, wo ihn die Franzosen erwarteten, war eine lebende Legende unter den Highland-Schotten, und ihre kürzliche Ankunft in den Kolonien sorgte für große Aufregung. Sie hatte sich sogar bis Fraser's Ridge herumgesprochen. Jeder prominente Schotte im Tal des Cape Fear – und eine ganze Reihe aus entfernteren Gegenden – würde bei dem Empfang zu ihren Ehren zugegen sein. Es gab keinen besseren Ort, um die Nachricht zu verbreiten, dass ein junger Mann vermisst wurde.

Er blickte überrascht zu mir auf.

»Natürlich werde ich das, Sassenach. Wofür hältst du mich?«

»Für einen überaus gütigen Menschen«, sagte ich und küsste ihn auf die Stirn. »Wenn auch ein wenig waghalsig. Und wie ich sehe, hast du es sorgsam vermieden, Lord John mitzuteilen, *wozu* du dreißig Musketen brauchst.«

Er prustete auf und fegte vorsichtig die Sandkörner vom Tisch in seine Hand.

»Ich weiß es doch selbst noch nicht genau, Sassenach.«

»Was in aller Welt meinst du denn damit?«, fragte ich überrascht. »Hast du nicht vor, sie *Bird* zu geben?«

Er antwortete nicht sogleich, doch die beiden steifen Finger seiner rechten Hand klopften sacht auf die Tischplatte. Dann zuckte er mit den Achseln, griff nach dem Stapel seiner Unterlagen und Geschäftsbücher und zog ein Papier heraus, das er mir reichte. Ein Brief von John Ashe, der während des Regulatorenkriegs ebenfalls eine Miliz befehligt hatte.

»Der vierte Absatz«, sagte er, als er sah, wie ich stirnrunzelnd eine Schilderung der jüngsten Unstimmigkeiten zwischen dem Gouverneur und der Versammlung las. Ich ließ den Blick gehorsam zum Fuß der Seite schweifen und erschauerte ahnungsvoll, als ich die Stelle sah, auf die er zeigte.

»›Ein Kontinentalkongress wird vorgeschlagen‹«, las ich, »›zu dem jede Kolonie Delegierte entsenden soll. Das Unterhaus der Versammlung von Connecticut hat bereits die Initiative ergriffen und mit Hilfe von Korrespondenzkomitees solche Männer vorgeschlagen. Einige Herren, mit denen Ihr gut bekannt seid, schlagen vor, dass North Carolina diesem Beispiel folgt, und werden sich Mitte August zu diesem Zweck treffen. Ich wünschte, Ihr würdet Euch uns anschließen, Freund, denn ich bin fest überzeugt, dass Euer Herz und Eure Überzeugungen in dieser Sache der Freiheit auf unserer Seite sein müssen. Ein Mann wie Ihr ist doch kein Freund der Tyrannei?‹«

»Einige Herren, mit denen du gut bekannt bist«, wiederholte ich. »Weißt du, wen er meint?«

»Ich könnte raten.«

»Mitte August, sagt er. Meinst du, es wird vor dem Empfang sein oder hinterher?«

»Hinterher. Einer der anderen hat mir das Datum der Zusammenkunft geschickt. Sie soll in Halifax stattfinden.«

Ich legte den Brief nieder. Der Nachmittag war windstill und heiß, und der dünne Leinenstoff meines Hemdes war feucht, genau wie meine Handflächen.

»Einer der anderen«, erwiderte ich. Er warf mir einen raschen Blick zu, lächelte und ergriff den Brief.

»Aus dem Korrespondenzkomitee.«

»Oh, natürlich«, sagte ich. »Du hättest es mir sagen können.« Natürlich hatte er einen Weg gefunden, sich in das Korrespondenzkomitee North Carolinas einzuschleichen; das Zentrum der politischen Intrige, wo die Saat der Rebellion ausgesät wurde – während er gleichzeitig für die britische Krone das Amt des Indianeragenten ausübte und nach außen hin daran arbeitete, die Indianer zu bewaffnen, um genau jene Saat der Rebellion im Keim zu ersticken.

»Ich sage es dir ja, Sassenach«, sagte er. »Dies ist das erste Mal, dass sie mich einladen, mich mit ihnen zu treffen, selbst inoffiziell.«

»Ich verstehe«, entgegnete ich leise. »Wirst du hingehen? Ist es – ist es Zeit?« Zeit, den Sprung zu wagen, sich offen als Whig zu bekennen, wenn auch noch nicht als Rebell. Zeit, öffentlich die Seiten zu wechseln und es zu riskieren, dass man ihn als Verräter brandmarkte. Erneut.

Er seufzte tief und fuhr sich mit der Hand durchs Haar. Er hatte angestrengt nachgedacht; er hatte mehrere Wirbel, deren kürzere Haare jetzt zu Berge standen.

»Ich weiß es nicht«, sagte er schließlich. »Es sind noch zwei Jahre, nicht wahr? Der vierte Juli 1776 – das hat Brianna gesagt.«

»Nein«, sagte ich. »Es sind noch zwei Jahre bis zur Erklärung der Unabhängigkeit – aber, Jamie, dann haben die Kämpfe längst begonnen. Dann ist es viel zu spät.«

Er starrte auf die Briefe auf dem Tisch und nickte müde.

»Aye, dann muss es bald sein.«

»Wahrscheinlich ist es ja nicht allzu gefährlich«, sagte ich zögernd. »Was du mir über Hendersons Landkauf in Tennessee erzählt hast; wenn ihn niemand aufhält, kann ich mir nicht vorstellen, dass sich irgendjemand in der Regierung so aufregt, dass er versucht, uns zu vertreiben. Und bestimmt nicht, wenn nur bekannt wird, dass du dich mit den Whigs vor Ort *getroffen* hast, oder?«

Er lächelte mich schwach und ironisch an.

»Es ist nicht die Regierung, die mir Sorgen macht, Sassenach. Es sind die Leute hier in der Gegend. Es war ja nicht der Gouverneur, der die O'Brians gehängt und ihr Haus niedergebrannt hat, aye? Und es war auch nicht Richard Brown und auch keine Indianer. Dabei ist es nicht um das Gesetz oder um Profit gegangen; es ist aus Hass geschehen, wahrscheinlich durch jemanden, der sie kannte.«

Jetzt huschte mir ein sehr viel deutlicherer Schauer über den Rücken. Es stimmte zwar, dass es in Fraser's Ridge ein gewisses Maß an politischen Unstimmigkeiten und Disputen gab, aber es war noch nicht so weit, dass die Leute deswegen handgreiflich wurden, von Brandschatzung und Mord ganz zu schweigen.

Doch es würde so weit kommen.

Ich konnte mich zu gut daran erinnern. Luftschutzräume und Lebensmittelmarken, Verdunklungswarte und das Gefühl, gegen einen schrecklichen Feind zusammenzuarbeiten. Und die Geschichten aus Deutschland, aus Frankreich. Menschen, die angezeigt wurden, bei der SS denunziert und aus ihren Häusern gezerrt wurden – während man andere in Speicherzimmern und Scheunen versteckte oder über die Grenze schmuggelte.

Im Krieg stellten Regierungen und ihre Armeen zwar eine Bedrohung dar, aber sehr oft waren es die Nachbarn, die einen Menschen ins Verderben stürzten oder ihn retteten.

»Wer?«, sagte ich geradeheraus.

»Ich könnte raten«, sagte er achselzuckend. »Die McGillivrays? Richard Brown? Hodgepiles Freunde – falls er welche hatte? Die Freunde eines der anderen Männer, die wir umgebracht haben? Der Indianer, dem du begegnet bist – Donner? –, falls er noch lebt? Neil Forbes? Er trägt Brianna etwas nach, und sie und Roger Mac täten gut daran, das nicht zu vergessen. Hiram Crombie und Konsorten?«

»Hiram?«, sagte ich zweifelnd. »Zugegeben, er mag dich nicht besonders – und was mich angeht –, aber ...«

»Nun, ich bezweifle es ebenfalls«, räumte er ein. »Aber möglich ist es, aye? Seine Leute hatten schon nichts für die Jakobiten übrig; sie werden bestimmt genauso wenig begeistert sein, wenn jemand von dieser Seite des Ozeans aus versucht, den König zu stürzen.«

Ich nickte. Crombie und der Rest waren mit Sicherheit gezwungen worden, einen Treueeid auf den König zu schwören, bevor man ihnen erlaubte, nach Amerika zu fahren. Jamie hatte denselben Eid geschworen – schwören müssen –, als man ihn begnadigte. Und musste ihn brechen – weil ihn die Umstände dazu zwangen. Doch wann?

Er hatte aufgehört, mit den Fingern auf den Tisch zu trommeln; sie lagen vor ihm auf dem Brief.

»Ich verlasse mich darauf, dass du Recht hast, Sassenach«, sagte er.

»In Bezug auf was? Auf das, was geschehen wird? Du weißt, dass ich Recht habe«, sagte ich ein wenig überrascht. »Brianna und Roger haben es dir doch bestätigt. Wieso?«

Er fuhr sich langsam mit der Hand durch das Haar.

»Ich habe noch nie aus Prinzip zu den Waffen gegriffen«, sagte er nachdenklich und schüttelte den Kopf. »Nur aus Notwendigkeit. Ich frage mich, ob das nun besser wäre?«

Er klang nicht verstört; nur auf eine neutrale Weise interessiert. Dennoch fand ich das irgendwie bestürzend.

»Aber diesmal *geht* es doch ums Prinzip«, wandte ich ein. »Möglicherweise könnte dies sogar der erste Krieg werden, bei dem es um Prinzipien geht.«

»Nicht um Profanitäten wie Land oder Handelsvorteile?«, meinte Jamie und zog eine Augenbraue hoch.

»Ich behaupte ja nicht, dass Land und Handelsvorteile nicht ebenfalls eine Rolle spielen«, erwiderte ich und fragte mich, wie ich es fertig gebracht hatte, zur Advokatin der amerikanischen Revolution zu werden – einer historischen Periode, die ich nur aus Briannas Geschichtsbüchern kannte. »Aber es geht doch weit darüber hinaus, meinst du nicht? *Wir halten diese Wahrheiten für ausgemacht, dass alle Menschen gleich erschaffen worden, dass sie von ihrem Schöpfer mit gewissen unveräußerlichen Rechten begabt worden, worunter sind Leben, Freiheit und das Streben nach Glückseligkeit.*«

»Wer hat das gesagt?«, fragte er neugierig.

»Thomas Jefferson wird es sagen – als Vertreter der neuen Republik. Man nennt es die Unabhängigkeitserklärung. Wird es so nennen.«

»Alle Menschen«, wiederholte er. »Denkst du, er meint damit auch Indianer?«

»Das weiß ich nicht«, sagte ich gereizt, weil ich mich in die Ecke gedrängt fühlte. »Ich bin ihm noch nicht begegnet. Wenn ich ihn treffe, werde ich ihn fragen, ja?«

»Sei's drum.« Er hob die Finger, um das Thema zu beenden. »Ich werde ihn selbst fragen, wenn sich die Gelegenheit ergibt. In der Zwischenzeit werde ich Brianna fragen.« Er sah mich an. »Was allerdings das Prinzip angeht, Sassenach –«

Er lehnte sich auf seinem Stuhl zurück, verschränkte die Arme vor der Brust und schloss die Augen.

»Solange auch nur hundert von uns noch am Leben sind«, zitierte er betont, *»werden wir uns unter keinen Umständen den Engländern unterwerfen. In Wahrheit sind es nicht Ruhm, Reichtum oder Ehre, um die wir kämpfen, sondern die Freiheit – nur um sie, die kein aufrechter Mann aufgibt, koste es ihn auch das Leben selbst.«*

Er öffnete die Augen und lächelte mich schief an. »Die Deklaration von Arbroath. Verfasst vor ungefähr vierhundert Jahren. Wenn wir schon von Prinzipien sprechen, aye?«

Dann stand er auf, blieb aber vor dem abgenutzten Tisch stehen, der ihm als Schreibtisch diente, und fixierte Ashes Brief.

»Und was meine eigenen Prinzipien angeht...«, murmelte er wie zu sich selbst, doch dann sah er mich an, als würde ihm plötzlich klar, dass ich auch noch da war.

»Aye, ich denke, ich werde *Bird* die Musketen geben«, sagte er. »Obwohl es gut möglich ist, dass ich Grund haben werde, das zu bedauern, wenn ich sie in zwei oder drei Jahren auf mich gerichtet sehe. Aber er soll sie haben und damit tun, was er für das Beste hält, um sich und die Seinen zu verteidigen.«

»Der Preis der Ehre, ja?«

Er sah mit dem Hauch einen Lächelns zu mir herunter.

»Nennen wir es Blutgeld.«

54

Ein Empfang für Flora MacDonald

River Run Plantage, 6. August 1774

Was sagte man nur zu einer Ikone? Oder zum Ehemann einer Ikone?

»Oh, ich werde in Ohnmacht fallen, das weiß ich genau.« Rachel Campbell wedelte so fest mit ihrem Fächer, dass sie einen spürbaren Windhauch erzeugte. »Was soll ich nur zu ihr sagen?«

»›Guten Tag, Mrs. MacDonald‹?«, schlug ihr Mann vor, und ein schwaches Lächeln lauerte in seinem verwitterten Mundwinkel.

Rachel versetzte ihm einen kräftigen Hieb mit ihrem Fächer, was ihn zum Glucksen brachte, während er ihr auswich. Obwohl er fünfunddreißig Jahre älter war als sie, legte Farquard Campbell im Umgang mit seiner Frau eine unbeschwerte, neckische Art an den Tag, die nicht zu seinem üblichen würdevollen Verhalten passte.

»Ich werde in Ohnmacht fallen«, erklärte Rachel erneut. Ihr Entschluss, dies als gesellschaftliche Strategie anzuwenden, schien endgültig festzustehen.

»Nun, du musst natürlich tun, was dir Freude macht, *a nighean*, aber wenn du es tust, wird Mr. Fraser derjenige sein müssen, der dich vom Boden aufhebt; meine alten Glieder sind dieser Aufgabe kaum gewachsen.«

»Oh!« Rachel warf einen raschen Blick auf Jamie, der sie anlächelte, dann verbarg sie ihr errötendes Gesicht hinter ihrem Fächer. Sie hegte zwar eine unübersehbare Zuneigung zu ihrem Mann, machte aber kein Geheimnis aus ihrer Bewunderung für den meinen.

»Euer ergebener Diener, Madam«, versicherte Jamie ihr ernst.

Sie kicherte. Ich möchte der Frau ja nicht Unrecht tun, aber sie kicherte definitiv. Ich fing Jamies Blick auf und verbarg mein Lächeln hinter meinem Fächer.

»Und was werdet *Ihr* zu ihr sagen, Mr. Fraser?«

Jamie spitzte die Lippen und blinzelte nachdenklich in die strahlende Sonne, die durch die Ulmen am Rand der großen Rasenfläche von River Run strömte.

»Oh, ich könnte vielleicht sagen, dass ich mich freue, dass sie diesmal schönes Wetter hat. Bei unserer letzten Begegnung hat es geregnet.«

Rachel stand der Mund offen, und ihr Fächer fiel zu Boden und landete hüpfend auf dem Rasen. Ihr Mann bückte sich, um ihn für sie aufzuheben, und stöhnte dabei, doch sie hatte keine Aufmerksamkeit für ihn übrig.

»Ihr seid ihr *begegnet*?«, rief sie mit vor Aufregung weit aufgerissenen Augen. »Wann denn? Wo? Mit dem Prin… mit *ihm*?«

»Äh, nein«, antwortete Jamie lächelnd. »Auf Skye. Ich war mit meinem Vater dort – es ging um Schafe. In Portree sind wir zufällig Hugh MacDonald of Armadale begegnet – Miss Floras Stiefvater, aye? Er hatte sie in den Ort mitgebracht, um ihr eine Freude zu machen.«

»Oh!« Rachel war verzaubert. »Und war sie so schön und anmutig, wie alle sagen?«

Jamie runzelte die Stirn und überlegte.

»Nun, nein«, erwiderte er. »Aber sie hatte damals eine schreckliche Grippe und hätte gewiss ohne die rote Nase sehr viel vorteilhafter ausgesehen. Anmutig? Nun, das würde ich eigentlich nicht sagen. Sie hat mir ein Pastetchen aus der Hand geschnappt und es gegessen.«

»Und wie alt seid ihr beide da gewesen?«, fragte ich, als ich sah, dass sich Rachels Mund zu einer Miene des Entsetzens verzog.

»Oh, sechs etwa«, erklärte er fröhlich. »Oder sieben. Ich würde mich wahrscheinlich kaum daran erinnern, wenn ich sie nicht vor das Schienbein getreten hätte, als sie mich bestohlen hat, und sie mich nicht an den Haaren gezogen hätte.«

Rachel, die sich jetzt ein wenig von ihrem Schreck erholte, bedrängte Jamie, noch weitere Erinnerungen zu erzählen, doch er wich ihren Bitten scherzhaft aus.

Natürlich war er vorbereitet zu dieser Gelegenheit erschienen; auf dem ganzen Gelände wurden Geschichten aus den Tagen vor Culloden ausgetauscht – lustige, bewunderungsvolle, sehnsuchtsvolle Geschichten. Merkwürdig, dass es Charles Stuarts Niederlage und seine schändliche Flucht waren, die eine Heldin aus Flora MacDonald machten und diese Exilschotten auf eine Weise einten, die sie niemals erreicht – und schon gar nicht aufrechterhalten – hätten, hätten sie tatsächlich gewonnen.

Mir kam plötzlich der Gedanke, dass Charlie wahrscheinlich noch am Leben war und sich still und leise in Rom zu Tode soff. Doch was die Wirklichkeit anging, so war er für diese Menschen, die ihn entweder geliebt oder gehasst hatten, längst gestorben. Der Bernstein der Zeit hatte ihn für ewig in jenem einen entscheidenden Augenblick seines Lebens eingeschlossen – *Bliadha Tearlach*. Das bedeutete »Charlies Jahr«, und selbst jetzt noch hörte ich oft, wie die Leute es so nannten.

Es war natürlich Floras Ankunft, die diese Nostalgiewelle hervorrief. Wie seltsam für sie, dachte ich mit einem Stich des Mitgefühls – und fragte mich zum ersten Mal, was ich wohl selbst zu ihr sagen würde.

Ich war schon öfter Berühmtheiten begegnet – nicht zuletzt dem *Bonnie Prince* selbst. Doch bis jetzt waren diese Begegnungen immer Teil ihres – und meines – normalen Lebens gewesen. Sie hatten jene entscheidenden Ereignisse, die sie berühmt machen würden, noch nicht erlebt, und noch waren sie einfach nur Menschen. Abgesehen von Louis – aber er war natürlich ein König. Es gibt eine geregelte Etikette für den Umgang mit Königen, denn ihnen nähert man sich nicht wie normalen Menschen. Nicht einmal, wenn –

Ich öffnete abrupt meinen Fächer, denn das Blut schoss mir heiß durch Gesicht und Körper. Ich atmete in tiefen Zügen und gab mir Mühe, nicht ganz so hektisch zu fächeln wie Rachel, obwohl ich es gern getan hätte.

Nicht ein einziges Mal hatte ich in all den Jahren, seit es geschehen war, an diese zwei oder drei Minuten körperlicher Intimität mit Louis von Frankreich zurückgedacht. Ganz bestimmt nicht bewusst, aber genauso wenig durch Zufall.

Und doch hatte mich die Erinnerung daran plötzlich gepackt, so plötzlich wie eine Hand, die aus der Menge kam, um meinen Arm zu ergreifen. Meinen Arm zu ergreifen, meine Röcke zu heben und auf eine Weise in mich einzudringen, die noch erschreckender und aufdringlicher war als das Erlebnis selbst.

Die Luft ringsum war von Rosenduft durchtränkt, und ich hörte das Ächzen des Korsetts, als sich Louis mit seinem Gewicht darauf stützte, hörte seinen Seufzer des Vergnügens. Das Zimmer war dunkel, nur von einer Kerze erhellt; diese flackerte am Rand meines Gesichtsfeldes und wurde dann ausgelöscht durch den Mann zwischen meinen…

»Himmel, Claire! Ist dir nicht gut?« Gott sei Dank war ich nicht hingefallen. Ich war rückwärts gegen die Außenmauer von Hector Camerons Mausoleum getaumelt, und Jamie, der das sah, hatte einen Satz nach vorn gemacht, um mich aufzufangen.

»Loslassen«, sagte ich atemlos, aber gebieterisch. »Lass mich los!«

Er hörte den Unterton des Schreckens in meiner Stimme und lockerte seinen Griff, konnte sich aber nicht dazu überwinden, mich ganz loszulassen, damit ich nicht doch noch hinfiel. Mit der Energie schierer Panik richtete ich mich auf und riss mich von ihm los.

Ich roch immer noch Rosen. Nicht den widerwärtigen Duft von Rosenöl – frische Rosen. Dann kam ich zu mir und begriff, dass ich neben einer riesigen gelben Heckenrose stand, die so gestutzt war, dass sie über den weißen Marmor des Mausoleums kletterte.

Es war beruhigend zu wissen, dass die Rosen echt waren, aber ich fühlte mich, als balancierte ich am Rand eines gewaltigen Abgrunds, allein, von jeder anderen Seele im Universum isoliert. Jamie stand so dicht bei mir, dass ich ihn hätte berühren können, und doch war es, als befände er sich in unermesslicher Ferne.

Dann berührte er mich und sagte beharrlich meinen Namen, und ebenso plötzlich, wie sie sich geöffnet hatte, schloss sich die Lücke zwischen uns, und ich fiel ihm geradezu in die Arme.

»Was ist denn, *a nighean*?«, flüsterte er und hielt mich an seiner Brust. »Was hat dir Angst gemacht?« Auch sein Herz hämmerte an meinem Ohr; ich hatte ihm ebenfalls einen Schrecken eingejagt.

»Nichts«, sagte ich, und eine überwältigende Woge der Erleichterung ging über mich hinweg, als ich begriff, dass ich mich sicher in der Gegenwart befand; Louis war in den Schatten zurückgekehrt, war wieder zu einer unangenehmen, aber harmlosen Erinnerung geworden. Das erschütternde Gefühl von Missbrauch, von Verlust, Schmerz und Isolation war zurückgewichen, nicht mehr als ein Schatten in meinem Kopf. Und vor allem: Jamie war da; er war greifbar und körperlich da, roch nach Schweiß und Whisky und Pferden … und war *da*. Ich hatte ihn nicht verloren.

Immer mehr Menschen sammelten sich neugierig und mitfühlend um mich. Rachel fächerte mir geschäftig Luft zu, und der Luftzug tat mir gut; ich war in Schweiß gebadet, und feuchte Haarsträhnen klebten mir am Hals.

»Es geht schon wieder«, murmelte ich auf einmal befangen. »Nur ein wenig … schwindelig … heißer Tag …«

Ein Chor von Angeboten, mir Wein zu holen oder ein Glas Glühwein, Zitronenlimonade oder eine angebrannte Feder wurde übertroffen, als Jamie ein Fläschchen Whisky aus seinem Sporran zog. Es war der dreijährige aus den Sherryfässern, und mir wurde mulmig, als mir sein Geruch in die Nase drang und ich an die Nacht zurückdachte, in der wir uns zusammen betrunken hatten, nachdem er mich aus den Händen Hodgepiles und seiner Männer gerettet hatte. Gott, würde ich jetzt auch noch in *diesen* Abgrund zurückgeschleudert werden?

Doch dazu kam es nicht. Der Whisky war einfach nur scharf und wohltuend, und ich fühlte mich mit dem ersten Schluck besser.

Flashback. Ich hatte Kollegen davon reden hören, als sie darüber diskutierten, ob es dasselbe war wie eine Kriegsneurose, und wenn ja, ob es tatsächlich existierte, oder ob man es als »Nervensache« abtun sollte.

Ich erschauerte kurz und trank noch einen Schluck. Es existierte definitiv. Ich fühlte mich jetzt viel besser, aber es hatte mich in den Grundfesten erschüttert, und meine Knie waren immer noch weich. Über die schwachen Echos des eigentlichen Anfalls hinaus regte sich ein noch viel beunruhigenderer Gedanke. Es war mir schon einmal passiert, als Ute McGillivray auf mich losging. War es wahrscheinlich, dass es wieder passierte?

»Soll ich dich ins Haus tragen, Sassenach? Vielleicht solltest du dich etwas hinlegen.«

Jamie hatte die gönnerhaften Gaffer verscheucht und mir von einem Sklaven einen Hocker holen lassen. Jetzt verharrte er über mir wie eine dienstbeflissene Hummel.

»Nein, es geht schon wieder«, versicherte ich ihm. »Jamie …«

»Aye?«

»Du – wenn du – hast du …«

Ich holte tief Luft – und trank noch einen Schluck Whisky – und versuchte es erneut.

»Manchmal werde ich nachts wach und sehe dich … kämpfen … und ich glaube, dass du gegen Jack Randall ankämpfst. Ist das etwas, das du träumst?«

Er starrte einen Moment auf mich nieder. Sein Gesicht war ausdruckslos, doch in seinem Blick regte sich Bestürzung. Er sah sich in alle Richtungen um, aber wir waren jetzt völlig allein.

»Warum?«, fragte er leise.

»Ich muss es wissen.«

Er holte Luft, schluckte und nickte.

»Aye. Manchmal sind es Träume. Das ist … nicht so schlimm. Ich wache auf und weiß, wo ich bin, spreche ein kleines Gebet und … es ist wieder gut. Aber hin und wieder –«, er schloss ein paar Sekunden die Augen, dann öffnete er sie wieder, »*bin* ich wach. Und trotzdem bin ich dort, mit Jack Randall.«

»Ah.« Ich seufzte und empfand gleichzeitig große Traurigkeit um seinetwillen und ein Gefühl der Beruhigung. »Dann verliere ich also nicht den Verstand.«

Er stand so dicht bei mir, dass der Stoff seines Kilts meinen Arm streifte und er mich stützen konnte, falls mir plötzlich wieder schwindelig wurde. Er sah mich prüfend an, um sicherzugehen, dass ich nicht unvermittelt umkippen würde, dann berührte er meine Schulter und ging mit einem kurzen »Bleib sitzen« davon.

Nicht weit; nur bis zu den Tischen, die unter den Bäumen am Rand des Rasens aufgestellt waren. Ohne die Sklaven zu beachten, die das Essen für den Empfang arrangierten, beugte er sich über eine Platte mit gekochten Langusten und nahm etwas aus einer kleinen Schale. Dann war er wieder da und beugte sich über mich, um meine Hand zu ergreifen. Er rieb die Finger aneinander, und eine Prise Salz rieselte in meine offene Handfläche.

»Da«, flüsterte er. »Halt es fest, Sassenach. Ganz gleich, wer es ist, er wird dich nicht mehr behelligen.«

Ich schloss die Hand um die feuchten Körner und fühlte mich auf absurde Weise getröstet. Auf einen Highlander war Verlass, wenn es darum ging, was zu tun war, wenn es am helllichten Tag spukte! Salz, so sagte man, hielt die Geister in ihren Gräbern. Und auch wenn Louis noch lebte, der Mann, ganz gleich, wer er gewesen war, dieses erdrückende Gewicht in der Dunkelheit war mit Sicherheit tot.

Mit einem Mal kam Aufregung auf, als am Fluss ein Ruf ertönte – das Boot war in Sicht. Wie ein Mann stellte sich die Menge auf die Zehenspitzen, atemlos vor Erwartung.

Ich lächelte, spürte aber, wie mich die nervöse Vorfreude trotz allem ansteckte. Dann begannen die Dudelsäcke zu spielen, und schlagartig schnürten mir unvergossene Tränen die Kehle zu.

Jamies Hand legte sich unbewusst fester um meine Schulter, und als ich aufblickte, bemerkte ich, wie er sich mit den Fingerknöcheln fest über die Oberlippe fuhr, als auch er sich dem Fluss zuwandte.

Ich senkte den Blick und blinzelte, um mich wieder unter Kontrolle zu bekommen, und als meine Augen wieder klar wurden, sah ich die Salzkörner auf dem Boden, sorgsam ausgestreut vor den Toren des Mausoleums.

Sie war viel kleiner als ich gedacht hatte. So ist das immer bei Berühmtheiten. Alle Welt – im Sonntagsstaat, ein wahres Meer aus Tartanstoff – drängte sich dicht um sie, zu beeindruckt, um höflich zu bleiben. Ich sah sekundenlang ihren Scheitel, dessen dunkles Haar mit weißen Rosen hochgesteckt war, dann verschwand ihr Kopf hinter den Rücken ihrer Verehrer.

Ihr Mann, Allan, war besser zu sehen. Er war ein kräftiger, gut aussehender Mann mit grau gesträhntem, schwarzem Haar, das er ordentlich zusammengebunden trug, und stand – so vermutete ich – hinter ihr, während er sich verbeugte und lächelte und die Flut gälischer Komplimente und Willkommensgrüße entgegennahm.

Ich verspürte ein unwillkürliches Bedürfnis, nach vorn zu hasten und sie anzugaffen wie alle anderen auch. Doch ich hielt mich zurück. Ich stand mit Jocasta auf der Terrasse; Mrs. MacDonald würde zu uns kommen.

Und da: Jamie und Duncan schoben sich zielsicher durch die Menge und bildeten gemeinsam mit Jocastas schwarzem Butler Ulysses einen Keil.

»Das ist sie leibhaftig?«, murmelte Brianna an meiner Seite. Sie hatte ihren Blick neugierig auf die brodelnde Menge geheftet, aus der die Männer den Ehrengast jetzt isoliert hatten, um sie vom Anlegeplatz über den Rasen zur Terrasse zu geleiten. »Sie ist kleiner als ich dachte. Ach, wie schade, dass Roger nicht hier ist – er würde dafür sterben, sie zu sehen!« Roger verbrachte einen Monat im Presbyterianerseminar von Charlotte, wo seine Eignung für das Ordinariat überprüft wurde.

»Es ist gut möglich, dass er sie noch zu sehen bekommt«, erwiderte ich ebenfalls murmelnd. »Ich höre, dass sie eine Plantage am Barbecue Creek gekauft haben, in der Nähe des Mount Pleasant.« Und sie würden noch mindestens ein oder zwei Jahre in der Kolonie bleiben, doch das sagte ich nicht laut; nach allem, was die Leute hier wussten, waren die MacDonalds für immer eingewandert.

Doch ich hatte den großen Gedenkstein auf Skye gesehen – wo Flora MacDonald geboren worden war und wo sie eines Tages sterben würde, aller Illusionen über Amerika beraubt.

Es war natürlich nicht das erste Mal, dass ich jemandem begegnete, dessen Schicksal ich kannte – doch es brachte mich jedes Mal aus der Ruhe. Die Menge teilte sich, und sie trat heraus, klein und hübsch, und sie lachte zu Jamie auf. Er hatte seine Hand unter ihrem Ellbogen liegen, als er sie hinauf zur Terrasse führte, und gestikulierte in meine Richtung, um mich vorzustellen.

Sie blickte erwartungsvoll auf, sah mir direkt in die Augen, blinzelte, und ihr Lächeln verblasste kurz. Eine Sekunde später war es wieder da, und sie verbeugte sich vor mir und ich mich vor ihr, doch ich fragte mich, was sie in meinem Gesicht gesehen hatte.

Sie wandte sich jedoch sofort ab, um Jocasta zu begrüßen und ihr ihre erwachsenen Töchter Anne und Fanny vorzustellen, ihren Sohn, ihren Schwiegersohn – und bis sie mit dieser verwirrenden Begrüßung fertig war, hatte sie sich wieder vollständig unter Kontrolle und begrüßte mich mit einem charmanten, sanften Lächeln.

»Mrs. Fraser! Welche Freude, Euch endlich zu begegnen. Ich habe so viel von Eurer Güte und Eurem Können gehört, dass ich gestehe, dass mich Eure Gegenwart mit Ehrfurcht erfüllt.«

Dies sagte sie mit solcher Wärme und Aufrichtigkeit – und sie fasste mich an den Händen –, dass ich mich dabei ertappte, es ihr abzunehmen, trotz der zynischen Frage in meinem Hinterkopf, mit wem sie sich wohl über mich unterhalten hatte. Ich war in Cross Creek und Campbelton berüchtigt, wurde aber keinesfalls von aller Welt gepriesen.

»Ich hatte die Ehre, auf dem Subskriptionsball, den man in Wilmington für uns abgehalten hat, Dr. Fentimans Bekanntschaft zu machen – so gütig, so erstaunlich gütig von allen! Man hat uns seit unserer Ankunft so gut behandelt – und er war ganz hingerissen von Eurer –«

Ich hätte gern gehört, was Fentiman hingerissen hatte – unser Verhältnis war unverdrossen von einem gewissen Argwohn geprägt, wenn wir auch ein Einvernehmen erreicht hatten –, aber an diesem Punkt flüsterte ihr Mann ihr etwas ins Ohr und wollte sie Farquard Campbell und einer Reihe anderer prominenter Herren vorstellen, und sie drückte mir mit bedauernd verzogenem Gesicht die Hände und wandte sich ab, nachdem sie ihr strahlendes öffentliches Lächeln wieder aufgesetzt hatte.

»Ha«, sagte Brianna *sotto voce*. »Ein Glück für sie, dass sie noch fast alle Zähne hat.«

Genau das hatte ich gerade ebenfalls gedacht, und ich lachte und ging dann hastig zu einem Hustenanfall über, als ich merkte, dass Jocasta uns abrupt den Kopf zuwandte.

»Das ist sie also.« Ian war an der anderen Seite neben mich getreten und beobachtete den Ehrengast mit einer Miene höchsten Interesses. Er war für diesen Anlass mit Kilt, Weste und Rock bekleidet und hatte sein braunes Haar ordentlich geflochten, so dass er völlig zivilisiert aussah, bis auf die Tätowierungen, die sich über seine Wangenknochen und seinen Nasenrücken zogen.

»Das ist sie«, bestätigte Jamie. »›*Fionnaghal*‹ – die Schöne.« Es lag ein überraschender Unterton der Nostalgie in seiner Stimme, und ich sah ihn erstaunt an.

»Nun, so heißt sie in Wirklichkeit«, sagte er geduldig. »*Fionnaghal.* Nur die Engländer nennen sie Flora.«

»Warst du etwa in sie verknallt, als du klein warst, Pa?«, fragte Brianna lachend.

»Was?«

»Ob du zärtliche Gefühle für sie gehegt hast«, sagte ich und klimperte ihn über meinen Fächer hinweg geziert mit den Wimpern an.

»Och, seid doch nicht dumm!«, brummte er. »Ich war sieben Jahre alt, zum Kuckuck!« Dennoch waren seine Ohrenspitzen rot angelaufen.

»Ich war verliebt, als ich sieben war«, merkte Ian sehr verträumt an. »In die Köchin. Hast du gehört, wie Ulysses gesagt hat, dass sie einen Spiegel mitgebracht hat, Onkel Jamie? Prinz *Tearlach* hat ihn ihr geschenkt, und auf der Rückseite ist sein Wappen. Ulysses hat ihn in den Salon gebracht und lässt ihn von zwei Stallknechten bewachen.«

Und wirklich, wer sich nicht in dem Menschenstrudel befand, der die MacDonalds umgab, schob sich durch die Flügeltüren ins Innere des Hauses, wo sich im Flur eine lebhaft plaudernde Warteschlange bildete, die bis in den Salon reichte.

»Seaumais!«

Jocastas gebieterische Stimme setzte den Neckereien ein Ende. Jamie warf Brianna einen strengen Blick zu und trat dann zu seiner Tante. Duncan wurde von einem kleinen Pulk bedeutender Männer aufgehalten, die in ein Gespräch vertieft waren – ich erkannte den Anwalt Neil Forbes neben Cornelius Harnett und Oberst Moore – und Ulysses war nirgendwo in Sicht – zweifellos kümmerte er sich hinter den Kulissen um die Logistik eines Barbecues für zweihundert Personen – so dass Jocasta vorübergehend auf sich gestellt war. Sie legte Jamie die Hand auf den Arm und schwebte von der Terrasse her auf Allan MacDonald zu, der durch die wogende Menge von seiner Frau getrennt worden war und mit leicht beleidigter Miene unter einem Baum stand.

Ich sah zu, wie sie über den Rasen schritten, und amüsierte mich über Jocastas Gespür für große Auftritte. Ihre Leibdienerin Phaedre folgte ihr pflichtbewusst – sie hätte ihre Herrin genauso gut führen können. Doch das hätte ganz und gar nicht dieselbe Wirkung gehabt. Wo die beiden zusammen auftauchten, wandten sich die Köpfe – Jocasta hoch gewachsen und schlank, anmutig trotz ihres Alters und auffallend mit ihrem hoch aufgesteckten weißen Haar und ihrem blauen Seidenkleid, Jamie mit seiner Wikingergröße und dem leuchtend roten Fraser-Tartan, beide mit ihren kühnen MacKenzie-Zügen und ihrer katzenhaften Eleganz.

»Colum und Dougal wären stolz auf ihre kleine Schwester«, sagte ich und schüttelte den Kopf.

»Oh, aye?«, sagte Ian geistesabwesend, ohne mir zuzuhören. Sein Blick hing immer noch an Flora MacDonald, die gerade unter allgemeinem Applaus von einem der Enkelkinder Farquard Campbells einen Blumenstrauß entgegennahm.

»Du bist doch nicht eifersüchtig, oder, Mama?«, hänselte mich Brianna, als sie mich in dieselbe Richtung blicken sah.

»Mit Sicherheit nicht«, sagte ich mit einem gewissen Maß an Selbstzufriedenheit. »*Ich* habe schließlich auch noch alle Zähne.«

Im ersten Gedränge hatte ich ihn ganz übersehen, doch auch Major MacDonald befand sich unter den Festgästen. In seinem leuchtend roten Uniformrock und seinem neuen, reich mit Goldlitze verzierten Hut sah er wirklich blendend aus. Diesen zog er nun und verbeugte sich tief vor mir. Dabei sah er fröhlich drein – zweifellos, weil ich keinerlei lebende Tiere in meiner Begleitung hatte, denn Adso und die weiße Sau befanden sich sicher in Fraser's Ridge.

»Euer Diener, Ma'am«, sagte er. »Ich habe beobachtet, dass Ihr ein paar Worte mit Miss Flora gewechselt habt – wie charmant sie ist, nicht wahr? Und eine so lebendige und schöne Frau dazu.«

»Das ist sie, in der Tat«, pflichtete ich ihm bei. »Dann kennt Ihr sie also?«

»Oh, aye«, sagte er, und ein Ausdruck tiefster Genugtuung breitete sich über sein wettergegerbtes Gesicht. »Ich würde es nicht wagen zu behaupten, dass es Freundschaft ist – aber ich glaube, ich darf bescheiden sagen, dass wir Bekannte sind. Ich habe Mrs. MacDonald und ihre Familie aus Wilmington hierher begleitet und hatte die große Ehre, ihnen beim Arrangement ihrer gegenwärtigen Situation behilflich zu sein.«

»Ach, wirklich?« Ich betrachtete ihn interessiert. Der Major war kein Mensch, der sich durch Prominenz beeindrucken ließ. Er *war* allerdings ein Mensch, der ihren Nutzen zu schätzen wusste. Gouverneur Martin offenbar ebenfalls.

Gerade beobachtete der Major Flora MacDonald voll Besitzerstolz und nahm zufrieden zur Kenntnis, wie sich die Menschen um sie drängten.

»Sie hat sich großzügigerweise bereit erklärt, heute eine Ansprache zu halten«, sagte er zu mir und lehnte sich ein wenig zurück. »Was glaubt Ihr,

Ma'am, wo der beste Platz dafür wäre? Von der Terrasse aus, weil sie am höchsten gelegen ist? Oder vielleicht neben der Statue auf dem Rasen, weil die Leute sie dort umringen können und damit die Chancen steigen, dass jeder sie hören kann?«

»Ich glaube, sie bekommt einen Sonnenstich, wenn Ihr sie bei diesem Wetter auf den Rasen stellt«, sagte ich und schob mir meinen breitkrempigen Strohhut so zurecht, dass sein Schatten auf meine Nase fiel. Es war über dreißig Grad warm, und die Luftfeuchtigkeit war hoch, so dass mir meine dünnen Unterröcke feucht an den Beinen klebten. »Was für eine Ansprache wird sie denn halten?«

»Nur ein paar kurze Worte zum Thema Loyalität, Ma'am«, sagte er ausdruckslos. »Ah, da ist ja Euer Mann; unterhält sich mit Kingsburgh, wenn Ihr mich entschuldigt, Ma'am?« Er verbeugte sich und schritt dann über den Rasen auf Jamie und Jocasta zu, die immer noch bei Allan MacDonald standen – nach Art der Schotten »Kingsburgh« genannt wie sein Anwesen auf Skye.

Die ersten Speisen wurden jetzt aufgetischt: Terrinen mit verschiedenen Eintöpfen – und eine riesige Schüssel mit Suppe *á la Reine*, eindeutig eine Verbeugung vor dem Ehrengast – Platten mit gebratenem Fisch, Huhn und Kaninchen; Hirschbratenscheiben in Rotwein, Räucherwürstchen, Lammpastetchen, Möhrengemüse, gebratener Truthahn, Taubenpastete, Schüsseln mit Wirsinggemüse, Bratkartoffeln, Rübenpüree, mit Äpfeln und Mais gefülltem Backkürbis und Pilzpastetchen; dazu gigantische Körbe, zum Bersten gefüllt mit verschiedenen Brotsorten … und ich war mir sehr wohl bewusst, dass all dies nur das Vorspiel war für das eigentliche Barbecue, dessen köstliches Aroma die Luft schwängerte: eine Anzahl Schweine, drei oder vier Rinder, zwei Hirsche und das *pièce de résistance*, ein Waldbison, der Gott weiß wo – und wie – herkam.

Ringsum erhob sich ein erwartungsvolles Summen, als sich die Gäste die metaphorischen Gürtel weiter schnallten und sich um die Tische scharten, fest entschlossen, aus gegebenem Anlass ihre Pflicht zu tun.

Jamie saß, wie ich registrierte, nach wie vor bei Mrs. MacDonald fest; er füllte ihr gerade einen Teller mit einem Gericht, das aus der Entfernung wie Broccolisalat aussah. Er blickte auf, sah mich und winkte mir, zu ihnen zu kommen – doch ich schüttelte den Kopf und wies mit meinem Fächer auf das Buffet, wo die Gäste jetzt zielstrebig wie die Heuschrecken in einem Gerstenfeld zur Sache gingen. Ich wollte die Gelegenheit nicht verstreichen lassen, mich nach Manfred McGillivray zu erkundigen, bevor sich die Ermattung der Gesättigten über die Menge legte.

Ich stürzte mich ins Gewühl, nahm hier und da einen Happen entgegen, den mir ein Sklave oder Dienstbote entgegenhielt, und blieb stehen und plauderte mit allen Bekannten, die ich finden konnte, vor allem jenen aus Hillsboro. Wie ich wusste, hatte Manfred dort viel Zeit verbracht, um Aufträge für Gewehre entgegenzunehmen, die fertigen Produkte auszuliefern und kleinere Reparaturarbeiten durchzuführen. Höchstwahrscheinlich würde er dorthin gehen, dachte ich. Aber niemand, mit dem ich sprach, hatte ihn gesehen, obwohl ihn die meisten kannten.

»Ein sympathischer Junge«, sagte mir ein Herr und hielt kurz damit ein, sich zu betrinken. »Und er fehlt uns sehr. Außer Robin gibt es von hier bis Virginia keinen Büchsenmacher mehr.«

Das wusste ich, und ich fragte mich daher auch, ob Jamie wohl Glück bei seiner Suche nach den benötigten Musketen hatte. Womöglich würden wir Lord Johns Schmugglerkontakte ja doch in Anspruch nehmen müssen.

Ich nahm ein Stückchen Pastete vom Tablett eines vorübergehenden Sklaven entgegen und spazierte kauend und plaudernd weiter. Alle Welt redete über eine Serie flammender Artikel, die unlängst im *Chronicle* erschienen war, der örtlichen Zeitung, deren Inhaber, einem gewissen Fogarty Simms, beträchtliche Sympathien galten.

»Ein rarer Charakter, dieser Simms«, sagte Mr. Goodwin kopfschüttelnd. »Aber ich bezweifle, dass er so standhaft bleibt. Ich habe letzte Woche mit ihm gesprochen, und er hat mir gesagt, dass er um seine Haut bangt. Man hat ihm gedroht, aye?«

Dem Tonfall der Umstehenden nach ging ich davon aus, dass Mr. Simms Loyalist war, und den diversen Erzählungen nach schien dies auch zu stimmen. Offenbar war von der Gründung einer Konkurrenzzeitung die Rede, die die Ziele der Whigs und deren unvorsichtiges Gerede von Tyrannei und dem Sturz des Königs propagieren sollte. Wer hinter dem neuen Unternehmen steckte, wusste niemand. Doch es war – zur allgemeinen Entrüstung – die Rede davon, dass ein Drucker aus dem Norden angesiedelt werden sollte, wo die Leute einen deutlichen Hang zu solch perversen Ansichten hatten.

Allgemein herrschte die Auffassung, dass es solche Personen darauf anlegten, dass man ihnen die Hinterteile gerbte, um sie wieder zu Verstand zu bringen.

Ich hatte mich nicht hingesetzt, um richtig zu essen, doch nachdem ich mich eine Stunde lang durch ganze Felder mahlender Kiefer und durch Heerscharen wandernder Vorspeisentabletts geschoben hatte, fühlte ich mich, als hätte ich ein königliches Bankett in Frankreich durchgestanden – Anlässe, die für gewöhnlich so lange dauerten, dass man den Gästen diskret Nachttöpfe unter die Stühle stellte und es taktvoll ignorierte, wenn dann und wann ein Gast zusammenklappte und unter den Tisch sank.

Der gegenwärtige Anlass war zwar weniger formell, aber kaum weniger lang. Nach einer eröffnenden Mahlzeit von einer Stunde wurde das Barbecue dampfend aus den Gruben in der Nähe des Stalls gehoben und von Sklaven auf Holzböcken zum Rasen getragen. Der Anblick der halbierten Rinder, Schweine und Hirsche sowie des Büffels, öl- und essigglänzend und umringt von den kleineren, angekohlten Körpern Hunderter Tauben und Wachteln, wurde von den Gästen – die inzwischen vor Anstrengung in Schweiß gebadet waren, sich davon aber nicht beeindrucken ließen – mit Applaus begrüßt.

Jocasta, die neben ihrem Gast saß, setzte eine höchst zufriedene Miene auf, als sie hörte, dass ihre Gastfreundschaft so warm entgegengenommen wurde, und lehnte sich zu Duncan hinüber. Sie lächelte und legte ihm die Hand auf den Arm, während sie etwas zu ihm sagte. Duncan hatte sein nervöses Aussehen abgelegt – die Wirkung von zwei Litern Bier, gefolgt vom Großteil einer Flasche Whisky – und schien den Empfang ebenfalls zu genießen. Er lächelte Jocasta breit an, dann bemerkte er etwas zu Mrs. MacDonald, die darüber lachte, was auch immer er gesagt hatte.

Ich musste sie bewundern; sie wurde auf allen Seiten von Leuten belagert, die sie gern sprechen wollten, bewahrte jedoch stets Haltung und war freundlich und großzügig zu jedermann – obwohl das bedeutete, dass sie manchmal zehn Minuten lang dasitzen und einer endlosen Geschichte zuhören musste, während sie ihre gefüllte Gabel in der Luft hielt. Immerhin saß sie im Schatten – und Phaedre, die in weißen Musselin gekleidet war, stand pflichtschuldigst mit einem großen Fächer aus Palmwedeln hinter ihr, um ihr Luft zuzufächern und die Fliegen zu verscheuchen.

»Zitronenlimonade, Ma'am?« Ein fast dahinwelkender Sklave, der vor Schweiß glänzte, bot mir ein weiteres Tablett an, und ich nahm mir ein Glas. Ich triefte vor Schweiß, meine Beine schmerzten, und meine Kehle war vom Reden ausgetrocknet. An diesem Punkt war es mir gleichgültig, was in dem Glas war, Hauptsache, es war nass.

Ich änderte meine Meinung augenblicklich, als ich es probierte; es war Zitronensaft mit Gerstenwasser, und es *war* zwar nass, aber ich hätte es mir trotzdem eher in den Ausschnitt geschüttet als es zu trinken. Ich schlich mich unauffällig auf einen Goldregenstrauch zu, um das Getränk hineinzuschütten, als Neil Forbes dahinter hervortrat und mich daran hinderte.

Er war genauso verblüfft, mich zu entdecken wie ich ihn; er fuhr zurück und blickte hastig hinter sich. Ich folgte seiner Blickrichtung und sah, wie sich Robert Howe und Cornelius Harnett in die andere Richtung davonmachten. Offenbar hatten die drei eine Geheimkonferenz hinter dem Goldregen abgehalten.

»Mrs. Fraser«, sagte er mit einer knappen Verbeugung. »Euer Diener.«

Ich machte meinerseits einen Hofknicks und murmelte eine Höflichkeit. Ich wäre dann an ihm vorbeigeglitten, doch er beugte sich zu mir und ließ mich nicht gehen.

»Ich höre, dass Euer Gatte Gewehre sammelt, Mrs. Fraser«, sagte er mit leiser und höchst unfreundlicher Stimme.

»Ach, wirklich?« Ich hatte einen geöffneten Fächer in der Hand, genau wie alle anderen Frauen hier. Ich fächerte gemächlich damit vor meinem Gesicht herum und verbarg so meine Miene weitgehend. »Wer hat Euch denn so etwas erzählt?«

»Einer der Herren, an die er diesbezüglich herangetreten ist«, sagte Forbes. Der Rechtsanwalt war groß und übergewichtig; möglich, dass die ungesunde Rötung seiner Wangen darauf zurückzuführen war und nicht auf Verärgerung. Andererseits …

»Falls ich Eurer Güte so etwas zumuten darf, Ma'am, würde ich vorschlagen, dass Ihr Einfluss auf ihn nehmt und andeutet, dass ein solcher Kurs nicht der klügste ist?«

»Zunächst einmal«, sagte ich und atmete die heiße, feuchte Luft tief ein, »was glaubt Ihr denn, was für einen Kurs er eingeschlagen hat?«

»Einen unglücklichen, Ma'am«, sagte er. »Wenn ich die Angelegenheit ins freundlichste Licht rücke, gehe ich davon aus, dass die Gewehre, die er sucht, dazu gedacht sind, seine eigene Milizkompanie zu bewaffnen, was ja legitim, wenn auch verstörend ist; wie erstrebenswert dieses Vorgehen ist, würde von seiner späteren Handlungsweise abhängen. Aber seine Beziehungen zu den Cherokee sind weithin bekannt, und es gibt Gerüchte, dass die Waffen dazu bestimmt sind, in den Händen der Wilden zu enden, um sich schließlich gegen jene Untertanen Seiner Majestät zu richten, die es wagen, Widerspruch einzulegen gegen die Tyrannei, den Amtsmissbrauch und die Korruption der offiziellen Regierung dieser Kolonie – wenn man ein solches Wort denn zur Beschreibung ihrer Tätigkeit benutzen kann.«

Ich sah ihn über die Kante meines Fächers hinweg lange an.

»Wenn ich nicht schon gewusst hätte, dass Ihr Anwalt seid«, merkte ich an, »hätte diese Ansprache es mir verraten. Ich *glaube*, Ihr habt gerade gesagt, dass Ihr meinen Mann im Verdacht habt, die Indianer mit Gewehren bewaffnen zu wollen, und dass Euch dies missfällt. Falls er aber andererseits vorhat, seine eigene Miliz zu bewaffnen, könnte das möglicherweise rechtens sein – vorausgesetzt, besagte Miliz handelt *Euren* Wünschen gemäß. Habe ich Recht?«

Ein Hauch von Belustigung flackerte in seinen tief liegenden Augen auf, und er neigte mir den Kopf zu.

»Eure Auffassungsgabe erstaunt mich, Ma'am«, sagte er.

Ich nickte und schloss den Fächer.

»Schön. Und wie *lauten* Eure Wünsche, wenn ich fragen darf? Ich werde nicht fragen, warum Ihr glaubt, dass Jamie sie beachten soll.«

Er lachte, und sein feistes Gesicht, das schon von der Hitze gut durchblutet war, lief unter seiner Perücke noch röter an.

»Ich wünsche Gerechtigkeit, Ma'am; den Sturz der Tyrannen und den Sieg der Freiheit«, sagte er. »Das ist die Pflicht jedes aufrechten Mannes.«

… sondern die Freiheit – nur um sie, die kein aufrechter Mann aufgibt, koste es ihn auch das Leben selbst. Die Zeile hallte in meinem Kopf wider und musste in meinem Gesicht zu lesen sein, denn er musterte mich scharf.

»Ich schätze Euren Gatten zutiefst, Ma'am«, sagte er leise. »Ihr werdet ihm doch ausrichten, was ich gesagt habe?« Er verbeugte sich und wandte sich ab, ohne mein Kopfnicken abzuwarten.

Er hatte die Stimme nicht gesenkt, als er von Tyrannen und Freiheit sprach; ich sah, wie sich ringsum die Köpfe wandten und sich die Männer hier und dort dichter umeinander drängten und ihm murmelnd nachsahen.

Dadurch abgelenkt, trank ich einen Schluck des Zitronengebräus und war nun gezwungen, ihn auch hinunterzuschlucken. Ich wandte mich suchend nach Jamie um. Er stand nach wie vor bei Allan MacDonald, war aber ein wenig beiseite getreten und unterhielt sich unter vier Augen mit Major MacDonald.

Die Dinge kamen viel schneller ins Rollen, als ich gedacht hatte. Ich hatte vermutet, die republikanischen Sympathisanten seien in diesem Teil der Kolonie noch eine Minderheit, doch wenn Forbes bei einer öffentlichen Zusammenkunft so offen sprach, mussten sie offensichtlich an Boden gewinnen.

Ich drehte mich wieder zurück, um dem Anwalt nachzublicken, und sah, wie sich zwei Männer vor ihm aufbauten, deren Gesichter vor Wut und Argwohn verzerrt waren. Ich war zu weit entfernt, um zu hören, was sie sagten, aber ihre Körperhaltung und ihre Mienen sprachen für sich. Es kam zu einem zunehmend erhitzten Wortwechsel, und ich spähte in Jamies Richtung; das letzte Mal, als ich einem solchen Empfang auf River Run beigewohnt hatte, im Vorfeld des Regulatorenkriegs, war es zu einem Handgemenge auf dem Rasen gekommen, und ich hatte sehr das Gefühl, dass sich Ähnliches möglicherweise erneut anbahnte. Alkohol, Hitze und Politik konnten in jeder Menschenansammlung Explosionen hervorrufen, erst recht in einer, die zum Großteil aus Highlandern bestand.

Möglicherweise wäre es zu einer solchen Explosion gekommen – es scharten sich immer mehr Männer um Forbes und seine beiden Gegner und ballten einsatzbereit die Fäuste –, wäre auf der Terrasse nicht Jocastas riesiger Gong ertönt, so dass alles erstaunt aufblickte.

Der Major stand mit erhobenen Händen auf einem umgedrehten Tabakfass und strahlte die Massen an. Sein Gesicht war rot vor Hitze, Bier und Begeisterung.

»*Ceud mile fàilte!*«, rief er und wurde von tosendem Applaus begrüßt. »Und ein hunderttausendfaches Willkommen unseren verehrten Gästen!«, fuhr er auf Gälisch fort und wies mit einer ausladenden Geste auf die MacDonalds, die jetzt Seite an Seite neben ihm standen und den Beifall kopfnickend und lächelnd entgegennahmen. Ihrem Verhalten nach waren sie eine derartige Aufnahme gewohnt.

Mrs. Flora strahlte in die Menge, die *en masse* zurückstrahlte und sich auf der Stelle beruhigte, um sie hören zu können.

Sie hatte eine klare, helle Stimme und war es offensichtlich gewohnt, vor

Publikum zu sprechen – höchst ungewöhnlich für eine Frau dieser Zeit. Ich war zu weit entfernt, um jedes Wort zu hören, hatte aber keine Probleme damit, den Sinn ihrer Rede zu erfassen.

Nachdem sie sich freundlich bei ihren Gastgebern bedankt hatte, bei der schottischen Gemeinschaft, die ihre Familie so warm und großzügig willkommen geheißen hatte, und bei den Gästen, begann sie mit einer ernsten Ermahnung wider ein Phänomen, das sie Parteigeist nannte, und drängte ihre Zuhörer, sich zusammenzuschließen, um diese gefährliche Bewegung zu unterdrücken, die zwangsläufig zu großer Unruhe führen musste und den Frieden und den Wohlstand bedrohte, zu dem es so viele von ihnen in diesem schönen Land gebrachte hatten, nachdem sie alles dafür riskiert hatten.

Und sie hatte, wie ich mit einem leisen Schock begriff, völlig Recht. Ich hatte Brianna und Roger darüber diskutieren hören – warum überhaupt Highlander, die unter englischer Herrschaft Derartiges durchgemacht hatten, auf Seiten der Engländer gekämpft hatten, was ja viele von ihnen schließlich taten.

»Weil«, hatte Roger geduldig gesagt, »sie etwas zu verlieren und verdammt wenig zu gewinnen hatten. Und ausgerechnet sie wussten nun wirklich genau, wie es war, *gegen* die Engländer zu kämpfen. Glaubst du, die Leute, die Cumberlands ›Befriedung‹ der Highlands überlebt, es bis nach Amerika geschafft und ihr Leben aus dem Nichts wieder aufgebaut haben, brennen darauf, all das *noch einmal* durchzumachen?«

»Aber sie wollen doch sicher für die Freiheit kämpfen«, hatte Brianna eingewandt. Er warf ihr einen zynischen Blick zu.

»Sie *haben* doch Freiheit; viel mehr, als sie aus Schottland kannten. Im Fall eines Krieges laufen sie Gefahr, sie erneut zu verlieren – und das wissen sie sehr gut. Und dann«, fügte er hinzu, »haben sie natürlich fast alle einen Treueeid auf die Krone geschworen. Den würden sie niemals leichtfertig brechen – schon gar nicht für etwas, was aussieht wie ein weiterer hysterischer – und zweifellos kurzlebiger – politischer Aufruhr. Es ist wie –« Er hatte die Stirn gerunzelt, als er nach einem passenden Vergleich suchte.

»Wie bei den *Black Panthers* oder der Bürgerrechtsbewegung. Jeder konnte sehen, dass es um eine idealistische Sache ging – aber der Großteil der Mittelschicht fand das Ganze bedrohlich oder Angst einflößend und wünschte, es würde sich einfach in Luft auflösen, damit sie in Frieden leben konnten.«

Das Problem war natürlich, dass das Leben niemals friedlich *war* – und dass sich die vorliegende hysterische Bewegung *nicht* in Luft auflösen würde. Ich konnte Brianna am anderen Rand der Menge sehen. Sie hatte die Stirn nachdenklich zusammengezogen, während sie zuhörte, wie Flora MacDonalds helle, klare Stimme von den Tugenden der Loyalität erzählte.

Ich hörte schräg hinter mir ein leises »Hmpf!«, und als ich mich umwandte, sah ich Neil Forbes, dessen feistes Gesicht missbilligend verzogen war. Wie ich bemerkte, hatte er jetzt Verstärkung; drei oder vier andere Herren standen dicht bei ihm und spähten rundum, während sie versuchten, sich den Anschein zu geben, als täten sie das nicht. Angesichts der Stimmung in der Menge ging ich davon aus, dass sie mit etwa eins zu zweihundert in der Unterzahl waren, und die zweihundert wurden sich ihrer Sache immer sicherer, als jetzt im Verlauf der Rede der Alkohol zu wirken begann.

Als ich mich abwandte, fiel mein Blick erneut auf Brianna, und ich begriff, dass sie Neil Forbes jetzt ebenfalls ansah – und er ihren Blick erwiderte. Sie waren beide größer als die Umstehenden und starrten einander über die Köpfe der dazwischen liegenden Menge hinweg an, er voll Feindseligkeit, sie reserviert. Sie hatte einige Jahre zuvor seinen Antrag zurückgewiesen, und zwar denkbar taktlos. Forbes war zwar mit Sicherheit nicht in sie verliebt gewesen – doch er war ein Mann, der einiges von und auf sich hielt und eine solche öffentliche Ohrfeige nicht mit stoischer Resignation über sich ergehen ließ.

Brianna wandte sich kühl ab, als hätte sie ihn gar nicht bemerkt, und begann ein Gespräch mit ihrer Nebenfrau. Ich hörte ihn erneut aufgrunzen und mit leiser Stimme etwas zu seinen Gesinnungsgenossen sagen – und dann brachen sie geschlossen auf und wandten Mrs. MacDonald, die immer noch sprach, unhöflich den Rücken zu.

Entrüstetes Luftschnappen und Murmeln folgte ihnen auf ihrem Weg durch die dicht gedrängte Menge – doch niemand versuchte, sie aufzuhalten, und der Affront ihres Aufbruchs ging in dem ausgedehnten Beifall unter, der das Ende der Rede begrüßte – das vom Ertönen der Dudelsäcke, einzelnen in die Luft gefeuerten Pistolenschüssen, organisierten »Hip-Hip-Hurrah!«-Rufen unter Leitung Major MacDonalds und solch allgemeinem Tumult begleitet wurde, dass niemand das Eintreffen einer Armee bemerkt hätte, geschweige denn den Aufbruch einer Hand voll missgestimmter Whigs.

Ich fand Jamie im Schatten des Mausoleums, wo er sich das Haar mit den Fingern auskämmte, bevor er es wieder zusammenband.

»Das war ja ein Volltreffer, nicht wahr?«, fragte ich.

»Reihenweise Volltreffer«, sagte er und hielt den Blick argwöhnisch auf einen offensichtlich betrunkenen Herrn gerichtet, der versuchte, seine Muskete nachzuladen. »Pass auf den Mann auf, Sassenach.«

»Er kommt zu spät, um Neil Forbes zu erschießen. Hast du gesehen, wie er gegangen ist?«

Er nickte, während er zielsicher das Lederband in seinem Nacken verknotete.

»Er konnte einer offenen Gesinnungserklärung kaum näher kommen, es sei denn, er wäre zu *Fionnaghal* auf das Fass geklettert.«

»Und dort hätte er dann eine *erstklassige* Zielscheibe abgegeben.« Ich blinzelte zu dem rotgesichtigen Herrn hinüber, der sich gerade Schießpulver auf die Schuhe streute. »Ich glaube, er hat gar keine Patronen.«

»Oh, na dann.« Jamie tat den Mann mit einer Handbewegung ab. »Major MacDonald ist in Hochform, nicht wahr? Er hat mir erzählt, dass er es arrangiert hat, dass Mrs. MacDonald an mehreren Orten in der Kolonie solche Reden hält.«

»Mit ihm selbst als Impresario, nehme ich an.« Ich konnte MacDonalds roten Rock im Geschiebe der Gratulanten auf der Terrasse aufleuchten sehen.

»Mit Sicherheit.« Jamie schien diese Vorstellung nicht zu freuen. Er machte im Gegenteil einen sehr nüchternen Eindruck, und sein Gesicht wurde von finsteren Gedanken überschattet. Es würde seine Stimmung nicht verbessern, wenn er von meiner Unterhaltung mit Neil Forbes hörte, aber ich erzählte ihm trotzdem davon.

»Nun, das war unvermeidlich«, sagte er mit einem schwachen Achselzucken. »Ich hatte gehofft, ich könnte die Sache geheim halten, aber so wie die Dinge mit Robin McGillivray stehen, bleibt mir nicht viel anderes übrig als zu fragen, wo ich kann, obwohl die Sache dadurch ans Licht kommt. Und ins Gerede.« Er war unruhig und trat von einem Bein aufs andere.

»Geht es dir gut, Sassenach?«, fragte er plötzlich und sah mich an.

»Ja. Aber *dir* nicht. Was ist los?«

Er lächelte schwach.

»Och, es ist nichts. Nichts, was ich nicht schon wusste. Aber es ist etwas anderes, nicht wahr? Man glaubt, man ist bereit, und dann steht man seinem Schicksal von Angesicht zu Angesicht gegenüber und würde alles darum geben, anders handeln zu können.«

Er richtete die Augen auf den Rasen und hob das Kinn, um auf die Menge zu deuten. Ein Meer aus Tartanstoff wogte im Gras, und die Damen hoben ihre Schirme zur Sonne, eine bunte Blumenwiese. Im Schatten der Terrasse spielte ein Dudelsackbläser, das Geräusch seines *piobreachd* ein dünner, durchdringender Diskant zum Summen der Unterhaltungen.

»Ich wusste, dass ich mich eines Tages gegen einen guten Teil von ihnen stellen müsste, aye. Gegen Freunde und Verwandte kämpfen. Aber dann stand ich auf einmal hier mit *Fionnaghals* Hand auf meinem Kopf wie bei einem Segen, von Angesicht zu Angesicht mit ihnen allen, und habe mit angesehen, wie sich ihre Worte über die Leute ergossen haben und ihre Entschlossenheit wuchs ... und ganz plötzlich war es, als hätte sich eine gigantische Klinge vom Himmel zwischen sie und mich gesenkt, um uns für immer zu spalten. Der Tag rückt näher – und ich kann ihn nicht aufhalten.«

Er schluckte und wandte den Blick von mir ab zu Boden. Ich streckte die Hand nach ihm aus, hätte ihm gern geholfen, hätte es ihm gern leichter gemacht – und wusste, dass ich das nicht konnte. Es war schließlich meine Schuld, dass er sich hier befand, in diesem kleinen Gethsemane.

Dennoch nahm er meine Hand, ohne mich anzusehen, und drückte sie so fest, dass sich die Knochen aneinander rieben.

»*Herr, lass diesen Kelch an mir vorübergehen?*«, flüsterte ich.

Er nickte, ohne den Blick vom Boden zu heben, von den abgefallenen Blütenblättern der gelben Rosen. Dann sah er mich an, mit einem schwachen Lächeln, doch mit solcher Qual in den Augen, dass ich ins Herz getroffen den Atem anhielt.

Dennoch, er lächelte, wischte sich mit der Hand über die Stirn und betrachtete seine feuchten Finger.

»Aye, nun ja«, sagte er. »Es ist nur Wasser, kein Blut. Ich werd's überleben.«

Oder auch nicht, dachte ich plötzlich entsetzt. Auf der Siegerseite zu kämpfen, war eine Sache; zu überleben eine ganz andere.

Er sah den Ausdruck in meinem Gesicht und lockerte den Druck auf meine Hand, weil er glaubte, er täte mir weh. Das tat er auch, aber nicht körperlich.

»*Aber nicht mein Wille geschehe, sondern der deine*«, sagte er ganz leise. »Ich habe meinen Weg gewählt, als ich dich geheiratet habe, obwohl ich es damals noch nicht wusste. Aber es war meine Wahl, und es gibt jetzt kein Zurück, selbst wenn ich das gern hätte.«

»Hättest du es denn wirklich gern?« Ich sah ihm bei dieser Frage in die Augen und las die Antwort dort. Er schüttelte den Kopf.

»Hättest du es gern? Denn du hast ja genauso eine Wahl getroffen wie ich.«

Ich schüttelte ebenfalls den Kopf und spürte, wie sich sein Körper ein wenig entspannte. Sein Blick traf den meinen, und seine Augen waren jetzt so klar wie der leuchtende Himmel. Für den Zeitraum eines Herzschlags standen wir gemeinsam allein im Universum. Dann kam ein Grüppchen plaudernder Mädchen in Hörweite, und ich ging zu einem weniger heiklen Thema über.

»Hast du irgendetwas von dem armen Manfred gehört?«

»Der arme Manfred, wie?« Er schnaubte zynisch.

»Nun, er mag ja ein unmoralischer junger Hund sein und jede Menge Ärger verursacht haben – aber das bedeutet nicht, dass er dafür sterben sollte.«

Er sah mich an, als teilte er diese Überzeugung nicht vorbehaltlos, ließ die Angelegenheit jedoch ruhen und berichtete nur, dass er sich umgehört hatte, bis jetzt aber ergebnislos.

»Aber er wird schon auftauchen«, versicherte er mir. »Wahrscheinlich dort, wo es am unpassendsten ist.«

»Oh! Oh! Oh! Dass ich das noch erleben durfte! Ich danke Euch, Sir, ich danke Euch so sehr!« Es war Mrs. Bug, rot vor Hitze, Bier und Glück. Sie fächerte sich so heftig Luft zu, dass sie fast platzte. Jamie lächelte sie an.

»Konntet Ihr denn alles hören, *mo chridhe*?«

»O ja, das konnte ich, Sir!«, versicherte sie ihm inbrünstig. »Jedes Wort! Arch hat einen wunderbaren Platz für mich gefunden, direkt neben einem der Blumenkübel, wo ich gut hören konnte, ohne zertrampelt zu werden.« Sie war fast gestorben vor Aufregung, als Jamie ihr angeboten hatte, sie zu dem Empfang mitzunehmen. Arch war natürlich sowieso dabei, um in Cross Creek Besorgungen zu erledigen, aber Mrs. Bug hatte Fraser's Ridge seit ihrer Ankunft vor mehreren Jahren nicht mehr verlassen.

Trotz meiner Unruhe über die durch und durch loyalistische Atmosphäre, die uns umgab, war ihr unbändiges Entzücken ansteckend, und ich ertappte mich dabei, dass ich lächelte. Jamie und ich wechselten uns dabei ab, ihre Fragen zu beantworten – sie hatte noch nie schwarze Sklaven aus der Nähe gesehen und fand sie schön und exotisch. Waren sie sehr teuer? Und musste man ihnen beibringen, Kleider zu tragen und richtig zu sprechen? Denn sie hatte gehört, Afrika sei ein heidnischer Kontinent, wo die Menschen splitternackt herumliefen und sich gegenseitig mit Speeren umbrachten, wie man es mit einem Wildschwein machte. Und wo gerade von Nackten die Rede war – war diese Soldatenstatue auf dem Rasen nicht schockierend? Ohne einen Fetzen am Leib, hinter seinem Schild! Und warum lag nur dieser Frauenkopf zu seinen Füßen? Und hatte ich ihn mir angesehen – ihr Haar war so gemeißelt, dass es wie Schlangen aussah – ausgerechnet! Und wer war Hector Cameron, dessen Grabmal dies hier war? Und aus weißem Marmor, genau wie die Grabmäler in Holyrood, man stelle sich das vor! Oh, Mrs. Innes' verstorbener Ehemann? Und wann hatte sie denn Duncan geheiratet, den sie bereits kennen gelernt hatte, was für ein lieber, gütiger Mann er doch war, was für eine Schande, dass er seinen Arm verloren hatte, war das in einer Schlacht geschehen? Und – oh, da! Mrs. MacDonalds Ehemann – und was für ein stattlicher Mann er war – würde ebenfalls eine Rede halten!

Jamie warf einen gottergebenen Blick zur Terrasse. Tatsächlich, Allan MacDonald stellte sich ... nur auf einen Hocker; zweifellos erschien ihm das Fass ein wenig extrem, und eine Reihe von Leuten – viel weniger, als seiner Frau zugehört hatten, aber zumindest noch eine respektable Anzahl – sammelten sich gebannt um ihn.

»Wollt Ihr nicht mitkommen und ihm zuhören?« Mrs. Bug war bereits in Bewegung und schwebte geradezu über dem Boden wie eine Hummel.

»Ich kann ihn von hier aus gut hören«, versicherte ihr Jamie. »Geht nur, *a nighean*.«

Sie schwebte davon und summte vor Aufregung. Jamie hielt sich vorsichtig beide Hände an die Ohren, als wollte er sich überzeugen, dass sie noch fest saßen.

»Es war lieb von dir, sie mitzunehmen«, sagte ich lachend. »Die alte Schachtel hat sich wahrscheinlich seit einem halben Jahrhundert nicht mehr so gut amüsiert.«

»Nein«, sagte er grinsend. »Wahrscheinlich wird sie –«

Er hielt abrupt inne und runzelte die Stirn, weil ihm hinter mir etwas ins Auge fiel. Ich drehte mich um und folgte seiner Blickrichtung, doch er war bereits an mir vorbei, und ich beeilte mich, um ihn einzuholen.

Es war Jocasta, weiß wie Milch und so verwirrt, wie ich sie noch nie gesehen hatte. Sie stand unsicher schwankend in der Seitentür und wäre womöglich hingefallen, wenn Jamie nicht zu ihr getreten wäre und sie rasch gepackt hätte, indem er ihr den Arm um die Taille legte, um sie zu stützen.

»Himmel, Tante Jocasta. Was ist denn?« Er sprach leise, um keine Aufmerksamkeit zu erregen, und ging dabei mit ihr zurück ins Haus.

»O Gott, o gütiger Gott, mein Kopf«, flüsterte sie und breitete die Hand über ihr Gesicht wie eine Spinne, so vorsichtig, dass ihre Finger die Haut kaum berührten und ihr linkes Auge bedeckt war. »Mein Auge.«

Die Leinenbinde, die sie in der Öffentlichkeit über den Augen trug, war zerknittert und hatte feuchte Flecken; Tränen liefen darunter hervor, aber sie weinte nicht. Lakrimation; das eine Auge tränte heftig. Beide Augen nässten, das linke jedoch sehr viel schlimmer; hier war der Rand der Leinenbinde nass, und Feuchtigkeit glänzte auf ihrer Wange.

»Ich muss ihr Auge untersuchen«, sagte ich zu Jamie. Ich berührte seinen Ellbogen und sah mich vergeblich nach einem der Bediensteten um. »Bring sie in ihr Wohnzimmer.« Es lag uns am nächsten, und sämtliche Gäste waren entweder draußen oder tapsten durch den Salon, um den Spiegel des Prinzen zu besichtigen.

»Nein!« Es war fast ein Schrei. »Nein, nicht dorthin!«

Jamie sah mich an und zog eine Augenbraue verwundert hoch, sprach aber beruhigend auf sie ein.

»Nein, Tante Jocasta, es ist ja schon gut. Ich bringe dich auf dein eigenes Zimmer. Dann komm.« Er bückte sich und hob sie hoch, als sei sie ein Kind, und ihre Seidenröcke fielen ihm mit dem Geräusch rauschenden Wassers über den Arm.

»Bring sie nach oben; ich komme sofort.« Ich hatte gerade gesehen, wie die Sklavin namens Angelina den Flur am anderen Ende überquerte, und beeilte mich, sie einzuholen. Ich erteilte ihr meine Anweisungen, dann eilte ich zur Treppe zurück – und hielt unterwegs kurz inne, um einen Blick in das kleine Wohnzimmer zu werfen.

Es war niemand dort, obwohl die im ganzen Zimmer verstreuten Punschbecher und der starke Pfeifentabaksgeruch darauf hindeutete, dass Jocasta vor nicht allzu langer Zeit dort Hof gehalten hatte. Ihr Handarbeitskorb stand offen, eine angefangene Strickarbeit hing halb heraus und baumelte verlassen wie ein totes Kaninchen über seinen Rand.

Kinder vielleicht, dachte ich; es waren auch mehrere Wollknäuel herausgezogen und lagen verstreut und ausgerollt auf dem Parkettboden. Ich zögerte – kam aber nicht gegen meinen Instinkt an, und so hob ich die Knäuel hastig auf und ließ sie wieder in den Korb fallen. Ich stopfte die Strickarbeit obenauf, riss meine Hand aber mit einem Ausruf zurück.

Aus einem kleinen Schnitt an der Seite meines Daumens quoll Blut. Ich steckte ihn in den Mund und sog fest daran, um Druck auf die Wunde auszuüben; unterdessen tastete ich mit der anderen Hand vorsichtig in den Tiefen des Korbs herum, um zu sehen, woran ich mich geschnitten hatte.

Ein Messer, klein, aber praktisch. Wahrscheinlich diente es zum Abschneiden von Stickgarn; seine Lederscheide lag lose am Boden des Korbs. Ich ließ das Messer in seine Scheide zurückgleiten, ergriff das Nadeletui, das ich eigentlich gesucht hatte, und schloss den Faltdeckel des Korbs, bevor ich zur Treppe hastete.

Allan MacDonald hatte seine kurze Atempause in seiner Ansprache eingelegt; draußen erschollen lautes Klatschen und gälische Beifallsrufe.

»Verdammte Schotten«, murmelte ich vor mich hin. »Lernt ihr eigentlich *nie?*«

Doch ich hatte keine Zeit, um über die möglichen Folgen der Unruhestiftung durch die MacDonalds nachzudenken. Als ich das obere Ende der Treppe erreichte, folgte mir ein Sklave, der unter dem Gewicht meiner Arzttruhe ächzte, dicht auf dem Fuße, eine andere Sklavin machte sich gerade unten vor der Küche etwas vorsichtiger mit einer Schüssel heißen Wassers auf den Weg.

Jocasta saß vornübergekrümmt auf ihrem großen Sessel und stöhnte. Ihre Lippen waren so fest zusammengepresst, dass sie nicht zu sehen waren. Ihre Haube hatte sich gelöst, und sie fuhr sich unablässig mit beiden Händen durch das wirre Haar, als suchte sie hilflos nach etwas, woran sie sich festhalten konnte. Jamie strich ihr über den Rücken und murmelte auf Gälisch auf sie ein; bei meinem Eintreten blickte er sichtlich erleichtert auf.

Ich hatte schon lange den Verdacht gehabt, dass Jocastas Blindheit durch Grünen Star verursacht wurde – ein Anstieg des Augeninnendrucks, der irgendwann den Sehnerv beschädigt, wenn er nicht behandelt wird. Jetzt war ich mir ganz sicher. Mehr als das; ich wusste auch, welche Form der Krankheit sie hatte; sie hatte eindeutig einen akuten Anfall von Winkelblock-Glaukom, der gefährlichsten Form der Krankheit.

Es gab in dieser Zeit keine Behandlungsmöglichkeit für Grünen Star; die Krankheit selbst würde erst in einiger Zeit erkannt werden. Selbst, wenn es eine gegeben hätte, war es viel zu spät; ihre Erblindung war nicht mehr rückgängig zu machen. Allerdings gab es eine Möglichkeit, ihr in dieser akuten Situation Linderung zu verschaffen – und ich fürchtete, dass mir nichts anderes übrig bleiben würde.

»Setz eine Hand voll hiervon auf«, sagte ich zu Angelina, nahm das Gefäß mit Gelbwurzel aus meiner Truhe und drückte es ihr in die Hände. »Und du –«, ich wandte mich an den anderen Sklaven, einen Mann, dessen

Namen ich nicht kannte, »– setz das Wasser wieder zum Kochen auf, hol mir ein paar saubere Lappen und legt sie ins Wasser.«

Noch während ich redete, hatte ich den kleinen Alkoholbrenner aus der Truhe geholt. Man hatte das Kaminfeuer herunterbrennen lassen, aber ein paar Kohlen glühten noch; ich bückte mich und zündete den Docht an, dann öffnete ich das Nadeletui, das ich aus dem Wohnzimmer mitgebracht hatte, und zog die größte Nadel heraus, eine acht Zentimeter lange Stahlnadel zum Teppichflicken.

»Du wirst doch nicht…«, setzte Jamie an, dann brach er ab und schluckte.

»Ich muss«, sagte ich knapp. »Es gibt keine andere Möglichkeit. Halt ihre Hände fest.«

Er war fast genauso bleich wie Jocasta, doch er nickte, ergriff ihre verkrampften Finger und zog ihre Hände sanft von ihrem Kopf fort.

Ich nahm ihr die Leinenbandage von den Augen. Das linke Auge trat sichtlich unter dem Lid vor und war stark blutunterlaufen. Ringsum traten Tränen aus und flossen als unablässiges Rinnsal über. Ich konnte den Druck im Inneren des Augapfels *spüren*, sogar ohne diesen zu berühren, und biss angewidert die Zähne zusammen.

Es war nicht zu ändern. Mit einem schnellen Gebet zur heiligen Klara – die schließlich nicht nur die Schutzherrin erkrankter Augen war, sondern auch meine Namenspatronin – fuhr ich mit der Nadel durch die Flamme des Brenners, goss reinen Alkohol auf einen Lappen und wischte damit den Ruß von der Nadel.

Ich schluckte eine plötzliche Speichelflut herunter, spreizte mit einer Hand die Lider des betroffenen Auges auseinander, befahl meine Seele in Gottes Hand und drückte die Nadel am Rand der Iris fest in die Lederhaut.

Neben mir hustete jemand, etwas platschte auf den Boden, und es stank nach Erbrochenem, doch ich hatte keine Aufmerksamkeit dafür übrig. Ich zog die Nadel vorsichtig, aber so schnell ich konnte, heraus. Jocasta war abrupt erstarrt und saß stocksteif da und krallte die Finger in Jamies Hände. Sie regte sich nicht, sondern stieß leise, erschrockene Keuchlaute aus, als hätte sie Angst, sich auch nur so weit zu bewegen, wie es zum Atmen nötig war.

Eine glasige Flüssigkeit rann aus dem Auge, schwach milchig und gerade so dickflüssig, dass sie zu sehen war, während sie träge über die feuchte Oberfläche der Lederhaut glitt. Ich hielt die Augenlider immer noch gespreizt; ich zog mit der freien Hand einen Lappen aus dem heißen Wasser, drückte die überschüssige Flüssigkeit aus, ohne darauf zu achten, wohin sie lief, und drückte ihn sanft auf ihr Gesicht. Jocasta keuchte auf, als das heiße Tuch ihre Haut berührte, entzog Jamie ihre Hände und fasste nach dem Tuch.

Da zog ich meine Hand fort und ließ sie das warme Tuch ergreifen, das sie gegen ihr linkes Auge presste, damit ihr die Hitze Erleichterung bringen konnte.

Erneut tappten leise Schritte die Treppe herauf und den Flur entlang: Angelina, die keuchend eine Hand voll Salz an ihre Brust gedrückt hielt und in der anderen einen Löffel trug. Ich strich das Salz von ihrer feuchten Handfläche in die Schüssel mit warmem Wasser und bat sie, darin zu rühren, während es sich auflöste.

»Hast du mir Laudanum mitgebracht?«, fragte ich sie leise. Jocasta hatte sich in ihrem Sessel zurückgelehnt und die Augen geschlossen – doch sie war starr wie eine Statue, hatte die Augenlider fest zusammengepresst, und ihre Fäuste ruhten geballt auf ihren Knien.

»Ich konnte kein Laudanum finden, Missus«, murmelte Angelina mir mit einem angstvollen Blick auf Jocasta zu. »Ich weiß nicht, wer es an sich genommen haben könnte – es hat niemand einen Schlüssel außer Mr. Ulysses und Miss Cameron selbst.«

»Dann hat dich Ulysses in die Arzneikammer gelassen – und er weiß, dass Mrs. Cameron krank ist?«

Sie nickte so heftig, dass das Band auf ihrer Haube flatterte.

»O ja, Missus! Er wäre außer sich, wenn er es herausfände und ich ihm nichts gesagt hätte. Er sagt, ich soll ihn sofort holen, wenn sie nach ihm verlangt – sonst soll ich Miss Cameron sagen, sie soll sich keine Sorgen machen, er kümmert sich um alles.«

Bei diesen Worten entfuhr Jocasta ein langer Seufzer, und ihre geballten Fäuste entspannten sich ein wenig.

»Gott segne den Mann«, murmelte sie mit geschlossenen Augen. »Er *wird* sich um alles kümmern. Ohne ihn wäre ich verloren. Verloren.«

Ihr weißes Haar war an den Schläfen nass, und von den Enden der Strähnen, die auf ihrer Schulter lagen, tropfte der Schweiß und bildete Flecken auf der dunkelblauen Seide ihres Kleides.

Angelina löste die Schnüre des Kleides und zog es ihr aus. Dann bat ich Jamie, sie im Hemd auf das Bett zu legen, und wir umgaben ihren Kopf mit einer dicken Schicht aus Handtüchern. Ich füllte eine meiner Klapperschlangenspritzen mit dem warmen Salzwasser, und während Jamie ihr vorsichtig die Augenlider auseinander hielt, konnte ich das Auge sanft ausspülen, um so hoffentlich eine Entzündung der Nadelstichwunde zu verhindern. Die Wunde selbst war als kleiner roter Fleck auf der Lederhaut zu sehen, über dem sich ein kleines Bläschen im Bindegewebe gebildet hatte. Ich merkte, dass Jamie nicht hinsehen konnte, ohne zu blinzeln, und lächelte.

»Es wird alles gut«, sagte ich. »Du kannst gehen, wenn du möchtest.«

Jamie nickte und wandte sich zum Gehen, doch Jocastas Hand schoss vor und hielt ihn zurück.

»Nein, bleib hier, *a chuisle* – bitte.« Das letzte Wort fügte sie nur der Form halber hinzu; sie hatte ihn so fest am Ärmel gepackt, dass ihre Finger weiß wurden.

»Aye, Tante Jocasta, natürlich«, sagte er geduldig und legte seine Hand auf die ihre, um sie beruhigend zu drücken. Dennoch ließ sie ihn erst los, als er sich neben sie gesetzt hatte.

»Wer ist sonst noch hier?«, fragte sie und drehte den Kopf nervös hin und her, um die Atem- und Bewegungsgeräusche hören zu können, die es ihr verraten würden. »Sind die Sklaven fort?«

»Ja, sie sind wieder unten, um beim Bedienen zu helfen«, sagte ich zu ihr. »Nur Jamie und ich sind noch hier.«

Sie schloss die Augen und holte tief und erschauernd Luft. Erst jetzt begann sie, sich ein wenig zu entspannen.

»Gut. Ich muss dir etwas erzählen, Neffe, und niemand anders darf es hören. Nichte –«, sie zeigte mit ihrer langen weißen Hand auf mich, »– bitte sieh nach, ob wir wirklich allein sind.«

Ich ging gehorsam zur Tür, um in den Flur zu spähen. Es war niemand zu sehen, obwohl aus einem Zimmer im selben Flur Stimmen kamen – Gelächter und lautes Rascheln und Rumpeln, denn ein paar plaudernde junge Frauen arrangierten sich dort Haar und Kleider neu. Ich zog den Kopf wieder ein und schloss die Tür, worauf sich die Geräusche des restlichen Hauses zu einem fernen Grollen abschwächten.

»Was ist denn, Tante Jocasta?« Jamie hielt ihr immer noch die Hand und streichelte ihr mit dem Daumen in beruhigendem Rhythmus den Handrücken, wie er es oft bei nervösen Tieren tat. Bei seiner Tante war dies allerdings weniger wirksam als bei den meisten Pferden oder Hunden.

»Es war der Mann. Er ist hier!«

»Wer ist hier, Tante Jocasta?«

»Ich weiß es nicht!« Sie rollte verzweifelt mit den Augen, als versuchte sie vergeblich, nicht nur in der Finsternis zu sehen, sondern auch durch Wände zu blicken.

Jamie sah mich mit hochgezogenen Augenbrauen an, doch er konnte genauso gut wie ich sehen, dass sie nicht fantasierte, auch wenn sie sich wirr anhörte. Sie begriff, wie sie klingen musste; ich konnte die Anstrengung in ihrem Gesicht sehen, als sie sich zusammenriss.

»Er ist wegen des Goldes hier«, sagte sie und senkte die Stimme. »Das Franzosengold.«

»Oh, aye?«, sagte Jamie vorsichtig. Er warf mir einen raschen Blick zu, doch ich signalisierte ihm: Sie halluziniert mit Sicherheit nicht.

Jocasta seufzte ungeduldig und schüttelte den Kopf, dann hielt sie abrupt inne, stieß einen unterdrückten Schmerzenslaut aus und fasste sich mit beiden Händen an den Kopf, als wollte sie ihn auf ihren Schultern festhalten.

Sie atmete ein paar Sekunden tief durch und presste die Lippen fest zusammen. Dann ließ sie die Hände langsam sinken.

»Es hat letzte Nacht angefangen«, sagte sie. »Die Schmerzen in meinem Auge.«

Sie war in der Nacht aufgewacht, weil ihr Auge pochte, ein dumpfer Schmerz, der langsam auf die Seite ihres Kopfes übergriff.

»Es war nicht das erste Mal«, erklärte sie. Sie hatte sich jetzt zum Sitzen aufgerichtet, das warme Tuch wieder ergriffen und an ihr Auge gedrückt und sah allmählich etwas besser aus. »Es hat angefangen, als mein Augenlicht schwächer wurde. Manchmal war es ein Auge, manchmal beide. Aber ich wusste, was auf mich zukam.«

Doch Jocasta MacKenzie Cameron Innes war keine Frau, die sich von einer körperlichen Indisponiertheit ihre Pläne durchkreuzen ließ, ganz zu schweigen davon, dem vielversprechendsten gesellschaftlichen Ereignis in die Quere zu kommen, das Cross Creek je gesehen hatte.

»Ich war so entgeistert«, sagte sie. »Wo ich doch Miss Flora MacDonald erwartete!«

Aber sämtliche Vorbereitungen waren schon getroffen; das Barbecue röstete in den Gruben, neben den Ställen stand das Bier in Fässern bereit, und die Luft war von den Düften nach Bohnen und heißem Brot aus dem Küchenhaus erfüllt. Die Sklaven waren bestens instruiert, und sie hatte volles Vertrauen, dass Ulysses sich um alles kümmern würde. Alles, was sie tun musste, so dachte sie, war, auf den Füßen zu bleiben.

»Ich wollte kein Opium oder Laudanum nehmen«, erklärte sie. »Sonst wäre ich mit Sicherheit eingeschlafen. Also habe ich mir mit Whisky beholfen.«

Sie war eine stattliche Frau, die es gewohnt war, Alkoholmengen zu sich zu nehmen, die manchen modernen Mann in die Knie gezwungen hätten. Zu dem Zeitpunkt, als die MacDonalds eintrafen, hatte sie fast eine ganze Flasche getrunken – doch der Schmerz nahm ständig zu.

»Und dann hat mein Auge so heftig zu tränen begonnen, dass jeder gesehen hätte, dass etwas nicht stimmte, und das wollte ich nun wirklich nicht. Also bin ich in mein Wohnzimmer gegangen; ich hatte vorsichtshalber ein Fläschchen Laudanum in meinen Handarbeitskorb gesteckt, falls der Whisky nicht reichte. Draußen wimmelte es vor Menschen, die alle versuchten, einen Blick auf Miss MacDonald zu erhaschen oder ein Wort mit ihr zu wechseln, aber das Wohnzimmer war verlassen, soweit ich das mit meinem hämmernden Kopf und meinem kurz vor dem Bersten stehenden Auge beurteilen konnte.« Sie sprach die letzten Worte ganz beiläufig, doch ich sah Jamie zusammenzucken, denn die Erinnerung an das, was ich mit der Nadel gemacht hatte, war offenbar noch frisch. Er schluckte und wischte sich mit dem Handrücken fest über den Mund.

Jocasta hatte rasch die Laudanumflasche hervorgeholt und ein paar Schlucke getrunken, dann hatte sie einen Moment dagesessen und darauf gewartet, dass die Wirkung eintrat.

»Ich weiß nicht, ob du schon einmal Laudanum genommen hast, Jamie, aber es wird einem sehr seltsam davon zumute, als ob man beginnt, sich an den Rändern aufzulösen. Trinkt man einen Tropfen zu viel, fängt man an, Dinge zu sehen, die gar nicht da sind – blind oder nicht – und sie auch zu hören.«

Unter dem Einfluss von Laudanum und Alkohol und im Lärm der Menge draußen hatte sie keine Schritte bemerkt, und als die Stimme dicht neben ihr sprach, hatte sie im ersten Moment gedacht, es wäre eine Halluzination.

»›*Hier seid Ihr also, Liebes*‹, hat er gesagt«, zitierte sie, und ihr sowieso schon blasses Gesicht erbleichte bei dieser Erinnerung noch weiter. »›*Wisst Ihr noch, wer ich bin?*‹«

»Ich nehme an, du wusstest es, Tante Jocasta?«, fragte Jamie trocken.

»Ja«, erwiderte sie genauso trocken. »Ich hatte diese Stimme schon zweimal gehört. Einmal beim *Gathering*, als deine Tochter geheiratet hat – und davor vor über zwanzig Jahren in einem Wirtshaus bei Coigach in Schottland.«

Sie nahm das feuchte Tuch von ihrem Gesicht und legte es zielsicher zurück in die Schüssel mit warmem Wasser. Ihre Augen, die rot und geschwollen waren, hoben sich wund von ihrer blassen Haut ab und sahen in ihrer Blindheit furchtbar verletzlich aus – doch sie hatte sich wieder im Griff.

»Aye, ich kannte ihn«, wiederholte sie.

Sie hatte sofort gewusst, dass sie die Stimme kannte – sie aber im ersten Moment nicht einordnen können. Dann hatte sie schlagartig begriffen und ihre Sessellehne umklammert, um sich zu stützen.

»Wer seid Ihr?«, hatte sie gefragt, so herausfordernd sie konnte. Ihr Herz hämmerte im Rhythmus des Pochens in ihrem Kopf und ihrem Auge, und ihre Sinne schwammen in Whisky und Laudanum. Vielleicht war es ja das Laudanum, das die Geräusche der Menge im Freien in das Rauschen des nahen Meers verwandelte, die Schritte eines Sklaven im Flur in das Poltern der Holzpantinen des Wirts auf der Treppe.

»Ich war dort. Wahrhaftig dort.« Obwohl ihr nach wie vor der Schweiß über das Gesicht lief, sah ich, wie eine Gänsehaut ihre blassen Schultern überzog. »In dem Wirtshaus in Coigach. Ich habe das Meer gerochen und die Männer gehört – Hector und Dougal –, ich konnte sie *hören*! Wie sie sich irgendwo hinter mir gestritten haben. Und der Mann mit der Maske – ich konnte ihn *sehen*«, sagte sie, und auch mir lief ein Schauer über den Nacken, als sie mir ihre blinden Augen zuwandte. Sie sprach mit solcher Überzeugung, dass es kurz den Anschein hatte, als sähe sie tatsächlich.

»Er stand am Fuß der Treppe, genau wie damals, ein Messer in der Hand, die Augen durch die Löcher in seiner Maske auf mich gerichtet.«

»*Ihr wisst ganz genau, wer ich bin, Liebes*«, hatte er gesagt, und sie hatte das Gefühl gehabt, auch sein Lächeln sehen zu können, obwohl ihr dumpf bewusst gewesen war, dass sie es nur in seiner Stimme hörte; sie hatte sein Gesicht nie gesehen, auch nicht, als sie das Augenlicht noch hatte.

Sie saß halb vornübergebeugt, die Arme wie zur Verteidigung vor der Brust verschränkt, und das weiße Haar hing ihr wild und verworren über den Rücken.

»Er ist wieder da«, sagte sie und erschauerte plötzlich krampfhaft. »Er will das Gold – und wenn er es findet, wird er mich umbringen.«

Jamie legte ihr eine Hand auf den Arm, um sie zu beruhigen.

»Niemand wird dich umbringen, solange ich hier bin, Tante Jocasta«, sagte er. »Dieser Mann ist also in dein Wohnzimmer gekommen, und du hast ihn an der Stimme erkannt. Was hat er sonst noch zu dir gesagt?«

Sie zitterte noch, aber nicht mehr so heftig. Ich nahm an, dass es genauso als Reaktion auf die Mengen von Whisky und Laudanum geschah wie aus Angst.

Sie schüttelte den Kopf und versuchte angestrengt, sich zu erinnern.

»Er hat gesagt – gesagt, er sei hier, um das Gold zu seinem rechtmäßigen Besitzer zu bringen. Dass wir es nur verwahrt hätten und er mir das, was wir ausgegeben hätten, Hector und ich, zwar nicht missgönne – es aber nicht mein sei und nie gewesen sei. Ich sollte ihm sagen, wo es war, und er würde für alles Weitere sorgen. Und dann hat er mich angefasst.« Sie hörte auf, sich selbst zu umklammern, und hielt Jamie ihren Arm hin. »Am Handgelenk. Siehst du die Abdrücke dort? Siehst du sie, Neffe?« Sie klang nervös, und ich begriff plötzlich, dass sie möglicherweise selbst Zweifel an der Existenz ihres Besuchers hegte.

»Aye, Tante Jocasta«, sagte Jamie leise und berührte ihr Handgelenk. »Da sind Abdrücke.«

So war es; es waren drei rötliche Flecken, kleine Ovale, die von zupackenden Fingern hinterlassen worden waren.

»Er hat zugedrückt und mir dann so fest das Handgelenk verdreht, dass ich dachte, es sei gebrochen. Dann hat er losgelassen, ist aber nicht zurückgetreten. Er ist über mir stehen geblieben, und ich konnte seinen heißen Atem und Tabakgestank in meinem Gesicht spüren.«

Ich hatte ihr anderes Handgelenk ergriffen und fühlte dort ihren Pulsschlag. Er war kräftig und schnell, setzte aber hin und wieder einen Schlag aus. Kaum überraschend. Ich fragte mich, wie oft sie wohl Laudanum nahm – und wie viel.

»Also habe ich in meinen Handarbeitskorb gegriffen, mein kleines Messer aus der Scheide gezogen und auf seine Eier gezielt«, schloss sie ihren Bericht.

Jamie lachte überrascht.

»Hast du ihn erwischt?«

»Ja, das hat sie«, sagte ich, bevor Jocasta antworten konnte. »Ich habe getrocknetes Blut an dem Messer gesehen.«

»Nun, das wird ihn lehren, eine hilflose blinde Frau in Angst und Schrecken zu versetzen, nicht wahr?« Jamie tätschelte ihr die Hand. »Gut gemacht, Tante Jocasta. Ist er dann gegangen?«

»Ja.« Die Erinnerung an ihren Erfolg hatte sie gekräftigt; sie entzog mir ihre Hand, um sich gerader in die Kissen zu setzen. Sie entfernte das Handtuch, das immer noch um ihren Hals drapiert war, und warf es mit einer kurzen, angewiderten Grimasse auf den Boden.

Als er sah, dass es ihr eindeutig besser ging, warf mir Jamie einen Blick zu und erhob sich.

»Dann werde ich mich jetzt umsehen, ob hier jemand herumhumpelt.« Doch an der Tür blieb er stehen und wandte sich noch einmal an Jocasta.

»Tante Jocasta. Du hast gesagt, du bist diesem Kerl schon *zweimal* begegnet? In dem Wirtshaus in Coigach, wo ihr das Gold an Land gebracht habt – und vor ein paar Jahren beim *Gathering*?«

Sie nickte und strich sich das feuchte Haar aus dem Gesicht.

»Ja. Es war am letzten Tag. Er ist in mein Zelt gekommen, als ich dort allein war. Ich wusste, dass jemand da war, obwohl er zuerst nichts gesagt hat, und habe gefragt, wer er war. Da hat er kurz gelacht und gesagt, ›Dann stimmt es also, was man mir gesagt hat – Ihr seid völlig blind?‹«

Sie war aufgestanden und hatte sich dem unsichtbaren Besucher gegenübergestellt, dessen Stimme sie erkannte, ohne jedoch so recht zu wissen, warum.

»Dann erkennt Ihr mich nicht, Mrs. Cameron? Ich war ein Freund Eures Gatten – obwohl unsere letzte Begegnung viele Jahre her ist. An der schottischen Küste – in einer mondhellen Nacht.«

Sie leckte sie über die trockenen Lippen, während sie daran zurückdachte.

»Und da habe ich ganz plötzlich begriffen und gesagt: ›Ich bin zwar vielleicht blind, aber ich erkenne Euch genau, Sir. Was wollt Ihr?‹ Doch er war fort. Und im nächsten Moment habe ich Phaedre und Ulysses reden gehört, als sie ins Zelt kamen; er hatte sie entdeckt und die Flucht ergriffen. Ich habe sie gefragt, aber sie waren so in ihren Disput vertieft, dass sie ihn nicht gesehen haben. Danach hatte ich ständig jemanden bei mir, bis wir die Rückreise angetreten haben – aber er ist nicht mehr in meine Nähe gekommen. Bis jetzt.«

Jamie runzelte die Stirn und rieb sich langsam mit dem Fingerknöchel über seinen langen, geraden Nasenrücken.

»Warum hast du mir damals nichts gesagt?«

Ein Hauch von Humor erschien in ihrem erschöpften Gesicht, und sie schlang die Finger um ihr verletztes Handgelenk.

»Ich dachte, ich hätte Halluzinationen.«

Phaedre hatte die Laudanumflasche dort gefunden, wo Jocasta sie fallen gelassen hatte, unter ihrem Sessel im Wohnzimmer. Außerdem eine Spur winziger Blutflecken, die ich in meiner Eile übersehen hatte. Sie verschwanden jedoch, bevor sie die Tür erreichten; die Wunde, die Jocasta dem Eindringling zugefügt hatte, war nur geringfügig.

Duncan, den wir diskret hatten rufen lassen, war herbeigeeilt, um Jocasta zu trösten – wurde allerdings postwendend wieder hinausgeschickt, mit der Anweisung, nach den Gästen zu sehen; weder Verletzung noch Krankheit würden einen solchen Anlass beeinträchtigen!

Ulysses wurde ein wenig herzlicher empfangen. Ihn zitierte Jocasta sogar selbst herbei. Als ich in ihr Zimmer blickte, um mich nach ihrem Zustand zu erkundigen, sah ich ihn neben dem Bett sitzen und die Hand seiner Herrin mit einem solchen Ausdruck der Sanftheit halten, dass es mich rührte und ich leise wieder in den Flur trat, um sie nicht zu stören. Doch er bemerkte mich und nickte.

Sie unterhielten sich leise; sein Kopf mit der steifen weißen Perücke war dem ihren zugeneigt. Er schien höchst respektvoll mit ihr zu streiten; sie schüttelte den Kopf und stieß einen kurzen Schmerzenslaut aus. Seine Hand schloss sich fester um die ihre, und ich sah, dass er seine weißen Handschuhe ausgezogen hatte; ihre lange Hand lag zerbrechlich und bleich in seiner kraftvollen dunklen Umklammerung.

Sie atmete tief durch, um sich wieder in den Griff zu bekommen. Dann sagte sie etwas Endgültiges, drückte ihm die Hand und legte sich zurück. Er erhob sich, blieb einen Moment neben dem Bett stehen und blickte auf sie hinunter. Dann richtete er sich auf, nahm die Handschuhe aus seiner Tasche und kam hinaus in den Flur.

»Wenn Ihr Euren Gatten holen würdet, Mrs. Fraser?«, sagte er leise. »Meine Herrin wünscht, dass ich ihm etwas sage.«

Der Empfang war immer noch in vollem Gange, auch wenn man jetzt zu gemächlicher Verdauung übergegangen war. Die Leute grüßten Jamie oder mich, als wir Ulysses ins Haus folgten, doch niemand versuchte, uns anzuhalten.

Er führte uns die Treppe hinunter in seine Butlerkammer, ein winziges Zimmerchen, das von der Winterküche abging und dessen Wandborde voll gestopft waren mit Silberornamenten, Politurflaschen, Essig, schwarzer und blauer Schuhwichse, einem Nadelkissen mit Nähnadeln, Stecknadeln und Faden, kleinen Flickwerkzeugen und etwas, das wie ein beträchtlicher Privatvorrat an Brandy, Whisky und diversen Kräuterlikören aussah.

Er nahm die Flaschen von ihrem Bord, griff an ihren Platz und drückte mit beiden weiß behandschuhten Händen gegen das Holz der Rückwand. Etwas klickte, und ein kleines Paneel glitt leise knirschend beiseite.

Er trat zurück und lud Jamie wortlos ein, einen Blick darauf zu werfen. Jamie zog eine Augenbraue hoch und beugte sich vor, um in die Lücke zu spähen. Die Butlerkammer war dunkel und voller Schatten, und nur die hohen Kellerfenster, die an der Oberkante der Küchenwände entlangliefen, spendeten gedämpftes Licht.

»Es ist leer«, sagte er.

»Ja, Sir. Das sollte aber nicht so sein.« Ulysses' Stimme war leise und respektvoll, aber fest.

»Was *ist* denn da gewesen?«, fragte ich und lugte zur Kammer hinaus, um sicherzugehen, dass uns niemand hörte. Die Küche sah aus, als sei eine Bombe darin hochgegangen, doch es war nur ein Küchenjunge dort, ein geistig behinderter Junge, der leise vor sich hin sang.

»Ein Stück von einem Goldbarren«, erwiderte Ulysses leise.

Das Franzosengold, das Hector Cameron aus Schottland mitgebracht hatte, zehntausend Pfund, in Goldbarren gegossen und mit der Königslilie markiert, war das Fundament des Reichtums von River Run. Doch diese Tatsache durfte natürlich nicht bekannt werden. Zuerst war es Hector gewesen und nach seinem Tod Ulysses, der sich einen Goldbarren genommen und Teile des weichen gelben Metalls abgeschabt hatte, bis er einen kleinen Haufen hatte, der nicht mehr zu identifizieren war. Diese Späne konnte man zu den Lagerhäusern am Fluss mitnehmen – oder zur zusätzlichen Sicherheit manchmal auch bis zu den Küstenstädten, Edenton, Wilmington oder New Bern – und sie dort in kleinen Mengen, die kein Gerede nach sich zogen, gegen Bargeld oder Lagerhauszertifikate eintauschen, die man überall gefahrlos benutzen konnte.

»Ungefähr die Hälfte des Barrens war noch übrig«, sagte Ulysses und wies kopfnickend auf die Vertiefung in der Wand. »Vor ein paar Monaten war er plötzlich fort. Danach habe ich natürlich ein neues Versteck gesucht.«

Jamie blickte in die leere Vertiefung, dann wandte er sich an Ulysses.

»Der Rest?«

»Unangetastet, als ich das letzte Mal nachgesehen habe, Sir.« Der Großteil des Goldes war im Inneren von Hector Camerons Mausoleum in einem Sarg versteckt und wurde, so hoffte man, von seinem Geist bewacht. Vielleicht wussten außer Ulysses noch ein oder zwei Sklaven davon, doch ihre heftige Angst vor Geistern reichte aus, um sie alle fern zu halten. Mir fiel die Linie aus Salz wieder ein, die vor dem Mausoleum auf dem Boden ausgestreut war, und ich erschauerte, obwohl die Luft im Keller so stickig war.

»Ich konnte es heute natürlich nicht einrichten nachzusehen«, fügte der Butler hinzu.

»Nein, natürlich nicht. Weiß Duncan davon?« Jamie wies auf die Vertiefung in der Wand, und Ulysses nickte.

»Jeder hätte der Dieb sein können. Es kommen so viele Menschen in dieses Haus…« Der Butler zuckte kaum merklich mit seinen breiten Schultern. »Aber dass nun dieser Mann vom Meer zurückgekehrt ist – gibt der Angelegenheit eine andere Dimension, nicht wahr, Sir?«

»Aye, so ist es.« Jamie dachte einen Moment über die Sache nach und klopfte sacht mit zwei Fingern gegen sein Bein.

»Nun denn. Du musst doch sicher ein wenig bleiben, Sassenach, nicht wahr? Um dich um das Auge meiner Tante zu kümmern?«

Ich nickte. Solange mein grober Eingriff keine Entzündung nach sich zog, konnte ich für das Auge kaum etwas oder gar nichts tun. Doch es musste unter Beobachtung bleiben, sauber gehalten und gespült werden, bis ich sicher sein konnte, dass es verheilt war.

»Dann bleiben wir noch eine Weile«, sagte er an Ulysses gewandt. »Ich werde die Bugs zurück nach Fraser's Ridge schicken, damit sie dort nach dem Rechten sehen und sich um die Heuernte kümmern. Wir bleiben hier und behalten die Dinge im Auge.«

Das Haus war voller Gäste, doch ich schlief in Jocastas Ankleidezimmer, um sie im Blick zu haben. Der nachlassende Augeninnendruck hatte die grauenvollen Schmerzen gelindert, und sie war fest eingeschlafen. Ihr Puls und ihre Atmung hatten sich so normalisiert, dass ich das Gefühl hatte, ebenfalls schlafen zu können.

Doch da ich wusste, dass ich eine Patientin hatte, schlief ich nicht sehr tief und wachte in unregelmäßigen Abständen auf, um auf Zehenspitzen in ihr Zimmer zu gehen. Duncan schlief auf einer Matratze neben ihrem Bett. Er war todmüde von der Erschöpfung des Tages. Ich konnte ihn schwer atmen hören, als ich eine Kerze am Kamin entzündete und neben das Bett trat.

Jocasta schlief fest. Sie lag auf dem Rücken, hatte die Arme elegant über der Bettdecke verschränkt und den Kopf weit zurückgelegt, so dass ihr strenges Gesicht mit der langen Nase sie so aristokratisch wie die Grabfiguren in der Kapelle von St. Denys erscheinen ließ. Ihr fehlte nur noch eine Krone und ein kleiner Hund, der zu ihren Füßen lag.

Ich lächelte bei dieser Vorstellung und dachte dabei, wie seltsam es doch war; Jamie schlief ganz genauso, flach auf dem Rücken, kerzengerade und mit verschränkten Händen. Brianna nicht; sie war von klein an eine wilde Schläferin gewesen. Genau wie ich.

Dieser Gedanke bereitete mir eine leise, unerwartete Freude. Ich wusste natürlich, dass ich ihr Teile von mir mitgegeben hatte, doch sie war Jamie so ähnlich, dass es oft eine Überraschung war, einen davon zu bemerken.

Ich blies die Kerze aus, kehrte aber nicht sofort ins Bett zurück. Ich benutzte Phaedres Bett in der Ankleidekammer, doch diese war ein heißer, stickiger kleiner Raum. Nach dem warmen Tag und dem Alkohol hatte ich einen trockenen Mund und dumpfe Kopfschmerzen; ich ergriff die Karaffe auf Jocastas Nachttisch, aber sie war leer.

Nicht nötig, die Kerze wieder anzuzünden; einer der Wandleuchter im Flur brannte noch, und sein schwaches Leuchten ließ mich die Umrisse der Tür erkennen. Ich drückte sie leise auf und lugte hinaus. Der Korridor war voller Menschen – Sklaven, die vor den Türen der Schlafzimmer schliefen – und die Luft pulsierte sanft vom Schnarchen und der angestrengten Atmung einer großen Zahl von Menschen, die unterschiedlich tief in den Schlaf gesunken waren.

Doch am Ende des Korridors stand eine helle Gestalt und blickte durch das hohe Flügelfenster zum Fluss.

Sie musste mich gehört haben, drehte sich aber nicht um. Ich trat an ihre Seite und sah ebenfalls hinaus. Phaedre hatte sich bis auf ihr Hemd entkleidet und das Haar aus seinem Turban gelöst, so dass es ihr als weiche, dichte Masse um die Schultern fiel. Eine Seltenheit für eine Sklavin, solches Haar zu haben, dachte ich; die meisten Frauen trugen ihr Haar unter dem Turban oder Kopftuch sehr kurz, weil es ihnen sowohl an der Zeit als auch an Werkzeug fehlte, um es zu frisieren. Doch Phaedre war Leibdienerin; sie würde wohl etwas Freizeit haben – und zumindest einen Kamm.

»Möchtest du dein Bett zurück?«, fragte ich leise. »Ich bleibe noch eine Weile auf – und ich kann auf dem Diwan schlafen.«

Sie sah mich an und schüttelte den Kopf.

»Oh, nein, Ma'am«, sagte sie leise. »Dank Euch sehr; mir ist nicht nach schlafen.« Sie sah die Karaffe in meiner Hand und streckte die Hand danach aus. »Soll ich Euch Wasser holen, Ma'am?«

»Nein, nein, ich mache das schon. Ich würde gern etwas frische Luft schnappen.« Dennoch blieb ich weiter neben ihr stehen und blickte ins Freie.

Es war eine wunderbare Nacht voller Sterne, die tief und leuchtend über dem Fluss standen, ein feines Silberband, das sich durch die Dunkelheit schlängelte. Der Mond, eine schmale Sichel, stand schon tief auf seinem Weg hinter den Horizont, und ein oder zwei Lagerfeuer brannten zwischen den Bäumen am Fluss.

Das Fenster stand offen, und Insekten kamen in Schwärmen herein; eine kleine Wolke tanzte hinter uns um die Kerze in dem Wandhalter, und kleine geflügelte Wesen streiften mein Gesicht und meine Arme. Die Heimchen sangen, so viele, dass ihr Lied ein hohes, ununterbrochenes Geräusch bildete wie ein Bogen, der über eine Geigensaite streicht.

Phaedre bewegte sich, um es zu schließen – bei offenem Fenster zu schlafen, wurde als höchst ungesund betrachtet und *war* es wahrscheinlich auch, wenn man die vielen, durch Moskitos übertragenen Krankheiten in dieser Sumpfatmosphäre bedachte.

»Ich dachte, ich hätte etwas gehört. Dort draußen«, sagte sie und wies kopfnickend in die Dunkelheit unter uns.

»Oh? Wahrscheinlich mein Mann«, sagte ich. »Oder Ulysses.«

»Ulysses?«, sagte sie und zog eine verblüffte Miene.

Jamie, Ian und Ulysses patrouillierten systematisch im Freien und waren mit Sicherheit irgendwo rings um das Haus in der Nacht unterwegs, um für alle Fälle ein Auge auf Hectors Mausoleum zu haben. Phaedre jedoch, die nichts vom Verschwinden des Goldes oder Jocastas mysteriösem Besucher wusste, konnte sich der erhöhten Wachsamkeit kaum bewusst sein, es sei denn, auf jene indirekte Weise, in der die Sklaven immer Bescheid wussten – der Instinkt, der sie zweifellos bewogen hatte, aus dem Fenster zu sehen.

»Sie passen nur auf«, sagte ich so beruhigend, wie ich konnte. »Weil hier so viele Leute sind.« Die MacDonalds übernachteten auf Farquard Campbells Plantage, und eine ganze Reihe von Gästen hatte sie begleitet. Doch es befanden sich nach wie vor viele Menschen auf dem Gelände.

Sie nickte, sah jedoch beunruhigt aus.

»Ich spüre nur, dass etwas nicht stimmt«, sagte sie. »Weiß nicht, was es ist.«

»Das Auge deiner Herrin …«, begann ich, doch sie schüttelte den Kopf.

»Nein. Nein. Ich weiß es nicht, aber es liegt etwas in der Luft; ich kann es spüren. Ich meine nicht nur heute Nacht – es geht etwas vor sich. Etwas kommt auf uns zu.« Sie sah mich an, weil sie sich nicht richtig ausdrücken konnte, doch ihre Stimmung übertrug sich auf mich.

Vielleicht lag es zum Teil nur an den hochkochenden Emotionen des kommenden Konfliktes. Diese konnte man tatsächlich in der Luft spüren. Doch vielleicht war da noch etwas – etwas Unterschwelliges, kaum wahrnehmbar, aber vorhanden, wie die verschwommene Gestalt einer Seeschlange, die man nur für eine Sekunde erspähte; dann war sie fort und wurde so zur Legende.

»Meine Großmutter, man hat sie aus Afrika geholt«, sagte Phaedre leise und starrte in die Nacht hinaus. »Sie konnte mit den Knochen sprechen. Sagte, sie erzählen ihr, wenn etwas Schlimmes kommt.«

»Wirklich?« In einer solchen Atmosphäre, still bis auf die Geräusche der Nacht, umgeben von so vielen treibenden Seelen, hatte eine solche Behauptung nichts Unwirkliches an sich. »Hat sie dich gelehrt, wie man … mit den Knochen spricht?«

Sie schüttelte den Kopf, doch ihr Mundwinkel verzog sich kaum merklich zu einem geheimnisvollen Ausdruck, und ich hatte das Gefühl, dass sie mehr darüber wusste, als sie bereit war zu erzählen.

Mir kam ein unwillkommener Gedanke. Ich sah zwar keine Möglichkeit, wie Stephen Bonnet mit den jüngsten Ereignissen in Verbindung stehen sollte – er war mit Sicherheit nicht die Stimme aus Jocastas Vergangenheit, und genauso sicher war ein Diebstahl im Geheimen nicht sein Stil. Doch er hatte irgendeinen Grund zu glauben, dass es irgendwo auf River Run Gold gab – und nach dem, was uns Roger von Phaedres Begegnung mit dem hoch gewachsenen Iren in Cross Creek erzählt hatte …

»Der Ire, dem du begegnet bist, als du mit Jemmy unterwegs warst«, sagte ich und fasste die schlüpfrige Karaffe an einer anderen Stelle an, »hast du ihn je wieder gesehen?«

Dies schien sie zu überraschen; Bonnet war eindeutig das Letzte, woran sie gerade dachte.

»Nein, Ma'am«, sagte sie. »Hab ihn nie wieder gesehen.« Sie dachte kurz nach und hielt ihre großen Augen verdeckt. Ihre Haut hatte die Farbe starken Kaffees mit einem Schuss Sahne, und ihr Haar – irgendwann hatte es in ihrem Stammbaum einen Weißen gegeben, dachte ich.

»Nein, Ma'am«, wiederholte sie leise und richtete ihren besorgten Blick wieder auf die stille Nacht und den sinkenden Mond. »Ich weiß nur – es stimmt etwas nicht.«

Draußen in den Stallungen begann ein Hahn zu krähen, viel zu früh, ein gespenstischer Klang in der Dunkelheit.

55

Wendigo

20. August 1774

Das Licht im Morgenzimmer war perfekt.

»Mit diesem Zimmer haben wir angefangen«, erzählte Jocasta ihrer Großnichte und hob ihr Gesicht in die Sonne, die durch die offenen Flügeltüren zur Terrasse hereinströmte, die Lider über den blinden Augen geschlossen. »Ich wollte ein Zimmer haben, in dem ich malen konnte, und habe diese Stelle gewählt, an der das Licht am Morgen kristallklar einfallen würde und am Nachmittag so still wie Wasser. Und dann haben wir das Haus um die Stelle herumgebaut.« Die Hände der alten Dame, deren Finger schlank und kräftig waren, berührten die Staffelei, die Pigmenttöpfchen und die Pinsel voll Zuneigung und Bedauern, so wie man vielleicht die Statue eines längst verstorbenen Geliebten berührte – eine Leidenschaft, die unvergessen war, deren Unwiederbringlichkeit man jedoch akzeptiert hatte.

Und Brianna, Skizzenblock und Stift in der Hand, hatte so schnell und so unauffällig wie möglich gezeichnet, um diesen flüchtigen Ausdruck überstandenen Schmerzes festzuhalten.

Die Zeichnung lag bei den anderen am Boden ihrer Schachtel für den Tag, an dem sie sich vielleicht in vollendeterer Form daran versuchte, versuchte, dieses erbarmungslose Licht einzufangen und die tiefen Linien im Gesicht ihrer Tante, dessen kräftige Knochen sich deutlich in der Sonne abzeichneten, die sie nicht sehen konnte.

Doch das Bild, an dem sie gerade arbeitete, war erst einmal eine Sache des Geschäfts, nicht der Liebe oder der Kunst. Seit Flora MacDonalds Empfang hatte sich nichts Verdächtiges mehr ereignet, doch ihre Eltern wollten noch etwas bleiben, nur für den Fall. Da Roger immer noch in Charlotte war – er hatte ihr geschrieben; der Brief war am Boden ihrer Schachtel versteckt, bei den persönlichen Zeichnungen –, gab es keinen Grund, warum sie nicht auch bleiben sollte. Zwei oder drei von Jocastas Bekannten, reiche Pflanzer, hatten davon gehört, dass sie noch bleiben würde, und Porträts ihrer selbst oder ihrer Familien in Auftrag gegeben; eine willkommene Einkommensquelle.

»Ich werde nie verstehen, wie du das machst«, sagte Ian, der kopfschüttelnd die Leinwand auf ihrer Staffelei betrachtete. »Es ist wundervoll.«

Ganz ehrlich verstand sie selbst nicht, wie sie es machte; es erschien ihr nicht notwendig. Doch genau das hatte sie schon öfter auf ähnliche Komplimente geantwortet und erkannt, dass eine solche Antwort dem Zuhörer entweder wie falsche Bescheidenheit oder wie Herablassung vorkam.

Stattdessen lächelte sie ihn an und ließ ihrem Gesicht die Freude ansehen, die sie empfand.

»Als ich klein war, ist mein Vater oft mit mir im Stadtpark spazieren gegangen, und da haben wir einen alten Mann gesehen, der mit einer Staffelei gemalt hat. Ich habe Papa gebeten, stehen zu bleiben, damit ich ihm zusehen konnte, und er hat sich dann mit dem alten Mann unterhalten. Meistens habe ich nur auf die Leinwand gestarrt, aber einmal habe ich den Mut aufgebracht, ihn zu fragen, wie er das machte, und er hat zu mir heruntergesehen und gelächelt und gesagt: ›Der einzige Kniff dabei, Schätzchen, ist zu sehen, worauf dein Blick fällt.‹«

Ian blickte von ihr auf das Bild und wieder zurück, als wollte er das Porträt mit der Hand vergleichen, die es angefertigt hatte.

»Dein Vater«, sagte er neugierig. Er senkte die Stimme und blickte durch die Tür in den Flur. Es waren Stimmen zu hören, aber nicht in der Nähe. »Du meinst nicht Onkel Jamie?«

»Nein.« Sie spürte einen vertrauten, leisen Schmerz bei dem Gedanken an ihren ersten Vater, schob ihn aber beiseite. Sie hatte nichts dagegen, Ian von ihm zu erzählen – aber nicht hier, wo es von Sklaven wimmelte und ständig Besuch kam, der jede Sekunde den Kopf ins Zimmer stecken konnte.

»Sieh mal.« Sie vergewisserte sich mit einem Blick, dass niemand in der Nähe war, aber die Sklaven stritten sich im Foyer lautstark über einen verlegten Schuhabstreifer. Sie hob den Deckel des kleinen Fachs, das ihre Ersatzpinsel enthielt, und griff unter den Filzstreifen, mit dem es gefüttert war.

»Was hältst du davon?« Sie hielt ihm die beiden Miniaturen zur Betrachtung entgegen, eine in jeder Hand.

Sein erwartungsvoller Blick verwandelte sich in unverblümte Faszination, und er griff langsam nach einem der winzigen Gemälde.

»Teufel noch mal«, sagte er. Es war das Bild ihrer Mutter. Ihr langes Haar ringelte sich lose über ihre bloßen Schultern, und ihr kleines, festes Kinn war mit einer Autorität gehoben, die den großzügig geschwungenen Mund darüber Lügen strafte.

»Die Augen – ich glaube, sie sind nicht ganz richtig«, sagte sie und deutete auf die Miniatur in seiner Hand. »Dieses kleine Format… ich habe die Farbe nicht genau hinbekommen. Pas waren viel einfacher.«

Blautöne *waren* nun einmal einfacher. Ein winziger Klecks Kobalt, akzentuiert mit Weiß und jenem schwachen grünen Schatten, der das Blau intensiver erscheinen ließ und selbst verschwand… nun, und auch das war Pa. Kräftig, lebhaft und gerade heraus.

Aber ein Braun mit wahrer Tiefe und Raffinesse hinzubekommen – ganz zu schweigen von etwas, das den rauchigen Topas der Augen ihrer Mutter nur annähernd traf, stets klar, aber wechselhaft wie das Licht auf einem torfbraunen Forellenbach –, dazu waren mehr Farbschichten notwendig als sich auf dem beengten Platz einer Miniatur verwirklichen ließen. Sie musste es irgendwann noch einmal mit einem größeren Porträt versuchen.

»Findest du, sie sind ihnen ähnlich?«

»Sie sind wundervoll.« Ian blickte von einem Bild zum anderen, dann legte er Claires Porträt sanft wieder zurück. »Haben deine Eltern sie schon gesehen?«

»Nein. Ich wollte erst sicher sein, dass sie gelungen sind, bevor ich sie jemandem zeige. Aber wenn sie es sind – ich dachte, dann kann ich sie den Leuten zeigen, die mir Modell sitzen, und vielleicht Aufträge für weitere Miniaturen bekommen. Daran könnte ich zu Hause in Fraser's Ridge arbeiten; alles, was ich brauchte, ist mein Malkasten und die kleinen Elfenbeinscheiben. Ich könnte die Gemälde nach Skizzen anfertigen; das Modell müsste nicht ständig wieder kommen.«

Sie wies mit einer kurzen, erklärenden Geste auf die große Leinwand, an der sie gerade arbeitete und die Farquard Campbell zeigte. Er hatte große Ähnlichkeit mit einem ausgestopften Frettchen in seinem besten Anzug, umringt von zahlreichen Kindern und Enkelkindern, die zum Großteil im Moment noch weißliche Flecken waren. Sie hatte die Strategie entwickelt, die Kleinkinder einzeln von ihren Müttern herbeizerren zu lassen und ihre Gliedmaßen und Gesichtszüge hastig in den passenden Fleck hineinzuskizzieren, bevor die natürliche Zappeligkeit oder ein Wutausbruch der Kleinen dazwischenkam.

Ian sah kurz auf die Leinwand, doch seine Aufmerksamkeit kehrte zu den Miniaturen ihrer Eltern zurück. Er stand da und betrachtete sie, ein leises Lächeln in seinem langen, schlichten Gesicht. Dann spürte er ihre Augen auf sich und blickte alarmiert auf.

»Oh, nein, das tust du nicht!«

»Ach, komm schon, Ian, ich will dich doch nur zeichnen«, redete sie auf ihn ein. »Es wird schon nicht wehtun.«

»Och, das glaubst *du*«, entgegnete er und wich zurück, als sei der Stift, den sie ergriffen hatte, eine Waffe. »Die Kahnyen'kehaka glauben, dass man Macht über eine Person bekommt, deren Abbild man besitzt. Das ist der Grund, warum die Medizinmänner falsche Gesichter tragen – damit die Dämonen, die die Krankheit hervorrufen, ihr wahres Gesicht nicht kennen und nicht wissen, wem sie schaden sollen, aye?«

Der Tonfall dieser Worte war so ernst, dass sie ihn anblinzelte, um zu sehen, ob er scherzte. Es hatte nicht den Anschein.

»Mmm. Ian – Mama hat dir doch die Sache mit den Keimen erklärt, oder?«

»Aye, natürlich hat sie das«, sagte er in einem Tonfall, dem es an jeglicher Überzeugung fehlte. »Sie hat mir kleine Wesen gezeigt, die herumschwammen, und gesagt, sie wohnen in meinen Zähnen!« In seinem Gesicht regte sich kurzer Abscheu über diese Vorstellung, doch er ließ das Thema links liegen, um sich wieder dem vorliegenden Problem zu widmen.

»Einmal ist ein französischer Reisender in das Dorf gekommen, ein Naturphilosoph – er hatte Zeichnungen dabei, die er von Vögeln und Tieren gemacht hatte, und das hat sie erstaunt –, aber dann hat er den Fehler begangen, dem Kriegshäuptling anzubieten, ein Bild von seiner Frau anzufertigen. Ich habe ihn mit Mühe heil aus dem Dorf bekommen.«

»Aber du bist doch kein Mohawk«, sagte sie geduldig, »und wenn du einer wärst – du hast doch keine Angst davor, dass ich Macht über dich bekomme, oder?«

Er wandte den Kopf und richtete einen plötzlichen, merkwürdigen Blick auf sie, der sie durchfuhr wie ein Messer ein Stück Butter.

»Nein«, sagte er. »Nein, natürlich nicht.« Doch es lag kaum mehr Überzeugung in seiner Stimme als bei ihrem Gespräch über Keime.

Dennoch trat er zu dem Hocker, den sie für ihre Modelle bereithielt und der im guten Licht der offenen Terrassentüren stand, und setzte sich hin, das Kinn erhoben und die Zähne zusammengebissen wie ein Mensch, der kurz vor seiner heldenhaften Exekution steht.

Mit einem unterdrückten Lächeln ergriff sie den Skizzenblock und zeichnete, so schnell sie konnte, damit er nicht am Ende noch seine Meinung änderte. Er war ein schwieriges Sujet; seinen Gesichtszügen fehlte die handfeste, klare Knochenstruktur, die sowohl ihre Eltern als auch Roger besaßen. Und doch war es alles andere als ein sanftes Gesicht, selbst ohne die eintätowierten Pünktchen, die sich von seinem Nasenrücken über seine Wangen schwangen.

Jung und faltenlos, und doch passte die Festigkeit seines Mundes – er war leicht schief, wie sie mit Interesse feststellte; wieso war ihr das noch nie aufgefallen? – zu einem viel älteren Menschen. Er war von Falten eingeklammert, die mit dem Alter noch viel tiefer werden würden, sich aber jetzt schon unverrückbar eingegraben hatten.

Die Augen … sie verzweifelte fast daran, sie richtig zu treffen. Sie waren groß und braun und das Einzige an ihm, was wirkliche Schönheit besaß, und doch würde man sie nie schön nennen. Wie die meisten Augen besaßen sie nicht nur eine Farbe, sondern viele – die Farben des Herbstes, dunkle feuchte Erde und knisterndes Eichenlaub und ein Hauch der untergehenden Sonne über trockenem Gras.

Die Farbe war zwar eine Herausforderung, aber eine, der sie sich stellen konnte. Doch der Ausdruck – er konnte sich sekundenschnell von solch argloser Liebenswürdigkeit, dass sie fast an Blödheit zu grenzen schien, in etwas verwandeln, dem man nicht gern in einer dunklen Seitenstraße begegnet wäre.

Derzeit befand sich der Ausdruck irgendwo zwischen diesen beiden Extremen, verlagerte sich aber plötzlich zum zweiten, und er richtete seine Aufmerksamkeit auf die offene Tür in ihrem Rücken und die dahinter liegende Terrasse.

Sie spähte erschrocken hinter sich. Es war jemand da; sie sah den Rand seines – oder ihres – Schattens, doch die Person, die ihn warf, war nicht zu sehen. Wer auch immer es war, begann zu pfeifen, ein zögerndes Hauchen.

Im ersten Moment war alles noch normal. Dann tat die Welt einen Ruck. Der Eindringling pfiff »*Yellow Submarine*«.

Das Blut sackte ihr aus dem Kopf, und sie schwankte und klammerte sich an die nächstbeste Tischkante, um nicht hinzufallen. Sie war sich dumpf bewusst, dass sich Ian wie eine Katze von seinem Hocker erhob, eins ihrer Palettenmesser ergriff und geräuschlos aus dem Zimmer in den Flur glitt.

Ihre Hände waren kalt und taub geworden; ihre Lippen ebenfalls. Sie versuchte, als Antwort ein Melodiestückchen zu pfeifen, doch es kam nur ein wenig Luft heraus. Sie stellte sich gerade hin, riss sich zusammen und sang die letzten Worte stattdessen. Die Melodie traf sie kaum, aber die Worte waren unverwechselbar.

Totenstille auf der Terrasse; das Pfeifen war verstummt.

»Wer seid Ihr?«, sagte sie deutlich. »Kommt herein.«

Der Schatten wurde langsam länger und zeigte ihr einen Kopf wie den eines Löwen, durch dessen Locken Licht fiel und auf den Steinen der Terrasse leuchtete. Der Kopf selbst kam vorsichtig um die Ecke der Tür herum in Sicht. Es war ein Indianer, sah sie mit Erstaunen, obwohl er weitgehend europäisch – und zerlumpt – gekleidet war, abgesehen von einem Wampum-Halsband. Er war hager und schmutzig und hatte dicht beieinander liegende Augen, die jetzt voll Neugier und so etwas wie Gier auf sie gerichtet waren.

»Bist du allein, Mann?«, flüsterte er heiser. »Dachte, ich hätte Stimmen gehört.«

»Das siehst du doch. Wer in aller Welt bist du?«

»Äh … Wendigo. Wendigo Donner. Du heißt Fraser, stimmt's?« Er hatte sich jetzt ganz in das Zimmer geschoben, obwohl er sich immer noch argwöhnisch umsah.

»Das ist mein Mädchenname. Bist du –« Sie hielt inne, unsicher, wie sie die Frage stellen sollte.

»Ja«, sagte er leise und betrachtete sie auf eine beiläufige Weise von oben bis unten, die sich kein Mann des achtzehnten Jahrhunderts bei einer Dame angemaßt hätte. »Du doch auch, oder nicht? Du bist doch ihre Tochter, du musst ihre Tochter sein.« Er sprach mit unverkennbarer Intensität und rückte dichter an sie heran.

Sie glaubte nicht, dass er vorhatte, ihr etwas anzutun; er war nur furchtbar neugierig. Ian wartete es allerdings nicht ab; das Licht der Tür verdunkelte sich kurz, und dann hatte er Donner von hinten gepackt, und der Schreckensruf des Indianers erstarb unter dem Arm, der auf seine Kehle drückte, während ihn die Spitze des Palettenmessers unter dem Ohr stach.

»Wer seid Ihr, Halunke, und was wollt Ihr?«, verlangte Ian zu wissen und drückte Donner noch fester die Kehle zu. Die Augen des Indianers traten hervor, und er stieß leise Quäklaute aus.

»Wie soll er dir denn antworten, wenn du ihm die Luft abwürgst?« Dieser Appell an seine Vernunft bewog Ian, seinen Griff zu lockern, wenn auch widerstrebend. Donner hustete, rieb sich übertrieben die Kehle und musterte Ian voller Abneigung.

»Das war echt nicht nötig, Mann; ich hab ihr doch gar nichts getan.« Donners Blick wanderte von ihr zu Ian und zurück. Er wies mit einem Ruck seines Kopfes auf Ian. »Ist er …?«

»Nein, aber er weiß Bescheid. Setz dich. Du hast meine Mutter kennen gelernt, als sie entführt wurde, oder?«

Bei diesen Worten schossen Ians feine Augenbrauen in die Höhe, und er schloss die Finger fester um das Palettenmesser, das zwar biegsam war, aber eine scharfe Spitze hatte.

»Ja.« Donner ließ sich vorsichtig auf den Hocker sinken und hielt die Augen argwöhnisch auf Ian gerichtet. »Mann, die haben mich fast erwischt. Deine Mutter hat mir gesagt, ihr Alter wäre sauer und ich wäre besser weg, wenn er auftaucht, aber ich habe ihr nicht geglaubt. Zumindest fast nicht. Aber als ich diese Trommeln gehört habe, Mann, da bin ich auf und davon, und das war auch verdammt gut so.« Er schluckte, und sein Gesicht war bleich. »Ich bin am nächsten Morgen zurückgegangen. Oh, Mann.«

Ian sagte etwas vor sich hin, was Brianna für Mohawk hielt. Es klang extrem unfreundlich, und Donner verstand offenbar genug davon, um seinen Stuhl etwas weiter fortzurücken und den Kopf einzuziehen.

»Hey, Mann, ich hab ihr nichts getan, okay?« Er sah Brianna flehend an. »Ehrlich! Ich wollte ihr helfen zu fliehen – fragt sie, sie wird es euch bestätigen! Nur, dann sind Fraser und seine Jungs aufgetaucht, bevor ich dazu gekommen bin. Himmel, warum sollte ich ihr denn etwas tun? Sie ist doch die Erste, die ich hier gefunden habe – ich hab sie gebraucht!«

»Die Erste?«, sagte Ian stirnrunzelnd. »Die erste –?«

»Die erste … Reisende, meint er«, sagte Brianna. Ihr Herz schlug schnell. »Wozu hast du sie denn gebraucht?«

»Um mir zu sagen, wie ich – zurückkomme.« Er schluckte noch einmal, und seine Hand fuhr zu dem Wampum-Ornament an seinem Hals hinauf. »Du – bist du durch die Passage gekommen, oder bist du hier geboren? Ich nehme an, durchgekommen«, fügte er hinzu, ohne eine Antwort abzuwarten. »So große Frauen gibt es hier nicht. Kleine zarte Mädchen. Ich, ich mag große Frauen.« Er lächelte auf eine Weise, die eindeutig einnehmend sein sollte.

»Ich bin gekommen«, beschied Brianna ihn kurz. »Was zum Teufel machst du hier?«

»Ich versuche, nah genug an deine Mutter heranzukommen, um mit ihr zu reden.« Er sah sich beklommen um; es waren Sklaven im Gemüsegarten, man konnte ihre Stimmen hören. »Ich habe mich eine Zeit lang bei den Cherokee versteckt, dann dachte ich, es wäre wieder sicher und ich könnte mich in Fraser's Ridge mit ihr unterhalten, aber da hat mir die alte Frau gesagt, ihr wärt alle hier unten. Ein ziemlich weiter Weg, zu Fuß«, fügte er mit einer Miene hinzu, als könnte sie etwas dafür.

»Aber dann hat mich dieser schwarze Riesenkerl zweimal verjagt, als ich versucht habe, ins Haus zu gelangen. Habe wohl der Kleiderordnung nicht genügt.« Sein Gesicht zuckte, doch er schaffte es nicht ganz zu lächeln.

»Ich schleiche jetzt seit drei Tagen hier herum und versuche, sie zu Gesicht zu bekommen und sie allein im Freien anzutreffen. Aber dann habe ich gesehen, wie sie sich auf der Terrasse mit dir unterhalten hat, und gehört, wie du sie Mama genannt hast. Weil du so groß bist, habe ich gedacht, du müsstest wohl … na ja, ich dachte, wenn du das Lied nicht erkennst, ist es auch nicht schlimm, wie?«

»Dann wollt Ihr also dahin zurück, wo Ihr hergekommen seid?«, fragte Ian. Dies hielt er ganz offensichtlich für eine exzellente Idee.

»O ja«, sagte Donner mit Nachdruck. »*Oh*, ja!«

»Wo bist du angekommen?«, fragte Brianna. Der erste Schreck über sein Auftauchen ließ jetzt nach und wich der Neugier. »In Schottland?«

»Nein, habt ihr es da gemacht?«, fragte er wissbegierig. Er wartete ihr Kopfnicken kaum ab, bevor er fortfuhr. »Deine Mutter sagt, sie ist gekommen und zurückgegangen, und dann ist sie noch einmal gekommen. Könnt ihr – alle kommen und gehen wie, du weißt schon, durch eine Drehtür?«

Brianna schüttelte heftig den Kopf und erschauerte bei dem Gedanken an die Passage.

»Himmel, nein. Es ist schrecklich, und es ist so gefährlich, selbst wenn man einen Edelstein nimmt.«

»Edelstein?« Er hakte nach. »Man braucht einen Edelstein dazu?«

»Nicht unbedingt, aber Edelsteine scheinen einen gewissen Schutz zu gewährleisten. Und eventuell gibt es eine Möglichkeit, mit Hilfe von Edelsteinen zu – zu steuern, sozusagen –, aber das wissen wir nicht genau.« Sie zögerte, denn sie hätte gern noch mehr gefragt, aber noch mehr drängte es sie, Claire zu holen. »Ian – könntest du Mama holen? Ich glaube, sie ist mit Phaedre im Gemüsegarten.«

Ihr Vetter warf dem Besucher einen giftigen Blick zu und schüttelte den Kopf.

»Ich lasse dich nicht mit diesem Kerl allein. Geh du sie holen; ich passe auf ihn auf.«

Sie hätte ihm gern widersprochen, aber ihre lange Erfahrung mit männlichen Wesen schottischer Abstammung hatte sie gelehrt, unnachgiebige Sturheit zu erkennen, wenn sie sie sah. Außerdem war Donners Blick auf eine Weise auf sie gerichtet, die sie etwas beklemmend fand – ihr wurde klar, dass er ihre Hand ansah, den großen Rubin in ihrem Ring. Sie war sich einigermaßen sicher, sich wenn nötig gegen ihn wehren zu können, aber trotzdem …

»Ich bin sofort zurück«, sagte sie und steckte hastig einen vergessenen Pinsel in das Terpentingefäß. »Nicht weggehen.«

Ich war zwar schockiert, aber nicht so heftig, wie es hätte sein können. Ich hatte es im Gefühl gehabt, dass Donner noch lebte. Es trotz allem gehofft. Dennoch verschlug es mir die Sprache, ihn leibhaftig in Jocastas Morgenzimmer sitzen zu sehen. Er redete gerade, als ich eintrat, brach aber ab, als er mich sah. Er stand natürlich nicht auf und sagte auch nichts dazu, dass ich noch lebte; er nickte mir einfach nur zu und nahm seinen Gesprächsfaden wieder auf.

»Um die Weißen aufzuhalten. Unser Land zu retten, unser Volk.«

»Aber du bist in der falschen Zeit herausgekommen«, sagte Brianna zu ihm. »Du warst zu spät.«

Donner sah sie verständnislos an.

»Nein, war ich nicht. 1766, da wollte ich landen, und das bin ich auch.« Er schlug sich mit der Handwurzel heftig an den Kopf. »Scheiße! Was war bloß mit mir *los*?«

»Angeborene Dummheit?«, schlug ich höflich vor, nachdem ich meine Stimme wiedergefunden hatte. »Das oder bewusstseinserweiternde Drogen.«

Der verständnislose Blick flackerte ein wenig, und Donners Mund zuckte.

»Oh. Ja, Mann. Das auch.«

»Aber wenn du 1766 herausgekommen bist –«, wandte Brianna ein, »was war dann mit Robert Springer – Otterzahn? Nach dem, was man Mama von ihm erzählt hat, wollte er die Eingeborenen vor den Weißen warnen und die Kolonialisierung verhindern. Aber er ist zu *spät* gekommen – und selbst er muss doch vierzig oder fünfzig Jahre vor euch angekommen sein!«

»Das war doch gar nicht der Plan, Mann!«, platzte Donner heraus. Er stand auf und rieb sich mit beiden Händen aufgeregt durch die Haare, so dass sie in alle Richtungen abstanden wie ein Brombeerbusch. »Himmel, nein!«

»Ach nein? Was zum Teufel *war* denn dann der Plan?«, wollte ich wissen. »Ihr hattet doch einen.«

»Ja. Ja, das hatten wir.« Er ließ die Hände sinken und sah sich um, als fürchtete er, dass jemand mithörte. Er fuhr sich mit der Zunge über die Lippen.

»Bob hatte das vor, was Sie gesagt haben – aber der Rest hat gesagt, es würde nicht funktionieren. Zu viele verschiedene Gruppen, zu viel Druck, mit den Weißen Handel zu betreiben ... Das hätte einfach nie funktioniert. Wir konnten es nicht ganz verhindern; nur vielleicht das Schlimmste?«

Der offizielle Plan der Gruppe war in einer etwas anderen Größenordnung angesiedelt gewesen. Die Reisenden sollten in den sechziger Jahren des achtzehnten Jahrhunderts eintreffen und im Lauf der nächsten zehn Jahre, in der Verwirrung und Neuordnung, der Bewegung, die am Ende des Franzosenkriegs unter den Stämmen und Dörfern herrschte, diverse Indianergruppierungen entlang der Vertragsgrenze in den Kolonien und bis hinauf in kanadisches Territorium infiltrieren.

Dann sollten sie ihre ganze Überzeugungskraft einsetzen, um die Indianernationen dazu zu bewegen, in der kommenden Revolution auf britischer Seite zu kämpfen, um für einen Sieg der Briten zu sorgen.

»Die Engländer behandeln die Indianer als souveräne Nationen«, erklärte er so glatt, dass es den Anschein hatte, als hätte er diese Theorie auswendig gelernt. »Wenn sie gewinnen würden, würden sie weiter Handel treiben und alles, was ja okay ist, aber sie würden nicht versuchen, die Indianer zu verdrängen und zu vernichten. Die Kolonisten –«, er wies verächtlich in Richtung der offenen Tür, »– die habgierigen Schweine drängen seit hundert Jahren ununterbrochen weiter auf Indianerland; *sie* werden nicht Halt machen.«

Brianna zog die Augenbrauen hoch, doch ich konnte sehen, dass sie diesen Gedankengang faszinierend fand. Offenbar war er nicht ganz so geisteskrank, wie er sich anhörte.

»Wie konntet ihr nur denken, dass euch das gelingen würde?«, wollte ich wissen. »Nur ein paar Männer gegen – o mein Gott«, sagte ich, als ich sah, wie sich sein Gesicht veränderte. »Ach du lieber Himmel – ihr wart nicht die Einzigen, nicht wahr?«

Donner schüttelte wortlos den Kopf.

»Wie viele?«, fragte Ian. Er klang ruhig, aber ich konnte sehen, dass er die Hände um seine Knie geklammert hatte.

»Keine Ahnung.« Donner setzte sich abrupt hin und sackte wie ein Mehlsack in sich zusammen. »Es waren bestimmt zwei- oder dreihundert in der

Gruppe. Aber die meisten von ihnen konnten die Steine nicht hören.« Er hob ein wenig den Kopf und fixierte Brianna. »Kannst du es?«

Sie nickte mit gerunzelter Stirn.

»Aber du glaubst, es gab noch mehr … Reisende … als dich und deine Freunde?«

Donner zuckte hilflos mit den Achseln.

»Ich hatte den Eindruck, ja. Aber Raymond hat gesagt, es könnten immer nur fünf auf einmal passieren. Also haben wir in, na ja, Zellen zu fünft trainiert. Wir haben es geheim gehalten; keiner in der großen Gruppe wusste, wer reisen konnte und wer nicht, und Raymond war der Einzige, der sie alle kannte.«

Ich musste einfach fragen.

»Wie sah dieser Raymond aus?« Seit ich diesen Namen zum ersten Mal gehört hatte, regte sich ein Gedanke in meinem Hinterkopf.

Donner kniff die Augen zu und öffnete sie wieder. Mit dieser Frage hatte er nicht gerechnet.

»Oh, keine Ahnung«, sagte er hilflos. »Nicht sehr groß. Weiße Haare, die trug er lang, genau wie wir alle.« Er fuhr sich zur Demonstration durch seine verknoteten Locken und runzelte die Stirn, während er in seinen Erinnerungen grub.

»Mit einer ziemlich … breiten … Stirn?« Ich wusste, dass ich ihm keine Anhaltspunkte geben sollte, aber ich konnte es nicht lassen und mir fuhr zur Demonstration selbst mit beiden Zeigefingern über die Stirn.

Ein paar Sekunden lang starrte er mich verwirrt an.

»Mann, ich weiß es nicht mehr«, sagte er und schüttelte hilflos den Kopf. »Es ist schon so lange her. Wie soll ich mich an so etwas erinnern?«

Ich seufzte.

»Nun, erzähl mir, was passiert ist, als ihr durch die Steine gekommen seid.«

Donner leckte sich über die Lippen und blinzelte vor Anstrengung, während er sich zu erinnern versuchte. Ich sah, dass es nicht nur angeborene Dummheit war; er dachte nicht gern darüber nach.

»Ja. Tja, wir waren zu fünft, wie ich gesagt habe. Ich und Rob und Jeremy und Atta. Oh, und Jojo. Wir sind auf der Insel angekommen, und –«

»Welche Insel?«, sagten Brianna, Ian und ich im Chor.

»Ocracoke«, sagte er mit überraschter Miene. »Das ist das nördlichste Portal im Bermudadreieck. Wir wollten so dicht wie möglich an den –«

»Das Ber-«, setzten Brianna und ich an, brachen dann aber ab und sahen uns gegenseitig an.

»Du weißt, wo sich mehrere dieser Portale befinden?«, sagte ich, um Ruhe bemüht.

»Wie viele gibt es denn?«, fiel Brianna ein, ohne seine Antwort abzuwarten.

Die Antwort fiel sowieso verworren aus – was nicht überraschend kam. Raymond hatte ihnen gesagt, dass es auf der ganzen Welt viele solcher Stellen gab, aber dass sie meistens in Gruppen vorkamen. Es gab eine solche Gruppe in der Karibik, eine andere im Nordosten an der kanadischen Grenze. Eine in der südwestlichen Wüste – Arizona, so glaubte er, bis hinunter nach Mexiko. Nordbritannien und die französische Küste bis hin zur Spitze der iberischen Halbinsel. Wahrscheinlich noch mehr, aber das waren alle, die er erwähnt hatte.

Nicht alle Portale waren mit Steinkreisen markiert, doch dort, wo schon seit langem Menschen lebten, waren sie es meistens.

»Raymond hat gesagt, sie sind sicherer«, sagte er achselzuckend. »Keine Ahnung, wieso.«

Die Stelle auf Ocracoke war nicht von einem vollständigen Steinkreis umrahmt. Doch auch sie *war* markiert. Vier Steine, sagte er. Einer davon trug Markierungen, von denen Raymond sagte, sie wären afrikanisch – Sklaven hätten sie angebracht. »Die Stelle hat mit Wasser zu tun – es läuft ein kleiner Bach hindurch, meine ich. Ray sagt, er wüsste nicht, ob das Wasser einen Unterschied ausmacht, aber er glaubte es schon. Doch wir wussten nicht, *was* für einen Unterschied. Wisst ihr etwas davon?«

Brianna und ich schüttelten mit großen Augen die Köpfe wie zwei Eulen. Die Falten auf Ians sowieso schon gerunzelter Stirn vertieften sich noch. Hatte er während seiner Zeit bei Geillis Duncan etwas gehört?

Die fünf – und Raymond – waren so weit wie möglich gefahren; die Straße, die durch die *Outer Banks* führte, war schlecht und wurde oft durch Stürme fortgespült, und sie hatten den Wagen mehrere Meilen von der Stelle entfernt stehen lassen müssen und sich dann durch die Krüppelkiefern des Küstenwaldes und durch unerwarteten Treibsand kämpfen müssen. Es war Spätherbst –

»Samhain«, sagte Brianna leise, so leise, dass Donner nicht in seinem Erzählfluss gestört wurde.

Spätherbst, sagte er, und das Wetter war schlecht. Es regnete schon seit Tagen, und das Terrain war schwierig, abwechselnd rutschig und sumpfig. Es wehte ein kräftiger Wind, und die Sturmbrandung hämmerte gegen die Strände; sie konnten sie hören, selbst an der abgeschiedenen Stelle, an der das Portal lag.

»Wir hatten alle Angst – außer Rob vielleicht –, aber es war auch aufregend, Mann«, sagte er und begann, einen Schimmer von Begeisterung zu zeigen. »Die Bäume haben beinahe flach am Boden gelegen, und der Himmel, er war grün. Der Wind war so stark, dass man die ganze Zeit Salz schmecken konnte, weil Meerwasser mit dem Regen durch die Luft flog. Wir waren nass bis auf den Feinripp.«

»Den was?«, sagte Ian stirnrunzelnd.

»Die Unterwäsche«, sagte Brianna mit einer ungeduldigen Geste. »Weiter.«

Nach ihrer Ankunft hatte Raymond überprüft, ob sie auch alle das Notwendigste dabei hatten – Zunderschachteln, Tabak, etwas Geld aus der Zeit – und dann hatte er jedem von ihnen ein Wampum-Halsband und einen kleinen Lederbeutel gegeben, von dem er sagte, dass es ein Amulett mit zeremoniellen Kräutern war.

»Oh, Sie wissen also davon«, sagte er, als er meinen Gesichtsausdruck sah. »Welche Sorte haben Sie denn benutzt?«

»Gar keine«, sagte ich, denn ich wollte nicht, dass er von seiner Geschichte abschweifte. »Weiter. Wie habt ihr euch darauf vorbereitet, die richtige Zeit zu treffen?«

»Oh. Tja.« Er seufzte und zog auf seinem Hocker den Kopf ein. »Gar nicht. Ray hat gesagt, es würden ungefähr zweihundert Jahre sein, plus/minus. Wir konnten es nicht steuern – ich hatte gehofft, ihr wüsstet vielleicht, wie man das macht. Wie man in eine bestimmte Zeit zurückkommt. Weil, Mensch, ich würde wirklich gern dort landen, *bevor* ich es mit Ray und den anderen zu tun bekommen habe.«

Sie waren unter Raymonds Anleitung in einem bestimmten Muster zwischen den Steinen hindurchgelaufen und hatten dabei Worte gesungen. Donner hatte keine Ahnung, was die Worte bedeuteten, nicht einmal, was für eine Sprache es war. Doch am Ende des Musters waren sie im Gänsemarsch auf den Stein mit den afrikanischen Markierungen zugegangen und vorsichtig links daran vorbeigewandert.

»Und dann … puff!« Er schlug sich mit der Faust gegen die Handfläche der anderen Hand. »Der Erste in der Reihe – futsch, Mann! Wir hatten so einen Schiss. Ich meine, genau das sollte natürlich passieren aber … futsch«, wiederholte er und schüttelte den Kopf. »Einfach … *futsch*.«

Verdattert, weil es so offensichtlich funktionierte, hatten sie das Muster und den Gesang wiederholt, und bei jeder Wiederholung war der Erste, der an dem Stein vorbeiging, verschwunden. Donner war der Vierte gewesen.

»O Gott«, sagte er und erbleichte bei der Erinnerung daran. »O Gott, so habe ich mich noch nie gefühlt, und ich hoffe auch, es war das letzte Mal.«

»Das Amulett – dieser Beutel, den du hattest«, sagte Brianna, ohne seine Blässe zu beachten. Ihr Gesicht war gebannt und leuchtete vor Neugier. »Was ist daraus geworden?«

»Keine Ahnung. Vielleicht ist er mir hingefallen, vielleicht ist er irgendwo anders herausgekommen. Ich bin in Ohnmacht gefallen, und als ich wieder zu mir kam, hatte ich ihn nicht mehr.« Der Tag war schwülwarm, doch er begann zu zittern. »Jojo. Er war bei mir. Aber er war tot.«

Das traf mich wie ein Messerstich in die Rippen. Geillis Duncans Notizbücher hatten Listen von Menschen enthalten, die man in der Nähe von Steinkreisen gefunden hatte – manche tot, manche lebendig. Mir hatte niemand sagen müssen, dass der Weg durch die Steine eine gefahrvolle Reise war – aber bei diesem mahnenden Wink bekam ich weiche Knie, und ich setzte mich auf Jocastas gepolsterte Ottomane.

»Die anderen«, sagte ich um eine klare Stimme bemüht. »Sind sie …?«

Er schüttelte den Kopf. Er zitterte immer noch, zugleich überzog ein Schweißfilm sein Gesicht; er sah überhaupt nicht gut aus.

»Hab sie nie wieder gesehen«, sagte er.

Er wusste nicht, was Jojo umgebracht hatte; nahm sich nicht die Zeit nachzusehen, obwohl er den vagen Eindruck hatte, dass er Brandstellen auf dem Hemd hatte. Als er sah, dass sein Freund tot und keiner der anderen in der Nähe war, war er panisch durch Marschland und Gestrüpp davongestolpert und schließlich nach mehrstündiger Wanderung zusammengebrochen. Er hatte die ganze Nacht in den Dünen im stacheligen Gras gelegen.

Drei Tage hatte er gehungert, dann hatte er ein Nest mit Schildkröteneiern gefunden und die gegessen und war schließlich auf einem gestohlenen Fischerkanu aufs Festland übergesetzt, wo er sich glücklos hatte treiben lassen. Hier und dort hatte er als Handlanger gearbeitet, sich in den Alkohol geflüchtet, wenn er es sich erlauben konnte – und sich schließlich vor etwa einem Jahr Hodgepile und Konsorten angeschlossen.

Die Wampum-Halsbänder, sagte er, waren dazu da, dass sich die Verschwörer gegenseitig erkennen konnten, falls sie sich je begegneten – doch er hatte nie jemanden gesehen, der eins trug.

Brianna hörte diesem weitschweifigen Teil der Geschichte jedoch nicht mehr zu; sie hatte schon weitergedacht.

»Meinst du, Otterzahn – Springer – hat eure Gruppe gesprengt, indem er absichtlich versucht hat, in einer anderen Zeit zu landen?«

Er sah sie mit offenem Mund an.

»Darauf bin ich gar nicht gekommen. Er ist als Erster gegangen. Er ist als Erster gegangen«, wiederholte er irgendwie verwundert.

Brianna setzte zu einer anderen Frage an, wurde aber durch Stimmen im Flur unterbrochen, die auf das Morgenzimmer zukamen. Donner war blitzartig auf den Beinen, die Augen vor Schreck geweitet.

»Mist«, sagte er. »Da ist er. Ihr müsst mir helfen!«

Bevor ich mich erkundigen konnte, warum genau er das meinte oder wer »er« war, tauchte Ulysses mit gestrenger Miene in der Tür auf.

»Ihr«, sagte er in vernichtendem Ton zu Donner, der immer kleiner wurde. »Sagte ich Euch nicht, Ihr sollt verschwinden, Sir? Wie könnt Ihr es wagen, Mrs. Innes' Haus zu betreten und ihre Verwandten zu belästigen?«

Dann trat er beiseite, nickte jemandem zu, der hinter ihm stand, und ein kleiner, runder, gereizt aussehender Herr mit einem zerknitterten Anzug trat ein.

»Das ist er«, sagte er und hob anklagend den Finger. »Das ist der Verbrecher, der mir heute Morgen in Jacobs' Gastwirtschaft die Börse gestohlen hat! Aus meiner Tasche, mitten beim Schinkenfrühstück!«

»Das war ich nicht!« Donner unternahm einen wenig überzeugenden Versuch, sich entrüstet zu zeigen, doch die Schuld stand ihm ins Gesicht geschrieben, und als ihn Ulysses am Kragen packte und ohne Umschweife seine Kleider durchsuchte, kam die Geldbörse zur ausgesprochenen Dankbarkeit ihres Besitzers zum Vorschein.

»Dieb!«, rief er und rüttelte seine Faust. »Ich verfolge Euch schon den ganzen Morgen. Verdammter, verlauster, nichtsnutziger Wilder – oh, Verzeihung, die Damen«, fügte er hinzu und verbeugte sich verspätet vor mir und Brianna, bevor er damit fortfuhr, Donner anzuprangern.

Brianna sah mich mit hochgezogenen Augenbrauen an, doch ich zuckte mit den Achseln. Es gab keine Möglichkeit, Donner vor dem berechtigten Zorn seines Opfers zu bewahren, selbst wenn ich das wirklich gewollt hätte. Auf Bitten des Herrn ließ Ulysses ein Paar Stallknechte holen, die einen Satz Handeisen mitbrachten – ein Anblick, bei dem Brianna erbleichte – und Donner wurde abgeführt, um dem Gefängnis von Cross Creek übergeben zu werden – unter lautem Protest, er sei es nicht gewesen, man hätte ihm die Sache angehängt, er sei ein Freund der Damen, wirklich, Mann, fragt sie nur …

Er hinterließ tiefes Schweigen. Schließlich schüttelte Ian den Kopf, als versuchte er, sich von lästigen Fliegen zu befreien, und legte endlich das Palettenmesser hin. Er ergriff den Skizzierblock, auf dem Brianna versucht hatte, Donner das Muster zeichnen zu lassen, das die Männer gegangen waren. Es war ein hoffnungsloses Gekritzel aus Kreisen und Kringeln, das aussah wie eine von Jemmys Zeichnungen.

»Was für ein Name ist denn Wendigo?«, fragte Ian und legte den Block wieder hin.

Brianna hatte ihren Stift so fest gehalten, dass ihre Fingerknöchel weiß waren. Sie öffnete die Hand und legte ihn hin, und ich sah, dass ihre Hände zitterten.

»Wendigo«, sagte sie. »Ein Waldgeist der Ojibwe. Er heult im Sturm und ist ein Menschenfresser.«

Ian warf ihr einen langen Blick zu.

»Netter Zeitgenosse«, sagte er.

»Nicht wahr?« Ich war selbst durch und durch erschüttert. Abgesehen von dem Schreck, den mir Donners Auftauchen, seine Enthüllungen und seine darauf folgende Festnahme eingejagt hatten, schossen mir die Erinnerungen an unsere erste Begegnung wie kleine Blitze durch den Kopf, unkontrollierbar trotz meiner Versuche, sie auszusperren. Ich konnte Blut schmecken, und der Duft der Blumen auf der Terrasse ging im Gestank ungewaschener Männer unter.

»Ich nehme an, man würde es einen *nom de guerre* nennen«, sagte ich und versuchte, mich unbekümmert zu geben. »Er ist ja wohl kaum so getauft worden.«

»Geht es dir nicht gut, Mama?« Brianna sah mich stirnrunzelnd an. »Soll ich dir etwas holen? Ein Glas Wasser?«

»Whisky«, sagten Ian und ich wie aus einem Munde, und ich lachte, obwohl ich so zittrig war. Als der Whisky kam, hatte ich mich wieder im Griff.

»Was glaubst du, was mit ihm geschehen wird, Ulysses«, fragte ich, als er mir das Tablett hinhielt. Dem unerschütterlichen, wohlgeformten Gesicht des Butlers war nur ein schwacher Ekel gegenüber dem Besucher anzusehen; ich sah, wie er einen stirnrunzelnden Blick auf die Schmutzkrümel warf, die Donners Schuhe auf dem Parkettboden zurückgelassen hatten.

»Ich nehme an, sie werden ihn hängen«, sagte er. »Mr. Townsend – so hieß der Herr – hatte zehn Pfund in der Geldbörse, die er gestohlen hat.« Mehr als genug, um den Galgen zu rechtfertigen. Das achtzehnte Jahrhundert hatte für Diebe nicht viel übrig; schon eine kleine Summe wie ein Pfund konnte ein Todesurteil nach sich ziehen.

»Gut«, sagte Ian unübersehbar beifällig.

Ich spürte, wie mein Magen einen kleinen Satz machte. Donner war mir unsympathisch, ich misstraute ihm, und um ehrlich zu sein, hatte ich eigentlich nicht das Gefühl, dass sein Tod ein großer Verlust für die Menschheit sein würde. Doch er war zudem ein Reisender; bedeutete dies, dass wir verpflichtet waren, ihm zu helfen? Vielleicht weitaus wichtiger – wusste er womöglich noch mehr, was er uns bisher verschwiegen hatte?

»Mr. Townsend hat sich nach Campbelton begeben«, fügte der Butler hinzu und bot Ian das Tablett an. »Um Mr. Farquard zu bitten, sich unverzüglich um den Fall zu kümmern, da er nach Halifax muss und seine Zeugenaussage sofort machen möchte.« Farquard Campbell war Friedensrichter – und wahrscheinlich der Einzige im ganzen Distrikt, der ein richterähnliches Amt bekleidete, seit das Berufungsgericht den Dienst quittiert hatte.

»Ich denke aber nicht, dass sie ihn vor morgen hängen werden«, sagte Brianna. Sie trank normalerweise keinen Whisky, hatte aber jetzt ein Glas genommen; die Begegnung hatte auch sie erschüttert. Ich sah, dass sie den Ring an ihrem Finger umgedreht hatte und geistesabwesend mit dem Daumen über den großen Rubin rieb.

»Nein«, sagte Ian und sah sie argwöhnisch an. »Du hast doch nicht vor–« Er sah mich an. »Nein!«, sagte er entsetzt über die Unentschlossenheit, die er in meinem Gesicht sah. »Dieser Kerl ist ein Dieb und ein Verbrecher, und selbst wenn du nicht mit eigenen Augen gesehen hast, wie er mordet und brandschatzt, Tante Claire, so weißt du doch genau, dass er es getan hat. Um Himmels willen, sollen sie ihn hängen und damit basta!«

»Nun ja…«, sagte ich schwankend. Schritte und Stimmen im Flur ersparten mir die Antwort; Jamie und Duncan waren aus Cross Creek zurück.

Ich verspürte überwältigende Erleichterung, als ich Jamie sah, der sonnenverbrannt, gerötet und staubig von seinem Ritt in der Tür stand.

»Wer hängt wen?«, erkundigte er sich fröhlich.

Jamie war derselben Meinung wie Ian; sollten sie Donner hängen, und basta. Er ließ sich jedoch widerstrebend davon überzeugen, dass entweder Brianna oder ich zumindest noch einmal mit dem Mann reden mussten, um sicherzugehen, dass es nichts mehr gab, was er uns sagen konnte.

»Ich spreche mit dem Gefängnisaufseher«, sagte er ohne große Begeisterung. »Aber –«, er zeigte mahnend mit dem Finger auf mich, »keine von euch geht in seine Nähe, wenn Ian oder ich nicht dabei sind.«

»Was glaubst du denn, was er tun könnte?« Brianna war gereizt, denn sie ärgerte sich über seinen Ton. »Er ist ungefähr halb so groß wie ich, zum Kuckuck!«

»Und eine Klapperschlange ist noch kleiner«, erwiderte ihr Vater. »Trotzdem würdest du nicht zu ihr ins Zimmer spazieren, nur weil du mehr auf die Waage bringst, hoffe ich?«

Ian kicherte, und Brianna stieß ihm den Ellbogen fest in die Rippen.

»Nun gut«, sagte Jamie, ohne die beiden zu beachten. »Ich habe Neuigkeiten. Und einen Brief von Roger Mac«, sagte er. Er zog ihn aus seinem Hemd und lächelte Brianna an. »Wenn du nicht zu abgelenkt bist, um ihn zu lesen?«

Sie begann zu leuchten wie eine Kerze und griff danach. Ian schnappte danach, um sie zu ärgern, und sie schlug seine Hand lachend beiseite und lief aus dem Zimmer, um den Brief allein zu lesen.

»Was denn für Neuigkeiten?«, fragte ich. Ulysses hatte Tablett und Dekanter dagelassen; ich goss einen Schuss Whisky in mein leeres Glas und reichte es Jamie.

»Jemand hat Manfred McGillivray gesehen«, erwiderte er. »*Slàinte.*« Er leerte das Glas mit zufriedener Miene.

»Oh, aye? Wo denn?« Ian sah nicht sehr erfreut über diese Neuigkeit aus. Ich selbst war überglücklich.

»In einem Bordell, wo denn sonst?«

Unglücklicherweise war sein Informant nicht im Stande gewesen, ihm die exakte Lage des besagten Bordells mitzuteilen – doch er war sich einigermaßen sicher, dass es in Cross Creek oder Campbelton war. Nicht minder unglücklicherweise war es schon einige Wochen her. Gut möglich, dass Manfred weitergezogen war.

»Es ist immerhin ein Anfang«, sagte ich hoffnungsvoll. Penizillin war selbst bei fortgeschrittenen Fällen von Syphilis wirksam, und ich hatte in der Winterküche eine Schüssel angesetzt. »Ich begleite dich, wenn du zum Gefängnis gehst. Wenn wir mit Donner gesprochen haben, können wir dann das Bordell suchen.«

Die Zufriedenheit in Jamies Miene schwand merklich.
»Was? Wieso?«
»Ich glaube nicht, dass Manfred noch dort ist, Tante Claire«, sagte Ian sichtlich belustigt. »Außerdem bezweifle ich, dass er das Geld dazu hätte.«
»Oh, ha, ha«, sagte ich. »Vielleicht hat er aber gesagt, wo er wohnt, oder? Außerdem will ich wissen, ob er sichtbare Symptome hatte.« In meiner eigenen Zeit war es gut möglich, dass nach dem Auftauchen des ersten Schankers zehn, zwanzig oder gar dreißig Jahre verstrichen, ehe sich weitere Syphilissymptome entwickelten; in dieser Zeit jedoch verlief die Syphilis gewöhnlich sehr viel stürmischer – ein Opfer konnte innerhalb eines Jahres nach der Ansteckung sterben. Und Manfred war seit mehr als drei Monaten fort; es konnte weiß Gott wie lange her sein, seit er sich angesteckt hatte.
Jamie sah angesichts der Vorstellung, nach Bordellen zu suchen, alles andere als begeistert aus; Ian legte sehr viel größeres Interesse an den Tag.
»Ich helfe euch suchen«, bot er an. »Fergus kann auch mitkommen; er kennt sich gut mit Huren aus – es ist wahrscheinlich, dass sie mit ihm reden würden.«
»Fergus? Fergus ist hier?«
»Ja«, sagte Jamie. »Das war die andere Neuigkeit. Er macht gerade meiner Tante seine Aufwartung.«
»Aber warum ist er hier?«
»Nun, du hast doch das Gerede bei dem Empfang gehört, aye? Über Mr. Simms und seine Probleme? Es sieht so aus, als hätten sie sich verschlimmert, und er denkt darüber nach zu verkaufen, bevor jemand seine Werkstatt in Brand steckt und ihn gleich mit. Da ist mir der Gedanke gekommen, dass das besser für Fergus und Marsali geeignet wäre als das Landleben. Also habe ich ihm ausrichten lassen, dass er herkommen und sich mit Simms unterhalten soll.«
»Das ist ein fabelhafte Idee!«, sagte ich. »Nur ... mit welchem Geld würde Fergus die Druckerei denn kaufen?«
Jamie hustete und setzte eine ausweichende Miene auf.
»Aye, nun ja. Ich vermute, man könnte vielleicht einen Handel abschließen, Vor allem, wenn Simms darauf brennt zu verkaufen.«
»Also schön«, sagte ich resigniert. »Wahrscheinlich möchte ich es lieber nicht im Detail wissen. Aber Ian –« Ich wandte mich an ihn, um ihn scharf anzusehen. »Es liegt mir fern, dir moralische Ratschläge zu erteilen. Aber es kommt *nicht* – ich wiederhole, nicht – in Frage, dass du dich auf intime Verhöre mit einer Hure einlässt. Habe ich mich klar ausgedrückt?«
»Tante Claire!«, sagte er und stellte sich schockiert. »Was für eine Vorstellung!« Doch ein breites Grinsen zog sich über sein tätowiertes Gesicht.

56

Teer und Federn

Schließlich ließ ich Jamie doch allein zum Gefängnis gehen, um einen Besuch bei Donner zu arrangieren. Er hatte mir versichert, dass es einfacher sein würde, wenn ich nicht dabei wäre, und ich hatte in Cross Creek einiges zu erledigen. Abgesehen von den üblichen Einkäufen, Salz, Zucker, Stecknadeln und andere Haushaltsvorräten, die aufgefüllt werden mussten, brauchte ich dringend neue Chinarinde für Lizzie. Die Gallbeerensalbe war zwar zur Behandlung von Malariaanfällen geeignet, aber zu ihrer Vorbeugung war sie nicht annähernd so wirksam wie die Chinarinde.

Doch die britischen Handelsbeschränkungen zeigten ihre Wirkung. Es war natürlich keinerlei Tee zu finden – das hatte ich erwartet; es gab schon seit fast einem Jahr keinen mehr –, aber Zucker gab es auch nicht, es sei denn zu exorbitanten Preisen, und Stahlnadeln waren ebenfalls nicht zu finden.

Salz konnte ich bekommen. Ich verstaute mein Pfund in meinem Korb und ließ die Docks hinter mir. Es war ein feuchtwarmer Tag; weiter fort von der leichten Brise am Fluss regte sich kein Lüftchen, und die Atmosphäre war zum Schneiden. Das Salz war in den Jutesäcken fest geworden, und der Händler hatte es klumpenweise mit einem Meißel abspalten müssen.

Ich fragte mich, wie Ian und Fergus wohl mit ihren Recherchen vorankamen; ich hatte einen Plan bezüglich des Bordells und seiner Bewohner, aber zuerst mussten wir es finden.

Auch diesbezüglich hatte ich eine Idee gehabt, sie aber Jamie gegenüber nicht erwähnt. Falls etwas dabei herauskam, konnte ich das immer noch tun. Eine Seitenstraße bot mir Schatten in Form einer Reihe großer Ulmen, die so gepflanzt waren, dass sie über die Straße wuchsen. Ich trat in den willkommenen Schatten eines dieser Bäume und fand mich am Rand von Cross Creeks vornehmem Viertel wieder – alles in allem etwa zehn Häuser. Von meinem Standort aus konnte ich Dr. Fentimans bescheidenes Heim sehen, das an einer aufgehängten Schindel zu erkennen war, die mit einem Heroldsstab verziert war. Der Doktor war nicht da, als ich anklopfte, aber sein Dienstmädchen, eine adrette, nicht besonders hübsche junge Frau, die furchtbar schielte, ließ mich ein und führte mich ins Sprechzimmer.

Es war ein überraschend kühles und angenehmes Zimmer mit großen Fenstern und abgenutztem, mit blauen und gelben Karos bemaltem Segeltuch auf dem Fußboden. Möbliert war es mit einem Tisch, zwei gemütlichen Sesseln und einer *Chaiselongue*, auf die sich die Patienten zur Untersuchung legen konnten. Er hatte ein Mikroskop auf dem Tisch stehen, durch das ich einen neugierigen Blick warf. Es war ein gutes Mikroskop, aber nicht so gut wie meins, dachte ich selbstzufrieden.

Ich war furchtbar neugierig, was den Rest seiner Ausstattung betraf, und debattierte gerade mit mir selbst darüber, ob ich wohl die Gastfreundschaft des Doktors missbrauchen würde, wenn ich seine Schränke durchstöberte, als der Doktor persönlich auf den Flügeln des Branntweins angeschwebt kam.

Er summte eine Melodie vor sich hin und trug den Hut unter dem Arm und seinen abgenutzten Arztkoffer in der Hand. Als er mich entdeckte, ließ er beides achtlos auf den Boden fallen und eilte auf mich zu, um mich strahlend bei der Hand zu nehmen. Er beugte sich über meine Hand und presste begeistert seine feuchten Lippen darauf.

»Mrs. Fraser! Meine liebe Dame, es freut mich so, Euch zu sehen! Ich hoffe doch, dass Euch nicht unwohl ist?«

Ich lief zwar Gefahr, von den Alkoholdämpfen seines Atems überwältigt zu werden, verhielt mich jedoch so herzlich wie möglich und wischte mir unauffällig die Hand am Kleid ab, während ich ihm versicherte, dass es mir gut ging, genau wie allen anderen Mitgliedern meines engeren Familienkreises.

»Oh, bestens, bestens«, sagte er. Dann ließ er sich ganz plötzlich auf einen Hocker plumpsen und schenkte mir ein breites Grinsen, wobei er seine tabakfleckigen Zähne entblößte.

Ich interpretierte die vage Geste seiner Hand als Einladung und setzte mich ebenfalls. Ich hatte ein kleines Geschenk mitgebracht, um mir den guten Doktor freundlich zu stimmen, und dieses holte ich jetzt aus meinem Korb – obwohl ich offen gestanden den Eindruck hatte, dass er so besäuselt war, dass es keiner besonderen Behutsamkeit bedurfte, das Gespräch auf den Grund meines Besuchs zu lenken.

Allerdings war er begeistert über mein Geschenk – einen Augapfel, den Ian nach einer Prügelei in Yanceyville klugerweise für mich aufgesammelt hatte und den wir hastig in Alkohol eingelegt hatten. Da ich schon öfter von Dr. Fentimans Vorlieben gehört hatte, dachte ich, dass er ihn vielleicht zu schätzen wüsste. So war es auch, und seine »Bestens!«-Ausrufe wollten gar nicht enden.

Irgendwann verstummte er aber doch und hielt das Glas blinzelnd ins Licht, um es zu drehen und zu wenden und es voll Bewunderung zu betrachten.

»Bestens«, sagte er ein letztes Mal. »Es bekommt einen besonderen Ehrenplatz in meiner Sammlung, dessen versichere ich Euch, Mrs. Fraser!«

»Ihr habt eine Sammlung?«, sagte ich und täuschte große Neugier vor. Ich hatte schon von seiner Sammlung gehört.

»O ja, o ja! Möchtet Ihr sie sehen?«

Dies abzulehnen war unmöglich; er war bereits aufgestanden und schwankte auf eine Tür an der Rückwand seines Studierzimmers zu. Es stellte sich heraus, dass diese in eine große Kammer führte, deren Wandregale dreißig oder vierzig Glasgefäße enthielten. Diese waren mit Alkohol gefüllt – und einer Reihe von Objekten, die man in der Tat als »interessant« bezeichnen konnte.

Sie reichten vom schlicht Grotesken bis hin zum wirklich Erschreckenden. Er holte nacheinander einen großen Zeh zum Vorschein, aus dem eine Warze von der Größe und Farbe eines Speisepilzes wuchs, eine eingelegte Zunge, die gespalten war – offenbar schon zu Lebzeiten des Besitzers, da die beiden Hälften vollständig zugeheilt waren –, eine Katze mit sechs Beinen, ein furchtbar deformiertes Gehirn (»einem gehängten Mörder entnommen«, wie er mich stolz unterrichtete. »Das wundert mich nicht«, erwiderte ich murmelnd, wobei ich an Donner dachte und mich fragte, wie wohl *sein* Gehirn aussah), eine Reihe von Säuglingen, wahrscheinlich Totgeburten, mit diversen scheußlichen Missbildungen.

»Und *das* hier«, sagte er und holte mit zitternden Händen einen großen Glaszylinder zum Vorschein, »ist das Prachtstück meiner Sammlung. Es gibt einen berühmten Arzt in Deutschland, Doktor Blumenbach, der eine weltbekannte Schädelsammlung besitzt, und er bittet mich – nein, er *bedrängt* mich geradezu! –, mich davon zu trennen.«

»Das hier« waren die fleischlose Wirbelsäule und die Schädelknochen eines zweiköpfigen Säuglings. Es war tatsächlich faszinierend. Außerdem war es etwas, das jede Frau im gebärfähigen Alter dazu bringen würde, sofort jeglichem Geschlechtsverkehr abzuschwören.

So gruselig die Sammlung des Doktors war, so lieferte sie mir doch eine hervorragende Gelegenheit, mein eigentliches Anliegen anzusprechen.

»Das ist wirklich erstaunlich«, sagte ich und beugte mich vor, als wollte ich die leeren Augenhöhlen der schwimmenden Schädel genauer betrachten. Wie ich sah, waren die Köpfe beide vollständig und voneinander getrennt; es war die Wirbelsäule, die sich geteilt hatte, so dass die Schädel Seite an Seite in der Flüssigkeit hingen, gespenstisch weiß und aneinander gelehnt, wobei sich die rundlichen Köpfchen sacht berührten, als flüsterten sie einander ein Geheimnis zu. Sie trennten sich nur, wenn eine Bewegung des Glases sie kurz auseinander schwimmen ließ. »Ich frage mich, wie es wohl zu einem solchen Phänomen gekommen ist?«

»Oh, zweifellos hat sich die Mutter vor irgendetwas fürchterlich erschrocken«, versicherte mir Dr. Fentiman. »Frauen im Zustand der Erwartung sind schrecklich verletzlich gegenüber jeglicher Art von Aufregung oder Bestürzung, wisst Ihr. Man muss sie abgeschirmt und eingeschlossen halten und sie von allen schädlichen Einflüssen fern halten.«

»Gewiss«, murmelte ich. »Aber wisst Ihr, manche Missbildungen – diese hier zum Beispiel? – entstehen doch, glaube ich, durch Syphilis der Mutter.«

So war es; ich erkannte das typische deformierte Kinn, den schmalen

Schädel und die wie flach geschlagene Nase. Dieses Kind war mit seiner Haut konserviert worden und lag friedlich zusammengerollt in seiner Flasche. Da es keine Haare hatte und sehr klein war, war es wahrscheinlich eine Frühgeburt; ich hoffte um seinetwillen, dass es nicht lebend zur Welt gekommen war.

»Siphi- Syphilis«, wiederholte der Doktor sacht schwankend. »Oh, ja. Ja, ja. Diese kleine Kreatur habe ich von, äh…« Etwas spät kam ihm der Gedanke, dass Syphilis vielleicht kein Thema war, über das man mit einer Dame redete. Mörderhirne und zweiköpfige Kinder, ja, aber keine Geschlechtskrankheiten. In der Kammer befand sich ein Glas, von dem ich mir einigermaßen sicher war, dass es den Hodensack eines Negers enthielt, der an Elephantiasis litt; mir fiel jedenfalls auf, dass er mir *das* nicht gezeigt hatte.

»Von einer Prostituierten?«, erkundigte ich mich mitfühlend? »Ja, ich vermute, dass dieses Unglück unter solchen Frauen häufig sein muss.«

Zu meinem Ärger wich er von dem Thema ab, auf das ich hinauswollte.

»Nein, nein. In Wirklichkeit –«, er sah sich rasch um, als fürchtete er, dass jemand mithörte, dann beugte er sich zu mir herüber und flüsterte heiser, »dieses Exemplar habe ich von einem Kollegen in London bekommen. Angeblich ist es das Kind eines fremdländischen Adelsherrn!«

»Oje«, sagte ich verblüfft. »Wie… interessant.«

An diesem denkbar unpassenden Punkt kam seine Bedienstete mit Tee herein – oder vielmehr mit einem widerlichen Gebräu aus gerösteten Eicheln und Kamille, die man in Wasser hatte ziehen lassen –, und das Gespräch wandte sich unausweichlich gesellschaftlichen Trivialitäten zu. Ich hatte Angst, dass der Tee ihn ernüchtern könnte, bevor ich ihn erneut in die richtige Richtung dirigieren konnte. Doch zum Glück stand auf dem Teetablett auch ein Dekanter mit gutem Bordeaux, den ich ihm großzügig einschenkte.

Ich versuchte also, ihn wieder auf medizinische Dinge zu bringen, indem ich mich über seinen Tisch beugte und die Gläser bewunderte, die er dort stehen gelassen hatte. Das Gefäß, das mir am nächsten stand, enthielt die Hand einer Person, die einen so fortgeschrittenen Fall von Dupuytren'scher Kontraktur hatte, dass die Hand kaum mehr war als ein Knoten aus verkrampften Fingern. Ich wünschte, Tom Christie könnte sie sehen.

»Ist es nicht bemerkenswert, was für eine Vielzahl an krankhaften Zuständen der menschliche Körper an den Tag legen kann?«, sagte ich.

Er schüttelte den Kopf. Ihm war aufgefallen, wie seine Perücke saß, und er drehte sie um; sein verwittertes Gesicht sah darunter aus wie das eines ernsten Schimpansen – abgesehen von der Ansammlung geplatzter Äderchen, die seine Nase glühen ließen wie ein Leuchtfeuer.

»Bemerkenswert«, wiederholte er. »Und trotzdem, was genauso bemerkenswert ist, ist die Widerstandskraft, die ein Körper gegenüber schrecklichen Verwundungen an den Tag legen kann.«

Das stimmte zwar, war aber ganz und gar nicht der Faden, den ich verfolgen wollte.

»Ja, sehr. Aber –«

»Es tut mir sehr Leid, dass ich Euch ein Stück nicht zeigen kann – es wäre eine bedeutende Ergänzung meiner Sammlung gewesen, das versichere ich Euch! Aber leider hat der Herr darauf bestanden, es selbst mitzunehmen.«

»Er – was?« Nun, ich hatte schließlich in meiner eigenen Zeit diversen Kindern nach der Operation ihren Blinddarm oder ihre Mandeln in einer Flasche geschenkt. Wahrscheinlich war es wohl nicht allzu verrückt, wenn jemand eine amputierte Gliedmaße behalten wollte.

»Ja, höchst erstaunlich.« Er trank nachdenklich einen Schluck Wein. »Es war ein Testikel – ich hoffe, Ihr verzeiht mir, dass ich davon spreche«, fügte er verspätet hinzu. Er zögerte einen Moment, doch am Ende konnte der Versuchung einfach nicht widerstehen, den Vorfall zu erzählen. »Der Herr war am Skrotum verletzt worden, ein höchst unglücklicher Unfall.«

»Höchst«, sagte ich und spürte ein plötzliches Kribbeln am unteren Ende meiner Wirbelsäule. War das Jocastas mysteriöser Besucher? Ich hatte mich von dem Wein fern gehalten, um einen klaren Kopf zu behalten, schenkte mir jetzt aber einen Tropfen ein, da ich das Gefühl hatte, ihn brauchen zu können. »Hat er gesagt, wie sich dieses Unglück ereignet hat?«

»Oh, ja. Ein Jagdunfall«, sagte er. »Aber das sagen sie schließlich alle, nicht wahr?« Er zwinkerte mir zu, und seine Nasenspitze leuchtete rot. »Ich gehe davon aus, dass es ein *Duello* war. Das Werk eines eifersüchtigen Rivalen vielleicht!«

»Vielleicht.« Ein *Duello*?, dachte ich mir. Aber die meisten Duelle fanden mit Pistolen und nicht mit Schwertern statt. Es war ein wirklich guter Bordeaux, und ich fühlte mich dank seiner etwas weniger wackelig. »Ihr habt – äh – den Testikel entfernt?« Das musste er ja, wenn er daran gedacht hatte, ihn seiner Gruselkollektion hinzuzufügen.

»Ja«, sagte er und war noch nicht zu besäuselt, um bei der Erinnerung daran nicht mitfühlend zu erschauern. »Er hatte die Schussverletzung ernsthaft vernachlässigt; er sagte, er hätte sie sich einige Tage zuvor zugefügt. Ich war gezwungen, den verletzten Testikel zu entfernen, konnte aber den anderen glücklicherweise erhalten.«

»Darüber ist er sicher erfreut gewesen.« *Schussverletzung? Gewiss nicht*, dachte ich. *Das kann nicht sein*… und doch… »Ist das vor kurzem geschehen?«

»Mmm, nein.« Er kippte in seinem Sessel nach hinten und dachte so angestrengt nach, dass er leicht zu schielen begann. »Es war letztes Jahr im Frühling – Mai? Vielleicht im Mai.«

»War der Name dieses Herrn zufällig Bonnet?« Ich war überrascht, dass meine Stimme vollkommen beiläufig klang. »Ich meine, ich hätte gehört, dass ein gewisser Stephen Bonnet in einen solchen… Unfall verwickelt war.«

»Nun ja, wisst Ihr, er wollte mir seinen Namen nicht verraten. Das erlebe ich oft bei Patienten mit Verletzungen, die eine öffentliche Blamage zur Folge haben könnten. Ich bestehe in solchen Fällen nicht darauf.«

»Aber Ihr erinnert Euch an ihn.« Mir wurde klar, dass ich auf der Kante meines Sessels saß und das Weinglas in der Faust umklammert hielt. Ich musste mich zwingen, es hinzustellen.

»Mm-hmm.« Verdammt, er wurde schläfrig; ich konnte sehen, wie seine Lider erschlafften. »Ein hoch gewachsener Herr, gut gekleidet. Er hatte ein … ein außergewöhnlich schönes *Pferd* …«

»Noch etwas Tee, Doktor Fentiman?« Ich drängte ihm eine neue Tasse auf und beschwor ihn, wach zu bleiben. »Bitte, erzählt mir mehr davon. Die Operation muss doch sehr kompliziert gewesen sein?«

Männer hören es nicht gern, dass die Entfernung der Testikel eine simple Angelegenheit ist, doch so ist es. Obwohl ich zugeben musste, dass die Schwierigkeit in diesem Fall wahrscheinlich größer gewesen war, weil der Patient die ganze Zeit bei Bewusstsein gewesen war.

Fentiman gewann seine Lebensgeister ein wenig zurück, als er mir davon erzählte.

»… und die Kugel war mitten *durch* den Testikel gegangen; sie hatte ein perfektes Loch hinterlassen … Man konnte geradewegs hindurchsehen, glaubt es mir.« Es war nicht zu überhören, dass er den Verlust dieses interessanten Objekts bedauerte, und es kostete mich einige Mühe, ihn dazu zu bringen, dass er mir erzählte, was aus dem Herrn geworden war, zu dem es gehörte.

»Nun, das war merkwürdig. Es war das Pferd, wisst Ihr …«, sagte er vage. »Ein herrliches Tier … langes Haar, wie das einer Frau, so ungewöhnlich …«

Ein Friesenpferd. Dem Doktor war eingefallen, dass der Pflanzer Phillip Wylie eine Vorliebe für solche Pferde hatte, und er hatte dies seinem Patienten erzählt, dem er angesichts seines Geldmangels vorschlug, vielleicht darüber nachzudenken, Wylie sein Pferd zu verkaufen, da er sowieso in nächster Zeit nicht ohne Probleme reiten können würde. Der Mann hatte sich einverstanden erklärt und den Doktor gebeten, sich nach Wylie zu erkundigen, der wegen der Gerichtssitzungen im Ort war.

Doktor Fentiman war dieser Bitte gern nachgekommen und hatte seinen Patienten gemütlich zugedeckt auf der *Chaise* zurückgelassen, einen Laudanumtrank greifbar zur Hand.

Phillip Wylie hatte großes Interesse an dem Pferd gezeigt (»Ja, darauf möchte ich wetten«, sagte ich, doch der Doktor hörte es nicht) und war eilig mitgekommen, um es sich anzusehen. Das Pferd war noch da, doch der Patient war es nicht, denn er hatte sich in Abwesenheit des Doktors zu Fuß davongemacht – und ein halbes Dutzend Silberlöffel, eine emaillierte Schnupftabaksdose, die Laudanumflasche und sechs Shilling mitgenommen, die das gesamte Bargeld im Haus des Doktors ausmachten.

»Ich kann mir gar nicht vorstellen, wie er das gemacht hat«, sagte Fentiman, und seine Augen wurden bei diesem Gedanken ganz groß. »In diesem Zustand!« Man musste ihm anrechnen, dass ihn der Zustand seines Patienten mehr zu bestürzen schien als sein persönlicher Verlust. Er war ein schrecklicher Trunkenbold, dieser Fentiman, dachte ich; ich hatte ihn noch nie völlig nüchtern gesehen – aber kein schlechter Arzt.

»Dennoch«, fügte er stoisch hinzu, »Ende gut, alles gut, nicht wahr, meine werte Dame?«

Womit er meinte, dass Phillip Wylie ihm das Pferd abgekauft hatte, und zwar zu einem Preis, der seinen Verlust mehr als wettmachte, so dass er letztlich noch einen ordentlichen Gewinn einstrich.

»Genau«, sagte ich und fragte mich, wie Jamie diese Neuigkeit wohl aufnehmen würde. Er hatte den Hengst – denn es konnte nur Lucas sein – in River Run im Lauf eines erbitterten Kartenspiels gegen Phillip Wylie gewonnen, nur um ihn sich ein paar Stunden später von Stephen Bonnet wieder stehlen zu lassen.

Im Großen und Ganzen ging ich davon aus, dass es Jamie freuen würde, dass der Hengst wieder in guten Händen war, auch wenn es nicht die seinen waren. Und was die Neuigkeiten von Bonnet anging… *»Unkraut vergeht nicht«*, war seine zynische Meinung gewesen, als Bonnets Leiche nicht aufgetaucht war, nachdem Brianna auf ihn geschossen hatte.

Fentiman gähnte jetzt unverhohlen. Er blinzelte mit tränenden Augen, tastete auf der Suche nach einem Taschentuch an sich herum und bückte sich dann, um in seinem Arztkoffer zu suchen, den er neben seinem Sessel auf den Boden gestellt hatte.

Ich hatte mein eigenes Taschentuch hervorgezogen und beugte mich zu ihm hinüber, um es ihm zu reichen, als ich sie in dem geöffneten Koffer sah.

»Was ist das?«, fragte ich und zeigte mit dem Finger darauf. Ich konnte natürlich sehen, was es war; was ich wissen wollte, war, woher er sie hatte. Es waren Spritzen, zwei Stück, perfekte kleine Spritzen aus Messing. Sie bestanden aus zwei Teilen: einem Drücker mit runden Griffen und einem Zylinder, der an seinem schmaleren Ende zu einer langen Nadel mit einer stumpfen Spitze auslief.

»Ich – oh – das… äh…« Er war sichtbar überrumpelt und stotterte wie ein Schuljunge, der Zigaretten hinter der Toilette versteckt hat. Dann kam ihm ein Gedanke, und er entspannte sich.

»Ohren«, erklärte er lautstark. »Zum Reinigen der Ohren. Ja, dazu sind sie da, wirklich. Ohrenklistiere!«

»Oh, wirklich?« Ich griff nach einer der Spritzen; er versuchte, mich aufzuhalten, doch seine Reflexe waren verlangsamt, und er bekam nur die Rüsche meines Ärmels zu fassen.

»Wie raffiniert«, sagte ich und betätigte den Drücker. Er war ein wenig schwergängig, aber gar nicht schlecht – vor allem nicht, wenn die Alternative in einer improvisierten Spritze bestand, die sich aus einem Lederschläuchlein und einem Klapperschlangenzahn zusammensetzte. Natürlich durfte die Spitze nicht stumpf sein, aber es würde ein Leichtes sein, sie im spitzen Winkel abzuschneiden. »Woher habt Ihr sie? Ich würde gern auch ein Exemplar bestellen.«

Er starrte mich mit offenem Mund entgeistert an.

»Ich – äh – ich glaube wirklich nicht…«, wandte er schwach ein. Just in diesem perfekt unpassenden Moment erschien sein Dienstmädchen in der Tür.

»Mr. Brennan ist hier; seine Frau ist so weit«, sagte sie kurz.

»Oh!« Doktor Fentiman sprang auf, knallte seinen Koffer zu und hob ihn hastig auf.

»Ich entschuldige mich, meine liebe Mrs. Fraser… muss gehen… sehr dringende Angelegenheit – so erfreut, Euch gesehen zu haben!« Er rauschte hinaus, den Koffer an seine Brust geklammert, und trat in seiner Hast auf seinen Hut.

Die Dienstmagd hob die zerdrückte Kopfbedeckung resigniert auf und klopfte sie gleichgültig wieder in Form.

»Möchtet Ihr dann jetzt gehen, Ma'am?«, erkundigte sie sich in einem Tonfall, der keinen Zweifel daran ließ, dass ich jetzt gehen sollte, ob ich wollte oder nicht.

»Ja«, sagte ich und erhob mich. »Aber sagt mir –« Ich hielt ihr die Messingspritze in meiner Hand entgegen. »Wisst Ihr, was das ist und woher Doktor Fentiman es hat?«

Es war schwer zu sagen, in welche Richtung sie blickte, doch sie beugte den Kopf über die Spritze, um sie zu betrachten, und legte dabei auch nicht mehr Interesse an den Tag, als wenn es ein zwei Tage alter Stint gewesen wäre, den man ihr auf dem Markt anbot.

»Oh, das. Aye, Ma'am, das ist eine Penisspritze. Ich glaube, er hat sie in Philadelphia bestellt.«

»Eine, ähm, Penisspritze. Verstehe«, sagte ich und blinzelte ein wenig.

»Ja, Ma'am. Zur Behandlung von Tripper. Der Doktor behandelt viele Männer, die zu Mrs. Sylvie gehen.«

Ich holte tief Luft.

»Mrs. Sylvie. Ah. Und wisst Ihr auch, wo sich Mrs. Sylvies… Etablissement befindet?«

»Hinter Silas Jamesons Gastwirtschaft«, erwiderte sie und betrachtete mich zum ersten Mal mit einem Hauch von Neugier, als fragte sie sich, was für ein Schwachkopf *das* nicht wusste. »Braucht Ihr sonst noch etwas, Ma'am?«

»Oh, nein«, sagte ich. »Damit ist mir sehr geholfen, danke!« Ich machte Anstalten, ihr die Penisspritze zurückzugeben, doch dann kam mir ein spontaner Einfall. Der Doktor hatte schließlich zwei.

»Ich geb Euch einen Shilling dafür«, sagte ich und sah ihr in das Auge, das mir am ehesten in meine Richtung zu blicken schien.

»Abgemacht«, sagte sie prompt. Sie hielt einen Moment inne, dann fügte sie hinzu: »Wenn Ihr sie für Euren Mann braucht, seht besser erst zu, dass er sturzbetrunken ist.«

Meine wichtigste Mission war hiermit erfüllt, doch jetzt gab es eine neue Möglichkeit auszuloten, bevor ich meinen Angriff auf Mrs. Sylvies Haus von üblem Rufe startete.

Ich hatte vorgehabt, einen Glasbläser aufzusuchen und ihm anhand von Zeichnungen zu erklären, wie er mir Zylinder und Drücker einer Spritze anfertigen sollte. Das Problem, eine Hohlnadel herzustellen und sie daran zu befestigen, würde ich Brianna überlassen. Unglücklicherweise konnte der einzige Glasbläser, der in Cross Creek arbeitete, zwar jede Art von alltäglichen Flaschen, Krügen und Bechern herstellen, doch beim ersten Blick auf sein Angebot wurde offensichtlich, dass meine Erfordernisse seine Fähigkeiten weit überstiegen.

Aber jetzt brauchte ich mir darum keine Sorgen zu machen! Einer Metallspritze fehlten zwar diverse wünschenswerte Eigenschaften, die Glas besaß, doch sie hatte auch den unleugbaren Vorteil, dass sie unzerbrechlich war – und eine abnehmbare Nadel war zwar schön, doch ich konnte einfach das ganze Instrument nach jedem Gebrauch sterilisieren.

Doktor Fentimans Spritze hatte eine ziemlich dicke, stumpfe Nadelspitze. Es würde notwendig sein, sie zu erhitzen und die Spitzen länger zu ziehen, um sie zu verschmälern. Doch das konnte jeder Idiot mit einer Esse, dachte ich. Dann musste die Messingspitze schräg abgeschnitten und so glatt gefeilt werden, dass sie Haut sauber durchbohrte … ein Kinderspiel, dachte ich fröhlich und wäre den sandigen Gehsteig am liebsten entlanggehüpft. Jetzt brauchte ich nur noch einen ordentlichen Vorrat an Chinarinde.

Meine Hoffnung, diese zu erwerben, zerschlug sich jedoch in dem Moment, in dem ich in die Hauptstraße einbog und Mr. Bogues' Apotheke erblickte. Die Tür stand offen, so dass die Fliegen freien Zugang hatten, und der normalerweise makellose Laden war von einer solchen Menge schmutziger Fußspuren entstellt, dass es aussah, als sei eine feindliche Armee darüber hergefallen.

Dieser Eindruck von Raub und Plünderung wurde durch die Szene im Inneren noch verstärkt; die meisten Wandregale waren leer und mit den Überresten getrockneter Blätter oder zerbrochener Keramikgefäße übersät. Miranda, die zehnjährige Tochter der Bogues', hielt traurig Wache bei einer kleinen Sammlung von Gläsern und Flaschen und einem leeren Schildkrötenpanzer.

»Miranda!«, sagte ich. »Was ist denn hier passiert?«

Ihr Gesicht erhellte sich bei meinem Anblick, und ihr nach unten verzogener Mund drehte sich kurz nach oben.

»Mrs. Fraser! Braucht Ihr vielleicht Andorn? Wir haben noch fast ein Pfund übrig – und er ist billig, nur drei Farthing für die Unze.«

»Ich nehme eine Unze«, sagte ich, obwohl ich eigentlich genug davon in meinem Garten hatte. »Wo sind denn deine Eltern?«

Ihr Mund verzog sich wieder nach unten, und ihre Unterlippe zitterte.

»Mama ist hinten im Haus und packt. Und Papa ist bei Mr. Raintree, um ihm Jack zu verkaufen.«

Jack war das Zugpferd des Apothekers und Mirandas besonderer Liebling. Ich biss mir auf die Lippe.

»Mr. Raintree ist ein sehr gütiger Mensch«, sagte ich, um sie irgendwie zu trösten. »Und er hat eine schöne Weide für seine Pferde und einen warmen Stall; ich glaube, Jack wäre glücklich bei ihm. Und Freunde wird er auch haben.«

Sie nickte mit verkniffenem Mund, doch ihr entwischten zwei dicke Tränen und rollten ihr über die Wangen.

Ich vergewisserte mich mit einem raschen Blick, dass niemand in den Laden kam, und umrundete die Theke, setzte mich auf ein umgedrehtes Fass und nahm sie auf meinen Schoß, wo sie sich sofort in Tränen auflöste. Sie klammerte sich an mich und weinte, obwohl sie sich sichtlich darum bemühte, dass man sie in den Wohnräumen hinter der Apotheke nicht hören konnte.

Ich tätschelte sie mit leisen, beruhigenden Geräuschen und spürte unterdessen eine Beklommenheit, die weit über das bloße Mitgefühl mit dem Mädchen hinausging. Die Bogues waren eindeutig im Begriff, ihr Hab und Gut zu verkaufen. Warum?

Da ich nur so selten den Berg herunterkam, hatte ich keine Ahnung, welche politische Gesinnung Ralston Bogues in diesen Tagen hegte. Er war kein Schotte und war daher nicht bei dem Empfang zu Flora MacDonalds Ehren gewesen. Doch sein Geschäft war stets gut gegangen, und den Kleidern der Kinder nach – Miranda und ihre beiden kleinen Brüder hatten immer Schuhe – lebte die Familie nicht schlecht. Die Bogues hatten mindestens so lange hier gewohnt, wie Miranda lebte, wahrscheinlich sogar länger. Dass sie auf diese Weise ihre Zelte abbrachen, bedeutete, dass etwas Ernstes vorgefallen war – oder kurz bevorstand.

»Weißt du, wohin ihr geht?«, fragte ich Miranda, die jetzt auf meinem Knie saß, ihre Nase hochzog und sich das Gesicht an meiner Schürze abwischte. »Vielleicht kann dir Mr. Raintree ja schreiben und dir sagen, wie es Jack geht.«

Bei diesen Worten wurde ihre Miene ein wenig hoffnungsvoller.

»Meint Ihr, er kann einen Brief nach England schicken? Das ist furchtbar weit weg.«

England? Es *war* ernst.

»Oh, ich glaube schon«, sagte ich und steckte ihr die Haarsträhnchen wieder unter die Haube. »Mr. Fraser schreibt jeden Abend einen Brief an seine Schwester in Schottland – und das ist noch viel weiter fort als England!«

»Oh. Gut.« Mit glücklicherem Gesicht kletterte sie von meinem Schoß und strich sich ihr Kleid glatt. »Glaubt Ihr, ich kann Jack auch schreiben?«

»Mr. Raintree liest ihm den Brief bestimmt vor, wenn du das tust«, versicherte ich ihr. »Kannst du denn gut schreiben?«

»O ja, Ma'am«, sagte sie ernst. »Papa sagt, ich kann besser lesen und schreiben als er in meinem Alter. *Und* auf Latein. Er hat mir die Namen aller Kräuter beigebracht, damit ich ihm holen konnte, was er brauchte – seht Ihr das?« Sie wies stolz auf ein großes Apothekergefäß aus Porzellan, das elegant mit blauen und goldenen Schnörkeln verziert war. »*Electuarium Limonensis*. Und das da ist *Ipecacuanha*!«

Ich bewunderte ihr Können und war mir sicher, jetzt zumindest die politische Meinung ihres Vaters zu kennen. Die Bogues mussten Loyalisten sein, wenn sie nach England zurückkehrten. Es tat mir Leid, sie gehen zu sehen, doch angesichts dessen, was ich von der unmittelbaren Zukunft wusste, war ich froh, dass sie in Sicherheit sein würden. Immerhin war es wahrscheinlich, dass Ralston einen anständigen Preis für seine Apotheke bekommen hatte; nicht mehr lange, und das Eigentum von Loyalisten würde beschlagnahmt werden und sie selbst konnten froh sein, wenn sie einer Festnahme – oder Schlimmerem – entgingen.

»Randy? Hast du Georgies Schuh gesehen? Einen habe ich unter der Truhe gefunden, aber – oh, Mrs. Fraser! Verzeihung, Ma'am, ich wusste nicht, dass jemand hier ist.« Melanie Bogues' scharfer Blick erfasste meinen Standort hinter der Theke, die rot geränderten Augen ihrer Tochter und die feuchten Flecken auf meiner Schürze, doch sie sagte nichts und tätschelte Miranda nur im Vorübergehen die Schulter.

»Miranda erzählte mir, Ihr brecht nach England auf«, sagte ich, während ich aufstand und hinter der Ladentheke hervorschlenderte. »Wir lassen Euch aber nur ungern gehen.«

»Das ist sehr freundlich von Euch, Mrs. Fraser.« Sie lächelte unglücklich. »Wir gehen auch nur ungern. Und ich freue mich nicht auf die Überfahrt, das kann ich Euch sagen!« Dieser Satz kam von jemandem, der eine solche Überfahrt bereits einmal unternommen hatte und sich lieber lebendig kochen lassen würde als diese Erfahrung zu wiederholen.

Ich konnte es ihr nachfühlen, da ich es selbst schon einmal gemacht hatte. Es mit drei Kindern zu tun, zwei davon Jungen unter fünf... es war kaum vorzustellen.

Ich hätte sie gern gefragt, was sie zu dieser drastischen Entscheidung gedrängt hatte, wusste aber nicht, wie ich dieses Thema vor Miranda hätte ansprechen sollen. Irgendetwas war vorgefallen; das war klar. Melanie wirkte nervös wie ein Kaninchen und noch sogar gehetzter, als es sich durch das Zusammenpacken eines Haushalts mit drei Kindern erklären ließ. Sie warf ständig hastige Blicke hinter sich, als fürchtete sie, dass sich jemand an sie heranschleichen könnte.

»Ist Mr. Bogues –«, setzte ich an, wurde aber unterbrochen, weil ein Schatten auf die Eingangstreppe fiel. Melanie zuckte zusammen und fuhr sich mit der Hand an die Brust, und ich drehte mich, um festzustellen, wer der Ankömmling war.

Die Türöffnung wurde von einer kleinen, untersetzten Frau ausgefüllt, die eine sehr seltsame Kombination von Kleidungsstücken trug. Im ersten Moment dachte ich, sie wäre Indianerin, denn sie trug keine Haube und hatte ihr dunkles Haar geflochten – doch dann betrat sie die Apotheke, und ich sah, dass sie eine Weiße war. Oder eher rötlich; ihr kräftiges Gesicht war von der Sonne verbrannt, und die Spitze ihrer Mopsnase war leuchtend rot.

»Wer von Euch ist Claire Fraser?«, wollte sie wissen und blickte von mir zu Melanie Bogues.

»Das bin ich«, sagte ich und unterdrückte das instinktive Bedürfnis, einen Schritt zurückzutreten. Ihr Verhalten war nicht bedrohlich, doch ihr Körper strahlte eine solche Energie aus, dass sie ziemlich einschüchternd auf mich wirkte. »Wer seid Ihr?« Erstaunen, nicht Unhöflichkeit diktierte mir diese Worte, und sie schien sich nicht vor den Kopf gestoßen zu fühlen.

»Jezebel Hatfield Morton«, sagte sie und blinzelte mich gebannt an. »Ein Kerl bei den Docks hat mir gesagt, Ihr wärt nach hier unterwegs.« In deutlichem Unterschied zu Melanie Bogues' sanftem englischen Akzent hatte sie die raue Aussprache, die ich mit Menschen in Verbindung brachte, die schon seit drei oder vier Generationen im Hinterland lebten und sich die meiste Zeit nur mit Waschbären, Opossums und miteinander unterhalten hatten.

»Äh… ja«, sagte ich, da ich keinen Sinn darin sah, es zu verneinen. »Braucht Ihr irgendwelche Hilfe?«

Sie sah nicht danach aus; wäre sie noch gesünder gewesen, wäre sie aus den Nähten des Männerhemdes geplatzt, das sie trug. Melanie und Miranda starrten sie mit großen Augen an. Ganz gleich, vor welcher Gefahr sich Melanie gefürchtet hatte, Miss Morton war es nicht.

»Hilfe würde ich nicht sagen«, sagte sie und trat noch einen Schritt weiter in die Apotheke. Sie legte den Kopf schief und betrachtete mich mit einem Ausdruck, der wie Faszination aussah. »Aber ich dachte, Ihr wisst vielleicht, wo das alte Stinktier Isaiah Morton ist.«

Mir klappte der Mund auf, und ich schloss ihn hastig wieder. Nicht Miss Morton also – *Mrs.* Morton. Die *erste* Mrs. Isaiah Morton nämlich. Isaiah Morton hatte im Regulatorenkrieg in Jamies Milizkompanie gekämpft, und er hatte seine erste Frau einmal erwähnt – wobei ihm der kalte Schweiß ausgebrochen war.

»Ich… äh… glaube, er arbeitet irgendwo landeinwärts«, sagte ich. »Guilford? Oder war es Paleyville?«

Tatsächlich war es Hillsboro, doch das spielte kaum eine Rolle, da er sich zurzeit nicht *in* Hillsboro befand. Er war nämlich in Cross Creek, um für seinen Arbeitgeber, einen Brauer, eine Lieferung Fässer in Empfang zu nehmen. Ich hatte ihn kaum eine Stunde zuvor in der Küferei gesehen, in Begleitung der *zweiten* Mrs. Morton und ihres Babys. Jezebel Hatfield Morton sah nicht so aus, als würde sie eine solche Situation gesittet hinnehmen.

Sie stieß einen leisen Kehllaut aus, der auf Ekel schließen ließ.

»Er ist ein verdammt flinkes kleines Wiesel. Aber ich erwisch ihn schon noch, nur keine Sorge.« Die beiläufige Überzeugung, mit der sie diese Worte sprach, verhieß nichts Gutes für Isaiah.

Ich hielt zwar Schweigen für die klügste Vorgehensweise, fragte aber unwillkürlich: »Was wollt Ihr denn von ihm?« Isaiah besaß eine gewisse lässige Liebenswürdigkeit, doch objektiv betrachtet schien er kaum die Sorte Mann zu sein, für den eine Frau entflammte, von zweien ganz zu schweigen.

»Was ich von ihm will?« Dieser Gedanke schien sie zu belustigen, und sie rieb sich mit ihrer kräftigen Faust über die rote Nase. »Ich will gar nichts von ihm. Aber *mich* lässt kein Mann für irgendein blasses Mäuschen sitzen. Wenn ich ihn erwische, schlag ich ihm den Schädel ein und nagle ihn mit der Vorhaut an meine Tür.«

Aus dem Mund eines anderen Menschen hätte dies eventuell nach einer rhetorischen Drohung geklungen. Aus dem Mund der fraglichen Dame war es eine unumstößliche Absichtserklärung. Mirandas Augen waren so rund wie die eines Froschs, und die ihrer Mutter kaum minder.

Jezebel H. Morton blinzelte mich an und kratzte sich nachdenklich unter ihrer massigen Brust, so dass der feuchte Stoff ihres Hemdes an ihrer Haut kleben blieb.

»Ich habe gehört, Ihr habt dem kleinen Schuft in Alamance das Leben gerettet. Stimmt das?«

»Äh… ja.« Ich beobachtete sie argwöhnisch und machte mich auf einen eventuellen Angriff gefasst. Sie blockierte die Tür; falls sie auf mich losging, würde ich über die Theke springen und durch die Tür in die Wohnung der Bogues' sprinten.

Sie trug ein blankes Messer, das groß genug war zum Schweineschlachten. Es steckte in einem geknoteten Wampum-Gürtel, der außerdem eine zum Kilt zusammengelegte Stoffmasse festhielt, die ursprünglicherweise vielleicht einmal ein roter Flanellunterrock gewesen war und jetzt am Knie abgesäbelt war. Ihre kräftigen Beine waren nackt, genau wie ihre Füße. Sie hatte außerdem eine Pistole und ein Pulverhorn am Gürtel hängen, machte aber zum Glück keine Anstalten, nach einer ihrer Waffen zu greifen.

»Wie schade«, sagte sie leidenschaftslos. »Aber wenn er schon tot wäre, bliebe mir der Spaß erspart, ihn umzubringen, also ist es wohl nicht so schlimm. Keine Sorge; wenn ich ihn nicht finde, findet ihn einer von meinen Brüdern.«

Anscheinend war die Angelegenheit damit vorerst erledigt, und sie entspannte sich ein wenig und sah sich um, wobei ihr erstmals die leeren Regale ins Auge fielen.

»Was ist denn hier los?«, wollte sie mit neugieriger Miene wissen.

»Wir verkaufen«, murmelte Melanie und versuchte, Miranda hinter sich in Sicherheit zu bringen. »Fahren nach England.«

»Ach ja?« Das schien Jezebel zu interessieren. »Was ist passiert? Haben sie Euren Mann umgebracht? Oder geteert und gefedert?«

Melanie wurde weiß.

»Nein«, flüsterte sie. Ihr Kehlkopf bewegte sich, als sie schluckte, und ihr angstvoller Blick wanderte zur Tür. Das war also die Bedrohung. Trotz der glühenden Hitze war mir plötzlich kalt.

»Oh? Nun, wenn es Euch kümmert, ob sie das tun, geht Ihr besser zur Center Street«, schlug Jezebel hilfsbereit vor. »Aus *irgendjemandem* machen sie da gleich ein Brathuhn, so sicher, wie Gott die kleinen grünen Äpfel geschaffen hat. Die ganze Stadt riecht nach heißem Teer, und die Leute kommen aus allen Wirtshäusern gequollen.«

Melanie und Miranda kreischten gleichzeitig auf und rannten auf die Tür zu, indem sie sich an der unerschütterlichen Jezebel vorbeischoben. Ich bewegte mich eilig in dieselbe Richtung und wäre um ein Haar mit Ralston Bogues zusammengestoßen, der gerade noch rechtzeitig zur Tür hereinkam, um seine hysterische Frau aufzuhalten.

»Randy, pass auf deine Brüder auf«, sagte er ruhig. »Ruhig, Mellie, es ist ja schon gut.«

»Teer«, keuchte sie an ihn geklammert. »Sie hat gesagt – sie hat gesagt –«

»Nicht ich«, sagte er, und ich sah, dass sein Haar triefte und sein Gesicht unter dem Schweiß blass war. »Sie sind nicht hinter mir her. Es ist der Drucker.«

Er löste die Hände seiner Frau sanft von seinem Arm und trat hinter die Ladentheke, wobei er einen kurzen, neugierigen Blick auf Jezebel warf.

»Nimm die Kinder, geh zu Ferguson«, sagte er und zog eine Flinte aus ihrem Versteck unter der Theke. »Ich komme, sobald ich kann.« Er griff in einer Schublade nach Pulverhorn und Patronenbeutel.

»Ralston!«, flüsterte Melanie mit einem Blick auf Mirandas Rücken, doch durch die schwache Lautstärke war ihr Ton nicht weniger flehend. »Wohin gehst du?«

Sein Mundwinkel zuckte, aber er antwortete nicht.

»Geh zu Ferguson«, erwiderte, ohne den Blick von der Patrone in seiner Hand abzuwenden.

»Nein! Nein, geh nicht! Komm mit uns, komm mit mir!« Sie packte ihn panisch am Arm.

Er schüttelte sie ab und lud weiter hartnäckig das Gewehr.

»Geh, Mellie.«

»Nein!« Sie wandte sich drängend an mich. »Mrs. Fraser, sagt es ihm. Bitte, sagt ihm, dass es Verschwendung ist – schreckliche Verschwendung! Er darf nicht gehen.«

Ich öffnete den Mund, ohne zu wissen, was ich zu den beiden sagen sollte, doch die Entscheidung wurde mir abgenommen.

»Ich glaube nicht, dass Mrs. Fraser es für Verschwendung halten wird, Mellie«, sagte Ralston Bogues, den Blick immer noch auf seine Hand gerichtet. Er schlang sich den Riemen des Patronenbeutels über die Schulter und entsicherte das Gewehr. »Im Moment hält ihr Mann sie in Schach – er ganz allein.«

Jetzt sah er mich an, nickte und war fort.

Jezebel hatte Recht; man *konnte* in der ganzen Stadt Teer riechen. Das war zwar im Sommer alles andere als ungewöhnlich, vor allem in der Nähe der Lagerhäuser an den Docks, doch der scharfe, stickige Geruch, der mir in die Nase biss, hatte etwas Bedrohliches an sich. Abgesehen von dem Teer – und meiner Angst – keuchte ich, weil ich mich angestrengt bemühte, mit Ralston Schritt zu halten, der zwar noch nicht rannte, aber sich doch so schnell bewegte, wie es möglich war, ohne in Trab zu verfallen.

Jezebel hatte auch Recht gehabt, was die Menschen betraf, die aus den Wirtshäusern strömten; die Ecke der Center Street war von einer aufgeregten Menge verstopft. Zum Großteil Männer, wie ich registrierte, doch ein paar Frauen von der raueren Sorte waren ebenfalls dabei, Fischweiber und Leibeigene.

Der Apotheker zögerte bei diesem Anblick. Einige Gesichter wandten sich in seine Richtung; ein oder zwei zupften ihren Nachbarn am Ärmel und zeigten mit den Fingern auf ihn – und ihre Mienen waren nicht besonders freundlich.

»Scher dich fort, Bogues!«, rief ein Mann. »Das ist nicht deine Sache – noch nicht!«

Ein anderer hob einen Stein auf und warf damit. Er landete harmlos klickernd über einen Meter vor Bogues auf dem hölzernen Gehsteig, doch dies lenkte noch mehr Aufmerksamkeit auf ihn. Teile der Menge begannen, sich umzudrehen und langsam in unsere Richtung zu drängen.

»Papa!«, sagte ein atemloses Stimmchen hinter mir. Ich drehte mich um und sah Miranda dort stehen. Sie hatte ihre Haube verloren, ihre Zöpfe fielen ihr über den Rücken, und ihr Gesicht war vom Rennen dunkelrot angelaufen.

Ich hatte keine Zeit zum Überlegen. Ich hob sie auf und schwang sie ihrem

Vater entgegen. Dieser ließ überrumpelt das Gewehr fallen und bekam sie unter den Armen zu fassen.

Ein Mann sprang vor und griff nach dem Gewehr, aber ich bückte mich und bekam es zuerst zu fassen. Ich wich vor ihm zurück, klammerte es an meine Brust und funkelte ihn herausfordernd an.

Ich kannte ihn nicht, aber er kannte mich; seine Augen huschten über mich hinweg, zögerten, dann sah er hinter sich. Ich konnte Jamies Stimme hören und eine Menge anderer Stimmen, die alle versuchten, sich gegenseitig niederzuschreien. Der Atem pfiff mir nach wie vor in der Brust; ich konnte keine Worte ausmachen. Dem Tonfall nach war es aber ein Streitgespräch; Konfrontation, kein Blutvergießen. Der Mann schwankte, sah mich an, wandte den Blick ab – und schob sich in die wachsende Menge.

Bogues hatte den Verstand so weit beisammen, dass er seine Tochter nicht losließ. Sie hatte die Arme fest um seinen Hals geschlungen und das Gesicht in seinem Hemd vergraben. Er warf mir einen raschen Blick zu und machte eine kleine Handbewegung, als wollte er das Gewehr wieder an sich nehmen. Ich schüttelte den Kopf und umklammerte es noch fester. Der Kolben war warm und glatt in meinen Händen.

»Bringt Miranda heim«, sagte ich. »Ich werde – schon irgendetwas tun.«

Es war geladen und schussbereit. Ein Schuss. Das Beste, was ich damit erreichen konnte, war ein kurzes Ablenkungsmanöver – doch *vielleicht* half das ja.

Ich schob mich durch die Menge. Das Gewehr, mit dem ich vorsichtig auf den Boden zielte, um das Pulver nicht zu verschütten, hielt ich halb in meinen Röcken verborgen. Der Teergeruch wurde unvermittelt stärker. Vor der Druckerei lag ein umgekippter Kessel auf dem Boden, und eine schwarze, klebrige Pfütze qualmte stinkend in der Sonne.

Glühende Asche und schwarze Holzkohlen hatten sich auf der ganzen Straße unter den Füßen der Leute verteilt; ein aufrechter Bürger, in dem ich Mr. Townsend erkannte, trat aus Leibeskräften auf einem hastig zusammengetragenen Feuer herum und vereitelte die Versuche einer Hand voll junger Männer, es erneut zu entfachen.

Ich sah mich nach Jamie um und fand ihn genau da, wo es Ralston Bogues gesagt hatte – vor der Eingangstür der Druckerei. Er hielt einen teerverschmierten Besen in der Hand, und seine Augen leuchteten kampflustig.

»Ist das Euer Mann?« Jezebel Morton hatte uns eingeholt und blickte mir neugierig über die Schulter. »Gut gebaut, wie?«

Die ganze Vorderfront der Druckerei – und Jamie – waren voller Teerspritzer. Ein großer Klecks klebte in seinen Haaren, und ich konnte sehen, dass die Haut auf seinem Arm gerötet war, weil ihn dort ein langer Teerfaden getroffen hatte. Trotz allem grinste er. Zwei weitere eingeteerte Besen lagen neben ihm auf dem Boden, einer davon war zerbrochen – mit ziemlicher Sicherheit auf jemandes Schädel. Zumindest im Moment hatte er seinen Spaß.

Den Drucker, Fogarty Simms, erspähte ich nicht sofort. Dann tauchte am Fenster ein angsterfülltes Gesicht auf, duckte sich aber sofort außer Sichtweite, weil aus der Menge ein Stein geflogen kam, der das Fenster traf und das Glas splittern ließ.

»Komm raus, Simms, du alter Feigling!«, brüllte ein Mann dicht neben mir. »Oder sollen wir dich ausräuchern?«

»Räuchern! Räuchern!« Begeisterte Schreie stiegen aus der Menge auf, und neben mir bückte sich ein junger Mann und grabschte nach einem brennenden Ast, der aus dem zerstreuten Feuer stammte. Ich trat ihm fest auf die Hand, als er danach griff.

»O *Gott*!« Er ließ los, fiel auf die Knie und klemmte sich die Hand zwischen die Oberschenkel. Sein Mund stand offen, und er keuchte vor Schmerz. »Oh, o Himmel!«

Ich schob mich langsam durch die dicht gedrängte Menge. Konnte ich nah genug an Jamie herankommen, um ihm das Gewehr zu geben? Oder würde das alles nur verschlimmern?

»Fort mit Euch von der Tür, Fraser! Wir haben nichts gegen Euch!«

Ich erkannte diese kultivierte Stimme; es war Neil Forbes, der Anwalt. Allerdings trug er nicht seinen üblichen schicken Anzug, sondern grobes Leinen. Es war also keine spontane Belagerung – er war auf Schmutzarbeit vorbereitet hier.

»He! Sprecht für Euch selbst, Forbes! *Ich* habe ein Huhn mit ihm zu rupfen!« Das war ein untersetzter Mann in einer Metzgerschürze, der ein geschwollenes blaues Auge hatte. »Seht Euch an, was er mir angetan hat!« Er wies mit seiner fleischigen Hand auf sein Auge und dann auf die Vorderseite seiner Kleidung, wo ihn offensichtlich ein teerverschmierter Besen vor die Brust getroffen hatte. Er schüttelte seine massige Hand in Jamies Richtung. »Dafür werdet Ihr bezahlen, Fraser!«

»Aye, aber ich zahl's Euch mit der gleichen Münze heim, Buchan!« Jamie täuschte einen Angriff mit dem Besen vor, den er wie eine Lanze hielt. Buchan schrie auf und hastete rückwärts. Seine Miene war so erschrocken, dass es komisch war, und die Menge brach in Gelächter aus.

»Kommt zurück, Mann! Wenn Ihr den Wilden spielen wollt, braucht Ihr noch mehr Farbe!« Buchan hatte sich zur Flucht gewandt, doch die Menge war ihm im Weg. Jamie machte einen Satz mit dem Besen und erwischte ihn mitten auf dem Hosenboden. Buchan fuhr panisch in die Höhe, als er getroffen wurde, was noch mehr Gelächter und dann verächtliche Ausrufe hervorrief, als er die Umstehenden beiseite schubste und außer Reichweite stolperte.

»Ihr anderen wollt wohl auch die Wilden spielen, wie?«, rief Jamie. Er fuhr mit dem Besen durch die dampfende Pfütze und ließ ihn im weiten

Bogen vor sich durch die Luft schwingen. Heiße Teertropfen flogen herum, und die Männer brüllten auf, schoben sich gegenseitig fort, um auszuweichen, und stießen sich dabei zu Boden.

Ich wurde zur Seite gedrängt und prallte gegen ein Fass, das auf der Straße stand. Ich wäre hingefallen, wäre Jezebel nicht gewesen, die mich am Arm packte und mich scheinbar mühelos wieder hochzog.

»Was für ein munterer Kerl«, sagte sie beifällig, den Blick fest auf Jamie gerichtet. »So einen Mann lobe ich mir!«

»Ja«, schnaufte ich und hielt mir meinen geprellten Ellbogen. »Ich auch. Manchmal.«

Diese Meinung schien von der Allgemeinheit jedoch nicht geteilt zu werden.

»Übergebt ihn uns, Fraser, oder Ihr kriegt auch ein Federkleid. Verdammte Tories!«

Der Ruf erklang in meinem Rücken, und als ich mich umdrehte, sah ich, dass der Sprecher gut vorbereitet war; er hatte ein Federkissen in der Hand, das bereits an einer Seite aufgerissen war, so dass es bei jeder Bewegung Daunenfedern spuckte.

»Teert und federt sie alle!«

Dieser Ausruf kam von oben, und als ich mich in die Richtung umdrehte, sah ich gerade noch, wie ein junger Mann die Fensterläden des Hauses gegenüber weit aufstieß. Er versuchte, ein Federbett durch das Fenster zu stopfen, wurde aber von der Dame des Hauses, deren Eigentum es war, aus Leibeskräften daran gehindert. Sie war ihm auf den Rücken gesprungen und hieb ihm ihre Teigspritze über den Schädel, während sie ihn kreischend verfluchte.

Neben mir begann ein junger Mann zu gackern wie ein Huhn und schlug mit den Ellbogen, zur immensen Belustigung seiner Freunde, die ihn geschlossen nachahmten und jeden Appell an die Vernunft – nicht, dass es viel davon gab – übertönten.

Auf der anderen Straßenseite erhob sich ein Schlachtruf.

»Tory, Tory, Tory!«

Der Grundton der Situation änderte sich, und zwar nicht zum Guten. Ich hob die Flinte ein Stückchen, unsicher, was ich tun sollte, aber sicher, dass ich *etwas* tun musste. Noch eine Minute, und sie würden sich auf ihn stürzen.

»Gib mir das Gewehr«, sagte eine leise Stimme neben mir, und ich fuhr herum und sah Ian keuchend dastehen. Ich gab es ihm ohne das leiseste Zögern.

»*Reste d'retour!*«, brüllte Jamie auf Französisch. »*Oui, les tous!*« Zurück, alle miteinander! Er mochte es der Menge zurufen, doch sein Blick war auf Ian gerichtet.

Was zum Teufel hatte er – dann erblickte ich Fergus, der kräftige Ellbogenhiebe austeilte, um seinen Platz ganz vorn in der Menge zu behaupten. Ian, der im Begriff gewesen war, das Gewehr zu heben, zögerte und hielt es fest.

»Er hat Recht, warte!«, sagte ich drängend. »Nicht feuern, noch nicht.« Ich merkte jetzt, dass ein voreiliger Schuss mehr Schaden als Nutzen anrichten konnte. Man brauchte sich ja nur Bobby Higgins und das Massaker von Boston anzusehen. Ich hatte nicht den Wunsch, in Cross Creek ein Massaker zu erleben – schon gar nicht, wenn sich Jamie in seiner Mitte befand.

»Ich schieße nicht – aber ich lasse auch nicht zu, dass sie ihn in die Hände bekommen«, knurrte Ian. »Wenn sie auf ihn losgehen –« Er brach ab, doch er hatte das Kinn vorgeschoben, und ich konnte trotz des Teergestanks seinen scharfen Schweiß riechen.

Zum Glück war es zu einer kurzen Ablenkung gekommen. Die Hälfte der Menge drehte sich neugierig um, als von oben Geschrei erscholl.

Ein anderer Mann – offenbar der Hausherr – war in dem Fenster aufgetaucht, hatte den ersten Mann zurückgerissen und boxte jetzt auf ihn ein. Dann verschwand das kämpfende Paar aus dem Blickfeld, und innerhalb von Sekunden verstummten die Geräusche der Auseinandersetzung, und das Geschrei der Frau erstarb. Das Federbett blieb schlaff und prosaisch halb im Zimmer, halb aus dem Fenster hängen.

Die »Tory-Tory-Tory!«-Rufe waren verstummt, während sich alles fasziniert mit dem Konflikt in der oberen Etage befasste, doch jetzt begannen sie von neuem – unterbrochen von lauten Aufforderungen an den Drucker, herauszukommen und sich zu ergeben.

»Kommt heraus, Simms!«, brüllte Forbes. Ich sah, dass er sich mit einem frischen Besen bewaffnet hatte und sich der Tür der Druckerei näherte. Jamie bemerkte ihn ebenfalls, und ich sah, wie er verächtlich den Mund verzog.

Silas Jameson, der Betreiber einer Gastwirtschaft im Ort, stand hinter Forbes, zusammengekauert wie ein Ringer, das breite Gesicht zu einem gemeinen Grinsen verzogen.

»Komm raus da, Simms!«, wiederholte er. »Was für ein Mann sucht denn Zuflucht unter einem Schottenrock, hä?«

Jamesons Stimme war so laut, dass jeder das hörte, und die meisten lachten – auch Jamie.

»Ein kluger!«, rief Jamie zurück und schüttelte das Ende seines Plaids in Jamesons Richtung. »Dieser Tartan hat in seinem Leben schon so manchem armen Kerl Zuflucht geboten!«

»Und bestimmt auch ’ner Menge Mädchen, wette ich!«, rief eine mutige Seele in der Menge.

»Was, glaubt Ihr, Eure Frau steckt unter meinem Plaid?« Jamie atmete schwer, sein Hemd und sein Haar klebten ihm verschwitzt am Körper, doch er grinste immer noch, als er seinen Kiltsaum ergriff. »Möchtet Ihr sie vielleicht suchen?«

»Ist für mich da unten auch noch Platz?«, rief eins der Fischweiber prompt.

Gelächter wogte durch die Menge. Dieser Pöbel war genauso wankelmütig wie alle anderen, und die Stimmung der Leute schwankte zwischen Bedrohung und Amüsement. Ich holte tief und bebend Luft und spürte, wie mir der Schweiß zwischen den Brüsten hinunterlief. Er hatte sie im Griff, aber er balancierte auf Messers Schneide.

Wenn er es sich in den Kopf gesetzt hatte, Simms zu beschützen – und das hatte er –, dann konnte ihn keine Macht der Erde dazu bringen, den Drucker im Stich zu lassen. Wenn der Pöbel Simms wollte – und das wollte er –, mussten sie Jamie überwältigen. Und das *würden* sie, dachte ich. Es konnte sich nur noch um Minuten handeln.

»Komm raus, Simms!«, gellte eine Stimme aus den schottischen Lowlands. »Du kannst dich doch nicht den ganzen Tag hinter Fraser verstecken!«

»Lieber einen Drucker im Hintern als einen Anwalt!«, rief Jamie zurück und schwenkte zur Demonstration seinen Besen in Forbes' Richtung. »Ein Drucker nimmt weniger Platz weg, aye?«

Das brachte sie zum Grölen; Forbes war ein massiger Kerl, während Fogarty Simms ein wahrer Hänfling war. Forbes lief puterrot an, und ich sah, wie sich viel sagende Blicke auf ihn richteten. Forbes war Mitte vierzig, nie verheiratet gewesen, und es gab Gerede …

»Ich möchte keinen Rechtsanwalt im Hintern stecken haben«, rief Jamie fröhlich und stieß mit dem Besen nach Forbes. »Er stiehlt einem die Scheiße und kassiert für ein Klistier!«

Forbes öffnete den Mund, und sein Gesicht wurde lila. Er trat einen Schritt zurück und schien etwas zurückzuschreien, doch niemand konnte seine Antwort hören, die im dröhnenden Gelächter der Menge unterging.

»Und dann würde er sie einem noch als Dünger zurückverkaufen«, brüllte Jamie, sobald er wieder zu hören war. Er drehte seinen Besen flink um und stach Forbes mit dem Griff in den Bauch.

Die Menge johlte schadenfroh, und Forbes, der ein schlechter Verlierer war, verlor den Kopf und ging auf Jamie los. Er hielt seinen Besen wie eine Schaufel vor sich hin. Jamie, der ganz offensichtlich auf einen solchen unüberlegten Schachzug gewartet hatte, trat wie ein Tänzer beiseite, stellte Forbes ein Bein und schlug ihm den teerverschmierten Besen über die Schulter, so dass er zum lautstarken Entzücken der ganzen Straße bäuchlings in der abkühlenden Teerpfütze landete.

»Hier, Tante Claire, halt das fest!« Die Flinte wurde mir plötzlich wieder in die Hände gedrückt.

»Was?« Ich fuhr völlig überrumpelt herum und sah, wie sich Ian hinter der Menge entlangbewegte und Fergus zuwinkte. Unbemerkt von der Menge – deren Aufmerksamkeit ganz dem am Boden liegenden Forbes galt – erreichten sie in Sekunden das Haus, aus dessen Fenster das Federbett hing.

Ian bückte sich und verschränkte die Hände; Fergus trat in diesen improvisierten Steigbügel, schwang sich aufwärts und hieb mit seinem Haken nach dem Federbett. Er blieb hängen; Fergus baumelte einen Moment daran und packte mit der gesunden Hand hektisch den Haken, um zu verhindern, dass er sich löste.

Ian sprang auf, fasste Fergus um die Taille und zerrte ihn abwärts. Dann gab der Stoff des Federbetts unter ihrem vereinten Gewicht nach, Fergus und Ian plumpsten zu Boden, und eine wahre Kaskade aus Gänsefedern ergoss sich über sie, um sofort von der stickigen feuchten Luft ergriffen und zu einem torkelnden Schneesturm aufgewirbelt zu werden, der die ganze Straße erfüllte und die überraschte Menge mit klebrigen Federklumpen bestreute.

Die Luft schien voller Federn zu sein; sie waren überall, kitzelten Augen, Nase und Hals, klebten an Haaren, Kleidern und Wimpern. Ich wischte mir eine Daune aus dem tränenden Auge und trat hastig zurück, um den halb geblendeten Menschen auszuweichen, die schreiend an mir vorüberstolperten und gegeneinander prallten.

Ich hatte Fergus und Ian beobachtet, doch als der Federsturm ausbrach, hatte ich – anders als alle anderen – den Blick wieder auf die Druckerei gerichtet und gerade noch gesehen, wie Jamie durch die Tür griff, Fogarty Simms am Arm packte und ihn aus der Werkstatt zerrte wie eine Schnecke aus ihrem Haus.

Jamie versetzte Simms einen Stoß, der ihn davonstolpern ließ, dann fuhr er herum, um sich seinen Besen zu schnappen und dem flüchtenden Drucker Rückendeckung zu geben. Ralston Bogues, der sich im Schatten eines Baumes herumgedrückt hatte, kam mit einem Knüppel in der Hand zum Vorschein und rannte Simms nach, um ihn zu beschützen. Dann und wann sah er sich um und schwang den Knüppel, um etwaige Verfolger abzuschrecken.

Dies war nicht völlig unbemerkt vor sich gegangen; obwohl die meisten der Männer abgelenkt waren, weil sie mit der verwirrenden Federwolke kämpften, die sie umschwebte, hatten ein paar von ihnen gesehen, was geschah, und versuchten mit lautem Geheul auf sich aufmerksam zu machen, während sie sich durch die Menge schoben, um dem flüchtenden Drucker nachzusetzen.

Wenn es je den richtigen Moment gab … ich würde über ihre Köpfe hinwegschießen, und sie würden sich ducken, so dass Simms Zeit gewann, um zu fliehen. Ich hob entschlossen das Gewehr und griff nach dem Abzug.

Die Flinte wurde mir so zielsicher aus der Hand gerissen, dass ich im ersten Moment gar nicht begriff, dass sie fort war, sondern nur ungläubig auf meine leeren Hände starrte. Dann brüllte hinter mir eine Stimme so laut, dass alle Umstehenden verblüfft verstummten.

»Isaiah Morton! Du bist des *Todes*, Junge!«

Die Flinte ging neben meinem Ohr mit einem betäubenden *Bwuum!* und einer Rußwolke los, die mich blendete. Würgend und hustend rieb ich mir mit der Schürze über das Gesicht und gewann mein Augenlicht gerade rechtzeitig zurück, um zu sehen, wie die kurze, untersetzte Gestalt Isaiah Mortons einen Häuserblock entfernt davonhetzte, so schnell ihn seine Füße trugen. Jezebel Hatfield Morton war hinter ihm her und rannte achtlos jeden um, der ihr im Weg stand. Sie hüpfte gazellengleich über den beschmierten und gefiederten Forbes, der sich immer noch auf Händen und Knien befand und benommen dreinblickte. Sie schob sich durch die Überreste des Pöbels und flitzte die Straße entlang, überraschend schnell für einen Menschen ihres Körperbaus. Morton schoss um eine Ecke und verschwand, die unerbittliche Furie dicht auf den Fersen.

Ich fühlte mich selbst ein wenig benommen. Meine Ohren dröhnten noch, doch als mich jemand am Arm berührte, blickte ich auf.

Jamie blinzelte auf mich nieder. Er hielt ein Auge geschlossen, als sei er nicht sicher, ob er wirklich sah, was er zu sehen glaubte. Er sagte etwas, das ich nicht ausmachen konnte, doch die Gesten, mit denen er auf mein Gesicht wies – verbunden mit dem verräterischen Zucken seines Mundwinkels – ließen nicht den geringsten Zweifel daran, was er wohl meinte.

»Ha«, sagte ich kalt mit einer Stimme, die blechern und weit entfernt klang. Ich wischte mir noch einmal mit der Schürze über das Gesicht. »*Du* solltest den Mund lieber nicht zu voll nehmen!«

Er sah aus wie ein scheckiger Schneemann mit den schwarzen Teerflecken auf seinem Hemd und weißen Daunenklumpen an den Augenbrauen, im Haar und in den Bartstoppeln. Er sagte noch etwas, aber ich konnte ihn nicht klar hören. Ich schüttelte den Kopf und verdrehte einen Finger in meinem Ohr, um anzuzeigen, dass ich im Moment nichts hören konnte.

Er lächelte, ergriff mich an den Schultern und beugte den Kopf vor, bis seine Stirn mit einem leisen *Pock!* auf die meine traf. Ich konnte spüren, dass er sacht zitterte, war mir aber nicht sicher, ob es Gelächter oder Erschöpfung war. Dann richtete er sich auf, küsste mich auf die Stirn und nahm mich beim Arm.

Neil Forbes saß mit gespreizten Beinen und ruinierter Frisur mitten auf der Straße. Auf einer Seite war er von der Schulter bis zum Knie schwarz vom Teer. Er hatte einen Schuh verloren, und einige hilfsbereite Umstehende versuchten, ihm die Federn aus den Kleidern zu picken. Jamie führte mich im weiten Bogen um ihn herum und nickte ihm im Vorbeigehen freundlich zu.

Forbes blickte funkelnd auf und murmelte etwas, während sich sein feistes Gesicht hasserfüllt verzog. Im Großen und Ganzen, dachte ich, war es wohl ganz gut, dass ich ihn nicht hören konnte.

Ian und Fergus waren mit dem Großteil der Randalierer davongegangen, zweifellos, um anderswo Unheil zu stiften. Jamie und ich zogen uns in das »*Sycamore*« zurück, ein Gasthaus an der River Street, um uns zu erfrischen und wieder herzurichten. Jamies Ausgelassenheit ließ allmählich nach, während ich ihn von Teer und Federn befreite, bekam dann aber einen drastischen Dämpfer verpasst, als er von meinem Besuch bei Dr. Fentiman hörte.

»Man macht *was* damit?« Während meiner Erzählung der Geschichte von Stephen Bonnets Testikel war Jamie leicht zusammengezuckt. Als ich bei der Beschreibung der Penisspritzen anlangte, schlug er unwillkürlich die Beine übereinander.

»Nun, man führt natürlich das nadelartige Ende ein Stückchen weit ein und dann spült man wohl die Harnröhre mit einer Lösung aus, zum Beispiel Quecksilberchlorid.«

»Die, äh…«

»Soll ich es dir zeigen?«, erkundigte ich mich. »Ich habe meinen Korb bei den Bogues' stehen gelassen, aber ich kann ihn holen und –«

»Nein.« Er beugte sich vor und stützte die Ellbogen entschlossen auf die Knie. »Glaubst du, dass es sehr brennt?«

»Ich kann mir nicht vorstellen, dass es angenehm ist.«

Er erschauerte kurz.

»Nein, das denke ich auch.«

»Ich glaube außerdem nicht, dass es tatsächlich wirkt«, fügte ich nachdenklich hinzu. »Eine Schande, so etwas über sich ergehen zu lassen und nicht geheilt zu werden. Findest du nicht?«

Er betrachtete mich mit der nervösen Ausstrahlung eines Mannes, dem gerade klar geworden ist, dass das Paket, das neben ihm steht, tickt.

»Was –«, begann er, und ich kam hastig zum Ende.

»Dann macht es dir also nichts aus, bei Mrs. Sylvie vorbeizuschauen und dafür zu sorgen, dass ich die Mädchen behandeln kann, oder?«

»Wer ist Mrs. Sylvie?«, fragte er argwöhnisch.

»Die Besitzerin des hiesigen Bordells«, sagte ich und holte tief Luft. »Dr. Fentimans Dienstmädchen hat mir von ihr erzählt. Mir ist zwar klar, dass es möglicherweise mehr als ein Bordell im Ort gibt, aber Mrs. Sylvie kennt ja sicherlich ihre Mitbewerber, falls es welche gibt, daher kann sie dir sagen –«

Jamie fuhr sich mit der Hand über das Gesicht und zog seine Unterlider herunter, so dass das blutunterlaufene Aussehen seiner Augen noch stärker zur Geltung kam.

»Ein Bordell«, wiederholte er. »Du möchtest, dass ich in ein Bordell gehe.«

»Nun ja, ich gehe natürlich mit, wenn du das möchtest«, bot ich an. »Obwohl ich glaube, dass du allein besser zurechtkommen wirst. Ich würde es ja selbst tun«, fügte ich ein wenig scharf hinzu, »aber ich habe das Gefühl, dass sie eventuell nicht auf mich hören könnten.«

Er schloss ein Auge und betrachtete mich mit dem anderen, das aussah, als hätte man es mit Schmirgelpapier traktiert.

»Oh, das glaube ich schon«, sagte er. »Das war es also, was du vorhattest, als du darauf bestanden hast, mich in den Ort zu begleiten, ja?« Er klang leicht verbittert.

»Nun... ja«, gab ich zu. »Obwohl ich wirklich Chinarinde brauchte. Außerdem«, fügte ich in aller Logik hinzu, »hättest du das mit Bonnet nicht herausgefunden, wenn ich nicht mitgekommen wäre. Oder auch die Sache mit Lucas.«

Er sagte etwas auf Gälisch, das ich grob als Hinweis übersetzte, dass er ohne dieses Wissen genauso glücklich hätte weiterleben können.

»Außerdem kennst du dich doch mit Bordellen bestens aus«, sagte ich. »Du hattest sogar einmal ein Zimmer in einem, in Edinburgh.«

»Aye, das stimmt«, pflichtete er mir bei. »Aber damals war ich auch nicht verheiratet – oder doch, aber ich – aye, nun ja, ich meine, es kam mir damals sehr entgegen, dass die Leute dachten, ich –« Er brach ab und sah mich flehend an. »Sassenach, möchtest du wirklich, dass jedermann in Cross Creek glaubt, dass ich –«

»Nun, sie werden es nicht denken, wenn ich mit dir gehe, oder?«

»Oh, Gott.«

An diesem Punkt ließ er den Kopf in seine Hände fallen und rieb sich heftig die Kopfhaut. Vielleicht stand er ja unter dem Eindruck, dass ihm dies dabei helfen würde, einen Weg zu finden, mich von meinem Vorhaben abzubringen.

»Wo ist denn dein Mitgefühl mit deinem Nächsten?«, wollte ich wissen. »Du würdest doch nicht wollen, dass sich irgendein argloser Mann einer Sitzung mit Dr. Fentimans Spritze unterziehen muss, nur weil du –«

»Solange ich mich ihr nicht selbst unterziehen muss«, versicherte er mir und hob den Kopf, »kann mein Nächster gern den Lohn der Sünde einstreichen, und es geschieht ihm nur Recht.«

»Nun, ich tendiere sehr dazu, dir beizupflichten«, räumte ich ein. »Aber es sind nicht nur sie. Es sind die Frauen. Nicht nur die Huren; was ist mit den Ehefrauen – *und* den Kindern – der Männer, die sich anstecken? Du kannst sie doch nicht alle wissentlich an der Krankheit sterben lassen, wenn man sie retten könnte?«

Inzwischen hatte er das Aussehen eines gejagten Tiers angenommen, und diese Argumentationskette führte nicht zu einer Verbesserung.

»Aber – das Penizillin wirkt doch gar nicht immer«, führte er an. »Was, wenn es bei den Huren nicht funktioniert?«

»Diese Möglichkeit besteht«, gab ich zu. »Aber wenn ich die Wahl habe, etwas zu versuchen, was vielleicht nicht funktioniert – und es gar nicht zu versuchen...« Da er mich immer noch schief ansah, vergaß ich den Appell an seine Vernunft und verlegte mich auf meine beste Waffe.

»Was ist mit Ian?«

»Was ist denn mit ihm?«, erwiderte er argwöhnisch, aber ich konnte sehen, dass meine Worte prompt ein Bild vor seinem inneren Auge hatten entstehen lassen. Ian waren Bordelle nicht fremd – dank Jamie, auch wenn seine Einführung in das älteste Gewerbe der Welt ungeschickt und ungewollt gewesen war.

»Ian ist ein guter Junge«, sagte er standhaft. »Er würde nie…«

»Vielleicht doch«, sagte ich. »Und das weißt du genau.«

Ich hatte keine Ahnung, wie sich Ians Privatleben gestaltete – falls er eins hatte. Aber er war einundzwanzig, ungebunden und, soweit ich das sehen konnte, ein vollkommen gesundes männliches Exemplar der Gattung. Also…

Ich konnte sehen wie Jamie widerstrebend zu denselben Schlüssen gelangte.

Er war noch Jungfrau gewesen, als ich ihn mit dreiundzwanzig heiratete. Aufgrund von Faktoren, die niemand hatte beeinflussen können, war Ian in beträchtlich jüngerem Alter mit der Fleischeslust vertraut gemacht worden. Und diese Art von Unschuld ließ sich nicht zurückgewinnen.

»Mmpfm«, sagte er.

Er griff nach dem Handtuch, rubbelte sich heftig das Haar damit ab und warf es dann beiseite, fasste sein feuchtes Haar wieder zu dem dicken Pferdeschwanz und streckte die Hand nach einem Band aus, um diesen zusammenzubinden.

»Besser, wenn es so schnell wie möglich geschieht«, sagte ich, während ich ihn beifällig beobachtete. »Ich glaube, ich komme besser auch mit. Lass mich meine Kiste holen.«

Darauf gab er keine Antwort, sondern machte sich nur grimmig daran, sich in einen präsentablen Zustand zu versetzen. Glücklicherweise hatte er während des Zwischenspiels auf der Straße weder Weste noch Rock getragen, so dass er die schlimmsten Beschädigungen an seinem Hemd verdecken konnte.

»Sassenach«, sagte er, und als ich mich umdrehte, sah ich, dass er mich mit einem blutunterlaufenen Glitzern betrachtete.

»Ja?«

»Das wirst du mir büßen.«

Mrs. Sylvies Etablissement war ein ganz gewöhnliches zweistöckiges Haus, klein und ziemlich schäbig. Seine Dachschindeln rollten sich an den Kanten ein, was ihm eine leichte Ausstrahlung zerzauster Überraschung verlieh, wie eine Frau, die überrumpelt wird, nachdem sie sich gerade die Lockenwickler aus den Haaren gezogen hat.

Jamie stieß einige missbilligende schottische Kehllaute aus, als er die durchhängende Eingangstreppe und den überwucherten Garten sah, doch ich ging davon aus, dass er damit nur sein eigenes Unbehagen überspielte.

Ich war mir nicht ganz sicher, wie ich mir Mrs. Sylvie vorgestellt hatte – da die einzige andere Puffmutter in meiner Bekanntschaft eine ausgesprochen elegante Exilfranzösin in Edinburgh gewesen war –, doch die Betreiberin von Cross Creeks beliebtestem Freudenhaus war eine Frau von ungefähr fünfundzwanzig mit dem unauffälligsten Gesicht der Welt und extrem abstehenden Ohren.

Ich hatte sogar im ersten Moment angenommen, sie wäre das Dienstmädchen, und nur die Tatsache, dass Jamie sie höflich als »Mrs. Sylvie« begrüßte, setzte mich davon in Kenntnis, dass die Dame des Hauses persönlich an die Tür gekommen war. Ich warf Jamie einen Seitenblick zu, weil ich mich fragte, wieso er sie kannte, doch dann sah ich noch einmal hin und begriff, dass ihm die gute Qualität ihres Kleids und die große Brosche aufgefallen war, die sie an der Brust trug.

Ihr Blick pendelte von ihm zu mir, und sie runzelte die Stirn.

»Dürfen wir hereinkommen«, fragte ich und trat ein, ohne ihre Antwort abzuwarten.

»Ich bin Mrs. Fraser, und das ist mein Mann«, sagte ich und wies auf Jamie, der jetzt schon rot um die Ohren aussah.

»Oh?«, sagte Mrs. Sylvie argwöhnisch. »Nun, das macht ein Pfund extra, wenn Ihr zu zweit seid.«

»Ich bitte um – oh!« Das Blut stieg mir ins Gesicht, als ich mit Verspätung begriff, was sie meinte. Jamie hatte es sofort verstanden und war puterrot angelaufen.

»Es ist schon gut«, versicherte sie mir. »Nicht das Übliche, das ist wahr, aber Dottie würde es nichts ausmachen, weil sie sowieso eine Vorliebe für Frauen hat.«

Jamie stieß ein leises Grollen aus, um mir zu sagen, dass diese ganze Sache meine Idee war und ich mir gefälligst überlegen sollte, wie ich sie ausführte.

»Ich fürchte, wir haben uns nicht deutlich ausgedrückt«, sagte ich so charmant wie möglich. »Wir ... äh ... haben nur ein paar Fragen an Eure –« Ich brach ab und suchte nach einem passenden Wort. »Angestellte« passte ja wohl nicht.

»Mädchen«, warf Jamie einsilbig ein.

»Ähm, ja. Mädchen.«

»Oh, so ist das.« Ihre kleinen, leuchtenden Augen huschten zwischen uns hin und her. »Methodisten, wie? Oder seid Ihr Baptisten? Nun, das macht dann *zwei* Pfund. Für den Ärger.«

Jamie lachte.

»Das ist nicht teuer«, merkte er an. »Oder ist es pro Mädchen?«

»Oh, pro Mädchen natürlich.«

»Zwei Pfund pro Seele? Aber, aber, wer würde sich denn die Erlösung bezahlen lassen?« Er zog sie jetzt unverhohlen auf, und sie – die jetzt eindeutig begriffen hatte, dass wir weder potentielle Kunden noch hausierende Missionare waren – war belustigt, auch wenn sie darauf achtete, es sich nicht anmerken zu lassen.

»Ich«, erwiderte sie trocken. »Eine Hure kennt den Preis aller Dinge und den Wert von keinem – sagt man mir jedenfalls.«

Jamie nickte.

»Aye. Was ist denn dann der Preis für das Leben eines Eurer Mädchen, Mrs. Sylvie?«

Der Ausdruck der Belustigung verschwand aus ihren Augen, die deshalb nicht minder leuchteten, jetzt aber vor Argwohn.

»Droht Ihr mir etwa, Sir?« Sie richtete sich zu voller Größe auf und legte die Hand auf eine Glocke, die auf dem Tisch neben der Tür stand. »Ich bin nicht schutzlos, Sir, das versichere ich Euch. Ihr wärt gut beraten, sofort zu gehen.«

»Wenn ich vorhätte, Euch etwas anzutun, würde ich wohl kaum meine Frau mitbringen, damit sie zusieht«, sagte Jamie nachsichtig. »Ein solcher Perverser bin ich dann doch nicht.«

Ihre Hand, die den Griff der Glocke fest umklammert hatte, lockerte sich ein wenig.

»Ihr wärt überrascht«, sagte sie. »Nicht«, sagte sie und wies mit dem Finger auf ihn, »dass ich mit solchen Dingen Handel treibe – denkt das nur nicht –, aber ich habe sie schon mit angesehen.«

»Ich auch«, sagte Jamie, und der neckende Tonfall war aus seiner Stimme verschwunden. »Sagt mir, habt Ihr vielleicht schon einmal von einem Schotten namens *Mac Dubh* gehört?«

Bei diesen Worten veränderte sich ihr Gesicht; ganz offensichtlich hatte sie das. Ich war verwirrt, war aber so klug zu schweigen.

»Ja«, sagte sie. Ihr Blick war schärfer geworden. »Das wart Ihr, nicht wahr?«

Er verbeugte sich ernst.

Mrs. Sylvie spitzte kurz die Lippen; dann schien sie mich wieder zu bemerken.

»Hat er Euch davon erzählt?«, fragte sie.

»Ich bezweifle es«, sagte ich und sah ihn viel sagend an. Er wich meinem Blick gewissenhaft aus.

Mrs. Sylvie lachte kurz auf.

»Eins meiner Mädchen ist mit einem Mann ins ›*Toad*‹ gegangen –« Damit meinte sie eine üble Spelunke am Fluss namens »*Toad and Spoon*«. »Er ist übel mit ihr umgesprungen. Dann hat er sie in den Schankraum gezerrt und sie den Männern dort angeboten. Sie sagt, sie wusste, dass das ihren Tod bedeutete – Ihr wisst doch, dass man zu Tode vergewaltigt werden kann?« Diese Worte waren mit einer Mischung aus Unnahbarkeit und Herausforderung an mich gerichtet.

»Ja«, sagte ich knapp. Ein kurzer Anflug von Übelkeit überkam mich, und meine Handflächen begannen zu schwitzen.

»Doch es war ein kräftiger Schotte dort, und er hat sich anscheinend gegen diesen Vorschlag ausgesprochen. Doch er war allein gegen einen Pöbel –«

»Deine Spezialität«, murmelte ich Jamie zu, und er hustete.

»– aber dann hat er vorgeschlagen, dass sie um das Mädchen Karten spielen. Er hat eine Runde Bravo gespielt und gewonnen.«

»Wirklich?«, sagte ich höflich. Beim Kartenspiel zu betrügen, war eine seiner weiteren Spezialitäten, auch wenn ich versuchte, ihm diese auszureden, weil ich davon überzeugt war, dass sie ihn eines Tages ins Grab bringen würde. Kein Wunder, dass er mir nichts von diesem Abenteuer erzählt hatte.

»Also hat er Alice aufgehoben, sie in sein Plaid gewickelt und sie heimgebracht – er hat sie vor der Tür zurückgelassen.«

Sie sah Jamie voll widerstrebender Bewunderung an.

»Nun. Seid Ihr dann hier, um Eure Schuld einzutreiben? Mein Dank ist Euch sicher, was auch immer das wert sein mag.«

»Eine ganze Menge, Madam«, sagte er leise. »Aber nein. Wir sind hier, um zu versuchen, Eure Mädchen vor etwas Schlimmerem als Trunkenbolden zu bewahren.«

Sie zog ihre dünnen Augenbrauen fragend hoch.

»Vor der Syphilis«, sagte ich unverblümt. Ihr klappte der Mund auf.

Trotz ihrer relativen Jugend war Mrs. Sylvie eine abgebrühte Geschäftsfrau, die sich nichts vormachen ließ. Die Angst vor der Syphilis war zwar ein ständiger Begleiter im Leben einer Hure, doch sie ließ sich nichts von Spirochäten erzählen, und mein Vorschlag, dass ich ihrem Personal – anscheinend gab es nur drei Mädchen – Penizillin injizierte, stieß auf entschiedene Ablehnung.

Jamie ließ das Hin und Her so weit gehen, bis klar wurde, dass wir eine Sackgasse erreicht hatten. Dann versuchte er es auf einem anderen Weg.

»Meine Frau macht Euch diesen Vorschlag nicht nur aus reiner Güte, wisst Ihr?«, sagte er. Inzwischen hatte sie uns eingeladen, in einem adretten kleinen Salon mit Karovorhängen Platz zu nehmen, und er beugte sich vorsichtig vor, um die Fugen des zarten Stuhls, auf dem er saß, nicht überzustrapazieren.

»Der Sohn eines Freundes hat meine Frau aufgesucht und ihr gesagt, dass er sich bei einer Hure in Hillsboro die Syphilis geholt hat. Sie hat den Schanker gesehen; es steht außer Frage, dass der Junge die Krankheit hat. Aber er ist in Panik geraten, bevor sie ihn behandeln konnte, und hat die Flucht ergriffen. Seitdem suchen wir ihn – und haben gestern erfahren, dass er hier in Eurem Etablissement gesehen worden ist.«

Mrs. Sylvie entglitt für eine Sekunde die Kontrolle über ihr Gesicht. In der nächsten Sekunde gewann sie sie zurück, doch ihr entsetzter Blick war nicht zu verkennen gewesen.

»Wer?«, sagte sie heiser. »Ein Schotte? Wie hat er ausgesehen?«

Jamie wechselte einen kurzen fragenden Blick mit mir und beschrieb Manfred McGillivray. Als er fertig war, war das Gesicht der jungen Puffmutter weiß wie ein Leintuch.

»Ich hatte ihn«, sagte sie. »Zweimal. Oh, Herr im Himmel.« Doch sie holte ein paar Mal tief Luft und nahm sich zusammen.

»Aber er war sauber! Ich habe darauf bestanden, dass er es mir zeigt – das tue ich immer.«

Ich erklärte ihr, dass der Schanker zwar heilte, die Krankheit aber im Blut blieb, um später auszubrechen. War ihr denn noch nie eine Hure begegnet, die die Syphilis bekam, ohne dass man vorher einen Schanker sah?

»Doch, natürlich – aber dann können sie nicht richtig aufgepasst haben«, sagte sie und presste hartnäckig die Lippen zusammen. »Ich tue das immer, und meine Mädchen genauso. Ich bestehe darauf.«

Ich konnte sehen, wie ihr Verdrängungsmechanismus einsetzte. Anstatt zuzugeben, dass sie möglicherweise eine tödliche Infektion mit sich herumtrug, beharrte sie lieber darauf, dass das unmöglich war, und in wenigen Minuten würde sie sich selbst davon überzeugt haben und uns hinauswerfen.

Jamie merkte es ebenfalls.

»Mrs. Sylvie«, unterbrach er ihren Strom von Ausreden. Sie sah ihn blinzelnd an.

»Habt Ihr ein Kartenspiel im Haus?«

»Was? Ich – ja, natürlich.«

»Dann holt es«, sagte er und lächelte. »Lanterloo oder Brag, Ihr wählt.«

Sie sah ihn lange und unverwandt an, die Lippen fest aufeinander gepresst. Dann entspannten sie sich ein wenig.

»Ein ehrliches Spiel?«, fragte sie, und ihre Augen begannen schwach zu glänzen. »Und was ist der Einsatz?«

»Ein ehrliches Spiel«, versicherte er ihr. »Wenn ich gewinne, gibt meine Frau Euch allen eine Spritze.«

»Und wenn Ihr verliert?«

»Ein Fass von meinem besten Whisky.«

Sie zögerte noch einen Moment und fixierte ihn genau, während sie die Chancen abwägte. Er hatte immer noch einen Klecks Teer in den Haaren und Federn an seinem Rock, aber seine Augen waren tiefblau und arglos. Sie seufzte und streckte die Hand aus.

»Abgemacht«, sagte sie.

»Hast du gemogelt?«, fragte ich und klammerte mich an seinen Arm, um nicht zu stolpern. Inzwischen war es längst dunkel, und die einzige Beleuchtung der Straßen von Cross Creek waren die Sterne.

»Das brauchte ich gar nicht«, sagte er und gähnte herzhaft. »Sie mag ja eine gute Hure sein, aber zum Kartenspiel hat sie kein Talent. Sie hätte Lanterloo wählen sollen; dazu braucht man vor allem Glück. Beim Bragspiel ist Können gefragt. Betrügen kann man beim 'Loo auch leichter«, fügte er zwinkernd hinzu.

»Was genau macht denn eine gute Hure aus?«, fragte ich neugierig. Mit der Frage nach den Qualifikationen für diesen Beruf hatte ich mich noch nie befasst, doch es musste wohl welche geben, abgesehen von der erforderlichen Anatomie und der Bereitschaft, diese zur Verfügung zu stellen.

Er lachte über meine Frage, kratzte sich aber am Kopf und überlegte.

»Nun, es hilft, wenn sie Männer wirklich mag, sie aber nicht allzu ernst nimmt. Und wenn sie gern ins Bett geht, ist das auch nicht schlecht.«

»Autsch.« Ich war auf einen Stein getreten und hatte mich dabei fester an seinen Arm geklammert, genau an der Stelle, an der er sich vorhin mit Teer verbrannt hatte.

»Oh, entschuldige. Ist es schlimm? Ich habe eine Salbe, die ich darauf schmieren kann, wenn wir wieder im Gasthaus sind.«

»Och, nein. Nur ein paar Blasen, das wird schon wieder.« Er rieb sich vorsichtig den Arm, zuckte dann aber mit den Achseln, nahm mich am Arm und führte mich um die Ecke auf die Hauptstraße. Da es spät werden konnte, hatten wir schon vorher beschlossen, im MacLanahan's King's Inn zu übernachten, anstatt die lange Rückfahrt nach River Run auf uns zu nehmen.

Der Geruch nach heißem Teer war in diesem Teil des Ortes nach wie vor allgegenwärtig, und der Abendwind wirbelte die Federn am Straßenrand zu kleinen Wehen zusammen; dann und wann schwebte eine Daunenfeder wie eine langsam fliegende Motte an meinem Gesicht vorbei.

»Ich frage mich, ob sie immer noch dabei sind, Neil Forbes von den Federn zu befreien«, sagte Jamie mit einem Grinsen.

»Vielleicht steckt ihn ja seine Frau einfach in einen Bezug und benutzt ihn als Kopfkissen«, meinte ich. »Nein, halt, er hat ja gar keine Frau. Sie werden ihn –«

»Einen Gockel nennen und ihn im Garten einquartieren müssen, damit er sich den Hennen widmen kann«, schlug Jamie kichernd vor. »Krähen kann er ja gut, auch wenn seine Männlichkeit zu wünschen übrig lässt.«

Er war nicht betrunken – nach den Injektionen hatten wir bei Mrs. Sylvie wässrigen Kaffee getrunken –, aber er war furchtbar müde; wir waren beide furchtbar müde und waren plötzlich in jenen Zustand der Erschöpfung verfallen, in dem einem noch der dümmste Witz unendlich lustig vorkommt, und wir stolperten schwankend weiter und lachten über zunehmend üblere Witze, bis uns die Augen tränten.

»Was ist das?«, sagte Jamie und holte erschrocken durch die Nase Luft. »Was brennt denn hier?«

Etwas Großes; der Himmel über den Hausdächern glühte weithin sichtbar, und der scharfe Geruch brennenden Holzes überlagerte plötzlich den stickigeren Geruch nach heißem Teer. Jamie rannte zur nächsten Straßenecke, und ich folgte ihm dicht auf den Fersen.

Es war Mr. Simms' Druckerei, die völlig in Flammen stand. Offenbar hatten seine politischen Gegner, ihrer Beute beraubt, beschlossen, ihre Feindseligkeit an seinem Besitz auszulassen.

Ein Haufen Männer sammelte sich auf der Straße, genau wie schon vorhin. Wieder erschollen »Tory!«-Rufe, und ein paar von ihnen schwangen Fackeln. Andere Männer kamen rufend über die Straße auf das Feuer zugerannt. Ich fing auf, wie jemand »Gottverdammte Whigs!« rief, und dann stießen die beiden Gruppen drängelnd und prügelnd aufeinander.

Jamie packte meinen Arm und schob mich dorthin zurück, woher wir gekommen waren, um die Ecke und außer Sichtweite. Mein Herz hämmerte, und ich bekam keine Luft; wir duckten uns unter einen Baum und blieben keuchend stehen.

»Nun«, sagte ich nach einer kurzen Pause, die mit dem Geschrei des Aufruhrs angefüllt war. »Dann wird sich Fergus wohl eine andere Beschäftigung suchen müssen. Ich weiß von einer Apotheke, die es hier billig zu kaufen gibt.«

Jamie stieß ein leises Geräusch aus, das nicht ganz ein Lachen war.

»Er wäre besser beraten, eine Partnerschaft mit Mrs. Sylvie einzugehen«, sagte er. »Das ist wenigstens ein Gewerbe, das mit Politik nichts zu tun hat. Komm, Sassenach – wir nehmen den langen Weg.«

Als wir das Gasthaus endlich erreichten, trafen wir Ian auf der Veranda an, wo er nervös auf uns wartete.

»Wo in Dreiteufelsnamen seid ihr *gewesen*?«, wollte er streng wissen, und sein Verhalten erinnerte mich plötzlich an seine Mutter. »Wir haben die ganze Stadt nach dir durchkämmt, Onkel Jamie, und Fergus war sich schon sicher, dass du in die Randale geraten und verletzt worden oder umgekommen bist.« Er wies kopfnickend in Richtung der Druckerei; die Feuersbrunst erstarb jetzt langsam, obwohl sie immer noch hell genug war, um sein Gesicht zu beleuchten, dessen Stirn missbilligend gerunzelt war.

»Wir haben gute Taten vollbracht«, versicherte ihm Jamie frömmelnd. »Und die Kranken besucht, wie es uns Christus aufgetragen hat.«

»Oh, aye?«, erwiderte Ian mit beträchtlichem Zynismus. »Er hat uns aber auch aufgetragen, die Sträflinge im Gefängnis zu besuchen. Schade, dass ihr nicht dort angefangen habt.«

»Was? Weshalb?«

»Dieser Donner ist ausgebüchst, deshalb«, unterrichtete ihn Ian, dem es eine grimmige Freude zu bereiten schien, schlechte Nachrichten zu überbringen. »Während der Auseinandersetzung heute Nachmittag. Der Gefängniswärter wollte den Spaß nicht verpassen und hat die Tür nicht ordentlich verriegelt; der Kerl ist einfach auf und davon spaziert.«

Jamie holte tief Luft, dann atmete er langsam wieder aus, und der Rauch ließ ihn husten.

»Aye, nun ja«, sagte er. »Also sind wir mit einer Druckerei und einem Dieb im Soll – aber mit vier Huren im Haben. Meinst du, das ist ein gerechter Tausch, Sassenach?«

»Huren?«, rief Ian verblüfft aus. »Was denn für Huren?«

»Mrs. Sylvies Huren«, sagte ich und sah ihn mir genauer an. Es lag etwas Gerissenes in seiner Miene, aber vielleicht war es nur das Licht. »Ian! Du hast doch nicht etwa…«

»Aber natürlich hat er das, Sassenach«, sagte Jamie resigniert. »Sieh ihn dir doch an.« Ein schuldbewusster Ausdruck breitete sich auf Ians Gesicht aus wie ein Ölfilm auf dem Wasser und war selbst im flackernden Rotlicht des ersterbenden Feuers leicht auszumachen.

»Ich habe herausgefunden, wo Manfred ist«, bot uns Ian hastig an. »Er ist flussabwärts gefahren und wollte sich in Wilmington ein Schiff suchen.«

»Ja, das haben wir auch herausgefunden«, sagte ich ein wenig gereizt. »Wer war es? Mrs. Sylvie oder eines der Mädchen?«

Sein großer Adamsapfel hüpfte nervös auf und ab.

»Mrs. Sylvie«, sagte er leise.

»Schön«, sagte ich. »Glücklicherweise habe ich noch etwas Penizillin übrig – und eine schöne stumpfe Spritze. Hinein mit dir, Ian, du gottloser Geselle, und herunter mit deiner Hose.«

Mrs. MacLanahan, die in diesem Moment auf die Veranda trat, um sich zu erkundigen, ob wir gern noch ein Nachtmahl hätten, hörte dies mit und sah mich erschrocken an, doch ich hatte den Punkt überschritten, an dem mich das kümmerte.

Etwas später lagen wir endlich in der Geborgenheit eines sauberen Betts, sicher vor dem Aufruhr und den Unruhen des Tages. Ich hatte das Fenster geöffnet, und ein schwacher Windhauch bewegte die schwere, heiße Luft. Ein paar graue Fussel drifteten sanft herein, Federn oder Asche, und kreiselten wie Schneeflocken zu Boden.

Jamie hatte den Arm über mich gelegt, und ich konnte die weißlichen Rundungen der Blasen ausmachen, die einen Großteil seines Unterarms bedeckten. Die Luft war rau vom Brandgeruch, doch darunter lag der Teer wie eine ständige Bedrohung. Die Männer, die Simms' Werkstatt angezündet hatten – und so dicht davor gewesen waren, auch Simms selbst und wahrscheinlich auch Jamie zu verbrennen –, waren zukünftige Rebellen; Männer, die man Patrioten nennen würde.

»Ich kann dich denken hören, Sassenach«, sagte er. Er klang friedlich, kurz vor dem Einschlafen. »Was ist?«

»Ich habe an Teer und Federn gedacht«, sagte ich leise und berührte ganz sacht seinen Arm. »Jamie – es ist Zeit.«

»Ich weiß«, antwortete er genauso leise.

Draußen auf der Straße gingen ein paar Betrunkene mit Fackeln vorbei und sangen; das flackernde Licht huschte über die Zimmerdecke und war fort. Ich konnte spüren, wie Jamie ihm nachsah und den grölenden Stimmen lauschte, die auf der Straße immer leiser wurden, doch er schwieg, und nach einer Weile begann sein kräftiger Körper, der mich wie eine Wiege umfasste, sich zu entspannen und sank erneut dem Schlaf entgegen.

»Was denkst du?«, flüsterte ich, unsicher, ob er mich noch hören konnte. Er konnte es.

»Ich denke, dass du eine wirklich gute Hure abgeben würdest, Sassenach, wenn du auch nur das kleinste bisschen promiskuitiv wärst«, erwiderte er schläfrig.

»Was?«, sagte ich völlig verblüfft.

»Aber ich bin froh, dass du es nicht bist«, fügte er hinzu und begann zu schnarchen.

57

Pastors Heimkehr

4. September 1774

Roger machte auf dem Heimweg einen Bogen um Coopersville. Zwar hatte er keine Angst vor Ute McGillivrays Zorn, aber er wollte das Glücksgefühl, das er auf dem Heimweg empfand, nicht durch Kälte oder Konfrontation schmälern. Stattdessen nahm er den langen Weg über den steilen Berghang hinauf nach Fraser's Ridge, auf dem er gezwungen war, sich durch überwucherte Stellen zu schieben, an denen sich der Wald den Pfad zurückerobert hatte, und kleine Bäche durchqueren musste.

Sein Maultier stieg am Ende des Weges platschend aus dem letzten dieser Bäche und schüttelte sich, so dass ihm die Tropfen vom Bauch flogen. Als er stehen blieb, um sich den Schweiß vom Gesicht zu wischen, sah er, dass sich auf einem großen Stein am Ufer etwas bewegte. Aidan, der angelte und so tat, als hätte er ihn nicht gesehen.

Roger trieb Clarence an die Stelle und wartete eine Minute, ohne etwas zu sagen. Dann fragte er: »Beißen sie gut an?«

»Es geht«, erwiderte Aidan und sah angestrengt auf seine Angelschnur. Dann blickte er auf, und ein breites Grinsen zerteilte sein Gesicht von einem

Ohr zum anderen. Er warf seine Angel zu Boden, sprang auf und streckte beide Hände aus, so dass Roger seine schmalen Handgelenke packen und ihn vor sich in den Sattel schwingen konnte.

»Ihr seid wieder da!«, rief Aidan strahlend aus. Er schlang die Arme um Roger und vergrub sein Gesicht glücklich an Rogers Brust. »Ich hab auf Euch gewartet. Dann seid Ihr jetzt ein richtiger Pastor?«

»Fast, aye. Woher wusstest du denn, dass ich heute kommen würde?«

Aidan zuckte mit den Achseln. »Ich warte doch schon seit fast einer Woche.« Er sah Roger mit großen Augen fragend ins Gesicht auf. »Ihr seht gar nicht verändert aus.«

»Das bin ich auch nicht«, versicherte ihm Roger lächelnd. »Was macht dein Bauch?«

»Prima. Wollt Ihr meine Narbe sehen?« Er lehnte sich zurück und zog seinen zerschlissenen Hemdsaum hoch, um eine zehn Zentimeter breite, saubere Wulstnarbe freizulegen, die sich auffallend rot über seine weiße Haut zog.

»Gut gemacht«, sagte Roger beifällig. »Dann kümmerst du dich jetzt, wo du wieder gesund bist, also um deine Mama und Klein-Orrie?«

»Oh, aye.« Aidan blies seine schmale Brust auf. »Gestern Abend habe ich *sechs* Forellen zum Abendessen heimgebracht, und die größte war so lang wie mein Arm.« Er streckte zur Demonstration seinen Unterarm aus.

»Ach, du schummelst doch.«

»Doch *wirklich*«, beharrte Aidan entrüstet, dann merkte er, dass er aufgezogen wurde, und grinste.

Clarence, der nach Hause wollte, wurde langsam unruhig, drehte sich auf der Stelle und zog an den Zügeln.

»Ich gehe besser. Möchtest du mit mir nach oben reiten?«

Aidan sah so aus, als sei er versucht, schüttelte aber den Kopf.

»Nein. Ich habe Mrs. Ogilvie versprochen, dass ich ihr sofort Bescheid sage, wenn Ihr kommt.«

Das überraschte Roger.

»Oh, aye? Warum denn?«

»Sie hat letzte Woche ein Baby bekommen und möchte, dass es getauft wird.«

»Oh?« Bei diesen Worten wurde ihm warm ums Herz, und die Blase aus Glück in seinem Inneren vergrößerte sich ein wenig. Seine erste Taufe! Oder besser – seine erste offizielle Taufe, dachte er mit einem leisen Stich bei dem Gedanken an das O'Brian-Mädchen, das er namenlos begraben hatte. Er brauchte nur noch den Segen eines Ältesten.

»Sag Ihr, ich freue mich darauf, das Kind zu taufen«, sagte er und setzte Aidan auf den Boden. »Sie soll mir nur sagen lassen, wann. Und vergiss deine Fische nicht!«, rief er.

Aidan griff nach seiner Angelrute und der Schnur, auf der er die silbernen

Fische aufgereiht hatte – keiner davon länger als eine Hand – und stürzte in den Wald davon. Roger wandte Clarence heimwärts.

Schon aus einiger Entfernung roch er Rauch. Kräftiger als Schornsteinrauch. In Anbetracht der Gerüchte, die er unterwegs über die jüngsten Ereignisse in Cross Creek gehört hatte, konnte er sich eines beklommenen Gefühls nicht erwehren und trieb Clarence mit den Fersen an. Clarence, der seinen Heimatstall auch durch den Rauch roch, reagierte begeistert auf diesen Wink und trabte den steilen Hang eilig hinauf.

Der Rauchgeruch wurde stärker, vermischt mit einem seltsamen, muffigen Geruch, der ihm vage bekannt vorkam. Zwischen den Bäumen hing eine deutliche Dunstwolke, und als sie aus dem Unterholz auf die Lichtung brachen, stand er vor Aufregung beinahe in den Steigbügeln.

Das Blockhaus stand noch, verwittert und solide, und die Erleichterung ließ ihn so heftig in den Sattel plumpsen, dass Clarence protestierend ächzte. Doch rings um das Haus stieg Rauch in dichten Strudeln auf, und mitten darin war Brianna als verschwommene Gestalt zu erkennen, eingewickelt wie ein Moslem mit einem Schal um Kopf und Gesicht. Er stieg ab, holte tief Luft, um sie zu rufen, und bekam prompt einen Hustenanfall. Der verdammte Murmeltierofen war offen und spuckte Rauch wie der Schlot der Hölle, und jetzt erkannte er auch den muffigen Geruch – verbrannte Erde.

»Roger! Roger!« Sie hatte ihn gesehen und kam mit wehenden Röcken und Schals angerannt. Sie sprang mit einem Satz über einen Stapel ausgestochener Rasenstücke und warf sich in seine Arme.

Er umfasste sie und hielt sie fest und dachte dabei, dass sich in seinem Leben noch nichts schöner angefühlt hatte als ihr handfestes Gewicht, das sich an ihn presste, und der Geschmack ihres Mundes, trotz der Tatsache, dass sie eindeutig Zwiebeln zu Mittag gegessen hatte.

Sie tauchte strahlend und mit feuchten Augen aus der Umarmung auf, lange genug, um »Ich liebe dich!« zu sagen, dann nahm sie sein Gesicht in die Hände und küsste ihn erneut. »Du hast mir gefehlt. Wann hast du dich zuletzt rasiert? Ich liebe dich.«

»Vor vier Tagen, als ich in Charlotte aufgebrochen bin. Ich liebe dich auch. Ist alles in Ordnung?«

»Klar. Na ja, eigentlich nicht. Jemmy ist von einem Baum gefallen und hat sich einen Zahn ausgeschlagen, aber es war ein Milchzahn, und Mama sagt, sie glaubt nicht, dass der bleibende Zahn beschädigt ist. Und Ian hat sich möglicherweise die Syphilis geholt, und wir sind alle von ihm angewidert, und Pa ist in Cross Creek beinahe geteert und gefedert worden, und wir sind Flora MacDonald begegnet, und Mama hat Tante Jocasta eine Nadel ins Auge gestochen, und –«

»Iiih!«, sagte Roger instinktiv angewidert. »Warum denn das?«

»Damit es nicht platzt. Und ich habe sechs Pfund für Auftragsbilder bekommen!«, schloss sie triumphierend. »Ich habe dünnen Draht und Seide gekauft, aus dem ich Papiersiebe machen kann, und Wolle für einen Winterumhang für dich. Sie ist grün. Aber das Größte war die Begegnung mit einem anderen – na ja, ich erzähle es dir später. Wie war es bei den Presbyterianern? War es gut? Bist du jetzt Pastor?«

Er schüttelte den Kopf und versuchte, sich zu entscheiden, auf welchen Teil dieses Wortschwalls er antworten sollte. Schließlich wählte er den letzten, aber nur, weil er sich noch daran erinnern konnte.

»Mehr oder weniger. Hast du bei Mrs. Bug Unterricht in Zusammenhanglosigkeit genommen?«

»Wie kannst du denn mehr oder weniger Pastor sein? Warte – erzähl's mir gleich, ich muss den Ofen noch etwas weiter öffnen.«

Damit huschte sie über den verwüsteten Boden zu der klaffenden Ofengrube zurück. Der hohe Schornstein aus Lehmziegeln erhob sich wie ein Grabstein am einen Ende der Grube. Die angesengten Rasenstücke, mit denen er während des Betriebs zugedeckt gewesen war, waren ringsum verstreut, und das Ganze machte den Eindruck eines enormen qualmenden Grabs, aus dem sich gerade etwas Großes, Heißes und zweifellos Dämonisches erhoben hatte. Wäre er katholisch gewesen, hätte er sich bekreuzigt.

So jedoch näherte er sich vorsichtig dem Rand der Grube, wo Brianna kniete und ihre Schaufel ausstreckte, um die nächsten Rasenstücke von dem gewölbten Weidengerüst zu heben, das sich über die Grube spannte.

Als er durch den wirbelnden Qualm in die Grube spähte, konnte er einige unregelmäßig geformte Gegenstände auf den Erdregalen liegen sehen, die sich an den Wänden der Grube entlangzogen. Ein paar konnte er als Schüsseln und Teller erkennen. Die meisten jedoch waren vage röhrenförmig, einen halben bis einen Meter lang und verjüngten sich an einem Ende leicht, während sie am anderen etwas weiter wurden. Sie hatten eine dunkelrötliche Färbung, waren vom Rauch dunkel gestreift und hatten verflixte Ähnlichkeit mit einer Sammlung gegrillter Riesenphallusse, eine Vorstellung, die er beinahe so verstörend fand wie die Geschichte mit Jocastas Augapfel.

»Rohre«, sagte Brianna stolz und zeigte mit der Schaufel auf eines dieser Objekte. »Für Wasser. Sieh nur – sie sind perfekt! Zumindest werden sie es sein, wenn sie beim Abkühlen nicht springen.«

»Fantastisch«, sagte Roger und gab sich begeistert. »Hey – ich habe ein Geschenk für dich.« Er griff in die Seitentasche seines Rocks und holte eine Orange hervor, die sie mit einem entzückten Ausruf ergriff, obwohl sie einen Moment innehielt, bevor sie ihren Daumen in die Schale bohrte.

»Nein, iss sie nur; ich habe noch eine für Jem«, versicherte er ihr.

»Ich liebe dich«, wiederholte sie mit Nachdruck, während ihr der Saft über das Kinn lief. »Was ist mit den Presbyterianern? Was haben sie gesagt?«

»Oh. Tja, im Großen und Ganzen geht alles in Ordnung. Ich habe den

Universitätsabschluss und kann genug Griechisch und Latein, um sie zu beeindrucken; das Hebräische ließ etwas zu wünschen übrig, aber wenn ich das noch etwas aufpoliere – Reverend Caldwell hat mir ein Buch mitgegeben.«

»Ja, ich kann mir genau vorstellen, wie du auf Hebräisch zu den Crombies und Buchanans predigst«, sagte sie grinsend. »Und? Was noch?«

Sie hatte ein Stück Orangenfruchtfleisch an der Lippe kleben, und er beugte sich impulsiv zu ihr hinüber und küsste es fort. Es explodierte herbsüß und aromatisch auf seiner Zunge.

»Na ja, sie haben mich in Theologie geprüft, und wir haben viele Gespräche geführt und gemeinsam um Urteilsvermögen gebetet.« Er scheute ein wenig davor zurück, mit ihr darüber zu reden. Es war eine bemerkenswerte Erfahrung gewesen; wie eine Rückkehr in ein Zuhause, von dem er nie gewusst hatte, dass es ihm fehlte. Es hatte ihm Freude bereitet, seine Berufung einzugestehen; es unter Menschen zu tun, die diese verstanden und teilten …

»Also bin ich einstweilig Pastor des Worts«, sagte er und senkte den Blick auf seine Schuhspitzen. »Ich muss noch ordiniert werden, bevor ich Sakramente wie die Ehe oder die Taufe stiften kann, aber das muss warten, bis irgendwo in der Nähe ein Presbyterianer-Rat zusammenkommt. In der Zwischenzeit kann ich predigen, lehren und beerdigen.«

Sie sah in an und lächelte, wenn auch ein wenig wehmütig.

»Bist du glücklich?«, fragte sie, und er nickte, denn er konnte im Moment nicht sprechen.

»Sehr glücklich«, antwortete er schließlich kaum hörbar.

»Gut«, sagte sie leise, und jetzt war ihr Lächeln ein wenig aufrichtiger.

»Ich verstehe. Das ist jetzt also quasi dein *Handfasting* mit Gott, ist es so?«

Er lachte und spürte, wie der Druck in seiner Kehle nachließ. Gott, er musste etwas dagegen unternehmen; er konnte ja nicht jeden Sonntag betrunken predigen. Das wäre ein Skandal für die Gläubigen …

»Aye, so ist es. Aber mit *dir* bin ich rechtmäßig verheiratet – das werde ich nicht vergessen.«

»Das will ich wohl hoffen.« Jetzt kam ihr Lächeln von Herzen. »Da wir verheiratet *sind …*« Sie sah ihn sehr direkt an, ein Blick, der ihn durchfuhr wie ein schwacher Elektroschock. »Jem ist bei Marsali und spielt mit Germain. Und ich habe noch nie mit einem Pastor geschlafen. Das klingt doch durchtrieben und verdorben, findest du nicht?«

Er holte tief Luft, doch es half nicht; ihm war immer noch schwindelig, zweifellos durch den Qualm.

»Siehe, meine Freundin, du bist schön! Siehe, schön bist du«, sagte er, *»und grün ist unser Bett. Deine Lenden stehen gleich aneinander wie zwei Spangen, die des Meisters Hand gemacht hat. Dein Schoß ist wie ein runder*

Becher, dem nimmer Getränk mangelt. Dein Leib ist wie ein Weizenhaufen, umsteckt mit Rosen.« Er streckte die Hand aus und berührte sie sanft. *»Deine beiden Brüste sind wie zwei junge Rehzwillinge.«*

»Ach ja?«

»Es steht in der Bibel«, versicherte er ihr ernsthaft. »Dann muss es auch so sein, aye?«

»Erzähl mir noch mehr von meinem Schoß«, sagte sie, doch bevor er dazu kam, sah er, wie eine kleine Gestalt aus dem Wald auf sie zugeschossen kam. Aidan, diesmal ohne Fische und außer Atem.

»Mrs. Ogil... vie sagt... kommt *sofort*!«, platzte er heraus. Er keuchte und sammelte genug Atem für den Rest der Mitteilung. »Das Baby – es geht ihm schlecht, und sie möchten, dass es getauft wird, falls es stirbt.«

Roger schlug sich mit der Hand an die Seite; das Gebetbuch, das sie ihm in Charlotte gegeben hatten, lag als kleines, beruhigendes Gewicht in seiner Tasche.

»Kannst du das?« Brianna sah ihn besorgt an. »Katholiken können es – ich meine, ein Laie kann im Notfall jemanden taufen.«

»Ja, in diesem Fall – ja«, sagte er noch atemloser, als er es kurz zuvor bereits gewesen war. Er sah Brianna an, die mit Ruß und Schmutz verschmiert war und deren Kleider nach Rauch und gebranntem Lehm statt nach Myrrhe und Aloe rochen.

»Möchtest du mitkommen?« Er wünschte sich sehr, dass sie ja sagte.

»Um nichts in der Welt möchte ich das verpassen«, versicherte sie ihm. Sie legte den schmutzigen Schal ab und schüttelte ihr Haar aus, das wie ein Banner im Wind leuchtete.

Es war das erste Kind der Ogilvies, ein kleines Mädchen, dem Brianna – mit der Erfahrung langer Mutterschaft – eine heftige Kolik diagnostizierte, das sich aber ansonsten guter Gesundheit erfreute. Die erschreckend jungen Eltern – sie sahen beide aus wie ungefähr fünfzehn – waren Mitleid erregend dankbar für alles: für Briannas beruhigende Worte und ihre Ratschläge, für ihr Angebot, ihnen Claire mit Arznei und etwas zu essen vorbeizuschicken (denn sie hatten viel zu große Angst, um auch nur daran zu denken, die Frau des Pachtherrn selbst anzusprechen, ganz zu schweigen von den Geschichten, die sie von ihr gehört hatten), und vor allem dafür, dass Roger gekommen war, um das Baby zu taufen.

Dass ein richtiger Pastor in dieser Wildnis auftauchen und sich dann auch noch herablassen sollte, Gottes Segen auf ihr Kind herabzurufen... Sie waren überwältigt von so viel Glück und nicht vom Gegenteil zu überzeugen.

Roger und Brianna blieben noch eine Weile und gingen, als die Sonne zu sinken begann, erwärmt von einer leisen, angenehmen Befangenheit über ihre gute Tat.

»Die armen Dinger«, sagte Brianna, und ihre Stimme schwankte zwischen Mitgefühl und Belustigung.

»Die armen kleinen Dinger«, pflichtete ihr Roger bei. Die Taufe war bestens vonstatten gegangen; selbst der brüllende, rotgesichtige Säugling hatte das Lärmen eingestellt, während ihm Roger Wasser über das kahle Köpfchen goss und den Schutz des Himmels auf die Seele des kleinen Mädchens herabrief. Er hatte immenses Glück dabei empfunden und grenzenlose Demut darüber, dass es ihm vergönnt gewesen war, die Zeremonie durchzuführen. Wäre da nur nicht diese eine Sache gewesen – und er war nachhaltig hin- und hergerissen zwischen verlegenem Stolz und tiefer Bestürzung.

»Ihr Name –«, sagte Brianna und blieb kopfschüttelnd stehen.

»Ich habe ja versucht, es zu verhindern«, sagte er und versuchte, die Kontrolle über seine Stimme zu behalten. »Ich habe es *versucht* – du warst dabei. Elizabeth, habe ich gesagt. Mairi. Elspeth vielleicht. Du hast es gehört!«

»Oh, komm schon«, sagte sie, und ihre Stimme zitterte. »Ich finde, ›Rogerina‹ ist ein wirklich *schöner* Name.« Dann verlor sie die Kontrolle, setzte sich ins Gras und lachte wie eine Hyäne.

»O Gott, die arme Kleine«, sagte er und versuchte – erfolglos – nicht selbst loszulachen. »Ich habe ja schon von Thomasina gehört und sogar von Jamesina, aber … o Gott.«

»Vielleicht rufen sie sie ja einfach Ina«, meinte Brianna, die sich schniefend das Gesicht mit ihrer Schürze abwischte. »Oder sie können es rückwärts sagen – Aniregor – und sie ›Annie‹ rufen.«

»Oh, du bist mir echt eine große Stütze«, sagte Roger trocken und streckte die Arme aus, um sie hochzuziehen.

Sie lehnte sich an ihn und nahm ihn in die Arme. Sie bebte immer noch vor Lachen; sie roch nach Orangen und Rauch, und das Licht der untergehenden Sonne schlug Wellen in ihrem Haar.

Schließlich hielt sie inne und hob den Kopf von seiner Schulter.

»*Mein Freund ist mein, und ich bin sein*«, sagte sie und küsste ihn. »Du hast deine Sache gut gemacht, Reverend. Lass uns nach Hause gehen.«

ACHTER TEIL

DER AUFRUF

58

»Liebet einander«

Roger holte Luft, so tief er konnte, und brüllte, so laut er konnte. Was nicht besonders laut war, verdammt. Noch einmal. Und noch einmal.

Es tat weh. Außerdem ärgerte es ihn; das schwache, erstickte Geräusch weckte in ihm den Wunsch, den Mund zu schließen und ihn nie wieder zu öffnen. Er holte Luft, schloss die Augen und schrie mit aller Kraft – oder versuchte es zumindest.

Brennender Schmerz schoss ihm von innen durch die rechte Halsseite, und er brach keuchend ab. Na schön. Er atmete einen Moment lang vorsichtig ein und aus, schluckte, dann schrie er noch einmal.

Himmel, tat das weh.

Er rieb sich mit dem Ärmel über die tränenden Augen und biss vor dem nächsten Versuch die Zähne zusammen. Als er dann mit geballten Fäusten seine Brust aufblies, hörte er Stimmen und atmete wieder aus.

Die Stimmen waren nicht weit entfernt und riefen sich etwas zu, doch der Wind wehte von ihm fort, und er konnte die Worte nicht ausmachen. Wahrscheinlich Jäger. Es war ein schöner Herbsttag mit Luft wie frischem Wein, und der Wald war voller Lichtflecken.

Das Laub hatte gerade erst begonnen, sich zu verfärben, doch einige Blätter fielen schon, ein lautloses, ständiges Flackern am Rand des Gesichtsfeldes. In einer solchen Umgebung konnte jede Bewegung wie Wild aussehen, das wusste er genau. Er holte Luft, um zu rufen, zögerte und murmelte »Mist!«. Toll, wirklich.

»Esel«, sagte er zu sich selbst, holte Luft und rief »Hallooo!« mit allem was seine Stimme hergab – die krächzte und ohne jedes Volumen war. Noch einmal. Noch einmal. Und noch einmal. Beim fünften Mal hegte er allmählich den Gedanken, dass er sich lieber erschießen ließ als weiter zu versuchen, sie auf sich aufmerksam zu machen. Doch endlich trug die kühle helle Luft ein schwaches »Halloooo!« zu ihm zurück.

Er hielt erleichtert inne und hustete, überrascht, dass kein Blut zum Vorschein kam; seine Kehle fühlte sich an wie rohes Fleisch. Doch er versuchte sich schnell an einem Summton, dann, vorsichtig, an einem ansteigenden Arpeggio. Eine Oktav. Gerade eben, und die Anstrengung sandte ihm stechende Schmerzen durch den Kehlkopf – aber eine volle Oktav. Es war das erste Mal, dass er einen solchen Tonumfang hinbekommen hatte, seit er die Verletzung erlitten hatte.

Ermutigt durch dieses kleine Anzeichen eines Fortschritts begrüßte er die Jäger gut gelaunt, als sie in Sicht kamen: Allan Christie und Ian Murray, beide mit langen Flinten in der Hand.

»Pastor MacKenzie!«, begrüßte ihn Allan und grinste wie eine unangebracht freundliche Eule. »Was macht Ihr denn hier so ganz allein? Probt Ihr Eure erste Predigt?«

»Zufälligerweise ja«, sagte Roger liebenswürdig. Es war ja auch nicht ganz falsch – und es gab keine andere gute Erklärung dafür, was er ohne Waffen, Schlingen oder Angel allein im Wald machte.

»Nun, hoffentlich wird sie gut«, sagte Allan. »Alle werden da sein. Pa lässt Malva von morgens bis abends fegen und wischen.«

»Ah? Nun, sagt ihr, ich weiß es zu schätzen, aye?« Nach reiflicher Überlegung hatte er Thomas Christie gefragt, ob die Sonntagsgottesdienste im Haus des Schulmeisters abgehalten werden könnten. Es war nur eine grobe Blockhütte, wie die meisten Häuser in Fraser's Ridge, doch da der Schulunterricht dort stattfand, war das eigentliche Zimmer geräumiger als der Durchschnitt. Jamie Fraser hätte ihm zwar sicherlich gestattet, sein Haus zu benutzen, doch Roger hatte den Eindruck, dass sich seine Kongregation – was für ein Ehrfurcht erregendes Wort – unwohl dabei fühlen würde, ihre Gottesdienste im Haus eines Papisten abzuhalten, selbst wenn es ein entgegenkommender und toleranter Papist war.

»Ihr seid doch auch dabei, oder?«, wandte sich Allan an Ian. Ian zeigte sich überrascht über diese Einladung und rieb sich unsicher die Nase.

»Och, aber ich bin doch römisch getauft, aye?«

»Nun, aber Ihr seid ein Christ, oder?«, sagte Allan ein wenig ungeduldig. »Oder nicht? Die Leute sagen, Ihr wärt bei den Indianern zum Heiden geworden und nicht wieder umgekehrt.«

»Sagen sie das?«, fragte Ian nachsichtig, doch Roger sah, wie sich sein Gesicht dabei ein wenig anspannte. Allerdings nahm er neugierig zur Kenntnis, dass Ian die Frage nicht beantwortete und sich stattdessen an ihn wandte: »Kommt deine Frau denn mit, Vetter?«

»Ja«, sagte er und drückte sich selbst die Daumen, »und unser Jemmy auch.«

»*Wie sieht das aus?*«, hatte Brianna ihn gefragt und ihn mit einem gebannten Blick fixiert, das Kinn leicht gehoben, die Lippen den Bruchteil eines Zentimeters geöffnet. »*Jackie Kennedy. Meinst du, so geht es, oder ziele ich besser auf Königin Elizabeth bei der Truppeninspektion ab?*« Ihre Lippen pressten sich aufeinander, ihr Kinn wich ein wenig zurück, und ihr wandelbares Gesicht wechselte von gebannter Aufmerksamkeit zu würdigem Beifall.

»*Oh, auf jeden Fall Mrs. Kennedy*«, hatte er ihr versichert. Er war ja schon zufrieden, wenn sie keine Miene verzog, da brauchte es nicht noch die Miene fremder Leute zu sein.

»Aye, gut, dann komme ich auch – wenn Ihr nicht meint, dass es jemanden stört«, fügte Ian an Allan gerichtet hinzu, der diese Vorstellung mit einer freundschaftlichen Handbewegung abtat.

»Oh, alle werden da sein«, wiederholte er. Bei diesem Gedanken bekam Roger einen leichten Magenkrampf.

»Seid Ihr auf Rotwildjagd?«, fragte er und wies kopfnickend auf die Gewehre, um das Gespräch auf etwas anderes als sein bevorstehendes Debüt als Prediger zu lenken.

»Aye«, antwortete Allan, »aber dann haben wir hier einen Panther schreien hören.« Er deutete mit einer ausholenden Geste auf den Wald ringsum. »Ian sagt, wenn sich hier ein Panther herumtreibt, ist das Wild längst fort.«

Roger sah Ian scharf an, und dessen unnatürlich ausdrucksloses Gesicht sagte ihm mehr, als er wissen wollte. Allan Christie, in Edinburgh geboren und aufgewachsen, konnte *vielleicht* den Schrei eines Panthers nicht von dem eines Menschen unterscheiden, doch Ian konnte es mit Sicherheit.

»Schade, wenn er das Wild vertrieben hat«, sagte er und sah Ian mit hochgezogener Augenbraue an. »Nun denn, ich gehe mit Euch zurück.«

Er hatte »Liebe deinen Nächsten wie dich selbst« als Thema seiner ersten Predigt gewählt. »Alt, aber bewährt«, wie er zu Brianna gesagt hatte, worauf sie sich kurz vor Lachen geschüttelt hatte. Und da er dieses Thema schon in mindestens hundert Variationen gehört hatte, war er sich hinreichend sicher, dass er genug Material für die dreißig oder vierzig Minuten haben würde, die er sich für den Anfang vorgenommen hatte.

Jetzt saß Brianna bescheiden an der Seite und beobachtete ihn – Gott sei Dank nicht wie Jackie Kennedy, sondern mit einem heimlichen Lächeln, das ihren Blick erwärmte, wann immer er sie direkt ansah.

Er hatte sich Notizen mitgebracht, für den Fall, dass ihm der Stoff ausging oder die Inspiration versagte, doch er brauchte sie nicht. Im ersten Moment hatte es ihm den Atem verschlagen, als Tom Christie, der die Lesung vorgetragen hatte, seine Bibel zugeklappt und ihn viel sagend angeschaut hatte. Doch als er einmal losgelegt hatte, fühlte es sich ganz selbstverständlich an; es erinnerte ihn an Vorlesungen an der Universität, obwohl ihm die Kongregation weiß Gott besser zuhörte als es bei seinen Studenten üblich war. Sie unterbrachen ihn auch nicht oder diskutierten mit ihm – zumindest nicht während seines Vortrags.

Während der ersten Sekunden war er sich seiner Umgebung intensiv bewusst; des schwachen Miefs aus Körpergeruch und den gebratenen Zwiebeln des gestrigen Abends, der abgewetzten Bodendielen, die frisch geschrubbt waren und nach Seifenlauge rochen, und der dicht gepackten

Menschen, die auf Bänken angeordnet waren, aber so zahlreich erschienen waren, dass sie sich um die letzten Stehplätze drängten. Doch innerhalb weniger Minuten nahm er nichts mehr wahr außer den Gesichtern, die er vor sich hatte.

Allan Christie hatte nicht übertrieben; alle waren gekommen. Es war fast so voll wie während seines ersten öffentlichen Auftritts bei der vorzeitigen Auferstehung der alten Mrs. Wilson.

Er fragte sich, wie viel dieser Anlass wohl mit seiner gegenwärtigen Popularität zu tun hatte. Einige der Anwesenden beobachteten ihn verstohlen und ein wenig erwartungsvoll, als könnte er als Zugabe Wasser in Wein verwandeln. Doch zum Großteil schienen sie mit seiner Predigt zufrieden zu sein. Seine Stimme war zwar heiser, aber Gott sei Dank laut genug.

Er glaubte, was er sagte, und nach dem Anfang stellte er fest, dass ihm das Reden leichter fiel, und jetzt, da er sich nicht mehr auf das Sprechen konzentrieren musste, konnte er von einem Gesicht zum anderen blicken, so dass es den Anschein bekam, als spräche er sie alle persönlich an, während er im Hinterkopf flüchtige Beobachtungen anstellte.

Marsali und Fergus waren nicht da – was keine Überraschung war –, aber Germain. Er saß mit Jem und Aidan McCallum neben Brianna. Die drei Jungen hatten sich gegenseitig angestoßen und mit den Fingern auf ihn gezeigt, als er zu sprechen begann, aber Brianna hatte dieses Benehmen mit einer gemurmelten Drohung von solchem Nachdruck unterbunden, dass sie jetzt nur noch zappelten. Aidans Mutter saß auf der anderen Seite der Jungen und sah Roger mit solch unverhohlener Anbetung an, dass ihm unbehaglich wurde.

Die Christies hatten den Ehrenplatz in der Mitte der ersten Bank. Malva Christie, sittsam unter ihrer Spitzenhaube, ihr Bruder, der schützend auf ihrer einen Seite saß, ihr Vater auf der anderen, anscheinend ohne sich der Blicke bewusst zu sein, die einige der jungen Männer gelegentlich in ihre Richtung warfen.

Zu Rogers großer Überraschung waren Jamie und Claire ebenfalls gekommen, wenn sie auch ganz hinten standen. Sein Schwiegervater war ruhig und ungerührt, doch Claires Gesicht war ein offenes Buch; sie fand das Geschehen eindeutig amüsant.

»... und wenn wir die Liebe Christi wahrhaft als das betrachten, was sie ist ...« Es war sein durch zahllose Vorlesungen geschärfter Instinkt, der ihm zu Bewusstsein brachte, dass etwas nicht stimmte: ganz hinten in der Ecke, in der sich mehrere halbwüchsige Jungen gesammelt hatten. Einige der zahlreichen McAfee-Jungen und Jacky Lachlan, allgemein als der Satansbraten bekannt.

Nicht mehr als ein kleiner Schubs, das Aufglitzern eines Auges, ein Gefühl unterdrückter Aufregung. Doch er spürte es und blickte wiederholt mit zusammengekniffenen Augen in diese Ecke, um sie im Griff zu behalten. Und so sah er auch zufällig, wie die Schlange zwischen Mrs. Crombies Schuhe glitt. Es war eine kräftige Königsnatter, leuchtend gestreift in Rot, Gelb und Schwarz, und eigentlich machte sie einen erstaunlich ruhigen Eindruck.

»Nun mögt Ihr sagen, wer ist denn mein Nächster? Und das ist eine gute Frage, wenn man an einem Ort lebt, an dem die Hälfte der Menschen, denen man begegnet, Fremde sind – und viele von ihnen außerdem mehr als nur ein wenig merkwürdig.«

Ein beifälliges Tuscheln ging bei diesen Worten durch die Menge.

Die Schlange glitt lässig hin und her. Sie hatte den Kopf gehoben, und die Zunge fuhr ihr neugierig aus dem Maul, während sie die Luft prüfte. Es musste eine zahme Schlange sein; das Gedränge störte sie nicht.

Das konnte man umgekehrt nicht sagen; Schlangen waren in Schottland selten, und sie machten die meisten Emigranten nervös. Abgesehen davon, dass man sie automatisch mit dem Teufel in Verbindung brachte, konnten oder wollten die meisten Leute Giftschlangen nicht von anderen Arten unterscheiden, da die einzige in Schottland vorkommende Schlange, die Kreuzotter, giftig *war*. Sie würden außer sich sein, dachte Roger grimmig, wenn sie zu Boden blickten und sahen, was dort lautlos zu ihren Füßen über die Dielen glitt.

Ein ersticktes Kichern, das plötzlich abbrach, erhob sich aus der Ecke der Schuldigen, und in der Kongregation wandten sich mehrere Köpfe und stießen wie aus einem Munde ein »Schsch!« aus.

»... als ich Hunger hatte, habt Ihr mir zu essen gegeben; als ich Durst hatte, habt Ihr mir zu trinken gegeben. Und wer in Eurer Bekanntschaft würde selbst ... selbst einen Sassenach abweisen, wenn er hungrig vor Eurer Tür stünde?«

Belustigung regte sich der Menge, und leicht entsetzte Blicke richteten sich auf Claire, die kräftig errötet war, jedoch vor unterdrücktem Gelächter, so hoffte er, nicht vor Ärger.

Ein rascher Blick zu Boden; die Schlange, die angehalten und Rast gemacht hatte, war wieder unterwegs und schob sich sanft um das Ende einer Bank. Roger fiel eine plötzliche Bewegung ins Auge; Jamie hatte die Schlange gesehen und war zusammengezuckt. Jetzt stand er stocksteif da und beäugte sie, als wäre sie eine Bombe.

Roger hatte in den Atempausen seiner Predigt Stoßgebete zum Himmel gesandt und dem Allmächtigen nahe gelegt, in seiner Güte dafür zu sorgen, dass sich die Schlange in aller Ruhe zur offenen Hintertür hinaus verzog. Er intensivierte diese Gebete, während er sich gleichzeitig unauffällig den Rock aufknöpfte, um mehr Bewegungsfreiheit zu haben.

Wenn das verflixte Tier zur Vorderseite des Zimmers kroch statt nach hinten, würde er einen Satz nach vorn machen und versuchen müssen, sie zu fangen, bevor sie für jeden sichtbar wurde. Das würde zwar eine Störung bedeuten, aber nichts im Vergleich zu dem, was geschehen konnte, wenn ...

»... nun wird Euch aufgefallen sein, was Jesus sagte, als er mit der Samariterin am Brunnen gesprochen hat...«

Die Schlange war immer noch halb um das Bein der Bank gewickelt und überlegte. Sie war nur einen knappen Meter von seinem Schwiegervater entfernt. Jamie beobachtete sie wie ein Falke, und auf seiner Stirn hatte sich ein deutlicher Schweißfilm gebildet. Roger war sich bewusst, dass sein Schwiegervater eine deutliche Abneigung gegen Schlangen hegte – kein Wunder angesichts der Tatsache, dass er vor drei Jahren beinahe durch eine große Klapperschlange umgekommen war.

Die Entfernung war noch zu groß, als dass Roger das Tier hätte erwischen können; es standen drei dicht besetzte Bänke zwischen ihm und der Schlange. Brianna, die sich darum hätte kümmern können, saß auf der falschen Seite des Zimmers. Es war nicht zu ändern, dachte er mit einem innerlichen Seufzer der Resignation. Er musste die Vorgänge abbrechen und ganz ruhig jemanden, auf den er sich verlassen konnte – wen? Er sah sich hastig um und erspähte Ian Murray, der zum Glück in Reichweite war – bitten, die Schlange zu packen und ins Freie zu tragen.

Er hatte sogar schon den Mund geöffnet, um genau das zu tun, als der Schlange die Aussicht zu langweilig wurde und sie blitzschnell um die Bank herum und an der letzten Reihe entlangglitt.

Rogers Blick hing an der Schlange, daher war er völlig überrascht – zweifellos genauso sehr wie die Schlange – als sich Jamie plötzlich bückte, sie vom Boden aufhob und sich das verblüffte Reptil unter sein Plaid steckte.

Jamie war ein kräftiger Mann, und in Folge seiner Bewegung wandten sich mehrere Köpfe, um zu sehen, was passiert war. Er trat von einem Fuß auf den anderen, hustete und gab sich den Anschein, sich brennend für Rogers Predigt zu interessieren. Da es nichts zu sehen gab, drehte sich alles wieder zurück und machte es sich wieder bequem.

»... nun begegnen wir erneut den Samaritern, nicht wahr, in der Geschichte vom Barmherzigen Samariter? Die meisten von Euch werden sie kennen, aber für die Kinder, die sie vielleicht noch nicht gehört haben...« Roger lächelte Jem, Germain und Aidan zu, die sich wanden wie die Würmer und vor Aufregung leise ekstatische Quietschlaute ausstießen, weil er sie besonders ansprach.

Aus dem Augenwinkel konnte er Jamie sehen, der in seinem besten Leinenhemd erstarrt und blass dastand. Im Inneren dieses Hemdes bewegte sich etwas, und in seiner geballten Faust erschien eine Spur bunter Schuppen – offenbar versuchte die Schlange, an seinem Arm entlang zu flüchten, und nur Jamies verzweifelte Umklammerung ihres Schwanzes verhinderte, dass sie den Kopf aus seinem Halssausschnitt steckte.

Jamie schwitzte heftig; Roger auch. Er sah, wie ihn Brianna mit einem kleinen Stirnrunzeln ansah.

»... und so trug der Samariter dem Wirt auf, sich um den armen Kerl zu kümmern, seine Wunden zu verbinden und ihm zu essen zu geben, und er würde auf dem Rückweg Halt machen und die Rechnung begleichen. Und …«

Aus dem Augenwinkel sah Roger, wie sich Claire zu Jamie hinüberbeugte und ihm etwas zuflüsterte. Sein Schwiegervater schüttelte den Kopf. Er vermutete, dass Claire die Schlange bemerkt hatte – sie konnte sie kaum übersehen – und Jamie drängte, mit ihr ins Freie zu gehen, Jamie sich jedoch tapfer weigerte, um die Predigt nicht noch mehr zu stören, denn er konnte nicht hinaus, ohne sich an einer ganzen Reihe anderer Stehender vorbeizudrängen.

Roger hielt inne, um sich das Gesicht mit einem großen Taschentuch abzuwischen, das ihm Brianna für diesen Zweck mitgegeben hatte und in dessen Deckung er jetzt beobachtete, wie Claire in ihren Rock griff und einen großen Kalikobeutel herauszog.

Sie schien sich flüsternd mit Jamie zu streiten; er schüttelte den Kopf und sah aus wie der Spartaner, der lebendig von dem Fuchs gefressen wurde.

Dann erschien der Kopf der Schlange plötzlich züngelnd unter Jamies Kinn, und er riss die Augen auf. Claire stellte sich unverzüglich auf die Zehenspitzen, packte das Tier am Hals, zog ihrem Mann das erstaunte Reptil wie ein Stück Seil aus dem Hemd, stopfte es kopfüber in ihren Beutel und zog ihn zu.

»Preiset den Herrn!«, platzte Roger heraus, und die Gemeinde antwortete pflichtschuldigst mit »Amen!«, obwohl sie ein wenig verwundert über diesen Einwurf dreinblickte.

Claires Nebenmann, der diese rasche Abfolge der Ereignisse mit angesehen hatte, starrte sie mit großen Augen an. Sie stopfte den Beutel – der sich jetzt sichtlich aufgeregt bewegte – wieder in ihren Rock, ließ ihr Schultertuch darüberfallen, sah den Herrn an ihrer Seite an, als wollte sie ihn fragen, »Was glotzt du so, Kumpel?«, blickte geradeaus und setzte eine Miene frommer Konzentration auf.

Roger schaffte es irgendwie bis zum Ende. Er war so erleichtert, dass die Schlange in Gewahrsam gebracht war, dass ihn selbst der Schlussgesang kaum aus der Fassung brachte, obwohl er fast keine Stimme mehr hatte und ihre Überbleibsel ächzten wie ein ungeöltes Scharnier.

Sein Hemd klebte ihm am Körper, und die kühle Luft im Freien war wie Balsam, als er hinterher dort stand und unter Händeschütteln und Verbeugungen die freundlichen Worte seiner Gemeinde entgegennahm.

»Eine großartige Predigt, Mr. MacKenzie, großartig!«, versicherte ihm Mrs. Gwilty. Sie stieß den verschrumpelten Herrn an ihrer Seite an, der sowohl ihr Mann als auch ihr Schwiegervater hätte sein können. »War es nicht eine großartige Predigt, Mr. Gwilty?«

»Mmpfm«, sagte der verschrumpelte Herr weise. »Nicht schlecht, nicht schlecht. Etwas kurz, und ihr habt die schöne Geschichte von der Dirne weggelassen, aber darauf kommt Ihr ja sicher irgendwann noch zu sprechen.«

»Sicher«, sagte Roger kopfnickend und lächelnd, während er sich fragte, *welche Dirne*? »Danke, dass Ihr da wart.«

»Oh, das hätte ich mir um nichts in der Welt entgehen lassen«, unterrichtete ihn die nächste Dame. »Obwohl die Gesänge noch etwas zu wünschen übrig gelassen haben, nicht wahr?«

»Ich fürchte, ja. Vielleicht nächstes Mal –«

»Psalm hundertneun hat mir noch nie gefallen, er ist so langweilig. Vielleicht sucht Ihr uns nächstes Mal einen Fröhlicheren aus?«

»Aye, ich denke –«

»Papapapapapa!« Jem prallte gegen seine Beine, klammerte sich liebevoll um seine Oberschenkel und hätte ihn fast umgeworfen.

»Gut gemacht«, sagte Brianna mit belustigter Miene. »Was war denn da hinten los? Du hast ständig dorthin geschaut, aber ich konnte nichts sehen, und –«

»Eine schöne Predigt, Sir, eine schöne Predigt.« Der ältere Mr. Ogilvie verbeugte sich vor ihm, dann ging er davon, die Hand seiner Frau im Arm, und sagte zu ihr: »Der arme Junge trifft ums Verrecken keinen Ton, aber die Predigt war eigentlich gar nicht übel.«

Germain und Aidan schlossen sich Jemmy an. Sie versuchten zu dritt, ihn gleichzeitig zu drücken, und er gab sein Bestes, sie zu umarmen, jedermann zuzulächeln und zustimmend zu nicken, während ihm die Leute nahe legten, er solle lauter sprechen, auf Gälisch predigen, auf Latein (was für Latein?) und auf papistische Anspielungen verzichten, sich um eine gemessenere Miene bemühen, sich um eine fröhlichere Miene bemühen, möglichst stillhalten und mehr Geschichten einbauen.

Jamie kam heraus und schüttelte ihm ernst die Hand.

»Ganz ordentlich«, sagte er.

»Danke«, sagte Roger und rang um Worte. »Du – nun ja. Danke«, wiederholte er.

»Niemand hat größere Liebe denn die«, sagte Claire, die hinter Jamie stand, und lächelte ihn an. Der Wind hob ihr Schultertuch an, und er konnte sehen, wie sich ihr Rock an der Seite merkwürdig bewegte.

Jamie stieß ein leises, belustigtes Geräusch aus.

»Mmpfm. Vielleicht stattest du Rab McAfee und Isaiah Lachlan einen Besuch ab und redest mit ihnen – vielleicht eine kurze Predigt zum Thema ›Wer seinen Sohn liebt, züchtigt ihn bisweilen‹?«

»McAfee und Lachlan. Aye, das mache ich.« Oder vielleicht erwischte er die McAfees und Jacky Lachlan ja allein und kümmerte sich selbst um die Züchtigung.

Er verabschiedete sich von den letzten Zuhörern, dankte Tom Christie und seiner Familie und steuerte mit seiner eigenen Familie auf sein Haus und sein Mittagessen zu. Die alte Mrs. Abernathy ging ein Stückchen vor ihnen her, unterstützt von ihrer Freundin, der unwesentlich weniger greisenhaften Mrs. Coinneach.

»Sieht nett aus, der Junge«, bemerkte Mrs. Abernathy gerade, und die kühle Herbstluft trug ihm ihre brüchige Stimme entgegen. »Aber so nervös, och! Hast du gesehen, wie er geschwitzt hat?«

»Aye, nun ja, bestimmt ist er schüchtern«, erwiderte Mrs. Coinneach zuversichtlich. »Mit der Zeit wird er sich schon daran gewöhnen.«

Roger lag im Bett und genoss die Freude über das, was er an diesem Tag geleistet hatte, die Erleichterung über die verhinderten Katastrophen und den Anblick seiner Frau. Das Licht der Glut schien durch das dünne Leinen ihres Hemdes, als sie jetzt vor dem Kamin kniete, und tauchte ihre Haut und ihre Haarspitzen in Licht, so dass sie aussah, als strahlte sie von innen.

Als sie das Feuer für die Nacht eingedämmt hatte, erhob sie sich und warf einen Blick auf Jemmy, der in seinem Bettchen zusammengerollt lag und das trügerische Aussehen eines Engels hatte, bevor sie ins Bett kam.

»Du siehst nachdenklich aus«, sagte sie lächelnd, als sie auf die Matratze kletterte. »Worüber grübelst du nach?«

»Ich versuche, darauf zu kommen, was in aller Welt ich gesagt haben könnte, das Mrs. MacNeill für Latein gehalten hat, ganz zu schweigen von einer katholischen Anspielung«, erwiderte er und machte ihr kameradschaftlich Platz.

»Du hast jedenfalls nicht angefangen, ›Ave Maria‹ oder so etwas zu singen«, versicherte sie ihm. »Das wäre mir aufgefallen.«

»Mm«, sagte er und hustete. »Sprich lieber nicht vom Singen, aye?«

»Es wird sich bessern«, sagte sie überzeugt und wandte ihm den Rücken zu, um sich ein Nest zu machen. Die Matratze war mit Wolle gefüllt, viel gemütlicher – und sehr viel leiser – als Maisblätter, aber sehr anfällig für Klumpen und unregelmäßige Mulden.

»Aye, vielleicht«, sagte er, dachte dabei aber, *vielleicht. Aber es wird nie mehr das, was es einmal war.* Doch es war zwecklos, sich darüber Gedanken zu machen; er hatte seine Trauer aufgebraucht. Es war Zeit, das Beste aus der Situation zu machen und darüber hinwegzukommen.

Als sie es sich bequem gemacht hatte, drehte sie sich zu ihm um und seufzte zufrieden, während ihr Körper für eine Sekunde zu schmelzen und sich um ihn herum neu zu formen schien – eines ihrer vielen kleinen, wundersamen Talente. Sie hatte ihr Haar zum Schlafen zu einem dicken Zopf geflochten, und er fuhr mit der Hand daran entlang und erinnerte sich schaudernd an die Schlange. Er fragte sich, was Claire wohl damit gemacht hatte. Wahrscheinlich in ihrem Garten ausgesetzt, damit sie Mäuse fraß, Pragmatikerin, die sie war.

»Hast du herausgefunden, welche Geschichte von einer Dirne du weggelassen hast?«, murmelte Brianna und bewegte ihre Hüften beiläufig, aber definitiv nicht zufällig gegen die seinen.

»Nein. Es gibt schrecklich viele Dirnen in der Bibel.« Er nahm ihre Ohrenspitze ganz sanft zwischen die Zähne, und sie holte plötzlich tief Luft.

»Was sind Dirnen?«, sagte eine schläfrige Kinderstimme aus dem Bettchen.

»Schlaf ein, Kumpel – ich erzähl's dir morgen«, rief Roger und ließ seine Hand über Briannas sehr runde, sehr handfeste, sehr warme Hüfte gleiten.

Jemmy würde mit ziemlicher Sicherheit in ein paar Sekunden fest schlafen, doch sie beschränkten sich auf kleine geheime Berührungen unter der Bettdecke, bis sie sicher sein konnten, dass er *absolut* fest schief. Wenn er das Traumland einmal betreten hatte, schlief er wie ein Toter, doch er war schon mehr als einmal in ungünstigen Momenten von den ungewohnten Geräuschen seiner Eltern an der Schwelle wieder aufgeweckt worden.

»Ist es so, wie du es dir vorgestellt hattest?«, fragte Brianna und legte ihm nachdenklich den Daumen auf die Brustwarze, um ihn dort kreisen zu lassen.

»Ist was – oh, die Predigt. Na ja, abgesehen von der Schlange …«

»Nicht nur das – das Ganze. Glaubst du …« Sie sah ihm suchend in die Augen, und er versuchte, sich auf das zu konzentrieren, was sie sagte, nicht das, was sie tat.

»Ah …« Seine Hand klammerte sich um die ihre, und er holte tief Luft. »Ja. Du meinst, ob ich mir nach wie vor sicher bin? Das bin ich; sonst hätte ich das alles nicht getan.«

»Pa – Papa – hat immer gesagt, es ist ein großer Segen, wenn man zu etwas berufen ist; zu *wissen*, dass man für eine Sache bestimmt ist. Meinst du, du hast von Jugend an eine – eine Berufung gehabt?«

»Na ja, eine Zeit lang war ich fest davon überzeugt, dass ich Tiefseetaucher werden sollte«, sagte er. »Lach nicht; das ist mein Ernst. Was ist mit dir?«

»Mit mir?« Sie machte ein überraschtes Gesicht, dann spitzte sie die Lippen und überlegte. »Tja, ich war auf einer katholischen Schule, und wir wurden natürlich alle gedrängt, Pastor oder Nonnen zu werden – aber ich war mir ziemlich sicher, dass ich keine religiöse Berufung hatte.«

»Gott sei Dank«, sagte er so leidenschaftlich, dass sie lachen musste.

»Und dann habe ich eine Zeit lang gedacht, ich müsste Historikerin werden – dass ich es werden wollte. Und es *war* ja auch interessant«, sagte sie langsam. »Ich könnte das. Aber – was ich wirklich wollte, war Dinge zu konstruieren. Etwas zu bauen.« Sie zog ihre Hand unter der seinen hervor und wackelte mit ihren langen, eleganten Fingern. »Aber ich weiß nicht, ob das wirklich eine Berufung ist.«

»Meinst du nicht, dass Mutterschaft eine Art Berufung ist?« Er befand sich hier auf sensiblem Terrain. Sie war einige Tage überfällig, doch keiner von ihnen hatte es bis jetzt erwähnt – oder würde es vorerst erwähnen.

Sie warf einen raschen Blick hinter sich auf das Bettchen und zog eine kleine Grimasse, die er nicht deuten konnte.

»Kann man etwas, das den meisten Leuten einfach so passiert, als Berufung bezeichnen?«, fragte sie. »Ich meine ja nicht, dass es nicht wichtig ist, aber sollte man sich dazu nicht auch entscheiden können?«

Entscheidung. Nun, Jem verdankte seine Existenz durch und durch dem Zufall, doch dieses hier, dafür hatten sie sich entschieden, keine Frage.

»Ich weiß es nicht.« Er strich ihren langen Zopf wie ein Seil an ihrer Wirbelsäule glatt, und sie drückte sich automatisch dichter an ihn. Er hatte den Eindruck, dass sie sich irgendwie … reifer anfühlte als sonst, dass ihre Brüste weicher waren. Größer.

»Jem schläft«, sagte sie leise, und er hörte das überraschend tiefe, langsame Atmen aus dem Bettchen. Sie legte ihre Hand wieder auf seine Brust, die andere ein Stück tiefer.

Als er ein wenig später selbst auf das Traumland zudriftete, hörte er sie etwas sagen und versuchte, sich so weit hochzurappeln, dass er sie fragen konnte, was es war, brachte es jedoch nur zu einem kurzen, fragenden »Mm?«.

»Ich habe immer das Gefühl gehabt, dass ich eine Berufung *habe*«, wiederholte sie und blickte zum Schatten zwischen den Deckenbalken hinauf. »Etwas, das zu tun mir bestimmt ist. Aber ich weiß noch nicht, was es ist.«

»Tja, du warst definitiv nicht dazu bestimmt, Nonne zu werden«, sagte er schläfrig. »Darüber hinaus – ich weiß es nicht.«

Das Gesicht des Mannes lag im Dunklen. Er sah ein Auge, ein feuchtes Aufglänzen, und sein Herz schlug voller Angst. Die Bodhrana *sprachen.*

Er hatte ein Stück Holz in der Hand, einen Trommelschläger, einen Knüppel – es schien die Größe zu verändern, und doch konnte er es leicht handhaben, ein Teil seiner Hand, der auf das Trommelfell schlug, den Schädel des Mannes einschlug, dessen Augen sich ihm zuwandten, glänzend vor Entsetzen.

Er hatte ein Tier dabei, groß und halb unsichtbar strich es an seinen Oberschenkeln vorbei in die Dunkelheit, gierend nach Blut, und er jagte ihm hinterher.

Der Knüppel fiel und fiel, hob sich und fiel, auf und ab, auf und ab mit jedem Zucken seines Handgelenks, das Bodhran *wurde in ihm lebendig und sprach durch ihn, der Trommelschlag, der in seinem Arm vibrierte, ein Schädel, der mit einem leisen, feuchten Geräusch nachgab.*

Für diese Sekunde verbunden, näher beieinander als Mann und Frau, im Herzen vereint, während sich Schrecken und Blutdurst diesem leisen feuch-

ten Schlag und der Leere der Nacht hingaben. Der Körper fiel zu Boden, und er spürte die Trennung, ein schmerzhafter Verlust, spürte Erde und Kiefernnadeln rau an seiner Wange, als er stürzte.

Die Augen schimmerten feucht und leer, Gesicht und Lippen erschlafften im Feuerschein, ein Gesicht, das er kannte, doch den Namen des Toten kannte er nicht, und das Tier atmete hinter ihm in der Nacht, sein Atem heiß in seinem Nacken. Alles brannte, Gras, Bäume, Himmel.

Die Bodhrana *sprachen in ihm, doch er konnte nicht ausmachen, was sie sagten, und er schlug auf den Boden ein, auf den weichen schlaffen Körper, auf den brennenden Baum, von einer Wut erfüllt, die die Funken fliegen ließ, damit die Trommeln sein Blut verließen und deutlich sprachen. Dann entfiel ihm der Trommelschläger, seine Hand rammte den Baum und ging in Flammen auf.*

Er wachte keuchend auf, weil seine Hand brannte. Er hob instinktiv den Handrücken an den Mund und schmeckte silbriges Blut. Sein Herz hämmerte so sehr, dass er kaum atmen konnte, und er kämpfte dagegen an, versuchte, sein Herz zu verlangsamen, weiterzuatmen, die Panik in den Griff zu bekommen, zu verhindern, dass sich seine Kehle zuschnürte und ihn erstickte.

Der Schmerz in seiner Hand half, ihn von dem Gedanken ans Ersticken abzulenken. Er hatte im Schlaf einen Boxhieb ausgeteilt und mit voller Wucht die Holzwand der Hütte getroffen. Himmel, es fühlte sich an, als seien seine Fingerknöchel geplatzt. Er presste die Handwurzel der anderen Hand fest dagegen und biss die Zähne aufeinander.

Drehte sich auf die Seite und sah den feuchten Glanz eines Augenpaars im letzten Feuerschein und hätte geschrien, wenn er die Luft dazu gehabt hätte.

»Alles in Ordnung, Roger?«, flüsterte Brianna mit drängender Stimme. Ihre Hand berührte seine Schulter, seinen Rücken, seine Stirn und suchte ihn rasch nach Verletzungen ab.

»Ja«, sagte er und rang nach Luft. »Schlecht ... geträumt.« Vom Ersticken träumte er allerdings nicht; seine Brust war tatsächlich eng, jeder Atemzug eine bewusste Anstrengung.

Sie warf die Bettdecke zurück, erhob sich im Geraschel der Laken und zog ihn hoch.

»Setz dich«, sagte sie leise. »Wach erst einmal richtig auf. Atme langsam; ich mache dir einen Tee – na ja, zumindest etwas Heißes.«

Ihm fehlte die Luft, um zu protestieren. Die Narbe an seinem Hals war ein Schraubstock. Der erste Schmerz in seiner Hand hatte nachgelassen; jetzt begann sie, im Rhythmus seines Herzens zu pulsieren – schön, genau das brauchte er jetzt. Er kämpfte gegen den Traum an, das Gefühl, dass Trommeln in seinen Knochen schlugen, und stellte dabei fest, dass ihm das Atmen leichter wurde. Als ihm Brianna einen Becher mit heißem Wasser brachte, das sie über etwas Übelriechendes gegossen hatte, atmete er fast normal.

Er weigerte sich, es zu trinken, was auch immer es war, woraufhin sie es sparsamerweise benutzte, um seine aufgeschürften Knöchel darin zu baden.

»Möchtest du mir den Traum erzählen?« Ihre Lider waren schwer, und sie sehnte sich in den Schlaf zurück, war jedoch bereit, ihm zuzuhören.

Er zögerte, doch er konnte spüren, wie der Traum in der stillen Nachtluft schwebte, genau hinter ihm; zu schweigen und sich in der Dunkelheit zurückzulegen, bedeutete, ihn zur Rückkehr aufzufordern. Und vielleicht war es ja besser, wenn sie wusste, was ihm der Traum gesagt hatte.

»Es war ziemlich durcheinander, hatte aber mit dem Kampf zu tun – als wir Claire zurückgeholt haben. Der Mann – den ich umgebracht habe –« Das Wort blieb ihm in der Kehle stecken wie eine Klette, doch er bekam es heraus. »Ich habe ihm den Schädel zertrümmert, und er ist gestürzt, und ich habe noch einmal sein Gesicht gesehen. Und plötzlich war mir klar, dass ich ihn schon einmal gesehen hatte; ich – ich weiß, wer er war.« Das unterschwellige Entsetzen darüber, dass er den Mann kannte, war seiner Stimme anzuhören; ihre schweren Lider hoben sich, und ihr Blick war plötzlich hellwach.

Ihre Hand legte sich leicht und fragend auf seinen verletzten Handrücken.

»Erinnerst du dich an diesen erbärmlichen Diebesfänger namens Harley Boble? Wir sind ihm einmal begegnet, beim *Gathering* am Mount Helicon.«

»Ich erinnere mich an ihn. Er? Bist du sicher? Du hast doch gesagt, alles war dunkel und durcheinander –«

»Ja, ich bin mir sicher. Ich wusste es nicht, als ich ihn erschlagen habe – aber ich habe sein Gesicht gesehen, als er gestürzt ist, das Gras hat gebrannt, und ich habe es deutlich gesehen – und gerade habe ich es wieder gesehen, im Traum, und als ich aufgewacht bin, hatte ich seinen Namen im Kopf.« Er bog langsam seine Finger gerade und verzog das Gesicht.

»Irgendwie kommt es mir sehr viel schlimmer vor, jemanden umzubringen, den man kennt.« Und das Bewusstsein, einen Fremden getötet zu haben, war schon schlimm genug. Es zwang ihn, sich als einen Menschen zu betrachten, der des Mordes fähig war.

»Nun, *damals* hast du es aber nicht gewusst«, sagte sie. »Hast ihn nicht erkannt, meine ich.«

»Nein, das stimmt.« Es stimmte, aber das half nichts. Das Feuer war für die Nacht eingedämmt, und im Zimmer war es kalt; er sah die Gänsehaut auf ihren nackten Unterarmen, die Goldhärchen, die sich aufstellten. »Du frierst ja, lass uns wieder ins Bett gehen.«

Das Bett hatte noch einen Hauch von Wärme gespeichert, und es war ein unaussprechlicher Trost, als sie sich jetzt an seinen Rücken schmiegte und ihre Körperwärme die Kälte durchdrang, die ihm durch Mark und Bein ging. Seine Hand pochte zwar noch, doch der Schmerz war jetzt so dumpf, dass er ihn ignorieren konnte. Ihr Arm legte sich fest um ihn, ihre Hand lag als lose Faust unter seinem Kinn. Er beugte den Kopf, um *ihren* Handrücken zu küssen, die Knöchel darin glatt, hart und rund, spürte ihren warmen Atem an seinem Hals und erinnerte sich eine merkwürdige Sekunde lang an das Tier in seinem Traum.

»Brianna … ich *wollte* ihn töten.«

»Ich weiß«, sagte sie leise und nahm ihn fester in den Arm, als wollte sie ihn davor bewahren zu fallen.

59

Fröhliche Brautschau

Von Lord John Grey
Mount Josiah Plantage

Mein lieber Freund,
ich schreibe dir in großer Unruhe.

Sicher erinnerst du dich noch an Mr. Josiah Quincy. Ich hätte ihm niemals ein Referenzschreiben an dich mitgegeben, hätte ich geahnt, was sich daraus entwickeln würde. Denn ich bin sicher, dass er daran schuld ist, dass dein Name nun mit dem so genannten Korrespondenzkomitee in North Carolina in Verbindung gebracht wird. Ein Freund, der davon wusste, dass ich mit dir bekannt bin, hat mir gestern ein Schreiben gezeigt, das offenbar von dieser Vereinigung stammt und eine Liste der vermutlichen Empfänger enthielt. Dein Name war auch darunter, und ihn in solcher Gesellschaft zu sehen, hat mir große Sorge bereitet, dass ich mich verpflichtet fühle, dir augenblicklich zu schreiben und dich davon zu unterrichten.

Ich hätte den Brief sofort verbrannt, wäre nicht klar gewesen, dass es sich nur um eine von mehreren Kopien handelte. Die anderen machen nun zweifellos die Runde durch die verschiedenen Kolonien. Du musst sofort dafür sorgen, dass du dich von jeder derartigen Vereinigung distanzierst und dass dein Name in Zukunft nicht mehr in einem solchen Zusammenhang auftaucht.

Denn sei gewarnt; der Postverkehr ist nicht sicher. Ich habe schon mehr als einmal offizielle Dokumente erhalten – sogar einige, die das könig-

liche Siegel trugen! –, denen nicht nur anzusehen war, dass sie geöffnet worden waren, sondern die in einigen Fällen sogar unverhohlen mit den Initialien oder Signaturen derer versehen waren, die sie abgefangen und inspiziert haben. Eine solche Inspektion kann durch Whig oder Tory gleichermaßen geschehen, das ist nicht zu sagen. Und ich höre, dass Gouverneur Martin inzwischen seine Post an seinen Bruder in New York umleiten lässt, von wo sie ihm durch einen privaten Boten überbracht wird – ein solcher war unlängst zu Gast an meiner Tafel –, da er sich nicht mehr auf ihre sichere Auslieferung innerhalb North Carolinas verlassen kann.

Ich kann nur hoffen, dass kein belastendes Dokument, das deinen Namen enthält, in die Hände von Personen gerät, die die Macht besitzen, die Verfasser solch aufwieglerischer Inhalte festzunehmen oder anderweitig gegen sie vorzugehen. Ich entschuldige mich aufrichtigst, falls mein Ungeschick in Bezug auf Mr. Quincy dich irgendwie in Gefahr gebracht oder dir Ungemach verursacht haben sollte, und ich versichere dir, dass ich mir alle Mühe geben werde, die Situation zu korrigieren, soweit es in meiner Macht steht.

Unterdessen biete ich dir Mr. Higgins' Dienste an, falls du der sicheren Überbringung eines Dokumentes bedarfst, nicht nur von Briefen, die an mich gerichtet sind. Er besitzt mein ganzes Vertrauen, und ich werde ihn dir regelmäßig schicken, falls du seiner bedarfst.

Dennoch hoffe ich, dass sich die Lage im Großen und Ganzen noch retten lässt. Ich glaube, dass die Hitzköpfe, die auf eine Rebellion drängen, zum Großteil keine Vorstellung von der Natur des Krieges haben, sonst würden sie wohl kaum seine Schrecken und Strapazen heraufbeschwören oder das Blutvergießen. Oder das Opfer ihres eigenen Lebens so auf die leichte Schulter nehmen, nur um einer solch geringfügigen Meinungsverschiedenheit mit ihrem Vaterland willen.

In London herrscht die Meinung vor, dass die ganze Angelegenheit höchstens in »ein paar blutigen Nasen resultieren wird«, wie Lord North es ausdrückt, und ich hoffe, dass er Recht hat.

Diese Neuigkeiten haben auch einen persönlichen Aspekt; mein Sohn William hat ein Leutnantspatent erworben und wird zügig zu seinem Regiment stoßen. Natürlich bin ich stolz auf ihn – und doch, da ich die Gefahren und Strapazen des Soldatenlebens kenne, bekenne ich, dass es mir lieber gewesen wäre, wenn er einen anderen Kurs eingeschlagen hätte und sich entweder der Verwaltung seines beträchtlichen Grund-

besitzes gewidmet hätte oder, sollte ihm dieses Leben zu zahm erscheinen, vielleicht die Welt der Politik oder des Handels gewählt hätte – denn er besitzt ein großes natürliches Talent dafür, seine Ressourcen zu vermehren, und es ist gut möglich, dass er es in solchen Kreisen zu einigem Einfluss bringen würde.

Diese Ressourcen befinden sich natürlich noch unter meiner Kontrolle, bis William die Volljährigkeit erreicht. Doch ich konnte ihn nicht bevormunden, so stark war sein Verlangen – und so lebhaft meine Erinnerungen an mich selbst in diesem Alter und an meine Entschlossenheit, in der Armee zu dienen. Vielleicht hat er ja vom Soldatenleben schnell genug und schlägt einen anderen Kurs ein. Und ich gebe zu, dass sich das Militärleben tatsächlich durch viele Tugenden empfiehlt, auch wenn diese manchmal hart sein mögen.

Ein weniger alarmierendes Anliegen –

Ich finde mich plötzlich erneut in der Rolle eines Diplomaten wieder. Allerdings nicht, wie ich eilig hinzufüge, im Namen Seiner Majestät, sondern vielmehr im Interesse Robert Higgins', der mich anfleht, den Einfluss, den ich besitzen mag, zu benutzen, um seine Heiratsaussichten zu fördern.

Ich habe in Mr. Higgins einen guten und treuen Bediensteten gefunden und freue mich, ihm meinen Beistand anzubieten, soweit das möglich ist; ich hoffe, du wirst ihm ähnlich geneigt sein, denn wie du sehen wirst, wird dein Rat dringend benötigt und ist sogar völlig unverzichtbar.

Nun ist diese Angelegenheit ein wenig delikat, und an diesem Punkt bitte ich dich, dir einige Gedanken zu machen; auf deine Diskretion verlasse ich mich natürlich selbstredend. Es hat den Anschein, dass Mr. Higgins sein Herz an zwei junge Damen gehängt hat, die beide in Fraser's Ridge leben. Ich habe ihn auf die Schwierigkeit hingewiesen, an zwei Fronten zu kämpfen, und ihm geraten, seine Kräfte zu sammeln und seinen Vorstoß dann mit besseren Erfolgschancen auf ein einzelnes Objekt zu richten – vielleicht mit der Möglichkeit eines Reserveplans, sollte sein ursprünglicher Versuch scheitern.

Die beiden fraglichen Damen sind Miss Wemyss und Miss Christie, die beide Schönheit und Charme im Überfluss besitzen, sagt Mr. Higgins, der sie beide in den höchsten Tönen preist. Zu einer Entscheidung zwischen beiden gedrängt, protestierte Mr. Higgins, das könne er nicht –

doch nach einiger Erörterung der Angelegenheit hat er sich schließlich auf Miss Wemyss als seine erste Wahl verlegt.

Dies ist eine praktische Entscheidung, und die Gründe für seine Entscheidung betreffen nicht nur die unbestrittenen Vorzüge der Dame, sondern auch eine sehr viel prosaischere Überlegung, nämlich die, dass die Dame und ihr Vater Leibeigene in deinem Besitz sind. Da mir Mr. Higgins ein hingebungsvoller Bediensteter ist, biete ich dir hiermit an, mit deinem Einverständnis ihre Verträge zu kaufen, falls Miss Wemyss einwilligt, Mr. Higgins zu heiraten.

Es liegt mir zwar fern, dich zweier geschätzter Dienstboten zu berauben, doch Mr. Higgins glaubt, dass Miss Wemyss nicht bereit sein wird, ihren Vater zu verlassen. Ebenso hofft er, dass mein Angebot, Vater und Tochter aus der Leibeigenschaft zu befreien (denn ich habe zugestimmt, dies zu tun, vorausgesetzt, Mr. Higgins arbeitet weiter für mich), ein hinreichendes Argument für Mr. Wemyss wäre, alle möglichen Einwände zu entkräften, die Mr. Wemyss in Bezug auf Mr. Higgins' Mangel an Verbindungen und persönlichem Besitz vorbringen könnte, beziehungsweise auf etwaige andere Hinderungsgründe, die einer Heirat im Weg stehen könnten.

Wie ich es verstehe, ist Miss Christie zwar nicht minder attraktiv, doch könnte ihr Vater möglicherweise schwieriger zu überreden sein, und ihre gesellschaftliche Stellung ist um einiges höher als die von Miss Wemyss. Dennoch, sollten Miss Wemyss oder ihr Vater Mr. Higgins' Angebot ablehnen, will ich mit deiner Hilfe mein Bestes tun, einen Anreiz zu schaffen, der Mr. Christie ansprechen könnte.

Was hältst du von diesem Angriffsplan? Ich bitte dich, die Aussichten sorgsam zu überdenken, und wenn du den Eindruck hast, dass ein solcher Antrag auf Wohlwollen stoßen könnte, Mr. Wemyss und seiner Tochter die Angelegenheit vorzutragen – falls möglich so diskret, dass einem zweiten Vorstoß nichts im Wege steht, sollte ein solcher nötig werden.

Mr. Higgins ist sich seiner minderwertigen Position als zukünftiger Stallknecht höchst bewusst und damit auch des Gefallens, um den er bittet, genau wie

dein ergebener und gehorsamer Diener,
John Grey

»Etwaige andere Hinderungsgründe, die einer Heirat im Weg stehen könnten«, las ich über Jamies Schulter hinweg. »Wie die Tatsache, dass er ein verurteilter Mörder mit einem Brandzeichen auf seiner Wange, ohne Familie und ohne Mittel ist, zum Beispiel?«

»Aye, in etwa«, pflichtete mir Jamie bei, während er die Papierbögen glatt strich und ihre Ränder gerade klopfte. Er war eindeutig amüsiert über Lord Johns Brief, doch seine Augenbrauen hatten sich zusammengezogen, wenn ich auch nicht wusste, ob das ein Zeichen der Besorgnis über Lord Johns Neuigkeiten von Willie war oder nur ein Zeichen der Konzentration auf die delikate Frage von Bobby Higgins' Heiratsantrag.

Letzteres offenbar, denn er sah zu dem Zimmer auf, das sich Lizzie und ihr Vater teilten. Durch die Decke war keine Bewegung zu hören, obwohl ich vor einiger Zeit gesehen hatte, wie Joseph nach oben ging.

»Er schläft?«, fragte Jamie mit hochgezogenen Augenbrauen. Er blickte unwillkürlich zum Fenster. Es war Nachmittag, und der Garten war in fröhliches, weiches Licht getaucht.

»Ein gängiges Symptom für eine Depression«, sagte ich mit einem kleinen Achselzucken. Für Mr. Wemyss war die Auflösung der Verlobung seiner Tochter ein harter Schlag gewesen – viel härter als für seine Tochter. Er hatte immer schon zerbrechlich ausgesehen, doch jetzt hatte er merklich an Gewicht verloren und sich ganz in sich zurückgezogen. Er sprach nur noch, wenn man ihn anredete, und war morgens immer schwerer aus dem Schlaf zu wecken.

Jamie kämpfte kurz mit der Vorstellung, dass so etwas wie eine Depression existierte, dann tat er sie kopfschüttelnd ab. Er klopfte nachdenklich mit den steifen Fingern seiner rechten Hand auf den Tisch.

»Was meinst du, Sassenach?«

»Bobby ist ein sympathischer junger Mann«, sagte ich skeptisch. »Und Lizzie hat ihn offensichtlich gern.«

»Und wenn die Wemyss' noch Leibeigene wären, hätte Bobbys Antrag durchaus seinen Reiz«, stimmte mir Jamie zu. »Aber sie sind es nicht.« Er hatte Joseph Wemyss seinen Vertrag schon vor Jahren zurückgegeben, und Brianna hatte Lizzie hastig aus der Leibeigenschaft befreit, kaum dass sie begonnen hatte. Dies war allerdings nicht öffentlich bekannt, da Josephs vermeintlicher Status als Leibeigener ihn davor schützte, in der Miliz dienen zu müssen. Auch Lizzie profitierte als Leibeigene von Jamies offiziellem Schutz, da sie als sein Eigentum galt; niemand hätte es gewagt, sie zu behelligen oder sie respektlos zu behandeln.

»Vielleicht wäre er ja bereit, sie gegen Bezahlung in seinen Dienst zu stellen«, schlug ich vor. »Der Lohn für sie beide würde doch wahrscheinlich einiges weniger betragen als der Preis für zwei Leibeigenschaftsverträge.« Wir bezahlten Joseph zwar, aber sein Lohn betrug nur drei Pfund im Jahr, allerdings zuzüglich Kost, Logis und Kleidung.

»Das werde ich vorschlagen«, entschied Jamie, allerdings voller Skepsis. »Aber ich werde mit Joseph sprechen müssen.« Er sah noch einmal zur Decke und schüttelte den Kopf.

»Apropos Malva…«, sagte ich mit einem Blick zur anderen Seite des Flurs und senkte meine Stimme. Sie war im Sprechzimmer und seihte die Flüssigkeit aus den Schalen mit den Schimmelkulturen ab, die unsere Penizillinvorräte lieferten. Ich hatte Mrs. Sylvie versprochen, ihr noch mehr zu schicken und eine Spritze; ich hoffte, dass sie davon Gebrauch machen würde.

»Meinst du, Tom Christie hätte ein offenes Ohr, wenn Joseph es nicht hat? Ich glaube, die Mädchen sind Bobby beide zugeneigt.«

Bei diesem Gedanken stieß Jamie ein etwas verächtliches Geräusch aus.

»Tom Christie soll seine Tochter an einen Mörder verheiraten, noch dazu einen mittellosen? John Grey kennt den Mann nicht im Geringsten, sonst würde er so etwas nicht vorschlagen. Christie ist so stolz wie Nebukadnezar, wenn nicht noch mehr.«

»Oh, so stolz also, ja?«, sagte ich unwillkürlich belustigt. »Was meinst du denn, *wer* ihm passend erschiene, hier in der Wildnis?«

Jamie zuckte mit einer Schulter.

»Ich befinde mich nicht in der ehrenvollen Lage, dass er mir das anvertraut hätte«, sagte er trocken. »Aber er hält seine Tochter von den Jungen hier fern; ich nehme an, sie finden in seinen Augen allesamt keine Gnade. Es würde mich nicht im Geringsten überraschen, wenn er einen Weg fände, sie nach Edenton oder New Bern zu schicken, um sie zu verkuppeln, wenn es ihm nur irgend möglich ist. Roger Mac sagt, er hat so etwas erwähnt.«

»Wirklich? Er versteht sich im Moment bestens mit Roger, nicht wahr?«

Bei diesen Worten huschte ein zögerliches Lächeln über sein Gesicht.

»Aye, nun ja. Roger Mac liegt das Wohlergehen seiner Schäfchen am Herzen – und dabei vergisst er das eigene absolut nicht.«

»Was in aller Welt meinst du denn damit?«

Er betrachtete mich einen Moment und beurteilte dabei anscheinend meine Fähigkeit, ein Geheimnis für mich zu behalten.

»Mmpfm. Nun, bitte sag nichts davon zu Brianna, aber Roger Mac hat vor, Tom Christie und Amy McCallum zu verkuppeln.«

Ich blinzelte, doch dann dachte ich darüber nach. Eigentlich war das gar keine schlechte Idee, auf die ich selbst nie gekommen wäre. Zugegeben, Tom war wahrscheinlich fünfundzwanzig Jahre älter als Amy McCallum, aber er war gesund und kräftig genug, um für sie und ihre Söhne zu sorgen. Und sie brauchte eindeutig jemanden, der für sie sorgte. Ob sie und Malva es unter einem Dach aushalten würden, war eine andere Frage. Malva hatte ihrem Vater den Haushalt geführt, seit sie dazu in der Lage war. Sie war sicherlich ein liebenswerter Mensch, aber ich hatte auch den Eindruck, dass sie nicht minder stolz war als ihr Vater und es nicht sehr freundlich aufnehmen würde, wenn man sie ersetzte.

»Mmm«, sagte ich skeptisch. »Vielleicht. Aber was meinst du denn mit Rogers eigenem Wohlergehen?«

Jamie zog die Augenbrauen hoch.

»Ist dir noch nicht aufgefallen, wie ihn die Witwe McCallum ansieht?«

»Nein«, sagte ich völlig verblüfft. »Dir denn?«

Er nickte.

»Ja, mir und Brianna ebenso. Im Moment wartet sie noch ab – aber glaube mir Sassenach: Wenn der gute Roger nicht dafür sorgt, dass die Witwe bald in feste Hände kommt, wird seine Frau ihm die Hölle heiß machen.«

»Oh, bitte. Roger *erwidert* Mrs. McCallums Anbetung doch nicht, oder?«, wollte ich wissen.

»Nein, das tut er nicht«, räumte Jamie ein, »und deswegen hat er auch seine Kronjuwelen noch. Aber wenn du glaubst, meine Tochter lässt sich so etwas bieten –«

Wir hatten leise gesprochen, und als wir jetzt hörten, wie sich die Sprechzimmertür öffnete, verstummten wir abrupt. Malva steckte den Kopf in das Studierzimmer. Ihre Wangen waren errötet, und dunkle Haarsträhnchen umschwebten ihr Gesicht. Sie sah aus wie ein Dresdner Porzellanpüppchen, trotz der Flecken auf ihrer Schürze, und ich sah, wie Jamie über ihren Eifer lächelte.

»Bitte, Mrs. Fraser, ich habe die Flüssigkeit abgeseiht und in Flaschen gefüllt – Ihr habt gesagt, die Reste müssen wir sofort an das Schwein verfüttern … habt Ihr die große weiße Sau gemeint, die unter dem Haus wohnt?« Ihre Miene war skeptisch, was ja auch kein Wunder war.

»Ich mache das schon«, sagte ich und stand auf. »Danke, Malva. Wollt Ihr nicht in die Küche gehen und Mrs. Bug um ein Honigbrot bitten, bevor Ihr heimgeht?«

Sie machte einen Knicks und entfernte sich in Richtung der Küche; ich konnte Ians Stimme hören, die Mrs. Bug neckte, und sah, wie Malva kurz stehen blieb, um ihre Haube zu drücken, sich eine Haarsträhne um den Finger zu wickeln, damit sie sich an ihrer Wange ringelte, und ihren schlanken Rücken aufrichtete, bevor sie eintrat.

»Nun, Tom Christie kann Pläne schmieden, so viel er will«, murmelte ich Jamie zu, der mit mir in den Flur getreten war und ihr nachgesehen hatte, »aber du bist nicht der Einzige, der eine Tochter mit einem eigenen Kopf und festen Ansichten hat.«

Er grunzte leise und ging zurück in sein Studierzimmer, während ich meinen Weg fortsetzte und eine große Schüssel mit nassen, ordentlich zusammengeschütteten Abfällen, den Überbleibseln unserer jüngsten Penizillinfabrikation, auf der Arbeitsfläche vorfand.

Ich öffnete das Fenster an der seitlichen Hauswand und spähte draußen zu Boden. Knapp anderthalb Meter unter mir befand sich der Erdhügel, der die Höhle der weißen Sau unter dem Fundament kennzeichnete.

»Schwein?«, sagte ich und beugte mich hinaus. »Bist du zu Hause?« Die ersten Kastanien waren jetzt reif und fielen von den Bäumen; es war gut möglich, dass sie im Wald war und sich an Kastanien fett fraß. Aber nein; Hufspuren im weichen Boden führten in die Höhle hinein, und unter mir konnte ich röchelnde Atemgeräusche hören.

»Schwein!«, sagte ich, diesmal lauter und entschlossener. Als ich hörte, wie sich eine enorme Masse unter den Bodendielen regte, lehnte ich mich aus dem Fenster und ließ die Holzschüssel gezielt auf den weichen Boden fallen, ohne allzu viel ihres Inhalts zu verschütten.

Dem *Plop!* ihrer Landung folgte schlagartig das Erscheinen eines immensen Kopfes mit weißen Borsten und einer großen rosa Schnüffelnase, der auf Schultern von der Breite eines Tabaksfasses saßen. Unter gierigem Grunzen folgte der restliche gewaltige Körper der Sau, und sie fiel unverzüglich über die Delikatesse her, den Schwanz vor Entzücken fest zusammengeringelt.

»Denk nur fleißig daran, wer die Quelle dieses Segens ist«, ermahnte ich sie, zog mich zurück und schloss sorgfältig das Fenster. Die Fensterbank war ziemlich mitgenommen – das kam davon, wenn man die Abfallschüssel zu lange auf der Arbeitsfläche stehen ließ. Die Sau war ein ungeduldiges Tier, das nicht davor zurückschreckte, das Haus zu erobern und sich zu holen, was ihr zustand, wenn es nicht schnell genug serviert wurde.

Auch wenn ein Teil meiner Gedanken mit dem Schwein beschäftigt war, hatte ich die Frage nach Bobby Higgins' Heiratsantrag und seinen möglichen Komplikationen nicht vergessen. Ganz zu schweigen von Malva. Zugegeben, sie war zweifellos empfänglich für Bobbys blaue Augen; er war ein sehr gut aussehender junger Mann. Aber sie war auch Ians Reizen gegenüber nicht abgeneigt, auch wenn diese nicht so ins Auge stachen.

Und was würde Tom Christie von Ian als Schwiegersohn halten, fragte ich mich. Er war nicht *völlig* mittellos; er besaß zehn Acres Land, das zum Großteil ungerodet war, allerdings kein ernsthaftes Einkommen. Waren Stammestätowierungen gesellschaftlich akzeptabler als ein Mörderbrandzeichen? Wahrscheinlich – andererseits war Bobby Protestant, und Ian war zumindest nominell katholisch.

Dennoch, er war Jamies Neffe – eine Tatsache die genauso für ihn sprechen konnte wie gegen ihn. Christie war furchtbar eifersüchtig auf Jamie; das wusste ich. Würde er eine Verbindung zwischen seiner und unserer Familie als vorteilhaft betrachten oder als etwas, das um jeden Preis zu vermeiden war?

Falls es Roger natürlich gelang, ihn mit Amy McCallum zu verheiraten, war es möglich, dass ihn dies auf andere Gedanken brachte. Brianna hatte die Witwe mir gegenüber nicht erwähnt – doch wenn ich jetzt darüber nachdachte, begriff ich, dass die Tatsache, dass sie nicht das Geringste gesagt hatte, auch auf unterdrückte Empfindungen hinweisen konnte.

Ich konnte Stimmen und Gelächter aus der Küche hören; offenbar hatten alle ihren Spaß. Ich dachte kurz daran, zu ihnen zu gehen, doch als ich einen Blick in Jamies Studierzimmer warf, sah ich, dass er an seinem Schreibtisch stand, die Hände hinter dem Rücken gefaltet, und mit einem geistesabwesenden Stirnrunzeln auf Lord Johns Brief hinunterblickte.

Seine Gedanken waren nicht bei seiner Tochter, dachte ich mit einem leisen, merkwürdigen Stich – sondern bei seinem Sohn.

Ich trat in das Studierzimmer, schlang den Arm um seinen Rücken und legte den Kopf an seine Schulter.

»Hast du schon einmal daran gedacht zu versuchen, Lord John zu überzeugen?«, sagte ich ein wenig zögernd. »Dass die Amerikaner möglicherweise nicht ganz Unrecht haben, meine ich – ihn von deiner Denkweise zu überzeugen.« Lord John selbst würde in dem kommenden Konflikt nicht zur Waffe greifen; Willie höchstwahrscheinlich schon, und zwar auf der falschen Seite. Zugegeben, die Kampfhandlungen würden auf beiden Seiten gleich gefährlich sein – doch das änderte nichts daran, dass die Amerikaner siegen würden, und der einzige Weg, Willie zu beeinflussen, führte über seinen vermeintlichen Vater, dessen Ansichten er respektierte.

Jamie prustete, legte aber den Arm um mich.

»John? Kannst du dich noch erinnern, was ich dir über die Highlander gesagt habe, als Arch Bug mit seiner Axt zu mir gekommen ist?«

Sie leben gemäß ihres Eides, und sie sterben auch dafür.

Ich erschauerte sacht und schmiegte mich enger an ihn, um mich an seiner Nähe zu trösten. Er hatte Recht; ich hatte sie selbst mit angesehen, diese brutale Verschworenheit der Clans – und doch war sie schwer nachzuvollziehen, selbst wenn man sie dicht vor Augen hatte.

»Ich erinnere mich«, sagte ich.

Er wies kopfnickend auf den Brief, den er unverwandt studierte.

»Er ist genauso. Nicht alle Engländer sind so – aber er schon.« Er sah mich mit einer Miene an, in der sich Reumut mit widerstrebendem Respekt vermischte.

»Er ist königstreu. Es würde keine Rolle spielen, wenn ihm der Engel Gabriel erschiene und ihm sagen würde, was geschehen wird; er würde seinen Eid nicht brechen.«

»Meinst du wirklich?«, sagte ich, diesmal mutiger. »Ich bin mir da nicht so sicher.«

Seine Augenbrauen hoben sich überrascht, und ich fuhr fort, stockend, weil ich nach den richtigen Worten suchte.

»Es ist – ich weiß, was du meinst; er ist ein Ehrenmann. Aber genau das ist es ja. Ich glaube gar nicht, dass er auf den König eingeschworen ist – nicht so, wie Colums Männer ihren Eid auf Colum geleistet haben oder die Männer aus Lallybroch auf dich. Was für ihn zählt – wofür er sein Leben geben würde – ist Ehre.«

»Nun, aye – so ist es«, erwiderte er langsam und runzelte konzentriert die Stirn. »Aber für einen Soldaten wie ihn ist Ehre eine Pflichtsache, oder nicht? Und seine Pflicht definiert sich doch durch seinen Treueschwur gegenüber dem König, nicht wahr?«

Ich richtete mich auf und rieb mir mit dem Finger die Nase, während ich versuchte, meine Gedanken in Worte zu fassen.

»Ja, aber das ist es nicht ganz, was ich meine. Es ist die *Idee*, die ihm wichtig ist. Er folgt einem Ideal, keinem Menschen. Von allen, die du kennst, ist er eventuell der Einzige, der es verstehen *könnte* – dies wird ein Krieg sein, der um Ideale ausgefochten wird; vielleicht zum ersten Mal.«

Er zwickte ein Auge zu und betrachtete mich verwundert mit dem anderen.

»Du hast dich mit Roger Mac unterhalten. Darauf wärst du allein nie gekommen, Sassenach.«

»Dann hast du dich also ebenfalls mit ihm unterhalten«, sagte ich, ohne mir die Mühe zu machen, die angedeutete Beleidigung zurückzuweisen. Außerdem hatte er Recht. »Dann verstehst du mich also?«

Er stieß einen leisen schottischen Laut aus, der skeptische Zustimmung signalisierte.

»Ich habe ihn nach den Kreuzzügen gefragt, ob er nicht glaubt, dass dabei um Ideale gekämpft wurde? Und er musste zugeben, dass Ideale zumindest etwas damit zu tun hatten – obwohl er sagt, selbst dabei ging es um Geld und Politik. Ich habe ihm allerdings gesagt, das sei seit ewigen Zeiten so, und es werde jetzt mit Sicherheit nicht anders sein. Doch aye, ich verstehe«, fügte er hastig hinzu, als er sah, wie sich meine Nasenlöcher blähten. »Aber was John Grey angeht –«

»Was John Grey angeht«, unterbrach ich ihn, »so hast du eine Chance, ihn zu überzeugen, weil er sowohl Vernunftmensch als auch Idealist ist. Du müsstest ihn überzeugen, dass die Ehre nicht darin liegt, dem König zu folgen – sondern im Ideal der Freiheit. Aber möglich ist es.«

Er stieß ein neues schottisches Geräusch aus, diesmal tief in seiner Brust und erfüllt mit unbehaglichem Zweifel. Und schließlich begriff ich.

»*Dir* geht es dabei gar nicht um Ideale, nicht wahr? Nicht um – um Freiheit, Selbstbestimmung, all das.«

Er schüttelte den Kopf.

»Nein«, gab er leise zu. »Auch nicht darum, einmal auf der Siegerseite zu sein. Obwohl das sicher eine ganz neue Erfahrung sein wird.« Er lächelte mich plötzlich reumütig an, und ich lachte überrascht.

»Worum denn dann?«, fragte ich, sanfter jetzt.

»Um dich«, sagte er ohne zu zögern. »Um Brianna und den Kleinen. Um meine Familie. Um die Zukunft. Und wenn das kein Ideal ist, dann habe ich noch nie von einem gehört.«

Jamie gab sein Bestes als Botschafter, aber Bobbys Brandzeichen stellte sich als unüberwindliches Hindernis heraus. Mr. Wemyss räumte zwar ein, dass Bobby ein liebenswerter junger Mann war, doch er war nicht imstande, es nur entfernt in Betracht zu ziehen, seine Tochter an einen Mörder zu verheiraten, ganz gleich, welche Umstände zu seiner Verurteilung geführt hatten.

»Die Leute würden sich gegen ihn stellen, Sir, das wisst Ihr genau«, sagte er und schüttelte den Kopf als Antwort auf Jamies Argumente. »Sie halten nicht inne, um nach dem Warum und Wozu zu fragen, wenn ein Mann verurteilt ist. Sein Auge – ich bin sicher, dass er nichts getan hat, was einen solch brutalen Angriff provoziert hätte. Wie könnte ich meine liebe Elizabeth der Möglichkeit solcher Übergriffe aussetzen? Selbst wenn sie selbst verschont bleibt, was wird aus ihr – und ihren Kindern –, wenn er eines Tages auf der Straße erschlagen wird?«, fragte er händeringend.

»Und wenn er eines Tages den Schutz Seiner Lordschaft verlieren sollte, könnte er nirgendwo auf eine anständige Anstellung hoffen, nicht mit diesem Schandmal im Gesicht. Sie würden Bettler werden. Ich habe mich selbst schon in einer solchen Notlage befunden, Sir – und um nichts in der Welt würde ich es riskieren, dass meine Tochter noch einmal einem solchen Schicksal ausgesetzt wird.«

Jamie rieb sich mit der Hand über das Gesicht.

»Aye. Ich verstehe, Joseph. Es ist schade, aber ich kann nicht sagen, dass Ihr Unrecht habt. Falls das eine Rolle spielt, so glaube ich aber nicht, dass Lord John ihn verstoßen würde.«

Mr. Wemyss schüttelte nur den Kopf. Er sah blass und unglücklich aus.

»Nun denn.« Jamie stieß sich von seinem Schreibtisch ab. »Ich hole ihn herein, dann könnt Ihr ihm Eure Entscheidung mitteilen.« Ich erhob mich ebenfalls, und Mr. Wemyss sprang panisch auf.

»Oh, Sir! Ihr werdet mich doch nicht mit ihm allein lassen!«

»Nun, ich glaube kaum, dass er versuchen wird, Euch etwas anzutun, Joseph«, sagte Jamie nachsichtig.

»Nein«, sagte Mr. Wemyss skeptisch. »Nein … das wohl nicht. Aber ich würde es dennoch als *große* Güte betrachten, wenn Ihr – wenn Ihr bleiben würdet, während ich mit ihm spreche? Und Ihr auch, Mrs. Fraser?« Er richtete seinen Blick flehend auf mich. Ich sah Jamie an, der resigniert nickte.

»Na schön«, sagte er. »Dann gehe ich ihn holen.«

»Es tut mir Leid, Sir.« Joseph Wemyss war beinahe genauso unglücklich wie Bobby Higgins. Er war von schmaler Statur und schüchternem Auftreten und war es nicht gewohnt, Bewerbungsgespräche zu führen. Immer wieder bat er Jamie mit Blicken um moralische Unterstützung, bevor er seine Aufmerksamkeit wieder auf den unwillkommenen Freier seiner Tochter richtete.

»Es tut mir *wirklich* Leid«, wiederholte er und sah Bobby mit einer Art hilfloser Aufrichtigkeit in die Augen. »Ich habe Euch gern, junger Mann, und das Gleiche gilt für Elizabeth, dessen bin ich sicher. Doch ihr Wohlergehen und ihr Glück sind meine Verantwortung. Und ich kann mir nicht vorstellen ... ich weiß wirklich nicht ...«

»Ich wäre gütig zu ihr«, sagte Bobby eifrig. »Das wisst Ihr genau, Sir. Sie bekäme jedes Jahr ein neues Kleid, und ich würde all meine Habe verkaufen, damit sie immer Schuhe hat!« Auch er sah Jamie an, wohl in der Hoffnung auf Verstärkung.

»Ich bin mir sicher, dass Mr. Wemyss Eure Absichten zu schätzen weiß, Bobby«, sagte Jamie so sanft wie möglich. »Aber er hat Recht, aye? Es ist seine Pflicht, die bestmögliche Partie für Lizzie zu finden. Und vielleicht ...«

Bobby schluckte. Er hatte sich für dieses Gespräch bis zum Gehtnichtmehr herausgeputzt und trug ein gestärktes Halstuch, das ihn zu erwürgen drohte, zum Rock seiner Livree, einer sauberen wollenen Kniehose und einem Paar sorgsam gepflegter Seidenstrümpfe, die nur an ganz wenigen Stellen geflickt waren.

»Ich weiß, dass ich nicht viel Geld habe«, sagte er. »Oder Besitz. Aber ich habe eine gute Anstellung, Sir! Lord John zahlt mir zehn Pfund im Jahr und war so gütig mir anzubieten, auf seinem Grund eine kleine Kate zu bauen, und bis sie fertig ist, können wir in seinem Haus wohnen.«

»Aye, das sagtet Ihr schon.« Mr. Wemyss sah zunehmend erbärmlich aus. Er wandte den Blick immer wieder von Bobby ab; vielleicht zum Teil aus natürlicher Schüchternheit und weil es ihm widerstrebte, ihn direkt abzuweisen – aber sicherlich auch, um nicht den Anschein zu erwecken, dass er das Brandzeichen auf Bobbys Wange anstarrte.

Das Gespräch setzte sich noch eine Weile fort, jedoch ohne Ergebnis, da sich Mr. Wemyss nicht dazu durchringen konnte, Bobby den wirklichen Grund für seine Weigerung zu nennen.

»Ich ... ich ... nun, ich werde noch einmal darüber nachdenken.« Mr. Wemyss, der die Anspannung nicht länger ertragen konnte, stand abrupt auf und rannte quasi aus dem Zimmer – zwang sich jedoch, an der Tür stehen zu bleiben, sich umzudrehen und zu sagen: »Das heißt aber nicht, dass ich meine Meinung ändern werde!« Dann verschwand er.

Bobby sah ihm verblüfft nach, dann wandte er sich an Jamie.

»Gibt es Hoffnung für mich, Sir? Ich weiß, dass Ihr ehrlich sein werdet.«

Es war Mitleid erregend, und selbst Jamie wandte den Blick von diesen großen blauen Augen ab.

»Ich glaube es nicht«, sagte er. Sein Ton war gütig, aber endgültig, und Bobby sackte ein wenig in sich zusammen. Er hatte sein welliges Haar mit

Wasser geglättet; inzwischen war es getrocknet, und winzige Locken lösten sich aus der dichten Masse, was ihm das absurde Aussehen eines neugeborenen Lamms verlieh, dem gerade der Schwanz kupiert wurde, erschrocken und bestürzt.

»Hat sie – wisst Ihr, Sir, oder Ma'am –«, wandte er sich an mich, »hat Miss Elizabeth ihr Herz einem anderen geschenkt? Denn wenn das so wäre, würde ich mich natürlich in mein Schicksal ergeben. Doch wenn nicht –« Er zögerte und blickte zur Tür, durch die Joseph so abrupt verschwunden war. »Glaubt Ihr, ich könnte eine Chance haben, die Einwände ihres Vaters zu überwinden? Vielleicht – vielleicht, wenn ich eine Möglichkeit fände, es zu etwas Geld zu bringen ... oder wenn es eine Frage der Religion wäre ...« Jetzt sah er ein wenig bleich aus, richtete sich jedoch entschlossen auf. »Ich – ich glaube, ich wäre bereit, mich römisch taufen zu lassen, sollte er es verlangen. Ich wollte ihm das sagen, habe es aber vergessen. Würdet Ihr es ihm vielleicht sagen, Sir?«

»Aye ... aye, das werde ich«, sagte Jamie zögernd. »Dann seid Ihr Euch ganz sicher, dass es Lizzie ist? Nicht Malva?«

Diese Frage verblüffte Bobby.

»Nun, ganz ehrlich, Sir – ich hab sie beide so gern, ich bin sicher, dass ich mit jeder von ihnen glücklich würde. Aber – nun ja, um die Wahrheit zu sagen, ich habe Todesangst vor Mr. Christie«, gestand er und wurde rot. »Und ich glaube, er mag Euch nicht, Sir – Mr. Wemyss schon. Wenn Ihr ... Euch für mich einsetzen könntet, Sir? Bitte?«

Am Ende war selbst Jamie gegen seine unschuldigen Bitten nicht gefeit.

»Ich versuche es«, gab er nach. »Aber ich verspreche Euch nichts, Bobby. Wie lange werdet Ihr jetzt bleiben, bevor Ihr zu Lord John zurückkehrt?«

»Seine Lordschaft hat mir eine Woche für meine Werbung gegeben, Sir«, sagte Bobby mit viel glücklicherem Gesicht. »Aber Ihr werdet doch sicher selbst morgen oder übermorgen gehen?«

Jamie musterte ihn überrascht.

»Wohin denn?«

Jetzt wirkte Bobby völlig überrascht.

»Nun ... ich weiß es nicht genau, Sir. Aber ich dachte, Ihr *müsstet* es wissen.«

Nach einigem Hin und Her gelang es uns, die Geschichte zu entwirren. Anscheinend hatte er sich unterwegs einer kleinen Gruppe von Reisenden angeschlossen, Farmern, die eine Schweineherde zum Markt trieben. Angesichts der Eigenschaften, die Schweine als Reisegefährten besaßen, war er nur eine Nacht bei ihnen geblieben, doch beim Abendessen hatte er im Lauf einer beiläufigen Unterhaltung gehört, wie sie eine Zusammenkunft ansprachen und darüber spekulierten, wer wohl daran teilnehmen würde.

»Euer Name wurde erwähnt, Sir – ›James Fraser‹, haben sie gesagt und auch von Fraser's Ridge gesprochen, daher war ich sicher, dass sie Euch gemeint haben.«

»Was für eine Zusammenkunft war es denn?«, fragte ich neugierig. »Und wo?«

Er zuckte hilflos mit den Achseln.

»Ich habe nicht darauf geachtet, Ma'am. Sie haben nur gesagt, es ist nächsten Montag.«

Genauso wenig erinnerte er sich an die Namen seiner Gastgeber, denn er war zu sehr auf den Versuch konzentriert gewesen zu essen, ohne von der Nähe der Schweine überwältigt zu werden. Und im Moment war er eindeutig zu sehr mit den Ergebnissen seiner erfolglosen Freierswerbung beschäftigt, um sich Gedanken über die Details zu machen, und nach ein paar Fragen und verworrenen Antworten schickte ihn Jamie davon.

»Hast du irgendeine Ahnung –?«, begann ich, doch dann sah ich, dass er die Stirn gerunzelt hatte; offensichtlich hatte er das.

»Die Zusammenkunft, bei der die Delegierten für einen Kontinentalkongress gewählt werden«, sagte er. »Das muss es sein.«

Nach dem Empfang für Flora MacDonald hatte er erfahren, dass man Ort und Zeit des ursprünglichen Treffens aufgeben würde, da die Organisatoren Störungen befürchteten. John Ashe hatte ihm gesagt, dass ein neuer Ort und ein neuer Termin bestimmt werden würden – man würde es ihn wissen lassen.

Doch das war vor dem Zwischenfall in Cross Creek.

»Es ist doch wohl möglich, dass ein Brief verloren gegangen ist«, meinte ich, doch es war eine haltlose Vermutung.

»Einer schon«, pflichtete er mir bei. »Aber keine sechs.«

»Sechs?«

»Als ich nichts gehört habe, habe ich meinerseits geschrieben, und zwar an die sechs Männer, die ich im Korrespondenzkomitee persönlich kenne. Nicht eine Antwort.« Sein steifer Finger klopfte einmal gegen sein Bein, doch er bemerkte es und hielt ihn still.

»Sie trauen dir nicht«, sagte ich nach ein paar Sekunden des Schweigens, und er schüttelte den Kopf.

»Das ist ja auch kaum ein Wunder, nachdem ich Simms gerettet und Neil Forbes auf offener Straße geteert habe.« Bei diesem Gedanken huschte ihm unwillkürlich ein kleines Lächeln über das Gesicht. »Und unser armer Bobby war wahrscheinlich auch keine große Hilfe; er hat ihnen sicher gesagt, dass er Briefe zwischen mir und Lord John hin- und hertransportiert.«

Das stimmte wahrscheinlich. Bobby war zwar freundlich und redselig, aber er *konnte* ein Geheimnis für sich behalten – allerdings nur, wenn man ihm ausdrücklich sagte, was er geheim halten sollte. Ansonsten würde jeder, der mit ihm zusammen aß, spätestens beim Nachtisch alles über seine Aufträge wissen.

»Kannst du noch etwas anderes tun, um es herauszufinden? Wo die Zusammenkunft stattfindet, meine ich?«

Er atmete ein wenig frustriert aus.

»Aye, vielleicht. Aber wenn ich es täte und dort hinginge – ist es sehr wahrscheinlich, dass sie mich fortschicken würden. Wenn nicht noch Schlimmeres. Ich glaube, es ist das Risiko nicht wert.« Er sah mich mit ironischer Miene an. »Ich hätte sie besser den Drucker grillen lassen sollen.«

Ich überhörte diese Bemerkung und trat an seine Seite.

»Dir wird schon etwas anderes einfallen«, versuchte ich, ihn zu ermutigen.

Die große Stundenkerze stand halb heruntergebrannt auf seinem Schreibtisch, und er berührte sie. Niemand schien je zu bemerken, dass die Kerze nie kleiner wurde.

»Vielleicht«, sagte er nachdenklich. »Möglich, dass ich einen Weg finde. Obwohl ich dazu nicht gern noch einen benutzen würde.«

Noch einen Edelstein, meinte er; unser kleines Vermögen in Juwelen war im Wachs der Kerze verborgen; in das flüssige Wachs getaucht, solange der Docht brannte, und dann verborgen, nachdem es erhärtete.

Ich schluckte den kleinen Kloß in meinem Hals herunter. Es waren noch zwei übrig. Einer für jeden, wenn Roger oder Brianna und Jemmy… aber ich würgte diesen Gedanken entschlossen ab.

»Was nützt es einem Menschen, die Welt zu gewinnen«, zitierte ich, »wenn er seine Seele verliert? Es wird uns nichts nützen, insgeheim reich zu sein, wenn *du* geteert und gefedert wirst.« Dieser Gedanke gefiel mir nicht gerade besser, doch ich konnte ihn nicht vermeiden.

Er blickte auf seinen Unterarm; er hatte die Ärmel aufgekrempelt, um zu schreiben, und die verblassende Brandwunde war noch zu sehen, eine schwach rote Spur zwischen den sonnengebleichten Härchen. Er seufzte, trat auf die andere Seite seines Schreibtischs und nahm einen Federkiel aus dem Glas.

»Aye. Ich schreibe jetzt besser noch ein paar Briefe.«

60

Der apokalyptische Reiter geht um

Am 20. September hielt Roger eine Predigt zum Thema »Was töricht ist vor der Welt, das hat Gott erwählt, dass er die Weisen zu Schanden mache.« Am 21. September machte sich eines dieser törichten Dinge daran, diese These zu beweisen.

Padraig und Hortense MacNeill waren mit ihren Kindern nicht zur

Kirche gekommen. Sie waren sonst immer dabei, und es gab Getuschel über ihre Abwesenheit – so viel, dass Roger Brianna am nächsten Morgen fragte, ob sie ihnen vielleicht einen Besuch abstatten würde, um sich zu vergewissern, dass alles in Ordnung war.

»Ich würde ja selbst gehen«, sagte er, während er den Boden seines Porridgeschälchens auskratzte, »aber ich habe John MacAfee versprochen, mit ihm und seinem Vater nach Brownsville zu reiten; er möchte dort einem Mädchen einen Antrag machen.«

»Möchte er, dass du sie auf der Stelle für *handfast* erklärst, wenn sie ja sagt?«, fragte ich. »Oder gehst du nur mit, damit ihn die gesammelten Browns nicht umbringen?« Es war nicht zu offener Gewalt gekommen, seit wir Lionel Browns Leiche nach Brownsville zurückgebracht hatten, doch dann und wann gab es kleinere Zusammenstöße, wenn eine Abordnung aus Brownsville in der Öffentlichkeit auf Männer aus Fraser's Ridge stieß.

»Letzteres«, sagte Roger mit einer schwachen Grimasse. »Obwohl ich die Hoffnung habe, dass die eine oder andere Ehe zwischen Fraser's Ridge und Brownsville eventuell hilft, die Lage mit der Zeit zu beruhigen.«

Bei diesen Worten blickte Jamie, der eine Zeitung aus der jüngsten Lieferung las, auf.

»Oh, aye? Nun, das ist keine schlechte Idee. Allerdings funktioniert es nicht immer.« Er lächelte. »Mein Onkel Colum wollte einen solchen Zwist mit den Grants aus der Welt räumen, indem er meine Mutter mit ihrem Anführer verheiratete. Unglücklicherweise«, fügte er hinzu und blätterte um, »hatte meine Mutter keine Lust, dabei mitzumachen. Sie hat Malcolm Grant einen Korb gegeben, mit einem Messer auf meinen Onkel Dougal eingestochen und ist stattdessen mit meinem Vater durchgebrannt.«

»Wirklich?« Diese Geschichte kannte Brianna noch nicht; fasziniert setzte sie sich gerade. Roger warf ihr einen Seitenblick zu und hustete, bevor er ihr viel sagend das Messer abnahm, mit dem sie die Wurst geschnitten hatte.

»Nun, wie dem auch sei«, sagte er und schob seinen Stuhl vom Tisch zurück, das Messer in der Hand. »Wenn es dir nichts ausmacht, einen Blick auf Padraigs Familie zu werfen, nur um zu sehen, ob ihnen nichts fehlt?«

Am Ende schlossen Lizzie und ich uns Brianna an, um bei Marsali und Fergus vorbeizuschauen, deren Haus ein Stückchen weiter stand als das der MacNeills. Doch Marsali kam uns unterwegs entgegen. Sie war auf dem Rückweg von der Whiskyquelle, und so waren wir zu viert, als wir die Hütte der MacNeills erreichten.

»Warum sind hier plötzlich so viele Fliegen?« Lizzie schlug nach einer fetten Schmeißfliege, die auf ihrem Arm gelandet war, dann wedelte sie zwei Fliegen beiseite, die ihr Gesicht umkreisten.

»Hier liegt irgendetwas Totes«, sagte Marsali und hob die Nase, um zu schnüffeln. »Vielleicht im Wald. Hört ihr die Krähen?«

Krähen saßen krächzend ringsum in den Baumwipfeln; ich hob den Kopf und sah, dass noch mehr Vögel am Himmel kreisten, schwarze Flecken am gleißenden Himmel.

»Nicht im Wald«, sagte Brianna, deren Stimme plötzlich angestrengt klang. Sie hatte den Blick auf die Hütte gerichtet. Die Tür war fest geschlossen, und ein Fliegenschwarm drängte sich um das Fenster, das mit einem Stück Leder verschlossen war. »Schnell.«

Der Gestank im Inneren der Blockhütte war unaussprechlich. Ich sah, wie die Mädchen nach Luft schnappten und die Münder fest schlossen, als die Tür aufschwang. Unglücklicherweise war es unvermeidlich zu atmen. Ich atmete sehr flach, während ich mich durch das dunkle Zimmer bewegte und das Lederstück abriss, das fest vor das Fenster genagelt war.

»Lasst die Tür offen«, sagte ich, ohne den schwachen Klagelaut zu beachten, der beim Einströmen des Lichts vom Bett kam. »Lizzie – geh und zünde an der Tür ein Rauchfeuer an und noch eins draußen vor dem Fenster. Fang mit Gras und Stöckchen an und leg dann etwas darauf, das es zum Qualmen bringt – nasses Holz, Moos, feuchtes Laub.«

Innerhalb von Sekunden, nachdem ich das Fenster geöffnet hatte, waren die ersten Fliegen da und summten an meinem Gesicht vorbei – Hirschfliegen, Schmeißfliegen, Kriebelmücken. Vom Gestank angezogen hatten sie sich in ganzen Schwärmen auf der sonnengewärmten Außenseite der Baumstämme niedergelassen und begehrten jetzt Einlass, gierig nach Nahrung und nach einer Gelegenheit, ihre Eier abzulegen.

Das Zimmer würde in wenigen Minuten eine summende Hölle sein – doch wir brauchten Licht und Luft und würden mit den Fliegen einfach zurechtkommen müssen. Ich löste mein Halstuch und faltete es zu einer improvisierten Fliegenklatsche zusammen, mit der ich hin und her wedelte, während ich mich dem Bett zuwandte.

Dort lagen Hortense und die beiden Kinder. Sie waren nackt, und ihre bleichen Gliedmaßen schimmerten, weil sie in der versiegelten Hütte geschwitzt hatten. Dort, wo die Sonne auf sie fiel, waren sie klamm und weiß, und sie hatten rötlichbraune Streifen an Körper und Beinen. Ich hoffte, dass es nur Durchfall war, kein Blut.

Es hatte jemand gestöhnt; es bewegte sich jemand. Also nicht tot, Gott sei Dank. Die Bettwäsche lag in einem unordentlichen Haufen auf dem Boden – das war ein Glück, da sie noch weitgehend sauber war. Ich hielt es für besser, die Strohmatratze zu verbrennen, sobald wir die drei heruntergefördert hatten.

»Steck bloß nicht die Finger in den Mund«, murmelte ich Brianna zu, als wir uns an die Arbeit machten und das schwach zuckende Menschenhäuflein in seine Bestandteile auseinander sortierten.

»Du machst wohl Witze«, sagte sie mit zusammengebissenen Zähnen, während sie ein blasses Kind von etwa sieben Jahren anlächelte, das halb zusammengekrümmt und erschöpft in den Nachwehen einer Durchfallattacke lag. Sie schob dem kleinen Mädchen die Hände in die Achselhöhlen. »Nun komm, Schätzchen, lass dich hochheben.«

Das Kind war zu schwach, um dagegen zu protestieren, dass man es aufhob; seine Arme und Beine hingen schlaff wie Fäden herunter. Der Zustand seiner Schwester war noch alarmierender; das Baby, das kaum älter als ein Jahr war, bewegte sich gar nicht, und seine Augen waren tief eingesunken, ein Zeichen für schwere Austrocknung. Ich ergriff seine winzige Hand und nahm seine Haut sanft zwischen Daumen und Zeigefinger. Sie blieb einen Moment aufgerichtet, eine kleine Erhebung in der gräulichen Haut, die dann ganz langsam zu verschwinden begann.

»Verfluchter Mist«, schimpfte ich leise vor mich hin und beugte mich rasch über das Kind, um es abzuhören, eine Hand auf seiner Brust. Es war nicht tot – ich konnte seinen Herzschlag gerade eben spüren – doch es war kurz davor. Wenn es zu schwach war, um zu nuckeln oder trinken, gab es nichts, was es retten konnte.

Noch während ich das dachte, erhob ich mich und sah mich im Inneren der Hütte um. Kein Wasser; ein ausgehöhlter Kürbis lag umgekippt und leer neben dem Bett. Wie lange hatten sie schon nichts mehr getrunken?

»Brianna«, sagte ich mit leiser, aber drängender Stimme. »Geh und hol Wasser – schnell.«

Sie hatte das andere Kind auf den Boden gelegt und wischte ihm den Schmutz vom Körper, blickte aber auf, und beim Anblick meines Gesichts ließ sie sofort ihren Lappen fallen und stand auf. Sie nahm den Kessel, den ich ihr in die Hand drückte, und verschwand; ich hörte ihre Schritte über den Hof rennen.

Die Fliegen machten es sich auf Hortenses Gesicht bequem; ich wedelte mit meinem Halstuch, um sie zu verscheuchen. Das Tuch berührte ihre Nase, doch ihre erschlafften Gesichtszüge zuckten kaum. Sie atmete; ich konnte sehen, dass sich ihr aufgetriebener Bauch leicht bewegte.

Wo war Padraig? Auf der Jagd vielleicht.

Inmitten des überwältigenden Gestanks entleerter Eingeweide fing ich einen Hauch von etwas anderem auf und beugte mich vor, um zu schnuppern. Ein süßer, durchdringender Fermentgeruch wie von verfaulten Äpfeln. Ich schob meine Hand unter Hortenses Schulter und rollte sie mit einer ziehenden Bewegung zu mir. Eine Flasche lag – leer – unter ihr. Eine Nase voll reichte aus, um mir zu sagen, was sie enthalten hatte.

»Verflucht und noch einmal verflucht«, knurrte ich leise. Todkrank und ohne Wasser, hatte sie Apfelwein getrunken, entweder um ihren Durst zu stillen oder um den Schmerz der Krämpfe zu lindern. Eine logische Vorgehensweise – nur dass Alkohol harntreibend wirkte. Er entzog dem Körper, der sowieso schon ernstlich ausgetrocknet war, noch mehr Wasser, von der zusätzlichen Reizung des ohnehin überforderten Magen-Darm-Traktes ganz zu schweigen.

Himmel, hatte sie den Kindern auch davon gegeben?

Ich beugte mich über das ältere Kind. Das Mädchen war schlaff wie eine Stoffpuppe, und der Kopf hing ihr auf der Schulter, doch ihre Haut hatte ihre Spannkraft noch nicht ganz verloren. Ich kniff auch sie in die Hand; die Haut blieb aufgerichtet, kehrte aber schneller wieder zum Normalzustand zurück als die des Babys.

Sie hatte die Augen geöffnet, als ich sie in die Hand kniff. Das war gut. Ich lächelte sie an und strich ihr die Fliegen vom halb offenen Mund. Ihre rosa Schleimhäute sahen trocken und verklebt aus.

»Hallo Schätzchen«, murmelte ich. »Keine Angst, ich bin jetzt hier.«

Und würde das helfen?, fragte ich mich. Verdammt; wäre ich doch nur einen Tag eher gekommen!

Ich hörte Briannas eilige Schritte und ging ihr bis zur Tür entgegen.

»Ich brauche –«, begann ich, doch sie unterbrach mich.

»Mr. MacNeill ist im Wald!«, sagte sie. »Ich habe ihn auf dem Weg zur Quelle gefunden. Er ist –«

Der Kessel in ihren Händen war immer noch leer. Ich ergriff ihn mit einem gereizten Ausruf.

»Wasser! Ich brauche Wasser!«

»Aber ich – Mr. MacNeill, er ist –«

Ich drückte ihr den Kessel wieder in die Hand und schob mich an ihr vorbei.

»Ich suche ihn«, sagte ich. »Hol Wasser! Gib es ihnen – dem Baby zuerst! Lizzie soll dir helfen – die Feuer können warten! Lauf!«

Als Erstes hörte ich die Fliegen; ein lautes Summen, bei dem meine Haut unangenehm zu kribbeln begann. Hier im Freien hatten sie ihn schnell gefunden, angezogen von seinem Geruch. Ich holte hastig Luft und schob mich durch das Buchsbaumgebüsch zu der Stelle, an der Padraig im Gras unter einer Platane zusammengebrochen war.

Er war nicht tot. Das sah ich sofort; die Fliegen bildeten eine Wolke, keine Decke – umschwebten ihn, landeten, flogen wieder auf, wenn er zuckte.

Er lag zusammengekrümmt auf dem Boden und trug nur sein Hemd. Neben seinem Kopf lag ein Wasserkrug. Ich kniete mich neben ihn und betrachtete ihn, während ich ihn abtastete. Sein Hemd und seine Beine waren voller Flecken, genau wie das Gras, auf dem er lag. Das Exkrement war sehr wässrig – das meiste war inzwischen in den Boden gesickert – aber hier und dort war es auch fest. Es hatte ihn also später erwischt als Hortense und die Kinder; sein Darm krampfte noch nicht lange, sonst wäre es zum Großteil Wasser mit etwas Blut gewesen.

»Padraig?«

»Mrs. Claire, Gott sei Dank, dass Ihr hier seid.« Seine Stimme war so heiser, dass ich die Worte kaum verstehen konnte. »Meine Kinder? Habt Ihr meine Kinder in Sicherheit gebracht?«

Er erhob sich zitternd auf den Ellbogen, und der Schweiß klebte ihm die grauen Haarsträhnen an den Wangen fest. Seine Augen öffneten sich einen Spalt breit, um mich zu sehen, doch von den Stichen der Hirschfliegen waren sie so angeschwollen, dass sie nur noch Schlitze waren.

»Ich habe sie.« Ich legte ihm sofort die Hand auf und drückte ihn, um ihm Zuversicht einzuflößen. »Legt Euch hin, Padraig. Wartet einen Moment, damit ich mich um sie kümmern kann, dann sehe ich nach Euch.« Es ging ihm zwar sehr schlecht, aber er war nicht in unmittelbarer Gefahr; die Kinder dagegen schon.

»Kümmert Euch nicht um mich«, murmelte Padraig. »Nicht … mich …« Er schwankte, schlug nach den Fliegen, die über sein Gesicht und seine Brust krabbelten, dann stöhnte er, als ein neuer Krampf seinen Bauch packte, und krümmte sich zusammen, als hätte ihn eine Riesenhand in ihrem Griff zerquetscht.

Ich war schon wieder im Laufschritt zum Haus unterwegs. Der Staub auf dem Weg war voller Wasserflecken – gut. Brianna war in Eile hier entlanggekommen.

Durch Amöben verursachte Dysenterie? Eine Lebensmittelvergiftung? Typhus? Cholera – bitte, lieber Gott, nicht das. All diese, sowie noch eine ganze Reihe weitere, Krankheiten wurden in dieser Zeit unter dem Oberbegriff »die rote Ruhr« geführt, und das aus nahe liegenden Gründen. Nicht, dass dies im Moment eine Rolle spielte.

Die unmittelbare Gefahr der gesamten Durchfallerkrankungen war die Austrocknung. Um die bakteriellen Eindringlinge loszuwerden, die den Darm reizten, spülte sich der Magen-Darm-Trakt wiederholt selbst durch und raubte dabei dem Körper das Wasser, das notwendig war, um den Blutkreislauf in Schwung zu halten, Abfallstoffe loszuwerden, den Körper durch Schweiß zu kühlen und Gehirn und Schleimhäute funktionsfähig zu erhalten – das Wasser, das zur Erhaltung des *Lebens* notwendig war.

Wenn man einen Patienten hinreichend mit Flüssigkeit versorgen konnte, indem man ihm intravenös Kochsalz- und Glukoselösungen einflößte, dann war es sehr wahrscheinlich, dass der Darm von selbst heilte und sich der Patient erholte. Ohne intravenöses Eingreifen blieb nur die Möglichkeit, dem Patienten durch den Mund mit Flüssigkeit zu versorgen, so schnell und so dauerhaft wie möglich, bis es ihm besser ging. Wenn der Patient Wasser bei sich behalten konnte.

Ich glaubte nicht, dass sich die MacNeills auch noch erbrachen; ich konnte mich nicht erinnern, *diesen* Geruch unter all den anderen Varianten in der Hütte ausgemacht zu haben. Wahrscheinlich also keine Cholera; das war immerhin etwas.

Brianna saß auf dem Boden neben dem größeren Kind, sie hatte den Kopf des kleinen Mädchens auf dem Schoß und hielt ihm einen Becher an den Mund. Lizzie kniete am Kamin, das Gesicht hochrot vor Anstrengung, während sie Feuer machte. Die Fliegen landeten nach wie vor auf dem reglosen Körper der Frau auf dem Bett, und Marsali saß über die reglose Gestalt des Babys auf ihrem Schoß gebeugt und versuchte panisch, es zu wecken, damit es trank.

Verschüttetes Wasser rann in Streifen über ihren Rock. Ich konnte sehen, wie der winzige Kopf auf ihrem Schoß nach hinten hing und das Wasser über die schlaffe und furchtbar eingefallene Wange des Babys lief.

»Sie kann es nicht«, jammerte Marsali immer und immer wieder. »Sie kann es nicht, sie kann es nicht!«

Ohne meine eigene Ermahnung bezüglich der Finger zu beachten, steckte ich dem Baby den Zeigefinger in den Mund und tastete seinen Gaumen nach einem Würgereflex ab. Da war er; das Baby verschluckte sich an dem Wasser in seinem Mund und schnappte nach Luft, und ich spürte, wie sich seine Zunge eine Sekunde lang fest um meinen Finger schloss.

Es saugte. Es war ein Säugling, der noch gestillt wurde – und der Saugreflex ist der erste Überlebensinstinkt. Ich fuhr herum, um mich nach der Frau umzusehen, doch ein einziger Blick auf ihre flachen Brüste und eingesunkenen Brustwarzen genügte; dennoch packte ich ihre Brust und drückte mit den Fingern gegen die Brustwarze. Noch einmal und noch einmal – nein, nein, es zeigten sich keine Milchtropfen auf den bräunlichen Brustwarzen, und das Gewebe in meiner Hand war schlaff. Kein Wasser, keine Milch.

Marsali, die begriff, worum es ging, fasste an den Halsausschnitt ihrer Bluse und zog ihn herunter, um dann das Kind an ihre entblößte Brust zu drücken. Seine winzigen Beine lagen reglos auf ihrem Kleid, die Zehen bläulich und eingerollt wie verwelkte Blütenblätter.

Ich legte Hortense den Kopf zurück und ließ ihr Wasser in den offenen Mund rinnen. Aus dem Augenwinkel sah ich, wie Marsali mit einer Hand rhythmisch auf ihre Brust drückte, um den Milchfluss in Gang zu bringen, während meine eigenen Finger ihre Bewegung nachahmten und die Kehle der bewusstlosen Frau massierten, um sie zum Schlucken zu bewegen.

Ihre Haut war glitschig vom Schweiß, doch es war zum Großteil meiner. Er lief mir in Rinnsalen über den Rücken und kitzelte mich zwischen den Pobacken. Ich konnte mich riechen, ein seltsamer Metallgeruch wie von heißem Kupfer.

Die Peristaltik ihrer Kehle kam mit einem Mal in Gang, und ich zog meine Hand fort. Hortense verschluckte sich und hustete, dann rollte ihr Kopf zur Seite, und ihr Magen verkrampfte sich und katapultierte seinen spärlichen Inhalt wieder hinaus. Ich wischte ihr eine Spur von Erbrochenem von den Lippen und drückte ihr den Becher wieder an den Mund. Ihre Lippen bewegten sich nicht; das Wasser füllte ihren Mund und rann ihr über Gesicht und Hals.

Im Summen der Fliegen hörte ich Lizzies Stimme hinter mir, ruhig, aber irgendwie abwesend, so als spräche sie aus weiter Ferne.

»Könntet Ihr aufhören zu fluchen, Ma'am? Nur, weil die Kleinen Euch hören könnten.«

Ich fuhr zu ihr herum und begriff erst jetzt, dass ich die ganze Zeit laut »gottverdammte Scheiße« vor mich hin gesagt hatte, während ich arbeitete.

»Ja«, sagte ich, »es tut mir Leid.« Und wandte mich wieder Hortense zu.

Hin und wieder konnte ich ihr ein wenig Wasser einflößen, aber nicht genug. Nicht annähernd genug, da ihre Eingeweide ja immer noch versuchten, sich des Inhalts zu entledigen, der sie quälte. Rote Ruhr.

Lizzie betete.

»Heilige Maria, voll der Gnade, der Herr ist mit dir...«

Brianna murmelte etwas vor sich hin, drängende Laute mütterlicher Ermunterung.

»Gesegnet ist die Frucht deines Leibes, Jesus...«

Mein Daumen lag auf dem Puls der Halsschlagader. Ich spürte, wie er ruckte, einen Schlag aussetzte und dann weiterschlug. Er rumpelte wie ein Karren, dem ein Rad fehlte. Ihr Herz begann, ihr den Dienst zu versagen, und wurde arhythmisch.

»Heilige Maria, Mutter Gottes...«

Ich rammte ihr die Faust in die Mitte der Brust, dann noch einmal und noch einmal, so fest, dass das Bett und der hingestreckte, leichenblasse Körper unter meinen Hieben erzitterten. Fliegen stiegen alarmiert summend von dem durchnässten Stroh auf.

»O nein«, sagte Marsali leise hinter mir. »O nein, nein, bitte.« Ich hörte diesen Tonfall des Unglaubens nicht zum ersten Mal, des Protestes und des vergeblichen Flehens – und wusste, was geschehen war.

»Bitte für uns Sünder.«

Als hätte auch sie es gehört, rollte Hortenses Kopf plötzlich zur Seite, und ihre Augen sprangen auf und starrten zu der Stelle, wo Marsali saß, obwohl ich nicht glaubte, dass sie etwas sah. Dann schlossen sich die Augen, und sie krümmte sich plötzlich seitlich zusammen, bis ihre Knie fast an ihr Kinn reichten. Ihr Kopf fuhr zurück, während ihr restlicher Körper im Krampf erstarrt verharrte, und dann entspannte sie sich plötzlich. Sie würde ihr Kind nicht allein gehen lassen. Rote Ruhr.

»Jetzt und in der Stunde unseres Todes, Amen. Gegrüßet seist du, Maria, Mutter Gottes...«

Lizzies leise Stimme fuhr mechanisch fort und wiederholte ihre betenden Worte genauso unbewusst, wie ich vorhin geflucht hatte. Ich hielt Hortenses Handgelenk und suchte nach ihrem Puls, doch es war nur noch eine Formalität. Marsali krümmte sich schmerzerfüllt über den winzigen Körper und wiegte ihn an ihrer Brust. Aus ihrer geschwollenen Brustwarze tropfte Milch, erst langsam, dann schneller fiel sie wie ein weißer Regen auf das kleine, reglose Gesicht in dem vergeblichen Bemühen zu nähren und zu erhalten.

Die Luft war immer noch stickig, immer noch erfüllt vom Gestank, von Fliegen und dem Klang von Lizzies Gebeten – doch die Hütte schien leer und seltsam still zu sein.

Draußen erklang ein Rascheln; das Geräusch von etwas, das über den Boden geschleift wurde, ein gequältes, furchtbar erschöpftes Stöhnen. Dann ein leiser Fall, keuchender Atem. Padraig hatte es bis zu seiner Schwelle geschafft. Brianna blickte zur Tür, doch sie hatte das größere Mädchen noch im Arm, und es lebte noch.

Ich legte die erschlaffte Hand, die ich nach wie vor festhielt, vorsichtig hin und erhob mich, um zu helfen.

61

Pestilenz

Die Tage wurden kürzer, doch das Licht kam noch früh. Die Fenster an der Vorderseite des Hauses zeigten nach Osten, und die aufgehende Sonne glühte auf dem blank geschrubbten weißen Eichenboden meines Sprechzimmers. Ich konnte den leuchtenden Block aus Licht über die handgehobelten Dielen näher kommen sehen; hätte ich eine richtige Uhr gehabt, hätte ich den Fußboden wie eine Sonnenuhr eichen und die Fugen zwischen den Dielen in Minuten einteilen können.

So jedoch teilte ich sie in Herzschläge ein und zählte die Sekunden, bis die Sonne meine Arbeitsfläche erreichte, wo mein Mikroskop neben Objektträger und Becher bereitstand.

Ich hörte leise Schritte im Flur, dann drückte Jamie mit der Schulter die Tür auf, in jeder Hand einen Zinnbecher mit irgend etwas Heißem beide in ein Tuch gewickelt, um sich nicht zu verbrennen.

»*Ciamar a tha thu, mo chridhe?*«, sagte er leise und reichte mir einen der Becher, während er mir einen Kuss auf die Stirn hauchte. »Wie steht es denn?«

»Es könnte schlimmer sein.« Ich schenkte ihm ein Lächeln der Dankbarkeit, das jedoch von einem Gähnen unterbrochen wurde. Ich brauchte ihm nicht zu sagen, dass Padraig und seine ältere Tochter noch lebten; er hätte es meinem Gesicht sofort angesehen, wenn sich etwas Schlimmes ereignet hätte. Nein, ich glaubte, dass sich beide erholen würden, wenn es keine Komplikationen gab; ich war die ganze Nacht bei ihnen geblieben und hatte sie jede Stunde geweckt, um sie abwechselnd eine Mischung aus Honigwasser mit ein wenig Salz oder einen kräftigen Pfefferminztee mit Hartriegelrinde trinken zu lassen, der den Darm beruhigen sollte.

Ich hob die Teetasse – Gänsefußkraut –, schloss die Augen, während ich ihr leicht bitteres Parfum einatmete, und spürte, wie sich meine verkrampfte Hals- und Schultermuskulatur vorfreudig entspannte.

Er hatte gesehen, wie ich den Kopf verdrehte, um meinen Hals zu entkrampfen; Jamies Hand senkte sich auf meinen Nacken, groß und wunderbar warm, weil er den heißen Tee damit festgehalten hatte. Bei seiner Berührung stöhnte ich leise ekstatisch auf, und er lachte tief in seiner Kehle, während er meine schmerzenden Muskeln massierte.

»Solltest du nicht im Bett sein, Sassenach? Du hast doch die ganze Nacht nicht geschlafen.«

»O doch… ein bisschen.« Ich hatte am offenen Fenster gesessen und unruhig gedöst, ständig aufgeschreckt durch Motten, die mein Gesicht berührten, weil sie angezogen vom Licht meiner Kerze ins Zimmer flogen. Doch bei Tagesanbruch war Mrs. Bug gekommen, hellwach und in frisch gestärkten Kleidern, um die anstrengende Pflege der Patienten zu übernehmen.

»Ich lege mich gleich hin«, versprach ich. »Aber ich wollte erst etwas nachsehen.« Ich wies mit einer vagen Handbewegung auf mein Mikroskop, das zusammengeschraubt auf dem Tisch wartete. Daneben standen mehrere Glasfläschchen, die mit zusammengedrehten Stoffstückchen verstopft waren und jeweils eine bräunliche Flüssigkeit enthielten. Jamie betrachtete sie stirnrunzelnd.

»Nachsehen? Was denn?«, sagte er. Er hob seine lange, gerade Nase und schnupperte argwöhnisch. »Ist das Scheiße?«

»Ja, das ist es«, sagte ich, ohne mir die Mühe zu machen, ein herzhaftes Gähnen zu unterdrücken. Ich hatte – so diskret wie möglich – Proben von Hortense und ihrem Baby genommen und später auch von meinen lebenden Patienten. Jamie beäugte sie.

»*Was* genau«, erkundigte er sich vorsichtig, »willst du denn da finden?«

»Nun, ich weiß es nicht«, gab ich zu. »Und es ist durchaus möglich, dass ich gar nichts finde – oder nichts, was ich erkennen kann. Aber es ist möglich, dass es entweder eine Amöbe oder ein Bazillus war, woran die MacNeills erkrankt sind – und ich glaube, eine Amöbe *würde* ich erkennen; sie sind ziemlich groß. Relativ gesehen«, fügte ich hastig hinzu.

»Oh, aye?« Er runzelte die Stirn, dann zog er seine roten Augenbrauen hoch. »Warum?«

Das war eine bessere Frage als ihm bewusst war.

»Nun, zum Teil aus Neugier«, gab ich zu. »Aber wenn ich einen Verursacherorganismus finde, den ich kenne, weiß ich auch etwas mehr über die Krankheit – wie lange sie dauert zum Beispiel und ob es Komplikationen gibt, mit denen man rechnen muss. Und wie ansteckend sie ist.«

Er sah mich an, den Becher halb an den Mund gehoben.

»Ist es eine, die *du* auch bekommen kannst?«

»Ich weiß es nicht«, räumte ich ein. »Aber ich bin mir ziemlich sicher, dass es so ist. Gegen Typhus bin ich geimpft – aber das hier sieht nicht danach aus. Und es gibt keine Impfstoffe gegen Dysenterie oder *Giardia*-Vergiftungen.«

Seine Augenbrauen zogen sich zusammen, und seine Stirn blieb in Falten gelegt, während er einen Schluck Tee trank. Seine Finger drückten ein letztes Mal auf meinen Nacken, dann ließ er sie sinken.

Ich nippte ebenfalls behutsam an meinem Tee und seufzte vor Vergnügen, als er mir sanft die Kehle versengte und heiß und tröstend in meinen Magen hinunterlief.

Jamie ließ sich auf einem Hocker nieder und streckte seine langen Beine vor sich aus. Er blickte in die dampfende Tasse in seinen Händen hinunter.

»Findest du den Tee heiß, Sassenach?«, fragte er.

Jetzt zog ich meine Augenbrauen hoch. Beide Becher waren immer noch eingewickelt, und ich konnte spüren, wie die Hitze durch das Tuch in meine Handfläche drang.

»Ja«, sagte ich. »Wieso?«

Er hob den Becher und nahm einen Schluck Tee, den er einen Moment im Mund behielt, bevor er schluckte; ich konnte sehen, wie sich seine langen Halsmuskeln bewegten.

»Brianna ist in die Küche gekommen, während ich ihn zubereitet habe«, sagte er. »Sie hat sich die Schüssel und das Seifentellerchen genommen – und dann hat sie einen Schöpflöffel dampfendes Wasser aus dem Kessel genommen und es sich über die Hände gegossen, erst die eine, dann die andere.« Er hielt einen Augenblick inne. »Das Wasser hat noch gekocht, als ich es einen Moment zuvor vom Feuer genommen habe.«

Mein Schluck Tee nahm den falschen Weg, und ich hustete.

»Hat sie sich verbrannt?«, sagte ich, als ich wieder zu Atem gekommen war.

»Ja«, sagte er grimmig. »Sie hat sich von den Fingerspitzen bis zu den Ellbogen abgeschrubbt, und ich habe die Blase an der Seite ihrer Hand gesehen, dort wo das Wasser aufgetroffen ist.« Er hielt einen Moment inne und musterte mich über den Becherrand hinweg. Sorge verdunkelte seine blauen Augen.

Ich trank einen weiteren Schluck von meinem ungesüßten Tee. Kurz nach dem Morgengrauen war es so kühl im Zimmer, dass mein heißer Atem kleine Dampfwölkchen bildete, als ich seufzte.

»Padraigs Baby ist in Marsalis Armen gestorben«, sagte ich leise. »Sie hatte das andere Kind im Arm. Sie weiß, dass es ansteckend ist.« Und in diesem Wissen konnte sie ihr eigenes Kind weder anfassen noch in den Arm nehmen, ohne sich zuvor alle Mühe zu geben, ihre Angst abzuwaschen.

Jamie regte sich beklommen.

»Aye«, begann er. »Aber trotzdem …«

»Es ist etwas anderes«, sagte ich und legte ihm eine Hand auf das Handgelenk, zu meiner eigenen Beruhigung genau so wie zu seiner.

Die herrliche Morgenluft und die vergängliche Kühle, die Gesicht und Verstand gleichermaßen berührte, zerstreuten das warme Knäuel aus Träumen. Gras und Bäume waren noch von einem kühlen Dämmerleuchten erhellt, rätselhaft und voller blauer Schatten, und Jamie schien ein handfester Fixpunkt in dem flüchtigen Licht zu sein.

»Anders«, wiederholte ich. »Für sie, meine ich.« Ich holte Atem und roch die süße Morgenluft, die nach nassem Gras und nach Wicken roch.

»Ich bin am Ende eines Krieges zur Welt gekommen – man hat ihn den Großen Krieg genannt, weil die Welt so etwas noch nicht erlebt hatte. Ich habe dir davon erzählt.« Ein leise fragender Unterton lag in meiner Stimme, und er nickte, ohne den Blick von mir abzuwenden, und hörte mir weiter zu.

»In dem Jahr nach meiner Geburt«, sagte ich, »gab es eine große Influenzaepidemie. Auf der ganzen Welt. Die Leute sind zu Hunderten und Tausenden gestorben; ganze Dörfer sind innerhalb einer Woche verschwunden. Und dann kam der andere, mein Krieg.«

Ich sagte diese Worte unbewusst, doch als ich sie hörte, spürte ich, wie mein Mundwinkel ironisch zuckte. Jamie sah es, und auch auf seinen Lippen erschien ein schwaches Lächeln. Er wusste, was ich meinte – diesen merkwürdigen Stolz, einen schrecklichen Konflikt überlebt zu haben, der ein merkwürdiges Besitzgefühl nach sich zieht. Sein Handgelenk drehte sich, und er schlang seine Finger fest um die meinen.

»Und sie hat nie eine Epidemie oder einen Krieg erlebt«, sagte er, denn langsam begriff er. »Nie?« Etwas Seltsames lag in seiner Stimme. Es war kaum vorstellbar für einen Mann, der zum Krieger geboren war, zum Kampf erzogen worden war, sobald er ein Schwert heben konnte; geboren mit dem Gedanken, dass er sich und seine Familie mit Gewalt verteidigen musste – und würde. Eine unglaubliche Vorstellung – aber eine wunderbare.

»Nur in Filmen. Im Fernsehen.« Das würde er nie verstehen, und ich konnte es ihm nicht erklären. Die Art, wie sich solche Filme auf den Krieg selbst konzentrierten, die Bomben, Flugzeuge und U-Boote, den aufregenden Rausch absichtlichen Blutvergießens, das Edle im vorsätzlichen Tod.

Er wusste, wie Schlachtfelder wirklich waren – Schlachtfelder und das, was danach kam.

»Die Männer, die in diesen Kriegen gekämpft haben – und die Frauen – die meisten von ihnen sind nicht im Kampf gestorben. Sie sind so gestorben –« Ich hob meinen Becher in Richtung des offenen Fensters, der friedvollen Berge, der fernen Talsenke, in der Padraig MacNeills Hütte verborgen lag. »Sie sind an Krankheiten und Vernachlässigung gestorben, weil es sich nicht verhindern ließ.«

»Das habe ich auch schon erlebt«, sagte er leise und betrachtete die verschlossenen Fläschchen. »Krankheiten, die eine Stadt überrennen; ein halbes Regiment, das am Durchfall stirbt.«

»Ich weiß.«

Schmetterlinge erhoben sich jetzt zwischen den Blumen auf dem Hof, Kohlweißlinge und Zitronenfalter, und hier und dort segelte ein letzter Tigerschwalbenschwanz träge aus dem Wald. Mein Daumen lag immer noch auf seinem Handgelenk, und ich spürte seinen Herzschlag, langsam und kraftvoll.

»Brianna wurde sieben Jahre nach der allgemeinen Verbreitung von Penizillin geboren. Sie ist in Amerika geboren – nicht diesem hier –«, ich wies erneut zum Fenster, »sondern dem anderen, dem Amerika der Zukunft. Dort ist es nicht üblich, dass ganze Menschenmassen an ansteckenden Krankheiten sterben.« Ich sah ihn an. Das Licht hatte seine Taille erreicht und ließ den Metallbecher in seiner Hand schimmern.

»Erinnerst du dich noch an den ersten Menschen, dessen Tod du bewusst mitbekommen hast?«

Sein Gesicht verlor vor Überraschung jeden Ausdruck, doch dann dachte er scharf nach. Einen Moment darauf schüttelte er den Kopf.

»Mein Bruder war der Erste, der mir wichtig war, aber sicher habe ich vorher andere Todesfälle erlebt.«

»Ich kann mich auch nicht daran erinnern.« Meine Eltern natürlich; ihr Tod hatte mich persönlich getroffen – aber als Engländerin hatte ich mein Leben im Schatten von Mahnmalen und Gedenksteinen zugebracht, und es starben regelmäßig Menschen, die mit meiner Familie gut bekannt waren. Mir kam eine plötzliche, lebhafte Erinnerung an meinen Vater, der einen Homburg aufsetzte und einen dunklen Mantel anzog, um zur Beerdigung der Bäckersfrau zu gehen. Mrs. Briggs hatte sie geheißen. Aber sie war nicht die Erste gewesen; ich wusste schon über den Tod und über Beerdigungen Bescheid – wie alt war ich damals gewesen? Vier vielleicht?

Ich war sehr müde. Meine Augen fühlten sich vor Schlafmangel rau an, und das zarte Morgenlicht nahm jetzt die Helligkeit des vollen Sonnenlichts an.

»Ich glaube, Franks Tod war der erste Sterbefall, den Brianna je unmittelbar erlebt hat. Kann sein, dass es noch andere gab; ich weiß es nicht genau. Aber was ich sagen will, ist –«

»Ich weiß, was du sagen willst.« Er streckte die Hand aus, um mir den leeren Becher aus der Hand zu nehmen, und stellte ihn auf die Arbeitsplatte, dann leerte er seinen eigenen Becher und stellte ihn ebenfalls hin.

»Aber sie hat doch keine Angst um sich selbst, aye?«, fragte er mit durchdringendem Blick. »Es ist der Kleine.«

Ich nickte. Sie musste natürlich gewusst haben, theoretisch, dass so etwas möglich war. Aber zu erleben, wie einem ein Kind plötzlich in den Armen stirbt, und das an etwas so Simplem wie Durchfall …

»Sie ist eine gute Mutter«, sagte ich und gähnte plötzlich. Es stimmte. Sie wachte mit Feuereifer über Jemmy, sorgte dafür, dass er gut aß, hielt ihn vom Feuer fern, packte ihn warm ein, um ihn vor Durchzug zu schützen, passte im Freien auf, falls er gestochen oder gebissen wurde. Aber sie wäre nie auf den Gedanken gekommen, dass so etwas Unbedeutendes wie ein Krankheitskeim ihr Kind rauben könnte. Bis gestern nicht.

Jamie stand plötzlich auf und zog mich hoch.

»Geh ins Bett, Sassenach«, sagte er. »Das kann warten.« Er wies kopfnickend auf das Mikroskop. »Ich habe noch nie erlebt, dass Scheiße vom Stehenlassen schlecht geworden ist.«

Ich lachte und ließ mich langsam gegen ihn sinken, bis meine Wange an seine Brust gepresst lag.

»Da könntest du Recht haben.« Dennoch löste ich mich nicht von ihm. Er hielt mich fest, und wir sahen zu, wie sich der Sonnenschein ausbreitete und langsam die Wand hinaufkroch.

62

Amöben

Ich drehte den Spiegel des Mikroskops noch einen Millimeter weiter, um möglichst viel Licht zu bekommen.

»Da.« Ich trat zurück und winkte Malva herbei, damit sie es sich ansah. »Sehr Ihr es? Das große, durchsichtige, ausgebeulte Ding in der Mitte mit den kleinen Flecken?«

Sie runzelte die Stirn und blinzelte mit einem Auge in das Okular, dann schnappte sie triumphierend nach Luft.

»Ich sehe es ganz deutlich! Wie ein Johannisbeerpudding, der jemandem auf den Boden gefallen ist, nicht wahr?«

»Das ist es«, sagte ich und lächelte trotz der Ernsthaftigkeit der Untersuchung über ihre Beschreibung. »Es ist eine Amöbe – einer der größeren Mikroorganismen. Und ich habe den starken Verdacht, dass sie unser Übeltäter ist.«

Wir betrachteten die Objektträger mit den Stuhlproben, die ich bis jetzt von allen Erkrankten erhalten hatte – denn Padraigs Familie war nicht allein betroffen. In drei Familien war mindestens eine Person heftig an der roten Ruhr erkrankt – und in sämtlichen Proben, die ich mir bis jetzt angesehen hatte, hatte ich diese fremde Amöbe gefunden.

»Wirklich?« Malva hatte bei meinen Worten aufgeblickt, widmete sich jetzt aber wieder ganz dem Okular. »Wie kann denn etwas, das so klein ist, solches Unheil in etwas anrichten, das so groß ist wie ein Mensch?«

»Nun, dafür *gibt* es eine Erklärung«, sagte ich, während ich den nächsten Objektträger sanft durch das Farbbad zog und ihn dann zum Trocknen hinlegte. »Aber es würde eine Weile dauern, Euch alles über Zellen zu erzählen – wisst Ihr noch, die Zellen aus Eurer Mundschleimhaut, die ich Euch gezeigt habe?«

Sie nickte mit leicht gerunzelter Stirn und fuhr sich mit der Zunge über die Innenseite der Wange.

»Nun, ein Körper bildet alle möglichen Arten von Zellen, und es gibt spezielle Zellen, deren Aufgabe es ist, Bakterien zu bekämpfen – die kleinen, rundlichen Organismen, erinnert Ihr Euch?« Ich wies auf den Objektträger, und da er Fäkalienmasse enthielt, wies er auch die üblichen Mengen von *Escherichia coli* und Ähnlichem auf.

»Aber es gibt Millionen von verschiedenen Sorten, und manchmal taucht ein Mikroorganismus auf, mit dem die speziellen Zellen nicht fertig werden. Das *Plasmodium* in Lizzies Blut zum Beispiel?« Ich deutete auf das verkorkte Fläschchen auf der Arbeitsplatte; ich hatte Lizzie erst vor ein oder zwei Tagen Blut abgenommen und Malva die Malariaparasiten in den Zellen gezeigt. »Und ich glaube, dass die Amöbe, mit der wir es hier zu tun haben, auch einer sein könnte.«

»Oh. Nun ja. Werden wir den Kranken jetzt Penizillin geben?« Ich lächelte ein wenig über das bereitwillige »wir«, obwohl es sonst an der ganzen Situation nicht viel zu lachen gab.

»Nein, ich fürchte, Penizillin hat bei der Amöbenruhr keine Wirkung – so nennt man solch einen schlimmen Durchfall, die Ruhr. Nein, ich fürchte, in diesem Fall steht uns nicht viel zur Verfügung außer Kräutern.« Ich öffnete den Schrank und ließ meinen Blick fragend über die Reihen der Flaschen und Gazebündel schweifen.

»Erst einmal Wermut.« Ich nahm das Glas aus dem Schrank und reichte es Malva, die an meine Seite getreten war und die Mysterien des Schrankes neugierig betrachtete. »Knoblauch, er hilft immer bei Erkrankungen des Verdauungstraktes – aber er eignet sich auch gut für Hautumschläge.«

»Was ist mit Zwiebeln? Meine Großmutter hat eine Zwiebel heiß gemacht und sie an mein Ohr gelegt, wenn ich als kleines Kind Ohrenschmerzen hatte. Es hat furchtbar gerochen, aber es hat geholfen!«

»Schaden kann es nicht. Dann lauf zur Vorratskammer und hol … oh, drei große Zwiebeln und ein paar Knoblauchknollen.«

»Oh, sofort, Ma'am!« Sie stellte den Wermut hin und huschte mit klatschenden Sandalen hinaus. Ich wandte mich wieder dem Schrank zu und versuchte, mein drängendes Gefühl der Eile zu beruhigen.

Ich war hin und her gerissen zwischen dem Bedürfnis, bei den Kranken zu sein und sie zu pflegen, und der Notwendigkeit, ein Heilmittel herzustellen, das ihnen *vielleicht* half. Aber es gab andere, die die Pflege übernehmen konnten, und ich war die Einzige, die das nötige Wissen zur Herstellung eines antiparasitären Heilmittels besaß.

Wermut, Knoblauch... Odermennig. Und Enzian. Alles, was einen hohen Gehalt an Kupfer oder Schwefel hatte – oh, Rhabarber. Er wuchs zwar jetzt nicht mehr, aber meine Ernte war gut gewesen, und ich hatte mehrere Flaschen zu Sirup verkochtes Fruchtfleisch, weil Mrs. Bug ihn gern zum Backen verwendete und er ein Vitamin-C-Lieferant für den Winter war. Er würde eine hervorragende Grundlage für die Medizin abgeben. Dazu eventuell noch Ulmenrinde wegen ihrer beruhigenden Wirkung auf den Verdauungstrakt – obwohl diese mit Sicherheit zu schwach war, um sich gegen einen solch brutalen Ansturm bemerkbar zu machen.

Ich begann, Wermut und Odermennig in meinem Mörser zu zerstampfen, während ich mich fragte, woher zum Teufel die Krankheit gekommen war. Die Amöbenruhr war normalerweise eine Tropenkrankheit – obwohl ich Gott weiß schon reihenweise Tropenkrankheiten an der Küste gesehen hatte, die mit dem Sklaven- und Zuckerhandel von den Westindischen Inseln kamen, und bisweilen auch weiter im Landesinneren, da solche Krankheiten meistens chronisch wurden und ihr Opfer begleiteten, wenn sie es nicht sofort umbrachten.

Es war nicht unmöglich, dass einer von den Fischersleuten sich auf dem Weg von der Küste angesteckt hatte und vielleicht einer jener Glückspilze war, die selbst nur eine schwache Injektion durchmachten, während er die Amöbe jetzt in Zystenform in seinem Verdauungstrakt mit sich trug und überall ansteckende Zysten verteilte.

Warum dieser plötzliche Ausbruch? Die Ruhr verbreitete sich fast immer durch kontaminierte Nahrungsmittel oder Wasser. Was –

»Hier, Ma'am.« Malva war zurück, atemlos vor Eile. In der Hand hielt sie mehrere große braune Zwiebeln, die knisterten und glänzten, und sie hatte ein Dutzend Knoblauchknollen in ihre Schürze eingeschlagen. Ich bat Malva, sie klein zu schneiden, und hatte dabei glücklicherweise die Eingebung, ihr aufzutragen, sie mit Honig aufzukochen. Ich wusste nicht, ob sich die antibakterielle Wirkung des Honigs auch auf Amöben bezog, aber es konnte nicht schaden – und würde die Mixtur sehr wahrscheinlich etwas genießbarer machen; sie machte Anstalten, dank der Zwiebeln, des Knoblauchs und des Rhabarbers, heftig in den Augen zu brennen.

»Puh! Was macht *ihr* denn hier?« Ich blickte von meinem Mörser auf und sah Brianna mit zutiefst argwöhnischer Miene und gerümpfter Nase in der Tür stehen.

»Oh. Na ja...« Ich hatte mich schon daran gewöhnt, aber es herrschte schon durch die Fäkalproben dicke Luft im Sprechzimmer, die jetzt durch die Zwiebeldämpfe noch verstärkt wurde. Malva blickte mit tränenden Augen auf, zog die Nase hoch und wischte sie an ihrer Schürze ab.

»Bir bachen Bedizin«, unterrichtete sie Brianna ausgesprochen würdevoll.

»Ist noch jemand krank geworden?«, fragte ich ängstlich, doch sie schüttelte den Kopf und schob sich ins Zimmer, wobei sie bewusst einen Bogen um die Arbeitsplatte machte, auf der ich die Objektträger mit der Fäkalmasse präpariert hatte.

»Nein, nicht, dass ich wüsste. Ich habe den McLachlans heute Morgen etwas zu essen gebracht, und sie sagen, nur die beiden Kleinen hätten es. Mrs. Coinneach sagt, sie hatte zwar vor ein paar Tagen Durchfall, aber nicht schlimm, und es geht ihr wieder gut.«

»Geben sie den Kindern Honigwasser?«

Sie nickte mit leicht gerunzelter Stirn.

»Ich habe sie gesehen. Sie wirken zwar ziemlich schwach und krank, aber kein Vergleich mit den MacNeills.« Bei der Erinnerung daran nahm sie selbst ein krankes Aussehen an, schüttelte es jedoch ab und wandte sich dem hohen Schrank zu.

»Kannst du mir ein bisschen Schwefelsäure leihen, Mama?« Sie hatte eine Keramiktasse mitgebracht, und bei diesem Anblick musste ich lachen.

»Normale Menschen borgen sich eine Tasse Zucker«, sagte ich und wies kopfnickend auf das Gefäß. »Natürlich. Aber sei vorsichtig damit – füll sie besser in ein Fläschchen mit einem gewachsten Korken. Es wäre *nicht* gut, wenn du damit stolperst und sie verschüttest.«

»Da hast du Recht«, bestätigte sie mir. »Ich brauche aber nur ein paar Tropfen; ich werde sie ziemlich stark verdünnen. Ich mache Papier.«

»Papier?« Malva blinzelte mit roten Augen und zog die Nase hoch. »Wie denn?«

»Nun, man zerquetscht alle möglichen Fasern, die man in die Finger bekommt«, sagte Brianna zu ihr und machte zur Demonstration mit beiden Händen Quetschbewegungen. »Alte gebrauchte Papierstücke, alte Stofflappen, Garnreste, ein paar weiche Blätter oder Blumen. Dann weicht man den Brei tagelang in Wasser ein – und, falls man welche hat, in verdünnter Schwefelsäure.« Sie tippte liebevoll mit ihrem langen Finger gegen das kantige Fläschchen.

»Wenn der ganze Brei zu einer Art Pulpe geworden ist, kann man eine dünne Schicht davon auf Siebe streichen, das Wasser herauspressen, trocknen lassen und ta-da, Papier!«

Ich konnte sehen, wie Malva »ta-da« vor sich hin sagte und wandte mich halb ab, damit sie mich nicht lächeln sah. Brianna entkorkte die große Säureflasche und goss ganz vorsichtig ein paar Tropfen in ihre Tasse. Scharfer Schwefelgeruch erhob sich sofort wie ein Dämon inmitten des Miasmas aus Fäkalien und Zwiebeln.

Malva erstarrte, und ihre tränenden Augen wurden groß.

»Was ist das?«, fragte sie.

»Schwefelsäure«, sagte Brianna und musterte sie neugierig.

»Vitriol«, verbesserte ich. »Habt Ihr es schon einmal gesehen – äh, gerochen?«

Sie nickte, schüttete die zerkleinerten Zwiebeln in einen Topf und legte rasch einen Deckel darauf.

»Aye, das habe ich.« Sie kam näher, um einen Blick auf die grüne Glasflasche zu werfen und betupfte ihre Augen. »Meine Mutter – sie ist gestorben, als ich noch klein war – hatte auch welche. Ich erinnere mich an den Geruch und daran, dass sie gesagt hat, ich darf es nicht anfassen, niemals.«

»Wirklich? Ich frage mich, was sie damit gemacht hat.« Das fragte ich mich tatsächlich und mit einem gewissen Gefühl der Beklommenheit. Für einen Alchimisten oder Apotheker war es nichts Ungewöhnliches, Schwefelsäure im Haus zu haben; der einzige Grund, den ich mir für einen Normalbürger vorstellen konnte, war, damit nach jemandem zu werfen.

Malva schüttelte nur den Kopf und wandte sich wieder den Zwiebeln und dem Knoblauch zu. Doch ich hatte ihren Blick gesehen; eine merkwürdige Miene voller Feindseligkeit und Sehnsucht, die mich tief im Inneren unvermutet an etwas erinnerte.

Die Sehnsucht nach einer verstorbenen Mutter – und die Wut eines kleinen, verlassenen Mädchens. Verwirrt und allein.

»Was?« Brianna beobachtete *mein* Gesicht mit leicht gerunzelter Stirn. »Was hast du?«

»Nichts«, sagte ich und legte ihr die Hand auf den Arm, nur um zu spüren, dass sie da war, kraftvoll, freudig, Jahr um Jahr gewachsen. Tränen brannten in meinen Augen, doch das konnte auch an den Zwiebeln liegen. »Wirklich gar nichts.«

Langsam wurde ich der Begräbnisse müde. Dies war das dritte in ebenso vielen Tagen. Wir hatten Hortense und das Baby zusammen begraben, dann die alte Mrs. Ogilvie. Jetzt war es wieder ein Kind, einer von Mrs. MacAfees Zwillingen. Der andere Zwilling, ein Junge, stand am Grab seiner Schwester und war so erschrocken, dass er wie ein wandelnder Geist aussah, obwohl er selbst die Krankheit nicht gehabt hatte.

Wir waren später dran als beabsichtigt – der Sarg war noch nicht ganz fertig gewesen – und ringsum stieg die Nacht auf. Alles Gold der Herbstblätter war zu Asche verblichen, und weißer Nebel ringelte sich um die dunklen feuchten Stämme der Kiefern. Man konnte sich kaum eine trostlosere Szene vorstellen – und doch war sie passender als der helle Sonnenschein und der frische Wind, der geweht hatte, als wir Hortense und die kleine Angelica begraben hatten.

»Der Herr ist mein Hirte … Er wird mich leiten –« Rogers Stimme überschlug sich schmerzhaft, doch das schien niemand zu bemerken. Er kämpfte einen Moment dagegen an und schluckte, dann fuhr er hartnäckig fort. Er hatte die kleine grüne Bibel in den Händen, doch er sah sie nicht an; er sprach auswendig, und sein Blick wanderte von Mr. MacAfee, der allein da-

stand, denn seine Frau und seine Schwester waren beide krank, zu dem kleinen Jungen an seiner Seite – einem Jungen, der etwa in Jemmys Alter war.

»Und wandle … wandle ich auch im Tal des Todes, fürchte … fürchte ich kein Unheil –« Seine Stimme zitterte hörbar, und ich sah, dass ihm die Tränen über das Gesicht liefen. Ich sah mich nach Brianna um; sie stand etwas abseits hinter den Trauernden, Jemmy halb in die Falten ihres dunklen Umhangs gehüllt. Sie hatte die Kapuze hochgezogen, doch ihr Gesicht war zu sehen, blass in der Düsternis, Unsere liebe Frau der Schmerzen.

Selbst Major MacDonalds roter Rock hatte die Farbe verloren und war holzkohlengrau im letzten Licht. Er war am Nachmittag eingetroffen und hatte mitgeholfen, den kleinen Sarg zu tragen; jetzt stand er da, den Hut ernst unter den Arm geklemmt, den Kopf gesenkt, das Gesicht unter der Perücke unsichtbar. Auch er hatte ein Kind – eine Tochter, irgendwo daheim in Schottland bei ihrer Mutter.

Ich schwankte ein wenig und spürte Jamies Hand unter meinem Ellbogen. Ich hatte seit fast drei Tagen nicht mehr geschlafen und kaum gegessen. Doch ich fühlte mich weder hungrig noch müde; ich fühlte mich fern und unwirklich, als bliese der Wind durch mich hindurch.

Der Vater stieß einen Aufschrei untröstlicher Trauer aus und sank plötzlich auf den Erdhügel, der durch den Aushub des Grabs entstanden war. Ich spürte, wie sich Jamies Muskeln in instinktivem Mitleid anspannten, trat ein wenig beiseite und murmelte: »Geh nur.«

Ich sah ihm zu, während er rasch zu Mr. MacAfee hinüberging, sich über ihn beugte, um ihm etwas zuzuflüstern, einen Arm um ihn legte. Roger hatte aufgehört zu reden.

Meine Gedanken weigerten sich, mir zu gehorchen. So sehr ich auch versuchte, mich auf das Geschehen zu konzentrieren, sie schweiften ab. Meine Arme schmerzten; ich hatte Kräuter zerstampft, Patienten hochgehoben, Wasser geholt … Ich hatte das Gefühl, all diese Dinge immer noch zu tun, wieder und wieder, konnte das rhythmische Klopfen des Stößels im Mörser spüren, das Gewicht bewusstloser Körper, das an mir zerrte. Ich sah lebhaft die Objektträger mit den *Entameba* vor mir, gierigen Scheinfüßlern, die gefräßig in Zeitlupe dahintrieben. Wasser, ich hörte Wasser fließen; sie lebten im Wasser, obwohl nur die Zystenform ansteckend war. Sie wurden durch Wasser übertragen. Das dachte ich sehr deutlich.

Dann lag ich auf dem Boden, ohne mich erinnern zu können, gefallen zu sein, je gestanden zu haben, und ich hatte den kräftigen Geruch von frischer, feuchter Erde und frischem, feuchtem Holz in der Nase. Hastige Bewegung vor meinen Augen; die kleine grüne Bibel war zu Boden gefallen und lag vor meinem Gesicht auf der Erde, und der Wind blätterte ihre Seiten um, eine nach der anderen wie geisterhafte *Sortes Virgilianae* – wo würde er anhalten?, fragte ich mich dumpf.

Hände und Stimmen waren da, doch ich hatte keine Aufmerksamkeit für sie übrig. Eine große Amöbe trieb majestätisch vor mir in der Dunkelheit, und ihre Scheinfüßchen öffneten sich langsam, langsam, um mich grüßend zu umarmen.

63

Der Augenblick der Entscheidung

Fieber überrollte meinen Verstand wie ein Gewitter; gezackte Linien aus Schmerz knisterten gleißend durch meinen Körper, jede einzelne ein Blitz, der für einen Moment glühend einen Nerv oder Plexus durchzuckte, die verborgenen Höhlungen meiner Gelenke erleuchtete und an meinen Muskelfasern entlangbrannte. Ein gnadenloses Gleißen; es blitzte wieder auf und wieder, das flammende Schwert eines zerstörerischen Engels, der kein Mitleid kannte.

Ich wusste nur selten, ob meine Augen offen waren oder geschlossen, ob ich wachte oder schlief. Ich sah nichts als ein brodelndes Grau, turbulent und mit Rot durchschossen. Die Röte pulsierte in den Adern und Organen, von Wolken verhüllt. Ich packte eine dieser purpurnen Adern und folgte ihrem Weg, heftete mich hartnäckig an ihr dumpfes Glühen inmitten des dröhnenden Donners. Das Donnern wurde lauter, je tiefer ich in die kochende Finsternis eindrang, die mich umgab, wurde schauderhaft regelmäßig wie die Schläge einer Pauke, bis es mir in den Ohren dröhnte und ich mich fühlte wie eine ausgehöhlte Haut, die fest gespannt mit jedem hallenden Schlag vibrierte.

Die Quelle des Lärms lag jetzt direkt vor mir und pochte so laut, dass ich das Gefühl bekam, ich müsste schreien, nur um irgendein anderes Geräusch zu hören – doch obwohl ich spürte, wie sich meine Lippen öffneten und meine Kehle vor Anstrengung anschwoll, hörte ich nichts als das Hämmern. Verzweifelt schob ich meine Hände – wenn es denn meine Hände waren – durch das Nebelgrau und bekam einen warmen, feuchten Gegenstand zu fassen, der sehr schlüpfrig war und krampfhaft in meinen Händen pulsierte.

Ich senkte den Blick darauf, und mir war abrupt klar, dass es mein eigenes Herz war.

Entsetzt ließ ich es fallen, und es kroch in einer rötlichen Schleimspur davon, zitternd vor Anstrengung, während sich seine Klappen öffneten und schlossen wie die Münder eines erstickenden Fischs, jedes Öffnen ein hohles Klicken, jedes Schließen ein leises, fleischiges Klatschen.

Manchmal tauchten Gesichter in den Wolken auf. Manchmal kamen sie mir bekannt vor, obwohl ich ihnen keine Namen zuordnen konnte. Dann wieder waren es die Gesichter von Fremden, die halb gesehenen, unbekannten Gesichter, die einem manchmal am Rand des Schlafs durch die Gedanken huschen. Sie betrachteten mich voll Neugier oder Gleichgültigkeit – dann wandten sie sich ab.

Die anderen, die, die ich kannte, trugen Mienen des Mitgefühls oder der Sorge; sie versuchten, mich dazu zu bringen, dass ich ihre Blicke erwiderte, doch mein Blick schlich sich schuldbewusst davon, schlidderte beiseite, hatte nicht die Kraft dazu. Ihre Lippen bewegten sich, und ich wusste, dass sie mit mir sprachen, doch ich hörte nichts, und ihre Worte ertranken im lautlosen Donnern meines Sturms.

Ich fühlte mich sehr, sehr seltsam – jedoch zum ersten Mal in unzähligen Tagen nicht krank. Die Fieberwolken hatten sich verzogen; zwar grollte ihr Donnern nach wie vor leise in der Nähe, doch im Moment waren sie außer Sichtweite. Mein Blick war klar; ich konnte das freiliegende Holz der Deckenbalken über mir sehen.

Ich sah das Holz sogar so deutlich, dass mich angesichts seiner Schönheit Ehrfurcht ergriff. Die Windungen und Kringel der polierten Holzkörnung schienen gleichzeitig reglos und in eleganter Bewegung zu sein, ihre Farben rauchig zu schimmern und die Essenz der Erde auszustrahlen, so dass ich sehen konnte, wie der bearbeitete Balken immer noch den Geist des Baumes enthielt.

Dies faszinierte mich so sehr, dass ich meine Hand ausstreckte, um das Holz zu berühren – und es auch tat. Meine Finger freuten sich an seiner kühlen Oberfläche und den Rinnen der Axtspuren, die den ganzen Balken flügelförmig überzogen, so ebenmäßig wie ein fliegender Gänseschwarm. Ich konnte das Schlagen kraftvoller Schwingen hören und zugleich spüren, wie meine Schultern ausholten und niedersausten, wie Freude in meinen Armen vibrierte, wann immer die Axt auf das Holz traf. Während ich dieses faszinierende Gefühl noch auskostete, dämmerte mir, dass sich der Balken fast zweieinhalb Meter über dem Bett befand.

Ich drehte mich um – ohne das geringste Gefühl der Anstrengung – und sah, dass ich unten auf dem Bett lag.

Ich lag auf dem Rücken, die Bettwäsche zerwühlt und verstreut, als hätte ich versucht, mich davon zu befreien, aber nicht die Kraft dazu gehabt. Die Luft im Zimmer war seltsam unbewegt, und die farbigen Flächen auf dem Stoff leuchteten hindurch wie Edelsteine am Meeresboden, bunt, aber gedämpft.

Im Gegensatz dazu hatte meine Haut die Farbe von Perlen, blutleer, blass und schimmernd. Und dann sah ich, dass ich so abgemagert war, dass sich die Haut meines Gesichts und meiner Gliedmaßen fest um die Knochen spannte und es der Glanz der Knochen und Knorpel darunter war, der meinem Gesicht diesen Schimmer verlieh, eine glatte Härte, die die transparente Haut durchleuchtete.

Und was es für Knochen waren! Ich war voller Staunen über ihre wunderbare Form. Mein Blick zeichnete voll Ehrfurcht und Erstaunen die zarten Rippenbögen nach, die beinahe schmerzhafte Schönheit des gemeißelten Schädels.

Mein Haar war zerzaust, verklebt und verworren … und doch fühlte ich mich davon angezogen, folgte seinen Locken mit Auge und … Finger? Denn ich war mir nicht bewusst, mich bewegt zu haben, und doch spürte ich die weichen Strähnen, kühles und seidiges Braun, elastisches, lebendiges Silber, hörte die Haare leise klingelnd aneinander stoßen, eine raschelnde Kaskade von Tönen wie die einer Harfe.

Mein Gott, sagte ich und hörte die Worte, obwohl kein Geräusch die Luft bewegte, *du bist so schön.*

Meine Augen standen offen. Ich schaute tief hinein und traf auf einen Blick aus Bernstein und sanftem Gold. Die Augen sahen durch mich hindurch in weite Ferne – und doch sahen sie mich auch. Ich sah, wie sich die Pupillen leicht weiteten, und spürte, wie mich ihr warmes Dunkel wissend und einwilligend aufnahm. *Ja*, sagten diese wissenden Augen. *Ich kenne dich. Lass uns gehen.* Ich empfand großen Frieden, und die Luft ringsum regte sich, als rauschte ein Windhauch durch Gefieder.

Dann ließ mich ein Geräusch zum Fenster herumfahren, und ich sah den Mann, der dort stand. Ich hatte keinen Namen für ihn, und doch liebte ich ihn. Er stand mit dem Rücken zum Bett, die Arme auf die Fensterbank gestützt, und sein Kopf war ihm auf die Brust gesunken, so dass das Licht der Morgendämmerung rot auf seinem Haar glühte und seine Arme in Gold tauchte. Trauer schüttelte ihn krampfhaft; ich spürte es wie die Stöße eines fernen Erdbebens.

Neben ihm bewegte sich jemand. Eine dunkelhaarige Frau, ein Mädchen. Sie trat zu ihm, berührte seinen Rücken, murmelte ihm etwas zu. Ich sah, wie sie ihn ansah, wie sie sanft den Kopf neigte, sich ihr Körper dem seinen vertraulich entgegenlehnte.

Nein, dachte ich mit großer Ruhe. *Das geht nicht.*

Ich richtete noch einen Blick auf mich, wie ich auf dem Bett lag. Mit einem Gefühl, das zugleich fester Entschluss und unermessliches Bedauern war, holte ich wieder Luft.

64

Ich bin die Auferstehung, Teil 2

Ich schlief immer noch über lange Strecken und erwachte nur kurz, um etwas zu mir zu nehmen. Doch die Fieberträume waren jetzt fort, und mein Schlaf war ein See mit tiefem, schwarzem Wasser, in dem ich das Vergessen atmete und unbekümmert wie ein Fisch an schwankenden Wasserpflanzen vorbeitrieb.

Manchmal schwebte ich dicht unter der Oberfläche dahin und war mir der Menschen und Dinge an der Luft bewusst, konnte aber nicht zu ihnen durchstoßen. Stimmen sprachen dicht in meiner Nähe, gedämpft und bedeutungslos. Dann und wann durchdrang ein Satzfetzen die klare Flüssigkeit, die mich umgab, und schwebte in meinen Kopf, wo er hing wie eine winzige Qualle, rund und durchsichtig, durch eine mysteriöse tiefere Bedeutung zum Pulsieren gebracht, seine Worte ein treibendes Netz.

Jeder Satz blieb eine Weile in meinem Gesichtsfeld hängen, faltete und entfaltete sich in seinem seltsamen Rhythmus, bis er dann leise an die Oberfläche davontrieb und Stille hinterließ.

Und zwischen den kleinen Quallen kamen offene, klare Wasserflächen, manche von strahlendem Licht erfüllt, manche von der Dunkelheit grenzenlosen Friedens. Ich trieb auf und ab, von den Launen unbekannter Strömungen gehalten zwischen der Oberfläche und den Tiefen.

»Heiler, blicke her.« Pfizz. Etwas regt sich, ein schlummernder Keim bewusster Wahrnehmung; aufgestört durch Luftbläschen teilt er sich und blüht auf. Dann ein Stich, scharf wie Metall. *Wer ruft mich da?* Heiler, blicke her.

Ich öffnete meine Augen.

Es war kein großer Schock, denn das Zimmer war von Zwielicht erfüllt, stillem Licht, als wäre man unter Wasser, und ich fühlte mich nicht aufgestört.

»Oh, Herr Jesus Christus, Du großer Heiler: Blicke großzügig auf diese deine Dienerin; schenke jenen, die sie in ihrer Krankheit umsorgen, Weisheit und Vorsicht; segne alle Mittel zu ihrer Wiederherstellung …«

Die Worte rannen wie ein flüsternder Strom über mich hinweg und kühlten meine Haut. Vor mir war ein Mann, sein dunkelhaariger Kopf über ein Buch gebeugt. Das Licht im Zimmer umarmte ihn, und er schien ein Teil davon.

»Strecke deine Hand aus«, flüsterte er den Seiten zu, und seine Stimme krächzte und hakte, »und wenn du es willst, gib ihr Gesundheit und Kraft zurück, auf dass sie lebe, um dich für deine Güte und Gnade zu preisen; zum Ruhm deines heiligen Namens. Amen.«

»Roger?«, sagte ich ratend seinen Namen. Auch meine Stimme war heiser, weil ich sie so lange nicht benutzt hatte; zu sprechen bedeutete unerträgliche Anstrengung.

Seine Augen waren zum Gebet geschlossen; sie öffneten sich abrupt und ungläubig, und mir fiel auf, wie lebhaft sie waren, das Grün von Sommerlaub und nassem Serpentin.

»Claire?« Seine Stimme überschlug sich wie die eines Jungen im Stimmbruch, und das Buch fiel ihm aus der Hand.

»Ich weiß es nicht«, sagte ich und spürte, wie mich das traumgleiche Gefühl des Untertauchens wieder zu umfassen drohte. »Bin ich das?«

Ich konnte für ein oder zwei Sekunden eine Hand heben, war aber zu schwach, um auch nur den Kopf zu bewegen, ganz zu schweigen davon, mich hinzusetzen. Roger zog mich hilfsbereit in eine halb aufrechte Position, lehnte mich gegen einen Kissenstapel und legte mir die Hand auf den Hinterkopf, um zu verhindern, dass er wackelte, während er mir eine Tasse Tee an die trockenen Lippen hielt. Es war die merkwürdige Art, wie sich seine Hand auf der bloßen Haut meines Nackens anfühlte, die es mir vage dämmern ließ. Dann spürte ich die Wärme seiner Hand deutlich und unmittelbar auf meinem Hinterkopf und zuckte zusammen wie ein gestrandeter Lachs, so dass die Teetasse durch die Luft segelte.

»Was? Was?«, prustete ich und umklammerte meinen Kopf, zu schockiert, um einen vollständigen Satz zu formulieren. Den heißen Tee, der durch die Laken sickerte, bemerkte ich gar nicht. »WAS?!«

Roger sah beinahe genauso schockiert aus, wie ich mich fühlte. Er schluckte und suchte nach Worten.

»Ich … ich … ich dachte, du wüsstest es«, stammelte er, und seine Stimme überschlug sich. »War das etwa nicht …? Ich meine … ich dachte … hör zu, es wächst doch wieder nach!«

Ich konnte spüren, wie mein Mund arbeitete und sich an unterschiedlichen Formen versuchte, die eine mögliche Ähnlichkeit mit Worten besaßen, doch es bestand keine Verbindung zwischen Zunge und Hirn – es gab nur Raum für die Erkenntnis, das das gewohnte weiche, schwere Gewicht meines Haars verschwunden und einem Stachelpelz gewichen war.

»Malva und Mrs. Bug haben es abgeschnitten, vorgestern«, sagte Roger fast wie in einem Wort. »Sie – wir waren nicht da, Brianna und ich, sonst hätten wir sie nicht gelassen, natürlich nicht – aber sie haben gedacht, es ist das Richtige für jemandem mit schlimmem Fieber, heutzutage *macht* man es so. Brianna hat getobt, aber sie haben gedacht – sie haben wirklich geglaubt, sie würden helfen, dir das Leben zu retten – o Gott, Claire, mach nicht so ein Gesicht, bitte!«

Sein Gesicht war in einem verschwommenen Kranz aus Licht verschwunden, als sich plötzlich ein Vorhang aus schimmerndem Wasser herabsenkte, um mich vor dem Blick der Welt zu schützen.

Mir war gar nicht bewusst, dass ich weinte. Der Schmerz brach einfach aus mir heraus, wie Wein aus einem Weinschlauch spritzt, den man mit dem Messer ansticht, überall Tropfen, dunkelrot wie Knochenmark.

»Ich hole Jamie!«, krächzte er.

»NEIN!« Ich packte ihn am Ärmel und legte dabei mehr Kraft an den Tag als ich zu besitzen geglaubt hätte. »Gott, nein! Ich will nicht, dass er mich so sieht!«

Sein kurzes Schweigen verriet es mir, doch ich hielt mich stur an seinem Ärmel fest, weil mir keine andere Möglichkeit einfiel, das Unvorstellbare zu verhindern. Ich kniff die Augen zu und öffnete sie wieder; das Wasser strömte mir über das Gesicht wie ein Bach, der über Felsen fließt, und Roger wurde wieder sichtbar, wenn auch mit verschwommenen Rändern.

»Er... äh... er hat dich gesehen«, sagte Roger schroff. Er senkte den Blick, um mich nicht direkt anzusehen. »Es. Schon. Ich meine –« Er wies mit einer vagen Geste in die Richtung seiner eigenen schwarzen Locken. »Er hat es schon gesehen.«

»Wirklich?« Das schockierte mich beinahe genauso wie die eigentliche Entdeckung. »Was – was hat er gesagt?«

Er holte tief Luft und blickte wieder auf, wie ein Mensch, der befürchtet, dass er eine Gorgo sehen wird. Oder die Antigorgo, dachte ich bitter.

»Er hat gar nichts gesagt«, sagte Roger ganz sanft und legte mir die Hand auf den Arm. »Er – er hat einfach nur geweint.«

Auch ich weinte erneut, allerdings jetzt weniger heftig und ohne dabei nach Luft zu schnappen. Das Gefühl markerschütternder Kälte war vorüber, und meine Gliedmaßen fühlten sich jetzt warm an, obwohl mich der kühle Lufthauch auf meiner Kopfhaut noch aus der Fassung brachte. Mein Herzschlag verlangsamte sich wieder, und mich überkam ein schwaches Gefühl, außerhalb meines Körpers zu stehen.

Schock?, dachte ich, dumpf überrascht, als sich das Wort in meinen Gedanken formte und dann wieder zerfloss wie Gummi. Wahrscheinlich konnte man ja infolge seelischer Verletzungen einen echten körperlichen Schock erleiden – natürlich konnte man das, das wusste ich doch...

»Claire!« Mir wurde bewusst, dass Roger immer drängender meinen Namen rief und mich am Arm rüttelte. Unter immenser Anstrengung brachte ich meine Augen dazu, sich auf ihn zu richten. Er sah wirklich alarmiert aus, und ich fragte mich vage, ob ich wieder begonnen hatte zu sterben. Aber nein – dazu war es zu spät.

»Was?«

Er seufzte – erleichtert, dachte ich.

»Einen Moment lang hast du ziemlich merkwürdig ausgesehen.« Seine Stimme war rau und heiser; er klang, als schmerzte ihn das Sprechen. »Ich dachte – möchtest du noch eine Tasse Tee?«

Dieser Vorschlag kam mir so unpassend vor, dass ich dicht daran war zu lachen. Doch ich *hatte* schrecklichen Durst – und auf einmal schien mir eine Tasse Tee das Begehrenswerteste auf der Welt zu sein.

»Ja.« Die Tränen liefen mir immer noch über das Gesicht, doch jetzt erschienen sie mir beinahe tröstend. Ich machte nicht den Versuch, sie zu unterdrücken – das schien viel zu schwer zu sein –, sondern betupfte mir nur mit einer Ecke des teefleckigen Lakens das Gesicht.

Ganz allmählich dämmerte mir, dass ich möglicherweise nicht die klügste – oder zumindest nicht die einfachste – Entscheidung getroffen hatte, als ich beschloss, nicht zu sterben. Ich begann, wieder Dinge wahrzunehmen, die außerhalb der Grenzen und Bedürfnisse meines eigenen Körpers lagen. Sorgen, Schwierigkeiten, Gefahren ... Trauer. Dunkle, beängstigende Dinge wie ein Fledermausschwarm. Ich traute mich gar nicht, mir die Bilder zu genau zu betrachten, die in einem unordentlichen Haufen am Grund meines Hirns lagen – Dinge, die ich über Bord geworfen hatte, während ich darum kämpfte, nicht unterzugehen.

Doch wenn ich zurückgekehrt war, war ich gleichzeitig zu dem zurückgekehrt, was ich war – und ich war Ärztin.

»Die ... Krankheit.« Ich trocknete die letzten Tränen und ließ Roger seine Hände um die meinen legen und mir helfen, die neue Tasse festzuhalten. »Ist sie noch –?«

»Nein.« Er sprach leise und hob den Rand der Tasse an meine Lippen. Sie dampfte heiß und duftend. Was war es?, fragte ich mich vage, Minze und etwas Kräftigeres, Bittereres ... Engelwurz?

»Sie greift nicht weiter um sich.« Roger hielt die Tasse und ließ mich langsam nippen. »In der letzten Woche ist niemand mehr krank geworden.«

»Eine Woche?« Ich stieß an die Tasse, und mir lief etwas Tee über das Kinn. »Wie lange war ich –«

»Ungefähr genauso lange.« Er räusperte sich. Roger hielt den Blick fest auf die Tasse gerichtet; er fuhr mir mit dem Daumen sacht über das Kinn, um die Tropfen wegzuwischen, die ich verschüttet hatte. »Du warst eine der Letzten, die krank geworden sind.«

Ich holte tief Luft, dann trank ich noch etwas. Ein sanfter, süßer Geschmack schwebte über dem bitteren Aroma des Tees ... Honig. Mein Verstand fand das Wort, und ich fühlte mich etwas erleichtert, dieses kleine, fehlende Stück Realität ausfindig gemacht zu haben.

Ich sah seinem Verhalten an, dass einige der Kranken gestorben waren, fragte aber vorerst nicht weiter. Mich zum Leben zu entscheiden, war eine Sache. Mich den Lebenden wieder anzuschließen, war ein Kampf, der Kraft erfordern würde, die ich jetzt nicht hatte. Ich hatte meine Wurzeln aus dem

Boden gezogen und lag da wie eine verwelkte Pflanze; sie wieder in die Erde zu stecken, überstieg derzeit meine Kräfte.

Das Wissen, dass Menschen, die ich kannte – und vielleicht geliebt hatte –, gestorben waren, war genauso schmerzhaft wie der Verlust meines Haars – und beides überforderte mich.

Trotz der Bitterkeit trank ich noch zwei Tassen des honiggesüßten Tees, dann legte ich mich mit einem Seufzer zurück, und mein Magen fühlte sich an wie ein kleiner, heißer Ballon.

»Du solltest dich etwas ausruhen«, riet Roger mir und stellte die Tasse auf den Tisch. »Ich hole Brianna, aye? Aber schlaf ruhig, wenn du möchtest.«

Ich hatte nicht die Kraft zu nicken, brachte aber ein Zucken meiner Lippen zuwege, das als Lächeln durchzugehen schien. Ich streckte meine zitternde Hand aus und strich mir vorsichtig über den geschorenen Scheitel. Roger zuckte leicht zusammen.

Er stand auf, und ich sah, wie dünn und erschöpft er war – vermutlich hatte er die ganze Woche geholfen, die Kranken zu pflegen, nicht nur mich.

»Roger?« Es war furchtbar anstrengend zu sprechen; so furchtbar schwer, die Worte zu finden, sie aus dem Durcheinander in meinem Kopf herauszutrennen. »Hast du in letzter Zeit etwas gegessen?«

Da veränderte sich sein Gesicht, und ein Ausdruck der Erleichterung glättete die Falten der Erschöpfung und Sorge.

»Nein«, sagte er, räusperte sich erneut und lächelte. »Seit gestern Abend nicht.«

»Oh. Na dann«, sagte ich und hob meine bleischwere Hand. »Dann tu das. Hol dir etwas. Wirst du das tun?«

»Ja«, sagte er. »Das tue ich.« Doch anstatt zu gehen, zögerte er, dann kam er mit mehreren schnellen Schritten zurück, beugte sich über das Bett, nahm mein Gesicht in seine Hände und küsste mich auf die Stirn.

»Du bist wunderschön«, sagte er mit Nachdruck. Dann drückte er mir noch einmal die Wangen und ging.

»Was?«, sagte ich schwach, doch die einzige Antwort war der Vorhang, der sich aufblähte, als der Wind ins Zimmer wehte, der nach Äpfeln duftete.

In Wirklichkeit sah ich aus wie ein Skelett mit einem außergewöhnlich unschmeichelhaften Bürstenschnitt, wie ich herausfand, als ich schließlich die Kraft fand, Jamie zu zwingen, mir einen Spiegel zu bringen.

»Ich gehe nicht davon aus, dass du es in Betracht ziehen würdest, eine Haube zu tragen?«, schlug er vor und befühlte zögerlich ein Exemplar aus Spitze, das Marsali mir mitgebracht hatte. »Nur, bis sie wieder etwas gewachsen sind?«

»Darauf kannst du Gift nehmen.«

Das zu sagen, bereitete mir durchaus Schwierigkeiten, so schockiert wie ich über die Schreckensvision in meinem Spiegel war. Mich erfasste sogar ein starker Impuls, ihm die Haube aus der Hand zu reißen, sie aufzusetzen und sie mir bis auf die Schultern herunterzuziehen.

Ich hatte bereits abgelehnt, als Mrs. Bug – die sich lauthals zu meinem Überleben als offensichtlichem Resultat ihrer Fieberbehandlung beglückwünschte – mir eine Haube angeboten hatte, ebenso wie Marsali, Malva und sämtliche anderen Frauen, die mich besuchen gekommen waren.

Schuld daran war einfach nur meine Widerspenstigkeit; der Anblick meines ungebändigten Haars versetzte ihren schottischen Frauenanstand in Rage, und sie versuchten schon seit Jahren – mehr oder weniger subtil –, mich in eine Haube zu zwängen. Der Teufel sollte mich holen, wenn ich zuließ, dass die Umstände ihnen den Wunsch erfüllten.

Jetzt, da ich mich im Spiegel gesehen hatte, war meine Überzeugung schon weniger felsenfest. Und mein rasierter Schädel war ein wenig kühl. Andererseits war mir klar, dass Jamie sich schreckliche Sorgen machen würden, wenn ich nachgab – und ich hatte das Gefühl, ihm genug Angst eingejagt zu haben, zumindest seinem eingefallenen Gesicht und den dunklen Rändern unter seinen Augen nach zu schließen.

Tatsächlich hatte sich sein Gesicht beträchtlich erhellt, als ich die Haube in seiner Hand zurückwies, und er warf sie beiseite.

Ich drehte den Spiegel vorsichtig um und legte ihn auf den Bettüberwurf, während ich einen Seufzer unterdrückte.

»Zumindest bin ich jetzt für einen Lacher gut, wenn ich mir den Gesichtsausdruck der Leute betrachte, wenn sie mich sehen.«

Jamie sah mich an, und sein Mundwinkel zuckte.

»Du bist so schön, Sassenach«, sagte er sanft. Dann brach er in Gelächter aus und prustete keuchend durch die Nase. Ich sah ihn mit hochgezogener Augenbraue an, ergriff den Spiegel und blinzelte noch einmal hinein – was ihn noch heftiger zum Lachen brachte.

Ich lehnte mich in die Kissen zurück und fühlte mich etwas besser. Das Fieber war völlig verschwunden, doch ich fühlte mich noch wie ein Gespenst, so geschwächt, dass ich mich kaum ohne Hilfe aufsetzen konnte, und nach der geringsten Anstrengung schlief ich prompt beinahe ohne Vorwarnung ein.

Jamie, der noch leise prustete, ergriff meine Hand, hob sie an seinen Mund und küsste sie. Die plötzliche, warme Unmittelbarkeit seiner Berührung ließ mir die Haare auf dem Unterarm zu Berge stehen, und meine Finger schlossen sich unwillkürlich um die seinen.

»Ich liebe dich«, flüsterte er, und seine Schultern bebten vor unterdrücktem Lachen.

»Oh«, sagte ich und fühlte mich auf einmal viel besser. »Nun ja, also, ich liebe dich auch. Und es *wird* schließlich wieder wachsen.«

»Das wird es.« Er küsste mir noch einmal die Hand und legte sie sanft auf die Quiltdecke. »Hast du etwas gegessen?«

»Ein bisschen«, sagte ich, so geduldig ich konnte. »Ich esse nachher noch etwas.«

Ich hatte schon vor Jahren begriffen, woher »Patienten« ihren Namen haben; es kommt daher, dass ein Kranker weitgehend bewegungsunfähig ist und daher gezwungen ist, sich endlos von Menschen quälen und ärgern zu lassen, die *nicht* krank sind.

Vor zwei Tagen hatte das Fieber nachgelassen, und ich hatte das Bewusstsein wiedererlangt; seitdem reagierte jeder, der mich sah, unausweichlich, indem er angesichts meines Aussehens nach Luft schnappte, mich bedrängte, eine Haube zu tragen – und dann versuchte, etwas Essbares in mich hineinzuzwingen. Jamie, der den Tonfall meiner Stimme besser interpretieren konnte als Mrs. Bug, Malva, Brianna oder Marsali, verfolgte das Thema klugerweise nicht weiter, nachdem er sich mit einem raschen Blick auf das Tablett neben dem Bett vergewissert hatte, dass ich tatsächlich etwas gegessen *hatte.*

»Sag mir, was geschehen ist«, bat ich, als ich bequem lag und mich auf alles gefasst gemacht hatte. »Wer ist krank geworden? Wie geht es ihnen? Und wer –« Ich räusperte mich. »Wer ist gestorben?«

Er musterte mich mit zusammengekniffenen Augen und versuchte offenbar zu erraten, ob ich in Ohnmacht fallen, sterben oder aus dem Bett springen würde, wenn er es mir verriet.

»Bist du sicher, dass es dir gut genug geht, Sassenach?«, fragte er skeptisch. »Das sind Nachrichten, die nicht alt werden.«

»Nein, aber ich muss es doch früher oder später hören, oder nicht? Und es zu wissen ist besser, als mir Sorgen um das zu machen, was ich *nicht* weiß.«

Er nickte, verstand und holte tief Luft.

»Aye, nun denn. Padraig und seine Tochter sind auf dem Weg der Besserung. Evan – er hat seinen Jüngsten verloren, den kleinen Bobby, und Grace ist immer noch krank, aber Hugh und Caitlin sind überhaupt nicht krank geworden.« Er schluckte und fuhr fort. »Drei von den Fischersleuten sind gestorben; etwa einem Dutzend von ihnen geht es noch schlecht, aber die meisten sind über den Berg.« Er legte die Stirn in Falten und überlegte. »Und dann ist da noch Tom Christie. Ich höre, ihm geht es immer noch sehr schlecht.«

»Wirklich? Davon hat Malva gar nichts gesagt.« Allerdings hatte Malva sich geweigert, mir überhaupt etwas zu erzählen, als ich sie vorhin gefragt hatte, und darauf beharrt, dass ich mich ausruhen müsse und mir keine Sorgen machen solle.

»Was ist mit Allan?«

»Ihm geht es gut«, versicherte mir Jamie.

»Wie lange ist Tom schon krank?«

»Ich weiß es nicht. Das Mädchen kann es dir sagen.«

Ich nickte – ein Fehler, da das Schwindelgefühl noch nicht ganz verschwunden war, und ich musste die Augen schließen und ließ den Kopf zurücksinken, während leuchtende Muster hinter meinen Augenlidern aufblitzten.

»Das ist ja merkwürdig«, sagte ich ein wenig atemlos, als ich hörte, dass Jamie als Reaktion auf meinen kleinen Kreislaufkollaps aufstand. »Wenn ich die Augen schließe, sehe ich oft Sterne – aber nicht wie die Sterne am Himmel. Sie sehen genauso aus wie die Sterne auf dem Futter meines Puppenköfferchens, das ich als Kind hatte. Was glaubst du, warum das so ist?«

»Ich habe nicht die geringste Ahnung.« Es raschelte, als er sich wieder auf den Hocker setzte. »Du bist doch nicht mehr im Delirium, oder?«, fragte er trocken.

»Ich glaube nicht. *War* ich denn im Delirium?« Tief und vorsichtig atmend öffnete ich die Augen und schenkte ihm das beste Lächeln, das ich zuwege brachte.

»Ja.«

»Möchte ich wissen, was ich gesagt habe?«

Sein Mundwinkel zuckte.

»Wahrscheinlich nicht, aber vielleicht erzähle ich es dir trotzdem irgendwann.«

Ich dachte daran, die Augen zu schließen und mich dem Schlaf zu überlassen, anstatt weiteren Peinlichkeiten ins Auge zu sehen, rappelte mich aber wieder auf. Wenn ich weiterleben würde – und das würde ich –, musste ich die Fäden meines Lebens, die mich auf der Erde hielten, wieder aufnehmen und wieder verknoten.

»Briannas Familie und Marsalis – geht es ihnen gut?« Ich fragte nur der Form halber; sowohl Brianna als auch Marsali hatten ängstlich über meiner hingestreckten Gestalt gewacht, und es war zwar so, dass keine von beiden bereit war, mir etwas zu erzählen, wovon sie glaubten, dass es mich in meinem geschwächten Zustand aufregen könnte. Doch ich war mir hinlänglich sicher, dass sie es nicht vor mir hätten verbergen können, wenn die Kinder ernsthaft krank gewesen wären.

»Aye«, sagte er langsam. »Aye, es geht ihnen gut.«

»Was?«, sagte ich, weil ich das Zögern in seiner Stimme hörte.

»Es geht ihnen gut«, wiederholte er rasch. »Von ihnen ist gar keiner krank geworden.«

Ich warf ihm einen kalten Blick zu, achtete aber darauf, mich dabei nicht zu heftig zu bewegen.

»Du kannst es mir ruhig erzählen«, beharrte ich. »Ich quetsche Mrs. Bug aus, wenn du es nicht tust.«

Als hätte die Erwähnung ihres Namens sie heraufbeschworen, hörte ich, wie sich das laute Poltern von Mrs. Bugs Holzpantinen auf der Treppe näherte. Sie bewegte sich langsamer als sonst und mit einer Vorsicht, die darauf schließen ließ, dass sie mit etwas beladen war.

Genauso war es; sie bahnte sich seitlich den Weg durch die Tür und strahlte, in der einen Hand ein volles Tablett, den anderen Arm um Henri-Christian geschlungen, der sich wie ein Äffchen an sie klammerte.

»Ich habe Euch eine Kleinigkeit zu essen mitgebracht, *a leannan*«, sagte sie munter und schob die kaum angerührte Porridgeschüssel und den Teller mit kaltem Toast beiseite, um Platz für die frischen Vorräte zu schaffen. »Ihr seid doch nicht ansteckend, oder?«

Ohne mein Kopfschütteln ernsthaft abzuwarten, beugte sie sich über das Bett und legte mir Henri-Christian in die Arme. Unterschiedslos freundlich wie immer, schob er seinen Kopf unter mein Kinn, kuschelte sich an meine Brust und fing an, auf meinen Fingerknöcheln herumzukauen.

»Hallo, was ist denn hier passiert?« Ich runzelte die Stirn, als ich ihm die weichen braunen Babysträhnen aus der runden Stirn strich, an deren Haaransatz sich eine hässliche Prellung gelb zu verfärben begann.

»Die Teufelsbrut hat versucht, das arme Kleine umzubringen«, unterrichtete mich Mrs. Bug und presste die Lippen fest aufeinander. »Und hätte es auch getan, wäre Roger Mac nicht gewesen, dem Himmel sei Dank.«

»Oh? Welche Teufelsbrut denn?«, fragte ich, da mir Mrs. Bugs Beschreibungen vertraut waren.

»Ein paar von den Fischerkindern«, sagte Jamie. Er streckte seinen Finger aus und berührte Henri-Christian an der Nase, zog ihn fort, als das Baby danach fasste, dann berührte er es erneut an der Nase. Henri-Christian kicherte und strampelte wie wild mit den Füßen, gefesselt von diesem Spiel.

»Die bösen Kreaturen haben versucht, ihn zu ersäufen«, wurde Mrs. Bug deutlicher. »Haben den armen Kleinen in seinem Körbchen gestohlen und es zum Schwimmen in den Bach gesetzt!«

»Ich glaube nicht, dass sie vorhatten, ihn zu ersäufen«, sagte Jamie nachsichtig, nebenher in sein Spiel vertieft. »Sonst hätten sie sich wohl kaum die Mühe mit dem Körbchen gemacht.«

»Hmpf!«, lautete Mrs. Bugs Erwiderung auf diese logische Erörterung. »Sie hatten jedenfalls nichts Gutes mit ihm vor«, fügte sie finster hinzu.

Ich hatte Henri-Christian einer raschen Untersuchung unterzogen und einige weitere heilende Prellungen, eine kleine verkrustete Wunde an seiner Ferse und ein aufgeschürftes Knie gefunden.

»Hiihiihii!«, sagte Henri-Christian, den meine Erkundungen köstlich amüsierten.

»Roger hat ihn gerettet?«, sagte ich und blickte zu Jamie auf.

Er nickte, und seine Mundwinkel verzogen sich ein wenig nach oben.

»Aye. Ich hatte keine Ahnung, was da vor sich ging, bis die kleine Joan zu mir gerannt kam und schrie, sie hätten ihren Bruder – aber ich bin noch rechtzeitig dort gewesen, um das Ende der Angelegenheit mitzubekommen.«

Die Jungen hatten das Babykörbchen in den Forellenteich gesetzt, eine breite, tiefe Stelle des Bachs, an der das Wasser ziemlich ruhig war. Das fest geflochtene Schilfkörbchen war an der Oberfläche dahingetrieben – bis es die Strömung zum Auslauf des Teichs trug, wo das Wasser rasch über eine steinige Strecke lief, bevor es einen guten Meter tief in einen Tumult aus Wasser und Felsbrocken stürzte.

Roger war dabei gewesen, in Hörweite des Bachs einen Zaun zu errichten. Als er die Rufe der Jungen und Felicités Kreischen hörte, hatte er seinen Balken fallen gelassen und war bergab gerannt, weil er glaubte, sie würde gequält.

Stattdessen war er gerade rechtzeitig aus den Bäumen geschossen, um zu sehen, wie Henri-Christian in seinem Körbchen langsam über die Kante des Auslaufs kippte und wie wild von Stein zu Stein zu rumpeln begann, wobei sich der Korb in der Strömung drehte und Wasser aufnahm.

Roger rannte das Ufer hinunter und stürzte sich bäuchlings ins Wasser, um in letzter Sekunde kurz vor dem Wasserfall der Länge nach im Bach zu landen, gerade als Henri-Christian brüllend vor Angst aus seinem durchtränkten Körbchen fiel, den Wasserfall hinunterplumpste und auf Roger landete, der ihn auffing.

»Ich war also gerade rechtzeitig da, um es zu beobachten«, berichtete mir Jamie, der bei dieser Erinnerung grinste. »Und dann zu sehen, wie Roger Mac sich aus dem Wasser erhob wie ein Wassergeist mit Wasserpflanzen im Haar, mit blutender Nase und dem Kleinen fest im Arm. Es war ein grauenvoller Anblick.«

Die Übeltäter waren dem Kurs des Körbchens laut rufend am Ufer gefolgt, doch dann hatte es ihnen die Sprache verschlagen. Einer von ihnen setzte zur Flucht an, und die anderen stoben auf wie ein Taubenschwarm, doch Roger hatte drohend mit dem Finger auf sie gezeigt und so laut *»Sheas!«* gebrüllt, dass er das Lärmen des Bachs übertönte.

Sein Auftreten war so gebieterisch, dass sie tatsächlich stehen blieben und vor Schreck erstarrten.

Roger fixierte sie mit seinem Blick und watete fast bis zum Ufer. Dann hockte er sich hin und schöpfte eine Hand voll Wasser, die er dem kreischenden Baby über den Kopf goss – worauf es prompt verstummte.

»Ich taufe dich, Henri-Christian«, hatte Roger mit seiner heiseren, rauen Stimme gedröhnt. »Im Namen des Vaters, des Sohnes und des Heiligen Geistes! Hört ihr mich, ihr kleinen Mistkerle? Sein Name ist *Christian*! Er gehört dem Herrn! Wenn ihr ihn noch einmal behelligt, ihr Pestbeulen, so wird Satan erscheinen und euch geradewegs in die Tiefe ziehen – IN DIE HÖLLE!«

Er zeigte noch einmal anklagend mit dem Finger auf die Jungen, die diesmal tatsächlich die Flucht ergriffen und panisch ins Gebüsch stürzten, wo sie in ihrem Fluchteifer stolpernd übereinander purzelten.

»Ach du liebe Güte«, sagte ich, hin- und hergerissen zwischen Gelächter und Bestürzung. Ich blickte auf Henri-Christian hinunter, der seit einiger Zeit die Freuden des Daumenlutschens entdeckt hatte und in weitere Studien dieser Kunst vertieft war. »Das muss ja sehr eindrucksvoll gewesen sein.«

»*Mich* hat es jedenfalls beeindruckt«, sagte Jamie, der immer noch grinste. »Ich wusste gar nicht, dass Roger Mac ein solches Talent hat, Tod und Verdammnis zu predigen. Der Junge hat eine gewaltige Stimme, selbst wenn sie rau ist. Er würde begeisterte Zuhörer finden, wenn er das beim *Gathering* tun würde, aye?«

»Nun, das erklärt auch, was mit seiner Stimme passiert ist«, sagte ich. »Ich hatte mich schon gewundert. Aber glaubst du wirklich, dass es nur ein Streich war? Dass sie das Baby in den Bach gesetzt haben?«

»Oh, es war gewiss ein Streich«, sagte er und legte seine große Hand sanft um Henri-Christians Kopf. »Allerdings war es mehr als nur ein dummer Jungenstreich.«

Jamie hatte einen der flüchtenden Jungen erwischt, als sie an ihm vorbeistürzten, ihn am Kragen gepackt und ihn buchstäblich so erschreckt, dass er sich in die Hosen machte. Er war zielstrebig mit dem Jungen in den Wald gegangen, hatte ihn fest an einen Baum gedrückt und zu erfahren verlangt, was es mit diesem Mordversuch auf sich hatte.

Zitternd und stotternd hatte der Junge diesen zu entschuldigen versucht und gesagt, dass sie dem Baby wirklich nichts Böses wollten! Sie wollten ihn nur schwimmen sehen – weil ihre Eltern sagten, er sei Dämonenbrut, und jeder wusste, dass die Söhne Satans oben auf dem Wasser trieben, weil das Wasser ihre Verruchtheit von sich stieß. Sie hatten das Baby mitsamt dem Körbchen mitgenommen, weil sie Angst hatten, die Berührung seiner Haut würde sie verbrennen.

»Ich habe ihm gesagt, ich würde ihn persönlich verbrennen«, sagte Jamie mit einem gewissen Grimm, »und das habe ich auch getan.« Dann hatte er den schmerzerfüllten Jungen fortgeschickt und ihm aufgetragen, seine Mitstreiter zu unterrichten, dass sie vor dem Abendessen in Jamies Studierzimmer erwartet wurden, um ihren Anteil der Strafe in Empfang zu nehmen – sonst würde Ehrwürden nach dem Abendessen ihre Häuser aufsuchen und sie vor den Augen ihrer Eltern verdreschen.

»Haben sie gehorcht?«, fragte ich fasziniert.

Er warf mir einen überraschten Blick zu.

»Natürlich. Sie haben ihre Arznei geschluckt, und dann sind wir in die Küche gegangen und haben Honigbrote gegessen. Ich hatte Marsali gesagt, sie sollte mit dem Kleinen ebenfalls kommen, und nach dem Essen habe ich ihn mir auf das Knie gesetzt und ihnen gesagt, sie sollten näherkommen und ihn anfassen, nur um es zu sehen.«

Er lächelte schief.

»Einer der Jungen hat mich gefragt, ob es stimmte, was Mr. Roger gesagt hat, dass der Kleine dem Herrn gehört? Ich habe ihm gesagt, dass ich Mr. Roger da gewiss nicht widersprechen würde – doch ganz gleich, zu wem er sonst noch gehöre, dass Henri-Christian auch zu mir gehört und sie das besser nicht vergessen sollten.«

Er fuhr langsam mit dem Finger über Henri-Christians runde, glatte Wange. Das Baby war jetzt fast eingeschlafen; seine schweren Augenlider schlossen sich, und es hatte seinen winzigen, glitzernden Daumen halb in den Mund geschoben.

»Schade, dass mir das entgangen ist«, sagte ich leise, um das Baby nicht zu wecken. Wie die meisten schlafenden Babys war es viel wärmer geworden und lag mir bleiern im Arm. Jamie merkte, dass es mir schwer fiel, den Jungen festzuhalten, und er nahm ihn mir ab und reichte ihn Mrs. Bug zurück, die lautlos damit beschäftigt gewesen war, das Zimmer aufzuräumen, und dabei Jamies Erzählung beifällig gelauscht hatte.

»Oh, das war wirklich ein herrlicher Anblick«, versicherte sie mir flüsternd und tätschelte Henri-Christian den Rücken, während sie ihn übernahm. »Wie die Jungen die Finger ausgestreckt haben, um den Bauch des Kleinen zu berühren, ganz vorsichtig, als würden sie eine heiße Kartoffel anfassen, und er hat gestrampelt und gekichert wie ein verrückter Wurm. Die durchtriebenen kleinen Schufte hatten Augen so groß wie Sixpence-Stücke!«

»Das kann ich mir vorstellen«, sagte ich belustigt.

»Andererseits«, bemerkte ich *sotto voce* zu Jamie, als sie mit dem Baby wieder ging, »wenn ihre Eltern glauben, dass er Dämonenbrut ist und du sein Großvater bist…«

»Tja, du bist seine Großmutter, Sassenach«, vollendete Jamie trocken. »Es könnte genauso gut an dir liegen. Doch aye, mir wäre es auch lieber, wenn sie nicht zu intensiv darüber nachdenken würden.«

»Nein«, pflichtete ich ihm bei. »Obwohl – glaubst du, jemand von ihnen weiß, dass Marsali nicht deine leibliche Tochter ist? Von Fergus müssen sie es ja wissen.«

»Es würde keine große Rolle spielen«, sagte er. »Sie glauben, dass unser Henri ein Wechselbalg ist, so oder so.«

»Woher weißt du das?«

»Die Leute reden«, sagte er. »Und du, wie geht es dir, Sassenach?«

Vom Gewicht des Babys befreit, hatte ich die Decke zurückgeschlagen, um etwas Luft an mich zu lassen. Jamie starrte mich missbilligend an.

»Himmel, ich kann ja deine Rippen zählen! Geradewegs durch dein Hemd!«

»Dann genieße es, solange du kannst«, wies ich ihn schnippisch an, obwohl es mich schmerzte. Er schien das zu spüren, denn er nahm meine Hand und zeichnete die Linien der tiefblauen Adern nach, die über meinen Handrücken liefen.

»Mach dir nichts daraus, Sassenach«, bat er liebevoll. »Ich habe es nicht so gemeint. Hier, Mrs. Bug hat dir sicher etwas Köstliches mitgebracht.« Er hob den Deckel von einem Schüsselchen, betrachtete stirnrunzelnd die Substanz darin, dann steckte er vorsichtig den Finger hinein und leckte ihn ab.

»Ahornpudding«, verkündete er mit glücklicher Miene.

»Oh?« Ich hatte immer noch nicht den geringsten Appetit, aber Ahornpudding klang zumindest harmlos, und ich widersetzte mich nicht, als er einen Löffel darin eintunkte und mit der Konzentration eines Mannes, der einen Jumbo fliegt, mit dem Inhalt auf meinen Mund zusteuerte.

»Ich *kann* selbst essen, weißt d…«. Er ließ den Löffel zwischen meine Lippen gleiten, und ich leckte resigniert den Pudding davon ab. Erstaunliche Offenbarungen sahniger Süße explodierten umgehend in meinem Mund, und ich schloss ekstatisch die Augen, weil mir alles wieder einfiel.

»O Gott«, sagte ich. »Ich hatte ganz vergessen, wie gutes Essen schmeckt.«

»Ich *wusste* doch, dass du die ganze Zeit nichts gegessen hast«, sagte er voller Genugtuung. »Hier, nimm noch etwas.«

Ich bestand darauf, den Löffel selbst zu nehmen, und schaffte das halbe Schüsselchen; auf mein Drängen hin aß Jamie die andere Hälfte.

»Du bist vielleicht nicht so dünn wie ich«, sagte ich, drehte meine Hand um und zog eine Grimasse angesichts der vorstehenden Handgelenksknochen, »aber viel hast du in letzter Zeit auch nicht gegessen.«

»Da hast du wohl Recht.« Er schabte das Schüsselchen nachdenklich mit dem Löffel aus, um auch den letzten Puddingrest zu erwischen, und leckte den Löffel sauber. »Ich hatte… viel zu tun.«

Ich beobachtete ihn genau. Er gab sich jeden Anschein der Fröhlichkeit, doch mein eingerosteter Spürsinn kehrte langsam zurück. Über eine unbekannte Zeitspanne hinweg hatte ich weder Energie noch Aufmerksamkeit für irgendetwas übrig gehabt, das jenseits der vom Fieber gebeutelten Hülle meines Körpers lag; jetzt sah ich die kleinen, vertrauten Details von Jamies Körper, Stimme und Verhalten und stimmte mich langsam wieder auf ihn ein wie eine durchhängende Geigensaite, die in Gegenwart einer Stimmgabel wieder angezogen wird.

Ich konnte spüren, dass eine Sorge in ihm vibrierte, und allmählich kam mir der Gedanke, dass nicht allein mein kürzliches Beinahe-Ableben daran Schuld war.

»Was?«, sagte ich.

»Was?« Er zog fragend die Augenbrauen hoch, doch ich kannte ihn zu gut. Die Frage allein verlieh mir die Sicherheit, dass ich Recht hatte.

»Was verschweigst du mir?«, fragte ich mit aller Geduld, die ich aufbringen konnte. »Ist es schon wieder Brown? Hast du von Stephen Bonnet gehört? Oder von Donner? Oder hat die weiße Sau eins der Kinder gefressen und ist daran erstickt?«

Das brachte ihn immerhin zum Lächeln, wenn auch nur kurz.

»Das nicht«, sagte er. »Sie hat sich auf MacDonald gestürzt, der bis vor ein paar Tagen hier war, aber er hat es rechtzeitig auf die Veranda geschafft. Ziemlich agil, der Major, für einen Mann seines Alters.«

»Er ist jünger als du«, wandte ich ein.

»Nun, ich bin sowieso agil«, sagte er in aller Logik. »Mich hat die Sau schließlich noch nicht erwischt, oder?«

Ich spürte ein beklommenes Gefühl, als er den Major erwähnte, aber es waren keine Neuigkeiten von politischen Unruhen oder militärischem Donnergrollen, die Jamie Kummer machten; das hätte er mir sofort gesagt. Ich fixierte ihn erneut mit zusammengekniffenen Augen, schwieg aber.

Er seufzte tief.

»Ich glaube, ich muss sie fortschicken«, sagte er leise und ergriff erneut meine Hand.

»Wen fortschicken?«

»Fergus und Marsali und die Kinder.«

Ich spürte einen scharfen, plötzlichen Ruck, als hätte mir jemand einen Hieb direkt unter das Brustbein versetzt, und plötzlich fiel mir das Luftholen schwer.

»Was? Warum? Und – und *wohin?*«, brachte ich heraus.

Er rieb sacht mit dem Daumen über meine Fingerknöchel, vor und zurück, und sein Blick war ganz auf diese kleine Bewegung konzentriert.

»Fergus hat versucht, sich umzubringen, vor drei Tagen«, sagte er ganz leise.

Meine Hand packte krampfhaft die seine.

»Gott im Himmel«, flüsterte ich. Er nickte, und ich merkte, dass er im Moment nichts sagen konnte; er biss sich auf die Unterlippe.

Jetzt war ich es, die seine Hand in meine Hände nahm und Kälte durch meine Haut dringen spürte. Ich hätte es gern abgeleugnet, mich gegen die Vorstellung gewehrt – doch ich konnte es nicht. Sie hing zwischen uns, hässlich wie eine Giftkröte, die keiner von uns berühren mochte.

»Wie denn?«, sagte ich schließlich. Meine Stimme schien im Zimmer widerzuhallen. Eigentlich war mir danach zu fragen: »Bist du sicher?«, doch ich wusste, dass es so war.

»Mit einem Messer«, erwiderte er. Sein Mundwinkel zuckte erneut, jedoch nicht ohne Humor. »Er hat gesagt, er hätte sich aufgehängt, aber er konnte das Seil nicht mit einer Hand verknoten. Zum Glück.«

Der Pudding hatte eine kleine feste Kugel gebildet, die wie Gummi am Boden meines Magens lag.

»Du … hast ihn gefunden? Oder war es Marsali?

Er schüttelte den Kopf.

»Sie weiß es gar nicht. Oder zumindest – ich nehme an, dass sie es weiß, aber sie gibt es nicht zu. Weder vor sich selbst noch vor ihm.«

»Dann kann er nicht schwer verletzt gewesen sein, sonst müsste sie es ja wissen.« Meine Brust schmerzte noch, doch die Worte kamen jetzt problemloser.

»Nein. Ich habe ihn vorbeigehen sehen, als ich weiter oben auf dem Hügel ein Hirschfell gegerbt habe. Er hat mich nicht entdeckt, und ich habe nicht nach ihm gerufen. Ich weiß nicht, was es war, das mir an ihm seltsam vorkam ... aber es hat mir keine Ruhe gelassen.« Er zog seine Hand zurück und rieb sich die Nase.

»Mir ging der Gedanke nicht aus dem Kopf, dass etwas nicht stimmte, und schließlich habe ich meine Arbeit niedergelegt und bin ihm nachgegangen, noch in dem Glauben, ich sei ein Narr.«

Fergus war am Ende des Bergkamms dem bewaldeten Abhang gefolgt, der zur Weißen Quelle führte. Dies war die abgelegenste der drei Quellen auf dem Kamm, die »weiß« genannt wurde, weil am Kopf des Teiches ein großer, heller Findling stand.

Gerade, als Jamie aus dem Wald kam, hatte er gesehen, wie Fergus sich neben der Quelle niederlegte, den Ärmel aufgekrempelt und den Rock zum Kopfkissen zusammengefaltet, und seinen handlosen linken Arm in das Wasser tauchte.

»Vielleicht hätte ich ihn da rufen sollen«, sagte er und fuhr sich abwesend mit der Hand durch das Haar. »Aber ich konnte es einfach nicht glauben, verstehst du?«

Dann hatte Fergus ein kleines Jagdmesser in die rechte Hand genommen, ins Wasser gefasst und mit einem gezielten Schnitt die Pulsadern in seinem linken Ellbogen geöffnet, so dass das Blut in einer sanften, dunklen Wolke um seinen weißen Arm herum aufquoll.

»Da *habe* ich gerufen«, berichtete Jamie. Er schloss die Augen und rieb sich fest mit den Händen über das Gesicht, als versuchte er, die Erinnerung auszuradieren.

Er war den Hang hinuntergerannt, hatte Fergus gepackt, ihn hochgerissen und ihm einen Fausthieb verpasst.

»Einen *Fausthieb*?«

»Ja«, sagte er knapp. »Er hat Glück gehabt, dass ich ihm nicht das Genick gebrochen habe, der kleine Schuft.« Das Blut war ihm ins Gesicht gestiegen, während er erzählte, und er presste die Lippen fest aufeinander.

»War das, nachdem die Jungen Henri-Christian entführt haben?«, fragte ich. »Ich meine ...«

»Aye, ich weiß, was du meinst«, unterbrach er mich. »Und es war der Tag, nachdem die Jungen Henri-Christian in den Bach gesetzt haben, aye. Aber es war nicht nur deswegen – nicht nur der Kummer, weil der Kleine ein Zwerg ist, meine ich.« Er sah mich an, und seine Miene war gequält.

»Wir haben geredet. Nachdem ich ihm den Arm verbunden und ihn wieder zu sich gebracht hatte. Er sagt, er hätte schon länger daran gedacht; die Sache mit dem Kleinen hätte ihm nur den Rest gegeben.«

»Aber… wie *konnte* er nur?«, sagte ich bestürzt. »Marsali zu verlassen und die Kinder – wie nur?«

Jamie senkte den Blick, die Hände auf die Knie gestützt, und seufzte. Das Fenster stand offen, und ein sanfter Windhauch kam herein und hob die Haare auf seinem Scheitel wie winzige Flammen.

»Er dachte, ohne ihn wäre es besser um sie bestellt«, sagte er geradeheraus. »Wenn er tot wäre, könnte Marsali wieder heiraten – einen Mann finden, dem etwas an ihr und den Kindern liegt. Der für sie sorgt. Den kleinen Henri beschützt.«

»Er meint – meinte –, er könnte das nicht?«

Jamie fixierte mich scharf.

»Sassenach«, sagte er. »Er weiß sehr gut, dass er es nicht kann.«

Ich holte Luft, um zu protestieren, biss mir aber auf die Lippe, weil mir keine passende Erwiderung einfiel.

Jamie stand auf und ging unruhig durch das Zimmer, hob hier und dort einen Gegenstand auf und legte ihn wieder hin.

»Würdest du das auch tun?«, fragte ich nach einer Weile. »Unter denselben Umständen, meine ich.«

Er hielt ein paar Sekunden inne, mit dem Rücken zu mir, die Hand auf meiner Haarbürste.

»Nein«, sagte er leise. »Aber es ist hart für einen Mann, damit zu leben.«

»Nun, das verstehe ich ja…«, begann ich langsam, doch er fuhr herum, um mich anzusehen. Sein Gesicht war angespannt und von einer Erschöpfung erfüllt, die wenig mit seinem Schlafmangel zu tun hatte.

»Nein, Sassenach«, sagte er. »Das tust du nicht.« Er sprach sanft, aber in seiner Stimme lag ein solcher Unterton der Verzweiflung, dass mir die Tränen in die Augen stiegen.

Es war ebenso sehr schiere körperliche Entkräftung wie emotionale Not, doch wenn ich die Kontrolle aufgab, das wusste ich, würde das Ende völlige tränennasse Auflösung sein, und die brauchte momentan niemand. Ich biss mir fest auf die Lippe und wischte mir mit der Kante des Bettlakens über die Augen.

Ich hörte das Geräusch, mit dem er sich an meine Seite kniete, und streckte blind die Hand nach ihm aus, um seinen Kopf an meine Brust zu ziehen. Er legte die Arme um mich und seufzte tief, sein Atem warm auf meiner Haut durch den Leinenstoff des Nachthemdes. Ich strich ihm mit zitternder Hand über die Haare und spürte, wie er plötzlich nachgab. Die Anspannung verließ ihn wie Wasser, das aus einem Krug läuft.

In diesem Moment hatte ich ein sehr merkwürdiges Gefühl – als hätte er die Kraft, an die er sich bis jetzt geklammert hatte, losgelassen… und als strömte sie jetzt in mich hinein. Meine schwache Kontrolle über meinen Körper nahm zu, während ich den seinen hielt, und mein Herz hörte auf zu stolpern und nahm stattdessen seinen normalen, festen, unermüdlichen Schlag wieder auf.

Die Tränen waren zurückgewichen, obwohl sie noch gefährlich dicht unter der Oberfläche lauerten. Ich zeichnete seine Gesichtszüge mit den Fingern nach, rötliche Bronze, von Sonne und Sorge mit Linien durchzogen; die hohe Stirn mit den dichten, roten Augenbrauen, die weiten Flächen seiner Wangen, die lange Nase, so gerade wie eine Messerklinge. Die geschlossenen Augen, schräg und rätselhaft mit diesen merkwürdigen Wimpern, blond an der Wurzel, so tiefbraun an der Spitze, dass sie fast schwarz erschienen.

»Aber weißt du das denn nicht?«, sagte ich ganz leise und zeichnete die schmale, klare Kontur seines Ohrs nach. Winzige, steife blonde Haare sprossen in einem kleinen Büschel aus der Ohrmuschel und kitzelten meinen Finger. »Weiß es denn *keiner* von euch? Dass *ihr* es seid. Nicht was ihr geben oder tun oder leisten könnt. Einfach nur ihr.«

Er holte tief erschauernd Luft und nickte, ohne jedoch die Augen zu öffnen.

»Ich weiß. Ich habe es ihm gesagt, Fergus«, murmelte er. »Oder zumindest glaube ich das. Ich habe eine ganze Menge Dinge gesagt.«

Sie hatten gemeinsam an der Quelle gekniet, die Arme umeinander geschlungen, von Blut und Wasser durchnässt, fest aneinander geklammert als könnte er Fergus mit schierer Willenskraft auf der Erde halten, bei seiner Familie. Und er hatte keine Ahnung mehr, was er alles von sich gegeben hatte, vergessen in der Leidenschaft des Augenblicks – bis zum Schluss.

»Du musst weiterleben, um ihretwillen – auch wenn du es nicht um deinetwillen tun würdest«, hatte er geflüstert, Fergus' Gesicht an seine Schulter gepresst, das schwarze Haar nass von Schweiß und Wasser, kalt an seiner Wange. *»Tu comprends, mon enfant, mon fils? Comprends-tu?«*

Ich spürte die Bewegung seiner Kehle, als er schluckte.

»Ich wusste doch, dass du im Sterben lagst«, sagte er sanft. »Ich war mir sicher, dass du bei meiner Rückkehr zum Haus nicht mehr da sein würdest und ich allein sein würde. Ich glaube, ich habe in diesem Moment weniger mit Fergus gesprochen als mit mir selbst.«

Dann hob er den Kopf und sah mich durch einen Schleier aus Tränen und Gelächter an.

»O Gott, Claire«, sagte er. »Ich wäre so wütend gewesen, wenn du gestorben wärst und mich verlassen hättest!«

Auch ich hätte am liebsten gelacht. Oder geweint. Oder beides. Und hätte ich tatsächlich noch irgendwo einen Rest von Bedauern über den Verlust meines ewigen Friedens gespürt, hätte ich es jetzt ohne Zögern aufgegeben.

»Ich habe es aber nicht getan«, sagte ich und berührte seine Lippe. »Ich werde es auch nicht tun. Zumindest werde ich es versuchen.« Ich legte meine Hand um seinen Hinterkopf und zog ihn wieder an mich. Er war um einiges größer und schwerer als Henri-Christian, doch ich hatte das Gefühl, ihn ewig so halten zu können, wenn es nötig war.

Es war früher Nachmittag, und das Licht begann gerade, sich zu verändern, und fiel schräg durch den oberen Teil der nach Westen gerichteten Fenster, so dass sich das Zimmer mit einem klaren, hellen Licht füllte, das Jamies Haar und das abgetragene, cremige Leinen seines Hemdes zum Leuchten brachte. Ich konnte die Knochen seiner Rückenwirbel spüren und die Hautmulde in dem schmalen Kanal zwischen Schulterblatt und Wirbelsäule.

»Wohin wirst du sie schicken?«, fragte ich und versuchte, den Wirbel auf seinem Scheitel glatt zu streichen.

»Nach Cross Creek vielleicht – oder Wilmington«, erwiderte er. Seine Augen waren halb geschlossen und beobachteten die flackernden Schatten der Blätter auf der Seitenwand des Kleiderschranks, den er für mich gebaut hatte. »Wo es am besten für das Druckergewerbe ist.«

Er änderte seine Position ein wenig, umfasste meinen Hintern und runzelte dann die Stirn.

»Himmel, Sassenach, du hast ja überhaupt keinen Hintern mehr!«

»Ach, keine Sorge«, sagte ich resigniert. »Der wächst bestimmt wieder.«

65

Der Augenblick der Deklaration

Jamie traf in der Nähe von Woolam's Mill auf die Männer. Es waren fünf Reiter. Zwei waren Fremde; von zweien wusste er, dass sie aus Salisbury stammten – ehemalige Regulatoren namens Green und Wherry, leidenschaftliche Whigs. Der letzte war Richard Brown, dessen Gesicht kalt war, bis auf seine Augen.

Im Stillen verfluchte er sein Bedürfnis nach Konversation. Wäre das nicht gewesen, hätte er sich wie üblich in Coopersville von MacDonald getrennt. Aber sie hatten sich über Dichtung unterhalten – Dichtung, zum Kuckuck! – und sich gegenseitig mit Deklamationen unterhalten. Jetzt stand er hier auf der leeren Straße und hielt zwei Pferde fest, während MacDonald, der ein Verdauungsproblem hatte, irgendwo tief im Wald sein Geschäft erledigte.

Amos Green grüßte ihn mit einem Kopfnicken und wäre vorbeigeritten, doch Kitman Wherry hielt sein Pferd an; die Fremden folgten seinem Bespiel und starrten Jamie neugierig an.

»Wohin bist du unterwegs, Freund James?«, fragte Wherry, der Quäker war, liebenswürdig. »Kommst du zu der Zusammenkunft in Halifax? Denn du bist eingeladen, mit uns zu reiten, falls dies so ist.«

Halifax. Er spürte, wie ihm ein Schweißtropfen über die Wirbelsäule lief. Die Zusammenkunft des Korrespondenzkomitees, um die Delegaten für den Kontinentalkongress zu bestimmen.

»Ich begleite einen Freund ein Stück seines Weges«, erwiderte er höflich und wies kopfnickend in den Wald. »Aber ich werde Euch folgen; vielleicht hole ich Euch unterwegs ein.« *Nicht sehr wahrscheinlich*, dachte er und vermied es sorgsam, Brown anzusehen.

»Ich wäre mir nicht so sicher, dass Ihr dort willkommen wärt.« Greens Tonfall war eigentlich höflich, doch es lag eine solche Kälte in seiner Haltung, dass ihn Wherry überrascht ansah. »Nicht nach dem, was sich in Cross Creek zugetragen hat.«

»Oh? Und Ihr würdet also zusehen, wie man einen Unschuldigen lebendig verbrennt oder teert und federt?« Das Letzte, das er sich wünschte, war ein Streit, aber er konnte genauso wenig schweigen.

Einer der Fremden spuckte auf die Straße.

»So unschuldig nun auch wieder nicht, falls Ihr von Fogarty Simms redet. Verdammter Tory«, fügte er noch hinzu.

»Genau dieser«, sagte Green und spuckte ebenfalls aus. »Das Komitee in Cross Creek wollte ihm eine Lektion erteilen; wie es aussieht, war Mr. Fraser hier anderer Meinung. Wie ich höre, war es eine ziemliche Szene«, sagte er und lehnte sich etwas im Sattel zurück, um Jamie überlegen aus der Höhe zu betrachten. »Wie gesagt, Mr. Fraser – Ihr seid derzeit nicht sonderlich beliebt.«

Wherry runzelte die Stirn und blickte zwischen Jamie und Green hin und her.

»Einen Mann – ungeachtet seiner politischen Ansichten – vor Teer und Federn zu retten, scheint mir lediglich ein Akt der Menschlichkeit zu sein«, sagte er scharf.

Brown lachte gehässig.

»Euch vielleicht. Anderen nicht. Man erkennt einen Mann an der Gesellschaft, mit der er sich umgibt. Und dann ist da schließlich auch noch Eure Tante, wie?«, sagte er und wandte sich erneut an Jamie. »Und die berühmte Mrs. MacDonald. Ich habe ihre Rede gelesen – in der letzten Ausgabe von Simms' Zeitung«, fügte er hinzu und wiederholte das gehässige Lachen.

»Die Gäste meiner Tante haben nichts mit mir zu tun«, sagte Jamie, um Gelassenheit bemüht.

»Nein? Was ist denn dann mit dem Ehemann Eurer Tante – das wäre dann wohl Euer Onkel?«

»Duncan?« Sein Unglauben war ihm offenbar anzuhören, denn die Fremden wechselten einen Blick, und ihre Haltung entspannte sich ein wenig.

»Nein, er ist der vierte Ehemann meiner Tante – und mein Freund. Warum erwähnt Ihr ihn?«

»Nun, Duncan Innes steckt mit Farquard Campbell unter einer Decke und mit vielen anderen Loyalisten. Die beiden haben genug Geld, um ein Schiff zu bauen, in Pamphlete gesteckt, auf denen sie Versöhnung mit Mutter England predigen. Ich bin überrascht, dass Euch das nicht bekannt war, Mr. Fraser.«

Jamie war über diese Neuigkeit nicht nur überrascht, sondern vom Donner gerührt, verbarg es aber.

»Die Meinung eines Menschen ist seine Sache«, sagte er achselzuckend. »Duncan muss tun, was ihm gefällt, und ich werde das Gleiche tun.

Wherry nickte zustimmend bei diesen Worten, doch die Mienen der anderen reichten von Skepsis bis hin zu offener Feindseligkeit.

Wherry war sich der Reaktionen seiner Begleiter wohl bewusst.

»Was *ist* denn deine Meinung, Freund?«, fragte er höflich.

Nun, er hatte ja gewusst, dass es so kommen würde. Hatte hin und wieder versucht, sich die Umstände auszumalen, unter denen er sich offenbaren würde, in Situationen, die von prahlerischen Heldenposen bis hin zu offener Gefahr reichten. Doch wie in solchen Dingen üblich, stellte Gottes Sinn für Humor seine eigene Vorstellungskraft weit in den Schatten. Und so kam es, dass er diesen endgültigen Schritt in eine unumstößliche öffentliche Bindung an die Sache der Rebellen – ein Schritt, der es zufällig mit sich brachte, dass er sich mit seinem Todfeind verbünden musste – allein auf einer staubigen Straße tat, während ein uniformierter Offizier der Krone mit heruntergelassener Hose hinter ihm im Gebüsch hockte.

»Ich bin für die Freiheit«, sagte er in einem Tonfall, der mildes Erstaunen darüber ausdrückte, dass seine Haltung irgendwie in Frage stehen könnte.

»Ist das so?« Green musterte ihn durchdringend, dann wies er mit dem Kinn auf MacDonalds Pferd, an dessen Sattel MacDonalds Schwert hing, dessen Griff und Zierquasten in der Sonne glänzten. »Wie kommt es dann, dass Ihr in Begleitung eines Rotrocks seid?«

»Er ist mein Freund«, erwiderte Jamie gleichmütig.

»Ein Rotrock?« Einer der Fremden fuhr im Sattel auf, als hätte ihn eine Biene gestochen. »Wie kommt denn ein Rotrock *hierher*?« Der Mann klang verblüfft und sah sich hastig um, als erwartete er, dass eine ganze Kompanie dieser Kreaturen unter Musketenfeuer aus dem Wald stürmte.

»Nur der eine, soweit ich weiß«, beruhigte ihn Brown. »Heißt MacDonald. Er ist kein richtiger Soldat; pensioniert mit halbem Sold, arbeitet für den Gouverneur.«

Sein Begleiter machte keinen merklich beruhigten Eindruck.

»Was stellt Ihr mit diesem MacDonald an?«, wollte er von Jamie wissen.

»Wie gesagt – er ist mein Freund.« Die Haltung der Männer änderte sich in Sekundenschnelle von Skepsis und schwacher Feindseligkeit zu offener Angriffslust.

»Er ist ein Spion des Gouverneurs, das ist er«, erklärte Green geradeheraus.

Dies war schlicht die Wahrheit, und Jamie war sich hinreichend sicher, dass das halbe Hinterland es wusste; MacDonald versuchte gar nicht erst, einen Hehl aus seiner Erscheinung oder seinen Aufträgen zu machen. Dies zu leugnen hätte bedeutet, dass man von ihnen verlangte, Jamie für einen Idioten, einen Lügner oder beides zu halten.

Jetzt kam Bewegung in die Männer; es wurden Blicke gewechselt, und hier fuhr eine Hand unauffällig an einen Messerknauf, da an einen Pistolenkolben.

Sehr schön, dachte Jamie. Mit der Ironie der Situation nicht zufrieden, hatte Gott jetzt beschlossen, dass er gegen die Verbündeten, auf deren Seite er sich Sekunden zuvor gestellt hatte, um sein Leben kämpfen sollte, und zwar, um einen Offizier der Krone zu verteidigen, gegen die er sich damit gewandt hatte.

Wie sein Schwiegersohn so gern sagte – toll.

»Holt ihn hervor«, befahl Brown und trieb sein Pferd in die erste Reihe. »Wir werden ja sehen, was er zu seiner Verteidigung zu sagen hat, Euer Freund.«

»Und dann können wir ihm vielleicht eine Lektion erteilen, von der er dem Gouverneur berichten kann, wie?« Einer der Fremden zog seinen Hut ab und steckte ihn zur Vorbereitung sorgsam unter die Kante seines Sattels.

»Halt!« Wherry richtete sich auf und versuchte, ihnen mit einer Handbewegung Einhalt zu gebieten, obwohl Jamie ihm hätte sagen können, dass der Punkt, an dem ein solcher Versuch eventuell Wirkung gezeigt hätte, seit mehreren Minuten vorbei war. »Ihr könnt nicht gewaltsam gegen einen –«

»Ach, nein?« Brown grinste wie ein Totenschädel, ohne den Blick von Jamie abzuwenden, und begann, die Lederpeitsche zu lösen, die zusammengerollt an seinem Sattel hing. »Schade, dass wir keinen Teer haben. Aber sagen wir, eine ordentliche Tracht Prügel, und dann schicken wir sie beide wimmernd und nackt heim zum Gouverneur – das sollte reichen.«

Der zweite Fremde lachte und spuckte noch einmal aus, so dass der Speichelklecks klatschend zu Jamies Füßen landete.

»Aye, das ist gut. Ich höre, Ihr habt in Cross Creek die Menge ganz allein in Schach gehalten, Fraser – jetzt sind wir nur fünf gegen zwei, was haltet ihr von dieser Chance?«

Jamie hielt viel davon. Er ließ die Zügel los, die er in der Hand hatte, machte kehrt, warf sich brüllend zwischen die beiden Pferde und schlug sie auf die Flanken, dann stürzte er sich kopfüber in das Gebüsch am Straßenrand und kroch, so schnell er konnte, auf allen vieren über Wurzeln und Steine davon.

Hinter ihm stiegen die Pferde unter lautem Gewieher und drehten sich auf der Stelle, so dass sich Verwirrung und Angst unter den Pferden der Männer breit machten; er konnte Wut- und Alarmgeschrei hören, während sie versuchten, ihre durchgehenden Pferde wieder unter Kontrolle zu bekommen.

Er rutschte so schnell eine kleine Böschung hinunter, dass Erde und entwurzelte Pflanzen von seinen Füßen aufspritzten, verlor unten das Gleichgewicht und stürzte, sprang auf und rannte in einen Eichenhain, wo er sich schwer atmend hinter eine Wand aus Schößlingen quetschte.

Jemand war so geistesgegenwärtig – oder so wütend – gewesen, vom Pferd zu springen und ihm zu Fuß zu folgen; er konnte es in seiner Nähe rascheln und fluchen hören, lauter als die schwächeren Ausrufe des Durcheinanders auf der Straße. Er warf einen vorsichtigen Blick durch das Laub und sah Richard Brown. Zerzaust und ohne Hut sah er sich mit wilden Blicken um, die Pistole in der Hand.

Jeder Gedanke an eine Konfrontation verschwand; bis auf ein kleines Messer in seinem Strumpf war er unbewaffnet, und ihm war klar, dass Brown ihn auf der Stelle erschießen und auf Notwehr plädieren würde, wenn ihn die anderen fanden.

Am oberen Ende sah er etwas Rotes aufleuchten. Brown, der sich gerade in dieselbe Richtung wandte, sah es ebenfalls und feuerte. Woraufhin Donald MacDonald, der seinen Rock vorausschauend an einen Baum gehängt hatte, in Hemdsärmeln hinter Richard Brown aus seiner Deckung trat und Brown mit einem stabilen Ast auf den Kopf schlug.

Brown fiel betäubt auf die Knie, und Jamie glitt aus dem Hain und winkte MacDonald, der ihm mit aller Kraft entgegenrannte. Zusammen begaben sie sich tiefer in den Wald und warteten an einem Bach, bis eine lange Stille aus der Richtung der Straße darauf hindeutete, dass es wahrscheinlich ungefährlich war, einen Blick auf die Lage zu werfen.

Die Männer waren fort. MacDonalds Pferd ebenfalls. Gideon zog mit weiß umrandeten Augen und angelegten Ohren die Oberlippe hoch und quietschte sie aggressiv an. Seine gelben Zähne waren entblößt, und der Schaum flog ihm vom Maul. Brown und Konsorten hatten es sich zweimal überlegt, bevor sie ein tollwütiges Pferd stahlen, hatten ihn aber an einen Baum gebunden und es geschafft, sein Zaumzeug zu ruinieren, das ihm in Fetzen um den Hals hing. MacDonalds Schwert lag im Staub. Sie hatten es aus der Scheide gerissen und die Klinge entzweigebrochen.

MacDonald hob die Bruchstücke auf und betrachtete sie einen Moment, dann schob er sie kopfschüttelnd in seinen Gürtel.

»Meint Ihr, Jones könnte es flicken?«, fragte er. »Oder gehe ich besser nach Salisbury?«

»Wilmington oder New Bern«, sagte Jamie und wischte sich mit der Hand über den Mund. »Dai Jones ist nicht kunstfertig genug, um ein

Schwert zu flicken. Und nach allem, was ich höre, werdet Ihr in Salisbury nicht viele Freunde finden.« Salisbury war eine Hochburg der Regulatorenbewegung gewesen, und die regierungsfeindliche Stimmung dort hatte nicht nachgelassen. Sein Herz schlug jetzt wieder in seinem normalen Rhythmus, doch er hatte immer noch weiche Knie von seiner Flucht und der Konfrontation mit der Wut der anderen.

MacDonald nickte trostlos, dann heftete er seinen Blick auf Gideon.

»Kann man den reiten?«

»Nein.«

So aufgeregt, wie Gideon war, hätte Jamie es im Moment nicht einmal riskiert, ihn allein zu reiten, geschweige denn zu zweit und ohne Trense. Zumindest hatten sie das Seil an seinem Sattel hängen gelassen. Er schaffte es, dem Hengst eine Schlinge um den Hals zu legen, ohne gebissen zu werden, und sie setzten sich kommentarlos in Bewegung und kehrten zu Fuß nach Fraser's Ridge zurück.

»Höchst unglücklich«, merkte MacDonald irgendwann nachdenklich an. »Dass sie uns zusammen angetroffen haben. Meint Ihr, damit ist Eure Chance dahin, Euch in ihre Beratungen einzuschleichen? Ich hätte mein linkes Kronjuwel dafür gegeben, ein Auge und ein Ohr in dieser Zusammenkunft zu haben, von der sie gesprochen haben, das kann ich Euch versichern.«

Schwach verwundert begriff Jamie, dass er zwar seine spontane Erklärung abgegeben hatte, vor den Ohren des Mannes, dessen Sache er zu verraten gedachte, und dann beinahe von seinen neuen Verbündeten umgebracht worden wäre, deren Seite er zu unterstützen gedachte – dass ihm aber keine der beiden Seiten geglaubt hatte.

»Fragt Ihr Euch je, wie es sich anhört, wenn Gott lacht, Donald?«, fragte er nachdenklich.

MacDonald spitzte die Lippen und blickte zum Horizont, wo sich dunkle Wolken über den Bergkamm zu schieben begannen.

»Wie Donner, denke ich«, sagte er. »Meint Ihr nicht?«

Jamie schüttelte den Kopf.

»Nein. Ich glaube, es ist nur ein ganz leises Geräusch.«

66

Dunkelheit steigt auf

Ich hörte all die diversen Töne des Haushalts unter mir und das Brummeln von Jamies Stimme im Freien und fühlte mich absolut friedvoll. Ich beobachtete, wie sich das Sonnenlicht draußen auf den gelb werdenden Kastanienbäumen verlagerte, als der Klang von Schritten die Treppe heraufmarschiert kam, rhythmisch und entschlossen.

Die Tür flog auf, und Brianna kam herein, vom Wind zerzaust und mit leuchtendem Gesicht, das allerdings eine stählerne Miene trug. Sie blieb am Fußende meines Bettes stehen, richtete ihren langen Zeigefinger auf mich und sagte: »Es kommt nicht in Frage, dass du stirbst.«

»Oh?«, sagte ich und blinzelte. »Ich wusste gar nicht, dass ich das vorhatte.«

»Du hast es versucht!«, klagte sie mich an. »Das weißt du ganz genau!«

»Na ja, versucht kann man nicht direkt sagen...«, begann ich schwach. Ich hatte zwar nicht direkt versucht zu sterben, aber es stimmte auch, dass ich nicht richtig versucht hatte, es nicht zu tun. Ich muss ein schuldbewusstes Gesicht gemacht haben, denn ihre Augen verengten sich zu blauen Schlitzen.

»Mach das ja nicht noch einmal!«, sagte sie, fuhr mit wirbelndem blauem Umhang herum und stampfte hinaus. An der Tür blieb sie stehen, um mit erstickter Stimme »Weilichdichliebeundesohnedichnichtgeht« zu sagen, bevor sie die Treppe hinunterpolterte.

»Ich liebe dich auch, Schatz!«, rief ich, und die allzeit bereiten Tränen stiegen mir in die Augen, doch es kam keine Antwort außer dem Geräusch der Haustür, die sich schloss.

Adso, der in einem Kegel aus Sonnenlicht zu meinen Füßen auf der Tagesdecke döste, öffnete bei dem Lärm die Augen einen Millimeter breit, dann versenkte er den Kopf wieder zwischen seinen Schultern und schnurrte noch lauter.

Ich legte mich auf das Kissen zurück. Ich fühlte mich zwar um einiges weniger friedvoll, aber sehr viel lebendiger. Einen Moment später setzte ich mich auf, schlug die Bettdecke zurück und schwang die Beine aus dem Bett. Adsos Schnurren verstummte abrupt.

»Keine Sorge«, sagte ich zu ihm. »Ich werde nicht umfallen; deine Versorgung mit Milch und Futter ist gesichert. Halt das Bett für mich warm.«

Natürlich war es nicht das erste Mal, dass ich aufstand, und man hatte mir sogar schon kurze Ausflüge ins Freie gestattet, bei denen ich mit Argusaugen beobachtet wurde. Aber seit meiner Erkrankung hatte mich niemand mehr versuchen lassen, allein irgendwo hinzugehen, und ich war mir einigermaßen sicher, dass sie es auch jetzt nicht zulassen würden.

Daher stahl ich mich auf Strümpfen nach unten, die Schuhe in der Hand. Und anstatt durch die Haustür zu gehen, deren Scharniere quietschten, oder durch die Küche, wo Mrs. Bug arbeitete, schlüpfte ich in mein Sprechzimmer, öffnete das Fenster, und kletterte vorsichtig hinaus – nachdem ich mich vergewissert hatte, dass sich die weiße Sau nicht unten herumtrieb.

Ich fühlte mich wie beschwipst, entwischt zu sein, und dieses Hochgefühl trug mich ein Stück des Weges. Danach war ich gezwungen, alle hundert Meter anzuhalten, mich hinzusetzen und nach Luft zu schnappen, während meine Beine wieder zu Kräften kamen. Doch ich gab nicht auf und schaffte es schließlich zur Hütte der Christies.

Es war niemand zu sehen, und auch auf mein zögerliches »Hallo!« kam keine Antwort, doch als ich an die Tür klopfte, hörte ich, wie mich Toms Stimme schroff und antriebslos hereinbat.

Er saß am Tisch und schrieb, doch seinem Aussehen nach gehörte er dringend ins Bett. Bei meinem Anblick bekam er große Augen und versuchte hastig, sein schäbiges Schultertuch gerade zu ziehen.

»Mrs. Fraser! Seid Ihr – das heißt – was in Gottes Namen …« Der Sprache beraubt, zeigte er mit dem Finger auf mich, und seine Augen waren so groß wie Untertassen. Ich hatte beim Eintreten meinen breitkrempigen Hut ausgezogen und vorübergehend vergessen, dass ich größte Ähnlichkeit mit einer aufgeregten Flaschenbürste hatte.

»Oh«, sagte ich und strich mir befangen mit der Hand über den Kopf. »Das. Ihr solltet Euch freuen; ich versetze die Öffentlichkeit nicht in Entrüstung, indem ich meine wallenden Locken zur Schau stelle.«

»Ihr seht aus wie ein Sträfling«, sagte er unverblümt. »Setzt Euch.«

Das tat ich, denn ich konnte den Hocker, den er mir anbot, nach dem anstrengenden Fußweg gut brauchen.

»Wie geht es Euch?«, erkundigte ich mich und musterte ihn scharf. Das Licht im Inneren der Hütte war sehr schlecht; er hatte beim Schein einer Kerze geschrieben, die er bei meinem Auftauchen gelöscht hatte.

»Wie es mir geht?« Meine Frage schien ihn zugleich zu erstaunen und zu verärgern. »Ihr seid den ganzen Weg hierher gelaufen, in gefährlich geschwächtem Zustand, um Euch nach meiner Gesundheit zu erkundigen?«

»Wenn Ihr es so ausdrücken wollt«, erwiderte ich, schwer verärgert über das ›gefährlich geschwächt‹. »Ich gehe nicht davon aus, dass Ihr hinaus ins Licht treten möchtet, damit ich einen genauen Blick auf Euch werfen kann, oder?«

Er zog sich die Enden seines Schultertuchs schützend über die Brust.

»Warum?« Er sah mich stirnrunzelnd an, und seine Augenbrauen zogen sich zusammen, was ihm das Aussehen einer aufgebrachten Eule verlieh.

»Weil ich ein paar Dinge über Euren Gesundheitszustand wissen möchte«, erwiderte ich geduldig, »und Euch zu untersuchen, ist wahrscheinlich der beste Weg, sie herauszufinden, da Ihr ja nicht in der Lage zu sein scheint, mir etwas zu erzählen.«

»Ihr seid wirklich unverantwortlich, Madam!«

»Nein, ich bin Ärztin«, konterte ich. »Und ich möchte wissen –« Eine kurze Welle des Schwindels überkam mich, und ich beugte mich über den Tisch und hielt mich fest, bis sie vorüber war.

»Ihr habt den Verstand verloren«, stellte er fest, nachdem er mich einen Moment genau beobachtet hatte. »Außerdem seid Ihr, glaube ich, immer noch krank. Bleibt hier; ich rufe meinen Sohn, damit er Euren Mann holt.«

Ich wedelte ihn mit der Hand weg und holte tief Luft. Mein Herz raste, und ich war ein wenig blass und verschwitzt, aber im Grunde fehlte mir nichts.

»Die Sache ist die, Mr. Christie, dass ich zwar sicherlich krank gewesen *bin*, aber nicht dieselbe Krankheit hatte wie die Menschen in Fraser's Ridge – und nach allem, was Malva mir berichten konnte, hattet Ihr sie auch nicht.«

Er hatte sich erhoben, um hinauszugehen und Allan zu rufen; bei diesen Worten blieb er stehen und starrte mich mit offenem Mund an. Dann ließ er sich langsam wieder auf seinen Stuhl sinken.

»Wie meint Ihr das?«

Jetzt, da er mir endlich zuhörte, breitete ich gern die Tatsachen vor ihm aus; ich hatte sie griffbereit, nachdem ich im Lauf der letzten Tage ausführlich darüber nachgedacht hatte.

Es hatten zwar mehrere Familien in Fraser's Ridge verheerend an Amöbenruhr gelitten, ich jedoch nicht. Ich hatte lebensgefährlich hohes Fieber gehabt, begleitet von schrecklichen Kopfschmerzen und – soweit ich dies Malvas aufgeregtem Bericht entnehmen konnte – Krämpfen. Aber es war mit Sicherheit keine Durchfallerkrankung gewesen.

»Seid Ihr Euch da sicher?« Er spielte stirnrunzelnd mit seinem abgelegten Gänsekiel.

»Es ist sehr schwer, die Ruhr mit fiebrigen Kopfschmerzen zu verwechseln«, sagte ich knapp. »Also – hattet Ihr Durchfall?«

Er zögerte einen Moment, doch dann siegte seine Neugier.

»Nein«, sagte er. »Es war so, wie Ihr gesagt habt – Kopfschmerzen, dass ich dachte, mein Schädel birst, und Fieber. Große Schwäche und ... außergewöhnlich unangenehme Träume. Ich hatte keine Ahnung, dass es nicht dieselbe Krankheit war, die die anderen hatten.«

»Dazu gab es auch keinen Grund, nehme ich an. Ihr habt ja keinen von ihnen gesehen. Es sei denn – hat Euch Malva die Krankheit beschrieben?«, fragte ich aus reiner Neugier, doch er schüttelte den Kopf.

»Ich wünsche, nichts von solchen Dingen zu hören; sie erzählt sie mir nicht. Dennoch, warum seid Ihr hier?« Er legte den Kopf schief und kniff die Augen zusammen. »Was ändert es, ob Ihr und ich Fieber hattet anstatt Durchfall. Oder sonst jemand?« Er schien sehr aufgewühlt zu sein; er stand auf und spazierte auf eine ziellose Weise durch die Hütte, die seinen üblichen entschlossenen Bewegungen gar nicht ähnlich war.

Ich seufzte und rieb mir mit der Hand über die Stirn. Ich hatte erfahren, was ich wollte; zu erklären, warum ich es wissen wollte, würde einen Kraftakt bedeuten. Es war schwierig genug gewesen, Jamie, Ian und Malva dazu zu bringen, die Theorie der Krankheitserreger zu akzeptieren, und das, obwohl mir im Mikroskop sichtbare Beweise zur Verfügung standen.

»Seuchen sind ansteckend«, sagte ich ein wenig müde. »Eine Person gibt sie an die nächste weiter – manchmal direkt, manchmal über ein Nahrungsmittel oder Wasser, das sich ein Kranker mit einem Gesunden teilt. Die Menschen, die den Durchfall hatten, leben alle in der Nähe einer bestimmten kleinen Quelle; ich habe Grund zu der Annahme, dass es das Wasser dieser Quelle war, das die Amöben enthielt – das sie krank gemacht hat. Ihr und ich dagegen – ich habe Euch seit Wochen nicht mehr gesehen. Und ich bin auch nicht in die Nähe eines Fieberkranken gekommen. Wie ist es da möglich, dass wir beide dieselbe Krankheit bekommen haben?«

Er starrte mich verblüfft und immer noch stirnrunzelnd an.

»Ich wüsste nicht, warum zwei Menschen nicht krank werden sollten, ohne einander zu sehen. Natürlich kenne ich Krankheiten, wie Ihr sie beschreibt; das Gefängnisfieber zum Beispiel breitet sich unter beengten Umständen aus – aber es verhalten sich doch sicherlich nicht alle Krankheiten gleich?«

»Nein, das tun sie nicht«, räumte ich ein. Mein Zustand erlaubte es mir ebenfalls nicht, ihm die Grundlagen der Epidemiologie oder der Hygiene zu erklären. »Es ist zum Beispiel möglich, dass Krankheiten durch Moskitos übertragen werden. Malaria zum Beispiel.« Einige Formen viraler Meningitis ebenfalls – die Krankheit, von der ich vermutlich gerade genesen war.

»Wisst Ihr, ob Ihr in letzter Zeit von einer Mücke gestochen worden seid?«

Er starrte mich an, dann stieß er ein kurzes Bellen aus, das ich als Gelächter interpretierte.

»Meine werte Dame, in diesem schwärenden Klima wird jeder während der heißen Jahreszeit ständig gestochen.« Er kratzte sich wie automatisch am Bart.

Das stimmte. Jeder außer mir und Roger. Hin und wieder unternahm ein verzweifeltes Insekt einen Versuch, doch im Großen und Ganzen blieben wir ungestochen, selbst wenn eine absolute Mückenplage herrschte und sich ringsum alles kratzte. Ich hegte die Theorie, dass sich blutsaugende Mücken im Lauf der Jahre in solcher Nähe zu den Menschen entwickelt hatten, dass Roger und ich für sie einfach nicht richtig rochen, da wir aus einer zu weit entfernten Zeit stammten. Brianna und Jemmy, die mein Genmaterial besaßen, aber auch Jamies, wurden zwar gestochen, aber nicht so häufig wie die meisten anderen.

Ich konnte mich nicht entsinnen, in letzter Zeit gestochen worden zu sein, doch es war gut möglich, dass es geschehen war und ich einfach zu beschäftigt gewesen war, um es zu bemerken.

»Warum interessiert Euch das?«, fragte Christie, der jetzt nur noch verwundert zu sein schien.

»Ich weiß es nicht. Ich – muss es einfach herausfinden.« Außerdem musste ich aus dem Haus kommen, und ich musste mich daran begeben, mein Leben wieder für mich zu beanspruchen, und zwar auf die direkteste Weise, die mir zur Verfügung stand – die medizinische Praxis. Aber das gehörte nicht zu den Dingen, die ich mit Tom Christie zu teilen plante.

»Hmpf«, sagte er. Er stand stirnrunzelnd und unentschlossen da und blickte auf mich nieder, dann streckte er plötzlich eine Hand aus – es war die Hand, die ich operiert hatte, wie ich sah; das »Z« des Einschnitts war zu einem gesunden Hellrosa verblasst, und die Finger waren gerade.

»Dann kommt mit hinaus«, sagte er resigniert. »Ich bringe Euch nach Hause, und wenn Ihr darauf besteht, mir unterwegs störende und aufdringliche Fragen über meine Gesundheit zu stellen, kann ich Euch wohl nicht daran hindern.«

Verblüfft nahm ich seine Hand, deren Griff sich trotz seines eingefallenen Gesichts und seiner hängenden Schultern als fest und zielsicher erwies.

»Ihr braucht mich nicht nach Hause zu bringen«, protestierte ich. »Eurem Aussehen nach solltet Ihr im Bett sein!«

»Ihr aber auch«, sagte er und führte mich mit einer Hand auf meinem Arm zur Tür. »Aber wenn Ihr beschließt, Eure Gesundheit und Euer Leben durch solch unangemessene Anstrengungen zu gefährden – nun, dann kann ich das ebenfalls. Allerdings bestehe ich darauf«, fügte er streng hinzu, »dass Ihr Euren Hut aufsetzt, bevor wir gehen.«

Mit vielen Pausen schafften wir es zurück zum Haus, wo wir keuchend, schweißtriefend und ganz aufgekratzt von unserem Abenteuer eintrafen. Niemand hatte mich vermisst, doch Mr. Christie bestand darauf, mich innen abzuliefern, was bedeutete, dass alle meine Abwesenheit nachträglich bemerkten, und irrational, wie die Menschen sind, prompt sehr verärgert reagierten.

Ich wurde von allen gescholten, die in Sichtweite waren, einschließlich Ians, dann wurde ich buchstäblich am Hemdkragen nach oben geführt und mit Gewalt wieder ins Bett gesteckt, wo ich, wie man mir zu verstehen gab, mit viel Glück Brot und Milch zum Abendessen bekommen würde. Das Ärgerlichste an der ganzen Situation war Thomas Christie, der mit einem Bierkrug am Fuß der Treppe stand und verfolgte, wie ich abgeführt wurde. Dabei hatte er das einzige Grinsen aufgesetzt, das ich je in seinem haarigen Gesicht gesehen hatte.

»Was in Gottes Namen ist nur in dich gefahren, Sassenach?« Jamie schlug mit einem Ruck die Bettdecke zurück und wies ohne Umschweife auf die Laken.

»Nun, ich habe mich gut gefühlt und –«

»Gut! Dein Gesicht hat die Farbe verdorbener Buttermilch, und du zitterst so, dass du kaum – warte, lass mich das machen.« Unter verächtlichem Schnauben schob er meine Hände von den Schnüren meiner Unterröcke fort, die er mir in Sekunden auszog.

»Hast du den Verstand verloren?«, wollte er wissen. »Und dann auch noch so davonzuschleichen, ohne es jemandem zu sagen! Was, wenn du gestürzt wärst? Was, wenn dir wieder unwohl geworden wäre?«

»Wenn ich es jemandem gesagt hätte, hätte man mich nicht gehen lassen«, meinte ich nachsichtig. »Und ich *bin* Ärztin, weißt du. Ich kann ja wohl meinen eigenen Gesundheitszustand beurteilen.«

Er warf mir einen Blick zu, der mir ausdrücklich nahe legte, dass er mir nicht einmal zutraute, die Farbe der Vorhänge zu beurteilen. Doch er schnaubte nur noch lauter als gewöhnlich.

Dann hob er mich auf, trug mich zum Bett und bugsierte mich sanft hinein – legte dabei allerdings hinreichend unterdrückte Kraft an den Tag, um mich wissen zu lassen, dass er mich am liebsten aus großer Höhe fallen gelassen hätte.

Dann richtete er sich auf und funkelte mich unheilvoll an.

»Wenn du nicht so aussehen würdest, als würdest du gleich in Ohnmacht fallen, Sassenach, würde ich dich umdrehen und dir den Hintern versohlen, das schwöre ich dir.«

»Das kannst du nicht«, sagte ich schwach. »Ich habe keinen.« Ich war tatsächlich ein wenig müde… nun ja, um ehrlich zu sein, schlug mein Herz wie eine Kesselpauke, in meinen Ohren klingelte es, und wenn ich mich nicht sofort flach hinlegte, *würde* ich wahrscheinlich in Ohnmacht fallen. Also tat ich das und lag mit geschlossenen Augen da, während sich das Zimmer geruhsam um mich drehte wie ein Karussell, inklusive blinkender Lichter und Kirmesmusik.

Inmitten dieser verwirrenden Wahrnehmungen spürte ich irgendwo Hände auf meinen Beinen, und es breitete sich eine angenehme Kühle über meinen überhitzten Körper. Dann umhüllte etwas Warmes meinen Kopf wie eine Wolke, und ich schlug wild mit den Händen um mich, um mich davon zu befreien, bevor ich erstickte.

Als ich blinzelnd und keuchend daraus zum Vorschein kam, warf ich einen kurzen Blick auf meine weißen, schlaffen, knochigen Überreste und riss das Laken an mich, um es über mich zu ziehen. Jamie hatte sich gebückt, um mein abgelegtes Kleid, meine Unterröcke und meine Jacke vom Boden aufzulesen und legte sie über das Hemd, das er zusammengefaltet über dem Arm trug. Er nahm meine Schuhe und Strümpfe und steckte sie in seine Tasche.

»Du«, sagte er und zeigte anklagend mit seinem langen Finger auf mich, »du gehst nirgendwo hin. Es ist verboten, dass du dich umbringst, drücke ich mich klar aus?«

»Oh, daher hat Brianna das also«, murmelte ich und versuchte, das Schwindelgefühl abzustellen. Ich schloss die Augen wieder.

»Ich meine, mich an eine gewisse Abtei in Frankreich zu erinnern«, sagte ich. »Und an einen ziemlich sturen jungen Mann, der sehr krank war. Und an seinen Freund Murtagh, der seine Kleider an sich genommen hat, um zu verhindern, dass er aufstand und davonspazierte, bevor er wieder gesund war.«

Schweigen. Ich öffnete ein Auge. Er stand reglos da, und das verblassende Licht aus dem Fenster schlug Funken in seinem Haar.

»Woraufhin du«, sagte ich im Konversationston, »wenn ich mich recht entsinne, prompt aus einem Fenster geklettert bist und dich davongemacht hast. Nackt. Mitten im Winter.«

Die steifen Finger seiner rechten Hand klopften zweimal gegen sein Bein.

»Ich war vierundzwanzig«, wandte er schließlich schroff ein. »Niemand hat von mir erwartet, dass ich vernünftig bin.«

»Dem kann ich nicht widersprechen«, versicherte ich ihm. Ich öffnete das andere Auge und fixierte ihn mit beiden. »Aber du weißt, warum ich es getan habe. Ich musste es.«

Er holte tief Luft und legte meine Kleider hin. Dann trat er zum Bett und setzte sich neben mich, so dass das hölzerne Bettgestell unter seinem Gewicht ächzte und stöhnte.

Er nahm meine Hand und hielt sie fest, als sei sie etwas Kostbares und Zerbrechliches. Das war sie auch – zumindest sah sie zerbrechlich *aus*, ein zartes Konstrukt aus transparenter Haut und dem Schatten der Knochen darunter. Er fuhr sanft mit dem Daumen über meinen Handrücken und zeichnete die Knochen von den Fingergliedern bis zur Elle nach, und eine ferne Erinnerung überkam mich wie ein seltsames Kribbeln; die Vision meiner eigenen Knochen, die blau durch die Haut hindurchschimmerten, und Master Raymonds Hand, die meine entzündete, leere Gebärmutter umfasste und durch die Nebel des Fiebers zu mir sprach. »Ruft ihn. Ruft den roten Mann.«

»Jamie«, sagte ich ganz leise. Sonnenlicht blitzte auf dem Metall meines silbernen Eherings auf. Er nahm den Ring zwischen Daumen und Zeigefinger und ließ den kleinen Metallreif sanft an meinem Finger auf und ab gleiten. Er saß so lose, dass er nicht einmal an meinem Fingerknöchel hängenblieb.

»Sei vorsichtig«, sagte ich. »Ich möchte ihn nicht verlieren.«

»Das wirst du auch nicht.« Er faltete meine Finger, und seine große Hand schloss sich warm um die meine.

Eine Zeit lang saß er schweigend da, und wir sahen zu, wie der Streifen Sonnenlicht langsam über die Fensterbank kroch. Adso war ihm gefolgt, um in seiner Wärme zu bleiben; das Licht ließ seine Haarspitzen silbern aufglänzen, und die winzigen Härchen, die seine Ohren umrahmten, malten sich deutlich ab.

»Was für ein Luxus es ist«, sagte er schließlich, »die Sonne auf- und untergehen zu sehen. Als ich in der Höhle gelebt habe oder im Gefängnis war, hat es mir Hoffnung geschenkt, das Licht kommen und gehen zu sehen und zu wissen, dass sich die Welt weiterdrehte.«

Er starrte zum Fenster hinaus in die Ferne, wo sich der Himmel in Richtung Unendlichkeit verdunkelte. Seine Kehle regte sich sacht, als er schluckte.

»Dasselbe Gefühl habe ich, Sassenach«, sagte er, »wenn ich dich in deinem Sprechzimmer rascheln höre, wenn du dort mit Gegenständen klapperst und vor dich hin fluchst.« Jetzt wandte er mir den Kopf zu, um mich anzusehen, und in seinen Augen lag die Tiefe der kommenden Nacht.

»Wenn du nicht länger da wärst – oder zumindest irgendwo –«, sagte er ganz leise, »dann würde die Sonne nicht länger auf- oder untergehen.« Er hob meine Hand und küsste sie sanft. Er schloss sie um den Ring, legte sie auf meine Brust, erhob sich und ging.

Jetzt schlief ich leicht und wurde nicht länger in die wilde Welt der Fieberträume geschleudert oder in den Brunnenschacht des Vergessens gesogen, während mein Körper im Schlaf nach Heilung suchte. Ich wusste nicht, was mich aufgeweckt hatte, aber ganz plötzlich *war* ich wach, geistesgegenwärtig und frisch, ohne schläfrigen Übergang.

Die Fensterläden waren geschlossen, doch es war Vollmond; sanftes Licht streifte das Bett. Ich fuhr mit der Hand neben mir über das Laken, hob sie weit über meinen Kopf. Mein Arm war ein schlanker blasser Stiel, blutleer und zerbrechlich wie der eines Pilzes; meine Finger bogen sich leicht und spreizten sich dann, ein Netz, um die Dunkelheit zu fangen.

Ich konnte Jamie atmen hören. Er lag an seiner üblichen Stelle auf dem Boden neben dem Bett.

Ich ließ meinen Arm sinken und strich mit beiden Händen leicht über meinen Körper, um mir ein Bild von meinem Zustand zu machen. Die Brust eine winzige Aufwölbung, Rippen, die ich zählen konnte, eins, zwei, drei, vier, fünf und die glatte Höhlung meines Bauches, die sich wie eine Hängematte zwischen meinen Hüftknochen spannte. Haut und Knochen. Nicht viel mehr.

»Claire?« In der Dunkelheit neben dem Bett regte sich etwas, und Jamies Kopf erhob sich, eine Präsenz, die ich mehr spürte als sah, so dunkel war der Schatten dort im Kontrast zum Schein des Mondes.

Eine große dunkle Hand tastete über die Bettdecke und berührte meine Hüfte.

»Geht es dir nicht gut, *a nighean*?«, flüsterte er. »Brauchst du irgendetwas?«

Er war müde; sein Kopf lag an meiner Seite auf dem Bett, sein warmer Atem durchdrang mein Hemd. Wäre er nicht warm gewesen, seine Berührung, sein Atem, hätte ich den Mut vielleicht nicht gehabt, aber ich fühlte mich so kalt und körperlos wie der Mondschein, und so schloss ich meine Geisterhand um die seine und flüsterte: »Ich brauche dich.«

Im ersten Moment war er völlig still, während er sich langsam zusammenreimte, was ich gesagt hatte.

»Werde ich dich nicht beim Schlafen stören?«, fragte er skeptisch. Ich zog als Antwort an seinem Handgelenk, und er kam zu mir, als stiege er aus einem dunklen Teich auf, und das Mondlicht überspülte ihn in schmalen Streifen wie Wasser.

»*Kelpie*«, sagte ich leise.

Seine Antwort war ein leises Prusten, und er ließ sich befangen und vorsichtig unter die Bettdecke gleiten. Die Matratze gab unter seinem Gewicht nach.

Wir lagen sehr scheu nebeneinander und berührten uns kaum. Er atmete flach, damit mich seine Gegenwart so wenig störte wie möglich. Abgesehen vom leisen Rascheln der Laken war das Haus still.

Schließlich spürte ich einen großen Finger, der sanft gegen meinen Oberschenkel stieß.

»Du hast mir gefehlt, Sassenach«, flüsterte er.

Ich drehte mich auf die Seite, so dass ich ihn ansah, und küsste ihn als Antwort auf den Arm. Am liebsten wäre ich näher an ihn herangerückt, hätte meinen Kopf an seine Schulter gelegt und in seinem Arm gelegen, doch die Vorstellung, dass mein kurzes Stoppelhaar seine Haut berührte, hielt mich davon ab.

»Du hast mir auch gefehlt«, sagte ich an seinen dunklen Arm gerichtet.

»Dann soll ich dich nehmen?«, sagte er leise. »Möchtest du das wirklich?« Mit einer Hand streichelte er meinen Arm; die andere wanderte abwärts, und mit langsamen, rhythmischen Bewegungen begann er, sich bereit zu machen.

»Lass mich«, flüsterte ich und gebot seiner Hand mit der meinen Einhalt. »Lieg still.«

Zuerst liebte ich ihn heimlich wie ein Dieb, der mit hastigen Handbewegungen und winzigen Küssen Gerüche, Berührungen, Wärme und Salzgeschmack stiehlt. Dann legte er mir die Hand in den Nacken und presste mich dichter, tiefer an sich.

»Ganz ruhig, mein Herz«, flüsterte er heiser. »Ich gehe nirgendwo hin.«

Ich ließ einen Schauer wortloser Belustigung über mich hinwegziehen, und er holte sehr tief Luft, als ich sanft meine Zähne um ihn schloss und meine Hand unter den warmen Moschusduft seiner Hoden gleiten ließ.

Dann erhob ich mich über ihn, schwindelig von der plötzlichen Bewegung, von drängendem Verlangen erfasst. Wir seufzten beide tief, als es geschah, und ich spürte den Atemhauch seines Lachens auf meinen Brüsten, als ich mich über ihn beugte.

»Du hast mir gefehlt, Sassenach«, flüsterte er noch einmal.

Ich scheute seine Berührung, verändert, wie ich war, und ließ nicht zu, dass er mich zu sich hinunterzog. Er versuchte es nicht, sondern schob seine Faust zwischen uns.

Der Gedanke, dass mein Schamhaar länger war als das Haar auf meinem Kopf, versetzte mir einen kurzen Stich – doch dieser Gedanke wurde durch den gemächlichen Druck der Faust zwischen meinen Beinen vertrieben, die sich sanft vor und zurück bewegte.

Ich packte seine andere Hand und hob sie an meinen Mund, saugte fest an seinen Fingern, einen nach dem anderen, und erschauerte, mit aller Kraft an seine Hand geklammert.

Ich umklammerte sie immer noch, als ich einige Zeit später neben ihm lag. Oder vielmehr hielt ich sie und bewunderte ihre unsichtbare Form, die komplex und elegant im Dunklen lag, und die harte glatte Schwielenschicht auf Handflächen und Knöcheln.

»Ich habe Hände wie ein Maurer«, sagte er und lachte ein wenig, als ich meine Lippen sacht über die rauen Knöchel und die empfindsamen Spitzen seiner Finger gleiten ließ.

»Schwielen an Männerhänden sind zutiefst erotisch«, beruhigte ich ihn.

»Ist das so?« Seine freie Hand fuhr leicht über meinen kurz geschorenen Kopf und meinen Rücken. Ich erschauerte und drückte mich dichter an ihn. Meine Befangenheit geriet allmählich in Vergessen. Ich wanderte meinerseits mit der freien Hand an seinem Körper entlang und spielte mit dem weichen, drahtigen Büschel seiner Haare und seinem empfindlichen, feuchten, halb aufgerichteten Glied.

Er bäumte ein wenig den Rücken auf, dann entspannte er sich.

»Nun, eins sage ich dir, Sassenach«, sagte er. »Wenn ich *da* keine Schwielen habe, dann ist das nicht dein Verdienst, glaube es mir.«

67

Wer zuletzt lacht

Es war eine alte Muskete, vor etwa zwanzig Jahren hergestellt, aber gut gepflegt. Der Kolben war vom vielen Anfassen poliert, das Holz wunderbar glatt und das Metall des Laufs matt glänzend und sauber.

Standing Bear umklammerte das Gewehr ekstatisch. Er ließ seine Finger ehrfürchtig über den glänzenden Lauf gleiten und hob sie dann an seine Nase, um das betäubende Parfum von Öl und Schießpulver zu riechen. Dann winkte er seinen Freunden zu, auch einmal daran zu riechen.

Fünf Herren hatten Musketen aus der wohltätigen Hand von *Bird-who-sings-in-the-morning* erhalten, und ein Gefühl der Wonne durchlief das Haus und breitete sich wellenförmig im Dorf aus. *Bird* selbst, der immer noch fünfundzwanzig Musketen zu vergeben hatte, war trunken vom Gefühl des unschätzbaren Reichtums und der Macht. Daher war er in der Stimmung, alles und jeden willkommen zu heißen.

»Dies ist Hiram Crombie«, sagte Jamie auf Tsalagi zu *Bird* und wies auf Mr. Crombie, der blass und nervös neben ihm gestanden hatte, während das Vorgeplänkel stattfand, Jamie die Musketen präsentierte, die Krieger zusammengerufen wurden und allgemeiner Jubel über die Gewehre ausbrach. »Er ist hier, um Euch seine Freundschaft anzubieten und Euch Geschichten von Christus zu erzählen.«

»Oh, Euer Christus? Der in die Unterwelt gegangen und zurückgekommen ist? Ich habe mich oft gefragt, ob er dort *Sky-woman* getroffen hat oder *Mole*. Ich bin *Mole* sehr verbunden; ich wüsste gern, was er gesagt hat.« *Bird* berührte den steinernen Anhänger, den er um den Hals trug, eine kleine rote gemeißelte Abbildung von *Mole*, dem Führer in die Unterwelt.

Mr. Crombie hatte die Stirn gerunzelt, doch zum Glück hatte er noch keinerlei Gewandtheit im Umgang mit der Tsalagisprache entwickelt; er war noch nicht über das Stadium hinaus, in dem er jedes Wort im Kopf ins Englische übersetzte, und *Bird* sprach sehr schnell. Und Ian hatte keine Gelegenheit gehabt, Hiram das Wort für *Mole* beizubringen.

Jamie hustete.

»Er wird Euch sicher mit Freuden sämtliche Geschichten erzählen, die er kennt«, überbrückte er den Moment auf Englisch, »Tsisqua heißt Euch willkommen.«

Birds Frau Penstemon blähte ein wenig die Nasenlöcher; Crombie schwitzte vor Nervosität und stank wie eine Ziege. Er verbeugte sich ernst, überreichte *Bird* das gute Messer, das er als Geschenk mitgebracht hatte, und rezitierte dabei langsam die Begrüßungsansprache, die er auswendig gelernt hatte. Und das gar nicht so schlecht, dachte Jamie; er hatte nur ein paar Wörter falsch ausgesprochen.

»Ich komme, um Euch g-große Freude zu bringen«, beendete er seine Rede stotternd.

Bird sah Crombie – schmächtig, sehnig und triefend nass – eine lange Minute unergründlich an, dann richtete er den Blick wieder auf Jamie.

»Ihr seid ein lustiger Mann, Bärentöter«, sagte er resigniert. »Lasst uns essen!«

Es war Herbst; die Ernte war eingebracht, und die Jagd war gut. Und so wurde das Fest der Gewehre ein denkwürdiger Anlass, bei dem Wapitihirsch und Wildschwein dampfend aus Erdgruben gehoben und über prasselnden Feuern gebraten wurden, mit überquellenden Tellern voll Mais und gebratenem Kürbis, schüsselweise mit Zwiebeln und Koriander gewürzten Bohnen und Gemüseeintopf und dutzendweise kleinen Fischen, in Maismehl gewälzt, in Bärenfett gebraten, ihr Fleisch knusprig und süß.

Mr. Crombie, der anfangs sehr steif gewesen war, begann unter dem Einfluss des Essens, des Biers und der schmeichelhaften Aufmerksamkeit, die ihm zuteil wurde, aufzutauen. Einen gewissen Teil dieser Aufmerksamkeit, dachte Jamie, verdankte er der Tatsache, dass Ian eine Zeit lang bei seinem Schüler blieb und ihn breit grinsend ermutigte und verbesserte, bis Hiram die Sprache leichter über die Lippen ging und er allein zurechtkam. Ian erfreute sich großer Beliebtheit, vor allem bei den jungen Frauen des Dorfes.

Er selbst genoss das Fest in vollen Zügen; nun, da er seiner Verantwortung enthoben war, blieb ihm nichts mehr zu tun als zu reden und zuzuhören und zu essen – und am Morgen würde er gehen.

Es war ein seltsames Gefühl, und er war sich nicht sicher, es schon einmal empfunden zu haben. Er hatte schon viele Abschiede erlebt, meistens bedauernd, manchmal mit einem Gefühl der Erleichterung, ein paar, die ihm das Herz aus der Brust rissen und ihn bluten ließen. Nicht heute Abend. Alles erschien ihm seltsam zeremoniös, etwas, das er bewusst zum letzten Mal tat, und doch lag keine Traurigkeit darin.

Es war wohl eher ein Gefühl der Vollendung. Er hatte getan, was er konnte und nun musste er es *Bird* und den anderen überlassen, ihren eigenen Weg zu gehen. Vielleicht würde er einmal wiederkommen, jedoch nie wieder im Dienst, in seiner Rolle als Agent des Königs.

Dies allein war ein merkwürdiger Gedanke. Er hatte noch nie ohne das Bewusstsein gelebt, Untertan eines Königs zu sein – ob freiwillig oder nicht, ob er sich darüber Gedanken machte oder nicht ... ob es das Haus des Deutschen Geordie war oder die Stuarts. Und jetzt tat er es.

Zum ersten Mal bekam er eine Ahnung von dem, was seine Frau und seine Tochter ihm zu erklären versucht hatten.

Er begriff, dass Hiram Anlauf nahm, einen der Psalmen zu rezitieren. Er machte seine Sache nicht schlecht, denn er hatte Ian gebeten, den Text zu übersetzen, und hatte ihn dann sorgfältig auswendig gelernt. Allerdings ...

»Öl läuft ihm über Kopf und Bart.«

Penstemon warf einen argwöhnischen Blick auf den kleinen Topf mit geschmolzenem Bärenfett, das sie zum Kochen benutzten, und beobachtete Hiram mit zusammengekniffenen Augen, wohl um ihm das Gefäß aus der Hand zu reißen, falls er versuchte, es über seinem Kopf auszugießen.

»Es ist eine Geschichte über seine Vorfahren«, sagte Jamie mit einem kleinen Achselzucken zu ihr. »Nicht seine eigene Sitte.«

»Oh. Hm.« Sie entspannte sich ein wenig, ließ Hiram aber nach wie vor nicht aus den Augen. Er war zwar Gast, aber man konnte sich nicht darauf verlassen, dass sich alle Gäste gut benahmen.

Doch Hiram unternahm nichts Unziemliches, und obwohl er immer wieder versicherte, satt zu sein, und seinen Gastgebern ungeschickte Komplimente machte, überredete man ihn zu essen, bis seine Augen vorquollen, was die Indianer freute.

Ian würde ein paar Tage bleiben, um sicherzugehen, dass Hiram und *Birds* Leute miteinander auskamen. Allerdings war sich Jamie nicht ganz sicher, dass Ians Sinn für Humor nicht die Oberhand über sein Verantwortungsgefühl erlangen würde – in mancher Hinsicht ähnelte Ians Sinn für

Humor dem der Indianer. Womöglich wäre es daher kein Fehler, wenn Jamie etwas zur Verständigung beitrug.

»Er hat eine Frau«, sagte Jamie zu *Bird* und wies kopfnickend auf Hiram, der jetzt in ein angeregtes Gespräch mit zweien der älteren Männer vertieft war. »Ich glaube, er würde eine junge Frau in seinem Bett nicht willkommen heißen. Möglich, dass er unhöflich zu ihr wäre, weil er das Kompliment nicht versteht.«

»Keine Sorge«, sagte Penstemon, die dies mitbekam. Sie blickte in Hirams Richtung und verzog verächtlich die Lippen. »Niemand würde ein Kind von *ihm* wollen. Ein Kind von *Euch* dagegen, Bärentöter …« Sie warf ihm mit gesenkten Lidern einen langen Blick zu, und er lachte und salutierte ihr mit einer Geste des Respekts.

Es war eine perfekte Nacht, kalt und klar, und die Tür stand offen, damit Luft hereinkam. Der Rauch des Feuers stieg gerade und weiß zu dem Loch in der Decke auf wie Geister, die sich froh erheben.

Jedermann hatte gegessen und getrunken, bis ihn angenehme Müdigkeit überkam, und vorübergehend herrschte Stille und ein allgemeines Gefühl des Friedens und des Glücks.

»Es ist gut, wenn Männer als Brüder essen«, sagte Hiram in seinem stockenden Tsalagi zu *Standing Bear*. Zumindest versuchte er es. Und schließlich, so dachte Jamie, der seine Rippen von der Anstrengung ächzen spürte, war der Unterschied zwischen »als Brüder« und »ihre Brüder« wirklich nicht sehr groß.

Standing Bear warf Hiram einen nachdenklichen Blick zu und rückte ein Stückchen weiter von ihm fort. *Bird* beobachtete das, und nach kurzem Schweigen wandte er sich an Jamie. »Ihr seid ein sehr lustiger Mann, Bärentöter«, wiederholte er kopfschüttelnd. »Ihr habt gewonnen.«

An Mr. John Stuart, Superintendent für Indianerangelegenheiten
im Südlichen Department
Aus Fraser's Ridge, 1. Oktober 1774, James Fraser, Esq.

Mein werter Sir,
dies dient dazu, Euch von meiner Abdankung als Indianeragent zu unterrichten, da ich feststelle, dass es mir meine persönlichen Überzeugungen nicht länger erlauben, mein Amt im Namen des Königs guten Gewissens auszuüben.

In Dankbarkeit für Eure gütige Aufmerksamkeit und Gewogenheit und mit den besten Wünschen für Eure Zukunft verbleibe ich

Euer ergebenster Diener, J. Fraser

NEUNTER TEIL

Die Gebeine der Zeit

68

Junge Wilde

Nur noch zwei. Die Pfütze aus flüssigem Wachs wurde durch den flammenden Docht erleuchtet, und langsam kamen die Edelsteine in Sicht, einer grün, einer schwarz, und sie strahlten ihr eigenes, inneres Feuer aus. Jamie tauchte das Federende eines Gänsekiels sachte in das geschmolzene Wachs, fischte den Smaragd heraus und hob ihn ans Licht.

Er ließ den heißen Edelstein auf das Taschentuch fallen, das ich bereithielt, und ich rieb ihn rasch ab, um ihn vom Wachs zu befreien, bevor es erhärtete.

»Unsere Reserven schrumpfen langsam arg zusammen«, scherzte ich beklommen. »Wollen wir hoffen, dass keine teuren Notfälle mehr geschehen.«

»Den schwarzen Diamanten rühre ich auf keinen Fall an«, sagte er entschieden und blies den Docht aus. »Der ist für dich.«

Ich starrte ihn an.

»Was meinst du damit?«

Er zuckte kaum merklich mit den Achseln.

»Falls ich ums Leben komme«, sagte er ganz sachlich. »Dann nimmst du ihn und gehst. Zurück durch die Steine.«

»Oh? Da bin ich mir nicht so sicher«, sagte ich. Ich redete nicht gern über Eventualitäten, die mit Jamies Tod zu tun hatten, doch es war zwecklos, diese Möglichkeit zu ignorieren. Schlachten, Seuchen, Einkerkerung, ein Unfall, ein Mordanschlag…

»Du und Brianna, ihr habt *mir* mit solchem Nachdruck verboten zu sterben«, sagte ich. »Ich würde dasselbe tun, wenn ich auch nur die geringste Hoffnung hätte, dass du auf mich hörst.«

Er lächelte.

»Ich höre immer auf deine Worte, Sassenach«, versicherte er mir ernst. »Aber du sagst mir doch ständig, dass der Mensch denkt, und Gott lenkt, und sollte Er die Absicht haben, *mich* zu sich zu holen – gehst du zurück.«

»Warum sollte ich?«, sagte ich gereizt – und beunruhigt. Die Erinnerungen an den Vorabend der Schlacht von Culloden, als er mich durch die Steine zurückgeschickt hatte, rief ich mir nicht gern ins Gedächtnis zurück, und hier stand er nun und hebelte die Tür zu dieser fest versiegelten Kammer in meinem Kopf auf. »Ich würde doch bei Brianna und Roger bleiben, oder nicht? Jem, Marsali und Fergus, Germain und Henri-Christian und die Mädchen – alle sind hier. Was gibt es dort schon für mich, wohin ich zurückkehren könnte?«

Er betrachtete mich nachdenklich, als überlegte er, ob er mir etwas erzählen sollte. Meine Nackenhärchen begannen, sich aufzustellen.

»Ich weiß es nicht«, sagte er schließlich und schüttelte den Kopf. »Aber ich habe dich dort gesehen.«

Die Gänsehaut raste mir über den Hals und an beiden Armen entlang.

»*Wo* gesehen?«

»Dort.« Er machte eine vage Handbewegung. »Ich habe dich im Traum dort gesehen. Ich wusste nicht, wo es war; ich weiß nur, dass es *dort* war – in deiner richtigen Zeit.«

»Woher weißt du das?«, fragte ich, und ein Schauder nach dem nächsten überlief mich. »Was habe ich getan?«

Er runzelte die Stirn, während er sich zu erinnern versuchte.

»Ich kann mich nicht genau erinnern«, sagte er langsam. »Aber ich wusste, dass es *dann* war, weil ich es am Licht sehen konnte.« Seine Stirn glättete sich plötzlich. »Das ist es. Du hast an einem Tisch gesessen und hattest etwas in der Hand; vielleicht hast du etwas geschrieben. Und überall ringsum war Licht, es hat dir ins Gesicht und auf die Haare geschienen. Aber es war kein Kerzenlicht und weder Feuerschein noch Sonne. Und ich erinnere mich daran, dass ich bei diesem Anblick gedacht habe: ›*Oh, so sieht also elektrisches Licht aus*‹.«

Ich starrte ihn mit offenem Mund an.

»Wie kannst du etwas im Traum erkennen, das du noch nie in Wirklichkeit gesehen hast?«

Das schien er komisch zu finden.

»Ich träume andauernd von Dingen, die ich noch nie gesehen habe – du nicht, Sassenach?«

»Nun ja«, sagte ich unsicher. »Doch. Manchmal. Ungeheuer oder seltsame Pflanzen vielleicht. Oder merkwürdige Landschaften. Und ganz bestimmt *Menschen*, die ich nicht kenne. Aber das ist doch wohl etwas anderes? Etwas zu sehen, von dessen Existenz man weiß, das man aber noch nie gesehen hat?«

»Nun, vielleicht war das, was ich gesehen habe, ja kein elektrisches Licht, wie es wirklich aussieht«, räumte er ein, »aber das war es, was ich zu mir selbst gesagt habe, als ich es gesehen habe. Und schließlich«, fügte er logisch hinzu, »träume ich doch von der Vergangenheit; warum sollte ich nicht genauso von der Zukunft träumen?«

Es gab keine gute Antwort auf eine durch und durch keltische Bemerkung wie diese.

»Nun ja, *du* vielleicht«, sagte ich. Ich rieb mir skeptisch über die Unterlippe. »Wie alt war ich denn in deinem Traum?«

Seine Miene war erst überrascht, dann unsicher, und er sah sich mein Gesicht genau an, als versuchte er, es mit dem Bild in seinem Kopf zu vergleichen.

»Nun ... das weiß ich nicht«, sagte er und klang zum ersten Mal unsicher. »Darüber habe ich mir keine Gedanken gemacht – und mir ist nicht aufgefallen, dass du weiße Haare hattest oder so etwas – es war einfach nur ... du.« Er zuckte verblüfft mit den Achseln und senkte den Blick auf den Edelstein in meiner Hand.

»Fühlt er sich warm für dich an, Sassenach?«, fragte er neugierig.

»Natürlich tut er das«, sagte ich gereizt. »Er ist gerade aus heißem Wachs gekommen, zum Kuckuck.« Und doch *schien* der Smaragd sanft in meiner Hand zu pulsieren und wie ein winziges Herz zu schlagen, so warm wie mein eigenes Blut. Und als ich ihm den Stein reichte, spürte ich ein leises, merkwürdiges Widerstreben – so als wollte er mich nicht verlassen.

»Gib ihn MacDonald«, sagte ich und rieb mir die Handfläche an meinem Rock. »Ich höre ihn draußen mit Arch reden; er will sicher los.«

MacDonald war tags zuvor inmitten eines Gewitters nach Fraser's Ridge galoppiert gekommen, das wettergegerbte Gesicht beinahe dunkelrot vor Kälte, Anstrengung und Aufregung, um uns zu berichten, dass er in New Bern eine Druckerei gefunden hatte, die zum Verkauf stand.

»Der Besitzer ist bereits fort – nicht ganz freiwillig«, erzählte er uns, während er tropfend und dampfend am Feuer saß. »Seine Freunde möchten das Gebäude mitsamt der Ausstattung gern schnell verkaufen, bevor es beschlagnahmt oder zerstört wird, und ihm so zu den Mitteln verhelfen, sich in England eine neue Existenz aufzubauen.«

Mit »nicht ganz freiwillig«, so stellte sich heraus, meinte er, dass der Besitzer der Druckerei ein Loyalist war, der durch das örtliche Komitee für die Sicherheit auf offener Straße verschleppt und gegen seinen Willen auf ein Schiff gesteckt worden war, das gerade nach England abreiste. Diese Art spontaner Deportation wurde zunehmend beliebter, und sie war zwar humaner als das Teeren und Federn, doch sie bedeutete auch, dass der Drucker ohne einen Penny in England ankommen und obendrein noch mit dem Geld für die Überfahrt in der Kreide stehen würde.

»Ich bin zufällig einigen seiner Freunde in einem Wirtshaus begegnet, wo sie sich die Haare über sein trauriges Schicksal gerauft und auf sein Wohlergehen getrunken haben – woraufhin ich ihnen erzählt habe, dass ich möglicherweise genau das Richtige für sie hätte«, sagte der Major, und seine Brust schwoll vor Genugtuung an. »Sie waren ganz Ohr, als ich ihnen gesagt habe, dass Ihr möglicherweise – aber auch nur möglicherweise – Bargeld haben könntet.«

»Und wie kommt Ihr darauf, Donald?«, fragte Jamie und zog eine Augenbraue hoch.

MacDonald setzte zuerst eine überraschte, dann eine viel sagende Miene auf. Er zwinkerte Jamie zu und legte den Finger an seine Nase.

»Oh, ich höre dann und wann etwas, hier und dort. Man sagt, Ihr habt einen kleinen Vorrat an Edelsteinen – zumindest habe ich das von einem Kaufmann in Edenton gehört, dessen Bank sich um einen solchen Stein gekümmert hat.«

Jamie und ich wechselten einen Blick.

»Bobby«, sagte ich, und er nickte resigniert.

»Nun, was mich angeht, mir ist es gleich«, sagte MacDonald, der uns beobachtete. »Ihr könnt Euch natürlich auf meine Diskretion verlassen. Und ich bezweifle, dass viele davon wissen. Anderseits – kein armer Mann kauft dutzendweise Musketen, oder?«

»Oh, wer weiß?«, sagte Jamie resigniert. »Ihr wärt überrascht, Donald. Aber sei's drum… womöglich lässt sich ja ein Handel schließen. Was verlangen die Freunde des Druckers denn – und bieten sie eine Rückversicherung im Fall eines Feuers?«

MacDonald war von den Freunden des Druckers bevollmächtigt worden, in ihrem Namen zu verhandeln – da sie die problematische Immobilie loswerden wollten, bevor irgendeine patriotische Seele sie niederbrannte –, und so wurde der Handel auf der Stelle abgeschlossen. Wir schickten MacDonald in Windeseile wieder den Berg hinunter, um den Smaragd zu Geld zu machen, die Druckerei zu bezahlen und Fergus das restliche Geld für seine laufenden Kosten zu überlassen – und so schnell wie möglich in New Bern zu verbreiten, dass die Druckerei in Kürze unter neuer Leitung stehen würde.

»Und falls sich jemand nach der politischen Überzeugung des neuen Besitzers erkundigt…«, sagte Jamie. Woraufhin MacDonald nur weise nickte und erneut den Finger an seine rot geäderte Nase legte.

Ich war mir hinreichend sicher, dass Fergus gar keine politischen Überzeugungen hatte; abgesehen von seiner Familie galt seine Loyalität einzig Jamie. Doch als der Kauf abgeschlossen war und die Hektik des Packens einsetzte – Marsali und Fergus würden auf der Stelle gehen müssen, wenn sie es nach New Bern schaffen wollten, bevor es ernstlich Winter wurde –, nahm sich Jamie Fergus zu einem ernsten Gespräch vor.

»Also, es wird dort anders als in Edinburgh sein. Es gibt nur einen weiteren Drucker in der Stadt, und nach dem, was MacDonald sagt, ist er ein älterer Herr, der solche Angst vor dem Komitee und dem Gouverneur hat, dass er nur Gebetbücher und Handzettel für Pferderennen druckt.«

»*Très bon*«, sagte Fergus, und seine Miene wurde noch glücklicher, falls das überhaupt noch möglich war. Seit er die Neuigkeit erfahren hatte, strahlte er wie eine chinesische Laterne. »Dann machen wir das ganze Geschäft mit den Zeitungen und Flugblättern, ganz zu schweigen von skandalösen Theaterstücken und Pamphleten – nichts ist für das Druckergewerbe so gut wie Aufruhr und Unruhe, Milord, das wisst Ihr doch selbst.«

»Ich weiß«, sagte Jamie trocken. »Deshalb will ich dir auch die Notwendigkeit zur Achtsamkeit in deinen dicken Schädel prügeln. Ich möchte weder hören, dass man dich als Verräter gehängt hat, noch, dass man dich geteert und gefedert hat, weil du nicht verräterisch genug warst.«

»Oh, *la.*« Fergus schwenkte herablassend seinen Haken. »Ich weiß genau, wie man dieses Spiel spielt, Milord.«

Jamie nickte, nach wie vor mit skeptischer Miene.

»Aye, das stimmt. Aber es ist schon ein paar Jahre her; möglich, dass du aus der Übung bist. Und du weißt nicht, wer in New Bern wer ist; schließlich willst du ja nicht irgendwann feststellen, dass du dein Fleisch bei dem Mann kaufst, über den du in der Morgenzeitung hergezogen bist, aye?«

»Ich werde darauf achten, Pa.« Marsali saß am Kamin, wo sie Henri-Christian fütterte, und hörte ihm genau zu. Falls möglich, sah sie sogar noch glücklicher aus als Fergus, den sie anbetungsvoll betrachtete. Jetzt ließ sie diesen Blick zu Jamie schweifen und lächelte. »Wir passen gut auf, das verspreche ich.«

Jamies stirnrunzelnde Miene wurde sanfter, als er sie ansah.

»Du wirst mir fehlen, Kleine«, sagte er leise. Ihre glückliche Miene verdunkelte sich ein wenig, erlosch aber nicht ganz.

»Du wirst mir auch fehlen, Pa. Uns allen. Und Germain möchte natürlich nicht von Jem fort. Aber…« Ihr Blick wanderte erneut zu Fergus, der gerade eine Liste mit Vorräten aufstellte und dabei leise *»Alouette«* vor sich hin pfiff, und sie drückte Henri-Christian fester an sich, bis er protestierend mit den Beinen strampelte.

»Aye, ich weiß.« Jamie hustete, um seine Gefühle zu überdecken, und rieb sich die Nase. »Nun gut, Fergus. Du wirst etwas Geld übrig haben; achte darauf, dass du als Erstes den Constabler und die Wache bestichst. MacDonald hat mir die Namen der Königlichen Ratsherren gegeben und der wichtigsten Mitglieder der Versammlung – er wird dir beim Rat behilflich sein, da er ein Mann des Gouverneurs ist. Geh taktvoll vor, aye? Und sieh zu, dass du ihn ebenfalls nicht vergisst; er ist uns eine große Hilfe gewesen.«

Fergus nickte, den Kopf über sein Blatt Papier gebeugt.

»Papier, Druckerschwärze, Blei, Bestechungsgeld, Wildleder, Pinsel«, murmelte er, während er geschäftig vor sich hin schrieb, und summte geistesabwesend weiter, *»Alouette, gentil alouette…«*

Es war unmöglich, einen Wagen nach Fraser's Ridge hinaufzubugsieren; der einzige Zugang war über den schmalen Pfad, der sich von Coopersville aus über den Berghang wand – einer der Faktoren, der dazu geführt hatte, dass sich diese Wegekreuzung in ein kleines Dorf entwickelt hatte, da viele fahrende Händler und andere Reisende dort Halt machten und zu Fuß kurze Ausflüge auf den Berg unternahmen.

»Was ja wunderbar ist, wenn es darum geht, eine feindliche Invasion des Berges zu verhindern«, sagte ich keuchend zu Brianna, als ich ein großes, in Segeltuch gewickeltes Bündel mit Kerzenständern, Nachttöpfen und anderen kleineren Haushaltsgegenständen am Wegrand abstellte. »Aber es macht es dummerweise auch sehr schwierig, den verflixten Berg zu *verlassen.*«

»Wahrscheinlich ist Pa nie auf den Gedanken gekommen, dass jemand diesen Wunsch haben könnte«, sagte Brianna, die jetzt ihre eigene Bürde zu Boden senkte – Marsalis Kessel, voll gepackt mit Käselaiben und säckeweise Mehl, Bohnen und Reis sowie eine Holzkiste mit getrockneten Fischen und ein Netz voller Äpfel. »Dieses Ding wiegt eine *Tonne.*«

Sie drehte sich um und brüllte »GERMAIN!« hinter uns den Weg hinauf. Totenstille. Germain und Jemmy hatten den Auftrag, die Ziege Mirabel den Berg hinunter zum Wagen zu treiben. Sie waren zusammen mit uns bei der Hütte aufgebrochen, unterwegs aber immer weiter zurückgefallen.

Weder Ruf noch *Mäh* ertönten aus der Richtung, sondern Mrs. Bug kam in Sicht. Sie schwankte langsam unter dem Gewicht von Marsalis Spinnrad dahin, das sie auf dem Rücken trug, und hatte Mirabels Führstrick in der Hand. Mirabel, eine hübsche kleine Ziege mit grauer Zeichnung, meckerte bei unserem Anblick glücklich drauflos.

»Ich hab das arme Tier an einen Busch geknotet gefunden«, sagte Mrs. Bug. Sie stellte das Spinnrad keuchend hin und wischte sich das Gesicht an ihrer Schürze ab. »Keine Spur von den Jungen, den kleinen Bösewichtern.«

Brianna stieß ein leises Knurren aus, das nichts Gutes für Jemmy oder Germain verhieß, wenn sie sie fand. Doch bevor sie den Weg wieder hinaufstapfen konnte, tauchten Roger und Ian auf. Jeder von ihnen trug ein Ende von Marsalis Webstuhl, den sie für den Transport zu einem großen Bündel aus schweren Holzbalken zusammengelegt hatten. Doch angesichts des Verkehrsstaus auf der Straße blieben sie stehen und stellten ihre Last mit erleichterten Seufzern ab.

»Stimmt etwas nicht?«, fragte Roger, der von einem Gesicht zum nächsten blickte und schließlich stirnrunzelnd bei der Ziege verweilte. »Wo sind Jem und Germain?«

»Ich wette, diese kleinen Ungeheuer haben sich irgendwo versteckt«, sagte Brianna und strich sich das wirre rote Haar aus dem Gesicht. Ihr Zopf hatte sich gelöst, und flüchtige Haarsträhnen klebten ihr feucht am Gesicht. Im Moment war ich ganz dankbar für mein kurzes Lockendickicht; ganz gleich, wie es aussah, es war auf jeden Fall praktisch.

»Soll ich nachsehen?«, fragte Ian und kam unter der hölzernen Puddingschüssel hervor, die er umgekehrt auf dem Kopf getragen hatte. »Sie können ja nicht weit sein.«

Beim Geräusch hastiger Schritte von unten wandte sich alles erwartungsvoll in diese Richtung – doch es waren nicht die Jungen, sondern Marsali, atemlos und mit großen Augen.

»Henri-Christian«, keuchte sie, und ihr Blick hastete suchend über die Anwesenden hinweg. »Hast du ihn, Mutter Claire? Brianna?«

»Ich dachte, *du* hättest ihn«, sagte Brianna angesichts der Not in Marsalis Stimme.

»Ich hatte ihn ja auch. Der kleine Aidan McCallum hat für mich auf ihn aufgepasst, während ich den Wagen beladen habe. Aber dann habe ich Pause gemacht, um ihn zu füttern« – ihre Hand fuhr kurz an ihre Brust – »und sie waren beide verschwunden! Ich dachte, vielleicht...« Ihre Worte erstarben, als sie die Büsche am Wegrand abzusuchen begann, und ihre Wangen waren rot vor Anstrengung und Ärger.

»Ich werde ihn erwürgen«, zischte sie mit zusammengebissenen Zähnen. »Und wo ist eigentlich Germain?«, fragte sie, als sie Mirabel entdeckte, die die Pause nutzte, um am Weg köstliche Disteln zu knabbern.

»Allmählich sieht es so aus, als steckte ein Plan dahinter«, merkte Roger sichtbar belustigt an. Auch Ian schien irgendetwas an der Situation komisch zu finden, doch funkelnde Blicke der aufgebrachten Weiblichkeit wischten ihnen das Grinsen aus den Gesichtern.

»Dann geht sie bitte suchen«, sagte ich, weil ich sah, dass Marsali im Begriff war, entweder in Tränen auszubrechen oder durchzudrehen und mit Gegenständen zu werfen.

»Aye, bitte«, sagte sie gereizt. »Und verpasst ihnen eine Tracht Prügel, wenn ihr schon dabei seid.«

»Du weißt, wo sie sind?«, fragte Ian und hielt sich eine Hand über die Augen, um durch eine Felsenrinne bergauf zu spähen.

»Aye, wahrscheinlich. Hier entlang.« Gefolgt von Ian, schob sich Roger durch ein Ilexgestrüpp und kam am Ufer des kleinen Bachs aus, der hier parallel zum Pfad verlief. Unter sich erhaschte er einen Blick auf Aidans Lieblingsangelplatz an der Furt, doch dort unten war keine Spur von Leben zu sehen.

Stattdessen wandte er sich bergauf und bahnte sich seinen Weg durch dichtes, trockenes Gras und loses Gestein am Bachufer entlang. Die meisten Blätter waren jetzt von den Kastanien und den Pappeln gefallen und lagen als rutschige Matten in Braun und Gold am Boden.

Aidan hatte ihm das Geheimversteck vor einiger Zeit gezeigt; eine kleine Höhle, kaum einen Meter hoch, die an der Oberkante eines Steilhangs lag und von einem Dickicht aus Eichenschößlingen zugewuchert war. Jetzt waren die Eichen kahl, und wenn man wusste, wo man suchen musste, war die Öffnung der Höhle leicht zu finden. Im Moment war sie besonders gut zu sehen, weil Rauch daraus hervordrang, der wie ein Schleier über die Felsen oberhalb der Höhle wehte und seinen scharfen Geruch in der kalten, trockenen Luft hinterließ.

Ian zog eine Augenbraue hoch. Roger nickte und stieg bergan, wobei er sich keine Mühe gab, geräuschlos vorzugehen. Im Inneren der Höhle erscholl ein wildes Durcheinander aus Gerumpel und leisen Ausrufen, und der Rauchschleier stockte und verschwand, um lautem Zischen und einer dunkelgrauen Wolke aus der Höhlenöffnung zu weichen, weil jemand Wasser auf das Feuer goss.

Ian war unterdessen lautlos zur Oberseite der Höhle geklettert, wo er eine kleine Felsspalte sah, aus der sich ein Rauchwölkchen kräuselte. Mit einer Hand an einen Hartriegelstrauch geklammert, der aus dem Felsen wuchs, beugte er sich gefährlich weit vor, hielt sich die Hand um den Mund und stieß einen grauenvollen Mohawk-Schrei direkt in die Felsspalte hinein.

Noch schrillere Schreckensschreie kamen aus der Höhle, kurz darauf gefolgt von einem Gewirr kleiner Jungen, die sich gegenseitig schubsten und übereinander stolperten, so eilig hatten sie es.

»O-ho!« Roger packte seinen eigenen Nachwuchs zielsicher am Kragen, als dieser vorbeistürzte. »Der Ausflug ist vorbei, Kumpel.«

Germain, der Henri-Christians stabiles Körperchen an sich geklammert hielt, versuchte, bergab zu fliehen, doch Ian sprang wie ein Panther an ihm vorbei und nahm ihm das Baby ab, was ihn widerstrebend zum Stehen brachte.

Nur Aidan erwischten sie nicht. Doch als er sah, dass seine Kameraden gefangen waren, zögerte er am Rand des Abhangs und wäre sichtlich gern geflohen, gab aber ritterlich auf und kam schleppenden Schrittes zurück, um ihr Schicksal zu teilen.

»Nun gut, Jungs; tut mir Leid, aber es geht nicht.« Roger sprach nicht ohne Mitgefühl; Jemmy war schon seit Tagen außer sich über die Tatsache, dass Germain gehen würde.

»Aber wir möchten nicht weg, Onkel Roger«, sagte Germain und brachte mit Rehaugen seinen unwiderstehlichsten Bettelblick zur Anwendung. »Wir werden hier bleiben; wir können in der Höhle wohnen und unser Essen jagen.«

»Aye, Sir, und ich und Jem, wir geben ihnen etwas von unserem Essen ab«, stimmte Aidan ein, der darauf brannte, sie zu unterstützen.

»Ich habe ein paar von Mamas Streichhölzern mitgebracht, damit sie Feuer haben, um sich warm zu halten«, fiel nun auch Jemmy ein, »und einen Laib Brot!«

»Du siehst also, Onkel Roger« – Germain breitete zur Illustration anmutig die Hände aus – »wir werden niemandem zur Last fallen!«

»Oh, niemandem, wie?«, sagte Ian nicht weniger mitfühlend. »Erzähl das deiner Mutter, aye?«

Germain legte die Hände in seinen Rücken und umklammerte instinktiv schützend seine Pobacken.

»Und was hast du dir nur dabei gedacht, deinen kleinen Bruder hier heraufzuschleifen?«, fragte Roger ein kleines bisschen strenger. »Er kann doch kaum laufen! Zwei Schritte da hinaus« – er wies kopfnickend auf die Höhle – »und er stürzt bis zum Bach hinunter und bricht sich den Hals.«

»Oh, nein, Sir!«, sagte Germain schockiert. Er fingerte in seiner Tasche herum und zog ein Stück Leine heraus. »Ich würde ihn anbinden, wenn ich nicht da wäre, damit er nicht davonspaziert oder fällt. Aber ich konnte ihn doch nicht da lassen; ich habe es *Maman* bei seiner Geburt versprochen; ich habe gesagt, ich würde ihn nie allein lassen.«

Tränen begannen Aidan über die schmalen Wangen zu laufen. Henri-Christian begann völlig verwirrt aus lauter Sympathie mitzuheulen, woraufhin auch Jems Unterlippe bebte. Er entwand sich Rogers Griff, rannte auf Germain zu und klammerte sich heftig an ihn.

»Germain darf nicht gehen, Papa, bitte zwinge ihn nicht zu gehen!«

Roger rieb sich die Nase, wechselte einen kurzen Blick mit Ian und seufzte.

Er setzte sich auf einen Felsen und winkte Ian zu, der gewisse Schwierigkeiten damit hatte zu entscheiden, wie herum er Henri-Christian halten sollte. Ian überreichte ihm das Baby mit spürbarer Erleichterung, und Henri-Christian, der das Bedürfnis nach Sicherheit verspürte, griff Roger mit einer Hand an die Nase und mit der anderen in die Haare.

»Hör zu, *a bhailach*«, sagte er und löste sich unter Schwierigkeiten von Henri-Christian. »Der kleine Henri-Christian braucht seine Mutter zum Trinken. Er hat ja kaum Zähne, zum Kuckuck – er kann nicht hier oben in der Einöde leben und mit euch Wilden rohes Fleisch essen.«

»Er hat wohl Zähne!«, wandte Aidan tapfer ein und hielt zum Beweis seinen angebissenen Zeigefinger hoch. »Da!«

»Er isst Brei«, sagte Germain, allerdings mit einem unsicheren Unterton. »Wir würden ihm Brötchen in Milch einweichen.«

»Henri-Christian braucht seine Mutter«, wiederholte Roger entschieden, »und deine Mutter braucht *dich*. Du erwartest doch wohl nicht, dass sie einen Wagen, zwei Maultiere *und* deine Schwestern ganz allein nach New Bern befördert, oder?«

»Aber Papa kann ihr doch helfen«, protestierte Germain. »Die Mädchen hören auf ihn wie auf niemanden sonst!«

»Dein Papa ist doch schon fort«, erinnerte ihn Ian. »Er ist vorgeritten, um eine Wohnung für euch zu suchen. Eure Mutter soll ihm mit euren Sachen folgen. Roger Mac hat Recht, *a bhailach* – deine Mutter braucht dich.«

Germains schmales Gesicht erbleichte ein wenig. Er sah hilflos auf Jemmy nieder, der immer noch an ihm hing, dann hügelauf zu Aidan, und er schluckte. Der Wind war stärker geworden und blies ihm die blonden Fransen aus dem Gesicht, so dass er sehr klein und zerbrechlich wirkte.

»Nun denn«, sagte er, dann hielt er inne und schluckte. Ganz sanft legte er Jemmy die Arme um die Schultern und küsste ihn auf seinen runden roten Kopf.

»Ich komme wieder, Vetter«, sagte er. »Und du wirst mich am Meer besuchen. Du kommst dann auch mit«, versicherte er an Aidan gerichtet. Aidan zog die Nase hoch, nickte und kam langsam den Abhang herunter.

Roger streckte die freie Hand aus und löste Jemmy sanft von Germain. »Komm auf meinen Rücken, *mo chuisle*«, sagte er. »Der Berg ist steil; ich trage dich huckepack.«

Ian ließ sich gar nicht erst fragen, sondern bückte sich und hob Aidan auf, der ihm die Beine um die Hüften schlang und sein tränenüberströmtes Gesicht an Ians Lederhemd verbarg.

»Sollen wir dich auch tragen?«, fragte Roger Germain, während er vorsichtig unter dem Gewicht seiner doppelten Last aufstand. »Ian kann das machen, wenn du möchtest.«

Ian nickte und streckte die Hand aus, doch Germain schüttelte den Kopf, sodass sein blondes Haar hin und her flog.

»*Non*, Onkel Roger«, sagte er so leise, dass man ihn kaum hören konnte. »Ich gehe zu Fuß.« Damit machte er kehrt und begann vorsichtig, den abschüssigen Hang hinunterzusteigen.

69

Die Biberattacke

25. Oktober 1774

Sie waren schon eine Stunde unterwegs, als Brianna allmählich klar wurde, dass sie nicht auf Wild aus waren. Sie hatten die Spur eines kleinen Rotwildrudels gekreuzt, dessen Kot so frisch war, dass die Kügelchen noch feucht und formbar waren, aber Ian beachtete dieses Zeichen gar nicht, sondern drängte zielsicher und entschlossen weiter bergauf.

Rollo war mit ihnen gekommen, doch nach wiederholten vergeblichen Versuchen, die Aufmerksamkeit seines Herrchens auf viel versprechende Gerüche zu lenken, hatte er sie im Stich gelassen und war durch das aufwirbelnde Laub davongestürmt, um für sich selbst zu jagen.

Der Aufstieg war zu steil, um sich zu unterhalten, selbst wenn Ian den

Eindruck gemacht hätte, als sei ihm danach zumute. So folgte sie ihm mit einem geistigen Achselzucken, behielt jedoch das Gewehr in der Hand und hielt ein Auge auf das Gebüsch gerichtet – nur für alle Fälle.

Sie waren in der Morgendämmerung in Fraser's Ridge aufgebrochen; es war weit nach Mittag, als sie endlich am Ufer eines kleinen, namenlosen Flüsschens Halt machten. Wilder Wein umrankte den Stamm eines Dattelpflaumenbaums, dessen Zweige über das Ufer hingen; die meisten Trauben waren von Tieren gefressen worden, aber ein paar Büschel baumelten noch über dem Wasser, wo sie höchstens für die waghalsigsten Eichhörnchen zu erreichen waren – oder für eine hoch gewachsene Frau.

Sie schlüpfte aus ihren Mokassins, trat in den Bach und schnappte nach Luft, als das eiskalte Wasser ihre Waden traf. Die Trauben waren zum Platzen reif, so dunkelrot, dass sie fast schwarz waren, und sie klebten vor Saft. Es hatten sich zwar keine Eichhörnchen daran vergriffen, aber die Wespen hatten es getan, und sie hielt vorsichtig nach den kleinen Beutesuchern mit den dolchförmigen Bäuchen Ausschau, während sie den Stiel einer ganz besonders fetten Traube abbrach.

»Und, hast du vor, mir zu erzählen, was wir wirklich suchen?«, fragte sie mit dem Rücken zu ihrem Vetter.

»Nein«, sagte er mit einem Lächeln in der Stimme.

»Oh, eine Überraschung, wie?« Sie knickte den Stängel ab, drehte sich um und warf ihm die Trauben zu. Er fing sie mit einer Hand und legte sie neben den abgenutzten Rucksack, in dem er ihre Vorräte transportierte.

»Etwas in der Art.«

»Solange wir nicht einfach nur einen Spaziergang machen.« Sie brach noch eine Traube ab und watete planschend ans Ufer, wo sie sich neben ihn setzte.

»Nein, das tun wir nicht.« Er warf sich zwei Trauben in den Mund, zerdrückte sie und spuckte die Häutchen und Kerne mit der Leichtigkeit langer Übung aus. Sie knabberte graziöser an ihren Trauben, die sie in zwei Hälften biss, um dann die Kerne mit den Fingernägeln herauszupicken.

»Du solltest die Häutchen mitessen, Ian; sie stecken voller Vitamine.«

Er zog skeptisch eine Schulter hoch, schwieg aber. Sowohl sie als auch ihre Mutter hatten ihm schon mehrfach Vorträge über Vitamine gehalten – mehr oder minder ohne Wirkung. Die Existenz von Krankheitskeimen hatten Jamie und Ian widerstrebend akzeptieren müssen, weil Claire ihnen unter ihrem Mikroskop ganze Meere von Mikroorganismen zeigen konnte. Vitamine dagegen waren unglücklicherweise unsichtbar und ließen sich daher gefahrlos ignorieren.

»Ist es noch sehr viel weiter bis zu dieser Überraschung?« Die Traubenschalen waren in der Tat ziemlich bitter. Ihr Mund verzog sich unwillkürlich, als sie darauf biss. Ian, der wie am Fließband aß und spuckte, bemerkte es und grinste sie an.

»Aye, noch ein Stück.«

Sie warf einen Blick zum Horizont; die Sonne hatte den Zenit schon weit überschritten. Wenn sie jetzt den Rückweg antraten, würden sie erst im Dunklen nach Hause kommen.

»Wie *viel* weiter?« Sie spuckte die zerquetschte Traubenschale in ihre Handfläche und warf sie ins Gras.

Ian warf ebenfalls einen Blick auf die Sonne und spitzte die Lippen.

»Nun ja... ich denke, morgen Mittag sind wir da.«

»Wir sind *was*? Ian!« Er machte ein verlegenes Gesicht und senkte den Kopf.

»Tut mir Leid, Cousinchen. Ich weiß, dass ich es dir besser vorher gesagt hätte – aber ich dachte, du kommst vielleicht nicht mit, wenn ich dir verraten hätte, wie weit es ist.«

Eine Wespe landete auf den Trauben in ihrer Hand, und sie verscheuchte sie gereizt.

»Du weißt *genau*, dass ich nicht mitgekommen wäre. Ian, was hast du dir nur dabei gedacht? Roger wird einen Anfall bekommen!«

»Einen Anfall? Roger Mac? Das glaube ich nicht.«

»Na ja, schön, keinen Anfall – aber er wird sich Sorgen machen. Und Jemmy wird mich vermissen!«

»Nein, sie kommen schon zurecht«, versicherte Ian ihr. »Ich habe Onkel Jamie gesagt, dass wir drei Tage bleiben, und er hat gesagt, er nimmt den Kleinen mit ins Haupthaus. Wenn ihn deine Mutter und Lizzie und Mrs. Bug verwöhnen, wird der kleine Jem gar nicht merken, dass du nicht da bist.«

Das stimmte wahrscheinlich, dämpfte ihren Ärger aber nicht im Geringsten.

»Du hast *Pa* davon erzählt? Und er hat einfach nur ›schön‹ gesagt, und ihr wart beide der Meinung, dass absolut nichts Bedenkliches dabei ist, mich – mich – für drei Tage in den Wald zu schleppen, ohne mir zu sagen, was eigentlich los ist? Ihr – ihr –«

»Arroganten, unerträglichen verflixten *Schotten*«, vollendete Ian und imitierte dabei den englischen Akzent ihrer Mutter so perfekt, dass sie trotz ihrer Verärgerung in Gelächter ausbrach.

»Ja«, sagte sie und wischte sich den verspritzten Traubensaft vom Kinn. »Ganz genau!«

Er lächelte immer noch, doch sein Ausdruck hatte sich verändert; jetzt zog er sie nicht mehr auf.

»Brianna«, sagte er leise in diesem Highland-Singsang, der ihren Namen in etwas Seltsames, Anmutiges verwandelte. »Es ist wichtig, aye?«

Jetzt lächelte er gar nicht mehr. Seine Augen waren fest auf die ihren gerichtet, warm, aber ernst. Seine haselgrünen Augen waren das einzige Merkmal in Ian Murrays Gesicht, das man als schön bezeichnen konnte, doch ihr Blick war von solch unverblümter, liebenswerter Offenheit, dass der Betrachter das Gefühl hatte, Ian hätte ihn ins Innere seiner Seele blicken lassen, nur für einen Moment. Sie fragte sich nicht zum ersten Mal, ob er sich dieser Wirkung bewusst war – doch selbst wenn er es war, war es schwer, ihm zu widerstehen.

»Nun gut«, sagte sie und verscheuchte eine kreisende Wespe. Sie war zwar noch verärgert, hatte sich aber in ihr Schicksal ergeben. »Nun *gut*. Aber du hättest es mir trotzdem sagen sollen. Und du verrätst es mir immer noch nicht?«

Er schüttelte den Kopf, den Blick auf die Traube gerichtet, die er gerade mit dem Daumen von ihrem Stiel löste.

»Es geht nicht«, sagte er schlicht. Er steckte die Traube in den Mund und drehte sich seinem Rucksack zu, um ihn zu öffnen. Jetzt, da sie bewusst hinsah, stellte sie fest, dass er verdächtig prall war. »Möchtest du ein Stück Brot, Cousinchen, oder etwas Käse?«

»Nein. Lass uns gehen.« Sie stand auf und strich sich das Laub von der Hose. »Je eher wir dort sind, desto eher sind wir wieder zurück.«

Eine Stunde vor Sonnenuntergang hielten sie an, solange es noch hell genug war, um Holz zu sammeln. Es hatte sich herausgestellt, dass der prall gefüllte Rucksack zwei Decken enthielt, außerdem etwas zu essen und eine Flasche Bier – mehr als willkommen, nachdem sie fast den ganzen Tag bergauf gegangen waren.

»Oh, das ist aber gut«, sagte sie beifällig und schnupperte nach einem langen, aromatischen, hopfen-herben Schluck am Hals der Flasche. »Wer hat es gebraut?«

»Lizzie. Sie hat bei Frau Ute abgeschaut, wie es geht. Vor dem … äh … mpfm.« Ein diskretes schottisches Geräusch umschrieb die schmerzlichen Umstände, die die Auflösung von Lizzies Verlobung begleitet hatten.

»Mmm. Das war wirklich schade, nicht wahr?« Sie senkte die Wimpern und beobachtete ihn unauffällig, um zu sehen, ob er über Lizzie sprechen wollte. Es hatte einmal den Anschein gehabt, als wären Lizzie und Ian einander zugetan – doch zuerst war er zu den Irokesen gegangen, und dann war sie bei seiner Rückkehr Manfred McGillivray versprochen gewesen. Jetzt, da sie beide wieder frei waren …

Doch er tat ihre Bemerkung über Lizzie einfach mit einem zustimmenden Achselzucken ab, während er sich auf die mühselige Arbeit des Feuermachens konzentrierte. Der Tag war warm gewesen, und ihnen blieb noch eine Stunde Tageslicht, doch die Schatten unter den Bäumen waren schon blau; die Nacht würde kühl werden.

»Ich werde einmal einen Blick auf den Bach werfen«, verkündete sie und zog eine zusammengerollte Schnur und einen Haken aus dem Häufchen der Gegenstände, die Ian aus seinem Rucksack geholt hatte. »Es sah so aus, als wäre da vor der Biegung ein Forellenbecken, und die Fliegen werden jetzt aufsteigen.«

»Oh, aye.« Er nickte, beachtete sie jedoch kaum, während er sein Zunderhäufchen geduldig noch etwas vergrößerte, bevor er seinen Feuerstein erneut Funken regnen ließ.

Als sie der Biegung des kleinen Bachs folgte, entdeckte sie, dass es nicht nur ein Forellenbecken war – es war ein Biberteich. Der hügelförmige Bau spiegelte sich im reglosen Wasser, und am anderen Ufer konnte sie zwei heftig zitternde Weidenschößlinge sehen, die offenbar gerade verspeist wurden.

Sie bewegte sich langsam und blieb argwöhnisch auf der Hut. Biber würden ihr nichts tun, aber sie *würden* sich ins Wasser stürzen, wenn sie sie erspähten, und dabei mit ihren Schwänzen nicht nur Wasser verspritzen, sondern es regelrecht peitschen. Sie hatte das einmal gehört; es war erstaunlich laut und klang wie eine Gewehrsalve – und es würde garantiert jeden Fisch im Umkreis mehrerer Meilen in ein Versteck treiben.

Das diesseitige Ufer war mit angenagten Stöckchen übersät, deren inneres, weißes Holz mit der Präzision eines Zimmermanns frei gemeißelt worden war. Doch keins davon war frisch, und das Einzige, was sie in ihrer Nähe hörte, war das Seufzen des Windes in den Bäumen. Biber waren keine Heimlichtuer; es waren keine da.

Den Blick achtsam auf das andere Ufer gerichtet, steckte sie ein Stückchen Käse als Köder an den Haken, ließ ihn langsam über ihrem Kopf wirbeln, dann schneller, ließ die Schnur dabei länger werden, dann ließ sie ihn fliegen. Der Haken landete mit einem leisen *Plop!* in der Teichmitte, doch das Geräusch war nicht laut genug, um die Biber in Alarm zu versetzen; die Weidenschößlinge am anderen Ufer zitterten und bebten weiterhin unter dem Ansturm geschäftiger Zähne.

Die Larven stiegen gerade auf, ganz wie sie es Ian vorhergesagt hatte. Die Luft war angenehm kühl in ihrem Gesicht, und die Wasseroberfläche kräuselte sich und glitzerte wie graue Seide, auf der das Licht spielt. Mücken schwebten in kleinen Wolken in der reglosen Luft unter den Bäumen, Beute für die Insekten fressenden Köcherfliegen, Steinfliegen und Seejungfern, die jetzt frisch geschlüpft und heißhungrig die Oberfläche durchbrachen.

Es war eine Schande, dass sie weder Angelrute noch geknotete Fliegen hatte – doch den Versuch war es trotzdem wert. Köcherfliegen waren nicht die einzigen Lebewesen, die im Dämmerlicht hungrig an die Oberfläche stiegen, und gefräßige Forellen bissen im Allgemeinen nach allem, was vor ihrer Nase trieb – ihr Vater hatte einmal eine Forelle an einem Haken gefangen, der nur mit ein paar Strähnen seines leuchtenden Haars bestückt war.

Das war eine Idee. Sie lächelte vor sich hin und strich sich eine Haarsträhne zurück, die aus ihrem Zopf entwischt war, und begann, die Schnur langsam wieder ans Ufer zu ziehen. Aber wahrscheinlich gab es hier ja mehr als nur Forellen, und Käse war …

Etwas zog fest an der Schnur, und sie fuhr überrascht zusammen. Hatte sie sich verfangen? Die Schnur ruckte zurück, und ein Stoß aus der Tiefe fuhr ihr wie ein Stromschlag durch den Arm.

Die nächste halbe Stunde verbrachte sie ohne jeden bewussten Gedanken mit der zielstrebigen Jagd auf flossige Beute. Sie war nass bis zu den Oberschenkeln, mit Mückenstichen übersät, und ihr Handgelenk und ihre Schulter schmerzten, aber zu ihren Füßen im Gras glänzten drei fette Fische; sie verspürte die tiefe Genugtuung eines Jägers – und ein paar Käsekrümel waren noch in ihrer Tasche.

Gerade holte sie mit dem Arm aus, um den Angelhaken noch einmal auszuwerfen, als ein plötzlicher Chor von Quiek- und Zischlauten die Abendstille erschütterte und eine durchgehende Biberschar ihre Deckung verließ und das gegenüberliegende Ufer hinunterpolterte wie eine Kolonne kleiner pelziger Panzer. Sie starrte sie mit offenem Mund an und trat automatisch einen Schritt zurück.

Dann tauchte hinter den Bibern etwas Großes, Dunkles zwischen den Bäumen auf, und ein weiterer Reflex pumpte ihr das Adrenalin in die Glieder und ließ sie zur Flucht herumfahren. Sie wäre in Sekunden im Schutz der Bäume gewesen, wenn sie nicht auf einen ihrer Fische getreten wäre, der glitschig wie Butter unter ihrem Fuß wegrutschte, so dass sie ohne Umschweife auf dem Hintern landete. Dort befand sie sich in der idealen Position, um mit anzusehen, wie Rollo als lang gezogener, geduckter Blitz aus den Bäumen geschossen kam und sich in gebogener Flugbahn von der Oberkante der Böschung abstieß. Elegant wie ein Komet sauste er durch die Luft und landete klatschend wie ein abgestürzter Meteor zwischen den Bibern im Teich.

Ian sah mit offenem Mund zu ihr auf. Langsam ließ er den Blick von ihren triefenden Haaren über ihre klatschnassen, schlammverschmierten Kleider bis hinunter zu den Fischen wandern, die – einer davon etwas zerdrückt – an einem Lederriemen in ihrer Hand baumelten.

»Die Fische haben sich aber heftig gewehrt, wie?«, fragte er und wies kopfnickend auf den Riemen. Seine Mundwinkel begannen zu zucken.

»Ja«, sagte sie und ließ sie vor ihm auf den Boden fallen. »Aber nicht annähernd so heftig wie die Biber.«

»Biber«, sagte er. Er rieb sich nachdenklich mit dem Fingerknöchel über seinen langen, knochigen Nasenrücken. »Aye, ich habe ihr Klatschen gehört. Du hast mit Bibern gekämpft?«

»Ich habe deinen verflixten *Hund* vor ihnen gerettet«, sagte sie und nieste. Sie sank vor dem frisch entzündeten Feuer auf die Knie und schloss selig die Augen, als die Hitze ihren zitternden Körper traf.

»Oh, dann ist Rollo wieder da? Rollo? Hund, wo bist du?« Der große Hund schlich widerstrebend aus dem Gebüsch. Sein Schwanz zuckte nur ganz schwach als Antwort auf den Ruf seines Herrn.

»Was muss ich denn da von Bibern hören, *a madadh?*«, fragte Ian streng. Darauf schüttelte sich Rollo, obwohl sein Fell nur noch einen feinen Nebel aus Wassertropfen versprühte. Er seufzte, ließ sich auf den Bauch plumpsen und legte die Nase niedergeschlagen auf die Vorderpfoten.

»Vielleicht hatte er es ja nur auf Fische abgesehen, aber die Biber waren entschieden anderer Meinung. An Land sind sie vor ihm weggelaufen, aber als er erst im Wasser war –« Brianna schüttelte den Kopf und wrang den triefend nassen Schoß ihres Jagdhemdes aus. »Weißt du was, Ian – *du* kannst die verdammten Fische ausnehmen.«

Er war schon dabei und nahm den ersten Fisch aus, indem er ihm mit einem sauberen Schnitt den Bauch aufschlitzte und ihn mit dem Daumen säuberte. Er warf Rollo die Eingeweide hin, doch dieser seufzte nur erneut und schien sich noch flacher ins Laub zu drücken, ohne den Leckerbissen zu beachten.

»Er ist doch nicht verletzt, oder?«, fragte Ian mit einem stirnrunzelnden Blick auf seinen Hund.

Sie funkelte ihn an.

»Nein, das ist er nicht. Ich nehme an, es ist ihm furchtbar peinlich. Du könntest *mich* fragen, ob ich verletzt bin. Weißt du eigentlich, was für *Zähne* Biber haben?«

Es war jetzt fast dunkel, doch sie konnte sehen, wie sich seine schmalen Schultern schüttelten.

»Aye«, sagte er, und seine Stimme klang ziemlich erstickt. »Das weiß ich. Sie, äh, haben dich doch nicht gebissen, oder? Ich meine – es müsste doch zu sehen sein, wenn du angenagt worden wärst.« Ihm entfuhr ein belustigtes Keuchen, und er versuchte, es zu überdecken, indem er hustete.

»Nein«, sagte sie ausgesprochen kalt. Das Feuer brannte kräftig, aber nicht annähernd kräftig genug. Der Abendwind hatte sich erhoben und durchdrang den nassen Stoff ihres Hemdes und ihrer Hose, um ihren Rücken mit eiskalten Fingern zu betasten.

»Es waren weniger ihre Zähne als vielmehr ihre Schwänze«, erklärte sie und drehte sich auf den Knien rutschend um, bis sie dem Feuer den Rücken zudrehte. Sie rieb sich vorsichtig mit der Hand über den rechten Arm, wo eins der muskulösen Paddel sie der Länge nach am Unterarm getroffen und eine rötliche Prellung hinterlassen hatte, die von ihrem Handgelenk bis zum Ellbogen reichte. Im ersten Moment hatte sie gedacht, der Knochen wäre gebrochen.

»Es war, als würde man von einem Baseballschläger getroffen – äh, ich meine, von einem Knüppel«, verbesserte sie sich. Die Biber hatten sie nicht direkt angegriffen, aber sich mit einem panischen Wolfshund und einem halben Dutzend extrem aufgebrachter Dreißig-Kilo-Nager im Wasser zu befinden, hatte sie doch sehr an das Gefühl erinnert, als ginge man zu Fuß durch eine Autowaschanlage – ein Mahlstrom aus blendendem Schaum und umherschleudernder Gegenstände. Sie erschauerte und schlang zitternd beide Arme um sich selbst.

»Hier, Cousinchen.« Ian stand auf und zog sich das Wildlederhemd über den Kopf. »Zieh das an.«

Sie war viel zu durchgefroren und zu sehr mitgenommen, um sein Angebot zurückzuweisen. Sie zog sich hinter einen Busch zurück, um den Anstand zu wahren, zog sich die nassen Sachen aus und kam eine Minute später in Ians Wildlederhemd zurück, eine der Decken wie einen Sarong um die Taille gewickelt.

»Du isst nicht genug, Ian«, sagte sie, als sie sich wieder ans Feuer setzte und ihn kritisch betrachtete. »Man kann deine Rippen sehen.«

Das stimmte. Er war immer schon hager an der Grenze zur Magerkeit gewesen, doch als er jünger war, war ihnen das wie die normale Schlaksigkeit eines Teenagers erschienen, die daher rührte, dass sein Knochenwachstum den Rest seines Körpers zu kurz kommen ließ.

Jetzt hatte er seine endgültige Körpergröße erreicht, und seine Muskeln hatten ein oder zwei Jahre Zeit zum Aufholen gehabt. Das hatten sie auch getan – sie konnte jede Sehne in seinen Armen und Schultern sehen –, aber seine Rückenwirbel zeichneten sich unter der gebräunten Haut seines Rückens ab, und sie konnte die Schatten seiner Rippen wie gewellten Sand unter Wasser sehen.

Er zog eine Schulter hoch, gab jedoch keine Antwort und konzentrierte sich darauf, die ausgenommenen Fische auf geschälte Weidenzweige zu spießen, um sie zu grillen.

»Außerdem schläfst du auch nicht gut.« Sie musterte ihn über das Feuer hinweg mit zusammengekniffenen Augen. Selbst in diesem Licht waren die Schatten und Höhlen in seinem Gesicht deutlich zu sehen, trotz der geschwungenen Mohawk-Tätowierungen über seinen Wangenknochen. Alle sahen die Schatten schon seit Monaten deutlich; ihre Mutter hätte Ian gern darauf angesprochen, doch Jamie hatte ihr gesagt, sie solle den Jungen in Ruhe lassen; er würde schon reden, wenn er so weit war.

»Oh, eigentlich schon«, sagte er, ohne aufzublicken.

Ob er jetzt so weit war oder nicht, konnte sie nicht sagen. Aber er hatte sie hierher gebracht. Wenn er noch nicht so weit war, dann beeilte er sich besser.

Sie hatte sich – natürlich – den ganzen Tag Gedanken über das mysteriöse Ziel ihrer Wanderung gemacht und darüber, warum *sie* ihn unbedingt begleiten musste. Wenn er hätte jagen wollen, hätte Ian einen der Männer mitgenommen; auch wenn sie eine gute Schützin war, waren doch mehrere der Männer aus Fraser's Ridge besser, einschließlich ihres Vaters. Und jeder von ihnen war besser als sie im Stande, etwa eine Bärenhöhle auszugraben oder Fleisch und Felle heimzuschleppen.

Zurzeit befanden sie sich auf Cherokee-Land; sie wusste, dass Ian die Indianer häufig besuchte und freundschaftliche Beziehungen zu mehreren Dörfern unterhielt. Doch ginge es darum, eine formelle Abmachung zu treffen, hätte er Jamie gebeten, ihn zu begleiten, oder Peter Bewlie, der mit einer Cherokee-Frau verheiratet war, die als Dolmetscherin dienen konnte.

»Ian«, sagte sie in jenem Tonfall, der normalerweise so gut wie jeden Mann innehalten ließ. »Sieh mich an.«

Sein Kopf fuhr auf, und er sah sie blinzelnd an.

»Ian«, sagte sie ein wenig sanfter, »hat es etwas mit deiner Frau zu tun?«

Er erstarrte für einen Moment, seine Augen dunkel und unergründlich. Rollo, der hinter ihm im Schatten lag, hob plötzlich den Kopf und jaulte leise fragend auf. Das schien Ian zu sich zu bringen; er kniff die Augen zu und senkte den Blick.

»Aye«, sagte er und klang vollkommen sachlich. »So ist es.«

Er veränderte den Winkel des Spießes, den er dicht am Feuer in den Boden getrieben hatte; das brutzelnde weiße Fischfleisch wellte sich und wurde auf dem grünen Holz allmählich braun.

Sie wartete darauf, dass er weiterredete, aber er blieb stumm – er brach nur die Kante eines halb garen Fischstücks ab und hielt sie dem Hund hin, während er einladend mit der Zunge schnalzte. Rollo erhob sich und schnüffelte beunruhigt an Ians Ohr, ließ sich dann aber dazu herab, den Fisch anzunehmen, und legte sich wieder hin. Er leckte den heißen Leckerbissen vorsichtig ab, bevor er ihn mit der Zunge aufhob und sich dann doch dazu aufraffte, auch die beiseite gelegten Fischköpfe und Innereien zu verschlingen.

Ian spitzte ein wenig die Lippen, und sie konnte ein paar seiner Gedanken über sein Gesicht huschen sehen, bevor er sich zum Sprechen durchrang.

»Du weißt ja, dass ich einmal daran gedacht habe, dich zu heiraten.«

Er warf ihr einen raschen, direkten Blick zu, und ein seltsamer kleiner Ruck durchfuhr sie, als sie begriff. Gut, er hatte daran gedacht. Und sie bezweifelte zwar nicht, dass sein Angebot nur den edelsten Motiven entsprungen war … Doch er *war* ein junger Mann. Bis zu diesem Moment war ihr nicht klar gewesen, dass er natürlich über alle Details nachgedacht hatte, die dieses Angebot beinhaltete.

Er sah sie direkt an, ein selbstironisches Eingeständnis der Tatsache, dass er sich in der Tat bis ins körperliche Detail ausgemalt hatte, wie es sein würde, ihr Bett zu teilen – und dieser Vorstellung ganz und gar nicht ablehnend gegenübergestanden hatte. Sie widerstand dem Impuls zu erröten und den Blick abzuwenden; das hätte sie beide in Misskredit gebracht.

Unvermittelt – und zum ersten Mal – war sie sich seiner als *Mann* bewusst und nicht nur als liebenswerter jüngerer Vetter. War sich der Hitze seines Körpers bewusst, die noch in dem weichen Wildleder gespeichert gewesen war, als sie es anzog.

»Es wäre nicht das Schlimmste auf der Welt gewesen«, sagte sie und bemühte sich um einen genauso sachlichen Tonfall wie er. Er lachte, und die getüpfelten Linien seiner Tätowierungen verloren ihre Strenge.

»Nein«, sagte er. »Vielleicht nicht das Beste – das ist schließlich Roger Mac, aye? Aber es freut mich zu hören, dass ich auch nicht der Schlimmste gewesen wäre. Was meinst du, besser als Ronnie Sinclair? Oder schlimmer als der Anwalt Forbes?«

»Ha und nochmals ha.« Sie weigerte sich, sich von seinen Hänseleien aus der Reserve locken zu lassen. »Du wärst mindestens der Dritte auf meiner Liste gewesen.«

»Der Dritte?« Jetzt konnte sie sich seiner Aufmerksamkeit sicher sein. »Was? Wer war denn der Zweite?« Die Vorstellung, dass jemand noch vor ihm kommen könnte, schien ihn tatsächlich zu ärgern, und sie lachte.

»Lord John Grey.«

»Oh? Oh, nun ja. Aye, er käme wohl in Frage«, räumte Ian widerstrebend ein. »Obwohl er natürlich –« Er hielt abrupt inne und bedachte sie mit einem vorsichtigen Blick.

Auch sie durchfuhr ein warnender Stich. Wusste Ian von John Greys privaten Vorlieben? Seinem merkwürdigen Gesichtsausdruck nach glaubte sie es schon – doch wenn nicht, stand es ihr nicht zu, Lord Johns Geheimnisse zu enthüllen.

»Bist du ihm schon einmal begegnet?«, fragte sie neugierig. Ian war mit ihren Eltern zu den Irokesen aufgebrochen, um Roger zu retten, bevor Lord John auf der Plantage ihrer Tante erschienen war, wo sie selbst den Adligen kennen gelernt hatte.

»Oh, aye.« Seine Miene war noch argwöhnisch, obwohl er sich etwas entspannt hatte. »Vor ein paar Jahren. Ihm und seinem… Sohn. Stiefsohn meine ich. Sie waren auf dem Weg nach Virginia und haben in Fraser's Ridge eine Pause eingelegt. Ich habe ihn mit den Masern angesteckt.« Er grinste ganz plötzlich. »Oder zumindest *hatte* er die Masern. Tante Claire hat ihn gesund gepflegt. Und du bist ihm auch begegnet?«

»Ja, auf River Run. Ian, der Fisch hat Feuer gefangen.«

So war es, und er riss den Spieß mit einem leisen gälischen Ausruf aus den Flammen und wedelte mit seinen angesengten Fingern, um sie abzukühlen. Nachdem sie die Fische im Gras gelöscht hatten, erwiesen sie sich als gut essbar, wenn auch außen etwas sehr knusprig, und gaben ein ganz passables Abendessen ab, zu dem es Brot und Bier gab.

»Hast du dann auf River Run Lord Johns Sohn kennen gelernt?«, nahm er ihr Gespräch wieder auf. »Willie, so heißt er. Ein netter Junge. Er ist in den Abort gefallen«, fügte er nachdenklich hinzu.

»In den Abort gefallen?«, sagte sie lachend. »Das klingt, als wäre er ein Idiot. Oder war er einfach nur so klein?«

»Nein, für sein Alter war er gerade richtig. Und gar nicht so dumm für einen Engländer. Aber eigentlich war es ja auch nicht seine Schuld. Wir haben uns eine Schlange angesehen, und dann ist sie über den Ast auf uns zu gekrochen und … Jedenfalls war es ein Unfall«, schloss er und gab Rollo noch ein Stück Fisch. »Aber du selbst bist ihm also noch nicht begegnet?«

»Nein, und ich glaube, dass du absichtlich vom Thema ablenkst.«

»Aye, das stimmt. Möchtest du noch einen Schluck Bier?«

Sie sah ihn mit hoch gezogener Augenbraue an – er brauchte gar nicht zu glauben, dass er so leicht davonkommen würde –, nickte aber und nahm die Flasche entgegen.

Sie schwiegen eine Weile, tranken Bier und sahen zu, wie das letzte Licht in Dunkelheit versank und die Sterne aufgingen.

Der Duft der Kiefern wurde nun intensiver, denn ihr Harz hatte die Wärme des Tages gespeichert, und in einiger Entfernung hörte sie dann und wann einen Biberschwanz wie einen Gewehrschuss auf das Wasser klatschen – offenbar hatten die Biber Wachen aufgestellt, für den Fall, dass sie oder Rollo im Dunklen zurückschlichen, dachte sie ironisch.

Ian hatte sich zum Schutz gegen die zunehmende Kälte seine Decke um die Schultern geworfen und lag flach im Gras und starrte zum Gewölbe des Himmels hinauf.

Sie versuchte erst gar nicht, sich den Anschein zu geben, als beobachtete sie ihn nicht. Und sie war sich sicher, dass er sich dessen bewusst war. Im Moment war sein Gesicht reglos und ließ seine übliche Lebendigkeit vermissen – doch es lag kein Argwohn darin. Er dachte nach, und sie räumte ihm alle Zeit ein, die er brauchte; es war Herbst, und die Nacht würde lang genug sein für viele Dinge.

Sie wünschte, sie wäre auf die Idee gekommen, ihre Mutter ausführlicher nach dem Mädchen zu fragen, das Ian Emily nannte – ihr Mohawk-Name war vielsilbig und unaussprechlich. Klein, hatte ihre Mutter gesagt. Hübsch, auf eine ordentliche, zierliche Art, und ausgesprochen klug.

War sie tot, Emily, die Kleine, Kluge? Sie glaubte es nicht. Sie lebte schon lange genug in dieser Zeit, um mehrfach gesehen zu haben, wie Männer mit dem Tod ihrer Frauen fertig wurden. Man sah ihnen ihren Verlust und ihren Schmerz an – doch sie verhielten sich nicht so, wie Ian es getan hatte.

Ob er vorhatte, sie zu Emily zu *bringen*? Das war ein bestürzender Gedanke, den sie jedoch gleich wieder verwarf. Bis zum Gebiet der Mohawk war es mindestens eine Monatsreise – wahrscheinlich sogar mehr. Andererseits …

»Weißt du, ich habe mich gefragt«, sagte er plötzlich, den Blick nach wie vor zum Himmel gewandt. »Kommst du dir manchmal … falsch vor?« Er sah sie hilflos an, weil er sich nicht sicher war, ob er ausgedrückt hatte, was er meinte – doch sie verstand ihn bestens.

»Ja, immerzu.« Bei diesem Geständnis empfand sie ein Gefühl sofortiger, unerwarteter Erleichterung. Er sah ihre Schultern zusammensacken und lächelte schwach und schief.

»Nun ja … vielleicht nicht *immer*«, verbesserte sie sich. »Wenn ich allein im Wald bin, geht es. Oder wenn ich mit Roger allein bin. Obwohl selbst dann …« Sie sah, wie sich Ians Augenbraue hob, und beeilte sich, es zu erklären. »Nicht das. Nicht das Zusammensein mit ihm. Es ist nur, dass wir … Wir unterhalten uns über das, was einmal gewesen ist.«

Er warf ihr einen Blick zu, in dem sich Mitgefühl mit Interesse vermischte. Es war klar, dass er gern erfahren hätte, »was gewesen war«, doch vorerst schob er es beiseite.

»Der Wald, aye?«, sagte er. »Das verstehe ich. Zumindest, wenn ich wach bin. Aber im Schlaf …« Er wandte das Gesicht wieder dem leeren Himmel und den zunehmend stärker leuchtenden Sternen zu.

»Hast du Angst – wenn es dunkel wird?« Sie empfand dann und wann so; einen Augenblick tiefer Angst im Zwielicht – ein Gefühl des Verlassenseins und der elementaren Einsamkeit, wenn die Nacht aus der Erde aufstieg. Ein Gefühl, das manchmal blieb, selbst wenn sie in ihre Hütte gegangen war und die Tür sicher hinter sich verriegelt hatte.

»Nein«, sagte er und sah sie mit leicht gerunzelter Stirn an. »Du?«

»Nur ein bisschen«, sagte sie und winkte ab. »Nicht ständig. Nicht jetzt. Aber was ist das nur, wenn man im Wald schläft?«

Er setzte sich hin, lehnte sich ein wenig zurück, die kräftigen Hände um ein Knie gelegt, und dachte nach.

»Aye, nun ja …«, sagte er langsam. »Manchmal denke ich an die alten Geschichten – aus Schottland, aye? Und Geschichten, die ich ab und zu gehört habe, als ich bei den Kahnyen'kehaka gelebt habe. Über … Dinge, die einen Menschen im Schlaf überkommen können. Um seine Seele fortzulocken.«

»Dinge?« Trotz der Schönheit der Sterne und des friedlichen Abends spürte sie, wie ihr etwas Kleines, Kaltes über den Rücken glitt. »*Was* für Dinge?«

Er holte tief Luft und atmete stirnrunzelnd wieder aus.

»Auf Gälisch nennen wir sie *sidhe*. Die Cherokee nennen sie die Nunnahee. Und die Mohawk haben ebenfalls Namen für sie – mehr als einen. Aber als ich *Eats Turtles* von ihnen erzählen gehört habe, wusste ich sofort, was sie sind. Es ist dasselbe – das Alte Volk.«

»Feen?«, sagte sie, und ihr Unglaube musste ihr deutlich anzuhören sein, denn er blickte scharf zu ihr auf, eine Spur von Ärger in den Augen.

»Nein, ich weiß, was *du* damit meinst – Roger Mac hat mir das Bildchen gezeigt, das du für Jem gezeichnet hast, lauter kleine Wesen wie Libellen, die durch die Blumen tanzen …« Er stieß einen verächtlichen Kehllaut aus. »Nein. Diese Dinge sind …« Er machte eine hilflose Geste und starrte stirnrunzelnd ins Gras.

»Vitamine«, sagte er plötzlich und blickte auf.

»Vitamine«, sagte sie und rieb sich die Stelle zwischen den Augen. Es war ein langer Tag gewesen; sie waren wahrscheinlich zwanzig bis fünfundzwanzig Kilometer gewandert, und die Erschöpfung hatte sich wie Wasser in ihren Beinen und ihrem Rücken niedergelassen. Die Prellungen von ihrem Kampf mit den Bibern begannen unterschwellig zu schmerzen.

»Ich verstehe. Ian … bist du sicher, dass dein Kopf nicht immer noch ein bisschen angeknackst ist?« Sie sagte es unbeschwert, aber ihre Angst, dass es stimmen könnte, musste ihr anzuhören sein, denn er gluckste leise und reumütig.

»Nein. Oder wenigstens – glaube ich es nicht. Es war nur – nun ja, weißt du, es ist doch so. Man kann die Vitamine nicht sehen, aber du und Tante Claire, ihr wisst genau, dass es sie gibt. Und Onkel Jamie und ich müssen darauf vertrauen, dass ihr Recht habt. Ich weiß genauso viel über die – die Alten. Kannst du mir das nicht auch glauben?«

»Nun, ich –« Sie hatte angesetzt, ihm zuzustimmen, um des lieben Friedens willen – doch dann überkam sie ein Gefühl, plötzlich und kalt wie der Schatten einer Wolke, und ihr verging der Wunsch, diese Vorstellung zu bejahen. Nicht laut. Und nicht hier.

»Oh«, sagte er, als er ihr Gesicht sah. »Dann weißt du es also doch.«

»Ich würde nicht *wissen* sagen, nein«, erwiderte sie. »Aber ich weiß ebenso wenig, dass es nicht so ist. Und ich glaube nicht, dass es eine gute Idee ist, über solche Dinge zu reden, nachts in einem Wald, eine Million Meilen von der Zivilisation entfernt. Verstehst du?«

Bei diesen Worten lächelte er ein wenig und nickte zur Bestätigung.

»Aye. Eigentlich wollte ich das auch gar nicht sagen. Es ist eher …« Er zog konzentriert seine feinen Augenbrauen zusammen. »Als ich noch ein Junge war, bin ich oft im Bett aufgewacht, und dann wusste ich sofort, wo ich war, aye? Da war das Fenster« – er machte eine Geste mit dem Arm –, »und da auf dem Tisch waren die Waschschüssel und der Wasserkrug mit dem blauen Streifen am Rand, und *da*« – er zeigte auf einen Lorbeerbusch –, »war das große Bett, in dem Janet und Michael geschlafen haben, und Jocky, der Hund, hat am Fußende vor sich hingefurzt, und der Geruch nach Torfrauch vom Kamin und … nun ja, selbst wenn ich um Mitternacht wach geworden bin und es im ganzen Haus still war, wusste ich sofort, wo ich bin.«

Sie nickte, und die Erinnerung an ihr altes Zimmer in ihrem Haus an der Furey Street stieg rings um sie auf, so lebhaft wie eine Vision im Rauch. Die gestreifte Wolldecke, die sie unter dem Kinn kratzte, und die Matratze mit dem Abdruck ihres Körpers in der Mitte, die sie wie eine große, warme Hand umschloss. Angus, der Stoffterrier mit der fadenscheinigen Schottenmütze, der bei ihr im Bett schlief, und das beruhigende Summen der Unterhaltung ihrer Eltern unten im Wohnzimmer, unterbrochen vom Saxophon der Titelmusik von ›*Perry Mason*‹.

Und vor allem das Gefühl absoluter Sicherheit.

Sie musste ihre Augen schließen und zweimal schlucken, bevor sie antwortete.

»Ja. Ich weiß, was du meinst.«

»Aye. Nun. In der ersten Zeit, nachdem ich von zu Hause weggegangen bin, habe ich oft mit Onkel Jamie draußen in der Heide geschlafen oder hier und da in einem Wirtshaus. Dort bin ich aufgewacht, ohne zu wissen, wo ich bin – und doch wusste ich, dass ich in Schottland war. Alles war gut.« Er hielt inne und hielt die Unterlippe mit den Zähnen fest, während er um die richtigen Worte rang.

»Dann … ist vieles passiert. Ich war nicht mehr in Schottland, und mein Zuhause war … verloren.« Seine Stimme war sanft, doch sie konnte das Echo des Vergangenen darin hören.

»Ich bin oft aufgewacht, ohne die geringste Ahnung zu haben, wo ich sein könnte – oder wer.«

Er saß jetzt vornübergebeugt, und seine großen Hände hingen lose zwischen seinen Oberschenkeln, während er ins Feuer starrte.

»Aber wenn ich mit Emily geschlafen habe – von Anfang an. Ich habe es gewusst. Wieder gewusst, wer ich war.« Jetzt sah er zu ihr auf, und seine Augen waren dunkel, vom Schatten des Verlustes erfüllt. »Meine Seele ist im Schlaf nicht gewandert – wenn ich mit ihr geschlafen habe.«

»Und jetzt tut sie es?«, fragte sie leise nach einer Pause.

Er nickte wortlos. Der Wind flüsterte über ihnen in den Bäumen. Sie versuchte, ihn zu ignorieren, von einer obskuren Angst erfüllt, dass sie womöglich Worte hören würde, wenn sie genau lauschte.

»Ian«, sagte sie und berührte ihn sacht am Arm. »Ist Emily tot?«

Er saß eine Minute lang ganz still da, dann holte er tief und erschauernd Luft und schüttelte den Kopf.

»Ich glaube nicht.« Doch er klang, als hätte er Zweifel daran, und sie konnte die Sorge in seinem Gesicht sehen.

»Ian«, sagte sie leise. »Komm her.«

Er bewegte sich nicht, wehrte sich aber auch nicht, als sie an seine Seite kroch und die Arme um ihn legte. Sie zog ihn mit sich zu Boden und beharrte darauf, dass er sich neben sie legte, den Kopf in die Rundung zwischen ihrer Schulter und ihrer Brust geschmiegt, während sie den Arm um sie legte.

Mutterinstinkt, dachte sie voll belustigter Ironie. Ganz gleich, was nicht in Ordnung ist, als Erstes nimmt man sie in den Arm und kuschelt mit ihnen. Und wenn sie zu groß sind, um sie aufzuheben … Und wenn sein warmes Gewicht und das Geräusch seines Atems in ihrem Ohr die Stimmen im Wind von ihr fern hielten, umso besser.

Ihr kam eine bruchstückhafte Erinnerung, ein kurzes, lebhaftes Bild ihrer Mutter, die in der Küche ihres Bostoner Hauses hinter ihrem Vater stand. Er hatte sich auf seinem Stuhl zurückgelehnt, den Kopf an den Bauch ihrer Mutter gelegt und die Augen vor Schmerz oder Erschöpfung geschlossen, während sie ihm die Schläfen rieb. Was war es gewesen? Kopfschmerzen?

Doch das Gesicht ihrer Mutter war sanft gewesen, die Falten der Anstrengung ihres eigenen Tages geglättet durch die Massage, die sie ihm verabreichte.

»Ich komme mir albern vor«, murmelte Ian schüchtern – doch er wich nicht zurück.

»Nein, das tust du nicht.«

Er holte tief Luft, wand sich ein wenig und machte es sich vorsichtig im Gras bequem. Sein Körper berührte den ihren kaum.

»Aye, nun. Dann wohl doch nicht«, sagte er leise. Nach und nach ging sein Argwohn in Entspannung über, sein Kopf wurde schwerer an ihrer Schulter, die Verhärtung seiner Rückenmuskeln ließ unter ihrer Hand langsam nach. Ganz zögernd, als erwartete er, dass sie ihn mit einer Ohrfeige vertreiben würde, hob er einen Arm und legte ihn um sie.

Es schien, als hätte sich der Wind gelegt. Das Feuer erleuchtete sein Gesicht, in dem sich die dunklen, gepunkteten Linien seiner Tätowierungen auf seiner Jungenhaut abzeichneten. Sein Haar an ihrer Wange roch nach Holzrauch und Staub.

»Erzähl's mir«, sagte sie.

Er seufzte tief.

»Noch nicht«, sagte er. »Wenn wir dort sind, aye?«

Dann schwieg er, und sie lagen zusammen im Gras, lautlos und in Sicherheit.

Brianna spürte den Schlaf kommen, der sie auf sanften Wogen dem Frieden entgegentrug, und sie wehrte sich nicht. Das Letzte, woran sie sich erinnerte, war Ians Gesicht, das mit der Wange schwer an ihrer Schulter ruhte, die Augen immer noch offen und auf das Feuer gerichtet.

Walking Elk – Wandernder Elch – erzählte eine Geschichte. Es war einer seiner besten Geschichten, aber Ian war mit den Gedanken nicht richtig bei der Sache. Ian saß *Walking Elk* am Feuer gegenüber, aber er beobachtete die Flammen, nicht das Gesicht seines Freundes.

Sehr seltsam, dachte er. Sein Leben lang beobachtete er schon die Feuer seiner Heime, doch bis zu diesem Winter hatte er noch nie die Frau darin gesehen. Natürlich brannten die Torffeuer in Schottland nicht besonders hell, wenn sie auch schön warm waren und angenehm rochen … oh. Die Wärme und der Duft. Aye, also war sie *doch* da. Er nickte sacht und lächelte. *Walking Elk* interpretierte dies als Geste des Beifalls für seine Darbietung, und seine Gesten wurden jetzt noch dramatischer. Er schnitt furchtbare Grimassen, machte große Sätze, fletschte die Zähne und knurrte, um den Vielfraß darzustellen, den er sorgsam bis zu seinem Schlafplatz verfolgt hatte.

Der Lärm lenkte Ian vom Feuer ab, und er konzentrierte sich wieder auf die Geschichte. Genau rechtzeitig, denn *Walking Elk* hatte jetzt den Höhepunkt erreicht, und die jungen Männer stießen einander erwartungsvoll an. *Walking Elk* war klein und untersetzt – er war einem Vielfraß gar nicht so unähnlich, und das machte seine Imitation umso unterhaltsamer.

Er wandte den Kopf, rümpfte die Nase und knurrte mit zusammengebissenen Zähnen, als der Vielfraß den Geruch des Jägers aufnahm. Dann wechselte er blitzschnell die Rollen und wurde zu dem Jäger, der vorsichtig durch das Unterholz kroch, innehielt, sich tief gebückt hinhockte – und mit einem scharfen Aufschrei in die Luft sprang, weil sein Hintern in einem Dorn gelandet war.

Die Männer am Feuer stießen Beifallsrufe aus, als *Walking Elk* wieder in die Haut des Vielfraßes schlüpfte, der zuerst ein erstauntes Gesicht über den Lärm machte und dann einen begeisterten Ausdruck annahm, weil er seine Beute erspäht hatte. Er sprang unter wütendem Knurren und schrillem Aufjaulen von seinem Schlafplatz. Der Jäger fiel zu Tode erschrocken hintenüber und machte kehrt, um wegzurennen. *Walking Elks* stämmige Beine gruben sich in den festgetrampelten Boden des Langhauses, als er auf der Stelle lief. Dann warf er die Arme hoch und landete mit einem verzweifelten »Ay-Yiiiiii!« auf allen vieren, als ihn der Vielfraß in den Rücken boxte.

Die Männer riefen ihm ermutigend zu und klatschten mit den Handflächen auf ihre Oberschenkel, als es dem bedrängten Jäger gelang, sich mit rudernden Armen fluchend auf den Rücken zu rollen und dann mit dem Vielfraß zu ringen, der versuchte, ihn am Hals zu packen.

Der Feuerschein glänzte auf den Narben, die *Walking Elks* Brust und Schultern verzierten – dicke, weiße Wulste, die sich in der weiten Halsöffnung seines Hemdes zeigten, als er sich jetzt heftig wand und mit ausgestreckten Armen seinen unsichtbaren Gegner von sich drückte. Ian ertappte sich dabei, dass er sich mit angehaltenem Atem und vor Anstrengung verkrampften Schultern vorbeugte, obwohl er wusste, was als Nächstes kam.

Walking Elk hatte diesen Trick schon oft vollführt, aber er verfehlte seine Wirkung nie. Ian hatte es selbst versucht, doch er konnte es nicht. Der Jäger grub seine Fersen und Schultern in den Boden und wölbte seinen Körper wie einen gespannten Bogen auf. Seine Beine zitterten, seine Arme bebten – bestimmt würden sie jeden Moment nachgeben. Die Männer am Feuer hielten den Atem an.

Dann kam es; ein leises, plötzliches *Klick*. Es war deutlich und irgendwie gedämpft zugleich, genau das Geräusch, das beim Brechen eines Genicks entstand. Das Bersten von Knochen und Sehnen, durch Muskeln und Fell gedämpft. Der Jäger verweilte noch ein paar Sekunden ungläubig in seiner aufgebäumten Position, dann ließ er sich ganz langsam zu Boden sinken, setzte sich und starrte den Kadaver seines Feindes an, den er schlaff in den Händen hielt.

Er hob seinen Kopf zu einem stummen Dankgebet, hielt dann inne und rümpfte die Nase. Er blickte an sich hinunter, das Gesicht zu einer Grimasse verzogen, und rieb heftig an seinen Leggings, die der Vielfraß mit seinen stinkenden Exkrementen beschmutzt hatte. Das Publikum am Feuer erbebte vor Lachen.

Ein kleiner Eimer Sprossenbier machte die Runde; *Walking Elk* strahlte mit schweißglänzendem Gesicht und nahm ihn in Empfang. Sein kurzer, stämmiger Hals bewegte sich heftig, als er das scharfe Getränk hinunterschüttete wie Wasser. Schließlich setzte er den Eimer ab und sah sich mit einem Ausdruck verträumter Genugtuung um.

»Du, Wolfsbruder. Erzähl uns eine Geschichte!« Er warf den halb leeren Eimer über das Feuer hinweg; Ian fing ihn auf und verschüttete dabei nur ein paar Tropfen, die ihm über das Handgelenk liefen. Er saugte sich die Flüssigkeit vom Ärmel, lachte und schüttelte den Kopf. Er trank schnell einen Schluck Bier und reichte den Eimer an *Snake* weiter, der neben ihm saß.

Eats Turtles – Schildkrötenesser –, der an seiner anderen Seite saß, stieß Ian in die Rippen, um ihn zum Erzählen zu bewegen, aber er schüttelte erneut den Kopf, zuckte mit den Achseln und wies mit dem Kinn auf seinen Nachbarn.

Snake ließ sich das nicht zweimal sagen. Er stellte den Eimer genau vor sich hin und beugte sich vor. Der Feuerschein tanzte in seinem Gesicht, als er zu reden begann. Er war kein großer Schauspieler, so wie *Walking Elk*, aber er war schon älter – etwa dreißig – und war in seiner Jugend weit herumgekommen. Er hatte bei den Assiniboin und den Cayuga gelebt und bei ihnen viele Geschichten gelernt, die er mit großem Geschick – wenn auch weniger schweißtreibend – erzählte.

»Erzählst du uns denn später etwas?«, flüsterte *Turtle* Ian ins Ohr. »Ich möchte gern etwas von der See und von der Frau mit den grünen Augen hören.«

Ian nickte ein wenig zögerlich. Er war beim ersten Mal ziemlich betrunken gewesen, sonst hätte er niemals von Geillis Abernathy gesprochen. Aber sie hatten Rum getrunken, und das Schwindelgefühl, das er ihm bereitete, war dem Gefühl sehr ähnlich gewesen, das er von dem Zeug bekam, das *sie* ihm zu trinken gegeben hatte, wenn er auch anders schmeckte. Ein Taumelgefühl, das seinen Blick verschwimmen ließ, so dass sich die Kerzenflammen lang zogen und wie Wasser verschwammen und die Flammen des Kamins so aussahen, als schwappten sie über, um dann das Kaminsims zu erklettern und überall in ihrem reichlich ausgestatteten Zimmer aufzutauchen, auf jeder runden Oberfläche aus Silber oder Glas, Edelsteinen oder poliertem Holz ein separates Feuer zu entzünden – doch am hellsten flackerte es hinter den grünen Augen.

Er sah sich um. Hier gab es keine glänzenden Oberflächen. Tontöpfe, grobes Brennholz und die glatten Pfosten der Bettgestelle, Mahlsteine und Flechtkörbe; selbst die Stoffe und Pelze ihrer Kleidung hatten sanfte, gedämpfte Farben, die das Licht schluckten. Es musste die Erinnerung an jene Zeiten des lichterfüllten Taumels gewesen sein, die ihn auf sie gebracht hatte.

Er dachte nur selten an die Herrin – so hatten die Sklaven und die anderen Jungen sie genannt; sie brauchte keinen anderen Namen als diesen, denn niemand konnte sich eine zweite Frau wie sie vorstellen. Er schätzte seine Erinnerungen an sie nicht besonders, aber Onkel Jamie hatte ihm gesagt, er solle sich nicht vor ihnen verstecken, und er gehorchte und stellte fest, dass es ein guter Rat war.

Er starrte gebannt auf das Feuer und lauschte *Snakes* Vortrag der Geschichte von *Goose* und wie er den Teufel mit List dazu gebracht hatte, den Menschen den Tabak zu bringen und *Old Man* das Leben zu retten. Ob sie es wohl war, die er im Feuer sah?

Er glaubte es nicht. Wenn er die Frau im Feuer sah, erfüllte ihn ein Gefühl der Wärme, das von seinem erhitzten Gesicht durch seine Brust lief und seinen Bauch mit Glut durchzog. Die Frau im Feuer hatte kein Gesicht; er sah ihre Gliedmaßen, ihren geschwungenen Rücken, ihr langes, glattes Haar, ihm zugewandt, um in der nächsten Sekunde zu verschwinden; er hörte sie lachen, sanft und hauchend, weit fort – und es war nicht Mrs. Abernathys Lachen.

Dennoch hatten *Turtles* Worte sie ihm ins Bewusstsein gerufen, und er konnte sie dort sehen. Er seufzte und fragte sich, was er wohl erzählen konnte, wenn die Reihe an ihn kam. Vielleicht würde er von Mrs. Abernathys Zwillingssklaven erzählen, den schwarzen Riesen, die ihr jeden Wunsch erfüllten; er hatte einmal gesehen, wie sie gemeinsam ein Krokodil erlegten und es vom Fluss hinauftrugen, um es ihr zu Füßen zu legen.

Es machte ihm kaum etwas aus. Nachdem er zum ersten Mal im Rausch von ihr erzählt hatte, hatte er festgestellt, dass die Erzählung auch seine Erinnerung veränderte – als sei sie eine Geschichte, interessant, aber nicht real. Vielleicht hatte es sie ja gegeben, genau wie *Goose* vielleicht tatsächlich den Tabak zu *Old Man* gebracht hatte – doch es kam ihm nicht mehr so vor, als habe es sie auch für *ihn* gegeben.

Und schließlich hatte er keine Narben wie *Walking Elk*, die sowohl seine Zuhörer als ihn selbst daran erinnerten, dass er die Wahrheit sagte.

In Wahrheit langweilten ihn allerdings das Trinken und die Geschichten allmählich. In Wahrheit sehnte er sich danach, unter die Felle und in das kühle Dunkel seines Bettpodestes zu flüchten, seine Kleider abzulegen und sich heiß und nackt um seine Frau zu schlingen. Sie trug zwar den Namen *Works with her Hands*, doch in der Abgeschiedenheit ihres Bettes nannte er sie Emily.

Ihre Zeit wurde langsam knapp; noch zwei Monde, und Emily würde ihn verlassen, um in das Haus der Frauen zu ziehen, wo er sie nicht sehen würde. Dann noch ein Mond, bis das Kind kam, und danach noch einer zur

Reinigung… der Gedanke, zwei Monate lang kalt und allein zu sein, ohne dass sie nachts neben ihm lag, reichte aus, um ihn nach dem Bier greifen zu lassen, als es an ihm vorbeikam, und einen tiefen Schluck zu trinken.

Nur, dass der Eimer leer war. Seine Freunde kicherten, als er ihn umgekehrt über seinen offenen Mund hielt und ein einzelner, bernsteinfarbener Tropfen ihn überraschend an der Nase traf.

Eine kleine Hand langte über seine Schulter und nahm ihm den leeren Eimer ab, während ihr Gegenstück ihm über die andere Schulter einen vollen reichte.

Er nahm den Eimer entgegen, drehte sich um und lächelte zu ihr auf. *Works with her Hands* – Die-mit-den-Händen-arbeitet – lächelte selbstzufrieden zurück; es bereitete ihr großes Vergnügen, seine Bedürfnisse voraus zu ahnen. Sie kniete sich hinter ihn, drückte ihren runden, warmen Bauch an seinen Rücken und wehrte *Turtles* Hand ab, als dieser nach dem Bier griff.

»Nein, mein Mann soll es haben! Er erzählt viel besser, wenn er betrunken ist.«

Turtle kniff ein Auge zu und fixierte sie mit dem anderen. Er schwankte leicht.

»Erzählt er besser, wenn er betrunken ist?«, fragte er. »Oder *glauben* wir nur, dass es besser ist, weil *wir* betrunken sind?«

Works with her Hands ignorierte diese tiefsinnige Frage und schaffte Platz für sich am Feuer, indem sie ihren festen Hintern wie einen Rammbock hin und her bewegte. Sie ließ sich gemütlich neben Ian nieder und verschränkte die Arme über ihrem Kugelbauch.

Mit ihr waren einige andere junge Frauen hereinspaziert, die neues Bier brachten. Sie drängten sich murmelnd, schubsend und lachend zwischen die jungen Männer. Er hatte Unrecht gehabt, dachte Ian, als er sie beobachtete. Der Feuerschein leuchtete in ihren Gesichtern, spiegelte sich in ihren Zähnen, fing sich im feuchten Glanz ihrer Augen und dem weichen, dunklen Inneren ihrer Münder, wenn sie lachten. Das Feuer glänzte heller in ihren Gesichtern, als es je im Kristall und Silber von Rose Hall gestrahlt hatte.

»Also, Mann«, sagte Emily und senkte sittsam die Augenlider. »Erzähl uns von dieser Frau mit den grünen Augen.«

Er trank nachdenklich einen Schluck Bier, dann noch einen.

»Oh«, sagte er. »Sie war eine Hexe und eine sehr durchtriebene Frau – aber sie hat gutes Bier gebraut.«

Emily riss die Augen weit auf, und alle lachten. Er schaute ihr in die Augen und sah es deutlich – das Bild des Feuers hinter ihm, das ihn willkommen hieß, winzig und perfekt.

»Aber nicht so gut wie deins«, sagte er. Er hob salutierend den Eimer und trank in tiefen Zügen.

70

Emily

Am Morgen erwachte Brianna mit steifen Gelenken und schmerzenden Gliedern, doch mit einem klaren Gedanken im Kopf. *Okay. Ich weiß, wer ich bin.* Sie hatte keine klare Vorstellung, *wo* sie war, aber das spielte keine Rolle. Sie blieb noch einen Moment still liegen und empfand ein merkwürdiges Gefühl des Friedens, obwohl sie pinkeln musste.

Wie lange war es her, fragte sie sich, dass sie zuletzt allein und in Frieden aufgewacht *war* und ihre Gedanken ihre einzige Gesellschaft gewesen waren? Eigentlich nicht mehr, dachte sie, seit sie die Steine durchschritten hatte, um sich auf die Suche nach ihrer Familie zu machen. Und sie gefunden hatte.

»Und zwar in Massen«, murmelte sie und räkelte sich vorsichtig. Sie stöhnte, rappelte sich hoch und schlurfte ins Gebüsch, um zu pinkeln und ihre eigenen Kleider wieder anzuziehen, bevor sie an den geschwärzten Ring ihrer Feuerstelle zurückkehrte.

Sie entflocht ihr zerzaustes Haar und begann benommen, es mit den Fingern auszukämmen. Von Ian oder dem Hund war nichts zu sehen, doch das machte ihr keine Sorgen. Der Wald ringsum war vom Lärm der Vögel erfüllt, keine Alarmrufe, sondern nur alltägliches Flattern und Füttern, ein fröhliches Geplapper, dessen Tonfall sich auch nicht änderte, als sie sich erhob. Die Vögel beobachteten sie seit Stunden; sie machten sich ebenso wenig Sorgen.

Das Aufwachen fiel ihr immer schwer, doch der schlichte Genuss, nicht von den beharrlichen Forderungen ihrer Frühaufsteher aus dem Schlaf gerissen zu werden, ließen ihr die Morgenluft besonders süß erscheinen, trotz des bitteren Aschegeruchs, der vom erloschenen Feuer aufstieg.

Weitgehend wach, wischte sie sich als Morgentoilette mit einer Hand voll taunasser Pappelblätter über das Gesicht, dann hockte sie sich ans Feuer und machte sich daran, es neu zu entzünden. Sie hatten zwar keinen Kaffee, für den sie kochendes Wasser gebraucht hätten, aber Ian war bestimmt auf der Jagd. Mit etwas Glück würde es etwas zu kochen geben; bis auf einen Brotkanten hatten sie alles aufgegessen, was in dem Rucksack gewesen war.

»Zum Kuckuck damit«, murmelte sie, als sie Feuerstein und Stahl zum dutzendsten Mal aneinander schlug und zusah, wie die verstreuten Funken erloschen, ohne Fuß zu fassen. Hätte Ian ihr doch nur gesagt, dass sie campen würden, dann hätte sie ihren Feueranzünder mitgebracht oder ein paar Streichhölzer – obwohl sie sich andererseits nicht sicher war, dass das ungefährlich war. Sie konnten leicht in ihrer Tasche in Flammen aufgehen.

»Wie haben die Griechen das nur gemacht?«, sagte sie laut und warf einen finsteren Blick auf das kleine, verkohlte Tuch, auf dem sie versuchte, einen Funken zum Zünden zu bringen. »Irgendeine Methode mussten sie doch haben.«

»Was haben die Griechen gemacht?«

Ian und Rollo waren zurück und hatten ein halbes Dutzend Süßkartoffeln beziehungsweise einen undefinierbaren blaugrauen Wasservogel mitgebracht. Rollo weigerte sich, ihn ihr vorzuführen, und schleppte seine Beute, deren lange, gelbe Beine schlaff über den Boden schleiften, unter einen Busch, um sie dort ungestört zu verspeisen.

»Was hatten die Griechen?«, wiederholte Ian und wendete seine Tasche nach außen. Sie war voller Esskastanien, deren rotbraune Schalen noch von den Stachelhüllen glänzten.

»Eine Substanz namens Phosphor. Hast du schon einmal davon gehört?«

Ian zog ein verständnisloses Gesicht und schüttelte den Kopf.

»Nein. Was ist das?«

»Eine Substanz eben«, sagte sie, weil ihr auf Anhieb kein besseres Wort einfiel. »Lord John hat mir etwas davon geschickt, damit ich Streichhölzer machen konnte.«

»Streichhölzer?«, erkundigte sich Ian argwöhnisch. Sie starrte ihn ein paar Sekunden an, denn ihr morgenmüder Verstand folgte der Unterhaltung nur langsam.

»Oh«, sagte sie schließlich. »Zum Feueranzünden. Phosphor ist brennbar. Ich zeige es dir, wenn wir nach Hause kommen.« Sie gähnte und deutete vage auf den kleinen Zunderstapel im Inneren des Feuerrings.

Ian stieß ein duldsames schottisches Geräusch aus und griff selbst nach Feuerstein und Stahl.

»Ich mache das schon. Schneide die Kastanien ein, aye?«

»Okay. Hier, du solltest dein Hemd wieder anziehen.« Ihre eigenen Kleider waren jetzt trocken, und Ians gemütliches Wildlederhemd fehlte ihr zwar, aber auch die dicke Wolle ihres Fransenhemdes lag warm und weich auf ihrer Haut. Es war ein heller Tag, doch so früh am Morgen war es kühl. Ian hatte seine Decke zum Feuermachen beiseite gelegt, und seine nackten Schultern waren mit Gänsehaut überzogen.

Doch er schüttelte schwach den Kopf, um ihr zu sagen, dass er sein Hemd gleich anziehen würde. Im Moment jedoch … seine Zungenspitze lugte aus seinem Mundwinkel hervor, während er konzentriert Feuerstein und Stahl aneinander schlug, und verschwand dann, als er etwas vor sich hin murmelte.

»Was hast du gesagt?« Sie hielt inne, eine halb eingeschnittene Kastanie in der Hand.

»Oh, das war nur ein –« Er hatte noch einmal zugeschlagen und einen Funken entzündet, der wie ein kleiner Stern auf dem verkohlten Rechteck funkelte. Hastig hielt er ein trockenes Grasbüschel daran, dann noch eins, und als dann ein Rauchkringel aufstieg, fügte er ein Rindenstückchen hinzu, noch mehr Gras, eine Hand voll Rinde und schließlich ein Häufchen sorgsam übereinander gekreuzter Kiefernzweige.

»Es war nur ein Feuerzauber«, beendete er seinen Satz und grinste ihr über die neu geborene Glut hinweg zu, die er vor sich entfacht hatte.

Sie applaudierte ihm kurz, dann machte sie sich daran, die Schale der Kastanie in ihrer Hand kreuzweise einzuschneiden, damit sie im Feuer nicht platzte.

»Den kenne ich noch gar nicht«, sagte sie. »Sag mir die Worte.«

»Oh.« Er war nicht leicht zum Erröten zu bringen, doch die Haut an seinem Hals wurde ein wenig dunkler. »Es ist … er ist nicht auf Gälisch. Es ist Kahnyen'kehaka.«

Ihre Augenbrauen fuhren in die Höhe, nicht nur wegen des einen Wortes, das er so leicht über die Lippen brachte, sondern auch wegen der Worte, die er *gesagt* hatte.

»Denkst du eigentlich manchmal auf Mohawk, Ian?«, fragte sie neugierig.

Er warf ihr einen überraschten, beinahe, so dachte sie, angstvollen Blick zu.

»Nein«, sagte er kurz angebunden und erhob sich. »Ich hole noch Holz.«

»Ich habe welches«, sagte sie und fixierte ihn mit ihren Augen. Sie griff hinter sich und stieß einen abgebrochenen Kiefernzweig in das junge Feuer. Die trockenen Nadeln explodierten in einem Funkenschauer und verschwanden. Doch die unebene Rinde begann, an den Kanten zu brennen.

»Was ist denn?«, bohrte sie weiter. »War es das, was ich gefragt habe – ob du auf Mohawk denkst?«

Er presste die Lippen fest zusammen, unwillig zu antworten.

»Du hast mich gebeten, dich zu begleiten«, sagte sie nicht scharf, aber doch bestimmt.

»Das ist wahr.« Er holte tief Luft und widmete seine Aufmerksamkeit den Süßkartoffeln, die er zum Backen in der heißen Asche vergrub.

Sie drehte die glatte Kastanie zwischen den Fingern hin und her, während sie beobachtete, wie er zu einem Entschluss kam. In seinem Rücken ertönten unter Rollos Busch laute Kaugeräusche, und dann und wann wirbelten blaugraue Federn auf.

»Hast du letzte Nacht geträumt, Brianna?«, fragte er plötzlich, den Blick nach wie vor auf seine Hände gerichtet.

Sie wünschte wirklich, er hätte irgendetwas mitgebracht, das Kaffee zumindest ähnelte, aber auch so war sie inzwischen hinreichend wach, um zusammenhängend zu denken und zu antworten.

»Ja«, sagte sie, »ich träume viel.«

»Aye, das weiß ich. Roger Mac hat mir erzählt, dass du deine Träume manchmal aufschreibst.«

»Wirklich?« Das war ein Ruck, der stärker war als eine Tasse Kaffee. Sie hatte ihr Traumbuch nie vor Roger *versteckt*, aber sie hatten auch nie direkt darüber gesprochen. Wie viel davon hatte er gelesen?

»Er hat mir nichts über die Träume erzählt«, versicherte Ian ihr, als er ihren Tonfall hörte. »Nur, dass du manchmal Dinge aufschreibst. Also dachte ich, sie sind vielleicht wichtig.«

»Nur für mich«, sagte sie, jedoch vorsichtig. »Warum …?«

»Nun ja, weißt du – die Kahnyen'kehaka legen großen Wert auf Träume. Sogar noch mehr als Highlander.« Er sah mit einem kurzen Lächeln auf und senkte den Blick dann wieder auf die Asche, die er über die letzten Süßkartoffeln häufte. »Was hast du denn letzte Nacht geträumt?«

»Vögel«, sagte sie und versuchte, sich den Traum ins Gedächtnis zu rufen. »Jede Menge Vögel.« Verständlich, dachte sie. Der ganze Wald war schon vor der Dämmerung vom Gesang der Vögel erfüllt gewesen; es war nur natürlich, dass dieser seinen Weg in ihre Träume fand.

»Aye?« Das schien Ian zu interessieren. »Waren die Vögel denn lebendig?«

»Ja«, sagte sie verwundert. »Warum?«

Er nickte und griff nach einer Kastanie, um ihr zu helfen.

»Von lebenden Vögeln zu träumen, ist gut, vor allem wenn sie singen. Tote Vögel in einem Traum sind schlecht.«

»Sie sind definitiv lebendig gewesen und haben gesungen«, versicherte sie ihm mit einem Blick auf den Ast über ihnen, auf dem ein Vogel mit einer leuchtend gelben Brust und schwarzen Flügeln gelandet war und ihre Frühstücksvorbereitungen mit Interesse beäugte.

»Hat einer davon mit dir geredet?«

Sie blinzelte ihn an, aber er meinte es eindeutig ernst. Und warum, dachte sie, sollte ein Vogel auch *nicht* mit mir sprechen, in einem Traum?

Doch sie schüttelte den Kopf.

»Nein. Sie haben – oh.« Sie lachte, als ihr unerwartet die Erinnerung kam. »Sie haben ein Nest aus Toilettenpapier gebaut. Ich träume dauernd von Toilettenpapier. Das ist dünnes, weiches Papier, das man benutzt, um sich den, äh, Hintern abzuwischen«, erklärte sie angesichts seiner verständnislosen Miene.

»Man wischt sich den Arsch mit *Papier* ab?« Er starrte sie an, und vor Entsetzen stand ihm der Mund offen. »Du lieber Himmel, Brianna!«

»Nun ja.« Sie rieb sich die Nase und gab sich alle Mühe, nicht über seine Miene zu lachen. Er hatte allen Grund, entsetzt zu sein; in den Kolonien gab es keine Papiermühlen, und abgesehen von den winzigen Mengen handgeschöpften Papiers, wie sie es auch selbst herstellte, musste jedes einzelne Blatt aus England importiert werden. Papier war ein Schatz, den man hütete; ihr Vater, der oft an seine Schwester in Schottland schrieb, schrieb seine Briefe ganz normal – doch dann drehte er das Papier auf die Seite und schrieb lotrecht noch weitere Zeilen, um Platz zu sparen. Kein Wunder, dass Ian schockiert war!

»Es ist dann ganz billig«, versicherte sie ihm. »Wirklich.«

»Bestimmt nicht so billig wie ein Maiskolben, darauf wette ich«, sagte er und kniff argwöhnisch die Augen zu.

»Glaube es oder nicht, aber die meisten Menschen haben dann keine Maisfelder mehr zur Hand«, sagte sie nach wie vor belustigt. »Und eins sage ich dir, Ian – Toilettenpapier ist *viel* angenehmer als ein trockener Maiskolben.«

»›Angenehmer‹«, brummte er, offenbar immer noch zutiefst erschüttert. »Angenehmer. Jesus, Maria und Josef.«

»Du hattest mich nach meinen Träumen gefragt«, erinnerte sie ihn. »Hast du letzte Nacht geträumt?«

»Oh. Äh… Nein.« Er riss seine Aufmerksamkeit unter Schwierigkeiten von der skandalösen Idee des Toilettenpapiers los. »Oder wenn ich geträumt habe, kann ich mich zumindest nicht mehr daran erinnern.«

Plötzlich kam ihr beim Anblick seines ausgehöhlten Gesichts der Gedanke, dass einer der Gründe für seine Schlaflosigkeit möglicherweise die Tatsache war, dass er Angst vor den Träumen hatte, die ihn eventuell heimsuchen würden.

Er schien sogar jetzt noch Angst zu haben, dass sie ihn mit diesem Thema bedrängen würde. Ohne sie anzusehen, griff er nach der leeren Bierflasche und rief mit einem Schnalzen der Zunge nach Rollo, der ihm folgte, die Kiefer mit blaugrauen Federn verklebt.

Sie hatte die letzten Kastanien eingeritzt und die glänzenden *Maroni* mit den Kartoffeln zum Backen in der Asche vergraben, als er zurückkam.

»Genau rechtzeitig«, rief sie, als sie ihn entdeckte. »Die Kartoffeln sind fertig.«

»Gerade rechtzeitig, in der Tat«, antwortete er lächelnd. »Siehst du, was ich hier habe?«

Was er da hatte, war ein Stück einer Bienenwabe, die er aus einem Baum gestohlen hatte und die noch so kühl war, dass der Honig dickflüssig und langsam daran hinunterrann und in herrlichen Tropfen aus süßem Gold auf die Kartoffeln tropfte. Mit geschälten, süßen Kastanien garniert und mit kaltem Quellwasser hinuntergespült, war es das beste Frühstück, das sie gegessen hatte, seitdem sie ihre eigene Zeit verlassen hatte.

Das sagte sie auch, und Ian zog verächtlich die Augenbraue hoch.

»Oh, aye? Und was würdest du dann essen, das du besser findest?«

»Oooh… Schokodonuts vielleicht. Oder heiße Schokolade mit Marshmallows. Schokolade fehlt mir wirklich.« Obwohl es gerade schwer war, sie zu vermissen, während sie sich den Honig von den Fingern leckte.

»Och, das meinst du doch nicht ernst! Ich habe schon einmal Schokolade getrunken.« Er kniff die Augen zu und verzog übertrieben angewidert den

Mund. »Ein bitteres, widerliches Zeug. Obwohl sie furchtbar viel Geld dafür verlangen, nur für ein winziges Tässchen, in Edinburgh«, fügte er praktisch denkend hinzu und entspannte sein Gesicht wieder.

Sie lachte.

»Dort, wo ich herkomme, gibt man Zucker hinein«, versicherte sie ihm. »Sie ist süß.«

»Zucker in Schokolade? Das ist das Dekadenteste, was ich je gehört habe«, sagte er in ernstem Ton. »Sogar noch schlimmer als das Arschwischpapier, aye?« Doch sie sah den Schalk in seinen Augen glitzern und prustete nur, während sie die letzten Reste der orangen Süßkartoffel aus der geschwärzten Schale knabberte.

»Eines Tages werde ich uns Schokolade besorgen, Ian«, sagte sie. Sie warf die leere Schale fort und leckte sich die Finger wie eine Katze. »Die werde ich dann zuckern, und dann sehen wir ja, was du davon hältst!«

Jetzt war es an ihm, gutmütig zu prusten, doch er gab keine weiteren Kommentare ab und konzentrierte sich stattdessen darauf, sich ebenfalls die Hände sauber zu lecken.

Rollo hatte die Reste der Bienenwabe an sich gebracht und kaute laut schlürfend und hingebungsvoll an dem Wachs.

»Dieser Hund muss eine Verdauung wie ein Krokodil haben«, sagte Brianna und schüttelte den Kopf. »Gibt es irgendetwas, das er nicht frisst?«

»Nun, ich habe es noch nicht mit Nägeln versucht.« Ian lächelte flüchtig, ließ sich aber nicht auf die Unterhaltung ein. Die Beklommenheit, die sich über ihn gelegt hatte, als er von Träumen gesprochen hatte, war während des Frühstücks verschwunden, doch jetzt schien sie zurückgekehrt zu sein. Die Sonne stand schon hoch am Himmel, doch er machte keine Anstalten aufzustehen. Er saß einfach nur da, die Arme um die Knie geschlungen, und starrte nachdenklich in das Feuer, während die höher steigende Sonne den Flammen das Licht nahm.

Brianna, die es selbst nicht besonders eilig mit dem Aufbruch hatte, wartete geduldig, ohne die Augen von ihm abzuwenden.

»Und was hast du bei den Mohawk zum Frühstück gegessen, Ian?«

Da sah er sie an, und seine Mundwinkel verzogen sich. Kein Lächeln, sondern die ironische Bestätigung, dass er sie gehört hatte. Er seufzte und verbarg dann sein Gesicht, indem er den Kopf auf die Knie legte. Eine Weile saß er so zusammengesunken da, dann richtete er sich langsam auf.

»Also«, begann er in sachlichem Tonfall. »Es hatte etwas mit meinem Schwager zu tun. Zumindest anfangs.«

Ian Murray hatte das Gefühl, dass er in Bezug auf seinen Schwager bald etwas unternehmen musste. Nicht, dass »Schwager« das genaue Wort dafür war. Aber *Sun Elk* – Sonnenelch – war der Mann von *Looking at the Sky* – Die-zum-Himmel-blickt –, und diese wiederum war die Schwester seiner eigenen Frau. Nach den Gebräuchen der Kahnyen'kehaka bedeutete dies zwar keine Verwandtschaft zwischen den beiden Männern über ihre Clanszugehörigkeit hinaus, aber wenn Ian an *Sun Elk* dachte, benutzte er den weißen Teil seines Verstandes.

Das war der geheime Teil. Seine Frau konnte zwar Englisch, doch sie sprachen es nie, nicht einmal, wenn sie allein waren. Er sprach niemals ein Wort Schottisch oder Englisch und hatte auch kein Wort mehr in einer dieser Sprachen gehört, seit er vor einem Jahr beschlossen hatte, zu bleiben und Kahnyen'kehaka zu werden. Die Allgemeinheit ging davon aus, dass er vergessen hatte, was er gewesen war. Doch jeden Tag nahm er sich ein paar Minuten Zeit für sich selbst. Und um die Worte nicht aus dem Sinn zu verlieren, benannte er schweigend die Gegenstände rings um sich herum und hörte im verborgenen, weißen Teil seines Verstandes das Echo ihrer englischen Bezeichnungen.

Topf, dachte er bei sich und sah blinzelnd auf den schwarzen Keramiktopf, der sich in der Asche erwärmte. Eigentlich war er im Moment gar nicht allein. Jedoch hatte er das ausgeprägte Gefühl, ein Fremder zu sein.

Mais, dachte er und lehnte sich an den glatt polierten Baumstamm zurück, der einen Pfosten seines Wohnabteils in dem Langhaus bildete. Über ihm hingen mehrere Büschel getrockneter Maiskolben, festlich bunt im Vergleich mit dem schlichten Gelb der Kolben, die man in Edinburgh kaufen konnte – und dennoch war es Mais. *Zwiebeln*, dachte er, und sein Blick wanderte an dem geflochtenen Zopf aus gelben Kugeln entlang. *Bett. Felle. Feuer.*

Seine Frau lehnte sich lächelnd an ihn, und plötzlich verschwammen die Wörter in seinem Kopf. *Schwarz Haar Rabenglanz BrüsteKnospenOberschenkelsorundohjaohjaohEmily ...*

Sie gab ihm ein warmes Schüsselchen in die Hand, und das würzige Aroma von Kaninchen, Mais und Zwiebeln stieg ihm in die Nase. *Eintopf*, dachte er, und der schlüpfrige Wortstrom kam plötzlich zum Halten, als er sich auf das Essen besann. Er lächelte sie an, legte seine Hand um die ihre und hielt sie kurz fest; klein und kräftig bog sie sich unter der seinen um die Schüssel. Ihr Lächeln wurde breiter; dann zog sie die Hand fort und erhob sich, um noch mehr zu essen zu holen.

Er sah ihr nach und ergötzte sich an ihrem schwungvollen Gang. Dann fiel sein Blick auf *Sun Elk* – auch er sah ihr von seiner Tür auf der anderen Seite des Herdfeuers aus nach.

Bastard, dachte Ian laut und deutlich.

»Also, anfangs sind wir ganz gut miteinander ausgekommen«, erklärte Ian. »Er ist eigentlich ein gutmütiger Mensch, *Sun Elk*.«

»Eigentlich«, wiederholte Brianna. Sie saß reglos da und betrachtete ihn. »Und uneigentlich?«

Ian rieb sich mit der Hand durch das Haar, so dass es abstand wie die buschigen Stacheln eines Stachelschweins.

»Nun… eigentlich waren wir Freunde, zumindest am Anfang, aye? Brüder sogar; wir haben zum selben Clan gehört.«

»Und eure Freundschaft hat nicht gehalten wegen – wegen deiner Frau?«

Ian seufzte tief.

»Nun, weißt du… Die Kahnyen'kehaka, ihre Vorstellungen von einer Heirat gleichen dem … dem, was man oft auch in den Highlands erlebt. Das heißt, die Eltern haben viel damit zu tun, sie zu arrangieren. Oft beobachten sie schon die Kinder beim Heranwachsen und sehen, ob eventuell ein Junge und ein Mädchen gut zueinander zu passen scheinen. Und wenn das so ist – und sie den richtigen Clans entstammen –, nun, das ist ein wenig anders, weißt du«, fügte er hinzu und brach dann ab.

»Die Clans?«

»Aye. In den Highlands heiratet man meistens innerhalb seines eigenen Clans, es sei denn, es geht darum, sich mit einem anderen Clan zu verbünden. Aber bei den Irokesen kann man unter keinen Umständen jemanden aus dem eigenen Clan heiraten, und man kann nur in bestimmte Clans einheiraten, nicht in jeden beliebigen.«

»Mama sagt, die Irokesen erinnern sie stark an die Highlander«, sagte Brianna leicht belustigt. »Rücksichtslos, aber unterhaltsam, so hat sie es, glaube ich, formuliert. Abgesehen vielleicht von den Martermethoden und der Sitte, seine Feinde lebendig zu verbrennen.«

»Dann hat deine Mutter aber Onkel Jamies Geschichten über seinen Großvater noch nicht gehört«, erwiderte er mit einem ironischen Lächeln.

»Wen, Lord Lovat?«

»Nein, den anderen – den Roten Jacob. Ein hinterlistiger alter Kerl, hat meine Mutter oft gesagt, und nach allem, was ich von ihm gehört habe, stellt er jeden Irokesen an Grausamkeit weit in den Schatten.« Doch dann tat er dieses Randthema mit einer Handbewegung ab und kam wieder auf seine Erklärung zurück.

»Nun gut, als mich die Kahnyen'kehaka aufgenommen und mir einen Namen gegeben haben, hat mich der Wolfsclan adoptiert, aye?«, sagte er und wies zur Erklärung kopfnickend auf Rollo, der die Honigwabe mitsamt der toten Bienen verspeist hatte und sich jetzt sinnierend sämtliche Pfoten leckte.

»Sehr angemessen«, erwiderte sie. »Zu welchem Clan hat *Sun Elk* gehört?«

»Wolf natürlich. Und Emilys Mutter und Großmutter waren aus dem Schildkröten-Clan. Aber worauf ich hinauswill, ist – wenn ein Junge und ein Mädchen aus den richtigen unterschiedlichen Clans zueinander zu passen scheinen, besprechen sich die Mütter – sie nennen auch die Tanten ›Mütter‹«, fügte er hinzu. »Also haben manchmal eine ganze Menge Mütter in der Sache zu sagen. Aber wenn sich alle Mütter und Großmütter und Tanten einig sind, dass es eine gute Partie ist…« Er zuckte mit den Achseln. »Dann heiraten sie.«

Brianna lehnte sich etwas zurück, die Arme um die Knie gelegt.

»Aber du hattest keine Mutter, die für dich hätte sprechen können.«

»Nun ja, ich habe mich schon gefragt, was meine Mutter wohl gesagt hätte, wenn sie dort gewesen wäre«, sagte er und lächelte, obwohl es ihm ernst war.

Brianna, die Ians Mutter einmal begegnet war, lachte bei diesem Gedanken.

»Tante Jenny wäre mit jedem Mohawk fertig geworden, ob Mann *oder* Frau«, versicherte sie ihm. »Aber was ist dann geschehen?«

»Ich habe Emily geliebt«, sagte er schlicht. »Und sie hat mich geliebt.«

Diese Tatsache, die innerhalb kürzester Zeit für jeden im Dorf deutlich sichtbar wurde, sorgte für beträchtliches Gerede. Man war allgemein davon ausgegangen, dass Wakyo'teyehsnonsha, das Mädchen, das Ian Emily nannte, *Sun Elk* heiraten würde, der schon seit seiner Kindheit ein regelmäßiger Besucher am Herdfeuer ihrer Familie gewesen war.

»Aber dann kam das.« Ian breitete die Hände aus und zuckte mit den Achseln. »Sie hat mich geliebt, und das hat sie auch gesagt.«

Als Ian in den Wolfs-Clan aufgenommen worden war, hatte er auch Zieheltern bekommen – die Eltern des Toten, an dessen Stelle er adoptiert worden war. Seine Ziehmutter war von der ganzen Situation etwas überrumpelt worden, doch nachdem sie mit den anderen Frauen darüber diskutiert hatte, war sie zu einer formellen Besprechung zu Tewaktenyonh, Emilys Großmutter, gegangen, die die einflussreichste Frau im ganzen Dorf war.

»Und so haben wir geheiratet.« In ihren besten Kleidern, begleitet von ihren Eltern hatten die beiden jungen Leute zusammen vor dem ganzen Dorf auf einer Bank gesessen und Körbe ausgetauscht – der seine enthielt Zobel- und Biberfelle und ein Messer als Symbol für seine Bereitschaft, für sie zu jagen und sie zu beschützen; der ihre Getreide, Früchte und Gemüse als Symbol für ihre Bereitschaft, für ihn zu pflanzen, zu ernten und zu sorgen.

»Und vier Monate später«, fügte Ian hinzu, »hat *Sun Elk* Emilys Schwester *Looking at the Sky* geheiratet.«

Brianna zog ihre Augenbraue hoch.

»Aber…?«

»Aye, aber.«

Ian besaß das Gewehr, dass Jamie ihm dagelassen hatte, für die Indianer ein seltener und wertvoller Gegenstand, und er wusste, wie man es benutzte. Außerdem wusste er, wie man eine Spur verfolgte, wie man einen Hinterhalt legte und wie man sich in die Gedanken eines Tieres versetzte; weitere wertvolle Dinge aus Onkel Jamies Hinterlassenschaft.

Demzufolge war er einer der besten Jäger und erntete rasch Respekt für seine Fähigkeiten bei der Fleischbeschaffung. *Sun Elk* war ein brauchbarer Jäger – nicht der beste, aber kompetent. Die jungen Männer machten oft Witze und Bemerkungen, mit denen sie sich über die Fähigkeiten der anderen lustig machten; er selbst tat das ebenfalls. Doch *Sun Elks* Witze über Ian hatten einen Unterton, bei dem ihm ab und zu einer der anderen Männer einen scharfen Blick zuwarf, um sich dann mit einem kaum merklichen Achselzucken wieder abzuwenden.

Eigentlich hatte er vorgehabt, den Mann zu ignorieren. Dann hatte er gesehen, wie *Sun Elk* Wakyo'teyehsnonsha ansah, und ihm war schlagartig alles klar geworden.

Es war an einem Spätsommertag, und sie war mit ein paar anderen jungen Frauen unterwegs in den Wald gewesen. Sie hatten Körbe zum Sammeln dabei; Wakyo'teyehsnonsha hatte eine Axt in ihrem Gürtel stecken. Eine der anderen Frauen hatte sie gefragt, ob sie nach Holz für eine weitere Schale wie die suchen wollte, die sie für ihre Mutter gemacht hatte; *Works with her Hands* hatte – mit einem raschen, warmen Blick auf Ian, der mit den anderen jungen Männern daneben saß – gesagt, nein, sie hoffe, einen schönen Lebensbaum zu finden, um aus dem Holz eine Babytrage zu machen.

Die Frauen hatten gekichert und Wakyo'teyehsnonsha umarmt; die jungen Männer hatten gegrinst und Ian viel sagend zwischen die Rippen gestoßen. Und dann war Ians Blick auf *Sun Elk* gefallen, dessen heiße Augen gebannt auf Emilys geraden Rücken starrten, als sie sich entfernte.

Innerhalb eines Mondes war *Sun Elk* in das Langhaus gezogen, als Mann der Schwester seiner Frau, *Looking at the Sky*. Die Abteile der Schwestern lagen einander gegenüber; sie hatten ein gemeinsames Herdfeuer. Ian war nur noch selten aufgefallen, wie *Sun Elk* Emily ansah – aber er hatte ihn viel zu oft den Kopf mit Bedacht abwenden sehen.

»Da ist eine Person, die dich begehrt«, hatte er eines Nachts zu Emily gesagt. Die Stunde des Wolfs war lange vorbei, es war tiefe Nacht, und rings um sie herum schlief das Langhaus. Das Kind, das sie unter dem Herzen trug, zwang sie, aufzustehen und Wasser zu lassen; als sie in ihr Pelzlager zurückkehrte, war ihre Haut frostig gewesen, und ihr Haar hatte frisch nach Kiefern geduftet.

»Oh? Nun, warum nicht? Alle anderen schlafen.« Sie hatte sich genüsslich geräkelt, ihn geküsst und ihren kleinen, runden Bauch glatt und hart an den seinen gedrückt.

»Ich doch nicht. Ich meine, natürlich begehrt diese Person dich auch!«, hatte er hastig gesagt, als sie beleidigt ein Stück von ihm zurückwich. Er umarmte sie rasch zur Illustration. »Ich meine – da ist noch jemand.«

»Hmf.« Ihre Stimme war gedämpft, ihr Atem warm an seiner Brust. »Ich werde von vielen begehrt. Ich bin sehr, sehr gut mit meinen Händen.« Sie lieferte ihm eine kurze Demonstration, und er schnappte nach Luft, woraufhin sie zufrieden gluckste.

Rollo, der sie nach draußen begleitet hatte, kroch unter das Bettpodest, rollte sich an seinem gewohnten Platz zusammen und kaute geräuschvoll auf einer juckenden Stelle an seiner Rute herum.

Etwas später lagen sie da, die Felle zurückgeschlagen. Sie hatten das Leder, das vor ihrem Eingang hing, beiseite gezogen, so dass die Hitze des Feuers zu ihnen dringen konnte. Sie lag von ihm abgewandt, und er konnte den Widerschein des Lichtes auf der feuchten, goldenen Haut ihrer Schulter sehen. Sie griff hinter sich und legte eine ihrer flinken Hände auf die seine, ergriff seine Handfläche und drückte sie an ihren Bauch.

»Du solltest dir keine Sorgen machen«, sagte sie ganz leise. »Diese Person begehrt nur dich.«

Er hatte gut geschlafen.

Am Morgen jedoch hatte er am Feuer gesessen und Maismehlbrei gegessen, als *Sun Elk*, der bereits gegessen hatte, vorbeikam. Er blieb stehen und sah auf Ian hinab.

»Diese Person hat von dir geträumt, Wolfsbruder.«

»Ach ja?«, sagte Ian freundlich. Er spürte, wie die Hitze an seinem Hals hinaufstieg, doch er hielt sein Gesicht entspannt. Die Kahnyen'kehaka schenkten ihren Träumen große Beachtung. Ein guter Traum konnte tagelang für Gesprächsstoff im Langhaus sorgen. *Sun Elks* Gesichtsausdruck ließ nicht darauf schließen, dass er etwas Gutes von Ian geträumt hatte.

»Dieser Hund da –« Er wies kopfnickend auf Rollo, der mitten im Eingang zu Ians Wohnabteil lag und schnarchte. »Ich habe geträumt, dass er auf dein Bett gesprungen ist und dich an der Kehle gepackt hat.«

Das war ein bedrohlicher Traum. Wenn ein Kahnyen'kehaka an einen solchen Traum glaubte, konnte er sich entschließen, den Hund zu töten, damit er nicht zum Unglücksboten wurde. Aber Ian war kein Kahnyen'kehaka – nicht ganz.

Ian zog beide Augenbrauen hoch und aß weiter. *Sun Elk* wartete ein paar Sekunden, doch als Ian nichts sagte, nickte er schließlich und wandte sich ab.

»Ahkote'ohskennonton«, sagte Ian. Der Mann drehte sich erwartungsvoll um.

»Diese Person hat auch von dir geträumt.« *Sun Elk* fixierte ihn scharf. Ian sagte nichts weiter, sondern begann langsam und boshaft zu grinsen.

Sun Elk sah ihn an. Er lächelte weiter. Der andere Mann wandte sich mit einem angewiderten Schnauben ab, doch Ian hatte den schwachen Ausdruck der Beklommenheit in seinem Gesicht erkannt.

»Nun denn.« Ian holte tief Luft. Er schloss kurz die Augen, dann öffnete er sie wieder. »Du weißt ja, dass das Kind gestorben ist, aye?«

Er sagte es ohne jede Emotion in der Stimme. Es war dieser trockene, kontrollierte Tonfall, der ihr das Herz versengte und ihr den Atem nahm, so dass sie als Erwiderung nur nicken konnte.

Doch er hielt diese Beherrschung nicht durch. Er öffnete den Mund, als wollte er etwas sagen, doch plötzlich krampften sich seine großen, knochigen Hände um seine Knie, und er stand stattdessen abrupt auf.

»Aye«, sagte er. »Lass uns aufbrechen. Ich – ich erzähle dir den Rest im Gehen.«

Und das tat er auch. Er hielt ihr resolut den Rücken zugekehrt, während er sie weiter bergauf führte, dann über einen schmalen Grat, um schließlich bergab einem Bachlauf zu folgen, der in einer Reihe kleiner, zauberhafter Wasserfälle in die Tiefe stürzte, die von einem Nebel aus winzigen Regenbögen umhüllt waren.

Works with her Hands war erneut schwanger geworden. Dieses Kind war gestorben, kurz nachdem ihr Bauch sich zu runden begonnen hatte.

»Bei den Kahnyen'kehaka sagt man«, erklärte Ian mit gedämpfter Stimme, während er sich durch einen Vorhang aus einer leuchtend roten Kletterpflanze schob, »dass eine Frau nur empfangen kann, wenn der Geist ihres Mannes mit dem ihren kämpft und ihn besiegt. Wenn sein Geist nicht stark genug ist –« Seine Stimme wurde wieder klar, als er ein Stück der Kletterpflanze abriss, den Ast abbrach, an dem sie hing und ihn heftig von sich warf. »Dann kann das Kind in ihrem Bauch nicht anwachsen.«

Nach diesem zweiten Verlust hatte der Rat der Medizinmänner die beiden in eine separate Hütte gebracht, um dort zu singen, zu trommeln und mit riesigen, bemalten Masken zu tanzen, die das Böse verjagen sollten, das Ians Geist mit Beschlag belegte – oder Emilys unverhältnismäßig stärkte.

»Als ich die Masken gesehen habe, hätte ich am liebsten gelacht«, sagte Ian. Er drehte sich nicht um; gelbe Blätter verzierten die Schultern seines Lederhemdes und blieben in seinem Haar hängen. »Man nennt sie auch den Rat der komischen Fratzen, und das mit gutem Grund. Aber ich hab's nicht getan.«

»Ich gehe davon aus, dass Emily auch nicht gelacht hat.« Er ging so schnell, dass sie Mühe hatte, mit ihm Schritt zu halten, obwohl sie fast genauso lange Beine hatte wie er.

»Nein«, sagte er und stieß selbst ein kurzes, bitteres Lachen aus. »Das hat sie nicht.«

Sie hatte die Medizinhütte schweigend und aschfahl an seiner Seite betreten, sie aber mit einem friedvollen Gesicht verlassen und war in derselben Nacht im Bett voll Liebe zu ihm gekommen. Drei Monate lang hatten sie sich zärtlich und eifrig geliebt. Drei weitere Monate hatten sie es mit einem Gefühl wachsender Verzweiflung getan.

»Und dann sind ihre Tage wieder ausgeblieben.«

Er hatte sofort von ihr abgelassen, weil er fürchtete, ein weiteres Unglück zu verursachen. Emily hatte sich nur noch langsam und vorsichtig bewegt und war nicht länger aufs Feld gegangen, sondern im Langhaus geblieben. Dort hatte sie gearbeitet, immerfort gearbeitet, mit ihren Händen. Gewebt, gemahlen, geschnitzt, Löcher in Wampumperlen gebohrt, die Hände unablässig in Bewegung zum Ausgleich für die Reglosigkeit ihres wartenden Körpers.

»Ihre Schwester ist auf die Felder gegangen. Es ist Sitte, dass dies die Frauen tun, verstehst du?« Er hielt inne, um eine Dornenranke mit dem Messer abzuschneiden und den abgeschnittenen Zweig beiseite zu werfen, damit er nicht zurückschnellte und Brianna im Gesicht traf.

»*Looking at the Sky* hat uns Essen gebracht. Alle Frauen haben das getan, aber sie am meisten. Sie war ein liebes Mädchen, Karònya.«

Bei diesen Worten verlor er kurz die Stimme, zum ersten Mal im Verlauf seiner schonungslosen Aufzählung der Tatsachen.

»Was ist mit ihr geschehen?« Brianna beschleunigte ihre Schritte ein wenig, als sie am oberen Ende einer grasbewachsenen Böschung auskamen, so dass sie fast mit ihm gleichzog. Er verlangsamte die seinen, drehte sich aber nicht zu ihr um – er hielt das Gesicht nach vorn gerichtet, als stelle er sich einem Feind.

»Verschleppt.« *Looking at the Sky* war oft länger auf dem Feld geblieben als die anderen Frauen, um zusätzlichen Mais oder Kürbisse für ihre Schwester und Ian zu sammeln, obwohl sie inzwischen selbst ein Kind hatte. Eines Abends kehrte sie nicht zum Langhaus zurück, und als die Dorfbewohner sich auf die Suche nach ihr gemacht hatten, hatten sie weder sie noch das Kind gefunden. Die beiden waren verschwunden und hatten nur einen hellen Mokassin zurückgelassen, der sich am Rand eines Feldes in den Kürbisranken verfangen hatte.

»Abenaki«, sagte Ian kurz angebunden. »Wir haben das Zeichen am nächsten Tag gefunden; es war schon dunkel, als wir angefangen haben, ernsthaft nach ihnen zu suchen.«

Sie hatten eine lange Nacht hindurch gesucht, auf die eine ganze Woche folgte – eine Woche wachsender Angst und Leere –, und Ian war im Morgengrauen des siebten Tages an den Herd seiner Frau zurückgekehrt, um zu erfahren, dass sie wieder eine Fehlgeburt gehabt hatte.

Er blieb stehen. Er schwitzte heftig vom schnellen Gehen und wischte sich mit dem Ärmel über das Kinn. Brianna konnte ebenfalls spüren, wie ihr der Schweiß über den Rücken rann und ihr das Jagdhemd anfeuchtete, doch sie achtete nicht darauf. Sie legte ihm ganz sanft die Hand auf den Rücken, sagte aber nichts.

Er stieß einen tiefen Seufzer aus, der beinahe erleichtert klang, dachte sie – vielleicht, weil die schreckliche Geschichte beinahe zu Ende war.

»Wir haben es noch eine Zeit lang versucht«, erzählte er jetzt wieder ganz sachlich. »Emily und ich. Aber sie war nicht mehr mit dem Herzen dabei.

Sie hatte kein Vertrauen mehr in mich. Und … Ahkote'ohskennonton war da. Er hat an unserem Herdfeuer gegessen. Und er hat sie beobachtet. Sie hat angefangen, seine Blicke zu erwidern.«

Eines Tages hatte Ian ein Stück Holz für einen Bogen bearbeitet. Er hatte sich ganz auf den Verlauf der Körnung unter seinem Messer konzentriert und versucht, in den Wirbeln die Dinge zu sehen, die Emily darin sah, die Stimme des Baumes zu hören, wie sie ihm gesagt hatte. Doch es war nicht der Baum, der in seinem Rücken sprach.

»Enkelsohn«, sagte eine trockene, alte Stimme mit einem Hauch von Ironie.

Er ließ das Messer fallen, das nur knapp seinen Fuß verfehlte, und fuhr herum, den Bogen in der Hand. Tewaktenyonh stand knapp zwei Meter von ihm entfernt und hatte eine Augenbraue hochgezogen, belustigt, weil es ihr gelungen war, sich ungehört an ihn heranzuschleichen.

»Großmutter«, sagte er und nickte in ironischer Anerkennung ihrer Geschicklichkeit. Sie mochte ja uralt sein, doch niemand bewegte sich geräuschloser als sie. Daher ihr Ruf; die Kinder des Dorfes lebten in respektvoller Furcht vor ihr, weil sie gehört hatten, sie könne sich in Luft auflösen und dann an anderer Stelle wieder auftauchen, direkt vor den schuldigen Augen etwaiger Missetäter.

»Komm mit mir, Wolfsbruder«, sagte sie und wandte sich um, ohne seine Antwort abzuwarten – mit der sie auch gar nicht rechnete.

Sie war schon außer Sichtweite, als er seinen halbfertigen Bogen unter einen Busch gelegt, sein Messer aufgehoben und Rollo herbeigepfiffen hatte, doch er holte sie problemlos ein.

Sie hatte ihn durch den Wald vom Dorf fortgeführt bis zu einer Stelle, an der ein Wildwechsel begann. Dort hatte sie ihm einen Beutel Salz und ein Wampumarmband gegeben und hatte ihn gebeten zu gehen.

»Und du bist gegangen?«, fragte Brianna nach längerem Schweigen. »Einfach – so?«

»Einfach so«, sagte er und sah sie zum ersten Mal an, seit sie am Morgen aus dem Lager aufgebrochen waren. Sein Gesicht war ausgezehrt, gezeichnet von seinen Erinnerungen. Der Schweiß glänzte auf seinen Wangen, doch er war so blass, dass sich die gepunkteten Linien seiner Tätowierungen scharf abzeichneten – Perforationslinien, an deren Verlauf entlang man sein Gesicht zerreißen konnte.

Sie schluckte ein paarmal, bevor sie etwas sagen konnte, brachte dann jedoch einen ähnlich sachlichen Tonfall wie er zuwege.

»Ist es noch sehr weit?«, fragte sie. »Unser Ziel?«

»Nein«, sagte er leise. »Wir sind fast da.« Und wandte sich ab, um weiter vorauszugehen.

Eine halbe Stunde später hatten sie eine Stelle erreicht, an der sich der Fluss tief in sein Bett gefressen und es zu einer kleinen Schlucht verbreitert hatte. Silberbirken und Schneeballdickichte wuchsen an den felsigen Wänden, und ihre glatten Wurzeln wanden sich durch das Gestein wie Finger, die sich in die Erde klammerten.

Bei diesen Gedanken kribbelte Briannas Nacken. Die Wasserfälle lagen jetzt weit über ihnen, und das Lärmen des Wassers hatte nachgelassen. Hier sprach der Bach mit sich selbst, während er über die Felsen rann und durch Matten aus Kresse und Wasserlinsen säuselte.

Eigentlich hatte sie den Eindruck, dass man oben am Rand der Schlucht leichter gehen konnte, doch Ian führte sie ohne zu zögern hinein, und sie folgte ihm entschlossen, obwohl ihr langes Gewehr sie beim Klettern über das Durcheinander aus Felsen und Baumwurzeln behinderte. Rollo, der für ihre ungeschickten Anstrengungen nichts als Verachtung übrig hatte, stürzte sich in den Bach, in dem er nicht stehen konnte, und schwamm mit angelegten Ohren, so dass er aussah wie ein überdimensionaler Otter.

Während er sich auf die Bewältigung des schwierigen Terrains konzentrierte, hatte Ian seine Selbstbeherrschung wiedererlangt. Dann und wann blieb er stehen und streckte die Hand aus, um ihr über eine besonders steile Stelle oder einen durch eine Überflutung entwurzelten Baum hinweg zu helfen, doch er wich ihrem Blick aus, und seine verschlossene Miene gab keinen Gedanken preis.

Ihre Neugier war auf dem absoluten Höhepunkt, aber es war klar, dass er vorerst alles gesagt hatte. Es war erst kurz nach Mittag, aber im Schatten der Birken herrschte ein goldenes Licht, das alles ringsum irgendwie gedämpft, beinahe verzaubert aussehen ließ. Sie hatte nicht die geringste Ahnung, wozu diese Expedition im Zusammenhang mit Ians Erzählung dienen könnte – doch dies war ein Ort, an dem beinahe alles möglich zu sein schien.

Sie dachte plötzlich an ihren ersten Vater – an Frank Randall, und diese Erinnerung erfüllte sie mit einem leisen Gefühl der Wärme. Dies war eine Stelle, die sie ihm gern gezeigt hätte.

Sie hatten oft in den Adirondacks Urlaub gemacht; ein anderes Gebirge, andere Bäume – doch über den schattigen Tälern und fließenden Gewässern hatte ein ähnlich rätselhaftes Schweigen gelegen. Manchmal war ihre Mutter auch mitgekommen, doch meistens waren nur sie beide weit in den Wald hinaufgewandert, ohne viel zu reden, glücklich und zufrieden in der Gesellschaft des Himmels.

Auf einmal wurde das Wasser wieder lauter; ein anderer Wasserfall war direkt in ihrer Nähe.

»Gleich da, Cousinchen«, sagte Ian leise und bedeutete ihr mit einer Kopfbewegung, ihm zu folgen.

Sie traten aus den Bäumen hinaus, und sie sah, dass die Schlucht hier plötzlich wegbrach und das Wasser fast sieben Meter tief in ein Becken stürzte. Ian führte sie an der Oberkante des Wasserfalls entlang; sie konnte das Wasser unter sich rauschen hören, doch hier oben war das Ufer dicht mit Ried bewachsen, durch das sie sich ihren Weg bahnen mussten, und sie traten welke Goldrutenstängel zu Boden und wichen den Grashüpfern aus, die panisch zu ihren Füßen aufschossen.

»Da, sieh«, sagte Ian und streckte die Hand aus, um die Lorbeerzweige vor ihr beiseite zu schieben.

»*Wow!*«

Sie erkannte sofort, was es war. Es war unverwechselbar, obwohl es zum Großteil unsichtbar war, verschüttet unter der bröckelnden Böschung am anderen Ufer der Schlucht. Vor nicht allzu langer Zeit hatte eine Flut den Wasserspiegel des Bachs steigen lassen und die Böschung unterspült, so dass ein riesiger Block aus Gestein und Schlamm abgebrochen war und das in ihm verborgene Geheimnis preisgegeben hatte.

Die gebogenen Rippen erhoben sich wie ein Fächer aus dem Schmutz, und sie nahm vage ein Durcheinander von Gegenständen wahr, das halb im Geröll am Fuß der Böschung vergraben war; enorme Gegenstände, knotig und verdreht. Möglich, dass es Knochen waren, möglich, dass es einfach nur Steine waren – aber es war der Stoßzahn, der ihren Blick auf sich zog. Er ragte als riesiger Bogen aus der Böschung, auf Anhieb vertraut und umso verblüffender, eben weil er ihr so vertraut erschien.

»Du weißt, was das ist?«, fragte Ian aufgeregt und ließ ihr Gesicht nicht aus den Augen. »Du hast so etwas schon einmal gesehen?«

»O ja«, sagte sie erschauernd, und eine Gänsehaut zog sich über ihre Unterarme, obwohl ihr die Nachmittagssonne warm auf den Rücken schien. Nicht vor Angst, sondern aus schierer Ehrfurcht vor dem Anblick, der sich ihr bot, und aus einer Art ungläubiger Freude heraus. »O ja. Das habe ich.«

»Was?« Ians Stimme war immer noch gedämpft, als könnte die Kreatur sie hören. »Was ist es?«

»Ein Mammut«, sagte sie und ertappte sich dabei, dass sie ebenfalls flüsterte. Die Sonne hatte den Zenit überschritten; die Sohle des Flussbetts lag schon im Schatten. Licht fiel auf den fleckigen Bogen aus uraltem Elfenbein und schärfte die Konturen der hochstirnigen Schädelhöhle, an der er befestigt war. Der Schädel steckte leicht schräg im Boden, der eine sichtbare Zahn ragte hoch auf, die Augenhöhle ein schwarzes Rätsel.

Der Schauder kehrte zurück, und sie zog die Schultern hoch. Man konnte leicht das Gefühl bekommen, als könnte sich das Tier jeden Moment aus dem Lehm winden und seinen gigantischen Kopf mit den leeren Augen in ihre Richtung wenden, sich die Erde von den Stoßzähnen und den knochigen Schultern schütteln, sich in Bewegung setzen und den Boden erbeben lassen, wenn seine langen Zehen auftraten und im Schlamm einsanken.

»So nennt man es – Mammut? Aye, nun ja … Es *ist* ziemlich groß.« Ians Stimme zerstreute die Illusion, dass sich das Tier gleich bewegen könnte, und sie konnte endlich den Blick davon lösen – obwohl sie das Gefühl hatte, alle paar Sekunden wieder hinsehen zu müssen, um sicherzugehen, dass es noch da war.

»Sein lateinischer Name ist *Mammuthus*«, erklärte sie und räusperte sich. »In einem New Yorker Museum ist ein vollständiges Skelett ausgestellt. Ich habe es mir schon oft angesehen. Und ich habe Bilder davon in Büchern gesehen.« Sie richtete den Blick wieder auf die Kreatur in der Böschung.

»Ein Museum? Also ist es kein Tier, das es da gibt, wo … wenn « – er verhaspelte sich –, »wo du herkommst? Nicht lebendig, meine ich?« Er machte einen ziemlich enttäuschten Eindruck.

Sie hätte am liebsten gelacht, als sie sich vorstellte, wie Mammuts durch die Bostoner Vorgärten streiften oder sich am Ufer des Cambridge River tummelten. Kurzfristig war sie sogar enttäuscht, dass es *nicht* so gewesen war; es wäre wunderbar gewesen, sie zu sehen.

»Nein«, sagte sie bedauernd. »Sie sind alle vor Tausenden und Abertausenden von Jahren gestorben. Als das Eis gekommen ist.«

»Eis?« Ian ließ den Blick zwischen ihr und dem Mammut hin und her schweifen, als fürchtete er, einer von beiden könne etwas Unziemliches tun.

»Die Eiszeit. Die Welt ist kälter geworden, und von Norden her haben sich Eisflächen ausgebreitet. Viele Tiere sind damals ausgestorben – ich meine, sie konnten kein Futter mehr finden und sind alle gestorben.«

Ian war blass vor Aufregung.

»Aye. Aye, solche Geschichten habe ich schon einmal gehört.«

»Wirklich?« Das überraschte sie.

»Aye. Aber du sagst, es ist echt.« Er wies erneut mit dem Kopf auf die Mammutknochen. »Ein Tier, aye, so wie ein Bär oder ein Opossum?«

»Ja«, sagte sie, verwundert über seine Stimmung, die zwischen Aufregung und Bestürzung zu pendeln schien. »Größer, aber sonst, ja. Was sollte es denn sonst sein?«

»Ah«, sagte er und holte tief Luft. »Nun, verstehst du, das war es, was ich von dir hören wollte, Cousinchen. Weißt du, die Kahnyen'kehaka – sie erzählen sich Geschichten von … Wesen. Tieren, die eigentlich Geister sind. Und wenn ich je etwas gesehen habe, das ein Geist *sein* könnte –« Er hatte den Blick immer noch auf das Skelett gerichtet, als könnte es aus dem Boden hervorspazieren, und sie merkte, wie ihn ein leichter Schauer überlief.

Auch sie konnte ein ähnliches Erschauern nicht unterdrücken, während sie das gigantische Tier betrachtete. Es überragte sie, grimmig und erschreckend, und einzig ihr Wissen, was es war, verhinderte, dass sie dem Bedürfnis nachgab, sich zu ducken und wegzulaufen.

»Es ist echt«, wiederholte sie zu ihrer eigenen Beruhigung genauso wie zu seiner. »Und es ist tot. *Wirklich* tot.«

»Woher weißt du das alles?«, fragte er ernsthaft neugierig. »Du sagst, es ist uralt. Du musst doch in deiner eigenen Zeit viel weiter davon« – er wies mit einem Ruck seines Kinns auf das riesige Skelett – »entfernt sein, als wir es jetzt sind. Wie ist es möglich, dass du mehr darüber weißt, als es die Menschen heute tun?«

Sie schüttelte mit einem schwachen Lächeln den Kopf, denn sie konnte es ihm nicht erklären.

»Wann hast du es gefunden, Ian?«

»Letzten Monat. Ich bin durch die Schlucht gekommen –« er wies mit einer Geste den Bach entlang –, »und da war es. Ich habe mir fast in die Hose gemacht.«

»Das kann ich mir vorstellen«, sagte sie und unterdrückte das Bedürfnis zu lachen.

»Aye«, sagte er, ohne ihre Belustigung wahrzunehmen, so sehr brannte er darauf, ihr alles zu erklären. »Ich wäre mir sicher gewesen, dass es ein Rawenniyo – ein Geist, ein Gott – ist, wenn der Hund nicht gewesen wäre.«

Rollo war aus dem Bach gestiegen, hatte sich das Wasser aus dem Fell geschüttelt und sich dann in den Schildblumen gewälzt; schwanzwedelnd vor Vergnügen, hatte er eindeutig keinerlei Notiz von dem stummen Giganten über ihm in der Böschung genommen.

»Was meinst du damit? Dass Rollo keine Angst davor hatte?«

Ian nickte.

»Aye. Er hat sich ganz so benommen, als ob da gar nichts wäre. Und doch …« Er zögerte und warf ihr einen Blick zu. »Manchmal im Wald. Er – er *sieht* Dinge. Dinge, die ich nicht sehen kann. Verstehst du?«

»Ich verstehe«, sagte sie, und erneut überlief sie ein Gefühl der Beklommenheit. »Hunde sehen … Dinge.« Sie konnte sich gut an ihre eigenen Hunde erinnern, besonders Smoky, den riesigen Neufundländer, der manchmal abends plötzlich den Kopf hob und lauschte. Seine Nackenhaare hatten sich gesträubt, während seine Augen … etwas … verfolgten, das das Zimmer durchquerte und verschwand.

Er nickte, erleichtert, dass sie wusste, wovon er sprach.

»So ist es. Ich bin weggelaufen, als ich das gesehen habe« – er wies mit einer Geste auf die Böschung – »und habe mich hinter einem Baum versteckt. Aber der Hund hat einfach weitergemacht, ohne es zu beachten. Also habe ich gedacht, nun ja, vielleicht ist es ja doch nicht das, wofür ich es halte.«

»Und wofür hast du es gehalten?«, fragte sie. »Ein Rawenniyo, sagst du?« Jetzt, da die Aufregung über den Anblick des Mammuts nachzulassen begann, fiel ihr wieder ein, weshalb sie theoretisch hier waren. »Ian, du hast gesagt, das, was du mir zeigen wolltest, hätte etwas mit deiner Frau zu tun. Ist das …?« Sie wies mit hochgezogenen Augenbrauen auf die Böschung.

Er antwortete nicht sogleich, sondern legte den Kopf zurück und betrachtete den gigantischen Stoßzahn.

»Ich habe hin und wieder Geschichten gehört. Bei den Mohawk, meine ich. Sie haben sich von seltsamen Dingen erzählt, auf die die Männer bei der Jagd gestoßen sind. Geister, die im Felsen gefangen sind, und wie sie dort hingelangt sind. Meistens böse Geister. Und ich habe mir gedacht, wenn das hier auch so etwas ist…«

Er brach ab und wandte sich ihr zu, ernst und konzentriert.

»Ich musste es von dir hören, aye? Ob es das ist oder nicht. Denn wenn es so gewesen wäre, dann habe ich vielleicht etwas Falsches gedacht.«

»Das ist es nicht«, versicherte sie ihm. »Aber was in aller Welt hast du denn gedacht?«

»Über Gott«, sagte er und überraschte sie erneut. Er leckte sich über die Lippen, unsicher, wie er fortfahren sollte.

»Yeksa'a – das Kind. Ich habe sie nicht taufen lassen«, sagte er. »Ich konnte es nicht. Oder vielleicht hätte ich es ja gekonnt – man kann es schließlich selbst tun, wenn kein Pastor in der Nähe ist. Aber ich hatte nicht den Mut, es zu versuchen. Ich – ich habe sie nie zu Gesicht bekommen. Sie hatten sie schon eingewickelt… Sie hätten es nicht gern gesehen, wenn ich versucht hätte…« Seine Stimme erstarb.

»Yeksa'a«, sagte sie leise. »War das der Name deiner – deiner Tochter?«

Er schüttelte den Kopf und verzog ironisch den Mund.

»Es bedeutet einfach nur ›kleines Mädchen‹. Die Kahnyen'kehaka geben ihren Kindern bei der Geburt noch keine Namen. Erst später. Wenn…« Er verstummte und räusperte sich. »Wenn es am Leben bleibt. Sie kämen nie auf den Gedanken, einem ungeborenen Kind einen Namen zu geben.«

»Aber du hast es getan?«, fragte sie sanft.

Er hob den Kopf und holte Luft mit einem feuchten Geräusch, so als zöge man einen nassen Verband von einer frischen Wunde.

»Iseabail«, sagte er, und sie wusste, dass es das erste – und vermutlich auch das einzige – Mal war, dass er den Namen laut aussprach. »Wenn es ein Sohn gewesen wäre, hätte ich ihn Jamie genannt.« Er sah sie mit dem Hauch eines Lächelns an. »Nur in meinen Gedanken, aye.«

Dann atmete er seufzend aus, zog die Schultern hoch und legte den Kopf auf die Knie.

»Was ich mich frage«, sagte er kurz darauf mit viel zu kontrollierter Stimme, »ist dies: Lag es an mir?«

»Ian! Du meinst, war es deine Schuld, dass das Baby gestorben ist? Warum sollte es das?«

»Ich bin gegangen«, sagte er schlicht und richtete sich auf. »Habe mich abgewandt, habe aufgehört, Christ zu sein, Schotte zu sein. Sie haben mich zum Fluss geführt und mich mit Sand abgerieben, um das weiße Blut fortzuwaschen. Sie haben mir meinen Namen gegeben – Okwaho'kenha – und gesagt, ich sei ein Mohawk. Aber das war ich nicht, nicht in Wirklichkeit.«

Er seufzte noch einmal tief, und sie legte ihm eine Hand auf den Rücken und spürte dabei seine Rückenwirbel durch das Leder seines Hemdes hindurch. Er isst nicht annähernd genug, dachte sie.

»Aber ich war ebenso wenig das, was ich einmal gewesen war«, fuhr er mit beinahe nüchterner Stimme fort. »Ich habe versucht, das zu sein, was sie wollten, verstehst du? Also habe ich aufgehört, zu Gott oder der Jungfrau Maria oder der heiligen Brigitta zu beten. Ich habe auf das gehört, was mir Emily über *ihre* Götter erzählt hat, die Geister, die in den Bäumen wohnen und all das. Aber wenn ich mit den Männern in die Schwitzhütte gegangen bin oder am Feuer gesessen und die Geschichten gehört habe ... sind sie mir genauso wahr vorgekommen wie früher Christus und seine Heiligen.«

Er wandte den Kopf und sah unvermittelt zu ihr auf, halb bestürzt, halb trotzig.

»*Ich bin der Herr, dein Gott*«, sagte er. »*Du sollst keine anderen Götter neben mir haben.* Aber das hatte ich, nicht wahr? Das ist eine Todsünde, oder nicht?«

Am liebsten hätte sie gesagt, nein, natürlich nicht. Oder schwach eingewendet, dass sie kein Pastor sei, wie solle sie das also beurteilen? Doch das ging beides nicht; er war nicht darauf aus, sich auf dem einfachen Weg beruhigen zu lassen. Und ihm lediglich aus Schwäche jede Verantwortung abzusprechen, hätte ihm keinen Dienst erwiesen.

Sie holte tief Luft und atmete wieder aus. Es war schon viele Jahre her, seit sie den Katechismus gelernt hatte, aber so etwas vergaß man schließlich nicht.

»Die Voraussetzungen für eine Todsünde sind diese«, sagte sie den exakten Wortlaut aus dem Gedächtnis auf. »Erstens, dass die Handlung ein gravierender Fehler ist. Zweitens, dass dem Handelnden bewusst ist, dass es ein Fehler ist. Und drittens – dass er ihn in vollem Bewusstsein begeht.«

Er beobachtete sie gebannt.

»Nun, es ist falsch gewesen, und das wusste ich wohl auch – aye, ich *habe* es gewusst. Vor allem –« Sein Gesicht verfinsterte sich noch mehr, und sie fragte sich, welche Erinnerung ihm wohl gerade gekommen war.

»Aber – wie sollte ich denn einem Gott dienen, der um der Sünden des Vaters willen ein Kind nehmen würde?« Ohne eine Antwort abzuwarten, richtete er den Blick auf die Böschung, wo die Überreste des Mammuts in der Zeit erstarrt lagen. »Oder sind sie es gewesen? War es gar nicht mein Gott, sondern die Geister der Irokesen? Haben sie gewusst, dass ich kein echter Mohawk bin – dass ich ihnen einen Teil meiner selbst vorenthalten habe?«

Todernst richtete er seine Augen wieder auf sie.

»Götter sind doch eifersüchtig, oder?«

»Ian ...« Sie schluckte hilflos. Aber sie musste irgendetwas sagen.

»Was du getan hast – oder nicht getan hast –, das war nicht falsch, Ian«, sagte sie unbeirrbar. »Deine Tochter ... sie war zur Hälfte Mohawk. Es war nicht falsch, sie nach den Gebräuchen ihrer Mutter beerdigen zu lassen. Deine Frau – Emily – sie wäre doch furchtbar bestürzt gewesen, wenn du darauf bestanden hättest, das Baby zu taufen, oder nicht?«

»Aye, vielleicht. Aber …« Er schloss die Augen und ballte die Hände auf seinen Oberschenkeln zu Fäusten. »Aber wo ist sie dann?«, flüsterte er, und sie konnte die Tränen auf seinen Wimpern beben sehen. »Die anderen – sie sind ja gar nicht geboren worden; Gott wird sie in Seiner Hand halten. Aber die kleine Iseabail – sie kann doch nicht im Himmel sein, oder? Ich kann den Gedanken nicht ertragen, dass sie – dass sie vielleicht … irgendwo umherirrt. Wandert.«

»Ian …«

»Ich höre sie weinen. In der Nacht.« Er atmete in tiefen Schluchzern. »Ich kann ihr nicht helfen, ich kann sie nicht finden!«

»Ian!« Auch ihr liefen nun die Tränen über die Wangen. Sie packte ihn an den Handgelenken und drückte zu, so fest sie konnte. »Ian, hör mir zu!«

Er holte zitternd Luft und hielt den Kopf gesenkt. Dann nickte er kaum merklich.

Sie richtete sich zum Knien auf und zog ihn fest an sich, den Kopf an ihre Brust gedrückt. Sie presste die Wange an die Oberseite seines Kopfes und spürte sein Haar warm und nachgiebig an ihrem Mund.

»Hör mir zu«, sagte sie leise. »Ich hatte noch einen anderen Vater. Den Mann, der mich aufgezogen hat. Er ist jetzt tot.« Das Gefühl der Untröstlichkeit über seinen Verlust war lange Zeit gedämpft gewesen, durch neue Tochterliebe abgeschwächt, durch neue Verpflichtungen verdrängt. Jetzt überkam es sie wieder wie am ersten Tag, quälend scharf wie eine Stichwunde. »Ich weiß – ich weiß, dass er im Himmel ist.«

War er das wirklich? Konnte er tot und im Himmel sein, obwohl er noch gar nicht geboren war? Und doch war er für sie tot, und für den Himmel spielte die Zeit ganz bestimmt keine Rolle.

Sie hob das Gesicht in Richtung der Böschung, richtete ihre Worte jedoch weder an die Knochen noch an Gott.

»Papa«, sagte sie, und ihr brach die Stimme bei diesem Wort, doch sie hielt ihren Vetter fest. »Papa, ich brauche dich.« Ihre Stimme klang kleinlaut und bedauernswert unsicher. Doch andere Hilfe gab es nicht.

»Du musst Ians kleines Mädchen für mich finden«, sagte sie, so bestimmt sie konnte, und versuchte, das Gesicht ihres Vaters heraufzubeschwören, ihn oben auf der Böschung im wogenden Laub zu sehen. »Bitte such sie. Nimm sie in die Arme, und sorge dafür, dass sie in Sicherheit ist. Kümmere – bitte kümmere dich um sie.«

Sie hielt inne und hatte das obskure Gefühl, dass sie noch etwas sagen sollte, etwas Feierlicheres. Das Kreuzzeichen machen? ›Amen‹ sagen?

»Danke, Papa«, sagte sie leise und weinte, als wäre ihr Vater gerade erst gestorben, und sie weinte allein, verwaist, verirrt in der Nacht. Ian hatte die

Arme um sie geschlungen, und sie klammerten sich aneinander und hielten sich fest, während sich die Wärme der Nachmittagssonne schwer auf ihre Köpfe legte.

Sie lag ihm immer noch in den Armen, als sie aufhörte zu weinen, und ihr Kopf ruhte an seiner Schulter. Er tätschelte ihr ganz sanft den Rücken, schob sie aber nicht von sich.

»Danke«, flüsterte er ihr ins Ohr. »Geht es wieder, Brianna?«

»Hm-mm.« Sie richtete sich auf und löste sich von ihm, schwankend, als sei sie betrunken. Sie fühlte sich auch so, als sei sie betrunken, als seien ihre Knochen weich und biegsam, als sei alles um sie herum leicht unscharf, bis auf bestimmte Dinge, die ihr ins Auge fielen: eine Stelle, an der leuchtend rosafarbener Frauenschuh wuchs, ein Stein, der von der Böschung gefallen war und dessen Oberfläche mit roten Eisenstreifen durchzogen war. Rollo, der beinahe auf Ians Fuß saß und seinen großen Kopf nervös an das Bein seines Herrchens gedrückt hatte.

»Und was ist mit dir, Ian?«, fragte sie.

»Es wird schon wieder.« Seine Hand tastete nach Rollos Kopf und rieb ihm beschwichtigend über die spitzen Ohren. »Vielleicht. Nur …«

»Was?«

»Bist du … bist du sicher, Brianna?«

Sie wusste, was er damit meinte; es war eine Glaubensfrage. Sie richtete sich zu voller Höhe auf und wischte sich die Nase am Ärmel ab.

»Ich bin katholisch, und ich glaube an Vitamine«, erklärte sie standfest. »Und ich weiß, wer mein Vater war. Natürlich bin ich sicher.«

Er holte seufzend Luft und ließ beim Ausatmen die Schultern zusammenfallen. Dann nickte er, und die Linien in seinem Gesicht entspannten sich ein wenig.

Er setzte sich auf einen Felsen, und sie ließ ihn allein und ging zum Bach hinunter, um sich kaltes Wasser ins Gesicht zu spritzen. Der Schatten der Uferböschung fiel über den Bach hinweg, und die kalte Luft war vom Duft der Erde und der Kiefern erfüllt. Trotz der Kühle verharrte sie eine Weile dort, auf den Knien.

Sie konnte die Stimmen in den Bäumen und im Wasser murmeln hören, doch sie beachtete sie nicht. Ganz gleich, wer sie waren, sie stellten keine Bedrohung für sie und die Ihren dar – und lagen nicht im Widerstreit mit der Präsenz, die sie so deutlich in ihrer Nähe spürte.

»Ich liebe dich, Papa«, flüsterte sie. Sie schloss die Augen und fühlte sich in Frieden.

Ian musste es ebenfalls besser gehen, dachte sie, als sie schließlich zu der Stelle zurückkehrte, wo er auf den Felsen saß. Rollo hatte ihn allein gelassen, um ein viel versprechendes Loch am Fuß eines Baumes zu untersuchen, und sie wusste, dass der Hund nicht von Ians Seite gewichen wäre, wenn er das Gefühl gehabt hätte, dass sein Herrchen in Schwierigkeiten war.

Sie war gerade im Begriff, ihn zu fragen, ob sie hier fertig waren, als er aufstand und sie merkte, dass es nicht so war.

»Weshalb ich dich hierher gebracht habe«, sagte er abrupt. »Ich wollte wissen, was es damit auf sich hat –« Er deutete kopfnickend auf das Mammut. »Aber ich wollte dich auch etwas fragen. Dich um einen Rat bitten.«

»Einen Rat? Ian, ich kann dir doch keine Ratschläge geben! Wie könnte ich dir sagen, was du tun sollst?«

»Ich glaube, du bist vielleicht die Einzige, die das kann«, antwortete er mit einem schiefen Lächeln. »Du gehörst zu meiner Familie, du bist eine Frau – und ich bin dir wichtig. Und doch weißt du sogar mehr als Onkel Jamie. Vielleicht liegt es ja daran, wer – oder was« – sein Mund verzog sich ein wenig – »du bist.«

»Ich weiß nicht mehr«, sagte sie und blickte zu den Knochen im Felsen auf. »Nur – andere Dinge.«

»Aye«, sagte er und holte tief Luft.

»Brianna«, sagte er ganz leise. »Wir sind nicht verheiratet – und werden es nie sein.« Er wandte eine Sekunde den Blick ab, dann sah er sie wieder an. »Aber wenn wir geheiratet *hätten*, hätte ich dich geliebt und für dich gesorgt, so gut ich kann. Ich vertraue darauf, dass du das Gleiche für mich getan hättest. Habe ich Recht?«

»Oh, Ian.« Ihr Hals war immer noch belegt und rau vor Schmerz; die Worte kamen als Flüstern heraus. Sie berührte die kühle Haut seines hageren Gesichts und malte mit dem Daumen die Linie aus eintätowierten Punkten nach. »Ich liebe dich doch jetzt.«

»Aye, nun ja«, sagte er leise. »Das weiß ich.« Er hob eine seiner großen Hände und legte sie fest über die ihre. Er drückte ihre Handfläche kurz an seine Wange, dann schlossen sich seine Finger um die ihren, und er ließ ihre verschränkten Hände sinken, ließ aber nicht los.

»Dann sag mir«, sagte er, ohne den Blick von ihren Augen abzuwenden. »Wenn du mich liebst, sag mir, was ich tun soll. Soll ich zurückgehen?«

»Zurück«, wiederholte sie und sah ihm suchend ins Gesicht. »Du meinst zurück zu den Mohawk?«

Er nickte.

»Zurück zu Emily. Sie hat mich geliebt«, sagte er leise. »Das weiß ich. War es ein Fehler, mich von der Alten fortschicken zu lassen? Sollte ich zurückgehen, vielleicht um sie kämpfen, wenn es nötig wäre? Vielleicht sehen, ob sie mit mir nach Fraser's Ridge gehen würde?«

»Oh, Ian.« Sie fühlte sich noch genauso hilflos wie zuvor, doch diesmal wurde sie nicht zusätzlich durch ihren eigenen Schmerz belastet. Aber wer war sie, dass sie ihm etwas raten sollte? Wie konnte sie die Verantwortung tragen, diese Entscheidung für ihn zu treffen – zu ihm zu sagen, bleib – oder geh?

Doch er ließ ihr Gesicht nicht aus den Augen, und sie begriff – sie war seine Familie. Und daher lag die Verantwortung in ihren Händen, ob sie sich dazu im Stande fühlte oder nicht.

Ihr war eng um die Brust, als müsste sie explodieren, wenn sie tief Luft holte. Sie tat es dennoch.

»Bleib«, sagte sie.

Er stand lange da und sah ihr in die Augen – die seinen tief haselgrün, goldgefleckt und ernst.

»Du könntest gegen ihn kämpfen – Ahk …« Sie versuchte, sich an die Silben des Mohawk-Namens zu erinnern. »*Sun Elk*. Aber du kannst nicht gegen sie kämpfen. Wenn sie zu dem Schluss gekommen ist, dass sie nicht mehr mit dir zusammen sein möchte … Ian, das kannst du nicht ändern.«

Er blinzelte, so dass ihm seine dunklen Wimpern den Blick versperrten, und hielt die Augen geschlossen. Sie wusste nicht, ob er ihre Worte damit bestätigte oder ablehnte.

»Aber darum geht es nicht allein«, sagte sie, und ihre Stimme wurde fester. »Es geht nicht nur um sie oder ihn. Nicht wahr?«

»Nein«, sagte er. Seine Stimme klang fern, beinahe gleichgültig, doch sie wusste, dass es nicht so war.

»Es liegt an ihnen«, sagte sie, leiser jetzt. »All die Mütter. Die Großmütter. Die Frauen. Die – die Kinder.« Clan, Familie, Stamm und Nation; Sitte, Geist, Tradition – die Fäden, die *Die-mit-den-Händen-arbeitet* umgarnten und sie sicher am Boden festhielten. Und vor allem – Kinder. Diese lauten Stimmchen, die die Stimmen des Waldes übertönten und verhinderten, dass die Seele nachts zu wandern begann.

Niemand kannte die Kraft solcher Bindungen besser als jemand, der ohne sie existiert hatte, ausgestoßen und allein. Sie hatte schon so gelebt, er hatte schon so gelebt, und sie wussten beide, dass es wahr war.

»Es liegt an ihnen«, wiederholte er leise und öffnete die Augen. Der Verlust färbte sie dunkel, verlieh ihnen die Farbe des Schattens im tiefsten Wald. »Und ihnen.« Er wandte den Kopf und blickte nach oben zu den Bäumen jenseits des Baches, oberhalb des Mammuts, das in der Erde gefangen lag, vom Himmel isoliert, immun gegen jedes Gebet. Er wandte sich zurück, hob eine Hand und berührte ihre Wange.

»Dann bleibe ich.«

Sie schlugen ihr Nachtlager am anderen Ufer des Biberteichs auf. Die verstreuten Holzspäne und entrindeten Schößlinge gaben guten Zunder für ihr Feuer ab.

Sie hatten nicht viel zu essen; nicht mehr als eine Mütze voll Blaubeeren und den Brotkanten, der inzwischen so hart war, dass sie ihn in Wasser tunken mussten, um ihn kauen zu können. Es spielte keine Rolle; keiner von ihnen hatte Hunger, und Rollo war verschwunden, um für seinen eigenen Bedarf zu jagen.

Sie saßen schweigend da und sahen zu, wie das Feuer erlosch. Es war nicht nötig, es brennen zu lassen; die Nacht war nicht kalt, und sie konnten sich am Morgen nicht lange aufhalten – ihr Zuhause war zu nah.

Schließlich regte sich Ian, und Brianna sah ihn an.

»Wie war der Name deines Vaters?«, fragte er sehr formell.

»Frank – äh … Franklin. Franklin Wolverton Randall.«

»Dann war er Engländer?«

»Durch und durch«, bestätigte sie und musste lächeln.

Er nickte und murmelte »Franklin Wolverton Randall« vor sich hin, als wollte er sich den Namen ins Gedächtnis prägen. Dann sah er sie ernst an.

»Wenn ich mich je in einer Kirche wiederfinde, zünde ich zu seiner Erinnerung eine Kerze an.«

»Ich glaube … das würde ihm gefallen.«

Er nickte und lehnte sich mit dem Rücken an eine Seidenkiefer. Der Boden in ihrer Nähe war mit Zapfen übersät; er nahm sich ein paar davon und warf sie nacheinander ins Feuer.

»Was ist mit Lizzie?«, fragte sie nach einer Weile. »Sie hat dich immer schon gern gehabt.« Das war gelinde ausgedrückt; Lizzie hatte wochenlang getrauert, als sie ihn an die Irokesen verloren hatten. »Und da sie Manfred jetzt doch nicht heiratet …«

Er legte mit geschlossenen Augen den Kopf zurück und lehnte ihn an den Baumstamm.

»Ich habe darüber nachgedacht«, gab er zu.

»Aber …?«

»Aye, aber.« Er öffnete die Augen und warf ihr einen ironischen Blick zu. »Wenn ich neben ihr aufwachen würde, wüsste ich, wo ich bin. Im Bett bei meiner kleinen Schwester, dort würde ich sein. Ich glaube, so verzweifelt bin ich nicht. Noch nicht«, fügte er als nahe liegende Ergänzung hinzu.

71

Black Pudding

Ich war mit der Herstellung von *Black Pudding* beschäftigt, als Ronnie Sinclair auf dem Hof auftauchte. Er trug zwei Whiskyfässer vor sich her. Mehrere andere hingen ihm ordentlich zusammengebunden als Kaskade über den Rücken, was ihm das Aussehen einer Art exotischer Raupe verlieh, die sich während der Verpuppung mühsam aufrecht hielt. Es war ein kühler Tag, doch der lange Marsch bergauf hatte ihn heftig ins Schwitzen gebracht, und er fluchte nicht minder heftig.

»Warum in Dreiteufelsnamen hat Ehrwürden das verflixte Haus hier oben in den gottverdammten Wolken gebaut?«, wollte er ohne Umschweife wissen. »Warum nicht an einer Stelle, wo man mit dem verfluchten Wagen auf den Hof fahren kann?« Er setzte die Fässer vorsichtig ab, dann zog er den Kopf aus dem Tragegeschirr, um seinen hölzernen Panzer abzulegen. Er seufzte erleichtert und rieb sich die Stellen, an denen sich die Trageriemen in seine Schultern gegraben hatten.

Ich ignorierte seine rhetorischen Fragen und rührte weiter, wobei ich einladend mit dem Kopf auf das Haus deutete.

»Wir haben frischen Kaffee«, sagte ich, »und Honiggebäck.« Mein Magen verkrampfte sich bei dem Gedanken ans Essen allerdings ein wenig. War er erst einmal gewürzt, in seine Hülle gestopft, vorgekocht und später gebraten, war *Black Pudding* eine Köstlichkeit. In seinen früheren Stadien, zu denen es nun einmal gehörte, dass man armtief in einem Fass mit halb geronnenem Schweineblut herumrührte, war er um einiges weniger appetitlich.

Sinclair dagegen machte bei der Erwähnung von Essbarem gleich ein zufriedeneres Gesicht. Er wischte sich mit dem Ärmel über die schweißnasse Stirn, nickte mir zu und wandte sich zum Haus. Dann hielt er inne und drehte sich zurück.

»Ah. Das habe ich vergessen, Missus. Ich habe auch 'ne Nachricht für Euch.« Er tastete vorsichtig an seiner Brust herum, dann tiefer und befühlte seine Rippen, bis er schließlich fand, wonach er suchte, und es zwischen seinen verschwitzten Kleiderschichten hervorzog. Er brachte ein feuchtes Papierbündel zum Vorschein und hielt es mir erwartungsvoll entgegen, ohne die Tatsache zu beachten, dass mein rechter Arm fast bis zur Schulter mit Blut bedeckt war und der linke kaum besser aussah.

Ich versuchte, mir mit dem sauberen linken Ellbogen das Haar aus dem Gesicht zu streichen, doch es gelang mir nicht.

»Nehmt es mit in die Küche, ja?«, schlug ich vor. »Ehrwürden ist drinnen. Ich komme, sobald ich hier fertig bin. Wer –« Ich hatte fragen wollen, von wem der Brief war, änderte die Frage aber taktvoll in: »Wer hat ihn Euch gegeben?« Ronnie konnte nicht lesen – doch ich sah sowieso keinerlei Schriftzeichen auf der Außenseite der Notiz.

»Ein Kesselflicker, der nach Belem unterwegs war, hat ihn mir gegeben«, sagte er. »Er hat nicht gesagt, von wem er ihn hatte – nur, dass er für die Heilerin ist.«

Er sah das zusammengefaltete Papier stirnrunzelnd an, doch ich merkte, wie sein Blick zu meinen Beinen abschweifte. Trotz des kühlen Wetters war ich barfuß, trug nur mein langes Hemd und hatte mir eine blutverschmierte Schürze um die Taille gebunden. Ronnie war seit einiger Zeit auf Brautschau und hatte sich demzufolge angewöhnt, die physischen Attribute jeder Frau, der er begegnete, abschätzend zu betrachten, ohne sich darum zu kümmern, wie alt sie war oder ob sie zu haben war. Er bemerkte, dass ich es bemerkt hatte, und riss den Blick hastig los.

»Das war alles?«, fragte ich. »Die Heilerin? Meinen Namen hat er nicht genannt?«

Sinclair rieb sich mit der Hand durch das schüttere, rote Haar, so dass zwei Strähnen über seinen Ohren abstanden, was ihm noch mehr als sonst das Aussehen eines gerissenen Fuchses verlieh.

»Brauchte er doch auch nicht, oder?« Ohne weitere Konversationsversuche zu unternehmen, verschwand er auf der Suche nach etwas Essbarem und nach Jamie im Haus, und ich machte mich wieder an meine blutige Arbeit.

Das Schlimmste war, das Blut zu reinigen. Man fuhr mit dem Arm durch die dunklen, stark riechenden Tiefen des Fasses, um die Fibrinfäden abzusammeln, die sich bildeten, wenn das Blut zu verklumpen begann. Diese blieben an meinem Arm hängen und konnten dann herausgezogen und abgewaschen werden – wieder und wieder. Allerdings war das etwas weniger widerlich als die Aufgabe, die Gedärme auszuwaschen, so dass man sie als Wurstpellen benutzen konnte; Brianna und Lizzie waren gerade unten am Bach damit beschäftigt.

Ich inspizierte kurz meinen jüngsten Fang; in der klaren, roten Flüssigkeit, die mir von den Fingern tropfte, waren keine Fasern zu sehen. Ich tauchte meinen Arm erneut in das Wasserfass, das neben dem Fass mit dem Blut unter der großen Kastanie aufgebockt stand. Jamie, Roger und Arch Bug hatten das Schwein auf den Hof gezerrt, es mit einem Holzhammer zwischen die Augen geknüppelt und es dann an den Ästen hochgezogen, ihm die Kehle durchgeschnitten und es in das Fass ausbluten lassen.

Dann hatten Roger und Arch den ausgeweideten Rumpf mitgenommen, um ihn mit kochendem Wasser zu übergießen und die Borsten abzuschaben. Jamies Anwesenheit war anderswo gefragt: Er musste sich um Major MacDonald kümmern, der plötzlich aufgetaucht war, pustend und schnaufend von seinem Aufstieg. Hätte er wählen können, so dachte ich, hätte Jamie es vorgezogen, sich mit dem Schwein zu befassen.

Ich wusch mir Hände und Arme – eine vergebliche Liebesmüh, die aber für meinen Seelenfrieden notwendig war – und trocknete mich mit einem Leinenhandtuch ab. Dann schaufelte ich mit beiden Händen Gerste, Hafermehl und gekochten Reis aus den bereitgestellten Schüsseln in das Fass und lächelte sacht bei der Erinnerung an das dunkelrote Gesicht des Majors und an Ronnie Sinclairs Meckereien. »Ehrwürden« hatte diesen Ort auf dem Bergkamm in weiser Voraussicht gewählt – eben *weil* er so schwierig zu erreichen war.

Ich fuhr mir mit den Fingern durch das Haar, holte tief Luft und tauchte meinen sauberen Arm erneut in das Fass. Das Blut kühlte sich sehr schnell ab. Jetzt, wo es mit Getreide bedeckt war, war der Geruch weniger durchdringend als die metallische Ausdünstung frischen, heißen Blutes. Doch die

Mischung war immer noch warm, und die Körner bildeten elegante weiße und braune Wirbel, die beim Umrühren in das Blut gesogen wurden.

Ronnie hatte Recht; es war nicht nötig gewesen, mich über »die Heilerin« hinaus genauer zu bezeichnen. Es gab bis Cross Creek keine andere, es sei denn, man zählte die *Shamanen* der Indianer mit – was die meisten Europäer nicht tun würden.

Ich fragte mich, wer mir die Notiz geschickt hatte und ob die Angelegenheit dringend war. Wahrscheinlich nicht – zumindest war es wohl keine unmittelbar bevorstehende Geburt oder kein schwerer Unfall. Nachrichten von solchen Vorfällen wurden normalerweise persönlich überbracht, hastig von einem Freund oder Verwandten vorgetragen. Wer einem Kesselflicker eine schriftliche Nachricht anvertraute, der konnte nicht darauf bauen, dass sie auch nur einigermaßen prompt ausgeliefert wurde; Kesselflicker zogen weiter oder blieben, je nachdem, wie viel Arbeit sie vorfanden.

Außerdem kamen nur selten Kesselflicker oder Landstreicher nach Fraser's Ridge, obwohl wir im Lauf des letzten Monats dreimal welche gesehen hatten. Ich wusste nicht, ob dies mit unserer wachsenden Population zusammenhing – Fraser's Ridge brachte es inzwischen auf fast sechzig Familien, obwohl sich die Blockhäuser im Umkreis von zehn Meilen über die bewaldeten Berghänge verteilten – oder mit etwas Unheimlicherem.

»Es ist eins der Vorzeichen, Sassenach«, hatte Jamie mir erklärt, während er unserem letzten kurzfristigen Gast beim Abschied stirnrunzelnd nachsah. »Wenn ein Krieg in der Luft liegt, zieht es die Männer auf die Straße.«

Ich glaubte, dass er Recht hatte; ich erinnerte mich an die Wanderer auf den Straßen der Highlands, die Gerüchte über den Stuart-Aufstand mit sich trugen. Es war, als entwurzelten die Erschütterungen der Unrast all jene, die nicht durch Liebe oder eine Familie fest mit einem Ort verbunden waren, und als trügen die wirbelnden Strömungen des Konfliktes sie fort – die ersten, bruchstückhaften Vorwarnungen einer Explosion, die mit zeitlupenhafter Klarheit kommen und alles erschüttern würde. Ich erschauerte, als mich der leichte Wind durch mein Hemd hindurch berührte.

Die schleimige Masse hatte die nötige Konsistenz erreicht, etwa so wie cremige, dunkelrote Sahne. Ich schüttelte mir verklebte Körnerklumpen von den Fingern und griff mit der sauberen, linken Hand nach der bereitstehenden Schüssel mit gehackten und sautierten Zwiebeln. Das kräftige Zwiebelaroma überlagerte den Metzgereigeruch, ein heimeliger Küchenduft.

Das Salz war gemahlen, der Pfeffer gerieben. Alles, was ich jetzt brauchte… Wie auf ein Stichwort kam Roger um die Hausecke gebogen, eine große Schüssel mit klein gehacktem Schweinespeck in der Hand.

»Gerade rechtzeitig!«, sagte ich und wies kopfnickend auf das Fass. »Nein, schütte es nicht hinein, es muss abgemessen werden – zumindest in etwa.« Ich hatte zehn doppelte Hände voll Hafermehl gebraucht, zehnmal Reis, zehnmal Gerste. Also die Hälfte – fünfzehn. Ich schüttelte mir erneut das Haar aus den Augen, schöpfte eine Doppelhand aus der Schüssel und ließ sie in das Fass plumpsen.

»Alles in Ordnung bei dir?«, fragte ich. Ich deutete mit dem Kinn auf einen Hocker, während ich begann, das Fett mit den Fingern unter die Mischung zu arbeiten. Roger war immer noch ein wenig blass und angespannt um den Mund, doch er lächelte mich gequält an, als er sich hinsetzte.

»Prima.«

»Du hättest es nicht tun müssen, weißt du?«

»Doch. Das musste ich.« Der gequälte Tonfall seiner Stimme wurde stärker. »Ich wünschte nur, ich hätte es besser gemacht.«

Ich zuckte mit einer Schulter und griff in die Schüssel, die er mir hinhielt.

»Man muss es üben.«

Roger hatte sich bereit erklärt, das Schwein zu schlachten. Jamie hatte ihm einfach nur den Holzhammer gereicht und war zur Seite getreten. Ich hatte Jamie schon öfter Schweine schlachten sehen; er sprach ein kurzes Gebet, segnete das Schwein und schlug ihm dann mit einem mächtigen Hieb den Schädel ein. Roger hatte fünf Anläufe gebraucht, und ich bekam jetzt noch eine Gänsehaut, wenn ich mich an das Kreischen erinnerte. Danach hatte er den Hammer hingelegt, war hinter einen Baum getreten und hatte sich heftig übergeben.

Ich schöpfte eine weitere Hand voll. Die Mischung verdickte sich und fühlte sich langsam fettig an.

»Er hätte dir zeigen sollen, wie es geht.«

»Ich glaube nicht, dass es technisch irgendwie schwierig ist«, sagte Roger trocken. »Es ist schließlich ziemlich unkompliziert, einem Tier auf den Schädel zu hämmern.«

»Körperlich vielleicht«, pflichtete ich ihm bei. Ich schöpfte noch mehr Speck und arbeitete nun mit beiden Händen. »Es gibt ein Gebet dafür, weißt du. Für das Schlachten eines Tiers. Jamie hätte es dir sagen sollen.«

Er sah ein wenig verblüfft aus.

»Nein, das wusste ich nicht.« Er lächelte, diesmal etwas überzeugender. »Letzte Ölung für das Schwein, aye?«

»Ich glaube nicht, dass es im Interesse des Schweins geschieht«, sagte ich scharf. Wir verstummten für einige Sekunden, während ich den Rest des Specks in die cremige Getreidemischung rührte und dann und wann innehielt, um ein Knorpelstückchen wegzuschnippen. Ich konnte Rogers Blick auf dem Fass spüren, während er der seltsamen Alchimie des Kochens zusah, jenem Prozess, der den Übergang des Lebens von einem Lebewesen zum anderen schmackhaft machte.

»Die Viehtreiber in den Highlands zapfen manchmal einem ihrer Tiere eine oder zwei Tassen Blut ab und vermischen es mit Hafermehl, um es unterwegs zu essen«, sagte ich. »Nahrhaft, schätze ich, aber nicht so köstlich.«

Roger nickte geistesabwesend. Er hatte die fast leere Schüssel auf den Boden gestellt und pulte mit der Spitze seines Dolches das getrocknete Blut unter den Fingernägeln hervor.

»Ist es dasselbe wie bei Rotwild?«, fragte er. »Das Gebet. Ich habe einmal gesehen, wie Jamie es gesprochen hat, obwohl ich die meisten Worte nicht verstanden habe.«

»Das Grallochgebet? Ich weiß es nicht. Warum fragst du ihn nicht?«

Roger beschäftigte sich intensiv mit seinem Daumennagel und hielt den Blick fest auf seine Hand gerichtet.

»Ich war mir nicht sicher, ob es ihm recht ist, dass ich es lerne. Ich meine, wo ich doch kein Katholik bin.«

Ich blickte in die Mischung hinunter und lächelte insgeheim.

»Ich glaube nicht, dass das eine Rolle spielt. Dieses Gebet ist sehr viel älter als die Kirche Roms, wenn ich mich nicht irre.«

In Rogers Gesicht flackerte Interesse auf, und der Wissenschaftler in ihm regte sich.

»Ich hatte das Gefühl, dass es eine sehr alte Form des Gälischen war – sogar älter als das, was man heutzutage hört – ich meine … jetzt.« Er errötete ein wenig, als ihm klar wurde, was er gesagt hatte. Ich nickte, schwieg aber.

Ich erinnerte mich daran, wie es war; dieses Gefühl, in einer ausgetüftelten Illusion zu leben. Das Gefühl, dass die Realität in einer anderen Zeit, an einem anderen Ort existierte. Ich erinnerte mich daran und begriff ein wenig erschrocken, dass es für mich tatsächlich nur noch eine Erinnerung war – für mich hatte die Zeit einen Ruck getan, als hätte mich meine Krankheit eine letzte Barriere durchbrechen lassen.

Meine Zeit war *jetzt*, meine Realität das raue Holz und der schlüpfrige Speck unter meinen Fingern, der Verlauf der Sonne, der mir meinen Tagesrhythmus vorschrieb, Jamies Nähe. Es war die andere Welt mit ihren Autos und ihrem Telefongeklingel, mit ihren Weckern und Hypotheken, die mir unwirklich und weit entfernt vorkam, der Stoff, aus dem die Träume waren.

Doch weder Roger noch Brianna hatten diesen Übergang vollzogen. Ich konnte es an ihrem Verhalten sehen, es am Widerhall ihrer Unterhaltungen hören, wenn sie unter sich waren. Wahrscheinlich lag es daran, dass sie einander hatten; sie konnten sich die andere Zeit lebendig erhalten; eine kleine Welt, die nur sie teilten. Für mich war die Veränderung leichter. Ich hatte schon einmal hier gelebt, und diesmal war ich schließlich bewusst hergekommen – und ich hatte Jamie. Was auch immer ich ihm von der Zukunft erzählte, es war ihm unmöglich, etwas anderes als ein Märchen darin zu sehen. Unsere kleine gemeinsame Welt war aus anderen Dingen gemacht.

Doch wie sollten Brianna und Roger zurechtkommen? Es war gefährlich, mit der Vergangenheit so umzugehen, wie sie es manchmal taten – wie mit etwas Pittoreskem, Seltsamem, einem vorübergehenden Zustand, dem man entrinnen konnte. Für sie gab es kein Entrinnen – ob aus Liebe oder Pflichtgefühl, Jemmy hielt sie beide hier, ein kleiner, rotschöpfiger Anker, der sie an die Gegenwart band. Besser – oder zumindest sicherer –, wenn es ihnen gelang, diese Zeit voll und ganz als die Ihre zu akzeptieren.

»Bei den Indianern gibt es das ebenso«, informierte ich Roger. »Das Gral-lochgebet oder etwas Ähnliches. Deshalb habe ich gesagt, ich denke, es ist älter als die Kirche.«

Er nickte voller Interesse.

»Ich glaube, dass alle primitiven Kulturen einen solchen Brauch kennen – dass es ihn überall gibt, wo Menschen jagen, um zu essen.«

Primitive Kulturen. Ich biss mir auf die Unterlippe und verkniff es mir, ihn darauf hinzuweisen, dass er höchstwahrscheinlich gleichfalls gezwungen sein würde, für seine Familie zu töten, wenn sie überleben sollte – wie primitiv das auch sein mochte. Doch dann fiel mein Blick auf seine Hand, deren blutige Finger er geistesabwesend aneinander rieb. Er wusste es bereits. *Doch, das musste ich*, hatte er erwidert, als ich ihm gesagt hatte, dass es doch nicht nötig gewesen wäre.

In diesem Moment blickte er auf, sah meine Miene und schenkte mir ein schwaches, müdes Lächeln. Er verstand.

»Ich glaube, vielleicht... das Schlachten ohne Vorbereitung kommt mir wie Mord vor«, sagte er langsam. »Wenn man sich vorbereiten kann – mit einer Art Ritual, mit dem man sich die Notwendigkeit dieser Tat eingesteht...«

»Die Notwendigkeit – und genauso, dass sie ein Opfer ist.« Jamies Stimme ertönte leise hinter mir, und ich schrak zusammen. Ich wandte abrupt den Kopf. Er stand im Schatten der großen Blaufichte. Ich fragte mich, wie lange er schon dort war.

»Hab dich nicht kommen hören«, sagte ich und wandte ihm mein Gesicht zum Kuss zu, als er zu mir trat. »Ist der Major fort?«

»Nein«, sagte er und küsste mich auf die Stirn, eine der wenigen verbliebenen sauberen Stellen. »Ich habe ihn eine Weile bei Sinclair gelassen. Er ist wegen des Komitees für die Sicherheit hier, aye?« Er schnitt eine Grimasse, dann wandte er sich Roger zu.

»Aye, du hast Recht«, sagte er. »Es ist niemals angenehm, ein Tier zu schlachten, aber es muss sein. Aber wenn man schon Blut vergießen muss, dann ist es nur recht, es dankbar zu tun.«

Roger nickte und blickte auf die Mischung, mit der ich beschäftigt war, bis zu den Ellbogen in das Blut getaucht, das er vergossen hatte.

»Dann wirst du mich nächstes Mal die richtigen Worte lehren?«

»Für diesmal ist es auch noch nicht zu spät, oder?«, sagte ich. Beide Männer zogen leicht verblüffte Gesichter. Mit hochgezogener Augenbraue sah ich erst Jamie an, dann Roger. »Ich habe doch gesagt, es ist weniger für das Schwein.«

Jamie erwiderte meinen Blick mit einem humorvollen Glitzern in den Augen, doch er nickte ernst.

»Nun gut.«

Auf meine Anweisung hin erhob er das schwere Gefäß mit den Kräutern: eine Mischung aus geriebenem Muskat und zerstoßenem Majoran, Salbei und Cayenne, Petersilie und Thymian. Roger hielt ihm die Hände hin, so dass sie eine Schale formten, und Jamie schüttete sie ihm voll. Dann zerrieb Roger die Kräuter langsam zwischen seinen Handflächen und ließ die staubigen, grünlichen Krümel in das Fass rieseln, wobei sich ihr durchdringender Duft mit dem Blutgeruch vermischte und Jamie langsam die Worte sprach, in einer uralten Zunge, die aus den Tagen der Nordmänner überliefert war.

»Sag es auf Englisch«, sagte ich, denn ich konnte Roger ansehen, dass er die Worte zwar wiederholte, aber nicht jedes verstand.

»*O Herr, segne das Blut und das Fleisch dieser Kreatur, die du mir geschenkt hast*«, betete Jamie leise. Er ergriff ebenfalls eine Prise der Kräutermischung und zerrieb sie zwischen Daumen und Zeigefinger zu einem duftenden Staubregen.

»*Von deiner Hand erschaffen, wie du den Menschen erschaffen hast.*
Leben, zum Leben gegeben.
Dass ich und die Meinen essen können, voll Dank für das Geschenk,
Dass ich und die Meinen dir danken können für dein eigenes Opfer aus Fleisch und Blut,
Leben, zum Leben gegeben.«

Die letzten der grauen und grünen Krumen verschwanden unter meinen Händen in der Mischung, und das Ritual des Wursteiges war vollendet.

»Das war lieb von dir, Sassenach«, sagte Jamie, als er mir hinterher meine sauberen, nassen Hände und Arme mit dem Handtuch abtrocknete. Er wies kopfnickend auf die Hausecke, hinter der Roger jetzt mit wesentlich friedvollerem Gesichtsausdruck verschwunden war, um bei den restlichen Metzgerarbeiten zu helfen. »Ich wollte es ihm vorher sagen, aber ich wusste nicht, wie.«

Er zog eine angedeutete Grimasse und wischte sich eine Haarsträhne zur Seite, die der Wind aus seinem Zopf gerupft hatte.

Ich lachte und trat dichter an ihn heran. Es war ein kalter, windiger Tag, und jetzt, wo ich zu arbeiten aufgehört hatte, trieb mich die Kühle dichter zu ihm, um seine Wärme zu suchen. Er legte die Arme um mich, und ich spürte die beruhigende Hitze seiner Umarmung – und das leise Knistern von Papier in seinem Hemd.

»Was ist das?«

»Oh, ein Briefchen, das Sinclair mitgebracht hat«, sagte er und trat ein

Stück zurück, um in sein Hemd zu fassen. »Ich wollte es nicht in Gegenwart des Majors öffnen, und ich hatte die Befürchtung, dass er es lesen würde, wenn ich aus dem Zimmer gehe.«

»Der Brief ist sowieso nicht für dich«, sagte ich und nahm ihm das fleckige Papier ab. »Er ist für mich.«

»Ach ja? Davon hat Sinclair nichts gesagt, hat ihn mir einfach nur gegeben.«

»Typisch!« Wie üblich betrachtete mich Ronnie Sinclair – genau wie alle anderen Frauen – als unbedeutendes Anhängsel eines Ehemannes. Die Frau, die er womöglich zur Heirat verleiten würde, tat mir jetzt schon Leid.

Ich faltete den Brief unter Schwierigkeiten auseinander; er war so lange auf verschwitzter Haut getragen worden, dass seine Ränder ausgefranst waren und zusammenklebten.

Die Botschaft, die er enthielt, war kurz und rätselhaft, aber beunruhigend. Sie war mit einem Werkzeug wie einem angespitzten Stöckchen in das Papier geritzt worden, und die verwendete Tinte erinnerte unangenehm an getrocknetes Blut, selbst wenn es wahrscheinlich eher Beerensaft war.

»Was steht denn da, Sassenach?« Als er das Stirnrunzeln sah, mit dem ich das Papier betrachtete, trat Jamie an meine Seite, um es sich anzusehen. Ich hielt es ihm hin.

Ganz unten in einer Ecke, als hätte der Absender gehofft, dass es so nicht auffallen würde, war in blassen, winzigen Buchstaben das Wort *Faydree* geschrieben. Darüber war in kühneren Buchstaben die Nachricht hingekratzt:

Kum
Her

»Sie muss es sein«, sagte ich und zog mein Schultertuch fester um mich, weil ich zitterte. Im Sprechzimmer war es kalt, obwohl das kleine Kohlebecken in der Ecke brannte, aber in der Küche warteten Ronnie Sinclair und Major MacDonald bei einem Glas Cidre darauf, dass die Würstchen fertig wurden. Ich breitete die Note mit der finsteren, bestimmten Aufforderung über der zaghaften Signatur auf dem Sprechzimmertisch aus. »Sieh doch. Wer könnte es sonst sein?«

»Sie kann doch wohl nicht schreiben?«, wandte Jamie ein. »Aber vielleicht hat es ja jemand anders für sie geschrieben«, verbesserte er sich stirnrunzelnd.

»Nein, ich glaube, sie könnte es geschrieben haben.« Brianna und Roger waren ebenfalls ins Sprechzimmer gekommen; Brianna streckte die Hand aus, um das zerfranste Papier zu berühren, und zeichnete mit ihrem langen Finger sanft die krakeligen Buchstaben nach. »Ich habe es ihr beigebracht.«

»Wirklich?« Jamies Miene war überrascht. »Wann denn?«

»Als ich auf River Run gewohnt habe. Als du mit Mama unterwegs warst, um Roger zu suchen.« Ihr breiter Mund presste sich eine Sekunde zusammen; dies war kein Anlass, an den sie gern erinnert wurde.

»Ich habe ihr das Alphabet beigebracht; ich wollte ihr Lesen und Schreiben beibringen. Wir sind alle Buchstaben durchgegangen – sie wusste, wie sie klingen, und sie konnte sie malen. Aber dann hat sie eines Tages gesagt, es ginge nicht mehr, und war nicht mehr dazu zu bewegen, sich mit mir zusammenzusetzen.« Sie blickte auf, Sorgenfalten zwischen ihren dichten roten Augenbrauen. »Ich dachte, Tante Jocasta hätte es womöglich herausgefunden und es ihr verboten.«

»Wahrscheinlich eher Ulysses. Jocasta hätte es *dir* verboten, Brianna.« Jamie hatte die gleichen Sorgenfalten, und er sah mich an. »Dann glaubst du also, es ist Phaedre? Die Leibdienerin meiner Tante?«

Ich schüttelte den Kopf und biss mir zweifelnd auf die Lippe.

»Die Sklaven auf River Run sprechen ihren Namen so aus – Faydree. Und ich kenne mit Sicherheit sonst niemanden, der so heißt.«

Jamie hatte Ronnie Sinclair ausgehorcht – beiläufig, um ihn nicht zu alarmieren oder ein Gerücht in die Welt zu setzen –, doch der Küfer wusste nur das, was er mir schon gesagt hatte; er hatte den Zettel von einem Kesselflicker mit der schlichten Anweisung, er sei »für die Heilerin«.

Ich beugte mich über den Tisch und hob eine Kerze hoch, um das Briefchen noch einmal zu studieren. Das »F« der Signatur bestand aus einer zögernden, mehrfach ausgeführten Linie – mehr als ein Anlauf, bevor sich die Verfasserin dazu aufgerafft hatte, den Brief zu unterzeichnen. Noch ein Hinweis, dachte ich, auf seinen Ursprung. Ich wusste nicht, ob es in North Carolina gegen das Gesetz verstieß, einem Sklaven das Lesen oder Schreiben beizubringen, doch es wurde mit Sicherheit davon abgeraten. Es gab zwar markante Ausnahmen – Sklaven, die zum Nutzen ihrer Besitzer eine Ausbildung genossen, wie Ulysses selbst –, doch im Großen und Ganzen war es eine gefährliche Fähigkeit, die die meisten Sklaven um jeden Preis geheim gehalten hätten.

»Sie wäre nicht das Risiko eingegangen, uns auf diese Weise eine Nachricht zukommen zu lassen, wenn es nicht etwas Ernstes wäre«, sagte Roger. Er stand hinter Brianna, eine Hand auf ihrer Schulter, und spähte auf die Notiz hinunter, die sie flach auf den Tisch gedrückt hielt. »Aber was?«

»Hast du in letzter Zeit etwas von deiner Tante gehört?«, fragte ich Jamie, aber ich kannte die Antwort schon, bevor er den Kopf schüttelte. Jede Nachricht aus River Run, die Fraser's Ridge erreichte, wäre innerhalb von Stunden überall verbreitet gewesen.

Wir waren dieses Jahr nicht beim *Gathering* am Mount Helicon gewesen; es gab in Fraser's Ridge zu viel zu tun. Doch Jocasta und Duncan hatten vorgehabt zu gehen. Wenn etwas nicht gestimmt hätte, hätte es sich überall herumgesprochen und wäre längst bis zu uns gedrungen.

»Also ist es nicht nur ernst, sondern es ist außerdem etwas Privates«, sagte Jamie. »Sonst hätte meine Tante mir geschrieben. Oder Duncan hätte es mir ausrichten lassen.« Seine beiden steifen Finger klopften ein einziges Mal leise gegen seinen Oberschenkel.

Wir standen rings um den Tisch und starrten die Notiz an, als wäre sie eine kleine weiße Dynamitstange. Der Geruch der kochenden Würstchen breitete sich in der kalten Luft aus, warm und heimelig.

»Warum du?«, fragte Roger und blickte zu mir auf. »Meinst du, es könnte etwas Medizinisches sein? Wenn sie zum Beispiel krank wäre – oder schwanger?«

»Keine Krankheit«, sagte ich. »Das wäre zu dringend gewesen.« Man brauchte zu Pferd mindestens eine Woche bis nach River Run – bei gutem Wetter und wenn es keine Zwischenfälle gab. Der Himmel allein wusste, wie lange der Brief gebraucht hatte, um bis nach Fraser's Ridge zu gelangen.

»Aber wenn sie schwanger wäre? Vielleicht.« Brianna spitzte die Lippen, ohne ihren stirnrunzelnden Blick von dem Zettel zu heben. »Ich glaube, sie betrachtet Mama als Freundin. Ich glaube, sie würde es dir eher anvertrauen als Tante Jocasta.«

Ich nickte, wenn auch widerstrebend. Freundschaft war ein zu starkes Wort; jemand in Phaedres Position konnte nicht mit mir befreundet sein. Einer solchen Zuneigung standen zu viele Einschränkungen im Wege – Argwohn, Misstrauen, die gewaltige Kluft des Unterschiedes, den die Sklaverei mit sich brachte.

Und doch bestand zwischen uns ein gewisses Gefühl der Zuneigung, so viel stand fest. Und ich hatte Seite an Seite mit ihr gearbeitet, Pflanzen gesetzt und geerntet, Kräuter für die Arzneikammer präpariert, ihren Gebrauch erklärt. Wir hatten gemeinsam eine Tote begraben und einen Plan ausgeheckt, um die entlaufene Sklavin zu schützen, die des Mordes angeklagt war. Sie hatte ein gewisses Talent im Umgang mit Kranken, Phaedre, und sie kannte sich mit Kräutern aus. Mit kleineren Problemen konnte sie selbst fertig werden. Doch eine unerwartete Schwangerschaft …

»Aber was meint sie denn, was ich tun könnte, frage ich mich.« Ich dachte laut vor mich hin, und meine Fingerspitzen waren kalt. Wenn eine Sklavin unerwartet ein Kind bekam, so war dies für ihren Besitzer kein Problem – im Gegenteil, man würde es als zusätzlichen Besitz willkommen heißen. Allerdings hatte ich schon davon gehört, dass Sklavinnen ihre Kinder lieber bei der Geburt umbrachten als sie in der Sklaverei aufwachsen zu lassen. Doch Phaedre war Haussklavin und wurde gut behandelt; außerdem trennte Jocasta ihre Sklavenfamilien nicht, das wusste ich. Wenn es das war, konnte Phaedres Lage gar nicht so aussichtslos sein – andererseits, wie wollte ich das beurteilen?

Unsicher pustete ich ein dampfendes Atemwölkchen aus.

»Ich verstehe einfach nicht, warum – ich meine, sie kann doch unmöglich erwarten, dass ich ihr helfen würde, ein Kind loszuwerden. Und für alles andere – warum ich? Es gibt doch Hebammen und Heiler, die viel dichter in ihrer Nähe leben. Es ergibt einfach keinen Sinn.«

»Was, wenn –«, begann Brianna und hielt inne. Sie spitzte nachdenklich die Lippen und ließ den Blick von mir zu Jamie und zurück schweifen. »Was«, sagte sie vorsichtig, »wenn sie schwanger wäre, aber der Vater … jemand ist, der es nicht sein sollte?«

Argwöhnische, aber humorvolle Spekulation regte sich in Jamies Blick, was die Ähnlichkeit zwischen ihm und Brianna noch verstärkte.

»Wer denn?«, sagte er. »Farquard Campbell?«

Ich lachte laut auf, und Brianna prustete vor Belustigung, so dass weiße Atemwölkchen ihren Kopf umschwebten. Die Vorstellung, wie der aufrechte – und nicht mehr ganz junge – Farquard Campbell eine Haussklavin verführte, war …

»Wohl kaum«, sagte Brianna. »Obwohl er natürlich diese ganzen Kinder hat. Aber mir ist plötzlich der Gedanke gekommen – was, wenn es Duncan wäre?«

Jamie räusperte sich und vermied es, mich anzusehen. Ich spürte, wie mein Gesicht rot wurde, und biss mir auf die Lippe. Duncan hatte Jamie vor seiner Hochzeit mit Jocasta seine Impotenz gestanden – doch das wusste Brianna nicht.

»Oh, das halte ich nicht für wahrscheinlich«, sagte Jamie, der ein wenig erstickt klang. Er hustete und fächerte sich den Rauch, der vom Kohlebecken aufstieg, aus dem Gesicht. »Wie kommst du denn auf diese Idee?«

»Nicht durch Duncan«, versicherte sie ihm. »Aber Tante Jocasta *ist* nun einmal, na ja, alt. Und du weißt doch, wie Männer sein können.«

»Nein, wie denn?«, fragte Roger, ohne eine Miene zu verziehen, und ich musste husten, um nicht loszulachen.

Jamie betrachtete mich mit einem gewissen Zynismus.

»Um einiges besser als du, *a nighean*. Und es gibt zwar viele Männer, auf die ich nicht viel verwetten würde, aber ich würde doch guten Gewissens einiges darauf setzen, dass Duncan Innes nicht der Mann ist, der sein Ehegelübde mit der schwarzen Sklavin seiner Frau bricht.«

Ich stieß ein leises Geräusch aus, und Roger musterte mich mit hochgezogener Augenbraue.

»Stimmt etwas nicht?«

»Alles bestens«, behauptete ich und klang erstickt. »Bestens.« Ich zog mir eine Ecke meines Schultertuchs über das zweifellos puterrote Gesicht und hustete demonstrativ. »Ziemlich … verqualmt hier, nicht wahr?«

»Vielleicht«, räumte Brianna an Jamie gewandt ein. »Möglich, dass es etwas ganz anderes ist. Es ist nur, dass Phaedre die Notiz an ›die Heilerin‹ geschickt hat, und zwar wahrscheinlich, weil sie Mamas Namen nicht benutzen wollte, denn es hätte ja sein können, dass jemand den Zettel zu Gesicht bekam, bevor er hier eintraf. Ich dachte nur, vielleicht war es gar nicht Mama, die sie braucht – vielleicht bist du es.«

Das holte Jamie und mich auf den Boden zurück, und wir sahen uns an. Das war definitiv eine Möglichkeit, und zwar eine, auf die wir beide nicht gekommen waren.

»Sie konnte dir nicht direkt schreiben, ohne Neugier zu erregen«, fuhr Brianna mit einem stirnrunzelnden Blick auf den Zettel fort. »Aber sie konnte ›die Heilerin‹ sagen, ohne diese beim Namen nennen zu müssen. Und wenn Mama kommen würde, so wusste sie, dass du sie um diese Jahreszeit wahrscheinlich begleiten würdest. Oder wenn nicht, könnte Mama dich offen herbeirufen.«

»Das ist ein Gedanke«, sagte Jamie langsam. »Aber was in Gottes Namen könnte sie von *mir* wollen?«

»Es gibt nur eine Möglichkeit, das herauszufinden«, sagte Roger ohne Umschweife. Er sah Jamie an. »Der Großteil der Arbeit im Freien ist getan; die Ernte und das Heu sind unter Dach und Fach, wir sind mit dem Schlachten fertig. Wir kommen hier zurecht, wenn du gehen möchtest.«

Jamie blieb einen Moment reglos stehen und dachte stirnrunzelnd nach, dann ging er zum Fenster und schob es hoch. Ein kalter Wind wehte ins Zimmer, und Brianna hielt den flatternden Zettel auf dem Tisch fest, damit er nicht davonflog. Die Kohlen in dem kleinen Becken rauchten und schlugen Flammen, und die Kräuterbündel über unseren Köpfen raschelten unruhig.

Jamie steckte den Kopf aus dem Fenster und atmete mit geschlossenen Augen tief ein wie ein Weinkenner, der ein feines Bouquet genießt.

»Kalt und klar«, verkündete er, zog den Kopf ein und schloss das Fenster. »Schönes Wetter für mindestens drei Tage. Wenn wir uns beeilen, könnten wir die Berge bis zum ersten Schneefalll hinter uns haben.« Er lächelte mich an, und seine Nasenspitze war rot vor Kälte. »Aber vorerst: Meinst du, die Würstchen könnten fertig sein?

72

Lug …

Eine Sklavin, die ich nicht kannte, öffnete uns die Tür, eine kräftig gebaute Frau mit einem gelben Turban. Sie betrachtete uns streng, doch Jamie ließ sie gar nicht erst zu Wort kommen, sondern schob sich unwirsch an ihr vorbei in den Flur.

»Er ist Mrs. Camerons Neffe«, fühlte ich mich verpflichtet, ihr zu erklären, während ich ihm folgte.

»*Das* kann ich sehen«, murmelte sie in einem Singsang, der seinen Ursprung in Barbados hatte. Sie funkelte ihm auf eine Weise nach, die keinen Zweifel daran ließ, dass sie die Familienähnlichkeit auch in seiner Arroganz, nicht nur an seinem Aussehen erkannte.

»Ich bin seine Frau«, sagte ich. Ich unterdrückte das automatische Bedürfnis, ihr die Hand zu schütteln, und machte stattdessen eine kleine Verbeugung. »Claire Fraser. Erfreut, Euch kennen zu lernen.«

Sie blinzelte verblüfft, doch bevor sie antworten konnte, war ich schon an ihr vorbei und folgte Jamie zu dem kleinen Salon, in dem Jocasta nachmittags oft saß.

Die Tür zu diesem Zimmer war verschlossen, und als Jamie die Hand auf die Klinke legte, erscholl innen ein scharfes Kläffen – der Auftakt zu einer Salve hektischen Gebells, als die Tür aufschwang.

Jamie hielt abrupt inne, die Hand an der Tür, und betrachtete stirnrunzelnd das kleine braune Fellbündel, das zu seinen Füßen hin und her hüpfte und dem die Augen hysterisch aus dem Kopf quollen, während es sich die Seele aus dem Leib bellte.

»Was *ist* das?«, sagte er und schob sich in das Zimmer, während die kläffende Kreatur vergeblich auf seine Schuhe losging.

»Es ist ein Hund, was glaubst du denn?«, antwortete Jocasta schneidend. Sie erhob sich aus ihrem Sessel und neigte das Gesicht lauschend dem Lärm zu. »*Sheas*, Samson!«

»Samson? Oh, natürlich. Die Haare.« Jamie lächelte unwillkürlich. Er hockte sich hin und hielt dem Hund die geballte Faust entgegen. Der Hund drosselte seinen Lärm zu einem leisen Knurren und streckte argwöhnisch die Nase nach seinen Fingerknöcheln aus.

»Wo ist denn Delilah?«, fragte ich und schob mich hinter ihm ins Zimmer.

»Ah, du bist auch da, Claire?« Jocastas Gesicht fuhr zu mir herum und wurde von einem Lächeln erhellt. »Was für eine seltene Freude, euch beide hier zu haben. Ich nehme nicht an, dass Brianna und der Kleine auch dabei sind – nein, ich hätte sie gehört.« Sie verwarf diesen Gedanken, setzte sich wieder und wies auf den Kamin.

»Was Delilah betrifft, das faule Tier schläft am Feuer; ich kann sie schnarchen hören.«

Delilah war ein großer, weißlicher Hund, dessen Rasse undefinierbar war, der aber ein Übermaß an Haut besaß; diese umhing das Tier in entspannten Falten, während es auf dem Rücken lag, die Pfoten über dem gefleckten Bauch gekreuzt. Beim Klang ihres Namens prustete sie und öffnete ein Auge einen Spaltbreit, dann schloss sie es wieder.

»Ich sehe, dass sich hier einiges verändert hat, seit ich das letzte Mal hier gewesen bin«, merkte Jamie an und erhob sich wieder. »Wo ist Duncan? Und Ulysses?«

»Fort. Sie suchen Phaedre.« Jocasta hatte abgenommen; ihre hohen MacKenzie-Wangenknochen zeichneten sich scharf ab, und ihre Haut sah dünn und faltig aus.

»Suchen?« Jamie sah sie scharf an. »Was ist denn mit ihr?«

»Davongelaufen.« Sie sagte es mit ihrer üblichen Selbstkontrolle, doch ihre Stimme war freudlos.

»Davongelaufen? Aber – bist du sicher?« Ihr Handarbeitskorb war umgekippt, der Inhalt auf dem Boden verteilt. Ich kniete mich hin und fing an, das Durcheinander aufzuräumen und die verstreuten Garnknäuel einzusammeln.

»Nun, sie ist fort«, sagte Jocasta heftig. »Entweder ist sie davongelaufen, oder jemand hat sie gestohlen. Und ich kann mir nicht vorstellen, wer die Dreistigkeit oder die Fähigkeit besitzt, sie aus meinem Haus zu entführen, ohne dass es jemand sieht.«

Ich wechselte einen schnellen Blick mit Jamie, der den Kopf schüttelte und die Stirn runzelte. Jocasta rieb eine Falte ihres Rocks zwischen Daumen und Zeigefinger; ich konnte sehen, dass der Stoff davon an einigen Stellen dünn geworden war, weil es wohl eine Angewohnheit war. Jamie sah es auch.

»Seit wann ist sie fort, Tante Jocasta?«, fragte er leise.

»Seit vier Wochen. Duncan und Ulysses sind seit zwei Wochen fort.«

Das passte mit dem Zeitpunkt zusammen, an dem die Notiz eingetroffen war. Angesichts der Launen des Transports war es aber unmöglich zu sagen, wie lange vor Phaedres Verschwinden der Brief tatsächlich geschrieben worden war.

»Ich sehe, dass sich Duncan bemüht hat, dir Gesellschaft dazulassen«, merkte Jamie an. Samson hatte die Rolle des Wachhundes aufgegeben und schnüffelte eifrig an Jamies Schuhen. Delilah rollte sich genüsslich stöhnend auf die Seite und öffnete ihre leuchtenden braunen Augen, mit denen sie mich in aller Seelenruhe betrachtete.

»Oh, aye, sie leisten mir Gesellschaft.« Jocasta lehnte sich halb widerwillig aus ihrem Sessel und machte den Kopf der Hündin ausfindig, um sie hinter den langen Schlappohren zu kraulen. »Obwohl Duncan sie zu meinem Schutz gedacht hat, zumindest sagt er das.«

»Eine vernünftige Vorsichtsmaßnahme«, sagte Jamie geduldig. So war es; wir hatten zwar keine Neuigkeiten von Stephen Bonnet, und Jocasta hatte die Stimme des Maskierten nicht mehr gehört. Doch solange uns die konkrete Sicherheit einer Leiche fehlte, konnte jeder der beiden jederzeit auftauchen.

»Warum könnte sie fortgelaufen sein, Tante Jocasta?« Sein Ton war nach wie vor geduldig, aber beharrlich.

Jocasta presste die Lippen aufeinander und schüttelte den Kopf.

»Ich habe keine Ahnung, Neffe.«

»Nichts, was sich in letzter Zeit ereignet hätte? Nichts Ungewöhnliches?«, drängte er.

»Meinst du nicht, das hätte ich sofort gesagt?«, fragte sie scharf. »Nein. Ich bin eines Morgens spät wach geworden und konnte sie nicht in meinem Zimmer hören. Es war kein Tee am Bett, und das Feuer war ausgegangen; ich konnte die Asche riechen. Ich habe nach ihr gerufen und keine Antwort erhalten. Sie war fort – spurlos verschwunden.« Sie neigte den Kopf mit grimmiger Miene in seine Richtung.

Ich sah Jamie mit hochgezogener Augenbraue an und fasste an die Tasche, die ich an meiner Taille trug und die das Briefchen enthielt. Sollten wir es ihr sagen?

Er nickte, und ich zog den Zettel aus meiner Tasche und faltete ihn auf der Armlehne ihres Sessels auseinander, während er es ihr erklärte.

Jocastas missmutige Miene verwandelte sich in Verwunderung.

»Warum sollte sie denn nach *dir* schicken, *a nighean*?«, fragte sie an mich gewandt.

»Ich weiß es nicht – vielleicht war sie schwanger?«, meinte ich. »Oder sie hatte sich mit – einer Krankheit angesteckt?« Ich wollte nicht offen von Syphilis sprechen, aber es war schließlich möglich. Wenn Manfred Mrs. Sylvie angesteckt hatte und diese die Infektion an einen oder mehrere ihrer Kunden in Cross Creek weitergegeben hatte, die daraufhin auf River Run zu Besuch gewesen waren... aber das bedeutete ja eventuell, dass Phaedre ein Verhältnis mit einem Weißen hatte. *Das* war etwas, was eine Sklavin um jeden Preis geheim halten würde.

Jocasta, die keine Närrin war, kam rapide zu denselben Schlussfolgerungen, wobei ihre Gedankengänge parallel zu den meinen verliefen.

»Ein Kind, das wäre keine große Sache«, sagte sie mit einer abwinkenden Handbewegung. »Aber wenn sie einen Geliebten hatte... aye«, sagte sie nachdenklich. »Mit einem Geliebten könnte sie davongelaufen sein. Aber warum sollte sie dann nach dir schicken?«

Jamie wurde allmählich unruhig, weil ihn so viele unbeweisbare Spekulationen ungeduldig machten.

»Vielleicht hatte sie Angst, dass du sie verkaufen würdest, wenn du es herausbekamst, Tante Jocasta?«

»Sie *verkaufen*?«

Jocasta brach in Gelächter aus. Nicht ihr normales geselliges Lachen, nicht einmal der Klang aufrichtiger Belustigung; es war schockierend – laut und grob und beinahe brutal ausgelassen. Es war das Lachen ihres Bruders Dougal, und im ersten Moment gefror mir das Blut in den Adern.

Ich sah Jamie an, der mit ausdruckslosem Gesicht auf sie niedersah. Nicht verwundert; es war die Maske, die er aufsetzte, um ein starkes Gefühl zu verbergen. Dann hatte er dieses gruselige Echo also ebenfalls gehört.

Sie schien nicht aufhören zu können. Ihre Hände umklammerten die geschnitzten Armlehnen ihres Sessels, und sie wurde immer röter, als sie sich vorbeugte, um zwischen diesen schauderhaften tiefen Lachgeräuschen nach Luft zu schnappen.

Delilah rollte sich auf den Bauch, stieß ein leises, beklommenes *Wuff* aus und sah sich nervös um, verwirrt, aber fest überzeugt, dass irgendetwas nicht stimmte. Samson hatte sich unter das Sofa zurückgezogen und knurrte.

Jamie streckte die Hand aus und packte sie unsanft an der Schulter.

»Hör auf, Tante Jocasta«, sagte er. »Du machst deinen Hunden Angst.«

Sie hielt abrupt inne. Es war kein Geräusch zu hören außer dem schwachen Keuchen ihres Atems, das fast genauso enervierend war wie ihr Gelächter. Sie saß kerzengerade und reglos in ihrem Sessel, die Hände auf den Armlehnen, das Blut wich ihr langsam wieder aus dem Gesicht, und ihre Augen glühten dunkel, so als seien sie auf etwas fixiert, das nur sie allein sehen konnte.

»Sie verkaufen«, murmelte sie, und ihr Mund verzog sich, als wollte das Lachen erneut aus ihr herausbrechen. Doch sie lachte nicht, sondern stand plötzlich auf. Samson japste erstaunt auf.

»Kommt mit.«

Sie war zur Tür hinaus, bevor einer von uns reagieren konnte. Jamie sah mich reichlich verdutzt an, schob mich aber vor sich durch die Tür.

Sie kannte das Haus wie ihre Westentasche; sie berührte auf dem ganzen Weg durch den Flur bis zur Tür, die zu den Stallungen führte, nur hier und dort die Wand, um die Orientierung zu behalten, und ging so schnell, als könnte sie sehen. Im Freien jedoch blieb sie stehen und tastete mit ausgestrecktem Fuß nach der Kante des gepflasterten Weges.

Jamie trat an ihre Seite und nahm sie entschlossen beim Ellbogen.

»Wohin möchtest du?«, fragte er mit einer gewissen Resignation in der Stimme.

»In die Remise.« Das seltsame Lachen war fort, aber ihr Gesicht war noch gerötet, und sie hatte ihr markantes Kinn trotzig erhoben. Wem gilt dieser Trotz?, fragte ich mich.

Die Remise war schattig und still, und Staub schwebte golden im Luftzug der geöffneten Tür. Ein Wagen, eine Kutsche, ein Schlitten und der elegante, zweirädrige Phaeton standen wie große, friedliche Tiere auf dem strohbedeckten Boden. Ich sah Jamie an, und sein Mund verzog sich schwach, als er meinen Blick erwiderte; wir hatten uns während Jocastas chaotischer Hochzeit mit Duncan vor fast vier Jahren vorübergehend in diesen Phaeton geflüchtet.

Jocasta blieb in der Tür stehen. Sie lehnte sich mit einer Hand gegen den Türrahmen und atmete tief durch, als orientiere sie sich. Allerdings machte sie keine Anstalten, die Scheune zu betreten, sondern wies stattdessen kopfnickend in die Tiefen des Gebäudes.

»An der Rückwand, *an mhic mo peather*. Da stehen ein paar Kisten; ich möchte die große Korbtruhe, die dir bis zum Knie reicht und mit einem Seil zugebunden ist.«

Bei unserem ersten Ausflug in die Remise war es mir nicht aufgefallen, doch an der hinteren Wand waren diverse Schachteln, Kisten und Bündel aufgestapelt, zu zweit und dritt hintereinander. Mit dieser expliziten Anweisung brauchte Jamie nicht lange, um das gewünschte Behältnis zu finden und zog den mit Staub und Strohhalmen bedeckten Korb ans Licht.

»Soll ich es für dich ins Haus tragen, Tante Jocasta?«, fragte er und rieb sich die zuckende Nase.

Sie schüttelte den Kopf, bückte sich und tastete nach dem Knoten, mit dem das Seil verschnürt war.

»Nein, das kommt mir nicht ins Haus, das habe ich geschworen.«

»Lasst mich das tun.« Ich hinderte sie mit der Hand daran, sich noch länger an dem Knoten zu versuchen, dann übernahm ich es selbst. Wer auch immer ihn geknotet hatte, war zwar gründlich gewesen, aber nicht sehr kunstfertig; innerhalb einer Minute hatte ich ihn auf und öffnete die Schnalle.

Die Korbtruhe war voller Bilder. Bündelweise lose Zeichnungen in Bleistift, Tinte und Holzkohle, mit verblichenen Seidenbändern in verschiedenen Farben ordentlich verschnürt. Mehrere gebundene Skizzenbücher. Und eine Anzahl von Bildern; ein paar größere ungerahmte Leinwände und zwei kleinere Schachteln voller Miniaturen, alle gerahmt und aufeinander gestapelt wie ein Kartendeck.

Ich hörte Jocasta über mir seufzen und blickte auf. Sie stand still da, die Augen geschlossen, und ich konnte spüren, dass sie tief Luft holte und den Duft der Bilder einatmete – den Duft von Öl und Kohlestift, Gesso, Papier, Leinwand, Leinöl und Terpentin, ein beinahe körperliche Geist, der aus seiner Korbtruhe aufstieg, deutlich und transparent vor dem Hintergrund der Gerüche von Stroh und Staub, Holz und Korbweiden.

Ihre Finger krümmten sich, und ihr Daumen rieb sich an den Spitzen der anderen Finger und rollte unbewusst einen Pinsel hin und her. Ich hatte schon öfter gesehen, wie Brianna das tat, wenn ihr Blick auf etwas fiel, das sie gern gemalt hätte. Jocasta seufzte erneut, dann öffnete sie die Augen, kniete sich neben mich und streckte die Hand aus, um sacht mit den Fingern über diesen wahren Schatz an vergrabener Kunst zu fahren und etwas zu suchen.

»Die Ölgemälde«, sagte sie. »Holt sie heraus.«

Ich hatte die Schachteln mit den Miniaturen schon herausgeholt. Jamie hockte auf der anderen Seite der Truhe und hob die losen Zeichnungsbündel und die Skizzenbücher heraus, so dass ich die größeren Ölgemälde hervorholen konnte, die entlang der Seite der Truhe übereinander lagen.

»Ein Porträt«, sagte sie und legte den Kopf schräg, um dem flachen, hohlen Geräusch zu lauschen, mit dem ich jedes der Bilder auf die andere Seite der Truhe legte. »Ein alter Mann.«

Es war eindeutig, welches sie meinte. Zwei der großen Leinwände waren Landschaften, drei Porträts. Ich erkannte Farquard Campbell, viel jünger als heute, und ein Bild, das ein Selbstporträt Jocastas zeigte und vor etwa zwanzig Jahren entstanden war. Doch so interessant sie waren, ich hatte keine Zeit, sie zu betrachten.

Das dritte Porträt schien um einiges später entstanden zu sein als die beiden anderen und zeigte die Folgen ihres nachlassenden Augenlichts.

Die Kanten waren verschwommen, die Farben verwaschen und die Formen leicht verzerrt, so dass der ältere Herr, der uns aus dem milchigen Ölbild entgegenblickte, einen etwas verstörenden Eindruck machte, als gehörte er einer Rasse an, die nicht ganz menschlich war, trotz seiner orthodoxen weißen Perücke und der hohen weißen Halsbinde.

Er trug einen schwarzen Rock nebst Weste von altmodischem Schnitt und hatte ein Plaid in Falten über der Schulter drapiert, zusammengehalten von einer Brosche, deren Goldglanz sich im Zierknauf des Dolches wiederholte, den der alte Mann in den von Arthritis gekrümmten und geschwollenen Fingern hielt. Ich erkannte diesen Dolch.

»Das ist also Hector Cameron.« Jamie erkannte ihn ebenfalls. Er studierte das Bild fasziniert.

Jocasta streckte die Hand aus und berührte die Oberfläche der Farbe, als könnte sie sie durch ihre Berührung identifizieren.

»Aye, das ist er«, sagte sie trocken. »Du bist ihm nie lebend begegnet, oder, Neffe?«

Jamie schüttelte den Kopf.

»Einmal – aber damals war ich kaum mehr als ein Baby.« Sein Blick zeichnete die Züge des alten Mannes voll Interesse nach, als suchte er nach Hinweisen auf Hector Camerons Charakter. Diese waren nicht zu übersehen; die machtvolle Persönlichkeit des Mannes vibrierte uns förmlich von der Leinwand entgegen.

Er hatte prägnante Knochen, der Mann auf dem Porträt, obwohl die Haut, die daran hing, von der Schwäche des Alters gezeichnet war. Seine Augen waren noch scharf, obwohl das eine halb geschlossen war – möglich, dass das Lid nach einem leichten Schlaganfall einfach nur herunterhing, doch man bekam den Eindruck, dass dies seine übliche Art war, die Welt zu betrachten, ein Auge stets zynisch und abschätzend zusammengekniffen.

Jocasta durchsuchte den Inhalt der Truhe. Ihre Finger huschten hin und her wie Motten auf der Jagd. Sie berührte die eine Schachtel mit den Miniaturen und hob sie mit einem leisen Grunzen der Genugtuung hoch.

Sie fuhr langsam mit dem Finger über den Rand einer jeden Miniatur, und ich sah, dass die Rahmen unterschiedliche Muster hatten; quadratisch oder oval, glattes vergoldetes Holz, angelaufenes Silber zu einer Tressenkante geschmiedet, ein anderer mit winzigen Rosetten besetzt. Sie fand ein Bild, das sie offensichtlich erkannte, zog es aus der Schachtel und reichte es mir geistesabwesend, um sich wieder ihrer Suche zu widmen.

Auch diese Miniatur zeigte Hector Cameron – aber dieses Porträt war Jahre vor dem anderen entstanden. Dunkles gewelltes Haar lag lose auf seiner Schulter, in einem kleinen Schmuckzopf an der Seite steckten zwei Rebhuhnfedern, nach uralter Highlandart. Dieselben soliden Knochen, doch die Haut war fest; er war ein gut aussehender Mann gewesen, Hector Cameron.

Es *war* sein üblicher Ausdruck; ob aus Angewohnheit oder durch einen Geburtsfehler – hier war das rechte Auge ebenso zusammengekniffen, wenn auch nicht so stark wie bei dem anderen Porträt.

Jocasta unterbrach mich in meiner Betrachtung, indem sie mir die Hand auf den Arm legte.

»Ist das das Mädchen?«, fragte sie und hielt mir noch eine Miniatur entgegen.

Ich ergriff sie verwundert und schnappte nach Luft, als ich sie umdrehte. Es war Phaedre, gemalt, als sie zirka zwölf oder dreizehn war. Ihre übliche Haube fehlte; sie hatte ein schlichtes Tuch über ihr Haar gebunden, was ihre Gesichtsknochen stark betonte. Hector Camerons Knochen.

Jocasta stieß mit dem Fuß gegen die Kiste mit den Bildern.

»Nimm sie deiner Tochter mit, Neffe. Sag ihr, sie soll sie übermalen – es wäre eine Schande, die Leinwand zu verschwenden.« Ohne eine Reaktion abzuwarten, setzte sie sich allein wieder zum Haus in Bewegung und zögerte nur einmal kurz an der Gabelung des Weges, wo sie sich von Duft und Erinnerung leiten ließ.

Tiefes Schweigen folgte auf Jocastas Abgang. Nur der Gesang einer Spottdrossel auf einer Kiefer neben der Remise war zu hören.

»Hol mich der Teufel«, sagte Jamie schließlich und riss den Blick von der Gestalt seiner Tante los, die jetzt allein im Haus verschwand. Er sah weniger schockiert aus als zutiefst verwirrt. »Ob das Mädchen es wohl gewusst hat?«

»Mit ziemlicher Sicherheit«, sagte ich. »Die Sklaven müssen es gewusst haben; ein paar von ihnen waren bestimmt schon hier, als sie geboren wurde; sie müssen es ihr gesagt haben, wenn sie nicht so schlau war, es selbst herauszufinden – und ich bin überzeugt, dass sie so schlau ist.«

Er nickte und lehnte sich an die Wand der Remise, während er einen nachdenklichen Blick auf die Korbtruhe mit den Bildern warf. Auch mir widerstrebte es sehr, zum Haus zurückzukehren. Die Gebäude waren von großer Schönheit, sanft golden in der Spätherbstsonne, und das Gelände war gepflegt und friedlich. Der Klang fröhlicher Stimmen kam aus dem Gemüsegarten, auf dem Paddock grasten mehrere Pferde friedlich vor sich hin, und weiter unten auf dem silbernen Fluss näherte sich ein kleines Boot, dessen Ruder die Oberfläche eilig und elegant wie ein Wasserläufer berührten.

»Wo jeder Anblick Glück bereitet und nur der Mensch voll Tücke ist«, bemerkte ich. Jamie musterte mich kurz und verständnislos und widmete sich dann wieder seinen Gedanken.

Also hätte Jocasta Phaedre um keinen Preis verkauft und ging davon aus, dass Phaedre das wusste. Ich fragte mich, warum eigentlich. Weil sie sich dem Mädchen gegenüber verpflichtet fühlte, das ein Kind ihres Mannes war? Oder als subtile Form der Rache an diesem längst verstorbenen Mann, indem sie seine uneheliche Tochter als Sklavin hielt, als Leibdienerin? Wahrscheinlich schloss sich beides nicht unbedingt gegenseitig aus – ich kannte Jocasta lange genug, um zu wissen, dass ihre Motive selten simpel waren.

Die Sonne stand tief, und die Luft wurde allmählich kühl. Ich lehnte mich neben Jamie an die Remise, spürte, wie die gespeicherte Sonnenwärme aus den Ziegeln in meinen Rücken strömte und wünschte, wir könnten in den alten Farmwagen steigen und in aller Eile nach Fraser's Ridge fahren, um River Run und sein bitteres Erbe sich selbst zu überlassen.

Doch ich hatte den Brief in der Tasche, und er raschelte bei jeder Bewegung. »KUM HER.« Das war ein Appell, den ich nicht ignorieren konnte. Doch ich *war* hier – und was jetzt?

Jamie richtete sich plötzlich auf und spähte zum Fluss. Ich folgte seiner Blickrichtung und sah, dass ein Boot dort angelegt hatte. Eine hoch gewachsene Gestalt sprang auf den Anleger und drehte sich dann um, um einer zweiten aus dem Boot zu helfen. Der zweite Mann war nicht so groß und bewegte sich merkwürdig, unbalanciert und unrhythmisch.

»Duncan«, sagte ich sofort, als ich das sah. »Und Ulysses. Sie sind wieder da!«

»Aye«, sagte Jamie. Er ergriff meinen Arm und setzte sich in Richtung des Hauses in Bewegung. »Aber sie haben sie nicht gefunden.«

DAVONGELAUFEN oder GESTOHLEN am 31. Oktober, eine Negerin, zweiundzwanzig Jahre alt, von mittlerer Größe und hübscher Erscheinung, mit einer Narbe in Form eines Ovals auf dem linken Unterarm, verursacht durch eine Brandwunde. Bekleidet mit einem indigofarbenen Kleid, einer grün gestreiften Schürze, weißer Haube, braunen Strümpfen und Lederschuhen. Keine Zahnlücken. Hört auf den Namen FAYDREE. Hinweise an D. Innes, River Run Plantage in der Nähe von Cross Creek. Hohe Belohnung für Informationen von Wert.

Ich strich das zerknitterte Flugblatt glatt, das außerdem eine grobe Zeichnung Phaedres zeigte, auf der sie aussah, als schielte sie leicht. Duncan hatte seine Taschen geleert und eine Hand voll dieser Flugblätter auf den Tisch im Flur gelegt, als er am Nachmittag zuvor erschöpft und mutlos zurückgekehrt war. Wie er sagte, hatten sie die Zettel in jedem Wirtshaus und jeder Kneipe von Campbelton und Wilmington aufgehängt und dabei Erkundigungen eingezogen – doch ohne Ergebnis. Phaedre war verschwunden wie der Morgentau.

»Kann ich bitte die Marmelade haben?« Jamie und ich frühstückten allein, da weder Jocasta noch Duncan an diesem Morgen erschienen waren. Ich genoss es trotz der drückenden Atmosphäre. Das Frühstück auf River Run war stets luxuriös und beinhaltete sogar eine Kanne echten Tee – Jocasta musste irgendeinem Schmuggler ein Vermögen dafür bezahlen; soweit ich wusste, war von Virginia bis Georgia kein Tee zu finden.

Jamie hatte die Stirn gerunzelt und betrachtete tief in Gedanken eines der Flugblätter. Er wandte den Blick nicht davon ab, sondern seine Hand wanderte vage über den Tisch, senkte sich auf den Sahnekrug und reichte ihn mir.

Ulysses, dem man außer einer gewissen Schwere seiner Augenlider keine Spur der langen Reise ansah, trat schweigend vor, ergriff den Sahnekrug, stellte ihn wieder zurück und setzte das Marmeladentöpfchen neben meinen Teller.

»Danke«, sagte ich, und er neigte elegant den Kopf.

»Möchtet Ihr noch Räucherhering, Madam?«, erkundigte er sich. »Oder noch Schinken?«

Ich schüttelte den Kopf, da ich den Mund voller Toast hatte, und er glitt davon und ergriff ein Tablett, das voll beladen neben der Tür stand und wahrscheinlich für Jocasta, Duncan oder beide bestimmt war.

Jamie sah ihm mit geistesabwesender Miene nach.

»Ich habe nachgedacht, Sassenach«, sagte er.

»Darauf wäre ich nie gekommen«, versicherte ich ihm. »Worüber denn?«

Im ersten Moment war seine Miene überrascht, doch dann begriff er und lächelte.

»Du weißt doch, was ich dir gesagt habe, Sassenach, über Brianna und die Witwe McCallum? Dass sie nicht lange zaudern würde zu handeln, falls sich Roger Mac um Dinge kümmert, die er lieber lassen sollte?«

»Ja«, sagte ich.

Er nickte, als sähe er etwas bestätigt.

»Nun, ich weiß, von wem sie das hat. Die MacKenzies aus Leoch sind allesamt stolz wie Luzifer und unglaublich eifersüchtig dazu. Man gerät ihnen besser nicht in die Quere, geschweige denn, Verrat an ihnen zu begehen.«

Ich fixierte ihn argwöhnisch über meine Teetasse hinweg und fragte mich, worauf er hinauswollte.

»Ich dachte, ihre bezeichnendste Eigenschaft wäre ihr Charme, gepaart mit Gerissenheit. Und was den Verrat angeht, so waren deine Onkel doch beide Meister darin.«

»Das lässt sich doch nicht trennen, oder?«, fragte er und streckte die Hand aus, um einen Löffel in die Marmelade zu tauchen. »Erst muss man jemanden umgarnen, bevor man ihn verraten kann, oder? Und ich bin der Meinung, dass ein Verräter den Verrat selbst umso mehr verabscheut. Oder eine Verräterin«, fügte er vorsichtig hinzu.

»Ach, wirklich«, sagte ich und nippte genussvoll an meinem Tee. »Du meinst Jocasta.« Wenn man es so formulierte, konnte ich es verstehen. Die MacKenzies aus Leoch besaßen sehr ausgeprägte Persönlichkeiten – ich fragte mich, was für ein Mensch wohl Jamies Großvater mütterlicherseits, der berüchtigte Rote Jacob, gewesen war –, und mir waren schon öfter Gemeinsamkeiten zwischen Jocastas Verhalten und dem ihrer älteren Brüder aufgefallen.

Colum und Dougal waren einander in unerschütterlicher Loyalität ergeben – aber sonst niemandem. Und Jocasta war im Prinzip allein, seit ihrer ersten Ehe mit fünfzehn von ihrer Familie getrennt. Da sie eine Frau war, war es nur natürlich, dass der Charme bei ihr ausgeprägter war – doch das bedeutete nicht, dass die Gerissenheit fehlte. Oder auch die Eifersucht.

»Nun, sie hat eindeutig gewusst, dass Hector sie betrogen hat – und ich frage mich, ob sie dieses Porträt von Phaedre gemalt hat, um die Welt darauf hinzuweisen, dass sie es wusste, oder nur als private Botschaft an Hector – aber was hat das mit der gegenwärtigen Lage zu tun?«

Er schüttelte den Kopf.

»Nicht Hector«, sagte er. »Duncan.«

Ich starrte ihn mit weit offenem Mund an. Von allen anderen Überlegungen abgesehen, war Duncan impotent; er hatte es Jamie am Vorabend seiner Heirat mit Jocasta erzählt. Jamie lächelte schief und streckte die Hand über den Tisch, um mir den Daumen unter das Kinn zu legen und mir sanft den Mund zu schließen.

»Ich sage ja nur, dass es ein Gedanke ist, Sassenach. Aber ich glaube, ich werde mich mit dem Mann unterhalten müssen. Begleitest du mich?«

Duncan befand sich in dem kleinen Zimmer, das er als Privatbüro benutzte. Es lag über den Stallungen, zusammen mit den Zimmerchen, in denen die Pferdepfleger und Stallburschen wohnten. Er saß zusammengesunken auf einem Stuhl und starrte hoffnungslos auf die unordentlichen Stapel von Papieren und verstaubten Kontenbüchern, die sich auf jeder horizontalen Oberfläche angesammelt hatten.

Er sah furchtbar müde aus und viel älter als bei unserer letzten Begegnung auf Flora MacDonalds Empfang. Sein graues Haar wurde allmählich schütter, und als er sich umwandte, um uns zu begrüßen, schien ihm die Sonne ins Gesicht und ich sah die schmale Narbe der Hasenscharte, von der Roger gesprochen hatte, unter seinem buschigen Schnurrbart.

Etwas Lebensnotwendiges schien ihm verloren gegangen zu sein, und als

Jamie vorsichtig das Thema anschnitt, das der Grund unseres Kommens war, machte er nicht den geringsten Versuch, es abzuleugnen. Eigentlich schien er sogar eher froh zu sein, damit herauszurücken.

»Dann hast du also mit ihr geschlafen, Duncan?«, fragte Jamie unverblümt, um eine Gesprächsgrundlage zu haben.

»Nun, nein«, sagte er vage. »Das hätte ich natürlich gern getan – aber da sie in Jos Ankleidezimmer schläft...« Bei dieser Erwähnung seiner Frau nahm sein Gesicht eine ungesunde, tiefrote Farbe an.

»Ich meine, du hast der Frau doch beigewohnt, oder nicht?«, sagte Jamie, der sich beherrschen musste, um nicht die Geduld zu verlieren.

»Oh, aye.« Er schluckte. »Aye. Das habe ich.«

»Wie?«, fragte ich unverblümt.

Seine Röte nahm noch mehr zu, so sehr, dass ich schon fürchtete, er könnte auf der Stelle einen Schlaganfall erleiden. Doch er schnaufte nur wie ein Orca vor sich hin, und schließlich nahm sein Gesicht wieder eine normalere Farbe an.

»Sie hat mich gefüttert«, sagte er schließlich und rieb sich müde die Augen. »Jeden Tag.«

Jocasta stand spät auf und frühstückte in ihrem Wohnzimmer, wo ihr Ulysses Gesellschaft leistete und sie den Tag planten.

Duncan, der jeden Tag seines Lebens vor Anbruch der Dämmerung aufgestanden war, üblicherweise in Erwartung einer trockenen Brotkruste oder vielleicht eines Breis aus Hafermehl und Wasser, fand jetzt beim Erwachen eine dampfende Teekanne an seinem Bett vor, dazu eine Schüssel cremigen Porridge, großzügig mit Honig und Sahne garniert, vor Butter triefenden Toast, Rührei mit Schinken.

»Manchmal ein kleiner Fisch in Maismehl gerollt, knusprig und süß«, erinnerte er sich traurig.

»Nun, das ist wirklich sehr verführerisch, Duncan«, sagte Jamie nicht ohne Mitgefühl. »Männer sind verletzlich, wenn sie Hunger haben.« Er warf mir einen ironischen Blick zu. »Aber trotzdem...«

Duncan war Phaedre für ihre Freundlichkeit dankbar gewesen und hatte – da er schließlich ein Mann war – ihre Schönheit bewundert, wenn auch auf rein desinteressierte Weise, wie er uns versicherte.

»Sicher«, sagte Jamie hörbar skeptisch. »Was ist dann passiert?«

Die Antwort lautete, dass Duncan die Butter hingefallen war, während er versucht hatte, einhändig seinen Toast zu bestreichen. Phaedre hatte sich beeilt, die Stücke des hingefallenen Schälchens aufzusammeln und dann ein Tuch geholt, um die Butterspuren vom Fußboden aufzuwischen – und dann von Duncans Brust.

»Nun, ich war im Nachthemd«, murmelte er und wurde wieder rot. »Und sie war – sie hatte –« Seine Hand erhob sich und machte vage Bewegungen in der Gegend seiner Brust, die ich so verstand, dass Phaedres Leibchen ihm so dicht vor seinem Gesicht besonders vorteilhafte Einblicke in ihr Dekolletee gewährt hatte.

»Und?«, drängte Jamie gnadenlos.

Und, so schien es, Duncans Anatomie hatte davon Notiz genommen – ein Umstand, der mit solch erstickter Scham eingeräumt wurde, dass wir ihn kaum hören konnten.

»Aber ich dachte, Ihr könntet nicht –«, begann ich.

»Oh, das konnte ich auch nicht«, versicherte er mir hastig. »Nur des Nachts, im Traum. Aber nicht, wenn ich wach war, nicht mehr seit dem Unfall. Vielleicht war es, weil es noch so früh am Morgen war und mein Schwanz dachte, ich schlafe noch.«

Jamie stieß ein leises schottisches Geräusch aus, das beträchtlichen Zweifel an dieser Theorie ausdrückte, drängte Duncan jedoch ungeduldig fortzufahren.

Wie sich herausstellte, hatte auch Phaedre Notiz genommen.

»Sie hatte einfach nur Mitleid mit mir«, sagte Duncan offen. »Das konnte ich spüren. Aber sie hat ihre Hand auf mich gelegt, ganz sanft. So sanft«, wiederholte er beinahe unhörbar.

Er hatte auf seinem Bett gesessen – und in dumpfem Erstaunen weiter dort gesessen, während sie das Frühstückstablett beiseite stellte, sein Nachthemd hochschob, ihre Röcke über ihren runden braunen Oberschenkeln feststeckte und mit großer Zärtlichkeit und Sanftheit seine Männlichkeit wieder willkommen geheißen hatte.

»Einmal?«, wollte Jamie wissen. »Oder habt ihr weitergemacht?«

Duncan legte den Kopf in die Hand, unter den Umständen ein viel sagendes Eingeständnis.

»Wie lange hat diese … äh … Liäson gedauert?«, fragte ich in sanfterem Ton.

Zwei Monate, vielleicht drei. Nicht jeden Tag, beeilte er sich hinzuzufügen – nur hin und wieder. Und sie waren sehr vorsichtig gewesen.

»Ich hätte Jo doch im Leben keine Schande machen wollen«, sagte er mit großem Ernst. »Und ich wusste genau, dass ich es nicht tun sollte, dass es eine große Sünde war, und doch konnte ich es nicht lassen –« Er brach ab und schluckte. »Es ist alles meine Schuld, was geschehen ist, ich nehme die Sünde auf mich! Och, mein armer Schatz …«

Er verstummte und schüttelte den Kopf wie ein alter, trauriger, mit Flöhen übersäter Hund. Er tat mir furchtbar Leid, ungeachtet der Moral der Situation. Sein Hemdkragen war ungeschickt nach innen geklappt, so dass einige Strähnen seines melierten Haars unter seinem Rock feststeckten; ich zog sie sanft heraus und glättete den Kragen, obwohl er es nicht zur Kenntnis nahm.

»Meinst du, sie ist tot, Duncan?«, fragte Jamie leise, und Duncan erbleichte. Seine Haut nahm denselben Grauton an wie sein Haar.

»Ich bringe es nicht über mich, das zu denken, *Mac Dubh*«, sagte er, und seine Augen füllten sich mit Tränen. »Und – und doch …«

Jamie und ich wechselten einen beklommenen Blick. Und doch. Phaedre hatte kein Geld mitgenommen, als sie verschwand. Wie konnte eine Sklavin unentdeckt weit reisen, wenn sie auf Flugblättern gesucht und gejagt wurde und kein Pferd, kein Geld oder sonst etwas hatte außer einem Paar Lederschuhe. Ein Mann konnte es möglicherweise bis in die Berge schaffen und dort im Wald überleben, wenn er zäh und erfinderisch war – aber eine junge Frau? Eine Haussklavin?

Entweder hatte jemand sie entführt – oder sie war tot.

Doch diesen Gedanken wollte keiner von uns aussprechen. Jamie stieß einen tiefen Seufzer aus, zog ein sauberes Taschentuch aus seinem Ärmel und drückte es Duncan in die Hand.

»Ich werde für sie beten, Duncan – wo auch immer sie sein mag. Und für dich, *a charaid*… und für dich.«

Duncan nickte, ohne aufzublicken, und hielt das Taschentuch fest umklammert. Es war offensichtlich, dass jeder Versuch, ihn zu trösten, vergeblich sein würde. Und so ließen wir ihn schließlich dort zurück, in seinem winzigen, von Land umschlossenen Zimmer, so fern von der See.

Wir legten den Rückweg gemeinsam zurück, ohne zu sprechen, hielten uns aber an den Händen, weil wir das starke Bedürfnis hatten, einander zu berühren. Der Tag war hell, doch ein Sturm zog auf; Wolkenfetzen strömten von Osten herbei, und der Wind kam in Stößen, die meine Röcke aufwirbelten wie einen herrenlosen Sonnenschirm.

Auf der rückwärtigen Terrasse war es weniger windig, denn sie war durch ihre hüfthohe Ummauerung geschützt. Als ich von hier aus hochblinzelte, sah ich genau auf das Fenster, aus dem Phaedre hinausgeschaut hatte, als ich sie in der Nacht nach dem Empfang dort gefunden hatte.

»Sie hat mir gesagt, dass irgendetwas im Gange war«, sagte ich. »Am Abend nach Mrs. MacDonalds Empfang. Irgendetwas hat ihr damals Sorgen gemacht.«

Jamie warf mir einen neugierigen Blick zu.

»Oh, aye? Aber das hatte doch sicher nichts mit Duncan zu tun, oder?«, wandte er ein.

»Ich weiß.« Ich zuckte hilflos mit den Achseln. »Sie schien selbst nicht zu wissen, was es war – sie hat nur immer wieder gemurmelt: ›Hier stimmt etwas nicht‹.«

Jamie holte tief Luft und atmete dann kopfschüttelnd wieder aus.

»Wahrscheinlich hatte es ja irgendetwas mit ihrem Verschwinden zu tun, ganz gleich, was es war. Denn wenn es nichts mit ihr und Duncan zu tun hatte …« Er verstummte, doch ich hatte keine Probleme, den Gedanken zu vollenden.

»Dann hatte es auch nichts mit deiner Tante zu tun«, sagte ich. »Jamie –

hältst du es wirklich für möglich, dass Jocasta sie hat umbringen lassen?«

Laut ausgesprochen hätte es lächerlich klingen müssen. Das Entsetzliche war, dass es das nicht tat.

Jamie machte diese kleine, achselzuckende Geste, die anzeigte, dass ihm etwas großes Unwohlsein bereitete, so als sei ihm sein Rock zu eng.

»Hätte sie ihr Augenlicht noch, würde ich es zumindest für möglich halten«, sagte er. »Von Hector betrogen zu werden – dem sie ja schon den Tod ihrer Töchter vorwarf. Ihre Töchter sind also tot, aber Phaedre lebt, Tag um Tag, eine konstante Erinnerung an einen Schlag ins Gesicht. Und dann erneut betrogen zu werden, durch Duncan, *mit* Hectors Tochter?«

Er rieb sich die Nase. »Ich glaube, das ließe keine Frau mit Temperament… ungerührt.«

»Ja«, sagte ich und malte mir aus, was ich wohl unter denselben Umständen fühlen würde. »Sicher. Aber ein Mord – und davon ist hier doch die Rede, oder? Könnte sie das Mädchen nicht einfach verkauft haben?«

»Nein«, sagte er nachdenklich. »Das könnte sie nicht. Wir haben bei ihrer Hochzeit vertraglich festgelegt, dass ihr Geld ihr sicher ist – aber nicht ihr Besitz. Duncan ist der Besitzer von River Run – und von allem, was dazugehört.«

»Phaedre eingeschlossen.« Ich fühlte mich hohl, und mir wurde übel.

»Wie gesagt. Hätte sie ihr Augenlicht noch, würde mich dieser Gedanke gar nicht erstaunen. So jedoch…«

»Ulysses«, sagte ich überzeugt, und er nickte zögernd. Ulysses ersetzte Jocasta nicht nur die Augen, sondern auch die Hände. Ich glaubte nicht, dass er Phaedre auf Befehl seiner Herrin umgebracht hätte – aber wenn Jocasta das Mädchen beispielsweise vergiftet hatte, war es durchaus möglich, dass Ulysses bei der Beseitigung der Leiche geholfen hatte.

Ich hatte ein seltsames, unwirkliches Gefühl – selbst in Anbetracht aller Dinge, die ich über die MacKenzies wusste… in aller Seelenruhe darüber zu diskutieren, ob Jamies greise Tante jemanden ermordet haben könnte… und doch… ich *kannte* die MacKenzies.

»*Falls* meine Tante überhaupt die Hand dabei im Spiel hatte«, sagte Jamie. »Duncan hat schließlich gesagt, sie waren diskret. Und es ist ja möglich, dass das Mädchen verschleppt worden ist – vielleicht von dem Mann, an den sich meine Tante aus Coigach erinnert. Vielleicht denkt er ja, dass Phaedre ihm zu dem Gold verhilft, nicht wahr?«

Das war ein weniger trauriger Gedanke. Und er *passte* zu Phaedres Vorahnung – falls es das war –, die sich am selben Tag ereignet hatte, an dem der Mann aus Coigach hier gewesen war.

»Dann können wir wohl nur für sie beten, das arme Ding«, sagte ich. »Ich gehe nicht davon aus, dass es einen Schutzpatron der Entführungsopfer gibt, oder?«

»Der heilige Dagobert«, erwiderte er prompt, und ich gaffte ihn an.

»Das hast du dir ausgedacht.«

»Ganz und gar nicht«, sagte er würdevoll. »Die heilige Athelais ist auch eine – und vielleicht besser, wenn ich es mir überlege. Sie war eine junge Römerin, die von Kaiser Justinian verschleppt wurde, der sich an ihr vergreifen wollte, und sie gelobte Keuschheit. Aber sie ist entkommen und hat danach bei ihrem Onkel in Benevento gelebt.«

»Schön für sie. Und der heilige Dagobert?«

»Irgendein König – der Franken? Jedenfalls hat sich sein Vormund gegen ihn gestellt, als er noch ein Kind war, und hat ihn nach England entführen lassen, damit der Sohn des Vormunds an seiner Stelle regieren konnte.«

»Woher weißt du all diese Dinge?«

»Von Bruder Polycarp in der Abtei Ste. Anne«, sagte er, und seine Mundwinkel verzogen sich zu einem Lächeln. »Jedes Mal, wenn ich nicht schlafen konnte, ist er zu mir gekommen und hat mir stundenlang Heiligengeschichten erzählt. Ich bin nicht immer davon eingeschlafen, aber wenn ich mir eine Stunde oder so angehört hatte, wie heilige Märtyrer die Brüste amputiert bekamen oder mit Eisenhaken ausgepeitscht wurden, habe ich die Augen geschlossen und wenigstens so getan.«

Jamie zog mir die Haube ab und legte sie auf das Mäuerchen. Der Wind pustete durch meine drei Zentimeter langen Haare und zerzauste sie wie Wiesengras, und Jamie lächelte, als er mich ansah.

»Du siehst aus wie ein Junge, Sassenach«, sagte er. »Obwohl mich der Teufel holen soll, wenn ich je einen Jungen gesehen habe, der einen solchen Hintern hat wie du.«

»Vielen Dank«, sagte ich von einer absurden Genugtuung erfüllt. Ich hatte während des letzten Monats gegessen wie ein Pferd, des Nachts tief und erholsam geschlafen, und ich wusste, dass ich wieder viel besser aussah, trotz meiner Haare. Aber es schadete nicht, es mir anzuhören.

»Ich will dich so sehr, *mo nighean donn*«, flüsterte er. Er legte die Finger um mein Handgelenk und ließ sie sanft auf meinem Puls ruhen.

»Also haben die MacKenzies aus Leoch einen Hang zu blinder Eifersucht«, sagte ich. Ich konnte meinen Puls regelmäßig unter seinen Fingern spüren. »Charmante, durchtriebene Betrüger.« Ich berührte seine Lippen und zeichnete sie sanft mit dem Finger nach. Seine winzigen Bartstoppeln fühlten sich angenehm an. »Allesamt?«

Er senkte den Blick und fixierte mich plötzlich mit einem dunkelblauen Blick, in dem sich Humor und Reumut mit einer ganzen Reihe anderer Dinge vermischten, die ich nicht interpretieren konnte.

»Du meinst, ich bin anders?«, sagte er und lächelte ein wenig traurig. »Möge Gott dich segnen, Sassenach.« Und er beugte sich zu mir nieder, um mich zu küssen.

Wir konnten uns nicht länger auf River Run aufhalten. Hier unten im Vorgebirge waren die Felder abgeerntet und untergepflügt, und die Überreste getrockneter Halme sprenkelten den dunklen Boden; in den Bergen würde in wenigen Tagen der Schnee die Wege unpassierbar machen.

Noch war das Wetter zwar schön, aber die Tage waren alarmierend kurz.

Wir hatten die Angelegenheit durchdiskutiert – kamen aber zu keinem brauchbaren Schluss. Es gab nichts mehr, was wir tun konnten, um Phaedre zu helfen – außer zu beten. Darüber hinaus jedoch ... galt es, an Duncan zu denken.

Denn uns war beiden der Gedanke gekommen, dass Jocasta, *falls* sie seine Affäre mit Phaedre entdeckt hatte, ihren Zorn nicht auf die Sklavin beschränken würde. Möglich, dass sie abwarten würde – aber sie würde die Schmach nicht vergessen. Mir war noch kein Schotte begegnet, der das tun *würde*.

Wir verabschiedeten uns am nächsten Tag nach dem Frühstück von Jocasta, die wir in ihrem persönlichen Salon antrafen, wo sie einen Tischläufer bestickte. Der Korb mit dem Seidengarn stand auf ihrem Schoß, die Farben sorgsam spiralförmig angeordnet, so dass sie die gewünschte Farbe ertasten konnte, und das bestickte Leinen fiel zu einer Seite, anderthalb Meter Stoff, der mit einem komplizierten Muster aus Äpfeln, Blättern und Ranken bestickt war – oder nein, so begriff ich, als ich das Ende des Läufers aufhob, um ihn zu bewundern. Keine Ranken. Schwarzäugige Schlangen, die sich gerissen zusammenrollten und grün geschuppt über den Stoff glitten. Hier und dort hatte eine von ihnen das Maul geöffnet, um ihre Fangzähne zu zeigen, ohne die verstreuten roten Früchte aus den Augen zu lassen.

»Der Garten Eden«, erklärte sie mir und rieb das Stickmuster sacht zwischen den Fingern.

»Oh, wie hübsch«, sagte ich und fragte mich, wie lange sie wohl schon daran arbeitete. Hatte sie vor Phaedres Verschwinden damit begonnen?

Wir plauderten noch ein wenig, und dann erschien Josh, der Stallknecht, um zu sagen, dass unsere Pferde bereit waren. Jamie entließ ihn mit einem Kopfnicken und stand auf.

»Tante Jocasta«, sagte er beiläufig, »es würde mich sehr bestürzen, wenn Duncan etwas zustieße.«

Sie erstarrte, und ihre Finger hielten mit der Arbeit inne.

»Warum sollte ihm denn etwas zustoßen?«, fragte sie und hob das Kinn.

Jamie erwiderte nicht sofort, sondern stand da und betrachtete sie, nicht ohne Mitgefühl. Dann beugte er sich über sie, so dass sie ihn dicht bei sich spüren konnte, sein Mund an ihrem Ohr.

»Ich weiß Bescheid, Tante Jocasta«, sagte er leise. »Und wenn du nicht möchtest, dass ich dieses Wissen mit jemandem teile ... gehe ich davon aus, dass ich Duncan bei meiner Rückkehr in bester Gesundheit antreffen werde.«

Sie saß da wie zur Salzsäule erstarrt. Jamie richtete sich auf, wies mit dem Kinn zur Tür, und wir entfernten uns. Im Flur warf ich noch einen Blick zurück und sah sie unverändert wie eine Statue dasitzen. Ihr Gesicht war so weiß wie das Leinen in ihren Händen, und die kleinen Garnknäuel waren ihr vom Schoß gefallen und rollten über den gebohnerten Boden.

73

... und Trug

Nach Marsalis Abreise wurde die Whiskyherstellung schwieriger. Brianna, Mrs. Bug und ich hatten es mit vereinten Kräften geschafft, noch eine Fuhre Malz fertig zu bekommen, bevor das Wetter zu kalt und regnerisch wurde, doch es war knapp, und ich war sehr erleichtert, als wir die letzte gemälzte Gerste sicher in die Destille gefüllt hatten. Wenn sie erst einmal fermentierte, fiel sie in Jamies Verantwortungsbereich, da er es niemandem zutraute, Geschmack und Alkoholgehalt zu beurteilen.

Doch das Feuer unter der Destille musste exakt den richtigen Wärmegrad liefern, um die Fermentierung in Gang zu halten, ohne dass die Maische abstarb. Dies bedeutete, dass er jedes Mal tagelang neben der Destille lebte – und schlief –, bis der Prozess abgeschlossen war. Normalerweise brachte ich ihm sein Abendessen und leistete ihm Gesellschaft, bis es dunkel wurde, aber ohne ihn war es einsam im Bett, und ich war mehr als froh, als wir die letzten Tropfen des neuen Whiskys in Fässer abfüllten.

»Oh, das riecht gut.« Ich roch selig an der Innenseite eines leeren Fasses; es war eins der speziellen Fässer, die Jamie über einen von Lord Johns Seefahrerfreunden erworben hatte – innen angekohlt wie ein normales Whiskyfass, zuvor aber zur Lagerung von Sherry verwendet. Die milde Süße des Sherrys, vermischt mit einem Hauch von Holzkohle und dem scharfen Geruch des rohen Whiskys, reichte aus, um mir angenehm den Kopf zu vernebeln.

»Aye, es ist nur eine kleine Ausbeute, aber nicht schlecht«, pflichtete mir Jamie bei, der das Aroma einatmete wie ein Parfumkenner. Er hob den Kopf und betrachtete den Himmel; der Wind wurde zunehmend stärker, und dichte Wolken mit dunklen Bäuchen rasten drohend vorüber.

»Es sind nur die drei Fässer«, sagte er. »Wenn du meinst, du schaffst eins, Sassenach, nehme ich die anderen. Ich hätte sie lieber sicher verstaut, als sie nächste Woche aus einer Schneewehe auszugraben.«

Ein Dreißig-Liter-Fass bei tosendem Wind eine halbe Meile weit zu tragen oder zu rollen war kein Kinderspiel, aber er hatte Recht, was den Schnee anging. Es war noch nicht kalt genug für Schnee, aber das würde sich bald ändern. Ich seufzte, nickte dann aber, und gemeinsam schafften wir es, die Fässer langsam hinauf bis zum Whiskyversteck zu befördern, das unter Felsen und zerzausten Weinranken verborgen lag.

Ich war wieder vollständig bei Kräften, doch trotzdem zitterte und zuckte jeder Muskel in meinem Körper, als wir fertig waren, und ich legte keinerlei Widerrede ein, als Jamie mich niedersitzen ließ, um mich auszuruhen, bevor wir den Heimweg antraten.

»Was hast du damit vor?«, fragte ich und deutete auf das Versteck. »Behalten oder verkaufen?«

Er wischte sich eine wehende Haarsträhne aus dem Gesicht, und ein Ansturm von fliegendem Staub und Laub ließ ihn blinzeln.

»Eins werde ich für die Frühjahrssaat verkaufen müssen. Eins werden wir behalten, um es reifen zu lassen – und ich glaube, für das dritte habe ich eine gute Verwendung. Falls Bobby Higgins noch einmal kommt, bevor es zu schneien anfängt, schicke ich ein halbes Dutzend Flaschen an Ashe, Harnett, Howe und ein paar andere – ein kleines Zeichen meiner ungebrochenen Hochachtung, aye?« Er grinste mich ironisch an.

»Nun, ich habe schon von schlechteren Vertrauensbeweisen gehört«, sagte ich belustigt. Es hatte ihn beträchtlichen Einsatz gekostet, sich die Gunst des Korrespondenzkomitees von North Carolina wieder zu erschleichen, doch mehrere Mitglieder beantworteten seine Briefe jetzt wieder – vorsichtig, aber respektvoll.

»Ich glaube nicht, dass während des Winters irgendetwas Wichtiges geschieht«, sagte er nachdenklich und rieb sich die von der Kälte gerötete Nase.

»Wahrscheinlich nicht.« Massachusetts, wo der Großteil des Aufruhrs stattgefunden hatte, war jetzt durch einen gewissen General Gage besetzt, und das Letzte, was wir gehört hatten, war, dass er den Boston Neck befestigt hatte, jene schmale Landzunge, die die Stadt mit dem Festland verbindet – was bedeutete, dass Boston nun vom Rest der Kolonie abgeschnitten war und sich im Belagerungszustand befand.

Bei diesem Gedanken verspürte ich einen leisen Stich; ich hatte fast zwanzig Jahre in Boston gelebt und liebte diese Stadt – wenn ich auch wusste, dass ich sie jetzt nicht wiedererkennen würde.

»John Hancock – ein Kaufmann – führt dort das Komitee für die Sicherheit an, sagt Ashe. Sie sind entschlossen, zwölftausend Milizionäre zu rekrutieren, und wollen fünf*tausend* Musketen kaufen! Viel Glück, kann ich nur sagen, wenn ich nur daran denke, welche Schwierigkeiten ich hatte, dreißig aufzutreiben.«

Ich lachte, doch bevor ich antworten konnte, erstarrte Jamie.

»Was ist das?« Sein Kopf wandte sich abrupt, und er legte mir die Hand auf den Arm. So plötzlich zum Schweigen gebracht, hielt ich den Atem an und lauschte. Der Wind ließ das trockene Laub der wilden Weinranken hinter mir rascheln wie Papier, und in der Ferne zog ein Krähenschwarm vorbei, der sich unter schrillem Gekrächze zankte.

Dann hörte ich es auch; ein leises, trostloses und ausgesprochen menschliches Geräusch. Jamie war schon auf den Beinen und lief vorsichtig zwischen den umgestürzten Felsbrocken hindurch. Er duckte sich unter dem Türsturz, der aus einer an die Wand gelehnten Granitplatte bestand, und ich folgte ihm. Er blieb abrupt stehen, so dass ich fast mit ihm zusammengeprallt wäre.

»Joseph?«, sagte er ungläubig.

Ich spähte an ihm vorbei, so gut ich konnte. Zu meinem nicht minder großen Erstaunen *war* es Mr. Wemyss, der vornüber gebeugt auf einem Felsen saß, einen Steingutkrug zwischen den knochigen Knien. Er hatte geweint; seine Nase und seine Augen waren rot, was ihm noch mehr als sonst das Aussehen einer weißen Maus verlieh. Außerdem war er extrem betrunken.

»Oh«, sagte er und blinzelte uns bestürzt an. »Oh.«

»Geht es… Euch nicht gut, Joseph?« Jamie trat näher und streckte vorsichtig die Hand aus, als hätte er Angst, dass Mr. Wemyss bei der kleinsten Berührung in Stücke springen könnte.

Sein Instinkt trog ihn nicht; als er den schmächtigen Mann berührte, zerfiel sein Gesicht wie zerknittertes Papier, und seine schmalen Schultern begannen hemmungslos zu zittern.

»Es tut mir so Leid, Sir«, sagte er unaufhörlich, völlig in Tränen aufgelöst. »Es tut mir *so* Leid!«

Jamie warf mir einen flehenden »Tu etwas, Sassenach«-Blick zu, und ich kniete mich rasch hin, legte Mr. Wemyss die Arme um die Schultern und tätschelte seinen Rücken.

»Aber, aber«, sagte ich und warf Jamie meinerseits einen »Und jetzt?«-Blick über Mr. Wemyss' Schulter hinweg zu. »Es wird sicher wieder gut.«

»Oh, nein«, sagte er hicksend. »Oh, nein, das ist unmöglich.« Er wandte Jamie sein von Schmerz überflutetes Gesicht zu. »Ich kann es nicht ertragen, Sir, ich kann es einfach nicht.«

Mr. Wemyss' Knochen fühlten sich dünn und spröde an, und er zitterte. Er trug nur ein dünnes Hemd und eine Kniehose, und der Wind begann, unheimlich zwischen den Felsen hindurch zu heulen. Über uns verdichteten sich die Wolken, und das Licht verschwand so plötzlich aus der kleinen Mulde, als hätte jemand einen schwarzen Vorhang darüber geworfen.

Jamie löste seinen Umhang und legte ihn Mr. Wemyss umständlich um, dann ließ er sich vorsichtig auf einen anderen Felsen sinken.

»Erzählt mir, wo Euch der Schuh drückt, Joseph«, sagte er sanft. »Ist etwa jemand gestorben?«

Mr. Wemyss senkte das Gesicht in seine Hände und schüttelte den Kopf hin und her wie ein Metronom. Er murmelte etwas vor sich hin, das für mich wie »besser, wenn sie es wäre« klang.

»Lizzie?«, fragte ich und wechselte einen verwunderten Blick mit Jamie. »Ist es Lizzie, die Ihr meint?« Beim Frühstück war es ihr noch bestens gegangen; was in aller Welt...

»Zuerst Manfred McGillivray«, sagte Mr. Wemyss und hob das Gesicht aus seinen Händen, »und dann Higgins. Als ob ein Sittenstrolch und ein Mörder nicht schlimm genug gewesen wären – jetzt das!«

Jamies Augenbrauen hoben sich abrupt, und er sah mich an, Ich zuckte sacht mit den Achseln. Der Kies bohrte sich scharf in meine Knie; ich erhob mich steif und entfernte die kleinen Steinchen.

»Wollt Ihr damit sagen, dass Lizzie, äh... jemanden liebt, der... nicht für sie taugt?«, fragte ich vorsichtig.

Mr. Wemyss erschauerte.

»Nicht taugt«, echote er mit hohler Stimme. »Gütiger Himmel. Nicht taugt!«

Ich hatte noch nie ein gotteslästerliches Wort aus Mr. Wemyss' Munde gehört; es war verstörend.

Er richtete seine wild funkelnden Augen auf mich, und in die Tiefen von Jamies Umhang gekauert, sah er aus wie ein Sperling, der den Verstand verloren hatte.

»Ich habe alles für sie aufgegeben!«, sagte er. »Ich habe mich verkauft – und zwar mit Freuden! –, um sie vor der Ehrlosigkeit zu bewahren. Ich habe meine Heimat verlassen, habe Schottland verlassen, obwohl ich wusste, dass ich es nie wiedersehen würde, dass meine Knochen in fremdem Boden zurückbleiben würden. Und doch habe ich nie ein tadelndes Wort zu ihr gesagt, meiner lieben Kleinen, denn welche Schuld hatte sie denn daran? Und jetzt...« Er richtete seinen hohlen, gehetzten Blick auf Jamie.

»Mein Gott, mein Gott? Was soll ich tun?«, flüsterte er. Eine Bö donnerte zwischen den Felsen hindurch und peitschte den Umhang um ihn, so dass er ein paar Sekunden in einer grauen Hülle verschwand, als hätte ihn sein Kummer völlig umfangen.

Auch ich hielt meinen Umhang fest, damit er mir nicht vom Leib gerissen wurde; der Wind war so stark, dass ich fast den Halt verloren hätte. Jamie blinzelte in den Regen aus Staub und feinem Kies, der um uns tobte, und biss unbehaglich die Zähne zusammen. Er schlug zitternd die Arme um sich selbst.

»Ist die Kleine schwanger, Joseph?«, fragte er, denn er wäre der Sache offensichtlich gern auf den Grund gegangen, weil er nach Hause wollte.

Mr. Wemyss' Kopf tauchte aus den Falten des Umhangs auf, das blonde Haar zerzaust wie Besenstroh. Mit blinzelnden roten Augen nickte er, dann brachte er den Krug zum Vorschein, hob ihn mit zitternden Händen und trank mehrere Schlücke. Ich sah das einzelne »X«, mit dem der Krug markiert war; in seiner typischen Bescheidenheit hatte er den frischen Rohwhisky genommen, nicht die im Fass gereifte, bessere Qualität.

Jamie seufzte, streckte die Hand aus, nahm ihm den Krug ab und trank seinerseits einen herzhaften Schluck.

»Wer?«, fragte er und reichte den Krug zurück. »Ist es mein Neffe?«

Mr. Wemyss starrte ihn mit Eulenaugen an.

»Euer Neffe?«

»Ian Murray«, warf ich helfend ein. »Ein hoch gewachsener junger Mann mit braunen Haaren? Tätowierungen?«

Jamie warf mir einen Blick zu, der andeutete, dass ich vielleicht doch nicht so hilfreich war, wie ich dachte, doch Mr. Wemyss' Miene blieb verständnislos.

»Ian Murray?« Dann schien der Name den Alkoholnebel zu durchdringen. »Oh. Nein. Himmel, wäre es doch so! Ich würde den Jungen segnen«, brach es leidenschaftlich aus ihm heraus.

Ich wechselte erneut einen Blick mit Jamie. Die Sache schien ernst zu sein.

»Joseph«, sagte er mit einem winzigen Hauch von Bedrohung. »Es ist kalt.« Er wischte sich mit dem Handrücken die Nase ab. »Wer hat Eure Tochter entehrt? Nennt uns seinen Namen, und ich sorge dafür, dass er sie morgen früh heiratet oder tot zu ihren Füßen liegt, was immer Euch lieber ist. Aber lasst uns das drinnen am Feuer besprechen, aye?«

»Beardsley«, sagte Mr. Wemyss in einem Ton, der auf Visionen äußerster Verzweiflung schließen ließ.

»Beardsley?«, wiederholte Jamie. Er sah mich verdutzt an. Es war nicht das, was ich erwartet hätte, aber es schockierte mich nicht besonders, es zu hören.

»Welcher der Beardsleys?«, fragte er relativ geduldig. »Jo? Oder Kezzie?«

Mr. Wemyss stieß einen Seufzer aus, der von den Sohlen seiner Füße kam.

»Sie weiß es nicht«, sagte er flach.

»Himmel«, sagte Jamie unwillkürlich. Er griff noch einmal nach dem Whisky und trank einen tiefen Schluck.

»Hm-mm«, räusperte ich mich mit einem viel sagenden Blick, als er den Krug sinken ließ. Er reichte ihn mir kommentarlos. Dann richtete er sich auf, das Hemd vom Wind an die Brust geklebt, das Haar wild verweht.

»Nun denn«, sagte er entschlossen. »Wir holen die beiden her und finden die Wahrheit heraus.«

»Nein«, sagte Mr. Wemyss, »das werden wir nicht. Sie wissen es genauso wenig.«

Ich hatte gerade den Mund voll rohem Alkohol. Bei diesen Worten verschluckte ich mich und spritzte Whisky über mein Kinn.

»Sie *was*?«, krächzte ich und wischte mir mit einer Ecke meines Umhangs über das Gesicht. »Ihr meint… alle *beide*?«

Mr. Wemyss sah mich an. Doch anstatt zu antworten, blinzelte er. Dann verdrehte er die Augen und stürzte wie mit der Axt gefällt kopfüber von seinem Felsen.

Es gelang mir, Mr. Wemyss wieder halb zu Bewusstsein zu bringen, doch nicht so weit, dass er laufen konnte. Daher war Jamie gezwungen, sich den schmächtigen Mann wie ein erlegtes Reh über die Schultern zu schwingen und ihn zu tragen; keine Kleinigkeit angesichts des zerklüfteten Bodens zwischen dem Whiskyversteck und der Mälzerei und des Windes, der uns mit Kies, Laub und fliegenden Kiefernzapfen bombardierte. Hinter dem Bergrücken hatten sich Wolken aufgetürmt, finster und schmutzig wie Waschwasser, und sie breiteten sich rapide am ganzen Himmel aus. Wir würden nass werden, wenn wir uns nicht beeilten.

Das Gehen wurde einfacher, als wir den Fußweg zum Haus erreichten. Doch es trug nicht zur Verbesserung von Jamies Laune bei, dass Mr. Wemyss an diesem Punkt plötzlich zu sich kam und sich auf sein Hemd übergab. Nach einem hastigen Versuch, die Sauerei wegzuwischen, änderten wir unsere Strategie und nahmen Mr. Wemyss für den Rest des Weges schwankend zwischen uns. Jeder von uns packte einen seiner Ellbogen, während er rutschte und stolperte und seine spindeldürren Knie in unerwarteten Momenten nachgaben, als hätte man Pinocchio die Schnüre durchtrennt.

Jamie sprach auf diesem Abschnitt des Wegs lautstark auf Gälisch mit sich selbst, verstummte aber abrupt, als wir auf den Hof kamen. Einer der Beardsley-Zwillinge fing dort für Mrs. Bug vor dem Sturm die Hühner ein; er hielt gerade zwei davon kopfunter an den Beinen wie einen sperrigen braungelben Blumenstrauß. Als er uns sah, blieb er stehen und glotzte Mr. Wemyss neugierig an.

»Was –«, begann der Junge. Weiter kam er nicht. Jamie ließ Mr. Wemyss' Arm los, ging mit zwei Schritten auf den Beardsley-Zwilling zu und boxte ihn so heftig in den Magen, dass sich dieser vornüber krümmte, die Hühner fallen ließ, rückwärts stolperte und zu Boden fiel. Die Hühner flatterten in einer Wolke verstreuter Federn gackernd davon.

Der Junge wand sich am Boden und öffnete und schloss vergeblich den Mund, um Luft zu bekommen, doch Jamie achtete nicht darauf. Er bückte sich, packte den Jungen an den Haaren und sprach ihm laut und direkt ins Ohr – vermutlich für den Fall, dass es Kezzie war.

»Holt Euren Bruder. In mein Studierzimmer. Sofort.«

Mr. Wemyss hatte dieses interessante Schauspiel mit offenem Mund beobachtet, einen Arm um meine Schulter geschlungen. Sein Mund blieb weiter offen stehen, als er den Kopf wandte und Jamie folgte, der jetzt wieder auf uns zuschritt. Doch dann schloss er ihn blinzelnd, weil Jamie seinen anderen Arm packte, ihn mir zielsicher abnahm und ihn ins Haus schob, ohne hinter sich zu sehen.

Ich warf dem am Boden liegenden Beardsley einen tadelnden Blick zu.

»Wie *konntet* ihr nur?«, sagte ich.

Er sah mich unter geräuschlosen Fischmaul-Bewegungen an, die Augen weit aufgerissen, das Gesicht dunkelrot, dann gelang es ihm, mit einem langen *Hiiieee* einzuatmen.

»Jo? Was ist, bist du verletzt?« Lizzie kam zwischen den Bäumen hervor, in jeder Hand ein Hühnerpaar, das sie an den Beinen hielt. Sie blickte mit sorgenvoll gerunzelter Stirn auf – nun, es *war* wohl Jo; wenn irgendjemand sie auseinander halten konnte, war es mit Sicherheit Lizzie.

»Nein, ihm fehlt nichts«, versicherte ich ihr. »Noch nicht.« Ich wies mahnend mit dem Finger auf sie. »Du, junge Dame, bringst jetzt diese Hühner in den Stall, und dann –« Ich zögerte mit einem Blick auf den Jungen am Boden, der jetzt wieder so weit zu Atem gekommen war, dass er keuchen konnte, und sich vorsichtig hinsetzte. Ich wollte sie nicht in mein Sprechzimmer bringen, nicht, wenn Jamie und Mr. Wemyss auf der anderen Flurseite Hackfleisch aus den Beardsleys machten.

»Ich gehe mit dir«, entschied ich hastig und scheuchte sie von Jo fort. »Kusch.«

»Aber –« Sie warf einen verwirrten Blick auf Jo – ja, es war Jo; er fuhr sich mit der Hand durch das Haar, um es sich aus dem Gesicht zu streichen, und ich sah die Narbe an seinem Daumen.

»Ihm fehlt nichts«, sagte ich und legte ihr entschlossen die Hand auf die Schulter, um sie zum Hühnerstall zu dirigieren. »Geh.«

Als ich zurückblickte, sah ich, dass Jo sich aufgerappelt hatte, sich eine Hand vor die empfindliche Körpermitte presste und auf den Stall zuhielt, wahrscheinlich, um wie befohlen seinen Zwillingsbruder zu holen.

Ich richtete meine Aufmerksamkeit wieder auf Lizzie und betrachtete sie genau. Wenn Mr. Wemyss Recht hatte und sie schwanger *war*, war sie offensichtlich eine jener glücklichen Personen, die weder unter morgendlichem Erbrechen noch unter den üblichen Verdauungssymptomen der Frühschwangerschaft litt; sie sah sogar ausgesprochen gesund aus.

Das allein hätte mich eigentlich schon alarmieren sollen, so blass und schwächlich, wie sie normalerweise war. Jetzt, da ich sorgfältig hinsah, schien sie eine sanfte Röte auszustrahlen, und ihr blassblondes Haar, das an einigen Stellen unter der Haube hervorlugte, glänzte.

»Wie weit bist du?«, fragte ich, während ich einen Ast für sie beiseite hielt. Sie warf mir einen raschen Blick zu, schluckte sichtlich, dann duckte sie sich unter dem Ast hindurch.

»Ungefähr vier Monate, glaube ich«, antwortete sie zaghaft, ohne mich anzusehen. »Ähm … Pa hat es Euch gesagt, nicht wahr?«

»Ja. Dein armer Vater«, sagte ich streng. »Stimmt es, was er sagt? *Beide* Beardsleys?«

Sie zog ein wenig den Kopf ein, nickte aber beinahe unmerklich.

»Was – was wird Ehrwürden mit ihnen machen?«, fragte sie mit leiser, bebender Stimme.

»Ich weiß es wirklich nicht.« Ich bezweifelte, dass Jamie schon irgendwelche konkreten Vorstellungen hatte – obwohl er etwas davon gesagt *hatte*, Lizzie den Übeltäter, der an ihrer Schwangerschaft Schuld war, tot zu Füßen zu legen, falls ihr Vater dies wünschte.

Jetzt, da ich darüber nachdachte, war die Alternative – sie bis zum Morgen unter die Haube zu bringen – wahrscheinlich um einiges problematischer, als es sein würde, die Zwillinge schlicht abzumurksen.

»Ich weiß es nicht«, wiederholte ich. Wir waren am Hühnerstall angelangt, einer stabilen Konstruktion, die geschützt unter der ausladenden Krone eines Ahorns stand. Mehrere der Hennen, die einen Hauch weniger dumm waren als ihre Schwestern, schliefen wie übergroße reife Früchte auf den niedrigeren Ästen, die Köpfe in den Federn vergraben.

Ich zog die Tür auf, wodurch ich eine kräftige Ammoniakwolke aus dem dunklen Stallinneren entließ, hielt den Atem an, zog die Hühner aus dem Baum und warf sie ohne Umschweife hinein. Lizzie rannte in den Wald, zog Hühner unter den Büschen hervor und hastete zurück, um sie in den Stall zu schubsen. Große Tropfen begannen jetzt, aus den Wolken zu stürzen. Sie waren so schwer wie Kiesel und landeten laut klatschend über uns im Laub.

»Schnell!« Ich warf hinter dem letzten der gackernden Hühner die Tür zu, schob den Riegel vor und packte Lizzie am Arm. Von einem Windstoß getragen, rannten wir auf das Haus zu, und unsere Röcke wirbelten wie Taubenflügel um uns auf.

Die Sommerküche war uns am nächsten; wir platzten just in dem Moment durch die Tür, als der Regen mit Getöse über uns kam, eine feste Wasserwand, die mit dem Geräusch fallender Ambosse auf das Dach traf.

Wir standen keuchend im Inneren des Küchenhäuschens. Lizzie hatte beim Rennen ihre Haube verloren, und ihr Zopf hatte sich gelöst, so dass ihr das Haar in glänzenden, cremeblonden Strähnen über die Schulter hing; ein deutlicher Unterschied zu dem stumpfen, zotteligen Aussehen, das sie normalerweise mit ihrem Vater teilte. Hätte ich sie ohne ihre Haube gesehen, hätte ich sofort Bescheid gewusst. Ich ließ mir Zeit, wieder zu Atem zu kommen, während ich mir überlegte, was in aller Welt ich zu ihr sagen sollte.

Sie machte sich unter großem Theater wieder zurecht, zupfte keuchend an ihrem Leibchen und strich ihre Röcke glatt – und versuchte dabei unablässig, meinem Blick auszuweichen.

Nun, es gab eine Frage, die seit Mr. Wemyss' schockierender Enthüllung an mir genagt hatte; besser, wenn ich sie sofort aus dem Weg räumte. Das anfängliche Dröhnen des Regens hatte sich zu regelmäßigem Getrommel abgeschwächt; es war laut, aber zumindest war es möglich, sich zu unterhalten.

»Lizzie.« Sie sah etwas erschrocken von ihrem Röcke-Rücken auf. »Sag mir die Wahrheit«, forderte ich. Ich legte ihr die Hände um beide Wangen und blickte ihr ernst in die blassblauen Augen. »Bist du vergewaltigt worden?«

Sie blinzelte, und der Ausdruck völliger Verblüffung, der ihre Gesichtszüge überlief, war beredter, als es jede verbale Verneinung hätte sein können.

»O nein, Ma'am!«, sagte sie nicht minder ernst. »Ihr könnt doch nicht glauben, dass Jo oder Kezzie so etwas tun würden?« Ihre schmalen Lippen zuckten sacht. »Meint Ihr vielleicht, sie haben mich abwechselnd festgehalten?«

»Nein«, sagte ich gereizt und ließ sie los. »Aber ich dachte, ich frage vorsichtshalber lieber.«

Ich hatte es nicht ernsthaft geglaubt. Aber die Beardsleys waren eine derart seltsame Mischung aus Zivilisiertheit und Wildheit, dass es unmöglich war, mit Sicherheit zu sagen, *was* sie tun würden und was nicht.

»Aber sie *waren* es … äh … beide? Das hat dein Vater gesagt. Der arme Mann«, fügte ich mit tadelnder Stimme hinzu.

»Oh.« Sie runzelte ihre hellen Augenbrauen und tat so, als hätte sie einen losen Faden an ihrem Rock gefunden. »Ähm … nun ja, aye, das stimmt. Ich fühle mich schrecklich, weil ich Pa solche Schande gemacht habe. Und wir haben es ja eigentlich nicht mit Absicht getan …«

»Elizabeth Wemyss«, sagte ich mit beträchtlicher Schärfe, »von einer Vergewaltigung abgesehen – und das haben wir ja ausgeschlossen –, ist es nicht möglich, mit zwei Männern Verkehr zu haben, ohne es zu beabsichtigen. Mit einem vielleicht, aber nicht mit zweien. Und was das betrifft …« Ich zögerte, aber meine ganz vulgäre Neugier war einfach zu stark. »Beide *gleichzeitig*?«

Jetzt sah sie schockiert aus, was mich doch erleichterte.

»O nein, Ma'am! Es war … ich meine, ich wusste doch nicht, dass es …« Sie wurde rot und verstummte.

Ich zog zwei Hocker unter dem Tisch hervor und schob ihr einen hin.

»Setz dich«, befahl ich, »und erzähl es mir. Wir sitzen hier vorerst fest«, fügte ich hinzu und blickte durch die halb offene Tür in den strömenden Regen. Ein silberner Dunstschleier überzog den Hof kniehoch, während die Regentropfen in kleinen Nebelexplosionen im Gras landeten, und ein scharfer Geruch durchspülte die Sommerküche.

Lizzie zögerte, nahm aber den Hocker; ich konnte sehen, wie sie zu dem Entschluss gelangte, dass ihr eigentlich nichts anderes übrig blieb, als es mir zu erklären – immer vorausgesetzt, die Situation *ließ* sich erklären.

»Du, äh, sagst, du hast es nicht gewusst«, sagte ich, um ihr einen Ausgangspunkt zu verschaffen. »Du meinst – du dachtest, es wäre nur ein Zwilling, aber sie, äh, haben dich an der Nase herumgeführt?«

»Nun, aye«, sagte sie und atmete die würzige Luft tief ein. »Etwas in der Art. Seht Ihr, es war, als Ihr und Ehrwürden in Bethabara wart. Mrs. Bug hatte einen Hexenschuss, und Pa und ich waren allein im Haus – aber dann ist er zur Mühle gegangen, um das Mehl zu holen, und ich war allein.«

»In Bethabara? Das ist doch fast sechs Monate her! Und du bist im vierten Monat – du meinst, ihr habt die ganze Zeit … nun, egal. Was ist dann passiert?«

»Das Fieber«, sagte sie schlicht. »Es ist zurückgekehrt.«

Sie hatte Brennholz gesammelt, als der erste Schüttelfrost sie überkommen hatte. Weil sie richtig erkannte, was los war, hatte sie das Holz fallen gelassen und versucht, das Haus zu erreichen. Doch auf halbem Weg war sie zusammengebrochen, weil ihre Muskeln wie Fäden erschlafften.

»Ich habe auf dem Boden gelegen«, erklärte sie, »und konnte spüren, wie das Fieber über mich hergefallen ist. Es ist wie ein Raubtier, aye? Ich kann spüren, wie es mich zwischen die Kiefer nimmt und zubeißt – als würde mein Blut zuerst kochen und dann einfrieren, und die Zähne senken sich bis in meine Knochen. Dann kann ich spüren, wie es sich festbeißt und versucht, sie entzweizubrechen, um das Mark herauszusaugen.« Sie erschauerte bei der Erinnerung daran.

Einer der Beardsleys – sie hatte vermutet, dass es Kezzie war, doch ihr war nicht danach gewesen zu fragen – hatte sie als zerwühltes Häufchen auf dem Hof gefunden. Er hatte im Laufschritt seinen Bruder geholt, und zu zweit hatten sie sie hochgehoben, sie ins Haus getragen und sie nach oben in ihr Bett gebracht.

»Meine Zähne haben so fest geklappert, dass ich dachte, sie brechen ab, aber ich habe ihnen gesagt, sie sollen die Salbe holen, die Ihr gemacht hattet, die Salbe mit den Gallbeeren.«

Sie hatten den Sprechzimmerschrank durchwühlt, bis sie sie gefunden hatten. Panisch, weil Lizzies Fieber stieg und stieg, hatten sie ihr die Schuhe und Strümpfe ausgezogen und angefangen, ihr die Salbe in Hände und Füße zu reiben.

»Ich habe ihnen gesagt – ihnen gesagt, sie müssten mich überall einreiben«, sagte sie, und ihre Wangen wurden tiefrot. Sie blickte zu Boden und spielte mit einer Haarsträhne herum. »Ich war – nun ja, ich war durch das Fieber von Sinnen, Ma'am, wirklich. Aber ich wusste, dass ich dringend meine Medizin brauche.«

Ich nickte und begann zu verstehen. Ich machte ihr keine Vorwürfe; ich hatte ja schon miterlebt, wie sie von der Malaria überwältigt wurde. Und was das anging, so hatte sie das Richtige getan; sie brauchte die Medizin und hätte sie niemals selbst auftragen können.

Panisch hatten die beiden Jungen getan, was sie sagte, ihr umständlich die Kleider ausgezogen und jeden Zentimeter ihres nackten Körpers gründlich mit der Salbe eingerieben.

»Ich habe immer wieder das Bewusstsein verloren«, erklärte sie, »und die Fieberträume sind aus meinem Kopf geradewegs ins Zimmer spaziert, deswegen erinnere ich mich nur verworren. Aber ich glaube, einer der Jungen hat gesagt, der andere hätte überall Salbe kleben und würde sich noch das Hemd ruinieren, also sollte er es besser ausziehen.«

»Ich verstehe«, sagte ich und konnte es mir lebhaft vorstellen. »Und dann...«

Und dann konnte sie sich nur noch daran erinnern, dass, wann immer sie an die Oberfläche des Fiebers gedriftet war, die Jungen immer noch da waren und mit ihr und miteinander geredet hatten, ihre Stimmen ein kleiner Anker, der sie in der Wirklichkeit hielt, und ihre streichelnden Hände wichen nie von ihr, und der scharfe Geruch der Gallbeeren schnitt durch den Holzrauch des Kamins und den Duft der Bienenwachskerze.

»Ich habe mich... sicher gefühlt«, sagte sie und rang um die richtigen Worte. »Ich kann mich nicht konkret erinnern, nur dass ich einmal die Augen geöffnet und seine Brust direkt vor meinem Gesicht gesehen habe und die dunklen Löckchen um seine Brustwarzen, und sie waren klein und braun und gerunzelt wie Rosinen.« Sie wandte mir das Gesicht zu und bekam große Augen bei dieser Erinnerung. »Das kann ich noch so deutlich sehen, als hätte ich es in diesem Moment vor mir. Das ist merkwürdig, oder?«

»Ja«, pflichtete ich ihr bei, obwohl es eigentlich nicht stimmte; hohes Fieber hatte etwas an sich, das die Wirklichkeit verschwimmen ließ, gleichzeitig aber bestimmte Bilder so tief in den Verstand einbrennen konnte, dass sie nie wieder verblassten. »Und dann...?«

Dann hatte sie so heftigen Schüttelfrost bekommen, dass weder mehr Decken noch ein heißer Ziegelstein zu ihren Füßen geholfen hatte. Und so war einer der Jungen in seiner Verzweiflung neben ihr unter die Decke gekrochen und hatte sie an sich gedrückt, um die Kälte mit seiner eigenen Körperwärme zu vertreiben – die, so dachte ich zynisch, an diesem Punkt beträchtlich gewesen sein musste.

»Ich wusste nicht, welcher es war oder ob es die ganze Zeit derselbe war oder ob sie sich hin und wieder abgewechselt haben, aber jedes Mal, wenn ich aufgewacht bin, war er da und hatte die Arme um mich gelegt. Und manchmal hat er die Decke zurückgeschlagen und mir noch mehr Salbe auf den Rücken gerieben und, und, vorn...«, holperte sie und wurde rot. »Aber als ich am nächsten Morgen aufgewacht bin, war das Fieber fort, wie üblich am zweiten Tag.«

Sie sah mich an und flehte um Verständnis.

»Wisst Ihr, wie es ist, Ma'am, wenn man hohes Fieber hatte, und es ist vorbei? Es ist jedes Mal gleich, also ist es ja vielleicht bei allen Menschen so. Aber es ist... friedlich. Man fühlt sich so schwer, dass man gar nicht daran denken kann, sich zu bewegen, aber das macht nichts. Und alles, was man sieht – all die kleinen Dinge, von denen man im Alltag keine Notiz nimmt –, jetzt sieht man sie, und sie sind schön«, sagte sie andächtig. »Manchmal glaube ich, vielleicht wird es so sein, wenn ich tot bin. Ich wache einfach auf, und alles wird so sein, friedvoll und schön – nur, dass ich mich bewegen kann.«

»Aber diesmal bist du aufgewacht und konntest es nicht«, sagte ich. »Und der Junge – welcher es auch immer war – er war noch bei dir?«

»Es war Jo«, sagte sie und nickte. »Er hat mit mir geredet, aber ich habe kaum darauf geachtet, was er gesagt hat, und ich glaube auch nicht, dass er es getan hat.«

Sie biss sich kurz auf die Unterlippe; ihre kleinen Zähne scharf und weiß.

»Ich – ich hatte es noch nie getan, Ma'am. Aber ich war ein- oder zweimal dicht davor, mit Manfred. Und noch dichter mit Bobby Higgins. Aber Jo hatte ja noch nicht einmal ein Mädchen geküsst, und sein Bruder ebenso nicht. Seht Ihr, eigentlich war es meine Schuld, denn ich habe genau gewusst, was vor sich ging, aber … wir waren beide noch ganz schlüpfrig von der Salbe und nackt unter der Bettdecke und es … ist geschehen.«

Ich nickte und verstand es nur zu gut.

»Ja, ich verstehe, wie es dazu gekommen ist. Aber dann ist es … wieder und wieder geschehen?«

Sie spitzte die Lippen und wurde erneut sehr rot.

»Nun … aye. So war es. Es … es fühlt sich so *schön* an, Ma'am«, flüsterte sie und beugte sich zu mir herüber, als müsste sie mir ein wichtiges Geheimnis anvertrauen.

Ich rieb mir fest über die Lippen.

»Ähm, ja. Doch. Aber –«

Die Beardsleys hatten unter ihrer Anleitung die Laken gewaschen, und als ihr Vater zwei Tage später zurückkam, waren alle verräterischen Spuren beseitigt. Die Gallbeeren hatten ihre Arbeit verrichtet, und Lizzie war zwar noch geschwächt und müde, doch sie erzählte Mr. Wemyss nur, dass sie einen leichten Anfall gehabt hatte.

Unterdessen traf sie sich bei jeder Gelegenheit mit Jo, im hohen Sommergras hinter dem Molkereischuppen, im frischen Stroh im Stall – und wenn es regnete, hin und wieder auf der Veranda der Beardsleys.

»Drinnen wollte ich es nicht, weil die Felle so stinken«, erklärte sie. »Aber wir haben einen alten Quilt auf die Veranda gelegt, damit ich keine Splitter in den Rücken bekam, und dicht neben uns ist der Regen gefallen …« Sie blickte sehnsüchtig durch die offene Tür. Draußen hatte sich der Regen zu einem beständigen Flüstern abgeschwächt, und die Nadeln der Kiefern zitterten leise.

»Und was ist mit Kezzie? Wo ist er die ganze Zeit gewesen?«, fragte ich.

»Ah. Nun ja. Kezzie«, sagte sie und holte tief Luft.

Sie hatten im Stall miteinander geschlafen, und Jo hatte sie auf ihrem Umhang im Stroh liegen gelassen, wo sie zusah, wie er aufstand und sich anzog. Dann hatte er sie geküsst und sich zur Tür gewandt. Da sie sah, dass er seine Feldflasche vergessen hatte, hatte sie ihm leise hinterher gerufen.

»Und er hat nicht geantwortet oder sich umgedreht«, sagte sie. »Und plötzlich war mir klar, dass er mich nicht hören konnte.«

»Oh, ich verstehe«, sagte ich leise. »Du, äh, konntest sie nicht auseinander halten?«

Sie sah mich direkt an.

»*Jetzt* kann ich es«, sagte sie.

Doch am Anfang war alles noch so neu gewesen – und die Brüder beide so unerfahren –, dass ihr keine Unterschiede aufgefallen waren.

»Wie lange…?«, fragte ich. »Ich meine, hast du irgendeine Vorstellung, wann sie, äh…?«

»Nicht mit Sicherheit«, gab sie zu. »Aber wenn ich raten sollte, glaube ich, beim ersten Mal war es Jo – nein, ich weiß, dass es Jo war, denn ich habe seinen Daumen gesehen –, aber beim zweiten Mal war es wahrscheinlich Kezzie. Sie teilen miteinander, aye?«

Sie *teilten* miteinander – alles. Und so war es die natürlichste Sache der Welt – offenbar für alle drei –, dass Jo sich wünschte, dass sein Bruder auch an diesem neuen Wunder teilnahm.

»Ich weiß, dass es… seltsam erscheinen muss«, sagte sie mit einem schwachen Achselzucken. »Und wahrscheinlich hätte ich ja etwas sagen oder tun sollen – aber mir ist nichts eingefallen. Und eigentlich –« Sie hob hilflos den Blick und sah mich an. »Eigentlich *kam* es mir gar nicht falsch vor. Sie sind verschieden, aye, aber gleichzeitig sind sie sich so nah… und es ist, als berührte ich einen Jungen und redete mit ihm – nur, dass er zwei Körper hat.«

»Zwei Körper«, sagte ich ein wenig mutlos. »Nun ja. Genau das ist aber das Problem, die Sache mit den zwei Körpern.« Ich betrachtete sie genau. Trotz ihrer Malaria und ihres schmächtigen Körperbaus war sie definitiv voller geworden; über der Kante ihres Leibchens schwoll ein kleiner runder Busen, und sie saß zwar darauf, so dass ich es nicht mit Sicherheit sagen konnte, doch wahrscheinlich hatte sie auch das passende Hinterteil dazu. Das einzige wirkliche Wunder war, dass es drei Monate gedauert hatte, bis sie schwanger wurde.

Als läse sie meine Gedanken, sagte sie: »Ich habe die Samen genommen, aye? Die Ihr und Miss Brianna nehmt. Ich hatte einen Vorrat aus der Zeit, als ich mit Manfred verlobt war; Miss Brianna hat sie mir gegeben. Ich hatte vor, noch mehr zu sammeln, aber ich habe nicht immer daran gedacht, und –« Sie zuckte erneut mit den Achseln und legte die Hände über ihren Bauch.

»Woraufhin du weiterhin nichts gesagt hast«, merkte ich an. »Hat dein Vater es durch Zufall herausgefunden?«

»Nein, ich habe es ihm gesagt«, berichtete sie. »Ich habe es für besser gehalten, bevor man es mir ansehen konnte. Jo und Kezzie sind mitgekommen.«

Das erklärte allerdings, warum Mr. Wemyss seine Zuflucht bei etwas Hochprozentigem gesucht hatte. Vielleicht hätten wir den Krug mit nach Hause nehmen sollen.

»Dein armer Vater«, sagte ich noch einmal, allerdings geistesabwesend. »Hattet ihr drei denn schon einen Plan?«

»Nun, nein«, gab sie zu. »Ich hatte den Jungen ja erst heute Morgen gesagt, dass ich ein Kind erwarte. Sie schienen selber etwas verblüfft zu sein«, fügte sie hinzu und biss sich auf die Lippe.

»Ach was.« Ich spähte ins Freie; es regnete zwar noch, doch der Wolkenbruch war vorüber; jetzt fiel nur noch ein feiner, weicher Regen, der die Pfützen auf dem Fußweg kräuselte. Ich rieb mir über das Gesicht und fühlte mich plötzlich sehr müde.

»Welchen wirst du wählen?«, fragte ich.

Sie warf mir einen plötzlichen, panischen Blick zu, und das Blut wich ihr aus den Wangen.

»Du kannst sie nicht beide haben, weißt du«, erklärte ich sanft. »So geht das nicht.«

»Warum?«, fragte sie um Tapferkeit bemüht – aber ihre Stimme zitterte. »Es schadet doch niemandem. Und es geht doch nur uns etwas an.«

Allmählich war mir selbst nach einem kräftigen Schuss Alkohol zumute.

»Hoho«, sagte ich. »Versuch einmal, das deinem Vater zu sagen. Oder Mr. Fraser. In einer großen Stadt kämt ihr damit womöglich durch. Aber hier? Alles, was hier geschieht, geht jedermann etwas an, und das weißt du genau. Hiram Crombie würde dich auf der Stelle als Hure steinigen, wenn er es herausfände.« Ohne eine Antwort abzuwarten, stand ich auf.

»Nun denn. Lass uns zum Haus gehen und sehen, ob die beiden noch am Leben sind. Vielleicht hat Mr. Fraser die Sache ja selbst in die Hand genommen und das Problem für dich gelöst.«

Die Zwillinge lebten noch, sahen aber nicht so aus, als wären sie besonders froh darüber. Sie saßen Schulter an Schulter in der Mitte von Jamies Studierzimmer und pressten sich aneinander, als versuchten sie, sich wieder zu einem Wesen zu vereinen.

Ihre Köpfe wandten sich *unisono* zur Tür, und die Alarmiertheit und Sorge in ihren Mienen vermischten sich mit der Freude über Lizzies Anblick. Ich hatte sie am Arm, doch als sie die Zwillinge sah, riss sie sich los und eilte mit einem kleinen Ausruf auf sie zu, legte jedem der Jungen einen Arm um den Hals und zog sie beide an ihre Brust.

Ich sah, dass einer der Jungen ein blaues Auge hatte, das gerade zuzuschwellen begann; das musste wohl Kezzie sein, obwohl ich nicht wusste, ob dies Jamies Vorstellung von gerechter Behandlung war oder nur eine praktische Methode sicherzugehen, dass er sie auseinander halten konnte, während er mit ihnen sprach.

Auch Mr. Wemyss lebte noch, sah aber auch nicht glücklicher darüber aus als die Beardsleys. Er hatte rote Augen und war blass und noch leicht grün um die Nase, doch immerhin saß er aufrecht und einigermaßen nüchtern neben Jamies Tisch. Vor ihm stand eine Tasse Zichorienkaffee – ich konnte ihn riechen –, aber bis jetzt schien er nicht angerührt worden zu sein.

Lizzie kniete sich auf den Boden, ohne die Jungen loszulassen, und die drei steckten die Köpfe zusammen wie ein Kleeblatt, um sich murmelnd zu unterhalten.

»Seid ihr verletzt?«, fragte sie, und »Fehlt dir auch nichts?«, fragten die Jungen, ein Knäuel aus Händen und Armen, die sich suchend, tätschelnd, streichelnd umschlangen. Sie erinnerten mich an einen zärtlich besorgten Oktopus.

Ich sah Jamie an, der dieses Benehmen mit einem etwas säuerlichen Blick betrachtete. Mr. Wemyss stieß ein leises Stöhnen aus und verbarg den Kopf in den Händen.

Jamie räusperte sich mit einem kaum hörbaren, unendlich drohenden schottischen Laut, und die Vorgänge in der Mitte des Zimmers endeten wie von einem lähmenden Todesstrahl getroffen. Ganz langsam wandte Lizzie den Kopf, um ihn anzusehen, das Kinn hoch erhoben, die Arme schützend um die Hälse der Beardsleys gelegt.

»Setz dich, Kleine«, sagte Jamie nachsichtig und wies kopfnickend auf einen leeren Hocker.

Lizzie erhob sich und drehte sich um, ohne den Blick von ihm abzuwenden. Allerdings machte sie keine Anstalten, den angebotenen Hocker zu nehmen. Stattdessen umrundete sie die Zwillinge in aller Ruhe, stellte sich zwischen sie und legte ihnen die Hände auf die Schultern.

»Ich bleibe stehen, Sir«, sagte sie. Ihre Stimme war schrill und dünn vor Angst, aber voller Entschlossenheit. Wie ein Uhrwerk ergriff jeder der beiden Zwillinge die Hand auf seiner Schulter, und ihre Gesichter setzten ähnliche Mienen auf, aus denen zur Hälfte Anspannung, zur Hälfte Standhaftigkeit sprach.

Jamie beschloss klugerweise, nicht weiter darauf herumzureiten, sondern nickte mir stattdessen beiläufig zu. Ich nahm den Hocker selbst und war überraschend froh, mich setzen zu können.

»Die Jungen und ich haben uns mit deinem Vater unterhalten«, sagte er an Lizzie gerichtet. »Dann ist es also wahr, was du deinem Pa gesagt hast? Du bist schwanger, und du weißt nicht, welcher der Vater ist?«

Lizzie öffnete den Mund, doch es kamen keine Worte heraus. Also nickte sie nur linkisch.

»Aye. Nun denn, du musst heiraten, und zwar je eher, desto besser«, sagte er in ganz und gar sachlichem Ton. »Die Jungen konnten sich nicht entscheiden, wer von ihnen es sein sollte, also liegt es bei dir. Welcher?«

Weiße Knöchel wurden sichtbar, als sich alle sechs Hände plötzlich anspannten. Eigentlich war das Ganze hochgradig faszinierend – und ich konnte nicht verhindern, dass die drei mir Leid taten.

»Das kann ich nicht«, flüsterte Lizzie. Dann räusperte sie sich und versuchte es noch einmal. »Das kann ich nicht«, wiederholte sie jetzt kräftiger. »Ich möchte – ich möchte nicht wählen. Ich liebe sie beide.«

Jamie senkte den Blick einen Moment auf seine verschränkten Hände und spitzte die Lippen, während er überlegte. Dann hob er den Kopf und musterte sie sehr ruhig. Ich sah, wie sie sich mit zusammengepressten Lippen aufrichtete, zitternd, aber resolut, fest entschlossen, ihm zu trotzen.

Mit wahrhaft diabolischem Gespür für den richtigen Zeitpunkt richtete sich Jamie schließlich an Mr. Wemyss.

»Joseph?«, sagte er geduldig.

Mr. Wemyss hatte erstarrt dagesessen, den Blick auf seine Tochter gerichtet, die blassen Hände um seine Kaffeetasse geschlungen. Doch er zögerte nicht, ja, er blinzelte nicht einmal.

»Elizabeth«, sagte er mit sehr leiser Stimme, »liebst du *mich*?«

Ihre trotzige Fassade brach auf wie ein zu Boden gefallenes Ei, und die Tränen stiegen ihr in die Augen.

»Oh, Pa!«, sagte sie. Sie ließ die Zwillinge los und rannte zu ihrem Vater hinüber, der genau rechtzeitig aufstand, um sie fest in die Arme zu nehmen und seine Wange an ihr Haar zu drücken. Sie klammerte sich schluchzend an ihn, und ich hörte einen kurzen Seufzer von einem der Zwillinge, obwohl ich nicht sagen konnte, von welchem.

Mr. Wemyss schwankte sacht mit ihr hin und her, tätschelte und tröstete sie, und sein Gemurmel ging in ihren Schluchzern und abgehackten Worten unter.

Jamie beobachtete die Zwillinge – nicht ohne Mitgefühl. Sie hatten die Hände miteinander verknotet, und Kezzie hatte die Zähne in die Unterlippe gebohrt.

Lizzie löste sich von ihrem Vater. Sie zog die Nase hoch und tastete vage nach einem Taschentuch. Ich zog eins aus meiner Tasche, stand auf und gab es ihr. Sie putzte sich fest die Nase und rieb sich die Augen, wobei sie es vermied, Jamie anzusehen; sie wusste sehr wohl, wo die Gefahr lag.

Doch das Zimmer war ziemlich klein, und Jamie war ein Mensch, der selbst in einem großen Raum nicht leicht zu ignorieren war. Anders als mein Sprechzimmer hatte das Studierzimmer nur kleine Fenster, die hoch oben in der Wand lagen, was dem Zimmer unter normalen Umständen eine gedämpfte Heimeligkeit verlieh. Im Moment regnete es draußen, das Zimmer war von grauem Licht erfüllt, und die Luft war kühl.

»Es geht jetzt nicht darum, wen du liebst, Kleine«, sagte Jamie ganz sanft. »Nicht einmal darum, ob du deinen Vater liebst.« Er wies kopfnickend auf ihren Bauch. »Du trägst ein Kind in deinem Bauch. Alles, was jetzt zählt, ist, ihm gerecht zu werden. Und das geht nicht, wenn seine Mutter in dem Ruf steht, eine Hure zu sein, aye?«

Ein fleckiges Rot stieg ihr in die Wangen.

»Ich bin keine Hure!«

»Das habe ich auch nicht behauptet«, erwiderte Jamie ruhig. »Aber andere werden es sagen, wenn es sich herumspricht, was du getan hast, Kleine. Für zwei Männer die Beine breit machen und mit keinem davon verheiratet sein? Und jetzt mit einem Kind, dessen Vater du nicht benennen kannst?«

Sie wandte wütend den Kopf ab – und sah ihren Vater an, der sein Haupt gesenkt hatte und dessen Wangen sich nun vor Scham verfärbten. Sie stieß ein leises, erschüttertes Geräusch aus und vergrub das Gesicht in ihren Händen.

Die Zwillinge rutschten beklommen hin und her, und Jo machte Anstalten aufzustehen – dann fing er einen Blick verletzten Tadels von Mr. Wemyss auf und überlegte es sich anders.

Jamie seufzte schwer und rieb sich den Nasenrücken. Dann stand er auf, bückte sich vor dem Kamin und zog zwei Strohhalme aus dem Korb mit Zunder. Er steckte sie in seine Faust und hielt sie den Zwillingen hin.

»Wer den kurzen zieht, heiratet sie«, sagte er resigniert.

Die Zwillinge glotzten ihn mit offenem Mund an. Dann schluckte Kezzie deutlich sichtbar, schloss die Augen und zog vorsichtig einen Strohhalm, als könnte dieser an etwas Explosivem hängen. Jo hielt die Augen offen, ohne den Strohhalm anzusehen, den er gezogen hatte; sein Blick war auf Lizzie geheftet.

Alle schienen gleichzeitig auszuatmen, als sich die Blicke auf die Strohhalme richteten.

»Also schön. Steht auf«, sagte Jamie zu Kezzie, der den kürzeren Strohhalm in der Hand hatte. Er sah benommen aus, als er Jamie Folge leistete.

»Nehmt ihre Hand«, sagte Jamie geduldig zu ihm. »Also, schwört Ihr vor diesen Zeugen –«, er wies kopfnickend auf mich und Mr. Wemyss, »dass Ihr Elizabeth Wemyss zur Frau nehmt?«

Kezzie nickte, dann räusperte er sich und richtete sich auf.

»Jawohl«, sagte er entschlossen.

»Und nimmst du, mein Fräulein, Keziah – Ihr *seid* doch Keziah?«, fragte er und blinzelte den Zwilling argwöhnisch an. »Aye, schön, Keziah. Dass du ihn zu deinem Mann nimmst?«

»Aye«, sagte Lizzie und klang hoffnungslos verwirrt.

»Gut«, sagte Jamie ohne Umschweife. »Ihr seid *handfast*. Sobald wir einen Pastor finden, lassen wir Euch offiziell segnen, aber Ihr seid verheiratet.« Er richtete die Augen auf Jo, der sich erhoben hatte.

»Und Ihr«, sagte er entschlossen, »Ihr werdet gehen. Noch heute. Ihr kommt nicht zurück, bis das Kind geboren ist.«

Jos Lippen waren weiß, doch er nickte. Er hatte beide Hände an den Körper gepresst – nicht auf die Stelle, wo ihn Jamies Faust getroffen hatte, sondern höher, auf sein Herz. Ich spürte einen scharfen Schmerz an derselben Stelle, als ich sein Gesicht sah.

»Nun denn.« Jamie holte tief Luft und ließ die Schultern sinken. »Joseph – habt Ihr den Ehevertrag noch, den Ihr für Eure Tochter und den McGillivray-Jungen aufgesetzt habt? Holt ihn, aye, und wir ändern den Namen.«

Mr. Wemyss, der aussah wie eine Schnecke, die nach einem Gewitter den Kopf herausstreckt, nickte vorsichtig. Er sah Lizzie an, die unverändert Hand in Hand mit ihrem frisch gebackenen Bräutigam dastand. Sie sahen aus wie Lot und seine Frau. Mr. Wemyss klopfte ihr sacht auf die Schulter, hastete aus dem Zimmer, und seine Schritte tappten die Treppe hinauf.

»Du brauchst dazu doch bestimmt eine neue Kerze, oder?«, sagte ich zu Jamie und neigte den Kopf viel sagend in die Richtung Lizzies und der Zwillinge. Der Stummel in seinem Kerzenhalter war noch ungefähr vier Zentimeter hoch, doch ich hielt es für anständig, ihnen ein paar Minuten unter sich zu gewähren.

»Oh? Oh, aye«, sagte er, denn er verstand, was ich meinte. Er hustete. »Ich, äh, komme mit und hole mir eine.«

Im selben Moment, als wir mein Sprechzimmer betraten, schloss er die Tür, lehnte sich dagegen, ließ den Kopf nach vorn fallen und schüttelte ihn.

»O Gott«, sagte er.

»Die armen Dinger«, sagte ich mitfühlend. »Ich meine – man muss doch Mitleid mit ihnen haben.«

»Ach ja?« Er roch an seinem Hemd, das zwar getrocknet war, aber immer noch einen deutlichen Fleck von Erbrochenem an der Vorderseite hatte, dann richtete er sich auf und räkelte sich, bis sein Rücken ächzte. »Aye, das muss man wohl«, gab er zu. »Aber – o Gott! Hat sie dir erzählt, wie es passiert ist?«

»Ja. Ich erzähle dir die schmutzigen Details später.« Ich hörte Mr. Wemyss' Schritte die Treppe herunterkommen. Unter der Decke hing eine Ansammlung von Kerzen, und ich zog ein Paar herunter und hielt sie so vor mich hin, dass der lange Docht, der sie verband, gerade gezogen wurde. »Hast du ein Messer dabei?«

Seine Hand fuhr automatisch an seine Hüfte, doch er trug keinen Dolch.

»Nein. Aber ich habe ein Taschenmesser auf meinem Schreibtisch.«

Er öffnete die Tür im selben Moment, als Mr. Wemyss vor dem Zimmer anlangte. Mr. Wemyss' Schreckensruf drang gemeinsam mit dem Geruch von Blut zu mir.

Jamie schubste Mr. Wemyss beiseite, und ich hastete hinter ihm ins Zimmer, das Herz in der Kehle.

Die drei standen dicht beieinander vor dem Tisch. Versprühte Blutströpfchen befleckten den Tisch, und Kezzie hielt mein blutiges Taschentuch um seine Hand geschlungen. Er blickte zu Jamie auf, sein Gesicht gespenstisch im flackernden Licht. Er hatte die Zähne fest zusammengebissen, doch er brachte ein Lächeln zuwege.

Ich fing eine kleine Bewegung auf, und ich sah, dass Jo die Klinge von Jamies Taschenmesser sorgfältig über die Kerzenflamme hielt. Als sei niemand da, nahm er die Hand seines Bruders, entfernte das Taschentuch und drückte das heiße Metall auf das rohe Oval der Wunde an Kezzies Daumen.

Mr. Wemyss stieß ein leises Würgegeräusch aus, und der Geruch angesengten Fleisches vermischte sich mit dem Duft des Regens. Kezzie holte tief Luft, atmete wieder aus und lächelte Jo schief an.

»Gott mit dir, Bruder«, sagte er, und seine Stimme war etwas zu laut und flach.

»Viel Glück, Bruder«, sagte Jo – mit der gleichen Stimme.

Lizzie stand zwischen ihnen, klein und zerzaust, die geröteten Augen auf Jamie geheftet. Und lächelte.

74

So romantisch

Brianna fuhr mit dem kleinen Auto langsam den abschüssigen Quilt über Rogers Bein hinauf, über seinen Bauch und in die Mitte seiner Brust, wo er das Auto und ihre Hand umfasste und sie ironisch angrinste.

»Das ist wirklich ein gutes Auto«, sagte sie. Sie befreite ihre Hand und drehte sich neben ihm auf die Seite. »Alle vier Räder drehen sich. Was für ein Modell ist es? Ein Morris Minor, wie diese kleine orange Kiste, die du in Schottland hattest? Das war das Niedlichste, was ich je gesehen habe, aber ich habe nie verstanden, wie du dich da hineinquetschen konntest.«

»Mit Talkumpuder«, versicherte er ihr. Er hob das Spielzeugauto hoch und versetzte mit einem Schnippen seines Daumens ein Vorderrad in Bewegung. »Aye, es ist wirklich gut geworden, nicht wahr? Eigentlich soll es kein bestimmtes Modell sein, aber ich glaube, ich hatte deinen Ford Mustang im Hinterkopf. Kannst du dich noch an das eine Mal erinnern, als wir aus den Bergen gekommen sind?«

Seine Augen wurden sanft bei dieser Erinnerung, ihr Grün fast schwarz im Licht des abgedämmten Feuers.

»O ja. Ich bin fast von der Straße gerumpelt, als du mich bei Tempo hundert geküsst hast.«

Sie rückte automatisch dichter an ihn heran und stieß ihn mit dem Knie an. Er drehte sich gehorsam so, dass er ihr zugewandt war, und küsste sie erneut, während er mit dem Auto eilig rückwärts über ihre Wirbelsäule und die Rundung ihrer Pobacken fuhr. Sie wand sich jaulend an ihm, um den kitzelnden Rädern zu entgehen, dann boxte sie ihn in die Rippen.

»Hör auf damit.«

»Ich dachte, du findest Geschwindigkeit erotisch. Brumm«, murmelte er, während er das Auto über ihren Arm lenkte – und dann unvermittelt in den Ausschnitt ihres Hemds. Sie grabschte nach dem Auto, doch er hielt es weg, schob danach die Hand unter die Bettdecke und rollte die Räder an ihrem Oberschenkel hinunter – und rasend wieder herauf.

Es folgte ein wütender Ringkampf um den Besitz des Autos, der damit endete, dass sie beide in einem Gewirr aus Bettwäsche und Nachthemden auf dem Boden landeten, keuchend und hilflos kichernd.

»Schhh! Du weckst noch Jemmy auf!« Sie bäumte sich auf und wand sich, um Rogers Gewicht loszuwerden. Gute zwanzig Kilo im Vorteil, entspannte er sich einfach nur auf ihr und hielt sie so am Boden fest.

»Den kriegst du mit Kanonendonner nicht wach«, sagte Roger mit der Gewissheit langer Erfahrung. Es stimmte, seit er das Stadium hinter sich gelassen hatte, in dem er alle paar Stunden aufgewacht war, um zu trinken, schlief Jemmy wie ein komatöser Hund.

»Glaubst du, du wirst jemals noch einmal mit Tempo hundert irgendwohin fahren?«

»Nur, wenn ich über die Kante einer sehr tiefen Schlucht stürze. Du bist nackt, weißt du das?«

»Tja, du ebenfalls.«

»Aye, aber ich war es von Anfang an. Wo ist das Auto?«

»Ich habe keine Ahnung«, log sie. In Wirklichkeit lag es unter ihrem Kreuz, was sehr unbequem war, aber sie hatte nicht vor, ihm weitere Vorteile zu verschaffen. »Was willst du denn damit?«

»Oh, ich wollte ein bisschen die Gegend erkunden«, sagte er. Er stützte sich auf seinen Ellbogen und wanderte mit den Fingern langsam über die Rundung ihrer Brust. »Ich könnte es aber wohl auch zu Fuß tun. Das dauert zwar länger, aber man hat mehr von der Landschaft. Sagt man.«

»Mmm.« Er konnte sie zwar mit seinem Gewicht am Boden halten, hatte aber keine Kontrolle über ihre Arme. Sie streckte den Zeigefinger aus und drückte mit dem Nagel genau auf seine Brustwarze, so dass er tief Luft holte. »Hattest du an eine lange Reise gedacht?« Sie schielte auf das kleine Wandbord am Bett, wo sie ihre Verhütungsmittel aufbewahrte.

»Geht so.« Er folgte ihrer Blickrichtung, dann sah er ihr direkt in die Augen, eine Frage in den seinen.

Sie wand sich, um es sich bequemer zu machen und befreite unauffällig das Miniauto.

»Man sagt, eine Reise von tausend Meilen beginnt mit einem Schritt«, sagte sie. Dann hob sie den Kopf, legte den Mund auf seine Brustwarze und umschloss sie sanft mit den Zähnen. Einen Moment später ließ sie los.

»Leise«, sagte sie tadelnd. »Du weckst noch Jemmy auf.«

»Wo ist deine Schere? Ich schneide es ab.«

»Das sage ich dir nicht. Ich mag es lieber lang.« Sie strich ihm das weiche, dunkle Haar aus dem Gesicht und küsste ihn auf die Nasenspitze, was ihn leicht aus der Fassung zu bringen schien. Doch er lächelte und erwiderte ihren Kuss, bevor er sich hinsetzte und sich mit einer Hand das Haar aus dem Gesicht schlug.

»Das muss doch unbequem sein«, sagte er mit einem Blick auf die Wiege. »Ich lege ihn besser in sein Bett, oder?«

Brianna blinzelte von ihrer Position auf dem Fußboden zur Wiege auf. Jemmy, der jetzt vier war, war der Wiege längst *summa cum laude* entwachsen und in ein Rollbett umgezogen, doch hin und wieder bestand er darauf, um der alten Zeiten willen in seiner Wiege zu schlafen, in die er sich hartnäckig hineinquetschte, trotz der Tatsache, dass es ihm unmöglich war, den Kopf und alle vier Gliedmaßen gleichzeitig darin unterzubringen. Im Moment war er unsichtbar bis auf zwei rundliche nackte Beine, die an einem Ende senkrecht in die Höhe ragten.

Er wurde jetzt so groß, dachte sie. Er konnte noch nicht richtig lesen, konnte aber das Alphabet, und er konnte bis hundert zählen und seinen Namen schreiben. Und er wusste, wie man ein Gewehr lud; sein Großvater hatte es ihm beigebracht.

»Sagen wir es ihm?«, fragte sie plötzlich. »Und wenn ja, wann?«

Roger musste im selben Moment etwas Ähnliches gedacht haben, denn er schien genau zu wissen, was sie meinte.

»Himmel, wie soll man einem Kind so etwas sagen?«, sagte er. Er erhob sich und packte die Bettdecke, um sie auszuschütteln, weil er anscheinend hoffte, das Lederband zu finden, mit dem er sich die Haare zusammenbinden konnte.

»Würdest du einem Kind nicht sagen, dass es adoptiert ist?«, wandte sie ein. Sie setzte sich hin und fuhr sich ihrerseits mit der Hand durch die Haarmassen. »Oder wenn es einen Skandal in der Familie gibt, zum Beispiel, dass sein Vater nicht tot ist, sondern im Gefängnis? Wenn man es ihnen früh erzählt, glaube ich, dass es gar keine so große Bedeutung für sie hat; sie wachsen einfach damit auf. Wenn sie es später herausfinden, ist es ein Schock.«

Er sah sie ironisch von der Seite an.

»Du musst es ja wissen.«

»Du doch auch.« Die Worte kamen trocken, doch selbst jetzt spürte sie noch das Echo. Unglaube, Wut, Verleugnung – und der plötzliche Zusammenbruch ihrer Welt, als sie es gegen ihren Willen zu glauben begann. Das Gefühl der Leere und Verlassenheit – und der blinden Wut und des Verratenseins, als sie entdeckte, wie viel von dem, was für sie selbstverständlich gewesen war, eine Lüge war.

»Du brauchtest wenigstens keine Entscheidung zu treffen«, sagte sie und nahm eine bequemere Position am Bettrahmen ein. »Niemand wusste von dir; niemand hätte dir sagen *können*, was du warst, und hat es nicht getan.«

»Oh, und du meinst, sie hätten dir die Sache mit der Zeitreise schon als Kleinkind erzählen sollen? Deine Eltern?« Er zog zynisch belustigt die Augenbraue hoch. »Ich kann mir die Kommentare vorstellen, die du aus der Schule mit nach Hause gebracht hättest – ›Brianna hat eine sehr lebhafte Fantasie, sollte aber ermuntert werden, Situationen zu erkennen, in denen es nicht angebracht ist, diese zu benutzen‹.«

»Ha.« Sie strampelte das restliche Gewirr aus Kleidern und Bettwäsche beiseite. »Ich war auf einer katholischen Schule. Die Nonnen hätten gesagt, ich lüge, und hätten es unterbunden, Ende. Wo ist mein Hemd?« Sie hatte sich vollständig aus dem Kleidungsstück herausgewunden, und es war zwar warm, aber sie fühlte sich unangenehm entblößt, selbst im gedämpften Schatten des Zimmers.

»Hier.« Er zupfte ein Leinenknäuel aus dem Durcheinander und schüttelte es aus. »Meinst du?«, wiederholte er und sah sie mit hochgezogener Augenbraue an.

»Meine ich, sie hätten es mir sagen sollen? Ja. Und nein«, räumte sie widerstrebend ein. Sie griff nach dem Hemd und zog es sich über den Kopf. »Ich meine – ich verstehe, warum sie es nicht getan haben. Erst einmal hat Papa es gar nicht geglaubt. Und was er geglaubt *hat*… na ja, was immer es war, er hat Mama gebeten, mich in dem Glauben zu lassen, er wäre mein richtiger Vater. Sie hat ihm ihr Wort gegeben; ich denke nicht, dass sie es hätte brechen sollen, nein.« Soweit sie wusste, hatte ihre Mutter ihr Wort nur ein einziges Mal gebrochen – unfreiwillig, aber mit bahnbrechenden Folgen.

Sie strich den Leinenstoff über ihrem Körper glatt und fischte nach den Enden der Schnur, die den Halsausschnitt zusammenzog. Sie war jetzt bedeckt, fühlte sich aber immer noch so entblößt, als sei sie nackt. Roger saß auf der Matratze und schüttelte systematisch die Decken aus, doch seine grünen Augen waren nach wie vor fragend auf sie gerichtet.

»Trotzdem war es gelogen«, platzte sie heraus. »Ich hatte ein Recht, es zu erfahren!«

Er nickte langsam.

»Mmpfm.« Er ergriff das zusammengedrehte Bettlaken und begann es auszurollen. »Aye, na ja. Ich kann mir vorstellen, dass man einem Kind erzählt, dass es adoptiert oder dass sein Vater im Gefängnis ist. Aber das hier ist doch eher so, als wollte man dem Kind erzählen, dass sein Vater seine Mutter ermordet hat, als er sie dabei erwischt hat, wie sie es in der Küche mit dem Briefträger und sechs guten Freunden getrieben hat. Vielleicht bedeutet es ihm nicht viel, wenn man es ihm früh erzählt – aber wenn es anfängt, seinen *Freunden* davon zu erzählen, sind ihm offene Ohren sicher.«

Sie biss sich auf die Lippe und fühlte sich unerwartet mürrisch und gereizt. Sie hatte nicht gedacht, dass ihre Gefühle immer noch so dicht unter der Oberfläche lauerten. Und es gefiel ihr gar nicht, dass es so war – und dass Roger es sehen konnte.

»Tja ... ja.« Sie blickte zur Wiege hinüber. Jem hatte sich bewegt; er hatte sich jetzt zusammengerollt wie ein Igel, das Gesicht an die Knie gepresst, und das Einzige, was von ihm zu sehen war, war sein Po, der unter seinem Nachthemd über den Rand der Wiege ragte wie der aufgehende Mond am Horizont. »Du hast Recht. Wir müssen warten, bis er alt genug ist, um zu begreifen, dass er es niemandem erzählen darf; dass es ein Geheimnis ist.«

Das Lederband purzelte aus einer Bettdecke. Roger bückte sich, um es aufzuheben, und das dunkle Haar fiel ihm rings um sein Gesicht.

»Würdest du Jemmy eines Tages erzählen wollen, dass ich nicht sein richtiger Vater bin?«, fragte er leise, ohne sie anzusehen.

»Roger!« All ihre Gereiztheit verschwand in einer Flut aus Panik. »Das würde ich in hundert Millionen Jahren nicht tun! Selbst wenn ich es glauben würde«, fügte sie hastig hinzu, »und das tue ich nicht. Roger, ich glaube es nicht! Ich weiß, dass du sein Vater bist.« Sie setzte sich neben ihn und fasste drängend seinen Arm. Er lächelte ein wenig schief und tätschelte ihre Hand – aber er wich ihrem Blick aus. Er wartete einen Moment, dann löste er sich von ihr, um sich die Haare zusammenzubinden.

»Aber was du gesagt hast. Hat er nicht das Recht zu erfahren, wer er ist?«

»Das ist doch nicht – das ist etwas anderes.« Das stimmte – und auch wieder nicht. Der Akt, aus dem ihre eigene Empfängnis resultiert war, war keine Vergewaltigung gewesen – aber er war nicht weniger unbeabsichtigt gewesen. Andererseits hatte es keinen Zweifel gegeben: Ihre Eltern hatten beide – nun ja, alle drei – ohne jeden Zweifel gewusst, dass sie Jamie Frasers Kind war.

Bei Jem ... sie sah erneut zur Wiege hinüber und wünschte sich instinktiv, einen Stempel zu finden, einen unleugbaren Hinweis darauf, wer sein Vater war. Doch er sah genauso aus wie sie und ihr Vater, was sein Gesicht und seine Haut- und Haarfarbe anging. Er war groß für sein Alter, seine Gliedmaßen lang, sein Rücken breit – aber das galt ebenfalls für beide der Männer, die ihn gezeugt haben konnten. Und beide, zum Teufel mit ihnen, hatten grüne Augen.

»Das sage ich ihm nicht«, sagte sie entschlossen. »Niemals, und du auch nicht. Du *bist* sein Vater auf jede Weise, die zählt. Und es gibt keinen vernünftigen Grund für ihn zu erfahren, dass Stephen Bonnet auch nur existiert.«

»Abgesehen von der Tatsache, *dass* er existiert«, sagte Roger. »Und dass *er* glaubt, der Junge ist von ihm. Was, wenn sie sich eines Tages begegnen? Wenn Jemmy älter ist, meine ich.«

Sie war nicht mit der Angewohnheit groß geworden, sich in Momenten nervlicher Belastung zu bekreuzigen, wie es ihr Vater und ihr Vetter taten – doch jetzt tat sie es, und er musste lachen.

»Ich mache keine Witze«, sagte sie und setzte sich gerade hin. »Es kommt nicht in Frage. Und wenn es dazu käme – wenn ich Stephen Bonnet je in der Nähe meines Kindes sehe, dann … nun, nächstes Mal ziele ich höher, das steht fest.«

»Du bist fest entschlossen, dafür zu sorgen, dass der Junge seinen Klassenkameraden etwas zu erzählen hat, nicht wahr?« Sein Tonfall war leicht und neckend, und sie entspannte sich ein wenig und hoffte, dass es ihr gelungen war, seine Zweifel in Bezug auf das, was sie Jemmy über seinen Vater erzählen würde, auszuräumen.

»Okay. Aber er muss es früher oder später wissen. Ich möchte nicht, dass er es durch Zufall herausfindet.«

»Du hast es doch auch nicht durch Zufall herausgefunden. Deine Mutter *hat* es dir erzählt.« *Und sieh dir an, wo du jetzt bist.* Diese Worte blieben unausgesprochen, doch in ihrem Kopf konnte sie sie deutlich hören, als er ihr jetzt einen langen, direkten Blick zuwarf.

Hätte sie nicht den Zwang verspürt, in die Vergangenheit zu gehen, durch die Steine zu gehen, um ihren richtigen Vater zu suchen – wären sie jetzt alle nicht hier. Sie wären sicher im zwanzigsten Jahrhundert, vielleicht in Schottland, vielleicht in Amerika – aber an einem Ort, an dem keine Kinder an Durchfall oder plötzlichem Fieber starben.

An einem Ort, an dem nicht hinter jedem Baum eine plötzliche Gefahr hockte und kein Krieg im Gebüsch lauerte. Einem Ort, an dem Rogers Stimme immer noch rein und kräftig sang.

Aber vielleicht – nur vielleicht hätte sie Jemmy nicht.

»Es tut mir Leid«, sagte sie erstickt. »Ich weiß, dass es meine Schuld ist – alles. Wenn ich nicht in die Vergangenheit gegangen wäre …« Sie streckte zögernd die Hand aus und berührte die unebene Narbe, die sich um seine Kehle zog. Er fasste ihre Hand und zog sie nach unten.

»Himmel«, sagte er leise, »wenn es einen Ort gegeben hätte, an den ich hätte gehen können, um meine Eltern zu finden – einschließlich der Hölle –, Brianna, ich hätte es getan.« Er sah mit leuchtend grünen Augen auf und drückte ihr fest die Hand. »Wenn es irgendjemanden auf der Welt gibt, der das verstehen kann, Liebste, dann bin ich es.«

Sie erwiderte den Druck seiner Hand mit beiden Händen. Die Erleichterung darüber, dass er ihr keine Vorwürfe machte, lockerte die Anspannung in ihrem Körper, doch die Trauer um das, was er – und sie – verloren hatte, füllte ihr Kehle und Brust wie ein Klumpen nasser Federn, und es schmerzte zu atmen.

Jemmy regte sich, richtete sich blitzartig auf, dann sank er im Tiefschlaf wieder zurück, so dass sein Arm schlaff wie eine gekochte Nudel aus der Wiege hing. Bei seiner plötzlichen Bewegung war sie erstarrt, doch jetzt entspannte sie sich und versuchte, den Arm wieder in die Wiege zu stecken. Doch bevor sie dort anlangte, klopfte es an der Tür.

Roger griff hastig mit einer Hand nach seinem Hemd, mit der anderen nach seinem Messer.

»Wer ist da?«, rief sie mit klopfendem Herzen. Nach Anbruch der Dunkelheit bekam man hier keinen Besuch, es sei denn, im Notfall.

»Ich bin's, Miss Brianna«, sagte Lizzies Stimme durch das Holz. »Können wir bitte hereinkommen?« Sie klang aufgeregt, aber nicht alarmiert. Brianna wartete, bis Roger seine Blöße bedeckt hatte, dann hob sie den schweren Riegel.

Ihr erster Gedanke war, dass Lizzie auch aufgeregt aussah; die Wangen der schmächtigen Dienstmagd waren gerötet wie Apfelbäckchen, und ihre Farbe war selbst auf der dunklen Eingangstreppe zu sehen.

»Wir« waren sie selbst und die beiden Beardsleys, die sich kopfnickend verbeugten und sich murmelnd für die späte Stunde entschuldigten.

»Das macht doch nichts«, sagte Brianna und sah sich automatisch nach einem Schultertuch um. Nicht nur, dass ihr Leinenhemd dünn und abgetragen war, es hatte zudem einen verräterischen Fleck auf der Vorderseite. »Äh, kommt doch herein!«

Roger trat vor und begrüßte die unerwarteten Gäste. Dabei ignorierte er großzügig die Tatsache, dass er nichts als ein Hemd trug, und sie huschte hastig in die dunkle Ecke hinter ihrem Webstuhl und tastete nach dem alten Schultertuch, das sie dort aufbewahrte, um es sich bei der Arbeit um die Beine zu legen.

Als sie sich darin eingewickelt hatte, beförderte sie einen Holzscheit in den Kamin, um das Feuer anzufachen, und bückte sich, um eine Kerze an den glühenden Kohlen anzuzünden. Im flackernden Schein der Kerze konnte sie sehen, dass sich die Beardsleys unerwartet ordentlich zurechtgemacht hatten. Ihr Haar war gekämmt und fest geflochten, und beide trugen ein sauberes Hemd und eine Lederweste; Röcke besaßen sie nicht. Auch Lizzie war im Sonntagsstaat – sie trug tatsächlich das blass-pfirsichfarbene Wollkleid, das sie für ihre Hochzeit genäht hatten.

Es war etwas im Busch, und es wurde klarer, als Lizzie Roger ernst ins Ohr wisperte.

»Ihr wollt, dass ich Euch *traue*?«, sagte Roger erstaunt. Er blickte von einem Zwilling zum anderen. »Äh … mit wem denn?«

»Aye, Sir.« Lizzie knickste respektvoll. »Mich und Jo, Sir, wenn Ihr so gütig wärt. Kezzie ist als Zeuge mitgekommen.«

Roger rieb sich mit verblüffter Miene das Gesicht.

»Nun ja … aber …« Er warf Brianna einen flehenden Blick zu.

»Bist du in Schwierigkeiten, Lizzie?«, fragte Brianna direkt. Sie zündete eine zweite Kerze an und steckte sie in einen Wandhalter an der Tür. Jetzt, da sie mehr Licht hatte, konnte sie sehen, dass Lizzies Augenlider gerötet und geschwollen waren, als hätte sie geweint – obwohl sie eher nervöse Entschlossenheit auszustrahlen schien als Angst.

»Schwierigkeiten würde ich nicht direkt sagen. Aber ich – ich bekomme ein Kind, aye.« Lizzie kreuzte schützend die Arme vor ihrem Bauch. »Wir – wir wollten verheiratet sein, bevor ich es jemandem sage.«

»Oh. Nun ja ...« Roger warf Jo einen missbilligenden Blick zu, hinter dem aber keine große Überzeugung steckte. »Aber dein Vater – wird er nicht –«

»Pa würde sich wünschen, dass wir von einem Pastor getraut werden«, erklärte Lizzie ernst. »Und das werden wir auch. Aber Ihr wisst doch, Sir, es wird Monate – vielleicht sogar Jahre – dauern, bis wir einen finden.« Sie senkte den Blick und errötete. »Ich – ich wäre gern verheiratet, mit dem richtigen Spruch, bevor das Baby kommt.«

»Ja«, sagte er, und sein Blick wurde unausweichlich von Lizzies Taille angezogen. »Ich verstehe. Aber ich kann die Eile nicht ganz begreifen, falls du mich verstehst. Ich meine, deine Schwangerschaft wird doch morgen nicht deutlicher zu sehen sein als heute Abend. Oder nächste Woche.«

Jo und Kezzie wechselten über Lizzies Kopf hinweg einen Blick. Dann legte Jo Lizzie die Hand um die Taille und zog sie sanft an sich.

»Sir. Es ist nur – wir möchten das Richtige tun. Aber wir hätten es gern nur unter uns, versteht Ihr? Nur ich, Lizzie und mein Bruder.«

»Nur wir«, wiederholte Kezzie und trat einen Schritt näher. Er sah Roger mit ernster Miene an. »Bitte, Sir?« Er schien sich irgendwie die Hand verletzt zu haben; es war ein Taschentuch darum gewickelt.

Brianna fand die drei so rührend, dass es beinahe unerträglich war; sie waren so unschuldig und so jung und hatten die frisch gewaschenen Gesichter so flehend auf Roger gerichtet. Sie trat näher und berührte Rogers Arm, dessen Wärme sie durch den Stoff seines Ärmels spüren konnte.

»Tu's doch für sie«, sagte sie leise. »Bitte. Du kannst sie doch wenigstens für *handfast* erklären.«

»Aye, aber man sollte sie über ihre Verantwortung aufklären ... ihr Vater ...« Seine Einwände verstummten, als er von ihr zu dem Trio hinüberblickte, und sie konnte sehen, dass die Unschuld der drei ihn genauso rührte wie sie. Und, so dachte sie insgeheim belustigt, der Gedanke, seine erste, wenn auch noch unorthodoxe Eheschließung zu vollziehen, war sehr verlockend für ihn. Die Umstände würden romantisch und unvergesslich sein, hier in der Stille der Nacht, der Austausch der Gelübde bei Kerzenschein, während die Erinnerung an ihren eigenen Liebesakt das Zimmer noch wärmte und das schlafende Kind Zeuge war, zugleich Segen und Verheißung für die neue Ehe.

Roger seufzte tief, dann lächelte er ihr resigniert zu und wandte sich ab. »Aye, also schön. Aber lasst mich erst meine Hose anziehen; ich werde meine erste Trauung nicht mit blankem Arsch durchführen.«

Roger hielt einen Löffel Marmelade über sein getoastetes Brot und starrte mich an.

»Sie *was?*«, sagte er in ersticktem Ton.

»Oh, das *kann* sie doch nicht!« Brianna schlug sich mit großen Augen die Hand vor den Mund und zog sie sofort wieder zurück, um zu fragen: »Alle *beide?*«

»Offensichtlich«, sagte ich und unterdrückte ein höchst unanständiges Bedürfnis zu lachen. »Du hast sie gestern Abend wirklich mit Jo verheiratet?«

»Gott steh mir bei, das habe ich«, murmelte Roger. Mit durch und durch erschütterter Miene steckte er den Löffel in seine Kaffeetasse und rührte mechanisch darin herum. »Aber sie ist *handfast* mit Kezzie?«

»Unter Zeugen«, versicherte ich ihm mit einem wachsamen Blick in Mr. Wemyss' Richtung, der mir mit offenem Mund und allem Anschein nach versteinert am Frühstückstisch gegenübersaß.

»Meinst du –«, sagte Brianna zu mir, »ich meine, beide *gleichzeitig?*«

»Äh, sie hat Nein gesagt«, erwiderte ich mit einem Seitenblick auf Mr. Wemyss, um anzudeuten, dass dies vielleicht in seiner Gegenwart nicht das passende Thema war, so faszinierend es auch war.

»O Gott«, sagte Mr. Wemyss mit Grabesstimme. »Sie ist verflucht.«

»Heilige Maria, Mutter Gottes.« Mrs. Bug, deren Augen die Größe von Untertassen angenommen hatten, bekreuzigte sich. »Möge der Himmel Erbarmen haben!«

Roger trank einen Schluck von seinem Kaffee, verschluckte sich und stellte die Tasse spuckend hin. Brianna hämmerte ihm hilfsbereit auf den Rücken, doch er wies sie mit einer Geste ab und riss sich mit tränenden Augen zusammen.

»Aber möglicherweise ist es ja gar nicht so schlimm, wie es den Anschein hat«, sagte er zu Mr. Wemyss, um der Sache eventuell doch etwas Gutes abzugewinnen. »Ich meine, vielleicht könnte man darauf plädieren, dass die Zwillinge eine Seele sind, die Gott zu einem nur Ihm bekanntem Zweck auf zwei Körper verteilt hat.«

»Aye, aber – zwei Körper!«, verbesserte Mrs. Bug. »Meint Ihr – beide *gleichzeitig?*«

»Ich weiß es nicht«, sagte ich und gab auf. »Aber ich denke –« Ich blickte zum Fenster, wo der Schnee flüsternd gegen den geschlossenen Laden fiel. Es hatte in der Nacht zuvor heftig zu schneien begonnen, ein dichter, nasser Schnee, der inzwischen fast dreißig Zentimeter hoch lag, und ich war mir hinreichend sicher, dass sich alle am Tisch Versammelten exakt dasselbe ausmalten wie ich: eine Vision von Lizzie und den Beardsley-Zwillingen, die gemütlich am Kamin in einem warmen Bett aus Pelzen zusammengekuschelt ihre Flitterwochen genossen.

»Nun, es gibt wohl nicht viel, was irgendjemand dagegen *tun* könnte«, sagte Brianna realistisch. »Wenn wir in der Öffentlichkeit etwas sagen, werden die Presbyterianer Lizzie wahrscheinlich als Papistenhure steinigen, und –«

Mr. Wemyss stieß ein Geräusch aus, das klang, als sei jemand auf eine Schweinsblase getreten.

»Es wird sicher niemand etwas sagen.« Roger fixierte Mrs. Bug mit festem Blick. »Nicht wahr?«

»Nun, ich muss es Arch erzählen, sonst platze ich«, sagte sie unverblümt. »Aber sonst niemandem. Ich werde schweigen wie ein Grab, das schwöre ich. Soll mich der Teufel holen, wenn ich lüge.« Sie legte demonstrativ beide Hände vor den Mund, und Roger nickte.

»Ich gehe davon aus«, sagte er skeptisch, »dass die Ehe, die ich geschlossen habe, keine volle Gültigkeit hat. Aber –«

»Sie hat mit Sicherheit dieselbe Gültigkeit wie Jamies *Handfasting*«, sagte ich. »Und außerdem denke ich, dass es zu spät ist, sie zu einer Entscheidung zu zwingen. Sobald Kezzies Daumen heilt, wird niemand mehr in der Lage sein zu sagen …«

»Außer Lizzie wahrscheinlich«, sagte Brianna. Sie leckte sich eine Honigspur aus dem Mundwinkel und betrachtete Roger nachdenklich. »Ich frage mich, wie es wohl wäre, wenn es zwei von dir gäbe?«

»Wir wären beide ganz schön angeschmiert«, versicherte er ihr. »Mrs. Bug – gibt es noch Kaffee?«

»Wer ist angeschmiert?« Die Küchentür öffnete sich in einem Wirbel aus Schnee und kalter Luft, und Jamie kam mit Jem herein. Die beiden waren auf dem Abort gewesen. Ihre Gesichter waren rot und ihr Haar und ihre Augenwimpern mit schmelzenden Schneeflocken verziert.

»Du zum Beispiel. Du bist gerade von einer neunzehnjährigen Bigamistin an der Nase herumgeführt worden«, unterrichtete ich ihn.

»Was ist eine Bigamistin?« erkundigte sich Jem.

»Ein sehr großer Kuhfladen«, sagte Roger, der nach einem Stück gebuttertem Toast griff und es Jemmy in den Mund steckte. »Da. Nimm das doch und …« Seine Stimme erstarb, als ihm klar wurde, dass er Jem nicht nach draußen schicken konnte.

»Lizzie und die Zwillinge waren gestern Abend bei Roger, und er hat sie mit Jo verheiratet«, sagte ich zu Jamie. Er blinzelte, weil ihm der schmelzende Schnee von den Wimpern über das Gesicht lief.

»Hol mich der Teufel«, sagte er. Er holte tief Luft, dann merkte er, dass er noch voller Schnee war und ging zum Kamin, um sich zu schütteln, und die Schneeflocken fielen knisternd und zischend ins Feuer.

»Nun«, sagte er, als er an den Tisch zurücktrottete und sich neben mich setzte, »immerhin wird Euer Enkel einen Namen haben, Joseph. Er lautet Beardsley, so oder so.«

Diese lächerliche Bemerkung schien Mr. Wemyss tatsächlich ein wenig zu trösten; seine Wangen nahmen wieder etwas Farbe an, und er gestattete Mrs. Bug, ihm ein frisches Brötchen auf den Teller zu legen.

»Aye, das ist wohl etwas«, sagte er.

»Komm *mit*«, sagte Jemmy und zupfte ungeduldig an Briannas Arm. »Komm gucken, Mama!«

»Was denn?«

»Ich habe meinen Namen geschrieben! Opa hat es mir gezeigt!«

»Oh, wirklich? Na, wie schön!« Brianna strahlte ihn an, dann legte sich ihre Stirn in Falten. »Was – jetzt gerade?«

»Ja! Komm gucken, bevor es zugedeckt ist!«

Sie musterte Jamie finster.

»Pa, du *hast* doch nicht –«

Er nahm eine frische Scheibe Toast von der Platte und bestrich sie ordentlich mit Butter.

»Aye, nun ja«, sagte er, »*irgendeinen* Vorteil muss es doch noch haben, ein Mann zu sein, auch wenn niemand im Geringsten darauf achtet, was man sagt. Reichst du mir die Marmelade, Roger Mac?«

75

Läuse

Jem stützte die Ellbogen auf den Tisch und verfolgte den Weg des Löffels durch den Teig mit dem gebannten Ausdruck eines Löwen, der ein appetitliches Gnu auf dem Weg zum Wasserloch beobachtet.

»Du brauchst gar nicht daran zu denken«, warnte ich mit einem Blick auf seine Schmutzfinger. »Sie sind in ein paar Minuten fertig; dann kannst du einen haben.«

»Aber ich mag so gern rohen Teig, Oma«, protestierte er mit großen, wortlos flehenden Augen.

»Du solltest aber nichts Rohes essen«, sagte ich streng. »Davon kannst du krank werden.«

»Du tust es doch auch, Oma.« Er zeigte mit dem Finger auf meinen Mund, wo ein bräunlicher Teigklecks kleben geblieben war. Ich räusperte mich und wischte das verdächtige Beweismaterial mit einem Handtuch ab.

»Du wirst beim Abendessen keinen Hunger mehr haben«, sagte ich, doch mit der Auffassungsgabe des Dschungelraubtiers spürte er, wie seine Beute schwächer wurde.

»Nein, das verspreche ich. Ich esse alles auf!«, sagte er und hatte die Hand schon nach dem Löffel ausgestreckt.

»Ja, genau davor habe ich Angst«, sagte ich und überließ ihm den Löffel widerstrebend. »Aber es wird nur probiert – lass deinem Papa und Opa auch etwas übrig.«

Er nickte wortlos und leckte den Löffel mit einer langen Bewegung seiner Zunge ab, die Augen ekstatisch geschlossen.

Ich suchte mir einen anderen Löffel und machte mich daran, die Plätzchen in kleinen Portionen sorgfältig auf die beiden Bleche zu kleksen, die ich zum Backen benutzte. Wir wurden gerade eben fertig, und die Bleche waren voll und die Schüssel ganz leer, als im Flur Schritte auf die Tür zukamen. Da ich Briannas Gang erkannte, entriss ich Jemmy den Löffel und rieb ihm schnell mit dem Handtuch über den verschmierten Mund.

Brianna blieb in der Tür stehen, und ihr Lächeln verwandelte sich in Argwohn.

»Was macht ihr denn da?«

»Wir backen Melasseplätzchen«, sagte ich und hob zum Beweis die Bleche, bevor ich sie in den Ziegelofen schob, der in die Kaminwand eingelassen war. »Jemmy hat mir geholfen.«

Eine rote Augenbraue hob sich. Sie blickte von mir zu Jemmy, der eine Miene vollkommen unnatürlicher Unschuld trug. Ich ging davon aus, dass meine eigene Miene auch nicht überzeugender war.

»Das sehe ich«, sagte sie trocken. »Wie viel Teig hast du gegessen, Jem?«

»Wer, ich?«, sagte Jemmy und kullerte mit den Augen.

»Mmm.« Sie beugte sich vor und pickte ihm einen gelblichen Krümel aus den roten Locken. »Und was ist das?«

Er runzelte die Stirn und sah es schielend an.

»Eine fette Laus?«, schlug er munter vor. »Die habe ich bestimmt von Rabbie McLeod.«

»Rabbie McLeod?«, sagte ich und war mir unangenehm bewusst, dass Rabbie noch vor ein paar Tagen hier auf der Kaminbank gelegen hatte und seine wilden schwarzen Locken in Jemmys rote Mähne geströmt waren, als sie beim Warten auf ihre Väter eingeschlafen waren. Ich erinnerte mich noch, dass ich gedacht hatte, wie süß die Jungen aussahen, Kopf an Kopf zusammengerollt und die Gesichter traumverloren.

»Hat Rabbie denn Läuse?«, wollte Brianna wissen und schnippte den Teigkrümel beiseite, als sei er in der Tat ein widerliches Insekt.

»Oh, aye, jede Menge«, versicherte ihr Jemmy fröhlich. »Seine Mama sagt, sie holt sich das Rasiermesser seines Papas und rasiert ihm alle Haare ab, ihm und seinen Brüdern und seinem Papa und seinem Onkel Rufe. Sie sagt, die Läuse hüpfen im ganzen Bett herum. Sie hat keine Lust mehr, lebendig gefressen zu werden.« Ganz beiläufig hob er eine Hand an den Kopf und kratzte sich. Seine Finger durchfurchten sein Haar mit einer typischen Geste, die ich schon allzu oft gesehen hatte.

Brianna und ich wechselten entsetzte Blicke, dann packte sie Jemmy an den Schultern und zerrte ihn zum Fenster hinüber.

»Komm her!«

Und da! Im gleißenden Licht, das der Schnee abstrahlte, wies die empfindliche Haut hinter seinen Ohren und in seinem Nacken die charakteristische Rötung auf, die durch das Kratzen hervorgerufen wurde, und eine rasche Inspektion seines Kopfes förderte das Schlimmste zutage; winzige Nissen, die an den Haaransätzen klebten, und einige ausgewachsene, rötlich-braune Läuse, die halb so groß waren wie ein Reiskorn und wie verrückt in die Haarbüschel flüchteten. Brianna fing eine davon, zerquetschte sie zwischen den Daumennägeln und warf die Überreste ins Feuer.

»Igitt!« Sie wischte sich die Hände am Rock ab, dann löste sie das Band, mit dem ihr Haar zusammengebunden war, und kratzte sich heftig. »Habe ich auch welche?«, fragte sie ängstlich und hielt mir ihren Scheitel hin.

Ich durchforstete die dichte Masse aus Kastanienbraun und Zimt, um nach verräterischen, weißlichen Nissen zu suchen, dann trat ich einen Schritt zurück und senkte meinerseits den Kopf.

»Nein, ich denn?«

Die Hintertür öffnete sich, und Jamie trat ein. Es schien ihn kaum zu überraschen, dass Brianna wie ein wild gewordener Affe in meinen Haaren herumsuchte. Dann fuhr sein Kopf auf, und er schnüffelte.

»Brennt hier etwas an?«

»Ich hab sie schon, Opa!«

Dieser Ausruf erreichte mich gleichzeitig mit dem Geruch angesengter Melasse. Ich fuhr auf und stieß mir den Kopf so fest an der Kante des Geschirrbords, dass ich Sterne sah.

Als sich diese wieder verzogen, sah ich gerade noch, wie sich Jemmy auf die Zehenspitzen stellte und in den qualmenden Ofen griff, der weit über seinem Kopf in die Kaminwand eingelassen war. Er hatte die Augen konzentriert zugekniffen und hielt das Gesicht von den Hitzewellen abgewandt, die von den Ziegeln abgestrahlt wurden, und er hatte sich ein Handtuch ungeschickt um die tastende Hand gewunden.

Jamie war mit zwei Schritten bei dem Jungen und riss ihn am Kragen zurück. Er fasste mit der bloßen Hand in den Ofen, riss ein Blech mit qualmenden Plätzchen heraus und schleuderte das heiße Blech mit solcher Wucht von sich, dass es vor die Wand prallte. Kreisrunde braune Plättchen flogen auf und landeten verstreut auf dem Boden.

Adso, der am Fenster gehockt und uns bei der Läusejagd geholfen hatte, hielt sie für Beute und schlug heftig nach einem flüchtenden Plätzchen, an dem er sich prompt die Pfote verbrannte. Er maunzte erschrocken auf, ließ es fallen und flitzte unter die Kaminbank.

Jamie, der seine verbrannten Finger schüttelte und extrem vulgär auf Gälisch vor sich hin fluchte, hatte mit der anderen Hand ein Stück Brennholz gepackt und stieß es in den Ofen, um das zweite Blech aus den Qualmwolken zu ziehen.

»Was ist denn hier – hey!«

»Jemmy!«

Rogers Ausruf ertönte zur selben Sekunde wie Briannas. Roger war Jamie in die Küche gefolgt. Seine verwirrte Miene hatte sich schlagartig in Erschrecken verwandelt, als er seinen Nachwuchs auf dem Boden hocken sah, wo er fleißig Plätzchen einsammelte, ohne sich der Tatsache bewusst zu sein, dass sein baumelndes Handtuch in der Asche des Herdfeuers zu schwelen begonnen hatte.

Roger machte einen Satz auf Jemmy zu und kollidierte dabei mit Brianna, die denselben Kurs eingeschlagen hatte. Die beiden stießen donnernd mit Jamie zusammen, der gerade das zweite Plätzchenblech an den Rand des Ofens manövriert hatte. Er schwankte, verlor das Gleichgewicht, und das Blech landete scheppernd im Kamin, wobei es qualmende, nach Melasse duftende Holzkohlestückchen verschleuderte. Der Kessel, der in Schieflage geraten war, schwang und schaukelte bedrohlich an seinem Haken, so dass die Suppe in die Glut spritzte und als zischende, würzig duftende Dampfwolke wieder aufstieg.

Ich wusste nicht, ob ich lachen oder zur Tür hinauslaufen sollte, beschloss dann aber, nach dem Handtuch zu schnappen, aus dem jetzt Flammen züngelten, und schlug es auf der steinernen Kaminumrandung aus.

Als ich japsend aufstand, stellte ich fest, dass sich meine Familie von der Feuerstelle entfernt hatte. Roger hielt den strampelnden Jemmy fest an seine Brust geklammert, während Brianna das Kind hastig nach Brandverletzungen, Flammen und Knochenbrüchen absuchte. Jamie, der ein ziemlich verärgertes Gesicht machte, saugte an den Blasen an seinem Finger und wedelte sich mit der freien Hand den Rauch aus dem Gesicht.

»Kaltes Wasser«, sagte ich und widmete mich damit dem dringendsten Problem. Ich packte Jamie am Arm, zog ihm den Finger aus dem Mund und steckte ihn in die Spülschüssel.

»Ist Jemmy etwas passiert?«, fragte ich an die glückliche Familie am Fenster gewandt. »Nein, ich sehe es schon. Stell ihn hin, Roger, das Kind hat Läuse.«

Roger ließ Jemmy los wie eine heiße Kartoffel und kratzte sich – die typische Reaktion der Erwachsenen auf das Wort »Läuse«. Jemmy, den der Tumult völlig ungerührt gelassen hatte, setzte sich auf den Boden und begann, eins der Plätzchen zu essen, die er die ganze Zeit fest in der Hand gehalten hatte.

»Du hast gleich keinen Hunger –«, begann Brianna, dann fiel ihr Blick auf den übergelaufenen Kessel und die Pfützen im Herdfeuer. Sie sah mich an und zuckte mit den Achseln. »Hast du noch ein Plätzchen?«, fragte sie Jemmy. Er nickte mit vollem Mund, griff in sein Hemd und reichte ihr eins. Sie betrachtete es kritisch, biss aber trotzdem hinein.

»Nicht schlecht«, sagte sie, den Mund voller Krümel. »Hm?« Sie hielt Roger den Rest hin. Er stopfte ihn mit einer Hand in seinen Mund, während er mit der anderen in Jemmys Haaren herumstocherte.

»Sie machen die Runde«, sagte er. »Zumindest haben wir bei der Küferei ein halbes Dutzend Jungs gesehen, alle kahl geschoren wie die Sträflinge. Dann müssen wir dir also den Schädel rasieren?«, fragte er Jemmy lächelnd und zerwuschelte ihm die Haare.

Das Gesicht des Jungen begann bei diesem Vorschlag zu strahlen.

»Werde ich dann so kahl wie Oma?«

»Ja, sogar noch kahler«, versicherte ich ihm mürrisch. Eigentlich hatte ich schon wieder gute fünf Zentimeter auf dem Kopf, obwohl es durch die Locken kürzer aussah und sich die geringelten Haare dicht an meinen Schädel schmiegten.

»Ihm den *Kopf* scheren?« Brianna zog ein entgeistertes Gesicht. Sie wandte sich an mich. »Gibt es denn keine andere Möglichkeit, die Läuse loszuwerden?«

Ich betrachtete Jemmys Kopf und überlegte. Er hatte das gleiche dichte, leicht gewellte Haar wie seine Mutter und sein Großvater. Ich sah Jamie an, der mir zugrinste, eine Hand in der Schüssel. Er wusste aus Erfahrung, wie lange es dauerte, solches Haar nach Nissen zu durchkämmen; ich hatte es schon oft für ihn gemacht. Er schüttelte den Kopf.

»Schert ihn«, empfahl er. »Ihr bekommt einen Jungen in seinem Alter nie dazu, beim Kämmen still zu halten.«

»Wir *könnten* es mit Schmalz versuchen«, schlug ich skeptisch vor. »Man kleistert ihm den Kopf mit Schmalz oder Bärenfett ein und lässt ihn ein paar Tage so. Das erstickt die Läuse. Hofft man zumindest.«

»Igitt.« Brianna betrachtete den Kopf ihres Sohnes voller Abneigung und malte sich offensichtlich den Schaden aus, den er an Kleidern und Bettwäsche anrichten konnte, wenn man ihn mit dem Kopf voller Schmalz herumlaufen ließ.

»Mit Essig und einem feinen Kamm erwischt man die Großen«, sagte ich und trat neben Jemmy, um einen Blick auf den feinen weißen Scheitel in seinem roten Haar zu werfen. »Aber keine Nissen, die muss man mit den Fingernägeln abschaben – oder warten, bis sie schlüpfen, und sie auskämmen.«

»Schert ihn«, sagte Roger und schüttelte den Kopf. »Du erwischst niemals alle Nissen; du musst es alle paar Tage wieder machen, und wenn du welche übersiehst, die dann groß genug werden, um überzuspringen …« Er grinste und schnippte sich einen Plätzchenkrümel vom Daumennagel; er prallte an Briannas Hemd ab, und sie schlug ihn beiseite und spendierte Roger einen finsteren Blick.

»Du bist wirklich eine große Hilfe!« Sie biss sich stirnrunzelnd auf die Lippe, dann nickte sie widerstrebend. »Also schön. Es ist wohl nicht zu ändern.«

»Es wächst ja wieder«, beruhigte ich sie.

Jamie ging nach oben, um sein Rasiermesser zu holen; ich ging ins Sprechzimmer, um meine Chirurgenschere und ein Fläschchen Lavendelöl für

Jamies Finger zu holen. Als ich zurückkam, hatten Brianna und Roger die Köpfe über etwas zusammengesteckt, das wie eine Zeitung aussah.

»Was ist das denn?«, fragte ich und trat zu Brianna, um ihr über die Schulter zu blicken.

»Fergus' Debüt.« Roger lächelte zu mir auf und schob die Zeitung so zur Seite, dass ich sie sehen konnte. »Er hat sie einem Händler mitgegeben, der sie bei Sinclair für Jamie abgegeben hat.«

»Wirklich? Das ist ja großartig!«

Ich reckte den Hals, um besser zu sehen, und wurde ganz aufgeregt, als ich die fette Überschrift über der Seite sah:

THE NEW BERN ONION

Dann sah ich genauer hin.

»*Onion?*«, sagte ich und kniff die Augen zusammen. »Die Zwiebel?«

»Nun ja, er erklärt es gleich«, sagte Roger und wies auf die schmuckvoll verzierten »Anmerkungen des Herausgebers« in der Mitte der Seite, deren Überschrift von zwei schwebenden Engelchen hochgehalten wurde. »Es hat etwas damit zu tun, dass Zwiebeln aus mehreren Schichten bestehen – Komplexität, nicht wahr? –, und damit … äh –«, sein Finger fuhr über die Zeile, »dass ›die Bissigkeit und Herzhaftigkeit des vernünftigen Diskurses hierin stets Anwendung finden sollen, zur umfassenden Information und zum *Amüsement* unserer Käufer und Leser‹.«

»Ich stelle fest, dass er einen Unterschied zwischen Käufern und Lesern macht«, merkte ich an. »Sehr französisch von ihm.«

»Nun ja«, pflichtete mir Roger bei. »Einige der Texte haben einen deutlichen gallischen Unterton, aber man kann auch sehen, dass Marsali mit Hand angelegt haben muss – und die meisten Anzeigen stammen natürlich von den Leuten, die sie aufgegeben haben.« Er wies auf einen kleinen Text mit der Überschrift *Verloren: Ein Hut. Bei Fund in gutem Zustand, bitte zurück an den Unterzeichnenden, S. Gowdy, New Bern. Bei Fund in schlechtem Zustand, tragt ihn selbst.*

Jamie kam mit seinem Rasiermesser gerade rechtzeitig, um das zu hören, und fiel in das allgemeine Gelächter ein. Er zeigte mit dem Finger auf einen anderen Text auf derselben Seite.

»Aye, das ist gut, aber ich finde die ›Dichterecke‹ am besten. Ich glaube nicht, das Fergus das gekonnt hätte; er hat kein Ohr für Reime – meint ihr, es war Marsali oder jemand anders?«

»Lies es laut vor«, bat Brianna und überließ Roger widerstrebend die Zeitung. »Besser, wenn ich Jemmy die Haare schneide, bevor er entwischt und überall in Fraser's Ridge Läuse verteilt.«

Nachdem sie sich einmal in ihr Schicksal ergeben hatte, verlor Brianna keine Zeit mehr, sondern band Jemmy ein Geschirrhandtuch um den Hals und machte sich entschlossen mit der Schere ans Werk, so dass ein schimmernder Regen rotgoldener und kastanienbrauner Strähnen zu Boden fiel. Unterdessen las Roger mit dramatischer Betonung:

Über den jüngsten Akt bezüglich
der Spirituosen etc. –

Sagt mir, ist es zu verstehn,
Dass dieser Akt dient aller Wohlergehn?
Nein, wahrlich; das leugn ich:
Denn ist es, wie alle erzählen,
Besser, das kleinere Übel zu wählen,
Sag ich, Recht hab ich.
Nehmt an – es könnt ja sein,
Zehn Tote gäb's jahraus, jahrein,
Durch Überfluss an Alkohol.
Solln tausend Unschuldge der Not
Verfalln und leben ohne Brot,
Für solcher Narren tumbes Wohl?
Glaubt nicht, dass fördern ich die Sünde will;
Dass den Gin verteidigen ich will,
Doch seht es einmal so:
Der Plan, ist er auch gut gemeint,
Des Allmächtgen Recht verneint,
Glaub ich der Bibel froh.
Als Sodoms Sünd nach Rache schrie,
Durch zehn Gerechte kam das Schicksal nie,
Und Gott persönlich Mitleid hatt.
Doch nun sind die, die heimlich gern genießen,
Durch zehn Enthemmte scheinbar zu verdrießen,
Und ordern den Ruin der halben Stadt.

»Gin, soso«, wiederholte Brianna kichernd. »Man beachte, dass er – oder sie – kein Wort von Whisky sagt. Hoppla, halt still, Schätzchen!«

Jamie zog sein Rasiermesser zum Schärfen über den Lederriemen, während er über Rogers Schulter hinweg mitlas. »So, Junge, bis du so weit?« Ohne eine Antwort abzuwarten, griff er nach dem Rasierpinsel und seifte Jemmy von begeistertem Kreischen begleitet den Kopf ein.

»Barbier, Barbier, rasier ein Schwein«, dichtete Brianna, die ihm zusah. »Wie viele Haare müssen in einer Perücke sein?«

»Jede Menge«, erwiderte ich und fegte die zu Boden gefallenen Haarbüschel zusammen, um sie ins Feuer zu werfen, was hoffentlich sämtlichen darin hausenden Läusen den Garaus bereitete. Es *war* eine Schande; Jemmy hatte wunderschönes Haar. Dennoch, es würde ja wieder wachsen – und der kurze Schnitt betonte seine hübsche Schädelform.

Jamie summte tonlos vor sich hin und zog seinem Enkelsohn das Rasiermesser so vorsichtig über die Kopfhaut, als rasierte er eine Honigbiene.

Jemmy wandte sacht den Kopf, und ich hielt den Atem an, weil mir eine flüchtige Erinnerung kam – Jamie, dem das kurz geschorene Haar in Paris dicht am Schädel lag, während er sich bereit machte, auf Jack Randall zu treffen; zu töten – oder getötet zu werden. Dann wandte sich Jemmy zurück und zappelte auf seinem Hocker, und die Vision verschwand – um sogleich etwas anderem zu weichen.

»Was ist das denn?« Ich beugte mich vor, um genauer hinzusehen, während Jamie das Rasiermesser mit einem ausladenden Schnörkel fortzog und den letzten Schaumklecks ins Feuer schnippte.

»Was denn?« Brianna trat an meine Seite und bekam große Augen, als sie den kleinen braunen Fleck entdeckte. Er hatte ungefähr die Größe eines Viertelpennys und war kreisrund, knapp über dem Haaransatz hinter dem linken Ohr.

»Was ist das?«, fragte sie stirnrunzelnd. Sie berührte es vorsichtig, doch Jemmy bemerkte es kaum, denn er zappelte jetzt noch heftiger, weil er von seinem Hocker hinunterwollte.

»Ich bin mir ziemlich sicher, dass es nicht gefährlich ist«, beruhigte ich sie nach rascher Betrachtung. »Es sieht aus wie ein flaches Muttermal, normalerweise ist so etwas völlig harmlos.«

»Aber wo kommt es her? Bei seiner Geburt hatte er es nicht, das weiß ich!«, protestierte sie.

»Es kommt nur sehr selten vor, dass ein Baby ein Muttermal hat«, erklärte ich und knotete das Handtuch von Jemmys Hals los. »Ist ja gut, ja, du bist fertig! Geh jetzt und sei lieb – wir essen zu Abend, sobald es geht. Nein«, sagte ich wieder an Brianna gerichtet, »sie bilden sich mit ungefähr drei – obwohl es natürlich mit dem Alter noch mehr werden können.«

Endlich frei, rieb sich Jemmy mit beiden Händen über den nackten Kopf. Er sah ganz zufrieden aus und sang leise vor sich hin.

»Bist du sicher, dass es nicht gefährlich ist?« Briannas Stirn war immer noch sorgenvoll in Falten gezogen.

»Oh, aye, das ist nichts«, versicherte Roger ihr und blickte von der Zeitung auf. »Ich habe genau so eins, schon seit ich ein Kind war. Genau… hier.« Sein Gesicht veränderte sich abrupt, als er das sagte, und seine Hand hob sich ganz langsam, bis sie auf seinem Hinterkopf lag – knapp über dem Haaransatz, hinter dem linken Ohr.

Er blickte mich an, und ich sah, wie sich seine Kehle bewegte, als er schluckte, die unebene Seilnarbe dunkel auf der verblüffend blassen Haut. Die Härchen auf meinen Armen richteten sich lautlos auf.

»Ja«, sagte ich. Ich erwiderte seinen Blick und hoffte, dass meine Stimme nicht allzu zittrig klang. »Solche Muttermale sind … oft erblich.«

Jamie sagte nichts, doch seine Hand schloss sich um die meine und drückte fest zu.

Jemmy kroch jetzt auf allen vieren herum und versuchte, Adso unter der Kaminbank hervorzulocken. Sein Hals war dünn und zerbrechlich, und sein kahl geschorener Kopf sah gespenstisch weiß und schockierend nackt aus, wie ein Pilz, der aus dem Boden sprießt. Rogers Blick ruhte einen Moment darauf, dann wandte er sich Brianna zu.

»Ich glaube, ich habe mir auch ein paar Läuse eingefangen«, sagte er, und seine Stimme war ein winziges bisschen zu laut. Er hob die Hand, zog an dem Lederriemen, der sein dichtes, schwarzes Haar zusammenhielt, und kratzte sich mit beiden Händen heftig am Kopf. Dann griff er lächelnd nach der Schere und hielt sie ihr hin. »Wie der Vater, so der Sohn, finde ich. Hilf mir bitte mal, aye?«

ZEHNTER TEIL

Wo ist Perry Mason, wenn man ihn braucht?

76

Gefahrvolle Korrespondenz

Von der Mount Josiah Plantage in der Kolonie Virginia,
Lord John Grey an Mr. James Fraser,
Esq., Fraser's Ridge,
North Carolina, am 6. März 1775

Verehrter Mr. Fraser,

was in Gottes Namen führst du im Schilde? Ich habe dich im Lauf unserer langen Bekanntschaft als Mann mit vielen Eigenschaften kennen gelernt, und Ungezügeltheit und Sturheit sind zwei davon. Aber ich habe dich immer für einen Mann von Intelligenz und Ehrgefühl gehalten.

Und doch finde ich deinen Namen trotz ausdrücklicher Warnungen gleich auf einer ganzen Reihe von Listen des Hochverrats und der Aufwiegelei Verdächtiger, die mit illegalen Versammlungen in Verbindung gebracht werden und denen daher die Verhaftung droht. Die Tatsache, dass du noch auf freiem Fuße bist, mein Freund, spiegelt einzig den Mangel an Truppen wider, die derzeit in North Carolina verfügbar sind – und es ist gut möglich, dass sich dies schnell ändert. Josiah Martin hat London dringend um Hilfe gebeten, und sie wird kommen, das versichere ich dir.

Wäre Gage nicht in Boston hinreichend beschäftigt und wären Lord Dunsmores Truppen in Virginia nicht noch im Begriff, sich zu sammeln, hättest du innerhalb von Monaten die Armee vor der Tür stehen. Mach dir nichts vor; die Handlungen des Königs mögen zwar fehlgeleitet sein, doch die Regierung begreift – wenn auch etwas spät – das Ausmaß des Aufruhrs in den Kolonien und bemüht sich jetzt, ihn so schnell wie möglich zu unterdrücken, bevor es zu Schlimmerem kommt.

Was auch immer du sonst sein magst, du bist kein Narr, und so muss ich annehmen, dass dir die Folgen deiner Handlungsweise bewusst sind. Doch ich wäre alles andere als dein Freund, wenn ich dich nicht in aller Deutlichkeit warnen würde: Durch deine Handlungsweise setzt du deine Familie der äußersten Gefahr aus, und du steckst deinen Kopf in eine Schlinge.

Um der Zuneigung willen, die du mir gegenüber noch hegen magst, und um jener kostbaren Verbindung zwischen deiner Familie und mir selbst willen – ich flehe dich an, diese höchst gefährlichen Verbindungen zu leugnen, solange es noch geht.

John

Ich las mir den Brief durch, dann blickte ich zu Jamie auf. Er saß an seinem Schreibtisch, auf dem überall Papiere verstreut waren, übersät mit kleinen braunen Krümeln aus zerbrochenem Siegelwachs. Bobby Higgins hatte eine Menge Briefe, Zeitungen und Päckchen mitgebracht – Jamie hatte sich Lord Johns Brief bis zuletzt aufgehoben.

»Er hat große Angst um dich«, sagte ich und legte das einzelne Blatt oben auf den Rest.

Jamie nickte.

»Wenn ein Mann in seiner Stellung die Handlungen des Königs als ›möglicherweise fehlgeleitet‹ bezeichnet, grenzt das an Hochverrat, Sassenach«, merkte er an, obwohl ich das *Gefühl* hatte, dass es ein Scherz sein sollte.

»Diese Listen, von denen er spricht – weißt du etwas davon?«

Er zuckte mit den Achseln und stocherte mit dem Zeigefinger in einem der ungeordneten Stapel herum, bis er ein verschmiertes Blatt hervorzog, das offenbar zwischendurch in einer Pfütze gelegen hatte.

»So etwas, nehme ich an«, sagte er und reichte es mir. Es war unsigniert und beinahe unleserlich, eine von Hass – und Schreibfehlern – erfüllte Denunziation diverser »Missetaten und Missetäter« – hier aufgelistet –, deren Worte, Taten und Erscheinung eine Bedrohung für jeden darstellten, dem an Frieden und Wohlstand gelegen war. Diesen, so empfand es der Verfasser, sollte »man's zeigen«, am besten, indem man sie auspeitschte, ihnen lebendig die Haut abzog, sie »in kochendem Teer wälzte und aufs Rad flocht« oder sie in besonders verwerflichen Fällen »ohne Umschweife an ihrem eignen Dachbalken erhängte«.

»Woher hast du *das* denn?« Ich ließ es mit spitzen Fingern auf den Tisch fallen.

»Campbelton. Jemand hat es Farquard geschickt, weil er der Friedensrichter ist. Er hat es mir gegeben, weil mein Name darauf steht.«

»Ach ja?« Ich blinzelte die krakeligen Buchstaben an. »Oh, ja. ›J. Frayzer.‹ Bist du sicher, dass du das bist? Es gibt schließlich haufenweise Frasers, und nicht wenige namens John, James, Jacob oder Joseph.«

»Relativ wenige, auf die die Beschreibung ›rothaariger Halunke und Wucherer, der in Bordellen herumlungert, wenn er nicht im Suff auf offener Straße für Aufruhr sorgt‹ zutrifft, nehme ich an.«

»Oh, das hatte ich übersehen.«

»Es steht weiter unten.« Er warf einen kurzen, gleichgültigen Blick auf das Blatt. »Ich persönlich gehe davon aus, dass Metzger Buchan es geschrieben hat.«

»Wie kommt er denn auf ›Wucherer‹? Du hast doch gar kein Geld, das du verleihen könntest.«

»Ich glaube nicht, dass es unter den gegebenen Umständen erforderlich ist, dass der Inhalt auf Wahrheit beruht, Sassenach«, sagte er sehr trocken. »Und dank MacDonald und dem guten Bobby gibt es genug Leute, die glauben, dass ich Geld *habe* – und wenn ich nicht bereit bin, es ihnen zu leihen, nun, dann kann das nur daran liegen, dass ich es den Juden und den Whigs zum Spekulieren überlassen habe, um zu meinem eigenen Profit die Wirtschaft zu ruinieren.«

»Was?«

»Das war ein Versuch mit größeren literarischen Ambitionen«, erklärte er und durchwühlte den Stapel, bis er ein elegantes Stück Pergament in Kupferdruck-Ausführung hervorzog. Dieses Exemplar war an eine Zeitung in Hillsboro geschickt worden, mit »Ein Freund der Gerechtigkeit« unterzeichnet, und es nannte Jamie zwar nicht namentlich, doch es war klar, wer der Gegenstand seiner Anklagen war.

»Es sind deine Haare«, sagte ich und betrachtete ihn kritisch. »Wenn du eine Perücke tragen würdest, hätten sie es nicht so leicht.«

Er zog sardonisch eine Schulter hoch. Die allgemeine Ansicht, dass rote Haare auf einen schlechten Charakter und moralische Grobschlächtigkeit, wenn nicht sogar Dämonenbesessenheit hinwiesen, wurde längst nicht nur von anonymen Verunglimpfern geteilt. Das Wissen um diese Ansicht – und seine persönliche Abneigung gegen Perücken – hatte einiges damit zu tun, dass er niemals eine Perücke trug oder sich das Haar puderte, selbst bei Anlässen, zu denen ein Gentleman dies getan hätte.

Ohne zu fragen griff ich nach einem Papierstapel und begann, ihn durchzublättern. Er machte keine Anstalten, mich daran zu hindern, sondern sah mir wortlos zu und lauschte dem Tosen des Regens.

Draußen ging ein kräftiger Frühlingsschauer nieder, und die Luft war frisch und feucht, erfüllt von den grünen Düften des Waldes, die sich durch die Ritzen der Türen und Fenster stahlen. Manchmal, wenn der Wind durch die Bäume fuhr, hatte ich das plötzliche Gefühl, dass die Wildnis hier einzudringen versuchte, um durch das Haus zu marschieren, es zu vernichten und jede Spur von uns zu verwischen.

Die Briefe waren eine bunte Mischung. Manche stammten von den Mitgliedern des Korrespondenzkomitees in North Carolina und enthielten Neuigkeiten, meistens aus dem Norden. In New Hampshire und New Jersey hatten sich Komitees für eine Kontinentalvereinigung gegründet, die jetzt mehr oder minder begannen, die Regierungsgeschäfte zu übernehmen, da die königlichen Gouverneure jede Kontrolle über Versammlung, Gericht und Zollbehörden verloren hatten und auch der Rest offizieller Organisation immer tiefer ins Chaos stürzte.

Boston wurde nach wie vor von Gage und seinen Truppen belagert, und etliche der Briefe enthielten die üblichen Appelle, seinen Bürgern Lebensmittel und andere Vorräte zu schicken. Wir hatten im Lauf des Winters zwei Zentner Gerste geschickt, und einer der Woolams hatte es auf sich genommen, sie zusammen mit drei Wagenladungen an anderen Lebensmitteln, die die Bewohner von Fraser's Ridge gespendet hatten, in die Stadt zu befördern.

Jamie hatte seinen Federkiel ergriffen und schrieb etwas, langsam, weil es seine steife Hand nicht anders zuließ.

Der nächste Brief war eine Notiz von David Putnam, die über Massachusetts zu uns gelangt war und von der Formierung von Milizkompanien in der ganzen Kolonie berichtete und um Waffen und Pulver bat. Sie war von einem Dutzend anderer Männer unterschrieben, die jeweils bestätigten, dass dies auch auf ihre Heimatorte zutraf.

Ein Zweiter Kontinentalkongress wurde vorgeschlagen, der an einem noch unbestimmten Datum in Philadelphia zusammentreffen sollte.

Georgia hatte einen Provinzkongress gegründet, doch wie der loyalistische Briefschreiber – der eindeutig davon ausging, dass Jamie seine Ansichten teilte – triumphierend anmerkte, »gibt es hier keine Klagen gegenüber Großbritannien wie anderswo; die loyalistische Gesinnung ist so vorherrschend, dass nur fünf von zwölf Gemeinden jemanden zu diesem dreisten und ungesetzlichen Kongress entsandt haben.«

Ein zerfleddertes Exemplar der *Massachusetts Gazette* vom 6. Februar enthielt einen mit Tinte eingekreisten Brief mit dem Titel »Die Herrschaft des Gesetzes und die Herrschaft der Menschen«. Er war mit »Novanglus« unterzeichnet – wahrscheinlich Küchenlatein für »Neuengländer« – und als Antwort auf eine Reihe vorhergegangener Briefe eines Torys gedacht, dessen Signatur ausgerechnet »Massachusettensis« lautete.

Ich hatte keine Ahnung, wer Massachusettensis wohl sein mochte, doch ich erkannte einige Formulierungen in Novanglus' Brief aus längst vergangenen Hausaufgaben Briannas – John Adams in Hochform.

»Eine Regierung der Gesetze, nicht der Menschen«, murmelte ich. »Was für ein Pseudonym würdest du benutzen, wenn du so etwas schreiben wolltest?« Ich blickte auf und sah, dass seine Miene hochgradig verlegen war.

»Du *hast* es schon getan?«

»Och, nur hier und da ein Briefchen«, sagte er defensiv. »Keine Abhandlungen.«

»Wer bist du?«

Er zuckte abwehrend mit den Achseln.

»*Scotus Americanus*, aber nur, bis mir etwas Besseres einfällt. Ich kenne noch ein paar andere, die diesen Namen benutzen.«

»Nun, das ist ja wenigstens etwas. So hat es der König nicht so leicht, dich aus der Masse herauszupicken.« Ich murmelte »Massachusettensis« vor mich hin und ergriff das nächste Dokument.

Eine Note von John Stuart; zutiefst beleidigt über Jamies abrupte Abdankung, stellte er fest, dass der »höchst ungesetzliche und abwegige, so genannte Kongress von Massachusetts« sich offiziell mit der Einladung an die Stockbridge-Indianer gewandt hatte, in die Dienste der Kolonie zu treten, und teilte Jamie mit, dass für den Fall, dass die Cherokee ihrem Beispiel folgten, er, John Stuart, mit dem größten Vergnügen persönlich dafür sorgen würde, dass er, Jamie Fraser, wegen Hochverrats gehängt wurde.

»Ich glaube nicht, dass Stuart die geringste Ahnung davon hat, dass du rote Haare hast«, merkte ich an und legte den Brief beiseite. Ich fühlte mich ein wenig wackelig, auch wenn ich versuchte, es mit Humor zu nehmen. Das Ganze schwarz auf weiß vor mir ausgebreitet zu sehen, machte die Wolken greifbar, die sich rings um uns zusammengezogen hatten, und ich spürte den ersten Tropfen eisigen Regens auf meiner Haut, obwohl ich ein wollenes Schultertuch umgelegt hatte.

Es gab keinen Kamin im Studierzimmer; wir heizten nur mit einem kleinen Kohlebecken. Auch jetzt brannte es in der Ecke, und Jamie erhob sich, ergriff einen Stapel Briefe und begann, sie einzeln ins Feuer zu halten.

Ich hatte ein plötzliches *Déjà-vu*-Erlebnis und sah ihn im Haus seines Vetters Jared in Paris am Kamin stehen und Briefe ins Feuer halten. Die gestohlenen Briefe jakobitischer Verschwörer, die als weiße Rauchwölkchen aufstiegen, die aufziehenden Wolken eines längst vergangenen Sturms.

Mir fiel ein, was Fergus als Antwort auf Jamies Instruktionen gesagt hatte: *Ich weiß, wie man dieses Spiel spielt.* Ich wusste es auch, und in meinem Blut begannen sich Eiskristalle zu bilden.

Jamie ließ den letzten brennenden Papierfetzen ins Feuer fallen, dann löschte er den Brief, den er geschrieben hatte, mit Sand, schüttelte ihn und reichte mir das Blatt. Er hatte einen Bogen von Briannas Spezialpapier benutzt, das sie aus einem fermentierten Brei aus Lumpen und Pflanzenresten mit Seidensieben presste. Es war dicker als üblich, weich und glänzend, und sie hatte Beeren und kleine Blättchen in den Brei gemixt, so dass sich hier und dort ein kleiner roter Fleck wie Blut unter dem Schatten einer Blattsilhouette ausbreitete.

Aus Fraser's Ridge in der Kolonie North Carolina, am 16. März 1775,
von James Fraser
An Lord John Grey, Mount Josiah Plantage in der Kolonie Virginia

Mein lieber John,

es ist zu spät.

Eine Fortsetzung unserer Korrespondenz kann sich nur als Gefahr für dich erweisen, doch ich empfinde das größte Bedauern darüber, diese Verbindung zwischen uns zu kappen.
Glaube mir, ich bleibe:

Dein ergebenster und dir zugeneigter Freund
Jamie

Ich las ihn schweigend und reichte ihn zurück. Während er auf der Suche nach dem Siegelwachs herumstocherte, fiel mir ein kleines, eingepacktes Paket in der Ecke seines Schreibtischs auf, das unter den Papierbergen versteckt gewesen war.

»Was ist das?« Ich hob es auf; es war erstaunlich schwer für seine Größe.

»Ein Geschenk von Seiner Lordschaft für Jemmy.« Er zündete die Bienenwachskerze am Kohlebecken an und hielt sie über die Kante des zusammengefalteten Briefs. »Ein Satz Zinnsoldaten, sagt Bobby.«

77

Der achtzehnte April

Roger wachte urplötzlich auf, ohne zu wissen, was ihn geweckt hatte. Es war stockfinster, doch es herrschte jene stille, nach innen gekehrte Atmosphäre der frühen Morgenstunden; die Welt, die den Atem anhält, bevor sich die Dämmerung mit dem Wind erhebt.

Er wandte den Kopf auf dem Kissen und sah, dass auch Brianna wach war; sie blickte zur Zimmerdecke, und er sah die kurze Bewegung ihrer Augenlider, als sie blinzelte.

Er bewegte die Hand, um sie zu berühren, und die ihre schloss sich darum. Eine Ermahnung zu schweigen? Er lag lautlos da und lauschte, hörte aber nichts. Ein Stück Holzkohle zerbrach mit einem erstickten Knacken im Kamin, und ihr Griff wurde fester. Jemmy warf sich mit einem leisen

Quietschlaut im Bett auf die andere Seite und verstummte wieder. Die Stille der Nacht war ungebrochen.

»Was ist?«, sagte er leise.

Sie drehte sich nicht zu ihm um; ihr Blick war jetzt auf das Fenster gerichtet, ein dunkelgraues Rechteck, das gerade eben zu sehen war.

»Gestern war der achtzehnte April«, sagte sie. »Es ist so weit.« Ihre Stimme war ruhig, doch es lag etwas darin, das ihn dichter an sie heranrücken ließ, so dass sie Seite an Seite lagen und sich von der Schulter bis zum Fuß berührten.

Irgendwo nördlich von ihnen sammelten sich jetzt gerade die Männer in der kalten Frühlingsnacht. Achthundert britische Soldaten, die sich stöhnend und fluchend bei Kerzenschein anzogen. Diejenigen, die im Bett gewesen waren, erhoben sich zum Schlag der Trommel, die an den Häusern, Lagerhäusern und Kirchen vorbeizog, in denen sie einquartiert waren; diejenigen, die nicht im Bett gewesen waren, erhoben sich stolpernd von Würfelspiel und Zechgelage, von den warmen Kaminfeuern der Wirtshäuser, aus den warmen Armen der Frauen, suchten nach verlorenen Schuhen und ergriffen ihre Waffen, um dann zu zweit, zu dritt oder zu viert scheppernd und murmelnd durch den gefrorenen Straßenschlamm zur Musterstelle zu gehen.

»Ich bin in Boston groß geworden«, sagte sie in leisem, scheinbar ungerührtem Ton. »Jedes Kind in Boston hat dieses Gedicht irgendwann gelernt. Ich habe es in der fünften Klasse gelernt.«

»Passt auf meine Kinder und höret her/Vom Mitternachtsritt des Paul Revere?« Roger lächelte, als er sie sich in der Uniform der katholischen St.-Finbar-Schule vorstellte, blauer Pulli, weiße Bluse und Kniestrümpfe. Er hatte einmal ihr Klassenfoto aus dem fünften Schuljahr gesehen; sie sah aus wie ein kleiner, wütender, zerzauster Tiger, den ein Verrückter in Puppenkleidchen gesteckt hatte.

»Genau das. *Am achtzehnten Tag im April es war/Man schrieb das fünfundsiebzigste Jahr/Kaum einer noch lebt, der darum weiß, von jenem Tage so schlachtenheiß.*«

»Kaum einer noch lebt«, wiederholte Roger leise. Irgendjemand – wer? Ein Hausbesitzer, der die britischen Kommandeure belauschte, die bei ihm einquartiert waren? Eine Kellnerin, die eine Runde von Sergeanten mit heißem Rum versorgte? Geheimhaltung war unmöglich, nicht, wenn sich achthundert Männer auf dem Marsch befanden. Es war alles eine Frage der Zeit. Jemand hatte eine Nachricht aus der besetzten Stadt geschickt, die Nachricht, dass die Briten vorhatten, die in Concord gelagerten Waffen nebst Pulver an sich zu bringen und gleichzeitig Hancock und Samuel Adams zu verhaften – den Gründer des Komitees für die Sicherheit und den flammenden Redner, die Anführer »dieser verräterischen Rebellion«, von der man in Lexington höre.

Achthundert Männer, um zwei zu verhaften? Die Chancen standen nicht schlecht. Und ein Silberschmied und seine Freunde hatten sich, alarmiert von dieser Nachricht, in die kalte Nacht aufgemacht.

»Revere sprach zum Freund: ›Wenn der Briten Heer
Heut Nacht aus der Stadt zieht zu Land oder Meer,
So häng in der Nordkirche Glockenturm
Flugs eine Laterne als Zeichen zum Sturm.
Nur eine, sobald sie zu Lande ziehn fort,
Doch zwei, wenn sie gehn an der Schiffe Bord.
Ich harre am anderen Ufer zur Zeit
Zum Ritte und zu dem Alarmruf bereit.
Durch die Dörfer und Weiler in Middlesex Land,
Dass wach sei das Landvolk, die Waff' in der Hand.‹«

»*Solche* Gedichte schreibt heute keiner mehr«, sagte Roger. Doch trotz seiner zynischen Worte stahlen sich die Bilder in seinen Kopf; der dampfende Atem eines Pferdes, weiß in der Dunkelheit, und jenseits des schwarzen Wassers der winzige Stern einer Laterne, hoch über der schlafenden Stadt. Und dann ein zweiter.

»Und was dann?«, sagte er.

»Dann rief er ›Gut Nacht‹, still fuhr er gewandt
Mit umwickelten Rudern nach Charlestowns Strand,
Als der Mond emporstieg über der Bay,
Wo an ihrem Anker sich wiegend frei
Das britische Kriegsschiff, die Somerset, lag.
Ein Geisterschiff schien es, der Mondschein sich brach
An jedem Maste, an jedem Mann,
Wie Gefängnisgitter sie alle sahn.
Ein dunkler Rumpf, der noch einmal so groß
Als Spiegelbild durch die Fluten schoss.«

»Nun, das ist doch gar nicht so schlecht«, sagte er einsichtig. »Die Stelle mit der Somerset gefällt mir. Als hätte es ein Maler beschrieben.«

»Halt die Klappe.« Sie trat nach ihm, allerdings nur halbherzig. »Dann geht es weiter mit seinem Freund, der lauschenden Ohrs durch Gässchen und Straßen wandert –« Roger prustete, und sie trat noch einmal nach ihm. *»Bis er in der Stille ringsum vernahm/Wie am Tore des Lagers zur Must'rung man kam/Der Waffen Lärm, der Füße Tritt/Der Grenadiere gemessenen Schritt/Hinunter marschierend zum öden Strand/Zu den Booten, sich schaukelnd am schäumenden Rand.«*

Er hatte sie einmal im Frühling in Boston besucht. Mitte April würden die

Bäume erst einen Hauch von Grün tragen, ihre Äste immer noch mehr oder weniger kahl vor dem blassen Himmel. Die Nächte waren noch eiskalt, doch es schlummerte Leben in der Kälte, und etwas Frisches regte sich in der frostigen Luft.

»Dann kommt eine langweilige Passage über einen Freund, der die Kirchturmtreppe hinaufsteigt, aber die nächste Strophe gefällt mir.« Sie senkte ihre ohnehin schon leise Stimme zu einem Flüstern.

»Auf dem Kirchhof unten gebettet war
In ihrem Nachtlager der Toten Schar
In so tiefes und regloses Schweigen gehüllt
Dass er hören konnte von Schrecken erfüllt
Gleich Schildwachenschritten den Wind der Nacht,
Der leise nahte, sich schleichend sacht
Von Zelt zu Zelt zu flüstern schien:
›S'ist alles bereit.‹ Ein Weilchen nur
Des Orts und der Stunde Zauberspur
Und der Schreck, auf dem Kirchturm so allein
Inmitten der Gräber der Toten zu sein
Umwogten mit ihren Gebilden ihn.
Dann plötzlich er dachte der Schattengestalt,
Die in weiter Ferne vorüberwallt,
Wo der Strom sich verbreitert, zu grüßen das Meer,
Eine dunkle Linie, die schwankt hin und her,
Auf der steigenden Flut durchfließt sie die Nacht,
Gleichwie eine Brücke aus Booten gemacht.«

Sie gab den dramatischen Flüsterton auf und sprach normal weiter. »Dann schlägt der alte Paul die Zeit tot, während er auf das Signal wartet«, sagte sie. »Aber schließlich erscheint es, und dann …

Ein Hufschlag durcheilend der Dorfhäuser Reih'n
Ein Schatten, ein Umriss im Mondenschein,
Und von einem Rosse, gar mutig und schnell,
Von den Steinen fliegende Funken so schnell,
Das war alles! Und doch durch das Licht und die Nacht
Das Geschick eines Volkes wie rasend jagt,
Und der Funke, den der jagende Rosshuf sprüht
Mit Flammen das ganze Land durchglüht.«

»Das ist doch sogar ziemlich gut.« Seine Hand legte sich auf ihren Oberschenkel, gleich über dem Knie, für den Fall, dass sie noch einmal nach ihm trat, doch das tat sie nicht. »Weißt du den Rest noch?«

»Er folgt also dem Mystic River«, sagte Brianna, ohne ihn zu beachten, »und dann kommen die drei Strophen, in denen er die Orte durchquert:

Zwölf Uhr die Glocke der Dorfkirche schlug,
Als die Brücke nach Medford er kreuzte im Flug;
Er hörte die Hähne im Hofe krähn,
Die Hunde bellen, und er spürte das Weh'n
Der Dünste, die stiegen vom Flusse empor,
Sobald sich der Schimmer der Sonne verlor.

Eins schlug's an der Dorfuhr, da flog er schon
Im wilden Galoppe durch Lexington,
Und geisterhaft schaute der Wetterhahn
Im Mondlichte schimmernd den Rasenden an;
Des Bethauses Fenster, so bleich und so kahl,
Sie grinsten wie Geister ihn an so fahl,
Als wollten vor Schrecken sie schier vergehn
Ob der blut'gen Tat, die sie sollten sehn.

Zwei schlägt die Dorfuhr – und ja, ich höre die Glocke in den Anfangszeilen schlagen, sei still!« Er hatte tatsächlich Luft geholt, allerdings nicht, um Brianna zu unterbrechen, sondern nur, weil ihm plötzlich aufgefallen war, dass er den Atem angehalten hatte.

»*Zwei schlägt die Dorfuhr*«, wiederholte sie,
»*und schon er sich naht*
Hinstürmend der Brücke von Concords Stadt.
Er hört das Blöken der Herden am Wald,
Das Gezwitscher der Vögel so lieblich erschallt,
Er fühlt den Windhauch im Morgengrau'n,
Der wehet über der Wiesen Braun.
Und einer schlief ruhig, den Gottes Gebot
An der Brücke als Ersten ersehen zum Tod,
Der fallen sollte am heutigen Tag,
Durchbohrt von der britischen Kugel Schlag.

Das Weitere kennt ihr.« Sie verstummte abrupt und drückte ihm fest die Hand.

Von einer Sekunde zur nächsten hatte sich das Wesen der Nacht verändert. Die Stille der frühen Morgenstunden war vergangen, und ein Windhauch fuhr draußen durch die Bäume. Ganz plötzlich war die Nacht wieder lebendig geworden, doch jetzt verging sie und raste der Dämmerung entgegen.

Die Vögel zwitscherten zwar noch nicht, doch sie waren wach; irgendetwas rief wieder und wieder im nahen Wald, schrill und süß. Und durch die abgestandene, schwere Luft des Feuers atmete er die wilde, saubere Morgenluft und spürte, wie sein Herz plötzlich drängend schlug.

»Erzähl es mir«, flüsterte er.

Er sah die Schatten von Männern zwischen den Bäumen, sah sie heimlich an Türen klopfen, hörte sie gedämpft und aufgeregt konferieren – und die ganze Zeit wurde es im Osten heller. Plätscherndes Wasser und knarrende Ruder, die Laute unruhigen Milchviehs, das danach verlangte, gemolken zu werden, und mit dem zunehmenden Wind der Geruch von Männern, schal von Schlaf und Hunger, scharf vom Schwarzpulver und dem Duft des Stahls.

Ohne nachzudenken zog er seine Hand aus der Umklammerung seiner Frau, wälzte sich auf sie, zog ihr das Hemd von den Oberschenkeln und nahm sie fest und schnell, um von fern jenen blinden Drang nach Vermehrung zu teilen, der aus der unmittelbaren Nähe des Todes entsprang.

Lag zitternd auf ihr; der Wind aus dem Fenster trocknete ihm den Schweiß auf dem Rücken, das Herz hämmerte ihm in den Ohren. Für den einen, dachte er. Den einen, der als Erster fallen würde. Den armen Kerl, der seine Frau vielleicht nicht in der Dunkelheit genommen hatte, die Gelegenheit nicht genutzt hatte, sie zu schwängern, weil er keine Ahnung gehabt hatte, was mit der Dämmerung auf ihn zukam. Dieser Dämmerung.

Brianna lag still unter ihm; er konnte das Heben und Senken ihrer Atmung spüren, ihrer kräftigen Rippen, die sich sogar unter seinem Gewicht hoben.

»Das Weitere kennt ihr«, flüsterte sie.

»Brianna«, sagte er ganz leise. »Ich würde meine Seele verkaufen, um jetzt dort zu sein.«

»Schhh«, sagte sie, doch ihre Hand hob sich und ließ sich wie segnend auf seinem Rücken nieder. Sie lagen still, sahen zu, wie es heller wurde, und schwiegen.

Dieses Schweigen wurde eine Viertelstunde später durch das Geräusch hastiger Schritte und ein Klopfen an der Tür gebrochen. Jemmy fuhr mit großen Augen aus seinen Decken wie ein Kuckuck aus der Uhr, und Roger richtete sich auf und strich sich hastig das Nachthemd herunter.

Es war einer der Beardsleys, das Gesicht verkrampft und weiß im grauen Licht. Er schenkte Roger keine Beachtung, sondern rief Brianna zu: »Lizzie bekommt das Baby, kommt schnell!«, um dann in Richtung des Haupthauses davonzuschießen, wo sein Bruder wild gestikulierend auf der Veranda zu sehen war.

Brianna warf sich die Kleider über und schoss aus der Hütte. Sie überließ es Roger, sich um Jemmy zu kümmern. Sie begegnete ihrer Mutter, die ähnlich zerzaust, aber mit einer sorgfältig gepackten Arzttasche über der Schulter auf den schmalen Fußweg zuhastete, der an Kühlhaus und Stall vorbei in den weiter entfernten Wald führte, in dem die Hütte der Beardsleys stand.

»Sie hätte letzte Woche vom Berg herunterkommen sollen«, keuchte Claire. »Ich habe ihr gesagt …«

»Ich auch. Sie hat gesagt …« Brianna gab den Versuch zu sprechen auf. Die Beardsley-Zwillinge waren ihnen längst weit voraus. Sie spurteten wie Rehe durch den Wald und stießen dabei lautes Geheul aus – ob vor lauter Aufregung über ihre bevorstehende Vaterschaft oder um Lizzie wissen zu lassen, dass Hilfe unterwegs war, konnte sie nicht sagen.

Sie wusste, dass sich Claire Sorgen wegen Lizzies Malaria machte. Und doch war der gelbe Schatten, der so oft über ihrer ehemaligen Leibeigenen schwebte, während ihrer Schwangerschaft so gut wie verschwunden; Lizzie war aufgeblüht.

Dennoch spürte Brianna, wie sich ihr Magen vor Angst verkrampfte, als die Hütte der Beardsleys in Sicht kam. Die Felle waren ins Freie geschafft worden; sie hatten sie wie eine Barrikade rings um das Häuschen aufgestapelt, und der Gestank beschwor für eine Sekunde die Hütte der MacNeills herauf, nachdem der Tod dort Einzug gehalten hatte.

Doch die Tür stand offen, und es gab keine Fliegen. Sie zwang sich, einen Moment zurückzubleiben, Claire als Erste eintreten zu lassen, folgte ihr jedoch dann auf dem Fuße – um festzustellen, dass sie zu spät kamen.

Lizzie saß in ihrer mit Fellen abgetrennten Kemenate und blinzelte ebenso erstaunt wie betäubt ein kleines, rundes, blutverschmiertes Baby an, das ihren Blick mit derselben Verblüffung erwiderte.

Jo und Kezzie klammerten sich aneinander, zu aufgeregt und verängstigt, um etwas zu sagen. Brianna sah aus dem Augenwinkel, wie sich ihre Münder rhythmisch öffneten und schlossen, und sie hätte am liebsten gelacht, folgte aber stattdessen ihrer Mutter ans Bett.

»Er ist einfach so herausgerutscht!«, sagte Lizzie gerade. Sie sah Claire kurz an, richtete ihren faszinierten Blick dann aber ruckartig wieder auf das Baby, als erwartete sie, dass es – Brianna sah, dass es ein Junge war – genauso plötzlich verschwand, wie es gekommen war.

»Ich hatte letzte Nacht schreckliche Rückenschmerzen, so dass ich nicht schlafen konnte, und die Jungen haben mich abwechselnd massiert. Aber es hat nicht viel geholfen, und als ich heute Morgen aufgestanden bin, um zum Abort zu gehen, kam das ganze Wasser zwischen meinen Beinen hervorgeschossen – genau, wie Ihr gesagt habt, dass es kommen würde, Ma'am!«, sagte sie zu Claire. »Also habe ich zu Jo und Kezzie gesagt, sie müssten Euch schnell holen, aber ich wusste nicht, was ich als Nächstes tun sollte. Also habe ich mich hingesetzt, um Teig für Fladenbrot zum Frühstück zu machen –«, sie wies zum Tisch, wo eine Schüssel Mehl, ein Krug Milch und zwei Eier standen, »– und plötzlich hatte ich diesen schrecklichen Drang zu – zu –« Sie wurde rot, eine hübsche, kräftige Pfingstrosenfarbe.

»Nun ja, ich habe es nicht einmal bis zum Nachttopf geschafft. Ich habe mich einfach hier vor den Tisch gehockt und – und – *pop!* Da lag er unter mir auf dem Boden!«

Claire hatte den Neuankömmling aufgehoben und gurrte ihm beruhigend zu, während sie geschickt untersuchte, was auch immer man bei Neugeborenen untersuchte. Lizzie hatte vorsorglich eine Decke angefertigt, die sie liebevoll aus Lammwolle gestrickt und mit Indigo gefärbt hatte. Claire warf einen Blick auf die jungfräuliche Decke, dann zog sie ein Stück fleckigen, weichen Flanellstoff aus ihrer Tasche. Sie wickelte das Baby darin ein und reichte es Brianna.

»Halt ihn kurz, während ich die Nabelschnur abbinde, ja, Schatz?«, sagte sie und zog Schere und Faden aus ihrer Tasche. »Dann kannst du ihn ein bisschen sauber machen – in der Tasche ist ein Fläschchen Öl –, und ich kümmere mich um Lizzie. Und ihr zwei –«, fügte sie mit einem strengen Blick auf die Beardsleys hinzu, »geht nach draußen.«

Das eingewickelte Baby bewegte sich plötzlich, und Brianna schrak zusammen, weil sie plötzlich lebhaft an den Schubs winziger, fester Gliedmaßen von innen erinnert wurde; ein Tritt in die Leber, das Auf und Ab, wenn sich die feste Rundung von Kopf oder Po unter ihren Rippen vorwölbte.

»Hallo, Kleiner«, sagte sie leise und drückte ihn an ihre Schulter. Er roch merkwürdig und kräftig nach der See, dachte sie, und seltsam frisch in der durchdringenden Schärfe der Häute vor der Hütte.

»Ooh!« Lizzie quietschte verblüfft auf, als Claire ihr den Bauch knetete, und es folgte ein saftiges Glitschgeräusch. Auch daran erinnerte sich Brianna lebhaft; die Plazenta, dieser leberähnliche, schlüpfrige Nachkömmling der Geburt, die beinahe wohltuend über das arg mitgenommene Gewebe glitt und ein friedliches Gefühl der Vollendung hinterließ. Alles vorbei, und der vom Donner gerührte Verstand begann zu begreifen, dass er überlebt hatte.

An der Tür schnappte jemand nach Luft, und als sie aufblickte, sah sie die Beardsleys mit großen Augen nebeneinander stehen.

»Kusch!«, sagte sie entschlossen und winkte sie beiseite. Sie verschwanden auf der Stelle, und sie blieb mit der unterhaltsamen Aufgabe allein, die zappelnden Arme und Beine und das faltige Körperchen zu säubern und einzuölen. Er war ein kleines Baby, aber rund, mit einem runden Gesicht, sehr runden Augen für ein Neugeborenes – er hatte überhaupt nicht geweint, war aber eindeutig hellwach und aufmerksam – und einem runden Bäuchlein, aus dem der Stumpf der Nabelschnur ragte, dunkelrot und frisch.

Der Ausdruck des Erstaunens in seinem Gesicht hatte nicht nachgelassen; er blickte mit großen Augen feierlich zu ihr auf wie ein Fisch, und sie konnte spüren, dass sich auch ihr eigenes Gesicht mit einem breiten Lächeln überzog.

»Du bist so süß!«, sagte sie zu ihm. Er schmatzte nachdenklich mit den Lippen und legte die Stirn in Falten.

»Er hat Hunger«, rief sie hinter sich. »Bist du bereit?«

»Bereit?«, krächzte Lizzie. »Mutter Gottes, wie kann man denn für *so* etwas bereit sein?«, woraufhin Claire und Brianna hemmungslos lachten.

Dennoch griff Lizzie nach dem kleinen, blau eingewickelten Bündel und legte es unsicher an ihre Brust. Es folgte hektisches Suchen und zunehmend forderndes Grunzen des Babys, doch schließlich war die richtige Verbindung hergestellt, was Lizzie überrascht aufkreischen ließ, und jedermann atmete erleichtert auf.

An diesem Punkt wurde Brianna bewusst, dass draußen schon seit einiger Zeit eine Unterhaltung im Gange war – murmelnde Männerstimmen, die bewusst leise ihre Spekulationen und ihre Verwunderung miteinander teilten.

»Ich denke, du kannst sie jetzt hereinlassen. Dann stell bitte das Blech aufs Herdfeuer.« Claire strahlte Mutter und Kind liebevoll an, während sie den vernachlässigten Teig verrührte.

Brianna steckte den Kopf zur Hüttentür hinaus und sah, dass sich Jo, Kezzie, ihr Vater, Roger und Jemmy in einiger Entfernung umeinander geschart hatten. Sie blickten alle auf, als sie Brianna sahen, und ihre Mienen reichten von verschämtem Stolz bis hin zu schlichter freudiger Erregung.

»Mama! Ist das Baby da?« Jem kam zu ihr gerannt und versuchte, sich an ihr vorbei in die Hütte zu schieben, und sie packte ihn am Kragen.

»Ja. Du kannst es dir ansehen, aber du musst leise sein. Es ist noch ganz neu, und du willst ihm doch keine Angst machen, oder?«

»Ihm?«, fragte einer der Beardsleys aufgeregt. »Ist es ein Junge?«

»Ich hab's dir doch gesagt!«, sagte sein Bruder und stieß ihm in die Rippen. »Ich habe doch gesagt, ich habe einen kleinen Schwanz gesehen!«

»Man sagt nicht Schwanz vor einer Dame«, unterrichtete ihn Jemmy streng und drehte sich stirnrunzelnd zu ihm um. »Und Mama sagt, seid leise!«

»Oh«, sagte der Zwilling verlegen. »Oh, aye, natürlich.«

Mit solch übertriebener Vorsicht, dass Brianna am liebsten gelacht hätte, betraten die Zwillinge auf Zehenspitzen die Hütte, gefolgt von Jem, dem Jamie die Hand fest auf die Schulter gelegt hatte, und Roger.

»Geht es Lizzie gut?«, fragte dieser leise, als er kurz stehen blieb, um sie im Vorübergehen zu küssen.

»Ich glaube, sie ist ein bisschen überwältigt, aber sonst geht es ihr gut.«

Lizzie hatte sich in der Tat hingesetzt. Ihr weiches blondes Haar war jetzt gekämmt und hing ihr glänzend um die Schultern, und sie strahlte Jo und Kezzie, die grinsend wie die Affen an ihrem Bett knieten, glücklich an.

»Möge der Segen der Heiligen Brigitta und Columba mit dir sein, junge Frau«, sagte Jamie formell auf Gälisch und verneigte sich vor ihr, »und möge die Liebe Christi dir in deiner Mutterschaft stets eine Stütze sein. Möge Milch aus deinen Brüsten entspringen wie Wasser aus den Felsen, und mögest du geborgen sein in den Armen deines –«, er hüstelte und warf einen Blick auf die Beardsleys, »– Mannes.«

»Wenn man nicht Schwanz sagen darf, warum darf man dann Brüste sagen?«, erkundigte sich Jemmy neugierig.

»Man darf es gar nicht, es sei denn, es ist ein Gebet«, unterrichtete ihn sein Vater. »Großvater hat einen Segen über Lizzie gesprochen.«

»Oh. Gibt es auch Gebete mit Schwänzen darin?«

»Bestimmt«, sagte Roger, der Briannas Blick sorgfältig auswich, »aber man betet sie nicht laut. Wie wär's, wenn du Oma beim Frühstückmachen hilfst?«

Fett brutzelte auf dem Eisenblech, und der Duft des frischen Teigs zog durch die Hütte, als Claire jetzt begann, ihn löffelweise auf dem heißen Metall zu verteilen.

Nachdem Jamie und Roger Lizzie ihre Glückwünsche ausgesprochen hatten, waren sie einen Schritt zurückgetreten, damit die kleine Familie einen Moment für sich selbst hatte – obwohl die Hütte so klein war, dass sie kaum alle hineinpassten.

»Du siehst so schön aus«, flüsterte Jo – oder möglicherweise Kezzie – und berührte ehrfurchtsvoll ihr Haar mit dem Zeigefinger. »Du strahlst ja richtig, Lizzie.«

»Hattest du große Schmerzen, Liebste?«, murmelte Kezzie – oder vielleicht Jo – und streichelte ihren Handrücken.

»Nicht sehr«, sagte sie und streichelte Kezzies Hand, dann strich sie Jo mit der Handfläche über die Wange. »Schaut nur. Ist er nicht das Süßeste, was ihr je gesehen habt?« Das Baby hatte sich satt getrunken und war eingeschlafen; es ließ ihre Brustwarze mit einem hörbaren *Plop!* los und sank mit offenem Mund in den Arm seiner Mutter wie ein Mäuschen.

Die Zwillinge stießen identische Laute der Ehrfurcht aus und blickten mit Rehaugen auf ihren – nun, was sollte man sonst sagen?, dachte Brianna – ihren Sohn.

»Oh, die kleinen Fingerchen!«, hauchte Kezzie – oder Jo – und berührte die winzige rosa Faust mit dem schmutzigen Zeigefinger.

»Ist er auch ganz?«, fragte Jo – oder Kezzie. »Hast du nachgesehen?«

»Ja«, versicherte ihm Lizzie. »Hier – möchtest du ihn nehmen?« Ohne auf seine Bestätigung zu warten, legte sie ihm das Bündel in die Arme. Der Zwilling – welcher es auch immer war – sah zugleich begeistert und zu Tode erschrocken aus und blickte sich wild nach seinem Bruder um, um sich dessen Unterstützung zu sichern.

Brianna, die ihren Spaß an diesem Anblick hatte, spürte Roger dicht hinter sich.

»Sind sie nicht süß?«, flüsterte sie und tastete nach seiner Hand.

»Oh, aye«, sagte er mit einem Lächeln in der Stimme. »So süß, dass man gleich noch eins möchte, oder?«

Es war eine unschuldige Bemerkung; sie konnte spüren, dass er sich nichts dabei gedacht hatte – doch er hörte das Echo genauso wie sie und ließ hustend ihre Hand los.

»Hier – das ist für Lizzie.« Claire reichte Jem einen Teller mit duftenden Pfannküchlein, die mit Butter und Honig beträufelt waren. »Hat sonst noch jemand Hunger?«

Im allgemeinen Ansturm, der auf diese Worte einsetzte, konnte Brianna ihre Gefühle verbergen, doch sie waren unverändert da – und schmerzhaft deutlich, wenn auch noch verworren.

Ja, sie *wünschte* sich noch ein Kind. Danke schön, dachte sie aufgebracht an Rogers ahnungslosen Rücken gewandt. In der Sekunde, in der sie das neugeborene Kind in den Arm nahm, wünschte sie es sich mit einer körperlichen Sehnsucht, die stärker war als Hunger oder Durst. Und zu gern hätte sie ihm die Schuld dafür zugeschoben, dass es noch nicht geschehen war.

Es war ein Akt schieren Gottvertrauens gewesen, den Sprung über den Schwindel erregenden Abgrund ihres Wissens zu wagen und die *Dauco*samen beiseite zu legen, deren Kügelchen ihr zerbrechlichen Schutz boten. Doch sie hatte es getan. Und … nichts. In letzter Zeit hatte sie oft beklommen an das gedacht, was Ian ihr über seine Frau erzählt hatte und über ihre verzweifelten Versuche zu empfangen. Natürlich hatte sie selbst keine Fehlgeburt gehabt, und dafür war sie zutiefst dankbar. Doch der Teil der Geschichte, in dem ihre Zärtlichkeiten zunehmend mechanischer und verzweifelter geworden waren – *das* begann wie ein Gespenst in der Ferne zu lauern. Es war zwar noch nicht so schlimm – doch immer öfter wand sie sich in Rogers Armen und dachte dabei: *»Jetzt? Wird es diesmal klappen?«* Doch nie geschah es.

Die Zwillinge wurden jetzt selbstsicherer im Umgang mit ihrem Nachwuchs; sie hatten die dunkelhaarigen Köpfe zusammengesteckt, zeichneten die runden Gesichtszüge des schlafenden Babys nach und stellten sich ausgerechnet die idiotische Frage, wem es am ähnlichsten sah.

Lizzie vertilgte zielstrebig ihren zweiten Teller Pfannküchlein, zu denen sich Grillwürstchen gesellten. Es duftete wunderbar, doch Brianna hatte keinen Hunger.

Es war gut, dass sie Gewissheit hatten, sagte sie sich, während sie zusah, wie Roger jetzt das Baby nahm und sein dunkles, hageres Gesicht weicher wurde. Hätten noch Zweifel bestanden, dass Jemmy Rogers Kind war, hätte er sich dieselben Vorwürfe gemacht wie Ian, geglaubt, dass etwas mit ihm nicht stimmte. So jedoch …

War mit *ihr* etwas geschehen?, fragte sie sich beklommen. Hatte Jemmys Geburt irgendetwas verletzt?

Jetzt hatte Jamie das neugeborene Baby im Arm. Eine seiner großen Hände umfasste das runde Köpfchen, auf das er mit diesem Ausdruck sanfter Zuneigung hinunterblickte, der so charakteristisch für Männer ist – und sie so liebenswert macht. Sie wünschte sich so sehr, diesen Ausdruck in Rogers Gesicht zu sehen, während er sein eigenes neu geborenes Kind wiegte.

»Mr. Fraser.« Lizzie, die sich endlich satt gegessen hatte, stellte ihren leeren Teller beiseite und beugte sich vor, um ernst zu Jamie aufzublicken. »Mein Vater. Weiß – weiß er Bescheid?«

Das schien Jamie kurz aus der Fassung zu bringen.

»Ah«, sagte er und reichte das Baby vorsichtig wieder an Roger weiter, wohl um die Pause zu nutzen und sich die am wenigsten schmerzhafte Formulierung für die Wahrheit zu überlegen.

»Aye, er weiß, dass das Baby unterwegs war«, sagte er vorsichtig. »Ich habe es ihm gesagt.«

Und er war nicht gekommen. Lizzie presste die Lippen zusammen, und ein trauriger Schatten huschte über ihr leuchtendes Gesicht.

»Sollten wir – sollte ich – einer von uns – nicht besser gehen und es ihm sagen, Sir?«, fragte einer der Zwillinge zögernd. »Dass das Kind da ist, meine ich, und … und dass es Lizzie gut geht.«

Jamie überlegte. Er hatte sichtlich seine Zweifel, ob das eine gute Idee war oder nicht. Mr. Wemyss, der stets blass war und kränklich aussah, hatte seine Tochter, seine mutmaßlichen Schwiegersöhne oder sein theoretisches Enkelkind seit dem Wirrwarr um Lizzies Mehrfachhochzeit mit keinem Wort mehr erwähnt. Nun, da das Enkelkind jedoch zur Tatsache geworden war …

»Was auch immer er glaubt, das er tun *sollte*«, sagte Claire mit einem Anflug von Sorge im Gesicht, »er möchte doch sicher wissen, ob es ihnen gut geht.«

»Oh, aye«, pflichtete Jamie ihr bei. Er warf einen skeptischen Blick auf die Zwillinge. »Ich bin mir nur nicht ganz sicher, ob Jo oder Kezzie diejenigen sein sollten, die es ihm sagen.«

Die Zwillinge wechselten einen langen Blick, mit dem sie zu einem Entschluss zu gelangen schienen.

»O doch, Sir«, sagte einer von ihnen mit fester Stimme an Jamie gewandt. »Es ist unser Baby, aber es ist auch sein Blut. Das bedeutet eine Verbindung zwischen uns; das wird er wissen.«

»Wir möchten nicht, dass er mit Lizzie im Streit liegt, Sir«, sagte sein Bruder ein wenig sanfter. »Es schmerzt sie. Meint Ihr nicht, dass das Baby die Dinge … schlichten könnte?«

Jamies Gesicht verriet nur seine betonte Konzentration auf das vorliegende Problem, doch Brianna sah, wie er Roger einen raschen Blick zuwarf, bevor er sein Augenmerk wieder auf das Bündel in Rogers Arm richtete, und sie verkniff sich ein Lächeln. Er hatte seine erste feindselige Reaktion auf Roger mit Sicherheit nicht vergessen – doch es war die Tatsache gewesen, dass Roger Jem an Sohnes statt für sich beanspruchte, die das erste – und sehr zerbrechliche – Bindeglied in der Kette der Akzeptanz gebildet hatte, die Roger, so glaubte sie, inzwischen genauso fest an Jamies Herz band wie sie selbst.

»Aye, nun denn«, sagte Jamie widerstrebend. Es gefiel ihm überhaupt nicht, in diese Situation verwickelt zu sein, das konnte sie merken – doch es war ihm noch nicht gelungen, einen Weg zu finden, damit umzugehen. »Geht und sagt es ihm. Aber nur einer von Euch! Und sollte er herkommen, wird sich der andere nicht vor ihm blicken lassen, verstanden?«

»Oh, aye, Sir«, versicherten ihm beide wie aus einem Munde. Jo – oder Kezzie – warf einen stirnrunzelnden Blick auf das Bündel und streckte zögernd die Arme aus. »Soll ich vielleicht –?«

»Nein.« Lizzie saß kerzengerade da und stützte sich auf ihre Arme, um ihren empfindlichen Unterleib zu entlasten. Ihre schmale, blasse Stirn war entschlossen in Falten gelegt. »Sag ihm, dass es uns gut geht, aye. Aber wenn er das Kind sehen möchte – soll er hierher kommen, und er wird willkommen sein. Aber wenn er den Fuß nicht auf meine Schwelle setzen will … nun, dann bekommt er auch seinen Enkelsohn nicht zu sehen. Sag ihm das«, wiederholte sie und ließ sich wieder in ihre Kissen sinken.

»Und jetzt gebt mir mein Kind.« Sie streckte die Arme aus, drückte das schlafende Baby an sich und schloss die Augen, um sich so jedes weitere Gegenargument und jeden weiteren Vorwurf zu verbitten.

78

Reine Männersache

Brianna hob das Wachstuch an, das eine der großen Keramikschüsseln bedeckte, und schnüffelte daran. Es roch herrlich nach frisch gewendeter Erde. Sie rührte mit einem Stock in dem hellen Brei und zog ihn hin und wieder heraus, um die Konsistenz der Pulpe zu prüfen, die daran heruntertropfte.

Nicht schlecht. Noch ein Tag, und alles würde sich genug aufgelöst haben, um es zu pressen. Sie überlegte, ob sie noch mehr verdünnte Schwefelsäure hinzufügen sollte, entschied sich aber dagegen und griff stattdessen in die Schüssel, die neben ihr stand und mit den erschlafften Blütenblättern von Hartriegel- und Judasbaumblüten gefüllt war, die Jemmy und Aidan für sie gesammelt hatten. Sie streute eine Hand voll über die gräuliche Pulpe, rührte sie hinein und bedeckte die Schüssel wieder. Bis morgen würden nur noch die Umrisse übrig sein, die jedoch im fertigen Papier als Schatten auftauchen würden.

»Ich habe immer gehört, dass Papierfabriken stinken.« Roger bahnte sich seinen Weg durch die Büsche auf sie zu. »Vielleicht benutzen sie ja etwas anderes zur Herstellung?«

»Sei froh, dass ich keine Felle gerbe«, riet sie ihm. »Ian sagt, die Indianerinnen benutzen Hundehaufen dazu.«

»Das tun die europäischen Gerber auch, sie nennen es nur ›rein‹.«

»Reines was?«

»Reine Hundehaufen wahrscheinlich«, sagte er achselzuckend. »Wie kommst du denn voran?«

Er trat an ihre Seite und warf einen interessierten Blick auf ihre persönliche Papierfabrik; ein Dutzend große Schüsseln aus gebranntem Lehm, die mit gebrauchten Papierfetzen, Seiden- und Baumwollresten, Flachsfasern, dem weichen Mark von Rohrkolbenstängeln und allem gefüllt waren, was ihr sonst noch an Brauchbarem in die Finger fiel und was sich in Fetzen reißen oder mit einer Handmühle zerkleinern ließ. Sie hatte eine kleine Sickergrube ausgehoben und benutzte eines ihrer zerbrochenen Wasserrohre als Auffangbecken, um eine bequeme Wasserversorgung sicherzustellen; daneben hatte sie eine Plattform aus Steinen und Holz gebaut, auf der die gerahmten Seidensiebe standen, mit denen sie die Pulpe presste.

In der nächsten Schüssel schwamm eine tote Motte, und er streckte die Hand aus, um sie herauszuholen, doch sie winkte ihn beiseite.

»Es ertrinken dauernd Insekten darin, aber solange sie weich sind, macht das nichts. Genug Schwefelsäure –«, sie wies kopfnickend auf das Fläschchen, das sie mit einem Lappen verstopft hatte, »– und sie lösen sich mit in der Pulpe auf: Motten, Schmetterlinge, Ameisen, Schnaken, Florfliegen ... die Flügel sind das Einzige, was sich nicht vollständig auflöst. Florfliegen sehen im Papier ganz hübsch aus, nur keine Küchenschaben.« Sie fischte eine solche aus einer Schüssel und schnippte sie ins Gebüsch, dann fügte sie mit einer Kürbiskelle noch etwas Wasser hinzu und rührte.

»Das überrascht mich nicht. Ich bin heute Morgen auf eine Küchenschabe getreten; erst war sie geplättet, dann ist sie wieder aufgeploppt und grinsend davonmarschiert.« Er hielt einen Moment inne; er hätte sie gern etwas gefragt, das konnte sie sehen, und sie ermunterte ihn mit einem fragenden Summen.

»Ich habe mich nur gefragt – würde es dir etwas ausmachen, Jem nach dem Abendessen zu deinen Eltern zu bringen? Könntet ihr beide vielleicht da übernachten?«

Sie betrachtete ihn erstaunt.

»Was hast du denn vor? Ein Junggesellenabschied für Gordon Lindsay?« Gordon, ein schüchterner Siebzehnjähriger, war mit einem Quäkermädchen aus der Ortschaft bei Woolam's Mill verlobt; er hatte tags zuvor die Runde gemacht, um als Vorbereitung auf seine Hochzeit um kleine Haushaltsgegenstände zu bitten, wie es Tradition war.

»Keine Damen, die aus einem Kuchen hüpfen«, versicherte er ihr, »aber es ist definitiv eine Männergesellschaft. Es ist die erste Zusammenkunft der Loge von Fraser's Ridge.«

»Loge ... was, Freimaurer?« Sie blinzelte ihn skeptisch an, doch er nickte. Der Wind war stärker geworden und ließ ihm das schwarze Haar zu Berge stehen. Er strich es mit einer Hand glatt.

»Neutraler Boden«, erklärte er ihr. »Ich wollte nicht vorschlagen, die Zusammenkünfte im Haupthaus oder in Tom Christies Hütte abzuhalten – man könnte sagen, ich wollte keine Seite bevorzugen.«

Sie verstand und nickte.

»Okay. Aber wieso Freimaurer?« Sie wusste nicht das Geringste über Freimaurer, außer dass sie eine Art Geheimbund waren und dass Katholiken die Mitgliedschaft verboten war.

Sie machte Roger auf diesen Punkt aufmerksam, doch er lachte nur.

»Das stimmt«, sagte er. »Der Papst hat es ihnen vor ungefähr vierzig Jahren verboten.«

»Warum? Was hat er denn gegen Freimaurer?«, fragte sie neugierig.

»Sie sind ein sehr mächtiger Bund, dem viele Männer von Macht und Einfluss angehören – und er ist grenzüberschreitend. Ich vermute, dass der Papst Konkurrenz in der Machtpolitik befürchtet – obwohl er, wenn ich mich richtig erinnere, als Grund angegeben hat, dass die Freimaurerei zu viel Ähnlichkeit mit einer Religion hat. Oh, das, und sie beten den Teufel an.«

Er lachte.

»Du weißt doch, dass dein Vater in Ardsmuir eine Loge gegründet hat, im Gefängnis?«

»Möglich, dass er es erwähnt hat; ich weiß es nicht mehr.«

»Ich habe ihn auf die Sache mit den Katholiken angesprochen. Er hat mir einen von diesen Spezialblicken zugeworfen und gesagt: ›Ah, nun ja, der Papst war nicht in Ardsmuir im Gefängnis, ich aber schon.‹«

»Klingt logisch«, sagte sie belustigt. »Aber ich bin ja auch nicht der Papst. Hat er gesagt, warum? Pa, meine ich, nicht der Papst.«

»Natürlich – es war eine Möglichkeit, Einigkeit unter den Katholiken und den Protestanten zu schaffen, die zusammen im Gefängnis saßen. Eins der Prinzipien der Freimaurerei ist, dass sie alle Männer zu Brüdern macht, aye? Und ein anderes ist, dass in der Loge nicht über Religion oder Politik gesprochen wird.«

»Ach, nein? Was macht man denn dann in der Loge?«

»Das darf ich dir nicht sagen. Allerdings keine Teufelsanbetung.«

Sie musterte ihn mit hochgezogenen Augenbrauen, und er zuckte mit den Achseln.

»Es geht nicht«, wiederholte er. »Wenn man der Loge beitritt, legt man einen Eid ab, dass man außerhalb der Loge nicht darüber spricht, was dort vor sich geht.«

Das ärgerte sie ein wenig, doch sie tat es achselzuckend ab und widmete sich wieder ihrer Schüssel, die sie mit Wasser nachfüllte. Es sah aus, als hätte sich jemand übergeben, dachte sie kritisch und griff nach dem Säurefläschchen.

»Das klingt aber ziemlich fragwürdig«, murrte sie. »Und ein bisschen albern. Gibt es nicht auch geheime Händedrücke und so weiter?«

Er lächelte, ohne sich an ihrem Ton zu stören.

»Ich sage ja nicht, dass es nicht auch ein wenig theatralisch zugeht. Der Ursprung ist mehr oder weniger mittelalterlich, und sie haben sich eine Menge der ursprünglichen Symbolik bewahrt – genau wie die katholische Kirche.«

»Überzeugt«, sagte sie trocken und ergriff eine Schüssel mit fertiger Pulpe. »Okay. Und ist es Pas Idee, hier eine Loge zu gründen?«

»Nein, meine.« Seine Stimme hatte den humorvollen Unterton verloren, und sie sah ihn scharf an.

»Ich brauche eine Möglichkeit, Gemeinsamkeit unter ihnen zu stiften, Brianna«, erklärte er. »Bei den Frauen gibt es das doch ebenso – die Fischersfrauen nähen und spinnen und stricken und quilten zusammen mit den anderen, und selbst wenn sie insgeheim glauben, dass du oder deine Mutter oder Mrs. Bug zur Hölle verurteilte Ungläubige oder gottverdammte Whigs oder was auch immer seid, scheint es doch keine große Rolle zu spielen. Die Männer haben so etwas nicht.«

Sie dachte daran, ein paar Worte über das relative Maß an Intelligenz und gesundem Menschenverstand bei den beiden Geschlechtern zu sagen, hatte aber das Gefühl, dass es im Moment kontraproduktiv sein könnte, und nickte verständnisvoll. Außerdem hatte er offensichtlich keine Ahnung von dem Gewäsch, das bei Nähkränzchen die Runde machte.

»Kannst du das Sieb für mich halten?«

Er packte gehorsam den Holzrahmen und zog nach ihrer Anleitung die Enden der Fäden stramm.

»Also«, sagte sie und löffelte den dünnen Pulpebrei auf die Seide, »möchtest du, dass ich euch heute Abend mit Milch und Plätzchen versorge?«

Sie fragte mit beträchtlicher Ironie, und er lächelte sie über das Sieb hinweg an.

»Das wäre schön, aye.«

»Es war ein Scherz!«

»Bei mir nicht.« Er lächelte immer noch, doch sein Blick war völlig ernst, und sie begriff plötzlich, dass dies keine Laune war. Mit einem seltsamen kleinen Stich im Herzen sah sie ihren Vater vor sich stehen.

Der eine hatte von Kindesbeinen an die Verantwortung für andere getragen, als Teil der Verpflichtung, die sein Geburtsrecht mit sich brachte; der andere hatte sie erst später übernommen, doch beide hielten diese Bürde für gottgewollt, daran hatte sie keinen Zweifel – beide übernahmen diese Pflicht, ohne zu fragen, und würden sie erfüllen oder bei dem Versuch sterben. Sie hoffte nur, dass es dazu nicht kommen würde – für keinen von ihnen.

»Gib mir eins von deinen Haaren«, sagte sie und senkte den Blick, um ihre Gefühle zu verbergen.

»Warum?«, fragte er, zupfte sich aber schon ein Haar vom Kopf.

»Das Papier. Die Pulpe sollte nicht dicker ausgestrichen sein als ein Haar.« Sie legte das schwarze Haar an den Rand des Seidensiebs, dann verstrich sie die cremige Flüssigkeit immer dünner, so dass sie an dem Haar vorbeilief, es aber nicht bedeckte. Es trieb in der Flüssigkeit, eine dunkle Linie auf weißem Untergrund wie der winzige Riss an der Oberfläche ihres Herzens.

79

Alarm

L'Oignon – Intelligencer

EINE VERMÄHLUNGSANZEIGE. Der NEW BERN INTELLIGENCER, gegründet von Jno. Robinson, hat mit dem Umzug seines Begründers nach Großbritannien sein Erscheinen eingestellt, doch wir versichern seinen Kunden, dass diese Zeitung nicht völlig verschwinden wird, da ihre Räumlichkeiten, ihr Lager und ihr Abonnentenverzeichnis durch die Herausgeber des LE OIGNON erworben wurden, jenes geschätzten, beliebten und hervorragenden Journals. Das neue Periodikum wird von nun an deutlich verbessert und erweitert als L'OIGNON – INTELLIGENCER erscheinen und wöchentlich herauskommen, mit Extrablättern, sowie es die Ereignisse erfordern, zum bescheidenen Preis von einem Penny.

An Mr. und Mrs. James Fraser in Fraser's Ridge,
North Carolina
Von Mr. und Mrs. Fergus Fraser,
Thorpe Street, New Bern

Lieber Vater, liebe Mutter Claire,
ich schreibe euch, um euch über die jüngsten Veränderungen unseres Schicksals zu unterrichten. Mr. Robinson, dem die andere Zeitung im Ort gehörte, musste nach Großbritannien umziehen. Ihm blieb gar nichts anderes übrig, weil einige Unbekannte, die sich als Wilde verkleidet hatten, in den frühen Morgenstunden in seine Werkstatt eingedrungen sind, ihn aus dem Bett gezerrt und zum Hafen geschleppt haben, wo sie ihn im Nachthemd auf ein Schiff steckten.

Der Kapitän hat prompt den Anker gelichtet, die Segel gesetzt und die Stadt verlassen – unter großem Aufruhr, wie ihr euch vielleicht vorstellen könnt.
Innerhalb eines Tages nach Mr. Robinsons Abreise jedoch haben uns zwei unterschiedliche Verhandlungspartner aufgesucht (ich kann ihre Namen nicht niederschreiben, da ihr ja sicherlich zu schätzen wisst, dass ich diskret sein muss). Einer war ein Mitglied des hiesigen Komitees für die Sicherheit – welches, wie jeder weiß, hinter Mr. Robinsons Verschleppung steckt, auch wenn es niemand sagt. Seine Worte waren höflich, sein Auftreten nicht. Er wünschte, so hat er gesagt, sich zu vergewissern, dass Fergus nicht die mutwillig falschen Meinungen teile, die Mr. Robinson so oft in Bezug auf die jüngsten Ereignisse und Entwicklungen zum Ausdruck gebracht habe.
Ohne eine Miene zu verziehen, hat ihm Fergus gesagt, dass er mit Mr. Robinson nicht einmal ein Glas Wein teilen würde (was auch nicht möglich gewesen wäre, da Mr. Robinson Methodist und damit Abstinenzler ist), und der Gentleman hat dies so verstanden, wie es ihm gefiel, und ist zufrieden gestellt wieder gegangen, nachdem er Fergus eine Börse mit Geld gegeben hatte.
Als Nächstes kommt ein anderer Herr, ein fetter Wichtigtuer und Mitglied des Königlichen Rats, obwohl ich das zu diesem Zeitpunkt noch nicht wusste. Sein Anliegen war das Gleiche – oder vielmehr das Gegenteil; er wünschte sich zu erkundigen, ob Fergus Interesse daran hätte, Mr. Robinsons Betrieb zu erwerben, um seine Arbeit für den König fortzusetzen – nämlich den Druck einiger Briefe und die Nichtveröffentlichung anderer.
Fergus sagt sehr ernst zu diesem Herrn, dass er immer schon vieles an Mr. Robinson bewundert hat (hauptsächlich sein Pferd, einen braven Schimmel, und die merkwürdigen Schnallen an seinen Schuhen), fügt aber hinzu, dass wir ja kaum die Mittel haben, um Papier und Tinte zu kaufen, und uns daher damit abfinden müssen, dass Mr. Robinsons Druckerei in die Hände einer Person ohne großen Politikverstand übergehen wird.
Ich hatte Todesangst, ein Zustand, der sich nicht besserte, als der Herr gelacht und eine fette Geldbörse aus seiner Tasche gezogen hat, mit der Bemerkung, man dürfe »das Schiff nicht vor die Hunde gehen lassen, weil man den halben Penny für den Teer nicht ausgeben will«. Dies schien er höchst amüsant zu finden und hat maßlos gelacht, dann hat er Henri-Christians Kopf getätschelt und ist gegangen.
Damit sind unsere Möglichkeiten zugleich gewachsen und alarmierender geworden. Ich kann kaum noch schlafen, wenn ich an die Zukunft denke, doch Fergus ist so guter Laune, dass ich es nicht bedauern kann.

Betet für uns, so wie wir stets für euch beten, meine lieben Eltern.
Eure gehorsame, euch liebende Tochter
Marsali

»Du bist ihm ein guter Lehrer gewesen«, stellte ich fest, um einen beiläufigen Tonfall bemüht.

»Offensichtlich.« Jamies Miene war leicht sorgenvoll, doch die Belustigung überwog. »Mach dir keine Sorgen, Sassenach, Fergus hat großes Geschick bei diesem Spiel.«

»Es ist kein Spiel«, sagte ich so heftig, dass er mich überrascht ansah. »Wirklich nicht«, wiederholte ich etwas ruhiger.

Er sah mich mit gewölbten Augenbrauen an, zog ein kleines Papierbündel aus dem Durcheinander auf seinem Schreibtisch und reichte es mir.

Mittwochmorgen gegen zehn Uhr – Watertown

Allen Freunden der amerikanischen Freiheit sei bekannt gegeben, dass heute Morgen vor Tagesanbruch eine Brigade von etwa 1000 bis 1200 Männern bei Phip's Farm in Cambridge gelandet ist und nach Lexington marschiert ist, wo sie eine bewaffnete Kompanie unserer Kolonialmiliz antrafen, auf welche sie ohne Vorwarnung feuerten und sechs Männer töteten und vier weitere verwundeten. Per Express aus Boston erfahren wir, dass sich jetzt eine weitere Brigade von wahrscheinlich 1000 Mann auf dem Anmarsch aus Boston befindet. Der Überbringer, Israel Bissell, hat den Auftrag, das ganze Land bis Connecticut zu alarmieren, und jedermann ist aufgerufen, ihm nötigenfalls frische Pferde zur Verfügung zu stellen. Ich habe mit mehreren Zeugen gesprochen, die die Toten und Verwundeten gesehen haben. Bitte sorgt dafür, dass die Delegierten von hier bis Connecticut dies zu sehen bekommen.

J. Palmer vom Komitee für die Sicherheit

Col. Foster aus Brookfield ist ihnen als Delegierter bekannt.

Unter dieser Nachricht befand sich eine Liste mit Unterschriften, obwohl die meisten dieselbe Handschrift trugen. Die erste lautete: »Eine originalgetreue Kopie des Originals per Order des Korrespondenzkomitees in Worcester – 19. April 1775. Bezeugt durch Nathan Baldwin, Stadtschreiber.« Allen anderen standen ähnliche Bemerkungen voran.

»Hol mich der Teufel«, sagte ich. »Es ist der Alarmruf von Lexington.« Ich blinzelte mit tellergroßen Augen zu Jamie auf. »Woher hast du das?«

»Einer von Oberst Ashes Männern hat es mitgebracht.« Er blätterte zur letzten Seite durch und zeigte mir Ashes Autorisierung. »Was ist denn der Alarmruf von Lexington?«

»Das hier.« Ich warf einen faszinierten Blick auf das Dokument. »Nach der Schlacht von Lexington hat General Palmer – ein Milizgeneral – es geschrieben und es per Expressreiter über Land geschickt, um die Nachricht von den Ereignissen zu verbreiten und die Milizen in der Nähe davon in Kenntnis zu setzen, dass der Krieg begonnen hatte. Überall auf dem Weg haben die Männer Kopien angefertigt, sie um den Eid ergänzt, dass es originalgetreue Kopien waren, und die Nachricht an andere Städte und Dörfer weitergeschickt; damals gab es wahrscheinlich Hunderte von Kopien, und eine ganze Reihe davon sind erhalten geblieben. Frank hatte eine, die ihm jemand geschenkt hatte. Sie hing eingerahmt im Eingangsflur unseres Hauses in Boston.«

Dann durchfuhr mich ein außerordentlicher Schauer, als ich begriff, dass der vertraute Brief, den ich vor mir hatte, vor höchstens ein oder zwei Wochen geschrieben worden war – nicht vor zweihundert Jahren.

Auch Jamie sah ein wenig blass aus.

»Das – Brianna hat mir gesagt, dass das geschehen würde«, sagte er voller Staunen. »Am neunzehnten April, ein Gefecht in Lexington – der Beginn des Krieges.« Er sah mir in die Augen, und eine Mischung aus Ehrfurcht und Erregung sprach aus seinem Blick.

»Ich habe dir geglaubt, Sassenach«, sagte er. »Aber ...«

Er beendete den Satz nicht, sondern setzte sich hin und griff nach seinem Gänsekiel. Langsam und zielsicher setzte er seinen Namen an den Fuß der Seite.

»Schreibst du eine Kopie für mich, Sassenach?«, sagte er. »Ich sende sie weiter.«

80

Die Welt steht Kopf

Oberst Ashes Mann hatte außerdem die Nachricht überbracht, dass in Mecklenburg County ein Kongress abgehalten werden sollte, der Mitte Mai stattfinden sollte und dessen Zweck es war, die offizielle Unabhängigkeit des Distrikts vom König von England zu erklären.

Obwohl er sich bewusst war, dass nicht wenige der Anführer der Bewegung, aus der plötzlich »die Rebellion« geworden war, ihn trotz der standhaften Unterstützung John Ashes und einiger anderer Freunde nach wie vor mit Argwohn betrachteten, fasste Jamie den Entschluss, diesen Kongress zu besuchen und sich offen für diese Maßnahme auszusprechen.

Roger, der geradezu brannte vor unterdrückter Aufregung über diese seine erste Chance, schriftlich dokumentierte Geschichte leibhaftig entstehen zu sehen, würde ihn begleiten.

Doch einige Tage vor ihrer geplanten Abreise wurde unser aller Aufmerksamkeit durch die unmittelbare Gegenwart von der zukünftigen Geschichte abgelenkt: Familie Christie stand kurz nach dem Frühstück plötzlich vor der Haustür.

Es war etwas vorgefallen; Allan Christie war rot vor Aufregung, Tom grimmig und grau wie ein alter Wolf. Malva hatte offensichtlich geweint, und ihr Gesicht wurde abwechselnd rot und weiß. Ich begrüßte sie, doch sie wandte den Blick ab, und ihre Lippen zitterten, als Jamie sie in sein Studierzimmer bat und sie mit einer Handbewegung zum Sitzen einlud.

»Was ist los, Tom?« Er warf einen kurzen Blick auf Malva – es war nicht zu übersehen, dass sie im Zentrum dieser Familienkrise stand –, wandte sich dann aber an Tom als den Patriarchen.

Tom Christies Mund war so fest zusammengepresst, dass er in den Tiefen seines sauber geschnittenen Barts kaum zu sehen war.

»Meine Tochter hat festgestellt, dass sie ein Kind erwartet«, sagte er abrupt.

»Oh?« Jamie warf einen weiteren kurzen Blick auf Malva, die den mit einer Haube bedeckten Kopf gesenkt hatte und ihre verschränkten Hände betrachtete, dann zog er eine Augenbraue hoch und sah mich an. »Ah. Nun... das scheint im Moment wirklich weit verbreitet zu sein«, sagte er und lächelte freundlich, um es den Christies leichter zu machen, die alle drei vibrierten wie Perlen auf einem fest gespannten Draht.

Ich selbst war nicht besonders verblüfft, diese Nachricht zu hören, auch wenn sie mich natürlich nicht gleichgültig ließ. Malva hatte immer schon beträchtliche Aufmerksamkeit der jungen Männer auf sich gezogen, und obwohl ihr Bruder und ihr Vater jedes offene Werben wachsam verhindert hatten, hätte man Malva in ein Verlies sperren müssen, um die jungen Männer ganz von ihr fern zu halten.

Wer war der erfolgreiche Freier gewesen?, fragte ich mich. Obadiah Henderson? Bobby vielleicht? Einer der McMurchie-Brüder? Bitte, Gott, hoffentlich nicht alle beide. Sie alle – und einige andere dazu – hatten aus ihrer Bewunderung keinen Hehl gemacht.

Tom Christie reagierte mit versteinertem Schweigen auf Jamies Versuch einer scherzhaften Bemerkung, während sich Allan krampfhaft bemühte zu lächeln. Er war beinahe genauso bleich wie seine Schwester.

Jamie hustete.

»Nun denn. Gibt es irgendetwas, womit ich Euch helfen könnte, Tom?«

»Sie sagt«, begann Christie schroff mit einem durchdringenden Blick auf seine Tochter, »dass sie den Namen des Mannes nur in Eurer Gegenwart nennen will.« Er richtete den Blick voll Abneigung auf Jamie.

»In meiner Gegenwart?« Jamie hustete erneut, denn es war ihm peinlich, was dies bedeuten musste – dass Malva davon ausging, dass ihre männlichen Verwandten sie entweder körperlich züchtigen oder ihrem Geliebten Gewalt antun würden, wenn ihnen nicht die Anwesenheit des Landverpächters Zurückhaltung gebot. Ich persönlich hielt diese Angst für wohlbegründet und sah Tom Christie meinerseits scharf an. Hatte er schon – vergeblich – versucht, die Wahrheit aus ihr herauszuprügeln?

Ungeachtet der Gegenwart Jamies machte Malva keinerlei Anstalten, den Namen des Kindsvaters preiszugeben. Sie legte nur wieder und wieder ihre Schürze in Falten und hielt den Blick auf ihre Hände gerichtet.

Ich räusperte mich leise.

»Wie – äh – weit seid Ihr denn, meine Liebe?«

Sie antwortete nicht direkt, sondern presste zitternd beide Hände auf ihre Schürze, um sie zu glätten, so dass die Rundung ihrer Schwangerschaft plötzlich sichtbar wurde, glatt wie eine Melone und überraschend groß. Sechs Monate vielleicht; ich war verblüfft. Offenbar hatte sie es so lange wie möglich hinausgezögert, es ihrem Vater zu sagen – und es geschickt geheim gehalten.

Die Stille war mehr als unangenehm. Allan rutschte beklommen auf seinem Hocker hin und her und beugte sich vor, um seiner Schwester ein paar beruhigende Worte zuzumurmeln.

»Es wird alles gut, Mallie«, flüsterte er. »Aber du musst es sagen.«

Da holte sie tief Luft und hob den Kopf. Ihre Augen waren gerötet, aber nach wie vor sehr schön – und groß, weil sie so nervös war.

»Oh, Sir«, sagte sie, verstummte dann aber.

Inzwischen sah Jamie fast genauso beklommen aus wie die Christies, gab sich aber alle Mühe, weiterhin gütig zu wirken.

»Wollt Ihr es mir denn nicht sagen, Kleine?«, sagte er so sanft wie möglich. »Ich verspreche Euch, dass Euch nichts geschieht.«

Tom Christie stieß ein gereiztes Geräusch aus, wie ein Raubtier, das bei seiner Mahlzeit gestört wird, und Malva wurde leichenblass, wandte aber den Blick nicht von Jamie ab.

»Oh, Sir«, sagte sie, und ihre Stimme war leise, aber glockenklar, und Tadel hallte darin wider. »Oh, Sir, wie könnt Ihr das zu mir sagen, wo Ihr doch die Wahrheit genauso gut kennt wie ich?« Bevor irgendjemand darauf reagieren konnte, wandte sie sich ihrem Vater zu, hob ihre Hand und zeigte direkt auf Jamie.

»Er war es«, sagte sie.

Ich bin in meinem Leben noch nie so dankbar für irgendetwas gewesen wie für die Tatsache, dass ich meinen Blick auf Jamies Gesicht gerichtet hatte, als sie es sagte. Er hatte keine Vorwarnung, keine Gelegenheit, seine Gesichtszüge zu beherrschen – und er tat es auch nicht. Seine Miene zeigte weder Wut noch Angst, weder Verleugnung noch Überraschung; nichts außer dem offenen Mund und der Leere völliger Verständnislosigkeit.

»Was?«, sagte er und blinzelte. Dann kam die Realisation wie eine Flut über sein Gesicht.

»WAS?«, sagte er in einem Ton, der die kleine Schlampe flach auf ihren verlogenen kleinen Hintern hätte werfen sollen.

Dann blinzelte *sie* und senkte den Blick, ein Bild geschmähter Tugend. Sie wandte sich ab, als könnte sie seinen Blick nicht ertragen, und streckte ihre bebende Hand nach mir aus.

»Es tut mir *so* Leid, Mrs. Fraser«, flüsterte sie, und Tränen des Anstands zitterten auf ihren Wimpern. »Er – wir – wir wollten Euch nicht verletzen.«

Ich sah mit Interesse von irgendwo außerhalb meines Körpers aus zu, wie sich mein Arm hob und ausholte, und ich spürte ein vages Gefühl des Beifalls, als meine Hand so kräftig auf ihre Wange traf, dass sie rückwärts taumelte, über einen Hocker stolperte und hinfiel, so dass sich ihre Unterröcke als Bausch aus Leinen bis zu ihrer Taille hochschoben und ihre Wollstrümpfe absurd in die Luft ragten.

»Ich fürchte, das kann ich von mir nicht sagen.« Ich hatte gar nicht vorgehabt, etwas zu sagen, und war überrascht, die Worte kühl und rund wie Bachkiesel in meinem Mund zu spüren.

Plötzlich befand ich mich wieder in meinem Körper. Ich fühlte mich, als wäre mein Korsett während meiner kurzen Abwesenheit enger geworden; das Atmen kostete mich solche Mühe, dass meine Rippen schmerzten. Flüssigkeit drängte in alle Richtungen; Blut und Lymphe, Schweiß und Tränen – wenn ich Luft holte, würde meine Haut nachgeben und es alles herausspritzen lassen wie den Inhalt einer reifen Tomate, die man gegen eine Wand warf.

Ich hatte keine Knochen mehr. Aber ich hatte meine Willenskraft. Diese allein hielt mich aufrecht und half mir zur Tür hinaus. Ich sah weder den Flur, noch war mir bewusst, dass ich die Haustür aufgedrückt hatte; alles, was ich sah, war eine plötzliche Lichtflut und verschwommenes Grün auf dem Hof, und dann rannte ich, rannte, als wären mir sämtliche Dämonen der Hölle auf den Fersen.

In Wirklichkeit folgte mir niemand. Und doch rannte ich, stürzte vom Fußweg in den Wald, rutschte auf den schlüpfrigen Nadeln in den Furchen zwischen den Steinen aus, fiel halb den Abhang hinunter, prallte schmerzhaft gegen umgestürzte Baumstämme und riss mich von Dornen und Gebüsch los.

Atemlos erreichte ich den Fuß des Hügels und fand mich in einer dunklen, kleinen Talmulde wieder, die von hoch aufragenden, schwarzgrünen Rhododendren ummauert war. Ich blieb stehen und rang nach Luft, dann setzte ich mich abrupt hin. Ich spürte, wie ich zitterte, und gab jede Haltung auf, so dass ich auf dem Rücken auf einer staubigen Schicht ledriger Berglorbeerblätter landete.

Ein entfernter Gedanke hallte unter den Geräuschen meines keuchenden Atems in meinem Kopf wider. »*Der Schuldige flieht, obwohl ihn niemand jagt.«* Doch ich war mit Sicherheit nicht schuldig. Das galt auch für Jamie; das wusste ich. Ich wusste es einfach.

Doch Malva war ohne Zweifel schwanger. Irgendjemand war schuldig.

Ich sah verschwommen, weil ich so gerannt war, und das Sonnenlicht zerfiel in gebrochene Flächen und bunte Streifen – dunkelblau, hellblau, weiß und grau, Windrädchen aus Grün und Gold, und der Berghang über mir drehte und drehte sich um mich.

Ich kniff fest die Augen zusammen, und die unvergossenen Tränen rannen mir über die Schläfen.

»Oh, verdammt, verdammt noch mal«, wisperte ich. »Und jetzt?«

Jamie bückte sich, ohne nachzudenken, ergriff das Mädchen an den Ellbogen und zerrte sie ohne Umschweife wieder hoch. Ihre Wange trug einen leuchtend roten Fleck, wo Claire sie geohrfeigt hatte, und eine Sekunde lang verspürte er ein heftiges Bedürfnis, ihr auch auf der anderen Seite den entsprechenden Fleck zu verpassen.

Er bekam weder Gelegenheit, dieses Bedürfnis zu unterdrücken noch ihm nachzugehen; eine Hand packte ihn an der Schulter und riss ihn herum, und es war purer Reflex, der ihn ausweichen ließ, als Allan Christies Faust seitlich an seinem Kopf abprallte und ihn schmerzhaft am Ohr erwischte. Er schubste den jungen Mann fest mit beiden Händen vor die Brust, stellte ihm dann ein Bein, und Allan landete mit einem Krachen, das das ganze Zimmer erschütterte, auf dem Hintern.

Jamie trat einen Schritt zurück, eine Hand an seinem schmerzenden Ohr, und funkelte Tom Christie an, der dastand und ihn anstarrte wie Lots Weib.

Jamies freie Linke war zur Faust geballt, und er hob sie einladend. Christies Augen wurden noch schmaler, doch er machte keine Bewegung in Jamies Richtung.

»Steh auf«, sagte Christie zu seinem Sohn. »Und behalte deine Fäuste bei dir. Das ist jetzt wirklich nicht nötig.«

»Ach nein?«, rief der Junge, während er sich aufrappelte. »Er hat eine Hure aus deiner Tochter gemacht, und du lässt ihn einfach stehen? Nun, wenn du den Feigling geben willst, alter Mann, ich werde das nicht tun!«

Er stürzte mit wildem Blick auf Jamie los und zielte mit den Händen nach seiner Kehle. Jamie trat zur Seite, verlagerte das Gewicht auf ein Bein und versetzte dem Jungen einen linken Haken in die Leber, der ihm die Eingeweide gegen die Wirbelsäule quetschte und ihn keuchend vornüber sacken ließ. Allan starrte zu ihm auf. Sein Mund stand offen, und das Weiße seiner Augen war rundum zu sehen, dann sank er polternd auf die Knie, während sich sein Mund öffnete und schloss wie der eines Fischs.

Unter anderen Umständen wäre dies vielleicht komisch gewesen, doch Jamie war nicht nach Lachen zumute. Er verlor keine weitere Zeit mit den beiden Männern, sondern fuhr zu Malva herum.

»Nun, was führt Ihr im Schilde, *nighean a galladh*?«, sagte er zu ihr. Dies war eine schwere Beleidigung, und Tom Christie wusste, was es bedeutete, auch wenn es Gälisch war; er konnte aus dem Augenwinkel sehen, wie Christie erstarrte.

Das Mädchen selbst war sowieso schon in Tränen aufgelöst und brach bei diesen Worten in Schluchzen aus.

»Wie könnt Ihr so mit mir sprechen?«, jammerte sie und presste sich die Schürze vor das Gesicht. »Wie könnt Ihr nur so grausam sein?«

»Oh, zum Kuckuck«, sagte er gereizt. Er schob einen Hocker in ihre Richtung. »Setzt Euch, Ihr kleine Irre, und dann werden wir hören, was Ihr in Wahrheit vorhabt. Mr. Christie?« Er sah Tom an, wies kopfnickend auf einen weiteren Hocker und begab sich dann zu seinem eigenen Stuhl, ohne Allan zu beachten, der auf dem Boden zusammengebrochen war, wie ein Kätzchen auf der Seite zusammengerollt lag und sich den Bauch hielt.

»Sir?«

Mrs. Bug, die den Lärm gehört hatte, war aus ihrer Küche gekommen und stand mit großen Augen in der Tür.

»Braucht Ihr ... vielleicht irgendetwas, Sir?«, fragte sie und tat gar nicht erst so, als starrte sie nicht von Malva, die mit rotem Gesicht schluchzend auf ihrem Hocker saß, zu Allan, der bleich und keuchend auf dem Boden lag.

Einen kräftigen Whisky – eventuell auch zwei – könnte er brauchen, dachte Jamie, doch das würde warten müssen.

»Ich danke Euch, Mrs. Bug«, sagte er höflich, »aber nein. Wir kommen schon zurecht.« Er hob die Finger, um sie fortzuschicken, und sie verschwand widerstrebend aus dem Blickfeld. Doch sie war nicht weit gegangen, das wusste er; nur um die Kante der Tür herum.

Er rieb sich über das Gesicht und fragte sich, was nur im Moment mit den jungen Mädchen los war. Heute war Vollmond; vielleicht machte es sie ja tatsächlich mondsüchtig.

Andererseits hatte die kleine Hexe ohne Zweifel mit irgend*jemandem* herumgespielt; jetzt, da sie die Schürze hochgeschoben hatte, war das Baby deutlich zu sehen, eine feste runde Kugel wie eine Kalebasse unter ihrem dünnen Unterrock.

»Wie weit?«, fragte er Christie mit einem Kopfnicken in ihre Richtung.

»Sechs Monate«, sagte Christie und ließ sich widerstrebend auf den angebotenen Hocker sinken. Er war so mürrisch gestimmt wie nie zuvor, hatte sich aber im Griff; das war wenigstens etwas.

»Es hat angefangen, als letzten Sommer die Krankheit gekommen ist; als ich hier war und am Krankenbett Eurer Frau geholfen habe«, platzte Malva heraus, ließ ihre Schürze sinken und starrte ihren Vater mit zitternden Lippen vorwurfsvoll an. »Und nicht nur einmal!« Sie richtete ihren Blick erneut auf Jamie, flehend und mit feuchten Augen. »Sagt es ihnen, Sir, bitte – sagt ihnen die Wahrheit!«

»Oh, das habe ich vor«, sagte er und warf ihr einen finsteren Blick zu. »Und Ihr werdet dasselbe tun, Kleine, das versichere ich Euch.«

Sein Schock ließ langsam nach. Er war zwar immer noch aufgebracht – sogar mit jeder Sekunde mehr –, doch er begann jetzt zu denken, und zwar rasend schnell.

Sie war schwanger von jemandem, der als Freier im Leben nicht in Frage kam; so viel stand fest. Wer? Himmel, er wünschte, Claire wäre geblieben; sie wusste, was in Fraser's Ridge getratscht wurde, und sie interessierte sich für das Mädchen; sie würde wissen, welche jungen Männer als Kandidaten in Frage kamen. Er selbst hatte nie viel Notiz von Malva genommen, abgesehen davon, dass sie häufig da war und Claire half.

»Das erste Mal war es, als Mrs. Fraser so krank war, dass wir um ihr Leben gebangt haben«, sagte Malva und holte ihn damit ins Hier und Jetzt zurück. »Ich habe dir gesagt, Vater, es war keine Vergewaltigung – Ehrwürden war nur außer sich vor Schmerz, und ich auch.« Sie blinzelte, und eine Träne lief ihr wie eine Perle über die ungezeichnete Wange. »Eines Abends bin ich spät aus ihrem Zimmer gekommen und habe ihn hier gefunden. Er hat im Dunklen gesessen und geweint. Er hat mir so Leid getan …« Ihre Stimme zitterte, und sie hielt inne und schluckte.

»Ich habe gefragt, ob ich ihm einen Bissen zu essen holen könnte, oder etwas zu trinken – aber er hatte schon etwas getrunken, er hatte ein Glas Whisky vor sich stehen …«

»Und ich habe gesagt, nein danke, und dass ich lieber allein sein möchte«, fiel Jamie ein, und er spürte, wie ihm bei ihrer Erzählung das Blut in die Schläfen drängte. »Ihr seid gegangen.«

»Nein, das bin ich nicht.« Sie schüttelte den Kopf; ihre Haube hatte sich bei ihrem Sturz halb gelöst und sie hatte sie nicht wieder zurechtgerückt; ihr Haar hing in langen dunklen Strähnen herab, die ihr Gesicht umrahmten. »Oder vielmehr habt Ihr das zu mir gesagt, dass Ihr lieber allein wärt. Aber ich konnte es nicht ertragen, Euch so mitgenommen zu sehen, und – ich weiß, dass es dreist und unschicklich gewesen ist, aber Ihr habt mir so Leid getan!«, platzte sie heraus. Sie sah hoch und senkte den Blick unverzüglich wieder.

»Ich … ich bin zu ihm gegangen und habe ihn berührt«, flüsterte sie so leise, dass er sie kaum hören konnte. »Habe ihm die Hand auf die Schulter gelegt, nur um ihn zu trösten. Aber dann hat er sich plötzlich umgedreht und die Arme um mich gelegt und mich an ihn gepresst. Und – und dann …« Sie schluckte hörbar.

»Er … er hat mich genommen. Gleich … hier.« Sie streckte den Zeh ihres kleinen Schuhs aus und wies geziert auf den Flickenteppich vor dem Tisch. Auf dem sich in der Tat ein kleiner, uralter brauner Fleck befand, der aussah wie Blut. Es *war* auch Blut – Jemmy war einmal auf dem Teppich gestolpert und hatte sich die Nase gestoßen, so dass sie blutete.

Er öffnete den Mund, um zu sprechen, doch Erstaunen und Entrüstung schnürten ihm die Kehle so fest zu, dass ihm nur ein Keuchen entfuhr.

»Ihr habt also nicht den Mut, es zu leugnen, wie?« Allan war wieder zu Atem gekommen; er hatte sich schwankend auf die Knie hochgerappelt, das Haar im Gesicht, und funkelte ihn an. »Nur den Mut, es zu tun!«

Er brachte Allan mit einem Blick zum Schweigen, würdigte ihn jedoch keiner Antwort. Stattdessen richtete er seine Aufmerksamkeit auf Tom Christie.

»Ist sie verrückt?«, erkundigte er sich. »Oder nur schlau?«

Christies Gesicht hätte aus Stein gemeißelt sein können, wären da nicht die bebenden Tränensäcke unter seinen Augen gewesen und die Augen selbst, blutunterlaufen und zusammengekniffen.

»Sie ist nicht verrückt«, sagte Christie.

»Dann ist sie eine schlaue Lügnerin.« Jamie sah sie seinerseits mit zusammengekniffenen Augen an. »Schlau genug, um zu wissen, dass ihr niemand glauben würde, wenn sie behaupten würde, es wäre Vergewaltigung gewesen.«

Sie öffnete entsetzt den Mund.

»O nein, Sir«, sagte sie und schüttelte so fest den Kopf, dass die dunklen Locken ihre Ohren umtanzten. »So etwas würde ich *nie* von Euch sagen, nie!« Sie schluckte und hob furchtsam die Augen, um seinen Blick zu erwidern – vom Weinen geschwollen, aber sanft und taubengrau, arglos und unschuldig.

»Ihr habt Trost gebraucht«, sagte sie leise, aber deutlich. »Ich habe ihn Euch geschenkt.«

Er kniff sich fest mit Daumen und Zeigefinger in die Nase, weil er hoffte, dass ihn der Schmerz aus diesem offensichtlichen Albtraum wecken würde. Da dies nicht geschah, seufzte er und sah Tom Christie an.

»Sie bekommt ein Kind von irgendjemandem, und ich bin es nicht«, sagte er unverblümt. »Wer kann es gewesen sein?«

»*Ihr* wart es!«, protestierte das Mädchen, das jetzt seine Schürze fallen ließ und sich kerzengerade auf ihren Hocker setzte. »Es gibt keinen anderen!«

Christies Augen glitten widerstrebend zu seiner Tochter, dann richteten sie sich wieder auf Jamie. Ihre Farbe war dasselbe Taubenblau, doch sie hatten nie auch nur die geringste Spur von Arglosigkeit oder Unschuld an den Tag gelegt.

»Ich weiß von niemandem«, sagte er. Er holte tief Luft und richtete seine kantigen Schultern auf. »Sie sagt, es war nicht nur das eine Mal. Dass Ihr sie ein Dutzend Mal oder öfter genommen habt.« Seine Stimme war beinahe tonlos, jedoch nicht, weil er nichts empfand; vielmehr, weil er seine Empfindungen so fest im Griff hatte.

»Dann hat sie ein Dutzend Mal oder öfter gelogen«, sagte Jamie, der seine Stimme genauso beherrschte, wie Christie es tat.

»Ihr wisst, dass das nicht stimmt! Eure Frau glaubt mir«, sagte sie, und ein stahlharter Unterton hatte sich in ihre Stimme geschlichen. Sie hob eine Hand an den Fleck auf ihrer Wange, dessen leuchtende Farbe nachgelassen hatte, der jedoch den Abdruck von Claires Fingern noch als deutlichen Umriss trug.

»So dumm ist meine Frau nicht«, sagte er kalt, war sich aber dennoch eines schwindeligen Gefühls bewusst, als Claires Name fiel. Es war völlig normal, dass eine Frau über einen solchen Vorwurf so schockiert war, dass sie das Weite suchte – doch er wünschte, sie wäre geblieben. Ihre Anwesenheit hätte bedeutet, dass sie standhaft jeden Fehltritt seinerseits leugnete, dass sie nichts von Malvas Lügen hören wollte, und das hätte ihm sehr geholfen.

»Ach ja?« Die kräftige Farbe war dem Mädchen jetzt ganz aus dem Gesicht gewichen, doch sie hatte aufgehört zu weinen. Sie war kreidebleich, ihre Augen riesig und leuchtend. »Nun, ich bin auch nicht dumm, Sir. Klug genug, um zu beweisen, was ich sage.«

»Oh, aye?«, sagte er argwöhnisch. »Wie denn?«

»Ich habe die Narben auf Eurem nackten Körper gesehen. Ich kann sie beschreiben.«

Diese Erklärung ließ alle verstummen. Es folgte kurzes Schweigen, das durch Allan Christies Grunzen der Genugtuung unterbrochen wurde. Er erhob sich, eine Hand fest vor den Bauch gepresst, doch mit einem unangenehmen Lächeln im Gesicht.

»Und nun?«, sagte er. »Darauf habt Ihr wohl keine Antwort, wie?«

Seine Irritation war längst einer gewaltigen Wut gewichen. Darunter jedoch lag der leiseste Hauch von etwas, das er nicht – noch nicht – Angst nennen wollte.

»Ich stelle meine Narben nicht zur Schau«, sagte er geduldig, »aber es gibt eine ganze Reihe von Leuten, die sie trotzdem gesehen haben. Mit *ihnen* habe ich auch nicht geschlafen.«

»Aye, die Leute reden manchmal über die Narben auf Eurem Rücken«, gab Malva zurück. »Und jeder kennt die große, garstige Narbe an Eurem Bein, die Ihr seit Culloden habt. Aber was ist mit dem Halbmond quer über Euren Rippen? Oder dem kleinen Fleck auf Eurer linken Pobacke?« Sie fasste sich selbst zur Demonstration an den Po.

»Nicht ganz in der Mitte – etwas weiter unten und außen. Ungefähr so groß wie ein Viertelpenny.« Sie lächelte nicht, doch in ihren Augen flammte so etwas wie Triumph auf.

»Ich habe keine –«, begann er, verstummte dann aber angewidert. Himmel, doch. Der Biss einer Spinne auf den Westindischen Inseln, der eine Woche lang stark entzündet gewesen war, dann einen Abszess gebildet hatte und zu seiner großen Erleichterung geplatzt war. Seit er verheilt war, hatte er nie wieder daran gedacht – doch er war da.

Zu spät. Sie hatten seinem Gesicht die Erkenntnis angesehen.

Tom Christie schloss die Augen, und seine Kiefer arbeiteten unter seinem Bart. Allan grunzte erneut vor Genugtuung und verschränkte die Arme.

»Möchtet Ihr uns zeigen, dass sie Unrecht hat?«, erkundigte sich der junge Mann sarkastisch. »Dann zieht Eure Hose herunter und lasst uns einen Blick auf Euren Hintern werfen!«

Unter großer Mühe verkniff er es sich, Allan Christie zu sagen, was er mit seinem eigenen Hintern anstellen konnte. Er holte tief und langsam Luft und hoffte, dass ihm bis zum Ausatmen irgendein nützlicher Gedanke gekommen war.

Dies geschah nicht. Tom Christie öffnete mit einem Seufzer die Augen.

»Nun«, sagte er flach. »Ich gehe nicht davon aus, dass Ihr Eure Frau verlassen und sie heiraten wollt?«

»Das wäre das Allerletzte!« Der Vorschlag erfüllte ihn mit Wut – und etwas wie Panik bei dem bloßen Gedanken daran, ohne Claire zu sein.

»Dann werden wir einen Vertrag aufsetzen.« Christie rieb sich das Gesicht. Seine Schultern waren vor Erschöpfung und Abscheu zusammengesackt. »Unterhalt für sie und das Kind. Formelle Anerkennung des Kindes als einen Eurer Erben. Ihr könnt natürlich selbst entscheiden, ob Ihr möchtet, dass Eure Frau es aufzieht, aber das –«

»Hinaus.« Er erhob sich ganz langsam, die Hände auf dem Tisch, den Blick auf Christies Augen gerichtet. »Nehmt Eure Tochter und verlasst mein Haus.«

Christie hörte auf zu sprechen und musterte ihn finster. Das Mädchen hatte wieder angefangen zu weinen und wimmerte in ihre Schürze hinein. Er hatte das merkwürdige Gefühl, dass die Zeit irgendwie stehen geblieben war; sie würden alle für immer hier gefangen sein, er und Christie würden sich gegenseitig niederstarren wie die Hunde, unfähig, den Blick zu senken, jedoch in dem Bewusstsein, dass der Fußboden des Zimmers verschwunden war und sie über einem furchtbaren Abgrund schwebten, im endlosen Augenblick vor dem Fall.

Natürlich war es Allan Christie, der den Bann brach. Die Handbewegung, mit der der junge Mann an sein Messer fuhr, befreite Jamies Blick von Christies, und seine Finger bohrten sich noch fester in das Holz der Tischplatte. Eine Sekunde zuvor hatte er sich körperlos gefühlt; jetzt hämmerte das Blut in seinen Schläfen und durchpulste seine Gliedmaßen, und seine Muskeln zitterten, so sehr drängte es ihn, Allan Christie etwas anzutun. Und seiner Schwester den Hals umzudrehen, damit sie mit dem Lärm aufhörte.

Allan Christies Gesicht war schwarz vor Wut, doch er war so weit bei Verstand – gerade eben, dachte Jamie –, dass er das Messer nicht zog.

»Nichts, was ich lieber täte, junger Mann, als Euch den Kopf in die Hände zu geben, damit Ihr etwas zum Spielen habt«, sagte er leise. »Geht jetzt, bevor ich es tue.«

Christie junior leckte sich die Lippen und spannte sich an, bis seine Fingerknöchel auf dem Knauf weiß wurden – doch sein Blick schwankte. Er sah seinen Vater an, der mit grimmiger Miene dasaß wie ein Stein. Das Licht hatte sich verändert; es schien jetzt von der Seite durch Christies melierten Bart, so dass seine eigene Narbe zu sehen war, eine schmale, rötliche Linie, die sich wie eine Schlange über sein Kinn ringelte.

Christie richtete sich langsam auf, legte die Hände auf die Oberschenkel, um sich abzustoßen, dann schüttelte er unvermittelt den Kopf wie ein nasser Hund und stand auf. Er fasste Malva am Arm, zog sie von ihrem Hocker hoch und schob sie weinend und stolpernd vor sich her nach draußen.

Allan folgte ihnen und richtete es so ein, dass er im Hinausgehen so dicht an Jamie vorbeistreifte, dass dieser den Gestank des wütenden jüngeren Mannes riechen konnte. Christie junior warf einen einzigen Blick zurück, die Hand nach wie vor an seinem Messer – doch er ging. Ihre Schritte im Flur ließen die Dielen unter Jamies Füßen beben, und dann wurde die Tür fest zugeknallt.

Endlich senkte er den Blick, vage überrascht, die abgenutzte Tischplatte vor sich zu sehen und seine eigenen Hände, die sich immer noch flach darauf stützten, als seien sie daran festgewachsen. Er richtete sich auf, und seine Finger krümmten sich. Die steifen Gelenke schmerzten, als sie sich zu Fäusten ballten. Er war durchgeschwitzt.

Leichtere Schritte kamen durch den Flur, und Mrs. Bug trat mit einem Tablett ein. Sie stellte es vor ihm hin, machte einen Knicks vor ihm und ging hinaus. Darauf standen das einzige Kristallglas, das er besaß, und der Dekanter mit dem guten Whisky.

Er hatte das obskure Gefühl, lachen zu wollen, sich aber nicht mehr richtig erinnern zu können, wie es ging. Das Licht berührte den Dekanter, und der Whisky darin leuchtete wie ein Chrysoberyl. Er berührte sanft das Glas in Anerkennung von Mrs. Bugs Loyalität, doch das würde warten müssen. In der Welt war der Teufel los, und er würde mit Sicherheit teuer bezahlen müssen. Bevor er irgendetwas anderes tat, musste er Claire finden.

Nach einer Weile türmten sich die dahintreibenden Wolken zu Gewitterwolken auf, und ein kalter Wind fuhr über die Mulde und schüttelte die Lorbeersträucher, so dass sie klapperten wie trockene Knochen. Ich stand ganz langsam auf und begann zu klettern.

Ich hatte kein festes Ziel im Kopf; es interessierte mich eigentlich auch nicht, ob ich nass wurde oder nicht. Ich wusste nur, dass ich nicht zum Haus zurückgehen konnte. Irgendwann erreichte ich den Fußweg zur Weißen Quelle, gerade, als es zu regnen begann. Dicke Tropfen klatschten auf das Laub von Kermesbeeren und Klettensträuchern, und die Fichten und Kiefern atmeten mit einem duftenden Seufzer aus.

Das Prasseln der Tropfen auf Blättern und Zweigen wurde unterbrochen von dem gedämpften Klatschen, mit dem schwerere Tropfen tief in den weichen Boden fielen – der Regen brachte Hagel mit, und plötzlich spritzten winzige weiße Eispartikel wie verrückt von den festgetretenen Nadeln auf und bombardierten mein Gesicht und meinen Hals mit stechender Kälte.

Da rannte ich los und suchte Schutz unter den tief hängenden Ästen einer Balsamfichte, die über die Quelle ragten. Der Hagel sprenkelte das Wasser und ließ es tanzen, schmolz aber beim Auftreffen und verschwand sofort im dunklen Wasser. Ich saß still, die Arme zitternd um mich selbst geschlungen, um mich zu wärmen.

Du könntest es fast verstehen, sagte der Teil meines Verstandes, der auf dem Weg bergauf irgendwann zu reden begonnen hatte. *Alle haben gedacht, dass du im Sterben liegst – du selber auch. Du weißt, was das bewirkt, du hast es schon oft gesehen.* Menschen unter der furchtbaren Last des Schmerzes, die mit der Realität überwältigender Todesfälle fertig werden müssen – ich hatte es schon oft gesehen. Es war eine ganz natürliche Suche nach Trost, ein Versuch, sich zu verstecken, die Kälte des Todes zu leugnen, indem man sich in die simple Wärme körperlichen Kontaktes flüchtete.

»Aber er hat es nicht getan«, sagte ich stur vor mich hin. »Wenn er es getan *hätte* und das der Grund war – könnte ich ihm verzeihen. Aber, gottverdammt, er *hat* es nicht getan!«

Mein Unterbewusstsein ließ sich in diese Gewissheit sinken, doch ich war mir eines unterschwelligen Rumorens bewusst; nicht Argwohn, nichts, was stark genug gewesen wäre, um es Zweifel zu nennen. Nur einzelne, kühle Beobachtungen, die ihre Köpfe an die Oberfläche meines persönlichen dunklen Brunnens steckten wie kleine Frösche, hohe, schwache Töne, die einzeln kaum hörbar waren, sich aber möglicherweise am Ende zu einem solchen Lärm summierte, dass die Nacht aus den Fugen geriet.

»Du bist eine alte Frau.«

»Sieh doch, wie sich die Adern auf deinen Händen abzeichnen.«

»Deine Haut ist schlabberig geworden; du hast Hängebrüste.«

»Wenn er verzweifelt war und Trost brauchte …«

»Möglich, dass er sie zurückweist, aber er würde nie einem Kind von seinem Blut den Rücken zukehren.«

Ich schloss die Augen und bekämpfte meine zunehmende Übelkeit. Der Hagel war vorüber, gefolgt von heftigem Regen, und kalter Nebel begann sich vom Boden zu erheben und aufzusteigen, um gespenstisch im Wolkenbruch zu verschwinden.

»Nein«, sagte ich laut. »Nein!«

Ich fühlte mich, als hätte ich mehrere große Steine verschluckt, deren Oberfläche rau und schmutzig war. Es war nicht nur der Gedanke, dass Jamie mich betrogen haben könnte – sondern dass mich Malva mit ziemlicher Sicherheit betrogen *hatte*. Mich betrogen hatte, wenn es die Wahrheit war – und noch mehr, wenn es nicht so war.

Meine Schülerin. Tochter meines Herzens.

Ich war zwar vor dem Regen sicher, doch die Luft war voller Wasser; meine Kleider wurden feucht und hingen mir schwer am Körper, klebten klamm an meiner Haut. Durch den Regen konnte ich den großen weißen Stein sehen, der am Kopfende der Quelle stand und dem Becken seinen Namen gab. An dieser Stelle hatte Jamie sein Blut zum Opfer gebracht und es auf diesen Felsen gespritzt, während er den Onkel, den er umgebracht hatte, um Beistand bat. Und hier an dieser Stelle hatte sich Fergus niedergelegt und seine Adern geöffnet aus Verzweiflung um seinen Sohn, und sein Blut war dunkel im stillen Wasser aufgeblüht.

Und ich begann zu begreifen, warum ich hierher gekommen war; warum dieser Ort mich gerufen hatte. Es war ein Ort, an dem man in sich gehen und die Wahrheit finden konnte.

Der Regen ging vorüber, und die Wolken rissen auf. Langsam begann das Licht zu schwinden.

Es war fast dunkel, als er kam. Die Bäume bewegten sich unruhig im Zwielicht und unterhielten sich murmelnd; ich hörte seine Schritte auf dem nassen Pfad nicht. Er war einfach da, plötzlich, am Rand der Lichtung.

Er stand suchend da; ich beobachtete, wie er den Kopf hob, als er mich erspähte, dann umschritt er das Wasserbecken und duckte sich unter die tief hängenden Zweige meiner Zuflucht. Ich sah, dass er schon seit einiger Zeit im Freien war; sein Rock war nass, und Regen und Schweiß hatten ihm das Hemd an die Brust geklebt. Er hatte einen Umhang mitgebracht, den er als Bündel unter dem Arm trug. Diesen faltete er jetzt auseinander und legte ihn mir um die Schultern. Ich ließ es geschehen.

Dann setzte er sich dicht neben mich, schlang die Arme um die Knie und starrte in das dunkler werdende Quellbecken. Das Licht hatte jenen Punkt der Schönheit erreicht, kurz bevor jede Farbe verblasst, und seine Augenbrauen schwangen sich tiefbraun und perfekt über seine Stirn, jedes Haar einzeln erkennbar wie die kürzeren, dunklen Haare seines sprossenden Bartes.

Er atmete in langen, tiefen Zügen, als wären wir eine Weile gewandert, und wischte sich einen Tropfen von der Nasenspitze. Ein- oder zweimal holte er abrupt Luft, als wollte er etwas sagen, tat es aber nicht.

Die Vögel waren nach dem Regen noch einmal kurz ans Licht gekommen. Jetzt gingen sie zur Ruhe und zirpten leise in den Bäumen.

»Ich hoffe wirklich, dass du vorhast, etwas zu sagen«, meinte ich am Ende höflich. »Denn wenn du es nicht tust, fange ich wahrscheinlich an zu schreien, und es ist möglich, dass ich dann nicht mehr aufhören kann.«

Er stieß ein Geräusch irgendwo zwischen Belustigung und Bestürzung aus und legte das Gesicht in seine Handflächen. Er verharrte einen Moment so, dann rieb er sich fest das Gesicht und setzte sich mit einem Seufzer gerade hin.

»Die ganze Zeit, während ich nach dir gesucht habe, Sassenach, habe ich darüber nachgedacht, was in Gottes Namen ich sagen sollte, wenn ich dich finde. Ich habe mir dies und jenes überlegt – und … es schien nichts zu geben, was ich sagen *könnte.*« Er klang hilflos.

»Wie kann das sein?«, fragte ich mit deutlich gereiztem Unterton. »Mir fallen eine ganze Reihe von Dingen ein, die ich sagen könnte.«

Er seufzte und machte eine Geste der Frustration.

»Was denn? Zu sagen, dass es mir Leid tut – das wäre falsch. Es *tut* mir Leid, aber es zu sagen – das klingt so, als hätte ich etwas getan, das mir Leid tun müsste, und das habe ich nicht. Aber ich dachte, wenn ich damit anfange, glaubst du vielleicht …« Er sah mich an. Ich hatte mein Gesicht und meine Gefühle fest im Griff, doch er kannte mich sehr gut. In dem Moment, in dem er »Es tut mir Leid« gesagt hatte, war mir der Magen in die Schuhe gerutscht.

Er wandte den Blick ab.

»Es gibt nichts, was ich sagen könnte«, sagte er leise, »was nicht wie ein Versuch klingt, mich zu verteidigen oder zu entschuldigen. Und das werde ich nicht tun.«

Ich stieß ein leises Geräusch aus, als hätte mich jemand in den Magen geboxt, und er sah mich scharf an.

»Ich werde es nicht tun!«, sagte er heftig. »Man kann einen solchen Vorwurf nicht ableugnen, ohne dass es zweifelhaft riecht. Und ich kann nichts zu dir sagen, was sich nicht wie eine kleinlaute Entschuldigung anhören würde für – für – nun, ich werde mich nicht für etwas entschuldigen, das ich nicht getan habe, und wenn ich es täte, würdest du nur noch mehr an mir zweifeln.«

»Du scheinst aber kein großes Vertrauen in mein Vertrauen in *dich* zu haben.«

Er warf mir einen argwöhnischen Blick zu.

»Wenn ich das nicht hätte, Sassenach, wäre ich nicht hier.«

Er beobachtete mich einen Moment, dann streckte er den Arm aus und berührte meine Hand. Meine Finger drehten sich sofort um und bogen sich den seinen entgegen, und unsere Hände umschlossen sich fest. Seine Finger waren groß und kalt, und er hielt die meinen so fest, dass ich dachte, meine Knochen würden brechen.

Er holte tief und beinahe schluchzend Luft, und auf einmal entspannten sich seine Schultern, die er in seinem nassen Rock hochgezogen hatte.

»Du glaubst nicht, dass es stimmt?«, fragte er. »Du bist fortgelaufen.«

»Ich *habe* mich erschrocken«, sagte ich. Und ich hatte vage gedacht, dass es gut möglich war, dass ich sie umbrachte, wenn ich blieb.

»Aye, es war ein Schreck«, formulierte er äußerst trocken. »Wahrscheinlich wäre ich selbst davongelaufen – wenn ich gekonnt hätte.«

Leises Schuldgefühl gesellte sich zu meinen Amok laufenden Emotionen;

mein hastiger Abgang war der Situation wahrscheinlich nicht sehr förderlich gewesen. Doch er machte mir keine Vorwürfe, sondern wiederholte nur: »Aber du hast es nicht geglaubt?«

»Nein.«

»Nein.« Er sah mir suchend in die Augen. »Nicht eine Sekunde?«

»Nein.« Ich zog den Umhang fester um mich und rückte ihn auf meinen Schultern zurecht. »Ich habe es von Anfang an nicht geglaubt. Aber ich wusste nicht, warum.«

»Und jetzt weißt du es.«

»Jamie Fraser«, sagte ich sehr langsam. »Wenn du zu so etwas fähig wärst – und ich meine nicht, mit einer Frau zu schlafen, ich meine, es zu tun und *mich* dann anzulügen – dann ist alles, was ich getan habe und was ich bin – mein ganzes Leben – eine Lüge. Und ich bin nicht bereit, mir das einzugestehen.«

Das überraschte ihn ein wenig; es war jetzt fast dunkel, doch ich sah, wie sich seine Augenbrauen hoben.

»Was meinst du damit, Sassenach?«

Ich wies mit einer Handbewegung in die Richtung, die der Fußweg nahm, auf das Haus zu, das unsichtbar über uns stand, dann auf die Quelle, wo der weiße Stein als verschwommener Fleck in der Dunkelheit ruhte.

»Ich gehöre nicht hierher«, sagte ich leise. »Brianna, Roger ... sie gehören nicht hierher. Jemmy sollte nicht hier sein; er sollte sich Zeichentrickfilme im Fernsehen anschauen und mit Filzstiften Autos und Flugzeuge malen – statt zu lernen, wie man mit einer Waffe schießt, die so groß ist wie er selbst, und wie man einen Hirsch auswaidet.«

Ich hob den Kopf und schloss die Augen. Ich spürte, wie sich die Feuchtigkeit auf meiner Haut niederließ und sich schwer auf meine Wimpern legte.

»Aber wir *sind* hier, wir alle. Und wir sind hier, weil ich dich geliebt habe, mehr als das Leben, das ich geführt habe. Weil ich geglaubt habe, dass du mich genauso liebst.«

Ich holte tief Luft, damit meine Stimme nicht zitterte, öffnete die Augen und wandte mich ihm zu.

»Willst du mir jetzt sagen, dass das nicht stimmt?«

»Nein«, sagte er ein paar Sekunden später, so leise, dass ich ihn kaum hören konnte. »Nein, das will ich dir nicht sagen. Niemals, Claire.«

»Nun denn«, sagte ich und spürte, wie die Aufregung, die Wut und die Angst des vergangenen Nachmittags wie Wasser aus mir hinausströmten. Ich legte ihm die Hand auf die Schulter und schnupperte Regen und Schweiß auf seiner Haut. Er roch scharf nach dem Moschus der Angst und der geballten Wut.

Inzwischen war es völlig dunkel. In der Entfernung konnte ich Geräusche hören, Mrs. Bug, die im Stall, wo sie die Ziegen gemolken hatte, nach Arch rief, und seine brüchige alte Stimme, die den Ruf erwiderte. Eine Fledermaus huschte lautlos auf der Jagd an uns vorbei.

»Claire?«, sagte Jamie leise.

»Hm?«

»Ich muss dir etwas sagen.«

Ich erstarrte. Einen Moment später löste ich mich vorsichtig von ihm und setzte mich kerzengerade hin.

»Bitte lass das«, sagte ich. »Ich fühle mich dann, als hätte mich jemand in den Magen geboxt.«

»Tut mir Leid.«

Ich schlang die Arme um mich selbst und versuchte, das plötzliche Gefühl der Übelkeit herunterzuschlucken.

»Du hast gesagt, das wolltest du nicht sagen, weil es sich so anfühlt, als gäbe es etwas, was dir Leid tun muss.«

»Das stimmt«, sagte er und seufzte.

Ich spürte die Bewegung zwischen uns, als die beiden steifen Finger seiner rechten Hand gegen sein Bein trommelten.

»Es ist unmöglich«, sagte er schließlich, »der eigenen Frau mit schonenden Worten zu sagen, dass man mit einer anderen geschlafen hat. Ganz gleich, unter welchen Umständen. Es geht einfach nicht.«

Mir war plötzlich schwindelig, und ich bekam kaum Luft. Ich schloss einen Moment die Augen. Er meinte nicht Malva; das hatte er deutlich gesagt.

»Wer?«, sagte ich so gleichmütig wie möglich. »Und wann?«

Er bewegte sich beklommen.

»Oh. Nun … als du … jedenfalls, als du fort warst.«

Es gelang mir, kurz Luft zu holen.

»Wer?«, sagte ich.

»Nur einmal«, sagte er. »Ich meine, ich hatte nicht die geringste Absicht –«

»Wer?«

Er seufzte und rieb sich fest den Nacken.

»Himmel. Das Letzte, was ich möchte, ist, dich in Aufregung zu versetzen, Sassenach, indem ich es so klingen lasse, als ob – aber ich wollte die arme Frau auch nicht in Misskredit bringen, indem ich es so aussehen ließ, als ob …«

»WER?«, dröhnte ich und packte ihn am Arm.

»Himmel!«, sagte er gründlich erschrocken. »Mary MacNab.«

»Wer?«, sagte ich noch einmal, diesmal verständnislos.

»Mary MacNab«, wiederholte er und seufzte. »Kannst du mich loslassen? Ich glaube, ich blute.«

Das stimmte, ich hatte meine Fingernägel so fest in sein Handgelenk gebohrt, dass sie durch die Haut gingen. Ich schleuderte seinen Arm von mir und ballte meine Hände zu Fäusten. Dann schlang ich die Arme wieder um mich selbst, um ihn nicht zu erwürgen.

»Wer. Zum. Teufel. Ist. Mary. MacNab?«, spuckte ich mit zusammengebissenen Zähnen aus. Mein Gesicht war heiß, doch der kalte Schweiß lief mir über Kinn und Rippen.

»Du kennst sie, Sassenach. Sie war mit Rab verheiratet – der umgekommen ist, als sein Haus abgebrannt ist. Sie hatten ein Kind, Rabbie; er war Stalljunge in Lallybroch, als –«

»Mary MacNab? *Sie?*« Ich konnte das Erstaunen in meiner eigenen Stimme hören. Ich konnte mich an Mary MacNab erinnern – mit Mühe. Nach dem Tod ihres gewalttätigen Ehemanns war sie als Magd nach Lallybroch gekommen; eine schmächtige, drahtige Frau, die mir im wilden Chaos des Lebens auf Lallybroch nie mehr als am Rande ins Auge gefallen war.

»Sie ist mir kaum aufgefallen«, sagte ich und versuchte – vergeblich – mich zu erinnern, ob sie bei meinem letzten Besuch dort gewesen war. »Aber *dir* offensichtlich schon?«

»Nein«, sagte er und seufzte. »Nicht so, wie du denkst, Sassenach.«

»Nenn mich nicht so«, sagte ich, und sogar ich konnte das Gift in meiner leisen Stimme hören.

Er stieß einen schottischen Kehllaut der frustrierten Resignation aus und rieb sich das Handgelenk.

»Aye. Nun, siehst du, es war an dem Abend, bevor ich mich den Engländern gestellt habe …«

»Das hast du mir nie erzählt!«

»Was denn?« Er klang verwirrt.

»Dass du dich den Engländern gestellt hast. Wir dachten, sie hätten dich erwischt.«

»Das haben sie auch«, sagte er kurz. »Aber ich hatte es arrangiert, wegen des Kopfgeldes.« Er tat die Angelegenheit mit einer Handbewegung ab. »Es war nicht wichtig.«

»Sie hätten dich hängen können!« *Und das wäre auch gut so gewesen*, sagte die leise, tobende, verletzte Stimme in meinem Kopf.

»Nein, das hätten sie nicht.« Ein schwacher Hauch von Belustigung tauchte in seiner Stimme auf. »Das hattest du mir gesagt, Sass- mmpfm. Es hat mich damals aber auch nicht interessiert.«

Ich hatte keine Ahnung, was er damit meinte, ich hätte es ihm gesagt, aber es war mir im Moment herzlich egal.

»Vergessen wir das«, sagte ich gereizt. »Ich möchte wissen –«

»Was mit Mary war. Aye, ich weiß.« Er fuhr sich langsam mit der Hand durch das Haar. »Aye, nun gut. Sie ist zu mir gekommen, am Abend, bevor ich – ich gegangen bin. Ich habe ja in der Nähe von Lallybroch in einer Höhle gelebt, und sie hat mir mein Abendessen gebracht. Und dann ist sie … geblieben.«

Ich biss mir auf die Zunge, um ihn nicht zu unterbrechen. Ich konnte spüren, wie er seine Gedanken sammelte und nach Worten suchte.

»Ich habe versucht, sie fortzuschicken«, sagte er schließlich. »Sie ... nun, was sie zu mir gesagt hat ...« Er sah mich an, ich verfolgte seine Kopfbewegung. »Sie hat gesagt, sie hätte mich mit dir zusammen gesehen, Claire – und dass sie wahre Liebe erkennen könnte, wenn sie sie sah, auch wenn sie sie nicht selbst erlebt hatte. Und dass es ihr fern läge, mich dazu zu bringen, das zu verraten. Aber sie würde mir gern ... eine Kleinigkeit mitgeben. Das ist es, was sie zu mir gesagt hat«, sagte er, und seine Stimme war heiser geworden. *»Eine Kleinigkeit, die Ihr vielleicht brauchen könnt.«*

»Es war – ich meine, es war nicht ...« Er hielt inne und machte diese typische achselzuckende Bewegung, so als sei ihm sein Hemd an den Schultern zu eng. Er senkte den Kopf einen Moment auf die Knie, um die er die Hände geschlungen hatte.

»Sie hat mir Zärtlichkeit gegeben«, sagte er schließlich so leise, dass ich ihn kaum hörte. »Ich – ich hoffe, ich habe ihr das Gleiche gegeben.«

Meine Kehle und meine Brust waren zu eng, um etwas zu sagen, und die Tränen stiegen mir brennend in die Augen. Mir fiel ganz plötzlich wieder ein, was er an dem Abend zu mir gesagt hatte, als ich Tom Christies Hand operierte, über das Herz Jesu – *»so sehnsüchtig, und es war niemand da, der ihn berühren konnte«*. Und er hatte sieben Jahre allein in einer Höhle gelebt.

Wir saßen keine dreißig Zentimeter auseinander, doch es schien eine unüberbrückbare Kluft zu sein.

Ich streckte den Arm darüber hinweg und legte meine Hand auf die seine, so dass meine Fingerspitzen seine kräftigen, wettergegerbten Knöchel berührten. Ich holte Luft, dann noch einmal, und versuchte, meine Stimme unter Kontrolle zu bekommen, doch sie brach und überschlug sich trotzdem.

»Du hast ihr ... Zärtlichkeit gegeben. Das weiß ich genau.«

Er wandte sich jäh zu mir hin, und mein Gesicht war in seinen Rock gepresst, dessen Stoff feucht und rau an meiner Haut lag. Meine Tränen breiteten sich zu kleinen warmen Flecken aus, die sofort in der Kühle des Stoffs untergingen.

»Oh, Claire«, flüsterte er mir ins Haar. Ich tastete nach ihm und konnte Feuchtigkeit auf seinen Wangen spüren. »Sie hat gesagt – sie wollte dich für mich lebendig halten. Und sie hat es auch so gemeint, sie wollte nichts für sich selbst.«

Da begann ich hemmungslos zu weinen. Um die leeren Jahre, in denen ich mich nach der Berührung einer Hand gesehnt hatte. Hohle Jahre, in denen ich neben einem Mann lag, den ich betrogen hatte, für den ich keine Zärtlichkeit empfand. Um die Schrecken und Zweifel und Schmerzen des heutigen Tages. Ich weinte um ihn und um mich und um Mary MacNab, die wusste, was Einsamkeit war – und auch, was Liebe war.

»Ich hätte es dir schon früher erzählt«, flüsterte er und tätschelte meinen

Rücken, als sei ich ein kleines Kind. »Aber es war... es war nur das eine Mal.« Er zuckte hilflos mit den Achseln. »Und ich wusste nicht, wie. Wie ich es so sagen sollte, dass du es verstehst.«

Ich schluchzte, schluckte Luft und setzte mich schließlich auf, um mir das Gesicht achtlos an einer Rockfalte abzuwischen.

»Ich verstehe«, sagte ich. Meine Stimme war belegt, aber sie zitterte nicht mehr. »Wirklich.«

Und so war es auch. Ich verstand nicht nur die Sache mit Mary MacNab und was sie getan hatte – sondern auch, warum er mir das jetzt erzählt hatte. Es war nicht nötig; ich hätte es nie erfahren. Es gab keinen Grund außer der Unabdingbarkeit absoluter Aufrichtigkeit zwischen uns – und der Tatsache, dass ich mich darauf verlassen konnte.

Ich hatte ihm geglaubt, was Malva anging. Doch jetzt war ich mir nicht nur rational sicher – ich hatte zudem meinen Seelenfrieden.

Wir saßen dicht beieinander, die Falten meines Umhangs und meines Rockes lagen auf seinem Bein, seine bloße Anwesenheit war ein Trost. Irgendwo ganz in der Nähe begann eine verfrühte Grille zu zirpen.

»Dann ist der Regen vorbei«, sagte ich, als ich sie hörte. Er nickte mit einem leisen Geräusch der Zustimmung.

»Was sollen wir tun?«, sagte ich schließlich. Meine Stimme klang ruhig.

»Die Wahrheit herausfinden – wenn ich kann.«

Keiner von uns erwähnte die Möglichkeit, dass ihm das womöglich nicht gelingen würde. Ich verlagerte mein Gewicht und raffte meinen Rock.

»Sollen wir heimgehen?«

Es war jetzt zu dunkel, um noch etwas zu sehen, doch ich spürte sein Nicken, als er aufstand und mir die Hand entgegenhielt, um mir zu helfen.

»Aye, das tun wir.«

Bei unserer Rückkehr war das Haus leer, obwohl Mrs. Bug uns eine zugedeckte Pastete auf dem Tisch stehen gelassen hatte, den Boden gefegt und das Feuer ordentlich eingedämmt hatte. Ich legte meinen nassen Umgang ab und hängte ihn an seinen Haken, doch dann stand ich da, unsicher, was ich als Nächstes tun sollte, als stünde ich im Haus eines Fremden, in einem Land, dessen Sitten ich nicht kannte.

Jamie schien es genauso zu gehen – obwohl er sich nach einem Moment in Bewegung setzte, den Kerzenhalter vom Wandbord über dem Herd nahm und ihn am Feuer entzündete. Das flackernde Leuchten schien die merkwürdige, hohle Atmosphäre des Zimmers noch zu verstärken, und eine Minute lang stand er planlos da und hielt den Kerzenständer fest, bevor er ihn schließlich mit einem Pochen mitten auf den Tisch stellte.

»Hast du Hunger, S... Sassenach?« Er hatte zu sprechen begonnen, wie er es gewohnt war, unterbrach sich dann aber und blickte auf, um sich zu vergewissern, dass dieser Name wieder erlaubt war. Ich gab mir alle Mühe, ihn anzulächeln, obwohl ich spüren konnte, wie meine Mundwinkel zitterten.

»Nein. Du?«

Er schüttelte wortlos den Kopf und ließ die Hand von der Schüssel sinken. Er sah sich nach einer anderen Beschäftigung um, griff nach dem Schüreisen und stocherte in den geschwärzten Kohlen herum, so dass sie aufbrachen und einen Wirbel aus Funken in den Kamin und auf die Kaminumrandung sprühten. Damit würde er das Feuer ruinieren, das vor dem Zubettgehen neu aufgeschichtet werden musste, doch ich sagte nichts – er wusste das.

»Es fühlt sich an, als hätten wir einen Todesfall in der Familie«, sagte ich schließlich. »Als wäre etwas Schreckliches passiert, und dies ist der Punkt, an dem man noch unter Schock steht, bevor man anfängt, den Nachbarn Bescheid zu sagen.«

Er lachte reumütig auf und stellte das Schüreisen hin.

»Das brauchen wir gar nicht. Sie werden bei Tagesanbruch alle genau wissen, was passiert ist.«

Ich löste mich endlich aus meiner Reglosigkeit, schüttelte meine nassen Röcke aus und trat neben ihn ans Feuer. Die Hitze drang sofort durch den Stoff; es hätte mir gut tun sollen, doch in meinem Bauch lag ein eisiges Gewicht, das einfach nicht schmelzen wollte. Ich legte meine Hand auf seinen Arm, weil ich ihn spüren musste.

»Niemand wird es glauben«, sagte ich. Er nahm meine Hand und lächelte schwach, ohne die Augen zu öffnen. Doch er schüttelte den Kopf.

»Sie werden es alle glauben, Claire«, sagte er leise. »Es tut mir Leid.«

81

Im Zweifel für den Angeklagten

»Aber es stimmt einfach nicht!«

»Nein, natürlich nicht.« Roger beobachtete seine Frau argwöhnisch; sie legte alle Kennzeichen eines großen explosiven Gegenstands mit einem instabilen Zeitzünder an den Tag, und er hatte das eindeutige Gefühl, dass es gefährlich war, sich in ihrer Nähe aufzuhalten.

»Diese kleine *Schlampe*! Am liebsten würde ich sie am Hals packen und die Wahrheit aus ihr herauswürgen!« Ihre Hand schloss sich krampfhaft um den Hals der Sirupflasche, und er streckte den Arm aus, um sie ihr abzunehmen, bevor sie sie zerbrach.

»Das kann ich gut verstehen«, sagte er, »aber im Großen und Ganzen … lieber nicht.«

Sie funkelte ihn an, überließ ihm aber die Flasche.

»Kannst *du* denn nichts tun?«, sagte sie.

Das fragte er sich auch bereits, seit er von Malvas Anschuldigung erfahren hatte.

»Ich weiß es nicht«, sagte er. »Aber ich habe mir gedacht, ich gehe wenigstens zu den Christies und rede mit ihnen. Und wenn ich Malva allein erwische, spreche ich mit ihr.« Wenn er allerdings an sein letztes Zwiegespräch mit Malva Christie dachte, hatte er das unangenehme Gefühl, dass sie nicht so leicht von ihrer Geschichte abzubringen sein würde.

Brianna setzte sich, heftete den Blick finster auf ihren Teller mit Buchweizenküchlein und begann, sie mit Butter zu bekleistern. Allmählich wich ihre Wut wieder vernünftigen Gedanken; er konnte die Ideen hinter ihren Augen hin- und herflitzen sehen.

»Wenn du sie dazu bringen kannst zuzugeben, dass es nicht wahr ist«, sagte sie langsam, »ist das gut. Aber wenn nicht – ist es das Zweitbeste herauszufinden, wer mit ihr zusammen gewesen ist. Wenn irgendein Mann öffentlich zugibt, dass er der Vater sein *könnte* – würde das ihre Geschichte zumindest in ein zweifelhaftes Licht rücken.«

»Stimmt.« Roger träufelte sparsam Sirup über seine Küchlein. Selbst in seiner Unsicherheit und Nervosität genoss er den kräftigen, dunklen Duft und die Vorfreude auf die rare Süße. »Obwohl es garantiert genug Leute geben würde, die überzeugt wären, dass Jamie schuldig ist. Hier.«

»Ich habe einmal gesehen, wie sie Obadiah Henderson im Wald geküsst hat«, sagte Brianna und nahm die Flasche wieder entgegen. »Letzten Spätherbst.« Sie erschauerte heftig. »Wenn er es gewesen ist, ist es kein Wunder, dass sie es nicht sagen will.«

Roger warf ihr einen neugierigen Blick zu. Er kannte Obadiah, einen kräftigen, ungehobelten Kerl, der aber gar nicht schlecht aussah und kein Dummkopf war. So manche Frau würde ihn als gute Partie betrachten; er hatte fünfzehn Acres, die er ordentlich bestellte, und war ein guter Jäger. Er hatte aber noch nie gesehen, dass Brianna auch nur ein Wort mit ihm wechselte.

»Fällt dir noch irgendjemand anders ein?«, fragte sie immer noch stirnrunzelnd.

»Tja ... Bobby Higgins«, erwiderte er argwöhnisch. »Die Beardsleys haben hin und wieder ein Auge auf sie geworfen, aber natürlich ...« Er hatte das ungute Gefühl, dass dieser Gesprächsfaden darauf hinauslaufen würde, dass sie *ihn* drängte, potenziellen Vätern peinliche Fragen zu stellen – eine Vorgehensweise, die ihm ausgesprochen zwecklos und gefährlich erschien.

»Warum?«, wollte sie wissen und schnitt aufgebracht in ihren Pfannkuchenstapel. »Warum sollte sie das *tun*? Mama ist immer so gut zu ihr gewesen.«

»Einer von zwei Gründen«, erwiderte er und hielt einen Moment inne, um die Augen zu schließen und die Dekadenz von geschmolzener Butter und samtweichem Ahornsirup auf frischem, heißem Buchweizen zu genießen. Er schluckte und öffnete widerstrebend die Augen.

»Entweder ist der Vater jemand, den sie nicht heiraten möchte – warum auch immer – oder sie hat beschlossen, sich an das Geld oder den Besitz deines Vaters heranzumachen, indem sie ihn dazu bringt, für sie – oder das Kind – zu zahlen.«

»Oder beides. Ich meine, sie will den Mann nicht heiraten *und* sie will Papas Geld – nicht, dass er welches hat.«

»Oder beides«, pflichtete er ihr bei.

Sie aßen ein paar Minuten lang schweigend weiter, und ihre Gabeln schabten über die Holzteller, während sie ihren Gedanken nachhingen. Jem hatte die Nacht im Haupthaus verbracht; nach Lizzies Hochzeit hatte Roger den Vorschlag gemacht, dass Amy McCallum Lizzies Aufgaben als Dienstmädchen übernahm, und seit sie und Aidan dort eingezogen waren, verbrachte Jem noch mehr Zeit dort und tröstete sich mit Aidans Gesellschaft über den Verlust Germains hinweg.

»Es ist nicht wahr«, wiederholte sie hartnäckig. »Pa *würde* das einfach nicht tun...« Doch er sah den schwachen Zweifel in ihrem Blick – und den leisen Schleier der Panik bei diesem Gedanken.

»Nein, das würde er nicht«, sagte er mit Nachdruck. »Brianna – du kannst doch unmöglich glauben, dass daran etwas Wahres ist?«

»Nein, natürlich nicht!« Doch sie sagte es zu laut, zu entschlossen. Er legte seine Gabel hin und sah sie gleichmütig an.

»Was ist? Weißt du irgendetwas?«

»Nichts.« Sie jagte das letzte Stück Pfannkuchen rings um ihren Teller, spießte es auf und aß es.

Er machte ein skeptisches Geräusch, und sie blickte stirnrunzelnd auf die klebrige Pfütze, die auf ihrem Teller übrig geblieben war. Sie nahm sich immer zu viel Honig oder Sirup; er war sparsamer und hatte am Ende stets einen sauberen Teller.

»Nein«, sagte sie. Doch sie biss sich auf die Unterlippe und steckte die Fingerspitze in die Siruppfütze. »Es ist nur...«

»Was?«

»Nicht Pa«, sagte sie langsam. Sie steckte den Finger in den Mund und leckte den Sirup ab. »Und selbst bei Papa bin ich mir nicht sicher. Es ist nur – wenn ich auf einige Dinge zurückblicke, die ich damals nicht verstanden habe... Jetzt begreife ich –« Sie brach abrupt ab und schloss die Augen, dann öffnete sie sie wieder und sah ihn direkt an.

»Eines Tages habe ich mir seine Brieftasche angesehen. Ich wollte nicht herumschnüffeln, es hat nur Spaß gemacht, die ganzen Karten und so herauszunehmen und sie wieder zurückzustecken. Zwischen den Dollarnoten hat eine Notiz gesteckt. Darin wollte sich jemand mit ihm zum Mittagessen verabreden –«

»Das ist doch nichts Schlimmes.«

»Der Zettel fing mit ›Liebling‹ an – und es war nicht die Handschrift meiner Mutter«, sagte sie knapp.

»Ah«, sagte er und kurz darauf: »Wie alt warst du da?«

»Elf.« Sie malte mit der Fingerspitze kleine Muster auf den Teller. »Ich habe den Zettel einfach wieder zurückgesteckt und das Ganze quasi verdrängt. Ich wollte nicht darüber nachdenken – und ich glaube, das habe ich bis heute auch nicht getan. Es gab noch ein paar andere Dinge, Dinge, die ich gesehen und nicht verstanden habe – vor allem die Art, wie meine Eltern miteinander umgegangen sind … Dann und wann ist *irgendetwas* passiert, und ich habe nie gewusst, was es war, aber ich wusste, dass irgendetwas ganz und gar nicht stimmte.«

Sie verstummte, seufzte tief und wischte sich den Finger an ihrer Serviette ab.

»Brianna«, sagte er sanft. »Jamie ist ein Ehrenmann, und er liebt deine Mutter zutiefst.«

»Tja, siehst du, das ist genau der Punkt«, sagte sie leise. »Ich hätte geschworen, dass Papa auch einer war und sie genauso geliebt hat.«

Es war nicht unmöglich. Der Gedanke ließ ihn nicht los und nagte unangenehm an Roger wie ein Kiesel im Schuh. Jamie *war* ein Ehrenmann, er *hing* mit Leib und Seele an seiner Frau – und er hatte sich während Claires Krankheit in einem Abgrund der Verzweiflung und Erschöpfung befunden. Roger hatte fast genauso viel Angst um ihn gehabt wie um Claire; er war mit hohlem Blick und grimmiger Miene durch die heißen, endlosen Tage voll Gestank und Tod gewandelt, ohne zu essen, ohne zu schlafen, und nur seine Willenskraft hatte ihn vor dem Zusammenbruch bewahrt.

Roger hatte damals versucht, ihn anzusprechen, auf Gott, auf die Ewigkeit, hatte versucht, ihn mit dem zu versöhnen, was unausweichlich schien, war aber mit wild blickender Wut über den bloßen Gedanken, dass Gott vorhaben könnte, ihm seine Frau zu nehmen, zurückgewiesen worden – gefolgt von völliger Verzweiflung, als Claire dem Tode nah ins Koma gefallen war. Es war nicht unmöglich, dass das Angebot eines Moments der körperlichen Linderung in dieser trostlosen Leere weiter gegangen war, als die Beteiligten es beabsichtigt hatten.

Doch es war jetzt Anfang Mai, und Malva Christie war im sechsten Monat schwanger. Was bedeutete, dass es im November dazu gekommen sein musste. Die Krise von Claires Krankheit war Ende September gewesen; er erinnerte sich lebhaft an den Geruch der Äpfel im Zimmer, als sie vom scheinbar sicheren Tod erwachte. Ihre Augen waren weit aufgerissen und glühend gewesen, verblüffend schön in einem Gesicht, das an einen androgynen Engel erinnerte.

Nun gut, zum Kuckuck, es *war* unmöglich. Niemand war vollkommen, und jeder Mann konnte unter extremen Bedingungen weich werden – einmal. Aber nicht wiederholt. Und nicht Jamie Fraser. Malva Christie war eine Lügnerin.

Roger, der am Bachufer entlang auf die Hütte der Christies zuhielt, war sich seiner Sache jetzt schon sicherer.

Kannst du denn nichts tun?, hatte Brianna ihn gequält gefragt. Verdammt wenig, dachte er, aber er musste es versuchen. Es war Freitag; er konnte – und würde – am Sonntag eine Predigt über das Übel des Tratschens halten, die den Leuten die Ohren verbrannte. Angesichts dessen, was er über die menschliche Natur wusste, würde jeder Nutzen, den er damit erzielte, wahrscheinlich von kurzer Dauer sein.

Darüber hinaus – nun, Mittwochabend war eine Zusammenkunft der Loge. Diese entwickelte sich wirklich gut, und er gefährdete die zerbrechliche Freundschaftlichkeit der jungen Loge nur ungern, indem er bei einer Zusammenkunft eine unangenehme Situation riskierte… Doch wenn die Chance bestand, dass es half… wäre es dann sinnvoll, Jamie und die beiden Christies zur Teilnahme zu ermutigen? Es würde die Angelegenheit ans Tageslicht befördern, und ganz gleich, wie schlimm, es war weitaus besser, wenn alle Welt es offen erfuhr, als wenn ein geflüsterter Skandal vor sich hin schwärte. Er ging davon aus, dass Tom Christie die Regeln des Anstands befolgen und sich zivilisiert verhalten würde – doch bei Allan war er sich nicht so sicher. Der Sohn hatte zwar die Gesichtszüge und die selbstgerechte Haltung seines Vaters geerbt, doch Toms eisernen Willen und seine Selbstbeherrschung besaß er nicht.

Er hatte die Hütte erreicht, die verlassen zu sein schien. Allerdings hörte er das Geräusch einer Axt, das langsame *Klop!*, mit dem Feuerholz gespalten wurde, und er machte sich auf den Weg zur Rückseite.

Es war Malva, die sich auf seinen Gruß hin mit argwöhnischer Miene umdrehte. Er sah, dass sie bläuliche Ränder unter den Augen hatte, und ihr sonst so hübsches Gesicht war finster. Ein schlechtes Gewissen, so hoffte er, als er sie freundlich begrüßte.

»Wenn Ihr hier seid, um mich dazu zu bringen, dass ich es zurücknehme, das tue ich nicht«, sagte sie geradeheraus, ohne seinen Gruß zu beachten.

»Ich bin hier, um Euch zu fragen, ob Ihr mit jemandem reden möchtet«, sagte er. Das überraschte sie; sie stellte die Axt hin und wischte sich mit der Schürze über das Gesicht.

»Reden?«, sagte sie langsam und betrachtete ihn. »Worüber denn?«

Er zuckte mit den Achseln und lächelte sie kaum merklich an.

»Worüber Ihr wollt.« Er gestattete es sich, entspannt mit Akzent zu sprechen, der jetzt breiter wurde und so ähnlich klang wie ihre Edinburgher

Aussprache. »Ich bezweifle, dass Ihr in letzter Zeit Gelegenheit hattet, mit irgendjemandem zu reden, außer mit Eurem Vater und Eurem Bruder – und die können Euch eventuell jetzt nicht zuhören.«

Ein ähnliches, schwaches Lächeln huschte über ihre Gesichtszüge und verschwand.

»Nein, sie hören mir nicht zu«, sagte sie. »Aber das macht nichts, ich habe sowieso nichts zu erzählen. Ich bin eine Hure, was gibt es da noch zu sagen?«

»Ich glaube nicht, dass Ihr eine Hure seid«, sagte Roger leise.

»Ach, nein?« Sie lehnte sich ein wenig zurück und betrachtete ihn spöttisch. »Wie würdet Ihr denn sonst eine Frau nennen, die die Beine für einen verheirateten Mann breit macht? Ehebrecherin natürlich – aber auch Hure, habe ich mir sagen lassen.«

Er glaubte, dass sie ihn mit ihrer absichtlich groben Ausdrucksweise schockieren wollte. Das tat sie auch, doch das behielt er für sich.

»Fehlgeleitet vielleicht. Jesus hat die Frau nicht getadelt, die eine Hure *war*, also ist es nicht meine Sache, jemanden zu tadeln, der keine Hure ist.«

»Und wenn Ihr hier seid, um mir Bibelzitate vorzutragen, so spart Euch den Atem, um Euren Porridge damit zu kühlen«, sagte sie und verzog angewidert ihre zierlichen Mundwinkel nach unten. »Davon habe ich schon mehr gehört, als mir lieb ist.«

Das, so dachte er, stimmte wahrscheinlich. Tom Christie war ein Mann, der für jede Gelegenheit einen Vers parat hatte – oder zehn –, und wenn er seine Tochter nicht körperlich züchtigte, so hatte er es mit großer Wahrscheinlichkeit mit Worten getan.

Weil er nicht wusste, was er als Nächstes sagen sollte, hielt er ihr die Hand entgegen.

»Wenn Ihr mir die Axt gebt, erledige ich den Rest.«

Sie zog eine Augenbraue hoch, gab ihm die Axt in die Hand und trat einen Schritt zurück. Er stellte ein Stück Holz auf den Block, spaltete es sauber entzwei und bückte sich, um das nächste Scheit aufzuheben. Sie sah ihm einen Moment zu, dann setzte sie sich langsam auf einen kleineren Baumstumpf.

Der Gebirgsfrühling war immer noch kühl; der letzte Winterhauch des hoch gelegenen Schnees noch nicht verzogen, doch die Arbeit wärmte ihn. Er vergaß zwar absolut nicht, dass sie da war, doch er hielt den Blick auf das Holz gerichtet, auf die helle Körnung der frisch gespaltenen Scheite, spürte den Widerstand, wenn er die Axtklinge herauszog und ertappte sich dabei, dass seine Gedanken zu seiner Unterhaltung mit Brianna zurückwanderten.

Frank Randall war seiner Frau also – vielleicht – gelegentlich untreu gewesen. Wenn er wirklich fair sein wollte, war sich Roger, der die Umstände dieses Falls kannte, nicht sicher, dass man ihm Vorwürfe machen konnte. Claire war spurlos verschwunden, und Frank war nichts anderes übrig geblieben, als sie verzweifelt zu suchen, um sie zu trauern und dann schließlich sein Leben Stück für Stück wieder zusammenzusetzen und einen neuen Anfang zu machen. Woraufhin seine vermisste Frau wieder auftaucht, erschüttert, misshandelt – und schwanger von einem anderen.

Woraufhin Frank Randall sie – ob aus Ehrgefühl, aus Liebe oder schlichter… was? Neugier? – wieder aufgenommen hatte. Er erinnerte sich noch daran, wie Claire ihnen die Geschichte erzählt hatte, und es war klar, dass sie keinen besonderen Wert darauf gelegt hatte, wieder aufgenommen zu werden. Das musste auch Frank Randall verdammt klar gewesen sein.

Kein Wunder also, wenn seine Entrüstung und das Gefühl der Zurückweisung gelegentlich die Oberhand gewonnen hatten – kein Wunder ebenfalls, dass die Echos der geheimen Konflikte zwischen ihren Eltern auch bei Brianna angelangt waren wie seismische Störungen, die sich meilenweit durch Erde und Stein hindurch fortsetzen, Stöße einer Magmaquelle tief unter der Kruste.

Und kein Wunder, so fiel es ihm wie Schuppen von den Augen, dass seine Freundschaft mit Amy McCallum sie so aus der Fassung gebracht hatte.

Ganz plötzlich wurde ihm klar, dass Malva Christie weinte. Lautlos, ohne ihr Gesicht zu bedecken. Tränen rannen ihr über die Wangen, und ihre Schultern bebten, doch sie biss sich fest auf die Unterlippe; sie machte kein Geräusch.

Er stellte die Axt hin und trat zu ihr. Legte ihr sanft den Arm um die Schultern und tätschelte ihr den Kopf.

»Hey«, sagte er leise. »Keine Sorge, aye? Es wird alles wieder gut.«

Sie schüttelte den Kopf, und die Tränen strömten über ihr Gesicht.

»Das geht nicht«, flüsterte sie. »Es geht nicht.«

Inmitten seines Mitleids mit ihr wurde sich Roger eines wachsenden Gefühls der Hoffnung bewusst. Jedes Widerstreben, ihre Verzweiflung auszunutzen, wurde von der Entschlossenheit verdrängt, der Ursache für ihren Kummer auf den Grund zu gehen. Hauptsächlich um Jamies und seiner Familie willen – aber auch um ihretwillen.

Doch er durfte sie nicht zu sehr bedrängen, sie nicht hetzen. Sie musste ihm vertrauen.

Also streichelte er sie tröstend, massierte ihr den Rücken, wie er es bei Jem tat, wenn dieser aus einem Albtraum aufwachte, sprach leise, beruhigende, bedeutungslose Worte und spürte, wie sie nachzugeben begann. Nachzugeben, wenn auch auf eine seltsam körperliche Weise, als blühte ihre Haut unter seiner Berührung plötzlich auf.

Seltsam und gleichzeitig merkwürdig vertraut. Es ging ihm dann und wann mit Brianna so, wenn er sich ihr in der Dunkelheit zuwandte, wenn sie keine Zeit zum Überlegen hatte und nur mit ihrem Körper auf ihn reagierte. Dieser Gedanke ließ ihn zusammenfahren, und er wich ein wenig zurück. Er hätte gern etwas zu Malva gesagt, doch der Klang von Schritten unterbrach ihn, und als er aufblickte, sah er Allan Christie aus dem Wald auf sich zukommen, schnell und mit einem Gesicht wie Donnergrollen.

»Hände weg von ihr!«

Er richtete sich auf, und sein Herz hämmerte, als ihm plötzlich klar wurde, wie das hier aussehen musste.

»Was denkt Ihr Euch dabei, hier herumzuschleichen wie eine Ratte, die hinter einer Käserinde her ist?«, rief Allan. »Meint Ihr, nachdem sie geschändet ist, ist sie Freiwild für jeden Hurensohn, der Lust auf sie hat?«

»Ich bin hier, um ihr Rat anzubieten«, sagte Roger, so kühl er konnte. »Und Trost, wenn es möglich ist.«

»Oh, aye.« Allan Christies Gesicht war rot angelaufen, und das Haar stand ihm in Büscheln zu Berge wie bei einem angriffslustigen Igel. »Er erquickt mich mit Blumen und labt mich mit Äpfeln, wie? Ihr könnt Euch Euren Trost in den Hintern schieben, MacKenzie, und Euren gottverdammten Steifen gleich dazu.«

Allan hatte die Hände zu Fäusten geballt und bebte vor Wut.

»Ihr seid auch nicht besser als Euer durchtriebener Schwiegervater – oder vielleicht –« Er fuhr plötzlich zu Malva herum, die aufgehört hatte zu weinen, aber kreidebleich und erstarrt auf ihrem Baumstumpf saß. »Vielleicht war er es auch? Ist es so, du kleine Schlampe, hast du sie beide gehabt? Antworte mir!« Seine Hand holte aus, um sie zu ohrfeigen, und Roger fing ihn automatisch am Handgelenk ab.

Roger war so wütend, dass er kaum sprechen konnte. Christie war kräftig, aber er war größer; er hätte dem jungen Mann das Handgelenk gebrochen, wenn er gekonnt hätte. So jedoch bohrte er seine Finger fest in den Zwischenraum zwischen den Knochen und war zufrieden, als er sah, dass Christies Augen vor Schmerz hervortraten und tränten.

»Ihr werdet nicht so mit Eurer Schwester sprechen«, sagte er, nicht laut, aber sehr deutlich. »Und mit mir genauso wenig.« Er griff plötzlich um und beugte Christies Handgelenk scharf nach hinten. »Verstanden?«

Allans Gesicht wurde weiß, und er atmete zischend aus. Er antwortete nicht, brachte aber ein Kopfnicken zuwege. Roger ließ ihn los und schleuderte das Handgelenk des jungen Mannes geradezu von sich, so angewidert fühlte er sich auf einmal.

»Ich möchte nicht hören, dass Ihr Eure Schwester irgendwie misshandelt habt«, sagte er, so gleichmütig er konnte. »Falls ich es höre – werdet Ihr es bedauern. Guten Tag, Mr. Christie. Miss Christie«, fügte er mit einer knappen Verbeugung vor Malva hinzu. Sie antwortete nicht, sondern starrte ihn nur an, die Augen, grau wie Sturmwolken, vor Schreck weit aufgerissen. Die Erinnerung an diese Augen verfolgte ihn, als er von der Lichtung schritt und in die Dunkelheit des Waldes eindrang. Dabei fragte er sich, ob er die Lage verbessert hatte oder ob sie jetzt viel, viel schlimmer war.

Die nächste Zusammenkunft der Loge von Fraser's Ridge war am Mittwoch. Wie üblich ging Brianna mit Jemmy und ihrem Handarbeitskorb ins Haus ihrer Eltern, und es überraschte sie, Bobby Higgins am Tisch anzutreffen, wo er gerade sein Abendessen beendete.

»Miss Brianna!« Er erhob sich halb bei ihrem Anblick und strahlte, doch sie winkte ab und glitt auf die Bank, die ihm gegenüber stand.

»Bobby! Wie schön, Euch wieder zu sehen! Wir dachten – nun, wir haben gedacht, Ihr würdet nicht mehr kommen.«

Er nickte mit reumütiger Miene.

»Aye, das ist auch möglich, zumindest für eine Weile. Aber Seine Lordschaft hat ein paar Dinge erhalten, Dinge aus England, und er hat gesagt, ich soll sie herbringen.« Er fuhr sorgfältig mit einem Stück Brot durch seine Schüssel und wischte die letzten Reste von Mrs. Bugs Hühnerfrikassee auf.

»Und dann … nun ja, ich wollte auch selbst kommen. Um Miss Christie zu sehen, aye?«

»Oh.« Sie sah hoch und fing einen Blick von Mrs. Bug auf. Die ältere Frau verdrehte hilflos die Augen und schüttelte den Kopf. »Ähm. Ja, Malva. Äh … ist meine Mutter oben, Mrs. Bug?«

»Nein, *a nighean.* Sie wurde zu Mr. MacNeill gerufen; er hat eine böse Rippenfellentzündung.« Ohne Luft zu holen, zog sie ihre Schürze aus und hängte sie an ihren Haken, während sie mit der anderen Hand nach ihrem Umhang griff. »Ich gehe dann, *a leannan*, Arch wartet sicher schon auf sein Abendessen. Falls Ihr etwas braucht, ist Amy ja da.« Und mit dieser kurzen Verabschiedung verschwand sie. Bobby starrte ihr nach, verwundert über dieses untypische Verhalten.

»Stimmt etwas nicht?«, fragte er und wandte sich mit einem kleinen Stirnrunzeln wieder Brianna zu.

»Ähh … nun ja.« Mit einigen unfreundlichen Gedanken in Mrs. Bugs Richtung holte Brianna tief Luft und erzählte es ihm. Der Anblick seines lieben Jungengesichts, das im Feuerschein kreidebleich und starr wurde, ließ sie innerlich zusammenzucken.

Sie brachte es nicht über sich, Malvas Anschuldigungen zu erwähnen und sagte ihm nur, dass das Mädchen schwanger war, aber nicht bereit war, den Vater preiszugeben. Er würde die Sache mit Jamie bald genug erfahren, aber bitte, Gott, nicht von ihr.

»Ich verstehe, Miss. Aye … ich verstehe.« Er blieb noch einen Moment sitzen und starrte auf das Stück Brot in seiner Hand. Dann warf er es in die Schüssel, erhob sich ruckartig und rauschte nach draußen; sie hörte, wie er sich in die Blaubeerbüsche an der Hintertür übergab. Er kam nicht wieder.

Es wurde ein langer Abend. Ihre Mutter verbrachte die Nacht eindeutig bei Mr. MacNeill und seiner Rippenfellentzündung. Amy McCallum kam für eine Weile herunter, und sie unterhielten sich stockend beim Nähen, doch dann entfloh das Hausmädchen wieder nach oben. Aidan und Jemmy, die lange aufbleiben und spielen durften, wurden müde und schliefen auf der Kaminbank ein.

Sie rutschte auf ihrem Stuhl herum, gab das Nähen auf und wanderte auf und ab, während sie darauf wartete, dass die Loge endete. Sie sehnte sich nach ihrem eigenen Bett, ihrem eigenen Haus; die Küche ihrer Eltern, in der sie sich sonst so wohl fühlte, kam ihr fremd und ungemütlich vor, als sei sie eine Fremde darin.

Endlich, endlich hörte sie Schritte und das Knarren der Tür, und Roger trat mit besorgter Miene ein.

»Da bist du ja«, sagte sie erleichtert. »Wie war die Loge? Waren die Christies da?«

Er schüttelte den Kopf.

»Nein. Es ... es ging ganz gut. Natürlich war es ein bisschen unangenehm, aber dein Vater hat Haltung bewahrt, so gut es unter den Umständen möglich war.«

Sie verzog das Gesicht, während sie sich das vorstellte.

»Wo ist er?«

»Er hat gesagt, er wollte noch einen Spaziergang machen, allein – vielleicht noch ein bisschen angeln.« Roger legte die Arme um sie und drückte sie mit einem Seufzer fest an sich. »Hast du den Lärm gehört?«

»Nein! Was ist denn passiert?«

»Nun, wir hatten gerade ein bisschen über die Allgemeingültigkeit der Bruderliebe philosophiert, als draußen bei deinem Brennofen die Hölle losgebrochen ist. Na ja, dann sind alle hinaus, um nachzusehen, was los war, und da rollten dein Vetter Ian und Bobby Higgins im Dreck herum und haben versucht, sich gegenseitig umzubringen.«

»Oje.« Sie bekam ein schlechtes Gewissen. Wahrscheinlich hatte irgendjemand Bobby alles erzählt, und er hatte sich auf die Suche nach Jamie gemacht und war stattdessen auf Ian gestoßen, dem er Malvas Anschuldigungen ins Gesicht gesagt hatte. Wenn sie es ihm selbst gesagt hätte ...

»Was ist passiert?«

»Na ja, Ians verdammter Köter hat sich eingemischt. Dein Vater hat ihn in letzter Sekunde daran gehindert, Bobby die Kehle zu zerfetzen, aber damit war der Kampf immerhin zu Ende. Wir haben sie getrennt, und Ian hat sich losgerissen und ist in den Wald marschiert, den Hund an seiner Seite. Bobby ist ... Nun ja, ich habe ihn wieder auf Vordermann gebracht und ihm Jemmys Bett für die Nacht gegeben«, sagte er entschuldigend. »Er hat gesagt, er könnte nicht hier oben bleiben –« Er sah sich in der dunklen Küche um; sie hatte das Feuer schon für die Nacht eingedämmt und die beiden Jungen nach oben ins Bett getragen; das Zimmer war leer, das einzige Licht die schwache Glut im Kamin.

»Tut mir Leid. Möchtest du dann lieber hier schlafen?«

Sie schüttelte heftig den Kopf.

»Bobby oder nicht, ich möchte nach Hause.«

»Aye, nun gut. Dann geh; ich hole Amy, damit sie die Tür verriegelt.«

»Nein, lass nur«, sagte sie schnell. »Ich hole sie.« Und bevor er protestieren konnte, war sie schon im Flur und auf der Treppe. Das leere Haus lag fremd und schweigend unter ihr.

82

Nicht das Ende der Welt

Unkraut aus dem Boden zu reißen ist eine Tätigkeit, die große Genugtuung bereitet. Es mag ja eine ermüdende, endlose Aufgabe sein, die jedoch ein leises, unerschütterliches Triumphgefühl mit sich bringt, wenn man plötzlich spürt, wie der Boden nachgibt, um die hartnäckige Wurzel preiszugeben, und man den Feind besiegt in der Hand hält.

Es hatte kürzlich geregnet, und der Boden war weich. Ich zerrte und zog mit wütender Konzentration; Löwenzahn, Weidenröschen, Rhododendrenschößlinge, verschiedene Grassorten, Knöterich und Kriechmalven. Hielt kurz inne, um einen finsteren Blick auf eine Kratzdistel zu werfen, und löste sie mit einem gezielten Stoß meines Gartenmessers aus der Erde.

Die Weinranken, die an den Palisaden wuchsen, waren gerade in ihrem Frühjahrsschub, und zartes, rostrot gerändertes Grün ergoss sich von den verholzten Stauden und ringelte sich genauso eifrig wie mein nachwachsendes Haar – sollte sie der Teufel holen, sie hatte mir absichtlich die Haare abgeschnitten, um mich zu entstellen! Der Schatten, den sie warfen, bot Zuflucht für immense Büsche eines schädlichen Gewächses, das ich »Juwelkraut« nannte, da ich seinen richtigen Namen nicht kannte, wegen seiner kleinen weißen Blüten, die wie Diamantenhäufchen zwischen den gefiederten Blätterwedeln glitzerten. Wahrscheinlich war es eine Fenchelart, die aber weder eine brauchbare Knolle noch essbare Samen entwickelte; hübsch, aber nutzlos – und daher die Sorte Gewächs, die sich wie ein Buschfeuer ausbreitet.

Ein leises Geräusch huschte an mir vorbei, und ein Stoffball landete vor meinem Fuß. Diesem folgte blitzartig ein sehr viel größerer Körper, und Rollo hechtete an mir vorbei, schnappte sich zielsicher den Ball und galoppierte so schnell davon, dass der Luftzug meine Röcke bewegte. Als ich erschrocken den Kopf hob, sah ich ihn auf Ian zuspringen, der auf leisen Sohlen in den Garten gekommen war.

Er machte eine kleine, entschuldigende Geste, doch ich hockte mich auf die Fersen und lächelte ihm zu, während ich versuchte, die bösen Worte zu unterdrücken, die in mir rumorten.

Offenbar hatte ich damit keinen großen Erfolg, denn ich sah, wie er die Stirn runzelte und mir zögernd ins Gesicht sah.

»Wolltest du etwas, Ian?«, sagte ich knapp und gab die freundliche Fassade auf. »Wenn dein Hund einen meiner Bienenstöcke umstößt, mache ich einen Teppich aus ihm.«

»Rollo!« Ian schnippte mit den Fingern in Rollos Richtung, und dieser machte einen eleganten Satz über die Reihe der Bienenstöcke am anderen Ende des Gartens, trabte zu seinem Herrn, ließ ihm den Ball vor die Füße fallen und blieb fröhlich hechelnd stehen, die gelben Wolfsaugen scheinbar interessiert auf mich geheftet.

Ian hob den Ball auf, wandte sich um und schleuderte ihn zur offenen Gartentür hinaus. Rollo schoss hinterher wie der Schweif eines Kometen.

»Ich wollte dich etwas fragen, Tante Claire«, sagte er und wandte sich wieder zu mir um. »Aber es kann warten.«

»Nein, es ist schon gut.« Ich erhob mich umständlich und wies auf die kleine Bank, die Jamie in einer schattigen Ecke für mich gebaut hatte.

»Also?« Ich setzte mich neben ihn und strich mir die Erdkrumen vom Rocksaum.

»Mmpfm. Nun ja…« Er starrte auf seine knochigen Hände, die er über dem Knie verschränkt hatte. »Ich… äh…«

»Du bist doch nicht wieder mit der Syphilis in Kontakt gekommen, oder?«, fragte ich, denn ich erinnerte mich noch lebhaft an meine letzte Unterredung mit einem peinlich berührten jungen Mann in diesem Garten. »Wenn es nämlich so ist, schwöre ich, dass ich Dr. Fentimans Spritze benutzen werde, und ich werde es nicht sanft tun. Du –«

»Nein, nein!«, sagte er hastig. »Nein, natürlich nicht, Tante Claire. Es geht um – um Malva Christie.« Bei diesen Worten spannte er sich an, für den Fall, dass ich nach meinem Gartenmesser griff, aber ich holte nur tief Luft und atmete langsam wieder aus.

»Was ist mit ihr?«, sagte ich um einen gleichmütigen Tonfall bemüht.

»Nun ja… eigentlich nicht direkt um Malva, sondern eher um das, was sie gesagt hat – über Onkel Jamie.« Er brach ab und schluckte, und ich holte erneut Luft. Weil mich die ganze Situation selbst so aus der Fassung brachte, hatte ich kaum einen Gedanken daran verschwendet, welche Folgen sie für andere hatte. Doch Ian vergötterte Jamie, seit er ein kleiner Junge war; ich konnte mir gut vorstellen, dass die überall verbreiteten Andeutungen, dass Jamie seine Schwächen haben könnte, ihn zutiefst bestürzten.

»Ian, du darfst dir keine Sorgen machen.« Ich legte ihm tröstend die Hand auf den Arm, auch wenn sie voller Erde war. »Es wird sich alles klären… irgendwie. So ist das immer.« Das stimmte – im Normalfall mit dem Maximum an Aufruhr und Katastrophen. Und falls Malvas Kind durch einen grausamen kosmischen Scherz mit rotem Haar zur Welt kam… Ich schloss einen Moment die Augen, weil mir mulmig wurde.

»Aye, das nehme ich auch an«, sagte Ian, der extrem unsicher klang. »Es ist nur – was sie über Onkel Jamie sagen. Selbst seine eigenen Männer aus Ardsmuir, die es wirklich besser wissen sollten! Dass er anscheinend – nun, ich will es nicht wiederholen, Tante Claire – aber – ich kann es nicht ertragen, das zu hören!«

Sein langes, gutmütiges Gesicht verzog sich kummervoll, und mir kam plötzlich der Gedanke, dass er womöglich selbst Zweifel hatte.

»Ian«, sagte ich mit aller Entschlossenheit, die ich aufbringen konnte, »Malvas Kind kann nie und nimmer von Jamie sein. Das glaubst du doch, oder?«

Er nickte langsam, wich aber meinem Blick aus.

»Ja«, sagte er leise, und dann schluckte er krampfhaft. »Aber, Tante Claire … es könnte von mir sein.«

Eine Biene war auf meinem Arm gelandet. Ich starrte sie an, sah die Adern in ihren gläsernen Flügeln, den gelben Pollenstaub, der an den Härchen ihrer Beine und ihres Bauchs klebte, das sanfte Pulsieren ihres Körpers, als sie atmete.

»Oh, Ian«, sagte ich genauso leise, wie er selbst gesprochen hatte. »Oh, Ian.«

Er war zum Bersten angespannt, doch bei meinen Worten ließ die Anspannung in dem Arm unter meiner Hand ein wenig nach, und ich sah, dass er die Augen geschlossen hatte.

»Es tut mir Leid, Tante Claire«, flüsterte er.

Ich tätschelte ihm wortlos den Arm. Die Biene flog davon, und ich wünschte mir leidenschaftlich, ich könnte mit ihr tauschen. Es würde so wunderbar sein, nichts als das Sammeln im Sinn zu haben und nur dieses eine Ziel unter der Sonne zu verfolgen.

Eine andere Biene landete auf Ians Kragen, und er streifte sie geistesabwesend ab.

»Nun, also«, sagte er. Er holte tief Luft und wandte mir den Kopf zu, um mich anzusehen. »Was muss ich tun, Tante Claire?«

Seine Augen waren dunkel vor Sorge und Elend – und etwas, das große Ähnlichkeit mit Angst hatte, dachte ich.

»Tun?«, sagte ich und klang so verständnislos, wie ich mich fühlte. »Jesus H. Roosevelt Christ, Ian.«

Ich hatte nicht beabsichtigt, ihn zum Lächeln zu bringen, und er lächelte auch nicht, aber er schien sich ganz schwach zu entspannen.

»Aye, ich habe es schon getan«, sagte er sehr reumütig. »Aber – es ist geschehen, Tante Claire. Wie kann ich es wieder gutmachen?«

Ich rieb mir die Stirn und versuchte nachzudenken. Rollo hatte seinen Ball zurückgebracht, doch als er sah, dass Ian nicht in der Stimmung war zu spielen, ließ er ihn zu seinen Füßen fallen und lehnte sich hechelnd an sein Bein.

»Malva«, sagte ich schließlich. »Hat sie es dir gesagt? Vorher, meine ich.«

»Du meinst, ich habe sie verschmäht, und deshalb hat sie Onkel Jamie beschuldigt?« Er warf mir einen ironischen Blick zu und kraulte Rollo geistesabwesend den Nacken. »Nun, das kann ich dir nicht verdenken, Tante Claire, aber so ist es nicht. Sie hat kein Wort zu mir darüber gesagt. Wenn sie das getan hätte, hätte ich sie auf der Stelle geheiratet.«

Nun, da er die Hürde seines Geständnisses genommen hatte, fiel ihm das Reden leichter.

»Du bist nicht auf den Gedanken gekommen, sie *zuerst* zu heiraten?«, sagte ich, vielleicht mit einem Hauch von Schärfe.

»Äh … nein«, sagte er sehr verlegen. »Es war nicht unbedingt eine Sache von – nun ja, eigentlich habe ich gar nicht gedacht, Tante Claire. Ich war betrunken. Zumindest beim ersten Mal«, fügte er der Vollständigkeit halber hinzu.

»Beim ersten –? Wie oft –? Nein, sag's mir nicht. Ich möchte die schmutzigen Details gar nicht wissen.« Ich gebot ihm mit einer knappen Geste zu schweigen und setzte mich gerade hin, weil mir ein Gedanke kam. »Bobby Higgins. War das –«

Er nickte und senkte die Wimpern, so dass ich seine Augen nicht sehen konnte. Das Blut war ihm unter die Sonnenbräune gekrochen.

»Aye. Das war der Grund, warum – ich meine, ich wollte sie eigentlich nie heiraten, aber ich hätte sie trotzdem gefragt, nachdem wir … Aber ich habe es ein wenig aufgeschoben, und –« Er rieb sich hilflos das Gesicht. »Nun, ich wollte sie nicht als Frau, aber ich konnte das Verlangen nach ihr trotzdem nicht abstellen. Ich weiß genau, wie schlimm dir das vorkommen muss – aber ich muss die Wahrheit sagen, Tante Claire, und das ist sie.« Er holte kräftig Luft und fuhr fort.

»Ich habe … auf sie gewartet. Im Wald, wenn sie Kräuter oder Beeren sammeln ging. Sie hat nichts gesagt, wenn sie mich gesehen hat, nur gelächelt und ihre Röcke ein wenig gehoben, dann hat sie sich schnell umgedreht und ist weggelaufen und … Himmel, ich bin ihr nach wie ein Hund hinter einer läufigen Hündin«, sagte er bitter. »Aber dann bin ich eines Tages zu spät gekommen, und sie war nicht an der Stelle, wo wir uns immer getroffen haben. Aber ich habe sie lachen gehört, ein Stück weiter, und als ich nachsehen gegangen bin …«

Er verdrehte seine Hände so, dass er sich einen Finger ausrenkte, und zog eine Grimasse. Rollo jaulte leise.

»Sagen wir einfach, das Kind könnte genauso gut von Bobby Higgins sein«, sagte er abgehackt.

Ich fühlte mich plötzlich wieder so erschöpft wie während meiner Erholung von der Krankheit, als sei selbst das Atmen eine zu große Anstrengung. Ich lehnte mich mit dem Rücken an die Palisaden und spürte das kühle, papierne Rascheln der Weinblätter an meinem Hals, ein sanftes Fächeln an meinen heißen Wangen.

Ian beugte sich vor, den Kopf in den Händen, und die grünen Schatten flackerten über ihn hinweg.

»Was soll ich tun?«, fragte er schließlich mit erstickter Stimme. Er hörte sich genauso müde an, wie ich mich fühlte. »Es macht mir nichts aus zu sagen, dass ich – dass das Kind von mir sein könnte. Aber glaubst du, dass es helfen würde?«

»Nein«, sagte ich trostlos. »Das würde es nicht.« Es würde nichts an der öffentlichen Meinung ändern; alle würden einfach davon ausgehen, dass er für seinen Onkel log. Selbst wenn er das Mädchen heiratete, würde das nichts –

Mir kam ein Gedanke, und ich richtete mich wieder auf.

»Du hast gesagt, du wolltest sie nicht heiraten, schon bevor du überhaupt von Bobby wusstest. Warum?«, fragte ich neugierig.

Er hob mit einer hilflosen Geste den Kopf.

»Ich weiß nicht, wie ich das sagen soll. Sie war – nun sie war wirklich hübsch, aye, und hatte auch diese Lebensfreude. Aber sie … Ich weiß nicht, Tante Claire. Es war nur so, dass ich immer das Gefühl hatte, wenn ich mit ihr zusammen war – dass ich auf keinen Fall einschlafen durfte.«

Ich starrte ihn an.

»Nun, ich kann mir vorstellen, dass dich das abgeschreckt hat.«

Doch er hatte diesen Gedanken schon abgetan und bohrte stirnrunzelnd die Ferse seiner Mokassins in den Boden.

»Man kann nicht sagen, welcher von zwei Männern der Vater eines Kindes ist, oder?«, fragte er abrupt. »Nur – wenn es von mir ist, will ich es haben. Ich würde sie um des Kindes willen heiraten, ganz gleich, was geschehen ist. Wenn es von mir ist.«

Brianna hatte mir die Grundzüge seiner Geschichte erzählt; ich wusste von seiner Mohawk-Frau, Emily, und dem Tod seiner ungeborenen Tochter, und ich spürte die Gegenwart meines eigenen ersten Kindes, Faith, die tot zur Welt gekommen war, aber immer bei mir war.

»O Ian«, sagte ich leise und berührte sein Haar. »Vielleicht kann man es dem Kind ansehen – wahrscheinlich aber nicht, oder zumindest nicht sofort.«

Er nickte und seufzte. Kurz darauf sagte er: »Wenn ich sage, es ist von mir, und ich sie heirate – möglich, dass die Leute immer noch reden, aber nach einer Weile …« Er verstummte. Es stimmte, möglich, dass das Gerede irgendwann abebben würde. Aber es würde ewig Leute geben, die glauben würden, dass Jamie verantwortlich war, andere, die Malva als Hure oder Lügnerin bezeichnen würden – was sie ja auch *war*, zum Kuckuck, rief ich mir ins Gedächtnis, aber trotzdem hörte man solche Worte nicht gern über die eigene Frau. Und wie würde Ians Leben aussehen, verheiratet unter solchen Umständen und mit einer Frau, der er nicht trauen konnte und die er – so war mein Eindruck – nicht übermäßig gern hatte?

»Nun«, sagte ich. Ich stand auf und räkelte mich. »Unternimm vorerst nichts Drastisches. Lass mich mit Jamie reden; es macht dir doch nichts aus, wenn ich es ihm sage?«

»Ja, bitte, Tante Claire. Ich glaube nicht, dass ich ihm selbst gegenübertreten könnte.« Er saß immer noch auf der Bank, die knochigen Schultern vornübergesunken. Rollo lag zu seinen Füßen auf dem Boden, der große Wolfskopf ruhte auf Ians Mokassin. Voll Mitleid legte ich die Arme um Ian, und er lehnte einfach den Kopf an mich wie ein Kind.

»Es ist nicht das Ende der Welt«, sagte ich.

Die Sonne berührte jetzt die Kante des Berges; der Himmel brannte rot und golden, und das Licht fiel in flammenden Streifen zwischen den Palisaden hindurch.

»Nein«, sagte er, doch es lag keine Überzeugung in seiner Stimme.

83

Neue Deklarationen

Charlotte, Mecklenburg County
20. Mai 1775

Was Roger nicht bedacht hatte, war die schiere Alkoholmenge, die stets mit im Spiel war, wenn Geschichte gemacht wurde. Er hätte es sich denken sollen, fand er; wenn es etwas gab, das seine akademische Laufbahn ihn gelehrt hatte, dann die Tatsache, dass so gut wie alle Angelegenheiten von Wichtigkeit in der Kneipe abgehandelt wurden.

Die Kneipen, Wirtshäuser und Speiselokale in Charlotte machten das Geschäft des Jahrhunderts, denn es wimmelte von Delegierten, Zuschauern und Fußvolk. Wer loyalistischer Überzeugung war, versammelte sich im *King's Arms*, wer leidenschaftlich dagegen war, im *Blue Boar*, und wer noch ungebunden und unentschlossen war, ließ sich von den wechselnden Strömungen hin und her treiben und schob sich durch das *Goose and Oyster*, Thomas' Gastwirtschaft, das *Groats, Simon's, Buchanan's, Mueller's* und zwei oder drei namenlose Etablissements, die kaum als Spelunken durchgingen.

Jamie suchte sie alle auf. Und trank in allen seinen Anteil an hellem Bier, Ale, Rumpunsch, Bier mit Limonade, Kräuterschnaps, Portwein, Starkbier, Cidre, Branntwein, Persimonenbier, Rhabarberwein, Blaubeerwein, Kirschlikör und Maibowle. Nicht all diese Getränke waren alkoholisch, doch die meisten.

Roger beschränkte sich weitgehend auf Bier und war froh, sich so zurückgehalten zu haben, als er auf der Straße Davy Caldwell begegnete, der sich mit einer Hand voll früher Aprikosen von einem Obststand abwandte.

»Mr. MacKenzie!«, rief Caldwell und begrüßte ihn begeistert. »Ich hatte gar nicht damit gerechnet, Euch hier zu begegnen, aber was für ein Segen!«

»Ein Segen, in der Tat«, sagte Roger und schüttelte dem Pastor ausgesprochen herzlich die Hand. Caldwell hatte ihn und Brianna getraut und war einige Monate zuvor in der Presbyterianerakademie sein geistlicher Ratgeber gewesen. »Wie geht es Euch, Mr. Caldwell?«

»Och, was mich selbst angeht, gut – aber mir schwant Übles, was das Schicksal meiner armen Brüder angeht!« Caldwell schüttelte betrübt den Kopf und wies auf eine Gruppe von Männern, die sich lachend und plaudernd in Simon's Wirtshaus drängte. »Was soll dabei nur herauskommen, Mr. MacKenzie – was soll dabei herauskommen?«

Einen unausgeglichenen Moment lang war Roger versucht, ihm genau das zu erzählen. Stattdessen wies er jedoch Jamie – der auf der Straße von einem Bekannten aufgehalten worden war – mit einer Geste an, ohne ihn weiterzugehen und wandte sich ab, um Caldwell ein Stück zu begleiten.

»Seid Ihr denn wegen des Kongresses hier, Mr. Caldwell?«, fragte er.

»In der Tat, Mr. MacKenzie, in der Tat. Ich habe zwar nur wenig Hoffnung, dass meine Worte etwas ändern werden, doch es ist meine Pflicht, meiner Meinung Ausdruck zu verleihen, und das werde ich tun.«

Davy Caldwells Meinung war, dass eine schockierende Trägheit der Menschen an der gesamten gegenwärtigen Lage schuld war. Er war überzeugt, dass gedankenlose Apathie und »eine stupide Konzentration auf das persönliche Wohlergehen« auf Seiten der Kolonisten Krone und Parlament dazu provozierten und in Versuchung führten, tyrannische Macht auszuüben.

»Das ist ein gutes Argument«, sagte Roger, der sich bewusst wurde, dass Caldwells leidenschaftliche Gesten Aufmerksamkeit erregten, selbst unter den Leuten auf der Straße, die zum Großteil selbst in mehr oder minder heftige Streitgespräche vertieft waren.

»Ein Argument!«, rief Caldwell aus. »Aye, das stimmt, und es ist *das* Argument schlechthin. Die Ignoranz, die Missachtung jedweder moralischen Verpflichtung und die große Liebe zur Bequemlichkeit, die dem gemeinen Kriecher und Faulpelz eigen sind, korrespondieren haargenau – haargenau! – mit dem Appetit und Zynismus eines Tyrannen.«

Er funkelte einen Herrn an, der sich an eine Hauswand gehockt hatte und sich den Hut ins Gesicht gezogen hatte, um eine kurze Zuflucht vor der Mittagshitze zu suchen.

»Der Geist Gottes muss die Trägen erlösen, die Menschen in Tätigkeit versetzen und sie mit Haltung und freiheitlichem Denken erfüllen!«

Roger fragte sich, ob Caldwell die kommende Welle der Tätigkeit für das

Resultat göttlicher Intervention halten würde – besann sich dann jedoch darauf, dass dies sehr wahrscheinlich war. Caldwell war zwar ein Denker, aber auch ein standhafter Presbyterianer und glaubte daher an die Prädestination.

»Die Trägen öffnen der Unterdrückung Tür und Tor«, erklärte Caldwell mit einer verächtlichen Geste in Richtung einer Kesselflickerfamilie, die sich im Vorgarten eines Hauses genüsslich und *al fresco* über ihr Mittagessen hermachte. »Ihre Scham und ihre zunehmende Niedergeschlagenheit, ihre erbärmliche Willfährigkeit und Unterwürfigkeit – sie werden zu selbst geschmiedeten Ketten der Sklaverei!«

»Oh, aye«, sagte Roger und hustete. Caldwell war für seine Predigten berühmt, und er war stets darauf bedacht, nicht aus der Übung zu kommen. »Trinkt Ihr etwas mit, Mr. Caldwell?« Es war ein warmer Tag, und Caldwells rundes Engelsgesicht wurde langsam ziemlich rot.

Sie gingen in Thomas' Wirtshaus, eine recht respektable Schankwirtschaft, und setzten sich mit einem Krug des hausgemachten Biers nieder – denn wie die meisten anderen auch betrachtete Caldwell Bier nicht als »Alkohol« wie Rum oder Whisky. Was sollte man schließlich sonst trinken? Milch?

Dem Einfluss der Sonne entzogen und mit einem kühlen Gezapften in der Hand wurden nicht nur Davy Caldwells Worte weniger hitzig, sondern auch seine Gesichtsfarbe.

»Gott sei gepriesen, dass ich Euch hier treffe, Mr. MacKenzie«, sagte er, nachdem er seinen Krug abgesetzt und tief Luft geholt hatte. »Ich hatte Euch einen Brief geschickt, aber sicher seid Ihr schon von zu Hause aufgebrochen, bevor er Euch erreichen konnte. Ich wollte Euch eine freudige Nachricht mitteilen – es kommt ein Presbyterianerrat zusammen.«

Roger spürte, wie sein Herz plötzlich einen Satz machte.

»Wirklich? Wann denn? Und wo?«

»Edenton, Anfang nächsten Monats. Reverend Dr. Kenneth McCorkle kommt aus Philadelphia.Er wird dort eine Weile bleiben, bevor er seine Reise fortsetzt – er reist zu den Westindischen Inseln, um die Bemühungen der dortigen Kirche zu unterstützen. Ich wüsste natürlich gern, wie es bei Euch steht. Ich entschuldige mich für meine direkte Frage, Mr. MacKenzie – aber ist es nach wie vor Euer Wunsch, Euch ordinieren zu lassen?«

»Von ganzem Herzen.«

Caldwell strahlte und nahm ihn fest an der Hand.

»Was für eine Wonne, mein Lieber – große Wonne.«

Er begann mit einer detaillierten Beschreibung McCorkles, dem er einmal in Schottland begegnet war, und ging dann zu einer Reihe von Überlegungen bezüglich der Lage der Religion in der Kolonie über – vom Methodismus sprach er durchaus mit Respekt, doch die Baptisten betrachtete er als »ziemlich ungeregelt«, was ihre salbungsvollen Gottesdienste betraf, wenn dies auch zweifellos gut gemeint war – und aufrichtiger Glaube war doch sicherlich besser als Unglaube, ganz gleich in welcher Form. Irgendwann jedoch kam er wieder auf die unmittelbare Gegenwart zu sprechen.

»Ihr seid doch mit Eurem Schwiegervater hier, oder?«, fragte er. »Ich meine, ihn auf der Straße gesehen zu haben.«

»So ist es«, bestätigte Roger, der in seiner Tasche nach einem Geldstück suchte. Die Tasche war voller zusammengerollter Pferdehaare; aus akademischer Erfahrung hatte er gegen mögliche Langeweile vorgesorgt, indem er sich Material für eine neue Angelschnur mitgebracht hatte.

»Ah.« Caldwell sah ihn scharf an. »Ich habe in letzter Zeit Dinge gehört – ist es wahr, dass er ein Whig geworden ist?«

»Er ist ein überzeugter Freund der Freiheit«, sagte Roger vorsichtig und holte Luft. »Genau wie ich.« Er hatte bis jetzt noch keine Gelegenheit gehabt, es laut zu sagen; er verspürte ein leises Gefühl der Atemlosigkeit gleich unter dem Brustbein.

»Aha, aha, sehr gut! Ich hatte, wie gesagt, davon gehört – und doch wird überall anderes erzählt; dass er ein Tory ist, Loyalist wie seine Verwandten, und dass seine Bekenntnisse zur Unabhängigkeitsbewegung nur eine Finte sind.« Dies war nicht als Frage formuliert, doch Caldwells hochgezogene Augenbraue, schräg wie der Hut eines Gecken, verdeutlichte, dass es eine war.

»Jamie Fraser ist ein aufrechter Mensch«, sagte Roger und leerte seinen Krug. »Und ein Ehrenmann«, fügte er hinzu und setzte ihn ab. »Und wo wir gerade von ihm reden, ich glaube, ich muss ihn suchen.«

Caldwell sah sich um; Unruhe kam auf, weil die meisten Männer nach der Rechnung riefen und sie begleichen wollten. Die offizielle Zusammenkunft der Delegierten sollte um zwei Uhr in MacIntyres Scheune beginnen. Inzwischen war es nach Mittag; die Delegierten, Redner und Zuschauer würden sich jetzt allmählich versammeln und sich für einen Nachmittag der Auseinandersetzungen und Entscheidungen rüsten. Das Gefühl der Atemlosigkeit kehrte zurück.

»Aye, nun denn. Grüßt ihn bitte von mir – obwohl ich ihn ja vielleicht selbst sehen werde. Und möge der Heilige Geist die verkrusteten Gewohnheiten und die Lethargie durchdringen, die Seelen derer, die sich heute hier versammeln, bekehren und ihr Gewissen wecken.«

»Amen«, sagte Roger und lächelte trotz der Blicke der Männer – und nicht wenigen Frauen.

Er fand Jamie im *Blue Boar* in der Gesellschaft einer Reihe von Männern, an deren Verkrustungen der Heilige Geist der Lautstärke nach schon hart zugange gewesen war. Doch das Geplauder an der Tür verstummte, als er sich seinen Weg durch den Schankraum bahnte – nicht aufgrund seiner Anwesenheit, sondern weil in der Mitte etwas Interessanteres vor sich ging.

Nämlich: Jamie Fraser und Neil Forbes, die sich, beide rot vor Hitze und

Leidenschaft und nach mindestens fünf Litern gemischter Alkoholika, Kopf an Kopf über einen Tisch hinweg auf Gälisch anzischten.

Nur wenige der Zuschauer sprachen Gälisch; diese übersetzten die Höhepunkte des Dialogs hastig für den Rest der Menge.

Die Beleidigung auf Gälisch war eine Kunstform, und zwar eine, die sein Schwiegervater brillant beherrschte, obwohl Roger zugeben musste, dass der Anwalt auch nicht schlecht darin war. Die Übersetzungen der Zuschauer blieben zwar weit hinter dem Original zurück; dennoch war der Schankraum gebannt, und dann und wann erscholl beifälliges Pfeifen oder Johlen der Zuschauer, oder sie lachten, wenn ein Hieb besonders gut saß.

Da er den Anfang versäumt hatte, hatte Roger keine Ahnung, wie es zu dem Streit gekommen war. Zum jetzigen Zeitpunkt konzentrierte sich der Wortwechsel auf Feigheit und Arroganz, wobei Jamies Bemerkungen darauf hinzielten, die Tatsache, dass Forbes den Überfall auf Fogarty Simms angeführt hatte, als niederträchtigen, feigen Versuch hinzustellen, auf Kosten des Lebens eines Wehrlosen den starken Mann zu markieren, während Forbes – der an diesem Punkt ins Englische wechselte, weil ihm klar wurde, dass sie der Anziehungspunkt des gesamten Schankraums waren – die Meinung vertrat, dass Jamies Anwesenheit hier eine unvertretbare Beleidigung für alle war, die die Ideale von Freiheit und Gerechtigkeit wirklich hochhielten. Jedermann wusste schließlich, dass er in Wirklichkeit ein Königstreuer war, doch er, der aufgeblasene Gockel, glaube, dass er allen so lange Sand in die Augen streuen könne, bis er den ganzen Haufen verraten habe. Doch wenn er, Fraser, glaube, er, Forbes, sei so töricht, sich von Possen auf offener Straße irreführen zu lassen und von großem Gerede ohne Hand und Fuß, so solle er, Fraser, sich das gut überlegen!

Jamie schlug mit der flachen Hand auf den Tisch, so dass dieser wie eine Pauke donnerte und die Zinnbecher klapperten. Er erhob sich und blickte funkelnd auf Forbes hinunter.

»Wollt Ihr meine Ehre in Zweifel ziehen, Sir?«, rief er, jetzt ebenfalls auf Englisch. »Denn wenn das so ist, lasst uns ins Freie gehen, und wir werden die Sache ein für alle Mal regeln, ja oder nein!«

Schweiß strömte Forbes über das breite, errötete Gesicht, und in seinen Augen glitzerte die Wut, doch obwohl er so überhitzt war, sah Roger, wie ihn verspätet die Vorsicht am Ärmel zupfte. Roger hatte den Streit in Cross Creek nicht miterlebt, doch Ian hatte ihm alles erzählt und sich dabei totgelacht. Das Letzte, was sich Neil Forbes wünschen konnte, war ein Duell.

»Besitzt Ihr denn überhaupt Ehre, die man in Zweifel ziehen könnte?«, zischte Forbes zurück. Er erhob sich jetzt ebenfalls und richtete sich auf, als sei er im Begriff, sich an die Geschworenen zu richten. »Ihr kommt hierher, spielt Euch groß auf, prahlt wie ein Matrose auf Landgang mit Prisengeld in der Tasche – aber haben wir irgendeinen Beweis dafür, dass Eure Worte mehr sind als Schall und Rauch? Schall und Rauch, sage ich, Sir!«

Jamie stand da, beide Hände auf die Tischplatte gestützt, und betrachtete Forbes mit zusammengekniffenen Augen. Roger hatte einmal erlebt, wie sich diese Miene auf ihn richtete. Sekunden später war die Sorte Chaos ausgebrochen, die sich regelmäßig Samstagabends in den Kneipen von Glasgow abspielte – nur schlimmer. Er konnte nur dankbar sein, dass Forbes eindeutig noch keinen Wind von Malva Christies Anschuldigungen bekommen hatte, sonst wäre jetzt schon Blut geflossen.

Jamie richtete sich langsam auf, und seine linke Hand wanderte an seine Taille. Alles schnappte nach Luft, und Forbes wurde blass. Doch er hatte nach seinem Sporran gegriffen, nicht seinem Dolch, und steckte jetzt die Hand hinein.

»Was das betrifft – *Sir…*«, sagte er in leisem, gleichmütigem Ton, der im ganzen Raum zu hören war, »so habe ich mich deutlich ausgedrückt. Ich bin für die Freiheit, und für dieses Ziel verpfände ich meinen Namen, mein Vermögen« – hier zog er die Hand aus dem Sporran und ließ sie auf den Tisch niedersausen; eine kleine Geldbörse, zwei goldene Guineen und einen Edelstein – »und meine heilige Ehre.«

Im Schankraum war es still, alle Augen richteten sich auf den schwarzen Diamanten, der einen unheilvollen Schimmer verströmte. Jamie hielt drei Herzschläge lang inne, dann holte er Luft.

»Gibt es hier irgendjemanden, der mich der Lüge bezichtigt?«, sagte er. Augenscheinlich war es an den ganzen Raum gerichtet, doch sein Blick war auf Forbes geheftet. Der Anwalt hatte die gräulichrot gefleckte Farbe einer verdorbenen Auster angenommen, schwieg aber.

Jamie hielt erneut den Atem an, dann sah er sich einmal im ganzen Schankraum um, ergriff Börse, Geld und Edelstein und marschierte zur Tür hinaus. Draußen schlug die Stadtuhr zwei, und ihre langsamen Schläge hingen schwer in der feuchten Luft.

L'Oignon – Intelligencer

Am 20sten dieses Monats ist in Charlotte ein Kongress zusammengetreten, der sich aus Delegierten aus Mecklenburg County zusammensetzte; Zweck war die Erörterung der derzeitigen Beziehungen mit Großbritannien. Nach reiflicher Überlegung wurde eine Deklaration vorgeschlagen und verabschiedet, deren Bestimmungen hier zu sehen sind:

1. Dass wer auch immer jegliche unberechtigte oder gefährliche Invasion unserer Rechte durch G.-Britannien unterstützt oder toleriert, ein Feind dieses Distrikts ist – ein Feind Amerikas & der angeborenen und unveränderlichen Rechte des Menschen.

2. Wir, die Bürger von Mecklenburg County, lösen hiermit die politischen Bande, die uns bis jetzt mit dem Mutterland verbunden haben & lösen uns hiermit von jeder Verpflichtung gegenüber der britischen Krone & schwören jeder politischen Verbindung, jedem Vertrag und jeder Zuordnung zu jener Nation ab, welche nach Gutdünken auf unseren Rechten & Freiheiten herumgetrampelt ist & in Lexington so unmenschlich das unschuldige Blut amerikanischer Patrioten vergossen hat.

3. Wir erklären uns hiermit zu einem freien und unabhängigen Volk – wir sind & sollten von Rechts wegen ein souveränes & selbstverwaltetes Bündnis sein, von keiner anderen Macht kontrolliert als unserem Gott & und der allgemeinen Regierung des Kongresses. Zur Erhaltung besagter Unabhängigkeit, unserer Bürgerrechte und Religionsfreiheit schwören wir uns gegenseitige Unterstützung, bei unserem Leben, unserem Vermögen & unserer heiligen Ehre.

4. Da wir von nun an in diesem Distrikt die Existenz & Kontrolle des Gesetzes und der Gesetzesvertreter, sei es zivil oder militärisch, nicht länger anerkennen, bestimmen wir hiermit ein jedes unserer früheren Gesetze zur Regel unseres Lebens – wobei allerdings der Krone Großbritanniens keinerlei Rechte, Privilegien, Immunität oder Autorität mehr zuerkannt werden.

5. Es ergeht außerdem weiterhin der Beschluss, dass sämtliche Militäroffiziere in diesem Distrikt in ihre früheren Ämter und Autoritäten wieder eingesetzt werden, so sie mit diesen Regeln konform gehen. Und dass jedes anwesende Mitglied dieser Delegation forthin ein Zivilbeamter sein soll, beispielsweise ein Friedensrichter in Form eines ›Komitee-Manns‹, der Prozesse anberaumt und alle Kontroversen gemäß des von den Unterzeichneten angenommenen Gesetzes anhört und richtet – um den Frieden, die Einigkeit und Harmonie im Distrikt der Unterzeichneten zu wahren und jede Anstrengung zu unternehmen, die Vaterlandsliebe & das Feuer der Freiheit in ganz Amerika zu verbreiten, bis in dieser Provinz eine allgemeinere und besser organisierte Regierung eingesetzt wird. Eine Auswahl der Anwesenden soll ein Komitee für die Sicherheit des Distrikts der Unterzeichneten bilden.

6. Dass eine Kopie dieser Beschlüsse per Express an den Präsidenten des in Philadelphia versammelten Kontinentalkongresses übermittelt und dieser Versammlung vorgelegt wird.

84

Im Salatbeet

Irgendein Idiot – oder ein Kind – hatte mein Gartentor offen gelassen. Ich lief über den Fußweg und hoffte, dass es noch nicht lange her war. Wenn es über Nacht offen gestanden hatte, würden die Rehe jeden Salatkopf und jedes Zwiebelgewächs in den Beeten gefressen haben, ganz zu schweigen von den –

Ich fuhr zusammen und schrie auf. Etwas hatte mich wie eine rotglühende Hutnadel in den Hals gestochen, und ich schlug automatisch auf die Stelle. Ein elektrischer Schlag in meiner Schläfe ließ mein Gesichtsfeld weiß werden, dann verschwamm alles, weil mir das Wasser in die Augen stieg, und der nächste Stich brannte in meiner Ellenbeuge – Bienen.

Ich taumelte vom Pfad, weil mir plötzlich bewusst wurde, dass die ganze Luft voller Bienen war, die aufgebracht um sich stachen. Ich stürzte durch das Unterholz; meine Augen tränten so sehr, dass ich kaum sehen konnte, und zu spät wurde ich mir des tiefen Dröhnens eines Bienenstocks im Kriegszustand bewusst.

Bär! Gottverdammt, ein Bär war in den Garten geraten! In der halben Sekunde zwischen dem ersten und dem nächsten Stich hatte ich gesehen, dass einer der Bienenkörbe gleich hinter dem Gartentor auf der Seite im Schmutz lag und Waben und Honig daraus hervorquollen wie Eingeweide.

Ich duckte mich unter den Zweigen hindurch und warf mich keuchend und zusammenhanglos fluchend in ein Kermesgebüsch. Der Stich an meinem Hals klopfte heftig, und der an meiner Schläfe schwoll bereits an und zerrte an meinem Augenlid. Ich kroch ein Stückchen weiter und versuchte dabei gleichzeitig, Abstand zu gewinnen, nach meinen Haaren zu schlagen und meine Röcke auszuschütteln, für den Fall, dass sich noch mehr Bienen in meinen Kleidern verfangen hatten.

Ich atmete wie eine Dampfmaschine und zitterte vor Adrenalin und Wut.

»Verflucht … verflixter Bär … gottverdammt …«

Ich verspürte den heftigen Impuls, kreischend und mit wehenden Röcken in den Garten zu rennen, um den Bären in Panik zu versetzen. Doch ein nicht minder heftiger Impuls zum Selbstschutz überwog.

Ich rappelte mich auf, bewegte mich gebückt, aus Vorsicht vor aufgebrachten Bienen, und schob mich bergauf durch das Unterholz, um den Garten zu umrunden und an der anderen Seite wieder herunterzukommen, weit entfernt von den geplünderten Bienenstöcken. Auf diese Weise konnte ich auf den Pfad zurückgelangen und zum Haus gehen, wo ich Hilfe rekrutieren konnte – vorzugsweise bewaffnet –, um das Monster zu vertreiben, bevor es den Rest der Bienenstöcke zerstörte.

Es war sinnlos, mich leise zu verhalten, und ich krachte keuchend vor Rage durchs Gebüsch und stolperte über Baumstämme. Ich versuchte, den Bären zu entdecken, doch die Weinranken, die an den Palisaden wuchsen, waren so dicht, dass ich nur rauschendes Laub und Sonnenschatten sah. Meine zerstochene Gesichtshälfte fühlte sich an, als stünde sie in Flammen. Und mit jedem Herzschlag fuhr mir ein schmerzhafter Stoß durch den Trigeminusnerv, der meine Muskeln zucken und meine Augen furchtbar tränen ließ.

Ich erreichte den Pfad genau unterhalb der Stelle, an der mich die erste Biene gestochen hatte – mein Gärtnerkorb lag noch da, wo ich ihn fallen gelassen hatte, und die Werkzeuge lagen überall verstreut. Ich schnappte mir das Messer, das ich für alles benutzte, vom Stutzen von Pflanzen bis hin zum Ausgraben von Wurzeln; es war ein stabiles Werkzeug mit einer fast zwanzig Zentimeter langen Klinge. Es würde zwar vermutlich den Bären nicht besonders beeindrucken, doch ich fühlte mich besser damit.

Ich warf einen Blick auf das offene Tor, zur Flucht bereit – sah aber nichts. Der zerstörte Bienenkorb lag noch genauso da, wie ich ihn gesehen hatte, die wächsernen Waben zerbrochen und zerdrückt, und alles duftete nach Honig. Doch die Waben waren nicht verstreut, und am freiliegenden Holzfundament des Bienenstocks klebten noch Wachssplitter.

Eine Biene sauste bedrohlich an meinem Ohr vorbei, und ich duckte mich, lief aber nicht davon. Es war still. Ich versuchte, das Keuchen einzustellen, um im Tosen meines rasenden Pulsschlags etwas zu hören. Bären verhielten sich nicht leise; das hatten sie nicht nötig. Ich hätte zumindest sein Wühlen und Schlucken hören müssen – Rascheln im zerbrochenen Geäst, das Lecken einer langen Zunge. Nichts.

Vorsichtig bewegte ich mich seitwärts über den Pfad, Schritt für Schritt, zur Flucht bereit. Ungefähr sechs Meter von mir entfernt stand eine stabile Eiche. Würde ich es bis dort schaffen, wenn der Bär auftauchte?

Ich lauschte, so angestrengt ich konnte, hörte aber nichts als das sanfte Rauschen des Weinlaubs und das Geräusch wütender Bienen, das sich jetzt, da sie sich als dichter Schwarm auf den Überresten ihrer Waben sammelten, zu einem murrenden Summen abgesenkt hatte.

Er war fort. Er musste fort sein. Immer noch argwöhnisch, schlich ich mich näher heran, das Messer in der Hand.

Ich roch das Blut und sah sie in derselben Sekunde. Sie lag im Salatbeet, und ihr Rock hatte sich wie eine riesige, rostbraune Blume zwischen den Salatpflänzchen ausgebreitet.

Ich kniete an ihrer Seite, ohne mich daran erinnern zu können, sie erreicht zu haben, und die Haut an ihrem Arm war warm, als ich ihr Handgelenk ergriff – was für schmale, zerbrechliche Knochen –, aber schlaff, und es war kein Puls zu finden – *natürlich nicht*, sagte der kalte, kleine Beobachter in mir, *ihre Kehle ist durchgeschnitten, hier ist überall Blut, aber du kannst doch sehen, dass ihre Arterie nicht pumpt; sie ist tot.*

Malvas graue Augen standen offen, ausdruckslos vor Überraschung, und die Haube war ihr vom Kopf gefallen. Ich packte ihr Handgelenk fester an, als müsste ich in der Lage sein, den vergrabenen Puls zu finden, irgendein Lebenszeichen zu finden ... und das tat ich auch. Ihr Kugelbauch bewegte sich, ganz sacht, und ich ließ augenblicklich den schlaffen Arm fallen, griff nach meinem Messer und fasste nach ihrem Rocksaum.

Ich handelte, ohne nachzudenken, ohne Angst, ohne Zweifel – es gab nichts als das Messer und den Druck, die sich teilende Haut und die leise Möglichkeit, die Panik absoluter *Not*...

Ich schlitzte ihr den Bauch vom Nabel bis zum Schambein auf, schob mich fest durch die erschlafften Muskeln, verletzte die Gebärmutter, doch ganz gleichgültig, schnitt rasch, aber vorsichtig durch die Gebärmutterwand, ließ das Messer fallen und tauchte mit beiden Händen tief in Malva Christie ein, immer noch blutwarm, und ergriff das Kind, umfasste es, drehte es, zerrte fest daran in meiner Panik, es zu befreien, es dem sicheren Tod zu entreißen, es an die Luft zu holen, ihm atmen zu helfen ... ihr Körper schlackerte und zuckte, als ich daran ruckte, und ihre erschlafften Gliedmaßen schlingerten hin und her.

Es löste sich mit der Plötzlichkeit der Geburt, und ich wischte ihm Blut und Schleim aus dem winzigen, versiegelten Gesicht, blies ihm in die Lungen, sanft, ganz sanft, man muss sanft blasen, die Alveolen der Lungen sind wie Spinnweben, so klein, drückte ihm auf die Brust, nicht mehr als eine Handspanne, drückte mit zwei Fingern, nicht mehr, und spürte einen Anflug Spannkraft, zart wie eine Uhrfeder, spürte die Bewegung, ein schwaches Zappeln, ein leiser, instinktiver Kampf – und spürte es verblassen, dieses Flackern, diesen winzigen Lebensfunken, rief schmerzerfüllt auf und klammerte den winzigen, puppenhaften Körper an meine Brust, noch warm, noch warm.

»Geh nicht«, sagte ich, »geh nicht, geh nicht, bitte geh nicht.« Doch der lebendige Hauch verschwand, ein schwaches blaues Glühen, das eine Sekunde lang meine Handflächen zu erleuchten schien und dann schrumpfte wie eine Kerzenflamme, zur Kohle eines glühenden Dochtes, zu einer kaum merklichen Spur von Licht – und dann war alles dunkel.

Ich saß immer noch in der gleißenden Sonne, den Körper des kleinen Jungen im Schoß, Malvas verstümmelte Leiche an meiner Seite, weinend und blutüberströmt, als sie mich fanden.

85

Die geraubte Braut

Eine Woche war vergangen, und kein Hinweis, wer es getan hatte. Getuschel, Seitenblicke und ein spürbarer Nebel des Argwohns hingen über Fraser's Ridge, doch obwohl Jamie keine Anstrengung ausließ, war niemand zu finden, der irgendetwas wusste – oder zu sagen bereit war.

Ich konnte sehen, wie sich Jamies Anspannung und Frustration mit jedem Tag mehr aufstauten, und wusste, dass sie ein Ventil finden mussten. Doch ich hatte keine Ahnung, was er tun würde.

Am Mittwoch stand Jamie nach dem Frühstück mit finsterem Gesicht am Fenster seines Studierzimmers, dann ließ er die Faust so plötzlich auf den Tisch niedersausen, dass ich zusammenfuhr.

»Ich kann das nicht mehr ertragen«, unterrichtete er mich. »Noch eine Sekunde länger, und ich werde verrückt. Ich muss *irgendetwas* tun, und das werde ich auch.« Ohne meine Antwort auf diese Erklärung abzuwarten, schritt er zur Tür des Studierzimmers, öffnete sie mit Schwung und brüllte »Joseph!« in den Flur.

Mr. Wemyss tauchte aus der Küche auf, wo er auf Mrs. Bugs Geheiß den Schornstein gefegt hatte. Er sah erschrocken, blass, rußfleckig und ganz allgemein zerzaust aus.

Jamie ignorierte die schwarzen Fußspuren auf dem Zimmerfußboden – er hatte den Teppich verbrannt – und fixierte Mr. Wemyss mit gebieterischem Blick.

»Wollt Ihr diese Frau?«, fragte er fordernd.

»Frau?« Mr. Wemyss war verständlicherweise verwirrt. »Was – oh. Habt Ihr – meint Ihr vielleicht Fräulein Berrisch?«

»Wen denn sonst? Wollt Ihr sie?«, wiederholte Jamie.

Es war offenbar lange her, dass irgendjemand Mr. Wemyss danach gefragt hatte, was er wollte, und er brauchte einige Zeit, um sich von seinem Schreck zu erholen.

Jamies brutales Nachhaken drängte ihn nach zahlreichen gemurmelten Einwänden, dass Fräulein Berrischs Freunde doch sicher am besten beurteilen könnten, was sie glücklich mache, und er sich als Ehemann nicht eigne, weil er nicht aus den richtigen Verhältnissen stamme und zu arm sei, *endlich* zu dem Eingeständnis, dass, nun ja, falls die Dame nicht völlig abgeneigt sei, vielleicht … nun ja … mit einem Wort …

»Aye, Sir«, sagte er und schien über seine eigene Kühnheit erschrocken zu sein. »Ja. Sehr!«, platzte er heraus.

»Gut.« Jamie nickte zufrieden. »Dann gehen wir und holen sie.«

Mr. Wemyss stand vor Erstaunen der Mund offen; mir ging es nicht anders. Jamie fuhr zu mir herum, um mir mit der Selbstsicherheit und der Lebensfreude eines Seefahrerkapitäns in der Hoffnung auf fette Beute seine Befehle zu erteilen.

»Such doch bitte Ian für mich, ja, Sassenach? Und sag Mrs. Bug, sie soll genug Essensvorräte für vier Männer und eine Woche einpacken. Und dann hol Roger Mac; wir werden einen Pastor brauchen.«

Er rieb sich zufrieden die Hände, dann schlug er Mr. Wemyss auf die Schulter, worauf ein Rußwölkchen aus dessen Kleidern aufstieg.

»Geht und macht Euch zurecht, Joseph«, sagte er. »Und kämmt Euch die Haare. Wir gehen auf Brautraub für Euch.«

»... hielt ihm die Pistole vor die Brust, vor die Brust«, sang Ian vor sich hin. *»Vermähle mich, Herr Pastor, sonst brauchst du selbst den Pastor – brauchst du selbst den Pastor!«*

»Natürlich«, sagte er und beendete das Lied, in dem ein kecker Bursche namens Willie mit seinen Freunden losreitet, um eine junge Frau zu entführen und zur Heirat zu zwingen, die sich dann als noch kecker herausstellt, »hoffen wir, dass Ihr Euch in der Hochzeitsnacht etwas fähiger anstellt als der gute Willie, aye, Joseph?«

Mr. Wemyss, der auf Hochglanz poliert war, seinen Sonntagsstaat trug und vor Aufregung förmlich vibrierte, warf ihm einen verständnislosen Blick zu. Roger grinste und zog den Riemen seiner Satteltasche fest.

»Der gute Willie zwingt einen Pastor mit vorgehaltener Pistole, ihn mit der jungen Frau zu verheiraten«, erklärte er Mr. Wemyss, »doch als er dann mit seiner geraubten Braut ins Bett geht, weist sie ihn ab – und es gelingt ihm nicht, sie zu zwingen.«

»Und darum, Willie, bring mich heim, als Jungfer wie zuvor – als Jungfer wie zuvor!«, trällerte Ian.

»Allerdings«, sagte Roger warnend zu Jamie, der Gideon gerade ebenfalls die Satteltaschen auf den Rücken hievte. »Falls die Dame nicht willens *ist...«*

»Was, nicht willens, Joseph zu heiraten?« Jamie klopfte Mr. Wemyss auf den Rücken, dann bückte er sich, um ihm als Räuberleiter zu dienen, und warf den schmächtigeren Mann praktisch in den Sattel. »Ich kann mir nicht vorstellen, dass irgendeine vernünftige Frau einer solchen Gelegenheit den Rücken kehrt – du, *a charaid*?«

Er sah sich rasch auf der Lichtung um, um sich zu überzeugen, dass alles seine Ordnung hatte, dann lief er die Stufen hinauf, um mir einen Abschiedskuss zu geben, bevor er sie wieder hinunterrannte und Gideon bestieg, der ausnahmsweise freundliche Laune zu haben schien und keine Anstalten machte, ihn zu beißen.

»Alles Gute, *mo nighean donn*«, sagte er und sah mir lächelnd in die Augen. Dann waren sie fort, donnerten von der Lichtung wie die Highlandbanditen, und Ians ohrenbetäubendes Gejohle hallte von den Bäumen wider.

Merkwürdigerweise schien die Abreise der Männer die Lage ein wenig zu entspannen. Das Gerede ging natürlich munter weiter – doch da sich weder Jamie noch Ian als Blitzableiter anboten, knisterte es nur vor sich hin wie St.-Elms-Feuer; es zischte und zuckte, so dass jedermann die Haare zu Berge standen, doch im Großen und Ganzen war es harmlos, solange man es nicht direkt mit dem Finger berührte.

Das Haus fühlte sich weniger wie eine kampfumtobte Festung an und mehr wie das Auge eines Sturms.

Und da Mr. Wemyss nicht im Haus war, kam uns Lizzie besuchen und brachte den kleinen Rodney Joseph mit – so hatte sie das Baby genannt, nachdem sich Roger entschieden gegen die Vorschläge der jungen Väter ausgesprochen hatte, nämlich Tilgath-Pileser und Ichaboth. Die kleine Rogerina hatte noch Glück gehabt, da alle Welt sie jetzt Rory nannte, doch Roger wollte nichts davon hören, dass noch ein Kind einen Namen bekam, der nur in grauenvollen Spitznamen resultieren konnte.

Rodney schien ein ausgesprochen freundliches Kind zu sein, zum Teil deswegen, weil er diese großäugige Miene nie ganz verloren hatte, die ihn jedes Wort mit Staunen aufnehmen zu lassen schien. Lizzies überraschte Freude über seine Geburt hatte sich in ein solches Gefühl der Verzauberung verwandelt, dass Jo und Kezzie völlig außen vor geblieben wären, wenn sie nicht genauso verzaubert gewesen wären.

Sofern man sie nicht mit Gewalt davon abhielt, konnten die beiden Stunden damit zubringen, über Rodneys Verdauung zu diskutieren, und zwar mit derselben Intensität, die bislang neuen Fallen vorbehalten gewesen war und den Merkwürdigkeiten, die sie in den Mägen erlegter Tiere fanden. Schweine, so schien es, fraßen tatsächlich alles, und dasselbe galt auch für Rodney.

Ein paar Tage nachdem die Männer zum Brautraub aufgebrochen waren, kam Brianna mit Jemmy zu Besuch, und Lizzie hatte Rodney mitgebracht. Die beiden setzten sich zu Amy McCallum und mir in die Küche, wo wir einen angenehmen Abend verbrachten, am Feuer nähten, Rodney bewunderten, mit halbem Auge auf Jemmy und Aidan achteten – und uns nach einem vorsichtigen Anfang mit Leib und Seele dem Thema widmeten, welche der männlichen Bewohner von Fraser's Ridge wohl als Verdächtige in Frage kamen.

Ich hatte natürlich das persönlichste und schmerzlichste Interesse an dieser Frage, doch die drei jungen Frauen standen unverbrüchlich auf der Seite der Gerechtigkeit – das heißt der Seite, die sich weigerte, auch nur einen Gedanken an die Vorstellung zu verschwenden, dass Jamie oder ich das Geringste mit dem Mord an Malva Christie zu tun haben könnten.

Was mich betraf, so empfand ich diese offenen Spekulationen als äußerst beruhigend. Ich hatte mir natürlich insgeheim ununterbrochen Gedanken gemacht – und das war kräftezehrend. Es war nicht nur unangenehm, mir jeden Mann, den ich kannte, in der Rolle des kaltblütigen Mörders vorzustellen – diese Gedankengänge zwangen mich auch, mir den Mord selbst wieder und wieder auszumalen und den Moment, in dem ich sie gefunden hatte, erneut zu durchleben.

»Ich denke wirklich nur ungern daran, dass es Bobby gewesen sein könnte«, sagte Brianna stirnrunzelnd und schob einen hölzernen Stopfpilz in die Ferse einer Socke. »Er scheint so ein *netter* Junge zu sein.«

Bei diesen Worten spitzte Lizzie die Lippen.

»Oh, aye, er ist ein lieber Junge«, sagte sie. »Aber er ist auch das, was man hitzig nennen würde.«

Alle Blicke richteten sich auf sie.

»Nun ja«, sagte sie ungerührt, »ich habe ihn ja nicht gelassen, aber er hat es mit allen Mitteln versucht. Und als ich nein gesagt habe, ist er davongestapft und hat gegen einen Baum getreten.«

»Das hat mein Mann auch manchmal getan, wenn ich ihn abgewiesen habe«, sagte Amy nachdenklich. »Aber ich bin mir sicher, dass er mir nicht die Kehle durchgeschnitten hätte.«

»Nun, aber Malva hat denjenigen ja gar nicht abgewiesen«, sagte Brianna und zog den Faden durch ihre Stopfnadel. »Das war ja das Problem. Er hat sie umgebracht, weil sie schwanger war und er Angst hatte, dass sie es überall herumerzählen würde.«

»Ho!«, sagte Lizzie triumphierend. »Nun – dann kann Bobby es doch gar nicht gewesen sein, oder? Denn als mein Pa ihn abgewiesen hat« – ein Schatten huschte über ihr Gesicht, als sie ihren Vater erwähnte, der immer noch kein Wort mit ihr gesprochen oder die Geburt des kleinen Rodney sonst wie zur Kenntnis genommen hatte –, »hat er da nicht daran gedacht, um Malva Christie anzuhalten? Ian sagt, das hatte er vor. Und wenn sie von ihm schwanger gewesen wäre – nun, dann wäre ihr Vater doch gezwungen gewesen, sich einverstanden zu erklären, oder nicht?«

Amy nickte, weil sie das überzeugend fand, doch Brianna hatte ihre Einwände.

»Ja – aber sie hat doch darauf bestanden, dass das Baby *nicht* von ihm war. Und er hat sich in die Blaubeerbüsche übergeben, als er gehört hat, dass sie –« Ihre Lippen pressten sich kurz zusammen. »Nun, er war alles andere als glücklich. Also ist es doch möglich, dass er sie aus Eifersucht umgebracht hat, glaubt ihr nicht?«

Lizzie und Amy stießen ein skeptisches »Hmm« aus – sie hatten Bobby beide gern –, waren aber gezwungen, diese Möglichkeit in Betracht zu ziehen.

»Was ich mich frage«, sagte ich ein wenig zögernd, »ist, was mit den älteren Männern ist. Den Verheirateten. Jeder weiß von den jungen Männern, die an ihr Interesse hatten – aber ich habe auch schon mehr als einmal gesehen, dass ihr ein verheirateter Mann im Vorübergehen hinterhergeblickt hat.«

»Ich nominiere Hiram Crombie«, sagte Brianna augenblicklich und stieß die Nadel in ihre Sockenferse. Alles lachte, doch sie schüttelte den Kopf.

»Nein, ich meine es ernst. Es sind immer die streng religiösen Eiferer, von denen sich dann herausstellt, dass sie zu Hause die Schubladen voller Damenwäsche haben und den Chorknaben nachstellen.«

Amy klappte der Kiefer auf.

»Schubladen voller Damenwäsche?«, sagte sie. »Was… Hemden und Korsette? Was sollte er denn damit *tun*?«

Brianna wurde rot, denn sie hatte vergessen, wer ihre Zuhörerinnen waren. Sie hustete, doch einen eleganten Ausweg gab es nicht.

»Ähm… nun ja. Ich dachte eher an *französische* Damenwäsche«, sagte sie schwach. »Ähm… mit Spitzenbesatz und so.«

»Oh, französisch«, sagte Lizzie und nickte weise. Jeder wusste, dass die Französinnen berüchtigt waren – obwohl ich bezweifelte, dass außer mir schon irgendeine Frau aus Fraser's Ridge einmal eine Französin zu Gesicht bekommen hatte. Um Brianna jedoch aus der Patsche zu helfen, erzählte ich ihnen pflichtschuldigst von *La Nestlé*, der Geliebten des Königs von Frankreich, die Löcher in den Brustwarzen hatte und mit nackten Brüsten bei Hofe erschien, an denen sie Goldringe trug.

»Wenn *das* hier noch ein paar Monate so weitergeht«, sagte Lizzie finster und warf einen Blick auf Rodney, der heftig an ihrer Brust saugte und die Fäustchen vor Anstrengung geballt hatte, »kann ich das auch. Ich werde Jo und Kezzie sagen, sie sollen mir Ohrringe mitbringen, wenn sie ihre Felle verkaufen, aye?«

Inmitten des folgenden Gelächters blieb das Klopfen an der Haustür ungehört – zumindest beinahe, wären Jemmy und Aidan, die in Jamies Studierzimmer gespielt hatten, nicht in die Küche gerannt, um es uns zu sagen.

»Ich gehe schon.« Brianna legte ihre Stopfarbeit beiseite, doch ich war schon aufgestanden.

»Nein, ich gehe.« Ich wies sie mit einer Handbewegung zurück, ergriff einen Kerzenhalter und ging mit Herzklopfen durch den dunklen Flur. Besucher nach Einbruch der Dunkelheit bedeuteten fast immer irgendeinen Notfall.

So war es auch diesmal, allerdings nicht von einer Sorte, die ich erwartet hätte. Im ersten Moment erkannte ich die hoch gewachsene Frau mit dem blassen, eingefallenen Gesicht gar nicht, die auf der Eingangstreppe stand. Dann flüsterte sie: »Frau Fraser? Darf ich – darf ich hereinkommen?«, und fiel mir in die Arme.

Auf das Geräusch hin eilten mir die jungen Frauen zu Hilfe, und wir hatten Monika Berrisch – denn es war in der Tat Mr. Wemyss' mutmaßliche Braut – in Sekundenschnelle im Liegen auf die Kaminbank befördert, sie mit Quilts zugedeckt und mit einem heißen Getränk versorgt.

Sie erholte sich schnell – eigentlich fehlte ihr nichts; sie war nur erschöpft und hungrig, denn sie sagte, sie hätte seit drei Tagen nichts mehr gegessen – und in kürzester Zeit saß sie wieder, um etwas Suppe zu essen und uns ihre verblüffende Anwesenheit zu erklären.

»Es war die Schwester meines Mannes«, sagte sie und schloss einen Moment die Augen, selig über den Duft ihrer Erbsensuppe mit Schinken. »Sie wollte mich sowieso nie dort haben, und als er dann den Unfall hatte, so dass kaum noch Geld da war, um uns alle zu ernähren, wollte sie mich gar nicht mehr.«

Sie hatte, so sagte sie, Sehnsucht nach Joseph gehabt, hatte jedoch weder die Kraft noch die Mittel besessen, gegen den Widerstand ihrer Familie anzugehen und darauf zu bestehen, zu ihm zurückzukehren.

»Oh?« Lizzie betrachtete sie scharf, aber nicht unfreundlich. »Was ist dann passiert?«

Fräulein Berrisch richtete ihre großen, sanften Augen auf sie.

»Ich konnte es nicht mehr ertragen«, sagte sie schlicht. »Ich wollte so gern bei Joseph sein. Meine Schwägerin wollte, dass ich verschwinde, also hat sie mir etwas Geld gegeben. So bin ich hergekommen«, schloss sie achselzuckend und aß gierig noch einen Löffel Suppe.

»Ihr seid ... *zu Fuß* gekommen?«, sagte Brianna. »Aus Halifax?«

Fräulein Berrisch nickte, leckte den Löffel ab und streckte einen Fuß unter der Decke hervor. Ihre Schuhsohlen waren vollständig durchgelaufen; sie hatte sie mit Lederresten und Stoffstreifen von ihrem Hemd umwickelt, so dass ihre Füße aussahen wie schmutzige Lumpenbündel.

»Elizabeth«, sagte sie und sah Lizzie ernst an. »Ich hoffe, es macht Euch nichts aus, dass ich gekommen bin. Euer Vater – ist er hier? Ich hoffe so sehr, es macht ihm auch nichts aus.«

»Ähm, nein«, sagte ich und wechselte einen Blick mit Lizzie. »Er ist nicht hier – aber ich bin sicher, dass er *überglücklich* sein wird, Euch zu sehen.«

»Oh?« Ihr eingefallenes Gesicht, das sich alarmiert gezeigt hatte, als sie hörte, dass Mr. Wemyss nicht hier war, begann zu strahlen, als wir ihr erzählten, wo er war.

»Oh«, hauchte sie und drückte den Löffel an ihre Brust, als sei es Mr. Wemyss' Kopf. »Oh, mein Kavalier!« Leuchtend vor Glück sah sie uns alle an – und bemerkte jetzt erst Rodney, der in seinem Körbchen zu Lizzies Füßen döste.

»Aber wer ist das denn?«, rief sie und beugte sich vor, um ihn anzusehen. Rodney, der noch nicht richtig schlief, öffnete seine runden, dunklen Äuglein und betrachtete sie mit ruhiger, verschlafener Neugier.

»Das ist mein kleiner Junge. Rodney Joseph heißt er – nach meinem Pa, aye?« Lizzie hievte ihn aus seinem Körbchen, die runden Knie bis zum Kinn hochgezogen, und legte ihn Monika sanft in die Arme.

Sie gurrte ihn strahlend auf Deutsch an.

»Omalust«, murmelte Brianna mir aus dem Mundwinkel heraus zu, und ich spürte, wie unter meinem Korsett Gelächter aufstieg. Ich hatte das letzte Mal vor Malvas Tod gelacht und empfand es als Balsam für meine Seele.

Lizzie erklärte Monika mit ernster Stimme die Entfremdung, die aus ihrer unorthodoxen Ehe resultierte, und Monika nickte, schnalzte verständnisvoll mit der Zunge – worauf ich mich fragte, wie viel sie eigentlich verstand – und redete gleichzeitig in der Babysprache auf Rodney ein.

»Nicht sehr wahrscheinlich, dass Mr. Wemyss weiter auf Abstand bleibt«, sagte ich meinerseits aus dem Mundwinkel heraus. »Seine neue Frau von seinem Enkelsohn fern halten? Ha!«

»Ja, was macht schon die Kleinigkeit mit dem doppelten Schwiegersohn?«, pflichtete mir Brianna bei.

Amy betrachtete die zärtliche Szene mit leiser Sehnsucht. Sie streckte den Arm aus und legte ihn Aidan um die schmächtigen Schultern.

»Nun, man sagt doch, je mehr, desto besser«, sagte sie.

86

Prioritäten

Drei Hemden, eine zusätzliche, ordentliche Hose, zwei Paar Strümpfe, eins aus Baumwolle, eins aus Seide – halt, wo waren die Seidenstrümpfe?

Brianna trat zur Tür und rief nach ihrem Mann, der mit Jemmys und Aidans Hilfe fleißig tönerne Rohrsegmente in den Graben legte, den er geschaufelt hatte.

»Roger! Was hast du mit deinen Seidenstrümpfen gemacht?«

Er hielt stirnrunzelnd inne und rieb sich den Kopf. Dann reichte er Aidan den Spaten, sprang über den offenen Graben und kam zum Haus.

»Ich habe sie doch letzten Sonntag zur Predigt getragen, nicht wahr?«, fragte er, als er bei ihr ankam. »Was habe ich ... oh.«

»Oh?«, sagte sie argwöhnisch, als sie sah, wie sich seine fragende in eine schuldige Miene verwandelte. »Was heißt hier ›oh‹?«

»Ähh ... tja, du warst ja mit Jem und seinen Bauchschmerzen zu Hause geblieben« – eine Erkrankung, die ihr taktisch sehr gelegen kam, da sie sie davor bewahrte, zwei Stunden lang inmitten einer Menge zu sitzen, die sie tuschelnd anstarrte –, »und als mich Jocky Abernathy gefragt hat, ob ich mit ihm angeln gehe ...«

»Roger MacKenzie«, sagte sie und fixierte ihn mit einem vernichtenden Blick, »wenn du deine guten Seidenstrümpfe in einen Korb voller stinkender Fische gelegt und sie da vergessen hast –«

»Ich gehe eben nach oben und leihe mir ein Paar von deinem Pa, ja?«, sagte er hastig. »Meine tauchen sicher irgendwo wieder auf.«

»Dein Kopf auch«, sagte sie. »Wahrscheinlich unter einem Stein.«

Das brachte ihn zum Lachen, was nicht ihre Absicht gewesen war, aber ihre Wut linderte.

»Es tut mir Leid«, sagte er und beugte sich vor, um sie auf die Stirn zu küssen. »Das war sicher eine Freud'sche Fehlleistung.«

»Oh? Und was hat es zu bedeuten, wenn man seine Strümpfe um einen toten Fisch gewickelt vergisst?«, wollte sie wissen.

»Ein schlechtes Gewissen und geteilte Loyalitäten, vermute ich«, sagte er immer noch scherzhaft, aber nicht mehr so sehr. »Brianna – ich habe nachgedacht. Ich glaube, ich sollte wirklich nicht gehen. Ich brauche doch nicht–«

»O doch«, sagte sie so entschlossen wie möglich. »Pa sagt es, Mama sagt es, *und ich sage es auch*.«

»Oh. Na dann.« Er lächelte, doch sie konnte die Beklommenheit unter seinem Humor sehen – umso mehr, als sie sie ebenfalls empfand. Der Mord an Malva Christie hatte Fraser's Ridge in Aufruhr versetzt – Alarmiertheit, Hysterie, Argwohn und Finger, die in alle Richtungen zeigten. Mehrere junge Männer – darunter Bobby Higgins – waren einfach aus der Siedlung verschwunden, ob aus Schuldgefühl oder einfach nur aus Selbstschutz.

Es hatte Anschuldigungen in Hülle und Fülle gegeben; selbst Brianna war zum Gegenstand von Klatsch und Tratsch geworden, weil einige ihrer unbedachten Bemerkungen über Malva Christie die Runde gemacht hatten. Doch der Großteil des Argwohns richtete sich unverblümt gegen ihre Eltern.

Diese gaben sich beide alle Mühe, ihrem Alltag nachzugehen und das Geschwätz und die viel sagenden Blicke schlicht zu ignorieren – doch es fiel ihnen zunehmend schwerer, das konnte jeder sehen.

Roger hatte den Christies sofort einen Besuch abgestattet – fast jeden Tag seit Malvas Tod –, hatte das Mädchen schlicht und unter Tränen beerdigt und hatte seitdem sein Letztes gegeben, um allen anderen Bewohnern von Fraser's Ridge vernünftig, tröstend und bestimmt zuzureden. Er hatte seinen Plan, zur Ordinierung nach Edenton zu reisen, sofort beiseite gelegt, doch als Jamie das hörte, hatte er darauf bestanden.

»Du hast hier alles getan, was dir möglich war«, sagte sie zum hundertsten Mal. »Es gibt nichts mehr, was du tun könntest, um zu helfen – und es könnte Jahre dauern, bis die Gelegenheit wiederkommt.«

Sie wusste, wie sehr er es sich wünschte, ordiniert zu werden, und hätte alles getan, um ihm zur Erfüllung dieses Wunsches zu verhelfen. Sie wäre auch gern dabei gewesen, doch ohne großes Hin und Her hatten sie sich darauf geeinigt, dass es das Beste war, wenn sie und Jem nach River Run gingen und dort abwarteten, bis Roger aus Edenton zurückkehrte. Es konnte nicht sehr hilfreich sein, wenn ein Pastor in spe dort mit einer katholischen Frau und einem ebensolchen Kind auftauchte.

Doch das schlechte Gewissen zu gehen, während ihre Eltern im Auge eines Wirbelsturms standen …

»Du musst gehen«, wiederholte sie. »Aber vielleicht könnte ich –«

Er gebot ihr mit einem Blick Einhalt.

»Das hatten wir doch schon.« Er hatte damit argumentiert, dass ihre Anwesenheit die öffentliche Meinung kaum beeinflussen würde, was wahrscheinlich stimmte. Ihr war klar, dass sein eigentlicher Grund – und der ihrer Eltern – der Wunsch war, sie und Jemmy in sicherem Abstand von Fraser's Ridge und dem Aufruhr zu wissen, am besten, bevor Jemmy begriff, dass eine ganze Reihe der Nachbarn seine Großmutter oder sogar beide Großeltern für kaltblütige Mörder hielt.

Und zu ihrer geheimen Schande brannte sie darauf zu gehen.

Irgendjemand hatte Malva umgebracht – und ihr Baby. Jedes Mal, wenn sie daran dachte, schwammen ihr die Möglichkeiten vor Augen, die Litanei der Namen. Und jedes Mal war sie gezwungen, den Namen ihres Vetters darunter zu lesen. Ian war nicht davongelaufen – und sie konnte – *konnte* – nicht glauben, dass er es gewesen war. Und doch war sie jeden Tag gezwungen, Ian zu sehen und über diese Möglichkeit nachzudenken.

Sie stand da und starrte in die Tasche, die sie gerade packte, faltete das Hemd in ihren Händen auseinander und wieder zusammen, suchte nach Gründen zu gehen, Gründen zu bleiben – und wusste, dass kein Grund irgendeine Macht hatte, nicht jetzt.

Ein dumpfes Plumpsen von draußen riss sie aus dem Sumpf ihrer Unentschlossenheit.

»Was –« Sie war mit zwei Schritten an der Tür, gerade schnell genug, um Jem und Aidan wie zwei Kaninchen im Wald verschwinden zu sehen. Am Rand des Grabens lagen die Scherben des Rohrsegments, das ihnen gerade hingefallen war.

»Ihr kleinen *Rotzlöffel*!«, brüllte sie und griff nach einem Besen – ohne zu wissen, was sie damit vorhatte, aber Gewalt schien das einzige Ventil für die Frustration zu sein, die gerade wie ein Vulkan explodiert war und sie sengend durchfuhr.

»Brianna«, sagte Roger leise und legte ihr die Hand auf den Rücken. »Es ist nicht wichtig.«

Sie fuhr zurück und baute sich vor ihm auf. Das Blut dröhnte in ihren Ohren.

»Hast du irgendeine Vorstellung, wie lange es dauert, so ein Teil zu machen? Wie oft ich brennen muss, bevor ich eins bekomme, das keinen Sprung hat? Wie –«

»Ja, ich weiß«, sagte er mit gleichmütiger Stimme. »Und es ist trotzdem nicht wichtig.«

Sie stand zitternd da und atmete schwer. Er streckte ganz sanft die Hand aus, nahm ihr den Besen ab und stellte ihn wieder an seinen Platz.

»Ich muss – gehen«, sagte sie, als sie wieder Worte zustande bekam, und er nickte. In seinen Augen lauerte die Traurigkeit, die er seit dem Tag, an dem Malva gestorben war, mit sich herumtrug.

»Aye, das ist wahr«, sagte er leise.

Er trat hinter sie, legte die Arme um sie, so dass sein Kinn auf ihrer Schulter ruhte, und allmählich hörte sie auf zu zittern. Am anderen Ende der Lichtung sah sie Mrs. Bug mit einer Schürze voller Kohlköpfe und Möhren aus dem Garten kommen; Claire hatte keinen Fuß mehr in ihren Garten gesetzt, seit…

»Werden sie es heil überstehen?«

»Wir werden dafür beten«, sagte er und nahm sie fester in die Arme. Seine Berührung tröstete sie, und erst später fiel ihr auf, dass er ihr eigentlich keine konkrete Antwort gegeben hatte.

87

Die Gerechtigkeit ist mein, sagt der Herr

Ich drückte mit dem Finger auf Lord Johns letztes Paket und bemühte mich, die Energie aufzubringen, um es zu öffnen. Es war eine kleine Holzkiste; vielleicht noch mehr Vitriol. Am besten sollte ich neuen Äther herstellen – doch zu welchem Zweck? Es kam niemand mehr in mein Sprechzimmer, nicht einmal, um sich kleine Schürfwunden oder Prellungen behandeln zu lassen, von gelegentlichen Blinddarmoperationen ganz zu schweigen.

Ich fuhr mit dem Finger durch den Staub auf der Arbeitsfläche und dachte mir, dass ich mich zumindest darum kümmern sollte. Mrs. Bug hielt den Rest des Hauses in makellosem Zustand, weigerte sich aber, das Sprechzimmer zu betreten. Ich setzte Staubwischen auf die lange Liste der Dinge, die ich eigentlich tun sollte, machte aber keine Anstalten, mich auf die Suche nach einem Staubtuch zu begeben.

Seufzend stand ich auf und überquerte den Flur. Jamie saß an seinem Schreibtisch, spielte mit einem Federkiel und starrte auf einen halb fertigen Brief. Er legte den Gänsekiel hin, als er mich sah, und lächelte.

»Wie geht es, Sassenach?«

»Gut«, sagte ich, und er nickte, als nähme er mir das ab. Sein Gesicht war von Falten der Anspannung durchzogen, und ich wusste, dass es ihm ebenso wenig gut ging wie mir. »Ich habe Ian den ganzen Tag noch nicht gesehen. Hat er etwas davon gesagt, dass er vorhatte zu gehen?« Zu den Cherokee, meinte ich. Kein Wunder, wenn er aus Fraser's Ridge fort wollte; es musste ihn schon genug Kraft gekostet haben, überhaupt so lange zu bleiben und die Blicke, das Gemurmel – und die offenen Bezichtigungen zu ertragen.

Jamie nickte erneut und stellte den Kiel in sein Gefäß.

»Aye, ich habe ihm gesagt, er soll gehen. Es wäre sinnlos gewesen, wenn er noch geblieben wäre; es würde nur noch mehr Prügeleien geben.« Ian erzählte zwar nichts von den Auseinandersetzungen, war aber mehr als einmal mit Kampfspuren übersät zum Abendessen aufgetaucht.

»Nun denn. Dann sage ich es besser Mrs. Bug, bevor sie mit dem Kochen anfängt.« Dennoch machte ich keine Anstalten aufzustehen, denn ich fand zumindest ein wenig Trost in Jamies Gegenwart, eine kleine Pause von der konstanten Erinnerung an das kleine, blutige Gewicht in meinem Schoß, reglos wie ein Fleischklumpen – und an den Anblick von Malvas Augen, die so überrascht gewesen waren.

Ich hörte Pferde im Hof, gleich mehrere. Ich sah Jamie an, der die Augenbrauen hochzog und den Kopf schüttelte. Dann erhob er sich, um die Besucher zu begrüßen, wer auch immer sie waren. Ich folgte ihm durch den Flur, wischte mir die Hände an der Schürze ab und revidierte im Geiste die Speisekarte für das Abendessen für mindestens zwölf Gäste, dem Wiehern und Stimmengemurmel nach, das ich auf dem Hof hörte.

Jamie öffnete die Tür und erstarrte. Ich lugte ihm über die Schulter und spürte, wie mich der Schrecken ergriff. Reiter, schwarz im Gegenlicht der sinkenden Sonne, und in diesem Moment stand ich wieder auf der Whiskylichtung, schweißnass und nur mit meinem Hemd bekleidet.

Jamie hörte mich nach Luft schnappen und schob mich mit der Hand nach hinten.

»Was wollt Ihr, Brown?«, sagte er und klang beinahe unfreundlich.

»Wir sind hier, um Eure Frau zu holen«, sagte Richard Brown. Es lag ein unmissverständlicher Unterton der Schadenfreude in seiner Stimme; bei diesem Klang stellten sich an meinem ganzen Körper vor Kälte die Haare auf, und schwarze Flecken schwebten in mein Gesichtsfeld. Ich spürte meine Füße kaum, als ich einige Schritte zurücktrat, und klammerte mich an die Türklinke meines Sprechzimmers, um mich zu stützen.

»Nun, dann zieht Ihr besser Eures Weges«, erwiderte Jamie in unverändert unfreundlichem Ton. »Ihr habt nichts mit meiner Frau zu schaffen und sie ebenso wenig mit Euch.«

»Ah, nun, da irrt Ihr Euch, *Mister* Fraser.« Mein Gesichtsfeld war wieder frei, und ich sah, wie er sein Pferd dichter an die Eingangstreppe trieb. Er beugte sich nieder, um einen Blick durch die Tür zu werfen, und offenbar sah er mich, denn er lächelte ausgesprochen unangenehm.

»Wir sind hier, um Eure Frau festzunehmen wegen hinterhältigen Mordes.«

Jamies Hand, die immer noch die Türkante umklammert hielt, spannte sich an, und er richtete sich langsam zu voller Größe auf und schien dabei gleichzeitig breiter zu werden.

»Ihr werdet mein Land verlassen, Sir«, sagte er, und seine Stimme war so leise geworden, dass sie gerade eben das Geraschel der Pferde und des Zaumzeugs übertönte. »Und zwar sofort.«

Ich spürte die Schritte hinter mir mehr, als dass ich sie hörte. Mrs. Bug, die gekommen war, um nachzusehen, was vorging.

»Himmel, hilf«, flüsterte sie, als sie den Mann sah. Dann war sie fort und rannte zur Rückseite des Hauses. Ich wusste, dass ich ihr hätte folgen sollen, um durch die Hintertür zu flüchten, in den Wald zu laufen und mich zu verstecken. Doch meine Gliedmaßen waren wie festgefroren. Ich konnte kaum atmen, geschweige denn, mich bewegen.

Und Richard Brown hielt über Jamies Schulter hinweg diesen Blick auf mich gerichtet, in dem sich unverhohlene Abneigung mit Triumph vermischte.

»Oh, wir gehen sofort«, sagte er und richtete sich wieder auf. »Übergebt sie uns, und wir sind fort. Verflogen wie der Morgentau«, sagte er und lachte. Ich fragte mich dumpf, ob er betrunken war.

»Mit welchem Recht seid Ihr hier?«, wollte Jamie wissen. Seine linke Hand hob sich und legte sich offen drohend auf den Knauf seines Dolches. Dieser Anblick weckte mich schließlich, und ich stolperte durch den Flur zur Küche, wo wir unsere Schusswaffen aufbewahrten.

»... Komitee für die Sicherheit.« Diese Worte hörte ich noch, und Browns Stimme war jetzt drohend erhoben, dann war ich in der Küche. Ich nahm die Vogelflinte von ihren Haken über dem Kamin, riss die Schublade der Anrichte auf und steckte mir hastig die drei Pistolen, die darin lagen, in die Taschen meiner Arztschürze, die groß genug waren, um während der Arbeit meine Instrumente darin unterzubringen.

Meine Hände zitterten. Ich zögerte – die Pistolen waren geladen und gespannt; Jamie kontrollierte sie jeden Abend – sollte ich den Patronenbeutel mitnehmen, das Pulverhorn? Keine Zeit. Ich hörte Jamie und Richard Brown, die sich jetzt an der Vorderseite des Hauses anbrüllten.

Beim Klang der Hintertür, die sich öffnete, fuhr mein Kopf auf, und ich sah, wie ein mir unbekannter Mann in der Tür stehen blieb und sich umschaute. Er entdeckte mich und bewegte sich grinsend auf mich zu, eine Hand ausgestreckt, um mich am Arm zu packen.

Ich zog eine Pistole aus meiner Schürze und schoss aus nächster Nähe auf ihn. Das Grinsen wich ihm zwar nicht aus dem Gesicht, nahm aber einen etwas verwunderten Ausdruck an. Er blinzelte ein- oder zweimal, dann fuhr er sich mit der Hand an die Seite, wo sich ein roter Fleck auf seinem Hemd auszubreiten begann. Er betrachtete seine blutverschmierten Finger, und der Mund klappte ihm auf.

»Also, gottverdammt!«, sagte er. »Ihr habt mich angeschossen!«

»Das stimmt«, sagte ich atemlos. »Und ich werde es noch einmal tun, wenn Ihr nicht verschwindet!« Ich ließ die leere Pistole krachend zu Boden fallen und durchsuchte mit einer Hand meine Schürzentasche nach der nächsten, während ich mit der anderen nach wie vor die Vogelflinte umklammerte.

Er wartete nicht ab, ob es mir Ernst war, sondern fuhr herum, prallte gegen den Türrahmen und stolperte dann hindurch, wobei er eine Blutspur auf dem Holz hinterließ.

Schwarzpulverspuren hingen in der Luft und bildeten eine seltsame Mischung mit dem gebratenen Fisch. Im ersten Moment glaubte ich, ich müsste mich übergeben, doch es gelang mir trotz meiner Übelkeit, die Vogelflinte kurz hinzustellen und die Tür zu verriegeln, obwohl meine Hände so zitterten, dass ich mehrere Versuche dazu brauchte.

Plötzlicher Lärm von der Vorderseite des Hauses vertrieb jedoch jede Nervosität, und ich rannte schon durch den Flur, das Gewehr in der Hand, bevor ich überhaupt den bewussten Entschluss gefasst hatte, mich zu bewegen. Die schweren Pistolen in meiner Schürze schlugen mir gegen die Oberschenkel.

Sie hatten ihn von der Veranda gezerrt; ich erblickte ihn kurz in einem Gewimmel von Männern. Das Gebrüll hatte aufgehört. Das Einzige, was zu hören war, waren leise Grunzlaute, von Schlägen getroffene Körperteile und das Rascheln unzähliger Füße im Staub. Er war tödlicher Ernst, dieser Kampf, und mir war sofort klar, dass sie ihn umbringen wollten.

Ich zielte mit der Vogelflinte auf den Rand des Handgemenges, der am weitesten von Jamie entfernt war, und drückte auf den Abzug. Das Krachen des Schusses und die erschrockenen Aufschreie schienen gleichzeitig zu ertönen, und die Szene vor meinen Augen fuhr auseinander. Der Knoten der Männer löste sich auf, mit Schrotkügelchen gepfeffert. Jamie hatte seinen Dolch nicht losgelassen; jetzt, da er etwas Platz hatte, sah ich, wie er ihn einem Mann in die Seite rammte, ihn wieder herausriss und mit derselben Bewegung zur Seite ausholte, um einem der Männer, der ein wenig zurückgewichen war, eine blutige Furche über die Stirn zu ziehen.

Dann sah ich an der Seite Metall aufglänzen und schrie automatisch »DUCK DICH!«, eine Sekunde bevor Browns Pistole Feuer gab. Etwas zischte leise an meinem Ohr vorbei, und ich begriff irgendwie vollkommen ruhig, dass Brown auf mich geschossen hatte, nicht auf Jamie.

Allerdings hatte sich Jamie geduckt – genau wie jedermann sonst auf dem Hof, und überall rappelten sich die Männer jetzt verwirrt wieder auf. Ihr

Kampfgeist war verflogen. Jamie hatte einen Satz auf die Veranda gemacht; er stolperte auf mich zu und hieb dabei mit aller Kraft mit dem Dolchknauf nach einem Mann, der ihn am Ärmel gepackt hatte, bis dieser mit einem Aufschrei von ihm abließ.

Es war, als hätten wir es ein Dutzend Mal geprobt. Er nahm mit einem Schritt die Stufen zur Veranda und warf sich gegen mich, so dass wir beide durch die Tür polterten, dann fuhr er auf dem Absatz herum, knallte die Tür zu, warf sich dagegen und hielt dem Ansturm wütender Körper so lange stand, bis ich in Sekundenschnelle die Schrotflinte fallen gelassen hatte, den Riegel gepackt und ihn vorgeschoben hatte.

Er fiel mit einem *Klonk* in seine Halterungen.

Die Tür vibrierte unter dem Toben der Fäuste und Schultern, und jetzt war auch wieder Geschrei zu hören, doch es klang anders. Nicht schadenfroh, nicht spottend. Immer noch fluchend, aber voll böswilliger Entschlossenheit.

Keiner von uns blieb stehen, um zuzuhören.

»Ich habe die Küchentür verriegelt«, keuchte ich, und Jamie nickte, während er schon in mein Sprechzimmer rannte, um dort die Innenläden zu verriegeln. Ich hörte hinter mir im Sprechzimmer zerberstendes Glas klirren, als ich in sein Studierzimmer lief; dort waren die Fenster kleiner, glaslos und hoch oben in der Wand. Ich knallte die Läden zu und verriegelte sie, dann rannte ich wieder in den plötzlich verdunkelten Flur, um mir das Gewehr zu greifen.

Jamie hatte es schon; er war in der Küche und suchte sich das Nötige zusammen. Als ich mich Richtung Küchentür in Bewegung setzte, kam er schon heraus, behangen mit Patronenbeutel, Pulverhorn und Ähnlichem, die Vogelflinte in der Hand und wies mit einem Ruck seines Kopfes zur Treppe.

Die oberen Zimmer waren immer noch voller Licht; es war, als tauchte man aus dem Wasser auf, und ich schluckte das Licht, als wäre es Luft, während ich benommen und mit tränenden Augen in die Abstellkammer und in Amy McCallums Zimmer rannte, um dort die Läden zu verriegeln. Ich hatte keine Ahnung, wo Amy und ihre Söhne waren; ich konnte nur dankbar sein, dass sie gerade nicht im Haus waren.

Ich lief japsend ins Schlafzimmer. Jamie kniete am Fenster, wo er systematisch die Pistolen lud und auf Gälisch vor sich hin redete – ob betend oder fluchend, das konnte ich nicht sagen.

Ich fragte gar nicht erst, ob er verletzt war; sein Gesicht war voller Prellungen, seine Lippe war aufgeplatzt, und das Blut war ihm über das Kinn auf sein Hemd gelaufen, er war übersät mit Schmutz und Blutspritzern, von denen ich annahm, dass sie von anderen stammten, und sein mir zugewandtes Ohr war angeschwollen. Doch er bewegte sich gezielt, und alles, was kein Schädelbruch war, würde warten müssen.

»Sie wollen uns umbringen«, sagte ich und meinte es nicht als Frage.

Er nickte, ohne den Blick von seiner Arbeit zu heben, dann reichte er mir eine Pistole, damit ich sie lud.

»Aye, das wollen sie. Gut, dass die Kinder alle in Sicherheit sind, nicht wahr?« Er lächelte mich plötzlich an, mit blutigen Zähnen und voller Kampflust, und ich fühlte mich plötzlich so standfest wie schon lange nicht mehr.

Er hatte eine Hälfte des Fensterladens angelehnt gelassen. Ich trat vorsichtig hinter ihn und spähte hinaus, die geladene Pistole schussbereit in der Hand.

»Es liegen keine Toten auf dem Hof«, berichtete ich. »Dann hast du wohl keinen von ihnen umgebracht.«

»Nicht, weil ich es nicht versucht hätte«, erwiderte er. »Gott, was würde ich für ein Gewehr geben!« Er erhob sich behutsam von den Knien, stellte die Vogelflinte so hin, dass ihr Lauf über die Fensterbank hinwegragte, und verschaffte sich einen Überblick über die Lage.

Sie hatten sich vorerst zurückgezogen; unter den Kastanien am anderen Ende der Lichtung war eine kleine Gruppe von Männern zu sehen, und die Pferde hatten sie zu Briannas und Rogers Blockhütte gebracht, wo sie sich außerhalb der Reichweite fliegender Geschosse befanden. Nun planten Brown und seine Lakaien wohl, was sie als Nächstes tun sollten.

»Was meinst du, was sie getan hätten, wenn ich mich einverstanden erklärt hätte, mit ihnen zu gehen?« Immerhin konnte ich mein Herz wieder spüren. Es raste zwar, doch ich konnte atmen, und langsam kehrte das Gefühl in meine Gliedmaßen zurück.

»Ich hätte dich niemals gehen lassen«, erwiderte er kurz.

»Und das weiß Richard Brown wahrscheinlich auch«, sagte ich. Er nickte; er hatte gerade etwas Ähnliches gedacht. Brown hatte niemals vorgehabt, mich tatsächlich festzunehmen, sondern nur, einen Zusammenstoß zu provozieren, bei dem man uns beide umbringen konnte, und zwar unter Umständen, die hinreichend dubios waren, dass es nicht zu einer Vergeltungsaktion durch Jamies Pächter kam.

»Mrs. Bug ist fort, oder?«, fragte er.

»Ja. Wenn sie sie nicht im Freien erwischt haben.« Ich kniff die Augen zum Schutz vor der Nachmittagssonne zusammen und suchte die Gruppe unter den Kastanien nach einer kurzen, breiten Gestalt in Röcken ab, doch ich sah nur Männer.

Jamie nickte erneut und zischte leise durch die Backenzähne, während er den Gewehrlauf langsam in einem Bogen schwenkte, der den ganzen Hof überspannte.

»Wir werden ja sehen«, war alles, was er sagte. »Komm ein kleines bisschen näher, Mann«, murmelte er, als sich einer der Männer vorsichtig über den Hof in Richtung des Hauses in Bewegung setzte. »Ein Schuss, mehr will ich ja gar nicht. Hier, Sassenach, nimm das.« Er drückte mir die Vogelflinte in die Hände und wählte seine Lieblingspistole, ein Modell aus den Highlands mit langem Lauf und einem geschwungenen Kolben.

Der Mann – wie ich sah, war es Richard Brown – blieb in einiger Entfernung stehen, zog ein Taschentuch aus seinem Hosenbund und schwenkte es langsam über seinem Kopf. Jamie prustete los, ließ ihn aber näher kommen.

»Fraser!«, rief er und blieb in etwa vierzig Metern Entfernung stehen. »Fraser! Hört Ihr mich?«

Jamie zielte sorgsam und feuerte. Die Kugel traf ein Stückchen vor Browns Füßen auf den Boden, und Brown sprang in die Luft, als hätte ihn eine Biene gestochen.

»Was ist denn mit Euch los?«, rief er entrüstet. »Habt Ihr noch nie von einer Parlamentärflagge gehört, Ihr schottischer Pferdedieb?«

»Wenn ich Euch tot sehen wollte, Brown, würdet Ihr jetzt schon kalt!«, rief Jamie zurück. »Sagt, was Ihr zu sagen habt.« Es war klar, was seine Absicht war; er wollte ihnen Respekt davor einflößen, sich dem Haus noch weiter zu nähern; es war unmöglich, auf vierzig Meter mit einer Pistole zu treffen, und auch mit einer Muskete war es nicht einfach.

»Ihr wisst, was ich will«, rief Brown. Er zog seinen Hut ab und wischte sich Schweiß und Schmutz aus dem Gesicht. »Ich will Eure gottverdammte, mordende Hexe.«

Die Antwort darauf war eine weitere, sorgsam gezielte Pistolenkugel. Brown tat erneut einen Hüpfer, aber nicht mehr so hoch.

»Hört mir zu«, sagte er mit einem versöhnlichen Unterton in der Stimme. »Wir werden ihr nichts tun. Wir haben vor, sie in Hillsboro vor Gericht zu bringen. Ein fairer Prozess. Das ist alles.«

Jamie reichte mir die zweite Pistole zum Nachladen, ergriff eine andere und feuerte.

Eins musste man Brown lassen – hartnäckig war er, dachte ich. Natürlich dämmerte ihm inzwischen, dass Jamie ihn entweder nicht ernsthaft treffen konnte oder es nicht wollte, und er blieb stur auf der Stelle stehen und ließ noch zwei weitere Schüsse über sich ergehen, während er uns zurief, dass sie uns beide nach Hillsboro bringen wollten, und bei Gott, wenn ich unschuldig war, musste ein Prozess doch in Jamies *Interesse* sein, oder nicht?

Es war heiß hier oben, und der Schweiß rann mir zwischen den Brüsten hindurch. Ich tupfte ihn mit dem Stoff meines Hemdes ab.

Als er keine Antwort bekam außer jaulenden Pistolenkugeln, warf Brown die Arme hoch, die übertriebene Pantomime eines vernünftigen Mannes, der über jedes erträgliche Maß hinaus gereizt worden ist, und stapfte zu seinen Männern unter den Kastanien zurück. Es hatte sich nichts geändert, doch das Atmen fiel mir ein wenig leichter, als ich nur noch seinen schmalen Rücken sah.

Jamie hockte nach wie vor am Fenster und hielt die Pistole bereit, doch als er Brown zurückgehen sah, entspannte er sich ein wenig, hockte sich auf die Fersen und seufzte.

»Haben wir Wasser hier, Sassenach?«

»Ja.« Der Waschkrug im Schlafzimmer war voll; ich goss ihm einen Becher ein, und er trank ihn gierig aus. Wir hatten Lebensmittel, Wasser und einen ordentlichen Vorrat an Patronen und Pulver. Ich glaubte aber nicht, dass wir einer langen Belagerung Stand halten müssten.

»Was glaubst du, was sie tun werden?« Ich ging nicht näher ans Fenster, doch von der Seite aus konnte ich deutlich sehen, wie sie unter den Bäumen konferierten.

Jamie trat neben mich und betupfte sich die Lippe mit seinem Hemdschoß.

»Das Haus in Brand stecken, sobald es dunkel ist, nehme ich an«, erklärte er sachlich. »Das würde ich jedenfalls tun. Obwohl sie es vielleicht auch damit versuchen könnten, Gideon ins Freie zu zerren und ihm eine Kugel in den Kopf zu jagen, wenn ich dich nicht herausrücke.« Letzteres schien er für einen Scherz zu halten, doch es gelang mir nicht, den Humor darin zu honorieren.

Er fixierte mein Gesicht und zog mich kurz an sich. Die Luft war heiß und stickig, und wir waren beide zum Auswringen nass, doch seine Nähe war dennoch tröstend.

»Ah«, sagte ich und holte tief Luft. »Dann hängt also alles davon ab, ob Mrs. Bug entwischt ist – und wem sie es erzählt hat.«

»Sie ist mit Sicherheit zuerst zu Arch gegangen.« Jamie liebkoste mich zärtlich und setzte sich auf das Bett. »Wenn er zu Hause ist, läuft er zu Kenny Lindsay; er ist der nächste Nachbar. Und dann …«

Er zuckte mit den Achseln und schloss die Augen, und ich sah, dass sein Gesicht unter der Sonnenbräune und den Blut- und Schmutzspuren bleich war.

»Jamie – bist du verletzt?«

Er öffnete die Augen und lächelte mich schwach an. Es wurde ein schiefes Lächeln, weil er sich bemühte, nicht an dem Riss in seiner Lippe zu ziehen.

»Nein, ich habe mir den verdammten Finger wieder gebrochen, das ist alles.« Er zog unwillig die Schulter hoch, duldete aber, dass ich seine rechte Hand hochhob, um sie zu inspizieren.

Es war ein glatter Bruch; das war das einzig Gute daran. Der Ringfinger war steif, die Gelenke verknöchert, weil sie vor langer Zeit einmal so schlimm gebrochen worden waren, im Gefängnis von Wentworth. Er konnte den Finger nicht krümmen, und daher stand er ab und war im Weg; dies war nicht das erste Mal, dass er ihn sich gebrochen hatte.

Er schluckte, während ich den Bruch sanft abtastete, und schloss die Augen wieder. Er schwitzte.

»Im Sprechzimmer ist Laudanum«, sagte ich. »Oder Whisky.« Doch ich wusste, dass er ablehnen würde, und das tat er natürlich.

»Ich brauche einen klaren Kopf«, sagte er, »ganz gleich, was geschieht.« Er öffnete die Augen und lächelte mir schwach zu. Die Luft im Zimmer waberte und glühte, trotz des offenen Fensterladens. Die Sonne stand nun schon ziemlich niedrig, und in den Zimmerecken sammelten sich die ersten Schatten.

Ich ging hinunter zum Sprechzimmer, um eine Schiene und Verbandsmaterial zu holen; es würde nicht viel nützen, aber wenigstens hatte ich etwas zu tun.

Das Sprechzimmer war dunkel, da die Fensterläden geschlossen waren, doch da die Scheiben zerbrochen waren, kam Luft hindurch, so dass mir das Zimmer seltsam entblößt und verletzlich vorkam. Ich trat lautlos ein wie eine Maus, blieb abrupt stehen, lauschte auf Gefahren, und meine Nase zuckte. Doch es war alles still.

»*Zu* still«, sagte ich laut und lachte. Ohne mich an den Geräuschen zu stören, trat ich fest mit den Füßen auf, öffnete schwungvoll meine Schranktüren und ließ Instrumente scheppern und Fläschchen klappern, während ich nach den Dingen suchte, die ich brauchte.

Ich machte Zwischenstation in der Küche, bevor ich wieder nach oben ging. Teils, um mich zu vergewissern, dass die Hintertür wirklich fest verriegelt war, und teils, um zu prüfen, was Mrs. Bug an Essbarem zurückgelassen haben könnte. Jamie hatte zwar nichts gesagt, doch ich wusste, dass ihm sein schmerzender Finger leichte Übelkeit verursachte – und solche Leiden ließen sich bei ihm normalerweise mit etwas Essbarem lindern.

Der Kessel hing noch über den Kohlen, doch das unbeaufsichtigte Feuer war so weit heruntergebrannt, dass die Suppe zum Glück nicht verkocht war. Ich stocherte in der Glut herum und legte drei ordentliche Kiefernscheite nach, nicht nur, weil es mir in Fleisch und Blut übergegangen war, niemals ein Feuer ausgehen zu lassen, sondern auch, um unseren Belagerern eine lange Nase zu zeigen. Sollten sie doch die Funken im Kamin sehen, dachte ich, und sich ausmalen, wie wir in aller Behaglichkeit beim Essen an unserem Herdfeuer saßen. Oder besser noch, sollten sie sich ruhig ausmalen, wie wir an einem lodernden Feuer saßen und Blei schmolzen, um Kugeln zu gießen.

In dieser trotzigen Stimmung ging ich wieder nach oben, bewaffnet mit meinem Verbandsmaterial, einem spontan zusammengestellten Abendessen und einer großen Flasche Schwarzbier. Doch ich konnte das Echo meiner Schritte auf der Treppe nicht überhören, genauso wenig wie die Stille, die sich hinter mir sofort wieder über das Haus legte, wie Wasser, das sich wieder schließt, wenn man es verlässt.

Ich hörte einen Schuss, als ich mich der Oberkante der Treppe näherte, und nahm die letzten Stufen so schnell, dass ich stolperte und kopfüber hingefallen wäre, wenn ich nicht gegen die Wand getaumelt wäre.

Jamie tauchte mit erschrockenem Gesicht aus Mr. Wemyss' Zimmer auf, die Vogelflinte in der Hand.

»Hast du dir etwas getan, Sassenach?«

»Nein«, antwortete ich gereizt und wischte mir mit der Schürze etwas übergelaufene Suppe von der Hand. »Worauf in Gottes Namen hast du geschossen?«

»Nichts. Ich wollte ihnen nur klar machen, dass die Rückseite des Hauses auch nicht sicherer ist als die Vorderseite, falls sie vorhaben, sich auf diesem Weg anzuschleichen. Nur, damit sie wirklich bis zum Anbruch der Nacht warten.«

Ich verband ihm den Finger, was ein wenig zu helfen schien. Wie ich gehofft hatte, half das Essen noch mehr. Er aß wie ein Wolf, und zu meiner Überraschung tat ich das ebenfalls.

»Die Verurteilten aßen mit Appetit«, merkte ich an und pickte ein paar Brot- und Käsekrümel auf. »Ich hatte immer gedacht, Lebensgefahr würde die Leute zu nervös zum Essen machen, aber anscheinend nicht.«

Er schüttelte den Kopf, trank einen Schluck Bier und gab mir die Flasche.

»Ein Freund hat mir einmal gesagt, dass der Körper kein Gewissen hat. Ich weiß nicht, ob das in jeder Beziehung stimmt – aber es ist wahr, dass der Körper die Möglichkeit der Nichtexistenz schlichtweg ignoriert. Und wenn man existiert – nun, dann braucht man etwas zu essen, so einfach ist das.« Er grinste mich schief an und riss das letzte süße Brötchen in zwei Hälften, von denen er mir eine abgab.

Ich nahm sie an, aß sie aber nicht sofort. Draußen war nichts zu hören außer dem Zirpen der Zikaden, obwohl eine drückende Schwüle in der Luft lag, die oft Regen verheißt. Es war noch zu früh im Sommer für ein Gewitter, aber man konnte ja hoffen.

»Du hast auch daran gedacht, oder?«, sagte ich leise.

Er tat erst gar nicht so, als verstünde er mich nicht.

»Nun ja, es *ist* der einundzwanzigste«, sagte er.

»Es ist *Juni*, zum Kuckuck! Und außerdem das falsche Jahr. In der Zeitung stand Januar 1776!« Ich war auf absurde Weise entrüstet, als hätte man mich irgendwie bemogelt.

Er fand das lustig.

»Ich bin selbst einmal Drucker gewesen, Sassenach«, sagte er und lachte mit vollem Mund. »Du glaubst besser nicht alles, was in der Zeitung steht, aye?«

Als ich erneut hinausspähte, waren nur wenige der Männer unter der Kastanie zu sehen. Einer von ihnen sah meine Bewegung; er winkte langsam mit dem Arm – dann fuhr er sich mit der Handkante flach über die Kehle.

Die Sonne stand jetzt dicht über den Baumwipfeln; etwa noch zwei Stunden, bis es dunkel wurde. Aber zwei Stunden mussten Mrs. Bug doch reichen, um Hilfe zu holen – vorausgesetzt, sie hatte jemanden gefunden, der kommen konnte. Es war möglich, dass Arch in Cross Creek war – er reiste einmal im Monat dorthin –, dass Kenny auf der Jagd war. Und was die neueren Pächter anging … jetzt, da Roger nicht da war, um sie zur Ordnung zu rufen, machten sie keinen Hehl mehr aus ihrem Argwohn und ihrer Abneigung mir gegenüber. Ich hatte das dumpfe Gefühl, dass sie zwar kommen würden, wenn man sie rief – aber nur, um Beifall zu klatschen, während man mich davonschleppte.

Und wenn jemand *kam* – was dann? Ich war zwar nicht besonders scharf darauf, weggeschleppt zu werden, und erst recht nicht darauf, erschossen zu werden oder in der Asche meines Hauses zu verbrennen – aber ich wollte ebenfalls nicht, dass jemand anders versuchte, es zu verhindern, und dabei umkam.

»Geh vom Fenster weg, Sassenach«, mahnte Jamie. Er hielt mir die Hand hin, und ich trat zu ihm und setzte mich neben ihn auf das Bett. Auf einmal fühlte ich mich erschöpft. Das Adrenalin des Notfalls war verbrannt, und meine Muskeln fühlten sich an wie in der Hitze erweichtes Gummi.

»Leg dich hin, *a Sorcha*«, sagte er leise. »Leg deinen Kopf in meinen Schoß.«

Das tat ich, trotz der Hitze. Es war wohltuend, mich auszustrecken, und noch wohltuender, sein Herz zu hören, das langsam und spürbar über meinem Ohr schlug, und seine Hand zu spüren, die leicht auf meinem Kopf ruhte.

Alle Waffen lagen auf dem Boden neben dem Fenster aufgereiht, alle geladen, gespannt und schussbereit. Er hatte sein Schwert vom Schrank genommen; es stand als letzte Zuflucht an der Tür.

»Jetzt können wir nichts mehr tun, oder?«, sagte ich nach einer Weile. »Nur noch warten.«

Seine Finger spielten mit meinen feuchten Haarlocken; es fiel mir jetzt bis knapp oberhalb der Schultern, lang genug – gerade eben –, um es zusammenzubinden oder hochzustecken.

»Nun, wir könnten ein Beichtgebet sprechen«, sagte er. »Das haben wir am Vorabend einer Schlacht regelmäßig getan. Nur vorsichtshalber«, fügte er hinzu und lächelte mich an.

»Nun gut«, sagte ich nach einer kurzen Pause. »Nur vorsichtshalber.«

Ich streckte die Hand aus, und er umfasste sie mit der unverletzten Hand.

»*Mon Dieu, je regrette*«, begann er, und mir fiel wieder ein, dass er dieses Gebet immer auf Französisch sprach, ein Überbleibsel aus jenen Tagen als Söldner in Frankreich; wie oft mochte er es damals gesprochen haben, eine notwendige Vorsichtsmaßnahme, am Abend die Seele zu reinigen, weil er am Morgen mit der Möglichkeit des Todes rechnen musste?

Ich sprach es ebenfalls, auf Englisch, und dann verstummten wir. Die Zikaden schwiegen. Weit, weit entfernt glaubte ich, ein Geräusch zu hören, das möglicherweise Donner war.

»Weißt du«, sagte ich nach einer Weile, »es tut mir Leid um eine ganze Reihe von Dingen und Menschen. Rupert, Murtagh, Dougal … Frank. Malva«, fügte ich leise hinzu, und das Wort blieb mir im Hals stecken. »Aber wenn ich nur für mich selbst sprechen soll …« Ich räusperte mich.

»Ich bedaure nicht das Geringste«, sagte ich und sah zu, wie die Schatten aus den Ecken ins Zimmer krochen. »Absolut gar nichts.«

»Ich auch nicht, *mo nighean donn*«, sagte er, und seine Finger kamen zur Ruhe, warm auf meiner Haut. »Ich auch nicht.«

Ich war eingedöst und erwachte, weil mir Rauchgeruch in die Nase stieg. Im Zustand der Gnade zu sein ist ja gut und schön, aber ich vermute, dass selbst Jeanne D'Arc nicht die Ruhe selbst geblieben ist, als sie das erste Scheit in Brand gesetzt haben. Ich schoss kerzengerade hoch und sah mit rasendem Herzklopfen, dass Jamie am Fenster stand.

Es war noch nicht ganz dunkel; im Westen war der Himmel von orangen, goldenen und rosafarbenen Streifen erhellt, die sein Gesicht in flammendes Licht tauchten. Seine Nase war lang und schmal, seine Miene wild entschlossen, und die Furchen der Anspannung hatten sich tief eingegraben.

»Es kommen Leute«, sagte er. Sein Tonfall war sachlich, doch seine gesunde Hand hielt die Kante des Fensterladens fest umklammert, als hätte er ihn am liebsten zugeknallt und verriegelt.

Ich trat an seine Seite und kämmte mir hastig mit den Fingern durch die Haare. Ich konnte etliche Gestalten unter den Kastanien ausmachen, obwohl sie jetzt nur noch Umrisse waren. Sie hatten am anderen Ende des Hofes ein Lagerfeuer angezündet; das war es, was ich gerochen hatte. Doch es kamen immer mehr Leute auf den Hof; ich war mir sicher, dass Mrs. Bugs kräftige Gestalt unter ihnen war. Stimmengeräusche drifteten zu uns herauf, doch sie waren nicht laut genug, um einzelne Worte zu verstehen.

»Kannst du mir das Haar flechten, Sassenach? Das schaffe ich hiermit nicht.« Er warf einen flüchtigen Blick auf seinen gebrochenen Finger.

Ich zündete eine Kerze an, und er schob einen Hocker ans Fenster, um Wache halten zu können, während ich ihm das Haar kämmte und es zu einem festen, dicken Zopf flocht, den ich in seinem Nacken doppelt legte und mit einem schwarzen Band ordentlich zusammenknotete.

Ich wusste, dass er zwei Gründe hatte; nicht nur, gepflegt und wie ein Herr auftreten zu können, sondern notfalls auch kampfbereit zu sein. Ich machte mir zwar weniger Sorgen, dass mich jemand an den Haaren packen könnte, während ich gerade versuchte, ihn mit dem Schwert in zwei Hälften zu zerteilen, doch wenn dies mein letzter Auftritt als Herrin von Fraser's Ridge werden sollte, erschien ich besser gleichfalls nicht ungekämmt.

Ich hörte, wie er etwas vor sich hin brummte, während ich im Schein der Kerze meine Haare bürstete, und drehte mich auf meinem Hocker zu ihm um.

»Hiram ist hier«, sagte er zu mir. »Ich höre seine Stimme. Das ist gut.«

»Wenn du das sagst«, meinte ich skeptisch, während ich mich an Hirams Bemerkungen letzte Woche in der Kirche erinnerte – kaum verhüllte Anklagen, die gegen uns gerichtet waren. Roger hatte nichts davon gesagt, Amy McCallum hatte es mir erzählt.

Jamie wandte mir den Kopf zu, um mich anzusehen, und als er jetzt lächelte, legte sich ein seliger Ausdruck auf sein Gesicht.

»Du bist so schön, Sassenach«, sagte er, als sei er überrascht. »Doch aye, es ist gut. Ganz gleich, was er denkt, er würde nicht zulassen, dass uns Brown da unten hängt oder das Haus in Brand steckt, um uns ins Freie zu treiben.«

Draußen erschollen noch mehr Stimmen; die Menge wuchs rapide.

»Mr. Fraser!«

Er holte tief Luft, nahm die Kerze vom Tisch und öffnete den Fensterladen ganz. Dabei hielt er sich die Kerze vor das Gesicht, so dass sie ihn sehen konnten.

Es war jetzt fast vollständig dunkel, doch mehrere Leute trugen Fackeln, was mich beängstigend an den Pöbel erinnerte, der sich näherte, um Frankensteins Monster zu verbrennen – es mir aber immerhin ermöglichte, die Gesichter auf dem Hof auszumachen. Es standen mindestens dreißig Männer – und nicht wenige Frauen – dort, zusätzlich zu Richard Brown und seinen Schlägern. Hiram Crombie war tatsächlich gekommen; er stand neben Richard Brown und sah aus wie eine Gestalt aus dem Alten Testament.

»Wir müssen Euch bitten, herunterzukommen, Mr. Fraser«, rief er. »Und Eure Frau – wenn Ihr so freundlich wärt.«

Ich erblickte Mrs. Bugs rundliche, unübersehbar schreckenerfüllte Gestalt. Ihr Gesicht war tränenüberströmt. Dann schloss Jamie sacht die Fensterläden und bot mir seinen Arm an.

Jamie hatte sowohl seinen Dolch als auch sein Schwert dabei, und er hatte sich nicht umgezogen. Er stand auf der Veranda, voll blutiger Kampfspuren, sein ganzes Auftreten eine einzige Warnung, uns ja nicht anzurühren.

»Meine Frau bekommt Ihr nur über meine Leiche«, sagte er und erhob seine kräftige Stimme, so dass er auf der ganzen Lichtung zu hören war. Ich fürchtete sehr, dass das stimmte. Bis jetzt hatte er Recht damit gehabt, dass Hiram keine Lynchjustiz dulden würde, doch es war klar, dass die öffentliche Meinung nicht zu unseren Gunsten stand.

»Die Zauberinnen sollt ihr nicht am Leben lassen!«, rief jemand aus den hinteren Reihen der Menge, und ein Stein pfiff durch die Luft und prallte mit einem scharfen Geräusch wie ein Gewehrschuss von der Fassade ab. Er schlug keine dreißig Zentimeter neben meinem Kopf ein, und ich zuckte zusammen, bedauerte dies aber sofort.

Aufgebrachtes Gemurmel hatte sich erhoben, als Jamie die Tür öffnete, und der Beinahetreffer ermunterte sie offensichtlich. »Mörder!« und »Herzlos! Herzlos!« riefen sie laut und dazu eine Reihe gälischer Beleidigungen, die ich erst gar nicht zu verstehen versuchte.

»Wenn sie es nicht getan hat, *a breugaire*, wer dann?«, brüllte jemand.

Der Mann, dem Jamie mit dem Dolch das Gesicht aufgeschlitzt hatte, stand in der vorderen Reihe; die Wunde klaffte offen und nässte, und sein Gesicht war eine Maske aus getrocknetem Blut.

»Wenn sie's nicht war, ist er's gewesen!«, rief er und wies auf Jamie. »*Ear-siûrsachd!*« Alter Lustmolch!

Hasserfüllter Beifall erscholl, und ich sah, wie Jamie das Gewicht verlagerte und die Hand an sein Schwert legte, bereit, es zu ziehen, wenn sie ihn angriffen.

»Seid still!« Hirams Stimme war ziemlich dünn, aber gleichzeitig durchdringend. »Seid still, sage ich!« Er schob Brown beiseite und kam gesetzten Schrittes die Stufen herauf. Oben angelangt, warf er mir einen angewiderten Blick zu, wandte sich dann aber zur Menge.

»Gerechtigkeit!«, brüllte einer von Browns Männern, bevor er weiterreden konnte. »Wir verlangen Gerechtigkeit!«

»Aye, das tun wir«, rief Hiram zurück. »Und wir werden auch Gerechtigkeit bekommen, für das arme geschändete Mädchen und sein ungeborenes Kind!«

Ein zufriedenes Knurren begrüßte diese Worte, und mir lief eisiger Schrecken über die Beine, so dass ich schon fürchtete, dass meine Knie nachgeben würden.

»Gerechtigkeit! Gerechtigkeit!« Mehrere Leute fielen jetzt in den Sprechgesang ein, doch Hiram gebot ihnen Einhalt, indem er beide Hände hob, als sei er der verflixte Moses, der das Rote Meer teilte.

»*Die Gerechtigkeit ist mein*, spricht der Herr«, bemerkte Jamie gerade so laut, dass es jeder hören konnte. Hiram, der offensichtlich im Begriff gewesen war, genau dasselbe zu sagen, warf ihm einen wütenden Blick zu, konnte ihm aber kaum widersprechen.

»Euch wird Gerechtigkeit zuteil werden, Mister Fraser!«, sagte Brown sehr laut. Er hob mit zusammengekniffenen Augen das Gesicht, und seine Miene war von böswilligem Triumph erfüllt. »Ich wünsche, Eure Frau vor Gericht zu bringen. Jeder Angeklagte hat ein Recht darauf, nicht wahr? Wenn sie unschuldig ist – wenn *Ihr* unschuldig seid – wie könnt Ihr das ablehnen?«

»Das ist gewiss ein Argument«, beschied Hiram ihn würdevoll. »Wenn Eure Frau dieses Verbrechen nicht begangen hat, hat sie nichts zu befürchten. Was sagt Ihr, Sir?«

»Ich sage, dass sie gar nicht lange genug leben wird, um vor Gericht zu erscheinen, wenn ich sie diesem Mann in die Hände gebe«, erwiderte Jamie aufgebracht. »Er gibt mir die Schuld am Tod seines Bruders – und einige der

Anwesenden wissen, was es *damit* auf sich hat!«, fügte er hinzu und wies mit dem Kinn auf die Menge.

Hier und dort nickten ein paar Köpfe – doch es waren nur wenige. Es hatten nicht mehr als ein Dutzend seiner Männer aus Ardsmuir an der Expedition zu meiner Rettung teilgenommen; dank des darauf folgenden Geredes würden viele der neuen Pächter lediglich gehört haben, dass man mich entführt und auf skandalöse Weise misshandelt hatte und dass es meinetwegen Tote gegeben hatte. Ich war mir der vorherrschenden Meinung wohl bewusst, dass jedem Opfer eines Sexualverbrechens eine obskure Schuld anhaftete – es sei denn, die Frau kam ums Leben, in welchem Fall sie automatisch zum Engel ohne Makel avancierte.

»Er wird sie auf der Stelle abschlachten, um sich an mir zu rächen«, sagte Jamie, diesmal lauter. Er wechselte abrupt ins Gälische und zeigte auf Brown. »Seht euch den Mann doch an, dann erkennt ihr, dass ihm die Wahrheit ins Gesicht geschrieben steht! Er hat mit der Gerechtigkeit genauso wenig am Hut wie mit der Ehre, und die würde er nicht einmal am Geruch ihres Hinterns erkennen!«

Das ließ ein paar von ihnen überrascht auflachen. Brown sah sich verwirrt um, weil er gern gewusst hätte, worüber sie lachten, was noch mehr von ihnen zum Lachen brachte.

Die Stimmung der Menge war immer noch gegen uns, aber sie standen auch noch nicht hinter Brown – der schließlich ein Fremder war. Hiram legte nachdenklich die schmale Stirn in Falten.

»Was würdet Ihr als Garantie für die Sicherheit der Frau anbieten?«, fragte er Brown.

»Ein Dutzend Fässer Bier und drei Dutzend meiner besten Felle«, erwiderte Brown prompt. »Vier Dutzend!« Die Gier glänzte in seinen Augen, und er verhinderte nur mit Mühe und Not, dass seine Stimme vor Lust zu zittern begann, so sehr brannte er darauf, mich in seine Gewalt zu bekommen. Ich kam plötzlich zu der unangenehmen Überzeugung, dass er zwar letztlich auf meinen Tod abzielte, dass er aber nicht unbedingt an einen schnellen Tod dachte, es sei denn, die Umstände verlangten es.

»Es wäre Euch viel mehr wert als das, *a breugaire*, Euch durch ihren Tod an mir zu rächen«, sagte Jamie gleichmütig.

Hirams Blick pendelte vom einen zum anderen, unsicher, was er tun sollte. Ich blickte hinaus in die Menge, ohne mir etwas anmerken zu lassen. Das war allerdings gar nicht schwierig; ich fühlte mich vollständig taub.

Ich sah ein paar freundliche Gesichter, die nervös auf Jamie gerichtet waren, um herauszufinden, was sie tun sollten. Kenny und seine Brüder Murdo und Evan standen dicht beieinander, die Hände an den Dolchen, die Mienen grimmig. Ich wusste nicht, ob sich Richard Brown genau diesen Zeitpunkt ausgesucht hatte oder ob er einfach nur Glück gehabt hatte. Ian war fort, auf der Jagd mit seinen Cherokee-Freunden. Arch war ebenfalls fort, sonst wäre er längst aufgetaucht – Arch und seine Axt wären jetzt besonders hilfreich gewesen, dachte ich.

Fergus und Marsali waren fort – auch sie hätten helfen können, die Stimmung zu unseren Gunsten zu beeinflussen. Doch am schlimmsten war, dass Roger fehlte. Er allein hatte die Presbyterianer seit dem Tag, an dem Malva ihre Anschuldigungen erhob, mehr oder minder unter Kontrolle gehalten oder zumindest den Deckel auf dem simmernden Topf des Geredes und der Feindseligkeit gehalten. Möglich, dass er sie jetzt ebenso eingeschüchtert hätte – wenn er hier gewesen wäre.

Die Unterhaltung hatte sich von großem Drama zu einer Dreier-Auseinandersetzung zwischen Jamie, Brown und Hiram entwickelt, wobei die beiden Ersten auf ihren Positionen beharrten und der arme Hiram, der damit völlig überfordert war, versuchte, den Mittler zu spielen. Sofern ich noch Gefühle übrig hatte, tat er mir wirklich Leid.

»Ergreift ihn!«, rief plötzlich eine Stimme. Allan Christie schob sich durch die Menge nach vorn und zeigte auf Jamie. Seine Stimme zitterte und überschlug sich, so gefühlsgeladen war er. »Er ist es, der meine Schwester geschändet hat; er, der sie umgebracht hat! Wenn Ihr jemandem den Prozess machen wollt, nehmt ihn!«

Unterschwelliges Beifallsgemurmel regte sich auf diese Worte hin, und ich beobachtete, wie John MacNeill und Hugh Abernathy dichter zusammenrückten und die Blicke beklommen von Jamie zu den drei Lindsay-Brüdern und zurückschweifen ließen.

»Nein, sie war's!«, widersprach eine laute, schrille Frauenstimme. Eine der Fischersfrauen; sie wies mit dem Finger in meine Richtung, das Gesicht boshaft verkniffen. »Ein Mann würde vielleicht ein Mädchen umbringen, das er geschwängert hat – aber kein Mann würde den Frevel begehen, ein ungeborenes Kind aus dem Mutterleib zu stehlen! Nur eine Hexe würde das tun – und sie haben sie doch mit der armen, kleinen Leiche in den Händen gefunden!«

Noch lauteres, vernichtendes Raunen war die Reaktion darauf. Die Männer hätten vielleicht im Zweifel für die Angeklagte entschieden – die Frauen aber nicht.

»Im Namen des Allmächtigen!« Hiram verlor jetzt die Kontrolle über die Situation und verfiel langsam in Panik. Die Lage war gefährlich nahe daran zu kippen; jeder konnte die Hysterie und den Blutdurst in der Luft spüren. Er richtete den Blick zum Himmel, suchte nach Inspiration – und fand sie.

»Ergreift sie beide!«, sagte er plötzlich. Er sah zuerst Brown an, dann Jamie. »Ergreift sie beide«, wiederholte er, als prüfte er diesen Vorschlag und befände ihn für gut. »Ihr werdet mitgehen, um Euch zu überzeugen, dass Eurer Frau nichts zustößt«, sagte er in aller Vernunft zu Jamie. »Und wenn es sich erweist, dass sie unschuldig ist …« Jetzt erstarb seine Stimme, weil ihm dämmerte, dass er gerade sagte, dass im Fall meiner Unschuld

Jamie schuldig sein musste, und was für eine gute Idee es doch war, ihn greifbar zu haben, um ihn dann stattdessen zu hängen.

»Sie ist unschuldig; ich bin es ebenfalls.« Jamies Stimme war jetzt nicht mehr erregt; er wiederholte seine Worte einfach nur hartnäckig. Er hegte keine wirkliche Hoffnung, irgendjemanden zu überzeugen; wenn in der Menge überhaupt noch ein Zweifel herrschte, so höchstens daran, wer von uns beiden der Schuldige war – oder ob wir den Plan zu Malva Christies Vernichtung gemeinsam ausgeheckt hatten.

Er wandte sich ihnen plötzlich zu und rief sie auf Gälisch an.

»Wenn ihr uns in die Hände des Fremden übergebt, soll unser Blut über euch kommen, und ihr werdet am Jüngsten Tag für unser Leben gerade stehen!«

Bei diesen Worten verstummte die Menge plötzlich. Männer richteten beklommene Blicke auf ihre Nebenmänner und betrachteten Brown und seine Kohorte voll Argwohn.

Diese waren zwar allen bekannt, doch sie waren Fremde, Sassenachs – im schottischen Sinn. Das gleiche galt für mich, die ich außerdem eine Hexe war. Jamie mochte ein Lüstling, Vergewaltiger und papistischer Mörder sein – doch immerhin war er kein Fremder.

Der Mann, auf den ich geschossen hatte, funkelte mich boshaft über Browns Schulter hinweg an; offenbar hatte ich ihn nur gestreift, so ein Pech. Ich erwiderte seinen Blick, während sich der Schweiß zwischen meinen Brüsten ansammelte und mir die Feuchtigkeit heiß und schlüpfrig unter dem Schleier meiner Haare klebte.

In der Menge erhoben sich Gemurmel und erregte Diskussionen. Ich verfolgte, wie sich die Männer aus Ardsmuir langsam durch das Gedränge auf die Veranda zuschoben. Kenny Lindsays Blick hing an Jamies Gesicht, und ich spürte, wie Jamie neben mir tief Luft holte.

Sie würden für ihn kämpfen, wenn er sie rief. Doch es waren zu wenige, dazu schlecht bewaffnet, im Gegensatz zu Browns Pöbel. Sie würden nicht gewinnen – und es waren Frauen und Kinder in der Menge. Seine Männer zu rufen, würde nur einen blutigen Aufruhr heraufbeschwören und den Tod Unschuldiger auf sein Gewissen laden. Das war eine Bürde, die er nicht tragen konnte; nicht jetzt.

Ich sah, wie er zu demselben Schluss kam und sich sein Mund anspannte. Ich hatte keine Ahnung, was er zu tun im Begriff war, doch es kam ihm etwas zuvor. Am Rand der Menge kam Unruhe auf; die Leute wandten neugierig die Köpfe, dann erstarrten sie, und es verschlug ihnen die Sprache.

Thomas Christie kam durch die Menge; trotz der Dunkelheit und des flackernden Fackelscheins wusste ich sofort, dass er es war. Er ging wie ein alter Mann, vornübergebeugt und stockend, ohne irgendjemanden anzusehen. Die Menge wich schlagartig vor ihm zurück, von tiefem Respekt vor seinem Schmerz erfüllt.

Dieser Schmerz war seinem Gesicht deutlich anzusehen. Er hatte sich Bart und Haare weder geschnitten noch gekämmt noch gewaschen. Seine Augen waren blutunterlaufen, und er hatte Tränensäcke; die Falten von der Nase zum Mund gruben schwarze Furchen in seinen Bart. Doch seine Augen leuchteten lebendig, hellwach und klug. Er schritt durch die Menge und an seinem Sohn vorbei, als sei er allein, und kam die Stufen zur Veranda herauf.

»Ich gehe mit ihnen nach Hillsboro«, sagte er leise zu Hiram Crombie. »Nehmt sie beide fest, wenn Ihr wollt – aber ich werde mit ihnen reisen, als Garantie, dass es nicht zu weiteren Freveltaten kommt. Die Gerechtigkeit ist doch wohl mein, wenn sie überhaupt jemandem zusteht.«

Brown zog ein verblüfftes Gesicht; dies war eindeutig überhaupt nicht das, was er im Sinn gehabt hatte. Doch die Menge war sofort dafür und äußerte Beifallsgemurmel über die vorgeschlagene Lösung. Nach dem Mord an seiner Tochter empfand jedermann den größten Respekt und das größte Mitgefühl mit Tom Christie. Und es schien die allgemeine Meinung zu herrschen, dass seine Geste von enormer Großherzigkeit war.

Was auch stimmte, da er uns mit größter Wahrscheinlichkeit gerade das Leben gerettet hatte – zumindest vorerst. Seiner Miene nach hätte Jamie es lieber darauf ankommen lassen und Richard Brown umgebracht, doch er begriff, dass Bettler nicht wählerisch sein konnten, und fügte sich so gutwillig wie möglich mit einem Kopfnicken.

Christie ließ seinen Blick einen Moment auf mir ruhen, dann wandte er sich an Jamie.

»Wenn es Euch recht ist, Mr. Fraser, brechen wir vielleicht morgen früh auf? Es gibt keinen Grund, warum Ihr und Eure Frau nicht in Eurem eigenen Bett schlafen solltet.«

Jamie verneigte sich vor ihm.

»Ich danke Euch, Sir«, sagte er förmlich. Christie nickte zurück, machte kehrt und stieg die Stufen wieder hinunter, ohne Richard Brown, der zugleich verärgert und überrumpelt dreinschaute, eines Blickes zu würdigen.

Ich sah, wie Kenny Lindsay die Augen schloss und erleichtert die Schultern sinken ließ. Dann schob mir Jamie die Hand unter den Ellbogen, und wir drehten uns um und betraten unser Haus, um vielleicht zum letzten Mal eine Nacht unter seinem Dach zu verbringen.

88

Im Sog des Skandals

Der Regen, der in der Luft gelegen hatte, kam in der Nacht, und der Tag dämmerte grau, trostlos und nass – passend zu Mrs. Bugs Verfassung. Sie schluchzte ohne Unterlass in ihre Schürze und wiederholte: »Oh, wenn Arch nur hier gewesen wäre! Aber der Einzige, den ich finden konnte, war Kenny Lindsay, und bis er MacNeill und Abernathy geholt hatte –«

»Quält Euch deswegen nicht, *a leannan*«, sagte Jamie und küsste sie liebevoll auf die Stirn. »Womöglich ist es ja besser so. Es ist niemand zu Schaden gekommen, das Haus steht noch« – er warf einen sehnsüchtigen Blick auf die Dachbalken, die er Stück für Stück selbst gezimmert hatte –, »und so Gott will, klärt sich dieser Schlamassel ja vielleicht bald auf.«

»So Gott will«, wiederholte sie inbrünstig und bekreuzigte sich. Sie zog die Nase hoch und rieb sich die Augen. »Und ich habe Euch einen Bissen zu essen eingepackt, damit Ihr unterwegs keinen Hunger leidet, Sir.«

Richard Brown und seine Männer hatten, so gut es ging, unter den Bäumen Zuflucht gesucht; ihnen hatte niemand Gastfreundschaft angeboten – einen vernichtenderen Beweis für ihre Unbeliebtheit konnte man sich kaum vorstellen, wenn man bedachte, wie es die Highlander in diesen Dingen hielten. Und ein genauso vernichtender Beweis für unsere eigene Unbeliebtheit, dass sie es Brown gestatteten, uns in Gewahrsam zu nehmen.

In der Folge waren Browns Männer völlig durchnässt, hungrig, schlaflos und gereizt. Ich hatte zwar auch nicht geschlafen, aber ich hatte mich zumindest satt gefrühstückt, mir war warm, und ich war – noch – trocken, so dass es mir ein wenig besser ging, auch wenn sich mein Herz hohl anfühlte und meine Knochen wie mit Blei gefüllt waren, als wir die Wegmündung erreichten und ich über die Lichtung einen Blick zum Haus zurückwarf, auf dessen Veranda Mrs. Bug stand und winkte. Ich winkte zurück, und dann trabte mein Pferd in die Dunkelheit der tropfenden Bäume.

Es wurde eine grimmige Reise, die wir zum Großteil schweigend zurücklegten. Jamie und ich ritten dicht beieinander, konnten uns aber in Hörweite von Browns Männern nicht über irgendetwas Wichtiges unterhalten. Und was Richard Brown anging, so war er ernstlich aus der Fassung geraten.

Es war hinreichend klar, dass er niemals die Absicht gehabt hatte, mich irgendwo vor Gericht zu bringen, sondern dass er dies nur als Vorwand benutzt hatte, um sich an Jamie für Lionels Tod zu rächen. Und weiß Gott, was er getan hätte, dachte ich, hätte er erfahren, was wirklich mit seinem Bruder geschehen war, als Mrs. Bug noch greifbar in seiner Nähe war. Doch da Tom Christie uns begleitete, waren ihm die Hände gebunden; es blieb ihm nichts anderes übrig, als uns nach Hillsboro zu bringen, und das tat er denkbar widerwillig.

Tom Christie ritt wie im Traum – einem Albtraum. Seine Miene war verschlossen und nach innen gekehrt, und er sprach mit niemandem.

Der Mann, den Jamie mit dem Messer verletzt hatte, war nicht dabei; vermutlich war er nach Brownsville heimgekehrt. Doch der Mann, den ich angeschossen hatte, begleitete uns.

Ich konnte weder sagen, wie ernst seine Verletzung war, noch ob die Kugel in seinen Körper eingedrungen war oder ihn nur seitlich gestreift hatte. Er war zwar nicht bewegungsunfähig, doch seiner schiefen Haltung und der Art, wie er dann und wann das Gesicht verzog, war deutlich anzusehen, dass er Schmerzen hatte.

Ich zögerte eine Weile. Ich hatte nicht nur Satteltaschen und eine zusammengerollte Decke dabei, sondern auch eine kleine Arzttasche. Unter den gegebenen Umständen hatte ich zwar nur relativ wenig Mitleid mit dem Mann. Andererseits war mein Instinkt stark – und wie ich Jamie leise erklärte, als wir anhielten, um unser Nachtlager aufzuschlagen, würde es nicht helfen, wenn er an einer Infektion starb.

Ich nahm mir vor, seine Wunde zu untersuchen und zu versorgen, sobald sich die Gelegenheit ergab. Der Mann – sein Name schien Ezra zu sein, auch wenn wir einander natürlich nicht vorgestellt worden waren – war dafür verantwortlich, die Schalen mit dem Essen auszuteilen, und ich wartete unter der Kiefer, unter der Jamie und ich Schutz gesucht hatten, um ihn freundlich anzusprechen, wenn er unser Essen brachte.

Er kam zu uns herüber, in jeder Hand eine Schale, die Schultern zum Schutz vor dem Regen in seinem Ledermantel vornübergebeugt. Doch bevor ich etwas sagen konnte, grinste er böse, spuckte kräftig in eine der Schüsseln und reichte sie mir. Die andere ließ er Jamie vor die Füße fallen, so dass ihm der Eintopf mit getrocknetem Hirschfleisch an den Beinen hinaufspritzte.

»Hoppla«, sagte er nur und machte auf dem Absatz kehrt.

Jamie spannte sich an wie eine große Schlange, die sich zusammenrollt, doch ich bekam seinen Arm zu fassen, bevor er zuschlagen konnte.

»Das macht nichts«, sagte ich und erhob meine Stimme ein klein wenig, um hinzuzufügen: »Soll er doch verrotten.«

Der Kopf des Mannes fuhr mit weit aufgerissenen Augen herum.

»Soll er doch verrotten«, wiederholte ich und starrte ihn an. Ich hatte die Fieberröte in seinem Gesicht gesehen und einen schwach süßlichen Eitergeruch wahrgenommen.

Ezras Miene war fassungslos. Er hastete an das prasselnde Feuer zurück und weigerte sich, noch einmal in meine Richtung zu blicken.

Ich hatte die Schale, die er mir gegeben hatte, noch in der Hand und erschrak, als sie mir plötzlich abgenommen wurde. Tom Christie schüttete ihren Inhalt in einen Busch und reichte mir seine eigene Schale, dann wandte er sich wortlos ab.

»Aber –« Ich setzte mich in Bewegung, um sie ihm zurückzugeben. Dank Mrs. Bugs »Bissen«, der eine ganze Satteltasche füllte, würden wir nicht verhungern. Doch Jamies Hand auf meinem Arm hielt mich zurück.

»Iss es, Sassenach«, sagte er leise. »Es ist gut gemeint.«

Mehr als nur gut gemeint, dachte ich. Es war mir bewusst, dass die Blicke der Männer am Feuer feindselig auf mich gerichtet waren. Meine Kehle war zugeschnürt, und ich hatte keinen Appetit, doch ich zog meinen Löffel aus der Tasche und aß.

Unter einer Hemlocktanne in unserer Nähe hatte sich Tom Christie in eine Decke gehüllt, den Hut in sein Gesicht gezogen und sich niedergelegt, allein.

Es regnete den ganzen Weg bis Salisbury. Dort fanden wir Unterschlupf in einem Wirtshaus, und mir war selten ein Feuer so willkommen erschienen. Jamie hatte unsere gesamte Barschaft mitgebracht, und demzufolge konnten wir uns ein eigenes Zimmer leisten. Brown postierte eine Wache auf der Treppe, doch das war nur Angeberei; wohin sollten wir schließlich gehen?

Ich stand im Hemd vor dem Feuer und hatte meinen nassen Umhang und meine Röcke zum Trocknen über eine Bank gebreitet.

»Weißt du«, überlegte ich laut, »Richard Brown hat diese ganze Sache überhaupt nicht zu Ende gedacht.« Was nicht überraschend war, da er ja eigentlich gar nicht vorgehabt hatte, uns vor Gericht zu bringen. »An wen will er uns denn eigentlich übergeben?«

»An den Sheriff des Distrikts«, erwiderte Jamie, während er sich das Haar losband und es über dem Kaminfeuer ausschüttelte, so dass Wassertropfen zischend und knisternd im Feuer landeten. »Oder, wenn das nicht geht, vielleicht einem Friedensrichter.«

»Ja, aber was dann? Er hat keine Beweismittel – keine Zeugen? Wie kann es da etwas geben, das einem Prozess ähnelt?«

Jamie warf mir einen merkwürdigen Blick zu.

»Du hast noch nie vor Gericht gestanden, oder, Sassenach?«

»Das weißt du doch.«

Er nickte.

»Ich schon. Wegen Hochverrats.«

»Ach? Und was ist passiert?«

Er fuhr sich mit der Hand durch die nassen Haare und schnaubte.

»Ich musste aufstehen und wurde nach meinem Namen gefragt. Ich habe ihn gesagt, der Richter hat eine Weile mit seinem Freund getuschelt, und dann hat er gesagt: ›Schuldig. Lebenslänglich. Legt ihn in Eisen.‹ Und sie haben mich hinaus in den Hof geführt und einen Schmied angewiesen, mir Eisen an die Handgelenke zu hämmern. Am nächsten Tag haben wir mit dem Marsch nach Ardsmuir begonnen.«

»Sie haben euch *zu Fuß* gehen lassen? Von Inverness aus?«

»Ich hatte es nicht besonders eilig, Sassenach.«

Ich holte tief Luft, um das dumpfe Gefühl in meiner Magengrube zu unterdrücken.

»Ich verstehe. Nun ja … aber – wäre ein M-mord –«, fast konnte ich es sagen, ohne zu stottern, aber noch nicht ganz, »– keine Angelegenheit für einen Geschworenenprozess?«

»Wahrscheinlich, und ich werde mit Sicherheit darauf bestehen – wenn es so weit kommt. Mr. Brown zumindest scheint davon überzeugt zu sein; er erzählt die Geschichte im ganzen Schankraum und lässt uns dabei wie verruchte Ungeheuer aussehen. Was auch keine große Kunst ist«, fügte er hinzu, »wenn man die Umstände bedenkt.«

Ich presste die Lippen fest zusammen, um keine vorschnelle Antwort zu geben. Ich wusste, dass er wusste, dass ich keine andere Wahl gehabt hatte; er wusste, dass ich wusste, dass er nicht das Geringste mit Malva zu tun gehabt hatte – doch ich konnte nicht verhindern, in beiderlei Hinsicht gewisse Schuldgefühle zu empfinden. Für das, was hinterher geschehen war, und genauso für Malvas Tod – obwohl ich weiß Gott alles gegeben hätte, um sie lebend zurückzuhaben.

Ich begriff, dass er Recht hatte, was Brown betraf. Ich war so durchfroren und durchnässt gewesen, dass ich kaum auf die Geräusche im Schankraum geachtet hatte, doch ich konnte nun Browns Stimme durch den Schornstein steigen hören. Und aus den vereinzelten Worten, die ich verstehen konnte, wurde deutlich, dass er genau das tat, was Jamie gesagt hatte – er schwärzte uns an und stellte klar, dass er und sein Komitee für die Sicherheit die unwürdige, aber notwendige Aufgabe auf sich genommen hatten, uns festzunehmen und der Justiz auszuliefern. Und brachte damit rein zufällig jeden potenziellen Geschworenen gründlich gegen uns auf, indem er dafür sorgte, dass sich die Geschichte in all ihren skandalösen Einzelheiten herumsprach.

»Gibt es irgendetwas, das wir tun können?«, fragte ich, nachdem ich mir so viel von diesem Unsinn angehört hatte, wie ich ertragen konnte.

Er nickte und zog ein sauberes Hemd aus seiner Satteltasche.

»Zum Abendessen nach unten gehen und dabei so wenig wie möglich wie ruchlose Mörder aussehen, *a nighean.*«

»Also schön«, sagte ich und zog mit einem Seufzer die mit Bändern verzierte Haube hervor, die ich eingepackt hatte.

Es hätte mich nicht überraschen dürfen. Ich war alt genug, um ein einigermaßen zynisches Bild von der menschlichen Natur zu haben – und ich lebte schon lange genug in dieser Zeit, um zu wissen, wie unverblümt sich die öffentliche Meinung Ausdruck verschaffte. Und dennoch war ich schockiert, als mich der erste Stein am Oberschenkel traf.

Wir befanden uns ein Stück südlich von Hillsboro. Das Wetter blieb feucht, die Straßen waren schlammig und das Vorankommen schwierig. Ich glaube, dass Richard Brown sehr glücklich gewesen wäre, uns dem Sheriff von Rowan County zu übergeben – wäre eine solche Person greifbar gewesen. Das Amt, so informierte man ihn, war derzeit nicht besetzt, da der letzte Inhaber eines Nachts überstürzt seine Zelte abgebrochen hatte und sich noch niemand gefunden hatte, der bereit war, an seine Stelle zu treten.

Politische Gründe, so verstand ich es, da der letzte Sheriff die Unabhängigkeit befürwortet hatte, während die Mehrheit der Einwohner des Distrikts es immer noch mit der Loyalität hielt. Ich erfuhr zwar nichts Genaues über das Ereignis, das die hastige Abreise des letzten Sheriffs ausgelöst hatte, doch es verwandelte die Wirtshäuser und Kneipen rings um Hillsboro in summende Hornissennester.

Das Berufungsgericht, so unterrichtete man Brown, hatte seine Zusammenkünfte vor einigen Monaten eingestellt, da die Richter, die ihm angehörten, es für zu gefährlich hielten, in der gegenwärtigen unruhigen Lage in Erscheinung zu treten. Der einzige Friedensrichter, den er auftreiben konnte, empfand ähnlich und lehnte es geradeheraus ab, uns in Gewahrsam zu nehmen. Er teilte Brown mit, sein Leben sei ihm zu kostbar, als dass er sich im Moment in irgendetwas verwickeln ließe, das auch nur entfernt kontrovers war.

»Aber es hat doch gar nichts mit Politik zu tun!«, hatte Brown ihm frustriert zugerufen. »Es ist Mord, zum Kuckuck – hinterlistiger Mord!«

»In diesen Tagen ist alles und jedes politisch, Sir«, hatte der Friedensrichter, ein gewisser Harvey Mickelgrass, ihn unter traurigem Kopfschütteln unterrichtet. »Ich würde mich ja nicht einmal so weit aus dem Fenster lehnen, einen Fall von Trunkenheit und Pöbelei zu verhandeln, weil ich Angst haben müsste, dass mir das Haus über dem Kopf abgerissen wird und man meine Frau zur Witwe macht. Der Sheriff hat versucht, sein Amt zu verkaufen, konnte aber niemanden finden, der bereit war, es zu erwerben. Nein, Sir – Ihr werdet anderswo hingehen müssen.«

Brown wollte uns auf keinen Fall nach Cross Creek oder Campbelton bringen, wo Jocasta Cameron großen Einfluss hatte und der örtliche Friedensrichter ihr guter Freund Farquard Campbell war. Und so zogen wir nach Süden, Richtung Wilmington.

Browns Männer waren alles andere als erbaut; sie waren davon ausgegangen, uns einfach zu lynchen, unser Haus in Brand zu stecken und vielleicht noch ein bisschen zu plündern – diesen ausgedehnten, mühseligen Marsch von Ort zu Ort hatten sie nicht erwartet. Ihre Stimmung sank noch mehr, als Ezra, der sich vom Fieber benommen an sein Pferd geklammert hatte, plötzlich auf die Straße stürzte und tot aufgelesen wurde.

Ich fragte nicht, ob ich die Leiche untersuchen durfte – sie hätten es mir sowieso nicht erlaubt –, doch seinem schlaffen Aussehen nach vermutete ich, dass er einfach das Bewusstsein verloren hatte, vom Pferd gekippt war und sich den Hals gebrochen hatte.

Doch nicht wenige der anderen warfen mir nach diesem Ereignis Blicke voll unverhohlener Angst zu, und ihre Begeisterung für das Unterfangen schwand sichtlich.

Doch Richard Brown war nicht davon abzubringen; ich war mir sicher, dass er uns schon längst ohne Gnade erschossen hätte, wenn Tom Christie nicht gewesen wäre, schweigsam und grau wie der Morgennebel auf den Straßen. Er sagte wenig und nur dann, wenn es notwendig war. Ich hätte geglaubt, dass er sich mechanisch bewegte, im tauben Nebel der Trauer – hätte ich mich nicht eines Abends, als wir am Straßenrand kampierten, umgedreht und seine Augen mit einem Ausdruck solch nackter Seelenpein auf mich gerichtet gesehen, dass ich den Blick hastig abwandte – und feststellte, dass Jamie, der an meiner Seite saß, Tom Christie mit ausgesprochen nachdenklicher Miene betrachtete.

Meistens jedoch hielt er sein Gesicht – oder das, was im Schutz seines Lederschlapphuts davon zu sehen war – von jedem Ausdruck frei. Und Richard Brown, der durch Christies Gegenwart daran gehindert wurde, uns eigenhändig etwas anzutun, nutzte jede Gelegenheit, um seine Version der Mär von Malvas Tod zu verbreiten – möglicherweise ja genauso, um Tom Christie damit zu plagen, dass er sie wieder und wieder anhören musste, wie um ihrer Wirkung auf unseren Ruf willen.

Jedenfalls hätte es mich nicht überraschen dürfen, als sie uns in einem kleinen, namenlosen Weiler südlich von Hillsboro steinigten – doch das tat es. Ein kleiner Junge hatte uns auf der Straße gesehen und uns im Vorüberreiten angestarrt – und war dann wie ein Fuchs verschwunden und mit der Neuigkeit eine Böschung hinuntergerannt. Und zehn Minuten später ritten wir um eine Straßenbiegung in eine Salve von Steinen und Schreien hinein.

Einer traf meine Stute an der Schulter, und sie scheute heftig. Ich blieb zwar mit Mühe und Not im Sattel, verlor aber das Gleichgewicht; ein anderer traf mich mitten vor die Brust, so dass ich keine Luft mehr bekam, und als ein dritter schmerzhaft von meinem Kopf abprallte, konnte ich die Zügel nicht mehr halten, und mein Pferd schlug nach hinten aus und drehte sich in Panik auf der Stelle. Ich flog herunter und landete mit einem markerschütternden Knall auf der Straße.

Ich hätte Todesangst haben müssen; in Wirklichkeit war ich außer mir vor Wut. Der Stein, der mich am Kopf getroffen hatte, war – dank meiner dichten Haare und der Haube, die ich trug – abgeprallt, jedoch mit dem ärgerlichen Brennen einer Ohrfeige, nicht dem Schmerz eines echten Treffers. Ich war im Nu wieder auf den Beinen und stolperte, entdeckte aber über mir auf der Böschung einen Jungen, der triumphierend johlte und tanzte. Ich tat einen Satz, bekam ihn am Fuß zu fassen und zog.

Er schrie auf, rutschte aus und fiel auf mich. Wir landeten zusammen auf dem Boden und wälzten uns in einem Gewirr aus Röcken und Umhangstoff. Ich war älter, schwerer und außer mir vor Raserei. Die ganze Angst, das Elend und die Unsicherheit der letzten Wochen kochten in mir hoch, und ich boxte ihm zweimal mit aller Kraft in sein grinsendes Gesicht. Ich spürte, wie in meiner Hand etwas knackte, und ein Schmerz durchfuhr meinen Arm.

Er wand sich brüllend, um mir zu entkommen – er war kleiner als ich, aber die Panik verlieh ihm Kraft. Ich hielt ihn verzweifelt fest, bekam seine Haare zu fassen – er hieb rudernd nach mir, schlug mir die Haube vom Kopf, schob eine Hand in mein Haar und zerrte fest daran.

Der Schmerz verlieh meiner Wut neuen Zündstoff, und ich rammte ihn mit meinem Knie, ganz gleich, an welcher Stelle, noch einmal, und noch einmal zielte ich blind nach seinen Weichteilen. Sein Mund öffnete sich zu einem tonlosen »O«, und seine Augen traten vor; seine Finger entspannten sich und ließen meine Haare los, und ich stellte mich über ihn und schlug auf ihn ein, so fest ich konnte.

Ein großer Stein traf mich so fest an der Schulter, dass sie taub wurde, und der Aufprall warf mich zur Seite. Ich versuchte, ihn noch einmal zu schlagen, konnte aber meinen Arm nicht mehr heben. Er wand sich keuchend und schluchzend aus meinem Umhang und kroch mit blutender Nase auf allen vieren davon. Ich fuhr auf den Knien herum, um ihm nachzusehen, und blickte direkt in die Augen eines jungen Mannes, dessen konzentriertes Gesicht vor Aufregung glühte und der seinen Stein schon bereithielt.

Er traf mich am Wangenknochen; ich schwankte, und alles verschwamm mir vor den Augen. Dann traf mich etwas sehr Großes von hinten, und ich fand mich flach mit dem Gesicht auf dem Boden wieder, auf dem mich das Gewicht eines Körpers festhielt. Es war Jamie; das erkannte ich an seinem atemlosen »Mutter Gottes«. Sein Körper zuckte, als ihn die Steine trafen; ich konnte das entsetzliche Geräusch hören, mit dem sie auf seine Haut klatschten.

Alles brüllte. Ich hörte Tom Christies heisere Stimme, dann wurde ein einzelner Schuss abgefeuert. Noch mehr Gebrüll, aber in einem anderen Ton. Ein oder zwei leise Geräusche, als ringsum Steine auf den Boden fielen, ein letztes Grunzen von Jamie, als ihn einer davon traf.

Wir blieben noch eine Minute flach gedrückt liegen, und ich wurde mir der unangenehm stacheligen Pflanze bewusst, die ich unter meiner Wange zerdrückte und deren Duft mir scharf und bitter in die Nase stieg.

Dann setzte sich Jamie langsam auf und holte stockend Luft. Auch ich erhob mich, auf meinen wackeligen Arm gestützt, so dass ich fast wieder hingefallen wäre. Meine Wange war geschwollen, und meine Hand und meine Schulter pochten, doch darum konnte ich mich jetzt nicht kümmern.

»Bist du verletzt?« Jamie hatte sich halb erhoben und sich dann plötzlich wieder hingesetzt. Er war kreidebleich, und aus einer Wunde in seiner Kopfhaut lief ihm Blut über die Wange, doch er nickte, eine Hand an seine Seite gepresst.

»Nein, mir fehlt nichts«, sagte er, aber ich schloss aus seiner Atemlosigkeit, dass er sich wahrscheinlich mehrere Rippen angeknackst hatte. »Dir, Sassenach?«

»Alles gut.« Es gelang mir, mich zitternd aufzurappeln. Browns Männer hatten sich zerstreut, einige jagten den Pferden nach, die in dem Durcheinander die Flucht ergriffen hatten, andere sammelten fluchend ihre Habseligkeiten von der Straße auf. Tom Christie übergab sich am Straßenrand ins Gebüsch. Richard Brown stand unter einem Baum und betrachtete die Szene mit weißem Gesicht. Er sah mich scharf an, dann wandte er den Kopf ab.

Wir machten unterwegs in keinem Wirtshaus mehr Halt.

89

Der Mond ist aufgegangen

»Wenn du auf jemanden einschlägst, Sassenach, nimm besser die Weichteile. Gesichter haben zu viele Knochen, die Zähne nicht zu vergessen.«

Jamie spreizte ihre Finger mit sanftem Druck auf die aufgeschürften, geschwollenen Knöchel, und die Luft zischte durch *ihre* Zähne.

»Danke für den guten Rat. Wie oft hast du dir schon die Hand gebrochen, während du irgendwelche Leute verprügelt hast?«

Er hätte am liebsten gelacht; dieses Bild von Claire, die außer sich vor Rage auf diesen kleinen Jungen einhieb, mit wehendem Haar und Blutdurst im Blick, würde er bewahren wie einen Schatz. Doch er lachte nicht.

»Deine Hand ist nicht gebrochen, *a nighean.*« Er krümmte ihr die Finger und nahm ihre lose Faust in beide Hände.

»Woher willst du das wissen?«, fuhr sie ihn an. »Ich bin hier der Arzt.«

Er versuchte nicht länger, sein Lächeln zu verbergen.

»Wenn sie gebrochen wäre«, sagte er, »wärst du bleich und würdest dich übergeben. Du bist aber rot und schimpfst wie ein Rohrspatz.«

»Rohrspatz, haha!« Sie zog ihre Hand fort und funkelte ihn an, während sie sie an ihre Brust drückte. Eigentlich war sie nur schwach errötet, und mit ihrem Haar, das sich als wilde Masse um ihren Kopf ringelte, sah sie sehr attraktiv aus. Einer von Browns Männern hatte nach der Attacke ihre Haube vom Boden aufgelesen und sie ihr zaghaft hingehalten. Sie hatte sie ihm aufgebracht entrissen und sie brutal in eine Satteltasche gestopft.

»Hast du Hunger, Claire?«

»Ja«, gab sie widerstrebend zu, denn sie wusste genauso gut wie er, dass Menschen mit Knochenbrüchen im Allgemeinen zunächst keinen großen Appetit hatten, obwohl sie Erstaunliches vertilgten, sobald der Schmerz ein wenig nachgelassen hatte.

Er kramte in der Satteltasche herum und segnete im Geiste Mrs. Bug, während er eine Hand voll getrockneter Aprikosen und ein großes Stück eingewickelten Ziegenkäse zum Vorschein brachte. Browns Männer kochten irgendetwas über ihrem Feuer, doch er und Claire hatten seit dem ersten Abend nur noch ihr eigenes Essen angerührt.

Wie viel länger mochte diese Farce noch andauern?, fragte er sich, während er ein Stück Käse abbrach und es seiner Frau reichte. Wenn sie gut aufpassten, hatten sie vielleicht noch Lebensmittel für eine Woche. Lange genug, um eventuell die Küste zu erreichen, wenn das Wetter gut blieb. Und was dann?

Ihm war von Anfang an klar gewesen, dass Brown keinen Plan hatte und jetzt versuchte, mit einer Situation fertig zu werden, die vom ersten Moment an unkontrollierbar gewesen war. Brown war ehrgeizig, habgierig und rachsüchtig, doch er war so gut wie überhaupt nicht in der Lage, vorausschauend zu denken, so viel stand fest.

Hier stand er nun und hatte sie beide am Hals, gezwungen, ebenfalls weiterzureisen und die unerwünschte Verantwortung hinter sich herzuschleifen wie einen zerschlissenen Schuh, der an einem Hundeschwanz baumelte. Und Brown war der Hund, der sich knurrend um sich selbst drehte und versuchte, nach dem störenden Gegenstand zu schnappen, so dass er sich selbst in den Schwanz biss. Die Hälfte seiner Männer war von fliegenden Steinen verletzt worden. Jamie berührte nachdenklich eine große, schmerzhafte Prellung an der Spitze seines Ellbogens.

Er selbst hatte keine Wahl gehabt; jetzt hatte Brown ebenfalls keine mehr. Seine Männer wurden allmählich unruhig; sie mussten sich um ihre Ernte kümmern und waren nicht auf etwas gefasst gewesen, was ihnen inzwischen wie Narretei erscheinen musste.

Es wäre einfach für ihn gewesen, allein zu flüchten. Doch was dann? Er konnte Claire nicht in Browns Händen zurücklassen, und selbst wenn es ihm gelungen wäre, sie in Sicherheit zu bringen, konnten sie so, wie die Dinge standen, nicht nach Fraser's Ridge zurückkehren; dies zu tun würde bedeuten, sofort wieder in derselben Patsche zu sitzen.

Er seufzte, dann stockte ihm der Atem, und er atmete vorsichtig aus. Er glaubte zwar nicht, dass seine Rippen gebrochen waren, doch sie schmerzten.

»Du hast doch sicher etwas Salbe, oder?«, sagte er und wies kopfnickend auf die Tasche mit ihren Arzneien.

»Ja, natürlich.« Sie schluckte ihren Käsebissen herunter und streckte die Hand nach der Tasche aus. »Ich reibe dir etwas auf die Schürfwunde an deinem Kopf.«

Er ließ sie das tun, bestand dann aber darauf, ihr seinerseits die Hand einzureiben. Sie protestierte und beharrte darauf, dass ihr nichts fehlte, dass sie nichts dergleichen brauchte und sie die Salbe lieber für spätere Notfälle aufsparen sollten – und doch ließ sie es geschehen, dass er ihre Hand nahm und ihr die süßlich duftende Creme in die Knöchel einrieb, die kleinen, zarten Knochen ihrer Hand hart unter seinen Fingern.

Sie hasste es wie die Pest, auch nur irgendwie hilflos zu sein – doch ihre Rüstung aus rechtschaffener Wut wurde langsam dünn. Sie trug zwar vor Brown und dem Rest eine tapfere Miene zur Schau, doch er wusste, dass sie Angst hatte. Und das nicht ohne Grund.

Brown war rastlos und kam nicht zur Ruhe. Er bewegte sich hin und her, redete wahllos mit dem einen oder anderen Mann, prüfte unnötigerweise die angebundenen Pferde, goss sich einen Becher Zichorienkaffee ein und hielt ihn fest, ohne ihn zu trinken, bis er kalt wurde, um ihn dann ins Gras zu schütten. Und die ganze Zeit wanderte sein unruhiger Blick immer wieder zu ihnen zurück.

Browns Verhalten war voreilig, ungestüm und unausgegoren. Doch ein Dummkopf war er nicht, dachte Jamie. Er hatte eindeutig begriffen, dass seine Strategie, skandalöse Gerüchte über seine Gefangenen zu verbreiten, um sie zu gefährden, ernstliche Schwachpunkte hatte, solange er selbst gezwungen war, sich in der unmittelbaren Nähe besagter Gefangener aufzuhalten.

Nachdem sie ihre einfache Mahlzeit beendet hatten, legte er sich vorsichtig hin, und Claire schmiegte sich Trost suchend mit dem Rücken an ihn.

Faustkämpfe waren kräftezehrend, und das Gleiche galt für die Angst; Claire war innerhalb von Sekunden eingeschlafen. Jamie spürte den Sog des Schlafes, wollte sich ihm aber noch nicht ergeben. Stattdessen beschäftigte er sich damit, einige der Gedichte zu rezitieren, die er von Brianna kannte – er hatte eine Vorliebe für die Ballade über den Silberschmied in Boston, der nach Lexington geritten war, um die Leute zu warnen; das war ein gelungenes Gedicht.

Die Weggemeinschaft begann, sich für die Nacht niederzulassen. Brown, der nach wie vor zappelig war, saß da und starrte finster zu Boden, dann sprang er auf, um hin und her zu laufen. Christie dagegen hatte sich kaum geregt, auch wenn er keine Anstalten machte, zu Bett zu gehen. Er saß auf einem Felsbrocken und hatte sein Abendessen kaum angerührt.

Neben Christies Schuh bewegte sich etwas; eine winzige Maus, die Scheinangriffe auf den vernachlässigten, mit Beute gefüllten Teller auf dem Boden unternahm.

Auf jene vage Weise, auf die man etwas bewusst merkt, was man eigentlich schon seit einiger Zeit weiß, hatte Jamie vor ein paar Tagen begriffen, dass Tom Christie seine Frau liebte.

»Armer Teufel«, dachte er. Christie konnte doch gewiss nicht glauben, dass Claire etwas mit dem Tod seiner Tochter zu tun gehabt hatte; sonst wäre er ja wohl kaum hier. Doch glaubte er, dass Jamie …?

Er lag im Schutz der Dunkelheit und sah zu, wie das Feuer über Christies eingefallene Gesichtszüge hinwegspielte. Christies Augen waren halb geschlossen und verrieten nicht das Geringste über seine Gedanken. Es gab Menschen, die man wie Bücher lesen konnte; Tom Christie gehörte nicht zu ihnen. Doch wenn er je einen Mann gesehen hatte, der sich vor seinen Augen verzehrte …

War es nur das Schicksal seiner Tochter – oder auch die verzweifelte Sehnsucht nach einer Frau? Er hatte diese Not schon öfter beobachtet, die an den Seelen nagte, und er selbst kannte sie zur Genüge. Oder glaubte Christie doch, dass Claire Malva umgebracht oder irgendwie die Hand im Spiel gehabt hatte? Das würde den aufrechtesten Mann in eine Zwickmühle bringen.

Die Sehnsucht nach einer Frau … dieser Gedanke holte ihn in die Gegenwart zurück, und damit zu dem Bewusstsein, dass die Geräusche, nach denen er im Wald gehorcht hatte, jetzt zu hören waren. Er wusste schon seit zwei Tagen, dass ihnen jemand folgte, doch gestern Abend hatten sie auf freiem Feld kampiert, wo es keinerlei Deckung gab.

Langsam, jedoch nicht um Verstohlenheit bemüht, erhob er sich, deckte Claire mit seinem Umhang zu und trat in den Wald, als folgte er dem Ruf der Natur.

Der Mond war fahl und bucklig, und unter den Bäumen gab es nur wenig Licht. Er schloss die Augen, um die Reflexionen des Feuers auszublenden, dann öffnete er sie wieder für die dunkle Welt, jenen Ort der Schatten, die keine Dimension hatten, wo die Luft voller Geister war.

Doch es war kein Geist, der hinter dem verschwommenen Stamm einer Kiefer hervortrat.

»Heiliger Michael, hilf«, sagte er leise.

»Mögen die Heerscharen der Engel und Erzengel mit dir sein, Onkel Jamie«, sagte Ian genauso leise. »Obwohl ich den Eindruck habe, dass du die Macht und die Herrlichkeit ebenfalls gut brauchen könntest.«

»Nun, ich hätte nichts dagegen, wenn sich die göttliche Fügung zum Eingreifen entschließen würde«, sagte Jamie, der sich durch die Anwesenheit seines Neffen erstaunlich ermutigt fühlte. »Ich habe jedenfalls keine Ahnung, wie wir dieser törichten Verwicklung sonst entkommen sollen.«

Ian grunzte; er sah, wie sein Neffe den Kopf wandte, um einen prüfenden Blick in Richtung des schwach leuchtenden Lagers zu werfen. Ohne es abzusprechen, bewegten sie sich tiefer in den Wald hinein.

»Ich kann mich nicht lange vom Lager entfernen, ohne dass sie mir nachsetzen«, sagte er. »Erst einmal – wie stehen die Dinge in Fraser's Ridge?«

Ian zog eine Schulter hoch.

»Es gibt Gerede«, sagte er, und sein Tonfall deutete darauf hin, dass »Gerede« alles umfasste – von Altweibermärchen bis hin zu jener Art von Beleidigungen, für die es nur mit Gewalt Genugtuung geben konnte. »Aber es hat noch keine Toten gegeben. Was soll ich tun, Onkel Jamie?«

»Richard Brown. Er hat angefangen nachzudenken, und nur Gott weiß, wohin das führt.«

»Er denkt zu viel; solch Mann wird zur Gefahr«, sagte Ian und lachte. Jamie, der noch nie mitbekommen hatte, dass sein Neffe freiwillig ein Buch las, warf ihm einen ungläubigen Blick zu, verkniff sich aber in Anbetracht der drängenden Situation jede Frage.

»Aye, so ist es«, sagte er trocken. »Er hat die Geschichte unterwegs in Kneipen und Wirtshäusern herumerzählt – wohl um die öffentliche Entrüstung so weit zu treiben, dass sich irgendein törichter Constabler dazu bewegen lässt, uns ihm abzunehmen; oder besser noch, dass sich ein Pöbel zusammenrottet, um uns zu ergreifen, und uns auf der Stelle hängt, womit sein Problem gelöst wäre.«

»Oh, aye? Nun, wenn er das vorhat, Onkel Jamie, dann hat er Erfolg. Du würdest nicht glauben, was ich für Dinge gehört habe, als ich euch gefolgt bin.«

»Ich weiß.« Jamie reckte sich vorsichtig, um seinen schmerzenden Rippen Erleichterung zu verschaffen. Es war nur der Gnade Gottes zu verdanken, dass es nicht schlimmer gekommen war – und Claires Wutausbruch, der den Angriff unterbrochen hatte, weil alles innegehalten hatte, um sich das faszinierende Spektakel anzusehen, wie sie den Angreifer wie ein Bündel Flachs weich prügelte.

»Doch er hat begriffen, dass man beiseite treten sollte, nachdem man jemandem eine Zielscheibe angeheftet hat. Wie gesagt, er denkt nach. Sollte er sich also entfernen oder jemand anderen schicken …«

»Dann folge ich ihm, aye, und finde heraus, was zu tun ist.«

Er spürte Ians Kopfnicken mehr, als dass er es sah; sie standen mitten im Schatten, und der schwache Schimmer des Mondlichts lag wie Nebel in den Zwischenräumen der Bäume. Dann bewegte sich Ian, als wollte er aufbrechen, zögerte jedoch.

»Bist du sicher, Onkel Jamie, dass es nicht besser wäre, noch etwas zu warten und euch dann davonzuschleichen? Es gibt hier zwar keinen Farn, aber die Hügel bieten reichlich Deckung; bis zur Dämmerung könnten wir sicher versteckt sein.«

Die Versuchung war groß. Er spürte den Sog des dunklen, wilden Waldes über allem anderen, den Ruf der Freiheit. Wenn er doch einfach nur in die Bäume spazieren und dort bleiben könnte … Doch er schüttelte den Kopf.

»Es würde nichts nützen, Ian«, sagte er mit unverhohlenem Bedauern in der Stimme. »Dann wären wir Flüchtlinge – und es würde mit Sicherheit eine Belohnung auf uns ausgesetzt. Und das, wo die ganze Gegend ohnehin gegen uns aufgebracht ist – durch Hassreden und Flugblätter? Die Öffentlichkeit würde Brown seine Arbeit sofort abnehmen. Außerdem würde es wie ein Schuldgeständnis aussehen, wenn wir davonliefen.«

Ian seufzte, nickte aber zustimmend.

»Nun denn«, sagte er. Er trat vor, um Jamie zu umarmen, drückte ihn einen Moment ganz fest, und dann war er fort.

Jamie atmete tief, aber zögernd aus, weil seine verletzten Rippen schmerzten.

»Gott mit dir, Ian«, sagte er in die Dunkelheit und wandte sich zurück.

Als er sich wieder neben seine Frau legte, war das Lager still. Die Männer lagen da wie tot, in ihre Decken gewickelt. Doch zwei Gestalten wachten noch an der Glut des erlöschenden Feuers; Richard Brown und Thomas Christie, ein jeder auf einem Felsen, allein mit seinen Gedanken.

Ob er Claire wecken und es ihr sagen sollte? Er überlegte einen Moment und drückte seine Wange an ihr weiches, warmes Haar, dann entschied er sich widerstrebend dagegen. Möglich, dass es ihr ein wenig Mut machen würde, wenn sie wusste, dass Ian da war – doch er durfte es nicht riskieren, Browns Argwohn zu erregen; und sollte Brown irgendwie an Claires Stimmung ablesen, dass etwas geschehen war ... nein, besser nicht. Zumindest noch nicht.

Er ließ den Blick über den Boden zu Christies Füßen schweifen und sah ganz schwach etwas Graues in der Dunkelheit umherhuschen; die Maus hatte ihre Freunde gerufen, um sich das Festmahl zu teilen.

90

Sechsundvierzig Bohnen für mich

Im Morgengrauen war Richard Brown verschwunden. Der Rest der Männer machte einen grimmigen, aber schicksalsergebenen Eindruck, und unter dem Kommando eines untersetzten, mürrischen Kerls namens Oakes setzten wir unseren Weg nach Süden fort.

Irgendetwas hatte sich in der Nacht verändert; etwas von der Anspannung, die Jamie seit unserem Aufbruch aus Fraser's Ridge im Griff gehabt hatte, war von ihm abgefallen. In meiner steifen, wunden und mutlosen Verfassung fand ich diese Veränderung tröstlich, obwohl ich mich fragte, was sie herbeigeführt hatte. War es derselbe Grund, der Richard Brown bewogen hatte, sich auf seinen mysteriösen Ausflug zu begeben?

Doch Jamie sagte nichts, abgesehen davon, dass er sich nach meiner Hand erkundigte – die sehr empfindlich war und so steif, dass ich meine Finger nicht auf Anhieb krümmen konnte. Er beobachtete unsere Begleiter nach wie vor mit wachsamem Blick, doch das Nachlassen der Anspannung war auch an ihnen nicht spurlos vorübergegangen; ich begann, meine Angst zu verlieren, dass ihnen plötzlich die Geduld ausgehen könnte und sie uns aufknüpfen könnten, ohne sich von Tom Christies mürrischer Anwesenheit stören zu lassen.

Wie in Absprache mit dieser entspannteren Atmosphäre klärte sich das Wetter plötzlich auf, was die allgemeine Laune weiter verbesserte. Es wäre übertrieben zu sagen, dass es zu etwas wie einer Annäherung kam, doch ohne Richard Browns ständige Böswilligkeiten verhielten sich die anderen Männer zumindest gelegentlich höflich. Und wie üblich nagten die Langeweile und die Anstrengungen der Reise an allen, so dass wir wie Murmeln über die gefurchten Straßen rollten, hin und wieder aneinander prallten, staubig, schweigsam und am Ende des Tages immerhin in der Erschöpfung vereint.

Diese neutrale Lage änderte sich abrupt, als wir in Brunswick eintrafen. Es war deutlich, dass Oakes seit ein oder zwei Tagen auf etwas wartete, und als wir die ersten Häuser erreichten, konnte ich sehen, wie er vor Erleichterung tief durchzuatmen begann.

Daher war es keine große Überraschung, als wir bei einem Wirtshaus am Rand der winzigen, halb verlassenen Siedlung anhielten, um uns zu erfrischen, und uns Richard Brown dort erwartete. Es *war* eine Überraschung, als Oakes und zwei andere Männer ohne Vorwarnung Jamie packten, ihm den Becher mit Wasser aus der Hand schlugen und ihn gegen die Hauswand rammten.

Ich ließ meinen Becher fallen und stürzte auf sie zu, doch Richard Brown packte mich wie ein Schraubstock am Arm und zerrte mich auf die Pferde zu.

»Loslassen! Was macht Ihr denn? Loslassen, sage ich!« Ich trat nach ihm und gab mir alle Mühe, ihm die Augen auszukratzen, doch er bekam meine Handgelenke zu fassen und rief einen der anderen Männer zu Hilfe. Gemeinsam bugsierten sie mich – die ich mir immer noch die Kehle aus dem Hals schrie – vor einem anderen von Browns Männern auf ein Pferd. Aus Jamies Richtung waren lautes Gebrüll und allgemeiner Aufruhr zu hören, weil jetzt ein paar Gaffer aus dem Wirtshaus kamen. Doch keiner von ihnen schien Lust zu haben, sich mit einer großen Gruppe Bewaffneter anzulegen.

Tom Christie protestierte lauthals; ich sah, wie er einem Mann auf den Rücken hämmerte, doch es nützte nichts. Der Mann hinter mir schlang seinen Arm um meine Taille und drückte ruckartig zu, so dass mir der Rest meines Atems verging.

Dann donnerten wir die Straße entlang, und Brunswick – und Jamie – verschwanden im Staub.

Meine wütenden Proteste, Forderungen und Fragen brachten natürlich keine Antwort zutage außer dem Befehl, still zu sein, der von einem weiteren warnenden Druck des Arms begleitet wurde, der um meine Taille lag.

Bebend vor Wut und Schrecken, ergab ich mich in mein Schicksal, und in diesem Moment sah ich, dass Tom Christie nach wie vor bei uns war. Seine Miene war erschüttert und verstört.

»Tom!«, rief ich. »Tom, kehrt zurück! Lasst nicht zu, dass sie ihn umbringen! Bitte!«

Er blickte aufgeschreckt in meine Richtung, dann stellte er sich in die Steigbügel und spähte nach Brunswick zurück, um sich dann an Richard Brown zu wenden und ihm etwas zuzurufen.

Brown schüttelte den Kopf, zügelte sein Pferd, so dass Christie neben ihn reiten konnte, und beugte sich zu diesem hinüber. Dabei brüllte er etwas, das anscheinend als Erklärung diente. Christie gefiel das Ganze offenbar gar nicht, doch nach einigen heftigen Wortwechseln gab er mit finsterer Miene nach und fiel zurück. Er wendete sein Pferd und lenkte es so, dass er mit mir sprechen konnte.

»Sie werden ihn nicht umbringen und ihm auch nichts antun«, sagte er unter dem Hufgeklapper und dem Knirschen des Sattelzeugs. »Browns Ehrenwort darauf, sagt er.«

»Und Ihr *glaubt* ihm, zum Kuckuck?«

Er zog eine bestürzte Miene und sah erneut erst zu Brown hinüber, der seinem Pferd die Sporen gegeben hatte, um vorauszureiten, dann zurück nach Brunswick. Seine Unentschlossenheit war ihm anzusehen, doch dann presste er die Lippen zusammen und schüttelte den Kopf.

»Es wird alles gut«, sagte er. Doch er wich meinem Blick aus, und trotz meiner wiederholten Bitten, er solle zurückreiten, um sie aufzuhalten, verlangsamte er sein Tempo und fiel zurück, so dass ich ihn nicht mehr sehen konnte.

Meine Kehle war wund vom vielen Schreien, und mein vor Angst zusammengekrampfter Magen schmerzte vom Druck des Arms. Jetzt, da wir Brunswick hinter uns gelassen hatten, hatte unsere Geschwindigkeit nachgelassen, und ich konzentrierte mich auf meine Atmung; ich wollte erst sprechen, wenn ich mir sicher war, dass ich das tun konnte, ohne dass meine Stimme zitterte.

»Wohin bringt Ihr mich?«, fragte ich schließlich. Ich saß stocksteif im Sattel und ließ die ungewollte Nähe des Mannes in meinem Rücken widerwillig über mich ergehen.

»New Bern«, sagte er mit einem Unterton grimmiger Genugtuung. »Und dann werden wir Euch Gott sei Dank endlich los.«

Die Reise nach New Bern verlief in einer verschwommenen Mischung aus Furcht, Aufregung und körperlichem Unbehagen. Ich fragte mich zwar, was mit mir geschehen würde, doch sämtliche diesbezüglichen Überlegungen gingen in meiner Angst um Jamie unter.

Es war klar, dass Tom Christie meine einzige Hoffnung war, irgendetwas herauszufinden, doch er wich mir aus und hielt sich auf Abstand – und *das* alarmierte mich fast noch mehr als alles andere. Er war sichtlich verstört; noch mehr, als er es seit Malvas Tod ohnehin schon war, doch er trug nicht länger seine Miene dumpfen Leidens; er war jetzt deutlich erregt. Ich hatte schreckliche Angst, dass er wusste oder argwöhnte, dass Jamie tot war, er sich aber weigerte, es zuzugeben – weder vor mir noch vor sich selbst.

Die Männer waren eindeutig alle vom selben Drang besessen wie mein Begleiter, nämlich, mich so schnell wie möglich loszuwerden; wir machten nur kurze Pausen, wenn es absolut notwendig war, dass sich die Pferde ausruhten. Man bot mir etwas zu essen an, doch ich bekam nichts herunter. Als wir New Bern erreichten, war ich schon von der körperlichen Anstrengung des Ritts völlig erschöpft, noch mehr jedoch durch die unablässige nervliche Anspannung.

Die meisten Männer blieben in einem Wirtshaus im Randbezirk der Stadt; Brown und einer der anderen Männer führten mich durch die Straßen, wortlos begleitet von Tom Christie, bis wir schließlich einen großen, gekälkten Ziegelbau erreichten. Das Haus, wie mich Brown sichtlich vergnügt informierte, von Sheriff Tolliver – gleichzeitig das örtliche Gefängnis.

Der Sheriff, ein dunkelhaariger, gut aussehender Mann, betrachtete mich mit einer Art spekulativem Interesse, unter das sich wachsender Ekel mischte, als er hörte, welchen Verbrechens ich bezichtigt wurde. Ich versuchte erst gar nicht, zu leugnen oder mich zu verteidigen; das Zimmer schwamm vor meinen Augen, und es bedurfte meiner ganzen Konzentration zu verhindern, dass meine Knie nachgaben.

Den Großteil des Wortwechsels zwischen Brown und dem Sheriff hörte ich kaum. Schließlich jedoch, kurz bevor man mich ins Haus führte, fand ich plötzlich Tom Christie an meiner Seite.

»Mrs. Fraser«, sagte er sehr leise. »Glaubt mir, er ist in Sicherheit. Ich möchte seinen Tod nicht auf dem Gewissen haben – genauso wenig wie den Euren.« Er sah mich direkt an, zum ersten Mal seit… Tagen? Wochen?… und ich fand die Intensität seiner grauen Augen verstörend und seltsam tröstend zugleich.

»Vertraut auf Gott«, flüsterte er. »Er wird den Gerechten aus jeder Gefahr helfen.« Und mit einem plötzlichen, festen und unerwarteten Händedruck war er fort.

Was Knäste aus dem achtzehnten Jahrhundert angeht, so hätte es schlimmer sein können. Das Frauenquartier bestand aus einem kleinen Raum an der Rückseite des Hauses, der ursprünglich wohl einmal eine Vorratskammer gewesen war. Die Wände waren grob verputzt, obwohl eine auf Flucht sinnende frühere Bewohnerin ein großes Stück Putz abgehämmert hatte, bevor sie entdeckte, dass sich darunter eine Lattenschicht verbarg und *dahinter* eine undurchdringliche Wand aus gebrannten Lehmziegeln, die mich sofort mit ihrer neutralen Unzerstörbarkeit konfrontierte, als die Tür geöffnet wurde.

Es gab kein Fenster, aber auf einem Wandvorsprung an der Tür brannte ein Öllämpchen, das einen schwachen Lichtkegel warf und den entmutigenden Ziegelfleck beleuchtete, die Zimmerecken jedoch im Schatten ließ. Ich konnte den Fäkalieneimer zwar nicht sehen, doch ich wusste, dass es einen gab; sein kräftiger, scharfer Geruch biss mir in die Nase, und ich begann, automatisch durch den Mund zu atmen, als mich der Sheriff ins Zimmer schubste.

Die Tür schloss sich fest hinter mir, und ein Schlüssel knirschte im Schloss. In der Dunkelheit stand ein schmales Bett, auf dem ein großer Kloß unter einer fadenscheinigen Decke lag. Dieser Kloß ließ sich zwar Zeit, doch irgendwann regte er sich, setzte sich hin und entpuppte sich als kleine, pummelige Frau, die keine Haube trug und vom Schlaf noch ganz zerknittert war. Sie blinzelte mich an wie eine Feldmaus.

»Ermp«, sagte sie und rieb sich die Augen mit den Fäusten wie ein Kleinkind.

»Tut mir Leid, wenn ich Euch geweckt habe«, sagte ich höflich. Mein Herzschlag hatte sich inzwischen etwas verlangsamt, obwohl ich noch zitterte und kaum Luft bekam. Ich presste meine Hände flach an die Tür, damit sie zu zittern aufhörten.

»Denkt Euch nichts dabei«, sagte sie und gähnte plötzlich wie ein Nilpferd, wobei sie ihre abgenutzten, aber brauchbaren Backenzähne zur Schau stellte. Sie blinzelte und schmatzte geistesabwesend mit den Lippen, dann langte sie neben sich auf den Boden und zog eine mitgenommene Brille hervor, die sie sich fest auf die Nase setzte.

Ihre Augen, die durch die Brillengläser riesig vergrößert wurden, waren von Neugier erfüllt.

»Wie heißt Ihr denn?«, fragte sie.

»Claire Fraser«, sagte ich und beobachtete sie genau, für den Fall, dass auch sie schon von meinem angeblichen Verbrechen gehört hatte. Die Prellung auf meiner Brust, die der Stein hinterlassen hatte und die jetzt allmählich gelb wurde, war über der Kante meines Kleides noch gut zu sehen.

»Oh?« Sie kniff die Augen zusammen, als versuchte sie, mich irgendwo einzuordnen, doch offenbar gelang ihr das nicht, denn sie gab achselzuckend auf. »Habt Ihr Geld dabei?«

»Ein bisschen.« Jamie hatte mich gezwungen, beinahe das ganze Geld an mich zu nehmen: Es war nicht sehr viel, aber in jeder der Taschen, die ich mir um die Taille gebunden hatte, ruhte ein kleines Münzengewicht, und in meinem Korsett steckten ein paar Proklamationsnoten.

Die Frau war um einiges kleiner als ich und gut gepolstert; sie hatte riesige Hängebrüste, und mehrere gemütliche Speckrollen wellten ihre korsettlose Taille; sie war im Hemd und hatte ihr Kleid und ihr Korsett an einen

Nagel an der Wand gehängt. Sie schien harmlos zu sein – und das Atmen fiel mir allmählich etwas leichter, da ich zu begreifen begann, dass ich fürs Erste in Sicherheit war, nicht länger von plötzlicher, willkürlicher Gewalt bedroht.

Die andere Gefangene machte keine Anstalten, auf mich losgehen zu wollen, hüpfte aber vom Bett, und ihre nackten Füße bewegten sich gedämpft über etwas, das ich jetzt als verklebte Schicht aus verschimmeltem Stroh erkannte.

»Nun, dann ruft doch die alte Schachtel und lasst uns etwas Holländisches kommen, ja?«, schlug sie fröhlich vor.

»Die … wen?«

Statt zu antworten, wogte sie zur Tür, hämmerte dagegen und rief: »Mrs. Tolliver! Mrs. Tolliver!«

Die Tür öffnete sich beinahe umgehend und gab eine hoch gewachsene, dünne Frau preis, die wie ein verärgerter Storch aussah.

»Also wirklich, Mrs. Ferguson«, sagte sie. »Ihr seid ein schrecklicher Quälgeist. Ich war sowieso gerade unterwegs, um mich Mrs. Fraser vorzustellen.« Sie wandte Mrs. Ferguson mit gebieterischer Würde den Rücken zu und neigte ihren Kopf knappe zwei Zentimeter in meine Richtung.

»Mrs. Fraser. Ich bin Mrs. Tolliver.«

Mir blieb nur der Bruchteil einer Sekunde Zeit, um zu entscheiden, wie ich reagieren sollte, und ich schlug – wenn es mir auch gegen die Hutschnur ging – den klugen Kurs vornehmer Unterwürfigkeit ein und verbeugte mich vor ihr, als sei sie die Gouverneursgattin.

»Mrs. Tolliver«, murmelte ich und wich achtsam ihrem Blick aus. »Wie gütig von Euch.«

Sie zuckte scharfsichtig wie ein Vogel, der einen verborgen durchs Gras kriechenden Wurm beobachtet – doch ich hatte meine Gesichtszüge jetzt fest im Griff, und da sie keinen Sarkasmus entdeckte, entspannte sie sich.

»Gerne«, sagte sie mit unterkühlter Höflichkeit. »Ich bin hier, um für Euer Wohlergehen zu sorgen und Euch mit unseren Sitten vertraut zu machen. Ihr erhaltet täglich eine Mahlzeit, es sei denn, Ihr möchtet noch mehr aus dem Wirtshaus holen lassen – auf Eure Kosten. Ich werde Euch einmal am Tag eine Schüssel zum Waschen bringen. Ihr entleert Euren Nachttopf selbst. Und –«

»Oh, steck dir deine Sitten sonstwo hin, Maisie«, sagte Mrs. Ferguson, die Mrs. Tollivers Standpauke mit der Selbstverständlichkeit einer langen Bekanntschaft unterbrach. »Sie hat Geld. Sei ein braves Mädchen, hol uns eine Flasche Genever, und wenn es sein muss, kannst du ihr dann ja erzählen, wo's langgeht.«

Mrs. Tollivers schmales Gesicht verzog sich missbilligend, doch ihre Augen zuckten in meine Richtung und leuchteten im gedämpften Licht des Binsenlämpchens auf. Ich vollführte eine zögerliche Geste in Richtung meiner Tasche, und sie zog die Unterlippe ein. Sie lugte hinter sich, dann trat sie rasch einen Schritt auf mich zu.

»Also dann, einen Shilling«, flüsterte sie und hielt die Hand auf. Ich ließ ihr die Münze in die Hand fallen, und sie verschwand blitzartig unter ihrer Schürze.

»Ihr habt das Abendessen versäumt«, verkündete sie in ihrem normalen, missbilligenden Tonfall und trat wieder zurück. »Da Ihr aber gerade erst angekommen seid, werde ich eine Ausnahme machen und Euch etwas bringen.«

»Wie gütig von Euch«, wiederholte ich.

Die Tür schloss sich fest hinter ihr und schnitt uns von Licht und Luft ab, und der Schlüssel drehte sich im Schloss.

Dieses Geräusch setzte einen kleinen Panikfunken frei, den ich entschlossen zertrat. Ich fühlte mich wie eine ausgetrocknete Haut, bis zu den Ohren mit dem Zunder der Angst, der Unsicherheit und des Verlustes gefüllt. Ein einziger Funke würde reichen, dies in Brand zu stecken und mich zu Asche zu verbrennen – und weder Jamie noch ich konnten das riskieren.

»Sie trinkt?«, fragte ich und wandte mich mit vorgetäuschter Kühle wieder an meine neue Gefährtin.

»Kenn Ihr irgendjemanden, der das nicht tut, wenn er kann?«, fragte Mrs. Ferguson in aller Logik. Sie kratzte sich die Rippen. »Fraser, hat sie gesagt. Ihr seid nicht die –«

»Doch«, sagte ich ziemlich rüde. »Ich möchte nicht darüber reden.«

Ihre Augenbrauen fuhren hoch, doch sie nickte gleichmütig.

»Ganz wie Ihr wollt«, sagte sie. »Könnt Ihr Karten spielen?«

»Loo oder Whist?«, fragte ich argwöhnisch.

»Kennt Ihr ein Spiel namens Brag?«

»Nein.« Jamie und Brianna spielten es dann und wann, aber ich hatte mich nie mit den Regeln vertraut gemacht.

»Das macht nichts; ich bringe es Euch bei.« Sie langte unter die Matratze und zog ein ziemlich schlaffes Deck von Pappkarten hervor, die sie gekonnt auffächerte. Sie wedelte sanft damit unter ihrer Nase und lächelte mich an.

»Lasst mich raten«, sagte ich. »Ihr seid hier, weil Ihr beim Kartenspiel betrogen habt?«

»Ich? Aber nicht doch«, sagte sie, machte aber keinen beleidigten Eindruck. »Urkundenfälschung.«

Zu meiner großen Überraschung lachte ich. Ich fühlte mich zwar noch wackelig, aber Mrs. Ferguson entpuppte sich definitiv als willkommene Ablenkung.

»Wie lange seid Ihr schon hier?«, fragte ich.

Sie kratzte sich am Kopf, merkte, dass sie keine Haube trug, drehte sich um und zog diese aus der zerwühlten Bettwäsche.

»Oh – einen Monat ungefähr.« Sie setzte die zerknitterte Haube auf und wies kopfnickend auf den Türpfosten neben mir. Ich folgte ihrer Blickrichtung und sah, dass er mit Dutzenden kleiner, kreuzweise eingeritzter Kerben übersät war, zum Teil alt und vom Schmutz verdunkelt, zum Teil frisch hineingekratzt, so dass das rohe, gelbe Holz zu sehen war. Der Anblick der Kerben ließ mir den Magen erneut in die Knie rutschen, doch ich holte tief Luft und kehrte ihnen den Rücken zu.

»Hat man Euch schon den Prozess gemacht?«

Sie schüttelte den Kopf, und das Licht glitzerte in ihren Brillengläsern.

»Nein, zum Glück nicht. Ich höre von Maisie, dass das Gericht geschlossen ist, weil alle Richter untergetaucht sind. In den letzten zwei Monaten hat es keine Prozesse gegeben.«

Das war keine gute Nachricht. Dieser Gedanke war meinem Gesicht offenbar anzusehen, denn sie beugte sich vor und tätschelte mir mitfühlend den Arm.

»Ich hätte da keine Eile, Herzchen. Nicht in Eurer Lage. Solange sie Euch nicht vor Gericht gestellt haben, können sie Euch auch nicht hängen. Ich bin zwar schon Leuten begegnet, die behaupten, dass das Warten sie noch umbringt, aber ich habe noch keinen daran sterben sehen. Und ich *habe* genug am Ende eines Stricks sterben sehen. Das ist wirklich unangenehm.«

Sie sagte es beinahe sorglos, doch ihre Hand hob sich wie automatisch und berührte die fleischige weiße Haut an ihrem Hals. Sie schluckte, und ihr kleiner Kehlkopf hüpfte auf und ab.

Ich schluckte ebenfalls, denn meine Kehle fühlte sich unangenehm zugeschnürt an.

»Aber ich bin unschuldig«, sagte ich und fragte mich, noch während ich die Worte aussprach, wie es möglich war, dass ich so unsicher klang.

»Natürlich seid Ihr das«, beruhigte sie mich lapidar und drückte mir den Arm. »Lasst Euch nicht davon abbringen, Herzchen – lasst Euch nicht dazu einschüchtern, auch nur das Geringste zuzugeben!«

»Das werde ich nicht!«, versicherte ich ihr trocken.

»Eines Tages kommt der Pöbel sowieso *hierher*«, sagte sie kopfnickend. »Dann knüpfen sie den Sheriff auf, wenn er nicht aufpasst. Er ist nicht sehr beliebt, Tolliver.«

»Das verstehe ich gar nicht – so ein charmanter Kerl.« Ich war mir nicht sicher, was ich von der Vorstellung halten sollte, dass das Haus gestürmt wurde. Sheriff Tolliver aufzuknüpfen, war ja so weit gut und schön – aber da meine Erinnerungen an die feindseligen Menschenaufläufe in Salisbury und Hillsboro noch frisch waren, war ich mir nicht so sicher, dass sie sich auf den Sheriff beschränken würden. Durch einen Lynchpöbel zu sterben, war dem langsameren Justizmord, der mir wahrscheinlich bevorstand, nicht unbedingt vorzuziehen. Obwohl es wahrscheinlich immer eine Möglichkeit gab, dem Aufruhr zu entfliehen.

Und dann wohin zu gehen?, fragte ich mich.

Da ich keine gute Antwort auf diese Frage hatte, verdrängte ich sie und richtete meine Aufmerksamkeit wieder auf Mrs. Ferguson, die mir unverdrossen einladend die Karten hinhielt.

»Nun gut«, sagte ich. »Aber nicht um Geld.«

»Oh, nein«, versicherte mir Mrs. Ferguson. »Bewahre. Aber wir brauchen irgendeinen Einsatz, damit es interessant wird. Wir spielen um Bohnen, ja?« Sie legte die Karten hin, wühlte unter dem Kissen und zog einen kleinen Beutel hervor, aus dem sie eine Hand voll kleiner weißer Bohnen ausschüttete.

»Bestens«, sagte ich. »Und wenn wir fertig sind, pflanzen wir sie ein und hoffen, dass eine riesige Bohnenranke daraus wird, die durch das Dach wächst, so dass wir daran flüchten können.«

Sie brach in Gekicher aus, und mir ging es plötzlich irgendwie ein wenig besser.

»Euer Wort in Gottes Ohr, Herzchen!«, sagte sie. »Ich gebe zuerst, ja?«

Brag entpuppte sich als eine Art Poker. Und ich lebte zwar schon lange genug mit einem Kartenbetrüger zusammen, um einen zu erkennen, wenn ich einen sah, doch Mrs. Ferguson schien ehrlich zu spielen – vorerst. Es stand sechsundvierzig Bohnen für mich, als Mrs. Tolliver zurückkehrte.

Die Tür öffnete sich unangemeldet, und sie kam mit einem dreibeinigen Hocker und einem Stück Brot herein. Letzteres schien sowohl mein Abendessen als auch ihre Ausrede für den Besuch der Zelle zu sein, denn sie reichte es mir mit einem lauten: »Das muss bis morgen reichen, Mrs. Fraser.«

»Danke«, sagte ich freundlich. Es war frisch und schien an Stelle von Butter hastig durch Schinken-Bratfett gezogen worden zu sein. Ich biss ohne Zögern hinein, da ich mich jetzt so weit von meinem Schrecken erholt hatte, dass ich tatsächlich ziemlichen Hunger hatte.

Mrs. Tolliver spähte hinter sich, um sich zu vergewissern, dass die Luft rein war, stellte den Hocker nieder und zog eine bauchige, blaue Flasche aus ihrer Tasche, die mit einer klaren Flüssigkeit gefüllt war.

Sie zog den Korken heraus, hielt sich die Flasche an den Mund, kippte sie und trank in tiefen Zügen, wobei sich ihr langer, dünner Hals krampfhaft bewegte.

Mrs. Ferguson schwieg und beobachtete die Vorgänge mit einer Art analytischer Aufmerksamkeit durch ihre glitzernde Brille, als vergliche sie Mrs. Tollivers Verhalten mit früheren Gelegenheiten.

Mrs. Tolliver ließ die Flasche sinken und hielt sie noch einen Moment fest, dann reichte sie sie mir abrupt und setzte sich plötzlich schwer atmend auf den Hocker.

Ich wischte den Flaschenhals so unauffällig wie möglich an meinem Ärmel ab, dann trank ich anstandshalber einen Schluck. Es war wirklich Gin – stark mit Wacholderbeeren gewürzt, um die schlechte Qualität zu tarnen, aber hochprozentig.

Jetzt trank Mrs. Ferguson einen kräftigen Schluck, und so fuhren wir fort, uns gegenseitig die Flasche zu reichen und dabei kleine Freundlichkeiten auszutauschen. Nachdem ihr erster Durst gelöscht war, wurde Mrs. Tolliver ausgesprochen umgänglich, und ihre frostige Miene taute beträchtlich auf. Dennoch wartete ich ab, bis die Flasche fast leer war, bevor ich die Frage stellte, die mir am wichtigsten war.

»Mrs. Tolliver – die Männer, die mich hergebracht haben – habt Ihr sie zufällig irgendetwas über meinen Mann sagen hören?«

Sie hielt sich die Faust vor den Mund, um einen Rülpser zu unterdrücken.

»Etwas sagen?«

»Darüber, wo er ist«, verbesserte ich.

Sie blinzelte mit ausdrucksloser Miene.

»Ich habe nichts gehört«, sagte sie. »Aber vielleicht haben sie Tolly etwas gesagt.«

Mrs. Ferguson reichte ihr die Flasche – wir beide saßen nebeneinander auf dem schmalen Bett, das die einzige Sitzgelegenheit in dem kleinen Raum war.

»Du könntest ihn aber doch fragen, oder, Maisie?«, sagte sie.

Obwohl sie schon glasig waren, nahmen Mrs. Tollivers Augen einen beklommenen Ausdruck an.

»O nein«, sagte sie und schüttelte den Kopf. »Über solche Dinge redet er nicht mit mir. Das geht mich nichts an.«

Ich wechselte einen Blick mit Mrs. Ferguson, und sie schüttelte kaum merklich den Kopf; besser, wenn ich jetzt nicht weiter darauf beharrte.

In meiner Sorge fiel es mir schwer, das Thema fallen zu lassen, doch ich konnte eindeutig nichts tun. Ich nahm all meine restliche Geduld zusammen und rechnete mir aus, wie viele Flaschen Gin ich mir noch leisten konnte, bevor mir das Geld ausging – und was ich wohl damit bewerkstelligen konnte.

Ich lag still in dieser Nacht und atmete die feuchte, stickige Luft mit ihren Schimmel- und Uringerüchen. Ich konnte auch Sadie Ferguson neben mir riechen; eine schwache Wolke aus abgestandenem Schweiß, die von einem starken Ginaroma überlagert wurde. Ich versuchte, die Augen zu schließen, doch jedes Mal, wenn ich das tat, überspülten mich kleine Wellen der Klaustrophobie; ich konnte spüren, wie die schwitzenden Putzwände näher rückten, und krallte meine Fäuste in den Matratzenbezug, um mich nicht gegen die Tür zu werfen. In meiner Einbildung sah ich mich hämmern und kreischen, meine Nägel angebrochen und blutig, weil ich sie in das unnachgiebige Holz geschlagen hatte, meine Schreie ungehört in der Dunkelheit – und niemals kam jemand.

Ich hielt es für absolut möglich. Von Mrs. Ferguson hatte ich noch mehr darüber gehört, wie unbeliebt Sheriff Tolliver war. Wenn er von einem aufgebrachten Pöbel angegriffen und aus seinem Haus gezerrt wurde – oder die Nerven verlor und die Flucht ergriff –, war es unwahrscheinlich, dass er oder seine Frau an die Gefangenen dachten.

Der Pöbel konnte uns finden – und uns umbringen, im Wahn des Augenblicks. Oder uns nicht finden und das Haus in Brand stecken. Die Vorratskammer bestand aus Lehmziegeln, doch die daran angrenzende Küche hatte Holzwände; feuchte Luft oder nicht, das Haus würde brennen wie eine Fackel, und das Einzige, was davon stehen bleiben würde, war diese verdammte Ziegelmauer.

Trotz des Geruchs holte ich ganz tief Luft, atmete wieder aus und schloss todesmutig die Augen.

Ein jeder Tag hat seine Plage. Das war einer von Franks Lieblingssprüchen gewesen, und im Großen und Ganzen war es kein schlechter.

Das hängt aber auch ein bisschen davon ab, was für ein Tag es ist, oder?, dachte ich in seine Richtung gewandt.

Ist das so? Sag's mir. Der Gedanke war da, so deutlich, dass ich ihn gehört haben könnte – oder es mir nur eingebildet haben könnte. Doch wenn ich mir das eingebildet hatte, dann hatte ich mir ebenso einen Tonfall ironischer Belustigung eingebildet, der typisch Frank war.

Schön, dachte ich. *Jetzt führe ich schon philosophische Dispute mit einem Geist. Der Tag war noch schlechter, als ich dachte.*

Einbildung oder nicht, dieser Gedanke hatte es geschafft, meine Aufmerksamkeit von der unablässigen Sorge abzulenken. Ich fühlte mich eingeladen – oder besser versucht. Fühlte das Bedürfnis, mit ihm zu reden. Den Drang, mich in eine Unterhaltung zu flüchten, egal, ob sie einseitig war … und eingebildet.

Nein, so werde ich dich nicht benutzen, dachte ich ein wenig traurig. *Es ist nicht richtig, dass ich nur dann an dich denke, wenn ich Ablenkung brauche, nicht um deiner selbst willen.*

Denkst du denn je um meiner selbst willen an mich? Diese Frage schwebte in der Dunkelheit hinter meinen Augenlidern. Ich konnte sein Gesicht ganz deutlich sehen, die Falten humorvoll gekrümmt, eine dunkle Augenbraue hochgezogen. Ich war vage überrascht; es war schon so lange her, dass ich konzentriert an ihn gedacht hatte, dass ich eigentlich längst vergessen haben müsste, wie er aussah. Doch das hatte ich nicht.

Und das ist dann wohl die Antwort auf deine Frage, dachte ich schweigend an ihn gerichtet. *Gute Nacht, Frank.*

Ich drehte mich auf die Seite, so dass ich der Tür zugewandt war. Ich fühlte mich jetzt ein wenig ruhiger. Ich konnte gerade eben die Umrisse der Tür ausmachen, und sie sehen zu können verminderte dieses Gefühl, lebendig begraben zu sein.

Ich schloss die Augen wieder und versuchte, mich auf die Vorgänge im Inneren meines Körpers zu konzentrieren. Das half oft, denn es beruhigte mich, dem Strom des Blutes in meinen Adern zu lauschen und dem leisen Gurgeln der Organe, die alle friedlich vor sich hin arbeiteten, ohne irgendwelcher bewussten Anweisungen zu bedürfen. So als säße ich in meinem Garten und lauschte dem Summen der Bienen in ihren Körben…

Ich unterbrach diesen Gedankengang, denn mein Herz tat bei der Erinnerung einen Ruck, so scharf wie ein Bienenstich.

Ich dachte mit aller Macht an mein Herz, das tatsächliche Organ; seine stabilen, weichen Kammern und empfindlichen Ventile – doch was ich spürte, war eine wunde Stelle. Es waren hohle Stellen in meinem Herzen.

Jamie. Eine klaffende, widerhallende Lücke, kalt und tief wie eine Gletscherspalte. Brianna. Jemmy. Roger. Und Malva, wie eine kleine, aber tief gehende Verletzung; ein Geschwür, das einfach nicht verheilte.

Bis jetzt war es mir gelungen, das Rascheln und heftige Atmen meiner Leidensgenossin zu ignorieren. Was ich nicht ignorieren konnte, war die Hand, die meinen Hals streifte, dann über mich hinwegglitt und sich sacht um meine Brust legte.

Ich hielt den Atem an. Dann atmete ich ganz langsam aus. Ganz ohne mein Dazutun schmiegte sich meine Brust in ihre gekrümmte Handfläche. Ich spürte eine Berührung in meinem Rücken; einen Daumen, der durch mein Hemd hindurch ganz sanft meine Wirbelsäule nachzeichnete.

Ich verstand das Bedürfnis nach menschlicher Nähe, den schieren Hunger nach Berührung. Ich hatte sie selbst schon oft gespendet und empfangen, ein Teil des empfindlichen Netzes der Menschlichkeit, das so oft zerrissen und neu gesponnen wurde. Doch es lag etwas in Sadie Fergusons Berührung, das von mehr kündete als schlichter Wärme oder dem Sehnen nach menschlicher Nähe in der Dunkelheit.

Ich ergriff ihre Hand, entfernte sie von meiner Brust, schloss die Finger sanft zur Faust und schob sie entschlossen von mir, bis sie an ihrer eigenen Brust ruhte.

»Nein«, sagte ich leise.

Sie zögerte und bewegte die Hüften, so dass sich ihr Körper von hinten an mich schmiegte und ihre Oberschenkel warm und rund an den meinen lagen, ein Angebot der Geborgenheit und Zuflucht.

»Es würde doch niemand erfahren«, flüsterte sie immer noch hoffnungsvoll. »Ich könnte Euch alles vergessen lassen – für eine Weile.« Ihre Hand streichelte meine Hüfte, sanft, verführerisch.

Wenn sie das könnte, dachte ich ironisch, wäre ich womöglich versucht. Doch dieser Weg stand mir nicht offen.

»Nein«, sagte ich, entschlossener diesmal, drehte mich auf den Rücken und rutschte so weit von ihr fort, wie ich konnte – ungefähr drei Zentimeter. »Ich bedaure – aber nein.«

Sie schwieg einen Moment, dann seufzte sie schwer.

»Oh. Nun ja. Vielleicht ja später.«

»Nein!«

Die Geräusche in der Küche hatten aufgehört, und Stille legte sich über das Haus. Doch es war nicht die Stille der Berge, jene Wiege aus Zweigen und flüsterndem Wind und der endlosen Tiefe des Sternenhimmels. Es war die Stille einer Stadt, unterbrochen von Rauch und dem dumpfen Glühen der Herdfeuer und Kerzen; angefüllt mit schlummernden Gedanken, die losgelöst von der Vernunft der Wachenden beklommen durch die Dunkelheit streiften.

»Könnte ich Euch denn festhalten?«, fragte sie sehnsüchtig, und ihre Finger strichen über meinen Hals. »Sonst nichts?«

»Nein«, sagte ich noch einmal. Doch ich griff nach ihrer Hand und hielt sie fest. Und so schliefen wir ein, mit keusch – und fest – verschlungenen Händen.

Wir wurden von etwas geweckt, das ich zuerst für den Wind hielt, der im Schornstein stöhnte, denn dieser ragte mit der Rückseite in unser Schlupfloch. Doch das Stöhnen wurde lauter, brach in lautes Geschrei aus und hörte dann abrupt auf.

»Ach du meine Güte!« Sadie Ferguson setzte sich mit großen, blinzelnden Augen hin und tastete nach ihrer Brille. »Was war das denn?«

»Eine Frau in den Wehen«, sagte ich, da ich dieses Geräuschmuster schon ziemlich oft gehört hatte. Das Stöhnen setzte wieder an. »Und zwar *sehr* kurz vor dem Ende.« Ich glitt vom Bett und schüttelte meine Schuhe aus, womit ich eine kleine Kakerlake und ein paar Silberfischchen verscheuchte, die in den Schuhspitzen Zuflucht gesucht hatten.

Fast eine Stunde saßen wir da und lauschten dem Wechsel von Stöhnen und Geschrei.

»Sollte das nicht aufhören?«, sagte Sadie und schluckte nervös. Sollte das Kind nicht inzwischen geboren sein?«

»Vielleicht«, sagte ich geistesabwesend. »Manche Babys brauchen länger als andere.« Ich hielt mein Ohr an die Tür gepresst und versuchte auszumachen, was auf der anderen Seite vor sich ging. Die Frau, wer auch immer sie war, war in der Küche, und zwar nicht mehr als drei Meter von mir entfernt. Dann und wann hörte ich Maisie Tollivers Stimme, gedämpft und skeptisch. Meistens allerdings nur das rhythmische Keuchen, Stöhnen und Schreien.

Noch eine weitere Stunde, und meine Nerven fransten allmählich aus. Sadie lag auf dem Bett und hielt sich das Kissen fest über den Kopf, um den Lärm fern zu halten.

Genug davon, dachte ich, und als ich das nächste Mal Mrs. Tollivers Stimme hörte, hämmerte ich mit dem Absatz gegen die Tür und rief, so laut ich konnte: »Mrs. Tolliver!«

Sie hörte mich, und einen Moment später knirschte der Schlüssel im

Schloss, und eine Woge von Licht und Luft fiel in die Zelle. Im ersten Moment blendete mich das Tageslicht, doch dann kniff ich die Augen zusammen und machte die Umrisse einer Frau aus, die auf allen vieren am Herdfeuer kniete und mir das Gesicht zugewandt hatte. Es war eine Schwarze, die in Schweiß gebadet war. Gerade hob sie den Kopf und heulte wie ein Wolf. Mrs. Tolliver fuhr auf, als hätte sie jemand von hinten mit einer Nadel gestochen.

»Entschuldigung«, sagte ich und schob mich an ihr vorbei. Sie machte keine Anstalten, mich aufzuhalten, und im Vorübergehen fing ich einen kräftigen Schwall von Wacholderbeerduft auf.

Die schwarze Frau ließ sich keuchend auf die Ellbogen sinken, so dass ihr nackter Hintern in die Luft ragte. Ihr Bauch hing herab wie eine reife Guave, hell getönt durch das schweißdurchtränkte Hemd, das daran klebte.

In der kurzen Pause vor dem nächsten Schrei stellte ich ihr einige gezielte Fragen und fand heraus, dass dies ihr viertes Kind war und dass sie Wehen hatte, seit ihr in der Nacht die Fruchtblase geplatzt war. Mrs. Tolliver steuerte die Auskunft bei, dass sie ebenfalls eine Gefangene und eine Sklavin war. Das hätte ich angesichts der rötlichen Schwielen auf ihrem Rücken und ihren Pobacken auch erraten können.

Ansonsten war Mrs. Tolliver nicht besonders hilfreich. Sie stand mit glasigem Blick schwankend über mir, hatte es aber geschafft, mir einen kleinen Stapel Lappen und eine Schüssel mit Wasser zu besorgen, so dass ich der Frau das verschwitzte Gesicht abwischen konnte. Sadie Ferguson steckte vorsichtig ihre bebrillte Nase aus der Zelle, zog sich aber hastig zurück, als das Heulen von neuem ansetzte.

Es war eine Steißlage, was die Schwierigkeiten erklärte, und die nächste Viertelstunde war haarsträubend für alle Beteiligten. Schließlich jedoch zog ich ein kleines Baby auf die Welt. Es kam mit den Füßen zuerst, voller Schleim, reglos, und seine Haut war in einem gespenstischen Blau gefärbt.

»Oh«, sagte Mrs. Tolliver und klang enttäuscht. »Es ist tot.«

»Gut«, sagte die Mutter mit heiserer, tiefer Stimme und schloss die Augen.

»Das werden wir ja sehen«, sagte ich und drehte das Kind hastig mit dem Gesicht nach unten, um ihm auf den Rücken zu klopfen. Nichts bewegte sich, und ich hielt das verklebte Wachsgesicht dicht vor mich hin, bedeckte Nase und Mund mit meinem Mund und saugte fest. Dann drehte ich den Kopf zur Seite und spuckte Schleim und Flüssigkeit aus. Mit verschmiertem Gesicht und Silbergeschmack im Mund blies ich ihm sacht in die Nase, hielt inne, hielt es schlaff und glitschig wie einen frischen Fisch in der Hand, blies – und sah, wie sich seine Augen öffneten, noch tiefblauer als seine Haut und vage neugierig.

Es holte erschrocken Luft, und ich lachte, von plötzlicher Freude durchströmt. Die albtraumhafte Erinnerung an ein anderes Kind, einen Lebensfunken, der in meiner Hand flackernd erlosch, verblasste. Der Funke in diesem Kind war entzündet und brannte wie eine Kerze mit sanfter, klarer Flamme.

»Oh!«, sagte Mrs. Tolliver noch einmal. Sie beugte sich vor, um einen Blick auf das Kind zu werfen, und ein enormes Lächeln breitete sich über ihr Gesicht. »Oh, oh!«

Das Baby fing an zu weinen. Ich durchtrennte die Nabelschnur, wickelte es in die Lappen und reichte es mit einiger Zurückhaltung Mrs. Tolliver, in der Hoffnung, dass sie es nicht ins Feuer fallen lassen würde. Dann richtete ich meine Aufmerksamkeit auf die Mutter, die so gierig aus der Schüssel trank, dass das Wasser die Vorderseite ihres ohnehin nassen Hemdes noch weiter durchtränkte.

Sie legte sich zurück und ließ sich von mir versorgen, sagte aber nichts und richtete nur dann und wann die Augen mit brütendem, feindseligem Blick auf das Kind.

Ich hörte Schritte durch das Haus kommen, und der Sheriff erschien mit überraschtem Gesicht.

»Oh, Tolly!« Überglücklich wandte sich Mrs. Tolliver, die mit Körperflüssigkeiten beschmiert war und nach Gin roch, zu ihm um und hielt ihm das Kind hin. »Sieh nur, Tolly, es lebt!«

Der Sheriff sah völlig verblüfft aus und runzelte die Stirn, als er den Blick auf seine Frau richtete, doch dann schien er trotz der Alkoholwolke die Witterung ihres Glücks aufzunehmen. Er beugte sich vor, um das kleine Bündel sanft zu berühren, und sein strenges Gesicht entspannte sich.

»Das ist ja schön, Maisie«, sagte er. »Hallo, Kleiner.« Dann fiel sein Blick auf mich. Ich kniete gerade vor dem Küchenfeuer und versuchte mein Möglichstes, um mit einem Lappen und dem Rest des Wassers den Boden zu wischen.

»Mrs. Fraser hat das Kind zur Welt geholt«, erklärte Mrs. Tolliver begeistert. »Es hat falsch herum gelegen, aber sie hat es so geschickt geholt und es zum Atmen gebracht – wir haben gedacht, es ist tot, weil es sich nicht geregt hat, aber das stimmte nicht! Ist das nicht wundervoll, Tolly?«

»Wundervoll«, erwiderte der Sheriff ein wenig dumpf. Er fixierte mich scharf, dann richtete er denselben Blick auf die frischgebackene Mutter, die ihn mit finsterer Gleichgültigkeit erwiderte. Dann wies er mich mit einer Geste an aufzustehen, winkte mich mit einer knappen Verbeugung in die Zelle zurück und schloss die Tür.

Erst jetzt fiel mir ein, was ich seiner Meinung nach getan hatte. Kein Wunder, dass es ihn ein wenig nervös machte, mich mit einem Neugeborenen zu sehen. Ich war nass und schmutzig, und die Zelle kam mir noch heißer und stickiger vor. Dennoch kribbelte das Wunder der Geburt noch durch meine Synapsen, und ich lächelte immer noch, als ich mich auf das Bett setzte, einen nassen Lappen in der Hand.

Sadie betrachtete mich mit Respekt, unter den sich schwacher Ekel mischte.

»Das war die größte Sauerei, die ich je gesehen habe«, sagte sie. »Gütiger Himmel, ist es immer so?«

»Mehr oder weniger. Habt Ihr noch nie eine Geburt gesehen? Habt Ihr selber keins?«, fragte ich neugierig. Sie schüttelte heftig den Kopf und machte das Hornzeichen, was mich zum Lachen brachte, so aufgekratzt war ich.

»Wäre ich je geneigt gewesen, einen Mann in meine Nähe zu lassen, hätte mich *diese* Vorstellung abgeschreckt«, versicherte sie mir inbrünstig.

»Ach ja?«, sagte ich und erinnerte mich mit leichter Verspätung wieder an ihre Avancen in der vergangenen Nacht. Dann *war* es also nicht nur Trost gewesen, den sie mir angeboten hatte. »Und was ist mit *Mister* Ferguson?«

Sie warf mir einen sittsamen Blick zu und blinzelte durch ihre Brille.

»Oh, er war Farmer – *viel* älter als ich. An der Pleuritis gestorben, vor fünf Jahren.«

Und von vorn bis hinten erfunden, dachte ich. Doch eine Witwe genoss einiges mehr an Freiheit als unverheiratete oder verheiratete Frauen, und wenn mir je eine Frau begegnet war, die in der Lage war, auf sich selbst aufzupassen …

Ich hatte nicht auf die Geräusche in der Küche geachtet, doch an diesem Punkt krachte es laut, und die Stimme des Sheriffs fluchte. Kein Ton von Mrs. Tolliver oder dem Kind.

»Sie bringen die schwarze Hexe in ihre Zelle zurück«, sagte Sadie so feindselig, dass ich sie erstaunt ansah.

»Habt Ihr das etwa nicht gewusst?«, sagte sie angesichts meiner Überraschung. »Sie hat ihre Babys umgebracht. Jetzt können sie sie hängen, nachdem sie das hier geboren hat.«

»Oh«, sagte ich tonlos. »Nein. Das wusste ich nicht.« Der Lärm in der Küche entfernte sich, und ich saß da und starrte das Lämpchen an, und der Hauch von Leben war immer noch wach in meiner Hand.

91

Gar kein dummer Plan

Wasser plätscherte direkt unter Jamies Ohr, und bei dem bloßen Geräusch wurde ihm schon schwindelig. Der Geruch nach fauligem Schlamm und totem Fisch half auch nicht, genauso wenig wie der Schlag, der ihn getroffen hatte, als er gegen die Wand fiel.

Er änderte seine Lage, um eine Position zu finden, die den Druck auf Kopf, Bauch oder beides lindern würde. Sie hatten ihn eingewickelt wie eine

Kochforelle, doch es war ihm mit einiger Anstrengung gelungen, sich auf die Seite zu rollen, was ein wenig half.

Er befand sich in einem verfallenen Bootsschuppen; er hatte ihn im letzten Zwielicht gesehen, als sie ihn zum Ufer hinunterschleppten – er hatte zuerst geglaubt, sie hätten vor, ihn zu ersäufen –, ihn hineintrugen und ihn wie einen Mehlsack zu Boden fallen ließen.

»Beeil dich, Ian«, murmelte er und änderte erneut seine Lage, die immer unangenehmer wurde. »Ich bin viel zu alt für solchen Unsinn.«

Er konnte nur hoffen, dass Ian, als Brown zur Tat schritt, nah genug bei ihnen gewesen war, um ihm folgen zu können, und wusste, wo er jetzt war; mit Sicherheit würde der Junge auf der Suche nach ihm sein. Das Ufer, an dem der Schuppen stand, bot keinerlei Deckung, doch davon gab es genug im Gebüsch unterhalb von Fort Johnston, das in der Nähe auf einer Landzunge lag.

Sein Hinterkopf pochte dumpf; er hatte einen widerlichen Geschmack im Mund und spürte ein beunruhigendes Echo der grauenvollen Kopfschmerzen, die er vor Jahren nach einer Axtverletzung oft gehabt hatte. Es schockierte ihn, wie problemlos die Erinnerung an diese Kopfschmerzen zurückkehrte; es war eine Ewigkeit her, und er hatte gedacht, selbst die Erinnerung daran sei längst tot und begraben. Doch sein Schädel besaß eindeutig seine eigenen, sehr viel lebhafteren Erinnerungen und war fest entschlossen, sich mit Übelkeitsanfällen für Jamies Vergesslichkeit zu rächen.

Der Mond stand hoch am Himmel und leuchtete hell; sein Licht schien sanft zwischen den grob gezimmerten Brettern der Wand hindurch. Im Zwielicht schien es verstörend zu wabern, so dass ihm schwindelig wurde, und er schloss die Augen und konzentrierte sich grimmig auf das, was er Richard Brown antun würde, wenn er den Mann eines Tages allein antraf.

Wohin im Namen des Erzengels Michael und aller Heiligen hatte er Claire gebracht und wozu? Jamies einziger Trost war die Tatsache, dass Tom Christie mit ihnen gegangen war. Er war sich hinreichend sicher, dass Christie nicht zulassen würde, dass sie sie umbrachten – und dass er Jamie zu ihr führen würde, wenn dieser ihn finden konnte.

Ein Geräusch durchdrang das Übelkeit erregende Plätschern der Flut. Leises Pfeifen – dann Singen. Er konnte die Worte gerade eben ausmachen, und trotz allem lächelte er ein wenig. *»Vermähle mich, Herr Pastor, sonst brauchst du selbst den Pastor – brauchst du selbst den Pastor!«*

Er rief, obwohl sein Kopf davon schmerzte, und innerhalb von Sekunden war Ian, der gute Junge, an seiner Seite und schnitt seine Fesseln durch. Er rollte sich auf den Bauch, im ersten Moment unfähig, seine verkrampften Muskeln zu kontrollieren; dann gelang es ihm, sich so weit auf die Hände zu stützen, dass er sich übergeben konnte.

»Geht es jetzt, Onkel Jamie?« Ian, der kleine Mistkerl, klang vage belustigt.

»Ich komme zurecht. Weißt du, wo Claire ist?« Er erhob sich schwankend und fummelte an seiner Hose herum; seine Finger fühlten sich an wie Würste, und der gebrochene Finger pochte, weil das Kribbeln der zurückkehrenden Blutzirkulation durch die gezackten Knochenränder stach. Doch dann vergaß er für ein paar Sekunden all seine Unbehaglichkeit im Strom der überwältigenden Erleichterung.

»Himmel, Onkel Jamie«, sagte Ian beeindruckt. »Aye, das weiß ich. Sie haben sie nach New Bern gebracht. Forbes sagt, dort gibt es einen Sheriff, der sie vielleicht nimmt.«

»Forbes?« Vor Erstaunen fuhr er herum und wäre fast hingefallen, wenn er sich nicht gerade noch mit einer Hand an der knarrenden Holzwand abgestützt hätte. »Neil Forbes?«

»Der Nämliche.« Ian packte ihn mit der Hand am Ellbogen, um ihn zu stützen; das dünne Brett hatte unter seinem Gewicht einen Sprung bekommen. »Brown ist überall gewesen und hat mit den Leuten geredet – aber mit Forbes ist er schließlich ins Geschäft gekommen, in Cross Creek.«

»Du hast ihr Gespräch mit angehört?«

»Ja.« Ians Tonfall war beiläufig, doch es klang Aufregung darin mit – und eine gute Portion Stolz auf seine Leistung.

Browns Ziel war an diesem Punkt simpel gewesen – sich der Last zu entledigen, zu der die Frasers geworden waren. Er wusste von Forbes und seinem Verhältnis zu Jamie, dank des Geredes nach dem Zwischenfall mit dem Teer im Sommer des vergangenen Jahres und dem Zusammenstoß in Mecklenburg im Mai. Also hatte er Forbes angeboten, ihm die beiden zu überlassen, damit der Anwalt die Situation nach Gutdünken nutzen konnte.

»Also ist er eine Weile hin und her gewandert und hat überlegt, Forbes, meine ich – sie waren nämlich in seinem Lagerhaus am Fluss, und ich habe mich hinter den Teerfässern versteckt. Und dann lachte er, als wäre ihm gerade etwas sehr Schlaues eingefallen.«

Forbes hatte vorgeschlagen, dass Browns Männer Jamie gefesselt zu einer kleinen Anlegestelle in der Nähe von Brunswick bringen sollten, die ihm gehörte. Dort würde man ihn auf ein Schiff nach England verfrachten, so dass er sich nicht mehr in Browns oder Forbes' Angelegenheiten einmischen konnte – und dadurch natürlich keine Chance hatte, seine Frau zu verteidigen.

Claire sollte unterdessen der Gnade des Gesetztes anheim gegeben werden. Befand man sie für schuldig, nun, dann war das ihr Ende. Falls nicht, würde der Skandal des Prozesses nicht nur die ganze Aufmerksamkeit ihrer Freunde beanspruchen, sondern gleichzeitig ihren gesamten Einfluss vernichten – so dass man Fraser's Ridge nur noch an sich zu nehmen brauchte und Neil Forbes freie Hand haben würde, sich zum Anführer der schottischen Whigs in der Kolonie zu erklären.

Jamie hörte wortlos zu, hin- und hergerissen zwischen Wut und widerstrebender Bewunderung.

»Gar kein dummer Plan«, sagte er. Es ging ihm jetzt besser, und das Schwindelgefühl verschwand mit dem reinigenden Strom der Wut in seinen Adern.

»Oh, es wird noch besser, Onkel Jamie«, versicherte ihm Ian. »Du erinnerst dich doch an einen Herrn namens Stephen Bonnet?«

»Ja. Was ist mit ihm?«

»Es ist Mr. Bonnets Schiff, das dich nach England bringen soll, Onkel Jamie.« Die Belustigung stahl sich wieder in die Stimme seines Neffen. »Es sieht so aus, als ob Anwalt Forbes schon seit einiger Zeit eine ausgesprochen profitable Partnerschaft mit Bonnet unterhält – er und einige befreundete Kaufleute in Wilmington. Sie haben Anteile an dem Schiff und an der Fracht, die es transportiert. Und seit der englischen Blockade ist der Profit noch gewachsen; ich gehe davon aus, dass unser Mr. Bonnet ein sehr erfahrener Schmuggler ist.«

Jamie sagte etwas extrem Widerwärtiges auf Französisch und trat rasch zur Tür des Schuppens, um einen Blick hinauszuwerfen. Das Wasser lag ruhig und wunderschön da, und der Mondschein führte als silberner Pfad aufs Meer hinaus.

Dort draußen lag ein Schiff; klein, schwarz und perfekt wie eine Spinne auf einem Blatt Papier. Bonnets Schiff?

»Himmel«, sagte er. »Was glaubst du, wann sie kommen werden?«

»Ich weiß es nicht«, sagte Ian, der jetzt zum ersten Mal unsicher klang. »Würdest du sagen, dass die Flut steigt, Onkel Jamie? Oder dass es Ebbe ist?«

Jamie blickte auf das Wasser hinab, das sich unter dem Bootshaus kräuselte, als könnte es ihm einen Hinweis geben.

»Woher soll ich das wissen, zum Kuckuck? Und was würde es ändern?« Er rieb sich fest über das Gesicht und versuchte zu überlegen. Sie hatten ihm natürlich den Dolch abgenommen. Er trug ein *Sgian Dhu* im Strumpf, bezweifelte aber irgendwie, dass dessen Sieben-Zentimeter-Klinge in der gegenwärtigen Lage besonders nützlich sein würde.

»Was hast du für Waffen, Ian? Du hast nicht zufällig deinen Bogen dabei?«

Ian schüttelte bedauernd den Kopf. Er war zu Jamie an die Tür des Bootshauses getreten, und der Mond zeigte den Hunger in seinem Gesicht, als er das Schiff betrachtete.

»Ich habe zwei ordentliche Messer, einen Dolch und eine Pistole. Dann ist da noch mein Gewehr, aber das habe ich bei meinem Pferd gelassen.« Er wies mit einem Ruck seines Kopfes auf den Wald, der sich in einiger Entfernung als dunkle Linie abzeichnete. »Soll ich es holen? Es könnte sein, dass sie mich sehen.«

Jamie überlegte angestrengt und pochte mit den Fingern gegen den Türrahmen, bis ihn der Schmerz in seinem gebrochenen Finger zum Aufhören zwang. Der Drang, auf Bonnet zu warten und ihn zu überwältigen, war geradezu körperlich; er verstand Ians Hunger und teilte ihn. Doch sein Verstand war damit beschäftigt, die Chancen abzuwägen, und bestand darauf, ihn damit zu konfrontieren, selbst wenn das rachsüchtige Tier in ihm nicht viel davon wissen wollte.

Es war noch nichts von irgendeinem Boot zu sehen, das von dem Schiff herüberkam. Immer vorausgesetzt, dass das Schiff dort draußen tatsächlich Bonnets Schiff war – und das wussten sie ja gar nicht mit Sicherheit –, konnte es noch Stunden dauern, bevor jemand kam, um ihn wegzuschleppen. Und wenn das geschah, wie wahrscheinlich war es, dass Bonnet selbst dabei war? Er war der Schiffskapitän; würde er einen solchen Botengang selbst unternehmen oder seine Untergebenen schicken?

Wenn er ein Gewehr hatte und Bonnet in dem Boot *war*, hätte Jamie jede Summe gewettet, dass er den Mann aus dem Hinterhalt treffen konnte. *Wenn* er in dem Boot war. Wenn er in der Dunkelheit zu erkennen war. Und er konnte ihn zwar treffen, doch es war ja möglich, dass der Schuss nicht tödlich war.

Doch wenn Bonnet nicht in dem Boot war, dann würden sie warten müssen, bis das Boot dicht genug herankam, an Bord springen und die Insassen überwältigen – wie viele würden es sein? Zwei, drei, vier? Sie mussten alle getötet oder bewegungsunfähig gemacht werden, und dann mussten sie das verdammte Boot wieder zum Schiff rudern – wo mit Sicherheit jedermann an Bord das Handgemenge am Ufer bemerkt hatte und entweder darauf vorbereitet war, das Boot mit einer Kanonenkugel zu versenken, oder darauf wartete, dass sie beidrehten, um sie dann wie lebende Zielscheiben abzuknallen.

Und falls es ihnen doch irgendwie gelang, unbemerkt an Bord zu kommen – galt es, das gottverdammte Schiff nach Bonnet zu durchsuchen, ihn dingfest zu machen und umzubringen, ohne die Aufmerksamkeit der Mannschaft zu erregen –

Diese umfangreiche Analyse zuckte ihm in dem Zeitraum durch den Kopf, den er zum Ein- und Ausatmen brauchte, und genauso schnell verwarf er sie. Wenn sie in Gefangenschaft gerieten oder umgebracht wurden, würde Claire allein und hilflos sein. Das konnte er nicht riskieren. Dennoch, so tröstete er sich, Forbes konnte er finden – und das würde er auch, wenn die Zeit gekommen war.

»Aye, nun denn«, sagte er und wandte sich seufzend ab. »Hast du nur das eine Pferd, Ian?«

»Aye«, sagte Ian mit einem ähnlichen Seufzer. »Aber ich weiß, wo wir noch eins stehlen können.«

92

Amanuensis

Zwei Tage verstrichen. Heiße, feuchte Tage in der schwülen Dunkelheit, und ich konnte spüren, wie diverse Sorten von Schimmel, Pilz und Fäulnis versuchten, sich in meinen Körperhöhlen festzusetzen – ganz zu schweigen von den alles fressenden, allgegenwärtigen Kakerlaken, die fest entschlossen zu sein schienen, an meinen Augenbrauen zu knabbern, sobald das Licht gelöscht wurde. Das Leder meiner Schuhe war klamm und schlaff, das Haar hing mir in schmutzigen Strähnen am Kopf, und ich ging – genau wie Sadie Ferguson – dazu über, den Großteil meiner Zeit im Hemd zu verbringen.

Als Mrs. Tolliver kam und uns befahl, bei der Wäsche zu helfen, ließen wir daher unser jüngstes Kartenspiel stehen und liegen – es sah so aus, als würde sie gewinnen – und stolperten beinahe übereinander, so eilig hatten wir es, dieser Order nachzukommen.

Angesichts des tosenden Feuers unter dem Waschkessel war es auf dem Innenhof noch heißer und genauso feucht wie in der Zelle, da kochende Wolken von dem großen Kessel mit den Kleidern aufstiegen und uns die Haare ins Gesicht klebten. Unsere Hemden pappten uns sowieso schon am Körper, und das schmutzige Leinen war beinahe durchsichtig, so schwitzten wir – Waschen war Schwerarbeit. Doch es gab hier kein Ungeziefer, und das Licht der Sonne blendete zwar und schien so heftig, dass meine Nase und meine Arme rot wurden – doch, nun ja, es schien, und das war etwas, wofür es dankbar zu sein galt.

Ich fragte Mrs. Tolliver nach meiner ehemaligen Patientin und ihrem Kind, doch sie presste nur die Lippen zusammen und schüttelte den Kopf, was ihr ein verkniffenes, strenges Aussehen verlieh. Der Sheriff war in der vergangenen Nacht nicht zu Hause gewesen; wir hatten seine dröhnende Stimme nicht in der Küche gehört. Und Maisie Tollivers grünlichem Aussehen nach diagnostizierte ich eine lange, einsame Nacht mit der Ginflasche, gefolgt von einer ziemlich unangenehmen Dämmerung.

»Ihr werdet Euch viel besser fühlen, wenn Ihr Euch in den Schatten setzt und … Wasser trinkt«, sagte ich. »Viel Wasser.« Besser noch Tee oder Kaffee, doch diese Substanzen waren in der Kolonie kostbarer als Gold, und ich bezweifelte, dass die Frau des Sheriffs sie besaß. »Und falls Ihr Ipecacuanha habt … oder vielleicht Pfefferminze …«

»Ich danke Euch für Eure geschätzte Meinung, Mrs. Fraser!«, fuhr sie mich an, obwohl sie merklich schwankte und ihre bleichen Wangen mit einem glänzenden Schweißfilm überzogen waren.

Ich zuckte mit den Achseln und konzentrierte mich auf die Aufgabe, mit einem anderthalb Meter langen Holzlöffel einen Klumpen triefend nasser, dampfender Wäsche aus der schmutzigen Brühe zu hieven. Der Stiel war so abgenutzt, dass meine verschwitzten Hände von dem glatten Holz abrutschten.

Wir schafften es, alles mühsam zu waschen, auszuspülen, kochend heiß auszuwringen und zum Trocknen an eine Leine zu hängen, dann sanken wir keuchend in den schmalen Schattenstreifen an der Hauswand und reichten uns abwechselnd einen Schöpflöffel, um lauwarmes Wasser aus dem Brunneneimer zu trinken. Mrs. Tolliver vergaß ihre gehobene gesellschaftliche Stellung und setzte sich ganz plötzlich ebenfalls hin.

Als ich mich ihr zuwandte, um ihr den Schöpflöffel anzubieten, sah ich nur noch, wie sie die Augen verdrehte. Sie fiel weniger, als dass sie sich hintenüber auflöste und langsam zu einem feuchten Baumwollhaufen zusammensank.

»Ist sie tot?«, erkundigte sich Sadie Ferguson neugierig. Sie ließ ihre Blicke hin und her schweifen und überlegte wohl, wie groß ihre Erfolgsaussichten waren, wenn sie Fersengeld gab.

»Nein. Böser Katzenjammer, wahrscheinlich noch verstärkt durch einen leichten Sonnenstich.« Ich fühlte ihren Puls, der leicht und schnell war, aber regelmäßig. Ich überlegte gerade selbst, ob es klug sein würde, Mrs. Tolliver der Gefahr zu überlassen, ihr Erbrochenes einzuatmen, und mich davonzumachen, und wenn es barfuß und im Hemd war, wurde dann aber daran gehindert, weil Männerstimmen um das Haus drangen.

Zwei Männer – einer war Tollivers Constabler, den ich kurz zu Gesicht bekommen hatte, als mich Browns Männer im Gefängnis abgeliefert hatten. Der andere war ein Fremder, sehr gut gekleidet mit silbernen Knöpfen an seinem Rock und einer Seidenweste, die deutliche Schweißflecken hatte. Dieser Herr, ein untersetzter Mann von etwa vierzig, betrachtete stirnrunzelnd das Gelage vor seinen Augen.

»Sind das die Gefangenen?«, fragte er in angewidertem Ton.

»Aye, Sir«, antwortete der Constabler. »Zumindest die beiden im Hemd. Die andere ist die Frau des Sheriffs.«

Silberknopf rümpfte die Nase, als er diese Informationen erhielt, dann atmete er aus.

»Welche ist die Hebamme?«

»Das bin ich, Sir«, sagte ich. Ich richtete mich auf und versuchte, mir ein würdevolles Aussehen zu geben. »Ich bin Mrs. Fraser.«

»Seid Ihr das«, sagte er in einem Tonfall, der andeutete, dass ich von ihm aus auch Königin Charlotte sein konnte. Er betrachtete mich herablassend von oben bis unten und schüttelte den Kopf, dann wandte er sich an den schwitzenden Constabler.

»Was wirft man ihr vor?«

Der Constabler, ein etwas beschränkter junger Mann, spitzte bei diesen Worten die Lippen und blickte skeptisch von mir zu Sadie und zurück.

»Ähh … nun, eine von ihnen ist eine Fälscherin«, sagte er, »und die andere eine Mörderin. Aber welche jetzt welche ist …«

»Ich bin die Mörderin«, sagte Sadie tapfer und fügte loyal hinzu: »Sie ist eine gute Hebamme!« Ich sah sie überrascht an, doch sie schüttelte kaum merklich den Kopf und presste die Lippen aufeinander, um mich zum Schweigen zu beschwören.

»Oh. Hmm. Nun denn. Habt Ihr ein Kleid … Madam?« Auf mein Nicken hin stieß er ein knappes »Zieht Euch an« aus, wandte sich wieder an den Constabler und zog ein großes Seidentaschentuch aus der Tasche, um sich sein breites, rotes Gesicht abzuwischen. »Dann nehme ich sie mit. Ihr sagt es Mr. Tolliver.«

»Ja, Sir«, versicherte ihm der Constabler unterwürfig. Er blickte auf Mrs. Tollivers bewusstlose Gestalt hinunter, dann sah er Sadie stirnrunzelnd an. »Ihr da. Bringt sie hinein und kümmert Euch um sie. Hopp!«

»Oh, ja, Sir«, sagte Sadie ernst und schob mit dem Zeigefinger ihre vom Schwitzen beschlagene Brille hoch. »Sofort, Sir!«

Ich hatte keine Gelegenheit, mich mit Sadie zu unterhalten, und mir blieb gerade genug Zeit, mich in mein Korsett und mein mitgenommenes Kleid zu kämpfen und nach meiner kleinen Tasche zu greifen, als man mich auch schon zu einer Kutsche eskortierte – die ebenfalls ziemlich mitgenommen aussah, jedoch einmal von guter Qualität gewesen war.

»Würde es Euch etwas ausmachen, mir zu sagen, wer Ihr seid und wohin Ihr mich bringt?«, erkundigte ich mich, nachdem wir klappernd zwei oder drei Querstraßen gekreuzt hatten und mein Begleiter immer noch mit einem geistesabwesenden Stirnrunzeln aus dem Fenster blickte.

Meine Frage störte ihn auf, und er blinzelte mich an, als würde ihm jetzt erst klar, dass ich alles andere als ein lebloser Gegenstand war.

»Oh. Verzeihung, Madam. Wir sind unterwegs zum Gouverneurspalast. Habt Ihr keine Haube?«

»Nein.«

Er verzog das Gesicht, als hätte er auch nichts anderes erwartet, und überließ sich wieder seinen Gedanken.

Sie hatten den Palast fertig gebaut und ihre Sache gut gemacht. William Tryon, der vorige Gouverneur, hatte den Gouverneurspalast errichtet, war aber nach New York beordert worden, bevor die Bauarbeiten beendet waren.

Jetzt war der enorme Ziegelbau mit seinen eleganten Flügeln vollendet bis hin zu den Rasenflächen und Efeubeeten, die die Auffahrt säumten, auch wenn die stattlichen Bäume, die ihn einmal umgeben würden, noch bloße Setzlinge waren. Die Kutsche begab sich auf die Auffahrt, doch wir traten – natürlich – nicht durch den imposanten Haupteingang ein, sondern huschten an der Rückseite die Treppe zu den Dienstbotenquartieren im Keller hinunter.

Hier schob man mich hastig in das Zimmer eines Dienstmädchens, reichte mir einen Kamm, Schüssel und Krug und eine geborgte Haube, und drängte mich, so schnell wie möglich dafür zu sorgen, dass ich präsentabel aussah.

Mein Führer – sein Name war Mr. Webb, wie ich seiner respektvollen Begrüßung durch die Köchin entnahm – wartete mit unübersehbarer Ungeduld, während ich meine hastige Wäsche vornahm, dann fasste er mich beim Arm und schob mich treppauf. Wir stiegen eine schmale Hintertreppe in den ersten Stock hinauf, wo uns ein sehr junges und angstvoll aussehendes Dienstmädchen erwartete.

»Oh, da seid Ihr ja, Sir, endlich!« Sie knickste vor Mr. Webb und warf mir einen neugierigen Blick zu. »Ist das die Hebamme?«

»Ja. Mrs. Fraser – Dilman.« Er wies kopfnickend auf das Mädchen und nannte nur ihren Nachnamen, wie es in England bei Hausbediensteten üblich war. Sie knickste auch vor mir, dann deutete sie auf eine Tür, die angelehnt stand.

Das Zimmer war groß und elegant und mit einem Himmelbett möbliert sowie einer Kommode, einem Schrank und einem Armsessel aus Nussbaum, obwohl die Raffinesse der Einrichtung durch einen Berg von Stopfarbeiten, einen alten Nähkorb, der umgekippt war und sein Garn in alle Richtungen verstreute, und einen Korb mit Kinderspielzeug beeinträchtigt wurde. In dem Bett befand sich eine kolossale Rundung, die – angesichts der sonstigen Umstände – eigentlich nur Mrs. Martin sein konnte, die Frau des Gouverneurs.

Dies stellte sich als zutreffend heraus, als Dilman erneut einen Hofknicks machte und ihr meinen Namen zumurmelte. Sie war klein und rund – ziemlich rund, denn sie war hochschwanger – und hatte eine kleine spitze Nase und einen kurzsichtigen Blick, der mich unwiderstehlich an Beatrix Potters Frau Igelischen erinnerte. Auf ihren Charakter traf dies allerdings weniger zu.

»Wer zum Teufel ist das?«, wollte sie wissen und steckte ihren zerzausten, mit einer Haube bedeckten Kopf aus der Bettwäsche.

»Hebamme, Ma'am«, sagte Dilman und knickste erneut. »Habt Ihr gut geschlafen, Ma'am?«

»Natürlich nicht«, sagte Mrs. Martin gereizt. »Dieses verflixte Kind hat mir die Leber grün und blau getreten. Ich habe mich die ganze Nacht übergeben, ich habe die Laken durchgeschwitzt, und ich habe Schüttelfrost. Man hat mir doch gesagt, es sei im ganzen Bezirk keine Hebamme zu finden.« Sie warf mir einen säuerlichen Blick zu. »Wo habt Ihr denn diese Person aufgetrieben, im hiesigen Gefängnis?«

»So ist es«, sagte ich und schwang mir die Tasche von der Schulter. »Wie weit seid Ihr, seit wann geht es Euch schlecht, und wann hattet Ihr das letzte Mal Verdauung?«

Jetzt sah sie schon etwas interessierter aus und winkte Dilman aus dem Zimmer.

»Was hat sie gesagt, wie Ihr heißt?«

»Fraser. Habt Ihr irgendwelche Anzeichen für eine Frühgeburt? Krämpfe? Blutungen? Regelmäßiges Ziehen im Rücken?«

Sie sah mich skeptisch von der Seite an, begann aber, meine Fragen zu beantworten. Und so konnte ich schließlich eine akute Lebensmittelvergiftung diagnostizieren, wahrscheinlich ausgelöst durch ein Stück Austernpastete, das sie – zusammen mit diversen anderen Speisen – am Vortag in einem Anfall von Schwangerschaftsheißhunger verzehrt hatte.

»Ich bin nicht krank?« Sie zog ihre Zunge zurück, die ich hatte inspizieren dürfen, und runzelte die Stirn.

»Nein, das seid Ihr nicht. Zumindest noch nicht«, musste ich ehrlichkeitshalber hinzufügen. Es war kein Wunder, dass sie glaubte, sie sei krank; im Verlauf der Untersuchung hatte ich erfahren, dass ein besonders hartnäckiges Fieber in der Stadt umging – und im Palast. Der Sekretär des Gouverneurs war vor zwei Tagen daran gestorben, und Dilman war die einzige Hausangestellte, die noch auf den Beinen war.

Ich holte sie aus dem Bett und half ihr in den Sessel, in dem sie sich zusammensacken ließ, so dass sie aussah wie ein zermatschtes Sahnetörtchen. Im Zimmer war es heiß und stickig, und ich öffnete das Fenster in der Hoffnung auf einen Luftzug.

»Um Gottes willen, Mrs. Fraser, wollt Ihr mich umbringen?« Sie zog sich ihren Morgenmantel fest um den Bauch und duckte sich, als hätte ich einen heulenden Schneesturm eingelassen.

»Wahrscheinlich nicht.«

»Aber das Miasma!« Sie wies entsetzt mit der Hand auf das Fenster. Natürlich stellten Moskitos tatsächlich eine Gefahr dar. Doch es dauerte noch einige Stunden bis zum Sonnenuntergang, und erst dann würden sie losfliegen.

»Wir schließen es gleich wieder. Vorerst braucht Ihr Luft. Und am besten etwas Leichtes. Meint Ihr, Ihr bekommt etwas Toast herunter?«

Darüber dachte sie nach und berührte zögernd ihre Mundwinkel mit der Zungenspitze.

»Vielleicht«, beschloss sie. »Und eine Tasse Tee. Dilman!«

Nachdem sie Dilman beauftragt hatte, ihr Tee und Toast zu holen – wie lange war es her, dass ich zuletzt echten Tee gesehen hatte?, fragte ich mich –, machte ich mich daran, ihre medizinische Vorgeschichte vollständiger in Erfahrung zu bringen.

Wie viele vorhergegangene Schwangerschaften? Sechs, doch ein Schatten zog über ihr Gesicht hinweg, und ich sah, wie sie den Blick unwillkürlich auf eine hölzerne Marionette richtete, die vor dem Kamin lag.

»Sind Eure Kinder im Palast?«, fragte ich neugierig. Ich hatte kein Anzeichen irgendwelcher Kinder gehört, und selbst in einem Gebäude von der Größe des Palastes würde es schwierig sein, sechs Exemplare zu verstecken.

»Nein«, sagte sie seufzend und legte die Hände auf ihren Bauch, um ihn beinahe geistesabwesend festzuhalten. »Wir haben die Mädchen vor ein paar Wochen zu meiner Schwester nach New Jersey geschickt.«

Noch ein paar Fragen, und Tee und Toast trafen ein. Ich ließ sie in Frieden essen und machte mich daran, die feuchte, zerknitterte Bettwäsche auszuschlagen.

»Ist es wahr?«, sagte Mrs. Martin so plötzlich, dass ich aufschreckte.

»Ist was wahr?«

»Man sagt, Ihr habt die junge Geliebte Eures Mannes ermordet und ihr das Baby aus dem Bauch geschnitten. Stimmt das?«

Ich schloss die Augen und presste die Daumenwurzel fest gegen meine Stirn. Wo in aller Welt hatte sie das gehört? Als ich glaubte, sprechen zu können, ließ ich die Hände sinken und öffnete die Augen.

»Sie war nicht seine Geliebte, und ich habe sie nicht umgebracht. Was den Rest betrifft – ja, es stimmt«, sagte ich, so ruhig ich konnte.

Sie starrte mich einen Moment mit offenem Mund an. Dann schloss sie ihn abrupt und verschränkte die Arme über dem Bauch. »Da hat mir George Webb ja eine schöne Hebamme gesucht!«, sagte sie – und zu meiner großen Überraschung fing sie an zu lachen. »Er weiß es nicht, oder?«

»Ich gehe nicht davon aus«, sagte ich extrem trocken. »Ich habe es ihm jedenfalls nicht gesagt. Wer hat es Euch erzählt?«

»Oh, Ihr seid ziemlich berüchtigt, Mrs. Fraser«, versicherte sie mir. »Alle Welt redet darüber. George hat keine Zeit für Gerüchte, doch selbst er muss davon gehört haben. Allerdings hat er keinerlei Namensgedächtnis. Ich schon.«

Ihr Gesicht nahm jetzt wieder ein wenig Farbe an. Sie nahm noch einen Bissen Toast, kaute und schluckte vorsichtig.

»Aber ich war mir nicht sicher, dass Ihr es wart«, räumte sie ein. »Erst, als ich gefragt habe.« Sie schloss die Augen und zog eine skeptische Miene, doch offenbar schaffte es der Toast bis unten, denn sie öffnete die Augen wieder und knabberte weiter.

»Und jetzt, *da* Ihr es wisst …?«, fragte ich vorsichtig.

»Ich weiß es nicht. Ich bin noch nie einer Mörderin begegnet.« Sie schluckte den letzten Toast und leckte sich die Fingerspitzen ab, bevor sie sie an ihrer Serviette abwischte.

»Ich *bin* keine Mörderin«, sagte ich.

»Nun, es war natürlich zu erwarten, dass Ihr das sagt«, pflichtete sie mir bei. Sie ergriff ihre Teetasse, über deren Rand hinweg sie mich neugierig betrachtete. »Ihr seht jedenfalls nicht heruntergekommen aus – obwohl ich sagen muss, ganz respektabel sehr Ihr auch nicht aus.« Sie neigte die duftende Tasse und trank mit einer seligen Miene, die mir zu Bewusstsein brachte, dass ich seit der spärlichen Schüssel mit ungesalzenem Porridge, den es bei Mrs. Tolliver zum Frühstück gegeben hatte, nichts mehr gegessen hatte.

»Ich muss darüber nachdenken«, sagte Mrs. Martin und stellte ihre Tasse leise klirrend nieder. »Bringt das zurück in die Küche«, sagte sie und wies auf das Tablett, »und lasst mir etwas Suppe bringen und vielleicht ein paar Häppchen. Ich glaube, ich habe meinen Appetit wiedergefunden!«

Tja, und was jetzt, zum Kuckuck? Der Übergang vom Gefängnis zum Palast war so abrupt gewesen, dass ich mir vorkam wie ein Matrose, der nach Monaten auf See einfach so an Land gesetzt wurde und völlig aus dem Gleichgewicht umherschwankte. Wie angewiesen, begab ich mich gehorsam hinunter in die Küche, besorgte ein Tablett – mit einer ausgesprochen köstlich duftenden Suppe – und brachte es wie ein Automat zu Mrs. Martin.

Als sie mich aus dem Zimmer schickte, hatte mein Gehirn endlich wieder zu funktionieren begonnen, wenn auch noch nicht mit seiner ganzen Kapazität.

Ich war in New Bern. Und, Dank sei Gott und Sadie Ferguson, nicht länger in Sheriff Tollivers verseuchtem Gefängnis. Fergus und Marsali waren in New Bern. Ergo gab es nichts Offensichtlicheres – und eigentlich auch nichts anderes – zu tun, als zu entwischen und mich zu ihnen durchzuschlagen. Sie konnten mir helfen, Jamie zu suchen. Ich klammerte mich fest an Tom Christies Versprechen, dass Jamie nicht tot war, und an den Gedanken, dass wir ihn finden *würden*, denn alles andere war undenkbar.

Die Flucht aus dem Gouverneurspalast erwies sich jedoch als schwieriger, als ich geahnt hatte. An allen Türen waren Wachen postiert, und mein Versuch, mich an einem von ihnen vorbeizudiskutieren, scheiterte kläglich und resultierte in Mr. Webbs abruptem Erscheinen. Dieser nahm mich beim Arm und eskortierte mich zielsicher die Treppe hinauf in ein heißes, stickiges Mansardenzimmerchen, wo er mich einschloss.

Es war besser als das Gefängnis, aber das war auch schon alles, was sich zu seiner Verteidigung vorbringen ließ. Es gab ein Bett, einen Nachttopf, Schüssel und Wasserkrug und eine Kommode, deren Schubladen einige spärliche Kleidungsstücke enthielten. Das Zimmer war allem Anschein nach unlängst noch bewohnt gewesen – jedoch nicht in den letzten Tagen. Ein feiner Film aus Sommerstaub hatte sich über alles gelegt, und der Krug war zwar mit Wasser gefüllt, doch es war anscheinend schon seit einiger Zeit darin; eine Anzahl Motten und anderer Insekten war darin ertrunken, und auf der Oberfläche trieb ein Film desselben feinen Staubs.

Außerdem hatte es ein kleines Fenster, das mit Farbe zugepinselt war, doch mit entschlossenem Hämmern und Schieben konnte ich es öffnen, und ich füllte mir die Lungen hastig mit der heißen, schwülen Luft.

Ich zog mich aus, entfernte die toten Motten aus dem Krug und wusch mich, ein himmlisches Gefühl, und nachdem ich die ganze letzte Woche lang ungehindert dem Ruß, Schweiß und Schmutz der Zelle ausgesetzt gewesen war, ging es mir unendlich viel besser. Nach einem Moment des Zögerns bediente ich mich mit einem abgetragenen Leinenhemd aus der Kommode, denn ich konnte den Gedanken, meine eigene verdreckte, durchgeschwitzte Chemise wieder anzuziehen, nicht ertragen.

Ohne Seife oder Shampoo konnte ich zwar nicht viel ausrichten, doch trotzdem fühlte ich mich viel besser und stellte mich ans Fenster, um mir das nasse Haar auszukämmen – auf der Kommode hatte ein Holzkamm gelegen, doch einen Spiegel gab es nicht – und verschaffte mir einen Überblick über das, was ich von meinem Aussichtspunkt aus sehen konnte.

Entlang der ganzen Grundstücksgrenze waren Wachtposten aufgestellt. War das üblich?, fragte ich mich. Wahrscheinlich eher nicht; sie machten einen beklommenen und sehr nervösen Eindruck; ich sah, wie einer von ihnen mit aggressiv präsentierter Waffe einen Mann ansprach, der sich dem Eingang näherte. Dieser schien höchst erschrocken zu sein und wich zurück, drehte sich um, warf noch einen hastigen Blick zurück und eilte davon.

Eine Reihe uniformierter Wachtposten – möglicherweise Marineinfanteristen, obwohl ich mich nicht genug mit Uniformen auskannte, um es mit Gewissheit zu sagen – scharte sich um sechs Kanonen, die auf einer leichten Anhöhe vor dem Palast standen und die Stadt und den Hafenkai überblickten

Unter ihnen waren auch zwei Nicht-Uniformierte; ich beugte mich ein wenig aus dem Fenster und machte Mr. Webbs untersetzte kräftige Gestalt aus und neben ihm einen kleineren Mann. Dieser schritt die Reihe der Kanonen ab, die Hände unter den Rockschößen gefaltet, und die Marineinfanteristen – oder was immer sie waren – salutierten ihm. Das war also wohl der Gouverneur: Josiah Martin.

Ich beobachtete das Geschehen noch eine Weile, doch es passierte nichts Interessantes, und ich wurde mit einem Mal von Schläfrigkeit überwältigt, erschöpft von den Strapazen des vergangenen Monats und der heißen, reglosen Luft, die mich wie eine Hand niederzudrücken schien.

Ich legte mich in meinem geborgten Hemd auf das Bett und schlief sofort ein.

Ich schlief bis Mitternacht, als man mich erneut zu Mrs. Martin rief, deren Verdauungsprobleme einen Rückfall zu erleiden schienen. Ein rundlicher Mann mit einer langen Nase drückte sich in Nachthemd und Haube mit einer Kerze in der Tür herum und zog ein sorgenvolles Gesicht; vermutlich der Gouverneur. Er sah mich scharf an, machte aber keine Anstalten, sich einzumischen, und ich hatte keine Zeit, großartig Notiz von ihm zu nehmen. Als die Krise vorüber war, war der Gouverneur – wenn er es denn war – verschwunden. Da die Patientin jetzt fest schlief, legte ich mich wie ein Hund auf den Teppich neben ihrem Bett, rollte einen Unterrock als Kissen zusammen und schlief dankbar wieder ein.

Es war helllichter Tag, als ich wieder aufwachte, und das Feuer war erloschen. Mrs. Martin hatte das Bett verlassen und rief gereizt durch den Flur nach Dilman.

»Verflixtes Mädchen«, sagte sie und drehte sich um, während ich mich umständlich hochkämpfte. »Hat wahrscheinlich das Fieber wie die anderen. Oder sie ist davongelaufen.«

So, wie ich es verstanden hatte, lagen mehrere der Dienstboten mit dem Fieber darnieder, während eine ganze Reihe der anderen sich aus Angst vor Ansteckung schlicht abgesetzt hatte.

»Seid Ihr Euch ganz sicher, dass ich kein Tertiärfieber habe, Mrs. Fraser?« Mrs. Martin betrachtete sich blinzelnd im Spiegel, streckte die Zunge heraus und inspizierte sie kritisch. »Ich finde, ich sehe gelb aus.«

In Wirklichkeit war ihre Hautfarbe ein sanftes englisches Rosa, wenn sie auch ziemlich blass war, weil sie sich übergeben hatte.

»Lasst bei heißem Wetter die Finger von Sahnetorte und Austernpastete und nehmt keine Mahlzeiten zu Euch, die größer sind als Euer Kopf, dann dürfte Euch nichts passieren«, sagte ich und unterdrückte ein Gähnen. Ich warf über ihre Schulter hinweg einen Blick in den Spiegel und erschauerte. Ich war fast genauso blass wie sie und hatte dunkle Ringe unter den Augen, und mein Haar … nun, es war beinahe sauber, aber mehr war dem nicht hinzuzufügen.

»Man sollte mich zur Ader lassen«, proklamierte Mrs. Martin. »Das ist die angebrachte Behandlung bei Völlerei; das sagt der gute Dr. Sibelius. Drei oder vier Unzen etwa, gefolgt von Schwarztinktur. Dr. Sibelius sagt, damit erzielt er gute Erfolge.«

Sie trat zu einem Sessel und ließ sich darin nieder, so dass sich ihr Bauch unter ihrem Morgenmantel aufwölbte. Sie schob ihren Ärmel hoch und streckte mir träge den Arm hin. »In der linken oberen Schublade sind eine Aderlassklinge und eine Schale, Mrs. Fraser. Wenn Ihr so freundlich wärt?«

Der bloße Gedanke, so kurz nach dem Aufstehen jemanden zur Ader zu lassen, reichte aus, um bei *mir* Brechreiz auszulösen. Und was Dr. Sibelius' Schwarztinktur anging, das war Laudanum – eine alkoholische Opiumtinktur und *nicht* mein Mittel der Wahl bei Schwangeren.

Die folgende heftige Diskussion der Vorzüge des Aderlasses – das erwartungsfrohe Glänzen in ihren Augen brachte mich auf den Gedanken, dass sie in Wirklichkeit auf den Nervenkitzel aus war, sich von einer Mörderin die Ader öffnen zu lassen – wurde durch Mr. Webbs unangemeldetes Eintreten unterbrochen.

»Störe ich Euch, Ma'am? Bitte um Verzeihung.« Er verbeugte sich oberflächlich vor Mrs. Martin, dann wandte er sich mir zu. »Ihr da – setzt Eure Haube auf und kommt mit mir.«

Ich folgte seiner Anweisung, ohne zu protestieren, und ließ Mrs. Martin zu ihrer großen Empörung unperforiert zurück.

Diesmal führte mich Webb die auf Hochglanz polierte Vordertreppe hinunter und brachte mich in ein großes, elegantes, mit Büchern gesäumtes Zimmer. Der Gouverneur, der jetzt standesgemäß seine Perücke trug und gepudert und elegant gekleidet war, saß hinter einem Tisch, der mit Papieren, Zetteln, verstreuten Gänsekielen, Löschpapier, Sandstreuern, Siegelwachs und dem restlichen Handwerkszeug eines Bürokraten aus dem achtzehnten Jahrhundert übersät war. Er sah erhitzt, gereizt und genau so indigniert aus wie seine Frau.

»Was denn, Webb?«, sagte er und warf mir einen finsteren Blick zu. »Ich brauche einen Sekretär, und Ihr bringt mir eine Hebamme?«

»Sie ist eine Urkundenfälscherin«, sagte Webb unverblümt. Das ließ jede weitere Beschwerde des Gouverneurs verstummen. Er hielt mit leicht geöffnetem Mund inne und sah mich stirnrunzelnd an.

»Oh«, sagte er in ganz anderem Ton. »Wirklich.«

»Der Urkundenfälschung *angeklagt*«, vollendete ich höflich. »Man hat mir nämlich noch keinen Prozess gemacht, geschweige denn, mich verurteilt.«

Beim Klang meines gepflegten Akzents zog der Gouverneur die Augenbrauen hoch.

»Wirklich«, wiederholte er langsamer. Er musterte mich von oben bis unten und blinzelte skeptisch. »Woher in aller Welt habt Ihr sie, Webb?«

»Aus dem Gefängnis.« Webb warf mir einen gleichgültigen Blick zu, als sei ich ein nicht besonders hübscher, aber nützlicher Haushaltsgegenstand wie zum Beispiel ein Nachttopf. »Als ich mich nach einer Hebamme umgehört habe, hat man mir erzählt, dass diese Frau ein Wunder an einer Sklavin vollbracht hatte, einer Mitgefangenen, die eine schwierige Geburt hatte. Und da die Angelegenheit dringend war und keine andere Kräuterfrau zu finden war …« Er zuckte mit den Achseln und verzog schwach das Gesicht.

»Hmmmm.« Der Gouverneur zog ein Taschentuch aus dem Ärmel und tupfte nachdenklich an der Schwabbelhaut unter seinem Kinn herum. »Könnt Ihr leserlich schreiben?«

Ich war der Meinung, dass jemand, der das nicht konnte, wohl einen schlechten Urkundenfälscher abgeben würde, begnügte mich aber mit einem »Ja«. Glücklicherweise entsprach dies der Wahrheit; in meiner eigenen Zeit hatte ich mit Kuli Rezepte gekritzelt wie ein Weltmeister, doch jetzt hatte ich mir angewöhnt, sauber mit einem Federkiel zu schreiben, so dass meine Behandlungsprotokolle und Notizen lesbar waren, für denjenigen, der sie möglicherweise nach mir las. Wieder spürte ich einen Stich bei dem Gedanken an Malva – doch ich hatte jetzt keine Zeit, an sie zu denken.

Der Gouverneur, der mich immer noch spekulierend betrachtete, wies kopfnickend auf einen Stuhl und einen kleineren Schreibtisch an der Wand des Zimmers.

»Setzt Euch.« Er erhob sich, wühlte in den Papieren auf seinem Tisch und legte eines davon vor mich hin. »Lasst mich bitte sehen, wie Ihr eine Kopie hiervon anfertigt.«

Es war ein kurzer Brief an den Königlichen Rat, der die Sorge des Gouverneurs über die jüngsten Drohungen gegenüber dieser Einrichtung zum Ausdruck brachte und seine nächste Zusammenkunft aufschob. Ich wählte einen Federkiel aus dem Kristallbehälter auf dem Schreibtisch, fand ein silbernes Taschenmesser, stutzte mir den Kiel zurecht, zog den Korken aus dem Tintenfass und machte mich an die Arbeit. Dabei war mir bewusst, dass mich die beiden Männer genau beobachteten.

Ich hatte keine Ahnung, wie lange meine Tarnung halten würde – Frau Gouverneurin konnte mich jederzeit auffliegen lassen –, doch vorerst glaubte ich, dass meine Chancen zur Flucht besser standen, solange man mich der Urkundenfälschung bezichtigte und nicht des Mordes.

Der Gouverneur ergriff die fertige Kopie, betrachtete sie und legte sie mit einem leisen, zufriedenen Grunzen auf den Tisch.

»Nicht schlecht«, sagte er. »Fertigt acht weitere Kopien davon an, und dann könnt Ihr hiermit fortfahren.« Er wandte sich wieder seinem eigenen Schreibtisch zu und schob seine Korrespondenz zu einem großen Berg zusammen, den er vor mir deponierte.

Die beiden Männer – ich hatte keine Ahnung, welche Funktion Webb versah, doch er war offenbar ein enger Freund des Gouverneurs – setzten ihre Amtsgespräche fort, ohne mich weiter zu beachten.

Ich ging mechanisch meiner Aufgabe nach und ließ mich vom Kratzen der Feder und dem darauf folgenden Ritual einlullen: Sand streuen, löschen, schütteln. Zum Abschreiben benötigte ich nur einen kleinen Teil meines Verstandes; dem Rest stand es frei, sich um Jamie zu sorgen und darüber nachzudenken, wie sich am besten eine Flucht bewerkstelligen ließ.

Ich konnte mich nach einer Weile entschuldigen – und tat dies wohl auch besser –, um nach Mrs. Martin zu sehen. Wenn ich dies ohne Begleitung fertig brachte, würden mir ein paar Momente unbeobachteter Freiheit bleiben, in denen ich unauffällig zum nächsten Ausgang huschen konnte. Doch bis jetzt war jede Tür, die ich gesehen hatte, bewacht gewesen. Der Gouverneurspalast hatte leider eine gut bestückte Kräuterkammer; es würde schwierig sein, ein Bedürfnis nach einem Mittel aus der Apotheke zu erfinden – und selbst dann war es unwahrscheinlich, dass sie es mich allein holen gehen lassen würden.

Am besten schien es zu sein, auf die Nacht zu warten; wenn es mir gelang, den Palast zu verlassen, würde es dann wenigstens einige Stunden dauern, bis man meine Abwesenheit bemerkte.

Doch wenn sie mich wieder einsperrten …

Ich kritzelte fleißig vor mich hin, während ich eine Reihe wenig zufriedenstellender Pläne durchdachte und mir alle Mühe gab, mir nicht auszumalen, wie sich Jamies Leiche, die in einem einsamen Tal an einem Baum hing, langsam im Wind drehte. Christie hatte mir sein Wort gegeben; ich klammerte mich daran, da ich sonst nichts zum Anklammern hatte.

Webb und der Gouverneur unterhielten sich murmelnd, doch sie sprachen über Dinge, von denen ich keine Ahnung hatte, und ihre Worte spülten zum Großteil über mich hinweg wie der Klang der See, bedeutungslos und beruhigend. Nach einer Weile jedoch kam Webb zu mir, um mir Anweisungen zu geben, wie ich diese Briefe versiegeln und adressieren sollte. Ich dachte daran, ihn zu fragen, warum er nicht selbst in dieser Notlage aushalf, doch dann sah ich seine Hände – die beide durch starke Arthritis entstellt waren.

»Eure Handschrift ist wirklich ordentlich, Mrs. Fraser«, überwand er sich an einem Punkt anzumerken und schenkte mir ein kurzes, winterkühles Lächeln. »Was für ein Pech, dass Ihr die Urkundenfälscherin seid, nicht die Mörderin.«

»Warum?«, fragte ich ausgesprochen erstaunt.

»Nun, Ihr seid eindeutig gebildet«, sagte er, seinerseits überrascht über mein Erstaunen. »Wenn man Euch wegen Mordes verurteilt, könnt Ihr Berufung einlegen und mit einer öffentlichen Auspeitschung und einem Brand davonkommen. Urkundenfälschung dagegen –« Er schüttelte den Kopf und spitzte die Lippen. »Kapitalverbrechen, keine Begnadigung möglich. Wenn Ihr wegen Urkundenfälschung verurteilt werdet, Mrs. Fraser, muss man Euch, fürchte ich, hängen.«

Meine Gefühle der Dankbarkeit gegenüber Sadie Ferguson unterzogen sich einer abrupten Neueinschätzung.

»Wirklich«, sagte ich so kühl wie möglich, obwohl mein Herz einen krampfhaften Satz getan hatte und jetzt versuchte, sich aus meiner Brust ins Freie zu wühlen. »Nun, dann wollen wir hoffen, dass der Gerechtigkeit Genüge getan wird und ich freigesprochen werde, nicht wahr?«

Er stieß ein ersticktes Geräusch aus, das wohl als Lachen durchging.

»Natürlich. Schon um des Gouverneurs willen.«

Danach machten wir uns schweigend erneut an die Arbeit. Die vergoldete Uhr hinter mir schlug Mittag, und wie durch dieses Geräusch herbeigerufen trat ein Bediensteter, den ich für den Butler hielt, ins Zimmer und erkundigte sich, ob der Gouverneur eine Bürgerdelegation aus der Stadt empfangen würde.

Der Gouverneur presste den Mund zusammen, doch er nickte resigniert, und eine Gruppe von sechs oder sieben Männern trat ein, alle in ihren besten Röcken, aber eindeutig Händler, keine Kaufleute oder Anwälte. Niemand, den ich kannte, Gott sei Dank.

»Wir sind hier, Sir«, sagte einer von ihnen, der sich als George Herbert vorstellte, »um zu fragen, was diese Umpostierung der Kanonen zu bedeuten hat.«

Webb, der neben mir saß, erstarrte ein wenig, doch der Gouverneur schien darauf vorbereitet gewesen zu sein.

»Die Kanonen?«, sagte er und gab sich jeden Anschein unschuldiger Überraschung. »Nun – ihre Gestelle werden repariert. Wir werden wie immer Ende des Monats einen königlichen Salut zu Ehren des Geburtstags der Königin abfeuern. Als wir daher die Kanonen als Vorbereitung darauf inspiziert haben, wurde festgestellt, dass die Caissons an einigen Stellen durchgefault waren. Natürlich ist es nicht möglich, die Kanonen abzufeuern, bis die Reparaturen abgeschlossen sind. Würdet Ihr die Gestelle gern selbst in Augenschein nehmen, Sir?«

Bei diesen Worten erhob er sich halb von seinem Stuhl, als wollte er sie persönlich ins Freie begleiten, doch seine Höflichkeit hatte einen solch ironischen Unterton, dass sie erröteten und murmelnd ablehnten.

Es folgte noch ein kurzer Austausch von Floskeln, doch dann brach die Delegation auf, legte dabei allerdings kaum weniger Argwohn an den Tag als bei ihrer Ankunft. Webb schloss die Augen und atmete tief aus, als sich die Tür hinter ihnen schloss.

»Fahrt doch zur Hölle«, sagte der Gouverneur ganz leise. Ich hatte nicht das Gefühl, dass es seine Absicht war, dass ihn jemand hörte, und so stellte ich mich taub, beschäftigte mich mit meinen Papieren und hielt den Kopf gesenkt.

Webb erhob sich und trat an das Fenster, das die Rasenfläche überblickte, wohl um sich zu vergewissern, dass die Kanonen dort standen, wo sie hingehörten. Ich reckte mich ein wenig, so dass ich an ihm vorbeischauen konnte; tatsächlich, die sechs Kanonen waren von ihren Gestellen gehoben worden und lagen im Gras, harmlose Bronzeklötze.

Der folgenden Unterhaltung – gewürzt mit Kraftausdrücken bezüglich der rebellischen Hunde, die die Dreistigkeit besaßen, einen königlichen Gouverneur auszufragen als sei er ein Stiefelputzer, bei Gott! – entnahm ich, dass man die Kanonen in Wirklichkeit aufgrund der Befürchtung demontiert hatte, dass die Städter sie an sich bringen und sie gegen den Palast richten könnten.

Während ich mir all dies anhörte, dämmerte es mir, dass die Dinge schon weiter fortgeschritten und viel schneller ins Rollen gekommen waren, als ich erwartet hatte.

Es war Mitte Juli, aber erst 1775 – fast ein Jahr noch, bis eine längere und nachdrücklichere Version der Deklaration von Mecklenburg in einer offiziellen Unabhängigkeitserklärung der Vereinigten Kolonien gipfeln würde. Und doch lebte hier ein königlicher Gouverneur in sichtlicher Angst vor einer offenen Revolte.

Wenn das, was wir auf unserem Weg nach Süden gesehen hatten, nicht ausreichte, um mich davon zu überzeugen, dass der Krieg vor der Tür stand, so ließ ein Tag in der Gesellschaft Gouverneur Martins keinen Zweifel daran.

Am Nachmittag ging ich nach oben – leider in Begleitung des wachsamen Webb –, um nach meiner Patientin zu sehen und mich nach etwaigen anderen Kranken zu erkundigen. Mrs. Martin war benommen und deprimiert; sie beklagte sich über die Hitze und das krank machende Klima, sie vermisste ihre Töchter, und das Fehlen ihrer persönlichen Bediensteten machte ihr schwer zu schaffen, war sie doch gezwungen gewesen, sich in Abwesenheit Dilmans, die verschwunden war, selbst die Haare zu bürsten. Doch sie war bei guter Gesundheit, und dies konnte ich auch dem Gouverneur berichten, als er mich bei meiner Rückkehr danach fragte.

»Glaubt Ihr, sie würde eine Reise aushalten?«, fragte er mit schwach gerunzelter Stirn.

Ich überlegte kurz, dann nickte ich.

»Ich glaube schon. Sie ist von der Darmreizung zwar noch etwas wackelig auf den Beinen – aber bis morgen sollte sie wieder ganz gesund sein. Ich sehe keine Gefahr für die Schwangerschaft – sagt mir, hat sie früher einmal Komplikationen gehabt?«

Das Gesicht des Gouverneurs lief bei dieser Frage rosig an, doch er schüttelte den Kopf.

»Ich danke Euch, Mrs. Fraser«, sagte er und neigte kaum merklich den Kopf. »Bitte entschuldige mich, George – ich muss mit Betsy sprechen.«

»Denkt er daran, seine Frau fortzuschicken?«, fragte ich Webb, nachdem der Gouverneur gegangen war. Trotz der Hitze regte sich ein leiser Schauer der Beklommenheit unter meiner Haut.

Ausnahmsweise benahm sich Webb wie ein Mensch; er blickte dem Gouverneur stirnrunzelnd nach und nickte geistesabwesend.

»Er hat Verwandte in New York und New Jersey. Sie wird dort sicher sein, bei den Mädchen. Ihren drei Töchtern«, erklärte er, als er meine Miene sah.

»Drei? Sie hat gesagt, sie hätte sechs – ah.« Ich verstummte abrupt. Sie hatte gesagt, sie hätte sechs Kinder geboren, nicht, dass sie sechs Kinder hätte.

»Sie haben hier drei kleine Söhne durch das Fieber verloren«, sagte Webb, der seinem Freund immer noch nachblickte. Er schüttelte den Kopf und seufzte. »Diese Stadt hat es nicht gut mit ihnen gemeint.«

Dann schien er wieder zu sich zu kommen, und der Mensch verschwand hinter der Maske des kühlen Bürokraten. Er reichte mir einen neuen Papierstapel und ging hinaus, ohne sich auch nur zu verneigen.

93

In welchem ich eine Dame spiele

Ich aß allein in meinem Zimmer zu Abend; die Köchin schien ihren Dienst immerhin noch zu versehen, obwohl die Atmosphäre der Zerrüttung im Haus greifbar war. Ich konnte die Beklommenheit spüren, die an Panik grenzte – und konnte mich des Gedankens nicht erwehren, dass es nicht die Angst vor Ansteckung war, die die Dienstboten davontrieb, sondern wahrscheinlich eher derselbe Selbstschutzinstinkt, der die Ratten dazu bringt, das sinkende Schiff zu verlassen.

Von meinem Fensterchen aus konnte ich einen kleinen Teil der Stadt sehen, der scheinbar friedlich im zunehmenden Zwielicht lag. Das Licht war hier ganz anders als in den Bergen – ein flaches, eindimensionales Licht, das die Häuser und die Fischerboote im Hafen in eine scharfkantige Klarheit tauchte, weiter entfernt jedoch zu einem Dunstschleier verschwamm, der das Ufer vollständig verhüllte, so dass sich mein Blick jenseits des Vordergrundes in der formlosen Unendlichkeit verlor.

Ich verwarf diesen Gedanken und zog die Schreibutensilien – Tinte, Federkiel und Papier – aus der Tasche, die ich vorhin in der Bibliothek hatte mitgehen lassen. Ich hatte keine Ahnung, ob oder wie ich eine Notiz aus dem Palast schmuggeln konnte – doch ich besaß immer noch ein wenig Geld, und wenn sich die Gelegenheit bot…

Ich schrieb hastig an Fergus und Marsali, um ihnen mit wenigen Worten mitzuteilen, was geschehen war, und Fergus zu bitten, sich in Brunswick und Wilmington nach Jamie zu erkundigen.

Ich persönlich glaubte, dass Jamie, falls er noch am Leben war, am wahrscheinlichsten in Wilmington im Gefängnis saß. Brunswick war eine winzige Siedlung im Schatten von Fort Johnston, doch das Holzfort war eine Milizgarnison; es gab keinen vernünftigen Grund, Jamie dorthin zu bringen – doch wenn sie das getan *hatten*… das Fort wurde von Hauptmann Collet befehligt, der ihn kannte. Zumindest würde er dort sicher sein.

Wen kannte er sonst noch? Er hatte an der Küste viele Bekannte aus den Tagen der Regulatoren. John Ashe zum Beispiel; wir waren Seite an Seite nach Alamance marschiert, und Ashes Kompanie hatte jede Nacht neben der unseren kampiert; er hatte oft an unserem Lagerfeuer gesessen. Und Ashe war aus Wilmington.

Ich hatte gerade einen kurzen Bittbrief an John Ashe beendet, als ich Schritte hörte, die durch den Flur auf mein Zimmer zukamen. Ich faltete den Brief hastig zusammen, ohne mich darum zu sorgen, ob ich ihn verschmierte, und steckte ihn zu der anderen Notiz in meine Tasche. Mir blieb keine Zeit, mit den geschmuggelten Schreibutensilien etwas anderes anzustellen als sie unter das Bett zu schieben.

Es war natürlich Webb, mein alter Kerkermeister. Offensichtlich betrachtete man mich inzwischen als Mädchen für alles; ich wurde zu Mrs. Martins Zimmer gebracht und gebeten, für sie zu packen.

Ich hätte Klagen oder Hysterie erwartet, doch sie war nicht nur angezogen, sondern auch bleich und gefasst und gab mir ihre Anweisungen mit klarem Ordnungssinn, ja, sie legte sogar selbst mit Hand an.

Der Grund für ihre Selbstbeherrschung war der Gouverneur, der irgendwann während des Packens ins Zimmer kam, das Gesicht sorgenvoll verzogen. Sie trat sofort zu ihm und legte ihm liebevoll die Hände auf die Schultern.

»Armer Jo«, sagte sie leise. »Hast du schon zu Abend gegessen?«

»Nein. Das macht aber nichts. Ich esse später einen Bissen.« Er küsste sie kurz auf die Stirn, und seine sorgenvolle Miene erhellte sich ein wenig, als er sie ansah. »Geht es dir auch wirklich gut, Betsy? Bist du sicher?« Ich begriff plötzlich, dass er Ire war – zumindest Anglo-Ire; er hatte nicht den leisesten Akzent, doch wenn er beim Reden nicht auf der Hut war, verfiel er in einen schwachen Singsang.

»Voll und ganz erholt«, versicherte sie ihm. Sie nahm seine Hand und drückte sie lächelnd an ihren Bauch. »Merkst du, wie es strampelt?«

Er erwiderte ihr Lächeln, hob ihre Hand an seine Lippen und küsste sie.

»Du wirst mir fehlen, Liebling«, sagte sie ganz leise. »Wirst du auch sehr gut aufpassen?«

Er blinzelte hastig, senkte den Blick und schluckte.

»Natürlich«, sagte er schroff. »Liebste Betsy. Du weißt, dass ich es nicht ertragen könnte, mich von dir zu trennen, nur –«

»Ich weiß. Deshalb habe ich ja solche Angst um dich –« An diesem Punkt blickte sie auf und begriff plötzlich, dass ich da war. »Mrs. Fraser«, sagte sie in völlig verändertem Ton. »Geht bitte hinunter in die Küche und lasst für den Gouverneur ein Tablett zusammenstellen. Das könnt Ihr dann in die Bibliothek bringen.«

Ich verneigte mich kaum merklich und ging. War dies die Gelegenheit, auf die ich gewartet hatte?

Die Flure und die Treppe waren menschenleer, erleuchtet nur von kleinen Wandlampen aus Metall – in denen dem Geruch nach Fischöl verbrannt wurde. Die gemauerte Küche befand sich natürlich im Keller, und die gespenstische Stille an einem Ort, an dem es normalerweise zuging wie in einem Bienenstock, ließ die unbeleuchtete Küchentreppe wie den Abstieg in ein Verlies erscheinen.

Die Küche wurde jetzt nur noch vom Herdfeuer beleuchtet, das fast heruntergebrannt war – doch es *brannte* noch, und trotz der drückenden Hitze scharten sich mehrere darum. Beim Klang meiner Schritte wandten sie sich um, aufgeschreckte, gesichtslose Umrisse. Aus dem Kessel hinter ihnen stieg Dampf auf, und im ersten Moment hatte ich das Gefühl, Macbeths Hexen gegenüberzustehen, die sich zu finsteren Prophezeiungen zusammengefunden hatten.

»Mischt, ihr alle, mischt am Schwalle«, sagte ich freundlich, obwohl sich mein Herzschlag ein wenig beschleunigte, als ich mich ihnen näherte. »Feuer, brenn, und Kessel walle!«

»Und Kessel walle, *das* kann man wohl sagen«, sagte eine leise Frauenstimme und lachte. Aus der Nähe konnte ich jetzt sehen, dass sie mir im Schatten gesichtslos vorgekommen waren, weil sie Schwarze waren; Sklaven wahrscheinlich und daher nicht in der Lage zu fliehen.

Und auch nicht in der Lage, für mich eine Nachricht zu transportieren. Dennoch, es konnte nie schaden, freundlich zu sein, und ich lächelte ihnen zu.

Sie lächelten schüchtern zurück und betrachteten mich neugierig. Ich war noch keiner von ihnen begegnet – und sie mir auch nicht, obwohl sie angesichts des unter den Dienstboten üblichen Geredes wahrscheinlich wussten, wer ich war.

»Schickt der Gouverneur seine Frau fort?«, fragte die Frau, die gelacht hatte und machte sich als Reaktion auf meine Bitte nach einer leichten Mahlzeit daran, ein Tablett von einem Bord zu holen.

»Ja«, sagte ich. Mir war klar, welchen Wert Gerüchte als Währung besaßen, daher erzählte ich ihnen alles, was ich unter Wahrung des Anstands erzählen konnte, während sich die drei wie dunkle Schatten gezielt durch die Küche bewegten und mit flinken Händen schnitten, ausbreiteten, arrangierten.

Molly, die Köchin, schüttelte den Kopf, und ihre weiße Haube leuchtete im Glühen des Feuers wie eine Wolke im Sonnenuntergang.

»Schlimme Zeiten, schlimme Zeiten«, sagte sie und schnalzte mit der Zunge, und die beiden anderen murmelten zustimmend. Ich glaubte, ihrer Haltung entnehmen zu können, dass sie den Gouverneur mochten – doch als Sklaven war ihr Schicksal untrennbar mit dem seinen verbunden, ganz gleich, was sie empfanden.

Während wir plauderten, kam mir der Gedanke, dass sie zwar nicht aus dem Haus fliehen konnten, dass sie jedoch das Grundstück hin und wieder verlassen mussten; irgendjemand musste zum Markt gehen, und sonst schien niemand mehr da zu sein.

Dies stellte sich als richtig heraus; Sukie, die Frau, die gelacht hatte, ging morgens Fisch und frisches Gemüse kaufen – und als ich sie taktvoll darauf ansprach, war sie nicht abgeneigt, gegen eine kleine Aufmerksamkeit meine Briefe in der Druckerei abzuliefern – sie sagte, sie wüsste, wo das sei, das Haus mit den vielen Büchern im Fenster.

Sie steckte Papier und Geld in ihr Mieder, warf mir einen viel sagenden Blick zu und zwinkerte. Weiß Gott, was sie glaubte, was es für Briefe waren, doch ich zwinkerte zurück, stemmte das voll beladene Tablett und begab mich zurück in das nach Fisch riechende Reich des Lichtes.

Ich traf den Gouverneur allein in der Bibliothek an, wo er jetzt Papiere verbrannte. Er nickte geistesabwesend, als ich das Tablett auf den Tisch stellte, rührte es aber nicht an. Ich war mir nicht sicher, was ich tun sollte, und nachdem ich einen Moment beklommen dagestanden hatte, setzte ich mich an meinen gewohnten Platz.

Der Gouverneur stieß einen letzten Papierstapel in das Feuer und stand dann da und sah trostlos zu, wie sich die Blätter schwärzten und zusammenrollten. Das Zimmer hatte sich mit dem Sonnenuntergang ein wenig abgekühlt, doch die Fenster waren fest geschlossen – natürlich – und Kondenswasser lief in Rinnsalen an den Schmuckscheiben herunter. Ich tupfte mir meinerseits die Kondensflüssigkeit von Wangen und Nase, stand auf und riss das nächstbeste Fenster auf, um einen tiefen Zug der Abendluft einzuatmen, drückend warm, aber frisch und vom süßen Duft der Rosen und des Geißblatts im Garten erfüllt, durchdrungen von der unangenehmen Feuchtigkeit des weiter entfernten Ufers.

Und Holzrauch; draußen brannten Feuer. Die Soldaten, die den Palast bewachten, hatten Wachfeuer angezündet, die in gleichmäßigen Abständen um das ganze Grundstück verteilt waren. Nun, das würde gegen die Moskitos helfen – und wir würden nicht völlig überrumpelt werden, wenn ein Angriff kam.

Der Gouverneur trat hinter mich. Ich rechnete damit, dass er mir auftragen würde, das Fenster zu schließen, doch er stand einfach nur da und starrte auf seine Rasenflächen und die lange Kiesauffahrt hinaus. Der Mond war aufgegangen, und die demontierten Kanonen waren schwach zu erkennen; sie lagen in der Dunkelheit aufgereiht wie Tote.

Einen Moment später trat der Gouverneur wieder an seinen Schreibtisch, rief mich zu sich und reichte mir einen Stapel offizieller Korrespondenz zum Kopieren und noch einen zum Einsortieren. Er ließ das Fenster offen; er wollte wohl hören, falls irgendetwas geschah.

Ich fragte mich, wo der allgegenwärtige Webb geblieben war. Nirgendwo im Palast war ein Geräusch zu hören; wahrscheinlich hatte Mrs. Martin allein zu Ende gepackt und war zu Bett gegangen.

Wir arbeiteten weiter; in regelmäßigen Abständen schlug die Uhr, und hin und wieder erhob sich der Gouverneur, um einen weiteren Papierstapel ins Feuer zu werfen, meine Kopien an sich zu nehmen und sie gebündelt in große Ledermappen zu legen, die er mit Bändern verschloss und auf seinem Tisch stapelte. Er hatte seine Perücke abgelegt; sein Haar war braun, kurz, aber lockig – ähnlich wie das meine nach dem Fieber. Dann und wann hielt er inne und wandte lauschend den Kopf.

Ich wusste, wie es war, einem Pöbel gegenüberzustehen, und daher wusste ich auch, worauf er horchte. Ich wusste nicht mehr, worauf ich hoffen oder was ich fürchten sollte. Und so arbeitete ich weiter und begrüßte die Arbeit als betäubende Abwechslung, auch wenn ich einen Krampf in der Hand hatte und alle paar Minuten eine Pause einlegen musste, um sie zu massieren.

Der Gouverneur hatte jetzt ebenfalls zur Feder gegriffen; er rutschte auf seinem Stuhl herum und verzog trotz des Kissens schmerzhaft das Gesicht. Mrs. Martin hatte mir erzählt, dass er an einer Fistel litt. Ich bezweifelte sehr, dass er sich von mir behandeln lassen würde.

Er ließ sich auf einer Gesäßhälfte nieder und rieb sich das Gesicht. Es war spät, und es war nicht zu übersehen, dass er müde war. Ich war ebenfalls müde, verkniff mir ständig das Gähnen, das mir den Kiefer auszurenken drohte und mir das Wasser in die Augen steigen ließ. Doch er arbeitete hartnäckig weiter und warf hin und wieder einen Blick zur Tür. Wen erwartete er?

Das Fenster in meinem Rücken war nach wie vor offen, und die sanfte Luft liebkoste mich. Sie war so warm wie Blut, bewegte sich aber genug, um mir die Nackenhaare zu heben und die Kerzenflamme wild schwanken zu lassen. Sie legte sich schief und flackerte, als wollte sie ausgehen, und der Gouverneur streckte rasch die Hand aus, um sie zu schützen.

Der Windstoß ging vorbei, und die Luft wurde wieder ruhig, bis auf das Zirpen der Grillen im Freien. Der Gouverneur schien seine ganze Aufmerksamkeit auf das Papier vor sich gerichtet zu haben, doch plötzlich wandte er scharf den Kopf, als hätte er etwas an der offenen Tür vorbeihuschen sehen.

Er sah einen Moment hin, dann blinzelte er, rieb sich die Augen und richtete seine Aufmerksamkeit wieder auf das Papier. Doch er konnte sich nicht darauf konzentrieren. Wieder sah er zur leeren Tür – und ich musste seiner Blickrichtung einfach folgen –, dann wieder zurück und blinzelte.

»Habt Ihr … jemanden vorbeigehen sehen, Mrs. Fraser?«, fragte er.

»Nein, Sir«, sagte ich und schluckte tapfer ein Gähnen herunter.

»Ah.« Er machte einen irgendwie enttäuschten Eindruck und griff nach seinem Gänsekiel, schrieb aber nichts, sondern hielt ihn nur in den Fingern, als hätte er seine Existenz vergessen.

»Habt Ihr denn jemanden erwartet, Eure Exzellenz?«, fragte ich höflich, und er fuhr mit dem Kopf auf, überrascht, weil er direkt angesprochen wurde.

»Oh. Nein. Das heißt …« Seine Stimme erstarb, und er sah noch einmal zu der Tür, die zur Rückseite des Hauses führte.

»Mein Sohn«, sagte er. »Unser lieber Sam. Er – ist hier gestorben, wisst Ihr – Ende letzten Jahres. Er war erst acht. Manchmal … manchmal glaube ich, ich sehe ihn«, schloss er leise und beugte den Kopf mit zusammengepressten Lippen wieder über sein Papier.

Ich machte eine impulsive Bewegung, um seine Hand zu berühren, doch seine verkniffene Miene hielt mich davon ab.

»Das tut mir Leid«, sagte ich stattdessen leise. Er schwieg, aber nickte kurz zur Bestätigung, ohne den Kopf zu heben. Er presste die Lippen noch fester aufeinander und befasste sich erneut mit seiner Schreibarbeit. Ich folgte seinem Beispiel.

Ein wenig später schlug die Uhr erst die volle Stunde, dann zwei. Es war ein sanftes, liebliches Klingeln, und der Gouverneur hielt inne, um zuzuhören, den Blick in die Ferne gerichtet.

»So spät«, sagte er, als der letzte Glockenschlag verebbte. »Ich habe Euch unerträglich lange wach gehalten, Mrs. Fraser. Verzeiht mir.« Er wies mich mit einer Geste an, die Papiere, an denen ich arbeitete, liegen zu lassen, und ich erhob mich schmerzhaft steif vom langen Sitzen.

Ich schüttelte meine Röcke einigermaßen zurecht und wandte mich zum Gehen. Erst in diesem Moment wurde mir klar, dass er keine Anstalten gemacht hatte, seine eigenen Schreibwerkzeuge beiseite zu legen.

»Ihr solltet besser auch zu Bett gehen«, sagte ich zu ihm, als ich mich an der Tür umwandte und stehen blieb.

Der Palast war still. Selbst die Grillen waren verstummt, und nur das leise Schnarchen eines Soldaten in der Eingangshalle störte das Schweigen.

»Ja«, sagte er und lächelte mich müde an. »Bald.« Er verlagerte das Gewicht auf die andere Pobacke, hob seinen Federkiel und beugte den Kopf weiter über die Papiere.

Am Morgen weckte mich niemand, und die Sonne stand schon hoch, als ich mich von selbst regte. Während ich der Stille lauschte, bekam ich im ersten Moment Angst, alle Bewohner hätten sich in der Nacht davongemacht, mich eingesperrt und dem Hungertod überlassen. Ich erhob mich hastig und sah aus dem Fenster. Die rot berockten Soldaten patrouillierten wie üblich auf dem Gelände. Außerhalb konnte ich kleine Gruppen von Städtern sehen, die zu zweit und dritt vorbeischlenderten, manchmal aber auch stehen blieben, um den Palast anzustarren.

Dann begann ich, eine Etage tiefer leises Rumpeln und andere Haushaltsgeräusche zu hören, und fühlte mich erleichtert; ich war nicht von allen verlassen. Allerdings hatte ich extremen Hunger, als endlich der Butler kam, um mich hinauszulassen.

Er brachte mich in Mrs. Martins Schlafzimmer, das jedoch zu meiner Überraschung leer war. Dort ließ er mich allein, und kurz darauf trat Merilee ein, eine der Küchensklavinnen, die es sehr nervös zu machen schien, sich in diesem unvertrauten Teil des Hauses aufzuhalten.

»Was geht denn hier vor?«, fragte ich. »Weißt du vielleicht, wo Mrs. Martin ist?«

»Nun, *das* weiß ich«, sagte sie in einem skeptischen Ton, der andeutete, dass dies aber auch das Einzige war, was sie mit Sicherheit wusste. »Sie ist heute Morgen kurz vor Tagesanbruch los. Dieser Mr. Webb, er hat sie fortgebracht, ganz geheim, in einem Wagen mit ihrem Gepäck.«

Ich nickte perplex. Es war vernünftig, dass sie in aller Stille aufgebrochen war; ich konnte mir vorstellen, dass sich der Gouverneur nicht anmerken lassen wollte, dass er sich bedroht fühlte, um nicht genau jenen Gewaltausbruch zu provozieren, den er fürchtete.

»Aber wenn Mrs. Martin nicht mehr hier ist«, sagte ich, »warum bin ich noch hier? Warum bist *du* hier?«

»Oh. Nun, das weiß ich auch«, sagte Merilee und wurde jetzt etwas selbstsicherer. »Ich soll Euch beim Ankleiden helfen, Ma'am.«

»Aber ich brauche doch keine …«, begann ich, und dann sah ich die Kleidungsstücke, die ausgebreitet auf dem Bett lagen: eines von Mrs. Martins Tageskleidern, ein hübscher Blümchenstoff im gerade in Mode gekommenen »Polonaise«-Schnitt, komplett mit bauschigen Unterröcken, Seidenstrümpfen und einem großen Strohhut, um das Gesicht zu verbergen.

Offenbar sollte ich in die Rolle der Gouverneursgattin schlüpfen. Es war zwecklos zu protestieren; ich konnte den Gouverneur und den Butler hören, die sich im Flur unterhielten – und wenn ich so aus dem Palast heraus kam, war es schließlich umso besser.

Ich war über fünf Zentimeter größer als Mrs. Martin, und da ich nicht schwanger war, hing das Kleid zumindest länger herunter. Es war hoffnungslos, ihre Schuhe anzuprobieren. Glücklicherweise waren meine eigenen Schuhe trotz der abenteuerlichen Reise nicht komplett heruntergekommen. Merilee putzte sie und rieb sie mit etwas Fett ein, um das Leder zum Glänzen zu bringen; immerhin sahen sie nicht so übel aus, dass man sofort auf sie aufmerksam wurde.

Mit dem breitkrempigen Strohhut, den ich mir ins Gesicht zog, nachdem ich mein Haar darunter mit einer Haube festgesteckt hatte, bestand wahrscheinlich eine gewisse Ähnlichkeit, zumindest, wenn man Mrs. Martin nicht gut kannte. Der Gouverneur runzelte bei meinem Anblick die Stirn, schritt langsam um mich herum und zupfte das Kleid hier und dort zurecht. Doch dann nickte er und bot mir mit einer kleinen Verbeugung seinen Arm an.

»Euer Diener, Ma'am«, sagte er höflich. Ich ließ mich ein wenig vornüberhängen, um meine Körpergröße zu tarnen, und so schritten wir zum Haupteingang hinaus, wo uns die Kutsche des Gouverneurs in der Auffahrt erwartete.

94

Auf und davon

Jamie Fraser nahm die Quantität und die Qualität der Bücher im Fenster der Druckerei *Inh. F. Fraser* zur Kenntnis und gestattete sich ein paar Sekunden des Stolzes auf Fergus; so klein das Unternehmen auch war, es schien zu florieren. Doch die Zeit drängte, und er schob sich durch die Tür, ohne die Büchertitel zu lesen.

Eine Glocke über dem Eingang klingelte bei seinem Eintreten, und Germain tauchte hinter der Ladentheke auf wie ein tintenverschmierter Schachtelteufel. Beim Anblick seines Großvaters und seines Onkels Ian brach er in Freudengeheul aus.

»Grand-père, grand-père!«, kreischte er begeistert, tauchte unter der Klappe in der Theke hindurch und umklammerte exstatisch Jamies Hüften. Er war gewachsen; sein Scheitel reichte Jamie jetzt bis zum Rippenbogen. Jamie fuhr ihm sanft durch das glänzend blonde Haar, dann löste er sich von Germain und bat ihn, seinen Vater zu holen.

Das war unnötig; durch das Geschrei aufmerksam geworden, stürzte die ganze Familie aus den Wohnräumen hinter der Werkstatt. Alles rief, gellte, jaulte und benahm sich ganz allgemein wie ein Rudel Wölfe, wie Ian anmerkte, während er Henri-Christian, der sich mit rotem, triumphierendem Gesicht an seine Haare klammerte, auf seinen Schultern reiten ließ.

»Was ist geschehen, Milord? Warum seid Ihr hier?« Fergus befreite Jamie ohne große Anstrengung aus dem Aufruhr und zog ihn beiseite in den Alkoven, wo er die wertvolleren Bücher aufbewahrte – und diejenigen, die nicht für eine Ausstellung in der Öffentlichkeit geeignet waren.

Er konnte Fergus' Miene ansehen, dass ihn zumindest irgendwelche Nachrichten aus den Bergen erreicht hatten; Fergus war zwar überrascht, ihn zu sehen, aber nicht erstaunt, und hinter seiner Freude verbarg sich Besorgnis. Er erklärte ihm die Lage, so rasch er konnte, stolperte aber dann und wann aus Hast und Erschöpfung über seine eigenen Worte; eins der Pferde war vierzig Meilen vor der Stadt zusammengebrochen, und da sie kein anderes auftreiben konnten, waren sie zwei Nächte und einen Tag durchgewandert. Sie waren abwechselnd geritten, während der andere an den Steigbügelriemen geklammert dahertrottete.

Fergus hörte ihm aufmerksam zu, während er sich den Mund mit dem Taschentuch abwischte, das er aus dem Kragen gezogen hatte; sie waren mitten ins Abendessen geplatzt.

»Der Sheriff – das ist Mr. Tolliver«, sagte er. »Ich kenne ihn. Sollen wir –« Jamie schnitt ihm mit einer abrupten Geste das Wort ab.

»Da sind wir schon gewesen«, sagte er. Sie hatten den Sheriff nicht angetroffen, und es war niemand im Haus außer einer ziemlich betrunkenen Frau mit einem mürrischen Vogelgesicht, die schnarchend auf der Kaminbank lag und ein kleines Negerbaby im Arm hatte.

Er hatte ihr das Baby abgenommen und es Ian gegeben, den er grimmig bat, darauf aufzupassen, während er die Frau so weit ausnüchterte, dass sie reden konnte. Er hatte sie auf den Hof gezerrt und eimerweise Brunnenwasser über sie geschüttet, bis sie keuchend blinzelte. Dann hatte er sie triefend und stolpernd zurück ins Haus gezerrt, wo er sie gezwungen hatte, Wasser zu trinken, das er über den angebrannten Zichorienkaffeesatz gegossen hatte, den er in der Kanne fand. Sie hatte sich ebenso heftig wie widerwärtig übergeben, aber einen Hauch von Sprachvermögen zurückerlangt.

»Zuerst konnte sie uns nur sagen, dass die weiblichen Gefangenen alle fort waren – davongelaufen oder gehängt.« Er sagte nichts von der Angst, die ihm bei diesen Worten wie eine Lanze durch den Bauch gefahren war. Doch er hatte die Frau heftig geschüttelt und nach Details verlangt, und nach weiterer Anwendung von Wasser und dem ekelhaften Kaffee hatte er sie erhalten.

»Vorgestern ist ein Mann gekommen und hat sie mitgenommen. Das war alles, was sie wusste – oder alles, woran sie sich erinnern konnte. Ich habe sie dazu gebracht, ihn mir zu beschreiben, so gut sie konnte – es war weder Brown noch Neil Forbes.«

»Ich verstehe.« Fergus spähte hinter sich; seine Familie hatte sich vollständig um Ian geschart, um ihn mit Fragen zu löchern und ihn zu drücken. Doch Marsalis Blick war auf den Alkoven gerichtet; ihr Gesicht war voller Sorge, und ihr war anzusehen, dass sie gern zu ihnen gekommen wäre, doch Joan hing an ihrem Rock und hielt sie auf.

»Wer könnte sie mitgenommen haben?«

»Joanie, *a chuisle*, kannst du mich nicht loslassen? Hilf doch bitte Felicité, aye?«

»Aber Mama –«

»*Jetzt* nicht. Gleich, aye?«

»Ich weiß es nicht«, sagte Jamie, und die Frustration der Hilflosigkeit stieg ihm wie schwarze Galle in der Kehle auf. Dann kam ihm plötzlich ein noch grauenvollerer Gedanke. »Gott, glaubst du, es könnte Stephen Bonnet gewesen sein?«

Die gelallte Beschreibung der Frau hatte sich nicht nach dem Piraten angehört – doch sie war sich ihrer Sache auch alles andere als sicher gewesen. War es möglich, dass Forbes von seiner eigenen Flucht erfahren und einfach beschlossen habe, die Rollen in dem Drama, das er sich ausgedacht hatte, zu vertauschen – indem er Claire gewaltsam nach England verschiffte und versuchte, Jamie die Schuld an Malva Christies Tod in die Schuhe zu schieben?

Das Atmen fiel ihm schwer, und er musste die Luft in seine Brust zwingen. Wenn Forbes Claire an Bonnet übergeben hatte, würde er den Anwalt vom Schlüsselbein bis zum Schwanz aufschlitzen, ihm die Eingeweide aus dem Bauch reißen und ihn damit erwürgen. Und dasselbe galt für den Iren, sobald er ihn in die Finger bekam.

»Papi, Papiee…« Joans Singsang drang schwach durch die rote Wolke, die seinen Kopf anfüllte.

»Was denn, *chérie*?« Fergus hob sie mit der Leichtigkeit langer Übung hoch und balancierte ihren runden kleinen Hintern auf dem linken Arm, um die rechte Hand frei zu behalten.

Sie legte ihm die Arme um den Hals und zischte ihm etwas ins Ohr.

»Oh, wirklich?«, sagte er sichtlich abgelenkt. »*Très bien*. Wo hast du es hingetan, *chérie*?«

»Zu den Schlimme-Damen-Bildern.«

Sie zeigte auf das obere Regalbrett, auf dem mehrere in Leder gebundene, aber diskret unbetitelte Bände lagen. Als er in die Richtung blickte, in die sie zeigte, sah Jamie, dass zwischen zwei dieser Bücher ein fleckiger Zettel steckte.

Fergus schnalzte verärgert mit der Zunge und versetzte ihr mit der gesunden Hand einen leichten Klaps auf den Hintern.

»Du weißt doch, dass du dort nicht hinklettern sollst!«

Jamie streckte die Hand aus und zog den Zettel heraus. Und spürte, wie ihm alles Blut aus dem Kopf sackte, als er die vertraute Handschrift sah.

»Was?« Alarmiert über sein Aussehen, stellte Fergus Joanie auf den Boden. »Setzt Euch, Milord. Lauf, *chérie*, und hol das Riechsalz.«

Jamie winkte wortlos mit der Hand, um anzuzeigen, dass ihm nichts fehlte, und endlich fand er die Sprache wieder.

»Sie ist im Gouverneurspalast«, sagte er. »Dem Himmel sei Dank, sie ist in Sicherheit.«

Ihm fiel ein Hocker ins Auge, der unter das Regal geschoben war, und er zog ihn hervor und setzte sich darauf. Er spürte, wie ihm die Erschöpfung durch die zitternden Beinmuskeln pulste und ignorierte das Durcheinander der Fragen und Erklärungen, wie Joanie den unter der Tür hindurchgeschobenen Zettel gefunden hatte – anonyme Beiträge für die Zeitung trafen oft auf diese Weise ein, und die Kinder wussten, dass sie ihren Vater darauf aufmerksam machen mussten…

Fergus las den Brief, und seine dunklen Augen nahmen jenen Ausdruck gebannten Interesses an, den er stets an den Tag legte, wenn er darüber nachdachte, wie er etwas Schwieriges und Kostbares entwenden konnte.

»Nun, das ist gut«, sagte er. »Dann gehen wir sie holen. Aber ich glaube, erst müsst Ihr etwas essen, Milord.«

Er hätte am liebsten abgelehnt; gesagt, dass er keine Sekunde zu verlieren hatte, dass er sowieso nichts essen konnte; sein Magen war so verkrampft, dass es schmerzte.

Doch Marsali scheuchte die Mädchen bereits zurück in die Küche und rief irgendetwas von heißem Kaffee und Brot, und Ian folgte ihr, Henri-Christian immer noch liebevoll um die Ohren gewickelt, während ihm Germain japsend an den Fersen klebte. Und er wusste, dass er, falls es zum Kampf kam, nichts mehr hatte, womit er kämpfen konnte. Dann drangen das köstliche Brutzeln und der Duft in Butter gebratener Eier zu ihm, und er war auf den Beinen und bewegte sich zur Rückseite des Hauses wie ein Stück Eisen, das von einem Magneten angezogen wird.

Während ihrer hastigen Mahlzeit wurden verschiedene Pläne vorgeschlagen und verworfen. Schließlich akzeptierte er widerstrebend Fergus' Vorschlag, dass entweder Fergus oder Ian sich offen zum Palast begeben und darum bitten sollten, Claire sehen zu dürfen. Er sollte sagen, er sei ein Verwandter und wolle sich vergewissern, dass es ihr gut gehe.

»Sie haben schließlich keinen Grund zu leugnen, dass sie dort ist«, sagte Fergus achselzuckend. »Wenn wir sie sehen können, umso besser, doch selbst wenn nicht, werden wir erfahren, ob sie noch dort ist und wo im Palast sie sich möglicherweise aufhält.«

Es war nicht zu übersehen, dass Fergus diesen Gang gern übernommen hätte, doch er gab nach, als Ian ihn darauf hinwies, dass Fergus in New Bern gut bekannt war und man argwöhnen könnte, dass er nur auf der Jagd nach einem Skandal für seine Zeitung war.

»Denn es schmerzt mich zu sagen, Milord«, sagte Fergus entschuldigend, »dass die Angelegenheit – das Verbrechen – hier bereits bekannt ist. Es gibt Flugblätter – der übliche Unsinn. *L'Oignon* war natürlich gezwungen, diesbezüglich etwas zu drucken, um das Gesicht zu wahren. Wir haben es selbstverständlich zurückhaltend getan und nur die nackten Fakten erwähnt.« Sein breiter, agiler Mund presste sich kurz zusammen, um die nüchtern-knappe Natur seines Artikels zu verdeutlichen, und Jamie lächelte schwach.

»Aye, ich verstehe«, sagte er. Er stieß sich vom Tisch ab, erfreut, wieder einigermaßen bei Kräften zu sein, nachdem ihm das Essen, der Kaffee und das Wissen um Claires Aufenthaltsort neuen Mut geschenkt hatten. »Nun denn, Ian, kämm dir die Haare. Wir wollen doch nicht, dass dich der Gouverneur für einen Wilden hält.«

Jamie bestand darauf, Ian zu begleiten, obwohl die Gefahr bestand, dass man ihn erkannte.

»Du wirst aber doch keine Dummheiten machen, Onkel Jamie?«

»Wann habe ich denn deines Wissens das letzte Mal eine Dummheit gemacht?«

Ian warf ihm einen ironischen Blick zu, hielt eine Hand hoch und begann die Finger nacheinander umzuklappen.

»Oh, lass mich überlegen … Simms, der Drucker? Forbes zu teeren? Roger

Mac hat mir erzählt, was du in Mecklenburg getan hast. Und dann war da noch –«

»Du hättest sie den armen Fogarty umbringen lassen?«, erkundigte sich Jamie. »Und wo wir gerade von Dummheiten sprechen, wer musste sich denn in den Hintern stechen lassen, weil er sich im Sündenpfuhl gewälzt hat mit –«

»Was ich meine, ist Folgendes«, unterbrach Ian ihn streng. »Du wirst nicht in den Gouverneurspalast spazieren und versuchen, sie gewaltsam herauszuholen, ganz gleich, was geschieht. Du wirst deinen Hut aufbehalten und still und leise warten, bis ich zurückkomme, und dann sehen wir weiter, aye?«

Jamie zog sich die Hutkrempe tiefer ins Gesicht – es war ein wettergegerbter Filzschlapphut, wie ihn die Schweinebauern trugen und unter dem er gut seine Haare verstecken konnte.

»Wie kommst du denn darauf, dass ich das nicht vorhabe?«, fragte er genauso sehr aus Neugier wie aus angeborener Streitlust.

»Deine Miene«, erwiderte Ian knapp. »Ich wünsche sie mir genauso sehr zurück wie du, Onkel Jamie – nun ja«, verbesserte er sich mit einem leisen Auflachen, »vielleicht nicht *ganz* so sehr – aber ich habe trotzdem vor, sie zurückzuholen. Du –«, er stieß seinen Onkel mit Nachdruck vor die Brust, »wartest gefälligst ab.«

Damit ließ er Jamie unter einer hitzegeplagten Ulme stehen und schritt zielsicher auf die Tore des Palastes zu.

Jamie holte ein paarmal tief Luft, um seine Verärgerung über Ian wachzuhalten, als Mittel gegen die Angst, die sich wie eine Schlange um seine Brust wand. Da diese Verärgerung jedoch von Anfang an nur gespielt gewesen war, löste sie sich in Luft auf wie der Wasserdampf über einem Kessel, und er wand sich vor Nervosität.

Ian hatte das Tor erreicht und diskutierte mit dem Wachtposten, der dort mit gezogener Muskete stand. Jamie konnte sehen, wie der Mann heftig den Kopf schüttelte.

Das hier war Unsinn, dachte er. Er spürte geradezu, wie es seinen Körper nach ihr drängte wie einen durstigen Matrosen nach Wochen der Flaute auf See. Er hatte dieses Bedürfnis schon oft gespürt, oft, in den Jahren ihrer Trennung. Doch warum jetzt? Sie war in Sicherheit; er wusste, wo sie war – war es nur die Erschöpfung der vergangenen Wochen und Tage, oder war es vielleicht die Schwäche des schleichenden Alters, die seine Knochen schmerzen ließ, als hätte man sie körperlich von ihm gerissen wie Adams Rippe, die Gott zu Eva machte?

Ian redete mit beschwörenden Gesten auf den Wachtposten ein. Das Knirschen von Rädern auf dem Kies lenkte ihn ab; eine Kutsche kam die Auffahrt entlang, ein kleines offenes Gefährt mit zwei Passagieren und einem Kutscher, das von zwei hübschen Dunkelbraunen gezogen wurde.

Der Posten hatte Ian mit dem Lauf seiner Muskete zurückgeschoben und wies ihn an, Abstand zu halten, während er und sein Kamerad die Tore öffneten. Die Kutsche ratterte ohne anzuhalten hindurch, bog in die Straße ein und kam an ihm vorbei.

Er war Josiah Martin noch nie begegnet, glaubte aber, der untersetzte, wichtigtuerisch aussehende Herr müsse gewiss der – sein Blick fiel für den Bruchteil einer Sekunde auf die Frau, und sein Herz ballte sich zusammen wie eine Faust. Ohne jedes Nachdenken rannte er hinter der Kutsche her, so schnell er konnte.

Zu seinen besten Zeiten hätte er nicht mit einem Pferdegespann mithalten können. Doch bis auf wenige Meter kam er an die Kutsche heran, und er hätte gerne gerufen, doch er bekam keine Luft, sah nichts, und dann stieß sein Fuß gegen einen deplaztierten Pflasterstein, und er fiel der Länge nach hin.

Er blieb betäubt und atemlos liegen; ihm war schwarz vor Augen, seine Lungen standen in Flammen, und er hörte nichts als das schwächer werdende Klappern der Hufe und Wagenräder, bis ihn eine kräftige Hand am Arm packte und daran riss.

»Wir werden jedes Aufsehen vermeiden, sagte er«, knurrte Ian und bückte sich, um Jamie die Schulter unter den Arm zu schieben. »Du hast deinen Hut verloren, ist dir *das* aufgefallen? Nein, natürlich nicht, und auch nicht, dass dich die ganze Straße angestarrt hat, du hirnkranker Trottel. Gott, du wiegst ja so viel wie ein dreijähriger Bulle!«

»Ian«, sagte er und hielt dann inne, um nach Luft zu schnappen.

»Aye?«

»Du klingst wie deine Mutter. Hör auf damit.« Mehr Luft. »Und lass meinen Arm los. Ich kann selber laufen.«

Ians Prusten ließ ihn noch mehr wie Jenny klingen, doch er hörte auf, und er ließ los. Jamie hob seinen Hut auf und humpelte zur Druckerei zurück, während ihm Ian unter angespanntem Schweigen durch die Straßen voller Gaffer folgte.

Als wir den Palast heil hinter uns gelassen hatten, trabten wir gemächlich durch die Straßen von New Bern, ohne dabei großes Interesse unter den Bürgern hervorzurufen. Einige von ihnen winkten, ein paar riefen vage Feindseligkeiten, und die meisten starrten uns einfach nur an. Am Stadtrand steuerte der Kutscher das Gespann auf die Hauptstraße und wir rollten munter dahin, allem Anschein nach zu einem Ausflug aufs Land unterwegs, eine Illusion, die durch den Picknickkorb, der hinter uns zu sehen war, noch untermauert wurde.

Doch als wir den dichten Verkehr der schweren Fuhrwerke, der Rinder und Schafe und anderen Händler hinter uns gelassen hatten, beschleunigte der Kutscher, und schon flogen wir wieder dahin.

»Wohin fahren wir?«, rief ich im Klappern des Gespanns und hielt mir den Hut fest, damit er nicht davongeweht wurde. Ich hatte gedacht, wir wären nur ein Ablenkungsmanöver, damit niemand Mrs. Martins heimliches Verschwinden bemerkte, bis sie die Kolonie sicher hinter sich gelassen hatte. Offensichtlich waren wir jedoch *nicht* nur zu einem Picknick unterwegs.

»Brunswick!«, rief der Gouverneur zurück.

»*Wohin?*«

»Brunswick«, wiederholte er. Seine Miene war grimmig und wurde noch grimmiger, als er einen letzten Blick nach New Bern zurückwarf. »Sollen sie doch zur Hölle fahren«, sagte er, wenn ich mir auch sicher war, dass diese Bemerkung nicht für meine Ohren bestimmt war. Dann drehte er sich um und setzte sich leicht vornübergebeugt zurecht, so als wollte er die Kutsche antreiben. Er sagte nichts mehr.

95

Die Cruizer

Ich erwachte jeden Morgen kurz vor Tagesanbruch. Erschöpft vor Sorge und weil der Gouverneur so spät zu Bett ging, schlief ich wie ein Stein und bemerkte nichts vom Rumpeln und Rattern des Schiffs, von der Wachglocke, von den Rufen auf vorbeifahrenden Booten, dem gelegentlichen Musketenfeuer am Ufer und dem Heulen der Meeresbrise, die durch die Takelage fuhr. Doch in jenem Moment, bevor es hell wurde, weckte mich die Stille.

Heute?, war der eine Gedanke, der mir durch den Kopf ging, und für einen Moment schien ich körperlos über meinem Matratzenlager unterhalb des Vorschiffs zu schweben. Dann holte ich Luft, hörte mein Herz schlagen und spürte, wie sich das Deck sanft unter mir hob. Drehte meinen Kopf zum Ufer und sah zu, wie das Licht die Wellen zu berühren begann und sich auf das Land zubewegte.

Wir hatten uns zuerst nach Forst Johnston begeben, waren dort aber gerade eben so lange geblieben, dass der Gouverneur ein Treffen mit den dortigen Loyalisten abhalten und sich von ihnen versichern lassen konnte, wie gefährdet es war, bevor wir unseren Rückzug weiter fortsetzten.

Wir waren seit einer Woche an Bord der königlichen Schaluppe *Cruizer*, die vor Brunswick ankerte. Da er keine Truppen außer den Marinesoldaten an Bord der Schaluppe hatte, war Gouverneur Martin nicht in der Lage, die Kontrolle über seine Kolonie zurückzuerlangen, und alles, was ihm zu tun blieb, war, panisch Briefe zu schreiben, um den Anschein einer Regierung im Exil zu wahren.

Da er sonst niemanden dafür hatte, übte ich weiter meine Rolle als *Adhoc*-Sekretärin aus, wobei ich nicht mehr nur kopierte, sondern zur *Amanuensis* befördert worden war und Briefe diktiert bekam, wenn Martin zu müde wurde, um selbst zu schreiben. Und da ich nicht nur vom Land, sondern auch von jeder Neuigkeit abgeschnitten war, verbrachte ich jede freie Minute damit, das Ufer zu beobachten.

Heute tauchte ein Boot aus der schwindenden Dunkelheit auf.

Einer der Wachtposten rief es an, und der Tonfall des antwortenden »Halloo« war so erregt, dass ich mich abrupt aufsetzte und nach meinem Korsett tastete.

Es würde Neuigkeiten geben!

Der Bote befand sich schon in der Kajüte des Gouverneurs, und einer der Soldaten verstellte mir den Weg – doch die Tür stand offen, und die Stimme des Mannes war deutlich zu hören.

»Ashe hat es getan, Sir, er zieht gegen das Fort!«

»Nun, soll Gott den verräterischen Hund verdammen!«

Es waren Schritte zu hören, und der Soldat trat hastig beiseite, gerade noch rechtzeitig, um dem Gouverneur auszuweichen, der aus seiner Kajüte geschossen kam wie ein Schachtelteufel, immer noch im wehenden Nachthemd und ohne Perücke. Er packte die Leiter und kletterte wie ein Affe hinauf, was mir von unten den ungewollten Anblick seiner fetten, nackten Pobacken bescherte. Der Soldat fing meinen Blick auf und wandte hastig seinerseits die Augen ab.

»Was tun sie? Seht Ihr sie?«

»Noch nicht.« Der Bote, ein Mann in den mittleren Jahren, der wie ein Bauer gekleidet war, war dem Gouverneur nach oben gefolgt; ihre Stimmen drangen von der Reling nach unten.

»Oberst Ashe hat gestern befohlen, dass sämtliche Schiffe im Hafen von Wilmington Soldaten an Bord nehmen und nach Brunswick fahren sollen. Heute Morgen fand vor der Stadt die Musterung statt; ich habe beim Melken den Appell gehört – es müssen fast fünfhundert Mann sein. Als ich das gesehen habe, Sir, habe ich mich zum Ufer gestohlen und mir ein Boot gesucht. Dachte, Ihr solltet es wissen, Eure Exzellenz.« Die Erregung war jetzt aus der Stimme des Mannes verschwunden, und er klang ziemlich selbstgerecht.

»Ach ja? Und was erwartet Ihr, das ich dagegen tue?« Der Gouverneur wirkte ausgesprochen gereizt.

»Woher soll ich das wissen?«, erwiderte der Bote in ähnlichem Ton. »Ich bin doch nicht der Gouverneur, oder?«

Die Antwort des Gouverneurs ging im Schlagen der Schiffsglocke unter. Als diese verstummte, schritt er an der Treppe vorbei und sah mich unten stehen.

»Oh, Mrs. Fraser. Würdet Ihr mir etwas Tee aus der Kombüse holen?«

Mir blieb kaum etwas anderes übrig, auch wenn ich lieber stehen geblieben wäre und gelauscht hätte. Das Feuer in der Kombüse war für die Nacht in einem kleinen Eisentopf mit Asche belegt, und der Koch war noch im Bett. Bis ich das Feuer geschürt und Wasser gekocht hatte, um eine Kanne Tee aufzubrühen und ein Tablett mit Teekanne, Tasse, Untertasse, Milch sowie Toast, Butter, Plätzchen und Marmelade zusammenzustellen, war der Informant des Gouverneurs verschwunden; ich sah, wie sein Boot auf das Ufer zuhielt und sich wie eine dunkle Pfeilspitze vor der sich langsam erhellenden Meeresoberfläche abzeichnete.

Ich blieb einen Moment an Deck stehen und stützte mein Tablett auf die Reling, um landeinwärts zu spähen. Es war gerade eben hell geworden, und man konnte Fort Johnston erkennen; ein klobiges Holzgebäude, das exponiert auf seiner flachen Erhebung stand, umringt von einer Ansammlung von Häusern und Nebengebäuden. Ringsum war schon einiges los; Männer kamen und gingen wie eine Ameisenkolonne. Nichts jedoch, was danach aussah, als drohte eine unmittelbare Invasion. Entweder hatte der Befehlshaber, Hauptmann Collet, beschlossen zu evakuieren – oder Ashes Männer hatten mit dem Anmarsch aus Brunswick noch nicht begonnen.

Hatte John Ashe meine Nachricht erhalten? Wenn ja, wie mochte er gehandelt haben? Es wäre keine sehr populäre Maßnahme; ich konnte ihm keine Vorwürfe machen, wenn er beschlossen hatte, dass er es sich nicht erlauben konnte, öffentlich einem Mann zu helfen, der im Verdacht stand, Loyalist zu sein – ganz zu schweigen davon, dass er eines solch grauenvollen Verbrechens angeklagt war.

Möglich war es trotzdem. Da der Gouverneur auf See festsaß, der Rat aufgelöst war und das Gerichtssystem quasi verdunstet war, gab es in der Kolonie kein wirksames Gesetz mehr – außer den Milizen. Falls sich Ashe dafür entschied, das Gefängnis von Wilmington zu stürmen und Jamie zu befreien, konnte er mit herzlich wenig Gegenwehr rechnen.

Und wenn er es getan hatte … Wenn Jamie frei war, würde er mich suchen. Und er würde mit Sicherheit schnell hören, wo ich war. Wenn John Ashe nach Brunswick kam und Jamie frei war, würde er sich Ashes Männern anschließen. Ich suchte das Ufer nach Bewegungen ab, aber ich sah nur einen Jungen, der gelangweilt eine Kuh über die Straße nach Brunswick trieb. Doch die Schatten der Nacht lagen noch kalt zu meinen Füßen; der Morgen hatte kaum gedämmert.

Ich holte tief Luft und bemerkte den aromatischen Duft des Tees, der sich mit dem Morgenhauch des Ufers vermischte – dem Geruch des Watts und der Krüppelkiefern. Ich hatte seit einer Ewigkeit keinen Tee mehr getrunken. Ich schenkte mir vorsichtig eine Tasse ein und nippte sie langsam, während ich das Ufer beobachtete.

Als ich in der Kajüte des Schiffsarztes ankam, die der Gouverneur als Büro benutzte, war er angekleidet und allein.

»Mrs. Fraser.« Er nickte mir kurz zu, blickte dabei aber kaum auf. »Ich danke Euch. Würdet Ihr bitte etwas schreiben?«

Er hatte selbst schon geschrieben; Federkiele, Sand und Löscher waren auf dem Tisch verstreut, und das Tintenfass stand offen. Ich suchte mir einen brauchbaren Federkiel und ein Stück Papier und begann niederzuschreiben, was er mir diktierte – mit wachsender Neugier.

Der Brief – diktiert, während er seinen Toast aß – war an einen gewissen General Hugh MacDonald gerichtet und nahm Bezug auf die sichere Landung des Generals in Begleitung eines gewissen Oberst McLeod. Der Empfang des Berichtes des Generals wurde bestätigt, und es wurde um weitere Information gebeten. Zudem wurde die Bitte des Gouverneurs um Unterstützung erwähnt – von der ich wusste –, und er sprach von Versprechungen, die man ihm diesbezüglich gemacht hatte und von denen ich nichts wusste.

»Beigefügt, ein Kreditbrief – nein, wartet.« Der Gouverneur warf einen Blick in Richtung des Ufers – zweckloserweise, da die Kajüte kein Bullauge hatte – und verzog konzentriert das Gesicht. Offenbar war ihm der Gedanke gekommen, dass im Licht der jüngsten Ereignisse ein Kreditbrief aus dem Büro des Gouverneurs wahrscheinlich weniger wert war als eine von Mrs. Fergusons gefälschten Urkunden.

»Beigefügt, zwanzig Shilling«, korrigierte er seufzend. »Wenn Ihr die Kopie sofort anfertigen würdet, Mrs. Fraser? Diese hier könnt Ihr dann schreiben, wie Ihr Zeit habt.« Er schob mir einen ungeordneten Stapel von Notizen in seiner eigenen Krakelschrift herüber.

Dann stand er auf, reckte sich stöhnend und ging nach oben, zweifellos, um weiter über die Reling zum Fort zu starren.

Ich fertigte die Kopie an, löschte sie und legte sie beiseite. Dabei fragte ich mich, wer in aller Welt dieser MacDonald war und was er tat. Falls Major MacDonald nicht unlängst einen Vornamenswechsel und eine außerordentliche Beförderung durchlebt hatte, konnte es der mir bekannte nicht sein. Der Ton der Bemerkungen des Gouverneurs ließ darauf schließen, dass General MacDonald und sein Freund McLeod allein reisten – und sich auf einer bestimmten Mission befanden.

Ich blätterte rasch den Stapel der wartenden Briefe durch, entdeckte aber sonst nichts mehr, das mich interessierte; nur die üblichen Belanglosigkeiten des Verwaltungsalltags. Der Gouverneur hatte sein Schreibpult auf dem Tisch stehen gelassen, doch es war verschlossen. Ich überlegte, ob ich versuchen sollte, das Schloss zu öffnen und seine Privatkorrespondenz zu durchsuchen, doch es waren zu viele Leute in der Nähe; Seeleute, Soldaten, Schiffsjungen, Besucher – überall wimmelte es vor Menschen.

Gleichzeitig herrschte eine nervöse Anspannung an Bord. Mir war schon öfter aufgefallen, wie sich ein Gefühl drohender Gefahr unter Menschen ausbreitet, die sich in einer geschlossenen Umgebung befinden: in der Notaufnahme eines Krankenhauses oder im OP, im Zug oder auf einem Schiff; die Nervosität sprang wortlos von einer Person zur nächsten über wie ein Impuls vom Axon eines Nervs zu den Dendriten des nächsten. Ich hatte keine Ahnung, ob außer mir und dem Gouverneur schon irgendjemand von John Ashes Truppenbewegungen wusste – aber die *Cruizer* wusste, dass etwas im Busch war.

Das Gefühl nervöser Erwartung ließ auch mich nicht unberührt. Ich konnte nicht still halten, klopfte geistesabwesend mit dem Zeh auf den Boden und fuhr unruhig mit den Fingern am Schaft des Federkiels auf und ab, weil ich mich nicht genügend konzentrieren konnte, um damit zu schreiben.

Ich stand auf, obwohl ich keine Ahnung hatte, was ich vorhatte; ich wusste nur, dass ich vor Ungeduld ersticken würde, wenn ich noch länger unter Deck blieb.

Auf dem Regal neben der Tür stand das übliche Durcheinander von Gegenständen des täglichen Lebens, durch ein Geländer vor dem Herunterfallen geschützt: ein Kerzenständer, zusätzliche Kerzen, eine Zunderbüchse, eine zerbrochene Pfeife, eine Flasche, die mit Flachs verstopft war, ein Stück Holz, das jemand zu schnitzen versucht und es damit ruiniert hatte. Und eine Holzkiste.

Die *Cruizer* hatte keinen Schiffsarzt an Bord. Und ein Arzt nahm seine persönliche Ausrüstung normalerweise mit, es sei denn, er starb. Dies musste ein Arztkoffer sein, der zum Schiff gehörte.

Ich lugte zur Tür hinaus; es waren Stimmen in der Nähe, aber niemand war zu sehen. Ich klappte die Kiste hastig auf und rümpfte die Nase, weil der Geruch von getrocknetem Blut und altem Tabak daraus aufstieg. Es war nicht viel in der Kiste, und das Wenige war achtlos hineingeworfen worden, verrostet, verkrustet und kaum von Nutzen. Eine Dose blauer Pillen mit entsprechender Aufschrift und eine Flasche – ohne Aufschrift, aber eindeutig Schwarztinktur, also Laudanum. Ein vertrockneter Schwamm und ein klebriges Tuch, das mit etwas Gelbem befleckt war. Und das Einzige, was sich mit Gewissheit in jedem Arztkoffer dieser Zeit fand – Messer.

Es kamen Schritte die Treppe herunter, und ich hörte den Gouverneur, der sich mit jemandem unterhielt. Ohne über die Klugheit dieses Verhaltens nachzudenken, ergriff ich ein kleines Ritzmesser und schob es mir vorn in das Korsett.

Ich klappte den Deckel der Kiste zu. Mir blieb allerdings keine Zeit mehr, mich wieder hinzusetzen, bevor der Gouverneur eintrat, den nächsten Besucher im Schlepptau.

Das Herz schlug mir bis zum Hals. Ich drückte meine schweißnassen Handflächen an meinen Rock und nickte dem Neuankömmling zu, der mich hinter dem Gouverneur mit offenem Mund anstarrte.

»Major MacDonald«, sagte ich und hoffte, dass meine Stimme nicht zittern würde. »Welch Überraschung, *Euch* hier zu treffen.«

MacDonalds Mund klappte zu, und er richtete sich gerade auf.

»Mrs. Fraser«, sagte er und verbeugte sich argwöhnisch. »Euer Diener, Ma'am.«

»Ihr kennt sie?« Gouverneur Martin blickte stirnrunzelnd von MacDonald zu mir und wieder zurück.

»Wir sind uns schon einmal begegnet«, sagte ich und nickte höflich. Mir war der Gedanke gekommen, dass es möglicherweise für keinen von uns beiden gut war, wenn der Gouverneur glaubte, dass es eine Verbindung zwischen uns gab – wenn es denn eine gab.

MacDonald war eindeutig derselbe Gedanke gekommen; sein Gesicht verriet nichts außer leiser Höflichkeit, obwohl ich sehen konnte, wie die Gedanken hinter seiner Stirn hin und her huschten wie ein Mückenschwarm. Ich selbst beherbergte einen ähnlichen Schwarm – und da ich wusste, dass mein Gesicht von Natur aus verräterisch war, senkte ich sittsam den Blick, murmelte eine Entschuldigung, Erfrischungen betreffend, und stahl mich zur Treppe davon.

Ich bahnte mir meinen Weg zwischen den Grüppchen von Matrosen und Soldaten hindurch, deren salutierende Handbewegungen ich mechanisch erwiderte, während mein Verstand auf Hochtouren arbeitete.

Wie? Wie konnte ich allein mit MacDonald sprechen? Ich *musste* herausfinden, was er über Jamie wusste – falls überhaupt. Würde er es mir sagen, wenn er etwas wusste? Doch, dachte ich, das würde er; er mochte ja Soldat sein, doch MacDonald war auch ein leidenschaftliches Waschweib – und die Neugier über meinen Anblick brachte ihn sichtlich um.

Der Koch, ein rundlicher, junger, freier Schwarzer namens Tinsdale, der das Haar in drei Stummelzöpfchen trug, die wie die Hörner eines Triceratops von seinem Kopf abstanden, war in der Küche zugange, wo er verträumt ein Stück Brot über dem Feuer toastete.

»Oh, hallo«, sagte er freundlich, als er mich sah. Er schwenkte seine Toastgabel. »Möchtest Ihr etwas Toast, Mrs. Fraser? Oder ist es wieder heißes Wasser?«

»Toast wäre wunderbar«, sagte ich, doch dann kam mir eine Idee. »Aber der Gouverneur hat Gesellschaft; er hätte gern Kaffee. Und wenn Ihr dazu noch ein paar von diesen köstlichen Mandelplätzchen hättet …«

Mit einem voll geladenen Kaffeetablett bewaffnet, war ich ein paar Minuten später wieder zur Arztkajüte unterwegs. Mein Herz klopfte. Die Tür stand offen, um Luft einzulassen; offenbar war es keine geheime Zusammenkunft.

Sie standen gemeinsam über den kleinen Tisch gebeugt, und der Gouverneur betrachtete stirnrunzelnd ein Papierbündel, das den Falten und Flecken nach eine weite Reise in MacDonalds Kuriertasche hinter sich hatte. Es schienen Briefe zu sein, die von unterschiedlicher Hand mit unterschiedlicher Tinte verfasst worden waren.

»Oh, der Kaffee«, sagte der Gouverneur und blickte auf. Er schien vage erfreut zu sein, obwohl er sich sichtlich nicht erinnern konnte, ihn bestellt zu haben. »Vorzüglich. Danke, Mrs. Fraser.«

MacDonald sammelte hastig die Papiere ein, um Platz zu machen, damit ich das Tablett auf den Tisch stellen konnte. Der Gouverneur hielt eines in der Hand, das er nicht losließ, und ich warf einen raschen Blick darauf, als ich mich vorbeugte, um das Tablett vor ihn hinzustellen. Es war eine Liste – Namen auf der einen Seite, Zahlen daneben.

Ich bewerkstelligte es, einen Löffel fallen zu lassen, um beim Bücken einen genaueren Blick auf das Blatt werfen zu können. »H. Bethuine, Cook's Creek, 14. Jno. McManus, Boone, 3. F. Campbell, Campbelton, 24?«

Ich warf MacDonald, der mich unverwandt ansah, einen beschwörenden Blick zu, legte den Löffel auf den Tisch und trat hastig einen Schritt zurück, so dass ich direkt hinter dem Gouverneur stand. Ich zeigte mit dem Finger auf MacDonald, dann griff ich mir in rascher Folge an den Hals und streckte die Zunge heraus, hielt mir mit verschränkten Unterarmen den Bauch, dann zeigte ich erneut mit dem Finger auf ihn und schließlich auf mich und sah ihn während des ganzen Manövers mahnend an.

MacDonald betrachtete diese Pantomime mit unterdrückter Faszination. Doch dann streifte er den Gouverneur, der mit einer Hand seinen Kaffee rührte und seine Augen stirnrunzelnd auf das Blatt gerichtet hatte, das er in der anderen hielt, mit einem wachsamen Blick und nickte mir kaum merklich zu.

»Auf wie viele davon könnt Ihr mit Sicherheit zählen?«, sagte der Gouverneur, als ich jetzt einen Hofknicks machte und das Zimmer verließ.

»Oh, jetzt schon mindestens fünfhundert Mann«, erwiderte MacDonald zuversichtlich. »Und es werden noch viel mehr kommen, wenn es sich herumspricht. Ihr solltet die Begeisterung sehen, mit der der General bis jetzt empfangen worden ist! Ich kann natürlich nicht für die Deutschen sprechen, doch verlasst Euch darauf, Sir, wir werden alle Highlander im Hinterland mobilisieren und nicht wenige der Schottland-Iren dazu.«

»Ich hoffe weiß Gott, dass Ihr Recht habt«, sagte der Gouverneur immer noch skeptisch, wenn auch in hoffnungsvollem Ton. »Wo ist der General jetzt?«

Die Antwort darauf hätte ich gern gehört – und vieles andere auch –, doch oben schlug die Trommel zum Essen, und donnernde Füße rumpelten bereits über Deckplanken und Treppen. Ich konnte nicht in Sichtweite der Messe stehen bleiben und lauschen, daher sah ich mich gezwungen, wieder an Deck zu gehen und zu hoffen, dass MacDonald mich wirklich verstanden hatte.

Der Kapitän der *Cruizer* stand an der Reling, neben ihm sein Erster Maat, und beide suchten das Ufer mit ihren Teleskopen ab.

»Geht dort etwas vor sich?« Ich konnte erkennen, dass in der Nähe des Forts zwar ein reges Kommen und Gehen herrschte – doch die Uferstraße war nach wie vor leer.

»Das kann ich nicht sagen, Ma'am.« Kapitän Follard schüttelte den Kopf, dann ließ er das Teleskop sinken und schob es widerstrebend zusammen, so als hätte er Angst, dass etwas Wichtiges passieren könnte, wenn er den Blick nicht auf das Ufer gerichtet hielt. Der Maat bewegte sich nicht, sondern starrte unverwandt weiter zum Fort auf seinem Felsvorsprung.

Ich blieb an seiner Seite stehen und sah schweigend zum Ufer. Die Gezeiten wendeten sich; ich war schon lange genug auf dem Schiff, um es zu merken, ein kaum spürbares Innehalten, als holte die See tief Luft, während die Anziehung des unsichtbaren Mondes nachließ.

Der Strom der menschlichen Geschäfte wechselt; nimmt man die Flut wahr, führet sie zum Glück... Gewiss hatte auch Shakespeare mindestens einmal auf einem solchen Deck gestanden und dieselbe Verschiebung hautnah gespürt. Ein Professor hatte mir während meiner medizinischen Ausbildung einmal erzählt, dass die polynesischen Seefahrer ihre weiten Reisen durch grenzenlose Meere wagten, weil sie es gelernt hatten, die Meeresströmungen und Gezeitenwechsel zu fühlen und diese Veränderungen mit jenem empfindlichsten aller Instrumente zu registrieren – ihren Hoden.

Man brauchte kein Skrotum, um die Strömungen zu spüren, die uns jetzt umwirbelten, dachte ich mit einem Seitenblick auf die ordentlich sitzende weiße Kniehose des Ersten Maats. Ich konnte sie in der Magengrube spüren und in meinen feuchten Handflächen, in der Verspannung meiner Nackenmuskeln. Der Maat hatte jetzt sein Teleskop gesenkt, doch er blickte immer noch beinahe geistesabwesend zum Ufer und ließ seine Hände auf der Reling ruhen.

Plötzlich kam mir der Gedanke, dass die *Cruizer*, falls sich an Land etwas Drastisches ereignete, auf der Stelle die Segel setzen und aufs offene Meer zuhalten würde, um den Gouverneur in Sicherheit zu bringen – und mich weiter fort von Jamie. Wo in aller Welt mochten wir landen? Charlestown? Boston? Beides war möglich. Und niemand an diesem brodelnden Ufer würde die geringste Ahnung haben, wo wir abgeblieben waren.

Ich war während des Krieges – meines Krieges – vielen Heimatlosen begegnet. Aus ihren Häusern vertrieben oder entführt, nachdem ihre Familien zerstreut und ihre Städte zerstört worden waren, bevölkerten sie die Flüchtlingslager, belagerten sie die Botschaften und Hilfsstationen, stets mit der Frage nach den Verschwundenen auf den Lippen, der Beschreibung der geliebten Vermissten, und klammerten sich an jeden Informationsfetzen, der sie vielleicht zu dem zurückbringen konnte, was geblieben war. Oder vielleicht noch für einen Moment das bewahren konnte, was sie einmal gewesen waren.

Der Tag war warm, selbst auf dem Wasser, und meine Kleider klebten mir in der feuchten Luft am Körper, doch meine Muskeln verkrampften sich und meine Hände an der Reling zitterten unvermittelt vor Kälte.

Es war möglich, dass ich sie alle zum letzten Mal gesehen hatte, ohne es zu ahnen: Jamie, Brianna, Jemmy, Roger, Ian. Genauso war es damals gewesen; ich hatte mich nicht einmal von Frank verabschiedet, hatte, als er an diesem Abend ging, nicht die geringste Ahnung gehabt, dass ich ihn nie wieder lebend zu Gesicht bekommen würde. Was, wenn ...?

Doch nein, dachte ich und klammerte mich fester an die hölzerne Reling, um mich wieder in den Griff zu bekommen. Wir würden einander wiederfinden. Wir hatten einen Ort, an den wir zurückkehren konnten. Zuhause. Und wenn ich am Leben blieb – was ich fest vorhatte –, *würde* ich nach Hause gehen.

Der Maat hatte sein Teleskop zusammengeschoben und war gegangen; in meine morbiden Gedanken versunken, hatte ich seinen Aufbruch gar nicht bemerkt und schrak daher zusammen, als Major MacDonald neben mich trat.

»Schade, dass die *Cruizer* keine Kanonen von großer Reichweite hat«, sagte er und wies kopfnickend auf das Fort. »Das würde diesen Barbaren wohl ihre Pläne durchkreuzen, wie?«

»Was auch immer sie für Pläne haben mögen«, erwiderte ich. »Und wo wir gerade von Plänen sprechen –«

»Ich habe dieses Zwicken im Bauch«, unterbrach er mich ausdruckslos. »Der Gouverneur meinte, Ihr hättet vielleicht eine Arznei dagegen.«

»Ach ja?«, sagte ich. »Nun, kommt mit in die Kombüse; ich braue Euch etwas, das Euch bestimmt helfen wird.«

»Wusstet Ihr, dass er Euch für eine Urkundenfälscherin hält?« MacDonald, der die Hände um einen Becher Tee gelegt hatte, wies mit einem Ruck seines Kopfes in die Richtung der Hauptkajüte. Der Gouverneur war nirgendwo in Sicht, und die Kajütentür war geschlossen.

»Ja, das wusste ich. Weiß er es jetzt besser?«, fragte ich mit einem Anflug von Resignation.

»Nun, aye.« MacDonald setzte eine entschuldigende Miene auf. »Ich vermute aber, dass er es schon wusste, sonst hätte ich nichts gesagt. Die Geschichte ist inzwischen bis Edenton bekannt, und die Flugblätter ...«

Ich tat das Thema mit einer Handbewegung ab.

»Habt Ihr Jamie gesehen?«

»Nein.« Er betrachtete mich mit einem Blick, in dem Neugier und Argwohn miteinander rangen. »Ich habe gehört ... aye, nun ja, ich habe eine Menge Dinge gehört, und sie sind alle verschieden. Doch der Kern der Geschichte ist, dass man Euch beide verhaftet hat, aye? Wegen Mordes an Mrs. Christie.«

Ich nickte kurz. Ich fragte mich, ob ich mich wohl eines Tages an dieses Wort gewöhnen würde. Noch war sein Klang wie ein Boxhieb in die Magengrube, abrupt und brutal.

»Muss ich Euch sagen, dass nichts Wahres daran ist?«, sagte ich unverblümt.

»Absolut nicht, Ma'am«, versicherte er mir und gab sich alle Mühe, Vertrauen vorzutäuschen. Doch ich spürte, wie er zögerte, und sah den Seitenblick, neugierig und irgendwie eifernd. Eventuell würde ich mich eines Tages auch daran gewöhnen.

Meine Hände waren kalt; ich legte sie ebenfalls um meinen Becher, um mich an seiner Wärme zu trösten, so gut es ging.

»Ich muss meinem Mann eine Nachricht zukommen lassen«, sagte ich. »Wisst Ihr, wo er ist?«

MacDonalds blassblaue Augen waren auf mein Gesicht gerichtet, und in seiner Miene lag jetzt nur noch höfliche Aufmerksamkeit.

»Nein, Ma'am. Aber Ihr wisst es anscheinend?«

Ich sah ihn scharf an.

»Spielt nicht den Schüchternen«, wies ich ihn knapp an. »Ihr wisst genauso gut wie ich, was an Land vor sich geht – wahrscheinlich viel besser.«

»Schüchtern.« Er spitzte belustigt die schmalen Lippen. »Ich glaube nicht, dass ich schon einmal so bezeichnet worden bin. Aye, ich weiß es. Und?«

»Ich glaube, dass er *möglicherweise* in Wilmington ist. Ich habe versucht, John Ashe eine Nachricht zukommen zu lassen, und ihn gebeten, meinen Mann, wenn möglich, aus dem Gefängnis von Wilmington zu holen – wenn er überhaupt dort ist – und ihm zu sagen, wo ich bin. Aber ich weiß nicht –« Ich wies mit einer frustrierten Handbewegung auf das Ufer.

Er nickte, und seine angeborene Vorsicht kämpfte mit seinem sichtbaren Wunsch, mich nach den blutigen Einzelheiten von Malvas Tod zu fragen.

»Ich komme auf dem Rückweg durch Wilmington. Ich werde mich nach Möglichkeit erkundigen. Wenn ich Mr. Fraser finde – soll ich ihm irgendetwas mitteilen, über Euer gegenwärtiges Befinden hinaus?«

Ich zögerte und überlegte. Ich hatte ein konstantes Zwiegespräch mit Jamie geführt, seit sie ihn von meiner Seite gerissen hatten. Doch nichts von dem, was ich in der Weite der schwarzen Nächte oder in der einsamen Dämmerung zu ihm gesagt hatte, schien geeignet, es MacDonald anzuvertrauen. Und doch … ich konnte auf diese Gelegenheit nicht verzichten; weiß Gott, wann ich eine andere bekommen würde.

»Sagt ihm, dass ich ihn liebe«, sagte ich leise, den Blick auf die Tischplatte gerichtet. »Immer.«

MacDonald stieß ein leises Geräusch aus, das mich zu ihm aufblicken ließ.

»Obwohl er –«, begann er, dann verstummte er.

»Er hat sie nicht umgebracht«, sagte ich scharf. »Und ich auch nicht. Das habe ich Euch doch schon gesagt.«

»Natürlich nicht«, sagte er hastig. »Es konnte sich doch niemand vorstellen … Ich meinte doch nur … Aber ein Mann ist natürlich nur ein Mann, und … mmpfm.« Er brach ab und blickte mit hochrotem Gesicht zur Seite.

»Das hat er auch nicht getan«, sagte ich mit zusammengebissenen Zähnen.

Es folgte geladenes Schweigen, währenddessen wir es vermieden, einander anzusehen.

»Ist General MacDonald ein Verwandter von Euch?«, fragte ich abrupt, denn ich musste entweder das Thema wechseln oder gehen.

Der Major blickte auf, überrascht – und erleichtert.

»Aye, ein entfernter Vetter. Hat der Gouverneur ihn erwähnt?«

»Ja«, sagte ich. Es war schließlich die Wahrheit; nur, dass Martin den General nicht *mir* gegenüber erwähnt hatte. »Ihr, äh, unterstützt ihn, nicht wahr? Es klang so, als wärt Ihr ganz erfolgreich.«

Erleichtert, der peinlichen Situation entkommen zu sein, sich mit der Frage befassen zu müssen, ob ich eine Mörderin war und Jamie nur ein Ehebrecher, oder ob er ein Mörder war und ich die betrogene und getäuschte Dumme, war MacDonald nur zu gern bereit, sich auf den Köder zu stürzen, den ich ihm anbot.

»Sehr erfolgreich sogar«, sagte er glücklich. »Ich habe Zusagen von vielen der prominentesten Männer der Kolonie gesammelt; sie stehen bereit, dem Gouverneur beim geringsten Wort jede Bitte zu erfüllen.«

Jno. McManus, Boone, 3. Prominente Männer. Zufällig kannte ich Jonathan McManus, dem ich letzten Winter die gangränösen Zehen amputiert hatte. Er *war* wahrscheinlich der prominenteste Mann in Boone, wenn MacDonald damit meinte, dass die anderen zwanzig Einwohner ihn alle als Trunkenbold und Dieb kannten. Wahrscheinlich stimmte es ebenso, dass er drei Männer hatte, die mit ihm in den Kampf ziehen würden, wenn er sie rief: seinen einbeinigen Bruder und seine beiden schwachsinnigen Söhne. Ich trank einen Schluck Tee, um meinen Gesichtsausdruck zu verstecken. Dennoch, MacDonald hatte Farquard Campbell auf seiner Liste; hatte sich Farquard tatsächlich offiziell verpflichtet?

»Ich nehme aber an, dass sich der General im Moment nicht in der Nähe von Brunswick aufhält«, sagte ich, »angesichts der, äh, gegenwärtigen Umstände?« Wenn es so wäre, wäre der Gouverneur um einiges weniger nervös gewesen, als es der Fall war.

MacDonald schüttelte den Kopf.

»Nein. Aber er ist noch nicht bereit, seine Truppen aufzustellen; er und McLeod sind nur unterwegs, um die Bereitschaft der Highlander auszuloten, sich zu erheben. Sie werden erst zur Musterung rufen, wenn die Schiffe kommen.«

»Schiffe?«, platzte ich heraus. »Was für Schiffe?«

Er wusste, dass er besser nicht weitersprach, konnte aber nicht widerstehen. Ich sah es seinen Augen an; welche Gefahr konnte es schließlich mit sich bringen, wenn er es mir erzählte?

»Der Gouverneur hat die Krone um Hilfe bei der Unterwerfung des Parteigeistes und der Unruhe in der Kolonie gebeten. Und man hat ihm versichert, dass er sie erhalten wird – falls es ihm gelingt, vor Ort genug Unterstützung zu mobilisieren, um die Regierungstruppen zu verstärken, die per Schiff eintreffen werden. Das ist der Plan, versteht Ihr«, fuhr er mit zunehmender Begeisterung fort. »Uns wurde mitgeteilt« – *Oh, »uns« also*, dachte ich –, »dass Lord Cornwallis begonnen hat, in Irland Truppen zu sammeln, die in Kürze an Bord gehen werden. Sie sollten im Frühherbst eintreffen und sich mit der Miliz des Generals zusammenschließen. Cornwallis an der Küste und der General, der aus den Bergen kommt –« Er ballte Daumen und Finger zur Faust. »Sie werden die verfluchten Whigs zerquetschen wie eine Läuseplage!«

»Ach, ja?«, sagte ich um einen beeindruckten Tonfall bemüht. Vielleicht würde es ja so sein; ich hatte keine Ahnung, und es interessierte mich auch nicht besonders, da ich nicht in der Lage war, weit über die Gegenwart hinauszusehen. Wenn es mir je gelang, dieses verflixte Schiff und die drohende Henkersschlinge hinter mir zu lassen, dann würde ich mich darum sorgen.

Das Geräusch, mit dem sich die Tür der Hauptkajüte öffnete, ließ mich aufblicken. Der Gouverneur schloss sie hinter sich. Als er sich umdrehte, sah er uns und kam herbei, um sich nach MacDonalds vorgeblicher Unpässlichkeit zu erkundigen.

»Oh, es geht mir schon viel besser«, versicherte ihm der Major und legte eine Hand an die Weste seiner Uniform. Er rülpste zur Demonstration. »Mrs. Fraser hat großes Geschick mit solchen Dingen. Großes Geschick!«

»Oh, gut«, sagte Martin. Er machte jetzt einen etwas weniger gehetzten Eindruck als vorhin. »Dann wollt Ihr sicher zurück.« Er gab dem Soldaten am Fuß der Treppe ein Signal, und dieser tippte sich zur Bestätigung mit den Knöcheln an die Stirn und verschwand nach oben.

»Das Boot ist in ein paar Minuten für Euch bereit.« Der Gouverneur wies kopfnickend auf MacDonalds halb ausgetrunkenen Tee und verbeugte sich förmlich vor mir, dann wandte er sich ab und ging in die Kajüte des Schiffsarztes, wo ich ihn am Tisch stehen und einen stirnrunzelnden Blick auf den Haufen zerknitterter Papiere werfen sehen konnte.

MacDonald schluckte hastig seinen restlichen Tee und zog die Augenbrauen hoch, um mich einzuladen, ihn zum Oberdeck zu begleiten. Wir standen an Deck und warteten, während ein hiesiges Fischerboot vom Ufer zur *Cruizer* fuhr, als er mir plötzlich die Hand auf den Arm legte.

Das verblüffte mich; MacDonald war kein großer Freund beiläufiger Berührungen.

»Ich werde mein Äußerstes geben, um den Aufenthaltsort Eures Gatten herauszubekommen, Ma'am«, sagte er. »Allerdings kommt mir der Gedanke –« Er zögerte und musterte mich aufmerksam.

»Was?«, hakte ich vorsichtig nach.

»Ich sagte doch, dass ich eine Unmenge an Spekulationen gehört habe?«, sagte er vorsichtig. »Bezüglich des… ähm… des unglücklichen Ablebens von Miss Christie. Wäre es nicht… wünschenswert…, dass ich die Wahrheit erfahre, so dass ich böse Gerüchte mit Nachdruck zum Schweigen bringen kann, wenn sie mir begegnen?«

Ich war hin- und hergerissen zwischen Wut und Gelächter. Ich hätte wissen müssen, dass er die Neugier nicht zügeln konnte. Doch er hatte Recht; angesichts der Gerüchte, die mir zu Ohren gekommen waren – und ich wusste, dass dies nur ein Bruchteil des Geredes war, das sich im Umlauf befand –, war die Wahrheit sicherlich erstrebenswerter. Andererseits war ich mir absolut sicher, dass die Verbreitung der Wahrheit nichts dazu beitragen würde, die Gerüchte zum Schweigen zu bringen.

Und dennoch. Das Bedürfnis nach Gerechtigkeit war stark; ich verstand die armen Teufel, die noch am Galgen ihre Unschuld beteuerten – und ich hoffte sehr, dass ich nicht zu ihnen zählen würde.

»Schön«, sagte ich kühl. Der Erste Maat stand wieder an der Reling, um das Fort im Auge zu behalten, und er war in Hörweite, doch es spielte wohl keine Rolle, ob er es mitbekam.

»Die Wahrheit lautet folgendermaßen: Malva Christie war von *irgendjemandem* schwanger, doch anstatt den Namen des tatsächlichen Vaters preiszugeben, hat sie behauptet, es sei mein Mann gewesen. Ich weiß, dass dies nicht stimmt«, fügte ich hinzu und fixierte ihn mit bohrendem Blick. Er nickte mit leicht geöffnetem Mund.

»Ein paar Tage später bin ich in meinen Garten gegangen und habe die kleine – Miss Christie mit frisch durchgeschnittener Kehle in meinem Salatbeet gefunden. Ich dachte… es bestünde vielleicht eine Chance, ihr ungeborenes Kind zu retten…« Trotz meiner vorgetäuschten Tapferkeit zitterte meine Stimme ein wenig. Ich hielt inne und räusperte mich. »Es ist mir nicht gelungen. Das Kind kam tot zur Welt.«

Besser, nicht zu sagen, *wie* es zur Welt gekommen war; dieses aufwühlende Bild der zertrennten Bauchdecke und des schmutzigen Messers wollte ich dem Major nicht gern in den Kopf setzen, wenn es sich verhindern ließ. Ich hatte niemandem – nicht einmal Jamie – von dem schwachen Lebensfunken erzählt, jenem Kribbeln, das ich immer noch verborgen in den Händen hielt. Wenn ich sagte, dass das Kind lebend geboren worden war, erregte ich damit den Verdacht, es umgebracht zu haben, das wusste ich. Manche würden das sowieso denken, so wie es Mrs. Martin ja eindeutig getan hatte.

MacDonalds Hand lag noch auf meinem Arm; sein Blick hing an meinem Gesicht. Ausnahmsweise war ich froh über meine transparenten Gesichtszüge; niemand, der mein Gesicht beobachtete, zweifelte je an meinen Worten.

»Ich verstehe«, sagte er leise und drückte mir sacht den Arm.

Ich holte tief Luft und erzählte ihm den Rest – unwesentliche Details würden womöglich den einen oder anderen Zuhörer überzeugen.

»Ihr wisst doch, dass ich Bienenstöcke am Rand meines Gartens hatte? Der Mörder hat beim Weglaufen zwei davon umgestoßen; er muss mehrmals gestochen worden sein – so wie ich, als ich in den Garten gekommen bin. Jamie – Jamie hatte keine Bienenstiche. Er war es nicht.« Und unter den damaligen Umständen hatte ich nicht herausfinden können, welcher Mann – oder welche Frau? Zum ersten Mal kam ich auf den Gedanken, dass es eine Frau gewesen sein könnte – gestochen worden *war*.

Bei diesen Worten brummte er interessiert. Einen Moment stand er nachdenklich da, dann schüttelte er den Kopf, als erwachte er aus einem Traum, und ließ meinen Arm los.

»Ich danke Euch, Ma'am, dass Ihr es mir erzählt habt«, sagte er förmlich und verbeugte sich vor mir. »Seid gewiss, dass ich bei jeder sich ergebenden Gelegenheit für Euch sprechen werde.«

»Das weiß ich zu schätzen, Major.« Meine Stimme war heiser, und ich schluckte. Mir war nicht klar gewesen, wie sehr es schmerzen würde, davon zu sprechen.

Ringsum regte sich der Wind, und über uns raschelten die gerefften Segel. Ein Ruf von unten verkündete die Ankunft des Bootes, das MacDonald zum Ufer zurückbringen würde.

Er beugte sich dicht über meine Hand, und sein Atem hauchte warm über meine Fingerknöchel. Eine Sekunde lang drückten meine Finger fest auf die seinen; es widerstrebte mir überraschend, ihn gehen zu lassen. Doch das tat ich und sah ihm bis zum Ufer nach; eine verschwindende Silhouette vor dem glitzernden Wasser, aufrecht und entschlossen. Er blickte nicht zurück.

Der Maat regte sich seufzend an der Reling, und ich blinzelte zuerst ihn an, dann das Fort.

»Was tun sie da?«, fragte ich. Einige der Ameisengestalten schienen ihren Kameraden am Boden von den Wällen Stricke zuzuwerfen; ich sah die Seile, die aus dieser Entfernung zart wie Spinnweben aussahen.

»Ich glaube, der Kommandeur des Forts bereitet die Entfernung der Kanonen vor, Madam«, sagte er und schob sein Messingteleskop mit einem Klicken zusammen. »Wenn Ihr mich entschuldigt, ich muss den Kapitän davon in Kenntnis setzen.«

96

Pulver, Verrat und Intrige

Ich bekam keine Gelegenheit herauszufinden, ob die Neuigkeit, dass ich doch keine Urkundenfälscherin, sondern vielmehr eine berüchtigte – wenn auch nicht verurteilte – Mörderin war, die Haltung des Gouverneurs mir gegenüber änderte. Genau wie der Rest der Offiziere und die Hälfte der Männer an Bord rannte auch er an die Reling, und der Rest des Tages verstrich in einem Durcheinander aus Beobachtungen, Spekulationen und höchst fruchtloser Aktivität.

Der Mann im Ausguck rief uns hin und wieder seine Beobachtungen zu – Männer verließen das Fort, beladen mit Gegenständen – dem Aussehen nach die Bewaffnung des Forts.

»Sind es Collets Männer?«, brüllte der Gouverneur und hielt sich die Hand über die Augen, als er nach oben spähte.

»Kann ich nicht sagen, Sir«, kam die wenig hilfreiche Antwort aus der luftigen Höhe.

Schließlich wurden die beiden Barkassen der *Cruizer* mit dem Auftrag an Land geschickt, so viel Neuigkeiten zu sammeln, wie sie konnten. Einige Stunden später kehrten sie mit der Nachricht zurück, dass Collet den Drohungen nachgegeben und das Fort verlassen, aber Wert darauf gelegt hatte, die Kanonen und das Pulver mitzunehmen, damit es nicht in die Hände der Rebellen fiel.

Nein, Sir, sie hatten nicht mit Hauptmann Collet gesprochen, der – dem Gerücht nach – mit seiner Miliz flussaufwärts unterwegs war. Sie hatten zwei Männer über die Straße nach Wilmington geschickt; es stimmte, dass sich eine große Truppe unter den Obersten Robert Howe und John Ashe auf den Feldern vor der Stadt sammelte, doch kein Wort von dem, was sie planten.

»Kein Wort von dem, was sie planen, zum Kuckuck!«, knurrte der Gouverneur, nachdem ihn Kapitän Follard sehr förmlich davon unterrichtet hatte. »Sie haben vor, das Fort in Brand zu stecken, was sollte Ashe denn sonst planen, gütiger Himmel?«

Sein Instinkt war sehr verlässlich; kurz vor Sonnenuntergang kam Rauchgeruch über das Wasser, und wir konnten gerade eben das ameisenähnliche Gewimmel der Männer ausmachen, die brennbares Material um das Fundament des Forts herum aufhäuften. Es war ein einfaches, quadratisches Gebäude aus Baumstämmen. Und trotz der feuchten Luft *würde* es irgendwann brennen.

Doch sie brauchten lange, um das Feuer in Gang zu bekommen, da sie weder Pulver noch Öl als Brandbeschleuniger hatten; als sich die Nacht herabsenkte, konnten wir deutlich sehen, wie die Flammen der Fackeln im Wind wehten, die man hin und her trug und von Hand zu Hand weiterreichte, an einen Haufen Brennholz hielt und ein paar Minuten später zurückkehrte, weil das Brennholz ausgegangen war.

Gegen neun Uhr fand jemand ein paar Fässer Terpentin, und die Feuersbrunst fraß sich ebenso plötzlich wie tödlich in die Holzwände des Forts. Wogende Flammenwände erhoben sich, leuchtend klar, orange und rote Wolken vor dem nachtschwarzen Himmel, und wir hörten Beifallsfetzen und Bruchstücke ausgelassener Lieder, die der Wind zusammen mit dem Geruch des Rauchs und dem Aroma des Terpentins vom Ufer zu uns herübertrug.

»Wenigstens brauchen wir uns keine Sorgen wegen der Moskitos zu machen«, merkte ich an, während ich mir ein weißliches Rauchwölkchen aus dem Gesicht wedelte.

»Danke, Mrs. Fraser«, sagte der Gouverneur. »Über diesen positiven Aspekt der Angelegenheit hatte ich noch gar nicht nachgedacht.« Seine Stimme war bitter, und seine Fäuste ruhten machtlos auf der Reling.

Ich verstand den Wink mit dem Zaunpfahl und schwieg. Für mich waren die züngelnden Flammen und die Rauchsäule, die sich den Sternen entgegenhob, ein Grund zum Feiern. Nicht, weil die Tatsache, dass Fort Johnston abbrannte, für die Sache der Rebellen von Nutzen war – sondern weil es möglich war, dass Jamie dort war, an einem der Lagerfeuer, die unterhalb des Forts am Strand aufleuchteten.

Und wenn es so war… würde er morgen kommen.

Das tat er auch. Ich war lange vor Tagesanbruch wach – eigentlich hatte ich gar nicht geschlafen – und stand an der Reling. Nach dem Brand des Forts herrschte heute Morgen nicht der übliche Bootsverkehr; der bittere Geruch der Holzasche vermischte sich mit dem Marschgeruch der nahen Sandbänke, und das ölig aussehende Wasser lag reglos da. Es war ein grauer, bedeckter Tag, und eine Nebelbank hing dicht über dem Wasser und verbarg das Ufer.

Doch ich hielt weiter Ausschau, und als ein kleines Boot aus dem Nebel kam, wusste ich sofort, dass es Jamie war. Er war allein.

Ich sah den langen, mühelosen Bewegungen seiner Arme zu, die an den Rudern zogen, und spürte ein plötzliches leises, tiefes Glück. Ich hatte keine Ahnung, was geschehen würde – und das Entsetzen und die Wut, die mit Malvas Tod verbunden waren, lauerten nach wie vor in meinem Hinterkopf, ein gewaltiger, schwarzer Umriss unter sehr dünnem Eis. Doch er war *hier*. So nah, dass ich sein Gesicht sehen konnte, als er sich jetzt nach dem Schiff umsah.

Ich hob eine Hand, um zu winken; sein Blick war schon auf mich geheftet. Er hörte nicht auf zu rudern, sondern näherte sich weiter und wendete, und ich stand da, an die Reling geklammert, und wartete.

Einen Moment verlor ich das Ruderboot aus den Augen, als es leeseits der *Cruizer* beilegte, und ich hörte, wie ihn die Wache anrief, dann die tiefe, halb hörbare Antwort, und beim Klang seiner Stimme spürte ich, wie etwas in mir nachgab, das lange verknotet gewesen war.

Doch ich stand da wie angewurzelt und konnte mich nicht bewegen. Dann ertönten Schritte an Deck und Stimmengemurmel – jemand würde den Gouverneur holen –, und ich schmiegte mich blind in Jamies Arme.

»Ich wusste, dass du kommst«, flüsterte ich in das Leinen seines Hemds. Er roch nach Feuer, Rauch und Kiefernharz, nach angesengtem Stoff und dem bitteren Aroma des Terpentins. Roch nach altem Schweiß und nach Pferden, nach der Erschöpfung eines Mannes, der nicht geschlafen hat, der eine anstrengende Nacht hinter sich hat, nach dem schwachen Hefegeruch fortwährenden Hungers.

Er hielt mich fest, Rippen und Atem und Wärme und Muskeln, dann schob er mich ein Stückchen von sich und sah in mein Gesicht hinunter. Seit ich ihn entdeckt hatte, lächelte er. Seine Augen leuchteten, und ohne ein Wort zog er mir die Haube vom Kopf und warf sie über die Reling. Er fuhr mir mit den Händen durch die Haare und zerzauste sie, dann umfasste er meinen Kopf und küsste mich, während sich seine Finger in meine Kopfhaut bohrten. Er hatte einen Dreitagebart, der wie Sandpapier über meine Haut raspelte, und sein Mund war ein sicherer Hafen.

Irgendwo hinter ihm hustete einer der Marinesoldaten und sagte laut: »Ihr wolltet doch den Gouverneur sprechen, Sir?«

Er ließ mich langsam los und drehte sich um.

»So ist es«, sagte er und hielt mir die Hand hin. »Sassenach?«

Ich ergriff sie und folgte dem Soldaten, der auf die Treppe zuhielt. Ich warf noch einen Blick über die Reling und sah, wie sich meine Haube in der Dünung hob und senkte, mit Luft aufgeblasen und gemächlich wie eine Qualle.

Doch die friedliche Illusion verschwand schlagartig, sobald wir unten waren.

Der Gouverneur war ebenfalls fast die ganze Nacht auf gewesen und sah nicht viel besser aus als Jamie, obwohl er natürlich nicht mit Ruß beschmiert war. Dafür war er unrasiert, seine Augen waren blutunterlaufen, und seine Stimmung war gereizt.

»Mr. Fraser«, sagte er mit einem kurzen Kopfnicken. »Ihr seid doch James Fraser? Und Ihr lebt in den Bergen im Hinterland?«

»Ich bin Fraser aus Fraser's Ridge«, sagte Jamie höflich. »Und ich bin hier, um meine Frau zu holen.«

»Oh, seid Ihr das.« Der Gouverneur warf ihm einen säuerlichen Blick zu und setzte sich, während er gleichgültig auf einen Hocker wies. »Ich muss

Euch leider mitteilen, Sir, dass Eure Frau eine Gefangene der Krone ist. Obwohl Euch das ja vielleicht bekannt war?«

Jamie ignorierte den Sarkasmus und setzte sich auf den ihm angebotenen Hocker.

»Nein, das ist sie nicht«, sagte er. »Es stimmt doch, oder, dass Ihr in der Kolonie North Carolina das Kriegsrecht ausgerufen habt?«

»Das stimmt«, sagte Martin kurz angebunden. Dies war ein ziemlich wunder Punkt, denn er *hatte* zwar das Kriegsrecht ausgerufen, war jedoch nicht in der Lage, es auch durchzusetzen, sondern musste stattdessen ohnmächtig und vor Wut kochend auf dem Wasser dümpeln, bis England geruhte, ihm Verstärkung zu schicken.

»Dann ist damit jedes übliche Gesetz außer Kraft gesetzt«, sagte Jamie. »Ihr allein habt die Kontrolle über den Gewahrsam und den Aufenthaltsort sämtlicher Gefangenen – und meine Frau befindet sich schon einige Zeit in Eurem Gewahrsam. Daher habt Ihr ebenso die Befugnis, sie zu entlassen.«

»Hm«, sagte der Gouverneur. Darüber hatte er offensichtlich noch nicht nachgedacht, und er war sich offenbar nicht sicher, welche Konsequenzen es hatte. Gleichzeitig war der Gedanke, dass er die Kontrolle über irgendetwas hatte, im Moment wahrscheinlich Balsam für seine gebeutelte Seele.

»Man hat keinen Prozess gegen sie anberaumt und nicht einmal irgendwelche Beweise gegen sie gesammelt«, sagte Jamie bestimmt. Ich ertappte mich bei einem stummen Dankgebet, weil ich MacDonald die Einzelheiten erst *nach* seiner Unterredung mit dem Gouverneur erzählt hatte – es mochte zwar nicht das sein, was ein modernes Gericht als Beweismittel bezeichnete, doch es war zumindest ein verdächtiges Indiz, wenn man mit einem Messer in der Hand neben zwei warmen, blutigen Leichen gefunden wurde.

»Man beschuldigt sie, doch die Anklage ist gegenstandslos. Auch wenn Ihr sie erst so kurz kennt, habt Ihr doch sicher schon Eure Schlüsse in Bezug auf ihren Charakter gezogen?« Ohne eine Antwort darauf abzuwarten, fuhr er fort.

»Als man uns beschuldigte, haben wir keinen Widerstand geleistet gegen den Versuch, meine Frau – und mich, denn dieselbe Anklage wurde auch gegen mich erhoben – vor Gericht zu bringen. Welch besseren Beweis kann es geben, dass wir so sehr von ihrer Unschuld überzeugt sind, dass wir einen schnellen Prozess wünschten, um diese offiziell festzustellen?«

Der Gouverneur hatte die Augen zusammengekniffen und schien intensiv nachzudenken.

»Euren Argumenten fehlt es nicht an Überzeugungskraft, Sir«, sagte er schließlich im Tonfall formeller Höflichkeit. »Allerdings habe ich es so verstanden, dass das Verbrechen, dessen Eure Frau beschuldigt wird, höchst grauenvoll gewesen ist. Wenn ich sie freigebe, wird dies unweigerlich einen öffentlichen Aufschrei nach sich ziehen – und ich habe wirklich genug von öffentlicher Unruhe«, fügte er mit einem trostlosen Blick auf Jamies angesengte Rockärmel hinzu.

Jamie holte tief Luft und unternahm einen neuen Anlauf.

»Ich verstehe Eure Zurückhaltung sehr wohl, Eure Exzellenz«, sagte er. »Vielleicht könnte ich Euch eine… Garantie anbieten, um diese zu überwinden?«

Martin setzte sich kerzengerade hin und schob sein fliehendes Kinn vor.

»Was schlagt Ihr da vor, Sir? Besitzt Ihr etwa die Impertinenz, die – die – unaussprechliche Dreistigkeit, mich *bestechen* zu wollen?« Er ließ beide Hände auf den Tisch niedersausen und richtete seinen funkelnden Blick von mir auf Jamie und wieder zurück. »Gottverdammt, ich sollte Euch beide hängen, und zwar hier und jetzt!«

»Bravo, Mr. Allnut«, murmelte ich Jamie zu. »Verheiratet sind wir ja wenigstens schon«

»Oh, ah«, erwiderte er und warf mir einen kurzen, verständnislosen Blick zu, bevor er seine Aufmerksamkeit wieder auf den Gouverneur richtete, der immer noch vor sich hin brummte. »Sollen sie an der Rah baumeln… die unglaubliche Unverschämtheit dieser Menschen!«

»Ich habe nichts dergleichen vor, Sir.« Jamies Stimme war gefasst, sein Blick direkt. »Was ich Euch anbiete ist eine Kaution als Rückversicherung, dass meine Frau vor Gericht erscheinen wird, um sich für die gegen sie erhobenen Vorwürfe zu verantworten. Wenn sie dort erscheint, geht die Kaution wieder in meinen Besitz über.«

Bevor der Gouverneur darauf antworten konnte, griff er in seine Tasche und zog etwas Kleines, Dunkles hervor, das er auf den Tisch legte. Der schwarze Diamant.

Dieser Anblick verschlug Martin die Sprache. Er kniff die Augen zu und sein Gesicht wurde so ausdruckslos, dass es schon fast komisch war. Er rieb sich nachdenklich die Oberlippe.

Da ich inzwischen einiges von der Privatkorrespondenz und der Buchführung des Gouverneurs gesehen hatte, war mir sehr wohl bewusst, dass er kaum über private Mittel verfügte und gezwungen war, weit über die Verhältnisse seines bescheidenen Einkommens zu leben, um den Anschein dessen zu wahren, was sich für einen Königlichen Gouverneur gebührte.

Dem Gouverneur dagegen war sehr wohl bewusst, dass es inmitten der gegenwärtigen Unruhen sehr unwahrscheinlich war, dass mir in nächster Zeit der Prozess gemacht wurde. Es konnte Monate – möglicherweise sogar Jahre – dauern, bis das Gerichtssystem wieder normal funktionierte. Und so lange würde er den Diamanten haben. Er konnte ihn zwar als Ehrenmann nicht einfach verkaufen – doch er konnte mit Sicherheit einen beträchtlichen Kredit darauf aufnehmen und durchaus davon ausgehen, dass er ihn später zurückzahlen konnte.

Ich sah, wie seine Augen zu den Rußflecken auf Jamies Rock huschten und sich spekulierend verengten. Es war ebenfalls gut möglich, dass Jamie umkam oder man ihn wegen Hochverrats verhaftete – und ich sah, wie ihm der Impuls, genau dies zu tun, kurz durch den Kopf schoss –, was den Diamanten zwar ins legale Niemandsland befördern würde, doch er würde sich unweigerlich in Martins Besitz befinden. Ich musste mich zwingen, weiterzuatmen.

Doch er war nicht dumm, Martin – und käuflich war er auch nicht. Mit einem kleinen Seufzer schob er Jamie den Stein wieder hin.

»Nein, Sir«, sagte er, doch die Entrüstung war aus seiner Stimme verschwunden. »Ich werde diese Kaution für Eure Frau nicht annehmen. Doch die Idee einer Garantie …« Sein Blick wanderte zu dem Papierstapel auf seinem Schreibtisch und kehrte dann zu Jamie zurück.

»Ich mache Euch einen Vorschlag, Sir«, sagte er abrupt. »Ich habe eine Operation in Gang gebracht, durch die ich hoffe, eine beachtliche Truppe der schottischen Highlander zusammenzustellen, die aus dem Hinterland zur Küste marschieren und dort auf die Truppen treffen werden, die England mir schickt. Unterwegs werden sie die Kolonie im Namen des Königs zur Ruhe bringen.«

Er hielt inne, um Luft zu holen, und beobachtete Jamie scharf, um zu sehen, welche Wirkung diese Worte zeigten. Ich stand dicht hinter Jamie und konnte sein Gesicht nicht sehen, doch das brauchte ich auch nicht. Brianna nannte es scherzhaft sein Pokerface, und niemand, der ihn ansah, konnte sagen, ob er vier Asse in der Hand hatte, ein Full House oder nur zwei Dreien. Ich persönlich setzte auf die zwei Dreien – doch Martin kannte ihn nicht annähernd so gut wie ich.

»Vor einiger Zeit sind General Hugh MacDonald und ein gewisser Oberst Donald McLeod in die Kolonie gekommen und sind seitdem unterwegs, um unsere Anhänger zu mobilisieren – mit erfreulichem Ergebnis, muss ich sagen.« Er trommelte kurz mit den Fingern auf die Briefe, dann hielt er abrupt inne und beugte sich vor.

»Mein Vorschlag, Sir, lautet folgendermaßen: Ihr werdet ins Hinterland zurückkehren und so viele Männer um Euch scharen, wie Ihr könnt. Dann werdet Ihr bei General MacDonald vorstellig werden und Euch mit Euren Truppen seinem Feldzug anschließen. Wenn ich von MacDonald höre, dass Ihr mit, sagen wir, zweihundert Mann eingetroffen seid – dann, Sir, werde ich Euch Eure Frau überlassen.«

Mein Puls raste, genau wie Jamies; ich konnte ihn in seinem Hals hämmern sehen. Definitiv nur Dreien. Offenbar hatte MacDonald dem Gouverneur nicht erzählt, wie weit verbreitet und feindselig die Reaktionen auf Malva Christies Tod gewesen waren – oder er hatte es nicht gewusst. Es gab immer noch Männer in Fraser's Ridge, die Jamie folgen würden, dessen war ich mir sicher – doch viel mehr, die es nicht tun würden oder nur dann, wenn er sich von mir lossagte.

Ich versuchte, logisch über die Situation nachzudenken, um mich von der erdrückenden Enttäuschung über die Erkenntnis abzulenken, dass der Gouverneur mich nicht gehen lassen würde. Jamie musste ohne mich gehen, mich hier lassen. Einen überwältigenden Moment lang glaubte ich, es nicht ertragen zu können; ich würde wahnsinnig werden und schreiend über den Tisch springen, um Josiah Martin die Augen auszukratzen.

Er blickte auf, sah meine Miene und fuhr so heftig zurück, dass er sich halb von seinem Stuhl erhob.

Jamie griff hinter sich und packte mich fest am Unterarm.

»Ganz ruhig, *a nighean*«, sagte er leise.

Ich hatte die Luft angehalten, ohne es zu merken. Jetzt atmete ich keuchend aus und zwang mich, langsam zu atmen.

Genauso langsam ließ sich der Gouverneur wieder auf seinen Stuhl sinken – ohne seinen argwöhnischen Blick von mir abzuwenden. Die Dinge, deren man mich beschuldigte, waren in seinem Kopf gerade um einiges wahrscheinlicher geworden. *Schön*, dachte ich wütend, um nicht loszuweinen. *Du wirst ja sehen, wie gut du schläfst, wenn du mich stets in deiner Nähe hast.*

Jamie holte tief und lange Luft und richtete sich in seinem zerschlissenen Rock auf.

»Ihr werdet mir gestatten, Sir, über Euren Vorschlag nachzudenken«, sagte er förmlich. Er ließ meinen Arm los und erhob sich.

»Nur Mut, *mo chridhe*«, sagte er zu mir. »Morgen früh sehen wir uns wieder.«

Er hob meine Hand an seine Lippen und küsste sie, dann sah er den Gouverneur mit einem kaum merklichen Kopfnicken an und schritt hinaus, ohne sich umzusehen.

Ein paar Sekunden war alles still in der Kajüte, und ich hörte, wie sich seine Schritte entfernten und die Treppe hinaufstiegen. Ich überlegte keine Sekunde, sondern griff in mein Korsett und zog das kleine Messer hervor, das ich aus dem Arztkoffer genommen hatte.

Ich stieß mit aller Kraft zu, so dass es im Holz des Schreibtischs stecken blieb und zitternd vor den erstaunten Augen des Gouverneurs stand.

»Gottverdammter *Mistkerl*«, sagte ich seelenruhig zu ihm und ging.

97

Für jemand, der es wert ist

Am nächsten Morgen wartete ich wieder vor Tagesanbruch an der Reling. Kräftiger, beißender Aschegeruch kam mit dem Wind, doch der Rauch hatte sich verzogen. Das Ufer war vom Frühnebel verhangen, und ich spürte ein leises, aufregendes *Déjà-vu*-Gefühl, das sich mit Hoffnung vermischte, als ich das kleine Boot aus dem Nebel kommen und auf das Schiff zuhalten sah.

Doch als es näher kam, klammerten sich meine Hände fester an die Reling. Es war nicht Jamie. Ein paar Sekunden lang versuchte ich, mir einzureden, dass er es war, dass er nur den Rock gewechselt hatte – doch mit jedem Ruderschlag nahm die Gewissheit zu. Ich schloss die Augen, in denen die Tränen brannten, und sagte mir, dass es absurd war, so aus der Fassung zu geraten; dass es nichts zu bedeuten hatte.

Jamie würde kommen; er hatte es gesagt. Die Tatsache, dass sich jemand anders so früh dem Schiff näherte, hatte nichts mit ihm oder mir zu tun.

Und doch war es so. Ich öffnete die Augen und rieb sie mir mit dem Handgelenk. Dann spähte ich erneut zu dem Ruderboot und fuhr ungläubig zusammen. Es konnte doch nicht… doch, er war es. Beim Ruf der Wache hob er den Kopf und sah mich an der Reling stehen. Unsere Blicke trafen sich kurz, dann senkte er sein Haupt und griff nach den Rudern. Tom Christie.

Der Gouverneur war nicht begeistert, zum dritten Mal in Folge im Morgengrauen aus dem Bett geholt zu werden; ich konnte hören, wie er unten einem der Soldaten auftrug, dem Mann zu sagen, ganz gleich, wer er sei, er sollte eine vernünftigere Tageszeit abwarten – woraufhin die Kajütentür entschieden zuknallte.

Darüber war ich wiederum nicht begeistert – und nicht in der Stimmung zu warten. Der Soldat am Kopf der Treppe weigerte sich jedoch, mich nach unten zu lassen. Also machte ich klopfenden Herzens kehrt und ging zum Achterschiff, wohin sie Tom Christie gebracht hatten, damit er abwartete, bis es dem Gouverneur beliebte, ihn zu empfangen.

Der Soldat, der dort postiert war, zögerte, doch es gab schließlich keine Order, die mir verbot, mich mit Besuchern zu unterhalten; er ließ mich durch.

»Mr. Christie.« Er stand an der Reling und starrte zur Küste zurück, doch bei meinen Worten drehte er sich um.

»Mrs. Fraser.« Er war sehr blass; sein grau melierter Bart sah im Kontrast dazu beinahe schwarz aus. Doch er hatte ihn geschnitten und sein Haar ebenfalls. Er sah zwar immer noch aus wie ein vom Blitz getroffener Baum, doch es war wieder Leben in seinen Augen, als er mich ansah.

»Mein Mann –«, begann ich, doch er schnitt mir das Wort ab.
»Es geht ihm gut. Er erwartet Euch am Ufer; Ihr werdet ihn bald sehen.«
»Oh?« Das Brodeln der Angst und der Wut in meinem Inneren beruhigte sich ein wenig, als hätte jemand die Flamme klein gedreht, doch die Ungeduld kochte. »Nun, was zum Teufel geht hier vor, könnt Ihr mir das verraten?«
Er musterte mich einen langen Moment schweigend, dann leckte er sich kurz die Lippen, wandte sich um und blickte über die Reling auf die glatte, graue Dünung. Dann richtete er seine Augen wieder auf mich und holte tief Luft, weil er sich offenbar für etwas wappnen musste.
»Ich bin gekommen, um den Mord an meiner Tochter zu gestehen.«
Ich starrte ihn einfach nur an, unfähig, mir einen Reim auf seine Worte zu machen. Dann setzte ich sie zu einem Satz zusammen, las ihn von der Tafel in meinem Kopf ab und verstand ihn schließlich.
»Nein, das kann nicht sein«, sagte ich.
Der leiseste Hauch eines Lächelns schien sich unter seinem Bart zu regen, wenn er auch wieder verschwand, kaum dass ich ihn gesehen hatte.
»Ich sehe, dass Ihr immer noch so widerspenstig seid«, sagte er trocken.
»Macht Euch keine Gedanken um mich«, sagte ich ausgesprochen unhöflich. »Seid Ihr verrückt geworden? Oder ist das hier Jamies neuester Plan? Denn falls es so ist –«
Er gebot mir Einhalt, indem er mich am Handgelenk berührte; ich fuhr bei seiner Berührung auf, weil sie so unerwartet kam.
»Es ist die Wahrheit«, sagte er ganz leise. »Das werde ich schwören, bei der Heiligen Schrift.«
Ich stand da und fixierte ihn, ohne mich zu bewegen. Er erwiderte meinen direkten Blick, und ich begriff plötzlich, wie selten er mir bis jetzt in die Augen gesehen hatte; während unserer gesamten Bekanntschaft hatte er stets ausweichend den Blick abgewandt, als versuchte er, dem Eingeständnis zu entfliehen, dass ich existierte, selbst wenn es nicht zu vermeiden war, dass er mit mir sprach.
Das war jetzt vorbei, und einen solchen Ausdruck hatte ich noch nie in seinen Augen gesehen. Schmerz und Leid hatten tiefe Furchen rings um sie gegraben, und Trauer beschwerte seine Lider – doch seine Augen selbst waren tief und ruhig wie die See unter uns. Das, was er auf unserem ganzen albtraumhaften Weg nach Süden ausgestrahlt hatte, diese Atmosphäre stummen Entsetzens und betäubenden Schmerzes, war von ihm gewichen und hatte der Entschlossenheit Platz gemacht – und noch etwas anderem, das tief in seinem Inneren brannte.
»Warum?«, sagte ich schließlich, und er ließ mein Handgelenk los und trat einen Schritt zurück.
»Könnt Ihr Euch erinnern« – dem Ton seiner Stimme nach hätte es Jahrzehnte zurückliegen können –, »dass Ihr mich einmal gefragt habt, ob ich Euch für eine Hexe halte?«

»Ja«, erwiderte ich argwöhnisch. »Ihr habt gesagt –« Jetzt erinnerte ich mich in der Tat an diese Unterhaltung, und ein leichter Eishauch huschte mir über den Rücken. »Ihr habt gesagt, dass Ihr an Hexen glaubt – mich aber nicht für eine hieltet.«

Er nickte, ohne die dunkelgrauen Augen von mir abzuwenden. Ich fragte mich, ob er im Begriff war, diese Meinung zu revidieren, doch anscheinend war das nicht der Fall.

»Ich glaube an Hexen«, sagte er völlig sachlich und ernst. »Denn ich kenne sie. Das Mädchen war eine Hexe, genau wie ihre Mutter vor ihr.« Das eisige Kribbeln nahm zu.

»Das Mädchen«, sagte ich. »Ihr meint Eure Tochter? Malva?«

Er schüttelte sacht den Kopf, und seine Augen nahmen eine noch dunklere Farbe an. »Nicht meine Tochter«, sagte er.

»Nicht – nicht von Euch? Aber – ihre Augen. Sie hatte doch Eure Augen.« Ich hörte mich das sagen und hätte mir auf die Zunge beißen können. Doch er lächelte nur grimmig.

»Und die meines Bruders.« Er drehte sich zur Reling um und blickte über das Wasser zum Land. »Edgar war sein Name. Als der Aufstand kam und ich mich offen auf die Seite der Stuarts gestellt habe, wollte er nichts davon wissen, hat gesagt, es sei töricht. Er hat mich angefleht, nicht zu gehen.« Er schüttelte langsam den Kopf, und vor seinem inneren Auge sah er etwas, das mit Sicherheit nicht das bewaldete Ufer war.

»Ich dachte – nun, es spielt keine große Rolle, was ich dachte, aber ich bin gegangen. Und habe ihn gefragt, ob er sich um meine Frau und den Kleinen kümmern würde.« Er holte tief Luft und atmete wieder aus. »Und das hat er getan.«

»Ich verstehe«, sagte ich leise. Bei meinem Tonfall wandte er scharf den Kopf und fixierte mich durchdringend.

»Es war nicht seine Schuld! Mona war eine Hexe – sie konnte Menschen verzaubern.« Als er meine Miene sah, presste er die Lippen zusammen. »Ich sehe, dass Ihr mir nicht glaubt. Es ist die Wahrheit; ich habe sie mehr als einmal dabei erwischt – bei ihren Zaubersprüchen, ihren Ritualen –, einmal bin ich auf der Suche nach ihr um Mitternacht aufs Dach gestiegen. Sie hat splitternackt dort gestanden und die Sterne angestarrt, in der Mitte eines Pentagramms, das sie mit dem Blut einer erwürgten Taube gezeichnet hatte, und ihr Haar hat wild im Wind geweht.«

»Ihr Haar«, sagte ich, weil ich etwas suchte, woran ich anknüpfen konnte, und plötzlich begriff ich, »sie hatte Haare wie ich, nicht wahr?«

Er nickte und wandte den Blick ab, und ich sah die Bewegung seiner Kehle, als er schluckte.

»Sie war ... was sie war«, sagte er leise. »Ich habe versucht, sie zu retten – durch meine Gebete, durch meine Liebe. Ich konnte es nicht.«

»Was ist aus ihr geworden?«, fragte ich genauso leise. Da es so windig war,

war es kaum wahrscheinlich, dass jemand unser Gespräch mit anhörte, doch ich war nicht der Meinung, dass ein Fremder dies hören sollte.

Er seufzte und schluckte noch einmal.

»Man hat sie gehängt«, sagte er und klang beinahe neutral. »Wegen Mordes an meinem Bruder.«

Dies hatte sich anscheinend ereignet, während Tom in Ardsmuir im Kerker saß; sie hatte ihm vor ihrer Exekution die Nachricht von Malvas Geburt zukommen lassen, und dass sie Edgars Frau die beiden Kinder überließ.

»Ich nehme an, sie fand das komisch«, sagte er und klang geistesabwesend. »Mona hatte wahrhaftig einen merkwürdigen Humor.«

Mir war kalt, über die Kühle der Morgenbrise hinaus, und ich klammerte mich an meine Ellbogen.

»Aber Ihr habt sie zurückbekommen – Allan und Malva.«

Er nickte; er war deportiert worden, hatte aber das Glück gehabt, dass sein Leibeigenschaftsvertrag von einem gütigen, reichen Mann gekauft wurde, der ihm das Geld für die Überfahrt der Kinder in die Kolonien gegeben hatte. Doch dann waren sowohl sein Arbeitgeber als auch die Frau, die er hier geheiratet hatte, einer Gelbfieberepidemie zum Opfer gefallen. Als er nach neuen Möglichkeiten für sich suchte, hatte er von Jamie Frasers Ansiedlung in North Carolina gehört und davon, dass er den Männern, die er aus Ardsmuir kannte, zu eigenem Land verhalf.

»Ich wünschte, ich hätte mir lieber die Kehle durchgeschnitten als dorthin zu ziehen«, sagte er und wandte sich mir abrupt wieder zu. »Das könnt Ihr mir glauben.«

Er schien es völlig ernst zu meinen. Ich wusste nicht, was ich darauf antworten sollte, doch er schien auch nichts zu erwarten und fuhr fort.

»Das Mädchen – sie war erst fünf Jahre alt, als ich sie das erste Mal gesehen habe, aber sie hatte es damals schon – die gleiche Gerissenheit, den gleichen Zauber … die gleiche dunkle Seele.«

Er hatte aus Leibeskräften versucht, auch Malva zu retten – die Durchtriebenheit aus ihr herauszuprügeln, ihre wilden Neigungen zu unterdrücken und vor allem zu verhindern, dass sie die Möglichkeit bekam, Männer zu umgarnen.

»Bei ihrer Mutter war es haargenau so.« Seine Lippen pressten sich bei diesem Gedanken aufeinander. »Egal, welcher Mann. Es war der Fluch Liliths, der auf ihnen ruhte, auf beiden.«

Meine Magengrube fühlte sich hohl an, jetzt, da er auf Malva zurückkam.

»Aber sie war doch schwanger …«, sagte ich.

Er wurde noch bleicher, doch seine Stimme war fest.

»Aye, das war sie. Ich glaube nicht, dass es falsch ist zu verhindern, dass noch eine Hexe auf die Welt kommt.«

Er sah meinen Gesichtsausdruck und fuhr fort, bevor ich ihn unterbrechen konnte.

»Ihr wisst doch, dass sie versucht hat, Euch umzubringen? Euch und mich?«

»Wie meint Ihr das? Mich umzubringen, wie denn?«

»Als Ihr ihr von den unsichtbaren Dingen erzählt habt, den – den Keimen. Das hat sie sehr interessiert. Sie hat es mir erzählt, als ich sie mit den Knochen erwischt habe.«

»Was für Knochen?«, fragte ich, und ein Eissplitter fuhr mir über den Rücken.

»Die Knochen, die sie aus Ephraims Grab gestohlen hat, um ihren Zauber über Euren Mann zu legen. Sie hat sie nicht alle benutzt, und ich habe sie später in ihrem Handarbeitskorb gefunden. Ich habe sie geschlagen, und da hat sie es mir erzählt.«

Sie war es gewohnt, auf der Suche nach essbaren Pflanzen und Kräutern allein durch den Wald zu wandern und hatte dies auch auf dem Höhepunkt der Durchfallepidemie getan. Und auf einer dieser Wanderungen war sie auf die Hütte des Sündentilgers gestoßen, jenes seltsamen, verkrüppelten Mannes. Sie hatte ihn dem Tode nah angetroffen, vor Fieber glühend und im Koma, und während sie noch dastand und sich fragte, ob sie Hilfe holen oder einfach nur weglaufen sollte, war er tatsächlich gestorben.

Woraufhin ihr eine Idee gekommen war und sie das Wissen, das ich ihr sorgfältig beigebracht hatte, angewendet hatte – sie hatte der Leiche Blut und Schleim entnommen, beides mit etwas Brühe vom Kessel auf dem Herd in ein Fläschchen gefüllt und es in ihrem Korsett mit ihrer Körperwärme genährt.

Und hatte ihrem Vater und mir ein paar Tropfen dieser tödlichen Mischung ins Essen geschmuggelt, in der Hoffnung, dass im Fall einer Erkrankung unser Tod als Teil der Seuche durchgehen würde, die Fraser's Ridge plagte.

Meine Lippen fühlten sich steif und blutleer an.

»Seid Ihr Euch da sicher?«, flüsterte ich. Er nickte, ohne weitere Überzeugungsversuche zu unternehmen, und das allein überzeugte mich schon davon, dass er die Wahrheit sagte.

»Sie wollte – Jamie?«, fragte ich.

Er schloss einen Moment die Augen; die Sonne ging jetzt auf, und ihr Licht befand sich zwar in unserem Rücken, doch das Wasser reflektierte es wie ein glänzender Silberteller.

»Sie … wollte«, sagte er schließlich. »Sie gierte. Gierte nach Reichtum, nach gesellschaftlicher Bedeutung, nach dem, was sie für Freiheit hielt, ohne die Zügellosigkeit darin zu sehen – denn sehen konnte sie nie!« Er sprach mit plötzlicher Heftigkeit, und mir kam der Gedanke, dass Malva nicht die Einzige gewesen war, die die Dinge nicht so gesehen hatte wie er.

Doch sie hatte Jamie begehrt, ob nun um seiner selbst willen oder wegen seines Besitzes. Und als ihr Liebeszauber keine Wirkung gezeigt hatte und die Epidemie ausbrach, hatte sie einen direkteren Weg ans Ziel ihrer Wünsche gewählt. Ich konnte das noch nicht fassen – und doch wusste ich, dass es die Wahrheit war.

Und als sie dann unpassenderweise feststellte, dass sie schwanger war, war ihr ein neuer Gedanke gekommen.

»Wisst Ihr, wer der Vater wirklich war?«, fragte ich, und der Gedanke an den sonnendurchfluteten Garten und die beiden viel zu jungen Leichen schnürte mir – wie er es wohl immer tun würde – die Kehle zu. Was für eine Verschwendung.

Er schüttelte den Kopf, wich aber meinem Blick aus, und ich begriff, dass er zumindest eine Ahnung hatte. Doch er wollte es mir nicht sagen, und es spielte jetzt wohl auch keine Rolle. Und der Gouverneur würde bald aufstehen, bereit, ihn zu empfangen.

Er hörte die Geräusche unter Deck gleichfalls und holte tief Luft.

»Ich konnte nicht zulassen, dass sie so viele Leben zerstörte; konnte sie nicht mit ihrem schändlichen Tun fortfahren lassen. Denn irrt Euch nicht, sie war eine Hexe; dass es ihr nicht gelungen ist, Euch oder mich umzubringen, war reines Glück. Irgendjemanden hätte sie noch umgebracht. Vielleicht Euch, wenn Euch Euer Mann nicht aufgab. Vielleicht ihn, in der Hoffnung, seinen Besitz für ihr Kind zu erben.« Er holte krampfhaft und schmerzvoll Luft.

»Sie war kein Kind meiner Lenden, und doch – sie war meine Tochter, mein Blut. Ich konnte nicht... konnte nicht zulassen... Ich hatte die Verantwortung.« Er brach ab, denn er konnte nicht zu Ende sprechen. Damit, so dachte ich, sprach er die Wahrheit. Und doch...

»Thomas«, sagte ich entschlossen, »das ist Unsinn, und das wisst Ihr auch.«

Er sah mich überrascht an, und ich sah, dass Tränen in seinen Augen standen. Er kniff die Augen zu und antwortete leidenschaftlich.

»Meint Ihr? Ihr wisst gar nichts, gar nichts!«

Er merkte, wie ich zusammenzuckte, und senkte den Blick. Dann streckte er umständlich die Hand aus und ergriff die meine. Ich spürte die Narben meiner Operation, die Spannkraft im Griff seiner Finger.

»Mein Leben lang habe ich gewartet, gesucht...« Er machte eine vage Bewegung mit der freien Hand, dann schloss er seine Finger, als wollte er den Gedanken fassen, und fuhr bestimmter fort. »Nein. Gehofft. Gehofft auf etwas, das ich nicht benennen konnte, wovon ich aber wusste, dass es existieren musste.«

Er sah mir suchend ins Gesicht, als prägte er sich meine Züge ein. Die Art, wie er mich betrachtete, war mir unangenehm, und ich hob die Hand, wohl, um mir das wilde Haar glatt zu streichen – doch zu meiner Überraschung fing er meine Hand ab und hielt sie fest.

»Nicht«, sagte er.

Da er mich an beiden Händen hielt, blieb mir keine Wahl.

»Thomas«, sagte ich unsicher. »Mr. Christie …«

»Ich kam zu der Überzeugung, dass es Gott war, den ich suchte. Vielleicht war es ja so. Doch Gott ist nicht aus Fleisch und Blut, und von Gottes Liebe allein konnte ich nicht leben. Ich habe mein Geständnis niedergeschrieben.« Er ließ mich los und schob die Hand in seine Tasche, suchte darin herum und zog ein zusammengefaltetes Stück Papier hervor, das er fest in seinen kurzen, kräftigen Fingern hielt.

»Ich habe hier geschworen, dass ich es war, der meine Tochter umgebracht hat, um der Schande willen, die sie mit ihrer Liederlichkeit über mich gebracht hat.« Seine Stimme klang selbstsicher, doch ich konnte seine Kehle über der zerknitterten Halsbinde arbeiten sehen.

»Aber Ihr seid es doch nicht gewesen«, sagte ich überzeugt. »Ich weiß, dass Ihr es nicht gewesen seid.«

Er blinzelte mich verdutzt an.

»Nein«, sagte er völlig nüchtern. »Aber ich hätte es tun sollen.«

»Ich habe eine Kopie dieses Geständnisses angefertigt«, sagte er und steckte das Dokument wieder in seinen Rock zurück, »und sie der Zeitung in New Bern zukommen lassen. Sie werden es abdrucken. Der Gouverneur wird es akzeptieren – was bleibt ihm anderes übrig? –, und Ihr werdet frei sein.«

Die letzten vier Worte betäubten mich. Er hielt mich nach wie vor an der rechten Hand; sein Daumen strich sanft über meine Fingerknöchel. Ich wäre gern zurückgewichen, zwang mich aber stillzuhalten, beschworen durch seine Augen, die jetzt klar und grau und nackt waren, unverstellt.

»Ich habe mich immer danach gesehnt«, sagte er leise, »zu lieben und geliebt zu werden; habe mein Leben damit zugebracht, jene zu lieben, die es nicht wert waren. Gestattet mir dies; mein Leben zu geben für jemand, der es wert ist.«

Ich fühlte mich, als hätte es mir den Atem verschlagen. Ich bekam keine Luft, doch ich rang nach Worten.

»Mr. Chr – Tom«, sagte ich. »Das dürft Ihr nicht tun. Euer Leben ist – ist kostbar. Ihr könnt es doch nicht einfach so wegwerfen!«

Er nickte geduldig.

»Das weiß ich. Wenn es nicht so wäre, wäre meine Tat ja wertlos.«

Schritte kamen die Treppe herauf, und ich hörte unten die Stimme des Gouverneurs, der sich fröhlich mit dem Hauptmann der Marinesoldaten unterhielt.

»Thomas! Tut das nicht!«

Er sah mich einfach nur an und lächelte – hatte ich ihn schon jemals lächeln sehen? –, blieb aber stumm. Er hob meine Hand und beugte sich darüber; ich spürte seine Bartstoppeln und die Wärme seines Atems, die Sanftheit seiner Lippen.

»Ich bin Euer Diener, Madam«, sagte er ganz leise. Er drückte meine Hand und ließ sie los, dann wandte er sich ab und blickte zum Ufer. Ein kleines Boot näherte sich, dunkel vor dem Hintergrund der glitzernden Silbersee. »Euer Mann kommt Euch holen. *Adieu*, Mrs. Fraser.«

Er machte kehrt und schritt davon, aufrecht trotz der Dünung, die sich unter uns hob und senkte.

ELFTER TEIL

DIE ZEIT DER RACHE

98

Ein Geist lässt sich nicht fern halten

Jamie stöhnte, räkelte sich und ließ sich im Sitzen auf das Bett plumpsen.

»Ich fühle mich, als wäre mir jemand auf den Sack getreten.«

»Oh?« Ich öffnete ein Auge, um ihm einen Blick zuzuwerfen. »Wer denn?«

Er sah mich mit blutunterlaufenen Augen an.

»Ich weiß es nicht, aber es fühlt sich so an, als wäre es jemand Schweres gewesen.«

»Leg dich hin«, sagte ich und gähnte. »Wir brauchen noch nicht aufzubrechen; du kannst dich noch etwas ausruhen.«

Er schüttelte den Kopf.

»Nein, ich möchte nach Hause. Wir sind sowieso schon viel zu lange fort.« Trotzdem stand er nicht auf, um sich fertig anzuziehen, sondern blieb weiter im Hemd auf dem durchhängenden Wirtshausbett sitzen und ließ die Hände untätig zwischen den Oberschenkeln liegen.

Obwohl er gerade erst aufgestanden war, sah er todmüde aus, was allerdings kein Wunder war. Wahrscheinlich hatte er tagelang gar nicht geschlafen – erst die Suche nach mir, dann der Brand von Fort Johnston und schließlich die Ereignisse, die zu meiner Freilassung von der *Cruizer* führten. Bei dem Gedanken daran spürte ich, wie sich ein Schatten auf mein Gemüt legte, trotz der Freude, mit der ich beim Erwachen realisiert hatte, dass ich frei war, an Land und bei Jamie.

»Leg dich hin«, wiederholte ich. Ich wälzte mich auf ihn zu und legte ihm eine Hand auf den Rücken. »Es dämmert doch gerade erst. Warte wenigstens das Frühstück ab; du kannst doch nicht reisen, ohne zu schlafen *und* zu essen.«

Er blinzelte zum Fenster, dessen Läden geschlossen waren; die Ritzen hatten sich zu erhellen begonnen, weil draußen das Licht zunahm, doch ich hatte Recht; unter uns deutete noch kein Geräusch darauf hin, dass Feuer geschürt wurden oder Töpfe klapperten. Da kapitulierte er plötzlich, ließ sich langsam zur Seite sinken und konnte einen Seufzer nicht unterdrücken, als sich sein Kopf wieder auf das Kissen legte.

Er protestierte weder, als ich die zerschlissene Decke über ihn warf, noch als ich mich an ihn schmiegte, einen Arm um seine Hüfte legte und meine Wange an seinen Rücken drückte. Er roch immer noch nach Rauch, obwohl wir uns beide gestern Abend hastig gewaschen hatten, bevor wir ins Bett fielen und in den kostbaren Schlaf sanken.

Ich konnte spüren, wie müde er war. Auch mir tat noch alles vor Erschöpfung weh – und von den Klumpen in der Wollfüllung der flach gelegenen Matratze. Ian hatte mit Pferden gewartet, als wir an Land kamen, und wir waren so weit geritten, wie wir konnten, bevor es dunkel wurde. Schließlich waren wir in einem entlegenen, baufälligen Wirtshaus abgestiegen, einem einfachen Rastplatz für Fuhrleute auf dem Weg zur Küste.

»Malcolm«, hatte er mit leisem Zögern gesagt, als ihn der Wirt nach seinem Namen fragte. »Alexander Malcolm.«

»Und Murray«, hatte Ian gesagt, während er sich gähnend die Rippen kratzte. »John Murray.«

Der Wirt hatte genickt; es interessierte ihn nicht besonders. Es gab keinen Grund, warum er drei unauffällige, erschöpfte Reisende mit einem berüchtigten Mordfall in Verbindung bringen sollte – und doch hatte ich gespürt, wie die Panik in mir aufstieg, als er mich musterte.

Ich hatte Jamies Zögern gespürt, als er diesen Namen angab; seinen Widerwillen, erneut einen der Decknamen zu benutzen, unter denen er einst gelebt hatte. Er legte Wert auf seinen Namen, mehr als die meisten anderen Menschen – ich hoffte nur, dass er mit der Zeit auch wieder etwas wert *sein* würde.

Vielleicht konnte Roger ja helfen. Er würde inzwischen ein richtiger Pastor sein, dachte ich und lächelte bei diesem Gedanken. Er hatte eine echte Gabe, die Unstimmigkeiten unter den Bewohnern von Fraser's Ridge zu glätten, Streit zu schlichten – und durch die zusätzliche Autorität, die ihm die Ordination verlieh, würde sein Einfluss weiter zunehmen.

Es würde schön sein, ihn wiederzuhaben. Und Brianna und Jemmy wiederzusehen – ich verspürte einen Moment der Sehnsucht nach ihnen, obwohl wir sie ja bald sehen würden; wir hatten vor, über Cross Creek zu reisen und sie unterwegs mitzunehmen. Doch natürlich hatten weder Brianna noch Roger die geringste Ahnung von den Ereignissen der letzten drei Wochen – oder davon, wie das Leben danach ablaufen würde.

Die Vögel draußen in den Bäumen stimmten jetzt ihr Konzert an; nach dem unablässigen Krächzen der Möwen und Seeschwalben, das das Hintergrundgeräusch des Lebens auf der *Cruizer* bildete, war dies ein angenehmer Klang, eine vertraute Unterhaltung, die in mir plötzlich die Sehnsucht nach Fraser's Ridge weckte. Ich verstand Jamies drängenden Wunsch, nach Hause zu kommen – trotz des Wissens, dass das, was wir dort vorfinden würden, nicht dasselbe Leben wie vor unserer Abreise sein würde. Die Christies würden zum Beispiel nicht mehr da sein.

Ich hatte noch keine Gelegenheit gehabt, Jamie nach den Einzelheiten meiner Rettung auszufragen; kurz vor Sonnenuntergang hatte man mich endlich an Land gebracht, und wir waren sofort losgeritten, weil Jamie so viel Abstand wie möglich zwischen mich und Gouverneur Martin bringen wollte – und vermutlich Tom Christie.

»Jamie«, sagte ich leise und atmete warm in sein Hemd. »Hast du ihn dazu gebracht, es zu tun? Tom?«

»Nein.« Seine Stimme war ebenfalls leise. »Er ist in Fergus' Druckerei gekommen, einen Tag, nachdem du den Palast verlassen hattest. Er hatte davon gehört, dass das Gefängnis abgebrannt war –«

Ich setzte mich erschrocken im Bett auf.

»Was? Das Haus von Sheriff Tolliver? Das hat mir ja niemand erzählt.«

Er drehte sich auf den Rücken und sah zu mir auf.

»Ich gehe nicht davon aus, dass irgendjemand, mit dem du dich in den letzten ein oder zwei Wochen unterhalten hast, davon wusste«, sagte er nachsichtig. »Es ist niemand dabei umgekommen, Sassenach – ich habe gefragt.«

»Bist du sicher?«, fragte ich und dachte beklommen an Sadie Ferguson. »Wie ist es denn passiert? Ein Pöbel?«

»Nein«, sagte er und gähnte. »Nach dem, was ich gehört habe, hat sich Mrs. Tolliver sinnlos betrunken, hat am Waschtag ihr Feuer zu kräftig gestocht, sich in den Schatten gelegt und ist eingeschlafen. Der Holzhaufen ist eingestürzt, die Funken haben das Gras in Brand gesetzt, es ist auf das Haus übergesprungen und …« Er tat den Rest mit einer Handbewegung ab. »Aber der Nachbar hat den Rauch gerochen und ist rechtzeitig hinüber gelaufen, um Mrs. Tolliver und das Kind in Sicherheit zu bringen. Sonst war niemand im Haus, sagt er.«

»Oh. Nun dann …« Ich ließ mich von ihm überreden, mich wieder hinzulegen, so dass mein Kopf an seiner Schulter ruhte. Ich konnte mich bei ihm nicht fremd fühlen, nicht, nachdem ich die Nach dicht an ihn gepresst in dem schmalen Bett verbracht hatte, wo sich jeder noch der kleinsten Bewegung des anderen bewusst war. Doch ich war mir seiner sehr bewusst.

Und er sich meiner; er hatte den Arm um mich gelegt, und seine Finger erkundeten unbewusst meinen Rücken und lasen mich wie Blindenschrift, während wir uns unterhielten.

»Nun denn, Tom. *L'Oignon* war ihm natürlich bekannt, also ist er dort hingegangen, als er herausfand, dass du aus dem Gefängnis verschwunden warst. Zu diesem Zeitpunkt warst du natürlich auch schon aus dem Palast fort – es hatte ihn einige Zeit gekostet, sich von Richard Brown zu trennen, ohne Verdacht zu erregen. Doch er hat uns dort gefunden und mir gesagt, was er vorhatte.« Seine Finger streichelten meinen Nacken, dessen Verspannung sich jetzt zu lösen begann. »Ich habe ihn gebeten zu warten; ich wollte erst selbst versuchen, dich zurückzubekommen – aber wenn es mir nicht gelang …«

»Dann weißt du also, dass er es nicht getan hat.« Dies war keine Frage. »Hat er dir gesagt, dass er es war?«

»Er hat nur gesagt, dass er sich still verhalten hat, solange noch eine Chance bestand, dass du vor Gericht gestellt und freigesprochen wurdest – aber hätte er je das Gefühl gehabt, dass du dich in unmittelbarer Gefahr befindest, hätte er sich sofort zu Wort gemeldet; daher hat er auch darauf bestanden, uns zu begleiten. Ich, äh, wollte ihm keine Fragen stellen«, sagte er vorsichtig.

»Aber er hat es doch nicht getan«, beharrte ich. »Jamie, du *weißt*, dass er es nicht getan hat!«

Ich spürte, wie sich seine Brust unter mir hob, als er einatmete.

»Ich weiß«, sagte er leise.

Wir schwiegen eine Weile. Draußen erscholl plötzlich ein gedämpftes Rattern, und ich fuhr zusammen – doch es war nur ein Specht, der im wurmverseuchten Holz des Wirtshauses Insekten suchte.

»Glaubst du, sie werden ihn hängen?«, fragte ich schließlich und blickte zu den geborstenen Deckenbalken auf.

»Davon gehe ich aus, aye.« Seine Finger hatten ihre halb unbewusste Wanderung wieder aufgenommen und strichen mir die Haarsträhnen hinter das Ohr. Ich lag still und lauschte dem langsamen Schlagen seines Herzens. Ich hätte die nächste Frage lieber nicht gestellt. Aber ich musste es tun.

»Jamie – sag mir, dass er es nicht –, dass er dieses Geständnis nicht für mich gemacht hat. Bitte.« Das würde ich, so glaubte ich, nicht ertragen können, nicht nach allem anderen, was geschehen war.

Seine Finger kamen zur Ruhe, berührten sacht mein Ohr.

»Er liebt dich. Das weißt du, aye?« Er sprach sehr leise. Ich hörte den Widerhall in seiner Brust genauso laut wie die Worte selbst.

»Das hat er mir gesagt.« Es schnürte mir die Kehle zu, mich an diesen unverhüllten grauen Blick zu erinnern. Tom Christie war ein Mensch, der sagte, was er meinte, und der meinte, was er sagte – ein Mensch wie Jamie, zumindest in dieser Hinsicht.

Jamie schwieg eine scheinbar endlose Zeit. Dann seufzte er und wandte den Kopf, so dass seine Wange an meinem Haar ruhte; ich hörte das leise Kratzen seines Backenbartes.

»Sassenach – ich hätte es genauso gemacht und mein Leben gut investiert geglaubt, wenn es dich gerettet hätte. Wenn er genauso empfindet, dann war es kein Unrecht, dir von ihm das Leben schenken zu lassen.«

»Oje«, sagte ich. »Oje.« Ich wollte an nichts davon denken – nicht an Toms klare graue Augen und die Rufe der Möwen, nicht an die Furchen des Leids, die sein Gesicht in Stücke schnitten, nicht an das, was er durchgemacht hatte, seinen Verlust, seine Schuldgefühle, seinen Argwohn – seine Angst. Genauso wenig wollte ich an Malva denken, die arglos diesem Tod im Gemüsebeet entgegenging, während ihr Sohn friedvoll und schwer in ihrem Bauch ruhte. Oder an das dunkle Blut, das in rostigen Pfützen und Spritzern inmitten des Weinlaubs trocknete.

Vor allem wollte ich nicht daran denken, dass ich eine Rolle in dieser Tragödie gespielt hatte – doch es war nun einmal so.

Ich schluckte krampfhaft.

»Jamie – lässt sich das je wieder gutmachen?«

Er hielt jetzt meine Hand in seiner anderen Hand und strich sanft mit dem Daumen an der Unterseite meiner Finger hin und her.

»Das Mädchen ist tot, *mo chridhe.*«

Ich schloss meine Hand um seinen Daumen, und die Bewegung hörte auf.

»Ja, und jemand hat sie umgebracht – und es war nicht Tom. O Gott, Jamie – wer? Wer ist es gewesen?«

»Ich weiß es nicht«, sagte er, und tiefe Traurigkeit erfüllte seine Augen. »Sie war gierig nach Liebe, glaube ich – und sie hat sie sich genommen. Aber sie hat nicht gewusst, wie man sie erwidert.«

Ich holte tief Luft und sprach die Frage aus, die seit dem Mord zwischen uns in der Luft gehangen hatte.

»Du glaubst nicht, dass es Ian war?«

Fast hätte er gelächelt.

»Wenn er es gewesen wäre, *a nighean*, dann wüssten wir es. Ian könnte zwar jemanden töten, aber er würde es nicht fertig bringen, dich oder mich dafür leiden zu lassen.«

Ich seufzte und bewegte meine Schultern, um den Knoten dazwischen zu lösen. Er hatte Recht, und ich war beruhigt, was Ian anging – und bekam ein noch schlechteres Gewissen, was Tom Christie anging.

»Der Mann, der ihr Kind gezeugt hat – wenn es nicht Ian war, und ich hoffe, dass er es nicht war – oder jemand, der sie begehrt und aus Eifersucht umgebracht hat, als er herausfand, dass sie schwanger war –«

»Oder jemand, der schon verheiratet war. Oder eine Frau, Sassenach.«

Das ließ mich innehalten. »Eine Frau?«

»Sie hat sich Liebe genommen«, wiederholte er und schüttelte den Kopf. »Warum glaubst du, dass sie sich nur bei den jungen Männern bedient hat?«

Ich schloss die Augen und malte mir die Möglichkeiten aus. Wenn sie eine Affäre mit einem verheirateten Mann gehabt hatte – und diese hatten ihr ebenso nachgeschaut, wenn auch diskreter –, ja, dann war es möglich, dass er sie umgebracht hatte, damit es unentdeckt blieb. Oder eine betrogene Ehefrau … Einmal mehr kehrte ich der Frage mit dem Gefühl völliger Hoffnungslosigkeit den Rücken und sah vor meinem inneren Auge die vielen Gesichter von Fraser's Ridge – von denen eines die Seele eines Mörders verbarg.

»Nein, ich weiß, dass es für sie zu spät ist – für Malva und für Tom. Vielleicht – vielleicht sogar für Allan.« Zum ersten Mal verschwendete ich einen Gedanken an Toms Sohn, der so plötzlich und unter solch fürchterlichen Umständen seiner Familie beraubt worden war. »Aber die anderen …« Fraser's Ridge, meinte ich. Unser Zuhause. Unser Leben. Uns.

Vom Zusammenliegen war es warm unter dem Quilt geworden – zu warm, und ich spürte, wie mich eine Hitzewelle überrollte. Ich setzte mich abrupt auf, schleuderte den Quilt von mir, beugte mich vor und hob mir in der Hoffnung auf einen Moment der Kühle das Haar aus dem Nacken.

»Stell dich hin, Sassenach.«

Jamie wälzte sich aus dem Bett, stellte sich hin und nahm meine Hand, um mich hochzuziehen. Mir war am ganzen Körper der Schweiß ausgebrochen wie Tau, und die Hitze war mir in die Wangen gestiegen. Er bückte sich, griff mit beiden Händen nach meinem Hemd und zog es mir über den Kopf.

Er lächelte schwach und sah mich an, dann senkte er den Kopf und blies mir sanft über die Brüste. Die Kühle brachte mir einen Hauch von Erleichterung, und meine Brustwarzen stellten sich in stummer Dankbarkeit auf.

Er öffnete die Fensterläden, um mehr Luft einzulassen, dann trat er zurück und zog sich ebenfalls das Hemd aus. Der Tag war jetzt angebrochen, und die Flut reinen Morgenlichts schimmerte auf den Flächen seines bleichen Oberkörpers, auf dem silbernen Netz seiner Narben, auf den rotgoldenen Härchen an seinen Armen und Beinen, den rostroten und silbernen Haaren seines sprießenden Bartes. Und auf der dunkel durchbluteten Haut seiner Genitalien in ihrem morgendlichen Zustand, steif vor seinem Bauch aufgerichtet und von der dunklen, sanften Farbe, die man im Herzen einer tief getönten Rose finden würde.

»Und was das Wiedergutmachen angeht«, sagte er, »so kann ich das nicht sagen – aber ich habe vor, es zu versuchen.« Sein Blick wanderte über mich – splitternackt, leicht salzverkrustet und an den Füßen und Knöcheln sichtbar schmutzig. Er lächelte. »Wollen wir einen Anfang machen, Sassenach?«

»Du bist doch so müde, dass du kaum stehen kannst«, protestierte ich. »Ähm, mit einzelnen Ausnahmen«, fügte ich mit einem Blick nach unten hinzu. Das stimmte; er hatte dunkle Ringe unter den Augen, und die Umrisse seines Körpers waren immer noch lang und elegant, doch sie verrieten tiefe Erschöpfung. Ich fühlte mich ja selbst, als wäre ich unter eine Dampfwalze gekommen, und ich hatte nicht eine ganze Nacht damit verbracht, irgendwelche Forts in Brand zu stecken.

»Nun ja, da wir ein Bett greifbar haben, wollte ich es gar nicht im Stehen tun«, erwiderte er. »Es ist natürlich möglich, dass ich nie wieder auf die Beine komme, aber ich glaube, die nächsten zehn Minuten oder so kann ich eventuell wach bleiben. Du kannst mich ja kneifen, wenn ich einschlafe«, schlug er vor und lächelte.

Ich verdrehte die Augen, machte aber keine Einwände. Ich legte mich auf die alles andere als sauberen, jetzt aber kühlen Laken, und mit einem leisen Zittern in der Magengrube öffnete ich die Beine für ihn.

Wir liebten uns wie Menschen unter Wasser, langsam und mit schweren Gliedern. Stumm, denn wir konnten uns nur durch simple Pantomime verständigen. Seit Malvas Tod hatten wir einander kaum noch auf diese Weise berührt – und der Gedanke an sie war noch unser ständiger Begleiter.

Und nicht nur an sie. Eine Weile versuchte ich, mich nur auf Jamie zu konzentrieren, meine Aufmerksamkeit auf die kleinen intimen Details seines Körpers zu richten, die ich so gut kannte – die kleine Dreiecksnarbe an seiner Kehle, das geringelte dunkle Haar und die sonnenverbrannte Haut darunter –, doch ich war so müde, dass mir mein Verstand die Mitarbeit verweigerte und stattdessen darauf beharrte, mich mit zufälligen Erinnerungen – oder noch verstörender, Einbildungen – zu konfrontieren.

»Es hat keinen Zweck«, sagte ich. Ich hatte die Augen fest geschlossen und beide Hände in die Laken gekrallt. »Es geht nicht.«

Er stieß ein leises Geräusch der Überraschung aus, rollte jedoch sofort beiseite, so dass ich feucht und zitternd dalag.

»Was ist denn, *a nighean*?«, fragte er leise. Er berührte mich nicht, lag aber dicht bei mir.

»Ich weiß es nicht«, sagte ich, der Panik nah. »Ich sehe andauernd – tut mir Leid, es tut mir Leid, Jamie. Ich sehe dauernd andere Leute; es ist, als würde ich mit einem anderen schlafen.«

»Oh, aye?« Er klang vorsichtig, aber nicht bestürzt. Ich hörte Stoff rascheln, und er zog das Laken über mich. Das half ein wenig, aber nicht sehr. Das Herz hämmerte mir heftig in der Brust; ich fühlte mich benommen und schien nicht richtig atmen zu können; meine Kehle schnürte sich ständig wieder zu.

Bolus hystericus, dachte ich völlig ruhig. *Schluss damit, Beauchamp*. Leichter gesagt als getan, doch ich hörte auf, mir Sorgen zu machen, ich könnte einen Herzinfarkt haben.

»Ah…« Jamies Ton war vorsichtig. »Wen denn? Hodgepile und…«

»Nein!« Mein Magen verkrampfte sich angewidert bei diesem Gedanken. Ich schluckte. »Nein, daran hatte ich nicht gedacht.«

Er lag wortlos atmend neben mir. Ich fühlte mich, als löste ich mich buchstäblich auf.

»Wer ist es denn, den du siehst, Claire?«, flüsterte er. »Kannst du es mir sagen?«

»Frank«, sagte ich schnell, ehe ich es mir anders überlegen konnte. »Und Tom. Und – und Malva.« Meine Brust hob sich krampfhaft, und ich hatte das Gefühl, ich würde nie wieder genug Luft zum Atmen bekommen.

»Ich konnte – ganz plötzlich konnte ich sie alle spüren«, platzte ich heraus. »Sie haben mich berührt. Wollten hereingelassen werden.« Ich drehte mich auf den Bauch und grub mein Gesicht in das Kopfkissen, als könnte ich damit alles aussperren.

Jamie blieb lange Zeit stumm. Hatte ich ihn verletzt? Es tat mir Leid, dass ich es ihm gesagt hatte – doch ich hatte keine Schutzmechanismen mehr. Ich konnte nicht lügen, nicht einmal mit gutem Grund; ich konnte einfach nirgendwo hin, konnte mich nirgendwo verstecken. Ich fühlte mich belagert von flüsternden Geistern, deren Verlust, deren Not, deren verzweifelte Liebe mich auseinander riss. Fort von Jamie, fort von mir selbst.

Mein ganzer Körper war verkrampft und starr, versuchte, sich gegen die Auflösung zu wehren, und bei meinem Versuch zu fliehen hatte ich das Gesicht so fest in das Kissen gepresst, dass ich das Gefühl hatte, ich könnte ersticken. Ich musste den Kopf wenden, um nach Luft zu schnappen.

»Claire.« Jamies Stimme war leise, doch ich spürte seinen Atem auf meinem Gesicht, und meine Augen öffneten sich abrupt. Seine Augen waren sanft und von Trauer überschattet. Ganz langsam hob er eine Hand und berührte meine Lippen.

»Tom«, platzte ich heraus. »Ich fühle mich, als wäre er schon tot, und das nur meinetwegen, und es ist so furchtbar. Ich kann es nicht ertragen, Jamie, ich kann es einfach nicht!«

»Ich weiß.« Er bewegte die Hand, zögerte. »Kannst du es ertragen, wenn ich dich berühre?«

»Ich weiß es nicht.« Ich schluckte den Kloß in meinem Hals herunter. »Versuch es doch.«

Das brachte ihn zum Lächeln, obwohl ich es ganz ernst gesagt hatte. Er legte mir sanft die Hand auf die Schulter und drehte mich um, dann zog er mich an sich und bewegte sich behutsam, so dass ich mich zurückziehen konnte. Ich tat es nicht.

Ich senkte mich in ihn und klammerte mich an ihn, als sei er ein Stück Treibholz, das einzige, was mich vor dem Ertrinken rettete. Das war er auch.

Er hielt mich fest und streichelte lange Zeit mein Haar.

»Kannst du um sie weinen, *mo nighean donn*?«, flüsterte er schließlich in mein Haar. »Lass sie herein.«

Die bloße Vorstellung ließ mich erneut vor Panik erstarren. »Das kann ich nicht.«

»Weine um sie«, flüsterte er, und seine Stimme drang tiefer in mich ein als er selbst. »Ein Geist lässt sich nicht fern halten.«

»Ich kann nicht; ich habe Angst«, wimmerte ich, doch ich zitterte schon vor Schmerz, und die Tränen benetzten mein Gesicht. »Ich kann nicht.«

Und doch tat ich es. Gab die Gegenwehr auf und öffnete mich der Erinnerung und der Trauer. Schluchzte, als bräche mir das Herz – und ließ es brechen, für sie und für alle, die ich nicht retten konnte.

»Lass sie kommen, und trauere um sie, Claire«, flüsterte er. »Und wenn sie fort sind, bringe ich dich heim.«

99

Maighistear àrsaidh

River Run

In der Nacht zuvor hatte es kräftig geregnet, und die Sonne war zwar strahlend und heiß hervorgekommen, doch der Boden war nass, und es schien Dampf davon aufzusteigen, der das Seine zur Schwüle der Luft beitrug. Brianna hatte ihr Haar hochgesteckt, um den Nacken frei zu haben, doch ständig entwischten einzelne Strähnen, die ihr feucht an Stirn und Wangen klebten und ihr ständig in die Augen gerieten. Gereizt wischte sie eine Strähne mit dem Handrücken beiseite; ihre Finger waren mit dem Pigment verschmiert, das sie gerade zerstampfte – *hier* wirkte sich die Feuchtigkeit noch schlimmer aus, denn sie ließ das Pulver verklumpen und am Mörser festkleben.

Doch sie brauchte es; sie musste heute Nachmittag mit einer neuen Auftragsarbeit anfangen.

Jem drückte sich gelangweilt in ihrer Nähe herum und nahm alles in die Finger. Er sang leise vor sich hin; sie achtete nicht darauf, bis sie zufällig ein paar Worte aufschnappte.

»*Was* hast du gesagt?«, fragte sie und baute sich ungläubig vor ihm auf. Er konnte doch nicht den »Folsom Prison Blues« gesungen haben – oder?

Er blinzelte sie an, senkte das Kinn auf die Brust und sagte – mit der tiefsten Stimme, die er zuwege brachte: »Hallo. Ich bin Johnny Cash.«

Sie hielt sich gerade noch davon ab, laut loszulachen, und spürte, wie ihre Wangen vor Anstrengung rot anliefen.

»Wo hast du das denn gehört?«, fragte sie, obwohl sie es genau wusste. Es gab nur eine Quelle, aus der er es haben *konnte*, und bei diesem Gedanken ging ihr das Herz auf.

»Papa«, sagte er natürlich.

»Singt Papa denn wieder?«, fragte sie, um einen beiläufigen Tonfall bemüht. Es musste so sein. Und es war genauso offensichtlich, dass er Claires Rat ausprobiert haben und das Register seiner Stimme verschoben haben musste, um seine erstarrten Stimmbänder zu lösen.

»Ah-hah. Papa singt oft. Er hat mir das Lied über Sonntagmorgen beigebracht und das mit Tom Dooley und … und noch viel mehr«, schloss er, weil ihm nichts mehr einfiel.

»Wirklich? Oh, das ist ja – leg das hin!«, befahl sie, als er geistesabwesend einen offenen Beutel Krapp anfasste.

»Hoppla.« Er blickte schuldbewusst auf den Farbklecks, der aus dem Lederbeutel gespritzt und auf seinem Hemd gelandet war, dann auf sie und setzte sich zögerlich zur Tür in Bewegung.

»Hoppla, sagt er«, knurrte sie finster. »Keine Bewegung!« Sie packte ihn blitzschnell am Kragen und ging mit einem terpentingetränkten Tuch heftig auf die Vorderseite seines Hemdes los; es gelang ihr nur, einen großen rosa Fleck anstatt eines leuchtend roten Streifens zu produzieren.

Jem ließ diese Prozedur schweigend über sich ergehen, und sein Kopf wackelte hin und her, während sie an ihm zerrte.

»Was machst du überhaupt hier«, wollte sie gereizt von ihm wissen. »Habe ich dir nicht gesagt, du sollst dir eine Beschäftigung suchen?« Daran herrschte schließlich auf River Run kein Mangel.

Er ließ den Kopf hängen und murmelte etwas, wobei sie das Wort »Angst« ausmachte.

»Angst? Wovor denn?« Etwas sanfter zog sie ihm das Hemd über den Kopf.

»Vor dem Gespenst.«

»Welchem Gespenst denn?«, fragte sie argwöhnisch. Sie war sich nicht ganz sicher, wie sie damit umgehen sollte. Ihr war bewusst, dass sämtliche Sklaven auf River Run an Geister glaubten, die für sie einfach zu den Dingen des Lebens gehörten. Dasselbe galt für sämtliche schottischen Siedler in Cross Creek, Campbelton und Fraser's Ridge. Und für die Deutschen aus Salem und Bethania. Und nicht zuletzt für ihren eigenen Vater.

Sie konnte nicht einfach so zu Jem sagen, dass es keine Gespenster gab – vor allem, da sie selbst nicht völlig davon überzeugt war.

»*Maighistear àrsaidh*«, sagte er und sah zum ersten Mal zu ihr auf. Seine dunkelblauen Augen schimmerten verstört. »Josh sagt, sein Geist geht um.«

Etwas huschte ihr über den Rücken wie ein Tausendfüßler. *Maighistear àrsaidh* bedeutete der alte Master – Hector Cameron. Sie blickte unwillkürlich zum Fenster. Sie befanden sich in dem kleinen Zimmer oberhalb der Stallungen, wo sie ihre schmutzigsten Farbvorbereitungen treffen konnte – und Hector Camerons weißes Marmormausoleum war von hier aus deutlich zu sehen, wie ein schimmernder Zahn am Rand des Rasens.

»Warum mag Josh das wohl sagen?«, fragte sie und versuchte, Zeit zu schinden. Ihr erster Impuls war anzumerken, dass Gespenster nicht am helllichten Tag umgingen – doch dies führte zu dem offensichtlichen Schluss, *dass* sie bei Nacht umgingen, und das Letzte, was sie beabsichtigte, war, Jem Albträume zu verursachen.

»Er sagt, Angelina hat ihn gesehen, vorletzte Nacht. Ein *großer* alter Geist«, sagte er und richtete sich mit weit aufgerissenen Augen und Krallenhänden auf, offenbar um Joshs Bericht zu imitieren.

»Ach ja? Was hat er denn getan?« Sie sprach in einem Tonfall schwacher Neugier, und es schien zu funktionieren; fürs Erste war Jem eher neugierig als ängstlich.

»Er ist herumgelaufen«, antwortete Jem mit einem kleinen Achselzucken. Was sollte ein Gespenst sonst schon tun?

Ihr fiel ein hoch gewachsener Herr ins Auge, der unten auf dem Rasen unter den Bäumen umherschlenderte, und dabei kam ihr ein Gedanke. »Hat es dabei Pfeife geraucht?«

Jemmy schien die Vorstellung eines Pfeife rauchenden Gespensts etwas zu verblüffen.

»Ich weiß nicht«, sagte er skeptisch. »Rauchen Gespenster den Pfeife?«

»Das bezweifle ich irgendwie«, sagte sie. »Aber Mr. Buchanan tut es. Siehst du ihn da unten auf dem Rasen?« Sie trat zur Seite und wies mit dem Kinn zum Fenster, und Jem stellte sich auf die Zehenspitzen, um über die Fensterbank hinauszulugen. Mr. Buchanan, ein Bekannter von Duncan, der zu Besuch war, rauchte tatsächlich gerade ein Pfeifchen; der Tabakduft drang schwach durch das offene Fenster zu ihnen.

»Ich glaube, es war vielleicht Mr. Buchanan, den Angelina im Dunklen gesehen hat«, sagte sie. »Vielleicht war er im Nachthemd, weil er zum Abort musste, und sie hat nur das Weiß gesehen und *gedacht*, dass er ein Gespenst ist.«

Jem kicherte bei diesem Gedanken. Er schien sich nur zu gern beruhigen zu lassen, zog aber ein wenig den Kopf ein, als er jetzt Mr. Buchanan einer genaueren Musterung unterzog.

»Josh sagt, Angelina hat das Gespenst aus dem Grab vom alten Mr. Hector kommen sehen«, sagte er.

»Ich vermute, Mr. Buchanan ist nur um das Grab herumgegangen, und sie hat *gedacht*, er käme heraus«, sagte sie und wich dabei sorgfältig jeder Frage aus, *warum* ein schottischer Herr in den mittleren Jahren im Nachthemd um ein Grab wandern sollte; Jemmy fand offenbar nichts Seltsames an dieser Vorstellung.

Sie dachte zwar daran zu fragen, was Angelina eigentlich mitten in der Nacht im Freien zu suchen hatte, überlegte es sich aber anders. Der wahrscheinlichste Grund, den ein Mädchen in ihrem Alter haben konnte, sich in der Nacht aus dem Haus zu stehlen, gehörte nicht zu den Dingen, die ein Junge in Jemmys Alter hören musste.

Ihr Mund spannte sich ein wenig an, als sie an Malva Christie dachte, die vielleicht ebenfalls zu einem Rendezvous in Claires Garten unterwegs gewesen war. Wer?, fragte sie sich zum tausendsten Mal, während sie sich automatisch bekreuzigte und ein kurzes Gebet für Malvas Seelenfrieden sprach. Wer war es gewesen? Wenn es je jemanden gegeben hatte, der Grund hatte, als Gespenst umzugehen …

Ein kleiner Schauer überlief sie, doch das brachte sie auf eine neue Idee.

»Ich glaube, es war Mr. Buchanan, den Angelina gesehen hat«, sagte sie entschlossen. »Aber wenn du doch einmal Angst vor Gespenstern hast –

oder vor etwas anderem –, dann machst du einfach das Kreuzzeichen und sprichst schnell ein Gebet zu deinem Schutzengel.«

Bei diesen Worten wurde ihr ein wenig schwindelig – vielleicht war es ein *Déjà-vu*; sie hatte das Gefühl, dass irgendjemand – ihre Mutter? Ihr Vater? – genau das einmal zu ihr gesagt hatte, irgendwann in der fernen Vergangenheit ihrer Kinderzeit. Wovor hatte sie sich gefürchtet? Sie konnte sich nicht mehr daran erinnern, doch sie erinnerte sich an das Gefühl der Sicherheit, das ihr das Gebet gegeben hatte.

Jem runzelte unsicher die Stirn; er kannte zwar das Kreuzzeichen, war sich aber nicht so sicher, was das Engelsgebet anging. Sie übte es mit ihm und bekam dabei leise Schuldgefühle.

Es war nur eine Frage der Zeit, bis er offen vor jemandem, der Roger wichtig war, irgendeine katholische Geste machte – wie zum Beispiel das Kreuzzeichen. Die meisten Leute gingen davon aus, dass die Frau des Pastors ebenfalls Protestantin war – oder sie kannten die Wahrheit, befanden sich aber nicht in einer Position, in der sie deswegen einen Aufstand machen konnten. Ihr war bewusst, dass in Rogers Gemeinde getuschelt wurde – vor allem seit Malvas Tod und dem Gerede über ihre Eltern. Bei diesem Gedanken spürte sie, wie sich ihr Mund erneut verkrampfte, und sie entspannte ihn bewusst –, doch Roger weigerte sich standhaft, derartige Bemerkungen zur Kenntnis zu nehmen.

Sie spürte einen Stich der Sehnsucht nach Roger, trotz ihrer beunruhigenden Gedanken an mögliche religiöse Komplikationen. Er hatte geschrieben: McCorkle war aufgehalten worden, sollte aber innerhalb der nächsten Woche in Edenton eintreffen. Dann etwa eine Woche für das, was auch immer dann zu tun war – und danach würde er nach River Run kommen, um sie und Jem zu holen.

Er war so glücklich bei dem Gedanken an seine Ordinierung; wenn er erst einmal ordiniert war, konnten sie ihn doch sicher seines Amtes nicht wieder entheben, weil er eine katholische Frau hatte, oder?

Würde sie konvertieren, wenn sie dazu gezwungen war, damit Roger sein konnte, was er so eindeutig sein wollte – und sein musste? Bei diesem Gedanken wurde ihr hohl zumute, und sie legte die Arme um Jemmy, um sich zu beruhigen. Seine Haut war feucht und immer noch babyweich, doch darunter konnte sie feste Knochen spüren, die seine künftige Größe verhießen, die eines Tages die seines Vaters und seines Großvaters erreichen würde. Ihr Vater – das war ein kleiner, wärmender Gedanke, der all ihre Ängste beruhigte und sogar den Schmerz linderte, den Rogers Fehlen ihr bereitete.

Jemmys Haare waren längst nachgewachsen, doch sie küsste die Stelle hinter seinem Ohr, an der sich das verborgene Mal befand, und er zog kichernd den Kopf ein, weil ihr Atem ihn am Hals kitzelte.

Dann schickte sie ihn los, um das Hemd mit dem Farbfleck zu Matilda zu bringen, die für die Wäscherei zuständig war, damit diese zusah, was noch zu retten war, und wandte sich wieder ihrem Mörser zu.

Irgendetwas schien mit dem Mineralgeruch des zerstampften Malachits nicht zu stimmen; sie hob den Mörser hoch und roch daran, obwohl ihr bewusst war, dass das lächerlich war: Gemahlener Stein konnte nicht schlecht werden. Vielleicht beeinträchtigte die Mischung aus Terpentin und Mr. Buchanans Pfeifenrauch ihren Geruchssinn. Sie schüttelte den Kopf und kratzte den zarten grünen Puder vorsichtig in ein Fläschchen, um ihn später mit Walnussöl zu vermischen oder in einer Temperafarbe zu benutzen.

Sie ließ den Blick abschätzend über ihre Auswahl an Büchsen und Beutelchen wandern – einige hatte Tante Jocasta ihr zur Verfügung gestellt, andere verdankte sie Lord John Grey, der sie extra aus London hatte kommen lassen –, die Fläschchen und die Trockentabletts mit den Pigmenten, die sie selbst gemahlen hatte, um zu prüfen, was sie möglicherweise sonst noch brauchte.

Heute Nachmittag würde sie nur vorbereitende Skizzen anfertigen – der Auftrag war ein Porträt von Mr. Forbes' betagter Mutter –, doch möglicherweise blieben ihr ja bis zu Rogers Rückkehr nur ein oder zwei Wochen, um das Bild zu vollenden; sie konnte keine Zeit...

Eine Woge des Schwindels zwang sie plötzlich, sich hinzusetzen, und schwarze Flecken huschten durch ihr Gesichtsfeld. Sie legte den Kopf zwischen die Knie und atmete tief durch. Es half kaum; die Luft war mit beißenden Terpentindämpfen und den fleischigen, modrigen Tiergerüchen aus dem Stall erfüllt.

Sie hob den Kopf und tastete nach der Tischkante. Ihre Innereien schienen sich plötzlich in eine Flüssigkeit verwandelt zu haben, die ihr vom Bauch in die Kehle und zurückschwappte und den bitteren gelben Geruch der Galle in ihrer Nase hinterließ.

»O Gott!«

Die Flüssigkeit in ihrem Bauch schoss ihr durch den Hals, und sie schaffte es gerade noch, die Schüssel vom Tisch zu nehmen und das Wasser auf den Boden zu schütten, als ihr Bauch sein Inneres nach außen kehrte, um sich panisch zu entleeren.

Sie stellte die Schüssel ganz vorsichtig wieder hin, saß keuchend da und starrte den nassen Fleck am Boden an, als die Welt auf ihrer Achse kippte und in einer unangenehmen Schräglage wieder zur Ruhe kam.

»Herzlichen Glückwunsch, Roger«, keuchte sie laut, und ihre Stimme klang schwach und unsicher in der stickigen, feuchten Luft. »Ich *glaube*, du wirst Vater. Schon wieder.«

Sie blieb eine Zeit lang reglos sitzen und erkundete die Empfindungen ihres Körpers, suchte nach Sicherheit. Bei Jemmy war ihr nie schlecht geworden – doch sie erinnerte sich an ihre merkwürdig veränderten Sinneswahrnehmungen; jenen merkwürdigen Zustand, den man Synästhesie nannte, in dem Sehkraft, Geruchssinn, Geschmackssinn und manchmal sogar das Gehör auf die seltsamste Weise die Eigenschaften miteinander tauschten.

Es war genauso schnell verschwunden, wie es geschehen war; der Geruch von Mr. Buchanans Tabak war jetzt viel kräftiger, doch jetzt war es nur noch das milde Aroma geräucherter Blätter, kein fleckiges, grün-braunes Wesen, das sich über ihre Schleimhäute wand und die Membranen ihres Hirns klappern ließ wie ein Blechdach im Hagelsturm.

Sie hatte sich so sehr auf die Empfindungen ihres Körpers und auf ihre mögliche Bedeutung konzentriert, dass sie die Stimmen im Nebenzimmer zunächst nicht bemerkt hatte. Das war Duncans bescheidener Schlupfwinkel; hier bewahrte er die Geschäftsbücher des Anwesens auf und hierher begab er sich – so glaubte sie –, wenn ihm der Luxus des Hauses zu viel wurde.

Mr. Buchanan befand sich jetzt mit Duncan dort, und was als freundlich summende Unterhaltung begonnen hatte, begann jetzt, Zeichen der Anspannung an den Tag zu legen. Sie stand auf, erleichtert, nur noch einen leichten Rest von Mulmigkeit zu spüren, und ergriff die Schüssel. Natürlich neigte sie wie jeder Mensch zum Lauschen, doch in letzter Zeit hatte sie darauf geachtet, nur noch das zu hören, was sie hören musste.

Duncan und ihre Tante Jocasta waren standhafte Loyalisten, und kein noch so taktvolles Drängen und kein noch so logisches Argument konnte etwas an ihren Überzeugungen ändern. Sie hatte schon mehr als einmal Privatgespräche zwischen Duncan und ortsansässigen Tories mit angehört, bei denen ihr das Wissen um den Ausgang der gegenwärtigen Ereignisse das Herz vor Sorge zusammenkrampfte.

Hier im Vorgebirge, im Herzen der Cape-Fear-Region, *waren* die meisten aufrechten Bürger Loyalisten und als solche fest überzeugt, dass die gewaltsamen Auseinandersetzungen im Norden nichts als überbewertete Krawalle waren, die wahrscheinlich überflüssig waren und sie ansonsten kaum etwas angingen – und was hier am nötigsten war, war eine feste Hand, die die hysterischen Whigs unter Kontrolle brachte, bevor ihre Exzesse vernichtende Vergeltungsmaßnahmen provozierten. Die Gewissheit, dass ebendiese vernichtenden Vergeltungsmaßnahmen kommen würden – und Menschen treffen würden, die sie mochte oder sogar liebte – , verursachte ihr das, was ihr Vater das kalte Grausen nannte; ein eisiges Gefühl lähmenden Schreckens, das durch ihr Blut rauschte.

»Nun denn?« Buchanans Stimme war deutlich zu hören, als sie jetzt die Tür öffnete, und sie klang ungeduldig. »Sie werden nicht warten, Duncan. Ich muss das Geld Mittwoch in einer Woche haben, sonst verkauft Dunkling die Waffen an jemand anderen; du weißt doch, Angebot und Nachfrage. Wenn er Gold bekommt, wird er warten – aber nicht lange.«

»Aye, das weiß ich wohl, Sawny.« Duncan klang ungeduldig – und sehr gequält, dachte Brianna. »Wenn es möglich ist, tue ich es.«

»WENN?«, rief Buchanan. »Was soll dieses ›Wenn‹? Bis jetzt hieß es immer, oh, aye, Sawny, wirklich kein Problem, Sawny, sag Dunkling, der Handel gilt, *natürlich*, Sawny –«

»Ich habe gesagt, Alexander, ich werde es tun, wenn es möglich ist.« Duncans Stimme war leise, hatte aber plötzlich einen stählernen Unterton, den sie noch nie von ihm gehört hatte.

Buchanan sagte eine Grobheit auf Gälisch, und plötzlich flog die Tür zu Duncans Büro auf, und der Mann kam herausgestürzt, so aufgebracht, dass er sie kaum sah und ihr nur im Vorübergehen hastig zunickte.

Was auch nicht schlimm war, dachte sie, stand sie doch mit einer Schüssel Erbrochenem auf dem Arm da.

Bevor sie Anstalten machen konnte, diese loszuwerden, kam Duncan aus dem Zimmer. Er sah erhitzt, gereizt – und extrem sorgenvoll aus. Doch er bemerkte sie immerhin.

»Wie geht es denn, Kleine?«, fragte er und sah sie blinzelnd an. »Ihr seid ein bisschen grün, habt Ihr etwas Falsches gegessen?«

»Ich glaube, ja. Aber es geht schon wieder«, sagte sie und drehte sich hastig zur Seite, um die Schüssel wieder hinter sich ins Zimmer zu schieben. Sie stellte sie auf den Boden und schloss die Tür hinter sich. »Und Euch, Duncan?«

Er zögerte einen Moment, doch was auch immer es war, das ihm Kummer machte, war zu überwältigend, um es für sich zu behalten. Er sah sich um, doch um diese Tageszeit war keiner der Sklaven hier oben. Dennoch beugte er sich zu ihr herüber und senkte die Stimme.

»Habt Ihr zufällig … irgendetwas Merkwürdiges gesehen, *a nighean*?«

»Inwiefern denn merkwürdig?«

Er rieb sich unter seinem Schnurrbart entlang und sah sich noch einmal um.

»Zum Beispiel in der Nähe von Hector Camerons Grab?«, fragte er, und seine Stimme war kaum mehr als ein Flüstern.

Ihr Zwerchfell, vom Erbrechen noch wund, zog sich bei diesen Worten zusammen, und sie legte eine Hand auf ihren Bauch.

»Dann ist es also so?« Duncans Miene wurde schärfer.

»Ich nicht«, sagte sie und erklärte ihm die Sache mit Jemmy, Angelina und dem vermeintlichen Gespenst.

»Ich dachte, es wäre vielleicht Mr. Buchanan«, schloss sie und wies auf die Treppe, über die Alexander Buchanan verschwunden war.

»Das ist ein Gedanke«, murmelte Duncan und rieb sich geistesabwesend die grau melierte Schläfe. »Aber nein … gewiss nicht. Er könnte niemals – aber es ist ein Gedanke.« Brianna hatte den Eindruck, dass er ein winziges Quäntchen hoffnungsvoller aussah.

»Duncan – könnt Ihr mir sagen, was geschehen ist?«

Er holte tief Luft, schüttelte den Kopf – nicht verneinend, sondern perplex –, atmete wieder aus und ließ seine Schulter zusammensacken.

»Das Gold«, sagte er einfach nur. »Es ist fort.«

Siebentausend Pfund in Goldbarren waren eine beträchtliche Menge, in jedem Sinne des Wortes. Sie hatte zwar keine Ahnung, wie viel eine solche Summe wiegen mochte, doch es hatte den Boden von Jocastas Sarg, der sittsam neben Hectors im Familienmausoleum stand, vollständig bedeckt.

»Was meint Ihr damit, ›fort‹?«, platzte sie heraus. *»Alles?«*

Duncan umklammerte ihren Arm und verzog das Gesicht, um sie zum Leisesein zu drängen.

»Aye, alles«, sagte er und sah sich erneut um. »Um Gottes willen, Kleine, nicht so laut!«

»Wann ist es denn verschwunden? Oder besser«, korrigierte sie sich, »wann habt Ihr entdeckt, dass es verschwunden ist?«

»Letzte Nacht.« Wieder sah er sich um und wies mit dem Kinn auf sein Büro. »Kommt mit, Kleine; ich erzähle es Euch.«

Duncans Aufregung ließ ein wenig nach, als er ihr die Geschichte erzählte; als er fertig war, hatte er eine gewisse äußere Ruhe wieder gefunden.

Die siebentausend Pfund waren das, was von den ursprünglichen zehntausend noch übrig war, die wiederum ein Drittel der dreißigtausend waren, die Louis von Frankreich – zu spät, aber immerhin – geschickt hatte, um Charles Stuarts zum Scheitern verurteilten Versuch zu unterstützen, den Thron von England und Schottland an sich zu bringen.

»Hector war vorsichtig, aye?«, erklärte Duncan. »Er hat als reicher Mann gelebt – aber immer im Rahmen dessen, was ein Ort wie dieser« – er wies mit einer ausladenden Geste seiner Hand auf die Ländereien und Gebäude von River Run – »an Mitteln abwerfen kann. Er hat tausend Pfund für den Kauf des Landes und den Bau des Hauses ausgegeben, dann im Lauf der Jahre weitere tausend für Sklaven, Vieh und Ähnliches. Und tausend Pfund hat er angelegt – Jo sagt, er konnte den Gedanken nicht ertragen, dass all das Geld hier liegt und keine Zinsen einbringt.« Er sah sie mit einem kleinen, ironischen Lächeln an. »Aber er war zu schlau, um die ganze Summe anzulegen. Ich glaube zwar, dass er vorhatte, auch den Rest Stück für Stück anzulegen – aber er ist gestorben, bevor es dazu gekommen ist.«

Und hatte Jocasta als reiche Witwe zurückgelassen – die allerdings noch vorsichtiger war als ihr Mann, wenn es darum ging, unerwünschte Aufmerksamkeit zu vermeiden. Und so hatte das Gold sicher in seinem Versteck geschlummert, bis auf den einen Barren, den Ulysses Span für Span in Umlauf brachte. Und der dann verschwunden war, wie ihr jetzt mit einem dumpfen Gefühl wieder einfiel. *Irgendjemand* wusste, dass es hier Gold gab.

Vielleicht hatte derjenige, der diesen Barren an sich genommen hatte, ja erraten, dass es noch mehr gab – und im Stillen geduldig danach gesucht, bis er fündig geworden war.

Aber jetzt –

»Ihr habt vielleicht schon von General MacDonald gehört?«

Sie hatte diesen Namen in letzter Zeit schon öfter in Unterhaltungen gehört – er war ein schottischer General, mehr oder minder pensioniert, vermutete sie –, der hier und dort bei prominenten Familien zu Gast gewesen war. Von seinen *Absichten* hatte sie jedoch nichts gehört.

»Er hat vor, eine Truppe – dreitausend Mann, viertausend – von Highlandern aufzustellen und zur Küste zu marschieren. Der Gouverneur hat um Hilfe gerufen; es sind Truppenschiffe unterwegs. Dann marschieren die Männer des Generals durch das Tal des Cape Fear« – er machte erneut eine elegante, ausladende Handbewegung –, »vereinigen sich mit dem Gouverneur und seinen Truppen und nehmen die Rebellenmilizen, die in der Entstehung sind, in die Zange.«

»Und Ihr hattet vor, ihm das Gold zur Verfügung zu stellen – oder nein«, korrigierte sie sich. »Ihr hattet vor, ihm Waffen und Munition zur Verfügung zu stellen.«

Er nickte und kaute mit unglücklicher Miene auf seinen Schnurrbartenden.

»Ein Mann namens Dunkling; Alexander ist mit ihm bekannt. Lord Dunsmore ist dabei, in Virginia ein großes Waffenlager anzulegen, und Dunkling ist einer seiner Leutnants – und er ist bereit, einen Teil dieses Vorrats gegen Gold herauszurücken.«

»Das jetzt aber verschwunden ist.« Sie holte tief Luft und spürte, wie ihr der Schweiß zwischen den Brüsten hinunterrann, so dass ihr Hemd noch feuchter wurde.

»Das jetzt aber verschwunden ist«, pflichtete er ihr trostlos bei. »Und ich stehe hier und muss mich fragen, was mit diesem Gespenst ist, von dem Klein-Jemmy erzählt, aye?«

Das Gespenst, so-so. Wenn jemand in ein Anwesen wie River Run eingedrungen war, wo es vor Menschen wimmelte, und Goldbarren davongeschafft hatte, die mehrere hundert Pfund wogen …

Auf der Treppe waren Schritte zu hören, und Duncan blickte ruckartig zur Tür, doch es war nur Josh, einer der schwarzen Stallknechte, der seinen Hut in der Hand trug.

»Besser, wenn wir gehen, Miss Brianna«, sagte er und verbeugte sich respektvoll. »Ihr braucht doch sicher Licht?«

Für ihre Zeichnungen, meinte er. Die Fahrt von Cross Creek zu Anwalt Forbes' Haus dauerte eine gute Stunde, und die Sonne stieg schnell dem Zenit entgegen.

Sie blickte auf ihre grün verschmierten Finger, und ihr fiel ein, dass ihr das Haar unordentlich aus dem improvisierten Knoten hing; sie musste sich zuerst ein wenig zurechtmachen.

»Geht nur, Kleine.« Duncan wies mit der Hand auf die Tür. Sein hageres Gesicht war zwar noch voller Sorgenfalten, doch seine Miene hatte sich jetzt, da er diese Sorge mit jemandem geteilt hatte, erhellt.

Sie küsste ihn herzlich auf die Stirn und folgte Josh nach unten. Sie *machte* sich Sorgen, und das nicht nur wegen des verschwundenen Goldes und der Spukgeschichten. General MacDonald, so-so. Wenn er Kämpfer unter den Highlandern rekrutieren wollte, war ihr Vater eine nahe liegende Anlaufstelle für ihn.

Wie Roger vor einiger Zeit angemerkt hatte, »*beherrscht Jamie den Balanceakt zwischen Whigs und Tories besser als jeder, den ich kenne – aber wenn es hart auf hart kommt, muss er springen.*«

Schon in Mecklenburg war es fast so weit gewesen. Doch hart auf hart, so dachte sie, kam es mit MacDonald.

100

Ein Ausflug ans Meer

Neil Forbes, der es für klug hielt, sich für eine Weile nicht blicken zu lassen, war nach Edenton aufgebrochen, angeblich, um mit seiner betagten Mutter deren noch betagtere Schwester zu besuchen. Er hatte die lange Reise genossen, obwohl sich seine Mutter über die Staubwolken beklagte, die durch eine vorausfahrende Kutsche aufgewirbelt wurden.

Zu ungern hatte er auf den Anblick dieser Kutsche verzichtet – eines kleinen, gut gefederten Gefährts, dessen Fenster versiegelt und mit schweren Vorhängen verschlossen waren. Doch er war immer schon ein hingebungsvoller Sohn gewesen, und am nächsten Halteposten hatte er ein Wort mit dem Kutscher gewechselt. Die andere Kutsche fiel gehorsam zurück und folgte ihnen in gebührendem Abstand.

»Wonach schaust du denn nur, Neil?«, wollte seine Mutter wissen, als sie aufblickte, nachdem sie sich ihre Lieblingsbrosche mit den Granaten wieder angesteckt hatte. »Das ist jetzt schon das dritte Mal, dass du einen Blick aus diesem Fenster wirfst.«

»Oh, nichts, Mutter«, sagte er und holte tief Luft. »Ich genieße nur den Tag. Herrliches Wetter, nicht wahr?«

Mrs. Forbes rümpfte die Nase, tat ihm aber den Gefallen, sich die Brille zurechtzurücken und sich hinauszubeugen.

»Aye, nun ja, ganz schön«, räumte sie skeptisch ein. »Aber ziemlich heiß und so feucht, dass man sich das Wasser eimerweise aus der Unterhose wringen kann.«

»Keine Sorge, *a leannan*«, sagte er und klopfte ihr auf die schwarz gekleidete Schulter. »Wir sind in null Komma nichts in Edenton. Da ist es bestimmt kühler. Nichts ist besser für den Teint, sagt man, als die frische Seeluft!«

101

Nachtwache

Reverend McMillans Haus lag am Meer. Ein Segen bei dem heißen, schwülen Wetter. Am Abend wehte der Wind alles aufs Meer hinaus – Hitze, Kaminrauch, Moskitos. Die Männer saßen nach dem Abendessen auf der Veranda, rauchten Pfeife und genossen die Ruhe.

Rogers Genuss paarte sich mit Schuldbewusstsein angesichts der Tatsache, dass Mrs. Reverend McMillan und ihre drei Töchter im Schweiße ihres Angesichts das Geschirr spülten, aufräumten, den Fußboden wischten, aus den übrig gebliebenen Hammelknochen des Abendessens die Linsensuppe für morgen kochten, die kleineren Kinder zu Bett brachten und sich auch sonst im stickigen, heißen Inneren des Hauses abplagten. Zu Hause hätte er sich verpflichtet gefühlt, bei solchen Arbeiten zu helfen, um sich nicht Briannas Zorn auszusetzen; hier wäre ein solches Angebot mit absoluter Ungläubigkeit aufgenommen worden, gefolgt von tiefem Argwohn. Stattdessen saß er friedvoll im kühlen Abendwind, sah den Fischerbooten zu, die durch den Sund an Land kamen, und nippte an etwas, das Kaffee darstellen sollte, während man angenehme Männergespräche führte.

Manchmal, so dachte er, hatte die Rollenverteilung der Geschlechter im achtzehnten Jahrhundert doch etwas für sich.

Sie unterhielten sich über die Neuigkeiten aus dem Süden; Gouverneur Martins Flucht, die Zerstörung von Fort Johnston. Das politische Klima in Edenton war den Whigs zugetan, und die Anwesenden waren zum Großteil Geistliche – der Älteste, Reverend Dr. McCorkle, sein Sekretär Warren Lee, Reverend Jay McMillan, Reverend Patrick Dugan und vier weitere angehende Pastoren außer Roger –, doch unter der einvernehmlichen Oberfläche der Unterhaltung gab es Strömungen politischer Uneinigkeit.

Roger selbst sagte wenig; er wollte McMillans Gastfreundschaft nicht verletzen, indem er Zündstoff für ein Streitgespräch lieferte – und etwas in seinem Inneren hegte den Wunsch nach Ruhe, um über morgen nachzudenken.

Doch dann nahm die Unterhaltung eine neue Wendung, und er ertappte sich dabei, dass er gebannt zuhörte. Der Kontinentalkongress war vor zwei Monaten in Philadelphia zusammengetreten und hatte General Washington das Oberkommando der Armee übergeben. Warren Lee hatte sich zu diesem Zeitpunkt in Philadelphia befunden und schilderte den Anwesenden die Schlacht von Breed's Hill, der er selbst beigewohnt hatte.

»General Putnam hat ganze Wagenladungen von Erde und Gebüsch an die Mündung der Halbinsel von Charlestown karren lassen – Ihr sagt, Ihr kennt die Stelle, Sir?«, fragte er höflich an Roger gewandt. »Nun, Oberst

Prescott war schon da, mit zwei Milizkompanien aus Massachusetts und einer halben aus Connecticut – alles in allem etwa tausend Mann, und gütiger Himmel, haben die Lager gestunken!«

Es lag ein Hauch von Belustigung in seiner Stimme, doch dieser verblasste, als er jetzt fortfuhr.

»General Ward hatte die Order erteilt, diesen einen Hügel zu befestigen, Bunker Hill nennen sie ihn, nach der alten Schanze darauf. Aber Oberst Prescott ist hinaufgestiegen, und es hat ihm gar nicht gefallen. Er und Mr. Gridley, der Baumeister, haben eine Abordnung dort gelassen und sind weiter zum Breed's Hill, den sie besser geeignet fanden, weil er näher am Hafen liegt. Das war übrigens alles nachts. Ich war in einer der Kompanien aus Massachusetts, und wir sind ordentlich marschiert, und dann haben wir die ganze Nacht von Mitternacht bis zum Morgengrauen Gräben ausgehoben und mannshohe Wälle aufgeschüttet. Als es dämmerte, haben wir uns hinter unseren Befestigungen verkrochen, gerade rechtzeitig, denn im Hafen lag ein britisches Schiff – die *Lively*, hieß es –, und in dem Moment, als die Sonne aufgeht, eröffnet es das Feuer. Hat sehr hübsch ausgesehen; der Nebel lag noch auf dem Wasser, und die Kanonen haben ihn rot erleuchtet. Haben aber nichts ausgerichtet; die meisten Kugeln sind einfach in den Hafen geplumpst – habe aber gesehen, dass sie einen Walfänger an den Docks getroffen haben, ist zu Brennholz zersplittert. Die Mannschaft ist von Bord gehüpft wie die Flöhe, als die *Lively* mit dem Beschuss angefangen hat. Ich konnte sehen, wie sie auf dem Dock herumgetanzt sind und die Fäuste geschüttelt haben – und dann hat die *Lively* eine neue Breitseite abgefeuert, und sie sind alle umgefallen oder davongerannt wie die Karnickel.«

Das Licht war fast verschwunden, und Lees junges Gesicht lag unsichtbar im Schatten, doch die Belustigung in seiner Stimme ließ die anderen Männer leise auflachen.

»Es kam Beschuss aus einer kleinen Batterie auf dem Copp's Hill, und ein oder zwei andere Schiffe haben auch ein bisschen geknallt, aber sie konnten sehen, dass es nichts genützt hat, und haben das Feuer eingestellt. Dann sind ein paar Kerle aus New Hampshire zu uns gestoßen, und das hat uns Mut gemacht. Aber General Putnam hat eine ganze Reihe Männer wieder zum Bunker Hill geschickt, um dort an den Befestigungen zu arbeiten. Die Jungs aus New Hampshire haben da unten gehockt, und ihre einzige Deckung waren mit Gras ausgestopfte Lattenzäune. Als ich da so rübergesehen habe, war ich heilfroh, dass ich einen Meter feste Erde vor mir hatte, das muss ich sagen.«

Die britischen Truppen hatten den Charles River überquert, dummdreist, da sie die Kriegsschiffe in ihrem Rücken wussten und die Batterien am Ufer ihnen Deckung gaben.

»Wir haben das Feuer natürlich nicht erwidert. Hatten ja keine Kanonen«, sagte Lee mit einem hörbaren Achselzucken.

Roger, der ihm gebannt zuhörte, musste an diesem Punkt einfach eine Frage stellen.

»Ist es wahr, dass Oberst Stark gesagt hat: ›Feuert erst auf sie, wenn ihr das Weiße in ihren Augen seht?‹«

Lee hustete diskret.

»Nun, Sir. Ich kann nicht mit Gewissheit behaupten, dass es niemand gesagt hat, aber selbst gehört habe ich es nicht. Doch ich *habe* gehört, wie ein Oberst gerufen hat: ›Jeder Hurensohn, der sein Pulver vergeudet, bevor diese Schufte dicht genug herangekommen sind, um sie umzubringen, kriegt seine Muskete mit dem Kolben zuerst in den Arsch geschoben!‹«

Die Versammlung brach in Gelächter aus. Als sich Mrs. McMillan, die auf die Veranda gekommen war, um ihnen weitere Erfrischungen anzubieten, nach dem Grund für ihre Belustigung erkundigte, verstummten sie jedoch abrupt und täuschten nüchterne Aufmerksamkeit vor, während sie dann dem Rest von Lees Bericht lauschten.

»Nun denn, so kommen sie also heran, und ich muss sagen, es war ein einschüchternder Anblick. Es waren mehrere Regimenter, alle mit unterschiedlichen Uniformfarben, Füsiliere und Grenadiere und Marineinfanteristen und ein großer Haufen leichter Infanterie. Sie sind aufgetaucht wie ein aufgeschreckter Ameisenschwarm und genauso bösartig. Ich kann ja selbst nicht behaupten, der Tapferste zu sein, meine Herren, aber ich muss sagen, meine Kameraden hatten Nerven. Wir haben sie herankommen lassen, und die ersten Reihen waren keine drei Meter entfernt, als unsere Salve sie getroffen hat. Sie haben sich wieder formiert, sind erneut ranmarschiert, und wir haben sie ein zweites Mal niedergemäht – wie die Kegel, und die Offiziere … eine Menge Offiziere sind geflohen; sie waren nämlich zu Pferd. Ich – ich habe einen davon erschossen. Er ist gekippt, aber nicht heruntergefallen – sein Pferd hat ihn fortgetragen. Er hat seitwärts heruntergehangen, und sein Kopf schlenkerte lose. Aber er ist nicht heruntergefallen.«

Lees Stimme hatte einiges an Lebhaftigkeit eingebüßt, und Roger sah, wie sich die untersetzte Gestalt McCorkles zu seinem Sekretär hinüberbeugte und ihn an der Schulter berührte.

»Sie haben sich ein drittes Mal neu formiert und angegriffen. Und … die meisten von uns hatten keine Munition mehr. Sie sind über die Wälle und durch die Zäune geklettert. Mit aufgepflanztem Bajonett.«

Roger saß auf den Verandastufen, Lee saß über ihm, mehr als einen Meter von ihm entfernt, doch er konnte den jungen Mann schlucken hören.

»Wir sind zurückgewichen. Hieß es offiziell. Eigentlich sind wir davongelaufen. Sie hinterher.«

Er schluckte erneut.

»Ein Bajonett – es macht ein schreckliches Geräusch, wenn es in einen Mann eindringt. Einfach – schrecklich. Ich kann es nicht exakt beschreiben. Aber ich habe es gehört, und zwar mehr als einmal. Viele Männer sind an diesem Tag schlichtweg durchbohrt worden – aufgespießt, und dann wieder heraus mit der Klinge, und dann ließ man sie zum Sterben liegen, zappelnd wie die Fische.«

Roger hatte schon oft Bajonette aus dem achtzehnten Jahrhundert gesehen – und in der Hand gehabt. Eine fünfundvierzig Zentimeter lange, dreieckige Klinge, schwer und brutal, mit einer Ablaufrinne für das Blut an einer Seite. Ganz plötzlich dachte er an die gefurchte Narbe, die über Jamie Frasers Oberschenkel lief, und erhob sich. Mit einer kurzen, gemurmelten Entschuldigung verließ er die Veranda und wanderte am Strand entlang, nachdem er nur kurz stehen geblieben war, um sich Schuhe und Strümpfe auszuziehen.

Es war Ebbe; Sand und Kies unter seinen nackten Füßen waren nass. Der Wind klapperte leise durch die Blätter der Palmen in seinem Rücken, und ein Schwarm Pelikane flog in einer Reihe über den Strand, friedlich im Schimmer des letzten Lichts. Er schritt ein kleines Stück in die Wellen hinein, die sanft an seinen Fersen saugten und ihm den Sand unter den Füßen fortspülten, so dass er schwankte, um nicht aus dem Gleichgewicht zu geraten.

Weit draußen auf dem Wasser des Albemarle-Sunds konnte er Lichter sehen: Fischerboote, mit kleinen Feuerchen in Sandkisten an Bord, an denen die Fischer die Fackeln entzündeten, die sie über die Reling hielten. Diese schienen in der Luft zu schweben. Sie schwangen hin und her, und ihre Spiegelbilder im Wasser gingen langsam an und aus wie Glühwürmchen.

Die Sterne kamen jetzt zum Vorschein. Er stand da, blickte auf und versuchte, seinen Kopf, sein Herz zu leeren und sich der Liebe Gottes zu öffnen.

Morgen würde er Pastor werden. *Du bist für immer Pastor*, hieß es im Ritual der Ordination, *gemäß der Order Melchisedeks.*

»*Hast du Angst?*«, hatte Brianna ihn gefragt, als er es ihr gesagt hatte.

»Ja«, hatte er leise, aber deutlich gesagt.

Er verharrte, bis die Ebbe ihn auf dem Trockenen stehen ließ, dann folgte er ihr und tapste ins Wasser, um die rhythmische Berührung der Wellen wieder zu spüren.

»*Wirst du es trotzdem tun?*«

»Ja«, sagte er noch leiser. Er hatte keine Ahnung, wozu er da Ja sagte, doch er sagte es trotzdem. Von weit hinter ihm am Strand trug ihm der Wind dann und wann einen Fetzen Gelächter zu, ein paar Worte von Reverend McMillans Veranda. Also hatten sie die Geschichten von Krieg und Tod hinter sich gelassen.

Hatte einer von ihnen je einen Menschen getötet? Lee vielleicht. McCorkle? Er schnaubte bei diesem Gedanken, tat ihn aber nicht als sinnlos ab. Er ging noch ein Stück weiter, bis er nur noch die Wellen und den Wind hörte.

Die eigene Seele erforschen. Das war es, was Edelmänner taten, dachte er mit einem kleinen, ironischen Lächeln. In der Nacht, bevor man sie zum Ritter schlug, hielten die jungen Männer Wach in einer Kirche oder Kapelle und durchwachten die dunklen Stunden im Gebet, erleuchtet nur vom Schein eines Opferlichts.

Gebet worum?, fragte er sich. Einen klaren Verstand, eine lautere Absicht? Mut? Oder vielleicht Vergebung?

Er hatte Randall Lillington nicht mit Absicht umgebracht; es war zum Teil ein Unfall und zum anderen Teil Notwehr gewesen. Doch da war er auf der Jagd gewesen; auf der Suche nach Stephen Bonnet, um ihn kaltblütig umzubringen. Und Harley Boble; er konnte die glänzenden Augen des Diebesfängers immer noch vor sich sehen, konnte in seinem Arm immer noch den Widerhall des Hiebes spüren, des splitternden Schädels. Das war Absicht gewesen, ja. Er hätte es lassen können. Hatte es aber nicht gelassen.

Morgen würde er vor Gott schwören, dass er an die Doktrin der Prädestination glaubte; dass es ihm vorherbestimmt gewesen war zu tun, was er getan hatte. Vielleicht.

Vielleicht glaube ich ja gar nicht daran, dachte er, und Zweifel regten sich in ihm. *Oder vielleicht ja doch. Himmel – oh, pardon* –, entschuldigte er sich im Geiste – *kann ich ein guter Pastor sein, wenn ich Zweifel habe? Ich glaube zwar, dass jeder Zweifel hat, aber wenn ich zu viele habe – vielleicht lässt du es mich besser jetzt wissen, bevor es zu spät ist.*

Seine Füße waren taub geworden, und am Himmel flammten die Sterne, riesig in der samtschwarzen Nacht. Er hörte in seiner Nähe Schritte auf dem Kies und im Blasentang knirschen.

Es war Warren Lee, hoch gewachsen und schlaksig, McCorkles Sekretär, ehemaliger Milizionär.

»Ich dachte, ich schnappe etwas frische Luft«, sagte Lee so leise, dass es im Zischen der See kaum zu hören war.

»Aye, nun ja, davon gibt es hier eine Menge, und sie kostet nichts«, sagte Roger so freundlich, wie er konnte. Lee reagierte mit einem kurzen Glucksen, doch zum Glück schien ihm nicht nach Reden zumute zu sein.

Sie standen eine Weile da und beobachteten die Fischerboote. Dann wandten sie sich in unausgesprochenem Einverständnis um und gingen zurück. Das Haus war dunkel, die Veranda verlassen. Doch im Fenster brannte eine einsame Kerze und leuchtete ihnen heim.

»Dieser Offizier, auf den ich geschossen habe«, entfuhr es Lee plötzlich. »Ich bete für ihn. Jeden Abend.«

Lee verstummte plötzlich verlegen. Roger atmete langsam und tief und spürte, wie auch sein Herz einen Ruck machte. Hatte er je für Lillington gebetet? Oder für Boble?

»Das werde ich auch tun«, sagte er.

»Danke«, sagte Lee ganz leise, und sie gingen Seite an Seite über den

Strand zurück, blieben stehen, um ihre Schuhe einzusammeln, gingen aber barfuß weiter und ließen den Sand an ihren Füßen trocknen.

Sie hatten sich auf die Stufen gesetzt, um ihn abzustreifen, bevor sie ins Haus gingen, als sich die Tür hinter ihnen öffnete.

»Mr. MacKenzie?«, sagte Reverend McMillan, und es lag etwas in seiner Stimme, das Roger hämmernden Herzens aufstehen ließ. »Ihr habt Besuch.«

Er sah die hoch gewachsene Silhouette hinter McMillan und wusste Bescheid, noch ehe Jamie Frasers blasses, grimmiges Gesicht auftauchte, die Augen schwarz im Kerzenschein.

»Er hat Brianna«, sagte Jamie ohne Einleitung. »Du musst mitkommen.«

102

Anemone

Über ihr trampelten Schritte hin und her, und sie konnte Stimmen hören, doch die Worte waren zum Großteil zu gedämpft, um sie auszumachen. An der dem Ufer zugewandten Seite erklang ein Chor jovialer Rufe, der von gutmütigem Frauenkreischen erwidert wurde.

Die Kajüte hatte ein breites, verglastes Fenster – nannte man es auf einem Schiff Fenster, fragte sie sich, oder hatte es einen speziellen, nautischen Namen? –, das hinter der Koje entlanglief und sich mit dem Winkel des Achterschiffs nach hinten erstreckte. Es bestand aus kleinen, bleiverglasten Glasflächen. Keine Hoffnung auf eine Flucht, doch es ermöglichte, Luft einzulassen und vielleicht ja auch Informationen über ihren Aufenthaltsort.

Sie unterdrückte eine Anwandlung angewiderter Übelkeit und kletterte über die fleckigen, zerwühlten Bettlaken hinweg. Sie presste das Gesicht dicht in eine der geöffneten Fensterspalten und holte tief Luft, um die Gerüche der Kajüte zu zerstreuen, obwohl der Hafen mit seiner Gestankmischung aus totem Fisch, Abwasser und trocknendem Schlamm auch keine große Verbesserung bedeutete.

Sie konnte ein kleines Dock sehen, auf dem sich Gestalten bewegten. Am Ufer brannte ein Feuer vor einem niedrigen, weiß gekälkten Gebäude, dessen Dach mit Palmwedeln gedeckt war. Es war zu dunkel, um zu erkennen, was sich – wenn überhaupt – jenseits des Gebäudes befand. Den Geräuschen der Menschen auf dem Dock nach musste es jedoch mindestens eine kleine Stadt sein.

Vor der Kajütentür näherten sich Stimmen. »... ihn auf Ocracoke treffen, bei Neumond«, sagte die eine, worauf die andere mit unverständlichem Gemurmel erwiderte. Dann flog die Tür auf.

»Möchtest du mitfeiern, Schätzchen? Oder hast du schon ohne mich angefangen?«

Sie fuhr auf den Knien herum, und das Herz hämmerte ihr in der Kehle. Stephen Bonnet stand in der Kajütentür, eine Flasche in der Hand und ein schwaches Lächeln im Gesicht. Sie holte tief Luft, um ihren Schrecken zu unterdrücken, und übergab sich fast, als ihr aus den Laken unter ihren Knien abgestandener Spermageruch in die Nase stieg. Sie kletterte vom Bett, ohne auf ihre Kleider zu achten, und spürte etwas an der Taille reißen, als sich ihr Knie in ihrem Rock verfing.

»Wo sind wir?«, wollte sie wissen. Ihre Stimme klang ihr schrill und panisch in den Ohren.

»Auf der *Anemone*«, sagte er geduldig, immer noch lächelnd.

»Ihr wisst, dass ich das nicht gemeint habe!« Der Halsausschnitt ihrer Chemise war in dem Handgemenge aufgerissen, als die Männer sie vom Pferd gezerrt hatten, und eine Brust lag zum Großteil frei; sie schob den Stoff mit einer Hand zurück an seinen Platz.

»Ach ja?« Er stellte die Flasche auf den Tisch und hob die Hand, um sich die Halsbinde abzunehmen. »Ah, das ist besser.« Er rieb sich den dunkelroten Streifen an seiner Kehle, und für einen durchdringenden Moment sah sie Rogers Kehle mit ihrer gezackten Narbe vor sich.

»Ich wünsche zu erfahren, wie diese Stadt heißt«, sagte sie mit tieferer Stimme und fixierte ihn mit bohrendem Blick. Sie ging zwar nicht davon aus, dass ein Trick, der bei den Pächtern ihres Vaters funktionierte, auch bei ihm funktionieren würde, doch das gebieterische Auftreten schien ihr dabei zu helfen, fester auf den Beinen zu stehen.

»Nun, das ist natürlich ein Wunsch, den ich leicht erfüllen kann.« Er machte eine beiläufige Handbewegung Richtung Ufer. »Roanoke.« Er legte seinen Rock ab und warf ihn achtlos über einen Hocker. Der Leinenstoff seines Hemdes war zerknittert und klebte ihm feucht an Brust und Schultern.

»Zieh lieber dein Kleid aus, Schätzchen, es ist heiß.«

Er griff nach den Bändern, die sein Hemd zusammenhielten, und sie bewegte sich abrupt fort vom Bett und ließ den Blick durch die Kajüte schweifen, um nach etwas zu suchen, das sie als Waffe benutzen konnte. Hocker, Lampe, Logbuch, Flasche… da. Ein Stück Holz ragte aus dem Durcheinander auf dem Schreibtisch, das stumpfe Ende eines Marlspiekers.

Er runzelte die Stirn und konzentrierte sich ganz auf einen Knoten in seinem Band. Mit zwei langen Schritten ergriff sie den Marlspieker und riss ihn in einem Regen aus Nutzlosigkeiten und klingelnden Gegenständen vom Tisch.

»Bleibt, wo Ihr seid.« Sie hielt das Holzstück mit beiden Händen fest wie einen Baseballschläger. Der Schweiß lief ihr über den Rücken, doch ihre Hände fühlten sich kalt an, und ihr Gesicht wurde abwechselnd heiß und kalt und wieder heiß, während ihr Hitze und Schrecken in Wellen über die Haut liefen.

Bonnet musterte sie, als hätte sie den Verstand verloren.

»Du liebe Güte, was hast du denn damit vor?« Er hörte auf, an seinem Hemd herumzufummeln, und trat einen Schritt auf sie zu. Sie wich einen zurück und hob den Knüppel.

»Rührt mich ja nicht an!«

Er starrte sie an, die Augen weit geöffnet, blassgrün und reglos über einem kleinen, seltsamen Lächeln. Immer noch lächelnd trat er einen weiteren Schritt auf sie zu. Dann noch einen, und die Angst kochte zu einem Wutanfall hoch. Ihre Schultern spannten und hoben sich, bereit.

»Ich meine es ernst! Bleibt, wo Ihr seid, oder ich bringe Euch um. Diesmal werde ich wissen, wer der Vater des Babys ist, und wenn ich dafür sterbe!«

Er hatte die Hand gehoben, als wollte er ihr den Knüppel entreißen, doch bei diesen Worten hielt er abrupt inne.

»Baby? Ihr bekommt ein Kind?«

Sie schluckte, und ihre Kehle war zugeschnürt. Das Blut hämmerte in ihren Ohren, und das glatte Holz war schlüpfrig von ihren verschwitzten Handflächen. Sie umklammerte es fester, um ihre Wut nicht erlöschen zu lassen, doch diese verblasste bereits.

»Ja, ich glaube schon. In zwei Wochen weiß ich es genau.«

Seine sandfarbenen Augenbrauen hoben sich.

»Hm!« Mit einem kurzen Grunzen trat er zurück, um sie neugierig zu betrachten. Langsam ließ er den Blick über sie wandern, bis er abschätzend auf ihrer entblößten Brust zum Halten kam.

Der plötzliche Wutanfall war verebbt, und sie fühlte sich atemlos und hohl. Sie ließ den Marlspieker zwar nicht los, doch ihre Handgelenke zitterten, und sie ließ ihn sinken.

»So ist das also, ja?«

Er beugte sich vor und streckte die Hand aus, diesmal eindeutig ohne laszive Absichten. Sie erstarrte erschrocken, als er die Brust in seiner Hand wog und sie nachdenklich knetete, als sei sie eine Pampelmuse, die er auf dem Markt kaufen wollte. Sie keuchte auf und hieb einhändig mit dem Knüppel nach ihm, doch sie hatte ihre Kampfbereitschaft verloren, und er schwankte zwar, doch sonst zeigte der Hieb kaum Wirkung. Er trat grunzend zurück und rieb sich die Schulter.

»Könnte sein. Nun denn.« Er runzelte die Stirn und zupfte ohne jede Verlegenheit an der Vorderseite seiner Hose, um deren Innenleben zurechtzurücken. »Dann ist es ja ein Glück, dass wir im Hafen liegen, nehme ich an.«

Sie hatte keine Ahnung, was er mit dieser Bemerkung meinte, doch es war ihr egal; anscheinend hatte er es sich anders überlegt, als er ihre Offenbarung hörte, und vor Erleichterung gaben ihre Knie nach, und ihr brach der Schweiß aus. Sie ließ sich ganz plötzlich auf den Hocker plumpsen und den Knüppel neben sich zu Boden scheppern.

Bonnet hatte den Kopf in den Korridor gesteckt und brüllte nach jemandem namens Orden. Wer auch immer dieser Orden war, er kam nicht in die Kajüte, doch in Sekundenschnelle erscholl draußen fragendes Gemurmel.

»Holt mir eine Hure von den Docks«, sagte Bonnet im beiläufigen Tonfall eines Mannes, der sich ein frisches Bier bestellt. »Aber sauber und ziemlich jung.«

Dann schloss er die Tür und wandte sich dem Tisch zu, wo er das Durcheinander durchwühlte, bis er einen Zinnbecher fand. Er schenkte sich ein, kippte den halben Becher herunter, dann schien ihm wieder einzufallen, dass sie auch noch da war, und er hielt ihr mit einem einladenden Laut die Flasche hin.

Sie schüttelte wortlos den Kopf. Eine leise Hoffnung hatte sich in ihrem Hinterkopf geregt. Er besaß einen schwachen Hauch von Ritterlichkeit oder zumindest Anstand; er war zurückgekommen, um sie aus dem brennenden Lagerhaus zu retten, und er hatte ihr den Stein für das Kind überlassen, das er für das Seine hielt. Jetzt hatte er von seinen Avancen abgesehen, als er hörte, dass sie erneut schwanger war. Möglicherweise würde er sie ja gehen lassen, vor allem, da sie keinen unmittelbaren Nutzen für ihn hatte.

»Dann … wollt Ihr mich also nicht?«, sagte sie und zog die Füße unter sich, um aufzuspringen und die Flucht zu ergreifen, sobald sich die Tür öffnete, um ihre Ersatzfrau einzulassen. Sie hoffte, dass sie weglaufen *konnte*; ihre Knie zitterten immer noch vor Schreck.

Bonnet blinzelte sie überrascht an.

»Ich hab dir doch schon einmal die Möse gespalten, Süße«, sagte er und grinste. »Ich kann mich an die roten Haare erinnern – wirklich sehr hübsch –, aber ansonsten war es nicht so unvergesslich, dass ich es nicht abwarten kann, es zu wiederholen. Zeit genug, Schätzchen, Zeit genug.« Er fasste ihr herablassend ans Kinn und trank weiter. »Aber jetzt braucht Leroi einen kleinen Ausritt.«

»Warum bin ich hier?«, wollte sie wissen.

Abgelenkt zog er noch einmal am Schritt seiner Kniehose, ohne sich an ihrer Gegenwart zu stören.

»Hier? Nun, weil mich ein Herr dafür bezahlt hat, dich nach London zu bringen, Schätzchen. Wusstest du das nicht?«

Sie fühlte sich, als hätte jemand sie in den Bauch geboxt und setzte sich auf das Bett, die Arme schützend vor der Taille verschränkt.

»Was denn für ein Herr? Und warum, zum Kuckuck?«

Er überlegte einen Moment, kam dann aber offensichtlich zu dem Schluss, dass es keinen Grund gab, es ihr nicht zu sagen.

»Ein Mann namens Forbes«, sagte er und kippte den Rest seines Bechers herunter. »Du kennst ihn doch, oder?«

»Das kann man wohl sagen«, sagte sie, und ihre Verblüffung kämpfte mit ihrer Wut. »Dieser verfluchte *Mistkerl*!« Es waren also Forbes' Männer gewesen, die maskierten Banditen, die sie und Josh angehalten hatten, sie von den Pferden gezerrt und sie beide in eine versiegelte Kutsche geschubst hatten, in der sie tagelang über unsichtbare Straßen gerumpelt waren, bis sie die Küste erreicht hatten und man Brianna zerzaust und stinkend ins Freie gezerrt und auf das Schiff bugsiert hatte.

»Wo ist Joshua?«, fragte sie abrupt. »Der junge Schwarze, der mich begleitet hat?«

»Hat er das?« Bonnet setzte eine fragende Miene auf. »Wenn sie ihn an Bord gebracht haben, werden sie ihn wohl zu der restlichen Fracht unter Deck gebracht haben. Als Dreingabe, nehme ich an«, fügte er hinzu und lachte.

Ihre Wut auf Forbes war mit Erleichterung versetzt gewesen, weil er hinter ihrer Entführung steckte; Forbes war zwar ein schäbiger, intriganter Halunke, aber er hatte mit Sicherheit nicht vor, sie umzubringen. Doch als Stephen Bonnet jetzt so lachte, durchfuhr sie ein Hauch von Kälte, und ihr wurde auf einmal schwindelig.

»Was meint Ihr damit, als Dreingabe?«

Bonnet kratzte sich die Wange, und seine stachelbeerfarbigen Augen wanderten beifällig über sie hinweg.

»Oh, nun ja. Mr. Forbes wollte dich nur aus dem Weg haben, hat er gesagt. Was hast du dem Mann nur getan, Schätzchen? Aber er hat schon für deine Überfahrt bezahlt, und ich habe den Eindruck, dass es ihn nicht besonders interessiert, wo du landest.«

»Wo ich lande?« Ihr Mund war trocken gewesen; jetzt rann ihr der Speichel aus den Schleimhäuten, und sie musste mehrmals schlucken.

»Nun, Schätzchen, warum sollte ich mir die Mühe machen, dich nach London zu bringen, wo du doch niemandem nützen würdest? Außerdem regnet es in London ziemlich viel; das würde dir bestimmt nicht gefallen.«

Bevor sie Luft holen konnte, um ihn weiter auszufragen, öffnete sich die Tür, und eine junge Frau glitt hindurch und schloss sie hinter sich.

Sie war wahrscheinlich Mitte zwanzig, obwohl man, wenn sie lächelte, sehen konnte, dass ihr ein Backenzahn fehlte. Sie war rundlich und nicht besonders hübsch, braunhaarig und relativ sauber, obwohl sich Brianna am liebsten erneut übergeben hätte, als ihr Körpergeruch und ihr frisch aufgetragenes, billiges Kölnischwasser als Wolke durch die Kajüte wehten.

»Hallo, Stephen«, sagte sie und stellte sich auf die Zehenspitzen, um Bonnet auf die Wange zu küssen. »Gib mir erst einmal etwas zu trinken, wie?«

Bonnet packte sie, küsste sie tief und ausgiebig, dann ließ er sie los und griff nach der Flasche.

Sie stellte sich wieder auf die Fersen und betrachtete Brianna mit neutralem, beruflichem Interesse, dann richtete sie den Blick wieder auf Bonnet und kratzte sich am Hals.

»Willst du uns beide, Stephen, oder soll ich mit ihr anfangen? So oder so ist es ein Pfund mehr.«

Bonnet machte sich nicht die Mühe, ihr zu antworten, sondern drückte ihr die Flasche in die Hand, riss ihr das Tüchlein, das ihr Dekolleté bedeckte, aus dem Ausschnitt, und machte sich sofort daran, seinen Hosenlatz zu öffnen. Er ließ die Kniehose auf den Boden fallen, packte die Frau ohne weitere Umstände an den Hüften und presste sie gegen die Tür.

Während sie noch aus der Flasche trank, die sie in der einen Hand hielt, raffte die junge Frau mit der anderen ihre Röcke und schob Rock und Unterrock mit einer geübten Bewegung, die sie bis zur Taille entblößte, zur Seite. Brianna sah kräftige Oberschenkel und eine dunkel behaarte Stelle, als beides auch schon von Bonnets Hinterteil verdeckt wurde, das mit blondem Pelz überzogen und vor Anstrengung zusammengekrampft war.

Sie wandte mit brennenden Wangen den Kopf ab, doch morbide Faszination gebot ihr, wieder hinzusehen. Die Hure balancierte auf den Zehen und war leicht in die Hocke gegangen, um ihm Zugang zu gewähren. Sie blickte ihm seelenruhig über die Schulter, während er grunzend auf sie einstieß. In einer Hand hatte sie immer noch die Flasche; mit der anderen streichelte sie Bonnet routiniert die Schulter. Sie bemerkte, dass Brianna sie fixierte, und zwinkerte, während sie ihrem Kunden unablässig »Ooh, ja ... oh, JA! Das ist gut, Liebster, so gut ...« ins Ohr keuchte.

Die Kajütentür erbebte jedes Mal, wenn der fleischige Hintern der Hure dagegen klatschte, und Brianna konnte draußen im Korridor Männer- und Frauenstimmen lachen hören; offenbar hatte Orden genug mitgebracht, um nicht nur den Kapitän, sondern auch die Mannschaft zu versorgen.

Bonnet ackerte ein oder zwei Minuten grunzend vor sich hin, dann stöhnte er laut auf, und seine Bewegungen wurden ruckartig und unkoordiniert. Die Hure legte ihm helfend die Hand auf den Hintern und zog ihn an sich, dann lockerte sich ihr Griff, als sein Körper erschlaffte und er sich schwer gegen sie lehnte. Sie stützte ihn einen Moment und tätschelte ihm ungerührt den Rücken wie eine Mutter, die ihrem Baby beim Bäuerchen hilft, dann schubste sie ihn von sich.

Sein Gesicht und sein Hals waren dunkelrot angelaufen, und er atmete schwer. Er nickte der Hure zu und bückte sich, um mit unsicheren Fingern seine Hose aufzuheben. Er stand auf und wies mit einer Handbewegung auf den überfüllten Schreibtisch.

»Nimm dir deine Bezahlung, Liebes, aber gib mir die Flasche wieder, aye?«

Die Hure deutete einen Schmollmund an, trank aber einen letzten, großen Schluck Schnaps und reichte ihm die Flasche, die jetzt höchstens noch ein Viertel voll war. Sie zog ein zusammengefaltetes Tuch aus der Tasche an ihrer Taille und legte es zwischen ihre Oberschenkel, dann schüttelte sie ihre

Röcke zu Boden, trat an den Tisch und durchstocherte den Krimskrams vorsichtig nach verstreuten Münzen, die sie mit zwei Fingern herauspickte, um sie einzeln in die Tiefen ihrer Tasche fallen zu lassen.

Bonnet, der jetzt wieder angezogen war, ging hinaus, ohne die beiden Frauen eines weiteren Blickes zu würdigen. Die Luft in der Kajüte war heiß und stickig und roch nach Sperma, und Brianna spürte, wie sich ihr Magen verkrampfte. Nicht angewidert, sondern panisch. Der kräftige Männergeruch hatte eine instinktive Reaktion ausgelöst, die ihr ganzes Inneres packte; einen kurzen, verwirrenden Moment lang spürte sie Rogers Haut schweißnass an der ihren, und ihre Brüste kribbelten geschwollen und sehnsüchtig.

Sie presste Lippen und Beine fest zusammen, ballte die Hände zu Fäusten und atmete flach. Das Letzte, was sie jetzt ertragen konnte, dachte sie, *wirklich* das Letzte – war der Gedanke an Roger und Sex, während sie sich nur irgendwie in Stephen Bonnets Nähe befand. Sie schob den Gedanken entschlossen beiseite und näherte sich der Hure, während sie nach einer Bemerkung fischte, mit der sie eine Unterhaltung anfangen konnte.

Die Hure spürte ihre Bewegung und warf einen Blick auf Brianna, registrierte ihr zerrissenes Kleid, aber auch dessen gute Qualität, beachtete sie dann aber nicht weiter und setzte ihre Münzensuche fort. Wenn sie ihre Bezahlung hatte, würde die Frau gehen und zu den Docks zurückkehren. Es war eine Chance, Roger und ihren Eltern eine Nachricht zukommen zu lassen. Keine große vielleicht, aber doch eine Chance.

»Kennt Ihr … äh … ihn gut?«, sagte sie.

Die Hure sah sie mit hochgezogenen Augenbrauen an.

»Wen? Oh, Stephen? Aye, er ist ein guter Kunde.« Sie zuckte mit den Achseln. »Braucht nie länger als zwei oder drei Minuten, macht kein Palaver wegen des Geldes, will's immer nur ganz einfach. Hin und wieder ist er grob, aber er schlägt nur zu, wenn man sich widersetzt, und so dumm ist sowieso keiner. Zumindest nicht öfter als einmal.« Ihre Augen verweilten einen Moment auf Briannas zerrissenem Kleid, und sie zog sardonisch eine Augenbraue hoch.

»Ich werde es mir merken«, sagte Brianna trocken und zog die Kante ihrer zerrissenen Chemise höher. In dem Durcheinander auf dem Tisch fiel ihr eine Glasflasche ins Auge, die mit einer klaren Flüssigkeit gefüllt war und einen kleinen, runden Gegenstand enthielt. Es konnte doch wohl nicht … doch so war es. Ein rundes, fleischiges Objekt, das sehr an ein hartgekochtes Ei erinnerte und gräulichrosa gefärbt war – und von einem sauberen Loch durchbohrt war.

Sie bekreuzigte sich, und ihr wurde mulmig zumute.

»Ich war schon ganz überrascht«, fuhr die Hure fort und betrachtete Brianna mit unverhohlener Neugier. »Soweit ich weiß, hat er noch nie zwei Mädchen zusammen gehabt. Eigentlich mag er es nicht, wenn jemand dabei zusieht, wie er seinen Spaß hat.«

»Ich bin keine –«, begann Brianna, doch dann hielt sie inne, weil sie die Frau nicht beleidigen wollte.

»Keine Hure?« Die junge Frau grinste breit, so dass ihre schwarze Zahnlücke sichtbar wurde. »Darauf wäre ich auch selbst gekommen, Herzchen. Nicht, dass das für Stephen irgendeine Rolle spielen würde. Er pflanzt, wo er lustig ist, und ich kann mir schon vorstellen, dass er Lust auf Euch hat. Das hätten die meisten Männer.« Sie betrachtete Brianna mit einem neutralen, abschätzenden Blick und wies kopfnickend auf ihr zerzaustes Haar, ihr rotes Gesicht und ihre schlanke Gestalt.

»Euch mögen sie doch bestimmt auch«, sagte Brianna mit einem schwach surrealen Gefühl. »Äh… wie heißt Ihr eigentlich?«

»Hepzibah«, sagte die Frau voller Stolz. »Oder kurz Eppie.« Es lagen zwar noch Münzen auf dem Tisch, doch die Frau rührte sie nicht an. Bonnet mochte großzügig sein, aber offenbar wollte die Frau das nicht ausnutzen – wahrscheinlich eher ein Zeichen von Angst als von Freundschaft. Brianna holte tief Luft und versuchte es weiter.

»Was für ein hübscher Name. Erfreut, Euch kennen zu lernen, Eppie.« Sie hielt ihr die Hand hin. »Mein Name ist Brianna Fraser MacKenzie.« Sie nannte alle drei Namen, in der Hoffnung, dass sich die Hure wenigstens an einen davon erinnern würde.

Die Frau sah die ausgestreckte Hand verwundert an, dann schüttelte sie sie zögerlich und ließ sie fallen wie einen toten Fisch. Sie zog ihren Rock hoch und begann, sich mit dem Tuch sauber zu machen, indem sie sorgfältig alle Spuren ihres letzten Kunden wegwischte.

Brianna wappnete sich gegen die Gerüche des fleckigen Lappens, des Körpers der Frau und des Alkohols in ihrem Atem und beugte sich vor.

»Stephen Bonnet hat mich entführt«, sagte sie.

»Oh, aye?«, sagte die Hure gleichgültig. »Nun, er nimmt sich, was ihm gefällt, unser Stephen.«

»Ich will fort von hier«, sagte Brianna leise und schielte zur Kajütentür. Oben an Deck konnte sie Schritte hören und hoffte, dass ihre Stimmen nicht durch die schweren Planken dringen würden.

Eppie faltete den Lappen zusammen und legte ihn auf den Tisch. Sie kramte in ihrer Tasche und brachte eine kleine Flasche mit einem Wachsstopfen zum Vorschein. Sie hatte ihren Rock immer noch hochgehoben, und Brianna konnte silbrige Schwangerschaftsstreifen auf ihrem rundlichen Bauch sehen.

»Nun, dann gib ihm doch, was er will«, riet ihr die Hure, während sie den Stopfen aus der Flasche zog und sich ein wenig von ihrem Inhalt – einem überraschend milden Rosenwasserduft – auf die Hand goss. »Wahrscheinlich hat er in ein paar Tagen genug von Euch und setzt Euch an Land.« Sie rieb sich die Schamhaare großzügig mit dem Rosenwasser ein, dann roch sie kritisch an ihrer Hand und verzog das Gesicht.

»Nein, ich meine, das ist es nicht, warum er mich entführt hat. Glaube ich jedenfalls«, fügte sie hinzu.

Eppie verstopfte die Flasche wieder und steckte sie zusammen mit dem Tuch in ihre Tasche.

»Oh, dann will er Lösegeld?« Eppie betrachtete sie mit zunehmendem Interesse. »Trotzdem habe ich noch nie erlebt, dass der Mann Skrupel gehabt hätte, wenn es um seinen Appetit ging. Er würde eine Frau entjungfern und sie ihrem Vater zurückverkaufen, bevor ihr Bauch anfängt, dick zu werden.« Sie spitzte die Lippen, als ihr jetzt ein Gedanke kam.

»Wie habt Ihr ihn denn davon abgebracht, es mit Euch zu tun?«

Brianna legte eine Hand auf ihren Bauch.

»Ich habe ihm gesagt, dass ich schwanger bin. Das hat ihn davon abgebracht. Ich hätte nie gedacht – ein Mann wie er –, aber so war es. Vielleicht ist er ja besser, als Ihr glaubt?«, fragte sie mit einem winzigen Fünkchen Hoffnung.

Eppie lachte so heftig, dass sich ihre kleinen Augen halb schlossen.

»Stephen? Himmel, nein!« Sie zog vor Belustigung die Nase hoch, dann strich sie sich die Röcke glatt.

»Nein«, fuhr sie jetzt nüchterner fort. »Aber es ist die beste Geschichte, die Ihr ihm erzählen konntet, um ihn von Euch fern zu halten. Er hat mich einmal zu sich gerufen und mich abgewiesen, als er gesehen hat, dass ich 'nen Braten in der Röhre hatte. Als ich darüber einen Witz gemacht habe, hat er erzählt, er hätte einmal eine Hure mit einem Bauch wie eine Kanonenkugel gehabt, und mittendrin hat sie aufgestöhnt, und das Blut kam aus ihr herausgeschossen, hat das ganze Zimmer überflutet. Da ist ihm die Lust vergangen, hat er gesagt. Kein Wunder. Seitdem graut es unseren Stephen davor, es mit einem Mädchen zu tun, bei dem etwas unterwegs ist. Er will's nicht noch mal riskieren.«

»Verstehe.« Ein Schweißtropfen rann Brianna über die Wange, und sie wischte ihn mit dem Handrücken fort. Ihr Mund fühlte sich trocken an, und sie saugte an der Innenseite ihrer Wange. »Die Frau – was ist aus ihr geworden.«

Hepzibah sah einen Moment verständnislos drein.

»Oh, die Hure? Ist natürlich gestorben, die arme Kuh. Stephen sagt, er hat versucht, sich in seine nasse Hose zu kämpfen, obwohl sie voller Blut war, und er hat die Hure angesehen und da lag sie reglos wie ein Stein auf dem Boden, und ihr Bauch hat gezuckt wie ein Sack voll Schlangen. Sagt, da ist ihm plötzlich der Gedanke gekommen, dass das Baby herauswollte, um sich an ihm zu rächen, und er ist im Hemd aus dem Haus geflüchtet und hat seine Hose dagelassen.«

Sie kicherte über diese lustige Vorstellung, dann prustete sie und beruhigte sich wieder, während sie ihre Röcke glatt strich. »Aber Stephen ist ja auch Ire«, fügte die verständnisvoll hinzu. »Die Iren kommen auf ziemlich kranke Ideen, vor allem, wenn sie zu viel getrunken haben.« Ihre Zungenspitze kam zum Vorschein und glitt über ihre Unterlippe, um die letzten Spuren von Bonnets Schnaps zu kosten.

Brianna beugte sich dichter zu ihr herüber und hielt ihr die Hand entgegen.

»Hier.«

Hepzibah warf einen Blick auf ihre Hand, dann sah sie noch einmal hin, fasziniert. Der breite Goldring mit dem großen Rubin glitzerte und leuchtete im Schein der Laterne.

»Den gebe ich Euch«, sagte Brianna und senkte die Stimme, »wenn Ihr etwas für mich tut.«

Die Hure leckte sich erneut die Lippen, und ihre Miene war plötzlich hellwach.

»Aye. Was denn?«

»Meinem Mann eine Nachricht zukommen lassen. Er ist in Edenton bei Reverend McMillan – jeder wird wissen, wo er wohnt. Sagt ihm, wo ich bin, und sagt ihm –« Sie zögerte. Was sollte sie sagen? Es war unmöglich zu sagen, wie lange die *Anemone* hier bleiben würde oder wohin Bonnet als Nächstes fahren würde. Der einzige Hinweis, den sie hatte, war die Unterhaltung, die sie mit angehört hatte, kurz bevor er hereinkam.

»Sagt ihm, ich glaube, er hat ein Versteck auf Ocracoke. Er hat vor, sich dort bei Neumond mit jemandem zu treffen. Sagt ihm das.«

Hepzibah warf einen beklommenen Blick zur Kajütentür, doch diese blieb verschlossen. Dann richtete sie ihn wieder auf den Ring, und der Wunsch, ihn zu besitzen, rang in ihrem Gesicht mit ihrer offensichtlichen Angst vor Bonnet.

»Er wird es nicht erfahren«, sagte Brianna. »Er bekommt es nicht heraus. Und mein Vater wird Euch belohnen.«

»Dann ist er reich, Euer Vater?« Brianna sah den spekulierenden Blick der Hure, und für einen Moment schwante ihr nichts Gutes – was, wenn Eppie den Ring einfach nahm und sie an Bonnet verriet? Andererseits hatte sie nicht mehr Geld an sich genommen, als ihr zustand; vielleicht war sie ja so etwas Ähnliches wie ehrlich. Außerdem blieb ihr nichts anderes übrig.

»Sehr reich«, sagte sie entschlossen. »Sein Name ist Jamie Fraser. Meine Tante ist ebenfalls reich. Sie hat eine Plantage namens River Run in der Nähe von Cross Creek in North Carolina. Fragt nach Mrs. Innes – Jocasta Cameron Innes. Ja, wenn Ihr Ro…, meinen Mann nicht finden könnt, schickt eine Nachricht dorthin.«

»River Run«, wiederholte Hepzibah gehorsam, ohne die Augen von dem Ring abzuwenden.

Brianna drehte ihn sich vom Finger und ließ ihn der Hure in die offene Hand fallen, bevor sie es sich anders überlegen konnte. Die Hand der Frau schloss sich fest darum.

»Der Name meines Vaters ist Jamie Fraser; mein Mann ist Roger MacKenzie«, wiederholte sie. »Bei Reverend McMillan. Könnt Ihr das behalten?«

»Fraser und MacKenzie«, wiederholte Hepzibah unsicher. »Oh, aye, natürlich.« Sie hatte sich schon zur Tür in Bewegung gesetzt.

»Bitte«, sagte Brianna flehentlich.

Die Hure nickte, sah sie dabei aber nicht an, glitt zur Tür hinaus und schloss sie hinter sich.

Das Schiff ächzte und schwankte, und sie hörte den Wind durch die Bäume am Ufer rattern, lauter als die Rufe der betrunkenen Männer. Jetzt gaben ihre Knie nach, und sie setzte sich auf das Bett, ohne auf die Laken zu achten.

Als die Ebbe einsetzte, brachen sie auf; sie hörte das Rumpeln der Ankerkette und spürte, wie das Schiff zum Leben erwachte, als seine Segel Wind aufnahmen. Sie stand gebannt am Fenster und sah zu, wie Roanokes dunkelgrüne Landmasse kleiner wurde. Vor hundert Jahren waren hier die ersten englischen Kolonisten gelandet – und spurlos verschwunden. Als der Gouverneur der Kolonie mit Ausrüstungsgegenständen aus England zurückkehrte, hatte er niemanden mehr gefunden, und die einzige Spur war das in einem Baumstamm eingeritzte Wort »Croatan« gewesen.

Sie hinterließ noch viel weniger. Todtraurig sah sie zu, wie die Insel im Meer versank.

Einige Stunden kam niemand. Dank ihres leeren Magens wurde ihr übel, und sie übergab sich in den Nachttopf. Sie konnte den Gedanken nicht ertragen, sich auf diese widerlichen Laken zu legen, sondern zerrte sie vom Bett, das sie nur mit den Quilts bezog, und legte sich hin.

Die Fenster waren offen, und die frische Seeluft fuhr ihr durch das Haar und trocknete ihre klamme Haut, so dass sie sich ein wenig besser fühlte. Sie war sich ihrer Gebärmutter beinahe unerträglich bewusst, eines kleinen, empfindlichen Gewichts und dessen, was sich wahrscheinlich gerade darin abspielte; dieser geordnete Tanz der sich teilenden Zellen, eine Art friedlicher Gewaltakt, der ihr Leben für immer veränderte und ihr das Herz brach.

Wann war es geschehen? Sie versuchte, zurückzudenken und sich zu erinnern. Möglich, dass es die Nacht vor Rogers Aufbruch nach Edenton gewesen war. Er war aufgeregt gewesen und hatte beinahe jubiliert, und sie hatten sich mit einer anhaltenden Wonne geliebt, unter die sich Sehnsucht mischte, denn sie wussten beide, dass der nächste Morgen die Trennung bringen würde. Sie war in seinen Armen eingeschlafen und hatte sich geliebt gefühlt.

Doch sie war mitten in der Nacht allein erwacht und hatte ihn am Fenster sitzen sehen, vom Licht des Halbmonds überspült. Sie hatte seine einsamen Gedankengänge nicht stören wollen, doch er hatte ihren Blick auf sich gespürt und sich umgedreht, und es hatte etwas in seinen Augen gelegen, das sie aufstehen und zu ihm gehen ließ, um seinen Kopf an ihre Brust zu legen und ihn zu halten.

Dann hatte er sich erhoben, sie auf den Boden gelegt und sie noch einmal genommen, wortlos und drängend.

Als Katholikin, die sie war, hatte sie es schrecklich erotisch gefunden; die Vorstellung, einen Pastor am Vorabend seiner Ordination zu verführen, ihn Gott zu stehlen, wenn auch nur für einen Moment.

Sie schluckte, die Hände vor dem Bauch gefaltet. *Vorsicht, worum du betest.* Das hatten die Nonnen in der Schule den Kindern stets gesagt.

Der Wind wurde jetzt kalt, so dass sie fror, und sie zog die Kante eines Quilts – des saubersten – über sich. Dann konzentrierte sie sich mit aller Kraft und begann ganz vorsichtig zu beten.

103

Das Verhör

Neil Forbes saß im Salon des *King's Inn* und labte sich an einem Glas Cidre sowie dem Gefühl, dass alles gut war in der Welt. Er hatte eine höchst fruchtbare Zusammenkunft mit Samuel Iredell und seinem Freund hinter sich, zwei der prominentesten Rebellenführer von Edenton – und eine noch fruchtbarere Zusammenkunft mit Gilbert Butler und William Lyons, zwei ortsansässigen Schmugglern.

Er besaß eine große Vorliebe für Juwelen, und zur Feier der eleganten Beseitigung jeder Bedrohung durch James Fraser hatte er sich eine neue Schmucknadel gekauft, die von einem bildschönen Rubin gekrönt wurde. Diese betrachtete er nun von stummer Genugtuung erfüllt und erfreute sich an den hübschen Schatten, die der Stein auf den Seidenstoff seiner Halsrüsche warf.

Seine Mutter hatte er sicher im Haus seiner Schwester abgesetzt, er war zum Mittagessen mit einer Dame verabredet und hatte vorher noch eine Stunde Zeit. Vielleicht ein Spaziergang; es war ein herrlicher Tag.

Er hatte den Stuhl schon zurückgeschoben und sich ans Aufstehen gemacht, als sich eine große Hand mitten auf seine Brust legte und ihn wieder auf den Stuhl drückte.

»Was –?« Er blickte entrüstet auf – und achtete sehr darauf, sich diesen Gesichtsausdruck zu erhalten, obwohl ihm plötzlich Übles schwante. Ein hoch gewachsener, dunkelhaariger Mann stand über ihm, und seine Miene war ausgesprochen unfreundlich. MacKenzie, der Ehemann der kleinen Nervensäge.

»Wie könnt Ihr es wagen?«, begann er kampflustig. »Ich muss eine Entschuldigung verlangen!«

»Ihr könnt verlangen, was Ihr wollt«, sagte MacKenzie. Unter seiner Sonnenbräune war er blass und grimmig. »Wo ist meine Frau?«

»Woher soll ich das wissen?« Forbes' Herz schlug rasend schnell, doch genauso vor Schadenfreude wie aus Angst. Er hob das Kinn und tat so, als wollte er aufstehen. »Ihr werdet mich entschuldigen, Sir?«

Eine Hand auf seinem Arm hielt ihn auf, und als er sich umdrehte, blickte er in das Gesicht von Frasers Neffen, Ian Murray. Murray lächelte, und Forbes Gefühl der Genugtuung ließ ein wenig nach. Man erzählte sich, der Junge hätte bei den Mohawk gelebt und sei einer von ihnen geworden – dass er mit einem gefährlichen Wolf zusammenlebte, der mit ihm sprach und seinen Befehlen gehorchte, dass er einem Mann das Herz herausgeschnitten und es bei einem heidnischen Ritual verzehrt hatte.

Doch als er jetzt das gewöhnliche Gesicht und die zerschlissene Kleidung des Jungen betrachtete, war Forbes alles andere als beeindruckt.

»Entfernt Eure Hand von meiner Person«, befahl er würdevoll und richtete sich im Sitzen auf.

»Nein, das lasse ich lieber«, sagte Murray. Die Hand legte sich fester um seinen Arm, wie das Gebiss eines Pferdes, und Forbes öffnete den Mund, auch wenn er kein Geräusch machte.

»Was habt Ihr mit meiner Cousine angestellt?«, sagte Murray.

»Ich? Aber ich – ich habe nicht das Geringste mit Mrs. MacKenzie zu schaffen. Lasst mich los, verdammt!«

Der Griff lockerte sich, und er saß schwer atmend da. MacKenzie hatte sich einen Stuhl genommen und sich ihm gegenüber hingesetzt.

Forbes strich sich den Rockärmel glatt. Er wich MacKenzies Blick aus und überlegte mit Höchstgeschwindigkeit. Wie hatten sie es herausgefunden? Wussten sie es wirklich? Vielleicht blufften sie ja nur, ohne Gewissheit zu haben.

»Ich bedaure zu hören, dass Mrs. MacKenzie etwas zugestoßen sein könnte«, sagte er höflich. »Muss ich darauf schließen, dass sie Euch irgendwie abhanden gekommen ist?«

MacKenzie betrachtete ihn einen Moment von oben bis unten, ohne zu antworten, dann stieß er einen leisen, verächtlichen Laut aus.

»Ich habe Euch in Mecklenburg reden hören«, sagte er im Konversationston. »Wie aalglatt Ihr doch wart. Viele Worte über Gerechtigkeit, wie ich gehört habe, und über den Schutz unserer Frauen und Kinder. Solche Beredtheit.«

»Schöne Worte«, meldete sich Ian Murray zu Wort, »für einen Mann, der es fertig bringt, eine hilflose Frau zu entführen.« Er hockte immer noch auf dem Boden wie ein Wilder, hatte seine Position aber so verändert, dass er Forbes direkt ins Gesicht sah. Das machte den Anwalt etwas nervös, und er beschloss, stattdessen lieber MacKenzies Blick zu erwidern, von Mann zu Mann.

»Ich bedaure Euer Unglück wirklich sehr«, sagte er, um einen betroffenen Tonfall bemüht. »Es wäre mir natürlich eine Freude, Euch zu helfen, wenn es irgend möglich ist. Aber ich habe keine –«

»Wo ist Stephen Bonnet?«

Diese Frage traf Forbes wie ein Boxhieb in die Leber. Er starrte eine paar Sekunden vor sich hin und dachte, dass es doch ein Fehler gewesen war, sich dafür zu entscheiden, MacKenzie anzusehen; der Mann hatte den ausdruckslosen grünen Blick einer Schlange.

»Wer ist Stephen Bonnet?«, fragte er und leckte sich die Lippen. Seine Lippen waren trocken, aber ansonsten war sein ganzer Körper feucht; er konnte spüren, wie sich der Schweiß in seinen Halsfalten sammelte und ihm die Achseln seines Batisthemdes durchtränkte.

»Ich habe Euch gehört«, merkte Murray freundlich an. »Als Ihr Eure Abmachung mit Richard Brown getroffen habt. Das war in Eurem Lagerhaus.«

Forbes' Kopf fuhr herum. Er war so schockiert, dass es einen Moment dauerte, bis er begriff, dass Murray ein Messer in der Hand hielt, das er beiläufig auf dem Knie liegen hatte.

»Was? Ihr sagt – was? Ich sage Euch, Sir, Ihr irrt Euch – irrt Euch!« Stotternd erhob er sich halb. MacKenzie fuhr auf, packte ihn an der Vorderseite seines Hemdes und verdrehte sie.

»Nein, Sir«, sagte er ganz leise und hielt sein Gesicht so dicht an Forbes', dass dieser die Hitze seines Atems spürte. »Ihr selbst seid derjenige, der den Irrtum begangen hat. Den tragischen Irrtum, meine Frau für Eure durchtriebenen Zwecke zu missbrauchen.«

Er konnte hören, wie der feine Batist riss. MacKenzie schubste ihn brutal auf den Stuhl zurück, dann beugte er sich vor und packte sein Halstuch so fest, dass er auf der Stelle zu ersticken drohte. Er öffnete keuchend den Mund, und schwarze Flecken tanzten in seinem Gesichtsfeld – doch diese leuchtenden, kalten Augen verdeckten sie nicht.

»Wohin hat er sie gebracht?«

Forbes klammerte sich schwer atmend an die Armlehnen seines Stuhls.

»Ich weiß nichts von Eurer Frau«, röchelte er mit leiser, gifterfüllter Stimme. »Und was die tragischen Irrtümer betrifft, Sir, so seid Ihr gerade dabei, einen zu begehen. Wie könnt Ihr es wagen, mich tätlich anzugreifen? Ich werde dafür sorgen, dass Ihr dafür bezahlt, das versichere ich Euch!«

»Ein tätlicher Angriff, o Schreck«, spottete Murray. »Wir haben nichts dergleichen getan. Noch nicht.« Er hockte sich auf die Fersen, tippte sich nachdenklich mit dem Messer an den Daumennagel und betrachtete Forbes abschätzend wie jemand, der vorhat, ein Spanferkel auf einer Platte zu tranchieren.

Forbes biss die Zähne zusammen und starrte zu MacKenzie auf, der drohend über ihm stand.

»Wir befinden uns in der Öffentlichkeit«, sagte er. »Ihr könnt mir nichts anhaben, ohne dass es jemand merkt.« Er spähte hinter MacKenzie vorbei, weil er hoffte, dass jemand in den Salon kommen und diese furchtbar unangenehme Konfrontation beenden würde, doch es war ein ruhiger Morgen, und sämtliche Zimmermädchen und Knechte waren anderswo beschäftigt.

»Interessiert es uns, ob es jemand bemerkt, *a charaid*?«, erkundigte sich Murray und blickte zu MacKenzie auf.

»Eigentlich nicht.« Dennoch setzte sich MacKenzie hin und starrte ihn unergründlich an. »Aber wir können noch etwas warten.« Er sah auf die Standuhr am Kamin, deren Pendel sich mit einem gelassenen Tick-Tack bewegte. »Es dauert nicht mehr lange.«

Erst jetzt stellte sich Forbes die Frage, wo Jamie Fraser war.

Elspeth Forbes schaukelte sanft auf der Veranda des Hauses ihrer Schwester und genoss die kühle Morgenluft, als man ihr einen Besucher ankündigte.

»Oh, Mr. Fraser!«, rief sie aus und setzte sich gerade hin. »Was führt Euch nach Edenton? Ist es Neil, nach dem Ihr sucht? Er ist in –«

»Ah, nein, Mistress Forbes.« Er verbeugte sich tief vor ihr, und die Morgensonne glänzte auf seinem Haar, als sei es aus Bronze. »Ich bin Euretwegen hier.«

»Oh? Oh!« Sie setzte sich auf, strich sich hastig die Toastkrümel vom Ärmel und hoffte, dass ihre Haube gerade saß. »Nun, Sir, was wollt Ihr denn von einer alten Frau?«

Er lächelte – was für ein hübscher Junge er war, so gepflegt in seinem grauen Rock, und dieser Schabernack in seinen Augen – und beugte sich über sie, um ihr ins Ohr zu flüstern.

»Ich bin hier, um Euch zu entführen, Mistress.«

»Och, fort mit Euch!« Sie wedelte lachend mit der Hand, die er ergriff und küsste.

»Ein ›Nein‹ lasse ich nicht gelten«, versicherte er ihr und wies zum Rand der Veranda, wo er einen großen, viel versprechend aussehenden Korb deponiert hatte, der mit einem karierten Tuch zugedeckt war. »Ich habe Lust, auf dem Land zu Mittag zu essen, unter einem Baum. Ich weiß auch schon genau, welcher Baum – ein Prachtexemplar –, aber es wäre doch schade, dabei keine Gesellschaft zu haben.«

»Aber Ihr könnt doch gewiss bessere Gesellschaft finden als mich, Junge«, sagte sie, durch und durch bezaubert. »Und wo ist Eure Frau?«

»Ah, sie hat mich verlassen«, sagte er mit gespieltem Schmerz. »Da stehe ich und habe das schönste Picknick geplant, und sie ist auf und davon zu einer Geburt. Also habe ich mir gesagt, nun, Jamie, es wäre doch eine Schande, eine solches Festmahl zu verschwenden – wer könnte es wohl mit dir teilen? Und was sehe ich als Nächstes? Euch. Es war die Antwort auf ein Gebet; Ihr wollt Euch doch sicher der göttlichen Fügung nicht entgegenstellen, Mistress Forbes?«

»Hmpf«, sagte sie und gab sich Mühe, ihn nicht anzulachen. »Oh, nun ja. Wenn es um Verschwendung geht –«

Ehe sie noch etwas sagen konnte, hatte er sich gebückt, um sie aus dem Sessel zu heben, und nahm sie auf die Arme. Sie juchzte überrascht auf.

»Wenn es eine richtige Entführung ist, muss ich Euch davontragen, aye?«, sagte er und lächelte zu ihr nieder.

Zu ihrer Blamage konnte man das Geräusch, das sie machte, nur als Kichern bezeichnen. Doch das schien ihm nichts auszumachen. Er bückte sich, um den Korb in seine kräftige Hand zu nehmen, und trug sie wie ein Häufchen Distelwolle zu seiner Kutsche hinaus.

»Ihr könnt mich hier nicht festhalten! Lasst mich gehen, sonst rufe ich um Hilfe!«

Sie hielten ihn jetzt schon seit über einer Stunde fest und vereitelten all seine Versuche, aufzustehen und zu gehen. Doch er hatte Recht, dachte Roger; draußen auf der Straße nahm der Verkehr zu, und er konnte hören – genau wie Forbes –, wie eine Dienstmagd im Nebenzimmer die Tische deckte.

Er sah Ian an. Sie hatten es durchgesprochen; wenn sie innerhalb einer Stunde nichts hörten, würden sie versuchen müssen, Forbes aus dem Wirtshaus zu entfernen und ihn an einen zurückgezogeneren Ort zu bringen. Das konnte knifflig werden; der Anwalt war zwar eingeschüchtert, aber stur wie ein Esel. Und er *würde* um Hilfe rufen.

Ian spitzte nachdenklich die Lippen und fuhr mit dem Messer, mit dem er gespielt hatte, an seiner Hose entlang, um die Klinge zu polieren.

»Mr. MacKenzie?« Ein schmutziger kleiner Junge mit einem runden Gesicht war plötzlich neben ihm aufgetaucht.

»Das bin ich«, sagte er, und eine Woge der Dankbarkeit durchspülte ihn. »Hast du etwas für mich?«

»Aye, Sir.« Der Bengel reichte ihm ein kleines Papierknäuel, nahm eine Münze entgegen und war fort, obwohl Forbes »Warte, Junge!« rief.

Der Anwalt hatte sich aufgeregt halb von seinem Stuhl erhoben. Doch Roger machte eine abrupte Bewegung in seine Richtung, und er sank sofort zurück, um nicht geschubst zu werden. Gut, dachte Roger, langsam lernte er.

Er faltete das Papier auseinander und hielt eine große Granatbrosche in

Form eines Blumenstraußes in der Hand. Sie war ordentlich gearbeitet, aber ziemlich hässlich. Doch der Eindruck, den sie auf Forbes machte, war beträchtlich.

»Das würdet Ihr nicht tun. Das würde er nicht tun.« Der Anwalt starrte die Brosche in Rogers Hand an, und sein fettes Gesicht war blass geworden.

»Oh, ich denke, doch, falls Ihr Onkel Jamie meint«, sagte Ian Murray. »Er hängt an seiner Tochter, aye?«

»Unsinn.« Der Anwalt machte einen redlichen Versuch zu bluffen, doch er konnte den Blick nicht von der Brosche abwenden. »Fraser ist ein Gentleman.«

»Er ist Highlander«, sagte Roger schonungslos. »Wie Euer Vater, aye?« Er hatte einiges über Forbes senior gehört, der den Geschichten nach dem Henker nur um Haaresbreite entwischt war, als er aus Schottland flüchtete.

Forbes kaute auf seiner Unterlippe.

»Er würde einer alten Frau nichts zuleide tun«, sagte er mit aller gespielten Tapferkeit, die er aufbringen konnte.

»Ach, nein?« Ian zog seine dünnen Augenbrauen hoch. »Aye, vielleicht nicht. Möglich, dass er sie nur fortschickt – nach Kanada vielleicht? Ihr scheint ihn ja gut zu kennen, Mr. Forbes. Was meint Ihr?«

Der Anwalt trommelte mit den Fingern auf die Armlehne und atmete durch die Zähne, während er offenbar rekapitulierte, was er über Jamie Frasers Charakter und seinen Ruf wusste.

»Na schön«, sagte er plötzlich. »Na schön!«

Roger spürte, wie die Anspannung, die ihn durchlief, plötzlich abriss wie ein durchgeschnittener Draht. Er war gespannt gewesen wie ein Flitzebogen, seit Jamie ihn gestern Abend abgeholt hatte.

»Wo?«, sagte er atemlos. »Wo ist sie?«

»Sie ist in Sicherheit«, sagte Forbes heiser. »Ich hätte nie zugelassen, dass ihr etwas zustößt.« Er sah mit wildem Blick auf. »In Gottes Namen, ich würde ihr doch nichts antun!«

»Wo?« Roger hielt die Brosche fest umklammert, ohne sich darum zu kümmern, dass ihm ihre Kanten in die Hand schnitten. »Wo ist sie?«

Der Anwalt sackte zusammen wie ein halb voller Mehlsack.

»An Bord eines Schiffes namens *Anemone*.« Er schluckte krampfhaft und konnte den Blick nicht von der Brosche abwenden. »Sie sind nach England unterwegs – hat man mir gesagt. Aber ich sage Euch, sie ist in Sicherheit!«

Der Schreck verstärkte Rogers Umklammerung, und plötzlich spürte er glitschiges Blut an seinen Fingern. Er schleuderte die Brosche zu Boden und wischte sich die Hand an der Hose ab, während er nach Worten rang. Der Schreck hatte ihm auch die Kehle zugeschnürt; er fühlte sich dem Ersticken nah.

Ian, der ihn kämpfen sah, stand abrupt auf und drückte dem Anwalt das Messer an die Kehle.

»Wann sind sie abgesegelt?«

»Ich – ich –« Der Mund des Anwalts öffnete und schloss sich ziellos, und seine vortretenden Augen blickten hilflos von Ian zu Roger.

»*Wo?*« Roger zwang das Wort an der Blockade in seiner Kehle vorbei, und Forbes zuckte bei seinem Klang zusammen.

»Sie – sie ist hier an Bord gebracht worden. In Edenton. Vor – vor zwei Tagen.«

Roger nickte abrupt. In Sicherheit, sagte er. In Bonnets Händen. Zwei Tage in Bonnets Händen. Doch er war selbst unter Bonnet gesegelt, dachte er und versuchte, einen klaren Kopf zu behalten, vernünftig zu denken. Er wusste, wie der Mann arbeitete. Bonnet war Schmuggler; er würde erst nach England segeln, wenn sein Frachtraum voll war. Möglich – *möglich* –, dass er an der Küste entlangfuhr und kleinere Lieferungen an Bord nahm, bevor er sich aufs offene Meer wandte und die lange Reise nach England antrat.

Und wenn nicht – konnte man ihn möglicherweise noch einholen, mit einem schnellen Schiff.

Es war keine Zeit zu verlieren; die Leute auf den Docks wussten vielleicht, wohin die *Anemone* als Nächstes unterwegs war. Er wandte sich ab und trat einen Schritt auf die Tür zu. Dann durchspülte ihn eine rote Woge, und er fuhr herum und rammte Forbes mit aller Kraft die Faust ins Gesicht.

Der Anwalt stieß einen schrillen Schrei aus und fasste sich mit beiden Händen an die Nase. Jedes Geräusch im Wirtshaus und auf der Straße schien zu verstummen; die Welt stand still. Roger holte kurz und tief Luft, rieb sich die Fingerknöchel und nickte noch einmal.

»Komm«, sagte er zu Ian.

»Oh, aye.«

Roger war schon fast an der Tür, als er merkte, dass Ian nicht bei ihm war. Er blickte gerade im richtigen Moment zurück, um zu sehen, wie sein angeheirateter Vetter Forbes sanft an einem Ohr anfasste und es abschnitt.

104

Im Bett mit einem Hai

Stephen Bonnet stand zu seinem Wort – wenn man es denn so beschreiben konnte. Er unternahm keinerlei sexuelle Avancen ihr gegenüber, bestand aber darauf, dass sie sein Bett teilte.

»Ich hab nachts gern etwas Warmes neben mir«, erklärte er. »Und ich glaube, du würdest mein Bett dem Frachtraum vorziehen, Schätzchen.«

Sie hätte eindeutig den Frachtraum vorgezogen, obwohl sie auf ihren Erkundungsgängen – als sie erst auf hoher See waren, durfte sie die Kajüte verlassen – festgestellt hatte, dass der Frachtraum ein dunkles, trostloses Loch war, in dem mehrere wehrlose Sklaven angekettet waren, umgeben von diversen Kisten und Fässern und ständig in Gefahr, erschlagen zu werden, wenn sich die Ladung verschob.

»Wohin fahren wir, Miss? Und was wird dort geschehen?« Josh sprach Gälisch, und sein wohlgeformtes Gesicht erschien in der Dunkelheit des Frachtraums klein und angstvoll.

»Ich glaube, wir fahren nach Ocracoke«, sagte sie in derselben Sprache. »Darüber hinaus – ich habe keine Ahnung. Hast du deinen Rosenkranz noch?«

»O ja, Miss.« Er fasste sich an die Brust, wo sein Kruzifix hing. »Er ist das Einzige, was mich daran hindert zu verzweifeln.«

»Gut. Bete weiter.« Sie warf einen Blick auf die anderen Sklaven; zwei Frauen, zwei Männer, alle von schlankem Körperbau und mit zarten, feinknochigen Gesichtern. Sie hatte Josh etwas von ihrem eigenen Essen gebracht, konnte ihnen aber nichts anbieten, und das bekümmerte sie.

»Bekommt ihr hier unten gut zu essen?«

»Ja, Miss. Ganz gut«, versicherte er ihr.

»Wissen sie« – sie deutete kaum merklich mit dem Kinn auf die anderen Sklaven –, »wissen sie etwas? Über unser Ziel?«

»Ich weiß es nicht, Miss. Ich kann mich nicht mit ihnen unterhalten. Es sind Fulani, das kann ich ihnen ansehen, aber das ist alles, was ich weiß.«

»Verstehe. Nun …« Sie zögerte. Sie konnte es nicht abwarten, den dunklen, schwülen Frachtraum zu verlassen, doch es widerstrebte ihr, den jungen Stallknecht dort zurückzulassen.

»Geht nur, Miss«, sagte er leise auf Englisch, als er ihren Zweifel sah. »Mir wird schon nichts geschehen. Uns wird allen nichts geschehen.« Er berührte seinen Rosenkranz und bemühte sich, sie anzulächeln, wenn auch ein wenig zittrig. »Möge die heilige Mutter Gottes uns beschützen.«

Da ihr keine tröstenden Worte einfielen, nickte sie und kletterte wieder hinauf in den Sonnenschein. Dabei spürte sie fünf Augenpaare auf sich.

Bonnet verbrachte Gott sei Dank tagsüber den Großteil seiner Zeit an Deck. Sie konnte ihn auch jetzt beobachten; er kletterte die Takelage herunter wie ein Äffchen.

Sie stand reglos da, keine Bewegung außer dem Wind, der ihr durch die Haare fuhr, und ihren Röcken, die ihr um die erstarrten Beine wehten. Er war sich der Bewegungen ihres Körpers genauso bewusst wie Roger – doch auf seine eigene Weise. Der Weise eines Hais, der seine Signale durch die Schwimmbewegungen seiner Beute empfängt.

Bis jetzt hatte sie eine Nacht in seinem Bett verbracht und nicht geschlafen. Er hatte sie beiläufig an sich gezogen, »Gute Nacht, Schätzchen« gesagt und war umgehend eingeschlafen. Doch jedes Mal, wenn sie versuchte, sich zu bewegen, sich seinem Griff zu entwinden, hatte er sich mit ihr bewegt, um sie dicht bei sich zu halten.

Sie sah sich zu einer unerwünschten Intimität mit seinem Körper gezwungen, einer Nähe, die Erinnerungen weckte, die sie unter großen Schwierigkeiten verdrängt hatte – an sein Knie, das ihre Oberschenkel auseinander schob, an die grobe Vertraulichkeit seiner Berührung zwischen ihren Beinen, an die sonnengebleichten, drahtigen blonden Härchen auf seinen Oberschenkeln und Unterarmen, an seinen ungewaschenen Moschusgeruch. Die spottende Gegenwart Lerois, der sich mehrmals in der Nacht erhob und sich gierig und blind von hinten an sie presste.

Sie erlebte einen Moment immenser Dankbarkeit für ihre gegenwärtige Schwangerschaft – an der sie jetzt nicht mehr zweifelte – und für die Gewissheit, dass Stephen Bonnet nicht Jemmys Vater war.

Er ließ sich aus der Takelage plumpsen, entdeckte sie und lächelte. Er sagte nichts, drückte ihr aber im Vorbeigehen vertraulich den Hintern, und sie biss die Zähne zusammen und klammerte sich an die Reling.

Ocracoke, bei Neumond. Sie spähte zum strahlenden Himmel auf, an dem ganze Wolken von Seeschwalben und Möwen umherzogen; sie konnten nicht weit vom Land entfernt sein. Wie lange noch, zum Kuckuck, bis es Neumond war?

105

Der verlorene Sohn

Es war nicht schwierig, jemanden zu finden, der mit der *Anemone* und ihrem Kapitän vertraut war. Stephen Bonnet war auf den Docks von Edenton bestens bekannt, obwohl sein Ruf unterschiedlich beurteilt wurde. Ein ehrlicher Kapitän, war die vorherrschende Meinung, der aber hart verhandelte. Ein Blockadebrecher, ein Schmuggler, sagten andere – und ob das gut oder schlecht war, hing von der politischen Meinung des jeweiligen Gesprächspartners ab. Er besorgte einem alles, sagte man – wenn es entsprechend bezahlt wurde.

Pirat, sagten einige. Aber diese wenigen sprachen in gedämpftem Tonfall, blickten sich häufig um und baten mit Nachdruck darum, nicht zitiert zu werden.

Die *Anemone* war ganz unverhohlen abgesegelt, mit einer anständigen Fracht aus Reis und fünfzig Fässern Räucherfisch. Roger hatte einen Mann gefunden, der sich daran erinnerte, wie die junge Frau mit einem von Bonnets Helfershelfern an Bord gegangen war. »Ein hoch aufgeschossenes Weibsstück, flammendes Haar, das ihr lose bis auf den Hintern hing«, hatte der Mann gesagt und mit den Lippen geschmatzt. »Aber Mr. Bonnet ist ja selbst nicht der Kleinste; schätze, er bekommt sie schon gebändigt.«

Allein Ians Hand auf seinem Arm hatte ihn davon abgehalten, dem Mann einen Fausthieb zu verpassen.

Was sie noch nicht gefunden hatten, war jemand, der mit Sicherheit wusste, wohin die *Anemone* unterwegs war.

»London, glaube ich«, sagte der Hafenmeister zweifelnd. »Aber nicht direkt; sein Frachtraum ist noch nicht voll. Wahrscheinlich fährt er an der Küste entlang und handelt noch ein bisschen – segelt vielleicht von Charlestown nach Europa. Andererseits«, fügte der Mann hinzu und rieb sich das Kinn, »könnte es auch sein, dass er nach New England unterwegs ist. Furchtbar riskant, heutzutage irgendetwas nach Boston zu schmuggeln – aber das Risiko wert, wenn man es schafft. Reis und Räucherfisch dürften da oben ihr Gewicht in Gold wert sein, wenn man sie an Land bekommt, ohne dass einen die Marine aus dem Wasser pustet.«

Jamie, der ein wenig blass dreinschaute, dankte dem Mann. Roger, den ein Knoten in der Kehle am Sprechen hinderte, nickte nur und folgte seinem Schwiegervater aus der Hafenmeisterei zurück auf die sonnigen Docks.

»Und jetzt?«, fragte Ian und erstickte einen Rülpser. Er hatte die Hafenkneipen durchkämmt und hier und dort einem Tagelöhner ein Bier spendiert, der überlegt hatte, auf der *Anemone* anzuheuern oder sich mit einem ihrer Matrosen über ihr Ziel unterhalten hatte.

»Das Beste, was mir einfällt, ist, dass du mit Roger Mac auf einem Schiff an der Küste entlang südwärts fährst«, sagte Jamie mit einem stirnrunzelnden Blick auf die Masten der Schaluppen und Paketboote, die schaukelnd vor Anker lagen. »Claire und ich könnten nach Norden fahren, Richtung Boston.«

Roger, der immer noch nicht sprechen konnte, nickte. Es war alles andere als ein guter Plan, vor allem im Licht des störenden Einflusses, den der unerklärte Krieg auf den Schiffsverkehr hatte – doch sie alle hatten das Gefühl, irgendetwas tun zu *müssen*. Er fühlte sich, als kochte das Mark in seinen Knochen; er konnte es nur durch Bewegung löschen.

Doch die Miete für ein kleines Schiff – oder auch nur ein Fischerboot – oder eine Fahrt auf einem Paketboot war teuer.

»Aye, nun ja.« Jamie krümmte seine Finger in der Tasche, in der er nach wie vor den schwarzen Diamanten aufbewahrte. »Ich werde Richter Iredell einen Besuch abstatten; sicher kann er mir einen ehrlichen Bankier empfehlen, der mir im Voraus etwas für den Verkauf des Steins bezahlt. Aber lasst uns erst zu Claire gehen und es mit ihr besprechen.«

Doch als sie sich von den Docks abwandten, rief eine Stimme nach Roger.

»Mr. MacKenzie!«

Als er sich umdrehte, sah er Reverend Dr. McCorkle, seinen Sekretär und

Reverend McMillan vor sich. Sie waren alle mit Gepäck beladen und starrten ihn an.

Es folgte eine leicht verworrene Vorstellung – Jamie waren sie natürlich schon begegnet, als er Roger holen kam, Ian jedoch nicht – und dann eine etwas verlegene Pause.

»Dann –« Roger räusperte sich, um sich an McCorkle zu wenden, »dann reist Ihr also ab, Sir? Auf die Westindischen Inseln?«

McCorkle nickte, und Sorge sprach aus den Zügen seines großen, freundlichen Gesichts.

»So ist es, Sir. Ich bedaure so sehr, dass ich gehen muss – und dass es Euch nicht möglich war zu – nun ja.« Sowohl McCorkle als auch Reverend McMillan hatten versucht, ihn dazu zu bewegen, an der Ordinierung teilzunehmen. Doch er konnte es nicht. Konnte keine Stunde entbehren, um so etwas zu tun, konnte sich unmöglich auf eine solche Verpflichtung einlassen, solange er es nicht von ganzem Herzen tat – und sein Herz war zwar ungeteilt auf ein Ziel gerichtet, doch es war nicht Gott. Es war jetzt nur für eine Platz darin – Brianna.

»Nun, es ist zweifellos Gottes Wille«, sagte McCorkle und seufzte. »Eure Frau, MacKenzie? Gibt es keine Neuigkeiten von ihr?«

Er schüttelte den Kopf und bedankte sich murmelnd für ihr Mitgefühl und ihr Versprechen, für ihn und die sichere Rückkehr seiner Frau zu beten. Er war viel zu besorgt, um großen Trost darin zu finden; dennoch berührte ihn ihre Güte, und er verabschiedete sich unter zahlreichen guten Wünschen.

Roger, Jamie und Ian gingen schweigend zu dem Wirtshaus zurück, in dem sie Claire zurückgelassen hatten.

»Nur aus Neugier, Ian, was hast du eigentlich mit Forbes' Ohr gemacht?«, fragte Jamie, als sie auf die breite Straße einbogen, an der das Wirtshaus lag, und brach damit das Schweigen.

»Oh, das habe ich sicher aufbewahrt«, versicherte ihm Ian und klopfte auf den kleinen Lederbeutel an seinem Gürtel.

»Was in Gott …« Roger hielt abrupt inne, dann sprach er weiter. »Was hast du denn damit vor?«

»Es zu behalten, bis wir meine Cousine finden«, sagte Ian, den es zu überraschen schien, dass das nicht klar war. »Es wird helfen.«

»Ach?«

Ian nickte ernst.

»Wenn man sich an eine schwierige Aufgabe macht – als Kahnyen' kehaka, meine ich –, sondert man sich normalerweise eine Weile ab, um zu fasten und um Beistand zu beten. Dazu haben wir natürlich jetzt keine Zeit. Aber wenn man das tut, sucht man sich oft einen Talisman aus – oder, um es richtig zu sagen, der Talisman sucht einen aus –« Er erzählte absolut ernst und nüchtern von dieser Prozedur, wie Roger feststellte.

»Und man trägt ihn während der Aufgabe bei sich, um die Aufmerksamkeit der Geister an das zu binden, was man sich wünscht, und damit den Erfolg zu garantieren.«

»Verstehe.« Jamie rieb sich den Nasenrücken. Genau wie Roger schien er sich zu wundern, was die Mohawkgeister wohl von Neil Forbes' Ohr halten würden. Ihre Aufmerksamkeit war einem damit wahrscheinlich gewiss. »Das Ohr… du hast es doch hoffentlich in Salz eingelegt?«

Ian schüttelte den Kopf.

»Nein, ich habe es gestern Abend über dem Küchenfeuer geräuchert. Mach dir keine Sorgen, Onkel Jamie; es wird schon nicht schlecht.«

Roger zog einen perversen Trost aus dieser Unterhaltung. Wenn der Presbyterianerklerus für sie betete und sie die Mohawk-Geister auf ihrer Seite hatten, hatten sie vielleicht eine Chance – doch es waren seine beiden Verwandten, die unerschütterlich und entschlossen rechts und links von ihm gingen, die seine Hoffnung nicht sterben ließen. Sie würden nicht aufgeben, bis Brianna gefunden war, ganz gleich, zu welchem Preis.

Zum tausendsten Mal, seit er es erfahren hatte, schluckte er den Kloß in seiner Kehle und dachte an Jemmy. Der Kleine war auf River Run in Sicherheit – doch wie konnte er Jem sagen, dass seine Mutter nicht mehr da war? Nun… er würde es ihm nicht sagen. Sie würden sie finden.

In dieser entschlossenen Stimmung betrat er als Erster die Braustube, doch schon wieder rief ihn jemand.

»Roger!«

Diesmal war es Claires Stimme, messerscharf vor Aufregung. Er drehte sich hastig um und sah sie von einer Bank im Schankraum aufstehen. Ihr gegenüber saßen eine rundliche junge Frau und ein schlanker junger Mann mit einem kurzen schwarzen Lockenkopf. Manfred McGillivray.

»Ich habe Euch schon vor zwei Tagen gesehen.« Manfred neigte entschuldigend den Kopf in Jamies Richtung. »Ich… äh… nun ja, ich habe mich versteckt, Sir, und ich bedaure es. Aber ich konnte es ja nicht wissen, bis Eppie aus Roanoke zurückgekommen ist und mir den Ring gezeigt hat…«

Der Ring lag auf dem Tisch, und der Rubin warf einen winzigen, stillen Lichtkegel auf die Tischplatte. Roger nahm ihn in die Hand und drehte ihn hin und her. Er hörte die Erklärungen kaum – dass Manfred mit der Hure zusammenlebte, die hin und wieder Ausflüge zu den Häfen in der Nähe von Edenton unternahm… und als er den Ring gesehen hatte, hatte er sein Schamgefühl überwunden und sich auf die Suche nach Jamie gemacht –, so überwältigt war er von diesem kleinen, harten, fassbaren Zeichen von Brianna.

Roger schloss die Finger um den Ring, dessen Wärme ihn tröstete, und kam gerade rechtzeitig zu sich, um zu hören, wie Hepzibah mit ernster Stimme sagte: »Ocracoke, Sir. Bei Neumond.« Sie hustete bescheiden und zog den Kopf ein. »Die Dame sagte, Ihr wärt möglicherweise dankbar für eine Auskunft über ihren Aufenthaltsort, Sir…«

»Ihr bekommt eine Bezahlung, und zwar eine gute«, versicherte Jamie ihr, obwohl er sichtlich nur einen Bruchteil seiner Aufmerksamkeit für sie übrig hatte. »Neumond«, sagte er an Ian gewandt. »Zehn Tage?«

Ian nickte, und sein Gesicht leuchtete vor Aufregung.

»Aye. Wo genau auf Ocracoke, wusste sie nicht?«, fragte er die Hure.

Eppie schüttelte den Kopf.

»Nein, Sir. Ich weiß, dass Stephen dort ein Haus hat, ein großes, das im Wald versteckt liegt, aber das ist alles.«

»Wir werden es finden.« Roger war über den Klang seiner eigenen Stimme überrascht; er hatte gar nicht vorgehabt, es laut zu sagen.

Manfred sah schon die ganze Zeit beklommen aus. Er beugte sich vor und legte seine Hand auf Eppies.

»Sir – wenn Ihr es dann findet… Ihr werdet doch niemandem sagen, dass Ihr es von Eppie wisst? Mr. Bonnet ist ein gefährlicher Mann, und ich möchte nicht, dass sie durch ihn in Gefahr gerät.« Er sah die junge Frau an, die ihn errötend anlächelte.

»Nein, wir werden nichts über sie verlauten lassen«, versicherte ihm Claire. Sie hatte Manfred und Hepzibah sorgsam unter die Lupe genommen, während sie sich unterhielten, und beugte sich jetzt vor, um Manfreds Stirn zu berühren, auf der ein Ausschlag zu sehen war. »Apropos Gefahr… *Ihr* seid eine sehr viel größere Gefahr für sie, junger Mann, als Stephen Bonnet. Habt Ihr es ihr erzählt?«

Manfred wurde noch ein wenig blasser, und erst jetzt bemerkte Roger, dass der junge Mann tatsächlich krank wirkte und sein Gesicht hager und von tiefen Falten gezeichnet war.

»Ja, das habe ich, Frau Fraser. Von Anfang an.«

»Oh, die Krankheit?« Hepzibah stellte sich gleichgültig, obwohl Roger sehen konnte, wie sich ihre Finger fester um Manfreds schmiegten. »Aye, er hat es mir erzählt. Aber ich habe ihm gesagt, dass es keine Rolle spielt. Ich hatte sowieso schon öfter Männer mit der Syph, ohne es zu wissen. Wenn ich sie auch bekomme… nun. Gottes Wille, oder?«

»Nein«, sagte Roger ganz sanft zu ihr. »Es ist nicht Gottes Wille. Aber Ihr werdet mit Mrs. Claire gehen, Ihr und Manfred, und genau tun, was sie Euch sagt. Ihr werdet gesund, und er auch. Nicht wahr?«, fragte er an Claire gewandt, weil er plötzlich etwas unsicher wurde.

»Ja, das werden sie«, sagte diese trocken. »Zum Glück habe ich reichlich Penizillin dabei.«

Manfreds Gesicht war die reine Verwirrung.

»Aber – meint Ihr etwa, gute Frau, dass Ihr – es heilen könnt?«

»Genau das meine ich«, versicherte ihm Claire, »wie ich auch schon versuchte, Euch zu sagen, bevor Ihr davongelaufen seid.«

Sein Mund stand offen, und er blinzelte. Dann wandte er sich an Hepzibah, die ihn verwundert anstarrte.

»Mein Herz! Ich kann heimgehen! *Wir* können heimgehen«, korrigierte er schnell, als er sah, wie sich ihr Gesicht veränderte. »Wir werden heiraten. Wir gehen nach Hause«, wiederholte er im Ton eines Menschen, der eine paradiesische Vision vor sich sieht, ihr aber noch nicht recht traut.

Eppie runzelte unsicher die Stirn.

»Ich bin eine Hure, Freddie«, sagte sie. »Und den Geschichten nach, die du über deine Mutter erzählst…«

»Ich glaube sehr, dass Ute so glücklich sein wird, Manfred zurückzuhaben, dass ihr der Sinn nicht danach stehen wird, allzu viele Fragen zu stellen«, sagte Claire mit einem Blick in Jamies Richtung. »Der verlorene Sohn und so weiter.«

»Du brauchst keine Hure zu bleiben«, versicherte Manfred ihr. »Ich bin Büchsenmacher; ich werde ordentlich verdienen. Jetzt, da ich weiß, dass es sich auch lohnt!« Sein schmales Gesicht wurde plötzlich von Freude überflutet, und er schlang die Arme um Eppie und küsste sie.

»Oh«, sagte sie verblüfft, sah aber glücklich aus. »Nun. Hm. Dieses… äh… dieses Penny…?« Sie sah Claire fragend an.

»Je eher, desto besser«, sagte Claire und stand auf. »Kommt mit.« Sie selbst war ebenfalls ein wenig errötet, wie Roger sah, und sie hielt Jamie rasch die Hand hin. Dieser ergriff sie und drückte sie fest.

»Wir kümmern uns um alles«, sagte er dann und sah erst Ian, dann Roger an. »Mit etwas Glück fahren wir heute Abend.«

»Oh!« Eppie war schon aufgestanden, um Claire zu folgen, doch bei diesen Worten hob sie die Hand an den Mund und wandte sich an Jamie. »Oh! Mir ist noch etwas eingefallen.« Ihr sympathisches, rundes Gesicht setzte eine angestrengt konzentrierte Miene auf. »In der Nähe des Hauses auf Ocracoke gibt es Wildpferde; ich habe Stephen einmal davon sprechen hören.« Sie blickte vom einen Mann zum anderen. »Könnte das helfen?«

»Möglich«, sagte Roger. »Danke – und Gottes Segen.«

Erst als sie wieder im Freien waren und auf die Docks zuhielten, bemerkte er, dass er den Ring immer noch fest in der rechten Hand hielt. Was war es, das Ian gesagt hatte?

Man sucht sich einen Talisman aus – oder, um es richtig zu sagen, der Talisman sucht einen aus.

Seine Hände waren etwas kräftiger als Briannas, doch er steckte den Ring an seinen kleinen Finger und schloss die Hand darum.

Sie erwachte aus ihrem feuchten, unruhigen Schlaf, weil ihr Mutterinstinkt geweckt war. Sie war schon halb aus dem Bett und bewegte sich instinktiv auf Jemmys Bettchen zu, als eine Hand ihr Handgelenk packte, krampfhaft wie der Biss eines Krokodils.

Sie fuhr zurück, benommen und alarmiert. Über sich an Deck hörte sie Schritte, und jetzt begriff sie, dass das verstörte Geräusch, das sie geweckt hatte, nicht von Jemmy gekommen war, sondern aus der Dunkelheit an ihrer Seite.

»Nicht gehen«, flüsterte er, und die Finger bohrten sich tief in die Haut an der Innenseite ihres Handgelenks.

Da sie sich nicht befreien konnte, streckte sie die andere Hand aus, um ihn von sich zu schieben. Sie berührte feuchtes Haar, heiße Haut – und einen Tropfen, kühl und überraschend unter ihren Fingern.

»Was ist denn?«, flüsterte sie zurück und beugte sich instinktiv über ihn. Sie streckte erneut die Hand aus, berührte seinen Kopf, strich ihm das Haar glatt – all die Dinge, auf die sie vorbereitet gewesen war, als sie aufwachte. Sie spürte, wie sich seine Hand auf sie legte, und dachte daran innezuhalten, tat es aber nicht. Es war, als ließe sich der mütterliche Trost, den sie verströmte, nicht wieder in ihr Inneres verbannen, genauso wenig, wie sich die Muttermilch, die beim Ruf eines Säuglings zu fließen begann, wieder an die Quelle zurückrufen ließ.

»Stimmt etwas nicht?« Sie sprach leise und so unpersönlich, wie es die Worte eben zuließen. Sie hob die Hand, und er wälzte sich auf sie zu und presste den Kopf fest an ihren Oberschenkel.

»Nicht gehen«, sagte er noch einmal, und seine Stimme überschlug sich – schluchzte er? Seine Stimme war leise und rau, doch so hatte sie sie noch nie gehört.

»Ich bin hier.« Ihr gefangenes Handgelenk wurde langsam taub. Sie legte ihm die freie Hand auf die Schulter, in der Hoffnung, dass er sie loslassen würde, wenn sie die Bereitschaft zu bleiben andeutete.

Er lockerte seinen Griff, aber nur, um die Hand auszustrecken, sie an der Taille zu fassen und sie wieder ins Bett zu ziehen. Sie leistete ihm Folge, weil ihr nichts anderes übrig blieb, und lag schweigend da, während sie Bonnets Atem rau und warm im Nacken spürte.

Schließlich ließ er los und drehte sich seufzend auf den Rücken, so dass sie sich bewegen konnte. Sie drehte sich ebenfalls vorsichtig auf den Rücken und versuchte, ein paar Zentimeter Abstand zu ihm zu halten. Mondlicht flutete silbern durch die Fenster des Achterschiffs, und sie konnte den Umriss seines Gesichts sehen, konnte das Licht auf Stirn und Wange glänzen sehen, als er den Kopf wandte.

»Schlecht geträumt?«, wagte sie sich vor. Sie hatte vorgehabt, sarkastisch zu klingen, doch ihr Herz raste noch vom Schreck des Erwachens, und die Worte bekamen einen zögerlichen Klang.

»Aye, aye«, sagte er und erschauerte seufzend. »Immer derselbe Traum. Er sucht mich wieder und wieder heim. Man sollte glauben, dass ich weiß, was los ist, und aufwache, aber das passiert nie. Erst wenn sich das Wasser über meinem Kopf schließt.« Er rieb sich die Nase und zog sie hoch wie ein Kind.

»Oh.« Sie wollte nicht nach Einzelheiten fragen, wollte ihn nicht zu weiterer Intimität ermutigen. Doch was sie wollte, spielte schon lange keine Rolle mehr.

»Schon als Junge habe ich vom Ertrinken geträumt«, sagte er und seine normalerweise so selbstbewusste Stimme schwankte. »Die Flut kommt, und ich kann mich nicht bewegen – keinen Zentimeter. Das Wasser steigt, und ich weiß, dass es mich umbringen wird, aber ich kann mich einfach nicht bewegen.« Seine Hand klammerte sich krampfhaft an das Laken und zog es ihr weg.

»Das Wasser ist grau und voller Schlamm, und es schwimmen blinde Wesen darin. Sie warten, bis die See mit mir fertig ist – und dann sind sie dran.«

Sie konnte das Entsetzen in seiner Stimme hören und war hin- und hergerissen zwischen dem Wunsch, weiter von ihm wegzurücken, und der tief verwurzelten Angewohnheit, Trost zu spenden.

»Es war nur ein Traum«, sagte sie schließlich und starrte zu den Deckplanken auf, die sich einen knappen Meter über ihr befanden. Wäre *dies* doch nur ein Traum!

»O nein«, sagte er, und sein Stimme war jetzt kaum noch mehr als ein Flüstern neben ihr in der Dunkelheit. »O nein. Es ist die See selbst, die nach mir ruft.«

Ganz plötzlich wälzte er sich zu ihr hin, packte sie und presste sie fest an sich. Sie keuchte auf und erstarrte, und er reagierte wie ein Hai auf ihre Gegenwehr, indem er noch fester zudrückte.

Zu ihrem Schrecken spürte sie, wie sich Leroi erhob, und sie zwang sich, sich nicht zu bewegen. Die Panik und der Wunsch, seinem Traum zu entkommen, konnten ihn nur allzu leicht seine Abneigung gegen Sex mit Schwangeren vergessen lassen, und das war das Letzte, das *Allerletzte*…

»Schhh«, sagte sie entschlossen, legte den Arm um seinen Kopf, so dass sein Gesicht an ihrer Schulter lag, und tätschelte ihn, streichelte ihm den Rücken. »Schh. Es wird alles gut. Es war nur ein Traum. Ich lasse nicht zu, dass etwas Schlimmes geschieht – ich lasse es nicht zu. Ruhig, ganz ruhig jetzt.«

Sie fuhr fort, ihn zu tätscheln, schloss die Augen und versuchte, sich vorzustellen, dass sie Jemmy nach einem solchen Albtraum festhielt, in ihrer Hütte, wortlos, im Schein des fast heruntergebrannten Kaminfeuers, während sich Jems kleiner Körper vertrauensvoll entspannte, sie seinen süßen Kleinkindergeruch atmete…

»Ich lass dich nicht ertrinken«, flüsterte sie. »Ich verspreche es. Ich lass dich nicht ertrinken.«

Sie sagte es wieder und wieder und langsam, langsam beruhigte sich seine Atmung, und sein Griff lockerte sich, als ihn der Schlaf übermannte. Unablässig wiederholte sie es, ein leises, hypnotisches Murmeln, dessen Worte halb im Geräusch des Wassers untergingen, das an der Schiffswand entlangzischte, und sie sprach nicht länger mit dem Mann an ihrer Seite, sondern mit dem Kind, das in ihr schlummerte.

»Ich lasse nicht zu, dass dir etwas zustößt. *Nichts* kann dir etwas anhaben. Ich verspreche es.«

106

Stelldichein

Roger blieb stehen, um sich den Schweiß aus den Augen zu wischen. Er hatte sich ein zusammengefaltetes Halstuch um den Kopf gebunden, doch die Luftfeuchtigkeit in diesem dichten Marschwald war so hoch, dass sich der Schweiß in seinen Augenhöhlen sammelte, so dass ihm alles vor den beißenden Augen verschwamm.

Aus der Entfernung eines Schankraums in Edenton hatte sie das Wissen, dass sich Bonnet auf Ocracoke befand – oder befinden würde – mit überschwänglicher Überzeugung erfüllt; plötzlich war ihre Suche auf eine winzige Sandbank beschränkt, statt der Millionen von anderen Orten, an denen sich der Pirat hätte befinden können; wie schwierig konnte es schon sein? *Auf* der verflixten Sandbank sah das Ganze schon anders aus. Die verfluchte Insel war zwar schmal, aber mehrere Meilen lang, über weite Strecken mit Krüppelwald bewachsen, und der Großteil ihrer Küste war mit verborgenen Riffen und gefährlichen Strömungen gespickt.

Der Skipper des Fischerboots, das sie gemietet hatten, hatte sie zügig hergebracht; dann hatten sie zwei Tage damit verbracht, der Länge nach an dem verdammten Eiland entlangzusegeln und es nach möglichen Landeplätzen, wahrscheinlichen Piratenverstecken und Herden von Wildpferden abzusuchen. Bis jetzt war nichts dergleichen aufgetaucht.

Nachdem er lange genug würgend über der Reling gehangen hatte – Claire hatte ihre Akupunkturnadeln nicht dabei, da sie nicht geahnt hatte, dass sie sie brauchen würde –, hatte Jamie darauf bestanden, dass man ihn an Land setzte. Er würde die Insel der Länge nach abschreiten und dabei ein Auge auf alles Ungewöhnliche haben. Bei Sonnenuntergang konnten sie ihn wieder an Bord nehmen.

»Und wenn du ganz allein auf Stephen Bonnet triffst?«, hatte Claire gefragt, als er sich weigerte zuzulassen, dass sie ihn begleitete.

»Ich lasse mich lieber durchbohren, als mich zu Tode zu reihern«, lautete Jamies elegante Antwort, »und außerdem, Sassenach, musst du hier bleiben und aufpassen, dass diese Missgeburt von ei…, dass der Kapitän nicht ohne uns davonsegelt, aye?«

Also hatten sie ihn an Land gerudert und ihn dort zurückgelassen. Sie hatten ihm nachgeblickt, als er – schon weniger schwankend – in das Dickicht aus Krüppelkiefern und Palmen abtauchte.

Noch ein frustrierender Tag, den sie damit zubrachten, langsam an der Küste auf und ab zu segeln, ohne dabei etwas anderes zu sehen als dann und wann eine baufällige Fischerhütte, und auch Roger und Ian hatten allmählich erkannt, wie klug Jamies Herangehensweise war.

»Siehst du die Häuser da?« Ian wies mit dem Finger auf eine Ansammlung winziger Hütten am Ufer.

»Wenn du sie so nennen willst, ja.« Roger hielt sich die Hand über die Augen, um besser sehen zu können, doch die Hütten schienen verlassen zu sein.

»Wenn ihre Boote da ablegen können, können wir auch da anlegen. Lass uns an Land gehen und herausfinden, ob uns jemand etwas erzählt.«

Sie hatten Claire schmollend zurückgelassen und waren an Land gerudert, um Erkundigungen einzuholen – ohne Erfolg. Die einzigen Einwohner der winzigen Siedlung waren ein paar Frauen und Kinder, die beim Klang des Namens »Bonnet« in ihre Häuser schossen wie Krebse, die sich im Sand einbuddeln.

Dennoch, jetzt, da sie einmal festen Boden unter den Füßen gespürt hatten, hatten sie überhaupt keine Lust, sich geschlagen zu geben und zu ihrem Boot zurückzukehren.

»Sehen wir uns also um«, hatte Ian gesagt und einen nachdenklichen Blick in den sonnengestreiften Wald geworfen. »Wir gehen im Zickzack, aye?« Er zeichnete zur Demonstration eine Reihe von Xen in den Sand. »So können wir eine größere Fläche absuchen und begegnen uns ab und zu. Wer als Erster den Strand erreicht, wartet jeweils auf den anderen.«

Roger hatte zustimmend genickt, dem Fischerboot und der schmalen, aufgebrachten Gestalt an seinem Bug fröhlich zugewinkt und sich landeinwärts gewandt.

Unter den Kiefern war es heiß und still, und er wurde durch alle möglichen Arten von niedrigen Büschen, Kriechpflanzen, Küstengras und anderen anhänglichen Gewächsen am Vorwärtskommen gehindert. In Ufernähe kam er besser voran, weil der Wald hier nicht so dicht wuchs und mit Strandhafer bewachsenen Flächen wich, wo ihm Dutzende winziger Krebse aus dem Weg huschten – oder gelegentlich unter seinen Füßen knirschten.

Dennoch bedeutete es Erleichterung, sich zu bewegen, das Gefühl zu haben, dass er irgendwie etwas tat, auf der Suche nach Brianna Fortschritte machte – obwohl er sich eingestand, dass er gar nicht genau wusste, wonach sie suchten. War sie hier? War Bonnet schon auf der Insel eingetroffen? Oder würde er in ein oder zwei Tagen kommen, bei Neumond, wie Hepzibah es gesagt hatte?

Trotz der Sorge, der Hitze und der Millionen von Schnaken und Moskitos – von denen die meisten zwar nicht stachen, aber stattdessen darauf beharrten, ihm in Ohren, Augen, Nase und Mund zu kriechen – lächelte er bei dem Gedanken an Manfred. Seit seinem Verschwinden aus Fraser's Ridge hatte er darum gebetet, dass der Junge zu seiner Familie zurückkehrte. Ihren Sohn in einer festen Verbindung mit einer ehemaligen Prostituierten anzutreffen, war zwar wahrscheinlich nicht ganz die Antwort, die sich Ute McGillivray auf ihre Gebete erhofft hatte, doch er hatte längst gelernt, dass Gott Seine eigenen Methoden hatte.

Herr, lass sie in Sicherheit sein. Es war ihm egal, wie dieses Gebet beantwortet wurde; Hauptsache, es *wurde* beantwortet. *Bitte gib sie mir zurück.*

Es war später Nachmittag, und seine Kleider klebten ihm durchgeschwitzt am Körper, als er auf einen der kleinen Gezeitenströme stieß, die sich zu Dutzenden wie Löcher in einem Schweizer Käse in die Insel bohrten. Das Gewässer war zu breit, um darüber hinwegzuspringen; also stieg er das sandige Ufer hinab und trat ins Wasser. Es war tiefer, als er gedacht hatte – in der Mitte stand er bis zum Hals im Wasser, und er musste ein paar Züge schwimmen, bevor er wieder Boden unter die Füße bekam.

Das Wasser zog an ihm und strömte seewärts; die Ebbe hatte eingesetzt. Wahrscheinlich würde der Strom bei Ebbe sehr viel flacher sein – doch er hatte den Eindruck, dass bei Flut problemlos ein Schiff darauf landeinwärts fahren konnte.

Das war viel versprechend. Ermutigt stieg er am anderen Ufer aus dem Wasser und begann, dem Kanal landeinwärts zu folgen. Nur Minuten später hörte er in einiger Entfernung ein Geräusch und blieb stehen, um zu lauschen.

Pferde. Er hätte geschworen, dass es Wiehern war, obwohl es so weit weg war, dass er sich nicht sicher war. Er drehte sich im Kreis, um es zu lokalisieren, doch das Geräusch war verschwunden. Dennoch, es schien ihm ein Zeichen zu sein, und er setzte seinen Weg mit frischer Energie fort und erschreckte dabei eine Waschbärenfamilie, die im Wasser des Kanals ihre Mahlzeit wusch.

Doch dann begann sich die Wasserrinne zu verschmälern, der Wasserspiegel sank auf weniger als dreißig Zentimeter – und dann noch weniger, bis nur noch ein paar Zentimeter klaren Wassers über den gräulichen Sand liefen. Aber es widerstrebte ihm aufzugeben, und er schob sich unter einem niedrig hängenden Dach aus Kiefern und Krüppeleichenzweigen hindurch. Dann erstarrte er, und seine Haut kribbelte vom Scheitel bis zur Sohle.

Es waren vier. Unbehauene Steinsäulen, hell im Schatten der Bäume. Eine von ihnen stand sogar mitten im Kanal, und das Wasser hatte sie leicht gekippt, als wäre sie betrunken. Eine andere, am Ufer, hatte Muster auf der Oberfläche, abstrakte Symbole, die er nicht erkannte. Er stand reglos da, als wären sie Lebewesen, die ihn sehen könnten, wenn er sich bewegte.

Es schien eine unnatürliche Stille zu herrschen; selbst die Insekten schienen ihn vorübergehend im Stich gelassen zu haben. Es gab für ihn keinen Zweifel, dass dies der Kreis war, den Donner Brianna beschrieben hatte. Hier hatten die fünf Männer singend ihre Schrittfolge absolviert, bevor sie links an dem verzierten Stein vorbeimarschiert waren. Und hier war mindestens einer von ihnen gestorben. Trotz der drückenden Hitze überlief ihn ein heftiger Schauer.

Schließlich setzte er sich in Bewegung, ganz vorsichtig, rückwärts, als könnten die Steine erwachen, und er drehte ihnen nicht eher den Rücken zu, als bis er sich ein gutes Stück entfernt hatte – so weit, dass er die Steine nicht mehr sehen konnte und sie im dichten Unterholz verschwanden. Dann machte er kehrt und lief zurück ans Meer, schnell und immer schneller, bis ihm der Atem in der Kehle brannte, und er fühlte sich, als bohrten sich unsichtbare Augen in seinen Rücken.

Ich saß auf dem Vorschiff im Schatten, nippte an einem kühlen Bier und beobachtete das Ufer. Das sah den verflixten Männern ähnlich, dachte ich mit einem friedlichen Blick auf den verschlafenen Sandstrand. Hals über Kopf drauflos, und die Frauen konnten aufs Haus aufpassen. Dennoch … ich war mir gar nicht so sicher, dass ich gern selbst zu Fuß über die verdammte Insel gestapft wäre. Dem Gerücht nach hatte die Insel Blackbeard und einer Reihe seiner Verbündeten als Unterschlupf gedient, und der Grund dafür war offensichtlich. Ein so unfreundliches Ufer hatte ich selten gesehen.

Die Chancen, an diesem geheimnisvollen, bewaldeten Ort per Zufall etwas zu finden, waren nur gering. Dennoch, auf einem Schiff auf meinem Hintern zu sitzen, während sich Brianna mit Stephen Bonnet herumschlagen musste, ließ mich vor Nervosität zucken und weckte das dringende Bedürfnis, irgendetwas zu *tun*.

Aber es *gab* nichts zu tun, und langsam verstrich der Nachmittag. Ich hielt die Augen unablässig auf das Ufer gerichtet; dann und wann konnte ich Roger oder Ian aus dem Unterholz auftauchen sehen, woraufhin sie sich kurz besprachen und wieder eintauchten. Dann und wann blickte ich nach Norden – doch von Jamie keine Spur.

Kapitän Roarke, der tatsächlich die Missgeburt einer syphilitischen Hure war, wie er fröhlich selbst zugab, setzte sich eine Weile zu mir und akzeptierte eine Flasche Bier. Ich beglückwünschte mich zu der Voraussicht, einige Dutzend Flaschen mitgenommen zu haben, von denen ich einige in einem Netz ins Wasser gehängt hatte, um sie zu kühlen; das Bier half mir sehr dabei, meine Ungeduld zu lindern, obwohl sich mein Magen vor Sorge zusammenballte.

»Eure Männer sind alle keine großen Seeleute, oder?«, merkte Kapitän Roarke nach einer Weile nachdenklichen Schweigens an.

»Nun, Mr. MacKenzie ist eine Zeit lang in Schottland auf einem Fischerboot zur See gefahren«, sagte ich und ließ eine leere Flasche in das Netz fallen. »Aber als Seemann würde ich ihn nicht bezeichnen, nein.«

»Ah.« Er trank noch ein wenig.

»Also schön«, sagte ich schließlich. »Warum?«

Er ließ seine Flasche sinken, rülpste laut und blinzelte.

»Oh. Nun, Ma'am – ich meine, ich hätte gehört, wie einer der jungen Männer etwas von einem Stelldichein bei Neumond gesagt hätte?«

»Ja«, sagte ich ein wenig argwöhnisch. Wir hatten dem Kapitän so wenig wie möglich erzählt, da wir nicht wussten, ob er womöglich irgendwie mit Bonnet in Verbindung stand. »Das ist morgen Nacht, oder?«

»Das stimmt«, pflichtete er mir bei. »Aber was ich sagen will, ist – wenn man ›Neumond‹ sagt, *meint* man wahrscheinlich auch die Nacht, aye?« Er blickte in den leeren Flaschenhals, dann hob er die Flasche und blies nachdenklich darüber hinweg, so dass ein tiefes *Wuuuug* ertönte.

Ich verstand den Wink mit dem Zaunpfahl und reichte ihm eine andere.

»Dank' Euch sehr, Ma'am«, sagte er mit glücklicher Miene. »Nun, um diese Zeit im Monat ist die Gezeitenwende gegen halb elf – und dann setzt die *Ebbe* ein«, fügte er viel sagend hinzu.

Ich sah ihn verständnislos an.

»Nun, wenn Ihr genau hinseht, Ma'am, seht Ihr, dass jetzt halb Ebbe ist« – er wies nach Süden –, »aber dicht am Ufer hat das Wasser eine mittlere Tiefe. Doch wenn es Nacht wird, wird das nicht mehr so sein.«

»Ja?« Ich wusste immer noch nicht, worauf er hinauswollte, aber er war geduldig.

»Nun, bei Ebbe ist es natürlich einfacher, die Sandbänke und Buchten zu sehen – und kommt man auf einem Schiff mit einem flachen Kiel, sollte man diesen Zeitpunkt wählen. Aber wenn ein Stelldichein mit etwas Größerem geplant ist, das vielleicht mehr als eins zwanzig Tiefgang hat – nun, dann –« Er trank einen Schluck und wies mit dem Boden seiner Flasche auf eine weit entfernte Stelle am Ufer. »Dort ist das Wasser tief, Ma'am – seht Ihr die Farbe? Wären wir ein großes Schiff, wäre das bei Ebbe der beste Ankerplatz.«

Ich betrachtete die Stelle, auf die er gezeigt hatte. Das Wasser *war* dort deutlich dunkler, ein dunkleres Blaugrau als die Wellen ringsum.

»Das hättet Ihr uns auch früher sagen können«, sagte ich mit tadelndem Unterton.

»Das stimmt, Ma'am«, pflichtete er mir freundschaftlich bei, »aber ich wusste ja nicht, ob Ihr es hören wolltet.« Dann stand er auf und spazierte zum Achterschiff, eine leere Flasche in der Hand, auf der er geistesabwesend »*Wuug-wuug-wuug*« blies wie ein Nebelhorn in der Ferne.

Als die Sonne ins Meer sank, erschienen Roger und Ian am Ufer, und Moses, Kapitän Roarkes Helfer, ruderte ans Ufer, um sie abzuholen. Dann setzten wir die Segel und segelten langsam am Strand von Ocracoke entlang, bis wir Jamie fanden, der uns von einer winzigen Landspitze aus zuwinkte.

Nachdem wir ein Stück vom Ufer entfernt für die Nacht vor Anker gegangen waren, tauschten wir unsere Notizen aus – so wir denn etwas zu berichten hatten. Die Männer waren ausgelaugt; erschöpft von ihrer Suche in der Hitze, hatten sie trotz der körperlichen Anstrengung wenig Appetit. Roger wirkte besonders angespannt und blass und sagte fast gar nichts.

Der letzte Rest des Sichelmondes erhob sich am Himmel. Wortkarg nahmen die Männer ihre Decken und legten sich an Deck nieder. Innerhalb von Minuten waren sie eingeschlafen.

Obwohl ich reichlich Bier getrunken hatte, war ich hellwach. Ich saß neben Jamie, hatte mir zum Schutz vor der Kühle des Nachtwindes die Decke um die Schultern gelegt und beobachtete die flache, rätselhafte Insel. Die Ankerstelle, die Kapitän Roarke mir gezeigt hatte, lag unsichtbar in der Dunkelheit. Würden wir es merken, fragte ich mich, wenn morgen Nacht ein Schiff kam?

Es kam sogar schon in dieser Nacht. Ich erwachte ganz früh am Morgen, weil ich von Leichen träumte. Mit hämmerndem Herzen setzte ich mich auf und sah Roarke und Moses an der Reling stehen. Es hing ein schrecklicher Geruch in der Luft. Es war ein Geruch, den man nie vergaß, und als ich aufstand und an die Reling trat, um festzustellen, was los war, überraschte es mich überhaupt nicht, dass Roarke »Sklavenschiff« murmelte, während er kopfnickend nach Süden wies.

Das Schiff lag etwa eine halbe Meile entfernt vor Anker, seine Masten schwarz vor dem heller werdenden Himmel. Kein riesiges Schiff, aber eindeutig zu groß, um die kleinen Kanäle der Insel zu befahren. Ich beobachtete es lange Zeit, und als Jamie, Roger und Ian aufwachten, schlossen sie sich an – doch es senkten sich keine Boote herab.

»Was meint Ihr, was es hier macht?«, sagte Ian. Er sprach leise; das Sklavenschiff machte alle nervös.

Roarke schüttelte den Kopf; ihm gefiel das Ganze auch nicht.

»Soll mich der Teufel holen, wenn ich es weiß«, sagte er. »So etwas hätte ich hier überhaupt nicht erwartet.«

Jamie rieb sich das unrasierte Kinn. Er hatte sich seit Tagen nicht rasiert, und mit seinem grünen Gesicht und seinen eingefallenen Augen – er hatte sich gleich nach dem Aufstehen über die Reling übergeben, obwohl die Dünung ganz sanft war – wirkte er noch abgerissener als Roarke.

»Könnt Ihr neben ihm beilegen, Mr. Roarke?«, fragte er, ohne den Blick von dem Sklavenschiff abzuwenden. Roger sah ihn scharf an.

»Du glaubst doch nicht, dass sich Brianna an Bord befindet?«

»Wenn es so ist, werden wir es herausfinden. Wenn nicht – finden wir möglicherweise heraus, auf wen das Schiff hier wartet.«

Als wir neben dem Schiff beilegten, war es heller Tag, und es waren einige Seeleute an Deck, die neugierig über die Reling auf uns herunterspähten.

Roarke rief eine Begrüßung hinauf und bat um Erlaubnis, an Bord zu kommen. Er bekam keine unmittelbare Antwort, doch ein paar Minuten später erschien ein kräftiger Mann mit einem übel gelaunten Gesicht und gebieterischer Ausstrahlung.

»Was wollt Ihr?«, rief er herunter.

»An Bord kommen«, brüllte Roarke zurück.

»Nein. Verzieht Euch.«

»Wir sind auf der Suche nach einer jungen Frau!«, rief Roger nach oben. »Wir würden Euch gern ein paar Fragen stellen!«

»Alle jungen Frauen auf diesem Schiff gehören mir«, bellte der Kapitän – wenn er das denn war – endgültig. »Fort mit Euch, sage ich.« Er drehte sich um und wandte sich gestikulierend an seine Helfer, die blitzartig auseinander stoben und kurz darauf mit Musketen wieder auftauchten.

Roger hielt sich die Hände als Trichter vor den Mund.

»BRIANNA!«, brüllte er. »BRIANNAAA!«

Ein Mann hob sein Schießeisen und feuerte. Die Kugel pfiff harmlos über unsere Köpfe hinweg und durchschlug das Hauptsegel.

»Oi!«, rief Roarke aufgebracht. »Was habt Ihr denn?«

Die einzige Antwort darauf war eine weitere Salve, gefolgt vom Öffnen der Bordklappen, die uns am nächsten lagen, und dem plötzlichen Erscheinen der langen schwarzen Nasen mehrerer Kanonen und einer noch intensiveren Gestankwolke.

»Auch du liebe Güte«, sagte Roarke erstaunt. »Nun, wenn das so ist... soll Euch doch der Teufel holen!«, rief er und wies mit der geballten Faust auf das Schiff. »Hol Euch der Teufel, sage ich!«

Moses, der es nicht so mit der Rhetorik hatte, war beim ersten Schuss losgefahren und passierte schon die Ruderpinne; innerhalb von Sekunden glitten wir an dem Sklavenschiff vorbei aufs offene Meer.

»Nun, *irgendetwas* geht da vor«, sagte ich und beäugte das Schiff noch einmal misstrauisch. »Ob es nun mit Bonnet zusammenhängt oder nicht.«

Roger klammerte sich mit weißen Knöcheln an die Reling.

»So ist es«, sagte Jamie. Er wischte sich mit der Hand über den Mund und schnitt eine Grimasse. »Könnt Ihr uns in Sichtweite, aber außer Schussweite halten, Mr. Roarke?« Der Geruch von Fäkalien, Fäulnis und Hoffnungslosigkeit wehte erneut auf uns ein, und er nahm die Farbe von ranzigem Talg an. »Und das eventuell von der Windrichtung abgewandt?«

Wir waren gezwungen, ein gutes Stück aufs Meer hinauszusegeln und zu kreuzen, um all diese Bedingungen zu erfüllen, doch schließlich hatten wir es geschafft und lagen in sicherem Abstand vor Anker, so dass wir das Sklavenschiff gerade eben sehen konnten. Hier blieben wir den Rest des

Tages liegen und betrachteten das fremde Schiff abwechselnd durch Kapitän Roarkes Teleskop.

Doch nichts geschah; weder vom Schiff noch vom Ufer kamen irgendwelche Boote. Und während wir alle schweigend an Deck saßen und zusahen, wie am mondlosen Himmel die Sterne aufgingen, wurde das Schiff von der Dunkelheit verschlungen.

107

Neumond

Sie gingen weit vor Tagesanbruch vor Anker, und ein kleines Boot brachte sie ans Ufer.

»Wo *sind* wir?«, fragte sie heiser, weil sie ihre Stimme so lange nicht benutzt hatte – Bonnet hatte sie mitten in der Nacht geweckt. Sie hatten unterwegs dreimal angehalten, in namenlosen Buchten, wo rätselhafte Männer aus dem Gebüsch kamen und Fässer vor sich herrollten oder Ballen trugen, doch man hatte sie in keiner davon an Land gelassen. Die Insel war lang und flach, mit dichtem Krüppelwald und einem Nebelschleier überzogen, und unter dem verschwindenden Mond sah sie gespenstisch aus.

»Ocracoke«, antwortete er und beugte sich vor, um in den Nebel zu blinzeln. »Etwas mehr backbord, Denys.« Der Seemann an den Rudern lehnte sich stärker zur Seite, und die Nase des Bootes wandte sich folgsam dem Ufer zu.

Es war kalt auf dem Wasser; sie war dankbar für den dicken Umhang, den er um sie gelegt hatte, bevor er sie in das Boot dirigierte. Dennoch hatte die Kühle der Nacht und der offenen See wenig mit dem leisen, ununterbrochenen Zittern zu tun, das ihre Hände beben und ihre Füße und Finger taub werden ließ.

Leises Gemurmel unter den Piraten, weitere Anweisungen. Bonnet sprang in das hüfttiefe, schlammige Wasser, watete in die schwarzen Schatten und schob den dichten Pflanzenwuchs beiseite, so dass plötzlich das glatte Wasser des verborgenen Kanals dunkel vor ihnen aufglänzte. Das Boot schob sich unter überhängenden Bäumen hindurch, dann bremste es, sodass sich Bonnet über das Dollbord ziehen konnte und spritzend und triefend wieder an Bord kam.

Ein markerschütternder Schrei erscholl so dicht in ihrer Nähe, dass Brianna hämmernden Herzens zusammenfuhr, bevor sie begriff, dass es nur ein Vogel irgendwo im Sumpf war. Ansonsten war die Nacht still bis auf das gedämpfte, rhythmische Plätschern der Ruder.

Sie hatten Josh und die Fulani-Männer mit in das Boot gesetzt; Josh saß zu ihren Füßen, eine geduckte schwarze Gestalt. Er zitterte; sie konnte es spüren. Sie zog ein Stück ihres Umhangs unter sich hervor, legte es über ihn und legte ihm darunter die Hand auf die Schulter, um ihm Mut zu spenden, sofern sie das konnte. Eine Hand hob sich, legte sich sanft auf die ihre und drückte zu, und auf diese Weise verbunden fuhren sie langsam in die unbekannte Finsternis unter den tropfnassen Bäumen.

Es wurde hell am Himmel, als das Boot eine kleine Anlegestelle erreichte. Rosa gefärbte Wolkenstreifen zogen sich über den Horizont. Bonnet sprang hinaus und hielt ihr die Hand entgegen. Widerstrebend ließ sie Josh los und stand auf.

Ein Haus stand halb verborgen zwischen den Bäumen. Es war aus grauen Brettern gezimmert und schien in den Resten des Nebels zu versinken, als sei es nicht ganz echt und könnte jeden Moment verschwinden.

Doch der Gestank, den der Wind mitbrachte, war überaus real. Sie hatte ihn noch nie selbst gerochen, hatte aber einmal gehört, wie ihre Mutter ihn lebhaft beschrieb, und erkannte ihn auf Anhieb – den Geruch eines Sklavenschiffs, das vor der Insel vor Anker lag. Josh erkannte ihn ebenfalls; sie hörte, wie er plötzlich aufkeuchte und dann in hastiges Gemurmel verfiel – er betete das »Ave Maria« auf Gälisch, so schnell er konnte.

»Bring die drei zu den anderen in die Umzäunung«, befahl Bonnet dem Seemann. Er schubste Josh auf ihn zu und wies mit einer Geste auf die Fulani. »Dann fahr zum Schiff zurück. Sagt Mr. Orden, wir legen in vier Tagen nach England ab; er kümmert sich um die Vorräte. Kommt mich am Samstag holen, eine Stunde vor der Flut.«

»Josh!« Sie rief ihm nach, und er sah sich mit vor Angst geweiteten Augen um, doch der Seemann drängte ihn zur Eile, und Bonnet zerrte sie in die andere Richtung, den Fußweg zum Haus entlang.

»Wartet! Wohin bringt Ihr ihn? Was werdet Ihr mit ihm tun?« Sie stemmte sich mit den Füßen in den Schlamm, bekam eine Mangrove zu fassen und weigerte sich weiterzugehen.

»Ihn verkaufen, was denn sonst?« Bonnet ließ sich davon nicht rühren, ebenso wenig wie von ihrer Weigerung, sich zu bewegen. »Weiter, Schätzchen. Du weißt, dass ich dich zwingen kann, und du weißt auch, dass es dir nicht gefallen wird.« Er streckte die Hand aus, schlug ihren Umhang zurück und kniff ihr zur Demonstration fest in die Brustwarze.

Kochend vor Wut, griff sie wieder nach dem Umhang und schlug ihn fest um sich, als könnte das den Schmerz lindern. Er hatte sich bereits umgedreht und schritt den Weg entlang, absolut sicher, dass sie ihm folgen würde. Zu ihrer ewigen Schande tat sie genau das.

Die Tür wurde von einem Schwarzen geöffnet, der fast so groß war wie Bonnet selbst und sogar noch breitschultriger. Eine dicke Narbe verlief zwischen seinen Augen, ungefähr vom Haaransatz bis zum Nasenrücken, doch sie hatte das saubere Aussehen einer mit Absicht zugefügten Stammesnarbe, nicht das einer Unfallfolge.

»Emmanuel, mein Bester!«, grüßte Bonnet den Mann gut gelaunt und schob Brianna vor sich her ins Innere des Hauses. »Sieh nur, was uns die Katze angeschleppt hat.«

Der Schwarze betrachtete sie skeptisch von oben bis unten.

»Ganz schön groß«, sagte er mit einer Stimme, in der afrikanischer Singsang mitklang. Er packte sie an der Schulter, drehte sie um, fuhr mit der Hand über ihren Rücken und fasste ihr kurz durch den Umhang hindurch an den Hintern. »Schöner fetter Arsch allerdings«, räumte er widerstrebend ein.

»Nicht wahr? Nun, kümmere dich um sie, dann komm her und erzähle mir, wie die Dinge hier stehen. Der Frachtraum ist fast voll – oh, und ich habe noch vier, nein, fünf Schwarze aufgelesen. Die Männer kann Kapitän Jackson haben, aber die Frauen – ah, die sind etwas ganz Besonderes.« Er zwinkerte Emmanuel zu. »Zwillinge.«

Das Gesicht des Schwarzen erstarrte.

»Zwillinge?«, fragte er schockiert. »Habt Ihr sie zum Haus gebracht?«

»Später«, sagte Bonnet unbeirrt. »Es sind Fulani, und sie sind bildschön. Kein Englisch, keine Ausbildung – aber als Rarität gehen sie trotzdem weg. Apropos, haben wir schon von *Signor* Ricasoli gehört?«

Emmanuel nickte, legte aber die Stirn in Falten; die Narbe zog sein Stirnrunzeln in die Form eines V's.

»Er kommt am Donnerstag. Monsieur Houvener auch. Aber Mister Howard kommt morgen.«

»Bestens. Ich will jetzt mein Frühstück – und du hast doch bestimmt auch Hunger, oder, Schätzchen?«, fragte er, an Brianna gewandt.

Sie nickte, hin und her gerissen zwischen Angst, Entrüstung und ihrer morgendlichen Übelkeit. Sie musste etwas essen, und zwar schnell.

»Nun gut. Bring sie irgendwo hin –«, er wies mit der Hand auf die Zimmerdecke und die Räume in der ersten Etage, »– und gib ihr etwas zu essen. Ich esse in meinem Büro; komm dann zu mir.«

Ohne den Empfang des Befehls zu bestätigen, umklammerte Emmanuel wie ein Schraubstock ihren Nacken und schob sie auf die Treppe zu.

Der Butler – wenn man so etwas wie Emmanuel denn mit einem solch zivilisierten Begriff bezeichnen konnte – schubste sie in ein kleines Zimmer und schloss die Tür hinter ihr. Es war möbliert, allerdings sparsam; ein Bettgestell mit einer nackten Matratze, eine Wolldecke und ein Nachttopf. Letzteren benutzte sie erleichtert, um sich dann rasch im Zimmer umzusehen.

Es gab nur ein Fenster, das mit einem Metallgitter gesichert war. Es war nicht verglast, sondern hatte Fensterläden, die sich von innen schließen ließen, und ein Hauch von Meer und Wald erfüllte das Zimmer und kämpfte gegen den Staub und den abgestandenen Geruch der fleckigen Matratze an. Emmanuel mochte ja ein Faktotum sein, aber seine Haushaltsführung ließ zu wünschen übrig, dachte sie, um nicht dem Trübsinn zu verfallen.

Ein vertrautes Geräusch drang zu ihr, und sie reckte den Hals. Durch das Fenster war nicht viel zu sehen – nur die weißen, zerbrochenen Muscheln und der schlammige Sand rings um das Haus und die Spitzen der Krüppelkiefern. Doch wenn sie ihr Gesicht an den Rand des Fensters presste, konnte sie in einiger Entfernung einen schmalen Strandstreifen sehen.

Während sie hinsah, galoppierten drei Pferde darüber hinweg und verschwanden aus ihrem Gesichtsfeld – doch dann trug der Wind ihr das Gewieher der Tiere zu, und es folgten noch fünf und dann eine weitere Gruppe von sieben oder acht. Wildpferde, die Nachkommen der Iberer, die die Spanier hundert Jahre zuvor hier zurückgelassen hatten.

Es war ein bezaubernder Anblick, und sie hielt die Augen lange auf den Strand gerichtet, weil sie hoffte, dass die Pferde zurückkehren würden, doch sie taten es nicht; nur ein Pelikanschwarm zog vorbei und ein paar Möwen, die nach Fischen tauchten.

Beim Anblick der Pferde hatte sie sich ein paar Sekunden nicht mehr ganz so allein gefühlt, wenn auch nicht weniger leer. Sie war jetzt schon mindestens eine halbe Stunde in dem Zimmer, und es ertönten immer noch keine Schritte von jemandem im Flur, der ihr etwas zu essen brachte. Vorsichtig probierte sie die Tür aus und stellte zu ihrer Überraschung fest, dass sie nicht abgeschlossen war.

Unten dagegen hörte sie Geräusche; es war jemand da. Und es hing ein schwaches Getreidearoma von Porridge und backendem Brot in der Luft.

Unter ständigem Schlucken, um ihren Magen zu beruhigen, bewegte sie sich auf leisen Sohlen durch das Haus und die Treppe hinunter. In einem Zimmer an der Vorderseite des Hauses erklangen Stimmen – Bonnet und Emmanuel. Ihr Zwerchfell verkrampfte sich bei diesem Klang, doch die Tür war geschlossen, und sie schlich auf Zehenspitzen daran vorbei.

Die Küche war ein Nebengebäude, das durch eine kurze Pergola mit dem Haus verbunden war, und lag in einem Hof, der zusammen mit der Rückseite des Hauses von einem Zaun umgeben war. Sie musterte die Umzäunung – hohe Palisaden, die oben angespitzt waren –, doch eins nach dem anderen – sie musste erst etwas essen.

Es war jemand in der Küche; sie konnte Töpfe klappern hören und die Stimme einer Frau, die etwas brummte. Der Essensgeruch war so kräftig, dass man sich daran anlehnen konnte. Sie drückte die Tür auf, trat ein und blieb stehen, damit die Köchin sie sehen konnte.

Dann sah sie die Köchin.

Inzwischen war sie von den Umständen so gebeutelt, dass sie nur noch blinzelte und sich sicher war, dass es Einbildung war.

»Phaedre?«

Die junge Frau fuhr herum, Augen und Mund vor Schreck weit aufgerissen.

»Oh, gütiger Himmel!« Sie blickte hektisch an Brianna vorbei, doch als sie sah, dass diese allein war, packte sie sie am Arm und zog sie auf den Hof.

»Was macht Ihr denn hier?«, wisperte sie drängend. »Wie kommt Ihr hierher?«

»Stephen Bonnet«, sagte Brianna knapp. »Wie in aller Welt hat er dich entführt? Aus River Run?« Sie konnte sich zwar nicht vorstellen, wie – oder warum –, doch seit sie entdeckt hatte, dass sie schwanger war, hatte alles den surrealen Hauch einer Halluzination an sich, und sie hatte keine Ahnung, wie viel davon der Schwangerschaft selbst zuzuschreiben war.

Doch Phaedre schüttelte den Kopf.

»Nein, Miss. Dieser Bonnet hat mich seit einem Monat. Von einem Mann namens Butler«, fügte sie hinzu und verzog den Mund zu einem Ausdruck, der klar machte, wie sehr sie diesen Butler verabscheute.

Der Name kam Brianna vage bekannt vor. Sie glaubte, dass es der Name eines Schmugglers war; sie war ihm nie selbst begegnet, hatte den Namen aber schon mehrfach gehört. Doch es war nicht der Schmuggler, der ihre Tante mit Tee und anderen verbotenen Luxusgütern versorgte – *diesem* Mann war sie schon begegnet; es war ein bestürzend zierlicher und verweichlichter Herr namens Wilbraham Jones.

»Das verstehe ich nicht. Aber – warte, gibt es hier etwas zu essen?«, fragte sie, weil ihr Magen plötzlich einen Satz machte.

»Oh. Natürlich. Wartet hier.« Phaedre verschwand leichtfüßig in der Küche und war Sekunden später mit einem halben Brotlaib und einem Buttertöpfchen zurück.

»Danke.« Sie griff nach dem Brot und aß hastig etwas davon, ohne sich die Zeit zu nehmen, es mit Butter zu bestreichen, dann steckte sie den Kopf zwischen die Knie und atmete ein paar Minuten tief durch, bis die Übelkeit vorbei war.

»Tut mir Leid«, sagte sie, als sie schließlich den Kopf hob. »Ich bin schwanger.«

Phaedre nickte. Offenbar überraschte sie das nicht.

»Von wem?«, fragte sie.

»Von meinem Mann«, antwortete Brianna. Ihr Ton war gereizt, doch dann begriff sie, dass es leicht hätte anders sein können, und ihr unruhiges Inneres tat einen Ruck. Phaedre war seit Monaten von River Run fort – Gott allein wusste, was ihr in dieser Zeit alles widerfahren war.

»Dann hat er Euch noch nicht lange.« Phaedre blickte zum Haus.

»Nein. Einen Monat, hast du gesagt – hast du versucht zu fliehen?«

»Einmal.« Der Mund der jungen Frau verzog sich erneut. »Habt Ihr diesen Emmanuel schon gesehen?«

Brianna nickte.

»Er ist ein Ibo. Verfolgt seine Beute durch einen Zypressensumpf und sorgt dafür, dass es ihr Leid tut, wenn er sie erwischt.« Sie schlang die Arme um sich selbst, obwohl es ein warmer Tag war.

Der Hof war mit zweieinhalb Meter hohen, oben angespitzten Kiefernpfosten eingezäunt, die durch Stricke miteinander verbunden waren. Möglich, dass sie es hinüber schaffte, wenn Phaedre ihr half… doch dann sah sie auf der anderen Seite den Schatten eines Mannes vorübergehen, der ein Gewehr geschultert hatte.

Sie hätte es sich denken können, wenn sie in der Lage gewesen wäre, klar zu denken. Das hier war Bonnets Unterschlupf – und dem wilden Durcheinander von Kisten, Bündeln und Fässern nach, die auf dem Hof aufgestapelt waren, bewahrte er hier auch wertvolle Frachtgüter auf, bevor er sie verkaufte. Natürlich war der Ort gut bewacht.

Ein schwacher Windhauch fuhr zwischen den Zaunpfählen hindurch und brachte den üblen Gestank mit, den sie vorhin schon gerochen hatte. Sie aß schnell noch einen Bissen Brot, den sie als Ballast für ihren empfindlichen Magen herunterwürgte.

Phaedre rümpfte die Nase über den Gestank.

»Ein Sklavenschiff, das draußen hinter der Brandung vor Anker liegt«, sagte sie ganz leise und schluckte. »Der Kapitän war gestern hier, um sich zu erkundigen, ob Mr. Bonnet etwas für ihn hat, aber er war noch nicht zurück. Kapitän Jackson sagt, er kommt morgen wieder.«

Brianna konnte Phaedres Angst spüren, die sie wie eine blassgelbe Wolke umschwebte, und biss noch einmal in ihr Brot.

»Er wird doch – er würde dich doch nicht an diesen Jackson verkaufen?« Sie traute Bonnet alles zu. Doch inzwischen verstand sie ein wenig von der Sklaverei. Phaedre war erstklassige Ware, hellhäutig, jung, hübsch – und zur Leibdienerin ausgebildet. Bonnet würde so gut wie überall einen sehr guten Preis für sie erzielen. Nach dem Wenigen, was sie über Sklavenschiffe wusste, handelten diese mit frischen Sklaven aus Afrika.

Phaedre schüttelte den Kopf, und ihre Lippen waren bleich geworden.

»Ich glaube es nicht. Er sagt, ich bin das, was er eine ›Rarität‹ nennt. Deswegen hat er mich auch so lange behalten; diese Woche kommen Bekannte von ihm von den Westindischen Inseln. Pflanzer.« Sie schluckte noch einmal und sah so aus, als würde ihr gleich schlecht werden. »Sie kaufen hübsche Frauen.«

Das Brot, das Brianna gegessen hatte, zerschmolz plötzlich zu einer nassen, schleimigen Masse in ihrem Magen, und mit einer gewissen Schicksalsergebenheit stand sie auf und trat ein paar Schritte beiseite, bevor sie sich auf einen Ballen Rohbaumwolle übergab.

Stephen Bonnets Stimme hallte mit fröhlicher Jovialität in ihrem Kopf wider.

»Warum sollte ich mir die Mühe machen, dich nach London zu bringen, wo du doch niemandem nützen würdest? Außerdem regnet es in London ziemlich viel; das würde dir bestimmt nicht gefallen.«

»Sie kaufen hübsche Frauen«, flüsterte sie und lehnte sich an die Palisaden, während sie wartete, bis die Übelkeit nachließ. Aber *weiße* Frauen?

»Warum nicht?«, sagte der kalte, logische Teil ihres Gehirns. Frauen sind Besitz, ganz gleich ob schwarz oder weiß. Wenn man Besitz sein kann, kann man auch verkauft werden. Sie selbst war schließlich eine Zeit lang Lizzies Besitzerin gewesen.

Sie wischte sich mit dem Ärmel über den Mund und kehrte zu Phaedre zurück, die auf einer Rolle Kupferblech saß und deren feinknochiges Gesicht schmal und voller Sorge war.

»Josh – Josh hat er ebenfalls. Als wir an Land gegangen sind, hat er seinen Leuten gesagt, sie sollten Josh zu den anderen Sklaven bringen.«

»Joshua?« Phaedre richtete sich mit großen Augen auf. »Joshua, Miss Jos Stallknecht? Er ist *hier*?«

»Ja. Weißt du, wo diese Umzäunung ist?«

Phaedre war aufgesprungen und schritt aufgeregt hin und her.

»Ich weiß es nicht genau. Ich koche zwar das Essen für die Sklaven dort, aber einer von den Seeleuten bringt es hin. Doch es kann nicht weit vom Haus sein.«

»Ist sie groß?«

Phaedre schüttelte heftig den Kopf.

»Nein, Miss. Mr. Bonnet treibt eigentlich keinen Sklavenhandel. Er bringt hier und da ein paar mit – und dann hat er seine ›Raritäten‹ –« Bei diesen Worten verzog sie das Gesicht. »Aber dem Essen nach, das sie verbrauchen, können es nicht mehr als ein Dutzend sein. Drei Mädchen im Haus – fünf, wenn man diese Fulani mitrechnet, von denen er erzählt hat.«

Brianna, die sich jetzt besser fühlte, begann, über den Hof zu wandern und nach Dingen zu suchen, die ihr vielleicht von Nutzen sein konnten. Es war ein wildes Durcheinander wertvoller Waren – von chinesischen Seidenballen, die in Leinen und Öltuch verpackt waren, und Kisten mit Porzellangeschirr bis hin zu Kupferblechrollen, Brandyfässern, in Stroh verpackten Weinflaschen und kistenweise Tee. Sie öffnete eine dieser Kisten und atmete das sanfte Parfum der Teeblätter ein, das wunderbar beruhigend auf ihre innere Unruhe wirkte. Für eine heiße Tasse Tee hätte sie momentan fast alles gegeben.

Noch interessanter war allerdings eine Reihe kleiner Fässer mit dicken, luftdichten Wänden, die Schießpulver enthielten.

»Hätte ich doch bloß ein paar Streichhölzer«, murmelte sie mit einem sehnsuchtsvollen Blick auf die Fässchen vor sich hin. »Oder auch nur einen Schlagbolzen.« Aber Feuer war Feuer, und in der Küche brannte sicherlich eins. Sie betrachtete nachdenklich das Haus und überlegte, wo sie die Fässer am besten platzierte – doch sie konnte das Haus nicht in die Luft jagen. Nicht, solange sich die anderen Sklaven darin befanden, und nicht, ohne zu wissen, was sie als Nächstes tun würde.

Das Geräusch der Tür, die sich öffnete, schreckte sie auf; als Emmanuel dann den Kopf ins Freie steckte, hatte sie sich schon mit einem Sprung von dem Schießpulver entfernt und untersuchte eine riesige Kiste mit einer Standuhr, deren vergoldetes Ziffernblatt – das mit drei beweglichen Segelschiffen auf einem Meer aus Silber verziert war – hinter den zum Schutz davorgenagelten Latten hervorlugte.

»Du da«, sagte er zu Brianna und ruckte mit dem Kinn. »Komm dich waschen.« Er sah Phaedre scharf an – Brianna merkte, dass sie seinem Blick auswich und hastig anfing, Stöckchen vom Boden aufzulesen.

Die Hand klammerte sich erneut um ihren Nacken, und er schob sie wie einen lästigen Esel zurück ins Haus.

Diesmal *schloss* Emmanuel ab. Er brachte ihr eine Schüssel zum Waschen und einen Krug, ein Handtuch und ein sauberes Hemd. Viel, viel später kam er zurück und brachte ihr ein Tablett mit etwas zu essen. Doch er ignorierte all ihre Fragen und verschloss die Tür wieder, als er ging.

Sie zog das Bett ans Fenster und kniete sich darauf, die Ellbogen zwischen die Gitterstäbe geklemmt. Ihr blieb nichts anderes zu tun als nachzudenken – etwas, das sie gerne noch ein bisschen aufgeschoben hätte. Sie beobachtete den Wald und den weiter entfernten Strand und verfolgte, wie die Schatten der Krüppelkiefern über den Sand krochen, die älteste Sonnenuhr der Welt, die das schneckengleiche Verstreichen der Stunden registrierte.

Nach einiger Zeit wurden ihre Knie taub, und ihre Ellbogen schmerzten; sie breitete den Umhang über die widerliche Matratze und versuchte, weder die diversen Flecken darauf noch den Geruch zu beachten. Sie legte sich auf die Seite und beobachtete den Himmel durch das Fenster, die fast unmerklichen Veränderungen des Lichtes von einem Moment zum nächsten, und dabei stellte sie sich bis ins Detail die einzelnen Pigmente und die genauen Pinselstriche vor, die sie benutzen würde, um es zu malen. Dann stand sie auf und begann, auf und ab zu schreiten. Dabei zählte sie ihre Schritte und schätzte die Entfernung.

Hoffentlich lag Bonnets Zimmer genau unter ihr.

Doch es war alles nicht genug, und als es dunkler im Zimmer wurde und ihre Berechnungen etwa zwei Meilen erreicht hatten, kam sie an Roger nicht mehr vorbei – sie hatte ihn sowieso schon die ganze Zeit im Kopf gehabt, allerdings seine Gegenwart hartnäckig geleugnet.

Sie ließ sich wieder auf das Bett sinken. Vom Umherwandern war ihr heiß, und sie sah zu, wie die letzten flammenden Farben vom Himmel verschwanden.

War er inzwischen ordiniert, wie er es sich so sehr gewünscht hatte? Er hatte sich Sorgen wegen der Frage der Prädestination gemacht, weil er sich nicht sicher war, das heilige Amt, nach dem er strebte, antreten zu können, wenn er nicht von ganzem Herzen hinter dieser Vorstellung stand – nun, *sie* nannte es eine Vorstellung; für einen Presbyterianer war es ein Dogma. Sie lächelte ironisch und dachte an Hiram Crombie.

Ian hatte ihr davon erzählt, wie Crombie allen Ernstes versucht hatte, den Cherokee die Doktrin der Prädestination zu erklären. Die meisten von ihnen hatten ihm höflich zugehört und ihn dann ignoriert. Doch *Birds* Frau Penstemon war neugierig geworden. Sie war Crombie einen Tag lang überallhin gefolgt und hatte ihn spielerisch geschubst, um dann zu rufen: »Hat Euer Gott gewusst, dass ich das tun würde? Wie konnte er es wissen – *ich* wusste doch nicht einmal selbst, dass ich es tun würde!« Oder sie hatte ihn nachdenklicher gefragt, wie sich die Vorstellung der Prädestination wohl beim Glücksspiel auswirkte – wie die meisten Indianer hätte Penstemon auf beinahe alles gewettet.

Sie hatte den Verdacht, dass Penstemon wahrscheinlich eine Menge damit zu tun gehabt hatte, dass Crombies erster Besuch bei den Indianern so kurz ausfiel. Eins musste sie ihm jedoch lassen; er war zurückgekehrt. Und noch einmal zurückgekehrt. Er glaubte an das, was er da tat.

Genau wie Roger. Verdammt, dachte sie erschöpft, da war er ja doch wieder mit seinen nachdenklichen, moosgrünen Augen und fuhr sich langsam mit dem Finger über den Nasenrücken.

»Ist das wirklich wichtig?«, hatte sie schließlich gesagt, als sie der Diskussion über die Prädestination müde wurde, und war insgeheim froh gewesen, dass von einem Katholiken nicht verlangt wurde, an so etwas zu glauben, und er den Herrn einfach schalten und walten lassen konnte. »Ist es nicht wichtiger, dass du Menschen helfen kannst, ihnen Trost bieten kannst?«

Sie hatten im Bett gelegen. Die Kerze war schon ausgelöscht, und sie hatten sich im schwachen Schein der Glut im Kamin unterhalten. Sie konnte spüren, wie er sich bewegte, und seine Hand spielte mit einer Haarsträhne, während er nachdachte.

»Ich weiß es nicht«, hatte er dann gesagt, schwach gelächelt und sie liebevoll angesehen.

»Aber findest du nicht, dass man als Zeitreisender auch ein bisschen Theologe sein muss?«

Sie hatte tief und gequält Luft geholt, und da hatte er gelacht und das Thema fallen gelassen und sie geküsst, um sich stattdessen irdischeren Dingen zuzuwenden.

Doch er hatte Recht gehabt. Jeder, der einmal durch die Steine gereist war, musste sich fragen: Warum ich? Und wer außer Gott konnte diese Frage beantworten?

Warum ich? Und die, die es nicht schafften – warum sie? Bei dem Gedanken daran durchfuhr sie ein leiser Schauer; die anonymen Leichen, die in Geillis Duncans Notizbuch aufgelistet waren; Donners Kameraden, die das Ziel nur tot erreicht hatten. Apropos Geillis Duncan… Plötzlich kam ihr ein Gedanke: Die Hexe war *hier* gestorben, fern von ihrer eigenen Zeit.

Ließ man die Metaphysik einmal beiseite und betrachtete das Ganze rein wissenschaftlich – und es *musste* eine wissenschaftliche Grundlage haben, argumentierte sie stur, es war keine Magie, ganz gleich, was Geillis Duncan gedacht hatte –, besagten die Gesetze der Thermodynamik, dass Masse und Energie weder erschaffen noch vernichtet werden konnten. Nur verändert.

Doch inwiefern verändert? Stellte die Reise durch die Zeit schon eine Veränderung dar? Eine Mücke summte an ihrem Ohr vorbei, und sie wedelte mit der Hand, um sie zu verscheuchen.

Man konnte sich in beide Richtungen bewegen, das stand fest. Die offensichtliche Schlussfolgerung daraus – die weder Roger noch ihre Mutter je erwähnt hatten, also hatten sie diesen Aspekt eventuell ja nie erwogen – war, dass man von seinem Ausgangspunkt auch in die Zukunft gehen konnte, nicht nur in die Vergangenheit und zurück.

Wenn also jemand in die Vergangenheit reiste und dort starb, wie es Geillis Duncan und Otterzahn ja eindeutig getan hatten…, vielleicht musste zum Ausgleich jemand in die Zukunft reisen und *dort* sterben?

Sie schloss die Augen, weil sie diesen Gedankengang nicht weiterverfolgen konnte – oder wollte. In der Ferne hörte sie die Brandung gegen den Sand rauschen und dachte an das Sklavenschiff. Dann wurde ihr klar, dass der Geruch *hier* war. Sie stand abrupt auf und spähte aus dem Fenster. Sie konnte gerade eben die Mündung des Weges sehen, der zum Haus führte; während sie hinaussah, kam ein kräftiger Mann mit einem dunkelblauen Mantel und einem ebensolchen Hut schnellen Schrittes aus dem Wald gestapft, gefolgt von zwei anderen, die schäbig gekleidet waren. *Seeleute*, dachte sie angesichts ihres schwankenden Gangs.

Das musste also Kapitän Jackson sein, der gekommen war, um mit Bonnet zu handeln.

»O Josh«, sagte sie laut und musste sich auf das Bett setzen, weil ihr schwindelig wurde.

Wer war es gewesen? Eine der heiligen Theresas – Theresa von Avila? –, die enerviert zu Gott gesagt hatte: *»Nun, wenn du so mit deinen Freunden umgehst, ist es ja kein Wunder, dass du so wenige hast«*?

Sie hatte beim Einschlafen an Roger gedacht. Als sie am Morgen wach wurde, dachte sie an das Baby.

Diesmal fehlten die Übelkeit und das merkwürdige Gefühl der Orientierungslosigkeit. Alles, was sie empfand, waren tiefer Friede und… Neugier?

Bist du da?, dachte sie und legte die Hände auf ihren Bauch. Nichts, was so definitiv gewesen wäre wie eine Antwort, doch ein Wissen, so sicher wie der Schlag ihres eigenen Herzens.

Gut, dachte sie und schlief wieder ein.

Einige Zeit später wurde sie durch Geräusche in der unteren Etage wach. Sie setzte sich abrupt auf, weil sie laute Stimmen hörte, dann wurde ihr schwindelig, und sie legte sich wieder hin. Die Übelkeit war zurückgekehrt, doch solange sie die Augen schloss und sich reglos verhielt, schlummerte der Brechreiz wie eine schlafende Schlange.

Die Stimmen fuhren fort, sich zu heben und zu senken, dann und wann zur Betonung unterbrochen von einem lauten Knall, als wäre eine Faust auf einen Tisch oder an eine Wand geknallt. Doch nach ein paar Minuten verstummten die Stimmen, und sie hörte nichts mehr, bis leise Schritte an ihre Tür kamen. Das Schloss klapperte, und Phaedre kam mit einem Essenstablett herein.

Sie setzte sich hin und versuchte, nicht zu atmen; jeder Geruch von etwas Gebratenem …

»Was ist denn da unten los?«, fragte sie.

Phaedre schnitt eine Grimasse.

»Emmanuel, er ist aufgebracht über die Fulani-Frauen. Die Ibo glauben, dass Zwillinge ein schlechtes Zeichen sind – wenn bei ihnen eine Frau Zwillinge bekommt, setzt sie sie zum Sterben aus. Emmanuel, er möchte die Fulani mit Kapitän Jackson fortschicken, sie so schnell wie möglich aus dem Haus haben. Aber Mr. Bonnet, er sagt, er wartet auf die Herren von den Westindischen Inseln, es bringt ihm mehr Geld.«

»Herren von den Westindischen Inseln – was denn für Herren?«

Phaedre zog die Schultern hoch.

»Ich weiß nicht. Er handelt mit ihnen, glaube ich. Sicher Zuckerpflanzer. Esst das, ich komme gleich wieder.«

Phaedre wandte sich zum Gehen, doch plötzlich rief Brianna ihr nach.

»Warte! Du hast mir gestern gar nicht gesagt – wer hat dich aus River Run fortgebracht?«

Die junge Frau wandte sich mit widerstrebender Miene wieder um.

»Mr. Ulysses.«

»Ulysses?«, fragte Brianna ungläubig nach. Phaedre hörte den Zweifel in ihrer Stimme und warf ihr einen wütenden Blick zu.

»Was, glaubt Ihr mir nicht?«

»Doch, doch«, versicherte Brianna ihr hastig. »Ich glaube Euch. Nur – warum?«

Phaedre holte tief durch die Nase Luft.

»Weil ich ein verdammter Dummkopf bin«, sagte sie bitter. »Meine Mama hat es mir gesagt, sie hat gesagt, leg dich nie, niemals mit Ulysses an. Aber habe ich auf sie gehört?«

»Mit Ulysses«, sagte Brianna perplex. »Wie hast du dich denn mit ihm angelegt?« Sie wies auf das Bett und lud Phaedre ein, sich hinzusetzen. Die junge Frau zögerte einen Moment, doch dann setzte sie sich und strich sich unablässig über das weiße Tuch auf ihrem Kopf, während sie nach Worten suchte.

»Mr. Duncan«, sagte sie schließlich, und ihr Gesicht erhellte sich ein wenig. »Er ist so ein liebenswürdiger Mensch. Wisst Ihr, dass er noch nie mit einer Frau geschlafen hatte? Als Junge hat ihn ein Pferd getreten, er dachte, er kann es nicht.«

Brianna nickte; ihre Mutter hatte ihr von Duncans Problem erzählt.

»Nun ja«, sagte Phaedre mit einem Seufzer. »Da hat er sich geirrt.« Sie musterte Brianna argwöhnisch, um zu prüfen, wie sie dieses Geständnis wohl aufnehmen würde. »Er hatte nichts Böses im Sinn und ich auch nicht. Es ist einfach – passiert.« Sie zuckte mit den Achseln. »Aber Ulysses, er hat es herausgefunden; früher oder später bekommt er *alles* heraus, was auf River Run vor sich geht. Vielleicht hat es ihm eins von den Mädchen erzählt, vielleicht irgendwie anders, aber er hat es gewusst. Und er hat mir gesagt, es ist nicht richtig, und ich soll sofort damit aufhören.«

»Aber das hast du nicht getan?«, riet Brianna.

Phaedre schüttelte langsam den Kopf und presste die Lippen zusammen.

»Ich habe ihm gesagt, ich höre auf, wenn Mr. Duncan es nicht mehr will – dass es nicht *seine* Sache ist. Ich hatte gedacht, Mr. Duncan ist der Herr. Aber das stimmt nicht. Ulysses, er ist der Herr auf River Run.«

»Dann hat er dich – fortgebracht – verkauft? –, damit du nicht mehr mit Duncan schlafen kannst?« Warum sollte ihn das interessieren?, fragte sie sich. Hatte er Angst, dass Jocasta dahinter kommen und sich verletzt fühlen würde?

»Nein. Er hat mich verkauft, weil ich ihm gesagt habe, wenn er mich und Mr. Duncan nicht in Ruhe lässt, verrate ich das mit ihm und Miss Jo.«

»Ihm und …« Brianna kniff die Augen zu. Sie konnte nicht glauben, was sie da hörte. Phaedre sah sie mit einem kleinen, ironischen Lächeln an.

»Er teilt seit zwanzig Jahren Miss Jos Bett. Schon bevor der alte Master gestorben ist, hat meine Mama gesagt. Alle Sklaven dort wissen es, aber keiner ist so dumm, es ihm ins Gesicht zu sagen, nur ich.«

Brianna wusste, dass ihr Mund offen stand wie bei einem Goldfisch, aber sie konnte es nicht ändern. Hundert winzige Details, die sie auf River Run beobachtet hatte, Myriaden kleiner Intimitäten zwischen ihrer Tante und ihrem Butler, nahmen plötzlich eine neue Bedeutung an. Kein Wunder, dass ihre Tante alle Hebel in Bewegung gesetzt hatte, um ihn nach Leutnant Wolffs Tod zurückzubekommen. Und genauso wenig war es ein Wunder, dass Ulysses ohne Umschweife zur Tat geschritten war. Ob man Phaedre geglaubt hätte oder nicht; die bloße Beschuldigung wäre sein Ende gewesen.

Phaedre seufzte und rieb sich das Gesicht.

»Er hat keine Zeit verloren. In derselben Nacht ist er mit Mr. Jones gekommen, und sie haben mich in eine Decke gewickelt und in einem Wagen fortgebracht. Mr. Jones hat zwar gesagt, er handelt nicht mit Sklaven, aber er tut es Mr. Ulysses zu Gefallen. Also hat er mich nicht behalten, sondern mich flussabwärts gebracht und mich in Wilmington an einen Mann verkauft, der ein Wirtshaus hatte. Das war nicht so schlimm – aber dann ist Mr. Jones ein paar Monate später wiedergekommen und hat mich zurückgeholt. Wilmington war Ulysses nicht weit genug. Also hat er mich Mr. Butler gegeben, und der hat mich nach Edenton gebracht.«

Sie senkte den Blick. Ihre Lippen waren angespannt, ihr Gesicht war schwach errötet. Brianna fragte lieber nicht, was sie in Edenton für Butler getan hatte, hielt es aber für wahrscheinlich, dass sie in einem Bordell gearbeitet hatte.

»Und … äh … Stephen Bonnet hat dich dort gefunden?«

Phaedre nickte, ohne den Kopf zu heben.

»Hat mich beim Kartenspiel gewonnen«, sagte sie knapp und stand auf. »Ich muss gehen; ich habe genug davon, mich mit schwarzen Männern anzulegen – will keine Prügel mehr von diesem Emmanuel.«

Brianna tauchte langsam aus dem Schockzustand auf, in den sie die Neuigkeit von Ulysses und ihrer Tante versetzt hatte. Plötzlich kam ihr ein Gedanke, und sie sprang aus dem Bett und beeilte sich, Phaedre zu erwischen, bevor sie die Tür erreichte.

»Warte, warte! Eines noch – weißt du – wissen die Sklaven auf River Run von dem Gold?«

»Was, im Grab des alten Masters? Sicher.« Phaedres Gesicht drückte zynische Überraschung darüber aus, dass jemand das bezweifeln konnte. »Aber niemand rührt es an. Alle wissen, dass ein Fluch darauf liegt.«

»Weißt du etwas darüber, wie es verschwunden ist?«

Phaedres Gesicht wurde ausdruckslos.

»Verschwunden?«

»Oh, warte – nein, das kannst du ja nicht wissen; du … warst ja schon lange fort, als es verschwunden ist. Ich habe mich nur gefragt, ob Ulysses vielleicht etwas damit zu tun hatte.«

Phaedre schüttelte den Kopf.

»Davon weiß ich nichts. Aber Ulysses traue ich alles zu, Fluch oder nicht.« Auf der Treppe waren schwere Schritte zu hören, und sie erbleichte. Ohne ein Wort oder eine Geste des Abschieds schlüpfte sie zur Tür hinaus und schloss sie; Brianna hörte auf der anderen Seite das hektische Klappern des Schlüssels, und dann klickte das Schloss.

Lautlos wie eine Eidechse brachte ihr Emmanuel am Nachmittag ein Kleid. Es war zu kurz und oben herum zu eng, doch es war aus schwerer blauer Seide und ordentlich genäht. Auch war es eindeutig schon getragen; es hatte Schweißflecken und es roch – nach Angst, glaubte sie und unterdrückte einen Schauer, als sie sich hineinkämpfte.

Sie schwitzte selbst, als Emmanuel sie die Treppe hinunterführte, obwohl ein angenehmer Lufthauch durch die offenen Fenster wehte und die Vorhänge hob. Der Großteil des Hauses war ziemlich schlicht, die Holzfußböden waren nackt, das Mobiliar kaum mehr als Hocker und Bettgestelle. Das Zimmer in der unteren Etage, in das Emmanuel sie jetzt führte, stand in solchem Kontrast dazu, dass es zu einem völlig anderen Haus hätte gehören können.

Prachtvolle Orientteppiche bedeckten den Fußboden. Sie überlappten sich in einem Wirrwarr von Farben, und das Mobiliar war zwar eine bunte Stilmischung, doch alle Stücke waren solide gearbeitet, mit Schnitzereien verziert und mit Seide gepolstert. Silber und Kristall glitzerten auf jeder verfügbaren Oberfläche, und ein Kronleuchter mit Kristallanhängern – der viel zu groß für das Zimmer war – überzog den Raum mit winzigen Regenbögen. Es entsprach der Vorstellung, die ein Pirat vom Zimmer eines reichen Mannes hatte – grenzenloser Überfluss, der ohne jeden Sinn für Stil oder Geschmack zur Schau gestellt war.

Den reichen Mann, der am Fenster saß, schien seine Umgebung jedoch nicht zu stören. Es war ein dünner Mensch mit einer Perücke und einem vorstehenden Adamsapfel, der Mitte dreißig zu sein schien, obwohl eine tropische Krankheit seine Haut mit Falten überzogen und gelb gefärbt hatte. Bei ihrem Eintreten warf er einen scharfen Blick zur Tür, dann erhob er sich.

Bonnet hatte den Gastgeber gemimt; auf dem Tisch standen Gläser und ein Dekanter, und die Luft war von süßem, schwerem Brandygeruch erfüllt. Brianna spürte, wie sich ihr Magen benommen regte, und fragte sich, was sie wohl tun würden, wenn sie sich auf den Teppich erbrach.

»Da bist du ja, Schätzchen«, sagte Bonnet und trat zu ihr, um sie bei der Hand zu nehmen. Sie entriss sie ihm, doch er tat so, als bemerkte er das nicht, und schob sie stattdessen auf den dünnen Mann zu, indem er ihr die Hand ins Kreuz legte. »Komm und mach deine Verbeugung vor Mr. Howard, Schätzchen.«

Sie richtete sich zu voller Größe auf – sie war gute zehn Zentimeter größer als Mr. Howard, der bei ihrem Anblick die Augen aufriss – und funkelte auf ihn hinunter.

»Ich werde gegen meinen Willen hier festgehalten, Mr. Howard. Mein Mann und mein Vater werden – au!« Bonnet hatte ihr Handgelenk gepackt und es verdreht.

»Herrlich, nicht wahr?«, sagte er im Konversationston, als hätte sie kein Wort gesagt.

»O ja. Doch, wirklich. Aber auch ziemlich *groß*…« Howard wanderte um sie herum und betrachtete sie skeptisch. »Und rotes Haar, Mr. Bonnet? Ich hab's doch lieber blond.«

»Ach, wirklich, du kleiner Pisser!«, fuhr sie ihn trotz Bonnets Umklammerung an. »Was glaubst du, wer du bist, Mister *Ich-hab's-doch-lieber-blond?*« Mit einem Ruck entriss sie Bonnet ihre Hand und baute sich vor Howard auf.

»Hört mir zu«, sagte sie, um einen vernünftigen Tonfall bemüht. Er blinzelte sie etwas verwirrt an. »Ich bin eine Frau aus guter – aus *exzellenter* Familie, und man hat mich entführt. Der Name meines Vaters ist James Fraser, mein Mann ist Roger MacKenzie, und meine Tante ist Mrs. Hector Cameron, die Besitzerin der River-Run-Plantage.«

»Ist sie wirklich aus guter Familie?« Howard, dessen Frage an Bonnet adressiert war, machte jetzt einen interessierteren Eindruck.

Zu Bestätigung verbeugte sich Bonnet leicht.

»Oh, das ist sie, Sir, in der Tat. Von bestem Blut!«

»Hmmm. Und gesund, wie ich sehe.« Howard hatte seine Betrachtung wieder aufgenommen und beugte sich zu ihr herüber, um sie aus der Nähe zu inspizieren. »Hat sie schon Nachzucht?«

»Aye, Sir, einen gesunden Sohn.«

»Gute Zähne?« Howard stellte sich mit fragender Miene auf die Zehenspitzen, und Bonnet riss ihr den Arm hinter den Rücken, damit sie still hielt, dann packte er eine Hand voll ihrer Haare und zerrte ihren Kopf zurück, so dass sie aufkeuchte.

Howard nahm ihr Kinn in die eine Hand und bohrte mit der anderen in ihrem Mundwinkel herum, um ihre Backenzähne zu untersuchen.

»Sehr schön«, sagte er beifällig. »Und ich muss sagen, sie hat gute Haut. Aber –«

Sie riss ihr Kinn aus seinem Griff und biss, so fest sie konnte, in Howards Daumen, dessen Haut sie unter ihren Zähnen verrutschen und reißen spüren konnte, so dass sie plötzlich den Kupfergeschmack seines Blutes im Mund hatte.

Er kreischte auf und schlug nach ihr; sie ließ seinen Daumen los und duckte sich zur Seite, so dass seine Hand an ihrer Wange abrutschte. Bonnet ließ sie los, und sie stolperte rasch zwei Schritte rückwärts, bis die Wand sie aufhielt.

»Sie hat mir den Daumen abgebissen, die Hure!« Mr. Howards Augen tränten vor Schmerz; er schwankte hin und her und hielt sich die verletzte Hand an die Brust. Die Wut stieg ihm ins Gesicht, und er hechtete auf sie zu und holte mit der anderen Hand aus, doch Bonnet packte ihn am Handgelenk und zog ihn beiseite.

»Aber, aber, Sir«, beschwichtigte er. »Ich kann doch nicht zulassen, dass Ihr sie beschädigt. Sie gehört Euch schließlich noch nicht.«

»Es ist mir egal, ob sie mir gehört oder nicht«, zeterte Howard mit puterrotem Gesicht. »Ich prügele sie zu Tode.«

»O nein, das meint Ihr doch sicher nicht so, Mr. Howard«, sagte Bonnet in jovialem, beruhigendem Ton. »Das wäre doch Verschwendung. Überlasst sie nur mir, ja?« Ohne eine Antwort abzuwarten, zerrte er Brianna hinter sich her, so dass sie durch das Zimmer stolperte, und schubste sie seinem schweigenden Faktotum entgegen, das während der gesamten Unterhaltung reglos an der Tür gewartet hatte.

»Bring sie hinaus, Manny, und bring ihr Manieren bei, ja? Und kneble sie, bevor du sie zurückbringst.«

Emmanuel lächelte zwar nicht, doch in den schwarzen Tiefen seiner pupillenlosen Augen schien ein schwaches Licht zu brennen. Er grub seine Finger zwischen die Knochen ihres Handgelenks, und sie keuchte vor Schmerz auf und versuchte vergeblich, sich mit einem Ruck zu befreien. Mit einer einzigen schnellen Bewegung drehte der Ibo sie um, verdrehte ihr den Arm nach hinten und beugte sie halb nach vorn. Ein scharfer Schmerz durchfuhr ihren Arm, als sie spürte, wie die Bänder in ihrer Schulter zu reißen begannen. Er zog noch fester, und eine schwarze Welle überflutete ihr Gesichtsfeld. Durch den Nebel hörte sie Bonnets Stimme, die ihnen nachrief, als Emmanuel sie durch die Tür drängte.

»Aber nicht ins Gesicht, Manny, und keine bleibenden Spuren.«

Howards Stimme hatte ihren Unterton erstickter Wut völlig verloren. Sie war zwar noch erstickt, aber eher vor Ehrfurcht.

»Mein Gott«, sagte er. »O mein Gott.«

»Ein hinreißender Anblick, nicht wahr?«, pflichtete ihm Bonnet herzlich bei.

»Hinreißend«, wiederholte Howard. »Oh – ich glaube, das Hinreißendste, was ich je gesehen habe. Diese Farbe! Dürfte ich –?« Die Gier in seiner Stimme war unüberhörbar, und Brianna spürte die Vibration seiner Schritte auf dem Teppich, bevor sich den Bruchteil einer Sekunde später seine Hände fest auf ihren Hintern legten. Sie schrie hinter dem Knebel. Doch sie hatten sie brutal über den Tisch gebeugt, dessen Kante ihr ins Zwerchfell schnitt, und das Geräusch geriet eher zu einem Grunzen.

»Oh, seht«, sagte Howard ganz verzaubert. »Seht Ihr das? Ein perfekter Abdruck meiner Hände – so weiß auf dem Rot ... Sie ist so *heiß* – oh, er verblasst. Lasst mich nur –«

Sie klemmte die Beine fest zusammen und erstarrte, als er ihre nackten Geschlechtsteile befühlte, doch dann verschwanden seine Finger, und Bonnet hatte ihr die Hand vom Hals genommen, um seinen Kunden von ihr fortzuziehen.

»Das reicht jetzt, Sir. Sie ist schließlich nicht Euer Eigentum – noch nicht.« Bonnets Ton war freundlich, aber bestimmt. Howard reagierte unmittelbar, indem er eine Summe bot, bei der ihr hinter dem Knebel die Luft wegblieb, doch Bonnet lachte nur.

»Das ist großzügig, Sir, aber es wäre doch wohl nicht fair gegenüber meinen anderen Kunden, Euer Angebot anzunehmen, ohne sie ebenfalls eines machen zu lassen, oder? Nein, Sir, ich weiß es zu schätzen, aber diese junge Dame möchte ich versteigern; ich fürchte, Ihr müsst bis dahin abwarten.«

Howard protestierte und versuchte, sein Angebot zu erhöhen – es war ihm wirklich Ernst, er bestand darauf, nicht warten zu können, von Verlangen verzehrt zu werden, viel zu brennend, um eine Verzögerung zu gestatten… Doch Bonnet ließ sich auf nichts ein und hatte ihn Sekunden später aus dem Zimmer geschoben. Brianna hörte, wie seine protestierende Stimme erstarb, als Emmanuel ihn fortbrachte.

Sie hatte sich aufgerichtet, sobald Bonnet seine Hand von ihrem Hals nahm, und sich heftig gewunden, um ihre Röcke zu Boden zu schütteln. Emmanuel hatte sie nicht nur geknebelt, sondern ihr auch die Hände auf den Rücken gebunden. Hätte er das nicht getan, hätte sie Stephen Bonnet mit bloßer Hand umgebracht.

Dieser Gedanke musste sich in ihrem Gesicht widergespiegelt haben, denn Bonnet musterte sie, sah noch einmal hin und lachte.

»Du hast deine Sache wirklich gut gemacht, Schätzchen«, lobte er, während er sich zu ihr herüberbeugte und ihr achtlos den Knebel aus dem Mund nahm. »Dieser Mann wird sein letztes Geld geben, um deinen Hintern noch einmal in die Finger zu bekommen.«

»Ihr gottverdammter – Ihr –« Sie zitterte vor Wut – und weil es so aussichtslos war, eine Beschimpfung zu finden, die auch nur annähernd kräftig genug war. »Ich werde Euch *umbringen*!«

Er lachte erneut.

»Oh, bitte, Schätzchen. Wegen eines wunden Hinterns? Betrachte es als Bezahlung – oder Anzahlung – für meinen linken Hoden.« Er stupste sie unter dem Kinn an und trat dann an den Tisch, auf dem die Dekanter standen. »Du hast dir etwas zu trinken verdient. Brandy oder Port?«

Sie ignorierte sein Angebot und versuchte, ihre Wut unter Kontrolle zu behalten. Ihre Wangen standen in Flammen, genau wie ihr entrüstetes Hinterteil.

»Wie meint Ihr das, versteigern?«, wollte sie wissen.

»Das ist doch wohl klar, Schätzchen. Das Wort kennst du sicher.« Bonnet warf ihr einen leicht belustigten Blick zu, schenkte sich einen Schuss Brandy ein und trank ihn mit zwei Schlücken leer. »Ha.« Er atmete aus, blinzelte und schüttelte den Kopf.

»Ich habe noch zwei Kunden, die an jemandem wie dir interessiert sein könnten, Schätzchen. Sie kommen morgen oder übermorgen, um dich zu begutachten. Dann werde ich ihre Angebote entgegennehmen, und ich gehe davon aus, dass du am Freitag unterwegs zu den Westindischen Inseln bist.«

Er sprach beiläufig, ohne den leisesten Hauch von Spott. Das war es, was ihr mehr als alles andere einen Schrecken einjagte. Sie war reine Geschäftssache, ein Stück Handelsware. Für ihn, und für seine gottverdammten Kunden ebenso – daran hatte Mr. Howard keinen Zweifel gelassen. Es spielte keine Rolle, was sie sagte; sie interessierten sich nicht im Geringsten dafür, wer sie war oder was sie wollte.

Bonnet beobachtete ihr Gesicht mit abschätzenden grünen Augen. *Er* interessierte sich dafür, und ihr Inneres ballte sich zu einem Knoten zusammen, als sie das begriff.

»Was hast du benutzt, Manny?«, fragte er.

»Einen Holzlöffel«, sagte der Bedienstete gleichgültig. »Ihr habt gesagt, keine Spuren.«

Bonnet nickte nachdenklich.

»Nichts Bleibendes, habe ich gesagt«, korrigierte er. »Ich denke, für Mr. Ricasoli lassen wir sie so, wie sie ist, aber Mr. Houvener ... nun, warten wir's ab.«

Emmanuel nickte nur, doch sein Blick ruhte mit plötzlichem Interesse auf Brianna. Ihr Magen kehrte spontan sein Innerstes nach außen, und sie übergab sich, bis das feine Seidenkleid rettungslos ruiniert war.

Schrilles Wiehern drang zu ihr; wilde Pferde, die über den Strand tobten. Wäre dies ein Schnulzenroman, dachte sie grimmig, würde sie sich ein Seil aus der Bettwäsche knüpfen, sich aus dem Fenster abseilen, die Pferdeherde suchen und mit Hilfe ihrer mystischen Fähigkeiten eins der Tiere dazu bringen, sie davonzutragen.

In Wirklichkeit jedoch gab es keine Bettwäsche – nur eine schäbige, mit Seegras gefüllte Matratze –, und was die Chance betraf, sich den Wildpferden auch nur auf eine Meile zu nähern ... Sie hätte eine Menge darum gegeben, Gideon hier zu haben, und spürte, wie ihr bei dem Gedanken an ihn die Tränen kamen.

»Oh, jetzt verlierst du aber echt den Verstand«, sagte sie laut und rieb sich die Augen. »Wegen eines Pferdes zu weinen. Noch dazu wegen *dieses* Pferdes.« Doch es war so viel besser, als an Roger zu denken – oder an Jem. Nein, an Jemmy durfte sie nun wirklich nicht denken, genauso wenig wie an die Möglichkeit, dass er ohne sie aufwachsen könnte, ohne zu wissen, warum sie ihn im Stich gelassen hatte. Oder an das neue Kind ... und daran, wie das Leben wohl für das Kind einer Sklavin war.

Aber sie dachte an sie, und dieser Gedanke reichte aus, um ihren Anflug von Verzweiflung zu überwinden.

Nun gut. Sie würde von hier verschwinden. Vorzugsweise bevor Mr. Ricasoli und Mr. Houvener auftauchten, wer sie auch immer waren. Zum tausendsten Mal schritt sie rastlos durch das Zimmer und zwang sich, es langsam zu tun und sich dabei anzusehen, was ihr zur Verfügung stand.

Verdammt wenig, und das, was da war, war stabil gebaut, lautete die entmutigende Antwort. Man hatte ihr etwas zu essen gegeben, Wasser zum Waschen, ein Leinenhandtuch und eine Haarbürste, um sich zurechtzumachen. Sie hob sie auf, um ihr Potential als Waffe einzuschätzen, dann warf sie sie wieder hin.

Der Schornstein verlief durch das Zimmer, das allerdings keinen offenen Kamin hatte. Sie stieß versuchsweise gegen die Ziegel und kratzte mit dem Stiel des Löffels, den man ihr zum Essen gegeben hatte, am Mörtel herum. Sie fand eine Stelle, an der der Mörtel so aufgeplatzt war, dass sie weiter kratzen konnte, doch nach einer Viertelstunde war es ihr nur gelungen, ein paar Zentimeter Mörtel zu lösen; der Ziegelstein selbst war nach wie vor unverrückbar an seinem Platz. Es war vielleicht den Versuch wert, wenn man einen Monat Zeit hatte – obwohl die Chancen, dass sich jemand von ihrer Größe durch einen Kamin aus dem achtzehnten Jahrhundert zwängte …

Es würde bald regnen; sie hörte das aufgeregte Rattern der Palmwedel im Wind, der scharf nach Regen roch. Es dauerte zwar noch eine Weile bis zum Sonnenuntergang, doch die Wolken hatten den Himmel verdunkelt, so dass das Licht im Zimmer nachließ. Sie hatte keine Kerze; niemand ging davon aus, dass sie lesen oder nähen würde.

Sie warf sich zum dutzendsten Mal mit ihrem ganzen Gewicht gegen die Gitterstäbe des Fensters, und zum dutzendsten Mal stellte sie fest, dass sie solide eingemauert und unnachgiebig waren. Im Lauf eines Monats würde sie es womöglich auch fertig bringen, das Ende des Löffelstiels anzuspitzen, indem sie ihn an den Ziegeln des Schornsteins schliff, und ihn dann als Meißel zu benutzen, um den Rahmen so weit zu bearbeiten, dass sie einen oder zwei Stäbe herausnehmen konnte. Doch sie hatte keinen Monat.

Sie hatten ihr das ruinierte Kleid abgenommen und sie in Hemd und Korsett zurückgelassen. Nun, das war wenigstens etwas. Sie zog sich das Korsett aus, löste das Ende der Naht und zog das etwa dreißig Zentimeter lange Elfenbeinstäbchen heraus, das ihr vom Brustbein bis zum Nabel reichte. Eine bessere Waffe als eine Bürste, dachte sie. Sie ging damit zum Kamin und begann, mit dem Ende über den Ziegel zu feilen, um es anzuspitzen.

Konnte sie damit auf jemanden einstechen? *O ja!*, dachte sie wütend. *Und bitte, lass es Emmanuel sein.*

108

Ganz schön groß

Roger wartete in der Nähe des Strandes im Schutz der dichten Wachsmyrten; ein Stückchen weiter lagen Ian und Jamie ebenso auf der Lauer.

Das zweite Schiff war am Morgen eingetroffen und in gebührendem Abstand von dem Sklavenschiff vor Anker gegangen. Sie hatten Netze über die

Bordwand von Roarkes Schiff geworfen und als Fischer getarnt beobachten können, wie zuerst der Kapitän des Sklavenschiffs an Land ging und dann eine Stunde später vom zweiten Schiff ein Boot zu Wasser gelassen und ans Ufer gerudert wurde, in dem sich zwei Männer – und eine kleine Truhe – befanden.

»Ein feiner Herr«, hatte Claire berichtet, die die Vorgänge durch das Teleskop verfolgte. »Perücke, gut gekleidet. Der andere ist ein Bediensteter – glaubt ihr, der Herr ist einer von Bonnets Handelspartnern?«

»Ja«, hatte Jamie gesagt, während er verfolgte, wie das Boot auf den Strand zufuhr. »Bringt uns bitte etwas weiter nach Norden, Mr. Roarke; wir gehen an Land.«

Zu dritt waren sie eine halbe Meile vom Strand entfernt gelandet und hatten sich durch den Wald vorgearbeitet. Dann hatten sie im Gebüsch Position bezogen und sich zum Warten niedergelassen. Die Sonne war heiß, doch so dicht am Strand wehte eine frische Brise, und abgesehen von den Insekten war es nicht unangenehm im Schatten. Zum hundertsten Mal strich Roger etwas beiseite, das ihm über den Hals kroch.

Das Warten machte ihn nervös. Das Salz juckte auf seiner Haut, und der Duft des Gezeitenwaldes mit seiner einmaligen Mischung aus Kiefernduft und einem Hauch von Seetang und das Knirschen der Muscheln und Nadeln unter seinen Füßen erinnerten ihn lebhaft an den Tag, an dem er Lillington umgebracht hatte.

Genau wie jetzt war er damals mit der Absicht unterwegs gewesen, Stephen Bonnet umzubringen. Doch der schwer fassbare Pirat war gewarnt worden und hatte ihnen einen Hinterhalt gelegt. Einzig dem Willen Gottes – und Jamie Frasers Geschicklichkeit – waren es zu verdanken, dass er nicht selbst als Kadaver in einem ähnlichen Wald geendet war und seine Gebeine von Wildschweinen verstreut zwischen den glänzenden Nadeln und den leeren weißen Muschelschalen bleichten.

Seine Kehle war wieder zugeschnürt, doch er konnte nicht schreien oder singen, um sie zu lockern.

Ich sollte beten, dachte er. Aber er konnte es nicht. Selbst die Litanei, die unaufhörlich in seinem Innern widergehallt hatte, seit er an jenem Abend erfahren hatte, dass sie fort war – *Herr, lass sie in Sicherheit sein* –, selbst dieses kleine Bittgebet war irgendwie versiegt. Seinen derzeitigen Gedanken – *Herr, lass mich ihn umbringen* – konnte er nicht aussprechen, nicht einmal vor sich selbst.

Die gezielte Absicht und das Verlangen, jemanden zu ermorden – er konnte wohl kaum erwarten, dass ein solches Gebet erhört wurde.

Im Moment beneidete er Jamie und Ian um ihren Glauben an Götter des Zorns und der Rache. Während Roarke und Moses das Fischerboot an Land gebracht hatten, hatte er gehört, wie Jamie Claire etwas zumurmelte und ihre Hände in die seinen nahm. Und dann hatte er gehört, wie sie ihn auf Gälisch segnete, indem sie den Erzengel Michael anrief, den Herrscher über die Domäne des Krieges, und so einen Kämpfer auf dem Weg in die Schlacht segnete.

Ian hatte lediglich im Schneidersitz dagesessen und mit verschlossener Miene beobachtet, wie das Ufer näher kam. Wenn er betete, war es nicht zu sagen, zu wem. Doch als sie landeten, war er am Ufer eines der zahllosen Kanäle stehen geblieben, hatte sich mit den Fingern etwas Schlamm genommen und sich sorgfältig das Gesicht angemalt, indem er eine Linie von der Stirn zum Kinn zog, dann vier parallele Streifen auf seiner linken Wange und einen breiten dunklen Kreis um das rechte Auge. Es war bemerkenswert enervierend.

Ganz offensichtlich hatte keiner von ihnen die geringsten Bedenken bei der Sache, und sie zögerten keine Sekunde, Gott um Hilfe bei ihren Bemühungen zu bitten. Er beneidete sie.

Und saß hartnäckig schweigend unter der verschlossenen Himmelspforte, die Hand am Griff seines Messers und eine geladene Pistole im Gürtel – und sann auf Mord.

Kurz nach Mittag kam der kräftige Kapitän des Sklavenschiffs zurück, und seine Schritte knirschten gleichgültig auf den getrockneten Kiefernnadeln. Sie ließen ihn vorbei und warteten.

Am späten Nachmittag fing es an zu regnen.

Aus reiner Langeweile war sie wieder eingenickt. Es fing an zu regnen; das Geräusch weckte sie kurz, dann versetzte es sie noch tiefer in den Schlaf, und die Tropfen prasselten sanft auf das Dach aus Palmblättern. Sie erwachte abrupt, als ihr einer dieser Tropfen kalt ins Gesicht fiel, rasch gefolgt von einer Reihe seiner Kameraden.

Sie fuhr ruckartig auf und blinzelte orientierungslos vor sich hin. Sie rieb sich das Gesicht und blickte hoch; der Putz der Decke hatte eine kleine feuchte Stelle, umringt von einem sehr viel größeren Fleck, der von früheren Lecks herrührte, und wie von Zauberhand bildeten sich in seiner Mitte Tropfen, die dann einer nach dem anderen wie perfekte Perlen auf die Matratze fielen und zerplatzten.

Sie stand auf, um das Bett unter der undichten Stelle fortzuziehen, dann hielt sie inne. Sie richtete sich langsam auf und hob die Hand an die feuchte Stelle. Die Decke hatte eine normale Höhe für diese Zeit, knapp über zwei Meter; sie konnte sie problemlos erreichen.

»Sie ist ganz schön groß«, sagte sie laut. »Da hast du, verdammt noch mal, Recht.«

Sie legte die Hand flach auf die feuchte Stelle und drückte, so fest sie konnte, dagegen. Der nasse Putz gab sofort nach, genau wie die verrotteten Latten darüber. Sie riss die Hand zurück, zerkratzte sich den Arm an den kantigen Enden der Lättchen, und eine kleine Kaskade aus schmutzigem

Wasser, Tausendfüßlern, Mäusekot und Palmblattschnitzeln ergoss sich durch das Loch, das sie produziert hatte.

Sie wischte sich die Hand an ihrem Hemd ab, packte den Rand des Lochs und zog daran, bis sie so viel von den Latten und vom Putz beseitigt hatte, dass die Lücke groß genug für ihren Kopf und ihre Schultern war.

»Okay«, flüsterte sie dem Baby zu, oder auch sich selbst. Sie sah sich im Zimmer um, zog ihr Korsett über das Hemd und steckte sich die angespitzte Elfenbeinstange vorn hinein.

Dann stellte sie sich auf das Bett, holte tief Luft, hielt die Hände über sich, als wollte sie einen Kopfsprung machen und tastete dann nach etwas, das fest genug war, um sich daran abzustoßen. Stück für Stück hievte sie sich schwitzend und ächzend auf das dampfende Dach aus scharfkantigen Blättern, die Zähne zusammengebissen und die Augen zum Schutz vor dem Schmutz und den toten Insekten geschlossen.

Ihr Kopf stieß in die feuchte Luft unter freiem Himmel vor, und sie holte keuchend Atem. Sie hatte sich mit dem Ellbogen auf einen Deckenbalken gestützt und drückte sich jetzt weiter daran ab. Ihre Beine strampelten vergeblich in der Luft, um ihr Auftrieb zu geben, und sie spürte die Überlastung ihrer Schultermuskeln, doch schiere Verzweiflung beförderte sie nach oben – das, und die albtraumhafte Vorstellung, dass Emmanuel ins Zimmer kommen und ihre untere Körperhälfte von der Decke hängen sehen könnte.

Unter einem heftigen Blätterregen schob sie sich hinaus und legte sich flach auf das regennasse Dach. Es regnete immer noch stark, und innerhalb von Sekunden war sie durch und durch nass. Ein Stückchen weiter sah sie eine Konstruktion aus dem Dach ragen und robbte vorsichtig darauf zu, indem sie – ständig in der Angst, das Dach könnte unter ihrem Gewicht nachgeben – mit Händen und Ellbogen nach den festen Deckenbalken unter der gepressten Blätterschicht suchte.

Die Konstruktion erwies sich als kleine Plattform, die auf der einen Seite ein Geländer hatte und fest auf den Balken auflag. Auf der Insel regnete es noch, doch auf dem offenen Meer war der Himmel weitenteils klar, und die untergehende Sonne in ihrem Rücken ergoss sich zwischen den verstreuten, schwarzen Wolkenstreifen in brennendem, blutigem Orange über Himmel und Wasser. Es sieht aus wie das Ende der Welt, dachte sie, und ihre Rippen drückten gegen die Schnüre ihres Korsetts.

Von diesem Aussichtspunkt auf dem Dach aus konnte sie über den Wald blicken; der Strandstreifen, den sie von ihrem Fenster aus erspäht hatte, war deutlich zu sehen – und jenseits davon zwei Schiffe, die dicht vor der Insel vor Anker lagen.

Zwei Boote lagen am Strand, allerdings in einigem Abstand voneinander – wahrscheinlich eins von jedem Schiff, dachte sie. Eins der Schiffe musste das Sklavenschiff sein, das andere gehörte wahrscheinlich Howard. Eine

Welle der Erniedrigung und Wut überspülte sie – es überraschte sie, dass der Regen nicht auf ihrer Haut verdampfte. Doch sie hatte keine Zeit, sich große Gedanken darüber zu machen.

Stimmen drangen schwach durch den prasselnden Regen, und sie duckte sich, begriff dann aber, dass es nicht sehr wahrscheinlich war, dass jemand aufblickte und sie entdeckte. Als sie den Kopf hob, um durch das Geländer zu spähen, sah sie Gestalten aus dem Wald an den Strand gehen – eine Reihe hintereinander geketteter Männer mit zwei oder drei Wächtern.

»Josh!« Sie bemühte sich angestrengt, etwas zu erkennen, doch im gespenstischen Zwielicht waren die Gestalten nicht mehr als Umrisse. Sie glaubte, die hoch gewachsenen, schlanken Gestalten der beiden Fulani-Männer auszumachen – vielleicht war der kleinere hinter ihnen Josh, doch sie konnte es nicht sagen.

Ihre Finger klammerten sich ohnmächtig um das Geländer. Sie konnte nicht helfen, das wusste sie, doch zum bloßen Zusehen gezwungen zu sein … Während sie die Prozession noch beobachtete, erscholl am Strand ein schriller Schrei, und eine kleinere Gestalt rannte mit wehenden Röcken aus dem Wald. Die Wächter drehten sich aufgeschreckt um; einer von ihnen packte Phaedre – sie musste es sein; Brianna hörte sie »Josh! Josh!« schreien, rau wie der Schrei einer fernen Möwe.

Sie kämpfte mit dem Wächter – einer der Angeketteten drehte sich abrupt um und stürzte sich auf den anderen. Ein Knoten von Männern fiel ringend in den Sand. Jemand rannte von dem Boot auf sie zu, etwas in der Hand …

Die Vibration unter ihren Füßen riss ihr Augenmerk von der Szene am Strand los.

»Mist!«, sagte sie unwillkürlich. Emmanuel steckte den Kopf über die Dachkante und starrte sie ungläubig an. Dann verzog er das Gesicht, und er hievte sich hoch – an der Hauswand musste eine Leiter montiert sein, dachte sie; natürlich, man baute sich ja keine Aussichtsplattform, zu der man keinen Zugang hatte …

Während sich ihr Verstand mit *diesem* Unsinn befasste, ergriff ihr Körper konkretere Maßnahmen. Sie hatte die angespitzte Elfenbeinstange gezogen und hockte auf der Plattform. Sie hielt die Hand niedrig, so wie Ian es ihr beigebracht hatte.

Emmanuel betrachtete den Gegenstand in ihrer Hand mit verächtlicher Miene und griff nach ihr.

Sie konnten den Herrn kommen hören, lange bevor sie ihn sahen. Er sang leise vor sich hin, irgendein französisches Liedchen. Er war allein; der Bedienstete musste zum Boot zurückgekehrt sein, während sie sich ihren Weg durch den Wald bahnten.

Roger erhob sich langsam und verharrte gebückt hinter dem Busch, den er sich ausgesucht hatte. Er war am ganzen Körper steif und räkelte sich unauffällig.

Als der Herr ihn erreichte, trat Jamie vor ihn auf den Weg. Der Mann – ein schmächtiges, geckenhaft aussehendes Kerlchen – kreischte alarmiert auf wie ein Mädchen. Doch bevor er die Flucht ergreifen konnte, hatte Jamie ihn am Arm gepackt. Dabei lächelte er freundlich.

»Euer Diener, Sir«, sagte er höflich. »Habt Ihr wohl zufällig Mr. Bonnet einen Besuch abgestattet?«

Der Mann blinzelte ihn verwirrt an.

»Bonnet? Aber, aber… ja.«

Roger spürte, wie die Enge in seiner Brust plötzlich nachließ. *Gott sei Dank*. Sie waren hier richtig.

»Wer seid Ihr, Sir«, fragte der schmächtige Mann jetzt fordernd, während er vergeblich versuchte, Jamie seinen Unterarm zu entwinden.

Sie brauchten sich jetzt nicht mehr zu verstecken; Roger und Ian traten aus dem Gebüsch, und der Herr keuchte auf, als er Ian mit seiner Kriegsbemalung erspähte. Verstört ließ er seinen Blick zwischen Jamie und Roger hin und her pendeln.

Da ihm Roger wohl der Zivilisierteste unter den Anwesenden zu sein schien, richtete sich der Herr flehend an ihn.

»Ich bitte Euch, Sir – wer seid Ihr und was wollt Ihr?«

»Wir sind auf der Suche nach einer jungen Frau, die entführt worden ist«, sagte Roger. »Ziemlich hoch gewachsen mit roten Haaren. Habt Ihr –« Bevor er seinen Satz beenden konnte, sah er, wie sich die Augen des Mannes in Panik weiteten. Jamie sah es ebenfalls und verdrehte dem Mann das Handgelenk, so dass er mit schmerzverzerrtem Mund in die Knie ging.

»Ich glaube, Sir«, sagte Jamie mit vorbildlicher Höflichkeit, ohne loszulassen, »wir müssen Euch bitten, uns zu sagen, was Ihr wisst.«

Sie konnte nicht zulassen, dass er sie zu fassen bekam. Das war ihr einziger bewusster Gedanke. Er griff nach ihrem unbewaffneten Arm, und sie riss sich los, so dass er auf ihrer regennassen Haut abrutschte, und holte im selben Zug nach ihm aus. Die Spitze des Elfenbeins rutschte an seinem Arm entlang und hinterließ eine Furche, die sich zunehmend rötete, doch er achtete nicht darauf und stürzte auf sie zu. Sie fiel rückwärts über das Geländer und landete ungeschickt auf Händen und Knien auf dem Palmdach, doch er hatte sie zumindest nicht erwischt.

Sie kroch hektisch auf die Dachkante zu, stieß ständig mit Händen und Knien durch das Dach und ließ dann die Beine über die Dachkante baumeln, panisch auf der Suche nach den Tritten der Leiter.

Er war hinter ihr, packte ihr Handgelenk mit festem Griff, zerrte sie auf das Dach zurück. Sie holte mit der freien Hand aus und zog ihm die Elfenbeinstange quer über das Gesicht. Er brüllte auf und lockerte seinen Griff; sie entwand sich seiner Hand und ließ sich fallen.

Sie landete mit einem markerschütternden Plumps auf dem Rücken im Sand und lag wie gelähmt da, unfähig zu atmen, während ihr der Regen ins Gesicht prasselte. Ein Triumphschrei kam vom Dach, gefolgt von einem bestürzten Knurren. Er dachte, er hätte sie umgebracht.

Fein, dachte sie benommen. *Glaub das ruhig weiter.* Der Schock des Aufpralls ließ langsam nach, ihr Zwerchfell setzte sich ruckartig in Bewegung, und wunderbare Luft rauschte in ihre Lungen. Konnte sie sich bewegen?

Sie wusste es nicht und traute sich auch nicht, es auszuprobieren. Durch ihre regennassen Wimpern sah sie, wie sich Emmanuels massiger Körper vom Dach herabließ und sein Fuß nach den einfachen Tritten angelte, die, wie sie jetzt sehen konnte, an die Wand genagelt waren.

Sie hatte ihre Waffe verloren, als sie stürzte, entdeckte sie aber dumpf glänzend dicht neben ihrem Kopf. Da ihr Emmanuel gerade den Rücken zukehrte, fasste sie mit einer raschen Handbewegung danach. Dann lag sie wieder still und stellte sich tot.

Sie hatten das Haus fast erreicht, als Geräusche aus dem Wald sie zum Stehen brachten. Roger erstarrte, duckte sich und verließ den Weg. Jamie und Ian waren schon mit dem Wald verschmolzen. Doch die Geräusche kamen nicht vom Weg, sondern von einer Stelle irgendwo zu ihrer Linken – Stimmen, Männerstimmen, die Befehle riefen, und das Schlurfen von Füßen, das Klirren von Ketten.

Panik durchfuhr ihn. Brachten sie sie etwa fort? Obwohl er vom Regen durchnässt war, spürte er, wie ihm am ganzen Körper der kalte Schweiß ausbrach, kälter als der Regen.

Howard, der Mann, den sie im Wald gestellt hatten, hatte ihnen versichert, dass Brianna im Haus in Sicherheit war, doch was wusste er schon? Er lauschte angestrengt auf eine Frauenstimme, und dann hörte er sie, ein schriller Aufschrei.

Er bewegte sich ruckartig darauf zu, doch Jamie war an seiner Seite und packte ihn am Arm.

»Das ist nicht Brianna«, sagte sein Schwiegervater drängend. »Ian geht nachsehen. Du und ich – ab zum Haus!«

Ihnen blieb keine Zeit zum Diskutieren. Vom Strand drangen schwach die Geräusche einer gewaltsamen Auseinandersetzung zu ihnen – Gebrüll und Aufschreie –, doch Jamie hatte Recht, es war nicht Briannas Stimme. Ian, der schon auf den Strand zurannte, gab sich jetzt keine Mühe mehr, leise zu sein.

Eine Sekunde des Zögerns, weil ihn sein Instinkt drängte, Ian zu folgen, dann war Roger wieder auf dem Weg und folgte Jamie im Laufschritt zum Haus.

Emmanuel beugte sich über sie; sie spürte ihn und fuhr auf wie eine zuschnappende Schlange, benutzte ihr angespitztes Korsettstäbchen wie einen Fangzahn. Sie hatte auf seinen Kopf gezielt und auf ein Auge oder die Kehle gehofft, mindestens aber damit gerechnet, dass er automatisch zurückfahren und damit kurz im Nachteil sein würde.

Er fuhr tatsächlich zurück, war aber viel schneller, als sie gedacht hatte. Sie stach mit aller Kraft nach ihm, und das angespitzte Stäbchen fuhr ihm unter den Arm, wo es mit einem Aufprall wie in Gummi stecken blieb. Zuerst erstarrte er und glotzte mit ungläubig geöffnetem Mund auf das Stück Elfenbein, das aus seiner Achselhöhle ragte. Dann zerrte er es heraus und stürzte sich mit heiserem Wutgebrüll auf sie.

Doch sie war schon auf den Beinen und rannte dem Wald entgegen. Irgendwo vor sich hörte sie Rufe – und einen Schrei, der ihr das Blut in den Adern gerinnen ließ. Noch einen, und dann noch mehr, die jetzt von der Vorderseite des Hauses kamen.

»Casteal DHUUUUUUIN!«

»Pa«, dachte sie völlig verblüfft, dann stolperte sie über einen Ast, fiel Hals über Kopf hin und landete als zerzauster Haufen.

Während sie sich hochkämpfte, kam ihr der absurde Gedanke: *»Das* kann *nicht gut für das Baby sein.«* Dann tauchte Emmanuel aus dem Nichts an ihrer Seite auf und grabschte mit einem schadenfrohen *»HA!«* nach ihrem Arm.

Sie schwankte vor Schreck, und die Ränder ihres Gesichtsfeldes färbten sich grau. Sie konnte immer noch schreckliche Schreie am Strand hören, doch vor dem Haus rief niemand mehr. Emmanuel sagte etwas, voll drohender Genugtuung, doch sie hörte ihm nicht zu.

Irgendetwas schien mit seinem Gesicht nicht zu stimmen; es wurde abwechselnd unscharf und wieder scharf, und sie kniff die Augen fest zusammen, um wieder klar zu sehen. Doch es lag nicht an ihren Augen – es lag an ihm. Sein Gesicht verschmolz langsam von drohend gefletschten Zähnen zu einer Miene schwachen Erstaunens. Er runzelte die Stirn und spitzte die Lippen, so dass sie seine rosa Mundschleimhaut sehen konnte, und blinzelte zwei- oder dreimal. Dann stieß er ein kleines, ersticktes Geräusch aus, hob die Hand an seine Brust und sank auf die Knie, ohne ihren Arm loszulassen.

Er fiel um, und sie landete auf ihm. Sie wich zurück – seine Finger lösten sich problemlos, denn alle Kraft war unvermittelt aus ihnen gewichen – und erhob sich stolpernd. Sie zitterte und keuchte.

Emmanuel lag auf dem Rücken und hatte die Beine in einem Winkel unter sich liegen, der furchtbar schmerzhaft gewesen wäre, wenn er noch gelebt hätte. Sie schnappte zitternd nach Luft und wagte kaum, es zu glauben. Doch er *war* tot; da gab es keinen Zweifel.

Das Atmen fiel ihr jetzt leichter, und sie begann, die Schürfwunden und

Prellungen an ihren nackten Füßen zu spüren. Sie war immer noch wie gelähmt, und es fiel ihr schwer zu entscheiden, was sie jetzt tun sollte.

Die Entscheidung wurde ihr im nächsten Moment abgenommen, als Stephen Bonnet durch den Wald auf sie zugeschossen kam.

Sie war mit einem Ruck hellwach und machte auf dem Absatz kehrt. Sie kam nicht weiter als sechs Schritte, dann legte er ihr einen Arm um die Kehle und riss sie an sich.

»Schön leise, Schätzchen«, sagte er ihr atemlos ins Ohr. Er war heiß, und seine Bartstoppeln kratzten ihr über die Wange. »Ich werde dir nichts tun. Ich werde dich am Strand zurücklassen. Aber im Moment bist du das Einzige, was ich habe, das deine Männer davon abhalten wird, mich umzubringen.«

Er würdigte Emmanuels Leiche keines Blickes. Sein schwerer Arm ließ von ihrer Kehle ab, und er packte sie am Arm und versuchte, sie in die dem Strand entgegengesetzte Richtung zu zerren. Offenbar hatte er vor, den verborgenen Kanal an der anderen Seite der Insel anzusteuern, wo sie tags zuvor gelandet waren. »Los, Schätzchen. Schnell.«

»Loslassen!« Sie stemmte ihre Füße fest auf den Boden und riss an dem Arm, den er in der Mangel hatte. »Ich gehe nirgendwo mit Euch hin. HILFE!«, kreischte sie, so laut sie konnte. »HILFE! ROGER!«

Er sah erschrocken aus und hob den freien Arm, um sich den strömenden Regen aus den Augen zu wischen. Er hatte etwas in der Hand; das letzte Licht glänzte orangefarben auf Glas. Himmel, er hatte seinen Testikel dabei.

»Brianna! Brianna! Wo bist du?« Rogers Stimme, panisch, und bei ihrem Klang durchfuhr sie ein Adrenalinstoß, der ihr die Kraft gab, Bonnet ihren Arm zu entreißen.

»Hier! Hier bin ich! Roger!«, schrie sie aus vollem Hals.

Bonnet sah hinter sich; das Gebüsch bewegte sich, und mindestens zwei Männer hechteten auf sie zu. Er verlor keine Zeit, sondern schoss in den Wald, bückte sich, um einem Ast auszuweichen, und war fort.

Im nächsten Moment kam Roger aus dem Unterholz geschossen und packte sie, um sie an sich zu drücken.

»Fehlt dir etwas? Hat er dir etwas angetan?« Er hatte sein Messer fallen gelassen und hielt sie an den Armen fest, während er versuchte, mit den Augen überall gleichzeitig zu sein – in ihrem Gesicht, auf ihrem Körper, in ihren Augen …

»Ich habe nichts«, sagte sie, und ihr wurde schwindelig. »Roger, ich bin –«

»Wo ist er hin?« Das war ihr Vater, tropfnass und grimmig wie der Tod, den Dolch in der Hand.

»Da –« Sie drehte sich, um in die Richtung zu zeigen, doch er war schon fort und rannte Bonnet nach wie ein Wolf. Jetzt sah auch sie Bonnets Spuren, seine deutlichen Fußabdrücke im Sand. Bevor sie sich wieder umdrehen konnte, war Roger ihm gefolgt.

»Warte!«, kreischte sie, doch es kam keine Antwort außer dem Rascheln achtlos rennender Körper im Gebüsch, das sich rapide entfernte.

Sie stand ein paar Sekunden still und ließ den Kopf hängen, während sie atmete. Der Regen sammelte sich in den Höhlen von Emmanuels offenen Augen; das orange Licht glühte darin, so dass sie aussahen wie die Augen eines japanischen Filmmonsters.

Dieser Gedanke ging ihr planlos durch den Kopf, dann verschwand er, und sie blieb betäubt und leer zurück. Sie war sich nicht sicher, was sie jetzt tun sollte. Vom Strand kamen keine Geräusche mehr; der Lärm von Bonnets Flucht war längst verklungen.

Es fiel immer noch Regen, doch das letzte Sonnenlicht schien durch den Wald, und die langen, fast horizontalen Strahlen füllten die Zwischenräume der Schatten mit einem seltsamen, unsteten Licht, das vor ihren Augen zu flackern schien, als sei die Welt um sie herum im Begriff zu verschwinden.

Mitten darin sah sie wie im Traum die Frauen auftauchen, die Fulani-Zwillinge. Sie wandten ihr die identischen Rehkitzgesichter mit den riesigen, schwarzen, angsterfüllten Augen zu und rannten in den Wald. Brianna rief ihnen nach, doch sie verschwanden. Von unaussprechlicher Müdigkeit erfüllt, stapfte sie ihnen hinterher.

Sie fand sie nicht. Es gab auch keine Spur von sonst jemandem. Das Licht begann zu schwinden, und sie wandte sich humpelnd zum Haus zurück. Ihr tat alles weh, und in ihr regte sich die Vorstellung, dass es niemanden mehr auf der Welt gab außer ihr. Nichts als das sinkende Licht, das mit jedem Moment mehr zu Dunkelheit wurde.

Dann fiel ihr das Baby in ihrem Bauch ein, und sie fühlte sich besser. Egal, was geschah, sie war nicht allein. Dennoch machte sie einen weiten Bogen um die Stelle, von der sie glaubte, dass dort Emmanuels Leiche lag. Sie hatte im Kreis zurück zum Haus gehen wollen, lief aber zu weit. Als sie ihren Fehler bemerkte und sich umwandte, sah sie sie plötzlich am anderen Bachufer zusammen im Schutz der Bäume stehen.

Die Wildpferde, so gelassen wie die Bäume ringsum, mit nassen, glänzenden Flanken in Braun und Rot und Schwarz. Sie hoben die Köpfe, weil sie sie witterten, liefen aber nicht fort, sondern standen nur da und betrachteten sie mit großen, sanften Augen.

Als sie das Haus wieder erreichte, hatte es aufgehört zu regnen. Ian saß auf der Eingangstreppe und drückte sich das Wasser aus den langen Haaren.

»Du hast Schlamm im Gesicht, Ian«, sagte sie und ließ sich neben ihm niedersinken.

»Ach ja?«, sagte er mit einem angedeuteten Lächeln. »Wie geht es denn, Cousinchen?«

»Oh. Ich … ich glaube, mir fehlt nichts. Was –?« Sie zeigte auf sein Hemd, das mit verwässertem Blut befleckt war. Er schien einen Hieb ins Gesicht bekommen zu haben; neben den Schlammflecken war seine Nase aufgequollen; er hatte eine Schwellung über der Augenbraue, und seine Kleider waren nicht nur nass, sondern auch zerrissen.

Er holte tief, tief Luft und seufzte, als wäre er genau so müde wie sie.

»Die kleine Schwarze habe ich wieder«, sagte er. »Phaedre.«

Das durchdrang die traumähnliche Fugenmusik in ihrem Kopf, wenn auch nur schwach.

»Phaedre«, sagte sie, und es fühlte sich an wie der Name eines Menschen, mit dem sie vor langer Zeit einmal bekannt gewesen war. »Geht es ihr gut? Wo –«

»Da drinnen.« Ian wies kopfnickend hinter sich zum Haus, und ihr kam zu Bewusstsein, dass das, was sie für Meeresrauschen gehalten hatte, in Wirklichkeit Weinen war, die kleinen Schluchzer eines Menschen, der schon bis zur Erschöpfung geweint hat, aber nicht aufhören kann.

»Nein, lass sie lieber allein, Cousinchen.« Ians Hand auf ihrem Arm hielt sie davon ab aufzustehen. »Du kannst ihr nicht helfen.«

»Aber –«

Er unterbrach sie und griff in sein Hemd. Er nahm sich einen mitgenommenen Rosenkranz vom Hals und reichte ihn ihr.

»Vielleicht möchte sie ihn haben – später. Ich habe ihn im Sand aufgelesen, nachdem das Schiff … abgefahren war.«

Zum ersten Mal seit ihrer Flucht war die Übelkeit wieder da; ein Schwindelgefühl, das sie in die Finsternis zu ziehen drohte.

»Josh«, flüsterte sie. Ian nickte schweigend, obwohl es keine Frage gewesen war.

»Tut mir Leid, Cousinchen«, sagte er ganz leise.

Es war schon fast dunkel, als Roger am Waldrand auftauchte. Sie hatte sich keine Sorgen gemacht, aber nur, weil ihr Schock zu tief saß, als dass sie auch nur einen Gedanken für das übrig gehabt hätte, was um sie herum geschah. Doch bei seinem Anblick war sie sofort auf den Beinen und flog auf ihn zu. All die Ängste, die sie unterdrückt hatte, brachen endlich in Tränen heraus, die ihr wie der Regen über das Gesicht liefen.

»Pa«, sagte sie erstickt und schluchzte in sein nasses Hemd. »Er ist – ist er –«

»Ihm fehlt nichts. Brianna – kannst du mit mir kommen? Bist du kräftig genug – nur kurz?«

Sie schluckte und wischte sich die Nase an ihrem nassen Hemdsärmel ab, dann nickte sie und humpelte auf seinen Arm gestützt in die Dunkelheit unter den Bäumen.

Bonnet lag mit zur Seite hängendem Kopf an einen Baum gelehnt. Er hatte

Blut im Gesicht, das ihm über das Hemd lief. Sie empfand keinen Triumph bei seinem Anblick; nur unendlich erschöpften Ekel.

Ihr Vater stand schweigend unter demselben Baum. Als er sie sah, trat er vor und nahm sie wortlos in die Arme. Sie schloss für einen seligen Moment die Augen und wünschte sich nur noch, alles hinter sich zu lassen, von ihm aufgehoben zu werden wie ein Kind und nach Hause getragen zu werden. Doch es gab einen Grund, warum sie sie hergeholt hatten; mit immenser Mühe hob sie den Kopf und sah Bonnet an.

Erwarteten sie etwa Glückwünsche?, fragte sie sich benommen. Doch dann fiel ihr wieder ein, was Roger ihr erzählt hatte, als er ihr beschrieben hatte, wie ihr Vater ihre Mutter über den Schauplatz des Gemetzels führte und sie zum Hinsehen zwang, damit sie wusste, dass ihre Folterer tot waren.

»Okay«, sagte sie und schwankte sacht. »Ich meine, gut. Ich – ich sehe es. Er ist tot.«

»Tja … nein. Das ist er nicht.« Rogers Stimme hatte einen seltsam angestrengten Unterton, und er hustete und warf ihrem Vater einen vernichtenden Blick zu.

»Wünschst du dir seinen Tod, Brianna?« Ihr Vater berührte sie sanft an der Schulter. »Es ist dein gutes Recht.«

»Ob ich –« Sie blickte wild vom einen der ernsten, finsteren Gesichter zum anderen, dann zu Bonnet und begriff erst jetzt, dass ihm das Blut über das Gesicht *lief*. Tote, das hatte ihre Mutter ihr schon oft erklärt, Tote bluten nicht.

Sie hatten Bonnet gefunden, sagte Jamie, ihn gestellt wie einen Fuchs und sich über ihn hergemacht. Es war ein böser Kampf gewesen, aus nächster Nähe und mit Messern, weil ihre Pistolen durch die Nässe nutzlos waren. Bonnet, der gewusst hatte, dass er um sein Leben kämpfte, hatte sich brutal gewehrt – Jamies Rockschulter hatte einen rot durchtränkten Schlitz, Roger hatte einen Kratzer am Hals, wo ihm eine Messerklinge um Haaresbreite die Schlagader durchtrennt hätte. Doch Bonnet hatte gekämpft, um zu entkommen, nicht, um zu töten – er war in eine Lücke zwischen den Bäumen zurückgewichen, in die ihm nur ein Mann folgen konnte, und dort hatte er mit Jamie gekämpft, ihn abgeschüttelt und die Flucht ergriffen.

Roger war ihm nachgejagt, hatte sich vor Adrenalin kochend auf den Piraten gestürzt und ihn mit dem Kopf zuerst gegen den Baum gerammt, an dem er jetzt lehnte.

»Und da liegt er nun«, sagte Jamie mit einem trostlosen Blick auf Bonnet. »Ich hatte gehofft, er hätte sich das Genick gebrochen, aber so ist es leider nicht.«

»Aber er ist bewusstlos«, sagte Roger und schluckte.

Sie verstand, und in ihrer gegenwärtigen Stimmung konnte sie diesen Männer-Ehrentick gut nachvollziehen. Einen Mann in einem fairen Kampf zu töten – oder sogar in einem unfairen Kampf – war eine Sache; ihm die

Kehle durchzuschneiden, während er einem bewusstlos zu Füßen lag, eine andere.

Doch sie hatte es falsch verstanden. Ihr Vater wischte seinen Dolch an seiner Hose ab und reichte ihn ihr mit dem Knauf zuerst.

»Was … ich?« Sie war zu schockiert, um auch nur erstaunt zu sein. Das Messer lag schwer in ihrer Hand.

»Wenn du es möchtest«, sagte ihr Vater ernst und zuvorkommend. »Wenn nicht, werden Roger Mac oder ich es tun. Aber es liegt bei dir, *a nighean.*«

Jetzt verstand sie Rogers Blick – sie hatten sich deswegen gestritten, bevor er sie holen kam. Und sie verstand haargenau, warum ihr Vater ihr die Wahl ließ. Ob Rache oder Vergebung, das Leben des Mannes lag in ihrer Hand. Sie holte tief Luft, und das Bewusstsein, dass es nicht Rache sein würde, überkam sie gemeinsam mit einer Art Erleichterung.

»Brianna«, sagte Roger leise und berührte sie am Arm. »Sag nur ein Wort, wenn du willst, dass er stirbt; ich tue es.«

Sie nickte und holte tief Luft. Sie konnte das wilde Sehnen in seiner Stimme hören – genau wie er. Doch in ihrer Erinnerung hörte sie auch den erstickten Klang seiner Stimme, als er ihr erzählt hatte, wie er Boble umgebracht hatte – als er in Schweiß gebadet aufwachte, weil er davon geträumt hatte.

Sie warf einen Blick auf das Gesicht ihres Vaters, das beinahe ganz im Schatten versank. Ihre Mutter hatte ihr nur ganz wenig von den brutalen Träumen erzählt, die ihn seit Culloden heimsuchten – doch das Wenige reichte. Sie konnte ihren Vater kaum darum bitten, es zu tun – und Roger das zu ersparen, was ihn selbst quälte.

Jamie hob den Kopf, weil er ihre Augen auf sich spürte, und erwiderte ihren Blick geradeheraus. Jamie hatte noch nie einem Kampf den Rücken gekehrt, den er als den seinen betrachtete – doch dies war nicht sein Kampf, das wusste er. Plötzlich wurde ihr noch etwas bewusst; es war auch nicht Rogers Kampf, obwohl er ihr diese Last mit Freuden von der Schulter nehmen würde.

»Wenn ihr – wenn *wir* – wenn wir ihn nicht hier und jetzt töten –« Ihre Brust war zugeschnürt, und sie hielt inne, um Luft zu holen. »Was tun wir dann mit ihm?«

»Ihn nach Wilmington bringen«, sagte ihr Vater nüchtern. »Dort gibt es ein tatkräftiges Komitee für die Sicherheit, und sie wissen, dass er ein Pirat ist; sie werden nach dem Gesetz mit ihm verfahren – oder nach dem, was zurzeit für das Gesetz durchgeht.«

Sie würden ihn hängen; er würde genauso tot sein – doch sein Blut würde nicht an Rogers Händen kleben oder ihm das Herz vergiften.

Das Licht war verschwunden. Bonnet war nicht mehr als ein massiger Umriss, dunkel auf dem sandigen Boden. Vielleicht würde er ja an seinen Verletzungen sterben, dachte sie und hoffte es im Stillen – es würde ihnen

Ärger ersparen. Doch wenn sie ihn zu ihrer Mutter brachten, würde sich Claire zu dem Versuch verpflichtet fühlen, ihn zu retten. *Sie* kehrte auch keinem Kampf den Rücken, der der ihre war, dachte Brianna ironisch und war überrascht zu spüren, dass ihr bei diesem Gedanken ein wenig leichter ums Herz wurde.

»Dann lasst ihn leben, damit er hängen kann«, sagte sie leise und berührte Rogers Arm. »Nicht um seinetwillen. Und auch nicht um deinet- oder meinetwillen. Sondern für dein Baby.«

Eine Sekunde lang bedauerte sie, dass sie es ihm jetzt erzählt hatte, im Dunkel des nächtlichen Waldes. Sie hätte so gern sein Gesicht gesehen.

109

Was man schwarz auf weiß in der Zeitung liest

Aus dem *L'Oignon – Intelligencer, 25. September* 1775

EINE KÖNIGLICHE PROKLAMATION

Am 23sten August erging in London eine Königliche Proklamation, in welcher Seine Majestät, König George III., die amerikanischen Kolonien offiziell für »im Zustand offener Rebellion« befindlich erklärt.

»AUS EIGENER KRAFT DIE VERURTEILUNG ZUM TODE ODER ZUR KRIECHERISCHEN UNTERWERFUNG DURCH DAS MINISTERIUM ABZUWENDEN«

Der Kontinentalkongress in Philadelphia hat jetzt Lord Norths inakzeptable Vorschläge verworfen, die der Versöhnung dienlich sein sollten. Die Delegierten dieses Kongresses beharren einhellig auf dem Recht der amerikanischen Kolonien, Rücklagen anzulegen und bei ihrer Verteilung mitreden zu können. Ein Auszug aus der Erklärung der Delegierten: »Da das britische Ministerium mit Waffengewalt und großer Grausamkeit seine Zwecke verfolgt und auf Feindseligkeiten reagiert hat, wird sich die Welt einreden lassen, dass wir unvernünftig handeln, oder sie wird nach einiger Überlegung zu dem Glauben kommen, dass uns keine andere Wahl bleibt, als aus eigener Kraft die Verurteilung zum Tode oder zur kriecherischen Unterwerfung durch das Ministerium abzuwenden?«

EIN FALKE SCHLÄGT ZU, WIRD ABER UM SEINE BEUTE GEBRACHT

Am 9ten August machte die HMS Falcon unter dem Kommando von Kapitän John Linzee Jagd auf zwei amerikanische Schoner, die auf dem Rückweg von den Westindischen Inseln nach Salem, Massachusetts, waren. Einer der Schoner wurde durch Kapitän Linzee aufgebracht, welcher den anderen dann in den Hafen von Gloucester verfolgte. Truppen am Ufer feuerten auf die Falcon, die das Feuer erwiderte, dann aber zum Rückzug gezwungen war und beide Schoner, zwei Barkassen und fünfunddreißig Mann verlor.

BERÜCHTIGTER PIRAT VERURTEILT

Einem gewissen Stephen Bonnet, bekannt als Pirat und gemeiner Schmuggler, wurde vor dem Komitee für die Sicherheit in Wilmington der Prozess gemacht, und nachdem eine Reihe von Personen seine Verbrechen bezeugen konnten, wurde er ihrer für schuldig befunden und zum Tod durch Ertränken verurteilt.

ES WIRD ALARM GESCHLAGEN

in Bezug auf umherziehende Negerbanden, die eine Anzahl Farmen in der Gegend von Wilmington und Brunswick überfallen haben. Unbewaffnet mit Ausnahme von Knüppeln, haben die Halunken Vieh, Lebensmittel und vier Fässer Rum gestohlen.

KONGRESS SCHMIEDET PLÄNE ZUR DECKUNG DER WÄHRUNG

Zwei Millionen spanische Dollar in Kreditnoten laufen gerade aus den Pressen, und der Kongress hat eine weitere Million autorisiert und einen Plan zur Deckung dieser Währung angekündigt, nämlich dass jede Kolonie die Verantwortung für ihren Anteil der Schuld übernehmen und sie in vier Raten einlösen muss, zahlbar am letzten Tag des Monats November in den Jahren 1779, 1780, 1781 und 1782…

110

Der Geruch von Licht

Phaedre nach River Run zurückzubringen war undenkbar, obwohl sie auf dem Papier nach wie vor Duncan Innes' Eigentum war. Wir hatten eingehend darüber gesprochen und waren zu dem Entschluss gekommen, Jocasta nicht zu sagen, dass wir ihre Sklavin wiedergefunden hatten, obwohl wir Ian, als er Jemmy abholen ging, einen kurzen Brief mitgaben, in dem wir ihr mitteilten, dass Brianna unversehrt zurück war und wir den Verlust Joshuas bedauerten – dabei allerdings einen Großteil der Einzelheiten ausließen.

»Sollen wir ihnen von Neil Forbes erzählen?«, hatte ich gefragt, doch Jamie hatte den Kopf geschüttelt.

»Forbes wird nie wieder einem Mitglied meiner Familie zu nahe treten«, sagte Jamie endgültig. »Und wenn wir es meiner Tante oder Duncan erzählen… ich glaube, Duncan hat genug Ärger am Hals; er würde sich verpflichtet fühlen, sich mit Forbes anzulegen, und das ist eine Auseinandersetzung, die er gerade jetzt nicht brauchen kann. Und was meine Tante angeht…« Er beendete den Satz nicht, doch seine trostlose Miene sprach Bände. Die MacKenzies aus Leoch waren ein rachsüchtiger Haufen, und wir trauten es seiner Tante beide zu, dass sie Neil Forbes zum Abendessen einlud und ihn vergiftete. »Immer vorausgesetzt, dass Neil Forbes überhaupt noch Einladungen entgegennimmt«, scherzte ich beklommen. »Weißt du, was Ian mit dem… äh…?«

»Er hat gesagt, er würde es an seinen Hund verfüttern«, erwiderte Jamie nachdenklich. »Aber ich weiß nicht, ob er das ernst gemeint hat oder nicht.«

Phaedre war zutiefst schockiert gewesen, sowohl durch ihre Erlebnisse als auch durch den Verlust Joshuas, und Brianna beharrte darauf, dass wir sie mit nach Fraser's Ridge brachten, damit sie sich erholen konnte, bis wir einen guten Platz für sie fanden.

»Wir müssen Tante Jocasta dazu bringen, sie freizulassen«, hatte Brianna eingewandt.

»Ich glaube nicht, dass das schwierig sein wird«, hatte Jamie ihr mit einem gewissen Ingrimm versichert. »Wenn man nicht weiß, was wir wissen. Aber warte noch etwas, bis wir einen Platz für sie finden – dann kümmere ich mich darum.«

Doch dann erledigte sich die ganze Angelegenheit mit verblüffender Abruptheit von selbst.

Eines Oktobernachmittags öffnete ich die Tür, weil es geklopft hatte, und sah drei erschöpfte Pferde und ein Packmuli auf dem Hof stehen. Jocasta, Duncan und der schwarze Butler warteten vor der Tür.

Ihr Anblick passte so gar nicht hierher, dass ich einfach nur dastand und sie angaffte, bis Jocasta schneidend sagte: »Was ist, willst du uns hier stehen lassen, bis wir uns aufgelöst haben wie der Zucker in einer Teetasse?«

Es regnete tatsächlich ziemlich stark, und ich trat so hastig zurück, dass ich auf Adsos Pfote landete. Er stieß ein durchdringendes Jaulen aus, so dass Jamie aus seinem Studierzimmer kam, Mrs. Bug und Amy aus der Küche – und Phaedre aus dem Sprechzimmer, wo sie für mich Kräuter zerstampft hatte.

»Phaedre!« Duncan klappte der Kiefer herunter, und er trat zwei Schritte auf sie zu. Kurz bevor er sie in die Arme nahm, hielt er abrupt inne, doch Freude überzog sein Gesicht.

»Phaedre?«, sagte Jocasta, die durch und durch erstaunt klang. Ihr Gesicht hatte vor Schreck jeden Ausdruck verloren.

Ulysses sagte nichts, doch in *seinem* Gesicht zeigte sich nacktes Entsetzen. Innerhalb einer Sekunde war es wieder verschwunden und seiner üblichen Miene gestrenger Würde gewichen, doch ich hatte es gesehen – und behielt ihn im Lauf des folgenden Durcheinanders aus Ausrufen und Peinlichkeiten genau im Blick.

Schließlich konnte ich sie alle aus dem Eingangsflur hinaus befördern. Jocasta erlitt eine diplomatische Kopfschmerzattacke – obwohl ich angesichts ihres angespannten Gesichts das Gefühl hatte, dass diese nicht nur vorgetäuscht war – und wurde von Amy nach oben begleitet und mit einer kalten Kompresse zu Bett gebracht. Phaedre verschwand mit angsterfülltem Gesicht, sicher, um sich in Briannas Hütte zu flüchten und ihr alles über die unerwarteten Ankömmlinge zu erzählen – was noch drei Köpfe mehr beim Abendessen bedeutete.

Ulysses kümmerte sich um die Pferde, so dass Duncan endlich die Gelegenheit fand, Jamie alles allein zu erklären.

»Wir emigrieren nach Kanada«, sagte er. Er schloss die Augen und atmete das Aroma aus dem Whiskyglas in seiner Hand ein, als sei es Riechsalz. Er sah aus, als könnte er genau das brauchen; er war hager, und sein Gesicht war fast genau so grau wie sein Haar.

»Kanada?«, sagte Jamie genauso überrascht, wie ich es war. »Um Himmels willen, Duncan, was hast du denn getan?«

Duncan lächelte erschöpft und öffnete die Augen.

»Es ist eher das, was ich nicht getan habe, *Mac Dubh*«, sagte er. Brianna hatte uns vom Verschwinden des geheimen Goldvorrats erzählt und auch etwas davon erwähnt, dass Duncan mit Lord Dunsmore in Virginia in Verhandlungen stand, konnte aber nichts Genaues sagen … verständlicherweise, da sie wenige Stunden, nachdem sie es gehört hatte, entführt worden war und daher keine Einzelheiten wusste.

»Ich hätte nie geglaubt, dass es so weit kommen würde – oder so schnell«, sagte er und schüttelte den Kopf. Die Loyalisten im Vorgebirge waren plötzlich von einer Mehrheit zur bedrohten und verängstigten Minderheit geworden. Einige waren buchstäblich aus ihren Häusern verjagt worden und hatten sich in die Sümpfe und Wälder geflüchtet; andere hatten Prügel bezogen und üble Verletzungen erlitten.

»Sogar Farquard Campbell«, sagte Duncan und rieb sich müde das Gesicht. »Das Komitee für die Sicherheit hat ihn vor sich zitiert, ihn der Loyalität gegenüber der Krone bezichtigt und mit der Konfiszierung seiner Plantage gedroht. Er hat eine große Summe als Kaution hinterlegt, und sie haben ihn gehen lassen – aber es war knapp.«

Knapp genug, um Duncan in Angst und Schrecken zu versetzen. Das Debakel mit den versprochenen Gewehren hatte ihm jeden Einfluss bei den ortsansässigen Loyalisten geraubt, und er war vollständig isoliert gewesen, schutzlos gegenüber der nächsten Welle von Feindseligkeiten – die jeder Idiot von weitem kommen sehen konnte.

Daher hatte er schnell reagiert und River Run zu einem anständigen Preis verkauft, bevor das Gut beschlagnahmt wurde. Ein oder zwei Lagerhäuser am Fluss und ein paar andere Besitztümer hatte er behalten, doch die Plantage, das Vieh und die Sklaven hatte er ebenfalls verkauft und den Vorschlag gemacht, sofort mit seiner Frau nach Kanada zu ziehen, wie es viele andere Loyalisten auch taten.

»Hamish MacKenzie ist ja auch dort«, erklärte er. »Er und einige andere aus Leoch haben sich in Neuschottland niedergelassen, als sie Schottland in der Folge von Culloden verlassen haben. Er ist Jocastas Neffe, und Geld haben wir genug –« Er warf einen vagen Blick in den Flur, wo Ulysses die Satteltaschen deponiert hatte. »Er wird uns helfen, etwas zu finden.«

Er lächelte schief.

»Und wenn das alles nicht gut geht … nun, man sagt ja, dort lässt es sich gut fischen.«

Jamie lächelte über den müden Witz und schenkte ihm Whisky nach, doch als er vor dem Abendessen zu mir in das Sprechzimmer kam, schüttelte er den Kopf.

»Sie wollen auf dem Landweg nach Virginia und von dort mit etwas Glück nach Neuschottland. Vielleicht schaffen sie es in Newport News; es ist ein kleiner Hafen, und die britische Blockade ist dort nicht sehr dicht – hofft Duncan.«

»Oje.« Es würde eine kräftezehrende Reise werden – und Jocasta war nicht mehr jung. Und der Zustand ihres Auges … Angesichts der Dinge, die wir in jüngster Zeit erfahren hatten, war mir Jocasta alles andere als sympathisch, doch die Vorstellung, dass sie ihrem Heim entrissen und zur Emigration gezwungen wurde, während sie grausame Schmerzen litt – nun, man konnte auf den Gedanken kommen, dass es doch so etwas wie göttliche Vergeltung gab.

Ich senkte meine Stimme und sah hinter mich, um mich zu vergewissern, dass Duncan tatsächlich nach oben gegangen war. »Was ist mit Ulysses? Und Phaedre?«

Jamie presste die Lippen fest aufeinander.

»Ah. Nun, was das Mädchen angeht – ich habe Duncan gebeten, sie mir zu verkaufen. Ich werde sie freilassen, so schnell ich kann; vielleicht schicke ich sie nach New Bern zu Fergus. Er war sofort einverstanden und hat mir auf der Stelle eine Kaufurkunde geschrieben.« Er wies in Richtung seines Studierzimmers. »Was Ulysses betrifft…« Sein Gesicht war grimmig. »Ich glaube, diese Angelegenheit wird sich von selbst regeln, Sassenach.«

Mrs. Bug kam durch den Flur gerauscht, um zu verkünden, dass das Essen auf dem Tisch stand, und ich kam nicht dazu, ihn zu fragen, was er mit dieser Bemerkung meinte.

Ich drückte die Kompresse mit Zaubernuss und Piment aus und legte sie Jocasta sanft über die Augen. Gegen die Schmerzen hatte ich ihr schon Weidenrindentee gegeben, und die Kompresse konnte nichts an dem Glaukom ändern – doch sie würde ihr zumindest ein wenig gut tun, und es war sowohl für den Patienten als auch für den Arzt eine Erleichterung, irgendetwas anbieten zu können, und wenn es nur einen Hauch von Linderung brachte.

»Würdest du einen Blick in meine Satteltaschen werfen, Claire?«, fragte sie und reckte sich ein wenig, um sich bequemer hinzulegen. »Es ist eine kleine Packung mit einem Kraut darin, das dich vielleicht interessiert.«

Ich fand es sofort – mit dem Geruchssinn.

»Woher in aller Welt habt Ihr das?«, fragte ich halb belustigt.

»Farquard Campbell«, erwiderte sie ungerührt. »Als du mir gesagt hast, was mit meinen Augen ist, habe ich Fentiman gefragt, ob ihm etwas bekannt sei, was helfen könnte, und er hat mir gesagt, er habe irgendwo gehört, dass Hanf vielleicht helfen könne. Farquard Campbell baut ein Feld damit an, also habe ich mir gedacht, ich könnte es genauso gut versuchen. Würdest du es mir bitte in die Hand geben, Nichte?«

Fasziniert legte ich den Hanf und den kleinen Stapel Papierblättchen neben ihr auf den Tisch und führte ihre Hand dorthin. Vorsichtig, damit die Kompresse nicht herunterfiel, drehte sie sich zur Seite, nahm etwas von dem duftenden Kraut zwischen zwei Finger, streute es in die Mitte des Blättchens und rollte sich einen Joint, wie ich ihn in Boston auch nicht besser gesehen hatte.

Kommentarlos hielt ich ihr die Kerzenflamme hin, um ihn anzuzünden, und sie ließ sich auf das Kissen zurücksinken und zog den Rauch mit geweiteten Nasenlöchern tief ein.

Sie rauchte eine Weile wortlos vor sich hin, und ich beschäftigte mich damit aufzuräumen. Ich wollte sie nicht allein lassen, weil ich befürchtete, dass sie einschlafen und das Bett anzünden könnte – sie war unübersehbar erschöpft und entspannte sich mit jeder Minute mehr.

Der durchdringende, berauschende Geruch des Rauchs brachte mir sofort bruchstückhafte Erinnerungen zurück. Mehrere der jüngeren Medizinstudenten hatten am Wochenende Hasch geraucht und brachten den Geruch an den Kleidern mit ins Krankenhaus. Manchmal rochen die Leute, die in die Notaufnahme kamen, danach. Hin und wieder hatte ich einen schwachen Hauch davon an Brianna wahrgenommen – aber nie Fragen gestellt.

Ich hatte es selbst nie ausprobiert, empfand den Duft des Rauchs jetzt aber als sehr beruhigend. Viel *zu* beruhigend, so dass ich mich ans Fenster setzte, das einen Spalt offen stand, um frische Luft einzulassen.

Es hatte den ganzen Tag über immer wieder geregnet, und die Luft, die mir angenehm kalt ins Gesicht wehte, war von kräftigem Ozon- und Harzgeruch erfüllt.

»Du weißt es, oder?« Jocastas Stimme erklang leise hinter mir. Ich sah mich um; sie hatte sich nicht bewegt, sondern lag wie eine Grabfigur kerzengerade auf dem Bett. Die Kompresse auf ihren Augen ließ sie wie das Ebenbild der Justitia aussehen – welche Ironie, dachte ich.

»Ich weiß«, sagte ich im selben ruhigen Ton. »Es war aber nicht besonders fair Duncan gegenüber, oder?«

»Nein.« Das Wort driftete beinahe tonlos mit dem Rauch aus ihrem Mund. Sie hob träge die Zigarette und nahm einen Zug, so dass das Ende rot aufglühte. Ich ließ sie nicht aus den Augen, doch sie schien ein Gespür für die Asche zu haben, die sie dann und wann in das Tellerchen am Fuß des Kerzenständers tippte.

»Er weiß es auch«, sagte sie fast beiläufig. »Das mit Phaedre. Irgendwann habe ich es ihm erzählt, damit er aufhörte, nach ihr zu suchen. Ich bin mir sicher, dass er das mit Ulysses ebenfalls weiß – aber er spricht nicht darüber.«

Sie streckte zielsicher die Hand aus und tippte die Asche von ihrem Joint.

»Ich habe ihm gesagt, ich würde es ihm nicht übel nehmen, wenn er mich verlässt.« Ihre Stimme war sehr leise und beinahe ausdruckslos. »Er hat geweint, aber dann hat er aufgehört und zu mir gesagt, er hätte gesagt, ›In guten wie in schlechten Zeiten‹ – und ich doch auch, oder etwa nicht? Ich habe Ja gesagt, und er sagte, ›Na also‹. Und hier sind wir nun.« Sie zuckte sacht mit den Achseln, legte sich bequemer zurecht und rauchte schweigend weiter.

Ich wandte mich wieder dem Fenster zu und lehnte mich mit der Stirn an den Rahmen. Unter mir sah ich auf einmal Licht zur Tür hinausfallen, als sich diese öffnete, und eine dunkle Gestalt schlüpfte hinaus. Die Tür schloss sich, und im ersten Moment verlor ich sie in der Dunkelheit aus den Augen; dann passten sich meine Augen an, und ich sah sie wieder, kurz bevor sie auf dem Fußweg zur Scheune verschwand.

»Er ist fort, nicht wahr?« Ich drehte mich erschrocken zu ihr um, begriff dann aber, dass sie gehört haben musste, wie sich unten die Tür schloss.

»Ulysses? Ja, ich glaube schon.«

Sie schwieg lange, und die Zigarette brannte unbeachtet in ihrer Hand. Kurz bevor ich glaubte, ich müsste aufstehen und sie ihr abnehmen, hob sie sie wieder an die Lippen.

»In Wirklichkeit hieß er Joseph«, sagte sie leise und pustete den Rauch aus, der sich in Zeitlupe um ihren Kopf ringelte. »So passend, habe ich oft gedacht, weil er von seiner eigenen Familie in die Sklaverei verkauft worden ist.«

»Habt Ihr je sein Gesicht gesehen?«, fragte ich plötzlich. Sie schüttelte den Kopf und drückte den Rest der Zigarette aus.

»Nein, aber ich habe ihn immer erkannt«, sagte sie ganz leise. »Er hat nach Licht gerochen.«

Jamie Fraser saß geduldig in seiner dunklen Scheune. Sie war klein und bot nur etwa einem Dutzend Tieren Platz, war aber stabil gebaut. Regen trommelte fest auf das Dach, und Wind heulte wie eine *Ban-sidhe* um die Ecken, doch es drang kein Tropfen durch das Schindeldach, und die Luft in ihrem Inneren war warm von der Körperwärme der schlafenden Tiere. Sogar Gideon döste über seiner Futterkrippe, und aus seinem Maulwinkel hing halb gekautes Heu.

Inzwischen war es nach Mitternacht, und er wartete schon seit über zwei Stunden, die Pistole geladen und gespannt auf dem Knie.

Da war es; durch den Regen hörte er das leise Ächzen, mit dem jemand das Tor aufschob, das Rumpeln, als es beiseite glitt und einen kalten Regenhauch einließ, der sich mit den wärmeren Gerüchen nach Heu und Dung vermischte.

Er saß lautlos da und regte sich nicht.

Er konnte sehen, wie eine hoch gewachsene Gestalt vor dem helleren Schwarz der regengetränkten Nacht innehielt und darauf wartete, dass sich ihre Augen an die Dunkelheit im Inneren gewöhnten, bevor sie sich mit dem ganzen Gewicht gegen das schwere Tor stemmte und es so weit öffnete, dass sie sich hineinwinden konnte.

Der Mann hatte eine abgedunkelte Laterne dabei, weil er sich nicht darauf verlassen hatte, im Dunklen das nötige Zaumzeug zu finden und einem Pferd anlegen zu können. Er schob die Verdunklung beiseite und ließ den Lichtstrahl der Laterne suchend über die Boxen gleiten, eine nach der anderen. Die drei Pferde, die Jocasta mitgebracht hatte, waren hier, aber sie waren erledigt. Jamie hörte, wie der Mann beim Nachdenken leise mit der Zunge schnalzte, während er das Licht zwischen der Stute Jerusha und Gideon hin und her schwenkte.

Ulysses kam zu einem Entschluss und stellte die Laterne auf den Fußboden, um den Bolzen herauszuziehen, der Gideons Boxentür verschloss.

»Es geschähe dir recht, wenn ich zuließe, dass du ihn nimmst«, sagte Jamie im Konversationston.

Der Butler stieß einen scharfen Ausruf aus und fuhr mit geballten Fäusten funkelnd herum. Er konnte Jamie im Dunklen nicht sehen, doch eine Sekunde später begriff er, was er gehört hatte. Er erkannte, wem die Stimme gehörte, und ließ mit einem tiefen Atemzug die Fäuste sinken.

»Mr. Fraser«, sagte er. Seine Augen waren lebendig im Laternenschein und wachsam. »Ihr habt mich überrascht.«

»Nun, das war auch meine Absicht«, erwiderte Jamie gutmütig. »Ich nehme an, du willst los?«

Er konnte die Gedanken flink wie die Libellen durch die Augen des Butlers huschen sehen, fragend, berechnend. Doch Ulysses war kein Dummkopf, und er kam zum richtigen Schluss.

»Dann hat das Mädchen Euch alles erzählt«, sagte er ruhig. »Werdet Ihr mich töten – um der Ehre Eurer Tante willen?« Hätte auch nur der geringste Hauch von Hohn in dieser Frage gelegen, hätte ihn Jamie möglicherweise wirklich umgebracht – noch während er wartete, war er sich nicht schlüssig gewesen, was dies anging. Doch Ulysses sagte es ganz schlicht, und Jamies Finger entspannten sich am Abzug.

»Wäre ich jünger, würde ich es tun«, sagte er im selben Ton wie Ulysses. *Und hätte ich nicht eine Frau und eine Tochter, die einmal einen Schwarzen ihren Freund genannt haben.*

»So aber«, fuhr er fort und ließ die Pistole sinken, »versuche ich, in diesen Tagen niemanden zu töten, wenn es nicht sein muss.« *Oder bis es sein muss.* »Wollt Ihr es leugnen? Denn eine Entschuldigung kann es doch wohl nicht geben.«

Der Butler schüttelte schwach den Kopf. Das Licht glänzte auf seiner Haut, dunkel mit einem rötlichen Unterton, der ihn aussehen ließ, als sei er aus gealtertem Zinnober geschnitzt.

»Ich habe sie geliebt«, sagte er leise und breitete die Hände aus. »Tötet mich nur.« Er trug Reisekleidung, Umhang und Hut, Beutel und Wasserflasche am Gürtel, aber kein Messer. Sklaven, selbst solche, die das Vertrauen ihrer Herren besaßen, wagten es nicht, Waffen zu tragen.

Seine Neugier kämpfte mit seinem Ekel, und wie bei solchen Kämpfen üblich, siegte die Neugier.

»Phaedre sagt, du hast sogar schon mit meiner Tante geschlafen, bevor ihr Mann gestorben ist. Ist das wahr?«

»Ja«, sagte Ulysses mit unergründlicher Miene. »Ich rechtfertige mich nicht dafür. Das kann ich auch gar nicht. Aber ich habe sie geliebt, und wenn ich dafür sterben muss…«

Jamie glaubte dem Mann; seine Aufrichtigkeit war seiner Stimme und seinen Gesten anzumerken. Und da er seine Tante so gut kannte, neigte er weniger dazu, Ulysses Vorwürfe zu machen, als es der Rest der Welt tun würde. Gleichzeitig jedoch blieb er auf der Hut; Ulysses war kräftig und schnell. Und ein Mann, der glaubte, nichts zu verlieren zu haben, war ausgesprochen gefährlich.

»Wohin wolltest du denn?«, fragte er und wies kopfnickend auf die Pferde.

»Virginia«, erwiderte der Schwarze, nach kaum merklichem Zögern. »Lord Dunsmore hat jedem Sklaven, der sich seiner Armee anschließt, die Freiheit versprochen.«

Er hatte die Frage eigentlich gar nicht stellen wollen, obwohl er sie im Kopf hatte, seit er Phaedres Geschichte gehört hatte. Doch nach dieser Einleitung konnte er nicht widerstehen.

»Warum hat sie dich nicht freigelassen?«, fragte er. »Nach Hector Camerons Tod?«

»Das hat sie doch«, lautete die überraschende Antwort. Der Butler fasste sich an die Brust seines Rocks. »Sie hat die nötigen Papiere vor zwanzig Jahren geschrieben – sie hat gesagt, sie könnte den Gedanken nicht ertragen, dass ich nur zu ihr ins Bett komme, weil ich muss. Aber ein Antrag auf Freilassung muss von der Versammlung genehmigt werden. Und wenn ich offiziell freigelassen worden wäre, hätte ich nicht in ihrem Dienst bleiben können, so wie ich es getan habe.« Das stimmte allerdings, ein freigelassener Sklave war verpflichtet, die Kolonie innerhalb von zehn Tagen zu verlassen, sonst lief er Gefahr, erneut versklavt zu werden, und zwar von jedem, dem es beliebte; bei der Vorstellung, dass große Gruppen freigelassener Neger durch die Landschaft streiften, machten sich Rat und Versammlung vor Angst in die Hosen.

Der Butler blickte einen Moment zu Boden und schirmte die Augen vor dem Licht ab.

»Ich konnte mich für Jo entscheiden – oder die Freiheit. Ich habe mich für sie entschieden.«

»Aye, sehr romantisch«, sagte Jamie extrem trocken – obwohl ihn die Worte des Butlers in Wirklichkeit nicht ungerührt ließen. Jocasta MacKenzie war eine Pflichtehe eingegangen und gleich noch eine – und er war überzeugt, dass sie in keiner ihrer Ehen besonders glücklich gewesen war, bis sie bei Duncan immerhin so etwas wie Zufriedenheit fand. Er war schockiert über die Wahl, die sie getroffen hatte; er missbilligte ihren Ehebruch und war wirklich wütend über ihren Betrug an Duncan, doch ein Teil von ihm – zweifellos der MacKenzie-Teil – konnte sie nur dafür bewundern, wie kühn sie sich das Glück nahm, wo sie es fand.

Er seufzte tief. Der Regen ließ jetzt nach; das Donnern auf dem Dach hatte sich zu leisem Prasseln abgeschwächt.

»Nun denn. Eine Frage habe ich noch.«

Ulysses neigte ernst den Kopf, eine Geste, die Jamie schon tausendmal gesehen hatte. *Zu Euren Diensten, Sir*, sagte sie – und *darin* lag mehr Ironie als in jedem Wort, das der Mann bis jetzt gesagt hatte.

»Wo ist das Gold?«

Ulysses' Kopf fuhr auf, seine Augen waren vor Verblüffung weit aufgerissen. Zum ersten Mal empfand Jamie einen Hauch von Zweifel.

»Ihr glaubt, *ich* habe es gestohlen?«, sagte der Butler ungläubig. Doch dann verzog sich sein Mund. »Natürlich glaubt Ihr das.« Er rieb sich die Nase und sah besorgt und unglücklich aus – mit gutem Grund, dachte Jamie.

Sie standen eine Weile da und betrachteten einander schweigend – eine Sackgasse. Jamie hatte nicht das Gefühl, dass sein Gegenüber versuchte, ihn zu täuschen – und *darin* war der Mann weiß Gott gut, dachte er zynisch.

Schließlich hob Ulysses seine breiten Schultern und ließ sie hilflos wieder sinken.

»Ich kann nicht beweisen, dass ich es nicht war«, sagte er. »Ich kann Euch nur mein Ehrenwort anbieten – doch so etwas wie Ehre steht mir ja nicht zu.« Zum ersten Mal klang Bitterkeit in seiner Stimme mit.

Jamie fühlte sich plötzlich furchtbar müde. Die Pferde und Maultiere dösten längst wieder vor sich hin, und er wünschte sich nichts so sehr wie sein eigenes Bett und seine Frau an seiner Seite. Er wollte auch, dass Ulysses fort war, bevor Duncan seine Perfidität herausfand. Und Ulysses war zwar der offensichtlichste Kandidat für den Diebstahl des Goldes, doch das änderte nichts daran, dass er es in den letzten zwanzig Jahren jederzeit unter sehr viel weniger Gefahr hätte an sich nehmen können. Warum jetzt?

»Schwörst du beim Leben meiner Tante?«, fragte er abrupt. Ulysses' Augen glitzerten scharf und reglos im Laternenschein.

»Ja«, sagte er schließlich leise. »Das tue ich.«

Jamie war im Begriff, ihn zu entlassen, als ihm ein letzter Gedanke kam.

»Hast du Kinder?«, fragte er.

Unentschlossenheit überzog das gemeißelte Gesicht; Überraschung und Argwohn, vermischt mit etwas anderem.

»Keine, die ich als die meinen in Anspruch nehmen würde«, sagte er schließlich, und Jamie sah, was es war – Verachtung gemischt mit Scham. Sein Kiefer spannte sich an, und sein Kinn hob sich ein wenig. »Warum fragt Ihr mich das?«

Jamie sah ihn einen Moment an und dachte an Brianna, in der ein Kind heranwuchs.

»Weil«, sagte er schließlich, »es einzig die Hoffnung auf eine bessere Welt für meine Kinder und Kindeskinder ist, die mir den Mut verleiht zu tun, was hier getan werden muss.« Ulysses' Gesicht hatte jeden Ausdruck verloren; es glänzte dunkel und reglos im Schein der Laterne.

»Wenn man in der Zukunft nichts zu verlieren hat, hat man auch keinen Grund, dafür zu leiden. Wenn man aber Kinder hat –«

»Sie sind Sklaven, Kinder von Sklavinnen. Was könnten sie mir bedeuten?« Ulysses hatte die Hände zu Fäusten geballt und hielt sie an seine Oberschenkel gedrückt.

»Dann geh«, sagte Jamie leise. Er trat beiseite und wies mit dem Lauf der Pistole zum Tor. »Stirb wenigstens als freier Mann.«

111

Der einundzwanzigste Januar

21. Januar 1776

Der 21. Januar war der kälteste Tag des Jahres. Ein paar Tage zuvor war Schnee gefallen, doch jetzt war die Luft wie geschliffenes Kristall, der Himmel im Morgengrauen so blass, dass er weiß war, und der feste Schnee zirpte unter unseren Füßen wie Grillen. Schnee, schneeverhüllte Bäume, die Eiszapfen, die an den Traufen des Hauses hingen – die ganze Welt schien blau vor Kälte zu sein. Am Abend zuvor hatten wir sämtliche Tiere in den Stall oder die Scheune gebracht, mit Ausnahme der weißen Sau, die unter dem Haus in den Winterschlaf gefallen zu sein schien.

Ich blinzelte argwöhnisch auf das kleine geschmolzene Loch in der Schneekruste, das den Eingang der Sau markierte; innen war lang gezogenes, rasselndes Schnarchen zu hören, und das Loch strahlte eine schwache Wärme aus.

»Komm, *mo nighean*. Das Vieh würde es doch nicht einmal merken, wenn das Haus über ihm zusammenfällt.« Jamie kam vom Stall, wo er die Tiere gefüttert hatte, und stand ungeduldig hinter mir. Er rieb sich die Hände in den blauen Handschuhen, die Brianna für ihn gestrickt hatte.

»Was, nicht einmal, wenn es in Flammen stünde?«, sagte ich und musste dabei an Charles Lambs *»Essay über den Schweinebraten«* denken. Doch ich machte gehorsam kehrt, um ihm über den ausgetretenen Fußweg am Haus vorbei zu folgen und dann langsam, weil ich ständig auf vereisten Stellen ausrutschte, über die große Lichtung auf Briannas und Rogers Hütte zu.

»Bist du sicher, dass das Herdfeuer aus ist?«, fragte Jamie zum dritten Mal. Sein Atem schwebte wie ein Schleier um seinen Kopf, als er sich nach mir umsah. Er hatte seine Wollmütze auf der Jagd verloren und hatte sich stattdessen einen weißen Wollschal um die Ohren gewickelt und oben auf dem Kopf verknotet, so dass die langen Enden auf und ab hüpften und ihm das absurde Aussehen eines Riesenkaninchens verliehen.

»Ja«, versicherte ich ihm und unterdrückte das Bedürfnis, über seinen Anblick zu lachen. Seine lange Nase war rot vor Kälte und zuckte argwöhnisch, und ich vergrub meinerseits die Nase in meinem Schal und stieß leise Prustlaute aus, die wie bei einer Dampfmaschine als weiße Wölkchen aufstiegen.

»Und die Kerze im Schlafzimmer? Die kleine Lampe in deinem Sprechzimmer?«

»Ja«, versicherte ich ihm und tauchte aus den Tiefen des Schals wieder auf. Meine Augen tränten, und ich hätte sie mir gern gewischt, doch ich hatte ein großes Bündel im einen Arm, und am anderen hing ein zugedeckter Korb. Dieser enthielt Adso, den wir mit Gewalt aus dem Haus hatten entfernen müssen und dem das überhaupt nicht gefiel; aus dem Korb ertönte leises Knurren, und er schwankte und schlug mir gegen das Bein.

»Und das Binsenlicht in der Vorratskammer und die Kerze im Wandhalter im Flur und das Kohlebecken in deinem Studierzimmer und die Fischöllaterne, die du im Stall benutzt. Ich bin mit einem Läusekamm durch das ganze Haus gegangen. Nirgendwo auch nur ein Funke.«

»Also gut«, sagte er – musste aber trotzdem noch einen beklommenen Blick zurück zum Haus werfen. Ich folgte seiner Blickrichtung; es sah kalt und verloren aus, und seine weißen Bretter wirkten gegen den jungfräulichen Schnee ziemlich schmutzig.

»Es wird kein Unfall sein«, sagte ich. »Es sei denn, die weiße Sau spielt in ihrer Höhle mit Streichhölzern.«

Das brachte ihn den Umständen zum Trotz zum Lächeln. Mir kamen die Umstände im Moment offen gestanden etwas absurd vor; die ganze Welt schien verlassen zu sein, fest gefroren und reglos unter dem Winterhimmel. Nichts kam mir unwahrscheinlicher vor, als dass die Katastrophe über uns hereinbrach und das Haus durch ein Feuer zerstört wurde. Dennoch ... Vorsicht ist die Mutter der Porzellankiste. Und wie Jamie im Lauf der Jahre, seit Roger und Brianna uns die Nachricht von diesem gruseligen Zeitungsausschnitt überbracht hatten, mehr als einmal angemerkt hatte: »Wenn man weiß, dass das Haus an einem bestimmten Tag abbrennen soll, warum sollte man dann darin herumstehen?«

Also standen wir nicht darin herum. Mrs. Bug hatte Anweisung, zu Hause zu bleiben, und Amy war mit ihren beiden kleinen Jungen schon in Briannas Hütte – verwundert, aber folgsam. Wenn Ehrwürden sagte, dass bis zur nächsten Morgendämmerung niemand einen Fuß in das Haus setzen sollte ... nun, dann gab es dem nichts hinzuzufügen, oder?

Ian war schon vor der Dämmerung aufgestanden, um Brennholz aus dem Schuppen zu holen und zu spalten; alle würden es gemütlich und warm haben.

Jamie selbst war die ganze Nacht auf gewesen, um sich um das Vieh zu kümmern, sein Waffenarsenal zu verteilen – es befand sich kein Körnchen Schießpulver mehr im Haus – und unruhig die Treppe hinauf- und hinunterzugehen, weil er mit gespitzten Ohren auf jedes Knacken der Glut in der Küche, jede brennende Kerzenflamme und jedes Geräusch im Freien lauschte, das die Ankunft eines Feindes verraten konnte. Das Einzige, was er nicht getan hatte, war, sich mit einem nassen Sack aufs Dach zu setzen und argwöhnisch nach Blitzen auszuschauen – und das auch nur, weil es eine wolkenlose Nacht war und die Sterne gigantisch und hell über uns in der gefrorenen Leere brannten.

Ich hatte ebenfalls nicht viel geschlafen; ich war gleichermaßen von Jamies Herumwandern und von lebhaften Feuerträumen gestört worden.

Doch das einzige Feuer, das zu sehen war, war dasjenige, das als willkommene Rauchsäule aus Briannas Schornstein Funken sprühte, und als wir dankbar die Tür öffneten, empfing uns die Wärme eines lodernden Kaminfeuers und einer Reihe von Menschen.

Nachdem Aidan und Orrie im Dunklen geweckt und durch die Kälte gezerrt worden waren, waren sie prompt zu Jemmy ins Bett gekrabbelt, und die drei kleinen Jungen schliefen tief und fest, wie die Igel unter ihrer Bettdecke zusammengerollt. Amy half Brianna beim Frühstück; vom Herdfeuer stiegen aromatische Porridge- und Schinkendüfte auf.

»Ist alles gut, Ma'am?« Amy eilte herbei, um mir das große Bündel abzunehmen, das ich dabeihatte – und das meine Arzttruhe, die selteneren und wertvolleren Kräuter aus meinem Sprechzimmer beinhaltete … und zudem das versiegelte Glas mit der letzten Sendung weißen Phosphors enthielt, den Lord John Brianna als Abschiedsgeschenk geschickt hatte.

»Ja«, versicherte ich ihr und stellte Adsos Korb auf den Boden. Ich gähnte und warf einen sehnsuchtsvollen Blick auf das Bett, machte mich aber daran, meine Truhe in der angebauten Vorratskammer zu verstauen, wo sie vor den Kindern sicher war. Den Phosphor stellte ich auf das höchste Wandbord, weit von der Kante entfernt, und schob vorsichtshalber einen großen Käselaib davor.

Jamie hatte sich seines Umhangs und seiner Kaninchenohren entledigt, Roger die Vogelflinte, den Munitionsbeutel und das Pulverhorn gegeben und trat sich den Schnee von den Schuhen. Ich sah, wie er sich in der Hütte umsah und die Köpfe zählte, dann holte er schließlich kurz Luft und nickte vor sich hin. Alle vorerst in Sicherheit.

Der Morgen verstrich friedlich. Nachdem das Frühstück vertilgt und abgeräumt war, ließen Amy, Brianna und ich uns mit einem enormen Berg an Stopfarbeiten am Feuer nieder. Adso, dessen Schwanz immer noch vor Entrüstung zuckte, hatte auf einem hohen Regalbrett Position bezogen, von wo er Rollo anfunkelte, der das Rollbett übernommen hatte, als die Jungen aufgestanden waren.

Aidan und Jemmy, die jetzt beide stolze Besitzer *zweier* Brumms waren, fuhren damit über die Kaminplatten, unter dem Bett und zwischen unseren Füßen hindurch, sahen aber weitenteils davon ab, sich zu prügeln oder auf Orrie zu treten, der friedlich unter dem Tisch saß und ein Stück Toast kaute. Jamie, Roger und Ian gingen abwechselnd ins Freie, um dort auf und ab zu schreiten und das große Haus anzustarren, das verlassen im Schutz der verschneiten Fichte stand.

Roger kam gerade von einer solchen Expedition zurück, als Brianna von der Socke aufblickte, die sie stopfte.

»Was?«, sagte er, als er ihr Gesicht sah.

»Oh.« Sie hatte innegehalten, die Nadel halb durch die Socke gezogen, und senkte jetzt den Blick, um ihren Stich zu beenden. »Nichts. Nur ein – nur ein Gedanke.«

Ihr Tonfall ließ Jamie, der stirnrunzelnd in einer zerfledderten Ausgabe von *Evelina* las, aufblicken.

»Was für ein Gedanke war es denn, *a nighean*?«, fragte er, denn sein Radar war genauso gut wie Rogers.

»Äh … nun ja.« Sie biss sich auf die Unterlippe, doch dann platzte sie heraus: »Was, wenn es dieses Haus hier ist?«

Alle erstarrten, bis auf die kleinen Jungen, die weiter fleißig durch das Zimmer krochen und kreischend und brummend über Tische und Bänke gingen.

»Es könnte doch sein, oder?« Brianna sah sich um, vom Dachbalken bis zum Herd. »Alles, was in der – der Prophezeiung stand« – verlegenes Kopfnicken in Amy McCallums Richtung –, »war, dass *das Haus* von James Fraser abbrennen würde. Aber das hier war doch dein erstes Haus. Und es war ja nicht so, als hätte eine genaue Anschrift dabeigestanden. Einfach nur *in der Siedlung Fraser's Ridge*.«

Alle starrten sie an, und sie wurde tiefrot und senkte den Blick auf ihre Socke.

»Ich meine … es ist ja nicht so, dass die … äh, Prophezeiungen immer akkurat sind, oder? Vielleicht stimmen ja die Details nicht.«

Amy nickte ernst; vage Detailangaben waren offenbar eine allgemein akzeptierte Eigenschaft von Prophezeiungen.

Roger räusperte sich explosiv; Jamie und Ian wechselten einen Blick, dann sahen sie zum Feuer, das im Kamin loderte, den Stapel mit knochentrockenem Brennholz gleich daneben und den überfließenden Zunderkorb … Aller Augen richteten sich erwartungsvoll auf Jamie, dessen Gesicht eine Studie der widersprüchlichen Emotionen war.

»Wir könnten ja vielleicht«, sagte er langsam, »alle zu Arch gehen.«

Ich fing an, an den Fingern abzuzählen: »Du, ich, Roger, Brianna, Ian, Amy, Aidan, Orrie, Jemmy – plus Mr. and Mrs. Bug, das sind elf Leute. In einer Hütte, die nur ein Zimmer hat und zweieinhalb mal drei Meter misst?« Ich schloss die Fäuste und starrte ihn an. »Dort bräuchte wenigstens niemand Feuer zu legen; die Hälfte von uns würden sowieso im Kamin sitzen und fröhlich in Flammen stehen.«

»Mmpfm. Nun ja … die Hütte der Christies steht leer.«

Amys Augen weiteten sich vor Schrecken, und keiner sah den anderen an. Jamie holte tief Luft und atmete hörbar aus.

»Vielleicht werden wir einfach … gut aufpassen«, schlug ich vor. Alle atmeten vorsichtig aus, und wir widmeten uns wieder unseren Beschäftigungen, wenn auch jetzt ohne das Gefühl gemütlicher Sicherheit.

Das Essen verging ohne Zwischenfälle, doch am Nachmittag klopfte es an der Tür. Amy schrie auf, und Brianna ließ das Hemd, das sie gerade flickte, vor Schreck ins Feuer fallen. Ian sprang auf und riss die Tür auf, und Rollo, der aus seinem Nickerchen gerissen wurde, raste bellend an ihm vorbei.

Jamie und Roger stießen in der Tür zusammen, blieben einen Moment darin stecken und stürzten dann hindurch. Sämtliche Jungen kreischten auf und liefen zu ihren jeweiligen Müttern, die hektisch auf das schwelende Hemd einschlugen, als sei es eine lebendige Schlange.

Ich war zwar aufgesprungen, stand aber an die Wand gedrückt und kam nicht an Brianna und Amy vorbei. Adso, der vor dem Lärm und meiner plötzlichen Bewegung erschrak, hieb zischend nach mir, verfehlte mich aber knapp.

Von draußen kamen Flüche in einer Vielfalt von Sprachen, begleitet von Rollos scharfem Gebell. Alle Beteiligten klangen gründlich verärgert, doch es hörte sich nicht nach einer Auseinandersetzung an. Ich schob mich vorsichtig an dem Knoten aus Müttern und Söhnen vorbei und warf einen Blick hinaus.

Major MacDonald, nass bis zu den Ohren und über und über mit Schnee und schmutzigem Eiswasser bedeckt, gestikulierte wild auf Jamie ein, während Ian Rollo zurechtwies und sich Roger – seiner Miene nach – alle Mühe gab, nicht laut loszulachen.

Jamie, der durch seinen Anstand zurückgehalten wurde, den Major jedoch mit tiefem Argwohn betrachtete, bat ihn, hereinzukommen. Im Inneren der Hütte roch es nach verbranntem Stoff, doch das Tohuwabohu hatte sich gelegt, und der Major begrüßte uns alle mit gut gespielter Herzlichkeit. Unter großem Theater entledigte er sich seiner triefnassen Kleider, trocknete sich ab und hüllte sich – in Ermangelung einer besseren Alternative – vorübergehend in Rogers Ersatzhemd und -hose, in denen er geradezu versank, da er gute fünfzehn Zentimeter kleiner war als Roger.

Nachdem wir ihm förmlich ein Glas Whisky und etwas zu essen angeboten und er akzeptiert hatte, fixierte der gesamte Haushalt den Major mit einem kollektiven Blick und wartete darauf zu hören, was ihn mitten im Winter in die Berge geführt hatte.

Jamie wechselte einen kurzen Blick mit mir, der besagte, dass er durchaus einen Verdacht hatte. Ich auch.

»Ich bin hier, Sir«, sagte MacDonald förmlich und schob sich das Hemd hoch, damit es ihm nicht von der Schulter rutschte, »um Euch das Kommando einer Milizkompanie unter dem Befehl von General Hugh MacDonald anzubieten. Die Truppen des Generals sammeln sich just in diesem Moment und werden sich Ende des Monats auf den Marsch nach Wilmington begeben.«

Bei diesen Worten überkam mich eine finstere Vorahnung. Ich war von MacDonald chronischen Optimismus und einen Hang zur Übertreibung gewohnt, doch es war nichts Übertriebenes an dieser Aussage. Hieß das, dass die Hilfe, um die Gouverneur Martin gebeten hatte, die Soldaten aus Irland, bald landen würden, um an der Küste auf General MacDonalds Truppen zu treffen?

»Die Truppen des Generals«, sagte Jamie, während er das Feuer stochte. Er und MacDonald hatten die Plätze am Kamin übernommen, und Roger und Ian saßen rechts und links daneben wie Feuerböcke. Brianna, Amy und ich zogen uns auf das Bett zurück, wo wir wie eine Reihe schlafender Hennen hockten und der Unterhaltung mit einer Mischung aus Neugier und Sorge folgten, während die Jungen unter den Tisch krochen.

»Was würdet Ihr sagen, Donald, wie viele Männer hat er?«

Ich sah MacDonald zögern, hin und her gerissen zwischen Wunsch und Wahrheit. Doch er hustete und sagte dann ganz sachlich: »Bei meinem Aufbruch hatte er etwas mehr als tausend Mann. Doch Ihr wisst genau – wenn wir erst unterwegs sind, werden noch andere dazustoßen. Viele andere. Umso mehr«, fügte er betont hinzu, »wenn Männer wie Ihr das Kommando übernehmen.«

Jamie antwortete nicht sofort darauf. Nachdenklich schob er ein brennendes Holzstück mit dem Fuß ins Feuer zurück.

»Pulver und Blei?«, fragte er. »Waffen?«

»Aye, nun ja; hier haben wir eine kleine Enttäuschung erlebt.« MacDonald nippte an seinem Whisky. »Duncan Innes hatte uns in dieser Hinsicht große Versprechungen gemacht, die er dann aber zurücknehmen musste.« Der Major presste die Lippen fest aufeinander, und angesichts seiner Miene dachte ich, dass Duncan mit seinem Entschluss, nach Kanada zu gehen, wohl wirklich nicht überreagiert hatte.

»Dennoch«, fuhr MacDonald, dessen Miene sich jetzt wieder erhellte, fort, »haben wir in dieser Hinsicht keinen Mangel. Und die tapferen Männer, die sich in Scharen hinter unsere Sache gestellt haben – und es noch tun *werden* –, bringen ja ihre eigenen Waffen und ihren Mut mit. Vor allem Ihr müsstet doch wissen, welchen Eindruck eine Highlandattacke macht!«

Bei diesen Worten blickte Jamie auf und warf MacDonald einen langen Blick zu, bevor er antwortete.

»Aye, nun ja. Ihr habt in Culloden hinter den Kanonen gestanden, Donald. Ich bin auf sie zugelaufen. Mit einem Schwert in der Hand.« Er hob seinerseits das Glas und leerte es, dann erhob er sich, um sich nachzuschenken, damit MacDonald die Fassung zurückerlangen konnte.

»*Touché*, Major«, murmelte Brianna vor sich hin. Meines Wissens hatte Jamie noch nie zuvor angesprochen, dass der Major während des Aufstands auf Regierungsseite gekämpft hatte – doch es überraschte mich genauso wenig, dass er es nicht vergessen hatte.

Mit einem kurzen, an die Anwesenden gerichteten Kopfnicken trat Jamie ins Freie – scheinbar, um den Abort aufzusuchen, wahrscheinlich aber eher, um sich zu überzeugen, dass mit dem Haus alles stimmte. Und noch wahrscheinlicher, um MacDonald etwas Zeit zu geben, sich zu erholen.

Mit der Höflichkeit des Gastgebers – und der unterdrückten Wissbegier des Historikers – fragte Roger MacDonald über den General und seine Vorgehensweise aus. Ian saß reglos und wachsam zu seinen Füßen und spielte mit Rollos Fell.

»Aber ist der General denn nicht viel zu alt für einen solchen Feldzug?« Roger griff nach einem neuen Holzscheit und schob es ins Feuer. »Vor allem einen Winterfeldzug.«

»Er hat einen kleinen Schnupfen«, räumte MacDonald geradeheraus ein. »Aber wer hat den bei diesem Wetter nicht? Und Donald McLeod, sein Leutnant, ist ein tatkräftiger Mann. Ich versichere Euch, Sir, sollte der General zu irgendeinem Zeitpunkt indisponiert sein, ist McLeod bestens imstande, die Truppe zum Sieg zu führen!«

Nun ließ er sich lang und breit über Oberst Donald McLeods – persönliche und militärische – Tugenden aus. Ich hörte ihm nicht länger zu, da meine Aufmerksamkeit durch eine verstohlene Bewegung auf dem Wandbord über seinem Kopf abgelenkt wurde. Adso.

MacDonalds roter Rock lag zum Trocknen über eine Stuhllehne gebreitet und dampfte in der Hitze. Seine feuchte Perücke hing, von Rollos Attacke zerzaust, darüber an einem Kleiderhaken. Ich stand hastig auf und nahm die Perücke an mich, was mir einen Blick der Verwunderung von MacDonald und eine Miene grünäugiger Feindseligkeit von Adso einbrachte, der es sichtlich niederträchtig von mir fand, diese begehrenswerte Beute selbst einzukassieren.

»Äh … ich … äh … bringe sie nur in Sicherheit, ja?« Ich klammerte das feuchte Pferdehaarknäuel an meine Brust und huschte ins Freie und zur Vorratskammer, wo ich die Perücke sicher zu dem Phosphorglas hinter dem Käse steckte.

Im Herauskommen begegnete ich Jamie, der mit vor Kälte geröteter Nase von seinem Erkundungsgang am Haus zurückkehrte.

»Alles bestens«, versicherte er mir. Er blickte zum Schornstein über uns auf, der dicke graue Rauchwolken spuckte. »Du glaubst doch nicht, dass Brianna vielleicht Recht haben könnte, oder?« Sein Tonfall klang, als scherzte er, doch das tat er nicht.

»Weiß Gott. *Wie* lange noch bis zur Morgendämmerung?« Die Schatten fielen schon lang, violett und kalt über den Schnee.

»Viel zu lange.« Auch er hatte violette Schatten im Gesicht, nach einer schlaflosen Nacht, auf die jetzt eine weitere folgen würde. Doch er drückte mich einen Moment an sich, und trotz der Tatsache, dass er nichts über dem Hemd trug als die grobe Jacke, die er zur Arbeit auf dem Hof trug, war er warm.

»Aber du gehst nicht davon aus, dass MacDonald zurückkommt und das Haus in Brand steckt, wenn ich ihn abweise, oder?«, fragte er und ließ mich los, während er tapfer zu lächeln versuchte.

»Was meinst du damit, *wenn*?«, wollte ich wissen, doch er war schon auf dem Rückweg in die Hütte.

MacDonald stand respektvoll auf, als er eintrat, und wartete, bis er sich hingesetzt hatte, bevor er seinen Platz auf dem Hocker wieder einnahm.

»Habt Ihr Euch etwas Zeit genommen, um mein Angebot zu überdenken, Mr. Fraser?«, fragte er formell. »Eure Gegenwart wäre von größtem Wert – und General MacDonald und der Gouverneur wie auch ich selbst wüssten sie sehr zu schätzen.«

Jamie saß einen Moment schweigend da und starrte ins Feuer.

»Es bestürzt mich, Donald, dass wir uns in solch gegensätzlichen Positionen wiederfinden«, sagte er schließlich und blickte auf. »Aber es kann Euch doch nicht unbekannt sein, welchen Standpunkt ich in dieser Angelegenheit vertrete. Ich habe mich offenbart.«

MacDonald nickte und spannte ein wenig die Lippen an.

»Ich weiß, was Ihr getan habt. Aber es ist nicht zu spät, es wieder gutzumachen. Ihr habt ja noch nichts getan, was sich nicht zurücknehmen ließe – und jeder kann doch sicher einen Fehler einräumen.«

Jamies Mund zuckte schwach.

»Oh, aye. Donald. Würdet Ihr dann Euren eigenen Fehler einräumen und Euch der Sache der Freiheit anschließen?«

MacDonald richtete sich auf.

»Es mag Euch belieben zu scherzen, Mr. Fraser«, sagte er, und man konnte sehen, dass er sich zügeln musste, »doch mein Angebot ist ernst.«

»Das weiß ich, Major. Verzeiht mir meine unangebrachte Leichtfertigkeit. Und auch die Tatsache, dass ich Euch die Mühen des weiten Weges bei diesem bitteren Wetter so übel lohne.«

»Dann lehnt Ihr also ab?« Rote Flecken brannten auf MacDonalds Wangen, und seine blassblauen Augen hatten die Farbe des Winterhimmels angenommen. »Ihr lasst Eure Verwandten, Eure eigenen Leute im Stich? Ihr verratet nicht nur Euren Eid, sondern auch Euer eigen Fleisch und Blut?«

Jamie hatte den Mund schon geöffnet, um zu antworten, doch bei diesen Worten hielt er inne. Ich konnte spüren, wie etwas in ihm vorging. Erschrecken über diesen direkten – und völlig akkuraten – Vorwurf? Zögern? Über diesen Aspekt der Situation hatte er noch nie gesprochen, doch er musste ihm klar gewesen sein. Die meisten Highlander in der Kolonie hatten sich bereits auf die Seite der Loyalisten gestellt – so wie Duncan und Jocasta – oder würden es wahrscheinlich noch tun.

Seine Offenbarung hatte ihn von vielen Freunden abgeschnitten – und es war gut möglich, dass sie ihn auch von den Resten seiner Familie in der Neuen Welt abschnitt. Jetzt hielt ihm MacDonald den Apfel der Versuchung hin, den Ruf von Clan und Blut.

Doch er hatte jahrelang Zeit gehabt, darüber nachzudenken, sich darauf vorzubereiten.

»Ich habe gesagt, was ich sagen muss, Donald«, sagte er leise. »Ich habe mich und mein Haus dem verpflichtet, was ich für richtig halte. Ich kann nicht anders handeln.«

MacDonald saß einen Moment da und betrachtete ihn unverwandt. Dann erhob er sich wortlos und zog sich Rogers Hemd über den Kopf. Sein Oberkörper war blass und hager und zeigte nur an der Taille die Nachgiebigkeit der mittleren Jahre, und er trug die Spuren diverser Schuss- und Säbelverletzungen.

»Seid Ihr sicher, dass Ihr gehen wollt, Major? Es friert draußen, und es ist fast dunkel!« Ich trat an Jamies Seite, und Roger und Brianna erhoben sich ebenfalls, um Einspruch einzulegen. Doch MacDonald ließ sich nicht erweichen und schüttelte nur den Kopf, während er seine feuchten Kleider wieder anzog und unter Schwierigkeiten seinen Rock zuknöpfte, dessen Knopflöcher von der Feuchtigkeit steif waren.

»Ich nehme keine Gastfreundschaft aus den Händen eines Verräters entgegen, Ma'am«, sagte er sehr leise und verbeugte sich vor mir. Dann richtete er sich auf und sah Jamie von Mann zu Mann ins Auge.

»Wir werden uns nie wieder als Freunde begegnen, Mr. Fraser«, sagte er. »Das bedaure ich.«

»Dann wollen wir hoffen, dass wir uns gar nicht mehr begegnen, Major«, sagte Jamie. »Ich bedaure es auch.«

MacDonald verbeugte sich erneut vor dem Rest der Anwesenden und setzte sich den Hut auf. Seine Miene veränderte sich, als er die feuchte Kälte auf seinem nackten Kopf spürte.

»Oh, Eure Perücke! Einen Moment nur, Major – ich hole sie.« Ich hastete hinaus zum Vorratsschuppen – und hörte gerade noch, wie etwas darin zu Boden fiel. Ich riss die Tür auf, die ich bei meiner letzten Visite angelehnt gelassen hatte, und Adso schoss an mir vorbei, die Perücke des Majors im Maul. Das Innere des Schuppens stand in leuchtend blauen Flammen.

Anfangs hatte ich mich noch gefragt, wie ich es schaffen würde, die ganze Nacht wach zu bleiben. Am Ende war es gar nicht schwer. Nach dem Inferno war ich mir nicht sicher, ob ich überhaupt je wieder schlafen würde.

Es hätte viel schlimmer sein können; obwohl Major MacDonald jetzt unser eingeschworener Feind war, war er uns edelmütig zu Hilfe geeilt, indem er seinen immer noch nassen Umhang über die Flammen geworfen hatte und damit die totale Zerstörung der Vorratskammer – und so zweifellos auch der Hütte – verhindert hatte. Doch der Umhang hatte das Feuer nicht vollständig erstickt, und das Löschen der Flammen, die hier und dort wieder aufsprangen, hatte zu großer Aufregung und allgemeinem Hin und Her geführt, in dessen Verlauf uns Orrie McCallum abhanden kam, weil er davontapste und in den Murmeltierofen stürzte, wo er – einige panische Minuten später – von Rollo aufgespürt wurde.

Er wurde unbeschadet herausgefischt, doch das Durcheinander löste bei Brianna etwas aus, das sie für vorzeitige Wehen hielt. Glücklicherweise erwies es sich jedoch nur als heftiger Fall von Schluckauf, hervorgerufen durch die Kombination aus nervöser Anspannung und dem Verzehr exzessiver Mengen von Sauerkraut und Trockenapfelkuchen, Gegenstand ihrer jüngsten Schwangerschaftsgelüste.

»Brennbar, sagt sie.« Jamie betrachtete die verkohlten Fußbodenreste des Vorratsschuppens und richtete den Blick dann auf Brianna, die trotz meiner Empfehlung, sich hinzulegen, ins Freie gekommen war, um zu sehen, was sich aus den qualmenden Überresten retten ließ. Er schüttelte den Kopf. »Es ist ein wahres Wunder, dass du nicht schon lange das ganze Haus in Schutt und Asche gelegt hast.«

Sie stieß ein unterdrücktes »Hick!« aus und funkelte ihn an, eine Hand auf ihrem vorgewölbten Bauch.

»*Ich?* Versuch besser nicht – hick! – zu behaupten, dass das *meine* – hick! – Schuld ist. Habe *ich* die Perücke des Majors – hick! – neben den –«

»BUH!«, brüllte Roger, und seine Hand schoss auf ihr Gesicht zu.

Sie kreischte auf und ohrfeigte ihn. Jemmy und Aidan, die angelaufen kamen, um zu sehen, was der Lärm zu bedeuten hatte, fingen an, unter ekstatischen »Buh! Buh!«-Rufen um sie herumzutanzen wie eine Horde verrückt gewordener Zwerggeister.

Brianna, in deren Augen es gefährlich glitzerte, bückte sich und schaufelte eine Hand voll Schnee zusammen. In Sekundenschnelle hatte sie einen Ball daraus geformt, den sie ihrem Mann mit tödlicher Zielsicherheit an den Kopf warf. Er traf ihn mitten zwischen die Augen und explodierte als Schauer, der in seinen Augenbrauen weiße Körnchen hinterließ und ihm in schmelzenden Klecksen über die Wangen lief.

»Was?«, sagte er ungläubig. »Wofür war das denn? Ich habe doch nur versucht zu – he!« Er wich dem nächsten Schneeball geduckt aus, um sogleich von Jemmy und Aidan, die jetzt völlig außer Rand und Band waren, aus nächster Nähe an den Knien mit Schnee bombardiert zu werden.

Nachdem er bescheiden unseren Dank für seine tatkräftige Hilfe entgegengenommen hatte, hatte sich der Major – nicht zuletzt, weil es inzwischen völlig dunkel war und wieder schneite – überreden lassen, die Gastfreundschaft der Hütte anzunehmen, wobei er allerdings stillschweigend voraussetzte, dass es Roger war, nicht Jamie, der sie ihm anbot. Während er zusah, wie sich seine Gastgeber brüllend und hicksend mit Schnee bewarfen, sah er so aus, als kämen ihm Zweifel an seiner vornehmen Weigerung, mit einem Verräter zu speisen, doch er verbeugte sich steif, als Jamie und ich uns von ihm verabschiedeten, und stapfte in die Hütte, in der Hand die schlammigen Fetzen, die Adso von seiner Perücke übrig gelassen hatte.

Es kam mir extrem – und himmlisch – still vor, als wir uns durch den fallenden Schnee unseren Weg zu unserem Haus bahnten. Der Himmel hatte eine rötliche Lavendelfarbe angenommen, und die Flocken umschwebten uns mit übernatürlicher Lautlosigkeit.

Das Haus ragte vor uns auf, und trotz der dunklen Fenster wirkte seine schweigende Masse, als hieße sie uns willkommen. Der Schnee wehte in kleinen Wirbeln über die Veranda und türmte sich auf den Fensterbänken auf.

»Ich schätze, wenn es schneit, gerät es nicht so leicht in Brand – meinst du nicht?«

Jamie bückte sich, um die Haustür aufzuschließen.

»Es ist mir egal, wenn sich das Haus durch spontane Selbstentzündung vernichtet, Sassenach, solange ich zuerst etwas zu essen bekomme.«

»Hattest du da an eine kalte Platte gedacht?«, fragte ich skeptisch.

»Nein«, sagte er entschlossen. »Ich habe vor, in der Küche ein loderndes Feuer anzuzünden, ein Dutzend Spiegeleier zu braten und sie alle zu essen, bevor ich dich auf den Teppich vor dem Kamin lege und mich über dich hermache, bis du – stimmt etwas nicht?«, erkundigte er sich, als er meinen Blick bemerkte.

»Bis ich *was*?«, fragte ich fasziniert von seinem Programm für den Abend.

»Bis du in Flammen aufgehst und mich mitnimmst, denke ich.« Dann beugte er sich vor, nahm mich mit Schwung auf den Arm und trug mich über die dunkle Schwelle.

112

Eidbrecher

2. *Februar 1776*

Er rief sie alle zusammen, und sie kamen. Die Jakobiten aus Ardsmuir, die Fischer aus Thurso, die Ausgestoßenen und die Opportunisten, die sich im Lauf der letzten sechs Jahre in Fraser's Ridge angesiedelt hatten. Er hatte die Männer gerufen, und die meisten von ihnen kamen allein durch die nassen Wälder, wo sie sich über moosbewachsene Felsen und matschige Wege kämpften. Doch manchmal kamen auch die Frauen mit, neugierig, argwöhnisch, obwohl sie sich bescheiden im Hintergrund hielten und sich eine nach der anderen von Claire ins Hause bitten ließen.

Die Männer standen auf dem Hof, und er bedauerte das; die Erinnerung an das letzte Mal, als sie sich hier gesammelt hatten, war noch zu frisch in den Köpfen. Doch es ging nicht anders; es waren zu viele, als dass sie alle ins Haus gepasst hätten. Und diesmal war es heller Tag, nicht Nacht – obwohl er immer wieder sah, wie einzelne Männer den Kopf wandten und zu den Kastanien hinüberblickten, als sähen sie Thomas Christies Geist dort stehen, bereit, einmal mehr durch die Menge zu schreiten.

Er bekreuzigte sich und sprach ein hastiges Gebet, wie er es jedes Mal tat, wenn er an Tom Christie dachte, dann trat er auf die Veranda hinaus. Sie hatten sich miteinander unterhalten – beklommen, aber um Lockerheit bemüht –, doch bei seinem Erscheinen verstummten die Gespräche abrupt.

»Ich habe eine Nachricht erhalten, die mich nach Wilmington ruft«, sagte er ohne Einleitung zu ihnen. »Ich werde mich dort den Milizen anschließen, und wer freiwillig mitkommt, den werde ich mitnehmen.«

Sie gafften ihn an wie Schafe, die man beim Grasen gestört hat. Im ersten Moment verspürte er den verstörenden Impuls zu lachen, doch dieser ging sofort vorüber.

»Wir werden als Miliz gehen, doch ich kann euch nicht zum Mitgehen zwingen.« Im Stillen bezweifelte er, dass er *überhaupt* noch mehr als eine Hand voll von ihnen zu irgendetwas bringen konnte, doch es war besser, wenn er gute Miene zum bösen Spiel machte.

Die meisten sahen ihn immer noch blinzelnd an, aber ein oder zwei hatten sich wieder unter Kontrolle.

»Du erklärst dich zum Rebellen, *Mac Dubh*?« Das war Murdo, der Gute. Loyal wie ein Hund, aber etwas langsam im Kopf. Für ihn musste man die Dinge so einfach wie möglich formulieren, doch wenn er sie einmal begriffen hatte, rückte er ihnen zäh zu Leibe.

»Aye. Murdo, das tue ich. Ich bin ein Rebell. Und jeder Mann, der mit mir marschiert, wird auch einer sein.«

Das löste allgemeines Gemurmel aus, das mit zweifelnden Blicken einherging. Hier und da hörte er das Wort »Eid« in der Menge, und er machte sich auf die nahe liegende Frage gefasst.

Doch was ihn verblüffte, war der Mann, der sie stellte. Arch Bug richtete sich streng zu voller Größe auf.

»Ihr habt dem König einen Eid geschworen, *Seaumais mac Brian*«, sagte er mit unerwartet scharfer Stimme. »Genau wie wir alle.«

Beifallsgemurmel folgte auf diese Worte, und viele Gesichter wandten sich stirnrunzelnd und beklommen in seine Richtung. Er holte tief Luft und spürte, wie sich sein Magen verknotete. Obwohl er wusste, was er wusste, und ihm klar war, dass ein erzwungener Eid unmoralisch war … das Wort seines Schwurs offen zu brechen, gab ihm das Gefühl, auf einer Treppe ins Leere getreten zu sein.

»Genau wie wir alle«, pflichtete er Arch bei. »Aber das war ein Eid, den man uns in der Gefangenschaft aufgezwungen hat, keiner, den wir als Ehrenmänner abgelegt haben.«

Das war nicht zu leugnen; doch es *war* ein Eid, und einen solchen nahm kein Highlander auf die leichte Schulter. *Möge ich sterben und fern meiner Verwandten begraben werden…* Eid oder nicht, dachte er grimmig, das war wahrscheinlich das Schicksal, das sie sowieso erwartete.

»Aber trotzdem ist es ein Eid, Sir«, sagte Hiram Crombie mit schmalen Lippen. »Wir haben ihn vor Gott geschworen. Erwartet Ihr von uns, dass wir das vergessen?« Mehrere der Presbyterianer stimmten ihm murmelnd zu und scharten sich dichter um Crombie, um ihm ihre Unterstützung auszudrücken.

Er holte noch einmal tief Luft, und sein Bauch verkrampfte sich noch stärker.

»Ich erwarte gar nichts.« Und in dem vollen Bewusstsein dessen, was er tat, und obwohl er sich ein wenig dafür verachtete – verlegte er sich auf die uralten Waffen der Rhetorik und des Idealismus.

»Ich habe gesagt, dass der Treueeid gegenüber dem König ein erzwungener, kein freiwilliger Eid war. Ein solcher Eid hat keine Macht, denn kein Mann schwört freiwillig, es sei denn, er ist selber frei.«

Niemand widersprach, also fuhr er fort, laut genug, um verstanden zu werden, aber ohne zu schreien.

»Ihr kennt doch sicher die Deklaration von Arbroath, oder? Vor vierhundert Jahren waren es unsere Väter, unsere Großväter, die zu diesen Worten die Hand gehoben haben: *Solange auch nur hundert von uns noch am Leben sind, werden wir uns unter keinen Umständen den Engländern unterwerfen.*« Er hielt inne, um seine Stimme unter Kontrolle zu bringen, dann fuhr er fort. *»In Wahrheit sind es nicht Ruhm, Reichtum oder Ehre, um die wir kämpfen, sondern die Freiheit – nur um sie, die kein aufrechter Mann aufgibt, koste es ihn auch das Leben selbst.«*

Dann verstummte er. Nicht um der Wirkung auf die Männer willen, zu denen er sprach, sondern wegen der Worte selbst – denn indem er sie gesprochen hatte, hatte er sich unerwartet mit seinem eigenen Gewissen konfrontiert gesehen.

Bis zu diesem Punkt hatte er den Rechtfertigungen der Revolution skeptisch gegenübergestanden und ihren Zielen erst recht; wegen der Dinge, die Claire, Brianna und Roger Mac ihm erzählt hatten, stand er gezwungenermaßen auf der Seite der Rebellen. Doch indem er diese uralten Worte sprach, gelangte er zu der Überzeugung, von der er gedacht hatte, er täusche sie nur vor – und ihm kam der Gedanke, dass er tatsächlich für mehr als das Wohlergehen seiner eigenen Familie in den Kampf zog.

Und am Ende bist du genauso tot, dachte er resigniert. *Ich glaube kaum, dass es weniger schmerzhaft ist, wenn man weiß, dass es für eine gute Sache ist – aber vielleicht ja doch.*

»In einer Woche breche ich auf«, sagte er leise und ließ sie mit offenen Mündern stehen.

Er war davon ausgegangen, dass seine Männer aus Ardsmuir kommen würden: die drei Lindsay-Brüder, Hugh Abernathy, Padraig MacNeill und der Rest. Nicht erwartet, aber herzlich willkommen waren Robin McGillivray und sein Sohn Manfred.

Ute McGillivray hatte ihm verziehen, wie er mit gewisser Belustigung feststellte. Außer Robin und Freddie waren fünfzehn Mann aus Salem gekommen, alles Verwandte der respekteinflößenden Frau McGillivray.

Eine große Überraschung war dagegen Hiram Crombie, der sich als Einziger der Fischersleute entschlossen hatte, sich ihm anzuschließen.

»Ich habe die Angelegenheit im Gebet überdacht«, unterrichtete ihn Hiram, der es tatsächlich fertig brachte, eine noch frömmelndere Unglücksmiene aufzusetzen als sonst, »und ich glaube, dass Ihr Recht habt, was den Eid angeht. Ich gehe zwar davon aus, dass wir alle Euretwegen gehängt und um Heim und Herd gebracht werden – aber ich komme dennoch mit.«

Die anderen hatten sich – nach großem Murren und Streiten – dagegen entschieden. Er machte ihnen keine Vorwürfe. Nachdem sie die Zeit nach Culloden, die gefahrvolle Reise in die Kolonien und die anfänglichen Strapazen des Exils überlebt hatten, war das Letzte, was sich ein denkender Mensch wünschen konnte, die Waffen gegen den König zu erheben.

Die größte Überraschung erwartete ihn jedoch, als seine kleine Kompanie hinter Coopersville auf die Straße nach Süden einbog.

An der Kreuzung wartete eine Kompanie von etwa vierzig Mann. Er näherte sich ihr argwöhnisch, und ein einzelner Mann galoppierte aus der Menge hervor und zog mit ihm gleich – Richard Brown, mit bleichem, grimmigem Gesicht.

»Ich höre, Ihr geht nach Wilmington«, sagte Brown ohne Umschweife. »Wenn Ihr einverstanden seid, reiten meine Männer und ich mit Euch.« Er hustete und fügte hinzu: »Natürlich unter Eurem Kommando.«

Hinter sich hörte er Claires leises »Hmpf!« und unterdrückte ein Lächeln. Er war sich der Phalanx zusammengekniffener Augen in seinem Rücken wohl bewusst. Er fing Roger Macs Blick auf, und sein Schwiegersohn nickte kaum merklich. Der Krieg brachte seltsame Weggemeinschaften zusammen; das wusste Roger Mac genauso gut wie er – und was ihn selbst anging, so hatte er während des Aufstands schon an der Seite von Schlimmeren als Richard Brown gekämpft.

»Dann seid uns willkommen«, sagte er und verneigte sich im Sattel. »Ihr und Eure Männer.«

In der Nähe eines Örtchens namens Moore's Creek trafen wir auf eine andere Milizkompanie und kampierten mit ihr unter den Sumpfkiefern. Tags zuvor war ein schlimmer Eissturm hindurchgefegt, und der Boden war mit abgebrochenen Ästen übersät, die teilweise den Umfang meiner Taille hatten. Dies erschwerte uns zwar das Vorwärtskommen, hatte aber seine Vorteile, was das Aufschichten von Lagerfeuern betraf.

Ich warf einen Eimer hastig gesammelter Zutaten für einen Eintopf in den Kessel – Schinkenreste mit Knochen, Bohnen, Reis, Zwiebeln, Karotten, zerkrümelte alte Brötchen – und hörte dabei dem Kommandeur der anderen Miliz, Robert Borthy, zu, wie er Jamie – nicht besonders ernst – über den Zustand des Highland-Emigranten-Regiments berichtete. So lautete die offizielle Bezeichnung unserer Gegner.

»Alles in allem können es nicht mehr als fünf- oder sechshundert sein«, sagte er gerade ebenso belustigt wie verächtlich. »Der alte MacDonald und seine Helfershelfer versuchen seit Monaten überall, sie zu rekrutieren, und wie ich höre, ist es so mühsam, als wollte man Wasser mit einem Sieb schöpfen.«

Bei einer Gelegenheit hatte Alexander McLean, einer der Helfer des Generals, alle Highlander und Irland-Schotten der Gegend zu einem Stelldichein gerufen – und sie klugerweise mit einem Fass Schnaps gelockt. Es waren tatsächlich etwa fünfhundert Mann aufgekreuzt – doch sobald das Fass leer war, hatten sie sich wieder verdrückt, und McLean war allein zurückgeblieben – und völlig orientierungslos.

»Der arme Kerl ist fast zwei Tage umhergewandert und hat nach der Straße gesucht, bis jemand Erbarmen mit ihm hatte und ihn in die Zivilisation zurückgeführt hat.« Borthy, eine joviale Seele aus dem Hinterland mit einem dichten braunen Bart, grinste breit über diese Geschichte und nahm dankbar einen Becher Bier entgegen, bevor er fortfuhr.

»Weiß Gott, wo die anderen jetzt sind. Ich habe gehört, dass MacDonalds Truppen zum Großteil aus frisch gebackenen Emigranten bestehen – der Gouverneur hat sie schwören lassen, dass sie zur Verteidigung der Kolonie zu den Waffen greifen würden, bevor er ihnen Land zur Verfügung gestellt hat. Die meisten der armen Kerle kommen direkt vom Schiff aus Schottland – sie können Norden und Süden nicht auseinander halten, geschweige denn, dass sie wüssten, wo sie sind.«

»Oh, ich weiß, wo sie sind, auch wenn sie es nicht tun.« Ian trat schmutzig, aber fröhlich in den Schein des Feuers. Er hatte zu Pferd Depeschen zwischen den diversen Milizkompanien hin und her getragen, die nach Wilmington unterwegs waren, und diese Aussage stieß auf reges Interesse.

»Wo denn?« Richard Brown beugte sich im Feuerschein vor, und sein schmales Gesicht leuchtete neugierig und schlau wie das eines Fuchses.

»Sie kommen über die Negro Head Point Road marschiert wie ein richtiges Regiment«, sagte Ian, der sich mit einem leisen Stöhnlaut auf den Baumstamm sinken ließ, den man ihm anbot. »Gibt es vielleicht etwas Heißes zu trinken, Tante Claire? Ich bin durchgefroren und ausgetrocknet.«

Es gab eine widerliche dunkle Flüssigkeit, die aus Höflichkeitsgründen »Kaffee« genannt und hergestellt wurde, indem man angebrannte Eicheln aufkochte. Ich schenkte ihm sehr skeptisch eine Tasse ein, doch er trank sie mit offensichtlichem Genuss, während er die Ergebnisse seiner Expedition Revue passieren ließ.

»Sie hatte vor, im Halbkreis nach Westen zu gehen, doch Oberst Howes Männer waren zuerst da und haben ihnen den Weg abgeschnitten. Also sind sie abgebogen und wollten durch die Furt – aber Oberst Moore hat seine Männer die ganze Nacht im Laufschritt marschieren lassen, um ihnen zuvorzukommen.«

»Sie haben nicht versucht, Howe oder Moore anzugreifen?«, fragte Jamie zweifelnd. Ian schüttelte den Kopf und trank den Rest seines Eichelkaffees.

»Nicht die Spur. Oberst Moore sagt, sie wollen nicht angreifen, bevor sie Wilmington erreichen – sie rechnen dort mit Verstärkung.«

Ich wechselte einen Blick mit Jamie. Die erwartete Verstärkung bestand wahrscheinlich in den britischen Regierungstruppen, die General Gage versprochen hatte. Doch ein Reiter aus Brunswick, dem wir tags zuvor begegnet waren, hatte uns gesagt, dass noch keine Schiffe eingetroffen waren, als *er* vor vier Tagen an der Küste aufgebrochen war. Wenn Verstärkung auf sie wartete, würde sie von den Königstreuen vor Ort kommen müssen – und den Gerüchten und Berichten nach, die uns bis jetzt zu Ohren gekommen waren, waren die ortsansässigen Loyalisten nur ein schwacher Strohhalm, auf den man sich nicht stützen konnte.

»Nun denn. Sie sind zu beiden Seiten isoliert, aye? Folgen immer dem Lauf der Straße – wahrscheinlich erreichen sie die Brücke morgen Nachmittag.«

»Wie weit ist das, Ian?«, fragte Jamie, der blinzelnd zwischen den Sumpfkiefern hindurchblickte. Die Bäume waren ziemlich hoch, und das Grasland darunter offen – zum Reiten bestens geeignet.

»Zu Pferd vielleicht einen halben Tag.«

»Aye, nun denn.« Jamie entspannte sich ein wenig und griff nach seinem eigenen Becher mit dem widerlichen Gebräu. »Dann haben wir ja erst noch Zeit zu schlafen.«

Wir erreichten die Brücke am Moore's Creek am nächsten Mittag und schlossen uns dort der Kompanie an, die von Richard Caswell befehligt wurde, welcher Jamie freudig begrüßte.

Das Highlandregiment war nirgendwo in Sicht – doch es kamen regelmäßig Depeschenreiter, die uns von seinem Herannahen auf der Negro Head Point Road berichteten – einer breiten Wagenstraße, die geradewegs auf die solide Plankenbrücke zuführte, die den Widow Moore's Creek überquerte.

Jamie, Caswell und einige der anderen Kommandeure gingen am Ufer auf und ab und wiesen immer wieder auf die Brücke und über das Ufer hinweg. Der Bach verlief hier durch ein trügerisches Stück Sumpfland, aus dessen wässrigem Schlamm sich Zypressen erhoben. Doch der Bach selbst wurde an der schmalen Stelle tiefer – das Lot, das eine neugierige Seele von der Brücke ins Wasser fallen ließ, zeigte hier vier Meter fünfzig an – und die Brücke war die einzige denkbare Stelle, an der ihn eine irgendwie geartete Armee überqueren konnte.

Was auch Jamies Schweigen beim Abendessen erklärte. Er hatte mitgeholfen, am anderen Ufer einen kleinen Erdwall zu errichten, und seine Hände waren mit Schmutz – und Fett – beschmiert.

»Sie haben Kanonen«, sagte er leise, als er sah, dass ich die Flecken auf seinen Händen betrachtete. Er wischte sie geistesabwesend an seiner sowieso schon ruinierten Hose ab. »Zwei kleine Kanonen aus dem Ort, aber trotz alledem Kanonen.«

Ich wusste, was er dachte – und warum.

Ihr habt in Culloden hinter den Kanonen gestanden, Donald, hatte er zu dem Major gesagt. *Ich bin auf sie zugelaufen. Mit einem Schwert in der Hand.* Schwerter waren die angeborene Waffe der Highlander – und für die meisten wahrscheinlich auch die einzige Waffe. Nach allem, was wir gehört hatten, hatte General MacDonald nur eine kleine Anzahl von Musketen und wenig Pulver zusammenbringen können; die meisten seiner Soldaten waren mit Breitschwertern und Tartschen bewaffnet. Und sie marschierten geradewegs in einen Hinterhalt.

»O Himmel«, murmelte Jamie so leise, dass ich ihn kaum hören konnte. »Die armen Narren. Die armen, tapferen, kleinen Narren.«

Die Situation verschlimmerte – oder verbesserte, je nach Standpunkt – sich noch, als es dämmerte. Die Temperaturen waren nach dem Eissturm gestiegen, doch der Boden war durchnässt; im Lauf des Tages stieg Feuchtigkeit daraus auf und kondensierte bei Anbruch der Nacht zu so dichtem Nebel, dass selbst die Lagerfeuer kaum noch zu sehen waren, die wie schwelende Kohlen im Nebel glühten.

Aufregung steckte die Miliz an wie ein von Moskitos übertragenes Fieber, als aufgrund der neuen Bedingungen neue Pläne geschmiedet wurden.

»Jetzt«, sagte Ian, der wie ein Geist neben Jamie aus dem Nebel auftauchte. »Caswell ist so weit.«

Unsere wenigen Vorräte waren bereits gepackt, und mit Gewehren, Pulver und Lebensmitteln beladen, stahlen sich achthundert Mann und eine unbekannte Zahl von Zivilpersonen wie ich selbst leise durch den Nebel auf die Brücke zu. Die Lagerfeuer ließen wir hinter uns brennen.

Ich war mir nicht ganz sicher, wo sich MacDonalds Truppen jetzt befanden – möglich, dass sie noch auf der Wagenstraße unterwegs waren oder dass sie vorsichtig davon abgewichen waren und sich jetzt dem Rand des Sumpfes näherten, um ihn auszukundschaften. In diesem Fall wünschte ich ihnen viel Glück. Auch ich war bis ins Innerste angespannt, als ich behutsam über die Brücke ging; es war unsinnig, auf Zehenspitzen zu gehen, doch es widerstrebte mir, die Füße fest aufzusetzen – der Nebel und die Stille schienen zur Heimlichkeit aufzurufen.

Ich stieß mit dem Zeh an eine unebene Planke und stolperte vorwärts, doch Roger, der neben mir ging, fasste mich am Arm und richtete mich auf. Ich drückte ihm den Arm, und er lächelte schwach, sein Gesicht im Nebel kaum sichtbar, obwohl er nicht mehr als dreißig Zentimeter von mir entfernt war.

Er wusste genauso gut wie Jamie und die anderen, was auf uns zukam. Dennoch spürte ich, dass er sehr aufgeregt war – und von Schrecken erfüllt. Es würde schließlich seine erste Schlacht werden.

Auf der anderen Seite verteilten wir uns, um auf dem Hügel oberhalb des halbkreisförmigen Erdwalls, den die Männer hundert Meter vom Bach entfernt aufgeworfen hatten, ein neues Lager aufzuschlagen. Ich kam so dicht an den Kanonen vorbei, dass ich ihre langen Nasen sehen konnte, die vorwitzig in den Nebel ragten: Mutter Covington und ihre Tochter, so nannten die Männer die beiden Kanonen – ich fragte mich müßig, welche wohl welche war und wer zum Teufel die richtige Mutter Covington gewesen sein könnte. Wahrscheinlich eine Respekt einflößende Lady – oder vielleicht ja die Betreiberin des örtlichen Bordells.

Brennholz war leicht zu finden; der Eissturm hatte auch vor den Kiefern am Bach nicht Halt gemacht. Allerdings war es verdammt feucht, und ich hatte nicht vor, eine Stunde mit einer Zunderbüchse auf den Knien zu verbringen. Zum Glück konnte in dieser Suppe ja niemand sehen, was ich tat, und so zog ich heimlich eine kleine Dose mit Briannas Streichhölzern aus meiner Tasche.

Während ich auf das Holz blies, hörte ich eine Reihe seltsamer, durchdringender Kreischgeräusche von der Brücke kommen und kniete mich aufrecht hin, um den Hügel hinunterzustarren. Ich konnte natürlich nichts sehen, begriff aber beinahe sofort, dass es das Geräusch nachgebender Nägel war, als die Planken ausgehebelt wurden – sie waren dabei, die Brücke zu demontieren.

Es schien eine Ewigkeit zu dauern, bis Jamie zu mir kam. Er wollte nichts essen, setzte sich aber an einen Baum und winkte mich zu sich. Ich setzte mich zwischen seine Knie und lehnte mich an ihn, dankbar für seine Wärme: Die Nacht war kalt, und die Feuchtigkeit kroch in jede Ritze und ließ das Knochenmark gefrieren.

»Sie werden doch wohl sehen, dass die Brücke nicht mehr da ist?«, sagte ich nach langem Schweigen, das von den tausend Geräuschen der Männer erfüllt war, die unter uns am Werk waren.

»Nicht, wenn der Nebel bis zum Morgen hält – und das wird er.« Jamie klang resigniert, doch er kam mir friedvoller vor als vorhin.

Wir saßen eine Weile still zusammen und sahen dem Spiel der Flammen im Nebel zu – ein gespenstischer Anblick, da das schimmernde Feuer mit dem Nebel zu verschmelzen schien, so dass sich die Flammen immer höher reckten, bevor sie in dem wirbelnden Weiß verschwanden.

»Glaubst du an Geister, Sassenach?«, fragte Jamie ganz plötzlich.

»Äh … schlicht und ergreifend, ja«, sagte ich. Er wusste, dass es so war, weil ich ihm von meiner Begegnung mit dem schwarz bemalten Indianer erzählt hatte. Ich wusste, dass er ebenfalls daran glaubte – er war Highlander. »Warum, hast du einen gesehen?

Er schüttelte den Kopf und schlang die Arme fester um mich.

»›Gesehen‹ würde ich nicht sagen«, sagte er nachdenklich. »Aber der Teufel soll mich holen, wenn er nicht hier ist.«

»Wer denn?«, sagte ich aufgeschreckt.

»Murtagh«, sagte er und überraschte mich noch mehr. Er setzte sich bequemer zurecht und ich schmiegte mich wieder an ihn. »Seit der Nebel aufgekommen ist, habe ich das merkwürdige Gefühl, dass er in meiner Nähe ist.«

»Wirklich?« Das war faszinierend, doch es erfüllte mich auch mit großer Beklommenheit. Murtagh, Jamies Patenonkel, war in Culloden gestorben und seitdem – soweit ich wusste – niemandem erschienen. Ich zweifelte nicht an seiner Präsenz – Murtagh hatte eine sehr starke, wenn auch etwas sauertöpfische Persönlichkeit besessen –, und wenn Jamie sagte, dass er hier war, war es wahrscheinlich auch so. Was mir Sorgen machte, war die Frage, *warum* er wohl hier sein mochte.

Ich konzentrierte mich eine Weile, konnte den schmächtigen Schotten aber selbst nicht spüren. Offenbar interessierte er sich nur für Jamie. *Das* machte mir Angst.

Der Ausgang der morgigen Schlacht stand zwar fest, doch Schlacht war Schlacht, und es konnte auch auf der Siegerseite Tote geben. Murtagh war Jamies Patenonkel gewesen und hatte seine Pflicht sehr ernst genommen. Ich hoffte sehr, dass ihm nicht zu Ohren gekommen war, dass Jamie im Begriff stand, sein Leben zu verlieren, und dass er nicht hier aufgetaucht war, um ihn in den Himmel zu begleiten. Visionen am Vorabend der Schlacht waren fester Bestandteil der Highland-Folklore, aber Jamie hatte nichts davon gesagt, dass er Murtagh *gesehen* hatte. Das war immerhin etwas, dachte ich.

»Er, ähm, hat aber nichts zu dir gesagt, oder?«

Jamie schüttelte den Kopf. Ihn schien der Geisterbesuch nicht nervös zu machen.

»Nein, er ist einfach nur … da.« Er schien dieses »Da-Sein« sogar als tröstend zu empfinden, daher sprach ich meine Zweifel und Ängste nicht aus. Doch ich verspürte sie trotzdem und verbrachte den Rest der kurzen Nacht dicht an meinen Mann gedrückt, wie um Murtagh oder wen auch immer zu warnen, ihn mir ja nicht wegzunehmen.

113

Die Geister von Culloden

Als es dämmerte, stand Roger neben seinem Schwiegervater hinter dem niedrigen Erdwall, die Muskete in der Hand, und blinzelte angestrengt in den Nebel. Die Geräusche einer Armee drangen deutlich zu ihm; Töne leitete der Nebel gut. Das gemessene Stampfen der Füße, obwohl sie nicht annähernd im Gleichschritt gingen. Metallklirren und Stoffrascheln. Stimmen – die Rufe der Offiziere, dachte er, die begannen, ihre Truppen zu ordnen.

Inzwischen mussten sie die verlassenen Lagerfeuer gefunden haben; sie würden wissen, dass der Feind jetzt am anderen Ufer lag.

Kräftiger Talggeruch lag in der Luft; Alexander Lillingtons Männer hatten die Längsbalken geschmiert, nachdem sie die Planken entfernt hatten. Er hatte den Eindruck, seine Schusswaffe jetzt schon seit Stunden festzuhalten, und doch war das Metall nach wie vor kalt in seiner Hand – seine Finger waren steif.

»Hörst du, was sie rufen?« Jamie wies kopfnickend auf den Nebel, der das andere Ufer verhüllte. Der Wind hatte sich gedreht; es kamen nur zusammenhanglose gälische Satzfetzen von jenseits der Zypressenstämme, und er verstand sie nicht. Jamie schon.

»Wer auch immer sie anführt – der Stimme nach glaube ich, dass es McLeod ist –, will den Bach im Sturm nehmen«, sagte er.

»Aber das ist glatter Selbstmord«, sagte Roger. »Sie müssen es wissen – es hat doch sicher jemand die Brücke gesehen?«

»Sie sind Highlander«, erwiderte Jamie leise, den Blick auf den Ladestock gerichtet, den er gerade hervorzog. »Sie werden dem Mann folgen, dem sie die Treue schwören, auch wenn er sie in den Tod führt.«

Ian stand in der Nähe; er warf einen raschen Blick in Rogers Richtung, dann hinter sich, wo sich Kenny und Murdo Lindsay mit Ronnie Sinclair und den McGillivrays befanden. Sie standen beiläufig beisammen, doch jede Hand lag an einer Muskete oder einem Gewehr, und ihre Augen huschten alle paar Sekunden zu Jamie hinüber.

Sie waren an diesem Ufer zu Oberst Lillingtons Männern gestoßen; Lillington schritt zwischen den Männern hin und her und ließ den Blick auf und ab huschen, um ihre Kampfbereitschaft einzuschätzen.

Bei Jamies Anblick blieb Lillington abrupt stehen, und Roger verspürte ein dumpfes Gefühl in der Magengegend. Randall Lillington war ein naher Verwandter des Obersts gewesen.

Alexander Lillington war kein Mann, der seine Gedanken geheim halten konnte; ganz offensichtlich war ihm klar, dass seine eigenen Männer fünfzehn Meter weiter standen und sich Jamies Männer zwischen ihm und ihnen befanden. Sein Blick huschte in den Nebel hinüber, wo Donald McLeods Rufe vom anschwellenden Gebrüll seiner Highlander beantwortet wurden, dann wieder zu Jamie.

»Was sagt er?«, wollte Lillington wissen. Er stellte sich auf die Zehenspitzen und spähte stirnrunzelnd zum anderen Ufer, als würde ihm seine Konzentration die Bedeutung der Worte erschließen.

»Er sagt zu ihnen, dass ihr Mut ihnen zum Sieg verhelfen wird.« Jamie blickte zum Kamm der Anhöhe in ihrem Rücken hinüber. Mutter Covingtons lange schwarze Nase war im Nebel gerade eben zu sehen. *»Wäre es doch so«*, fügte er leise auf Gälisch hinzu.

Alexander Lillington streckte plötzlich die Hand aus und packte Jamie am Handgelenk.

»Und Ihr, Sir?«, fragte er mit offenem Argwohn in Blick und Stimme. »Seid Ihr nicht auch Highlander?«

Lillingtons andere Hand ruhte auf der Pistole in seinem Gürtel. Roger spürte, wie die Männer hinter ihm ihre beiläufigen Gespräche einstellten, und sah sich um. Jamies Männer beobachteten das Geschehen mit großer Neugier, aber nicht besonders alarmiert. Offenbar hatten sie das Gefühl, dass Jamie selbst mit Lillington zurechtkommen konnte.

»Ich frage Euch, Sir – wem gilt Eure Loyalität?«

»Wo stehe ich denn, Sir?«, sagte Jamie ausgesucht höflich. »Auf dieser Seite des Bachs oder auf der anderen?«

Ein paar der Männer grinsten bei diesen Worten, verkniffen sich aber das Lachen; die Frage der Loyalität war immer noch ein wunder Punkt, den keiner unnötig ansprach.

Lillingtons Griff um Jamies Handgelenk lockerte sich, doch er ließ ihn noch nicht los, auch wenn er Jamies Worte mit einem Kopfnicken zur Kenntnis nahm.

»Schön und gut. Aber woher sollen wir wissen, dass Ihr nicht vorhabt, uns im Kampf in den Rücken zu fallen. Denn Ihr *seid* doch Highlander, oder nicht? Und Eure Männer?«

»Ich bin Highlander«, sagte Jamie mit trostloser Stimme. Er blickte noch einmal zum anderen Ufer, wo hier und da ein Stück Tartan im Nebel zu sehen war, und wieder zurück. Die Rufe hallten im Nebel wider. »Und meine Kinder sind Amerikaner.«

Er entzog Lillington seine Hand, hob sein Gewehr und stellte es auf den Kolben. »Und Ihr könnt Euch gern hinter mich stellen und mir Euer Schwert ins Herz stoßen, wenn ich danebenschieße.«

Mit diesen Worten kehrte er Lillington den Rücken zu und lud mit großer Präzision sein Gewehr.

Eine Stimme brüllte durch den Nebel, und hundert andere Kehlen wiederholten ihren Ruf auf Gälisch. *»UNSER SCHWERT FÜR KÖNIG GEORGE!«*

Die letzte Highlandattacke hatte begonnen.

Sie kamen etwa dreißig Meter von der Brücke entfernt mit Geheul aus dem Nebel gestürzt, und sein Herz zuckte in seiner Brust zusammen. Eine Sekunde – nur eine Sekunde – hatte er das Gefühl, mit ihnen zu rennen, und der Wind der Bewegung verfing sich knatternd in seinem Hemd, das ihm kalt am Körper hing. Doch er stand stocksteif da, Murtagh als zynischen Zuschauer an seiner Seite. Roger Mac hustete, und Jamie hob das Gewehr an seine Schulter und wartete.

»Feuer!« Die Salve traf sie, kurz bevor sie die demontierte Brücke erreichten; ein halbes Dutzend fiel auf der Straße, doch die anderen liefen weiter. Dann gaben die Kanonen auf dem Hügel Feuer, erst die eine, dann die andere, und die Erschütterungen fühlten sich an wie ein Stoß gegen seinen Rücken.

Er hatte mit der Salve geschossen, aber über ihre Köpfe hinweggezielt. Jetzt schwang er sich das Gewehr von der Schulter und zog den Ladestock. Auf beiden Seiten erschollen Schreie; das Kreischen der Verwundeten und das kraftvollere Kampfgebrüll.

»A rìgh! A rìgh!« Für den König! Für den König!

McLeod hatte die Brücke erreicht; er war getroffen, er hatte Blut an seinem Rock, doch er schwang Schwert und Tartsche und rannte auf die Brücke. Um sich zu stützen, stieß er sein Schwert in das Holz.

Die Kanonen sprachen erneut, zielten aber zu hoch; die meisten der Highlander waren ans Bachufer geschwärmt – einige waren im Wasser und hangelten sich an den Brückenpfosten hinüber. Andere liefen rutschend über die Längsbalken und setzten die Schwerter ein wie McLeod, um das Gleichgewicht zu behalten.

»Feuer!« Er feuerte, und der Pulverdampf vermischte sich mit dem Nebel. Die Kanonen waren neu eingerichtet, sie feuerten, eins, zwei, und er spürte die Wucht der Detonationen, fühlte sich, als seien die Kugeln durch ihn hindurchgegangen. Die meisten der Männer auf der Brücke waren jetzt im Wasser, andere hatten sich flach auf die Längsbalken gelegt und versuchten, hinüberzurobben, nur um dann in Schussweite der Musketen zu geraten, die die Männer hinter dem Erdwall abfeuerten.

Er lud und feuerte.

Da ist er ja, sagte eine leidenschaftslose Stimme; er hatte keine Ahnung, ob es seine eigene war oder Murtaghs.

McLeod war tot, sein Körper trieb einen Moment im Bach, bevor ihn das schwarze Wasser in die Tiefe zog. Viele Männer kämpften in diesem Wasser um ihr Leben – der Bach war tief und furchtbar kalt. Nur wenige Highlander konnten schwimmen.

Er erblickte Allan MacDonald, Floras Mann, der bleich und mit starrem Blick in der Menge am Ufer stand.

Major Donald MacDonald hob sich halb aus dem Wasser und ruderte mit den Armen. Seine Perücke war fort, und sein entblößter Kopf war verletzt; das Blut lief ihm vom Schädel über das Gesicht. Er zeigte die Zähne, doch es war nicht zu sagen, ob er sie vor Schmerz oder Wut zusammenbiss. Wieder traf ihn ein Schuss, und er versank klatschend – tauchte aber wieder auf, langsam, langsam, und dann kippte er vornüber in das Wasser, das zu tief war, um darin zu stehen, erhob sich aber noch einmal mit hektischen Bewegungen, und sein zerschmetterter Mund, der sich zu atmen mühte, verspritzte Blut.

Dann tu du es, Junge, sagte die leidenschaftslose Stimme. Er hob sein Gewehr und schoss MacDonald sauber durch die Kehle. Er fiel auf der Stelle hintenüber und versank.

Innerhalb weniger Minuten war es vorbei; der Nebel war mit Pulverrauch versetzt, der schwarze Bach verstopft mit Toten und Sterbenden.

»Unser Schwert für König George, wie?«, sagte Caswell, der einen trostlosen Blick auf das Bild der Verwüstung warf. »Schwerter gegen Kanonen. Arme Teufel.«

Auf der anderen Seite herrschte völliges Chaos. Wer nicht an der Brücke gefallen war, war auf der Flucht. Schon trugen die Männer auf seiner Seite die Planken ans Ufer, um die Brücke zu reparieren. Die Flüchtenden würden nicht weit kommen.

Er sollte auch gehen, seine Männer zusammenrufen, um bei der Verfolgung zu helfen. Doch er stand da, wie in Stein verwandelt, und der Wind sang kalt in seinen Ohren.

Jack Randall stand still. Er hatte das Schwert in der Hand, machte aber keine Anstalten, es zu heben. Stand einfach nur da, dieses seltsame Lächeln auf den Lippen, und sein dunkler Blick brannte sich in Jamies Augen hinein.

Hätte er sich doch von diesem Blick losreißen können… Doch er konnte es nicht, und so erspähte er auch die verschwommene Bewegung hinter Randall. Murtagh rannte auf ihn zu, hüpfte über die Grasbüschel wie ein Schaf. Und das Aufglitzern der Klinge seines Patenonkels – hatte er das gesehen, oder hatte er es sich nur eingebildet? Es spielte keine Rolle; Murtaghs angewinkelter Arm hatte keinen Zweifel gelassen, und er konnte den mörderischen Stoß in den Rücken des Hauptmanns schon vor sich sehen.

Doch Randall fuhr herum, vielleicht gewarnt durch eine Veränderung in seinen Augen, durch Murtaghs schluchzenden Atem – oder einfach durch den Instinkt des Soldaten. Zu spät, um dem Stoß ganz auszuweichen, aber rechtzeitig, um zu verhindern, dass er sein tödliches Ziel in seiner Niere fand. Randall hatte aufgestöhnt, als er getroffen wurde – Himmel, er konnte es jetzt noch hören – und war mit einem Ruck zur Seite gestolpert, doch im Fallen hatte er Murtaghs Handgelenk gepackt und ihn in einem Tropfenregen aus den Ginsterbüschen zu Boden gerissen.

Sie waren ineinander verschlungen in eine Mulde gerollt, und er hatte sich in das hartnäckige Gebüsch gestürzt, um ihnen zu folgen, irgendeine Waffe – was, was war es gewesen? – in der Faust.

Doch seine Haut erinnerte sich nicht; er spürte das Gewicht der Waffe in der Hand, konnte aber nicht ausmachen, ob es ein Knauf oder ein Abzug war, und dann war es wieder fort.

Was blieb, war das eine Bild; Murtagh. Murtagh, der mit zusammengebissenen, entblößten Zähnen zuhieb. Murtagh, der angerannt kam, um ihn zu retten.

Langsam kam ihm wieder zu Bewusstsein, wo er war. Er hatte eine Hand auf dem Arm liegen – Roger Mac, totenbleich, aber standhaft.

»Ich sehe nach ihnen«, sagte Roger Mac mit einem kurzen Kopfnicken in Richtung des Bachs. »Kommst du zurecht?«

»Aye, natürlich«, sagte er, allerdings mit dem Gefühl, das er so oft hatte, wenn er aus einem Traum erwachte – als sei er nicht ganz real.

Roger Mac nickte und wandte sich zum Gehen. Dann drehte er sich plötzlich zurück, legte Jamie noch einmal die Hand auf den Arm, und ganz leise sagte er: »*Ego te absolvo.*« Dann wandte er sich wieder ab und schritt resolut zum Ufer, um sich um die Sterbenden zu kümmern und die Toten zu segnen.

ZWÖLFTER TEIL

Wir haben nicht für immer Zeit

114

Amanda

Aus dem *L'Oignon – Intelligencer,* 15. Mai 1776

Unabhängigkeit!!!

Infolge des famosen Siegs an der Moore's Creek Bridge hat der Vierte Provinzialkongress von North Carolina dafür gestimmt, die Resolution von Halifax zu verabschieden. Darin werden die Delegierten für den Kontinentalkongress autorisiert, gemeinsam mit den Delegierten der anderen Kolonien die Unabhängigkeit zu erklären und Allianzen mit anderen Ländern zu schließen, während dieser Kolonie das alleinige und ausschließliche Recht vorbehalten bleibt, eine Verfassung und Gesetze für diese Kolonie festzulegen. Mit der Verabschiedung der Resolution von Halifax wird North Carolina somit zur ersten Kolonie, die sich offiziell als unabhängig betrachtet.

Das erste Schiff

einer von Sir Peter Parker befehligten Flotte hat am achtzehnten April die Mündung des Cape Fear River erreicht. Die Flotte besteht aus insgesamt neun Schiffen, und laut Gouverneur Josiah Martin befördert sie britische Truppen in die Kolonie, zum Zwecke der Befriedung und Einigung derselben.

Gestohlen:

Güter im Wert von insgesamt sechsundzwanzig Pfund und vier Pence, entwendet aus Mr. Neil Forbes' Lagerhaus an der Water Street. Die Diebe haben in der Nacht des zwölften Mai ein Loch in die Rückwand des Lagerhauses gebrochen und die Güter mit einem Wagen abtransportiert. Zwei Männer, ein Weißer und ein Schwarzer, wurden dabei beobachtet, wie sie mit einem Gespann brauner Maultiere davonfuhren. Jede Auskunft über dieses gemeine Verbrechen wird großzügig belohnt. Bitte an W. Jones im Gull and Oyster am Marktplatz wenden.

Eine Geburt

melden Hauptmann Roger MacKenzie aus Fraser's Ridge und seine Frau – ein Mädchen, am einundzwanzigsten April. Mutter und Kind sind bei guter Gesundheit, der Name des Kindes wird mit Amanda Claire Hope MacKenzie angegeben.

Roger hatte noch nie solche Angst gehabt wie in dem Moment, als man ihm seine neu geborene Tochter das erste Mal in die Arme legte. Sie war gerade ein paar Minuten alt, ihre Haut war so zart und so perfekt wie die einer Orchidee, und sie war so zerbrechlich, dass er befürchtete, Fingerabdrücke auf ihr zu hinterlassen – und so unwiderstehlich, dass er sie einfach berühren musste. Er fuhr ihr mit der Oberseite seines Fingers sanft, ganz sanft über die wunderschöne, kleine runde Wange und strich ungläubig mit dem Zeigefinger über das schwarze Spinnengewebe ihrer Haare.

»Sie sieht aus wie du.« Brianna lehnte verschwitzt, zerzaust, mit unbewohntem Bauch – und so wunderschön, dass er ihren Anblick kaum ertragen konnte – in den Kissen und grinste wie eine Cheshirekatze, ein Grinsen, das nie ganz verschwand, obwohl es die Müdigkeit hin und wieder verwischte.

»Wirklich?« Er betrachtete das winzige Gesicht absolut hingerissen. Nicht, um nach Spuren seiner selbst zu suchen, sondern weil er den Blick nicht von ihr abwenden konnte.

Er kannte sie ja schon sehr gut, weil er monatelang immer wieder von ihren Tritten oder Boxhieben geweckt worden war, oder zugesehen hatte, wie sich Briannas Bauch hob und senkte, oder weil er spürte, wie sich das Baby unter seinen Händen vorschob und wieder zurückzog, während er hinter seiner Frau lag, ihren Bauch umfasste und dabei Witze machte.

Aber für ihn war sie Klein-Otto gewesen, so nannte er das ungeborene Kind insgeheim. Otto hatte seine ganz eigene Persönlichkeit – und einen Moment lang spürte er einen lächerlichen Stich des Verlustes, als er begriff, dass es Otto nicht mehr gab. Dieses winzige, zarte Wesen war jemand völlig Neues.

»Meinst du, sie ist Marjorie?« Brianna blinzelte das Bündel an, das in eine Decke gewickelt war. Monatelang hatten sie über Namen diskutiert, sich über die Vorschläge des anderen lustig gemacht, lächerliche Vorschläge wie Montgomery oder Agatha gemacht. Am Ende hatten sie vorläufig beschlossen, dass es Michael heißen würde, wenn es ein Junge war; wenn es ein Mädchen war, Marjorie nach Rogers Mutter.

Seine Tochter öffnete ganz plötzlich die Augen und sah ihn an. Ihre Augen standen schräg; er fragte sich, ob das wohl so bleiben würde – wie bei ihrer Mutter? Eine Art sanftes Mittelblau wie der Himmel am Vormittag – auf den ersten Blick nichts Besonderes, doch wenn man direkt hineinsah … grenzenlose Weite.

»Nein«, sagte er leise und starrte unverwandt in diese Augen. Konnte sie ihn schon sehen?, fragte er sich.

»Nein«, sagte er noch einmal. »Ihr Name ist Amanda.«

Anfangs hatte ich nichts gesagt. Es war nichts Ungewöhnliches bei Neugeborenen – vor allem, wenn sie etwas zu früh auf die Welt kamen wie Amanda –, kein Grund zur Sorge.

Der Ductus arteriosus ist ein kleines Blutgefäß, das beim Embryo die Aorta mit der Pulmonalarterie verbindet. Natürlich hat ein Baby Lungen, doch vor der Geburt benutzt es sie nicht; der Sauerstoff kommt durch die Nabelschnur aus der Plazenta. Daher müssen die Lungen nur durchblutet werden, um das entstehende Gewebe zu ernähren – und der Ductus arteriosus umgeht den Lungenkreislauf.

Bei der Geburt holt das Baby zum ersten Mal Luft, und Sauerstoffsensoren in diesem kleinen Gefäß bringen es dazu, sich zusammenzuziehen – und sich für ewig zu schließen. Wenn es geschlossen ist, fließt das Blut vom Herzen in die Lungen, wo es Sauerstoff aufnimmt und dann zurückkommt, um in den restlichen Körper gepumpt zu werden. Ein cleveres, elegantes System – nur funktioniert es manchmal nicht richtig.

Der Ductus arteriosus schließt sich nicht immer. In diesem Fall fließt natürlich immer noch Blut in die Lungen – aber die Umgehung bleibt ebenfalls. In etlichen Fällen läuft zu viel Blut in die Lungen und sammelt sich dort. Die Lungen schwellen an, verstopfen, und die Sauerstoffversorgung des Körpers wird problematisch – ab und zu ganz akut.

Ich ließ mein Stethoskop über die winzige Brust wandern, presste mein Ohr fest darauf und lauschte gebannt. Es war mein bestes Stethoskop, ein Modell aus dem neunzehnten Jahrhundert, das man Pinard nannte – am einen Ende hatte es eine Glocke mit einer flachen Scheibe, an die ich mein Ohr drückte. Ich hatte eines aus Holz, dieses hier war aus Zinn; Brianna hatte es für mich gegossen.

Allerdings war das Murmeln so deutlich zu hören, dass ich das Gefühl hatte, eigentlich gar kein Stethoskop zu brauchen. Kein Klicken oder falscher Schlag, keine zu lange Pause, kein Zischen wie aus einem Leck – ein Herz konnte eine ganze Reihe ungewöhnlicher Geräusche machen, und es abzuhören war stets der erste Schritt der Diagnose. Defekte des Vorhofs oder des Ventralnervs, Fehlbildungen der Herzklappen – sie alle haben ihr eigenes Murmeln, manchmal zwischen den Schlägen, manchmal unter die Herzgeräusche gemischt.

Wenn sich der Ductus arteriosus nicht schließt, sagt man, er persistiert. Einen persistierenden Ductus arteriosus erkennt man an einem konstanten Rauschen, schwach, aber mit etwas Konzentration gut zu hören, vor allem in der supraklavikulären Gegend und am Hals.

Zum hundertsten Mal in zwei Tagen beugte ich mich dicht über das Baby, das Ohr fest an das Stethoskop gepresst, während ich damit über Amandas Brust und Hals wanderte und auf das Unwahrscheinliche hoffte, nämlich, dass das Geräusch verschwunden sein würde.

Es war noch da.

»Dreh dein Köpfchen, Schatz, ja, so ist es gut…«, hauchte ich und wandte ihren Kopf vorsichtig von mir ab. Es war schwierig, das Stethoskop in die Nähe ihres Kugelköpfchens zu bringen… da! Amanda stieß ein kleines Geräusch aus, das wie ein Kichern klang. Ich drehte ihren Kopf in die andere Richtung – das Geräusch ließ nach.

»Oh, verflixt«, murmelte ich sehr leise, um ihr keine Angst zu machen. Ich legte das Stethoskop hin und hob sie auf, um sie mir an die Schulter zu legen. Wir waren allein; Brianna war nach oben in mein Zimmer gegangen, um ein Nickerchen zu machen, und alle anderen waren unterwegs.

Ich trug sie zum Sprechzimmerfenster und schaute hinaus; es war ein herrlicher Frühlingstag in den Bergen. Die Zaunkönige nisteten wieder unter den Traufen; ich konnte über mir hören, wie sie mit Hölzchen raschelten und sich mit leisem, klarem Zirpen unterhielten.

»Vögelchen«, sagte ich und hielt meine Lippen dicht an die filigrane Muschel ihres Ohrs. »Ganz schön lautes Vögelchen.« Sie wand sich träge und antwortete mir mit einem Furz.

»Nun gut«, sagte ich und musste trotz allem lächeln. Ich hielt sie ein wenig von mir weg, so dass ich ihr ins Gesicht sehen konnte – wunderschön und perfekt, aber nicht mehr so wohlgenährt, wie es vor einer Woche bei ihrer Geburt gewesen war.

Ich sagte mir, dass es völlig normal war, wenn ein Neugeborenes anfangs ein wenig Gewicht verlor. So war es auch.

Manchmal gibt es für diese Art von Herzfehler, den persistierenden Ductus arteriosus, keine anderen Symptome als dieses merkwürdige, konstante Murmeln. Manchmal aber schon. Ein schwerer Fall raubt dem Kind den dringend benötigten Sauerstoff; Hauptsymptome sind Atemprobleme – Keuchen, hastige, flache Atmung, ungesunde Hautfarbe – und schlechtes Gedeihen, weil das ständige Ringen um genug Sauerstoff zu viel Energie verbraucht.

»Lass Oma noch einmal horchen«, sagte ich und legte sie auf den Quilt, den ich über den Sprechzimmertisch gebreitet hatte. Sie gurgelte und strampelte, als ich das Stethoskop ergriff und es ihr noch einmal auf die Brust setzte und dann weiter wanderte, über Hals, Schulter, Arm…

»Oh, Himmel«, flüsterte ich und schloss die Augen. »Bitte lass es nicht schlimm sein.« Doch das Murmeln schien lauter zu werden und meine Gebete zu übertönen.

Als ich die Augen öffnete, sah ich Brianna in der Tür stehen.

»Ich wusste, dass *irgendetwas* nicht stimmt«, sagte sie standhaft, während sie Mandy den Hintern mit einem feuchten Tuch abwischte, bevor sie sie frisch wickelte. »Sie trinkt nicht so, wie Jemmy es getan hat. Sie verhält sich so, als hätte sie Hunger, aber dann trinkt sie nur ein paar Minuten und schläft ein. Ein paar Minuten später wird sie dann wieder wach und quengelt.«

Sie setzte sich hin und bot Mandy die Brust an, als wollte sie mir das Problem demonstrieren. Und wirklich, das Baby saugte sich fest, als wäre es dem Verhungern nah. Während es trank, ergriff ich eins seiner Fäustchen und faltete ihre Finger auseinander. Die kleinen Nägel waren schwach blau unterlaufen.

»Also«, sagte Brianna, »und was jetzt?«

»Ich weiß es nicht.« So lautete die Antwort, ehrlich gesagt, in den meisten Fällen – doch sie war natürlich unbefriedigend, und jetzt erst recht. »Manchmal gibt es gar keine Symptome oder nur sehr schwache«, versuchte ich, sie zu beruhigen. »Wenn die Öffnung sehr groß ist und man Atemsymptome hat – und die haben wir –, dann… ist es möglich, dass ihr nichts passiert, dass sie nur deshalb nicht richtig gedeiht, weil sie so wenig trinkt. Oder –«, ich holte tief Luft, um mich zusammenzunehmen, »– sie könnte einen Herzfehler entwickeln. Oder pulmonare Hypertension – das ist sehr hoher Blutdruck in den Lungen –«

»Ich weiß, was das ist«, sagte Brianna angespannt. »Oder?«

»Oder entzündliche Endokarditis. Oder – auch nicht.«

»Wird sie sterben?«, fragte sie geradeheraus und blickte zu mir auf. Sie hatte die Zähne zusammengebissen, aber ich sah, wie sie Amanda dichter an sich drückte, während sie auf meine Antwort wartete. Ich musste ihr die Wahrheit sagen.

»Wahrscheinlich.« Das Wort hing brutal zwischen uns in der Luft.

»Ich kann es nicht mit Gewissheit sagen, aber –«

»Wahrscheinlich«, wiederholte Brianna, und ich wandte mich kopfnickend ab, weil ich ihr nicht ins Gesicht sehen konnte. Ohne moderne Hilfsmittel wie zum Beispiel ein Echokardiogramm konnte ich das Ausmaß des Problems nicht einschätzen. Aber ich verfügte nicht nur über die Beweise, die ich gehört und gesehen hatte, sondern hatte auch gespürt, wie es von ihrer Haut auf die meine übersprang – dieses Gefühl, dass etwas nicht stimmte, diese gespenstische Gewissheit, die einen hin und wieder beschleicht.

»Kannst du es in Ordnung bringen?« Ich hörte das Zittern in Briannas Stimme und trat auf der Stelle zu ihr, um sie in den Arm zu nehmen. Sie hatte den Kopf über Amanda gebeugt, und ich sah ihre Tränen fallen, erst eine, dann noch eine, verdunkelten sie die gelockten Strähnchen auf dem Kopf des Babys.

»Nein«, flüsterte ich und hielt sie beide fest. Verzweiflung überflutete mich, doch ich nahm sie noch fester in den Arm, als könnte ich die Zeit und das Blut aufhalten. »Nein, das kann ich nicht.«

»Nun, dann bleibt uns nichts anderes übrig, oder?« Roger verspürte eine übernatürliche Ruhe, die er zwar als die künstliche Ruhe erkannte, die ein Schocksymptom ist, an die er sich aber gern so lange wie möglich klammern wollte. »Du musst gehen.«

Brianna warf ihm einen Blick zu, antwortete aber nicht. Ihre Hand wanderte über das Baby hinweg, das auf ihrem Schoß schlief, und strich wieder und wieder die Wolldecke glatt.

Claire hatte ihm alles erklärt, mehr als einmal, geduldig, weil sie sah, dass er es nicht fassen konnte. Er glaubte es immer noch nicht – doch der Anblick dieser winzigen Fingernägel, die sich blau färbten, während sich Amanda zu trinken bemühte, hatten sich in ihn gebohrt wie die Krallen einer Eule.

Es war, hatte sie gesagt, eine einfache Operation – in einem modernen Operationssaal.

»Und du …?«, hatte er mit einer vagen Geste in Richtung ihres Sprechzimmers gefragt. »Mit dem Äther?«

Sie hatte die Augen geschlossen und den Kopf geschüttelt. Sie sah fast genauso krank aus, wie er sich fühlte.

»Nein. Ich kann einfache Operationen durchführen – Leistenbrüche, Blinddärme, Mandeln – und selbst das ist immer ein Risiko. Aber etwas so Kompliziertes an so einem kleinen Körper … nein«, wiederholte sie, und er sah die Resignation in ihren Augen, als sie ihn ansah. »Nein. Wenn sie überleben soll – müsst ihr mit ihr zurück.«

Und so hatten sie angefangen, über das Undenkbare zu sprechen. Denn es gab noch andere Entscheidungen zu fällen. Doch die grundlegende Tatsache stand fest. Amanda musste durch die Steine gehen – wenn sie es konnte.

Jamie Fraser nahm den Rubinring seines Vaters und hielt ihn seiner Enkeltochter über das Gesicht. Amandas Blick richtete sich sofort darauf, und sie streckte neugierig die Zunge heraus. Trotz seines schweren Herzens lächelte er und senkte den Ring, so dass sie ihn anfassen konnte.

»Jedenfalls gefällt er ihr«, sagte er und nahm ihr den Ring geschickt wieder ab, bevor sie ihn in den Mund stecken konnte. »Lass uns den anderen ausprobieren.«

Der andere war Claires Amulett – der kleine, abgenutzte Lederbeutel, den ihr eine weise Indianerfrau vor Jahren geschenkt hatte. Er enthielt jede Menge Krimskrams, Kräuter, so, glaubte er, und Federn, vielleicht die winzigen Knochen einer Fledermaus. Doch darunter befand sich auch ein Stein – der nach nicht viel aussah, aber ein echter Edelstein war, ein Rohsaphir.

Amanda verdrehte sofort den Kopf; der Beutel schien sie mehr zu interessieren als zuvor der glitzernde Ring. Sie gurgelte und schlug wild mit beiden Händen, um ihn zu fassen zu bekommen.

Brianna holte tief und halb erstickt Luft.

»Vielleicht«, sagte sie im Tonfall eines Menschen, der genauso viel Angst wie Hoffnung empfindet. »Aber wir können es nicht mit Sicherheit sagen. Was, wenn ich – sie mitnehme, und ich komme durch, aber sie kann es nicht?«

Sie sahen einander schweigend an, während sie sich diese Möglichkeit ausmalten.

»Du würdest zurückkommen«, sagte Roger schroff und legte Brianna die Hand auf die Schulter. »Du würdest sofort zurückkommen.«

Die Anspannung ihres Körpers ließ bei seiner Berührung ein wenig nach. »Ich würde es versuchen«, sagte sie und lächelte bemüht.

Jamie räusperte sich.

»Ist Jemmy hier?«

Natürlich war er da; zurzeit entfernte er sich nie sehr weit von Brianna, weil er zu spüren schien, dass etwas nicht stimmte. Wir holten ihn aus Jamies Studierzimmer, wo er buchstabierend in einem Buch las, das –

»Himmel, Arsch und Zwirn!«, entfuhr es seiner Großmutter, und sie entriss ihm das Buch. »Jamie! Wie *konntest* du nur?«

Jamie spürte, wie er rot wurde. Wie konnte er, in der Tat? Er hatte das zerfledderte Exemplar von *Fanny Hill* eingetauscht, Teil eines ganzen Paketes mit gebrauchten Büchern, die er von einem Kesselflicker hatte. Er hatte sich die Bücher nicht angesehen, bevor er sie gekauft hatte, und als er dann dazu gekommen war … nun, es widersprach seinem Instinkt, ein Buch fortzuwerfen – ganz gleich, was für ein Buch.

»Was heißt P-H-A-L-L-U-S?«, fragte Jemmy seinen Vater.

»Es ist ein anderes Wort für Schwanz«, sagte Roger knapp. »Benutze es ja nicht. Hör zu – kannst du etwas hören, wenn du dein Ohr an diesen Stein hältst?« Er zeigte auf Jamies Ring, der auf dem Tisch lag. Jemmys Gesicht erhellte sich, als er ihn sah.

»Klar«, sagte er.

»Was, von da aus?«, fragte Brianna ungläubig. Jem blickte sich im Kreis seiner Eltern und Großeltern um, überrascht über ihr Interesse. »Klar«, wiederholte er. »Er singt.«

»Meinst du, die kleine Mandy kann ihn auch singen hören?«, hakte Jamie vorsichtig nach. Sein Herz schlug heftig, solche Angst hatte er vor beiden möglichen Antworten.

Jemmy hob den Ring auf, beugte sich über Mandys Korb und hielt ihn ihr direkt über das Gesicht. Sie strampelte energisch und krähte – ob allerdings wegen des Steins oder nur, weil sie ihren Bruder sah …

»Sie kann ihn hören«, sagte Jem und lächelte seiner Schwester ins Gesicht.

»Woher weißt du das?«, fragte Claire neugierig. Jem blinzelte überrascht zu ihr auf.

»Das sagt sie doch.«

Nichts war entschieden. Und doch war gleichzeitig alles entschieden. Ich hatte keinen Zweifel an dem, was meine Ohren und Finger mir sagten – Amandas Zustand verschlechterte sich allmählich. Ganz allmählich – möglich, dass es ein Jahr dauerte oder zwei, bis sich der Schaden wirklich zu zeigen begann –, doch es war unausweichlich.

Vielleicht hatte Jem Recht, vielleicht auch nicht. Aber wir mussten bei unserer Planung davon ausgehen, dass er Recht hatte.

Es gab Auseinandersetzungen, Diskussionen – Tränen. Noch keine Entscheidung, wer die Reise durch die Steine wagen sollte. Brianna und Amanda mussten gehen; das stand fest. Aber sollte Roger mitgehen? Oder Jemmy?

»Ich lasse dich nicht ohne mich gehen«, sagte Roger mit zusammengebissenen Zähnen.

»Ich *will* auch gar nicht ohne dich gehen«, rief Brianna verzweifelt. »Aber wie können wir Jemmy hier zurücklassen? Und wie können wir ihn dazu bringen zu gehen? Ein Baby – wir glauben, dass das funktionieren kann, weil es die Legenden sagen, aber Jem – wie soll er es schaffen? Wir können doch nicht riskieren, dass er ums Leben kommt!«

Ich blickte die Steine auf dem Tisch an – Jamies Ring, meinen Beutel mit dem Saphir.

»Ich glaube«, sagte ich vorsichtig, »dass wir noch zwei Steine auftreiben müssen. Nur vorsichtshalber.«

Und so verließen wir Ende Juni den Berg und landeten mitten im Chaos.

115

Finger aus der Nase!

4. Juli 1776

Es war stickig und heiß in dem Gasthauszimmer, aber ich konnte nicht hinaus; die kleine Amanda hatte sich endlich in den Schlaf geweint – sie hatte einen Ausschlag am Po, das arme Mädchen – und lag zusammengerollt in ihrem Korb, das Däumchen im Mund und die Stirn gerunzelt.

Ich entfaltete das Moskitonetz aus Gaze und drapierte es sorgfältig über dem Korb, dann öffnete ich das Fenster. Draußen war die Luft ebenfalls heiß, aber sie war frisch, und sie bewegte sich. Ich zog meine Haube aus – wenn ich sie nicht trug, krallte Mandy für ihr Leben gern beide Hände in mein Haar und riss daran; für ein Kind mit einem Herzfehler hatte sie erstaunliche Kraft. Zum millionsten Mal fragte ich mich, ob ich mich geirrt haben könnte.

Doch ich irrte nicht. Sie schlief jetzt, und die Farbe ihrer Wangen war das zarte Rosa eines gesunden Babys; wenn sie wach war und strampelte, verblasste diese sanfte Röte, und hin und wieder nahmen ihre Lippen und ihre winzigen Nagelbetten eine nicht minder schöne, aber gespenstische Blaufärbung an. Sie war zwar lebhaft – aber sehr klein. Brianna und Roger waren beide groß; Jemmy hatte in seinen ersten Lebensjahren zugenommen wie ein kleines Nilpferd. Mandy wog nach wie vor kaum mehr als bei ihrer Geburt.

Nein, ich irrte nicht. Ich trug ihren Korb zum Tisch, wo der warme Wind sanft über sie hinwegwehen konnte, und setzte mich daneben, um ihr vorsichtig die Finger auf die Brust zu legen.

Ich konnte es spüren. Genau wie am Anfang, jetzt aber deutlicher, weil ich wusste, was es war. Hätte ich einen richtigen Operationssaal zur Verfügung gehabt, die Bluttransfusionen, die kalibrierte und sorgsam verabreichte Anästhesie, die Sauerstoffmaske, die flinken, ausgebildeten OP-Schwestern … Eine Operation am offenen Herzen ist niemals eine Kleinigkeit, und die Chirurgie bei Neugeborenen birgt naturgemäß große Risiken – doch ich hätte es gekonnt. Konnte in meinen Fingerspitzen genau spüren, was zu tun war, konnte vor meinem inneren Auge das Herz sehen, kleiner als meine Faust, den schlüpfrigen, pumpenden, gummiartigen Muskel und das Blut, das durch den Ductus arteriosus floss, ein kleines Gefäß, das keine vier Millimeter Durchmesser hatte. Ein winziger Schnitt in das Axillargefäß, dann schnell den Ductus mit einem Seidenfaden abbinden. Fertig.

Das wusste ich. Aber leider ist Wissen nicht zwangsläufig Macht. Und Wünschen hilft auch nicht zuverlässig. Nicht ich würde es sein, die meine kostbare Enkeltochter rettete.

Würde sie jemand retten?, fragte ich mich und ergab mich einen Moment den finsteren Gedanken, gegen die ich mich aus Leibeskräften wehrte, solange jemand in der Nähe war. Es war möglich, dass Jemmy Unrecht hatte. Jedes Baby würde nach einem bunten Glitzerding wie dem Rubin greifen – aber dann fiel mir wieder ein, wie sie begeistert nach dem gammeligen Lederbeutel mit dem Rohsaphir gefischt hatte.

Vielleicht. Ich wollte nicht über die Gefahren der Passage nachdenken – oder über die Gewissheit der Trennung für immer, ganz gleich, ob ihnen die Reise durch die Steine gelang oder nicht.

Ich hörte Lärm im Freien und entdeckte weit draußen die Masten eines großen Schiffs. Und noch eines, noch weiter draußen. Mein Herz setzte einen Schlag aus.

Es waren Ozeansegler, nicht die kleinen Paket- und Fischerboote, die an der Küste auf und ab fuhren. War es möglich, dass sie zu der Flotte gehörten, die man als Antwort auf Gouverneur Martins Bitte geschickt hatte, ihm bei der Niederwerfung und Rückeroberung der Kolonie zu helfen? Das erste Schiff dieser Flotte war Ende April am Cape Fear eingetroffen – doch die Soldaten, die damit gekommen waren, hatten sich bedeckt gehalten und warteten auf den Rest.

Ich beobachtete sie eine Weile, doch die Schiffe kamen nicht näher. Vielleicht blieben sie absichtlich liegen und warteten auf den Rest der Flotte? Vielleicht waren es ja auch gar keine britischen Schiffe, sondern Amerikaner, die der britischen Blockade in New England auswichen, indem sie sich südlich hielten.

Von Prusten und Kichern begleitetes Männergetrampel auf der Treppe lenkte mich von meinen Gedanken ab.

Es waren eindeutig Jamie und Ian, obwohl ich nicht verstehen konnte, was der Grund für so viel Ausgelassenheit war. Als ich sie zuletzt gesehen hatte, waren sie zu den Docks unterwegs gewesen, weil sie den Auftrag hatten, eine Ladung Tabakblätter gegen Pfeffer, Salz, Zucker, Zimt – falls auffindbar – und Nadeln – um einiges schwerer zu finden als Zimt – für Mrs. Bug einzutauschen und irgendeinen großen, essbaren Fisch zum Abendessen zu besorgen.

Den Fisch hatten sie zumindest, eine große Königsmakrele. Jamie trug ihn am Schwanz, denn egal worin er eingewickelt gewesen war, es war offensichtlich bei einer Art Zwischenfall verloren gegangen. Sein Zopf hatte sich aufgelöst, so dass sich lange rote Strähnen über die Schultern seines Rocks breiteten, von dem wiederum ein Ärmel halb abgerissen war, so dass der Stoff seines weißen Hemds durch den Saum lugte. Er war voller Staub, genau wie der Fisch, und während Letzterer seine Augen anklagend aufgerissen hatte, war eines von Jamies Augen fast vollständig zugeschwollen.

»O Gott«, sagte ich und vergrub das Gesicht in meiner Hand, um durch deren gespreizte Finger zu ihm aufzublicken. »Sag's mir nicht. Neil Forbes?«

»Ach, nein«, sagte er und ließ den Fisch vor mir auf den Tisch klatschen. »Eine kleine Meinungsverschiedenheit mit der Wilmingtoner Marschsozietät.«

»Eine Meinungsverschiedenheit«, wiederholte ich.

»Aye, sie fanden, sie sollten uns in den Hafen werfen, und wir fanden das nicht.« Er drehte mit dem Stiefel einen Stuhl um und setzte sich mit verschränkten Armen rücklings darauf. Er sah geradezu unanständig fröhlich aus, und sein Gesicht war von der Sonne und vom Lachen gerötet.

»Ich will es gar nicht wissen«, sagte ich, obwohl ich es selbstverständlich dringend wissen wollte. Ich sah Ian an, der ebenfalls leise vor sich hin kicherte, und bemerkte, dass er zwar etwas weniger mitgenommen wirkte als sein Onkel, dass er aber den Zeigefinger bis zum ersten Gelenk in der Nase stecken hatte.

»Hast du Nasenbluten, Ian?«

Er schüttelte nach wie vor giggelnd den Kopf. »Nein, Tante Claire. Ein paar von der Sozietät aber schon.«

»Nun, warum hast du dann deinen Finger in der Nase? Hast du eine Zecke darin stecken oder so etwas?«

»Nein, er will nicht, dass sein Gehirn herausfällt«, sagte Jamie und bekam den nächsten Lachkrampf. Ich warf einen Blick auf den Korb, aber Mandy, die an Lärm gewöhnt war, schlief friedlich weiter.

»Nun, dann steckst du dir am besten gleich zwei Finger in beide Nasenlöcher«, schlug ich vor. »Dann bekommst du wenigstens einmal ein oder zwei Minuten keinen Ärger.« Ich hob sein Kinn, um mir sein Auge besser betrachten zu können. »Du hast doch jemanden mit diesem Fisch geohrfeigt, oder?«

Das Kichern war zu einer unterschwelligen Vibration zwischen den beiden abgeebbt, doch bei diesen Worten drohte es, erneut auszubrechen.

»Gilbert Butler«, sagte Jamie, meisterhaft um Selbstbeherrschung bemüht. »Mitten ins Gesicht. Er ist über den ganzen Kai und dann ins Wasser geflogen.«

Ians Schultern schüttelten sich ekstatisch bei dieser Erinnerung.

»Himmel, das hat gespritzt! Oh, was für ein herrlicher Kampf, Tante Claire! Ich dachte, ich hätte mir am Kinn von einem der Kerle die Hand gebrochen, aber jetzt, wo sie nicht mehr taub ist, geht es schon wieder. Es kribbelt nur ein bisschen.« Er wackelte zur Demonstration mit drei Fingern seiner Hand und verzog dabei ein wenig das Gesicht.

»Nimm doch den Finger aus der Nase, Ian«, sagte ich, und meine Aufregung über ihren Zustand wich jetzt der Verärgerung darüber, wie es dazu gekommen war. »Du siehst aus wie ein Idiot.«

Aus irgendeinem Grund fanden sie das beide furchtbar komisch und gackerten los wie die Schwachsinnigen. Schließlich zog Ian seinen Finger jedoch hervor, allerdings mit einer Miene vorsichtigen Argwohns, als rechnete er tatsächlich damit, dass sein Gehirn hinterherkommen würde. Doch es kam gar nichts heraus, nicht einmal die unappetitlichen Exkretbröckchen, die man normalerweise nach einem solchen Manöver erwartete. Ian sah zuerst verwundert aus, dann schwach alarmiert. Er rümpfte die Nase, dann steckte er den Finger wieder in das Nasenloch und bohrte heftig darin.

Jamie grinste weiter, doch seine Belustigung begann nachzulassen, als Ians Nachforschungen zunehmend hektischer wurden.

»Was? Du hast ihn doch nicht verloren, oder, Junge?«

Ian schüttelte stirnrunzelnd den Kopf.

»Nein, ich spüre ihn. Aber …« Er hielt inne und warf Jamie über den vergrabenen Finger hinweg einen panischen Blick zu. »Er steckt fest, Onkel Jamie! Ich kriege ihn nicht heraus!«

Jamie war blitzartig auf den Beinen. Er zog den Finger mit einem feuchten Sauggeräusch aus seinem Versteck, dann kippte er Ians Kopf nach hinten und blinzelte ihm mit seinem unverletzten Auge nervös in die Nase.

»Hol mir ein Licht, Sassenach, ja?«

Auf dem Tisch stand ein Kerzenständer, doch ich wusste aus Erfahrung, dass es nur eine wahrscheinliche Folge gab, wenn man eine Kerze benutzte, um jemandem in die Nase zu schauen, und zwar, ihm die Nasenhaare anzuzünden. Stattdessen bückte ich mich und zog meine Arzttasche hervor, die ich unter der Kaminbank verstaut hatte.

»Ich hole es heraus«, sagte ich mit der Zuversicht eines Menschen, der kleinen Kindern schon alles aus der Nase gezogen hat, von Kirschkernen bis hin zu lebenden Insekten. Ich zog meine längste Pinzette heraus und ließ ihre schmalen Greifer beruhigend aneinander klicken. »Was auch immer es ist. Halt nur ganz still, Ian.«

In Ians Augen blitzte kurz das Weiße auf, als er jetzt einen alarmierten Blick auf das glänzende Metall der Pinzette warf, und er sah Jamie flehend an.

»Warte. Ich habe eine bessere Idee.« Jamie legte mir kurz die Hand auf den Arm, um mich zu stoppen, dann verschwand er durch die Tür. Er donnerte die Treppe hinunter, und ich hörte eine plötzliche Lachsalve, als sich unten die Tür zum Schankraum öffnete. Genau so plötzlich wurde das Geräusch wieder abgeschnitten, als sich die Tür schloss wie ein zugedrehter Wasserhahn.

»Fehlt dir auch nichts, Ian?« Er hatte einen roten Spritzer auf der Oberlippe; seine Nase *fing* jetzt an zu bluten, gereizt durch sein Stechen und Bohren.

»Nun, ich hoffe, nicht, Tante Claire.« Sein ursprünglicher Jubel wich jetzt langsam einem gewissen Ausdruck der Sorge. »Du glaubst doch nicht, dass ich ihn mir ins Gehirn geschoben haben kann, oder?«

»Das halte ich für sehr unwahrscheinlich. Was in aller Welt –«

Doch unten hatte sich die Tür wieder geöffnet und geschlossen, und im Treppenhaus ertönte ein kurzer Ausbruch von Gerede und Gelächter. Jamie nahm zwei Stufen auf einmal und trat wieder ins Zimmer. Er roch nach heißem Brot und Ale, und er hielt eine kleine, zerbeulte Schnupftabaksdose in der Hand.

Diese wurde von Ian dankbar in Empfang genommen. Er streute sich rasch eine Prise schwarzer Staubkörner auf den Handrücken und atmete sie hastig ein.

Ein paar Sekunden lang hielten wir alle drei den Atem an – und dann kam es, ein gigantisches Niesen, das Ians ganzen Körper zurückschleuderte, während sein Kopf nach vorn flog – und ein kleiner, harter Gegenstand landete mit einem *Ping!* auf dem Tisch und hüpfte in den Kamin.

Ian nieste in einer Salve hilfloser Explosionen weiter, doch Jamie und ich krochen auf den Knien in der Asche herum, ohne uns um den Schmutz zu kümmern.

»Ich habe ihn! Glaube ich«, fügte ich hinzu, während ich mich aufsetzte und die Asche in meiner Hand anblinzelte, in deren Mitte sich ein kleiner, runder, staubbedeckter Gegenstand befand.

»Aye, das ist er.« Jamie hob die vergessene Pinzette vom Tisch auf, nahm mir den Gegenstand vorsichtig aus der Hand und ließ ihn in mein Wasserglas fallen. Eine zarte Wolke aus Asche und Ruß schwebte an die Wasseroberfläche, um sich dort zu einem staubigen grauen Film zu sammeln. Darunter glitzerte uns der Gegenstand friedlich leuchtend an, und endlich kam seine Schönheit ans Tageslicht. Ein klarer Stein mit Facettenschliff, von der Farbe goldenen Sherrys, halb so groß wie mein Daumennagel.

»Chrysoberyl«, sagte Jamie leise und legte mir eine Hand auf den Rücken. Er warf einen Blick auf Mandys Korb. Ihre seidigen schwarzen Locken bewegten sich sanft im Lufthauch. »Meinst du, er ist brauchbar?«

Ian, dem nun das Wasser aus den Augen lief und der sich ein rot geflecktes Taschentuch an seinen geplagten Rüssel hielt, trat keuchend zu mir, um mir einen Blick über die Schulter zu werfen.

»Ein Idiot also, ja?«, sagte er im Tonfall tiefster Genugtuung. »Ha!«

»Wo in aller Welt habt ihr ihn her? Oder vielmehr«, verbesserte ich mich, »wem habt ihr ihn gestohlen?«

»Neil Forbes.« Jamie nahm den Edelstein aus dem Glas und drehte ihn langsam zwischen den Fingern hin und her. »Die Jungs von der Sozietät waren ziemlich in der Überzahl, also sind wir über die Straße und um die Ecke gerannt, zwischen den Lagerhäusern hindurch.«

»Ich wusste, wo das von Forbes ist, aye, weil ich dort schon einmal war«, warf Ian ein. Eins von Mandys Füßchen ragte aus dem Korb; er berührte es mit der Fingerspitze an der Sohle und lächelte, als sie reflexiv die Zehen streckte. »Es hatte ein großes Loch an der Rückseite, wo jemand durch die Wand gebrochen war, und es war nur mit einem Stück Segeltuch zugenagelt. Das haben wir abgelöst und sind hineingekrochen.«

Und hatten sich direkt neben dem abgetrennten Raum wieder gefunden, den Forbes als Büro benutzte – und der zu dem Zeitpunkt verlassen gewesen war.

»Er hat in einer kleinen Schachtel auf dem Schreibtisch gelegen«, sagte Ian, der sich jetzt wieder neben uns stellte, um den Chrysoberyl voller Besitzerstolz zu betrachten. »Einfach so! Ich hatte ihn gerade in die Hand genommen, um ihn zu bewundern, als wir den Wachmann kommen hörten. Also –« Er zuckte mit den Achseln und sah mich lächelnd an, und das Glück verwandelte seine gewöhnlichen Gesichtszüge.

»Und ihr glaubt, der Wachmann wird ihm nicht erzählen, dass ihr da wart?«, fragte ich skeptisch. Die beiden waren an Auffälligkeit doch kaum zu übertreffen.

»Oh, ich gehe davon aus, dass er das tut.« Jamie beugte sich über Mandys Korb und hielt den Chrysoberyl mit Daumen und Zeigefinger fest. »Sieh nur, was Opa und Onkel Ian dir mitgebracht haben, *a muirninn*«, sagte er leise.

»Wir haben beschlossen, dass es immer noch ein geringer Ausgleich für das ist, was er Brianna angetan hat«, sagte Ian jetzt ein wenig ernüchtert. »Ich vermute, dass Mr. Forbes das ebenfalls akzeptabel finden wird. Und wenn nicht –« Er lächelte erneut, wenn auch diesmal ohne Freude, und legte die Hand an sein Messer. »Er hat ja schließlich noch ein Ohr.«

Ganz langsam hob sich eine winzige Faust aus dem Netz und krümmte die Finger, die nach dem Stein griffen.

»Schläft sie noch?«, flüsterte ich. Jamie nickte und zog sanft den Stein fort.

Auf der anderen Seite des Tischs starrte der Fisch entsagungsvoll zur Decke, ohne uns zu beachten.

116

Der Neunte Graf von Ellesmere

9. Juli 1776

»Das Wasser wird nicht kalt sein.«

Sie hatte es automatisch gesagt, ohne nachzudenken.

»Ich glaube nicht, dass das eine Rolle spielt.« In Rogers Wange zuckte ein Nerv, und er wandte sich abrupt ab. Sie streckte die Hand aus und berührte ihn vorsichtig, als wäre er eine Bombe, die explodieren könnte, wenn man sie anstieß. Er sah sie an und zögerte, dann ergriff er mit einem kleinen, schiefen Lächeln die Hand, die sie ihm hinhielt.

»Tut mir Leid«, sagte er.

»Mir tut es auch Leid«, sagte sie leise. Sie standen dicht beieinander und sahen mit verschlungenen Fingern zu, wie sich die Flut von dem schmalen Strand zurückzog und mit jedem Schwappen der kleinen Wellen ein Zentimeter mehr freigelegt wurde.

Die Schlammbänke lagen grau und trostlos im Abendlicht, übersät mit Kieseln und rostfleckig vom torfigen Wasser des Flusses. Bei Ebbe war das Wasser des Hafens braun und übel riechend. Wenn die Flut kam, floss das klare graue Wasser des Ozeans herein, strömte den Cape Fear aufwärts und überschwemmte die Schlammbänke und alles, was sich darauf befand.

»Dort drüben«, flüsterte sie, obwohl niemand in ihrer Nähe war, der sie hätte hören können. Sie legte den Kopf schief und wies auf eine Gruppe verwitterter Anlegepfosten, die tief in den Schlamm gerammt waren. An einem war eine Jolle angebunden, an einem anderen zwei der vierrudrigen »Libellen«, die überall im Hafen verkehrten.

»Bist du sicher?« Er verlagerte das Gewicht auf sein anderes Bein und spähte am Ufer auf und ab.

Der schmale Strand senkte sich zu einem kalten Kiesstreifen, der von der

Ebbe nackt und glänzend zurückgelassen worden war. Kleine Krebse hasteten darüber hinweg, um keine Sekunde der Futtersuche zu verlieren.

»Ganz sicher. Die Leute im *Blue Boar* haben sich darüber unterhalten. Ein Reisender hat gefragt, wo, und Mrs. Smoots hat gesagt, bei den alten Anlegern in der Nähe der Lagerhäuser.« Eine tote Flunder lag zerfetzt auf den Felsen, ihr weißes Fleisch sauber gespült und blutleer. Die kleinen Krebse pickten und rupften geschäftig daran herum; ihre winzigen Kiefer klafften und schluckten und schnappten sich das nächste Bröckchen. Sie spürte, wie es ihr bei diesem Anblick hochkam, und schluckte krampfhaft. Es würde keine Rolle spielen, was danach kam; das wusste sie. Aber dennoch …

Roger nickte geistesabwesend. Er kniff die Augen gegen den Hafenwind zu und berechnete die Entfernung.

»Ich nehme an, es wird einen ziemlichen Massenauflauf geben.«

Es war schon recht voll; die Gezeitenwende war erst in einer Stunde, aber überall strömten die Leute zu zweit, zu dritt und zu viert zum Hafen, blieben im Windschatten der Handelshäuser stehen, um ein Pfeifchen zu rauchen, und setzten sich auf Fässer mit Salzfisch, um sich gestikulierend zu unterhalten. Mrs. Smoots hatte Recht gehabt; einige zeigten ihren weniger ortskundigen Begleitern die Anlegepfosten.

Roger schüttelte den Kopf.

»Wir werden diese Seite nehmen müssen; von dort kann man am besten sehen.« Er wies kopfnickend auf die andere Seite der inneren Hafenmauer, wo sich drei Schiffe am Hauptkai wiegten. »Von einem dieser Schiffe aus? Was meinst du?«

Brianna suchte in der Tasche an ihrer Taille herum und zog ihr kleines Messingteleskop heraus. Sie runzelte konzentriert die Stirn und betrachtete die Schiffe mit gespitzten Lippen – eine Fischerketsch, Mr. Chesters Brigg und ein größeres Schiff, das zur britischen Flotte gehörte und am frühen Nachmittag eingelaufen war.

»Heiliger Bimbam«, murmelte sie und hielt in ihrem Schwenk inne, als ein heller Kopf ihre Linse füllte. »Ist das der, für den ich … holla, er ist es!« Eine winzige Flamme der Freude glühte wärmend in ihr auf.

»Wer denn?« Roger blinzelte und bemühte sich, auch ohne Hilfe etwas zu erkennen.

»Es ist John! Lord John!«

»Lord John Grey? Bist du sicher?«

»Ja. Auf der Brigg – er muss aus Virginia kommen. Hoppla, jetzt ist er fort – aber er ist hier, ich habe ihn gesehen!« Aufgeregt wandte sie sich Roger zu und schob ihr Teleskop zusammen, um ihn am Arm zu packen.

»Komm mit! Wir gehen ihn suchen. Er wird uns helfen.«

Roger folgte ihr, wenn auch sichtlich weniger begeistert.

»Du willst es ihm erzählen? Meinst du, das ist klug?«

»Nein, aber das spielt keine Rolle. Er kennt mich.«

Roger sah sie scharf an, doch seine finstere Miene taute zu einem widerstrebenden Lächeln auf.

»Du meinst, er ist zu klug, um auch nur zu versuchen, dich von irgendetwas abzuhalten, was du dir in deinen sturen Kopf gesetzt hast?«

Sie erwiderte sein Lächeln und dankte ihm mit den Augen. Es gefiel ihm nicht – eigentlich war er sogar durch und durch dagegen, und sie warf ihm das nicht vor –, aber er würde nicht versuchen, sie davon abzuhalten. Er kannte sie schließlich ebenso.

»Ja. Komm mit, bevor er verschwindet!«

Es war ein langsamer Marsch um den geschwungenen Hafen herum, zwischen den wachsenden Grüppchen der Schaulustigen hindurch. Vor dem Wirtshaus *The Breakers* verdichtete sich das Gedränge abrupt. Eine Gruppe rot berockter Soldaten saß und stand ungeordnet auf dem Bordstein, Seesäcke und Truhen um sie herum verstreut, denn sie waren zu zahlreich, um in das Wirtshaus zu passen. Alekrüge und Cidregläser wurden aus dem Inneren des Hauses von Hand zu Hand weitergereicht, und ihr Inhalt schwappte denen auf die Köpfe, über die sie hinweg gereicht wurden.

Ein drangsalierter, aber fähiger Sergeant, der an der mit Holz verkleideten Wand des Wirtshauses lehnte, blätterte gleichzeitig einen Papierstapel durch, erteilte Befehle und aß ein Stück Fleischpastete. Brianna absolvierte den Hindernislauf zwischen den Männern und dem Gepäck hindurch mit gerümpfter Nase; aus den dicht gedrängten Reihen stieg ein Geruch nach Seekrankheit und unreiner Haut auf.

Ein paar Passanten knurrten beim Anblick der Soldaten vor sich hin; andere winkten ihnen im Vorbeigehen jubelnd zu, was die Soldaten mit fröhlichen Rufen erwiderten. Gerade aus den Eingeweiden der *Scorpion* befreit, waren die Soldaten viel zu begeistert über ihre Freiheit und den Geschmack des frischen Essens, um sich daran zu stören, wer was tat oder sagte.

Roger schob sich vor Brianna und bahnte sich mit den Schultern und Ellbogen den Weg durch das Gedränge. Beifallsrufe und Pfiffe stiegen bei ihrem Anblick von den Soldaten auf, doch sie hielt den Kopf gesenkt und die Augen fest auf Rogers Füße gerichtet, während sie weiter vorwärts drängte.

Sie seufzte erleichtert auf, als sie am Kopfende des Kais aus der Menge auftauchten. Auf der anderen Seite der Docks wurde gerade die Ausrüstung der Soldaten von der *Scorpion* abgeladen, doch in der Nähe der Brigg herrschte wenig Verkehr. Sie blieb stehen und spähte hin und her, um Lord Johns unverwechselbaren blonden Kopf zu entdecken.

»Da ist er ja!« Roger zupfte an ihrem Arm, und sie fuhr in die Richtung herum, in die er zeigte, und kollidierte mit ihm, weil er abrupt einen Schritt zurücktrat.

»Was –«, begann sie gereizt, brach dann aber ab, weil sie sich fühlte, als hätte sie einen Boxhieb vor die Brust bekommen.

»Wer in Gottes Namen ist das?«, wisperte Roger und sprach damit ihre Gedanken aus.

Lord John stand am anderen Ende des Kais und unterhielt sich angeregt mit einem der rot berockten Soldaten. Ein Offizier; Goldlitze glitzerte auf seiner Schulter, und er trug einen eleganten Dreispitz unter dem Arm. Doch es war nicht die Uniform des Mannes, die ihr so ins Auge stach.

»Ach, du liebe Güte«, flüsterte sie, und ihre Lippen waren taub.

Er war hoch gewachsen – sehr hoch gewachsen –, und seine breiten Schultern und die langen, weiß bestrumpften Waden brachten ihm bewundernde Blicke von einer Gruppe Austernverkäuferinnen ein. Doch es waren nicht nur seine Körpergröße und seine Gestalt, die ihr eine Gänsehaut über den ganzen Rücken laufen ließen; es waren die Art, wie er sich hielt, sein Umriss, sein etwas geneigter Kopf und seine Ausstrahlung körperlichen Selbstbewusstseins, die die Blicke auf ihn zogen wie ein Magnet.

»Es ist Pa«, sagte sie und war sich im selben Moment bewusst, dass das lächerlich war. Selbst wenn Jamie Fraser aus irgendeinem unvorstellbaren Grund beschlossen hätte, sich mit einer Soldatenuniform zu verkleiden und zu den Docks zu kommen, dieser Mann war jemand anders. Als er sich jetzt umwandte, um den Blick auf die andere Hafenseite zu richten, sah sie, dass er jemand anders *war* – hager wie ihr Vater und muskulös, aber immer noch von einer jungenhaften Schlankheit. Elegant wie Jamie, doch er hatte die etwas zögerliche Unbeholfenheit des Teenagers noch nicht lange hinter sich gelassen.

Er wandte sich weiter um, so dass ihn das vom Wasser reflektierte Licht von hinten beleuchtete, und sie spürte, wie ihre Knie nachgaben. Eine lange, gerade Nase, die zu einer hohen Stirn anstieg… der abrupt geschwungene Wangenknochen eines Wikingers… Roger packte sie fest am Arm, doch er betrachtete den jungen Mann genauso fasziniert wie sie.

»Hol… mich… der… Teufel«, sagte er.

Sie schnappte krampfhaft nach Luft.

»Mich auch. Und ihn.«

»Ihn?«

»Ihn, ihn und ihn!« Lord John, den mysteriösen jungen Soldaten – und vor allem ihren Vater. »Komm mit.« Sie entzog sich seinem Griff und schritt über den Kai. Dabei fühlte sie sich seltsam körperlos, als betrachtete sie sich aus der Ferne.

Es war, als sähe sie sich selbst in einem Spiegellabyrinth auf sich zukommen – ihr Gesicht, ihre Körpergröße, ihre Gestik, plötzlich in einen roten Rock und eine Kniehose aus Rehleder verpflanzt. Sein Haar war dunkel, kastanienbraun, nicht rot, aber es war so dicht wie das ihre, genauso leicht gewellt, und es wurde ihm von demselben Wirbel aus der Stirn gehoben.

Lord John wandte den Kopf und entdeckte sie. Seine Augen traten vor, und eine Miene totalen Schreckens ließ sein Gesicht erbleichen. Er versuchte, sie mit einer schwachen Handbewegung am Näherkommen zu hindern, doch er hätte genauso gut versuchen können, den Orient-Express aufzuhalten.

»Hallo!«, sagte sie fröhlich. »Was für eine Überraschung, *Euch* hier zu treffen, Lord John!«

Lord John stieß ein gequetschtes Geräusch aus, als sei jemand auf eine Ente getreten, doch sie achtete nicht darauf. Der junge Mann wandte sich ihr freundlich lächelnd zu.

Himmel, die Augen ihres Vaters hatte er auch. Mit dunklen Wimpern und so jung, dass die Haut ringsum frisch und rein und frei von jeder Falte war – aber es waren die gleichen schrägen Fraser-Katzenaugen. Genau wie ihre eigenen.

Ihr Herz hämmerte so heftig in ihrer Brust, dass sie davon überzeugt war, dass jeder es hören konnte. Dem jungen Mann schien jedoch nichts Besonderes aufzufallen; er verbeugte sich vor ihr, lächelnd, aber äußerst korrekt.

»Euer Diener, Ma'am«, sagte er. Er sah Lord John an und erwartete wohl, ihr vorgestellt zu werden.

Lord John riss sich mit sichtlicher Anstrengung zusammen und verbeugte sich ebenfalls vor ihr.

»Meine Liebe. Wie … reizend, Euch wieder zu sehen. Ich hatte ja keine Ahnung …«

Ja, darauf möchte ich wetten, dachte sie, lächelte aber freundlich weiter. Sie konnte spüren, wie Roger an ihrer Seite Lord Johns Gruß kopfnickend und mit einigen Worten erwiderte, während er sich alle Mühe gab, den jungen Mann nicht anzustarren.

»Mein Sohn«, sagte Lord John jetzt. »William, Graf Ellesmere.« Er sah sie scharf an, als verbäte er sich jedes Wort. »Darf ich dir Mr. Roger MacKenzie vorstellen, William? Und seine Frau?«

»Sir. Mrs. MacKenzie.« Ehe sie begriff, was er vorhatte, nahm der junge Mann ihre Hand. Er beugte sich dicht darüber und drückte ihr einen kleinen, formellen Kuss auf den Handrücken.

Fast hätte sie aufgekeucht, als sie seinen Atem so unerwartet auf ihrer Haut spürte, doch stattdessen drückte sie ihm nur die Hand, sehr viel fester, als sie es vorgehabt hatte. Zuerst wirkte er verwirrt, befreite sich dann jedoch einigermaßen elegant. Er war viel jünger, als sie im ersten Moment gedacht hatte; es waren seine Uniform und seine selbstbewusste Ausstrahlung, die ihn älter erscheinen ließen. Seine klaren Gesichtszüge legten sich schwach in Falten, als er sie jetzt ansah – als versuchte er, sie irgendwo einzuordnen.

»Ich glaube …«, begann er zögernd. »Sind wir uns schon einmal begegnet, Mrs. MacKenzie?«

»Nein«, sagte sie und war erstaunt, dass ihre Stimme ganz normal klang. »Nein, ich fürchte, nicht. Daran würde ich mich erinnern.« Sie warf einen vernichtenden Blick zu Lord John hinüber, der leicht grün im Gesicht geworden war.

Doch Lord John war auch einmal Soldat gewesen. Er riss sich mit sichtlicher Mühe zusammen und legte William die Hand auf den Arm.

»Am besten gehst du und siehst nach deinen Männern, William«, sagte er. »Wollen wir später zusammen essen?«

»Ich bin mit dem Oberst zum Essen verabredet, Vater«, sagte William. »Aber ich bin sicher, dass er nichts dagegen hätte, wenn du dich uns anschließen würdest. Allerdings kann es sein, dass es ziemlich spät wird«, fügte er hinzu. »Wie ich höre, ist für morgen früh eine Exekution angesetzt, und meine Männer sollen sich bereithalten für den Fall, dass es Unruhe in der Stadt gibt. Es wird einige Zeit dauern, bis alle untergebracht sind und alles organisiert ist.«

»Unruhe.« Lord John betrachtete sie über Williams Schulter hinweg. »Rechnet man denn mit Unruhe?«

William zuckte mit den Achseln.

»Ich weiß es nicht, Vater. Anscheinend ist es jedoch keine politische Angelegenheit, sondern nur ein Pirat. Ich glaube nicht, dass es Ärger gibt.«

»Heutzutage ist alles eine politische Angelegenheit, Willie«, wies sein Vater ihn ziemlich scharf zurecht. »Vergiss das niemals. Und es ist stets klüger, auf Ärger vorbereitet zu sein, als unvorbereitet darauf zu treffen.«

Der junge Mann errötete schwach, behielt jedoch die Fassung.

»Absolut«, erwiderte er abgehackt. »Ich bin sicher, dass dir die Umstände hier auf eine Weise vertraut sind, wie sie es mir nicht sind. Ich danke dir für deinen Rat, Vater.« Er entspannte sich und wandte sich Brianna zu, um sich vor ihr zu verbeugen.

»Es freut mich, Eure Bekanntschaft gemacht zu haben, Mrs. MacKenzie. Euer Diener, Sir.« Er bedachte Roger mit einem Kopfnicken, wandte sich ab und schritt über den Kai davon. Dabei setzte er seinen Dreispitz auf, um sich die nötige Autorität zu verleihen.

Brianna holte tief Luft und hoffte, dass ihr bis zum Ausatmen etwas einfiel, was sie sagen konnte. Lord John war schneller.

»Ja«, sagte er einfach nur. »Natürlich ist er das.«

Aus dem Wirrwar der Gedanken, Reaktionen und Emotionen, die sich in ihrem Hirn stauten, fischte sie die eine Frage heraus, die ihr in dieser Minute am wichtigsten erschien.

»Weiß meine Mutter es?«

»Weiß Jamie es?«, fragte Roger im selben Moment. Sie sah ihn überrascht an, und er erwiderte ihren Blick mit hochgezogener Augenbraue. Ja, natürlich konnte ein Mann ein Kind zeugen, ohne dass es ihm bewusst war. Er hatte es ja auch getan.

Lord John seufzte. Nachdem William gegangen war, hatte er sich ein wenig entspannt, und langsam kehrte seine natürliche Gesichtsfarbe zurück. Er war schon lange genug Soldat, um das Unvermeidliche zu erkennen, wenn es ihm begegnete.

»Sie wissen es beide, ja.«

»Wie alt ist er?«, fragte Roger abrupt. Lord John warf ihm einen scharfen Blick zu.

»Achtzehn. Und um Euch das Rückwärtsrechnen zu ersparen, es war 1758. An einem Ort namens Helwater, im Lake District.«

Brianna holte erneut Luft und stellte fest, dass es ihr schon leichter fiel.

»Okay. Es – er – dann war es also, bevor meine Mutter ... zurückgekommen ist.«

»Ja. Aus Frankreich, angeblich. Wo Ihr, wie man mir sagt, geboren und aufgewachsen seid.« Er warf ihr einen stechenden Blick zu; er wusste, dass sie kaum ein Wort Französisch sprach.

Sie spürte, wie ihr das Blut ins Gesicht stieg.

»Dies ist nicht der Zeitpunkt für Geheimnisse«, sagte sie. »Wenn Ihr wissen wollt, was mit meiner Mutter und mit mir ist, erzähle ich es Euch – aber *Ihr* werdet mir ebenso von ihm erzählen.« Sie wies mit einem wütenden Ruck ihres Kopfes zurück in Richtung des Wirtshauses. »Von meinem Bruder!«

Lord John spitzte die Lippen und betrachtete sie mit zusammengekniffenen Augen, während er überlegte. Schließlich nickte er.

»Es ist wohl nicht zu ändern. Nur eines noch – sind Eure Eltern hier in Wilmington?«

»Ja. Eigentlich ...« Sie blickte auf und versuchte auszumachen, wo die Sonne am diesigen Küstenhimmel stand. Sie hing dicht über dem Horizont, eine Scheibe aus brennendem Gold. »Wir waren gerade unterwegs, um uns mit ihnen zum Essen zu treffen.«

»Hier?«

»Ja.«

Lord John drehte sich zu Roger um.

»Mr. MacKenzie. Ihr würdet mir einen großen Gefallen tun, Sir, wenn Ihr sofort Euren Schwiegervater suchen und ihn von der Anwesenheit des Neunten Grafen von Ellesmere in Kenntnis setzen würdet. Sagt ihm, ich verlasse mich darauf, dass ihm sein gesunder Menschenverstand befehlen wird, sich auf diese Nachricht hin sofort aus Wilmington zu entfernen.«

Roger starrte ihn einen Moment mit neugierig gewölbten Augenbrauen an.

»Graf von Ellesmere? Wie in aller Welt hat er das fertig gebracht?«

Lord John hatte nicht nur seine natürliche Farbe zurückerlangt, sondern noch ein wenig mehr. Er war deutlich rot im Gesicht.

»Das spielt jetzt keine Rolle! Würdet Ihr gehen? Jamie muss sofort die Stadt verlassen, bevor sie sich zufällig begegnen – oder bevor jemand beide unabhängig voneinander sieht und laut zu spekulieren beginnt.«

»Ich bezweifle, dass Jamie gehen wird«, sagte Roger, der Lord John jetzt seinerseits spekulierend betrachtete. »Jedenfalls nicht vor morgen.«

»Warum denn nicht?«, wollte Lord John wissen und blickte vom einen zum anderen. »Warum seid Ihr überhaupt alle hier? Es ist doch nicht die Exe– oh, guter Gott, sagt es mir nicht.« Er schlug sich die Hand vor das Gesicht und ließ sie langsam daran hinunter gleiten. Dabei starrte er mit der Miene eines Mannes, der die Grenzen des Erträglichen erreicht hat, zwischen den Fingern hindurch.

Brianna biss sich auf die Unterlippe. Als sie Lord John erspäht hatte, war sie nicht nur froh gewesen, sondern hatte sich sogar in ihrer Sorge ein klein wenig erleichtert gefühlt, weil sie darauf zählte, dass er ihr bei ihrem Plan helfen würde.

Doch angesichts dieser neuen Komplikation fühlte sie sich hin und her gerissen. Sie fühlte sich nicht in der Lage, auch nur mit einer der beiden Situationen fertig zu werden oder zusammenhängend darüber nachzudenken. Sie sah Hilfe suchend zu Roger hinüber.

Er erwiderte ihren Blick, und es folgte der typische, lange, wortlose Gedankenaustausch Verheirateter. Dann nickte er und fällte die Entscheidung für sie.

»Ich gehe Jamie suchen. Du plauderst ein wenig mit Seiner Lordschaft, ja?«

Er beugte sich vor und küsste sie inbrünstig, dann wandte er sich ab und schritt über das Dock davon. Seine Körperhaltung ließ die Leute unbewusst beiseite treten, um nicht von seinen Kleidern berührt zu werden.

Lord John hatte die Augen geschlossen und schien zu beten – wahrscheinlich um Kraft. Sie packte ihn am Arm, und er öffnete aufgeschreckt die Augen, als hätte ihn ein Pferd gebissen.

»Ist es so auffällig, wie ich glaube?«, sagte sie. »Er und ich?« Das Wort fühlte sich komisch auf ihrer Zunge an. *Er.*

Lord John musterte sie, die Stirn in Falten der Konzentration und der Sorge gelegt.

»Ich glaube schon«, sagte er langsam. »Für mich auf jeden Fall. Für einen zufälligen Beobachter vielleicht weniger. Die Haarfarbe ist natürlich unterschiedlich und das Geschlecht; seine Uniform. Aber meine Liebe, Ihr wisst doch, dass allein Eure eigene Erscheinung so auffällig ist –« Eine solche Laune der Natur, meinte er. Sie verstand und seufzte.

»Dass mich die Leute sowieso anstarren«, beendete sie seinen Satz. Sie zog ihre Hutkrempe so weit herunter, dass sie nicht nur ihr Haar, sondern auch ihr Gesicht verhüllte. Dann funkelte sie ihn aus dem Schatten an. »Dann gehen wir besser irgendwo hin, wo mich niemand sehen kann, der ihn kennt, oder?«

Auf dem Kai und den Marktstraßen wimmelte es von Menschen. Jedes Wirtshaus in der Stadt – und jede Menge Privathäuser dazu – würde sich bald mit einquartierten Soldaten füllen. Ihr Vater und Jem waren bei Alexander Lillington, ihre Mutter und Mandy bei Dr. Fentiman, beides Haushalte, in denen ein ständiges Kommen und Gehen herrschte und die jüngsten Gerüchte ausgetauscht wurden – und sie hatte ja erklärt, dass sie keinerlei Absicht hegte, sich ihren Eltern zu nähern, jedenfalls nicht, bevor sie alles wusste, was es zu erfahren gab. So viel wollte Lord John ihr eigentlich gar nicht erzählen, doch dies war nicht der Zeitpunkt für Haarspaltereien.

Dennoch, der Wunsch nach Zurückgezogenheit ließ ihnen die Wahl zwischen dem Friedhof oder der verlassenen Pferderennbahn, und Brianna sagte – hörbar gereizt –, dass sie unter den gegebenen Umständen nicht mit dem Zaunpfahl ans Sterben erinnert werden wollte.

»Die gegebenen Umstände«, sagte er vorsichtig, während er sie um eine große Pfütze herumführte. »Bezieht Ihr Euch damit auf die morgige Hinrichtung? Es ist doch Stephen Bonnet, oder?«

»Ja«, sagte sie abwesend. »Aber das hat Zeit. Man erwartet Euch doch nicht zum Essen, oder?«

»Nein. Aber –«

»William«, sagte sie, den Blick auf ihre Schuhe gerichtet, während sie langsam durch das Sandoval schritten. »William, der Neunte Graf von Ellesmere, sagt Ihr?«

»William Clarence Henry George«, bestätigte Lord John. »Vicomte Ashness, Herr über Helwater, Baron Derwent und, ja, der Neunte Graf von Ellesmere.«

Sie spitzte die Lippen.

»Was quasi darauf hindeutet, dass sich der Rest der Welt in dem Glauben befindet, dass jemand anders sein Vater ist. Nicht Jamie Fraser, meine ich.«

»Sein Vater *war*«, korrigierte er. »Ludovic, der Achte Graf von Ellesmere, um genau zu sein. Meines Wissens ist der Achte Graf an dem Tag verstorben, an dem sein … äh … sein Erbe geboren wurde.«

»Wie denn? Vor Schreck?« Sie war sichtlich in einer gefährlichen Stimmung; voll Interesse stellte er fest, dass hier sowohl die kontrollierte Heftigkeit ihres Vaters als auch die scharfe Zunge ihrer Mutter am Werk waren – eine Kombination, die sowohl faszinierend als auch alarmierend war. Allerdings hatte er nicht vor, sich von ihr die Bedingungen dieser Unterredung diktieren zu lassen.

»An einer Schussverletzung«, sagte er mit gespielter Heiterkeit. »Euer Vater hat ihn erschossen.«

Sie stieß ein leises, ersticktes Geräusch aus und blieb stehen.

»Dies ist übrigens nicht allgemein bekannt«, sagte er, als bemerkte er ihre Reaktion nicht. »Das Untersuchungsgericht hat auf Tod durch ein Unglück befunden – was ja, glaube ich, nicht ganz falsch war.«

»Nicht ganz falsch«, murmelte sie und klang dabei ein wenig benommen.

»Wahrscheinlich ist es ein ziemlich unglücklicher Umstand, wenn man erschossen wird, das stimmt.«

»Natürlich hat es Gerede gegeben«, sagte er spontan und nahm ihren Arm, um sie weiterzudrängen. »Doch abgesehen von Williams Großeltern war der einzige Zeuge ein irischer Kutscher, den man nach diesem Zwischenfall eiligst nach Sligo in Pension geschickt hat. Da die Mutter am selben Tag gestorben ist, tendierte die Gerüchteküche dahin, den Tod Seiner Lordschaft als –«

»Seine Mutter ist auch tot?« Diesmal blieb sie zwar nicht stehen, doch sie drehte sich zur Seite, um ihn mit ihren tiefblauen Augen durchdringend anzusehen. Doch Lord John hatte reichlich Übung darin, den Katzenblicken der Frasers zu widerstehen, und er ließ sich nicht aus der Fassung bringen.

»Ihr Name war Geneva Dunsany. Sie ist kurz nach Williams Geburt gestorben – an einer völlig natürlichen Blutung«, versicherte er ihr.

»Völlig natürlich«, murmelte sie halb vor sich hin. Sie warf ihm noch einen solchen Blick zu. »Diese Geneva – war sie mit dem Grafen verheiratet? Als sie und Pa ...« Die Worte schienen ihr im Hals stecken zu bleiben; er konnte Zweifel und Widerwillen mit ihren Erinnerungen an Williams unleugbares Gesicht kämpfen sehen – und mit dem, was sie vom Charakter ihres Vaters wusste.

»Er hat es mir nicht gesagt, und ich würde ihn niemals danach fragen«, sagte er entschlossen. Sie warf ihm einen weiteren dieser Blicke zu, den er ihr mit Zinsen zurückzahlte. »Ganz gleich, in welchem Verhältnis Jamie zu Geneva Dunsany gestanden hat, ich kann mir nicht vorstellen, dass er die Ehrlosigkeit begangen hätte, die Ehe eines anderen zu verletzen.«

Sie entspannte sich minimal, hielt seinen Arm jedoch weiter umklammert.

»Ich genauso wenig«, räumte sie widerstrebend ein. »Aber –« Ihre Lippen pressten sich aufeinander und entspannten sich wieder. »Glaubt Ihr, er hat sie geliebt?«, platzte sie heraus.

Was ihn erschreckte, war nicht die Frage, sondern die Erkenntnis, dass er selbst nie darauf gekommen war, sie zu stellen – mit Sicherheit nicht an Jamie, aber auch nicht einmal sich selbst. Warum eigentlich nicht?, fragte er sich. Es stand ihm nicht zu, Eifersucht zu empfinden, und selbst wenn er Narr genug gewesen wäre, sich ihr hinzugeben, dann war es in Geneva Dunsanys Fall ja nun *viel* zu spät; er selbst hatte noch jahrelang nach dem Tod des Mädchens keine Ahnung gehabt, wer Williams Vater war.

»Ich habe keine Ahnung«, sagte er deshalb knapp.

Briannas Finger trommelten unruhig auf seinem Arm herum; sie hätte sich gern von ihm gelöst, doch er legte seine Hand auf die ihre, damit sie aufhörte.

»Verdammt«, murmelte sie, hörte aber auf zu zappeln und marschierte weiter, seinen kürzeren Schritten angepasst. Im Inneren des Ovals war Unkraut aufgeschossen, das auch schon aus dem Sand der Bahn spross. Sie trat auf ein Büschel wildes Roggengras ein und löste einen Schauer trockener Samenkörner aus.

»Wenn sie sich geliebt haben, warum haben sie dann nicht geheiratet?«, fragte sie schließlich.

Er lachte ungläubig über diese Vorstellung.

»Sie heiraten! Meine Liebe, er war der Stallknecht der Familie!«

Ein verwunderter Blick blitzte in ihren Augen auf – er hätte schwören können, dass sie »Und?« gefragt hätte, wenn sie denn etwas gesagt hätte.

»Wo in aller Welt seid Ihr aufgewachsen?«, wollte er wissen und blieb stehen.

Er konnte sehen, wie Bewegung durch ihre Augen ging; sie beherrschte Jamies Trick, ihr Gesicht in eine Maske zu verwandeln, doch die Transparenz ihrer Mutter leuchtete trotzdem von innen durch. Er sah den Entschluss in ihren Augen, eine Sekunde bevor sich das gelassene Lächeln auf ihren Lippen zeigte.

»Boston«, sagte sie. »Ich bin Amerikanerin. Aber Ihr habt doch sowieso schon gewusst, dass ich eine Barbarin bin, oder?«

Er grunzte als Erwiderung.

»Das erklärt natürlich zum Großteil Eure bemerkenswert republikanischen Ansichten«, erwiderte er äußerst trocken. »Obwohl ich Euch dringend raten würde, diese gefährlichen Einstellungen um Eurer Familie willen für Euch zu behalten. Euer Vater hat auch so schon genug Ärger. Allerdings könnt Ihr mir gern glauben, dass es der Tochter eines Baronets nicht möglich wäre, einen Stallknecht zu heiraten, ganz gleich, wie groß ihre Leidenschaft wäre.«

Jetzt war es an ihr zu grunzen; ein höchst ausdrucksstarkes, absolut unfeminines Geräusch. Er seufzte und griff erneut nach ihrer Hand, die er zur sicheren Aufbewahrung in seine Ellenbeuge steckte.

»Außerdem war er ein begnadigter Gefangener – ein Jakobit und Verräter. Glaubt mir, keiner von ihnen wäre auf die Idee einer Heirat verfallen.«

Die feuchte Luft legte sich als Film auf ihre Haut und klebte sich an die Härchen auf ihren Wangen.

»*Doch das geschah in einem andren Land*«, zitierte sie leise. »*Und überhaupt, die Frau ist tot.*«

»Wie wahr«, sagte er ebenso leise.

Sie stapften eine Weile schweigend durch den feuchten Sand, ein jeder bei seinen eigenen Gedanken. Schließlich seufzte Brianna so tief auf, dass er es nicht nur hörte, sondern spürte.

»Nun, sie ist sowieso tot, und der Graf – wisst ihr, *warum* Pa auf ihn geschossen hat? Hat er Euch das erzählt?«

»Euer Vater hat nie mit mir darüber gesprochen – weder über Geneva noch über den Grafen noch ausdrücklich darüber, dass er Williams Vater ist.« Er setzte seine Worte präzise; sein Blick fixierte ein Möwenpaar, das neben einem Seegrasbüschel im Sand herumstocherte. »Aber ich weiß es, ja.«

Er sah sie an.

»Schließlich ist William *mein* Sohn. Zumindest im herkömmlichen Sinn.« Für ihn zudem noch in manch anderer Hinsicht, doch er hatte nicht vor, darüber mit Jamies Tochter zu diskutieren.

Sie zog die Augenbrauen hoch.

»Ja. Wie ist es dazu gekommen?«

»Wie ich Euch schon gesagt habe, sind Williams Eltern – seine vermeintlichen Eltern – beide am Tag seiner Geburt gestorben. Sein Vater – der Graf, meine ich – hatte keine direkten Verwandten, also wurde der Junge der Obhut seines Großvaters Lord Dunsany anvertraut. Genevas Schwester Isobel wurde in jeder Hinsicht, außer der körperlichen, Williams Mutter. Und ich –« Er zuckte gelassen mit den Schultern. »Ich habe Isobel geheiratet. Mit Dunsanys Zustimmung wurde ich Williams Vormund, und er betrachtet mich seit seinem sechsten Lebensjahr als seinen Stiefvater – er ist mein Sohn.«

»Ihr? Ihr habt *geheiratet*?« Sie gaffte ihn derart ungläubig an, dass er es als beleidigend empfand.

»Ihr habt die merkwürdigsten Vorstellungen von der Ehe«, sagte er gereizt. »Es war ein ausgesprochen vorteilhaftes Arrangement.«

Ihre rote Augenbraue hob sich in einer Geste, die typisch Jamie war.

»Hat Eure Frau das genauso gefunden?«, fragte sie, ein unheimliches Echo der Stimme ihrer Mutter, die ihm exakt dieselbe Frage gestellt hatte. Als ihre Mutter sie stellte, war er verblüfft gewesen. Diesmal war er vorbereitet.

»Das«, so sagte er kurz angebunden, »geschah in einem andren Land. Und Isobel …« Wie er gehofft hatte, brachte sie das zum Schweigen.

Ein Feuer brannte am anderen Ende des Sandovals, wo einige Reisende ein einfaches Lager aufgeschlagen hatten. Waren sie hier, um sich die Hinrichtung anzusehen?, fragte er sich. Waren es Männer, die sich den Rebellenmilizen anschließen wollten? Einer von ihnen bewegte sich, durch die Qualmwolke kaum zu sehen, auf sie zu, und er machte kehrt und führte Brianna auf demselben Weg zurück, den sie gekommen waren. Diese Unterhaltung war schon peinlich genug, ohne dass sie dazu Gefahr liefen, unterbrochen zu werden.

»Ihr habt nach Ellesmere gefragt«, sagte er und nahm das Gespräch wieder in die Hand. »Lord Dunsany hat damals vor dem Untersuchungsgericht angegeben, Ellesmere hätte ihm eine neue Pistole gezeigt, aus der sich zufällig ein Schuss löste. Es war die Art von Geschichte, die man erzählt, damit sie niemand glaubt – und die den Eindruck erweckte, dass sich der Graf in Wirklichkeit selbst erschossen hatte, zweifellos aus Schmerz über den Tod seiner Frau, dass die Dunsanys jedoch um des Kindes willen das Stigma des Selbstmords abwenden wollten. Natürlich erkannte der Untersuchungsrichter sowohl, dass die Geschichte falsch war, als auch, dass es klug sein würde, sie nicht anzuzweifeln.«

»Das war nicht meine Frage«, schnappte sie hörbar gereizt. »Ich habe gefragt, warum mein Vater ihn erschossen hat.«

Er seufzte. Sie hätte wunderbar für die Inquisition arbeiten können, dachte er geplagt; keine Hoffnung auf Entrinnen oder Ausflüchte.

»Meines Wissens hegte Seine Lordschaft aufgrund der Erkenntnis, dass das Neugeborene auf keinen Fall das seine war, die Absicht, diesen Schandfleck zu beseitigen, indem er das Kind aus dem Fenster auf den gepflasterten Hof zehn Meter tiefer warf«, sagte er unverblümt.

Ihr Gesicht war deutlich erbleicht.

»Wie hat er es denn herausgefunden?«, wollte sie wissen. »Und wenn Pa Stallknecht war, warum war er dabei? Wusste der Graf, dass er … verantwortlich war?« Sie erschauerte, wohl weil sie sich ausmalte, wie Jamie vor den Grafen zitiert wurde, um den Tod seines illegitimen Nachwuchses mit anzusehen, bevor ihn selbst ein ähnliches Schicksal ereilte. John konnte ihren Gedankengängen problemlos folgen; er hatte sich diese Szene selbst schon oft genug vorgestellt.

»Eine treffende Wortwahl«, erwiderte er trocken. »Jamie Fraser ist für mehr Dinge ›verantwortlich‹ als irgendein anderer Mensch, den ich kenne. Was den Rest angeht, so habe ich keine Ahnung. Ich kenne die Grundzüge dessen, was geschehen ist, weil Isobel es wusste; ihre Mutter war dabei und hat es ihr offensichtlich nur so knapp wie möglich erzählt.«

»Hm.« Sie trat mit Wucht gegen einen kleinen Stein. Er schnellte vor ihr über den Sand und landete ein Stückchen weiter. »Und Ihr habt Pa nie danach gefragt?«

Der Stein lag ihm im Weg; er zielte im Vorübergehen danach und trat ihn wieder vor sie hin.

»Ich habe Euren Vater nie auf Geneva, Ellesmere oder William angesprochen – außer, um ihn von meiner Heirat mit Isobel zu unterrichten und ihm zu versichern, dass ich meiner Verantwortung als Vormund nach bestem Wissen und Gewissen nachkommen würde.«

Sie stellte den Fuß auf den Stein, bohrte ihn in den Sand und blieb stehen.

»Ihr habt nie *ein Wort* zu ihm gesagt? Was hat er zu Euch gesagt?«, wollte sie wissen.

»Nichts.« Er erwiderte ihren bohrenden Blick.

»Warum habt Ihr Isobel geheiratet?«

Er seufzte, doch es hatte keinen Zweck, ihr auszuweichen.

»Um mich um William zu kümmern.«

Ihre dichten, roten Augenbrauen stießen fast an ihren Haaransatz.

»Dann habt Ihr also geheiratet, obwohl Ihr – ich meine, Ihr habt Euer ganzes Leben umgekrempelt, nur um für Jamie Frasers unehelichen Sohn zu sorgen? Und keiner von Euch hat *je* ein Wort darüber verloren?«

»Nein«, sagte er verblüfft. »Natürlich nicht.«

Ihre Augenbrauen senkten sich langsam, und sie schüttelte den Kopf.

»Männer«, sagte sie kryptisch. Sie blickte zurück zur Stadt. Es regte sich kaum ein Lüftchen, und der Rauch aus Wilmingtons Schornsteinen lag als schwerer Dunstschleier über den Bäumen. Man konnte kein einziges Dach sehen; es hätte genauso gut ein Drache schlafend am Strand liegen können. Doch das leise Dröhnen war nicht das Schnarchen eines Reptils; ein dünner, aber konstanter Menschenstrom war entlang der Rennbahn in die Stadt unterwegs, und wenn der Wind in ihre Richtung stand, war der Widerhall einer wachsenden Menschenmenge zu hören.

»Es ist fast dunkel. Ich muss zurück.« Sie hielt auf die kleine Straße zu, die in die Stadt führte, und er folgte ihr, vorerst erleichtert, auch wenn er sich in keiner Weise der Illusion hingab, dass das Verhör vorbei war.

Doch sie hatte nur noch eine Frage.

»Wann werdet Ihr es ihm sagen?«, fragte sie und wandte sich ihm zu, als sie den Waldrand erreichten.

»Wem was sagen?«, erwiderte er verblüfft.

»*Ihm.*« Sie sah ihn mit einem irritierten Stirnrunzeln an. »William. Meinem Bruder.« Ihre Irritation verging, als sie das Wort auf der Zunge spürte. Sie war zwar noch blass, doch unter ihrer Haut begann eine Art Erregung zu glühen. Lord John fühlte sich, als hätte er etwas gegessen, das er überhaupt nicht vertragen hatte. Ihm brach der kalte Schweiß im Gesicht aus, und seine Eingeweide verknoteten sich zu faustgroßen Schlingen. Seine Knie wurden zu Wasser.

»Habt Ihr völlig den Verstand verloren?« Er packte sie am Arm, genauso sehr, um zu verhindern, dass sie stolperte, als auch, dass sie davonmarschierte.

»Meines Wissens hat er keine Ahnung, wer sein Vater wirklich ist«, sagte sie mit einem Hauch von Schärfe, »und da Ihr und Pa nie darüber gesprochen habt, habt Ihr es ja wahrscheinlich auch nicht für nötig gehalten, mit *ihm* zu sprechen. Aber er ist jetzt erwachsen – er hat doch wohl das Recht, es zu erfahren.«

Lord John schloss leise stöhnend die Augen.

»Fehlt Euch etwas?«, fragte sie. Er spürte, wie sie sich über ihn beugte, um ihn genauer in Augenschein zu nehmen. »Ihr seht gar nicht gut aus.«

»Setzt Euch hin.« Er setzte sich selbst mit dem Rücken an einen Baum und zog sie neben sich zu Boden. Er atmete tief durch und hielt die Augen geschlossen, während sein Verstand raste. Gewiss scherzte sie nur? Gewiss nicht, versicherte ihm sein zynisch beobachtendes Selbst. Sie hatte zwar einen ausgeprägten Sinn für Humor, doch davon war im Moment nichts zu spüren.

Sie konnte es nicht tun. Er durfte es nicht zulassen. Es war unvorstellbar, dass sie – doch wie konnte er sie daran hindern? Wenn sie nicht auf ihn hörte, würden vielleicht Jamie oder ihre Mutter …

Eine Hand berührte seine Schulter.

»Es tut mir Leid«, sagte sie leise. »Ich habe nicht nachgedacht.«

Erleichterung erfüllte ihn. Er spürte, wie sich sein Bauch entkrampfte, doch als er die Augen öffnete, sah er, wie sie ihn mit einer merkwürdigen Art von Mitgefühl betrachtete, die er nicht einordnen konnte. Seine Eingeweide verkrampften sich prompt wieder, und er bekam Angst, dass er auf der Stelle einen peinlichen Anfall von Blähungen erleiden würde.

Sein Bauch hatte sie besser verstanden als er.

»Ich hätte es mir denken sollen«, tadelte sie sich selbst. »Ich hätte wissen müssen, wie Ihr darüber empfindet. Ihr habt es ja selbst gesagt – er ist *Euer* Sohn. Ihr habt ihn all diese Jahre großgezogen; ich kann sehen, wie sehr Ihr ihn liebt. Ihr müsst Euch schrecklich fühlen, wenn Ihr daran denkt, dass William das mit Pa herausfindet und Euch vielleicht Vorwürfe macht, weil Ihr es ihm nicht eher gesagt habt.« Ihre Hand massierte ihm das Schlüsselbein, eine Geste, die wahrscheinlich beruhigend gedacht war. Falls das ihre Absicht war, so war sie spektakulär gescheitert.

»Aber –«, begann er, doch sie hatte seine Hand ergriffen und drückte sie ernst. Tränen glitzerten in ihren blauen Augen.

»Er wird es nicht tun«, versicherte sie ihm. »William wird nie aufhören, Euch zu lieben. Glaubt es mir. Bei mir war es genauso – als ich das mit Pa herausgefunden habe. Anfangs wollte ich es nicht glauben; ich *hatte* doch einen Vater, und ich habe ihn geliebt, und ich wollte keinen anderen. Aber dann bin ich Pa begegnet, und es war – er war … der, der er ist –« Sie zuckte sacht mit den Achseln und hob eine Hand, um sich mit der Spitzenkante an ihrem Handgelenk über die Augen zu wischen.

»Aber ich habe meinen anderen Vater nicht vergessen«, sagte sie ganz leise. »Und ich werde ihn auch nie vergessen. Niemals.«

Trotz des Ernstes der Lage gerührt, räusperte sich Lord John.

»Ja. Nun. Ich bin mir sicher, dass Euch Eure Empfindungen alle Ehre machen, meine Liebe. Und ich hoffe zwar, dass ich Williams Zuneigung genauso genieße und es auch in Zukunft tun werde, doch dies war nicht der Punkt, auf den ich hinauswollte.«

»Nicht?« Sie blickte mit großen Augen auf, und die Tränen verklebten ihre Wimpern zu dunklen Stacheln. Sie war wirklich ein liebenswertes Geschöpf, und er spürte einen leisen Stich der Zärtlichkeit.

»Nein«, sagte er so sanft, wie es die Umstände erlaubten. »Hört zu, meine Liebe. Ich habe Euch doch gesagt, wer William ist – oder wer er zu sein glaubt.«

»Der Vicomte Vonundzu, meint Ihr?«

Er seufzte tief.

»Genau. Die fünf Menschen, die seine wahre Herkunft kennen, haben in den letzten achtzehn Jahren beträchtliche Anstrengungen unternommen, damit niemand – William eingeschlossen – jemals Grund bekommt zu bezweifeln, dass er der Neunte Graf von Ellesmere ist.«

Bei diesen Worten blickte sie zu Boden, die Stirn gerunzelt, die Lippen fest zusammengepresst. Himmel, er hoffte, dass es ihrem Mann gelungen war, Jamie Fraser rechtzeitig ausfindig zu machen. Jamie Fraser war der einzige Mensch, der seine Tochter noch an Sturheit übertraf.

»Ihr versteht mich nicht«, sagte sie schließlich. Sie musterte ihn, und er merkte, dass sie sich zu einem Entschluss durchgerungen hatte.

»Wir gehen«, erklärte sie abrupt. »Roger und ich und die – die Kinder.«

»Oh?«, sagte er vorsichtig. Das konnte eine gute Nachricht sein – in mehrerlei Hinsicht. »Wohin wollt Ihr denn? Zieht Ihr Euch nach England zurück? Oder nach Schottland? Wenn es England ist oder Kanada, habe ich einige gesellschaftliche Verbindungen, die vielleicht –«

»Nein. Nicht dorthin. Wir gehen nirgendwo hin, wo Ihr ›Verbindungen‹ habt.« Sie lächelte ihn schmerzlich an und schluckte, bevor sie fortfuhr.

»Aber, seht Ihr – wir werden fort sein. Für – für immer. Wir werden – ich glaube nicht, dass wir uns je wiedersehen werden.« Diese Erkenntnis war ihr gerade erst gekommen; das sah er ihrem Gesicht an, und obwohl es ihn heftig schmerzte, rührte ihn ihre offensichtliche Bestürzung über diese Vorstellung zutiefst.

»Ich werde Euch sehr vermissen, Brianna«, sagte er sanft. Er war einen Großteil seines Lebens Soldat gewesen und dann Diplomat. Er hatte gelernt, mit Trennung und Fernsein zu leben, mit dem gelegentlichen Tod zurückgelassener Freunde. Doch die Vorstellung, diese seltsame junge Frau nie wiederzusehen, erfüllte ihn mit einem unerwarteten Maß an Trauer. Fast so, dachte er überrascht, als wäre sie seine eigene Tochter.

Doch er hatte ja einen Sohn, und bei ihren nächsten Worten wurde er abrupt wieder hellwach.

»Ihr seht also«, sagte sie und beugte sich so gebannt zu ihm hinüber, dass er unter anderen Umständen bezaubert gewesen wäre. »Ich muss mit William sprechen und es ihm sagen. Es wird unsere einzige Gelegenheit sein.« Dann veränderte sich ihr Gesicht, und sie legte eine Hand an ihre Brust.

»Ich muss gehen«, sagte sie abrupt. »Mandy – Amanda, meine Tochter – ich muss sie füttern.«

Und damit war sie auf und davon, um wie eine drohende Sturmwolke über den Sand der Rennbahn zu huschen, die Zerstörung und Aufruhr nach sich zog.

117

Gutes und Barmherzigkeit werden mir folgen mein Leben lang

10. Juli 1776

Die Flut begann kurz vor fünf Uhr morgens. Es war taghell, der Himmel blassblau und wolkenlos, und die Schlammbänke erstreckten sich grau und glänzend jenseits des Kais. Hier und dort wurde ihre glatte Oberfläche von Stauden und hartnäckigem Seegras durchbrochen, das aus dem Schlamm spross wie Haarbüschel.

Alle Welt stand in der Dämmerung auf; auf dem Kai scharten sich die Leute, die die kleine Prozession beobachteten, zwei Offiziere des Wilmingtoner Komitees für die Sicherheit, ein Vertreter der Kaufmannsvereinigung, ein Pastor, der eine Bibel trug, und der Gefangene, eine hoch gewachsene, breitschultrige Gestalt, die entblößten Hauptes über den stinkenden Schlamm schritt. Hinter ihnen kam ein Sklave, der die Stricke trug.

»Ich möchte mir das nicht ansehen«, sagte Brianna leise. Sie war sehr blass und hatte die Arme vor der Taille verschränkt, als hätte sie Bauchschmerzen.

»Dann lass uns gehen.« Roger nahm ihren Arm, doch sie zog ihn in die andere Richtung.

»Nein. Ich muss.«

Sie ließ die Arme sinken, richtete sich auf und sah hin. Die Leute ringsum rangelten sich um die besten Plätze und grölten so laut, dass, was auch immer dort draußen gesagt wurde, nicht zu verstehen war. Es dauerte nicht lange. Der Sklave, ein kräftiger Mann, packte den Anlegepfosten und rüttelte daran, um seine Standfestigkeit zu prüfen. Dann trat er zurück, während die beiden Offiziere Stephen Bonnet mit dem Rücken an den Pfahl stellten und seinen Körper von der Brust bis zu den Knien mit dem Seil umwickelten. Es gab kein Entrinnen für den Schuft.

Roger hatte das Gefühl, dass er in seiner Seele nach Mitleid forschen, für den Mann beten sollte. Er konnte es nicht. Versuchte es mit Vergebung, doch das konnte er auch nicht. Etwas wie ein Knäuel Würmer wand sich in seinem Bauch. Er fühlte sich, als sei er selbst an einen Pfahl gefesselt und warte auf das Ertrinken.

Der Pastor mit dem schwarzen Rock beugte sich zu Bonnet hinüber. Sein Haar wehte im frühen Morgenwind, sein Mund bewegte sich. Roger glaubte nicht, dass Bonnet eine Antwort gab, konnte es aber nicht mit Sicherheit sagen. Kurz darauf zogen die Männer ihre Hüte aus, standen da, während der Pastor betete, dann setzten sie sie wieder auf und kamen zum Ufer zurück. Ihre glucksenden Schuhe versanken knöcheltief im sandigen Schlamm.

Sobald die Würdenträger verschwunden waren, ergoss sich ein Strom von Menschen über den Schlamm – Schaulustige, hüpfende Kinder und ein Mann mit Notizbuch und Stift, in dem Roger Amos Crupp erkannte, den Inhaber der *Wilmington Gazette*.

»Na, das wird ja sicher ein Knüller, nicht wahr?«, murmelte Roger. Ganz gleich, was Bonnet tatsächlich sagte – oder auch nicht –, morgen würde garantiert eine Flugschrift die Runde machen, die entweder ein reißerisches Geständnis oder rührselige Ausdrücke des Bedauerns enthielt – vielleicht ja auch beides.

»Okay, ich kann das wirklich nicht mit ansehen.« Brianna wandte sich abrupt ab und nahm seinen Arm. Sie schaffte es noch an der Zeile der Lagerhäuser vorbei, bevor sie sich vor ihn stellte, ihr Gesicht an seiner Brust vergrub und in Tränen ausbrach.

»Schsch. Schon gut – es wird alles gut.« Er klopfte ihr auf den Rücken und versuchte, seinen Worten Überzeugungskraft zu verleihen, doch er hatte selbst einen Kloß von der Größe einer Zitrone im Hals. Schließlich nahm er sie bei den Schultern und hielt sie ein Stück von sich fort, so dass er ihr in die Augen sehen konnte.

»Du brauchst es nicht zu tun«, sagte er.

Sie hörte auf zu weinen, zog die Nase hoch und wischte sie sich wie Jemmy am Ärmel ab – wich aber seinem Blick aus.

»Es ist – es geht schon. Es ist nicht einmal seinetwegen. Es ist nur – einfach alles. M-mandy – «, ihre Stimme schwankte bei diesem Wort, »– und die Begegnung mit meinem Burder … Oh, Roger, wenn ich es ihm nicht sagen kann, wird er es nie erfahren, und ich werde ihn und Lord John nie wieder sehen. Oder Mama –« Sie wurde erneut von Tränen überwältigt, die in ihren Augen aufstiegen, doch sie schluckte krampfhaft und zwang sie wieder hinunter.

»Es ist nicht seinetwegen«, sagte sie mit erstickter, erschöpfter Stimme.

»Vielleicht«, sagte er leise. »Aber du brauchst es trotzdem nicht zu tun.« Sein Magen wand sich immer noch, und seine Hände fühlten sich zittrig an, aber er war von Entschlossenheit erfüllt.

»Ich hätte ihn auf Ocracoke töten sollen«, sagte sie. Sie schloss die Augen und strich sich ein paar lose Haarsträhnen aus dem Gesicht. Die Sonne stand jetzt höher am Himmel und brannte hell. »Ich war zu feige. Ich d-dachte, es würde einfacher sein, es vom – vom Gesetz erledigen zu lassen.« Sie öffnete die Augen, und jetzt sah sie ihn an. Ihre Augen waren gerötet, aber klar. »Ich könnte nicht zulassen, dass es so geschieht, selbst wenn ich es nicht geschworen hätte.«

Das konnte Roger verstehen; er konnte den Schrecken der herannahenden Flut spüren, deren Wasser an seinen Knochen unausweichlich stieg. Es würde mindestens neun Stunden dauern, bis das Wasser Bonnet bis ans Kinn reichte; er war ein hoch gewachsener Mann.

»Ich werde es tun«, sagte er fest entschlossen.

Sie versuchte schwach zu lächeln, gab es dann aber auf.

»Nein«, sagte sie. »Das wirst du nicht.« Sie klang zu Tode erschöpft und sah genauso aus; keiner von ihnen hatte letzte Nacht viel geschlafen. Doch sie klang ebenso entschlossen, und er erkannte Jamie Frasers stures Erbe.

Nun, zum Teufel, er trug dieses Erbe auch in sich.

»Ich habe es dir schon einmal erzählt«, erwiderte er. »Was dein Vater damals gesagt hat. *Ich bin es, der für sie tötet.* Wenn es jemand tun muss –«, und er pflichtete ihr insgeheim bei; er konnte es ebenfalls nicht ertragen, »– dann tue ich es.«

Sie bekam sich jetzt wieder in den Griff. Sie wischte sich mit dem Rocksaum über das Gesicht und holte tief Luft, bevor sie ihn wieder ansah. Die Farbe ihrer Augen war ein tiefes, lebhaftes Blau, viel dunkler als der Himmel.

»Du hast es mir erzählt. Und du hast mir auch erzählt, warum er es gesagt hat – was er zu Arch Bug gesagt hat. ›*Sie unterliegt einem Schwur. Sie ist Ärztin, sie tötet keine Menschen.*‹«

Haha, dachte Roger, der jedoch zu klug war, es laut auszusprechen. Bevor er sich etwas Taktvolleres überlegen konnte, legte sie ihm die Hände flach auf die Brust und fuhr fort.

»Du doch auch«, sagte sie. Das überrumpelte ihn.

»Nein, das stimmt nicht.«

»O doch«, sagte sie leise, aber mit Nachdruck. »Er ist vielleicht noch nicht offiziell – aber das braucht er auch gar nicht zu sein. Vielleicht hat er ja nicht einmal Worte, der Schwur, den du abgelegt hast, aber du hast es getan, das weiß ich ganz genau.«

Das konnte er nicht leugnen, und es rührte ihn, *dass* sie es wusste.

»Aye, nun ja ...« Er legte die Hände auf die ihren und umklammerte ihre langen, kraftvollen Finger. »Und dir habe ich auch etwas geschworen, als ich es dir gesagt habe. Ich habe gesagt, ich würde Gott nie über meine – meine Liebe zu dir stellen.« Liebe. Er konnte kaum glauben, dass er in einer solchen Diskussion die Liebe zitierte. Und doch hatte er das höchst merkwürdige Gefühl, dass sie es genauso sah.

»Ich habe so etwas nicht geschworen«, sagte sie bestimmt und entzog ihm ihre Hände. »Und ich habe mein Wort gegeben.«

Sie war gestern Abend nach Anbruch der Dunkelheit mit Jamie dort hin gegangen, wo man den Piraten festhielt. Roger hatte keine Ahnung, welche erpresserischen Mittel oder Überzeugungskräfte dabei zum Einsatz gekommen waren, doch man hatte die beiden zu ihm gelassen. Jamie hatte sie sehr spät zu ihrem Zimmer zurückgebracht, kreidebleich und mit einem Stapel

Papiere, die sie ihrem Vater reichte. Eidesstattliche Erklärungen, hatte sie gesagt, unterschriebene Bestätigungen, dass Stephen Bonnet Geschäftsbeziehungen mit Kaufleuten an der ganzen Küste unterhielt.

Roger hatte Jamie einen mörderischen Blick zugeworfen und ihn mit Zinsen zurückbekommen. *Wir sind im Krieg*, hatten Frasers verengte Augen gesagt. *Und ich werde jede Waffe benutzen, die mir zur Verfügung steht.* Doch alles, was er gesagt hatte, war: »Gute Nacht, *a nighean*«. Dann war er ihr zärtlich über das Haar gefahren und gegangen.

Brianna hatte sich mit Mandy hingesetzt und sie gestillt. Sie hatte die Augen geschlossen und sich geweigert zu sprechen. Nach einer Weile hatte ihr Gesicht die weiße Farbe und die Linien der Anstrengung verloren, und sie hatte auf das Bäuerchen des Babys gewartet und es schlafend in seinen Korb gelegt. Dann kam sie ins Bett und liebte ihn mit einer wortlosen Heftigkeit, die ihn überraschte. Aber nicht so sehr, wie sie ihn jetzt überraschte.

»Und noch etwas«, sagte sie nüchtern und ein wenig traurig. »Ich bin der einzige Mensch auf der Welt, für den es kein Mord ist.«

Mit diesen Worten wandte sie sich ab und ging schnellen Schrittes auf das Gasthaus zu, wo Mandy darauf wartete, gefüttert zu werden. Draußen auf den Schlammbänken konnte er die aufgeregten Stimmen kreischen hören wie die Möwen.

Um zwei Uhr half Roger seiner Frau in ein kleines Ruderboot, das in der Nähe der Lagerhäuser am Kai festgebunden war. Den ganzen Tag über war die Flut gestiegen; das Wasser war jetzt über einen Meter fünfzig tief. Draußen in der Mitte der glänzend grauen Fläche waren die Anlegepfähle zu sehen – und der kleine dunkle Kopf des Piraten.

Brianna war so unnahbar wie eine heidnische Statue, ihr Gesicht war ausdruckslos. Sie hob ihre Röcke, um in das Boot zu steigen, und als sie sich hinsetzte, rumpelte das Gewicht in ihrer Tasche gegen das hölzerne Sitzbrett.

Roger griff nach den Rudern und hielt auf die Pfosten zu. Sie würden keine Neugier erregen; seit der Mittagszeit waren häufig Boote mit Schaulustigen hinausgefahren, die dem Verurteilten ins Gesicht sehen wollten, ihn verhöhnen wollten oder ihm eine Haarsträhne als Souvenir abschneiden wollten.

Er konnte nicht sehen, wohin er fuhr; Brianna wies ihn mit wortlosen Wendungen ihres Kopfes nach rechts und links. Sie konnte sehen; sie saß aufrecht da und hatte die rechte Hand in ihrem Rock versteckt.

Dann hob sie die Linke, und Roger stemmte sich gegen die Ruder und wendete das kleine Boot.

Bonnets Lippen waren aufgesprungen, sein Gesicht ausgetrocknet und salzverkrustet, seine Lider so gerötet, dass er die Augen kaum öffnen konnte. Doch sein Kopf hob sich, als sie näher kamen, und Roger sah einen überwältigten, hilflosen Mann, der sich vor der nahenden Umarmung fürchtete – so sehr, dass er ihre verführerische Berührung beinahe willkommen hieß und sich den kalten Fingern und dem Kuss ergab, der ihm den Atem raubte.

»Du hast dir ja Zeit gelassen, Schätzchen«, sagte er zu Brianna, und seine rissigen Lippen teilten sich zu einem Grinsen, das sie aufplatzen ließ und Blut auf seinen Zähnen verteilte. »Aber ich habe gewusst, dass du kommen würdest.«

Roger paddelte mit einem Ruder, um das Boot dicht heranzufahren, dann noch dichter. Er blickte hinter sich, als Brianna die Pistole mit dem goldverzierten Kolben aus der Tasche zog und Stephen Bonnet den Lauf ans Ohr hielt.

»Geh mit Gott, Stephen«, sagte sie deutlich auf Gälisch und drückte ab. Dann ließ sie die Pistole ins Wasser fallen und wandte sich zu ihrem Mann um.

»Bring uns nach Hause«, flüsterte sie.

118

Bedauerlich

Lord John betrat sein Gasthauszimmer und stellte überrascht – ja, sogar erstaunt – fest, dass er Besuch hatte.

»John.« Jamie Fraser wandte sich vom Fenster ab und schenkte ihm ein kleines Lächeln.

»Jamie.« Er erwiderte das Lächeln und versuchte, sein plötzliches Hochgefühl in den Griff zu bekommen. Er hatte Jamies Vornamen in den letzten fünfundzwanzig Jahren vielleicht dreimal benutzt; es war eine Intimität, die ihn beglückte, aber er durfte sich das nicht anmerken lassen.

»Soll ich uns eine Erfrischung bestellen?«, fragte er höflich. Jamie hatte sich nicht vom Fenster wegbewegt; er blickte hinaus, dann sah er John an und schüttelte nach wie vor schwach lächelnd den Kopf.

»Ich danke dir, nein. Wir sind doch Feinde, oder nicht?«

»Wir befinden uns bedauerlicherweise auf entgegengesetzten Seiten eines Konfliktes, bei dem ich fest davon ausgehe, dass er nur kurz sein wird«, verbesserte Lord John.

Fraser sah mit einem merkwürdigen, reuevollen Ausdruck auf ihn nieder.

»Nicht kurz«, sagte er. »Aber bedauerlich, aye.«

»Nun ja.« Lord John räusperte sich und trat ans Fenster. Dabei achtete er darauf, seinen Besucher nicht zu streifen. Er spähte hinaus und entdeckte den wahrscheinlichen Grund für Frasers Besuch.

»Ah«, sagte er und sah Brianna Fraser MacKenzie unten auf dem hölzernen Gehsteig stehen. »Oh!«, hauchte er in verändertem Ton. Denn William Henry Clarence George Ransom, der Neunte Graf von Ellesmere, war gerade aus dem Wirtshaus getreten und hatte sich vor ihr verbeugt.

»Grundgütiger«, murmelte er, und vor Nervosität kribbelte seine Kopfhaut. »Wird sie es ihm sagen?«

Fraser schüttelte den Kopf, ohne den Blick von den beiden jungen Leuten unter dem Fenster abzuwenden.

»Nein«, sagte er leise. »Sie hat mir ihr Wort gegeben.«

Die Erleichterung rauschte wie Wasser durch seine Adern.

»Danke«, sagte er. Fraser tat es schulterzuckend ab. Es war schließlich auch sein Wunsch – vermutete Lord John zumindest.

Die beiden unterhielten sich miteinander – William sagte etwas, und Brianna lachte und warf ihr Haar zurück. Er sah ihnen fasziniert zu. Lieber Gott, sie waren sich so ähnlich! Die kleinen Details ihres Mienenspiels, ihre Haltung, ihre Gestik … Es musste selbst dem beiläufigsten Beobachter auffallen. Tatsächlich sah er gerade ein Pärchen an ihnen vorbeigehen, und die Frau lächelte beim Anblick des hübschen Duos.

»Sie wird es ihm nicht sagen«, wiederholte Lord John, den der Anblick ein wenig bestürzte. »Aber sie stellt sich vor ihm zur Schau. Wird er nicht – aber nein. Wahrscheinlich nicht.«

»Ich hoffe, nicht«, sagte Jamie, der seine Augen unverwandt auf die beiden gerichtet hatte. »Und wenn doch – wird er es immer noch nicht *wissen*. Sie hat darauf bestanden, ihn noch einmal zu sehen – das war der Preis für ihr Schweigen.«

John nickte wortlos. Jetzt kam Briannas Mann dazu. Er hielt ihren kleinen Jungen an der Hand, dessen Haar in der Sommersonne leuchtete wie das seiner Mutter. Er hatte ein Baby auf dem Arm – Brianna nahm es ihm ab und schlug die Decke zurück und zeigte William das Kind. Dieser betrachtete es mit allen Anzeichen der Höflichkeit.

Er begriff plötzlich, dass sich Fraser mit jeder Faser seines Wesens auf die Szene im Freien konzentrierte. Natürlich; er hatte Willie seit seinem zwölften Lebensjahr nicht mehr gesehen. Und die beiden zusammen zu sehen – seine Tochter und den Sohn, den er nie ansprechen, nie als den seinen anerkennen durfte. Er hätte Fraser gern berührt, ihm mitfühlend die Hand auf den Arm gelegt, doch da ihm die wahrscheinliche Wirkung einer solchen Berührung bekannt war, hütete er sich davor.

»Ich bin hier«, sagte Fraser plötzlich, »um dich um einen Gefallen zu bitten.«

»Stets zu Diensten, Sir«, sagte Lord John. Er war furchtbar froh, flüchtete sich jedoch in die Formalität.

»Nicht für mich«, sagte Fraser und sah ihn an. »Für Brianna.«

»Mit noch größerer Freude«, versicherte ihm Lord John. »Ich empfinde extreme Zuneigung für deine Tochter, trotz ihrer charakterlichen Ähnlichkeiten mit ihrem Erzeuger.«

Frasers Mundwinkel hob sich, und er richtete seine Augen erneut auf die Szene im Freien.

»Ist das so«, sagte er. »Nun denn. Ich kann dir nicht sagen, wozu ich ihn brauche – aber ich brauche einen Edelstein.«

»Einen Edelstein?« Lord Johns Stimme klang selbst in seinen Ohren verständnislos. »Was denn für einen Edelstein?«

»Irgendeinen.« Fraser zuckte ungeduldig mit den Achseln. »Es spielt keine Rolle – solange es nur ein reiner Stein ist. Ich habe dir einmal einen solchen Stein gegeben –« Sein Mund zuckte; er hatte den Stein, einen Saphir, unter Druck abgegeben, als Gefangener der Krone. »Obwohl ich nicht davon ausgehe, dass du ihn noch hast?«

Natürlich hatte er ihn noch. Dieser Saphir hatte ihn die letzten fünfundzwanzig Jahre begleitet und befand sich im Moment in seiner Westentasche. Er richtete den Blick auf seine linke Hand, an der er einen breiten Goldring mit einem leuchtenden, geschliffenen Saphir trug. Hectors Ring. Den ihm seine erste Liebe gegeben hatte, als er sechzehn war. Hector war in Culloden gestorben – am Tag nach Johns erster Begegnung mit James Fraser in der Dunkelheit eines schottischen Bergpasses.

Ohne Zögern, wenn auch mit leichten Schwierigkeiten – er trug den Ring schon lange, und er war ein wenig in die Haut seines Fingers eingesunken – drehte er ihn los und legte ihn Jamie in die Hand.

Fraser zog erstaunt die Augenbrauen hoch.

»Den? Bist du sich–«

»Nimm ihn.« Jetzt streckte er die Hand aus und schloss Jamies Finger um den Ring. Die Berührung war flüchtig, doch seine Hand kribbelte, und er schloss sie zur Faust, um sich das Gefühl zu bewahren.

»Danke«, sagte Jamie noch einmal leise.

»Es ist – mir wirklich ein großes Vergnügen.« Das Zusammentreffen unten auf dem Gehsteig war in der Auflösung begriffen – Brianna verabschiedete sich gerade, das Baby auf dem Arm; ihr Mann und ihr Sohn waren schon ein Stück weitergegangen. William verneigte sich, der Umriss seines kastanienfarbenen Kopfes ein solch perfektes Spiegelbild des roten –

Ganz plötzlich konnte Lord John es nicht ertragen zu sehen, wie sie sich trennten. Auch das hätte er sich gern bewahrt – den Anblick der beiden zusammen. Er schloss die Augen, stützte die Hände auf die Fensterbank und fühlte einen Lufthauch in seinem Gesicht. Etwas berührte ihn ganz kurz an der Schulter, und er spürte neben sich eine Bewegung in der Luft.

Als er die Augen wieder öffnete, waren sie alle drei fort.

119

Muss i denn ...

September 1776

Roger verlegte gerade den Rest der Wasserleitung, als Aidan und Jemmy so plötzlich wie zwei Schachtelteufel an seiner Seite auftauchten.

»Papa, Papa, Bobby ist hier!«

»Was, Bobby Higgins?« Roger richtete sich auf und spürte dabei, wie seine Rückenmuskeln protestierten. Er blickte zum Haupthaus, sah aber keine Spur von einem Pferd. »Wo ist er denn?«

»Er ist zum Friedhof gegangen«, sagte Aidan mit bedeutsamer Miene. »Meint Ihr, er sucht das Gespenst?«

»Das bezweifle ich«, antwortete Roger ruhig. »Welches Gespenst denn?«

»Malva Christie«, sagte Aidan prompt. »Sie geht um. Das sagen doch alle.« Er sprach ganz tapfer, schlug aber die Arme um sich selbst. Jemmy, der diese Neuigkeit eindeutig zum ersten Mal hörte, riss die Augen auf.

»Warum geht sie denn um? Wohin will sie denn?«

»Weil sie errrmorrrdet worden ist, Dummkopf«, erklärte Aidan dramatisch. »Ermordete gehen immer als Geister um. Sie suchen ihren Mörder.«

»Unsinn«, sagte Roger bestimmt, als er Jemmys beklommenes Gesicht sah. Jem hatte natürlich gewusst, dass Malva Christie tot war; er war genau wie alle anderen Kinder aus Fraser's Ridge bei ihrer Beerdigung gewesen. Doch er und Brianna hatten dem Jungen einfach nur erzählt, dass Malva gestorben war, nicht, dass sie ermordet worden war.

Nun ja, dachte Roger grimmig, man braucht gar nicht zu hoffen, so etwas geheim halten zu können. Er hoffte allerdings, dass Jem keine Albträume bekommen würde.

»Malva geht nicht um, und sie sucht auch niemanden«, sagte er und legte so viel Überzeugung in seine Stimme, wie er zuwege brachte. »Ihre Seele ist bei Jesus im Himmel, wo sie glücklich ist und ihren Frieden hat, und ihr Körper ... Nun ja, wenn jemand stirbt, braucht er seinen Körper nicht mehr, also begraben wir ihn, und er bleibt schön in seinem Grab bis zum Jüngsten Tag.«

Aidan sah alles andere als überzeugt aus.

»Joey McLaughlin hat sie Freitag vor zwei Wochen gesehen«, behauptete er und wackelte auf den Zehen auf und ab. »Sie ist ganz in Schwarz durch den Wald gerannt, sagt er – und hat schaurig geheult.«

Jemmy sah allmählich wirklich verstört aus. Roger legte den Spaten hin und nahm ihn in den Arm.

»Joey McLaughlin hatte vermutlich zu viel getrunken«, sagte er. Beide Jungen wussten sehr gut, was es heißt, betrunken zu sein. »Wenn jemand heulend durch den Wald gerannt ist, hat er wahrscheinlich Rollo gesehen. Kommt jetzt mit, wir suchen Bobby, und dann könnt ihr euch Malvas Grab selbst ansehen.«

Er hielt Aidan die Hand hin, die der Junge mit Freuden ergriff, um dann den ganzen Weg bergauf zu plappern wie eine Elster.

Was würde Aidan tun, wenn er ging?, fragte er sich. Die Vorstellung, dass sie gehen würden, zuerst so abrupt, dass sie ihm völlig unwirklich erschienen war, begann jetzt, ihm mit jedem Tag mehr ins Bewusstsein zu sickern. Während er seine Arbeit verrichtete, die Gräben für Briannas Wasserleitungen aushob, Heu schleppte und Holz hackte, versuchte er zu denken – nicht mehr lange. Und doch schien es unmöglich zu sein, dass er eines Tages nicht mehr in Fraser's Ridge sein würde, nicht die Tür aufdrücken und Brianna bei einem höllischen Experiment am Küchentisch vorfinden würde, während ihr Jem und Aidan wild um die Füße brummten.

Dieses Gefühl der Unwirklichkeit wurde noch deutlicher, wenn er sonntags predigte oder als Pastor – wenn auch ohne Brief und Siegel – die Runde machte, um die Kranken zu besuchen oder Rat zu spenden. Wenn er in all diese Gesichter blickte – aufmerksam, aufgeregt, gelangweilt, schlecht gelaunt oder geistesabwesend –, konnte er nicht glauben, dass er sie alle schändlich im Stich lassen würde. Wie würde er es ihnen sagen?, fragte er sich mit etwas, das an Angst grenzte. Vor allem denjenigen, für die er sich am meisten verantwortlich fühlte – Aidan und seiner Mutter.

Er hatte um Kraft und Rat gebeten.

Und doch … doch trug er das Bild von Amandas winzigen blauen Fingernägeln, dem schwachen Keuchen ihres Atems, ununterbrochen mit sich. Und die Steine, die an dem Bach auf Ocracoke aufragten, schienen näher zu kommen und jeden Tag fassbarer zu werden.

Bobby Higgins war tatsächlich auf dem Friedhof und hatte sein Pferd unter den Kiefern angebunden. Er saß mit nachdenklich gesenktem Kopf an Malvas Grab, blickte aber sofort auf, als Roger und die Jungen auftauchten. Er sah bleich und ernst aus, rappelte sich aber hoch und schüttelte Roger die Hand.

»Es freut mich, Euch wieder zu sehen, Bobby. Ihr zwei, geht doch spielen, aye?« Er stellte Jemmy auf den Boden und war froh zu sehen, dass er nach einem argwöhnischen Blick auf Malvas Grab – das mit einem verwelkten Wildblumensträußchen verziert war – fröhlich mit Aidan in den Wald lief, um den Eichhörnchen und Erdmännchen nachzujagen.

»Ich – äh – hatte nicht gedacht, dass ich Euch noch einmal wiedersehen würde«, fügte er etwas umständlich hinzu. Bobby senkte den Kopf und strich sich langsam die Kiefernnadeln von der Hose.

»Nun ja, Sir… die Sache ist so, dass ich gern bleiben würde. Falls Ihr damit einverstanden seid«, fügte er hastig hinzu.

»Bleiben? Aber – aber natürlich geht das«, sagte Roger, als er sich von seiner Überraschung erholte. »Habt Ihr – das heißt – Ihr habt Euch doch nicht mit Seiner Lordschaft überworfen, hoffe ich?«

Bobby zog ein erstauntes Gesicht über diese Vorstellung und schüttelte entschieden den Kopf.

»O nein, Sir! Seine Lordschaft ist stets gütig zu mir gewesen, seit er mich aufgenommen hat.« Er zögerte und biss sich auf die Unterlippe. »Es ist nur – nun, seht Ihr, es gehen immer mehr Leute bei Seiner Lordschaft ein und aus. Politiker und – und Armeeoffiziere.«

Er berührte unwillkürlich den Brand auf seiner Wange, der zu einer rosafarbenen Narbe verblasst war, aber nach wie vor deutlich zu sehen war – und es ewig bleiben würde. Roger verstand.

»Dann habt Ihr Euch dort nicht mehr wohl gefühlt?«

»Genau, Sir.« Bobby sah ihn dankbar an. »Früher waren dort nur Seine Lordschaft und ich und Manoke, der Koch. Manchmal hatten wir einen Gast, der zum Abendessen kam oder ein paar Tage geblieben ist, aber es war alles ganz… einfach. Wenn ich für Seine Lordschaft Nachrichten überbracht oder Besorgungen erledigt habe, haben mich die Leute angestarrt, aber nur beim ersten oder zweiten Mal – danach waren sie daran gewöhnt –«, er fasste sich noch einmal ins Gesicht, »– und es war kein Problem. Aber jetzt…« Er verstummte unglücklich und überließ es Roger, sich die wahrscheinlichen Reaktionen der geschniegelten und gebügelten britischen Offiziere auszumalen – die wohl ihre Missbilligung dieses Schandflecks entweder offen zum Ausdruck gebracht hatten – oder durch peinliche Höflichkeit.

»Seine Lordschaft hat das Problem erkannt; so etwas kann er gut. Und er hat gesagt, dass ich ihm fehlen würde, doch wenn ich mein Glück anderswo suchen wollte, würde er mir zehn Pfund und seine besten Wünsche mit auf den Weg geben.«

Roger pfiff respektvoll. Zehn Pfund waren ein respektables Sümmchen. Kein Vermögen, aber absolut genug für einen Neuanfang.

»Sehr schön«, sagte er. »Wusste er, dass Ihr hierher kommen wolltet?«

Bobby schüttelte den Kopf.

»Ich war mir ja selbst nicht sicher«, gab er zu. »Früher wäre ich es gewesen –« Er brach abrupt ab und warf einen Blick auf Malvas Grab, dann räusperte er sich und wandte sich erneut an Roger.

»Ich dachte, ich rede am besten mit Mr. Fraser, bevor ich eine Entscheidung treffe. Es könnte ja sein, dass es hier auch nichts mehr für mich gibt.« Es war als Aussage formuliert, doch die Frage war unüberhörbar. Jeder in Fraser's Ridge kannte und akzeptierte Bobby; das war nicht das Problem. Doch jetzt, da Lizzie verheiratet war und Malva fort… Bobby suchte eine Frau.

»Oh ... ich glaube, Ihr werdet willkommen sein«, sagte Roger mit einem nachdenklichen Blick auf Aidan, der kopfunter an den Knien von einem Ast baumelte, während ihn Jemmy mit Kiefernzapfen bewarf. Ihn durchfuhr ein höchst merkwürdiges Gefühl – irgendwo zwischen Dankbarkeit und Eifersucht, doch Letztere verdrängte er entschlossen.

»Aidan!«, rief er. »Jem! Zeit zu gehen!« Dann wandte er sich ganz beiläufig wieder an Bobby und sagte: »Ich glaube, Ihr habt Aidans Mutter noch nicht kennen gelernt, Amy McCallum – eine junge Witwe, aye? Mit einem Haus und etwas Land. Sie arbeitet im Haupthaus, wenn Ihr mit zum Essen kommt ...«

»Manchmal denke ich darüber nach«, gab Jamie zu. »Frage mich, verstehst du? Was, wenn ich es könnte? Wie würde es sein?«

Er sah Brianna an, lächelnd, aber etwas hilflos, und zuckte mit den Achseln.

»Was meinst du, Brianna? Was könnte ich dort tun? Wie würde es sein?«

»Nun, es –«, begann sie und hielt inne, während sie versuchte, ihn sich in dieser Welt vorzustellen – hinter dem Steuer eines Autos? Mit Anzug und Krawatte im Büro? Diese Vorstellung war so absurd, dass sie lachte. Oder mit Jem und Roger im Kino in einem Godzilla-Film?

»Was heißt Jamie rückwärts buchstabiert?«, fragte sie.

»Eimaj, nehme ich an«, erwiderte er verblüfft. »Wieso?«

»Ich glaube, du würdest gut zurechtkommen«, sagte sie und lächelte. »Egal. Du – nun ja, du könntest ja ... Zeitungen herausgeben. Die Druckerpressen sind größer und schneller, und man braucht viel mehr Leute, um die Neuigkeiten zu sammeln, aber sonst – ich glaube nicht, dass es in dieser Zeit so viel anders ist als heute. Das kannst du doch.«

Er nickte, und zwischen seinen dichten Augenbrauen, die den ihren so ähnlich waren, bildete sich eine Falte der Konzentration.

»Wahrscheinlich«, sagte er ein wenig skeptisch. »Meinst du, ich könnte auch Farmer sein? Die Leute essen doch; jemand muss sie versorgen.«

»Ja, das könntest du.« Sie sah sich um und nahm aufs Neue die vertrauten Kleinigkeiten des Hofes wahr; die Hühner, die friedlich im Dreck scharrten, die weichen, verwitterten Bretter des Stalls, den Erdhügel am Fundament des Hauses, wo sich die weiße Sau ihre Höhle gegraben hatte. »Es gibt auch dort noch Menschen, die ihre Farmen genauso betreiben wie heute; kleine Höfe in den Bergen. Es ist ein hartes Leben –« Sie sah ihn lächeln und lachte auf. »Gut, es ist nicht härter, als es heute ist – aber in den Städten ist es sehr viel einfacher.«

Sie hielt inne und überlegte.

»Du bräuchtest nicht zu kämpfen«, sagte sie schließlich.

»Nein? Aber du hast doch gesagt, es gibt Kriege.«

»Das stimmt«, sagte sie und wurde von eisigen Nadeln gestochen, als sich die Bilder in ihren Kopf bohrten: Felder voller Mohn, Felder voller weißer Kreuze – ein brennender Mann, ein nacktes Kind, das mit verbrannter Haut auf die Kamera zulief, das verzerrte Gesicht eines Mannes, eine Sekunde, bevor die Kugel in sein Gehirn eindrang. »Aber – aber es sind nur die jungen Männer, die dann kämpfen. Und nicht alle, nur manche.«

»Mmpfm.« Eine Minute überlegte er mit gerunzelter Stirn, dann betrachtete er sie forschend.

»Diese, deine Welt, dieses Amerika«, sagte er schließlich nüchtern. »Diese Freiheit, in die du zurückkehrst. Ihr Preis wird schrecklich sein. Glaubst du, sie ist ihn wert?«

Jetzt war es an ihr, zu schweigen und zu überlegen. Schließlich legte sie ihm die Hand auf den Arm – fest, warm, stabil wie Eisen.

»Es gibt fast nichts, was es wert wäre, dich zu verlieren«, flüsterte sie. »Aber vielleicht kommt das nah heran.«

Wenn es Winter wird auf der Welt und die Nächte lang werden, beginnen die Menschen, im Dunklen aufzuwachen. Zu langes Liegen im Bett verkrampft die Gliedmaßen, und zu lange geträumte Träume drehen sich auf sich selbst zurück, grotesk wie die Fingernägel eines Mandarins. Im Allgemeinen ist der menschliche Körper nicht auf mehr als sieben oder acht Stunden Schlaf eingestellt – doch was geschieht, wenn die Nächte länger sind?

Es kommt zum zweiten Schlaf. Wenn es dunkel geworden ist, schläft man vor Müdigkeit ein – doch dann erwacht man wieder und steigt an die Oberfläche seiner Träume auf wie eine Forelle, die zum Fressen nach oben schwimmt. Und wenn man einen Bettgefährten hat, der dann gleichzeitig aufwacht – und Menschen, die seit Jahren nebeneinander schlafen, wissen sofort, wenn der andere wach ist –, hat man einen kleinen, zurückgezogenen Ort tief in der Nacht, den man teilen kann. Einen Ort, an dem man sich erheben kann, um sich zu recken und einen saftigen Apfel mit ins Bett zu bringen, den man dann Stück für Stück teilt, während Finger über Lippen streifen. Den Luxus einer Unterhaltung genießen kann, die nicht vom Alltag unterbrochen wird. Sich langsam im Licht des Herbstmondes lieben kann.

Und dann dicht beieinander zu liegen und die Träume des Geliebten als Liebkosung auf der Haut zu spüren, während man erneut in die Wogen des Bewusstseins zu sinken beginnt, freudig gewiss, dass die Dämmerung noch in weiter Ferne liegt – das ist der zweite Schlaf.

Ich tauchte ganz langsam an die Oberfläche meines ersten Schlafs, um festzustellen, dass mein hocherotischer Traum seine Grundlage in der Wirklichkeit hatte.

»Ich hätte mich ja nie für einen Menschen gehalten, der eine Leiche belästigen würde, Sassenach.« Jamies Stimme kitzelte murmelnd die empfindliche Haut unter meinem Ohr. »Aber ich muss sagen, dass mehr an dieser Vorstellung ist, als ich dachte.«

Ich konnte noch nicht zusammenhängend genug denken, um darauf zu antworten, drückte aber meine Hüften auf eine Weise gegen ihn, die für ihn eine ebenso deutliche Einladung darzustellen schien, als ob sie in kalligraphischen Buchstaben auf Pergament verfasst gewesen wäre. Er holte tief Luft, umfasste mein Gesäß und bescherte mir ein in jeder Hinsicht raues Erwachen.

Ich wand mich wie ein Wurm an einem Angelhaken und stieß leise, drängende Geräusche aus, die er korrekt deutete, denn er drehte mich auf den Bauch und machte sich dann daran, keinen Zweifel daran zu lassen, dass ich nicht nur lebte und wach war, sondern auch bestens funktionierte.

Schließlich tauchte ich aus einem Nest aus flach gedrückten Kissen auf – feucht, keuchend, an jedem geschwollenen, schlüpfrigen Nervenende bebend und hellwach.

»Woher kam *das* denn?«, erkundigte ich mich. Er hatte sich nicht zurückgezogen; wir lagen immer noch zusammen im Licht des großen, goldenen Halbmonds, der über den Wipfeln der Kastanien tief am Himmel stand. Er stieß ein leises Geräusch aus, teils Belustigung, teils Bestürzung.

»Ich kann dich nicht schlafen sehen, ohne dass ich mir wünsche, dich zu wecken, Sassenach.« Seine Hand legte sich um meine Brust, sanft jetzt. »Ich fühle mich wohl einsam ohne dich.«

Seine Stimme hatte einen merkwürdigen Unterton, und ich drehte ihm den Kopf zu, konnte ihn aber in der Dunkelheit nicht sehen. Stattdessen hob ich die Hand und legte sie auf das Bein, das noch halb um mich geschlungen war. Selbst in entspanntem Zustand war es hart, der lange, gefurchte Muskel elegant geschwungen unter meinen Fingern.

»Ich bin doch hier«, sagte ich, und er legte den Arm plötzlich fester um mich.

Ich hörte, wie er die Luft anhielt, und drückte meine Hand fester auf sein Bein.

»Was ist denn?«, fragte ich.

Er holte Luft, antwortete aber nicht sofort. Ich spürte, wie er ein Stückchen zurückwich und unter dem Kissen nach etwas suchte. Dann tauchte seine Hand wieder auf, steuerte diesmal aber die meine an, die auf seinem Bein lag. Seine Finger verschränkten sich mit den meinen, und ich spürte, wie er mir einen kleinen, rundlichen Gegenstand in die Hand drückte.

Ich hörte ihn schlucken.

Der Stein, egal was es war, fühlte sich ganz schwach warm an. Ich fuhr langsam mit dem Daumen darüber; es war ein ungeschliffener Stein, aber groß, so groß wie eines meiner Fingerglieder.

»Jamie …«, sagte ich und spürte, wie es mir die Kehle zuschnürte.

Ich lag einen Moment still und spürte, wie der Stein in meiner Handfläche wärmer wurde. Es war doch wohl nur meine Einbildung, die ihn im

Rhythmus meines Herzens zu pulsieren lassen schien? Woher in aller Welt hatte er ihn?

Dann bewegte ich mich – nicht plötzlich, aber gezielt, und löste mich langsam von ihm. Ich erhob mich mit einem leisen Schwindelgefühl und durchquerte das Zimmer. Öffnete das Fenster, um die scharfe Berührung des Herbstwindes auf meiner nackten, bettwarmen Haut zu spüren, holte mit dem Arm aus und schleuderte den kleinen Gegenstand in die Nacht hinaus.

Dann kehrte ich zum Bett zurück und sah sein Haar als dunkle Masse auf dem Kissen, während seine Augen im Mondschein glänzten.

»Ich liebe dich«, flüsterte ich und glitt neben ihm unter das Laken, legte die Arme um ihn und hielt ihn fest, wärmer als der Stein – so viel wärmer –, und sein Herz schlug gemeinsam mit dem meinen.

»Ich bin nicht mehr so mutig, wie ich es einmal war, weißt du?«, sagte er leise. »Nicht mehr mutig genug, um ohne dich zu leben.«

Aber mutig genug, um es zu versuchen.

Ich zog seinen Kopf an mich und streichelte sein wirres Haar, drahtig und glatt zugleich, lebendig unter meinen Fingern.

»Leg den Kopf an meine Schulter, Mann«, sagte ich leise. »Es ist noch lange hin bis zur Dämmerung.«

120

Ginge es nur um mich selbst …

Der Himmel war farblos und bleiern und drohte mit Regen, und der Wind rauschte durch die Palmen und ließ ihre Wedel klappern wie Säbel. In den Tiefen des Küstenwaldes ragten die vier Steine am Ufer des Baches auf.

»Ich bin die Frau des Herrn von Balnain«, flüsterte Brianna an meiner Seite. »Wurd' wieder gestohlen von den Feen.« Ihre Lippen waren kreidebleich, und sie hielt Amanda fest an ihre Brust geklammert.

Wir hatten uns verabschiedet – eigentlich, so dachte ich, schon seit dem Tag, an dem ich Amanda das Stethoskop auf das Herz gelegt hatte. Dennoch machte Brianna kehrt und warf sich Jamie mitsamt dem Baby an den Hals, und er drückte sie so fest an sein Herz, dass ich glaubte, einer von ihnen müsste zerbrechen.

Dann lief sie auf mich zu, eine Wolke aus Umhang und losem Haar, und ihr Gesicht legte sich kalt an das meine, so dass sich ihre und meine Tränen auf meiner Haut vermischten.

»Ich liebe dich, Mama! Ich liebe dich!«, sagte sie verzweifelt, dann machte sie kehrt, und ohne sich noch einmal umzusehen, begann sie mit der

Schrittfolge, die Donner uns beschrieben hatte, und sang dabei leise vor sich hin. Einen Kreis nach rechts zwischen zwei Steinen hindurch, einen nach links und wieder durch die Mitte – und dann links am größten der Steine vorbei.

Ich hatte damit gerechnet; als sie mit den Schritten begann, war ich von den Steinen weggerannt und hatte erst angehalten, als ich mich in sicherem Abstand wähnte. Falsch gedacht. Ihr Klang – ein Dröhnen diesmal, kein Schrei – durchfuhr mich donnernd, so dass meine Atmung anhielt und fast mein Herz. Schmerz legte sich als eisiger Ring um meine Brust, und ich sank schwankend und hilflos auf die Knie.

Sie waren fort. Ich konnte beobachten, wie Jamie und Roger hinrannten, um nachzusehen – voller Angst, dass sie Leichen finden würden, und zugleich bestürzt und froh, weil sie keine fanden. Ich konnte nicht gut sehen – mein Gesichtsfeld flackerte und verschwamm –, doch ich brauchte es auch nicht. Ich wusste, dass sie fort waren, weil ich ein Loch im Herzen hatte.

»Das waren die ersten zwei«, flüsterte Roger. Seine Stimme war nicht mehr als ein schwaches Rasseln, und er räusperte sich heftig. »Jeremiah.« Er blickte zu Jem hinunter, der blinzelnd die Nase hochzog und sich beim Klang seines formellen Namens zu voller Größe aufrichtete.

»Du weißt doch, was wir jetzt tun werden, aye?« Jemmy nickte, warf aber einen verängstigten Blick auf den drohenden Stein, hinter dem seine Mutter und seine kleine Schwester gerade verschwunden waren. Er schluckte krampfhaft und wischte sich die Tränen von den Wangen.

»Nun denn.« Roger streckte die Hand aus und legte sie Jemmy sanft auf den Kopf. »Du musst wissen, *mo mac* – ich werde dich immer lieb haben und dich nie vergessen. Aber was wir hier vorhaben, ist sehr gefährlich, und du brauchst mich nicht zu begleiten. Du kannst bei deinem Opa bleiben und bei Oma Claire; das macht nichts.«

»Sehe ich – sehe ich Mama dann nie wieder?« Jemmys Augen waren riesig, und er konnte sie nicht von dem Stein abwenden.

»Ich weiß es nicht«, sagte Roger, und ich konnte die Tränen sehen, mit denen auch er kämpfte, konnte sie in seiner belegten Stimme hören. Er wusste ja selbst nicht, ob er Brianna je wiedersehen würde oder die kleine Mandy. »Wahrscheinlich ... wahrscheinlich nicht.«

Jamie sah zu Jem hinunter, der sich an seine Hand klammerte und zwischen seinem Vater und seinem Großvater hin und her blickte, Verwirrung, Angst und Sehnsucht im Gesicht.

»Wenn du eines Tages«, sagte Jamie im Konversationston, »einer sehr großen Maus namens Michael begegnen solltest, *a bhailach* – bestell ihr schöne Grüße von deinem Großvater.« Dann öffnete er die Hand, ließ los und nickte Roger zu.

Jem stand einen Moment da und starrte vor sich hin, dann sprintete er auf Roger zu, so dass der Sand unter den Schuhen aufwirbelte. Er sprang seinem Vater in die Arme, klammerte sich an seinen Hals, und mit einem letzten Blick zurück drehte sich Roger um und trat hinter den Stein. Und das Innere meines Kopfes explodierte in einem Flammenmeer.

Unvorstellbar viel später kehrte ich langsam zurück, als stürzte ich in Bruchstücken wie Hagel aus den Wolken. Und fand mich mit dem Kopf auf Jamies Schoß wieder. Leise hörte ich ihn sagen, vielleicht an sich selbst gerichtet, vielleicht an mich: »Um deinetwillen mache ich weiter ... doch ginge es nur um mich selbst ... ich würde es nicht tun.«

121

Eine Brücke über den Abgrund

Drei Nächte später erwachte ich in einem Gasthaus in Wilmington aus unruhigem Schlaf, weil meine Kehle genauso trocken war wie der Pökelschinken im Eintopf beim Abendessen. Als ich mich hinsetzte, um mir Wasser zu suchen, stellte ich fest, dass ich allein war – das Mondlicht fiel weiß durch das Fenster auf das leere Kissen an meiner Seite.

Ich fand Jamie im Freien hinter dem Gasthaus, sein Nachthemd ein heller Fleck auf dem dunklen Hof. Er saß mit dem Rücken an den Hackklotz gelehnt auf dem Boden und hatte die Arme um die Knie geschlungen.

Er sagte nichts, als ich auf ihn zukam, wandte aber den Kopf, und sein Körper hieß mich wortlos willkommen. Ich setzte mich hinter ihm auf den Klotz, und er lehnte den Kopf mit einem langen, tiefen Seufzer auf meinen Oberschenkel zurück.

»Konntest du nicht schlafen?« Ich berührte ihn sanft und strich ihm das Haar aus dem Gesicht. Er band es zum Schlafen nicht zusammen, und es fiel ihm dicht und wild um die Schultern, wirr vom Bett.

»Nein, ich habe geschlafen«, sagte er leise. Seine Augen waren offen, und er blickte zum Mond auf, der dreiviertel voll und golden über den Espen stand, die in der Nähe des Wirtshauses wuchsen. »Ich hatte einen Traum.«

»Einen Albtraum?« Er hatte sie nur noch ab und zu, doch manchmal waren sie da, die blutigen Erinnerungen an Culloden, an vergebliches Sterben und Gemetzel; Gefängnisträume von Hunger und Enge – und manchmal, sehr selten, kehrte Jack Randall voller Liebe und Grausamkeit im Schlaf zu ihm zurück. Solche Träume vertrieben ihn dann aus dem Bett, und er wanderte stundenlang hin und her, bis die Erschöpfung seinen Kopf von ihren Bildern befreite. Doch seit der Brücke am Moore's Creek hatte er nicht mehr derart geträumt.

»Nein«, sagte er und klang halb überrascht. »Gar nicht. Ich habe von ihr geträumt – von unserer Tochter – und den Kindern.«

Mein Herz tat einen merkwürdigen kleinen Satz, die Folge meiner Verblüffung und von etwas, das beinahe Neid hätte sein können.

»Du hast von Brianna und den Kindern geträumt? Was ist passiert?«

Er lächelte friedlich und gedankenverloren im Mondschein, so als könnte er einen Teil des Traums noch vor sich sehen.

»Es ist alles gut«, sagte er. »Sie sind in Sicherheit. Ich habe sie in einer Stadt gesehen – sie sah aus wie Inverness, war aber irgendwie anders. Sie sind die Stufen zu einem Haus hinaufgestiegen – Roger Mac war auch dabei«, fügte er unvermittelt hinzu. »Sie haben an die Tür geklopft, und eine kleine, braunhaarige Frau hat ihnen aufgemacht. Sie hat gelacht vor Freude, sie zu sehen, und hat sie ins Haus geholt. Und sie sind durch einen Flur gegangen, in dem merkwürdige Gegenstände wie Schüsseln an der Decke hingen. Dann waren sie in einem Zimmer mit Sofas und Sesseln, und eine Wand des Zimmers hat nur aus Fenstern bestanden, von unten bis oben, und die Nachmittagssonne ist ins Zimmer gefallen und hat Briannas Haar in Brand gesetzt, und die kleine Mandy hat geweint, als sie ihr in die Augen geschienen hat.«

»Hat… hat einer von ihnen die braunhaarige Frau beim Namen genannt?«, fragte ich, und mein Herz schlug merkwürdig schnell.

Er runzelte die Stirn, und der Mondschein zeichnete ihm ein Kreuz aus Licht auf Nase und Stirn.

»Aye, das haben sie«, sagte er. »Ich kann nur nicht – oh, aye; Roger Mac hat sie Fiona genannt.«

»Wirklich?«, sagte ich. Meine Hände lagen auf seiner Schulter, und mein Mund war hundertmal trockener als beim Aufwachen. Die Nacht war kühl, aber nicht so sehr, dass dies die Temperatur meiner Hände erklärt hätte.

Ich hatte Jamie im Lauf unserer Ehejahre viele Dinge über meine eigene Zeit erzählt. Über Züge, Flugzeuge und Autos, über Kriege und fließend warmes Wasser. Aber ich war mir so gut wie sicher, dass ich ihm nie erzählt hatte, wie das Studierzimmer des Pfarrhauses aussah, in dem Roger bei seinem Adoptivvater aufgewachsen war.

Das Zimmer mit der Fensterwand, die der Reverend hatte einbauen lassen, weil er gern malte. Das Pfarrhaus mit seinem langen Flur und den altmodischen Hängelampen, die die Form von Schüsseln hatten. Und ich wusste, dass ich ihm nie von der letzten Haushälterin des Reverends erzählt hatte, einer jungen Frau mit dunklen Locken, die Fiona hieß.

»Waren sie glücklich?«, fragte ich schließlich leise.

»Aye. Brianna und Roger – sie hatten Schatten im Gesicht, aber ich konnte sehen, dass sie trotzdem froh waren. Sie haben sich alle zum Essen hingesetzt – Brianna und Roger dicht beieinander, aneinander gelehnt – und Jemmy hat sich mit Kuchen und Sahne voll gestopft.« Er lächelte bei dieser Erinnerung, so dass seine Zähne kurz in der Dunkelheit aufglänzten.

»Oh – ganz zum Schluss, kurz bevor ich aufgewacht bin … hat Jem herumgespielt und alles Mögliche angefasst und wieder hingelegt, wie er es öfter macht. Auf dem Tisch stand ein … Gegenstand. Ich konnte nicht sagen, was es war; so etwas habe ich noch nie gesehen.«

Er hielt die Hände etwa fünfzehn Zentimeter auseinander und betrachtete sie stirnrunzelnd. »Es war ungefähr so breit und etwas länger – wie eine Art Behälter, nur irgendwie … buckelig.«

»Buckelig?«, sagte ich und fragte mich, was das wohl sein konnte.

»Aye, und darauf hat so etwas wie ein kleiner Knüppel gelegen, aber mit Verdickungen an beiden Enden, und der Knüppel war mit einer schwarzen Schnur an den Behälter gebunden, die geringelt war wie ein Schweineschwänzchen. Als Jem es gesehen hat, hat er die Hand ausgestreckt und gesagt: ›Ich will mit Opa sprechen.‹ Und dann bin ich aufgewacht.«

Er legte den Kopf noch weiter zurück, so dass er in mein Gesicht sehen konnte.

»Weißt du, was das sein könnte, Sassenach? Ich kenne so etwas nicht.«

Der Herbstwind kam den Hügel hinuntergeweht, rasch und leicht wie Geisterschritte, und ich spürte, wie mir an den Unterarmen und im Nacken die Haare zu Berge standen.

»Ja, das weiß ich«, sagte ich. »Ich habe dir schon davon erzählt, das weiß ich.« Ich glaubte allerdings nicht, dass ich ihm je eins beschrieben hatte, zumindest nicht genauer. Ich räusperte mich.

»Es ist ein Telefon.«

122

Der Wächter

Es war November; Blumen gab es nicht. Doch die Ilexbüsche glänzten dunkelgrün, und ihre Beeren wurden jetzt reif. Vorsichtig, um mich nicht zu stechen, schnitt ich ein Sträußchen ab, fügte einen kleinen Fichtenzweig hinzu, damit es duftete, und stieg den steilen Pfad zu unserem kleinen Friedhof hinauf.

Ich ging jede Woche dorthin, um eine Kleinigkeit auf Malvas Grab zu legen und ein Gebet zu sprechen. Sie und ihr Kind hatten keinen Grabhügel bekommen – ihr Vater war gegen eine solche heidnische Sitte gewesen –, doch es kam trotzdem dann und wann jemand und legte als Zeichen der Erinnerung einen Kiesel darauf. Das zu sehen, tröstete mich ein wenig; ich war nicht die Einzige, die sich an sie erinnerte.

An der Wegmündung blieb ich abrupt stehen; es kniete jemand an ihrem

Grab – ein junger Mann. Ich hörte das leise, plaudernde Murmeln seiner Stimme und wäre beinahe wieder gegangen, doch er hob den Kopf, und der Wind fing sich in seinem Haar, dessen kurze Büschel an das Gefieder einer Eule erinnerten. Allan Christie.

Er sah mich ebenfalls und versteinerte. Doch mir blieb nichts anderes übrig, als zu ihm zu gehen und ihn anzusprechen, also tat ich das.

»Mr. Christie«, sagte ich, und die Worte fühlten sich seltsam an. So hatte ich seinen Vater immer genannt. »Ich bedaure Euren Verlust.«

Er starrte ausdruckslos zu mir auf, dann schien sich etwas in seinen Augen zu regen. Graue, mit schwarzen Wimpern umrandete Augen, die denen seines Vaters und seiner Schwester so sehr ähnelten. Blutunterlaufen vom Weinen und aus Schlafmangel, zumindest ihren erschreckenden Rändern nach.

»Aye«, sagte er. »Mein Verlust. Aye.«

Ich ging um ihn herum, um mein immergrünes Sträußchen niederzulegen, und mit Erschrecken sah ich, dass er eine geladene und gespannte Pistole neben sich auf dem Boden liegen hatte.

»Wo seid Ihr gewesen«, sagte ich so beiläufig, wie es die Umstände erlaubten. »Wir haben Euch vermisst.«

Er zuckte mit den Achseln, als spielte es eigentlich keine Rolle, wo er gewesen war – vielleicht stimmte das ja auch. Sein Blick war nicht länger auf mich gerichtet, sondern auf den Stein, den wir am Kopfende ihres Grabes aufgestellt hatten.

»Hier und dort«, sagte er vage. »Aber ich musste zurückkommen.« Er wandte sich halb von mir ab – es war klar, dass ihm lieber gewesen wäre, wenn ich ging. Stattdessen raffte ich meine Röcke und kniete mich vorsichtig neben ihn. Ich glaubte nicht, dass er sich vor meinen Augen das Gehirn wegpusten würde. Ich hatte keine Ahnung, was ich tun sollte, außer ihn zum Reden zu bewegen und zu hoffen, dass noch jemand des Weges kam.

»Wir freuen uns, dass Ihr wieder daheim seid«, sagte ich, um einen unbeschwerten Ton bemüht.

»Aye«, sagte er vage. Erneut wanderte sein Blick zu dem Grabstein und er wiederholte: »Ich musste zurückkommen.« Seine Hand wanderte auf die Pistole zu, und zu seiner Verblüffung ergriff ich sie.

»Ich habe Eure Schwester sehr geliebt«, sagte ich. »Es – es ist ein furchtbarer Schock für Euch gewesen, das weiß ich wohl.« Was, was sagte man nur? Es gab Dinge, die man zu einem potenziellen Selbstmörder sagen konnte, das wusste ich. Doch was?

»Euer Leben ist kostbar«, hatte ich zu Tom Christie gesagt, der nur erwidert hatte: *»Wenn es nicht so wäre, würde dies hier ja wertlos sein.«* Doch wie sollte ich seinen Sohn davon überzeugen?

»Euer Vater hat Euch beide geliebt«, sagte ich und fragte mich dabei, ob er wohl wusste, was sein Vater getan hatte. Er hatte sehr kalte Finger, die ich jetzt mit beiden Händen umfing, um ihm ein wenig Wärme zu spenden. Ich hoffte, dass die menschliche Berührung ihm helfen würde.

»Aber nicht so, wie ich sie geliebt habe«, sagte er leise, ohne mich anzusehen. »Ich habe sie ihr Leben lang geliebt, von dem Moment an, als sie geboren wurde und sie sie mir in den Arm gelegt haben. Es gab niemand anderen, für keinen von uns. Vater war fort, im Gefängnis, und dann ist meine Mutter – ah, Mutter.« Seine Lippen verzogen sich, als wollte er lachen, doch es kam kein Ton.

»Ich weiß Bescheid über Eure Mutter«, sagte ich. »Euer Vater hat es mir erzählt.«

»Ach ja?« Sein Kopf fuhr zu mir herum, und er fixierte mich mit klarem, hartem Blick. »Hat er Euch auch erzählt, dass sie Malva und mich zu ihrer Hinrichtung mitgenommen haben?«

»Ich – nein. Ich glaube nicht, dass er das wusste, oder?« Mein Magen verknotete sich.

»Er wusste es. Ich habe es ihm erzählt, später, als er uns hat kommen lassen. Er hat gesagt, das sei gut so, weil wir mit unseren eigenen Augen gesehen hätten, wohin der Frevel führt. Er hat mir aufgetragen, diese Lektion zu behalten – und das habe ich getan«, fügte er leiser hinzu.

»Wie alt wart Ihr denn da?«, fragte ich entsetzt.

»Zehn. Malva war erst zwei – sie hatte keine Ahnung, was da vorging. Sie hat nach ihrer Mama gerufen, als sie Mutter vor den Henker geführt haben, hat gestrampelt und gebrüllt und die Arme nach ihr ausgestreckt.«

Er schluckte und wandte den Kopf ab.

»Ich habe versucht, sie zu nehmen, ihren Kopf an meine Brust zu drücken, damit sie es nicht sehen muss – aber sie haben mich nicht gelassen. Sie haben ihr das Köpfchen festgehalten und sie gezwungen zuzusehen, und Tante Darla hat ihr ins Ohr gesagt, dass so etwas mit Hexen geschieht, und sie in die Beine gekniffen, bis sie geschrien hat. Danach haben wir sechs Jahre bei Tante Darla gewohnt«, fügte er mit geistesabwesender Miene hinzu.

»Sie war nicht besonders begeistert darüber, aber sie hat gesagt, es sei ihre Christenpflicht. Das alte Biest hat uns kaum etwas zu essen gegeben, und ich war es, der sich um Malva gekümmert hat.«

Er schwieg eine Weile, und ich tat dasselbe, weil ich dachte, dass die Chance, sich auszusprechen, das Beste – das Einzige – war, was ich ihm anzubieten hatte. Er entzog mir seine Hand, beugte sich vor und berührte den Grabstein. Es war nur ein Granitbrocken, aber jemand hatte sich die Mühe gemacht, ihren Namen hineinzuritzen – nur das eine Wort, MALVA, in großen Blockbuchstaben. Er erinnerte mich an die Gedenksteine, die auf dem Feld von Culloden verstreut standen, die Clansteine, jeder mit einem einzelnen Namen versehen.

»Sie war perfekt«, flüsterte er. Sein Finger wanderte über den Stein, vorsichtig, als berührte er ihre Haut. »So perfekt. Ihr kleines Geschlecht hat ausgesehen wie eine Blütenknospe, und ihre Haut war so frisch und weich …«

In meiner Magengrube breitete sich Kälte aus. Meinte er etwa … ja, natürlich meinte er das. Unausweichliche Verzweiflung regte sich in mir.

»Sie war mein«, sagte er, und als er den Kopf hob und meinen Blick auf sich ruhen sah, wiederholte er es noch einmal lauter. »Sie war mein!«

Dann blickte er auf das Grab hinunter, und sein Mund verzerrte sich vor Schmerz und Trauer.

»Der alte Mann hat nichts davon gewusst – hatte keine Ahnung, was wir einander bedeutet haben.«

Wirklich nicht?, dachte ich. Möglich, dass Tom Christie das Verbrechen gestanden hatte, um einen Menschen zu retten, den er liebte – doch er liebte mehr als einen Menschen. Nachdem er seine Tochter – oder besser, seine Nichte – verloren hatte, hätte er nicht alles getan, um den Sohn zu retten, der alles war, was von seinem Blut noch übrig war?

»Ihr habt sie umgebracht«, sagte ich leise. Ich hegte nicht den geringsten Zweifel daran, und er zeigte sich nicht überrascht.

»Er hätte sie verkauft, sie irgendeinem Bauerntrampel gegeben.« Allan ballte auf dem Oberschenkel die Faust. »Das habe ich oft gedacht, als sie älter wurde. Und manchmal, wenn ich mit ihr geschlafen habe, konnte ich es nicht ertragen und habe sie ins Gesicht geschlagen, so wütend hat mich der bloße Gedanke gemacht.«

Er holte krampfhaft Luft.

»Es war nicht ihre Schuld, nichts davon. Aber ich dachte, es wäre so. Und dann habe ich sie mit diesem Soldaten erwischt, und dann noch einmal, mit diesem dreckigen Henderson. Ich habe sie geschlagen, aber sie hat gesagt, es müsste sein – weil sie schwanger war.«

»Von Euch?«

Er nickte gequält.

»Daran habe ich überhaupt nie gedacht. Ich hätte es natürlich tun sollen. Aber ich habe es nie getan. Sie war immer meine kleine Malva, wisst Ihr, mein kleines Mädchen. Ich habe ihre Brüste wachsen gesehen, aye, und die Haare, die ihre schöne Haut verunstaltet haben – aber ich habe einfach nie gedacht …«

Er schüttelte den Kopf, denn er konnte den Gedanken selbst jetzt nicht fassen.

»Sie hat gesagt, sie müsste heiraten – und der Mann müsste glauben, das Kind sei von ihm, egal, wen sie heiratete. Wenn sie den Soldaten nicht dazu bringen konnte, sie zu heiraten, musste es eben ein anderer sein. Sie hatte ganz schnell so viele Liebhaber wie möglich. Doch ich habe dem einen Riegel vorgeschoben«, versicherte er mir mit einem leicht ekelerregenden, selbstgerechten Ton in der Stimme. »Ich habe ihr gesagt, ich lasse das nicht zu – mir würde schon etwas anderes einfallen.«

»Und so habt Ihr sie dazu angestiftet zu behaupten, das Kind sei von Jamie.« Mein Entsetzen über seine Geschichte und meine Wut über das, was er uns angetan hatte, ertranken in einer Flut der Trauer. *Oh, Malva*, dachte ich verzweifelt. *Oh, meine liebe Malva, warum hast du mir nichts davon gesagt?* Doch natürlich hätte sie es mir nie gesagt. Der Einzige, dem sie etwas anvertraute, war Allan gewesen.

Er nickte und streckte erneut die Hand nach dem Stein aus. Ein Windstoß fuhr durch den Ilex und bewegte seine steifen Blätter.

»Es hätte die Schwangerschaft erklärt, und sie hätte nicht heiraten müssen. Ich dachte – Ehrwürden würde ihr Geld geben, damit sie fortgehen kann, und ich wäre dann mit ihr gegangen. Wir hätten vielleicht nach Kanada gehen können oder auf die Westindischen Inseln.« Seine Stimme klang verträumt, als er sich ein idyllisches Leben an einem Ort vorstellte, wo niemand von ihnen wusste.

»Aber warum habt Ihr sie umgebracht?«, entfuhr es mir. »Was hat Euch dazu getrieben?« Es war so überwältigend schmerzhaft und sinnlos, dass ich die Hände in meiner Schürze zu Fäusten ballte, um nicht auf ihn einzuhämmern.

»Ich musste«, sagte er ernst. »Sie hat gesagt, sie könnte das nicht.« Er senkte blinzelnd den Blick, und ich merkte, dass seine Augen voller Tränen waren.

»Sie hat gesagt – dass sie Euch liebt«, sagte er mit leiser, belegter Stimme. »Dass sie Euch das nicht antun könnte. Sie hatte vor, die Wahrheit zu sagen. Ganz gleich, was ich ihr geraten habe, sie hat es ständig wiederholt – dass sie Euch liebte und alles erzählen würde.«

Er schloss die Augen und ließ die Schultern hängen. Zwei Tränen rannen ihm über die Wangen.

»Warum nur, Kleine?«, rief er und verschränkte von Trauer geschüttelt die Arme vor dem Bauch. »Warum hast du mich dazu gezwungen? Du hättest niemanden lieben dürfen außer mir.«

Dann schluchzte er wie ein Kind und krümmte sich weinend. Auch ich weinte um den Verlust und die Zwecklosigkeit, die ganze grenzenlose, furchtbare Verschwendung. Dennoch streckte ich die Hand aus und hob die Pistole auf. Mit zitternden Händen leerte ich das Ladepfännchen und schüttelte die Kugel aus dem Lauf, bevor ich mir die Pistole in die Schürzentasche steckte.

»Geht«, sagte ich mit halb erstickter Stimme. »Geht wieder fort, Allan. Es hat schon zu viele Tote gegeben.«

Er war zu sehr in seinem Schmerz versunken, um mich zu hören; ich rüttelte ihn an der Schulter und wiederholte es mit noch mehr Nachdruck.

»Ihr könnt Euch nicht umbringen. Ich verbiete es Euch, hört Ihr?«

»Und wer seid Ihr, dass Ihr mir das sagen könnt?«, rief er und fuhr zu mir herum. Sein Gesicht war völlig verzerrt. »Ich kann nicht weiterleben, es geht nicht!«

Doch Tom Christie hatte sein Leben genauso für seinen Sohn gegeben wie für mich, ich konnte nicht zulassen, dass sein Opfer umsonst gewesen war.

»Ihr müsst«, sagte ich und stand auf. Mir war schwindelig, und ich war mir nicht sicher, ob meine Knie mich tragen würden. »Hört Ihr mich? Ihr müsst!«

Er sah auf, und sein Blick brannte durch die Tränen hindurch, aber er blieb stumm. Ich hörte ein helles Surren wie das Summen von Moskitos und einen leisen, plötzlichen Aufprall. Seine Miene änderte sich nicht, doch seine Augen erstarben ganz allmählich. Er verharrte einen Moment auf den Knien, beugte sich dann nach vorne wie eine Blüte, die sich an ihrem Stiel neigt, so dass ich den Pfeil sah, der mitten in seinem Rücken steckte. Er hustete ein einziges Mal auf und spuckte Blut, dann fiel er zur Seite und lag zusammengekrümmt auf dem Grab seiner Schwester. Seine Beine zuckten krampfhaft und erinnerten grotesk an die eines Froschs. Dann lag er still.

Ich weiß nicht, wie lange ich dastand und ihn verständnislos anstarrte. Mir wurde nur ganz allmählich bewusst, dass Ian aus dem Wald gekommen und mit geschultertem Bogen an meine Seite getreten war. Rollo stieß den Toten neugierig mit der Nase an und jaulte.

»Er hatte Recht, Tante Claire«, sagte Ian leise. »Es geht nicht.«

123

Die Rückkehr des Wilden

Die alte Mrs. Abernathy sah so aus, als wäre sie mindestens hundertzwei. Unter Druck ließ sie sich eine Zweiundneunzig entlocken. Sie war fast blind und fast taub, von der Osteoporose wie eine Brezel gekrümmt, und ihre Haut war so dünn und empfindlich, dass der kleinste Kratzer sie wie Papier aufriss.

»Ich mag ja nur noch Haut und Knochen sein«, krächzte sie jedes Mal, wenn ich sie sah, und schüttelte ihren von einem Schlaganfall zittrigen Kopf. »Aber wenigstens habe ich noch fast alle Zähne.«

Wie durch ein Wunder stimmte das; ich ging davon aus, dass dies der einzige Grund war, warum sie so alt geworden war. Anders als die meisten Menschen ihres Alters war sie nicht gezwungen, nur von Porridge zu existieren, sondern konnte nach wie vor Fleisch und Gemüse kauen. Vielleicht war es die bessere Ernährung, die sie weiterleben ließ – vielleicht war es aber auch einfach nur Sturheit. Abernathy war der Name, den sie bei ihrer Hochzeit angenommen hatte, doch sie hatte mir anvertraut, dass sie eine geborene Fraser war.

Ich lächelte bei dem Gedanken daran, während ich ihr einen Verband um das Schienbein wickelte, das an ein Stöckchen erinnerte. Sie hatte fast kein Fleisch mehr an den Beinen und Füßen, die sich so hart und kalt anfühlten wie Holz. Sie hatte sich das Schienbein am Tisch gestoßen und sich einen fingerbreiten Hautstreifen abgerissen; eine so geringfügige Verletzung, dass sich ein jüngerer Mensch nichts dabei gedacht hätte – doch ihre Familie sorgte sich um sie und hatte nach mir geschickt.

»Es wird langsam heilen, aber wenn Ihr es sauber haltet – lasst sie um Gottes willen kein Schweinefett darauf schmieren –, wird es, glaube ich, wieder gut werden.«

Die »jüngere« Mrs. Abernathy – die selbst um die siebzig war – fixierte mich bei diesen Worten scharf. Genau wie ihre Schwiegermutter hegte sie großes Vertrauen in Schweinefett und Terpentin als Allheilmittel, doch sie nickte widerstrebend. Ihre Tochter, deren hochtrabender Name Arabella sehr viel gemütlicher zu Oma Belly abgekürzt worden war, grinste mich hinter ihrem Rücken an. Sie hatte weniger Glück mit ihren Zähnen gehabt – ihr Lächeln wies beachtliche Lücken auf –, doch sie war eine fröhliche, gutmütige Person.

»Willie B.«, instruierte sie einen ihrer Enkel, der etwa fünfzehn war, »geh doch bitte in den Kartoffelkeller, und hol einen kleinen Sack Rübchen für Mrs. Fraser.«

Wie üblich protestierte ich, doch alle Beteiligten waren sich sehr wohl bewusst, wie in solchen Fällen zu verfahren war. Und ein paar Minuten später befand ich mich um fünf Pfund Rübchen reicher auf dem Heimweg.

Wir konnten sie gut brauchen. Ich hatte mich zwar im Frühjahr nach Malvas Tod gezwungen, wieder in den Garten zu gehen – es ging nicht anders; Sentimentalität war ja gut und schön, aber wir mussten schließlich essen. Die darauf folgenden Turbulenzen und meine fortwährende Abwesenheit hatten allerdings zu einer schmerzlichen Vernachlässigung der Ernte geführt. Mrs. Bugs sämtlichen Bemühungen zum Trotz waren alle Rüben der Schwarzfäule oder irgendwelchen Parasiten zum Opfer gefallen.

Unsere Vorräte waren überhaupt arg geschmälert. Da Jamie und Ian so häufig unterwegs waren und keine Zeit für die Jagd oder die Ernte hatten und auch Brianna und Roger nicht mehr da waren, hatten wir nur halb so viel Getreide geerntet wie sonst, und im Räucherschuppen hing nur eine einzige traurige Hirschkeule. Wir benötigten fast das gesamte Getreide für uns selbst; wir konnten nichts eintauschen oder verkaufen, und an der Mälzerei standen lediglich ein paar einsame Säcke Gerste unter einem Stück Segeltuch. Wahrscheinlich würden sie faulen, dachte ich grimmig, weil niemand Zeit hatte, frisches Malz anzusetzen, bevor das kalte Wetter kam.

Nach dem katastrophalen Überfall eines Fuchses, der in den Hühnerstall eingebrochen war, erholte sich Mrs. Bugs Hühnerschar allmählich wieder-

doch es ging sehr langsam, und wir bekamen nur hin und wieder ein widerstrebend entbehrtes Ei zum Frühstück.

Andererseits, so besann ich mich schon zuversichtlicher, *hatten* wir Schinken. Jede Menge Schinken. Und Unmengen Speck, Sülze, Schweineschnitzel, Steaks … ganz zu schweigen von Talg und Schmalz.

Dieser Gedanke brachte mich wieder auf das Schweinefett und die wimmelnde, beengte Gemütlichkeit der umeinander gescharten Hütten der Abernathys – und im Kontrast dazu die schreckliche Leere in unserem Haus.

Wie konnte an einem so bevölkerten Ort der Verlust von nur vier Menschen so viel bedeuten? Ich musste anhalten und mich an einen Baum lehnen, um den Schmerz über mich hinwegspülen zu lassen. Ich versuchte nicht, ihn zu unterdrücken. *Ein Geist lässt sich nicht fern halten*, das hatte ich von Jamie gelernt. *Lass ihn herein.*

Ich ließ die Geister ein – ich konnte ja gar nicht anders. Und ich tröstete mich, so gut ich konnte, mit dem Wissen – nein, so sagte ich mir entschlossen, ich hoffte es nicht, ich *wusste* es –, dass sie gar keine Geister waren. Nicht tot, sondern nur … anderswo.

Nach ein paar Minuten begann die überwältigende Trauer nachzulassen, langsam wie die abebbende Flut. Manchmal legte sie Schätze frei; kleine, vergessene Bilder von Jemmys honigverschmiertem Gesicht, Briannas Gelächter, Rogers geschickten Händen, die mit dem Messer eins dieser kleinen Autos schnitzten – das kleine Haus war immer noch damit übersät – und dann auf einem vorübergereichten Teller einen Muffin aufspießte. Wenn es mir auch frischen Schmerz verursachte, sie zu betrachten, so hatte ich sie doch zumindest und konnte sie in meinem Herzen aufbewahren, denn irgendwann, das wusste ich, würden sie mich trösten.

Ich holte Luft und spürte, wie die Enge in meiner Brust und meiner Kehle nachließ. Amanda war nicht die Einzige, die von moderner Operationstechnik profitieren konnte, dachte ich. Ich wusste nicht, was sich möglicherweise für Rogers Stimmbänder tun ließ, aber vielleicht … und doch war seine Stimme ja jetzt schon gut gewesen. Voll und tönend, wenn auch rau. Vielleicht würde er sich ja dafür entscheiden, sie so zu lassen, wie sie war – er hatte darum gekämpft und sie sich verdient.

Der Baum, an dem ich lehnte, war eine Kiefer; ihre Nadeln schwankten sacht über mir hin und her, dann kamen sie zur Ruhe, als pflichteten sie mir bei. Ich musste gehen; es war schon spät, und es wurde kühler.

Ich rieb mir die Augen, setzte mir die Kapuze meines Umhangs auf und ging weiter. Der Heimweg von den Abernathys war weit – ich wäre besser auf Clarence geritten, doch er hatte tags zuvor gelahmt, und ich hatte ihm seine Ruhe gelassen. Aber ich würde mich beeilen müssen, wenn ich vor Anbruch der Dunkelheit nach Hause kommen wollte.

Ich blickte argwöhnisch nach oben, um die Wolken zu begutachten, die das sanfte, gleichmäßige Grau nahenden Schnees angenommen hatten. Die

Luft war kalt und feucht; wenn es dunkel wurde und die Temperatur sank, würde es schneien.

Der Himmel war noch hell, aber nur gerade eben, als ich am Kühlhaus vorbeikam und die Rückseite des Hauses erreichte. Hell genug jedoch, um mich erkennen zu lassen, dass etwas nicht stimmte – die Hintertür stand offen.

Alarmglocken schrillten, und ich machte kehrt, um in den Wald zu rennen. Machte kehrt und prallte geradewegs mit einem Mann zusammen, der hinter mir aus dem Wald gelaufen war.

»Wer zum Teufel seid Ihr?«, wollte ich wissen.

»Macht Euch darum keine Gedanken, Mrs.«, sagte er, packte mich am Arm und brüllte ins Haus: »Hey, Donner! Ich habe sie!«

Egal, was Wendigo Donner im Lauf des vergangenen Jahres getrieben hatte, seinem Aussehen nach war es nicht sehr einträglich gewesen. Er war schon zu seinen besten Zeiten nie der Schickste gewesen, doch jetzt war er so heruntergekommen, dass sein Rock buchstäblich auseinander fiel und ein Stück seiner sehnigen Hinterbacke durch einen Riss in seiner Hose lugte. Seine Haarmähne war fettig und verklebt, und er stank.

»Wo sind sie?«, fragte er heiser.

»Wo ist was?« Ich fuhr zu seinem Begleiter herum, der in etwas besserem Zustand zu sein schien. »Und wo sind mein Hausmädchen und ihre Söhne?« Wir standen in der Küche, und das Herdfeuer war aus; Mrs. Bug war heute Morgen nicht erschienen, und wo auch immer Amy und die Jungen sich aufhielten, sie waren schon länger fort.

»Weiß nicht.« Der Mann zuckte gleichgültig mit den Achseln. »War keiner hier, als wir gekommen sind.«

»Wo sind die Juwelen?« Donner packte meinen Arm und riss mich zu sich herum. Seine Augen waren tief eingefallen, und seine Hand war heiß; er hatte Fieber.

»Ich habe keine«, sagte ich knapp. »Du bist krank. Du solltest –«

»Doch! Ich weiß, dass sie hier sind! Jeder weiß das!«

Das ließ mich innehalten. Da sich Gerüchte hier schnell verbreiteten, *glaubte* jeder zu wissen, dass Jamie einen kleinen Vorrat an Juwelen hatte. Kein Wunder, wenn auch Donner von diesem hypothetischen Schatz gehört hatte – und wenig wahrscheinlich, dass ich ihn vom Gegenteil überzeugen konnte. Doch versuchen musste ich es.

»Sie sind fort«, erklärte ich deshalb.

Bei diesen Worten flackerte etwas in seinen Augen auf.

»Wie?«, sagte er.

Ich zog eine Augenbraue hoch und wies auf seinen Komplizen. Wollte er, dass der Mann es hörte?

»Geh Richie und Jed suchen«, sagte Donner knapp zu dem Banditen, der achselzuckend aus der Küche ging. Richie und Jed? Wie viele Leute hatte er denn noch dabei? Nachdem der anfängliche Schreck, ihn zu sehen, jetzt nachließ, wurde mir bewusst, dass ich oben Fußgetrampel hörte und dass am anderen Ende des Flurs jemand ungeduldig Schranktüren zuknallte.

»Mein Sprechzimmer! Ruf sie da heraus!« Ich stürzte auf die Flurtür zu, um es selbst zu tun, doch Donner packte meinen Umhang, um mich aufzuhalten.

Ich war es verflucht müde, herumgeschubst zu werden, und ich hatte keine Angst vor dieser elenden Missgeburt.

»Loslassen!«, herrschte ich ihn an und trat ihm energisch vor die Kniescheibe, um meine Forderung zu unterstreichen. Er schrie auf, ließ aber los; ich konnte ihn hinter mir fluchen hören, als ich zur Tür hinaus- und durch den Flur rannte.

Papiere und Bücher waren aus Jamies Büro in den Flur geflogen, und eine Tintenpfütze hatte sich darüber ergossen. Die Tinte war schnell erklärt, als ich den Banditen sah, der mein Sprechzimmer plünderte – er hatte einen großen Tintenfleck an der Vorderseite seines Hemds, wo er anscheinend das gestohlene Tintenfass aus Zinn verstaut hatte.

»Was machst du denn da?«, sagte ich. Der Bandit, ein Junge von zirka sechzehn, blinzelte mich mit offenem Mund an. Er hielt eine von Mr. Blogweathers perfekten Glaskugeln in der Hand; bei meinen Worten grinste er bösartig und ließ sie zu Boden fallen, wo sie zu einem Splitterregen zersprang. Eine der fliegenden Scherben schlitzte ihm die Wange auf; er spürte es erst, als er zu bluten begann. Er hob die Hand an die Wunde, runzelte verwundert die Stirn und brüllte beim Anblick des Bluts an seiner Hand angstvoll auf.

»Scheiße«, sagte Donner hinter mir. Er legte die Arme um mich und zerrte mich rückwärts in die Küche zurück.

»Hören Sie mir zu«, sagte er drängend und ließ mich los. »Alles, was ich will, sind zwei Stück. Behalten Sie den Rest. Ich brauche einen, um diese Typen zu bezahlen, und einen für – für die Reise.«

»Aber es ist wahr«, sagte ich beharrlich, obwohl ich wusste, dass er mir nicht glauben würde. »Wir haben keine mehr. Meine Tochter und ihre Familie – sie sind fort. Wieder zurück. Sie haben alle Steine gebraucht, die wir hatten. Es gibt keine mehr.«

Er starrte mich an, und der Unglaube war deutlich in seinen brennenden Augen zu lesen.

»Doch«, sagte er fest überzeugt. »Es muss welche geben. Ich muss von hier weg!«

»Warum?«

»Ist doch egal. Ich muss weg, und zwar schnell.« Er schluckte, und sein Blick huschte durch die Küche, als könnten die Edelsteine einfach so auf der Anrichte liegen. »Wo sind sie?«

Ein fürchterliches Krachen im Sprechzimmer, gefolgt von einer Salve lauter Flüche, kam jeder möglichen Antwort meinerseits zuvor. Ich bewegte mich automatisch auf die Tür zu, doch Donner stellte sich vor mich.

Ich war außer mir über seinen Einbruch, und langsam wurde ich nervös. Ich hatte zwar noch nie gesehen, dass Donner gewalttätig wurde, doch ich war mir nicht so sicher, was seine Begleiter anging. *Möglich*, dass sie irgendwann aufgaben und gingen, wenn es klar wurde, dass sich tatsächlich keine Edelsteine im Haus befanden. Sie konnten aber ebenso versuchen, das Versteck besagter Edelsteine aus mir herauszuprügeln.

Ich zog meinen Umhang fester um mich, setzte mich auf eine Bank und versuchte, ruhig zu überlegen.

»Also«, sagte ich zu Donner. »Ihr habt das Haus auseinander genommen –« Oben krachte es, so dass das ganze Haus wackelte, und ich fuhr zusammen. Mein Gott, es hörte sich an, als hätten sie den Schrank umgeworfen. »Und ihr habt nichts gefunden. Wenn ich welche hätte, würde ich sie euch nicht geben, damit ihr es nicht völlig verwüstet?«

»Nein, ich glaube nicht. Ich an Ihrer Stelle würde es nicht tun.« Er rieb sich den Mund. »*Sie* wissen doch, was hier los ist – der Krieg und alles.« Er schüttelte verwirrt den Kopf. »Ich hatte keine Ahnung, dass es so sein würde. Ich schwöre, die Hälfte der Leute, denen man heutzutage begegnet, wissen überhaupt nicht mehr, wo vorn und hinten ist. Ich dachte, da wären nur, na ja, Rotröcke und so, und man geht jedem Uniformierten aus dem Weg, hält sich von den Schlachten fern, und alles wäre gut. Aber ich habe noch gar keinen Rotrock gesehen, und die Leute – einfach nur stinknormale Leute, sie schießen sich gegenseitig an und stecken ihre Häuser in Brand …«

Er schloss einen Moment die Augen. Seine roten Wangen wurden von einer Sekunde zur nächsten kreidebleich; ich konnte sehen, dass es ihm ziemlich schlecht ging. Hören konnte ich es auch; sein Atem rasselte feucht in seiner Brust, und er keuchte schwach. Wenn er in Ohnmacht fiel, wie würde ich dann seine Begleiter loswerden?

»Egal«, sagte er und öffnete die Augen. »Ich gehe. Zurück. Ist mir wurscht, wie es da aussieht; es ist auf jeden Fall besser als hier.«

»Und was ist mit den Indianern?«, erkundigte ich mich sarkastisch. »Die überlässt du sich selbst, wie?«

»Ja«, sagte er, ohne den Sarkasmus zu bemerken. »Um ehrlich zu sein, habe ich keine große Lust mehr auf Indianer.« Er rieb sich geistesabwesend die Brust, und durch einen Riss in seinem Hemd sah ich eine große, wulstige Narbe.

»Mann«, sagte er sehnsuchtsvoll, »was würde ich für ein kaltes Bud und ein Baseballspiel im Fernsehen geben.« Dann richtete sich seine abschweifende Aufmerksamkeit abrupt wieder auf mich. »Also«, sagte er in halbwegs vernünftigem Ton, »ich brauche diese Diamanten. Oder was auch immer. Her damit, und wir gehen.«

Ich hatte schon diverse Pläne gewälzt, wie man sie loswerden könnte, aber ohne Erfolg, und mir wurde mit jeder Sekunde mulmiger zumute. Wir hatten nicht viel, was sich zu stehlen lohnte, und dem Anblick der geplünderten Anrichte nach, hatten sie das schon an sich gebracht – einschließlich, so begriff ich mit erneutem Erschrecken, der Pistolen und des Pulvers. Nicht mehr lange, und sie würden ungeduldig werden.

Es war natürlich möglich, dass jemand kam – Amy und die Jungen waren wahrscheinlich in Briannas Hütte, in die sie gerade umzogen; sie konnten jeden Moment zurückkehren. Möglich, dass jemand Jamie oder mich suchte – obwohl diese Chance abrupt schwand, weil das Licht nachließ. Und selbst wenn, würde es wahrscheinlich katastrophale Folgen haben.

Dann hörte ich Stimmen und laute Schritte auf der Eingangsveranda und sprang auf, das Herz in der Kehle.

»Jetzt hören Sie doch auf damit«, sagte Donner gereizt. »Sie sind das größte Nervenbündel, das mir je begegnet ist.«

Ich ignorierte ihn, weil ich eine der Stimmen erkannt hatte. Und wirklich, in der nächsten Sekunde schubsten zwei der Halunken mit gezogener Pistole Jamie in die Küche.

Er war voll Argwohn und total zerzaust, doch sein Blick wanderte sofort zu mir, um mich von oben bis unten zu betrachten und sich zu vergewissern, dass ich unverletzt war.

»Mir fehlt nichts«, sagte ich kurz. »Diese Idioten glauben, dass wir Edelsteine haben, und sie wollen sie haben.«

»Das haben sie schon gesagt.« Er richtete sich auf und zuckte mit den Achseln, um sich seinen Rock zurechtzurücken, dann blickte er auf die offenen Schränke und die geplünderte Anrichte. Selbst der Kuchenbehälter stand auf dem Kopf, und die Überreste eines Rosinenkuchens lagen mit einem großen Fußabdruck versehen auf dem Boden. »Und gesucht haben sie offensichtlich auch schon.«

»Hört zu, Kumpel«, begann einer der Banditen ganz vernünftig, »wir wollen nur die Beute. Sagt uns einfach, wo sie ist, und schon sind wir fort, und nichts ist passiert, wie?«

Jamie rieb sich die Nase und betrachtete den Sprecher.

»Ich nehme an, meine Frau hat Euch gesagt, dass wir keine Edelsteine haben?«

»Nun, das war doch zu erwarten, oder nicht?«, sagte der Bandit geduldig. »Frauen, Ihr wisst schon.« Er schien das Gefühl zu haben, dass man jetzt, da Jamie aufgetaucht war, endlich zur Sache kommen konnte, von Mann zu Mann.

Jamie seufzte und setzte sich.

»Wie kommt Ihr denn darauf, dass ich welche habe?«, erkundigte er sich nachsichtig. »Ich gebe zu, dass ich welche hatte – aber sie sind nicht mehr da. Ich habe sie verkauft.«

»Und wo ist dann das Geld?« Der zweite Bandit war offenbar gern bereit, sich auch damit zufrieden zu geben, ganz gleich, was Donner wollte.

»Ausgegeben«, sagte Jamie knapp. »Ich bin Oberst der Miliz – das wisst Ihr doch sicher? Eine Milizkompanie auszustatten, ist eine teure Sache. Nahrungsmittel, Schusswaffen, Pulver, Schuhe – das summiert sich, aye? Allein die Kosten für das Schuhleder – ganz zu schweigen vom Beschlag der Pferde! Und Wagen; ihr würdet nicht glauben, wie viel so ein Wagen kostet ...«

Einer der Banditen hatte die Stirn gerunzelt, nickte aber schwach, während er dieser nachvollziehbaren Erörterung folgte. Doch Donner und sein anderer Begleiter waren sichtlich aufgebracht.

»Kein Wort mehr von den verdammten Wagen«, raunzte Donner. Er bückte sich und hob eins von Mrs. Bugs Küchenmessern vom Boden auf. »Also«, sagte er finster und bemühte sich um eine drohende Miene. »Ich habe genug von der Verzögerungstaktik. Ihr sagt mir jetzt, wo sie sind, oder – oder ich – ich steche zu! Ja, ich schneide ihr die Kehle durch. Ich schwöre, ich tue es.« Damit packte er mich an der Schulter und hielt mir das Messer an die Kehle.

Mir war schon seit einiger Zeit klar, dass Jamie tatsächlich darauf aus war, Zeit zu schinden, was bedeutete, dass er auf irgendetwas wartete. Was wiederum bedeutete, dass er auf *jemanden* wartete. Das war beruhigend, doch ich fand, dass sein scheinbar ungerührtes Verhalten angesichts meines theoretisch drohenden Ablebens eventuell doch ein wenig zu weit ging.

»Oh«, sagte er und kratzte sich am Hals. »Nun, das würde ich an Eurer Stelle nicht tun. Sie ist die Einzige, die weiß, wo die Edelsteine sind, aye?«

»Ich bin *was*?«, rief ich entrüstet.

»Ach ja?« Die Miene des anderen Banditen hellte sich bei diesen Worten auf.

»Oh, aye«, versicherte ihm Jamie. »Als ich das letzte Mal mit der Miliz unterwegs war, hat sie sie versteckt. Wollte mir nicht sagen, wo.«

»Halt – ich dachte, Ihr habt gesagt, Ihr habt sie verkauft und das Geld ausgegeben«, sagte Donner sichtlich verwirrt.

»Ich habe gelogen«, erklärte ihm Jamie geduldig.

»Oh.«

»Aber wenn Ihr meine Frau umbringen wollt, ändert das natürlich alles.«

»Oh«, sagte Donner, der jetzt schon erfreuter aussah. »Ja. Genau.«

»Ich glaube, wir sind uns noch nicht vorgestellt worden, Sir«, sagte Jamie höflich und hielt ihm die Hand entgegen. »Ich bin James Fraser. Und Ihr seid –?«

Donner zögerte eine Sekunde, unsicher, was er mit dem Messer in seiner rechten Hand tun sollte, doch dann nahm er es umständlich in die Linke und beugte sich vor, um Jamie kurz die Hand zu schütteln.

»Wendigo Donner«, sagte er. »Okay, jetzt kommen wir der Sache ja schon näher.«

Ich stieß ein rüdes Geräusch aus, doch es ging im krachenden Lärm und dem Klang zerbrechenden Glases aus dem Sprechzimmer unter. Der Rüpel dort musste dabei sein, ganze Regale zu leeren, indem er die Flaschen und Gläser auf den Boden fegte. Ich packte Donners Hand und schob das Messer von meiner Kehle fort, dann sprang ich auf. Ich befand mich inzwischen etwa im selben Zustand hirnloser Wut, in dem ich damals das Feld mit den Heuschrecken angezündet hatte.

Diesmal war es Jamie, der mich an der Taille packte, als ich zur Tür schoss, und mich aufhob.

»Lass mich los! Ich bring ihn um!«, kreischte ich und trat nach ihm.

»Nun, warte bitte noch etwas, Sassenach«, sagte er leise und zog mich zum Tisch zurück, wo er sich hinsetzte, die Arme fest um mich geschlungen, so dass ich auf seinem Schoß landete. Weitere Zerstörungsgeräusche tönten durch den Flur – splitterndes Holz und knirschendes Glas unter einem Stiefelabsatz. Offenbar hatte es der Bengel aufgegeben, nach irgendetwas zu suchen, und zerstörte alles einfach nur aus Spaß.

Ich holte tief Luft, eigentlich, weil ich einen Aufschrei der Frustration ausstoßen wollte, doch dann hielt ich inne.

»Himmel«, sagte Donner und rümpfte die Nase. »Was ist das für ein Gestank? Hat hier jemand einen gelassen?« Er sah mich anklagend an, doch ich beachtete ihn nicht. Es war Äther, schwer und widerlich süß.

Jamie erstarrte kaum merklich. Er wusste ebenfalls, was es war, und auch mehr oder weniger, wie es wirkte.

Dann holte er tief Luft, hob mich vorsichtig von seinem Schoß und setzte mich neben sich auf die Bank. Ich sah, wie sein Blick zu dem Messer wanderte, das in Donners Hand hing, und hörte, was seine besseren Ohren schon aufgefangen hatten. Es kam jemand.

Er rückte ein wenig nach vorn, um sogleich aufspringen zu können, und seine Augen huschten zum Kamin, wo ein schwerer Gusstopf in der Asche stand. Ich nickte kurz, und als sich die Hintertür öffnete, sprang ich mit einem Satz durch die Küche.

Donner reagierte unerwartet schnell, indem er mir ein Bein stellte. Ich fiel der Länge nach hin, rutschte über den Boden und landete mit einem markerschütternden Aufprall an der Kaminbank. Ich stöhnte auf und blieb ein paar Sekunden reglos und mit geschlossenen Augen liegen. Ganz plötzlich bekam ich das Gefühl, viel zu alt für einen solchen Zirkus zu sein. Ich öffnete widerstrebend die Augen, und als ich mich ausgesprochen steif erhob, stellte ich fest, dass die Küche jetzt voller Menschen war.

Donners ursprünglicher Komplize war mit zwei anderen zurückgekehrt, wahrscheinlich Richie und Jed, und sie hatten die Bugs dabei. Murdinas Gesicht war nervös, während Arch von kalter Wut erfüllt war.

»*A leannan!*«, rief Mrs. Bug und eilte an meine Seite. »Habt Ihr Euch verletzt?«

»Nein, nein«, sagte ich noch ziemlich benommen. »Ich will mich nur … einen Moment hinsetzen.« Ich sah zu Donner hinüber, doch er hatte das Messer nicht mehr in der Hand. Er hatte den Blick stirnrunzelnd auf den Boden gerichtet gehabt – offenbar hatte er es fallen gelassen, als er mir das Bein stellte –, doch beim Anblick der Neuankömmlinge fuhr sein Kopf auf.

»Was? Habt ihr etwas gefunden?«, fragte er ungeduldig, denn Richie und Jed strahlten prahlerisch in die Runde.

»Das kann man wohl sagen«, versicherte ihm der eine. »Hier!« Er hatte Mrs. Bugs Handarbeitskorb in der Hand, und bei diesen Worten kippte er ihn aus und schüttete den Inhalt auf den Tisch, wo eine wollene Strickarbeit mit einem massiven Aufprall landete. Gierige Hände wühlten sich durch die Wolle und brachten einen zwanzig Zentimeter langen Goldbarren zum Vorschein, der an einem Ende angekratzt war und in der Mitte die französische Königslilie als Prägung trug.

Verblüfftes Schweigen folgte auf diese Erscheinung. Selbst Jamie sah völlig überrumpelt aus.

Mrs. Bug war schon blass gewesen, als sie hereinkamen; jetzt war sie kreidebleich geworden, und ihre Lippen waren unsichtbar. Arch blickte Jamie mit dunklen, trotzigen Augen unverwandt an.

Die einzige Person, die sich vom Anblick des glänzenden Metalls nicht beeindrucken ließ, war Donner.

»Na toll«, sagte er. »Aber was ist mit den Juwelen? Könnten wir bitte das Ziel im Auge behalten, Leute?«

Doch seine Komplizen hatten angesichts des konkreten Goldes jedes Interesse an theoretischen Juwelen verloren und diskutierten gleichzeitig die Möglichkeit, dass es noch mehr geben könnte, während sie sich darum stritten, wer auf den vorhandenen Barren aufpassen sollte.

Mein Kopf drehte sich: von meinem Aufprall, vom plötzlichen Auftauchen des Goldbarrens und den daraus folgenden Enthüllungen über die Bugs – und vor allem von den Ätherdämpfen, die jetzt merklich kräftiger wurden. Es war zwar niemandem in der Küche aufgefallen, doch die Geräusche im Sprechzimmer waren verstummt; der kleine Rüpel dort war zweifellos in Ohnmacht gefallen.

Die Ätherflasche war beinahe voll gewesen; genug, um ein Dutzend Elefanten zu betäuben, dachte ich benommen – oder ein Haus voller Menschen. Ich konnte sehen, dass Donner bereits darum kämpfen musste, den Kopf gerade zu halten. Noch ein paar Minuten, und sämtliche Banditen würden wahrscheinlich in ahnungslosen Schlummer gefallen sein – wir allerdings ebenfalls.

Äther ist schwerer als Luft; er würde zu Boden sinken und von dort langsam an unseren Knien aufsteigen. Ich stand auf und atmete schnell die hoffentlich klarere Höhenluft ein. Ich musste das Fenster öffnen.

Jamie und Arch sprachen auf Gälisch miteinander, viel zu schnell, als dass ich ihnen hätte folgen können, selbst wenn mein Kopf normal einsatzfähig gewesen wäre. Donner betrachtete sie stirnrunzelnd; er hatte den Mund geöffnet, als wollte er ihnen Einhalt gebieten, fände jedoch die richtigen Worte nicht.

Ich kämpfte mit dem Riegel der innen liegenden Fensterläden und schaffte es nur mit äußerster Konzentration, dass mir meine Finger gehorchten. Schließlich löste sich der Riegel, und ich schwang den Fensterladen auf – der im Zwielicht draußen vor dem Fenster das grinsende Gesicht eines mir unbekannten Indianers preisgab.

Ich kreischte auf und stolperte rückwärts. Als Nächstes öffnete sich die Hintertür, und eine untersetzte, bärtige Gestalt, die etwas in einer unverständlichen Zunge brüllte, stürzte herein, gefolgt von Ian, dem wiederum ein weiterer fremder Indianer folgte, der schreiend mit etwas um sich schlug – Tomahawk? Knüppel? Ich bekam meine Augen nicht schnell genug unter Kontrolle, um es feststellen zu können.

Vor meinen glasigen Augen brach nun die Hölle los. Ich klammerte mich an die Fensterbank, um nicht zu Boden zu sinken, brachte aber die Geistesgegenwart nicht auf, das verdammte Fenster zu öffnen. Alles prügelte sich und kämpfte, doch die Insassen der Küche taten es in Zeitlupe, brüllend und schwankend wie Betrunkene. Während ich mit unvorteilhaft geöffnetem Mund zusah, zog Jamie umständlich Donners Messer unter seinem Hintern hervor, schwang es langsam in einem eleganten Bogen und versenkte es unterhalb von Donners Brustbein.

Etwas flog an meinem Kopf vorbei und krachte durch das Fenster, wobei es die wahrscheinlich letzte intakte Glasscheibe im ganzen Haus zerstörte.

Ich atmete die frische Luft in tiefen Zügen, um meinen Kopf wieder freizukriegen, und wedelte hektisch mit den Händen. Dabei rief ich: »Hinaus! Hinaus!« – oder ich versuchte es zumindest.

Mrs. Bug tat genau das, indem sie auf Händen und Füßen auf die halb geöffnete Tür zukroch. Arch schlug gegen die Wand und rutschte neben ihr langsam zu Boden. Sein Gesicht hatte jeden Ausdruck verloren. Donner war kopfüber auf den Tisch gekippt, und sein Blut tropfte in ekelhaften Mengen auf den Boden. Ein anderer Bandit lag mit eingeschlagenem Schädel in der Asche des Kamins. Jamie stand noch aufrecht, torkelte aber, und die untersetzte, bärtige Gestalt stand kopfschüttelnd neben ihm und zog ein verwirrtes Gesicht, als die Dämpfe zu wirken begannen.

»Was geht hier vor?«, hörte ich ihn fragen.

Es war jetzt fast vollständig dunkel in der Küche, und die Gestalten darin schwankten wie Seetang in einem Unterwasserwald.

Ich schloss für eine Sekunde die Augen. Als ich sie wieder öffnete, sagte Ian gerade: »Wartet, ich zünde eine Kerze an.« Er hatte eins von Briannas Streichhölzern in der Hand, die Büchse in der anderen.

»IAN!«, kreischte ich, und dann zündete er das Streichholz an.

Erst war ein leises *Wuuf!* zu hören, dann ein lauteres *Wuuump!*, als sich der Äther im Sprechzimmer entzündete, und plötzlich standen wir in einem See aus Flammen. Im ersten Moment spürte ich gar nichts, dann durchfuhr mich sengende Hitze. Jamie packte meinen Arm und schleuderte mich zur Tür; ich stolperte hinaus, fiel in die Blaubeerbüsche und rollte umher, während ich nach meinen rauchenden Röcken hieb.

Panisch und durch die Wirkung des Äthers nach wie vor benommen, kämpfte ich mit den Bändern, die sie festhielten, doch schließlich schaffte ich es, sie loszureißen und mich aus dem Rock zu winden. Mein Leinenunterrock war zwar angesengt, aber nicht verkohlt. Ich hockte keuchend im abgestorbenen Unkraut und brachte nichts anderes zuwege, als zu atmen. Der Qualm roch kräftig und durchdringend.

Mrs. Bug hockte auf allen vieren auf der Veranda und riss sich die brennende Haube vom Kopf.

Männer stürzten zur Hintertür hinaus und schlugen auf ihre Kleider und Haare ein. Rollo bellte hysterisch auf dem Hof, und auf der anderen Seite des Hauses konnte ich das Wiehern verängstigter Pferde hören. Jemand hatte Arch Bug ins Freie befördert – er lag der Länge nach im Gras und hatte fast keine Haare und Augenbrauen mehr, doch offensichtlich lebte er noch.

Meine Beine waren rot und voller Blasen, doch ich hatte keine schlimmen Verbrennungen erlitten – Dank sei Gott für die langsam brennenden Leinen- und Baumwollschichten. Hätte ich etwas Modernes wie zum Beispiel Rayon getragen, hätte ich wie eine Fackel in Flammen gestanden.

Dieser Gedanke ließ mich zum Haus zurückblicken. Es war jetzt völlig dunkel, nur sämtliche Parterrefenster leuchteten. Flammen tanzten in der offenen Tür. Das Haus sah aus wie eine gigantische Kürbislaterne.

»Ihr seid Mistress Fraser, nehme ich an?« Die untersetzte, bärtige Person beugte sich über mich und sprach mich mit sanftem schottischem Rollen an.

»Ja«, sagte ich. Allmählich kam ich wieder zu mir. »Wer seid Ihr, und wo ist Jamie?«

»Hier, Sassenach.« Jamie kam aus der Dunkelheit gestolpert und setzte sich mit einem Plumps neben mich. Er wies mit der Hand auf den Schotten. »Darf ich dir Mr. Alexander Cameron vorstellen, besser bekannt als Scottie?«

»Euer Diener, Ma'am«, sagte dieser höflich.

Ich betastete zögerlich mein Haar. Es war büschelweise zu spröden Fäden versengt. Doch immerhin hatte ich noch welches.

Ich spürte eher, wie Jamie am Haus hinaufblickte, als dass ich es sah. Ich folgte seiner Blickrichtung und sah eine dunkle Gestalt im Fenster der ersten Etage, eingerahmt von der schwachen Glut der Flammen im unteren Stockwerk. Er rief etwas in der unverständlichen Zunge und fing an, Gegenstände aus dem Fenster zu werfen.

»Und wer ist *das?*«, fragte ich mit einem mehr als nur ansatzhaft surrealen Gefühl.

»Oh.« Jamie rieb sich das Gesicht. »Das ist *Goose.*«

»Oh, natürlich«, sagte ich und nickte. »Wenn er da oben bleibt, ist er aber bald Gänse*braten.*« Das kam mir schrecklich komisch vor, und ich krümmte mich vor Lachen.

Offenbar war es aber nicht so witzig, wie ich gedacht hatte; sonst schien es niemand komisch zu finden. Jamie stand auf und rief der dunklen Gestalt etwas zu. Diese winkte lässig und tauchte wieder im Zimmer ab.

»In der Scheune ist eine Leiter«, sagte Jamie ruhig zu Scottie, und sie verschwanden in der Dunkelheit.

Das Haus brannte eine ganze Weile ziemlich langsam; es gab nicht viel Brennbares in der unteren Etage, abgesehen von den Büchern und Papieren in Jamies Studierzimmer. Eine hoch gewachsene Gestalt schoss zur Tür hinaus. Mit der einen Hand zog sie sich den Hemdkragen über die Nase, mit der anderen hielt sie den Hemdschoß wie eine Tasche hoch.

Ian trat zu mir, sank keuchend auf die Knie und ließ ein Häuflein kleiner Gegenstände aus seinem Hemdschoß fallen.

»Das war leider alles, was ich erwischen konnte, Tante Claire.« Er hustete ein paarmal und wedelte mit der Hand vor seinem Gesicht herum. »Weißt du, wie das passiert ist?«

»Es ist nicht wichtig«, sagte ich. Die Hitze nahm jetzt zu, und ich kämpfte mich auf die Knie hoch. »Komm mit, wir müssen Arch weiter wegtragen.«

Die Wirkung des Äthers war jetzt zum Großteil verflogen, doch ich war mir immer noch eines heftigen Gefühls der Unwirklichkeit bewusst. Ich hatte nur kaltes Quellwasser zur Verfügung, um die Verbrennungen zu behandeln, doch ich badete Archs Hals und Hände damit, die schlimme Brandblasen hatten. Mrs. Bugs Haare waren angesengt, doch genau wie ich war sie von ihren schweren Röcken weitgehend geschützt worden.

Weder sie noch Arch sagten ein Wort.

Amy McCallum kam angerannt, bleich in der Glut des Feuers; ich trug ihr auf, die Bugs in Briannas Hütte zu bringen – die jetzt ihr gehörte – und um Gottes willen die Jungen nicht in die Nähe zu lassen. Sie nickte und ging. Zusammen mit Mrs. Bug stützte sie Arch, dessen Gestalt zwischen ihnen hing.

Niemand machte sich die Mühe, die Leichen Donners und seiner Komplizen aus dem Haus zu holen.

Ich konnte sehen, wie das Feuer im Treppenhaus Fuß fasste; die Fenster im oberen Stock glühten plötzlich auf, und kurz darauf konnte ich Flammen im Herzen des Hauses sehen.

Es begann, in dichten, schweren, lautlosen Flocken zu schneien. Innerhalb einer halben Stunde waren der Boden, die Bäume und das Gebüsch weiß gepudert. Die Flammen leuchteten rot und golden und spiegelten sich sanft

Ich dachte an Duncan und Jocasta, die in Kanada in Sicherheit waren, von ihren Verwandten willkommen geheißen. Wohin würden die Bugs gehen – zurück nach Schottland? Einen Moment lang sehnte ich mich danach, auch zu gehen. Fort von Verlust und Trostlosigkeit. Heim.

Doch da fiel es mir wieder ein.

»So lange noch hundert von uns am Leben sind…«, zitierte ich.

Jamie legte den Kopf kurz an den meinen, hob ihn und wandte sich mir zu, um mich anzusehen.

»Und wenn du zum Bett eines Kranken gehst, Sassenach – zu einem Verletzten oder einer Geburt –, wie kommt es, dass du selbst dann aus dem Bett aufstehst, wenn du zu Tode erschöpft bist, und dich allein im Dunklen auf den Weg machst? Warum wartest du nie, warum sagst du niemals nein? Warum lässt du es nie sein, auch wenn du weißt, dass ein Fall hoffnungslos ist?«

»Ich kann es nicht.« Ich hielt den Blick auf die Ruine des Hauses gerichtet, dessen Asche vor meinen Augen erkaltete. Ich wusste, was er meinte, die unangenehme Wahrheit, die er von mir hören wollte – doch zwischen uns konnte es nur die Wahrheit geben, und sie musste ausgesprochen werden. »Ich kann nicht… kann mir *nicht*… eingestehen…, dass es eine andere Möglichkeit gibt, als zu gewinnen.«

Er nahm mein Kinn in die Hand und hob mein Gesicht, so dass ich ihn ansehen musste. Sein Gesicht war mitgenommen von der Müdigkeit, die Falten um Augen und Mund tief eingegraben, doch die Augen selbst waren klar, kühl und unauslotbar wie das Wasser einer verborgenen Quelle.

»Ich auch nicht«, sagte er.

»Ich weiß.«

»Immerhin kannst du mir den Sieg versprechen«, sagte er, doch es lag der Hauch einer Frage in seiner Stimme.

»Ja«, sagte ich und berührte sein Gesicht. Meine Stimme klang erstickt, und es verschwamm mir vor den Augen. »Ja, das kann ich dir versprechen. Diesmal.« Keine Erwähnung dessen, was dieses Versprechen nicht enthielt, dessen, was ich nicht garantieren konnte. Weder Überleben noch Sicherheit. Weder Heim noch Familie; weder Gesetz noch Erbe. Nur das eine – oder vielleicht noch etwas.

»Den Sieg«, sagte ich. »Und dass ich bei dir bleibe bis ans Ende.«

Er schloss einen Moment die Augen. Schneeflocken rieselten auf ihn hinunter und schmolzen, sobald sie in seinem Gesicht landeten, blieben eine Sekunde weiß an seinen Wimpern kleben. Dann öffnete er die Augen wieder.

»Das ist genug«, sagte er leise. »Um mehr bitte ich gar nicht.«

Dann streckte er die Hände aus, nahm mich in die Arme und hielt mich einen Moment dicht an sich gedrückt, während uns der Hauch von Schnee und Asche kalt umwehte. Dann küsste er mich, ließ mich los, und ich holte tief Luft, kalt und rau und voller Brandgeruch. Ich strich mir eine Ascheflocke vom Arm.

»Na schön … gut. Wunderbar. Äh …« Ich zögerte. »Was schlägst du als Nächstes vor?«

Er stand mit zusammengekniffenen Augen da und betrachtete die verkohlten Ruinen, dann zog er die Schultern hoch und ließ sie wieder sinken.

»Ich glaube«, sagte er langsam, »wir fahren nach –« Plötzlich hielt er inne und runzelte die Stirn. »Was in Gottes Namen …?«

An der Seite des Hauses bewegte sich etwas. Ich blinzelte die Schneeflocken beiseite und stellte mich auf die Zehenspitzen, um besser sehen zu können.

»Oh, das ist doch nicht *möglich!*«, sagte ich, doch es war so. Unter großem Gewühl im Schnee und Schmutz und im verkohlten Holz schob sich die weiße Sau ans Tageslicht. Als sie ganz im Freien stand, schüttelte sie ihre massigen Schultern, zuckte gereizt mit ihrer rosa Schnauze und marschierte zielsicher auf den Wald zu. In der nächsten Minute kam auf dieselbe Weise eine kleinere Version hervor – und noch eine und noch eine … und acht halb ausgewachsene Ferkel, teils weiß, teils gefleckt und eines so schwarz wie die Balken des Hauses, trotteten im Gänsemarsch davon und folgten ihrer Mutter.

»Schottland lebt«, sagte ich noch einmal und kicherte hemmungslos. »Äh – wohin, sagtest du, fahren wir?«

»Nach Schottland«, sagte er, als läge das auf der Hand. »Um meine Druckerpresse zu holen.«

Sein Blick war immer noch auf das Haus gerichtet, doch seine Augen hefteten sich auf etwas jenseits der Asche, weit jenseits dieser Stunde. Tief im Wald rief eine Eule, aufgeschreckt aus ihrem Schlaf. Eine Weile blieb er noch wortlos stehen, dann schüttelte er seine Erinnerung ab und lächelte mich an. In seinen Haaren schmolz der Schnee.

»Und dann«, sagte er einfach, »kommen wir zurück und kämpfen.«

Er nahm meine Hand, kehrte dem Haus den Rücken und wandte sich der Scheune zu, wo die Pferde geduldig in der Kälte warteten.

ENDE

EPILOG I: Lallybroch

Der Strahl der kleinen Taschenlampe wanderte langsam über den schweren Eichenbalken, hielt bei einem verdächtigen Loch inne, dann wanderte er weiter. Der untersetzte Mann hatte das Gesicht in gewissenhafter Konzentration gerunzelt und spitzte die Lippen wie ein Mensch, der gerade eine unangenehme Überraschung erlebt.

Brianna stand neben ihm und blickte in die schattigen Winkel der Decke im Eingangsflur hinauf. Ihre Stirn lag in ähnlichen Falten der Konzentration. Sie würde Holzwurm- oder Termitenbefall höchstens dann erkennen, wenn ihr tatsächlich ein Deckenbalken auf den Kopf fiele, dachte sie, doch es kam ihr höflich vor, so zu tun, als hörte sie zu.

Tatsächlich jedoch galt ihre Aufmerksamkeit nur zur Hälfte den Bemerkungen, die der untersetzte Mann seiner Gehilfin zumurmelte, einer kleinen jungen Frau, die einen viel zu großen Overall trug und pinkfarbene Strähnen in den Haaren hatte. Die andere Hälfte war auf den Lärm in der ersten Etage gerichtet, wo die Kinder eigentlich zwischen den Umzugskisten Versteck spielen sollten. Fiona hatte ihre Monsterbrut mitgebracht und die drei dann ganz geschickt hier gelassen, um irgendetwas zu erledigen. Sie hatte versprochen, zur Teezeit zurück zu sein.

Brianna sah auf ihre Armbanduhr, immer noch überrascht, sie dort zu finden. Wenn sie Blutvergießen vermeiden konnten, bis –

Sie verzog das Gesicht, als über ihr ein durchdringender Schrei erscholl. Die weniger abgehärtete Gehilfin des Handwerkers ließ mit einem Aufschrei ihr Klemmbrett fallen.

»MAMA!« Jem, in Plauderstimmung.

»WAS?«, brüllte sie als Antwort. »Ich habe zu TUN!«

»Aber Mama! Mandy hat mich gehauen!«, erscholl der entrüstete Bericht am Kopf der Treppe. Als sie hochsah, konnte sie seinen Scheitel erkennen, der vom Licht des Fensters beschienen wurde.

»Wirklich? Dann –«

»Mit einem *Stock*!«

»Was denn für ein –«

»Mit *Absicht*!«

»Also, ich glaube nicht –«

»UND...«, eine Pause vor der vernichtenden Anklage, »SIE HAT SICH NICHT ENTSCHULDIGT!«

Der Handwerker und seine Gehilfin hatten ihre Holzwurmsuche aufgegeben und lieber diese fesselnde Erzählung verfolgt. Jetzt hatten sie beide die Blicke auf Brianna gerichtet, von der sie zweifellos eine salomonische Entscheidung erwarteten.

Brianna schloss kurz die Augen.

»MANDY«, rief sie. »Entschuldige dich!«

»Willnich!«, erklang oben die schrille Weigerung.

»Aye, das tust du wohl!«, erklang Jems Stimme, gefolgt von Gerangel. Brianna hielt mit finsterer Miene auf die Treppe zu. Gerade als sie den Fuß auf die erste Stufe setzte, stieß Jem einen durchdringenden Schrei aus.

»Sie hat mich GEBISSEN!«

»Jeremiah MacKenzie, *wage* es nicht, zurückzubeißen!«, rief sie. »Hört sofort auf damit, alle beide!«

Jem steckte seinen zerzausten Kopf durch das Geländer. Ihm standen die Haare zu Berge. Er trug hellblauen Lidschatten, und jemand hatte ihm mit rosa Lippenstift einen Mund von einem Ohr zum anderen gezogen.

»Sie ist ein dreistes kleines Ding«, informierte er die faszinierten Zuschauer im unteren Stockwerk grimmig. »Das hat mein Opa gesagt.«

Brianna wusste nicht, ob sie lachen, weinen oder laut losschreien sollte, doch mit einer hastigen Geste in Richtung des Handwerkers und seiner Gehilfin rannte sie die Treppe hinauf, um für Ordnung zu sorgen.

Dies dauerte sehr viel länger als erwartet, weil sie dabei feststellte, dass Fionas Mädchen, die während der jüngsten Zankerei so auffallend still gewesen waren, deshalb so still gewesen waren, weil sie – nachdem sie Jem, Mandy und sich selbst verziert hatten – jetzt damit beschäftigt waren, mit Briannas neuem Make-up Gesichter an die Badezimmerwände zu malen.

Als sie eine Viertelstunde später wieder nach unten kam, fand sie den Handwerker friedlich auf einem umgekippten Kohleeimer, wo er Pause machte, während seine Gehilfin mit offenem Mund durch den Eingangsflur wanderte, ein angebissenes Brötchen in der Hand.

»Sind das alles Ihre Kinder?«, fragte sie Brianna mit einem mitfühlenden Zucken ihrer gepiercten Augenbraue.

»Nein, zum Glück nicht. Sieht hier unten denn alles gut aus?«

»Bisschen feucht«, sagte der Handwerker gut gelaunt. »Das war bei so einem alten Haus aber zu erwarten. Von wann ist es denn, wissen Sie das?«

»1721, du Schlaukopf«, sagte seine Gehilfin, die sich den verächtlichen Ton anscheinend erlauben durfte. »Hast du beim Hereinkommen nicht gesehen, dass es auf dem Türsturz steht?«

»Nein, wirklich?« Neugier regte sich in der Miene des Handwerkers, aber nicht genug, um aufzustehen und sich selbst zu überzeugen. »Es wird aber ein Vermögen kosten, das hier wieder hinzukriegen, oder?« Er deutete zur Wand, wo eines der Eichenpaneele durch Tritte und Säbelhiebe beschädigt war, gekreuzte Schlitzspuren, die zwar im Lauf der Jahre dunkler geworden, aber deutlich zu erkennen waren.

»Nein, daran ändern wir nichts«, sagte Brianna, die einen Kloß in der Kehle hatte. »Das ist kurz nach '45 passiert. Es bleibt, wie es ist.« *Wir lassen es so*, hatte ihr Onkel zu ihr gesagt, *damit wir immer daran denken, was für Menschen die Engländer sind.*

»Oh, historisch. Dann haben Sie Recht«, sagte der Handwerker und nickte wissend. »Amerikaner interessieren sich oft nicht so sehr für Geschichte, oder? Wollen allen möglichen Schnickschnack, Elektroherde, automatischen Kram. Zentralheizung!«

»Ich bin mit Toiletten zufrieden, die vernünftig spülen«, beruhigte sie ihn. »Und mit warmem Wasser. Apropos, könnten Sie gleichzeitig einen Blick auf den Boiler werfen? Er steht in einem Schuppen im Garten, und er ist mindestens fünfzig Jahre alt. Und den Durchlauferhitzer oben im Bad wollen wir ebenfalls austauschen.«

»Oh, aye.« Der Handwerker strich sich die Krümel vom Hemd, schraubte seine Thermosflasche zu und erhob sich umständlich. »Dann sehen wir uns das mal an, Angie.«

Brianna verharrte argwöhnisch am Fuß der Treppe und lauschte auf Streitgeräusche, bevor sie ihm folgte, doch oben war alles in Ordnung; sie konnte Bauklötze klappern hören, die offenbar an die Wand geworfen wurden, aber kein Wutgeschrei. Als sie sich umwandte, um dem Handwerker zu folgen, sah sie, wie er vor dem Türsturz stehen blieb.

»'45, was? Hast du dir schon einmal vorgestellt, wie es wäre?«, sagte er gerade. »Wenn *Bonnie Prince Charlie* gewonnen hätte, meine ich.«

»Oh, davon träumst du bloß, Stan! Er hatte doch keine Chance, dieses Weichei aus Italien.«

»Na, na, er hätte es bestimmt geschafft, wenn die verflixten Campbells nicht gewesen wären. Verräter, aye? Bis zum letzten Mann. Und die Frauen auch«, fügte er lachend hinzu – woraus Brianna schloss, dass der Nachname seiner Gehilfin wahrscheinlich Campbell war.

Sie gingen weiter zum Schuppen, und ihr Streit wurde hitziger, doch Brianna blieb stehen, weil sie ihnen erst folgen wollte, wenn sie sich wieder im Griff hatte.

O Gott, betete sie inbrünstig, *o Gott – lass sie in Sicherheit sein! Bitte, bitte, lass sie in Sicherheit sein.* Es spielte keine Rolle, wie lächerlich es war, für die Sicherheit von Menschen zu beten, die seit zweihundert Jahren tot waren – tot sein mussten. Es war das Einzige, was sie tun konnte, und sie tat es täglich mehrere Male, jedes Mal, wenn sie an sie dachte. Öfter noch, jetzt, da sie nach Lallybroch gezogen waren.

Sie drängte die Tränen zurück und sah Rogers Mini Cooper über die gewundene Zufahrt kommen. Auf dem Rücksitz stapelten sich Kartons; er war endlich dabei, die letzten Reste des Sammelsuriums in der Garage des

Reverend auszuräumen und das zu retten, was möglicherweise für irgendjemanden noch Wert hatte – also einen bestürzend hohen Anteil des Garageninhalts.

»Gerade noch rechtzeitig«, sagte sie etwas zittrig, als er lächelnd den Weg entlang kam, einen großen Karton unter dem Arm. Mit seinen kurzen Haaren fand sie ihn immer noch ungewohnt. »Noch zehn Minuten länger, und ich hätte mit Sicherheit jemanden umgebracht. Als Erstes wahrscheinlich Fiona.«

»Oh, aye?« Er beugte sich vor und küsste sie mit großer Leidenschaft, was darauf hindeutete, dass er ihr wahrscheinlich nicht zugehört hatte. »Ich habe hier etwas.«

»Das sehe ich. Was –?«

»Woher soll ich das wissen.«

Die Kiste, die er jetzt auf den antiken Esstisch stellte, war ebenfalls aus Holz; eine schöne Ahorntruhe, von den Jahren, durch Ruß und durch Anfassen abgenutzt, doch ihre Machart war für das geübte Auge gut zu erkennen. Sie war kunstvoll hergestellt, die Anschlüsse ordentlich vernutet, mit einem Deckel, der zur Seite glitt – der allerdings irgendwann mit einem dicken Tropfen einer Masse versiegelt worden war, die aussah wie geschmolzenes Bienenwachs, das vom Alter schwarz geworden war.

Das Auffälligste daran war jedoch der Deckel. Es war ein Name in das Holz gebrannt: Jeremiah Alexander Ian Fraser MacKenzie.

Sie spürte, wie sich bei diesem Anblick ihr Bauch verkrampfte, und sah zu Roger auf, der irgendein Gefühl angespannt unterdrückte; sie konnte spüren, wie es in ihm vibrierte.

Roger schüttelte den Kopf und zog einen schmutzigen Briefumschlag aus seiner Tasche.

»Das war dabei, mit Klebeband an der Seite befestigt. Es ist die Handschrift des Reverend, eine dieser kleinen Notizen, die er manchmal geschrieben hat, um vorsichtshalber klarzustellen, welche Bedeutung ein Gegenstand hat. Aber ich kann nicht behaupten, dass es irgendetwas erklärt.«

Die Notiz war kurz und besagte lediglich, dass die Truhe aus einem ehemaligen Bankhaus in Edinburgh stammte. Zusammen mit der Truhe war die Instruktion gelagert gewesen, dass sie nur von der Person geöffnet werden durfte, mit deren Namen sie beschriftet war. Das Original dieser Instruktion war nicht erhalten, doch die Person, von der er die Truhe hatte, hatte sie ihm mündlich mitgeteilt.

»Und wer war das?«

»Keine Ahnung. Hast du ein Messer dabei?«

»Habe ich ein Messer dabei«, brummte sie und grub in ihrer Jeanstasche herum. »Habe ich jemals *kein* Messer dabei?«

»Das war eine rhetorische Frage«, erklärte er. Er küsste ihre Hand und nahm das leuchtend rote Schweizer Armeemesser, das sie ihm hinhielt.

Das Bienenwachs zersplitterte und löste sich problemlos; der Deckel der Truhe dagegen war nach so vielen Jahren nicht zum Nachgeben bereit. Sie mussten beide mithelfen – der eine hielt die Truhe fest, der andere zog und zerrte an ihrem Deckel –, doch schließlich bewegte er sich mit einem leisen Quietschen.

Der Hauch eines Dufts schwebte hinaus; irgendetwas Undefinierbares, das jedoch von einer Pflanze stammte.

»Mama«, sagte sie unwillkürlich. Roger sah sie erschrocken an, doch sie drängte ihn mit einer Geste, fortzufahren. Er griff vorsichtig in die Truhe und holte ihren Inhalt heraus: einen Stapel Briefe, die zusammengefaltet und mit Wachs versiegelt waren, zwei Bücher – und eine kleine Schlange aus Kirschholz, die vom langen Gebrauch glänzend poliert war.

Sie stieß ein leises, unartikuliertes Geräusch aus und packte den ersten Brief, den sie so fest an ihre Brust drückte, dass das Papier knisterte und das Wachssiegel zersprang und abfiel. Das dicke, weiche Papier, dessen Fasern schwach mit etwas gefleckt waren, das einmal Blumen gewesen waren.

Tränen liefen ihr über das Gesicht, und Roger sagte etwas, aber sie achtete nicht auf seine Worte. Die Kinder veranstalteten oben einen Aufruhr, die Handwerker diskutierten draußen immer noch – doch das Einzige auf der ganzen Welt, wofür sie sich interessierte, waren die verblichenen Worte auf dem Blatt, mühsam geschrieben mit krakeliger Hand.

31. Dezember 1776

Meine liebe Tochter,

wie du sehen wirst, wenn dich dies je erreicht – wir leben noch …

EPILOG II: Der Teufel im Detail

»Was ist denn das?« Amos Crupp blinzelte die Seite an, die fertig gesetzt auf dem Bett der Druckerpresse lag, und las sie mit der Übung langjähriger Erfahrung spiegelverkehrt.

»*Mit Trauer nehmen wir die Nachricht vom Tod...* Woher kommt das denn?«

»Ein Abonnent hat es eingereicht«, sagte Sampson, sein neuer Geselle, achselzuckend und trug Druckerschwärze auf die Platte auf. »Ich dachte, es macht sich ganz gut als Füllsel; General Washingtons Ansprache an die Truppen läuft nicht bis ganz unten.«

»Hm. Kann sein. Es ist aber doch schon Schnee von gestern«, sagte Crupp mit einem Blick auf das Datum. »Januar?«

»Nun ja, nein«, gab der Geselle zu und drückte auf den Hebel, der die Seite auf die geschwärzte Platte senkte. Die Presse sprang wieder hoch, die Buchstaben erschienen schwarz und feucht auf dem Papier, und er hob den Bogen mit flinken Fingern heraus, um ihn zum Trocknen aufzuhängen. »Auf der Notiz war es Dezember. Aber ich hatte die Seite in Zwölf-Punkt-Baskerville gesetzt, und in dieser Type fehlen die Abkürzungen für November und Dezember. Nicht genug Platz, um es auszubuchstabieren, und zu mühsam, die ganze Seite neu zu setzen.«

»Das stimmt«, sagte Amos, der das Interesse an der Angelegenheit verlor, während er jetzt die letzten Absätze von Washingtons Rede studierte. »Ist auch nicht so wichtig. Tot sind sie doch sowieso alle, oder nicht?«

DANKSAGUNG

Meinen ENORMEN Dank an …

Meine beiden wunderbaren Lektoren Jackie Cantor und Bill Massey für ihren Tiefblick, ihre Unterstützung, ihre hilfreichen Anmerkungen (»*Was ist mit Marsali?*«), ihre lebhaften Reaktionen (»*Iiiih!*«) und dafür, dass sie mich (positiv, wie ich schnell hinzufügen möchte) mit Charles Dickens verglichen haben.

Meine hervorragenden und bewundernswerten literarischen Agenten Russell Galen und Danny Baror, die sich so sehr dafür einsetzen, die Welt auf diese Bücher aufmerksam zu machen – und meinen Kindern das College zu finanzieren.

Bill McCrea, den Kurator des *North Carolina Museum of History*, und sein Personal für die Karten, die Kurzbiographien, die allgemeinen Informationen und das köstliche Frühstück im Museum. Die Käsepfanne war toll!

Das Personal des Besucherzentrums am Schlachtfeld von Moore's Creek für das offene Ohr und kiloweise interessante, neue Bücher – vor allem so packende Werke wie die *Musterrolle der Patrioten in der Schlacht an der Brücke am Moore's Creek* und die *Musterrolle der Loyalisten in der Schlacht an der Brücke am Moore's Creek* – und für die Erklärung, was ein Eissturm ist, weil sie gerade einen hatten. Bei mir in Arizona gibt es keine Eisstürme.

Linda Grimes, weil sie mit mir gewettet hat, dass ich es nicht schaffe, eine interessante Szene über das Popeln in der Nase zu schreiben. An diesem Kapitel ist ganz allein sie schuld.

Die Ehrfurcht erregende und übermenschliche Barbara Schnell, die das Buch ins Deutsche übersetzt hat, während ich es geschrieben habe, und sich quasi ein Kopf-an-Kopf-Rennen mit mir geliefert hat, um es rechtzeitig zum deutschen Erscheinungstermin fertig zu bekommen.

Silvia Kuttny-Walser und Petra Zimmermann, die Himmel und Hölle in Bewegung gesetzt haben, um die Weltpremiere in Deutschland zu ermöglichen.

Dr. Amarillis Iscold für einen wahren Schatz an Details und Ratschlägen zu den medizinischen Szenen – und dafür, dass sie dann und wann vor Lachen am Boden gelegen hat. Jegliche Freiheiten oder Fehler gehen allein auf mein Konto.

Dr. Doug Hamilton für seine Expertenauskunft zum Thema Zahnheilkunde und darüber, was sich mit einer Zange, einer Flasche Whisky und einer Pferde-Gebissfeile ausrichten lässt und was nicht.

Dr. David Blacklidge für seine hilfreichen Hinweise zur Herstellung und Anwendung von Äther sowie zu seinen Gefahren.

Dr. William Reed und Dr. Amy Silverthorn, die dafür gesorgt haben, dass ich in der Pollensaison weiteratmen konnte, um dieses Buch zu beenden.

Laura Bailey für ihre kundigen Kommentare – mit Illustrationen – zur Kleidung im achtzehnten Jahrhundert und vor allem für den hilfreichen Vorschlag, doch einmal jemanden mit einer Korsettstange zu erstechen.

Christiane Schreiter, deren Spürnase wir (zusammen mit der Hilfsbereitschaft der Braunschweiger Stadtbibliothekare) die deutsche Fassung von Paul Reveres Ritt verdanken.

Reverend Jay McMillan für einen wahren Schatz an faszinierendem und nützlichem Wissen über die Presbyterianerkirche in Kolonialamerika – und Becky Morgan, die mich Reverend Jay vorgestellt hat, sowie Amy Jones für ihre Auskünfte zur presbyterianischen Doktrin.

Rafe Steinberg für seine Auskünfte über Zeiten, Gezeiten und allgemeines Seefahrerwissen – vor allem die nützliche Information, dass sich die Gezeiten alle zwölf Stunden wenden. Jegliche Fehler in dieser Hinsicht gehen definitiv auf mein Konto. Und wenn die Flut am 10. Juli 1776 nicht um fünf Uhr morgens eingesetzt hat, will ich nichts davon hören.

Meine Assistentin Susan Butler, die sich ebenso kompetent wie pünktlich mit zehn Millionen Post-Its herumgeschlagen und drei Kopien eines 2500-Seiten-Manuskripts angefertigt hat, um sie dann durch die halbe Weltgeschichte zu schicken.

Die unermüdliche und fleißige Kathy Lord, die dieses Manuskript in einem unmöglichen Zeitrahmen komplett redigiert hat und dabei weder blind geworden ist noch den Humor verloren hat.

Virginia Norey, die Göttin des Buchdesigns, die es einmal mehr geschafft hat, Das Ganze Teil zwischen zwei Buchdeckel zu quetschen und es nicht nur lesbar, sondern auch elegant zu gestalten.

Stephen Lopata für seine unschätzbaren technischen Auskünfte über Explosionen und Brandstiftung.

Arnold Wagner, Lisa Harrison, Kateri von Huystee, Luz, Suzann Shepherd und Jo Bourne für ihre Auskünfte darüber, wie man Pigmente mahlt und Farbe aufbewahrt sowie weitere pittoreske Details, wie zum Beispiel, dass man »Ägyptisches Braun« aus zerstampften Mumien herstellt. Mir ist keine Möglichkeit eingefallen, dies in das Buch einzubauen, aber es war zu schön, um es für mich zu behalten.

Karen Watson für das unvergessliche Zitat ihres Exschwagers bezüglich der Empfindungen eines Hämorrhoiden-Geplagten.

Pamela Patchet für ihre treffende und inspirierende Beschreibung, wie es ist, sich einen Fünf-Zentimeter-Splitter unter den Fingernagel zu rammen.

Margaret Campbell für das bildschöne Exemplar von *Piedmont Plantation*.

Janet McConnaughey, die Jamie und Brianna vor ihrem inneren Auge Brag spielen sehen konnte.

Marte Brengle, Julie Kentner, Joanne Cutting, Carol Spradling, Beth Shope, Cindy R., Kathy Burdette, Sherry und Kathleen Eschenburg für Hilfreiches und Amüsantes zum Thema trostlose Kirchenlieder.

Lauri Klobas, Becky Morgan, Lina Allen, Nicky Rowe und Lori Benton für Wissenswertes über die Herstellung von Papier.

Kim Laird, Joel Altman, Cara Stockton, Carol Isler, Jo Murphy, Elise Skidmore, Ron Kenner und viele, viele (viele viele) andere Mitglieder des Literaturforums bei CompuServe, das jetzt *Books and Writers Community* heißt (*http://community.compuserve.com/books*), aber immer noch dieselbe Ansammlung eklektischer Exzentrik, dieselbe Fundgrube der Belesenheit und dieselbe Quelle wirklich abgefahrener Fakten ist, für die Links, Fakten und Artikel, die sie beigesteuert haben, weil sie vermuteten, dass ich sie hilfreich finden könnte. Das tue ich in der Tat.

Christ Stuart und Backcountry, die mir ihre wunderschönen CDs *Saints and Strangers* und *Dry Mohave River* geschenkt haben und zu deren Musik ich einen guten Teil dieses Buchs geschrieben habe.

Ewan MacColl, dessen Version von »Eppie Morrie« mich zu Kapitel 85 inspiriert hat. Gabi Eleby für die Socken, die Plätzchen und die moralische Unterstützung – und die *Ladies of Lallybroch* für ihre grenzenlose Unterstützung, die sich in Form von Lebensmittelpaketen und Karten manifestiert hat, dazu Unmengen sowohl käuflicher als auch handgemachter Seife (»Jack Randall Lavendel« war ganz nett, und »Breath of Snow« hat mir sehr gefallen. Aber »Schleck Jamie von oben bis unten ab« war so süß, dass mein Hund sie gefressen hat.)

Bev LaFrance, Carol Krenz, Gilbert Sureau, Laura Bradbury, Julianne, Julie und eine Reihe anderer lieber Menschen, deren Namen ich mir unglücklicherweise nicht aufgeschrieben habe, für ihre Hilfe bei den französischen Ausdrücken.

Joyce McGowan, die mein WordPerfect aus den Klauen von Windows gerettet hat.

Monika Berrisch, die es mir gestattet hat, mir ihre Person anzueignen.

Und meinen Mann Doug Watkins, von dem ich diesmal die ersten Zeilen des Prologs habe.